개정판 머리말

우리가 엮은 '초등학교 민중 으뜸국어사전'은 어린이 여러분이 우리말을 바르게 쓰고 말할 수 있도록 낱말의 뜻을 풀이해서 모은 책입니다. 늘 곁에 두고 잘 모르는 말이 나오면 그때그때 찾아볼 수 있게 만든 어린이 여러분의 우리말 도우미 책입니다.

사전을 사용하려면 먼저 찾으려는 낱말이 어디에 들어 있는지를 알아야 합니다. 국어사전은 낱말을 기역니은순으로 차례대로 실어 찾아보기 쉽게 만들었습니다. 모든 국어사전이 같은 순서로 낱말을 싣고 있기 때문에 한 번만 잘 익히면 누구나 쉽게 모르는 낱말을 찾을 수 있습니다.

사전에는 낱말의 뜻풀이뿐만 아니라 우리말을 바르게 쓰고 말하는 데 필요한 여러 가지 정보가 실려 있습니다. '일러두기'에 이런 정보에 대한 안내와 함께 이 사전에서 사용한 기호와 약어에 대해서 설명하였습니다. 사전을 보다가 잘 모르는 부분이 있으면 '일러두기'를 찾아보세요.

"글이 글을 낳는다. 좋은 글이 좋은 글을 낳는다."라는 말이 있습니다. 어린이 여러분, 말이 조금 어렵지요? 선생님이 되려면 먼저 학생이 되어서 배워야 하는 것처럼, 바른 글을 쓰려면 다른 사람들이 쓴 좋은 글을 많이 읽어야 한다는 뜻이랍니다. 글을 읽을 때나 쓸 때 이 사전이 여러분의 우리말 길잡이가 되고 정다운 벗이 되기를 바랍니다.

사전을 이용하다가 궁금한 점이나 이렇게 고치면 더 나은 사전이 될텐데 하는 의견이 있으면 언제든지 우리에게 알려 주세요. 여러분의 의견을 귀 기울여 잘 들었다가, 부족한 부분을 다듬고 매만져서 더욱 알찬 사전을 만들어 보답하겠습니다.

2007년 1월 10일

민중서림 편집국

일러두기

이 사전은 이미 나와 있는 '으뜸국어사전'을 새롭게 엮은 초등학교 학생들의 학습용 국어사전이다.

우리는 이 사전을 다시 엮으면서

1. 초등학교 전 학년 교과서에 나오는 낱말들을 중심으로 그 밖의 낱말들도 폭넓게 보태어, 초등학생들의 국어 학습에 부족함이 없도록 올림말을 가려 뽑는 데 많은 주의를 기울였다.
2. 예문을 풍부히 실어 낱말의 이해를 돕고 말의 실제적인 쓰임새를 알기 쉽게 하였다.
3. 450여 개의 삽화를 넣어 뜻풀이의 이해를 도왔으며, 표준어·문법·어법 등 국어 학습에 필요한 중요한 사항들은 따로 테를 두른 주의, 참고, [학습마당] 등으로 엮어 자세히 설명하였다.
4. 부록으로 우리말 바로 쓰기, 속담 풀이, 기초 한자 사전, 한자의 필순, 표준어 모음, 세계 각 나라 이름과 수도 이름, 문장 부호 등을 실었다.

❶ 올림말의 선택

1. 초등학교 교과서에 나오는 낱말들과 학생들이 일상생활에서 쓰는 낱말 및 중학교에 올라가서 배우는 낱말들을 두루 거두어 실었다.
2. 낱말들 외에 '직각 삼각형'처럼 두 낱말 이상으로 이루어진 용어, 조사와 어미 들도 올림말로 올렸다.
3. 교과서에 나오는 국명·지명·인명·역사적 사건 등을 간추려 실었다.

❷ 올림말

1. 올림말은 고딕체를 사용하여 본문과 구별하였다.
2. '아름답고, 아름다운, 아름다워서, 아름다웠다'의 경우처럼 말 끝이 변하여 쓰이는 낱말은 '아름답다'처럼 그 으뜸꼴을 올림말로 실었다.
3. 말 끝에 '—하다', '—되다', '—히', '—이', '—거리다', '—스럽다' 따위가 붙어 쓰이는 말들은 올림말의 풀이 뒤에 그 꼴을 보였다.

   보기 ***가득** 풀이……. **—하다. —히.**

   번쩍² 풀이……. **—하다. —거리다.**

   수:고 풀이……. **—하다. —스럽다.**
4. 우리말의 기본 어휘 약 3,000어에 '*' 표를 하였다.

   보기 ***알:다** 풀이…….
5. 모든 한자어와 외래어는 올림말 뒤에 그 원말인 한자나 로마자를

( ) 안에 보였다.

보기 ***내일** (來日) 풀이 …….
***텔레비전** (television) 풀이 …….

❸ 올림말의 배열

1. 올림말은 '한글 맞춤법'의 규정(제 4 항)에 따라 첫소리(닿소리)와 가운뎃소리(홀소리), 끝소리(받침)의 차례로 벌여 놓았다.
   (1) **첫소리의 차례**
   ㄱ ㄲ ㄴ ㄷ ㄸ ㄹ ㅁ ㅂ ㅃ ㅅ ㅆ ㅇ ㅈ ㅉ ㅊ ㅋ ㅌ ㅍ ㅎ
   (2) **가운뎃소리의 차례**
   ㅏ ㅐ ㅑ ㅒ ㅓ ㅔ ㅕ ㅖ ㅗ ㅘ ㅙ ㅚ ㅛ ㅜ ㅝ ㅞ ㅟ ㅠ ㅡ ㅢ ㅣ
   (3) **끝소리의 차례**
   ㄱ ㄲ ㄳ ㄴ ㄵ ㄶ ㄷ ㄹ ㄺ ㄻ ㄼ ㄽ ㄾ ㄿ ㅀ ㅁ ㅂ ㅄ ㅅ ㅆ
   ㅇ ㅈ ㅊ ㅋ ㅌ ㅍ ㅎ
2. 글자는 같으나 뜻이 다른 말은 올림말의 오른쪽 위에 어깨번호를 붙여 구별하였다.
   보기 ***차다**^{2} 풀이 …….

❹ 올림말의 풀이

1. 낱말의 뜻은 쉬운 말로 풀이하였으며, 뜻을 바로 이해할 수 있고 실제의 국어 생활에 도움이 되도록 예문을 많이 실었다.
2. 낱말의 뜻이 여럿일 때에는 일반적인 뜻부터 **1**, **2**, **3**, ……의 번호를 붙여 풀이하였다.
3. 낱말의 뜻을 더욱 분명하고 정확하게 이해할 수 있도록 비슷한말, 반대말, 본딧말, 준말, 큰말, 작은말, 여린말, 센말, 거센말, 높임말, 낮춤말 등을 알맞은 곳에 실었다.
4. 낱말의 뜻을 이해하는 데 도움이 되도록 그 낱말의 제한된 성격이나 간단한 쓰임새 등을 풀이하는 말의 끝에 참고 로 표시하여 보였다.
   보기 **막다르다** 풀이……. 참고 주로 '막다른'의 꼴로 쓰임.
5. 낱말이 쓰일 때 말 끝이 변하여 쓰이는 말은 그 변하는 꼴의 대표적인 형태를 올림말의 풀이 끝에 보였다.
   보기 ***알:다** 풀이……. 활용 알아 / 아니 / 아는.
   ***묻:다**^{3} 풀이……. 활용 물어 / 물으니 / 묻는.
   ***줍:다** 풀이……. 활용 주워 / 주우니.
   ***짓:다** 풀이……. 활용 지어 / 지으니 / 짓는.
   ***흐르다** 풀이……. 활용 흘러 / 흐르니.
   ***푸르다** 풀이……. 활용 푸르러 / 푸르니.
   ***빨:갛다** 풀이……. 활용 빨가니 / 빨개서.
6. 초등학교 기본 영어 단어를 풀이 끝에 보였다.

보기 *오늘 풀이……. ➡ today

5 바르게 읽기

1. 올림말의 발음 표시는 1988년 문교부가 제정 고시한 '표준어 규정'의 표준 발음법에 따랐다.
2. 올림말이 그 표기와 다르게 발음되는 것은 올림말 다음의 [ ] 안에 바르게 읽는 소리를 보였다.

보기 ***옷** [옫] ***값** [갑]
***눈금** [눈끔] **꽃잎** [꼰닙]
굳이 [구지] ***신다** [신따]
***무늬** [무니] ***시계[1]** (時計) [— / 시게]

3. 말 끝이 변하여 쓰일 때나 조사가 붙을 때 표기와 다르게 발음되는 것은 풀이 끝에 바르게 읽는 소리를 보였다.

보기 ***흙** [흑] 풀이……. 발음 흙이[흘기] / 흙을[흘글] / 흙으로[흘그로] / 흙과[흑꽈].
***넓다** [널따] 풀이……. 발음 넓고[널꼬] / 넓어서[널버서] / 넓은[널븐] / 넓지[널찌].

4. 때로는 예문에서도 [ ] 속에 바르게 읽는 소리를 보였다.

보기 ***젊:다** [점따] 풀이……. ㉠젊은[절믄] 시절.

5. 길게 소리 나는 소리마디에는 그 오른쪽에 ':' 표를 질렀다.

보기 ***말:[5]** 풀이……. ***세:상** (世上) 풀이…….
***열:다[2]** 풀이……. ***파:랗다** [파라타] 풀이…….

6 속담과 관용구

1. 속담은 뒤에 부록으로 실었다. 이때 뜻이 둘 이상인 경우에는 ㉠㉡…으로 갈라놓았다.

보기 **말 한마디에 천 냥 빚도 갚는다** 말만 잘하면 어려운 일도 해결할 수 있다…….
땅 짚고 헤엄치기 ㉠아주 쉽다는 말. ㉡무슨 일이 의심할 여지없이 확실하다는 말.

2. 관용구는 그 첫머리에 나오는 낱말의 올림말 풀이 뒤에 고딕체로 실었다. 이때 뜻이 둘 이상인 경우에는 ㉠㉡…으로 갈라놓았다.

보기 ***하늘** 풀이…….
하늘을 찌르다 ㉠매우 높이 솟아 있다. ㉡기세가 대단하다.

7 '주의'와 '참고', '학습마당'에 대하여

낱말을 이해하는 데 도움이 되고 국어 공부에 필요한 사항들을 골라 테를 둘러 따로 설명하였다.

주의 글자나 소리가 비슷하여 구별하기 어려운 낱말을 한데 묶어 그 뜻의 차이를 알기 쉽게 설명하였다.

참고 그 낱말과 관련하여 참고로 더 알아 두어야 할 내용들을 보였다.

[학습마당] '한글 맞춤법'(1988. 1. 19.)에 대한 지식, 일상생활과 관련이 깊은 기상 용어, 꽃말, 이십사절기 따위를 실었다.

8 바르게 적기

1. 이 사전의 올림말은 1999년 국립국어원에서 펴낸 '표준국어대사전'에 따라 표기하였다.
2. 이 사전에서 모든 한글 표기는 1988년 문교부가 제정 고시한 '한글 맞춤법'에 따랐다.
3. 외래어의 표기도 역시 1986년 문교부가 제정 고시한 '외래어 표기법'에 따랐다.

9 부록

부록으로 우리말 바로 쓰기, 표준어 모음, 비슷한말, 반대말, 속담 풀이, 한자의 필순, 기초 한자 사전, 세계 각 나라 이름과 수도 이름, 문장 부호 등을 실었다.

10 외래어 약어

그…그리스 어	네…네덜란드 어	독…독일어
라…라틴 어	러…러시아 어	에…에스파냐 어
이…이탈리아 어	일…일본어	중…중국어
포…포르투갈 어	프…프랑스 어	히…히브리 어

11 이 사전에 쓰인 약호·기호

:	긴 소리 표시	본	본딧말
[ ]	바르게 읽기, 연대 표시	준	준말
( )	한자·외래어의 원말	큰	큰말
〔 〕	인명, 지명, 국명, 책	작	작은말
—	원말 표시에서 생략 부분	여	여린말
⇨	풀이가 있는 말 앞에	센	센말
←	외래어에서 원말과 발음이 달라졌을 때	거	거센말
		높	높임말
+	우리말에서 쓰는, 만든 외래어일 때	낮	낮춤말
		×	틀린 말 앞에
/	예문·발음·활용을 나열할 때	*	참고되는 말 앞에
예	예문	*	올림말 기본 단어 앞에
비	같은 말, 비슷한말	➲	기본 영어 단어 앞에
반	맞선 말, 반대말		

ㄱ

ㄱ (기역)　한글 닿소리의 첫째 글자.

가[1]　서양 음계의 칠음 중에 제6음인 ‘라’의 우리말 음이름.

가[2]　받침 없는 말 뒤에 붙어, 그 말을 주어가 되게 하거나, 그것이 다른 것으로 변하여 가거나, 또는 그것이 아님을 나타내는 말. [예]열매가 주렁주렁 달리다 / 소년은 자라서 음악가가 되었다 / 고래는 물고기가 아니다.

*__가:__[3]　**1** 복판에서 바깥쪽으로 향하여 끝이 되는 곳. 또는 그 부근. [예]바닷가. [비]가장자리. 변두리. [반]가운데. 복판. **2** 어떤 것을 중심으로 그 가까운 주변. [예]난롯가.

가:[4] (可)　성적을 매기는 등급의 하나. ‘수·우·미·양·가’ 다섯 등급 가운데 가장 낮은 등급. [예]체육만 가를 받다.

가:- (假)　어떤 말 앞에 붙어 ‘임시적인, 시험적인’ 또는 ‘가짜의, 거짓의’의 뜻을 나타내는 말. [예]가건물 / 가등기.

-가[1] (家)　**1** 그 방면에 전문적인 지식을 갖추고 일하는 사람. [예]소설가 / 건축가. **2** 특히 그 성질을 가진 사람. [예]노력가. **3** 어떤 것을 많이 갖고 있는 사람. [예]장서가.

-가[2] (街)　**1** 도시의 특별한 지역. [예]주택가 / 상점가 / 대학가. **2** 큰 동(洞)이나 거리를 다시 나눌 때 쓰는 말. [예]종로 3가 / 명륜동 1가.

-가[3] (歌)　노래의 이름이나 종류를 나타내는 말. [예]애국가 / 유행가 / 응원가.

-가[4] (價)　어떤 말 뒤에 붙어, ‘값’의 뜻을 나타내는 말. [예]도매가 / 생산가 / 최고가.

가가호호 (家家戶戶)　집집마다. [예]반장은 가가호호 다니며 수재민에게 보낼 구호품을 모았다.

가감 (加減)　**1** 덧셈과 뺄셈. **2** 더하거나 덞. 또는 더하거나 덜어서 알맞게 함. **—하다.**

가감승제 (加減乘除)　더하기·빼기·곱하기·나누기를 아울러 이르는 말.

가갸날　‘한글날’의 처음 이름.

가:건물 (假建物)　임시로 지은 건물. [예]가건물을 짓다.

*__가:게__　물건을 파는 집. [예]반찬 가게 / 가게를 열다 / 가게를 차리다. [비]상점. 점포.　➲ shop, store

가:겟집 [가게찝 / 가겓찝]　가게를 벌이고 장사하는 집. *살림집.

*__가격__ (價格)　물건의 값. [예]도매가격 / 채소 가격이 오르다 / 과일 가격이 싸다.　➲ price

가격표[1] (價格表)　물건들의 값을 쉽게 볼 수 있게 적은 표.

가격표[2] (價格票)　값을 적어 팔 물건에 달아 놓은 쪽지. [예]가격표를 붙이다.

가:결 (可決)　서로 의논하여 옳다고 결정함. [예]안건을 만장일치로 가결하다. [반]부결. **—하다.**

*__가계__[1] (家計) [— / 가게]　집안 살림의 수입과 지출. [예]가계가 쪼들리다 / 가계를 꾸려 나가다. [비] 살림살이. 생계.

가계[2] (家系)　대대로 이어 온 한 집안의 계통. [비]가문.

가계부 (家計簿) [— / 가게부]　집안

살림의 수입과 지출을 적는 장부. (예)가계부를 쓰다.

가곡 (歌曲) 작곡가가 창작한, 서정적인 독창용의 짧은 노래. (예)가곡 전집 / 슈베르트의 가곡 보리수.

가공 (加工) 원료나 반제품에 손을 더 대어 새로운 제품을 만드는 일. (예)식품 가공 / 가공 기술 / 원료를 가공하여 수출하다. **—하다**.

가공 무:역 (加工貿易) 외국에서 원자재나 반제품을 들여와서 가공하여, 다시 수출하는 방식의 무역.

가공식품 (加工食品) 농산물·축산물·수산물 등의 식품을 처리하여 먹기에 편하고 저장하기 쉽게 만든 식품.

가공업 (加工業) 상품으로 만들기 위해 재료를 가공하는 산업. 또는 그런 일. (예)식품 가공업.

가공품 (加工品) 원료나 반제품을 가공하여 만든 제품.

가:공하다 (可恐—) 두려워하거나 놀랄 만하다. (예)가공할 만한 무기들을 생산하다. [참고] 이 말은 '가공할' 로만 쓰임.

가:관 (可觀) **1** 말과 행동이 보기에 흉해 비웃을 만함. (예)으스대는 꼴이 가관이다. **2** 경치 따위가 꽤 볼 만함. (예)경치가 가관이다.

가:교[1] (架橋) **1** 다리를 놓음. (예)가교 공사를 하다. **2** 서로 떨어져 있는 것을 이어 주는 일. (예)사랑의 가교 역할을 하다 / 통일의 가교를 놓다.

가:교[2] (假橋) 임시로 놓은 다리.

가:교[3] (駕轎) 예전에, 임금이 타던 가마. 두 마리의 말이 앞뒤에서 끌고 감.

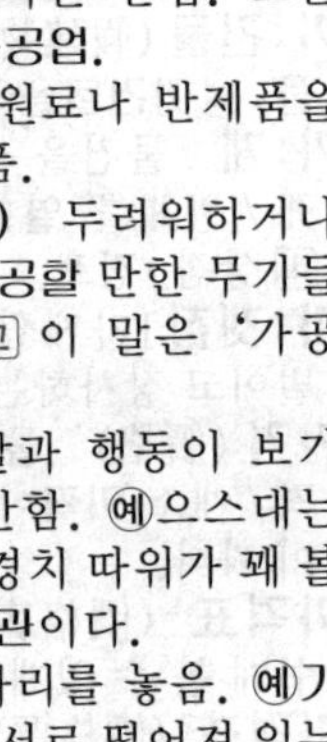

〈가교[3]〉

가구[1] (家口) 살림을 따로 하는 집의 수효. (예)두 가구. [비] 세대[2].

***가구**[2] (家具) 집안 살림에 쓰는 기구. 책상·장롱·의자 따위. (예)목제 가구 / 가구를 들여놓다 / 새 가구를 장만하다. [비] 세간.

가구점 (家具店) 가구를 파는 가게. (예)가구점에서 책상을 사다.

가구주 (家口主) 한 가구의 중심이 되는 사람. [비] 세대주.

가극 (歌劇) 대사의 전부 또는 일부를 노래로 부르며 하는 연극. 오페라. [비] 악극.

가:급적 (可及的) [가급쩍] 될 수 있는 대로. 형편이 닿는 대로. (예)가급적이면 빨리 오너라.

가까스로 간신히. 겨우. (예)가까스로 시험을 통과하다 / 가까스로 위기를 넘기다.

가까워지다 **1** 가깝게 되다. **2** 서로의 사이가 친밀하여지다. (예)그 친구와 나는 요즘 퍽 가까워졌다.

***가까이** 가깝게. 또는 가까운 곳. (예)가까이 다가오다 / 가까이 지내다 / 집 가까이에서 놀다. [반] 멀리.

가까이하다 **1** 친밀하게 사귀다. **2** 무엇을 즐기거나 좋아하다. (예)책을 가까이하다. [반] 멀리하다.

***가깝다** [가깝따] **1** 거리나 동안이 짧다. (예)육지에 가까운 곳 / 집에서 가까운 곳에 학교가 있다. **2** 사이가 친하다. (예)아주 가까운 친구. **3** 촌수가 멀지 않다. (예)가까운 친척. [반] 멀다. [활용] 가까워 / 가까우니. → [학습마당] 1(98 쪽) near

***가꾸다** **1** 식물이 잘 자라도록 손질하고 보살피다. (예)화초를 가꾸다 / 정원을 가꾸다 / 텃밭에 채소를 가꾸다 / 땀을 흘려 가꾼 곡식을 수확하다. **2** 얼굴이나 몸을 잘 매만져 꾸미다. (예)얼굴을 예쁘게 가꾸다. [비] 치장하다. **3** 좋은 상태로 유지하기 위해 아끼고 잘 보살피다. (예)고유문화를 잘 가꾸고 발전시키다.

***가끔** 동안이 조금씩 뜨게. (예)가끔

놀러 오너라 / 친구에게 **가끔** 전화를 걸다. 비 이따금. 종종.

가끔가다 ⇨가끔가다가.

가끔가다가 가끔 어쩌다가. 예 평소 잘하는 일도 **가끔가다가** 실수할 때가 있다. 비 가끔가다.

가나 (Ghana) 〘국명〙 서아프리카의 기니 만에 있는 공화국. 수도는 아크라.

가나다순 (—順) 한글의 '가, 나, 다…' 차례로 매기는 순서. 예 나라 이름을 대륙별 **가나다순**으로 배열하다.

*__가난__ 살림살이가 넉넉하지 못하고 쪼들림. 예 **가난**에 쪼들리다 / **가난**에 찌들다 / **가난**한 살림. 비 빈곤. 반 부유. **—하다.** ➲ poor

가난뱅이 가난한 사람을 낮추어 이르는 말. 반 부자.

가내 (家內) **1** 한 집안. 예 **가내** 경제. **2** 가까운 일가. 예 **가내** 두루 평안하신지요. **3** 한 집의 안. 예 **가내** 부업.

가내 공업 (家內工業) 단순한 기술과 기구를 써서 집 안에서 하는 소규모 생산 공업. 비 가내 수공업. 반 공장 공업.

가냘프다 **1** 몸이 가늘고 약하다. 예 **가냘픈** 몸으로 힘든 일을 하다. 비 가녀리다. 연약하다. 반 억세다. **2** 소리가 가늘고 약하다. 예 **가냘픈** 목소리. 활용 가냘파 / 가냘프니.

가녀리다 ⇨가냘프다. 예 병든 소녀의 **가녀린** 몸매.

가누다 몸이나 정신을 가다듬어 바르게 하다. 예 아픈 몸을 **가누며** 자리에서 일어났다.

가느다랗다 [가느다라타] 아주 가늘다. 예 **가느다란** 실 / 눈을 **가느다랗게** 뜨다. 반 굵다랗다. 활용 가느다라니 / 가느다래서.

가느스름하다 조금 가늘다.

가는귀 작은 소리를 잘 알아듣지 못하는 귀.

가는귀먹다 [가는귀먹따] 작은 소리를 잘 알아듣지 못하다. 예 **가는귀먹어** 여러 번 묻곤 한다.

*__가늘다__ **1** 둘레가 좁다. 예 **가는** 철사 / 허리가 **가늘다**. **2** 너비가 좁다. 예 눈을 **가늘게** 뜨다. **3** 소리가 작다. 예 **가는** 목소리. **4** 굵기가 잘다. 예 **가는** 모래 / 빗줄기가 **가늘게** 내리다. 반 굵다. 활용 가늘어 / 가느니 / 가는.

가늠 **1** 목표에 맞고 안 맞음을 헤아리는 일. 예 총을 잘 **가늠**하여 쏘다. **2** 일이 되어 가는 모양이나 형편을 살펴보고 하는 짐작. 예 **가늠**을 잡을 수가 없다. **—하다.**

가ː능 (可能) 될 수 있음. 할 수 있음. 예 실행이 **가능**한 계획. 반 불가능. **—하다.**

가ː능성 (可能性) [가능썽] 앞으로 실현될 수 있는 성질. 예 비가 올 **가능성**이 높다 / 성공할 **가능성**이 매우 크다.

*__가다__ **1** 어떠한 곳을 향하여 움직이다. 예 학교에 **가다**. **2** 목적지를 향해 떠나가다. 예 부산으로 **가는** 기차. **3** 세월이 지나다. 예 달이 **가고** 해가 **가다**. **4** 생명이 끊어지다. 예 저승으로 **가다**. **5** 금이나 주름 같은 것이 생기다. 예 그릇에 금이 **갔다**. **6** 기계 따위가 제대로 움직이다. 예 시계가 고장 나서 **가지** 않는다. **7** 짐작·이해·판단 따위를 하게 하다. 예 짐작이 **가다** / 이해가 **가다**. **8** 어떤 말의 '-아'나 '-어'의 뒤에 쓰여 그 동작이 계속 진행됨을 나타내는 말. 예 실력을 쌓아 **가다**. ➲ go

가다가 어쩌다가 이따금. 예 간혹 **가다가** 잠꼬대를 한다.

가다듬다 [가다듬따] **1** 목소리를 잘 내려고 미리 준비하다. 예 노래하기 전에 목청을 **가다듬다**. **2** 정신이나 마음 따위를 바로 차리거나 다잡다. ㉦기억을 가다듬어 대답하다. **3** 옷맵시나 몸가짐을 바르게 하다. ㉦거울 앞에서 옷매무새를 가다듬다. **4** 숨을 고르다. ㉦가쁜 호흡을 가다듬다.

가다랑어 고등엇과의 바닷물고기. 길이 1 m가량으로 살지고 주둥이가 뾰족함. 등은 검푸른 보라색, 배는 은백색임. 횟감·통조림용으로 많이 씀.

가닥 한곳에서 갈려 나간 가늘고 긴 낱낱의 줄. ㉦한 가닥의 실 / 두 가닥으로 땋은 머리 / 여러 가닥으로 나뉘다.

가닥가닥 [가닥까닥] 여러 가닥. 가닥마다. ㉦가닥가닥 꼰 새끼줄 / 머리를 가닥가닥 땋아 내리다.

가담 (加擔) 한편이 되어 일을 함께 하거나 도움. ㉦나쁜 일에 가담하다. **—하다.**

가:당찮다 (可當—) [가당찬타] **1** 조금도 사리에 맞지 아니하다. ㉦가당찮은 이론 / 가당찮은 변명을 늘어놓다. **2** 쉽사리 감당할 수 없을 만큼 대단하다. ㉦가당찮게 춥다.

가댁질 [가댁찔] 아이들이 서로 잡으려고 쫓고 달아나며 뛰노는 장난. **—하다.**

가:도 (街道) **1** 큰 길거리. ㊎가로. **2** 도시와 도시 사이를 잇는 큰길. ㉦경춘 가도.

가동 (稼動) 기계 따위를 움직여 일하게 함. ㉦건물의 에어컨을 가동시키다 / 주문이 밀려 공장의 기계들을 쉬지 않고 가동했다. **—하다.**

가:두 (街頭) 도시의 큰 길거리. ㉦가두연설 / 시위대가 가두로 진출하는 것을 막다.

***가두다** **1** 한정된 곳에 집어넣어 자유로이 드나들지 못하게 하다. ㉦감옥에 가두다 / 돼지를 우리에 가두다. **2** 물 따위를 일정한 곳에 괴어 있게 하다. ㉦논에 물을 가두다.

가:두리 양:식장 (—養殖場) [—양식짱] 그물을 물에 쳐서 그 안에서 여러 가지 물고기를 기르는 곳.

가:두판매 (街頭販賣) 거리에서 벌여 놓고 상품을 파는 일. ㉦신문 가두판매. ㊟가판.

가드레일 (guardrail) 큰길 양쪽을 따라 길게 쳐 놓은, 쇠로 만든 사고 방지용 울타리.

***가득** 수효나 분량이 꽉 차도록 많이. ㉦통에 물을 가득 담다 / 사람들이 방 안에 가득했다 / 잔에 주스를 가득히 따르다. ㊅그득. ㊍가뜩. **—하다.** ➡ full **—히.**

가뜩 아주 꽉 차게. ㉦밥을 그릇에 가뜩 담다. ㊇가득.

가뜩이나 [가뜨기나] 그러지 않아도 매우. ㉦가뜩이나 짐이 많은데 비까지 내린다.

가뜬하다 몸이 가볍고 간편하다. 또는 마음이 홀가분하고 상쾌하다. ㉦가뜬한 복장을 하다 / 마음이 가뜬했다. ㊅거뜬하다.

가라사대 말씀하시기를. ㉦공자 가라사대…. ㊰가로되.

***가라앉다** [가라안따] **1** 물 위에 뜬 것이 밑바닥에 내려앉다. ㉦거센 파도로 배가 가라앉다. **2** 마음이나 기운이 고요해지며 진정되다. ㉦흥분이 가라앉다. **3** 숨결·기침 따위가 순해지다. ㉦기침이 가라앉다 / 통증이 가라앉다. **4** 부은 것이 내리다. ㉦부기가 가라앉다. ㊟갈앉다.

가라앉히다 [가라안치다] 가라앉게 하다. ㉦들뜬 마음을 차분히 가라앉히다.

가락[1] 가늘고 길게 토막이 난 물건의 낱개. ㉦엿 다섯 가락 / 국수 가락 / 엿의 가락이 굵다.

***가락**[2] 소리의 길이와 높낮이의 어울림. 멜로디. ㊎선율.

가락국 (駕洛國) [가락꾹] ⇨가야국.

가락국수 [가락꾹쑤] 가락을 굵게 뽑은 국수. 우동.

가락 악기 (—樂器) [가라각끼] 피아노·기타 따위와 같이 가락을 연주할 수 있는 악기.

가락지 [가락찌] 손가락에 치장으로 끼는 두 개의 고리. ㉥**가락지**를 낀 손. 비 반지.

〈가락지〉

가랑눈 가루처럼 잘게 내리는 눈.

가랑비 가늘게 내리는 비. 이슬비보다는 좀 굵음. ㉥**가랑비**에 운동장이 촉촉이 젖었다. 비 안개비. → [학습마당] 13(535쪽)

가랑이 **1** 두 다리가 몸통과 이어지는 부분. ㉥**가랑이**를 벌리다. **2** 바지 따위에서 다리가 들어가게 된 곳. ㉥**가랑이**가 터지다.

가랑잎 [가랑닙] 저절로 떨어진 마른 나뭇잎. 비 낙엽. 준 갈잎.

가래[1] 흙을 떠서 던지는 기구. ㉥가래꾼.

〈가래[1]〉

가래[2] 사람의 목구멍에 생기는 끈끈한 액체. ㉥**가래**가 끓다 / **가래**를 뱉다. 비 담.

가래[3] 떡이나 엿 따위를 둥글고 길게 늘여 놓은 토막. ㉥떡을 **가래**로 뽑다.

가:래[4] 가랫과의 여러해살이풀. 논이나 늪에 남. 줄기 길이 50–60 cm 이며, 숟가락 모양의 잎이 물 위에 뜸. 여름에 황록색 꽃이 핌.

가래떡 둥글고 길게 뽑아 일정한 길이로 자른 흰 떡.

가래엿 [가래엳] 둥글려 길고 가늘게 만든 엿. 비 가락엿.

가래질 가래로 흙 따위를 퍼서 옮기는 일. **—하다.**

가래톳 [가래톧] 허벅다리 위쪽 안이 부어 켕기고 아픈 멍울.

가래톳이 서다 허벅다리에 가래톳이 생기다.

*__가:량__ (假量) 수량을 대강 어림쳐서 나타내는 말. ㉥비용이 얼마**가량** 들까. 비 정도. 쯤.

가려내다 **1** 여럿 중에서 찾고자 하는 것을 골라내다. ㉥불량품을 **가려내다**. **2** 잘잘못이나 범인 따위를 밝혀내다. ㉥진범을 **가려내다** / 시비를 **가려내다**.

가려움증 (—症) [가려움쯩] 가려운 증세. ㉥**가려움증** 때문에 잠을 이루지 못하다.

가:련하다 (可憐—) 가엾고 불쌍하다. ㉥늙고 병든 가련한 노인.

가:련히 (可憐—) 가련하게. ㉥가련히 여기다.

가:렴주구 (苛斂誅求) 세금 따위를 혹독하게 거두어들이고, 강제로 백성의 재물을 빼앗음. ㉥**가렴주구**로 백성이 시달리다.

*__가렵다__ [가렵따] 피부를 긁고 싶은 느낌이 나다. ㉥머리가 **가렵다** / 등이 가려워 등긁이로 긁다. 활용 가려워 / 가려우니.

가:령 (假令) 이를테면. 예를 들어. ㉥**가령** 내가 어른이라면.

*__가로__[1] 좌우로 건너지른 상태. 또는 그 길이. ㉥**가로**의 길이 / **가로**로 줄을 치다. 반 세로.

가로[2] (街路) 시가지의 넓은 도로. 비 가도.

가로글씨 가로로 써 나가는 글씨. 비 횡서. 반 세로글씨.

가로놓이다 [가로노이다] **1** 가로질러 놓이다. **2** 장애물 따위가 앞에 버티고 있다. ㉥어려운 일이 **가로놓여** 있다.

가로눕다 [가로눕따] **1** 옆으로 눕다. ㉥침대에 **가로눕다**. **2** 바닥에 기다랗게 눕거나 누운 것처럼 놓이다. 활용 가로누워 / 가로누우니.

가로대 가로지른 나무 막대기. 반 세로대.
가로되 이르기를. 말하기를. 예옛 사람이 가로되. 높 가라사대.
가로등(街路燈) 큰 도로나 주택가의 골목길을 밝히려고 높게 달아 놓은 전등. 준 가등.
가로막(—膜) 포유류의 가슴과 배 사이에 있는 막. 호흡을 하는 데 중요한 구실을 하며, 토하거나 대소변을 볼 때 배에 힘을 주는 구실도 함. 비 횡격막.
가로막다 [가로막따] **1** 앞을 가로질러 막다. 예길을 가로막다. **2** 옆에서 말이나 행동을 하지 못하게 하다. 예말을 가로막다.
가로맡다 [가로맏따] **1** 남의 할 일을 가로채서 맡거나 대신해서 맡다. 예싸움을 가로맡다. **2** 남의 일에 참견하다.
가로무늬 [가로무니] 가로로 난 무늬. 예가로무늬 바지. 반 세로무늬.
가로무늬근(—筋) [가로무니근] 가로무늬가 있는 근육. 마음대로 움직일 수 있음. *민무늬근.
가로세로 **1** 가로와 세로. 예바둑판의 가로세로의 줄. **2** 가로로 또는 세로로. 예가로세로 줄을 긋다.
가로수(街路樹) 길의 양쪽 가에 줄지어 나란히 심은 나무.
가로쓰기 글씨를 가로로 써 나가는 방식. 반 세로쓰기.
가로젓다 [가로젇따] 거절하거나 부정하거나 의심스럽다는 뜻으로, 손이나 고개를 가로 방향으로 젓다. 예묻는 말에 대답 대신 고개를 가로저었다. 활용 가로저어 / 가로저으니 / 가로젓는.
가로 좌:표(—座標) 좌표 평면 위의 한 점에서 가로축에 내린 수선과 가로축이 만나는 점의 좌표. 비 엑스 좌표. 반 세로 좌표.
가로줄 **1** 가로 방향으로 그은 줄. 비 횡선. 반 세로줄. **2** 모를 반듯하게 줄 맞춰 심기 위해 가로로 치는 못줄.
가로지르다 **1** 옆으로 건너지르다. 예빗장을 가로지르다. **2** 어떤 곳을 가로로 지나가다. 예운동장을 가로질러 뛰어가다. 활용 가로질러 / 가로지르니.
가로짜기 신문이나 책을 만들 때, 각 행의 활자를 가로로 읽도록 짜는 방식. 반 세로짜기.
가로채다 **1** 갑자기 옆에서 재빠르게 빼앗아 자기 것으로 만들다. 예가방을 가로채다. **2** 남의 것을 옳지 못한 방법으로 빼앗다. 예남의 일을 가로채다. **3** 남이 말하는 중간에 끼어들어 말을 하지 못하게 하다. 예사회자의 말을 가로채고 자기 말만 하다.
가로축(—軸) 가로로 난 직선. 좌표 평면에서 가로로 놓인 수직선. 비 엑스축. 반 세로축.
가로획(—畫) 글자에서 가로로 긋는 획. 반 세로획.
*__가루__ 썩 잘고 보드랍게 부수거나 간 것. 예분필 가루 / 설탕 가루 / 가루를 곱게 내다 / 고추를 빻아 가루로 만들다. 비 분말.
가루받이 [가루바지] 수술의 꽃가루가 암술의 머리에 옮겨 붙어서 열매를 맺게 되는 현상. 비 꽃가루받이. 수분.
가루비누 **1** 가루로 된 비누. **2** ⇨합성 세제.
가루약(—藥) 가루로 된 약. *알약. 물약.
*__가르다__ **1** 무엇을 베거나 쪼개다. 예수박을 가르다. **2** 따로따로 구별되게 하다. 예여러 팀으로 갈라서 경기를 하다. **3** 물체가 공기나 물을 양쪽으로 열며 움직이다. 예비행기가 허공을 가르며 날아오른다. **4** 승패를 정하다. 활용 갈라 / 가르니.

> 주의 **가르다와 가리다**
> **가르다** 하나였던 것을 둘 또는 그 이상으로 나눈다는 뜻. ㉑편을 가르다.
> **가리다 1** 보이지 않도록 막다. **2** 골라내다. **3** 구별하다. '가리고 / 가려서'로 활용.

가르마 이마에서 정수리까지의 머리털을 양쪽으로 갈라 생긴 금. ㉑가르마를 타다.

***가르치다** **1** 지식이나 기능 등을 깨닫거나 익히게 하다. ㉑미술을 가르치다 / 자전거 타는 법을 가르치다. **2** 상대편이 아직 모르는 일을 알도록 일러 주다. ㉑우체국 가는 길을 가르쳐 주다. ➲ teach

> 주의 **가르치다와 가리키다**
> **가르치다** 모르는 것을 알게 하다. ㉑음악을 가르치다.
> **가리키다** 손가락이나 말, 동작으로 무엇이 있는 곳을 알려 주다. ㉑잠자코 역으로 가는 길을 가리켰다.

가르침 **1** 가르쳐 알게 하는 일. ㉑가르침을 받다 / 가르침을 청하다. **2** 가르치는 내용. ㉑공자의 가르침. 비 교훈.

가름 **1** 따로따로 나누는 일. **2** 사물이나 상황을 구별하거나 분별하는 일. ㉑선수들의 투지가 승패를 가름한다. **—하다.**

> 주의 **가름과 갈음**
> **가름** 나누는 일. ㉑둘로 가름 / 편을 가름.
> **갈음** 대신하는 일. 바꾸는 일. ㉑연하장으로 세배를 갈음하다 / 이것으로 축사를 갈음합니다.

가름대 [가름때] 수판의 윗알과 아래알을 가르기 위하여 댄 나무.

가리 곡식이나 땔나무 따위를 쌓은 더미. ㉑볏가리 / 노적가리 / 볏짚 두 가리.

가리가리 여러 가닥으로 갈라지거나 찢어진 모양. ㉑편지를 가리가리 찢어 버리다. 준 갈가리.

가리개 **1** 무엇을 가리는 데 쓰는 물건. ㉑눈가리개. **2** 머리맡이나 사랑방의 구석에 치는 두 폭의 병풍.

***가리다**[1] 바로 보이거나 통하지 못하도록 사이에서 가로막다. ㉑햇빛을 가리다 / 손으로 입을 가리다 / 해가 구름에 가리다 / 사람이 가려서 안 보인다. →가르다 주의

가리다[2] **1** 여럿 가운데서 골라내다. ㉑잘못된 문장을 가리다 / 음식을 가리지 않고 골고루 먹습니다. **2** 낯선 사람을 싫어하다. ㉑낯을 가리는 아이. **3** 구별하다. ㉑밤낮을 가리지 않다. 비 분별하다. **4** 어린아이가 똥이나 오줌을 함부로 싸지 않고 눌 데에 누다. ㉑오줌을 가리다. →가르다 주의

가리마 '가르마'의 잘못.

가리맛조개 [가리맏쪼개] 긴맛과의 바닷조개. 길이는 10 cm, 높이는 3 cm, 폭은 2.3 cm 정도의 긴 원통 모양이고 개펄에 삶. 먹을 수 있음. 비 가리맛.

가리비 가리빗과의 바닷조개. 부채 모양으로 둥글넓적하며 길이 20 cm, 높이 19 cm, 폭 50 cm 내외로 껍데기는 고랑이 지고 담갈색임. 살은 먹고 껍데기는 세공에 씀.

가리어지다 [— / 가리여지다] 가려서 보이지 않게 되다. ㉑수건으로 눈이 가리어지다 / 시야가 앞 건물에 가리어지다. 준 가려지다.

***가리키다** **1** 손가락 따위로 지적하거나 알리다. ㉑선생님이 나를 가리켰다 / 시곗바늘은 어느덧 열두 시 정각을 가리키고 있었다. **2** 동작이

나 말로 무엇이 있는 곳을 알려 주다. (예)학교를 가리키다. →가르치다

주의 point

가마[1] 숯·질그릇·기와·벽돌 따위를 굽는 곳. (예)도자기를 굽는 가마.

가마[2] 물건을 담은 '가마니'의 개수를 세는 말. (예)쌀 두 가마.

가마[3] 사람의 머리 위에 머리털이 소용돌이 모양으로 난 자리.

가마[4] '가마솥'의 준말.

가ː마[5] 예전에, 한 사람이 안에 타고 둘이나 넷이 들거나 메던, 조그만 집 모양의 탈것. (예)가마를 메다 / 가마를 타다.

가마니 1 곡식이나 소금 따위를 담는, 짚으로 만든 큰 자루. (예)쌀가마니. 2 ⇨가마[2]. (준)가마.

가마솥 [가마솓] 쇠로 만든 아주 크고 우묵한 솥. (예)가마솥에 밥을 짓다. (준)가마.

〈가마솥〉

가막조개 [가막쪼개] 참조갯과의 조개. 모양은 둥글고 높이와 길이가 각 5 cm, 폭 3 cm 내외임. 껍데기는 갈색이며 가장자리는 보라색임. 해안의 얕은 진흙 속에 살고, 먹을 수 있음. (비)가무락조개.

가만 1 그냥 그대로. 가만히. (예)그대로 가만 놔두다. 2 남이 하려는 말이나 행동을 못하게 막을 때에 쓰는 말. (예)가만, 그리 서두르지 말게.

가만가만 아주 조용하게. (예)가만가만 걷다. (비)살금살금.

가만두다 손을 대지 않고 그대로 두다. 또는 상관하지 않고 그대로 두다. (예)또 싸우면 가만두지 않겠다.

가만있다 [가마닏따] 그냥 그대로 잠자코 조용히 있다. (예)아무것도 모르면 가만있어.

가만있자 [가마닏짜] 생각이 얼른 떠오르지 아니할 때 쓰는 말. (예)가만있자, 저 사람이 누구더라.

***가만히** 1 움직이지 않고 말없이. (예)가만히 보기만 한다. 2 소리 없이. (예)떠들지 말고 가만히 있거라. (비)조용히. 3 남몰래 살그머니. (예)부모님 모르게 가만히 들어가다. 4 마음속으로 곰곰이. (예)옛일을 가만히 생각해 보다.

가ː망 (可望) 이룰 수 있을 듯한 희망. (예)살 가망이 없다.

가ː망성 (可望性) [가망썽] 어떤 일이 이루어질 것을 바랄 수 있음. (예)성공할 가망성이 많다 / 그 일은 가망성이 없으니 포기해라.

가맹 (加盟) 동맹·연맹이나 단체에 가입함. (예)가맹 국가 / 유엔에 가맹하다. **—하다.**

가ː면 (假面) 1 나무·흙·종이 따위로 사람이나 동물의 얼굴을 본떠 만든 형상. (비)탈. 2 본심을 감추고 거짓으로 꾸민 모습.

가면(을) 벗다 속마음을 드러내다. 속마음을 그대로 털어놓다. 참 모습을 드러내다.

가면(을) 쓰다 속마음이나 본성을 감추고 겉으로는 그렇지 않은 것처럼 꾸미다.

가ː면극 (假面劇) 탈을 쓰고 하는 연극. (비)탈놀이.

가ː명 (假名) 본디의 이름이 아닌 가짜 이름. (예)범인이 가명을 쓰고 돌아다니다. (반)본명. 실명.

가무 (歌舞) 노래와 춤. (예)가무를 즐기다.

가무잡잡하다 [가무잡짜파다] 얼굴이나 피부가 약간 짙게 검다. (예)가무잡잡한 얼굴. (센)까무잡잡하다.

가문 (家門) 1 집안과 그 친척. (예)가문의 명예가 걸리다. 2 대대로 내려오는 그 집안의 사회적인 신분이나 지위. (예)훌륭한 가문.

가문비나무 소나무과의 상록 침엽

교목. 깊은 산에 나며, 높이는 30–40 m로 방울 모양의 열매를 맺음. 재목은 건축재·펄프 원료로 씀. 비 가문비.

*__가물__ ⇨가뭄.

가물가물 가물거리는 모양. 예멀리 가물가물 보이는 섬. **—하다.**

가물거리다 **1** 멀리 있는 물건이나 불빛 같은 것이 어슴푸레하게 보일 듯 말 듯하다. 예**가물거리**는 고깃배. **2** 정신이 맑지 못하여 의식이 있는 둥 없는 둥하다. 예**가물거리**는 기억. 센 까물거리다.

가물다 오랫동안 비가 오지 않다. 예날이 **가물다**. 활용 가물어 / 가무니 / 가무는.

가물음 '가물·가뭄'의 잘못.

가물치 가물칫과의 민물고기. 숭어와 비슷한데 몸길이는 60cm 정도임. 진흙물에서 사는데, 산란기에는 물가의 얕은 곳으로 이동해 알을 낳음.

〈가물치〉

*__가뭄__ 오랫동안 비가 오지 않는 날씨. 예**가뭄**이 들다 / **가뭄** 피해가 심하다. 비 가물. 반 장마. ×가물음.

가뭇없다 [가무덥따] **1** 눈에 띄지 않다. **2** 간 곳을 알 수 없다. **3** 흔적이 없다.

가뭇없이 [가무덥씨] 가뭇없게. 예**가뭇없이** 사라지다.

가미하다 (加味—) **1** 음식에 양념 따위를 넣어 맛이 더 나게 하다. 예음식에 조미료를 **가미하다**. **2** 다른 요소를 보태어 넣다. 예법에 인정을 **가미하다**.

가:발 (假髮) 머리털 따위로 여러 가지 머리 모양을 만들어 쓰거나 붙이는 가짜 머리. 예**가발**을 쓰다.

*__가방__ 가죽이나 천, 비닐 따위로 만들어, 물건을 넣어 들거나 메고 다닐 수 있게 만든 물건. 예여행 **가방** / 가방에서 책을 꺼내다 / **가방**을 어깨에 메다. ➲ bag

가벼이 가볍게. 예어리다고 **가벼이** 보지 마라.

가:변 (可變) 사물의 모양이나 성질이 바뀌거나 달라질 수 있음. 예가변 차로. 반 불변.

가:변성 (可變性) [가변썽] 상황에 따라 변할 수 있는 성질.

*__가볍다__ [가볍따] **1** 무게가 무겁지 아니하다. 예몸이 **가볍다**. **2** 말이나 행동이 신중하지 못하다. 예입이 **가볍다**. **3** 책임이나 부담이 많지 않다. 예죄가 **가볍다**. **4** 홀가분하다. 예**가벼운** 옷차림. **5** 심하지 않다. 예**가벼운** 상처를 입다. **6** 몸놀림이 날쌔고 재다. 예**가벼운** 발걸음. **7** 내용이 단순하고 미치는 영향이 적다. 예**가벼운** 읽을거리. **8** 다루기가 수월하다. 예상대방을 **가볍게** 쓰러뜨리다. 반 무겁다. 활용 가벼워 / 가벼우니.

가보 (家寶) 대를 이어 내려오는 한 집안의 보물. 예조상 대대로 내려오는 **가보** / **가보**로 물려주다.

가:봉[1] (假縫) 양복을 완전히 짓기 전에 몸에 잘 맞는지 입어 보기 위하여 임시로 듬성듬성 시쳐 놓는 바느질. 또는 그 옷. 비 시침바느질. 시침질. **—하다.**

가봉[2] (Gabon) 〖국명〗 서아프리카의 기니 만에 있는 나라. 석유·우라늄 등 지하자원이 풍부함. 수도는 리브르빌.

가:부 (可否) **1** 옳고 그름. 예**가부**를 가리다. **2** 표결에서 찬성과 반대. 예**가부**를 묻다.

가:부간 (可否間) 옳거나 그르거나. 찬성하거나 반대하거나. 아무러하든지. 예**가부간** 결말을 내자.

가부장 (家父長) 고대 로마에서 가장권의 주체가 되던 사람. 반드시 아버지가 아니며, 가족에 대해서 절대적 권력을 가짐.

가부장제 (家父長制) 한 집안의 남자 어른이 그의 가족 전체에 대하여 지배권을 가지는 가족 제도.

가부좌 (跏趺坐) 책상다리를 하고 앉음. 또는 그 앉음새. ㉾가부좌를 틀다. **—하다.**

**가:분수* (假分數) [가분쑤] 분자가 분모보다 크거나 같은 분수. 반 진분수.

가빠지다 힘에 겨워 숨쉬기가 어려워지다. ㉾숨이 **가빠지다.**

가뿐하다 **1** 들기 좋을 정도로 가볍다. ㉾보따리가 **가뿐하다.** **2** 마음에 부담이 없어 아주 가볍고 편안하다. ㉾거짓말한 것을 털어놓고 나니 마음이 **가뿐하다.**

가뿐히 가뿐하게. ㉾역기를 **가뿐히** 들다.

가쁘다 숨이 몹시 차다. ㉾**가쁜** 숨을 몰아쉬다. 활용 가빠 / 가쁘니.

가사[1] (家事) 집안의 살림살이에 관한 일. 살림을 꾸려 나가는 일. ㉾**가사**를 돌보다.

***가사**[2] (歌詞) 가곡·가요곡이나 가극, 그 밖의 노래의 내용이 되는 글. ㉾노래의 **가사**를 외우다. 비 노랫말.

가사[3] (袈裟) 승려가 장삼 위에 입는 법복. 왼쪽 어깨에서 오른쪽 겨드랑이 밑으로 걸쳐 입음.

〈가사[3]〉

가:사[4] (假死) 의식을 잃고 호흡과 맥박이 약해져서 얼핏 보기에 죽은 것같이 된 상태. ㉾**가사** 상태에 빠지다.

가사 노동 (家事勞動) 주로 주부를 중심으로 하여 이루어지는 육아·세탁·청소 등의 집안 살림살이를 이르는 말.

가산[1] (加算) 더하여 셈함. 보탬. ㉾이자를 **가산**하다. 비 합산. 반 감산. **—하다.**

가산[2] (家産) 한 집안의 재산. ㉾**가산**을 탕진하다.

가:상 (假想) 사실이 아니거나 사실 여부가 분명하지 않은 것을 사실이라고 가정해서 생각함. ㉾**가상**의 세계. **—하다.**

가상하다 (嘉尙—) 착하고 기특하다. ㉾어린 나이에 뜻이 **가상하다.** 비 갸륵하다.

가:상현실 (假想現實) 눈·귀·코 등의 감각 기관에 그림이나 사진, 소리, 냄새 등의 정보를 사람의 동작에 맞춰 전달함으로써 현실과 같은 경험을 하게 하는 컴퓨터 프로그램.

가상히 (嘉尙—) 가상하게. ㉾정성을 **가상히** 여기다.

가:석방 (假釋放) [가석빵] 복역 중인 죄수를 일정한 조건 아래 풀어 주는 일. **—하다.**

가:선 (架線) **1** 전깃줄·전화선 따위를 공중에 건너질러 맴. 또는 그렇게 매어 놓은 전선. ㉾**가선** 공사. **2** 전기 철도에서, 전기 기관차나 전차에 전력을 보내는 전선.

가:설[1] (架設) 전깃줄·전화선·다리 따위를 공중에 건너질러 설치하는 일. ㉾직통 전화를 **가설**하다. **—하다.**

가:설[2] (假設) 임시로 세우거나 설치함. ㉾**가설**극장. **—하다.**

가:설[3] (假說) 어떤 현상을 설명하거나 어떤 이론을 펴 나가기 위하여 임시로 세운 아직 증명되지 않은 이론. ㉾**가설**을 세우다. 비 가정.

가세[1] (家勢) 그 집 살림살이의 정도. 집안의 형세. ㉾**가세**를 일으키다 / **가세**가 펴다 / **가세**가 기울다.

가세[2] (加勢) 힘을 보태거나 거듦. ㉾지원군이 **가세**하다. **—하다.**

가:소로이 (可笑—) 가소롭게.

가ː소롭다 (可笑—) [가소롭따] 같잖아서 우습다. ㉠그 목소리로 성악가가 된다니 가소롭다. [활용] 가소로워 / 가소로우니.

가속 (加速) 속도가 빨라짐. 속도를 높임. ㉠가속 운동 / 가속이 붙다. [반] 감속. **—하다.**

가속도 (加速度) [가속또] 시간이 갈수록 점점 더 빨라지는 속도. ㉠가속도 운동 / 한번 달리기만 하면 가속도가 붙기 마련이다.

가솔린 (gasoline) 석유의 휘발 성분을 이루는 무색의 투명한 액체. 자동차나 비행기 등의 연료로 쓰임. 휘발유.

*__가수__ (歌手) 노래 부르는 것을 직업으로 하는 사람. ㉠오페라 가수.

*__가스__ (gas) **1** 공기처럼 모양이나 부피가 없는 기체를 통틀어 일컫는 말. **2** 연료로 사용하는 기체. 특히, 도시가스나 프로판 가스를 일컬음. **3** 사람에게 해를 끼치는 유독한 기체. ㉠가스를 마시고 정신을 잃다. **4** 배 속에서 음식물이 부패·발효하여 생기는 기체. ㉠배 속에 가스가 찼다.

가스난로 (gas煖爐) [—날로] 가스를 연료로 하는 난로. 가스스토브.

가스등 (gas燈) 석탄 가스 따위로 불을 켜는 등. 가스램프.

가스레인지 (gas range) 연료용 가스를 사용하여 음식 따위를 조리하는 기구.

가스보일러 (gas boiler) 가스를 연료로 물을 끓이는 난방 기구.

가스 중독 (gas中毒) 이산화탄소·일산화탄소 따위의 독 있는 가스를 마심으로써 일어나는 중독. ㉠연탄가스 중독.

가스총 (gas銃) 최루 가스 따위의 독 있는 가스를 내뿜는 총. ㉠호신용으로 가스총을 휴대하다.

*__가슴__ **1** 배와 목 사이의 앞부분. ㉠가슴을 펴다 / 어머니 가슴에 안기다. **2** 마음이나 생각. ㉠가슴을 울리다 / 가슴이 찡하다. **3** 심장 또는 폐. ㉠가슴을 앓다. ➲ chest

가슴(을) 치다 일이 마음대로 되지 않아 몹시 안타까워하다.

가슴(을) 태우다 몹시 애태우다.

가슴이 내려앉다 몹시 놀라서 맥이 풀리다.

가슴이 미어지다 슬픔·괴로움·고통 등으로 견디기 힘들다.

가슴(이) 벅차다 감격·기쁨 따위가 넘칠 듯이 가득하다.

가슴(이) 설레다 기쁨·기대 또는 불안 따위로 가슴이 두근거리다.

가슴둘레 몸의 가슴과 등을 잰 몸통의 둘레 길이. [비] 흉위.

가슴뼈 가슴 한복판에 세로로 있는 뼈. [비] 흉골.

가슴속 [가슴쏙] 마음속. ㉠가슴속에 있는 말을 털어놓다. [비] 흉중.

가슴앓이 [가스마리] **1** 가슴 속이 켕기고 쓰리며 아픈 병. **2** 괴로움으로 마음을 앓는 일.

가슴지느러미 물고기의 가슴에 붙은 지느러미. 몸의 균형을 잡거나 헤엄쳐 다니는 데 씀.

가습기 (加濕器) [가습끼] 수증기를 내어 실내의 습도를 알맞게 조절하는 전기 기구.

*__가시__[1] **1** 식물의 줄기나 잎에 바늘처럼 뾰족하게 돋아난 부분. ㉠장미 가시에 찔리다. **2** 물고기의 잔뼈. ㉠목에 가시가 걸리다. **3** 바늘처럼 뾰족하게 돋친 것. ㉠철조망 가시에 걸리다. **4** 살에 박힌 나무·대 따위의 가늘고 뾰족한 거스러미. ㉠손에 가시가 박히다. **5** 사람의 마음을 찌르는 것. ㉠가시 돋친 말 / 말 속에 가시가 있다.

가시(가) 박히다 말 속에 악의가 있다.

가ː시[2] (可視) 눈으로 볼 수 있음.

(예)가시 현상 / 가시거리 / 가시권에서 벗어나다.

가:시광선 (可視光線) 눈으로 볼 수 있는 보통 광선.

가시눈 날카롭게 쏘아보는 눈.

가시다 **1** 변하여 없어지거나 달라지다. (예)흥분이 **가시다**. **2** 물 따위로 깨끗하게 씻다. (예)물로 입 안을 **가시다**.

가시덤불 가시가 많고 어수선하게 엉클어진 수풀.

가시밭길 [가시받낄] **1** 가시덤불이 얽혀 있는 험한 길. **2** 힘들고 어려운 사정이나 상태. (예)험난한 **가시밭길**을 헤쳐 나가다.

가:식 (假飾) 남한테 잘 보이려고 말이나 행동을 거짓으로 꾸밈. (예)**가식** 없는 행동. [반]진실. 진정.

가야국 (伽倻國) 지금의 경상도 김해 지방에 있던 나라. 신라 유리왕 때에 김수로왕의 6형제가 각각 세운 여섯 나라를 모두 일컬음. 신라 진흥왕 23년(562) 대가야가 마지막으로 망함. [비]가락국. 가야.

*__가야금__ (伽倻琴) 우리나라 고유의 현악기. 신라 진흥왕 때 악사 우륵이 만듦. 오동나무 공명판에 기러기발을 세우고 열두 줄을 세로로 매어 손가락으로 뜯어 소리를 냄. [비]가얏고.

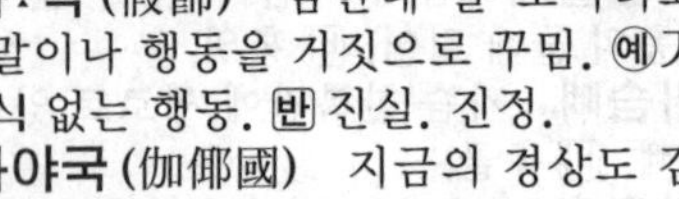

〈가야금〉

가야산 (伽倻山) 경상북도 성주군과 경상남도 합천군 사이에 있는 산. 국립공원의 하나로, 해인사·황계 폭포 등의 명승고적이 있음. 높이 1,430 m.

가:약 (佳約) **1** 아름다운 약속. **2** 사랑하는 사람과 만날 약속. **3** 부부가 되자는 약속. (예)**가약**을 맺다.

가업 (家業) 한 집안에 대대로 이어 내려오는 직업. (예)**가업**을 잇다 / **가업**을 이어받다. [비]세업.

가:없다 [가업따] 헤아릴 수 없다. 끝이 없다. (예)**가없는** 부모님의 사랑. [비]그지없다.

가:없이 [가업씨] 가없게. (예)**가없이** 넓은 하늘.

가:역 (可逆) 물질의 상태가 바뀐 다음 다시 본디 상태로 돌아갈 수 있는 것. (예)**가역** 반응 / **가역** 변화.

가:연성 (可燃性) [가연썽] 불에 타기 쉬운 성질.

*__가열__ (加熱) **1** 어떤 것에 열을 가하여 뜨겁게 함. (예)**가열**기 / **가열** 살균한 우유 제품 / 물을 **가열**하여 수저를 소독하다. **2** 어떤 사건에 열기를 더함. (예)판매 경쟁이 **가열**되다. [반]냉각. **—하다.**

가:엽다 [가엽따] ⇨가엾다. (예)**가**여운 아이. [활용]가여워 / 가여우니. →가엾다 [주의]

*__가:엾다__ [가엽따] 불쌍하고 딱하다. (예)고아가 되다니 참으로 **가엾은** 일이다. [비]가엽다.

> [주의] **가엽다**와 **가엾다**
>
> 두 낱말 모두 표준어이다. 따라서 '가엽다'의 활용형 '가여운 / 가여워'와 '가엾다'의 활용형 '가엾은 / 가엾어'는 모두 맞춤법에 맞는 표기이다.

가:엾이 [가엽씨] 가엾게. (예)**가엾이** 여기다.

가오리 가오릿과의 바닷물고기. 몸이 가로로 넓적하고 꼬리가 긺. 주로 육지에 가까운 바다 밑바닥에서 삶.

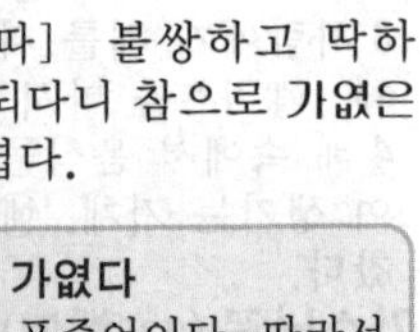

〈가오리〉

가오리연 (—鳶) 연의 한 가지. 가오리 모양으로 만들어 꼬리를 길게 달아 띄우는데, 오를 때 머리를 꼬빡꼬빡하며 올라감. [비] 꼬빡연.

가옥 (家屋) 사람이 사는 집. (예)전통 가옥. [비] 주택. 집.

가외 (加外) 일정한 것 이외에 더함. (예)가외 지출이 많다.

가욋일 (加外—) [가윈닐] 필요 밖의 일. 일정한 일 이외에 하는 일.

가요 (歌謠) **1** '대중가요'의 준말. **2** 가락을 붙여서 부르는 노래. 민요·동요·속요·유행가 따위를 통틀어 일컫는 말.

가요계 (歌謠界) [— / 가요게] 주로, 대중가요에 관한 것을 업으로 삼는 사람들의 사회.

가요제 (歌謠祭) 가수들이 노래를 불러 실력을 겨루는 연예 행사. (예)강변 **가요제**.

가ː용성[1] (可溶性) [가용썽] 액체에 잘 녹는 성질. 물에 소금·설탕이 녹는 일 따위. [반] 불용성.

가ː용성[2] (可鎔性) [가용썽] 비교적 낮은 온도에서도 잘 녹는 금속의 성질.

가우스 (Gauss, Karl Friedrich) 〖인명〗 독일의 수학자. 19세에 17각형을 그리는 데 성공하고 24세 때 '정수론 연구'를 발표하여 수학계에 큰 업적을 남겼음. [1777–1855]

가운[1] (家運) 집안의 운수. (예)가운이 기울다 / 가운이 걸려 있는 일.

가운[2] (gown) **1** 실내에서 입는 긴 겉옷. (예)가운을 걸치다. **2** 긴 겉옷. 의사·이발사·목사·신부·판사 등이 입는 위생복이나 예복·법복 따위.

***가운데** **1** 시간·공간·사물 따위의 끝이 아닌 부분. (예)끈이 **가운데**에서 끊어졌다. **2** 양쪽의 사이. (예)탁자를 **가운데** 두고 마주 앉다. **3** 일정한 범위의 안. (예)이 책들 **가운데** 한 권만 집어라. **4** 순서에서 중간. (예)성적이 **가운데** 정도인 학생. **5** 어떤 일이나 상태가 이루어지는 범위의 안. (예)어려운 **가운데**에도 남을 돕다. [참고] '반·중간'을 뜻하는 '가운'과 '장소'를 뜻하는 말 '데'가 이어진 말이다.

가운뎃다리 [가운데따리 / 가운덴따리] 곤충의 앞다리와 뒷다리의 중간에 있는 다리.

가운뎃소리 [가운데쏘리 / 가운덴쏘리] 말의 음절을 이루는 홀소리. '산'에서의 'ㅏ', '눈'에서의 'ㅜ' 따위.

가운뎃손가락 [가운데쏜까락 / 가운덴쏜까락] 다섯 손가락 가운데 한가운데에 있으며 제일 긴 셋째 손가락. [비] 장지. 중지.

가위[1] 옛날부터 전해 오는 우리나라 명절의 하나. 음력 8월 보름. [비] 추석. 한가위.

***가위**[2] **1** 옷감·종이·머리털 따위를 자르는 기구. (예)**가위**로 색종이를 오리다. **2** 가위바위보에서, 집게손가락과 가운뎃손가락 또는 엄지손가락을 벌려 내민 것. (예)**가위**를 내다 / **가위**는 보에 이긴다.

가위[3] 자는 사람이 무서운 꿈 등을 꾸어 놀라는 일.

가위눌리다 자다가 무서운 꿈을 꾸고 놀라서 몸을 마음대로 움직이지 못하고 답답함을 느끼다.

***가위바위보** 순서나 승부를 가릴 때 손을 내밀어 그 손 모양으로 정하는 방법. 집게손가락과 가운뎃손가락이나 엄지손가락을 내민 것을 가위, 주먹 쥔 것을 바위, 손가락을 모두 편 것을 보로 하는데, 가위는 보에, 바위는 가위에, 보는 바위에 각각 이기는 것으로 함.

가위질 가위로 자르거나 오리는 일. **—하다**.

가위표 (—標) 틀린 것을 나타내거나, 문장에서 알면서도 일부러 드러내지 않음을 나타낼 때 쓰는 '×'표의 이름. [반] 동그라미표.

가으내 온 가을 동안 죽. [예]농사일로 가으내 바빴다.

*__가을__ 한 해 네 철 중 셋째 철. 입추에서 입동까지의 기간. [예]가을은 추수의 계절. [준]갈. ➡ autumn

> **[참고] 가을을 생각나게 하는 것**
> **자연** : 가을 장마, 높은 하늘, 단풍, 오동잎, 낙엽
> **동물** : 기러기, 귀뚜라미, 고추잠자리, 메뚜기
> **꽃** : 국화, 백일홍, 맨드라미, 코스모스, 싸리, 갈대
> **과일** : 감, 사과, 배, 밤, 포도
> **채소** : 고구마, 배추, 무, 갓, 마늘, 빨간 고추
> **기타** : 강강술래, 벌초, 송편, 허수아비, 추수

가을갈이 [가을가리] 다음 해에 지을 농사를 위해 미리 가을에 논을 갈아 두는 일. [반]봄갈이. [준]갈갈이. **—하다.**

가을걷이 [가을거지] 가을에 익은 곡식을 거두어들이는 일. [예]농촌에서는 가을걷이가 한창이다. [비]추수. **—하다.**

가을볕 [가을뼏] 가을철에 따갑게 내리쬐는 볕.

가을보리 가을에 씨를 뿌려 이듬해 초여름에 거두는 보리. [반]봄보리. [준]갈보리.

가을비 [가을삐] 가을에 내리는 비.

*__가을철__ 가을의 계절. [예]가을철은 독서하는 계절이다.

가이드 (guide) **1** 관광이나 여행에서 안내를 맡은 사람. [예]여행에 가이드가 동행하다. **2** '가이드북'의 준말. [예]방송 가이드 / 공연 가이드.

가이드북 (guidebook) **1** 여행이나 관광 안내를 위한 책자. **2** 상품이나 학습의 정보 따위를 다룬 소개서. [준]가이드.

가이없다 '가없다'의 잘못.

가인[1] (歌人) 노래를 잘 부르거나 잘 짓는 사람. [비]가객.

가:인[2] (佳人) **1** 아름다운 여자. [비]미인. **2** 이성으로서 관심을 가지게 하는 사람.

가일층 (加一層) 한층 더. [예]가일층 노력하다.

가입 (加入) 단체나 조직에 구성원으로 들어감. [예]미술부에 가입하다 / 건강 보험에 가입하다. [비]가담. [반]탈퇴. **—하다.**

가입자 (加入者) [가입짜] 어떤 단체나 조직에 가입한 사람. [예]보험 가입자.

가자미 가자밋과의 바닷물고기. 몸이 위아래로 납작하여 타원형에 가깝고, 두 눈은 오른쪽에 몰려 붙어 있음. 주로 바다 밑바닥에 삶.

〈가자미〉

가:작 (佳作) **1** 잘된 글이나 작품. **2** 당선작의 다음가는 작품. [예]가작으로 입선하다.

*__가장__[1] 여럿 가운데서 어느 것보다도 더. [예]세계에서 가장 긴 강은 나일 강이다. [비]제일.

*__가장__[2] (家長) **1** 집안의 어른. **2** 한 가정을 이끌어 나가는 사람. [예]소년 소녀 가장 / 가장 노릇을 하다.

가:장[3] (假裝) **1** 태도를 거짓으로 꾸밈. [예]태연을 가장하다. **2** 얼굴이나 몸차림을 남이 알아보지 못하게 꾸밈. [예]손님으로 가장하다. **—하다.**

가:장자리 물건의 둘레나 끝에 가까운 부분. [예]책상 가장자리. [반]가운데.

가:장행렬 (假裝行列) [가장행녈] 운동회나 축제 따위의 행사 때에, 여러 사람이 갖가지 모습으로 꾸미고 다니는 행렬.

가:재[1] 가잿과의 동물. 게와 새우의 중간 모양으로 큰 집게다리가 있어 싸우거나 먹이를 잡는 데 씀. 뒷걸음질을 잘하며, 개울 상류의 돌 밑에 삶.

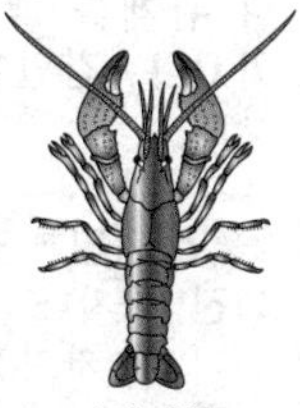
〈가재[1]〉

가재[2] (家財) 한 집안의 재물이나 재산. 살림도구나 돈 따위. 비 가산.

가:재걸음 [가재거름] **1** 뒤로 걷는 걸음. **2** 일이 매우 더디고 앞으로 나아가지 못함.

가재도구 (家財道具) 집 안에서 쓰는 온갖 물건. 비 세간.

가전제품 (家電製品) 가정에서 쓰는 전기를 이용한 각종 기계나 기구. 라디오·텔레비전·냉장고·전기밥솥 따위.

*__가정[1]__ (家庭) 가족이 함께 살고 있는 집안. 예 가정 방문 / 화목한 가정을 이루다.

가:정[2] (假定) 사실에 관계없이 임시로 그렇다고 생각함. 예 물에 빠졌다고 가정하다. 비 가설. **—하다.**

가정교사 (家庭教師) 남의 집에서 돈을 받고 그 집 아이들을 가르치는 사람.

가정교육 (家庭教育) 가정에서 집안 어른들의 일상생활을 통해 자녀들이 받는 영향이나 가르침. 예 가정교육을 엄하게 받고 자랐다.

가정 법원 (家庭法院) [—버뭔] 이혼·상속·재산 관리 등 가정 문제와 소년 문제를 전문으로 다루는 법원.

가정부 (家政婦) 돈을 받고 집안일을 해 주는 여자. 비 파출부.

가정상비약 (家庭常備藥) 가정에서 구급용이나 간단한 치료를 위하여 항상 준비해 두는 약.

가정의례 준:칙 (家庭儀禮準則) [— / 가정이례—] 가정에서 치르는 결혼·장례·제사 따위의 예식의 절차와 기준을 정한 규칙.

가정적 (家庭的) **1** 가정생활에 성실한 (것). 예 가정적인 남편. **2** 가정과 같은 분위기가 감도는 (것). 예 가정적인 분위기.

가정주부 (家庭主婦) 한 가정의 살림을 맡아서 꾸려 가는 안주인. 비 주부.

가정집 (家庭—) [가정찝] 가족이 살림살이를 하면서 사는 집.

가정 통신 (家庭通信) 아동을 교육·지도할 때 필요한 사항을 교사와 학부모가 주고받는 소식.

가제 (독 Gaze) 무명실로 성기게 짠 흰 헝겊. 소독하여 상처에 대거나 묶는 데에 씀. 거즈.

*__가져가다__ [가저가다] **1** 한 곳에서 다른 곳으로 옮겨 가다. 예 조심해서 가져가거라. **2** 어떤 상태로 끌고 가다. 예 사태를 최악의 상황으로 가져가다. 활용 가져가거라. ➡ take

*__가져오다__ [가저오다] **1** 한 곳에서 다른 곳으로 옮겨 오다. 예 네가 가져오너라. **2** 어떤 상태를 생기게 하다. 예 좋은 결과를 가져오다. 활용 가져오너라. ➡ bring

*__가족__ (家族) 부부와 그 자식들을 중심으로 한집안을 이루는 사람들. 예 가족을 부양하다 / 온 가족이 한자리에 모이다. 비 식구. ➡ family

가족계획 (家族計劃) [가족꼐획 / 가족꼐훽] 부부가 자녀의 수나 터울을 알맞게 조절하는 일. 예 가족계획을 세우다.

가족적 (家族的) [가족쩍] **1** 한 가족에 관한 (것). **2** 가족 사이처럼 친밀한 (것). 예 가족적인 분위기.

가족 제:도 (家族制度) [—쩨도] 사회적으로 규정되어 있는 가족의 구성과 형태. 대가족·핵가족 따위.

가족회의 (家族會議) [가조쾨의 / 가조쾨이] 가족이 모여서 집안의 중요한 문제에 대해 의논하는 모임.

*__가죽__ 1 동물의 몸을 싸고 있는 껍질. 2 동물의 몸에서 벗겨 낸 껍질을 가공하여 만든 물건. 구두·옷·가방 따위를 만드는 데 씀. (예)가죽 가방. [비] 피혁.

가중 (加重) 1 책임이나 부담 따위를 더 무겁게 함. (예)부담이 가중되다. 2 형벌을 더 무겁게 함. (예)가중 처벌을 받다. [반] 경감. **—하다.**

가:증스럽다 (可憎—) [가증스럽따] 몹시 괘씸하고 얄밉다. (예)가증스러운 태도. [활용] 가증스러워 / 가증스러우니.

*__가지__[1] 1 나무나 풀의 원줄기에서 갈라져 뻗은 줄기. (예)가지를 치다. 2 근본에서 갈라져 나간 것. ➡ branch

가지[2] 가짓과에 속하는 식물. 여름부터 가을에 걸쳐 자줏빛 열매를 맺으며 먹을 수 있음.

〈가지[2]〉

*__가지__[3] 사물을 종류별로 따로따로 구별하여 헤아리는 말. (예)세 가지 방법 / 예를 몇 가지 들다. [비] 종류.

가지가지 여러 가지. 여러 종류. (예)취미도 가지가지다. [준] 갖가지.

가지각색 (—各色) [가지각쌕] 여러 가지의 온갖 형태. 여러 가지 모양. (예)봄이면 가지각색의 꽃이 핀다. [비] 각양각색.

가지꽂이 [가지꼬지] 꺾꽂이의 하나. 가지를 잘라 흙 속에 꽂아 뿌리를 내리게 하는 방법으로, 장미·동백·개나리 등의 번식에 이용함.

*__가지다__ 1 손에 쥐다. (예)장난감을 가지고 놀다. 2 자기 것이 되게 하다. (예)주운 돈을 가지다. 3 직업·자격증 따위를 소유하다. (예)새로운 직업을 가지다. 4 마음에 품다. (예)꿈을 가지다 / 호감을 가지다 / 좀 더 관심을 가지고 지켜보다. 5 관련이나 관계를 맺다. (예)이웃과 교류를 가지다 / 긴밀한 연관을 가지다. [준] 갖다. ➡ have

> [주의] **가진**과 **갖은**
>
> **가진** '가지다'가 활용한 말. '가지고 / 가진 / 가지겠다 / 가졌던' 따위로 활용.
>
> **갖은** 활용하지 않고 언제나 '갖은'의 꼴로만 쓰임. '골고루 갖춘, 가지가지의'의 뜻.

가지런하다 여럿이 고르게 되어 있다. (예)신발을 가지런하게 놓다.

가지런히 가지런하게. (예)우산이 가지런히 꽂혀 있다.

가지치기 열매가 잘 열리고, 나무 모양을 좋게 하기 위하여 곁가지 따위를 자르고 다듬는 일. [비] 전정. **—하다.**

가짓수 (—數) [가지쑤 / 가짇쑤] 여러 가지 종류의 수효. (예)반찬의 가짓수가 많다.

가:짜 (假—) 진짜처럼 꾸민 것. 진짜가 아닌 것. (예)가짜 돈. [반] 진짜.

가:차없다 (假借—) [가차업따] 조금도 사정을 보아주거나 너그러움이 없다.

가:차없이 (假借—) [가차업씨] 가차없게. (예)가차없이 처벌하다.

가창 (歌唱) 노래를 부름. (예)가창 연습 / 가창력이 뛰어나다.

가:책 (呵責) 자기가 저지른 잘못을 마음속으로 깨달아 뉘우치는 것. (예)양심의 가책을 받다.

*__가축__ (家畜) 집에서 기르는 짐승. 소·말·개·돼지·닭 따위. (예)가축을 기르다. [비] 집짐승.

가출 (家出) 가정을 버리고 집을 나옴. (예)가출 신고 / 청소년 가출이 늘고 있다. **—하다.**

*__가치__ (價値) 1 값어치. (예)화폐 가치가 떨어지다. 2 사물이 지니고 있는

의의나 중요성. ㉠읽을 만한 가치가 있는 책.

가치관 (價値觀) 무엇의 가치를 매길 때, 매기는 사람의 생각이나 기준. ㉠뚜렷한 가치관을 세우다.

가친 (家親) 남에게 자기 아버지를 겸손하게 일컫는 말.

가칠하다 살이 빠져 살갗이 거칠고 윤기가 없다. ㉠감기로 며칠 앓더니 얼굴이 가칠하다. 큰 거칠하다. 센 까칠하다.

가:칭 (假稱) 임시로 지은 이름.

가:타부타 (可-否—) 옳다거나 그르다거나.

가타부타 말이 없다 옳다든지 그르다든지 무슨 말이 없다.

가탈 **1** 일이 잘 진행되는 데 방해가 되는 일. **2** 이러니저러니 트집을 잡아 까다롭게 구는 일. 센 까탈.

가탈(을) 부리다 일이 잘 진행되지 못하게 이런저런 트집을 잡아 까다롭게 굴다.

가택 (家宅) 살림하는 집. ㉠가택 수색.

가톨릭 (Catholic) 천주교나 천주교도.

가파르다 땅이 몹시 비탈지다. ㉠길이 가팔라서 차가 못 간다. 활용 가팔라 / 가파르니.

가:표 (可票) 찬성을 나타내는 표. ㉠가표를 던지다. 반 부표.

가풍 (家風) 한 집안의 풍습이나 규율. ㉠가풍을 따르다. 비 가품.

가필 (加筆) 붓을 대어 글이나 그림 따위를 고침. **—하다.**

가하다[1] (加—) 어떤 행동을 하거나 영향을 끼치다. ㉠압력을 가하다 / 일에 박차를 가하다.

가:하다[2] (可—) **1** 자기 뜻에 맞아 좋다. **2** 도리에 맞아 옳다. ㉠상을 내림이 가하다.

가해 (加害) 남에게 해를 끼침. 반 피해. **—하다.**

가해자 (加害者) 남에게 해를 끼친 사람. ㉠가해자에게 보상을 요구하다. 반 피해자.

가호 (加護) 하늘이나 신이 보살피고 돌봄. ㉠신의 가호가 있기를 빕니다.

가:혹하다 (苛酷—) [가호카다] 매우 모질고 혹독하다. ㉠가혹한 형벌.

가화만사성 (家和萬事成) 집안이 화목하면 모든 일이 다 잘되어 나간다는 말.

가훈 (家訓) 한 집안에서 자손들에게 일러 주는 가르침. ㉠우리 집 가훈은 '바르고 건강하게 살자' 이다.

가:히 (可—) '능히', '넉넉히' 의 뜻을 나타냄. ㉠우리나라 부채춤은 가히 세계에 자랑할 만하다 / 가히 짐작하고도 남을 만한 일.

***각**[1] (角) **1** 면과 면이 만나 이루는 모서리. ㉠얼굴이 각이 지다. **2** 두 직선의 한 끝이 서로 만나는 곳. **3** '각도' 의 준말. ➲ angle

***각**[2] (各) 각각의. 낱낱의. ㉠각 학교 / 각 가정.

각가지 (各—) [각까지] 여러 가지. ㉠각가지 물건. 비 갖가지.

***각각** (各各) [각깍] 따로따로. 제각기. 몫몫이. ㉠각각의 의견을 말하다 / 생각이 각각 다르다. ➲ each

각계 (各界) [각꼐 / 각께] 사회의 여러 분야. ㉠각계의 인사들이 참석하다.

각계각층 (各界各層) [각꼐각층 / 각께각층] 사회 각 분야의 여러 층. ㉠각계각층에서 성금을 보내오다.

각고 (刻苦) [각꼬] 고생을 견디면서 몹시 애씀. ㉠각고의 노력 / 수년간의 각고 끝에 작품을 완성하다.

각골난망 (刻骨難忘) [각꼴란망] 남에게 받은 은혜가 뼈에 새겨져 잊혀지지 않음.

각광 (脚光) [각꽝] **1** 무대 앞 아래쪽에서 배우를 비추는 광선. **2** 사회의 주목을 끄는 일.

각광(을) 받다 많은 사람들에게서 주목을 받다. ㉔각광을 받고 있는 신인 가수.

*__각국__ (各國) [각꾹] 각 나라. 여러 나라. ㉔세계 각국에서 모인 선수단.

각급 (各級) [각끕] 각각의 급. 여러 급. ㉔ 각급 학교.

*__각기__ (各其) [각끼] 저마다 각각. ㉔생긴 모양이 각기 다르다.

각기둥 (角—) [각끼둥] 밑면이 다각형이고, 옆면이 직사각형이나 정사각형인 다면체.

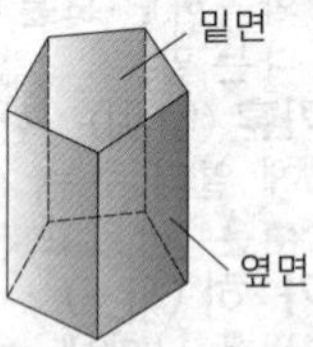

〈각기둥〉

각기병 (脚氣病) [각끼뼝] 비타민 비(B)가 부족하여 생기는, 다리가 붓고 맥박이 빨라지는 병. 쌀을 주식으로 하는 동양인에게 많이 생김.

각다귀 [각따귀] **1** 각다귓과의 곤충. 모기와 비슷하나 크기가 더 크고 다리가 긺. 애벌레는 며루라고 하며 벼나 보리의 뿌리를 잘라 먹는 해충임. 꾸정모기. **2** 남의 것을 착취하는 나쁜 사람.

*__각도__ (角度) [각또] **1** 각의 크기. ㉔각도를 재다. ㊟각. **2** 생각의 방향이나 관점. ㉔여러 각도에서 살펴보다 / 새로운 각도에서 문제를 검토하다.

*__각도기__ (角度器) [각또기] 각의 크기를 재는 기구.

각료 (閣僚) [강뇨] 내각을 구성하는 행정 각부의 장관. ㉔각료 회의.

각막 (角膜) [강막] 눈알의 앞쪽에 있는 둥근 모양의 얇고 투명한 막.

각막염 (角膜炎) [강망념] 각막에 염증이 생겨 각막이 흐려지는 병.

각목 (角木) [강목] 네모지고 길쭉하게 다듬은 나무.

각박하다 (刻薄—) [각빠카다] 모질고 인정이 없다. ㉔세상인심이 각박하다.

각별하다 (各〔恪〕別—) [각뼐하다] **1** 아주 특별하다. ㉔각별한 대우를 받다. **2** 서로 특별히 친하다. ㉔그와 나는 각별한 사이다.

각별히 (各〔恪〕別—) [각뼐히] 각별하게. ㉔각별히 몸조심해라.

각본 (脚本) [각뽄] **1** 연극·영화·방송극 따위에서, 무대 장치·배우의 동작·대사 따위를 자세하게 적은 글. 시나리오. ㉔각본을 쓰다. ㊥극본. 대본. **2** 어떤 일을 하기 위해 미리 짜고 꾸며 놓은 계획. ㉔각본을 짜다 / 일이 각본 대로 되어 가다.

각뿔 (角—) 밑면은 다각형이고, 옆면이 여러 개의 삼각형으로 둘러 싸인 도형.

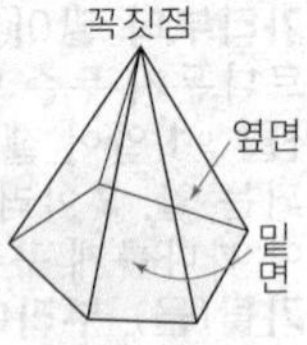

〈각뿔〉

각색¹ (各色) [각쌕] **1** 각각의 빛깔. ㉔각색의 무늬. **2** 여러 가지 종류. ㉔각색 나물. ㊥각종.

각색² (脚色) [각쌕] 소설이나 전설 등을 각본으로 고쳐 씀. ㉔소설을 시나리오로 각색하다. **—하다.**

각서 (覺書) [각써] **1** 약속을 지키겠다는 내용을 적은 문서. ㉔빚을 언제 갚겠다는 각서를 받다. **2** 각국의 의견·희망을 진술하는 데 쓰이는 외교 문서. ㉔각서를 교환하다.

각선미 (脚線美) [각썬미] 여자 다리의 곡선에서 느끼는 아름다움. ㉔각선미를 자랑하다.

각설이 (却說—) [각써리] 사람이 많이 모이는 장터나 잔치 마당에서 긴 타령을 부르는 떠돌이 소리꾼.

각설탕 (角雪糖) [각썰탕] 설탕을 덩어리로 뭉쳐서 네모나게 만든 것.

각설하고 (却說—) [각썰하고] 말이나 글에서, 앞서 하던 이야기를 그만두고 다른 내용의 말을 꺼낼 때 쓰는 말. ㊟ 각설.

각성 (覺醒) [각썽] 깨달아 정신을 바로 차림. ㊎국민의 각성을 촉구하다. **—하다.**

각성제 (覺醒劑) [각썽제] 잠이 오지 않게 하는 약.

각시 [각씨] **1** '아내'를 달리 이르는 말. **2** 갓 결혼한 젊은 여자. ㊐ 새색시.

각양 (各樣) [가걍] 각기 다른 여러 가지 모양.

각양각색 (各樣各色) [가걍각쌕] 서로 다른 여러 가지 모양과 빛깔. ㊎각양각색의 옷차림. ㊐ 가지각색. 형형색색.

각오 (覺悟) [가고] 앞으로 닥쳐올 일에 대하여 마음의 준비를 함. ㊎각오를 단단히 하다 / 희생을 각오하다. **—하다.**

각인각색 (各人各色) [가긴각쌕] 사람마다 각기 다름. ㊎각인각색의 의견. ㊐ 각인각양.

***각자** (各自) [각짜] **1** 한 사람 한 사람. ㊎각자의 일은 스스로 해결해라. **2** 저마다 따로따로. ㊎점심 값은 각자 부담할 것.

각재 (角材) [각째] 네모지게 다듬은 재목.

각저총 (角抵塚) [각쩌총] 중국 만주 지안 현 무용총 옆에 있는 고구려 때의 무덤. 흙무덤이며 무덤 벽에는 씨름하는 그림이 있음.

***각종** (各種) [각쫑] 여러 종류. ㊎각종 참고서 / 각종 구기 종목 / 각종 상품을 진열해 놓다. ㊐ 각가지.

각지 (各地) [각찌] 각 지방. 여러 곳. ㊎전국 각지를 돌다. ㊐ 각처.

각질 (角質) [각찔] 동물의 몸을 보호하는 비늘·뿔·털·부리·손톱 따위를 이루는 물질. ㊎곤충에는 세 겹으로 된 각질의 껍데기가 있다.

각처 (各處) 여러 곳. ㊎세계 각처로 뻗어 나가다. ㊐ 각지.

각축 (角逐) 서로 이기려고 경쟁함. ㊎우승을 놓고 세 팀이 각축을 벌이다.

각축전 (角逐戰) [각축쩐] 승부를 다투는 싸움.

각층 (各層) 각각의 층. 여러 층. ㊎사회 각층의 사람들이 모이다.

각하 (閣下) [가카] 높은 지위에 있는 사람을 존경해서 일컫는 말. ㊎대통령 각하.

간[1] **1** 음식물에 짠맛을 내는 물질. 소금·간장·된장 따위. ㊎간을 치다 / 소금으로 간을 하다. **2** 짠맛의 정도. ㊎찌개의 간을 보다 / 간을 맞추다 / 간이 맞다.

***간ː**[2] (肝) **1** 사람이나 동물의 소화를 돕고 피를 맑게 거르는 기관. ㊐ 간장. **2** 음식으로서의 짐승의 간장. ㊎소의 간을 날로 먹다.

간에 기별도 안 가다 양이 적어 먹은 것 같지 않다.

간(이) 붓다 지나치게 대담해지다.

간이 콩알만 해지다 매우 겁에 질리다.

간(이) 크다 매우 대담하다. ㊎간 큰 남자.

***간**[3] (間) **1** 사이. ㊎서울과 인천 간의 국도. **2** '관계'의 뜻. ㊎부모와 자식 간의 정. **3** '간에'로 쓰여 '어느 쪽이든지 관계없이'의 뜻을 나타내는 말. ㊎있고 없고 간에 / 누구든지 간에.

-간[1] (間) 일부 명사 뒤에 붙어 '장소'를 뜻하는 말. ㊎찻간 / 방앗간 / 대장간 / 뒷간 / 외양간.

-간[2] (間) **1** 둘의 '사이' 또는 '관계'의 뜻. ㊎부부간 / 부자간 / 남녀간 / 사제간. **2** 시간적 '동안'의 뜻. ㊎이틀간 / 며칠간 / 다년간. **3** '어느 쪽이든지 관계없이'의 뜻. ㊎좌우간 / 피차간 / 가부간 / 다소간.

간ː간이 (間間—) [간가니] **1** 드문드문. 이따금. 가끔. ㊎그런 일은 간간이 있다. **2** 듬성듬성. ㉠집이 간간이 있다. 준 간간.

간간하다 맛이 약간 짠 듯하다. ㉠맛이 좀 간간하다. 큰 건건하다.

*간:격 (間隔) **1** 사람이나 물건 사이의 거리. 뜬 사이. ㉠간격을 넓히다. **2** 시간적으로 벌어진 사이. ㉠두 시간 간격. **3** 인간관계의 벌어진 틈. ㉠하찮은 일로 짝과 간격이 생겼다.

간결하다 (簡潔—) 표현이 간단하고 분명하다. ㉠간결한 글. 반 복잡하다.

간경도감 (刊經都監) 조선 세조가 불경을 한글로 풀이하여 간행하기 위해 설치한 기관.

간계 (奸計) [—/간게] 간사한 꾀. ㉠간계에 넘어가다.

간:곡하다 (懇曲—) [간고카다] 간절하고 정성스럽다. ㉠간곡한 부탁/간곡하게 타이르다.

간곳없다 [간고덥따] 갑자기 자취를 감추어 온데간데없다.

간곳없이 [간고덥씨] 온데간데없이. ㉠간곳없이 사라지다.

간과하다 (看過—) 신중히 생각하지 않고 대충 보아 넘기다. ㉠간과할 수 없는 사태/실수를 그냥 간과하다.

간교하다 (奸巧—) 꾀를 부려 남을 속이고 해롭게 하려는 생각이 가득하다. ㉠간교한 계책.

간난 (艱難) 힘들고 고생이 됨. ㉠온갖 간난을 겪다.

간:니 젖니가 빠지고 다시 나는 이. 비 영구치. 반 젖니. →젖니 참고

간단명료하다 (簡單明瞭—) [간단명뇨하다] 간단하고 분명하다. ㉠간단명료하게 대답하다.

*간단하다 (簡單—) **1** 복잡하지 않다. ㉠조립이 간단하다. 비 간략하다. 단순하다. 반 복잡하다. **2** 일이나 차림이 간편하다. ㉠간단한 복장/저녁 식사를 간단하게 끝내다. **3** 단순하고 손쉽다. ㉠간단한 문제.

*간단히 (簡單—) 간단하게. ㉠간단히 인사를 나누다/일을 간단히 처리하다.

간:담 (肝膽) **1** 간과 쓸개. **2** 속마음을 비유적으로 일컫는 말.

간담이 내려앉다 몹시 놀라다.

간담이 떨어지다 몹시 놀라다.

간담이 서늘하다 몹시 놀라서 섬뜩하다.

간:담회 (懇談會) 서로 마음을 터놓고 정답게 이야기를 나누는 모임. ㉠간담회를 가지다.

간당거리다 매달려 있는 작은 물체가 가볍게 자꾸 흔들리다. 큰 건덩거리다.

간:덩이 (肝—) [간떵이] '간'의 속된 말.

간덩이(가) 붓다 터무니없이 배짱을 부리다. 건방지게 굴다.

간:도 (間島) 〖지명〗 북간도·서간도를 포함한 만주 동남부 두만강 유역 지방을 통틀어 이르는 말.

간드러지다 목소리가 예쁘고 맵시 있으며 부드럽다. ㉠간드러진 웃음소리/노래를 간드러지게 부르다.

간들간들 작은 물체가 이리저리 가볍게 자꾸 흔들리는 모양. ㉠코스모스가 바람에 간들간들 흔들린다. 큰 건들건들.

간들거리다 **1** 바람이 부드럽고 가볍게 불다. **2** 사람이 간드러진 태도를 보이다. 큰 건들거리다. **3** 작은 물체가 이리저리 자꾸 흔들리다. ㉠나뭇잎이 바람에 간들거린다.

간디 (Gandhi, Mohandas Karamchand) 〖인명〗 인도의 민족 운동 지도자. 영국의 식민지 정책에 대항하여 비폭력·무저항·불복종 운동을 펼치고 인도의 독립과 해방을 위하여 힘씀. [1869-1948]

간:디스토마 (肝distoma) 흡충류

의 편형동물. 몸길이 6-20 mm로 납작하고 긴 나뭇잎 모양임. 사람·개·고양이·돼지 등의 간에 기생하며, 애벌레는 우렁이·민물고기 등에 기생함.

간략하다 (簡略—) [갈랴카다] 간단하고 짤막하다. ㉢요점만 **간략하**게 말하다. ㉥간단하다.

간략히 (簡略—) [갈랴키] 간략하게. ㉢긴 글을 **간략히** 줄이다.

간만 (干滿) 썰물과 밀물. ㉢조수 **간만**의 차가 심하다.

간ː발 (間髮) 순간적이거나 아주 적음을 나타내는 말.

간발의 차이 서로 엇비슷할 정도의 아주 적은 차이. ㉢우리 반은 이어달리기에서 **간발의 차이**로 2등을 했다.

간밤 지난밤. 어젯밤. ㉢**간밤**에 비가 내렸다.

간병 (看病) 환자의 곁에서 돌보고 시중을 듦. ㉢**간병**인을 따로 두다. ㉥병구완. **—하다.**

간부 (幹部) 모임이나 단체의 중심이 되는 사람. ㉢**간부** 회의.

간사[1] (奸詐) 행동이나 마음이 바르지 않고 남을 잘 속임. ㉢**간사**를 떨다 / **간사**를 부리다 / **간사**한 인간 / **간사**한 행동. **—하다.**

간사[2] (幹事) 모임이나 단체의 중심이 되어 일을 처리하는 직책. 또는 그 사람. ㉢동창회 **간사**.

간사스럽다 (奸詐—) [간사스럽따] **1** 교활하게 남을 속이는 태도가 있다. **2** 지나치게 아양을 떠는 면이 있다. ㉢**간사스러**운 목소리를 내다. 활용 간사스러워 / 간사스러우니.

간살 간사스럽게 아첨하고 아양을 떠는 태도. ㉢**간살**쟁이.

간살부리다 간사스럽게 몹시 아양을 떨다. ㉢상사에게 **간살부리다**.

간살스럽다 [간살스럽따] 간살부리는 태도가 있다. ㉢**간살스러**운 눈웃음. 활용 간살스러워 / 간살스러우니.

간ː색 (間色) 빨강·노랑·파랑·하양·검정 가운데 두 가지 이상의 색을 섞었을 때 나타나는 색. 주황색·청록색 따위. ㉥원색. 정색.

간ː석기 (—石器) [간석끼] 돌을 갈아서 만든 신석기 시대의 석기. ㉥마제 석기. *뗀석기.

간석지 (干潟地) [간석찌] 바닷물이 드나드는 개펄. ㉢**간석지**를 개간하다.

간선 (幹線) 도로·철도·전신 등에서 중심이 되고 중요한 선. ㉢**간선** 철도. ㉥본선. ㉥지선.

간ː선제 (間選制) 일반 유권자가 먼저 선거 위원을 뽑고, 그 선거 위원이 투표하여 당선자를 뽑는 선거 제도. ㉥직선제. 본 간접 선거 제도.

간섭 (干涉) 남의 일에 참견함. ㉢**간섭**을 받다 / 내 일에 **간섭**하지 마라. ㉥참견. ㉥방임. **—하다.**

간성 (干城) 방패와 성이라는 뜻으로, 나라를 지키는 군대나 사람을 말함. ㉢국군은 나라의 **간성**.

간소하다 (簡素—) 간략하고 꾸밈이 없다. ㉢**간소**한 옷차림.

간소화 (簡素化) 복잡한 것을 간략하게 함. ㉢민원서류를 **간소화**하다. **—하다.**

간수[1] 물건 따위를 잘 거두어 보호하거나 보관함. ㉢귀중한 물건이니 잘 **간수**해라. ㉥건사. **—하다.**

간수[2] (—水) 소금에서 저절로 녹아 나오는 짜고 쓴 물. 두부를 만들 때에 씀.

간수[3] (看守) '교도관'의 전 이름.

간ː식 (間食) 끼니와 끼니 사이에 음식을 먹음. 또는 그 음식. ㉢**간식**으로 과자를 먹다. ㉥군음식.

간신 (奸〔姦〕臣) 간사한 신하. ㉥충신.

간신히 (艱辛—) 겨우. 가까스로.

힘들게. 예간신히 빠져나오다 / 웃음을 간신히 참다.

간악하다 (奸惡—) [가나카다] 간사하고 악독하다. 예간악한 무리.

간:암 (肝癌) [가남] 간에 생기는 암.

간:언 (諫言) [가넌] 웃어른이나 임금에게 잘못된 일을 고치도록 하는 말. 예간언을 올리다.

간여 (干與) [가녀] 어떤 일에 참여하여 관계를 가짐. 예정치에 간여하다. 비관여. **—하다.**

간:염 (肝炎) [가념] 간에 생기는 염증을 통틀어 이르는 말. 발열·황달·소화 장애 따위의 증상이 나타남. 비간장염.

간:유 (肝油) [가뉴] 명태·대구 따위 생선의 간에서 뽑아낸 노란 기름. 비타민 에이(A)와 비타민 디(D)가 많이 들어 있어 영양제로 씀.

간:의 (簡儀) [가늬 / 가니] 조선 세종 때 이천·장영실 등이 만든, 해·달·별 등의 천체의 운행과 현상을 관측하던 기계.

간:의대 (簡儀臺) [가늬대 / 가니대] 조선 세종 때 돌로 축대를 쌓고 그 위에 간의를 올려놓아 천체의 현상을 관측하던 곳.

간:이 (簡易) [가니] 간단하고 편리함. 예간이식당 / 간이 화장실.

간:이역 (簡易驛) [가니역] 역무원도 없고 역 시설을 제대로 갖추지 아니하여, 열차가 정거만 하는 역. 비간이 정거장.

간:이 진료소 (簡易診療所) [가니질료소] 간단한 진찰과 치료를 해 주는 곳.

***간장¹** (—醬) 음식의 간을 맞추는 데에 쓰는 짠맛이 나는 흑갈색의 액체. 예간장을 담그다 / 튀김을 간장에 찍어 먹다. 준장.

간장² (肝腸) **1** 간과 창자. 예간장약. **2** 애가 타서 녹을 듯한 마음.

간장을 녹이다 ㉠감언이설·아양 등으로 상대방의 비위를 맞추어 좋게 보이려고 하다. ㉡몹시 애타게 하다.

간장을 태우다 조바심과 걱정으로 속을 끓이다. 애를 태우다.

간장이 타다 조바심과 걱정으로 속이 타는 듯하다. 애가 타다.

간:장³ (肝臟) ⇨간²1.

간:절하다 (懇切—) 바라는 마음이 매우 절실하다. 예간절한 부탁 / 간절한 소망 / 부모님 생각이 간절하다. 비간곡하다.

간:절히 (懇切—) 간절하게.

간:접 (間接) 바로 대하지 않고 중간에 사람이나 사물을 통하여 연결되는 관계. 예소식을 간접으로 전해 듣다. 반직접.

간:접 경험 (間接經驗) [—경험] 몸으로 직접 경험하지 아니하고, 말을 듣거나 글을 읽어 얻는 경험. 예책을 통해 간접 경험을 하다.

간:접 선:거 (間接選擧) [—썬거] 선거권자가 먼저 선거 위원을 뽑고, 그 선거 위원이 다시 당선자를 뽑는 일. 반직접 선거. 준간선.

간:접세 (間接稅) [간접쎄] 상품에 대한 세금을 상품을 만들거나 파는 사람에게 내게 하되, 실지는 소비하는 사람이 부담하는 조세. 주세·전화세·교통세·부가 가치세 따위. 반직접세.

간:접적 (間接的) [간접쩍] 바로 대하지 않고 중간에 다른 사람이나 사물을 통하여 연결되는 (것). 예간접적으로 듣다. 반직접적.

간:접 조:명 (間接照明) [—쪼명] 빛을 천장이나 벽에 비추어, 거기서 반사된 빛을 이용하는 조명. 반직접 조명.

간조 (干潮) 바닷물이 빠져 바다의 수면이 가장 낮아진 상태. 반만조.

간:주곡 (間奏曲) 극 또는 악극의

막간에 연주하는 가벼운 음악.

간주하다 (看做—) 그렇다고 보다. 그와 같다고 여기다. ㉠그의 공로로 간주하다.

간지럼 간지러운 느낌. ㉠간지럼을 타다 / 간지럼을 태우다.

간지럽다 [간지럽따] 무엇이 살에 가볍게 닿아 스칠 때, 자리자리한 느낌이 있다. ㉠발바닥이 간지럽다 / 머리카락이 목에 닿아 간지럽다. ㉠큰 근지럽다. 활용 간지러워 / 간지러우니.

간지럽히다 [간지러피다] ⇨간질이다.

*__간직하다__ [간지카다] 물건 따위를 상하지 않게 잘 간수하여 두다. ㉠추억이 담긴 사진을 소중히 간직하다. 비 간수하다.

간ː질 (癎疾) 별안간 몸이 굳어지고 손발을 떨며 정신을 잃는 증상을 일으키는 병.

간질간질 간지러운 느낌이 자꾸 드는 상태. ㉠콧구멍이 간질간질하다. 큰 근질근질. **—하다.**

간질이다 [간지리다] 간지럽게 하다. ㉠들국화 향기가 코를 간질이다 / 발바닥을 간질이다.

간척 (干拓) 호수나 바닷가에 둑을 만들고 그 안의 물을 빼내어 육지로 만드는 일. ㉠간척 사업. **—하다.**

간척지 (干拓地) [간척찌] 간척 공사를 하여 만든 땅. 특히 경작지나 목축지로 이용할 수 있는 땅. ㉠바다를 막아 간척지를 만들다.

*__간ː첩__ (間諜) 적이나 경쟁 상대의 정보나 기밀 따위를 몰래 알아내서 자기편에 제공하는 사람. 스파이. 비 첩자.

간ː첩선 (間諜船) [간첩썬] 바다를 통하여 침입하는, 간첩들을 태운 배. ㉠간첩선을 나포하다.

간ː청 (懇請) 간절히 청함. ㉠간청을 들어주다. **—하다.**

> 주의 **간청**과 **강청**
> **간청** 무엇을 해 달라고 간절하게 바람. ㉠결혼을 허락해 달라고 간청하다.
> **강청** 강제로 청함. ㉠싫다는데도 거듭 강청하다.

*__간추리다__ **1** 흐트러진 것을 가지런히 바로잡다. ㉠흩어진 서류를 간추리다. **2** 중요한 것만 골라서 간단하게 정리하다. ㉠교과서를 간추려서 공부하다.

간ː택 (揀擇) 임금이나 왕자의 신붓감 또는 공주의 신랑감을 고르는 일. ㉠왕비를 간택하다. **—하다.**

간파하다 (看破—) 겉으로 드러나지 않은 속뜻이나 일의 내막을 알아차리다. ㉠그의 속셈을 간파했다.

간판 (看板) **1** 회사나 가게 따위에서, 여러 사람에게 보이려고 가게 이름·상표명·상품명 등을 써서 내건 물건. ㉠간판을 걸다. **2** 남 앞에 내세울 만한 것. 학벌이나 경력 따위. ㉠간판보다 실력이 문제다.

간편하다 (簡便—) 간단하고 편리하다. ㉠간편한 방법 / 사용이 간편하다. 비 간단하다. 반 복잡하다.

간하다[1] **1** 음식에 맛을 내기 위해 간을 치다. ㉠소금으로 간하다. **2** 생선·야채 따위를 소금에 절이다. ㉠고등어를 간해서 보관하다.

간ː하다[2] (諫—) 웃어른이나 임금에게 잘못을 고치도록 말하다.

간행 (刊行) 책이나 신문 따위를 인쇄하여 세상에 내놓거나 펴냄. 비 출판. **—하다.**

간ː헐적 (間歇的) [간헐쩍] 일정한 시간 간격을 두고 되풀이되는 (것). 반 연속적.

간호 (看護) 환자를 보살펴 돌봄. ㉠지극한 정성으로 환자를 간호하다. 비 간병. 구완. **—하다.**

*간호사 (看護師) 병원에서 의사의 진료를 돕고 환자를 간호하는 것이 직업인 사람. ➡ nurse

간:혹 (間或) 이따금. 어쩌다가. [예]간혹 눈에 띄다 / 간혹 실수도 한다. [비]간간이.

*갇히다 [가치다] 가둠을 당하다. [예]죄를 짓고 감옥에 갇히다.

갈:가리 여러 가닥으로 찢어진 모양. [예]옷이 갈가리 찢어지다. [비]갈기갈기. [본]가리가리.

갈겨쓰다 글씨를 서둘러서 아무렇게나 마구 쓰다. [예]갈겨쓴 편지여서 읽기가 매우 어렵다. [활용]갈겨써 / 갈겨쓰니.

갈:고닦다 [갈고닥따] 학문이나 재주 따위를 힘써 배우고 익혀 더욱 훌륭하게 만들다. [예]갈고닦은 노래 솜씨.

갈고랑이 끝이 뾰족하고 꼬부라진 물건. 쇠로 만들어 물건을 걸고 끌어당기는 데 씀. [준]갈고리.

갈고리 '갈고랑이'의 준말.

갈구 (渴求) 간절히 바라며 구함. [예]사랑을 갈구하다. —하다.

갈:기 말이나 사자 같은 짐승의 목덜미에 난 긴 털. [예]말의 갈기를 쓸어 주다.

〈갈기〉

갈기갈기 여러 가닥으로 찢어진 모양. [예]강아지가 신문을 갈기갈기 찢어 놓았다. [비]갈가리.

갈기다 **1** 몹시 세게 때리거나 후려치다. [예]뺨을 한 대 갈기다. **2** 글씨를 아무렇게나 급하게 쓰다. **3** 똥·오줌 따위를 함부로 아무 데나 싸다. **4** 총이나 대포 따위를 마구 쏘다.

갈까마귀 까마귓과에 속하는 새. 까마귀와 비슷하나 약간 작으며, 목과 배는 희고 나머지는 검음.

*갈다[1] 이미 있는 것 대신에 다른 것으로 바꾸다. [예]전등을 갈다 / 아기의 기저귀를 갈다 / 카세트의 건전지를 갈다. [활용]갈아 / 가니 / 가는.

*갈:다[2] **1** 날카롭게 날을 세우거나 표면을 매끄럽게 하기 위해 단단한 물건에 대고 문지르다. [예]먹을 갈다 / 숫돌에 칼을 갈다. **2** 단단한 물건에 대고 문질러서 잘게 부수거나 으깨다. [예]강판에 감자를 갈다. **3** 문질러서 빛을 내다. [예]옥도 갈아야 보석이 된다. **4** 윗니와 아랫니를 마주 대고 문지르다. [예]이를 바득바득 갈다. [활용]갈아 / 가니 / 가는.

*갈:다[3] **1** 농기구로 논밭의 흙을 파서 뒤집다. [예]밭을 갈다. [비]일구다. **2** 농사를 짓다. 경작하다. [활용]갈아 / 가니 / 가는.

갈대 [갈때] 볏과의 여러해살이풀. 습지나 물가에 나는데 높이는 1–3 m, 줄기는 곧고 단단하며 속이 비어 있음. 잎은 가늘고 길며, 가을에 줄기 끝에 솜털 같은 흰 꽃이 핌.

〈갈대〉

갈대밭 [갈때받] 갈대가 많이 나 있는 곳.

갈데없다 [갈떼업따] 오로지 그렇게 될 수밖에 없다. [예]아이는 갈데없는 그의 어머니 얼굴이다 / 행색이 갈데없는 거지다. [참고] 이 말은 주로 '갈데없는'의 꼴로 쓰임.

갈데없이 [갈떼업씨] 다르게 될 수 없게. 틀림없이. [예]이제 범인은 갈데없이 붙잡힌다.

갈등 (葛藤) [갈뜽] **1** 마음속으로 서로 어긋난 생각에 괴로워함. [예]마음에 갈등을 느끼다. **2** 생각이나 이해관계의 대립으로 말미암아 일어나는 충돌. [예]노사 간의 갈등 / 갈등을 빚다.

갈라놓다 [갈라노타] **1** 사이가 멀어지게 하다. ㉠두 사람 사이를 갈라놓다. **2** 각각 떼어 구분하다. ㉠사과를 네 조각으로 갈라놓다 / 휴전선이 남북을 갈라놓다.

갈라서다 **1** 둘 이상으로 나뉘어 서다. ㉠두 편으로 갈라서다. **2** 서로 관계를 끊고 따로따로 되다. ㉠부부가 깨끗이 갈라서다.

***갈라지다** **1** 하나이던 것이 깨져 금이 가거나 쪼개지다. ㉠벽이 갈라지다. **2** 사이가 멀어지다. ㉠친구 사이가 갈라지다.

갈래 하나에서 둘 이상으로 갈라져 나간 부분이나 가닥. ㉠문학의 갈래 / 두 갈래 갈림길 / 머리를 두 갈래로 땋다.

갈래갈래 갈래마다.

갈래꽃 [갈래꼳] 꽃잎이 서로 떨어져 있는 꽃. 매화·벚꽃·복숭아꽃 따위. ㊉통꽃.

갈리다[1] 몇 갈래로 나누어지다. ㉠지지표가 갈리다 / 의견이 구구하게 갈리다.

갈리다[2] **1** 문질러 갊을 당하다. ㉠분해서 이가 갈린다. **2** 문질러 갈게 하다.

갈리다[3] **1** 새것으로 바꾸게 하다. **2** 다른 사람이나 사물로 바뀌다. ㉠장관이 갈리다.

갈릴레이 (Galilei, Galileo) 〖인명〗 이탈리아의 물리학자·천문학자. 물체의 낙하 법칙을 발견하고, 목성의 위성 및 태양의 흑점을 발견하였으며, 또 지구가 태양의 둘레를 돈다는 코페르니쿠스의 지동설을 증명함. [1564-1642]

갈림길 [갈림낄] 여러 갈래로 갈린 길. ㉠선택의 갈림길에 서다.

갈마쥐다 **1** 한 손에 쥔 것을 다른 손에 바꾸어 쥐다. ㉠왼손의 가방을 오른손으로 갈마쥐고 달려갔다. **2** 쥔 것을 놓고 다른 것으로 바꾸어 쥐다. ㉠여러 악기를 갈마쥐어 가면서 연주한다.

갈망하다 (渴望―) 간절히 바라다. ㉠모든 사람이 갈망하는 통일. ㊇열망하다.

***갈매기** 갈매깃과의 바닷새. 몸빛은 대체로 희며 부리와 다리는 노란색을 띰. 물갈퀴가 있어 헤엄을 잘 치고 물고기를 잡아먹음. ㊇백구.

〈갈매기〉

갈모 (―帽) 예전에, 기름종이로 만들어 비가 올 때 갓 위에 덮어 쓰던 고깔 모양으로 생긴 것.

갈무리 **1** 일을 처리하여 끝맺음. ㊇마무리. **2** 물건을 잘 정돈하여 간수함. **―하다.**

갈:묻이 [갈무지] 논밭을 갈아서 묵은 끄트러기 따위가 땅속에 묻히게 하는 일. **―하다.**

갈비 **1** 갈비뼈. 늑골. **2** 소나 돼지 따위의 가슴통을 이루는 굵은 뼈와 살을 요리의 재료로 이르는 말. ㉠갈비구이 / 갈비를 한 대 뜯다.

갈비뼈 등뼈에 붙어 좌우로 활처럼 둥글게 휘어 가슴통을 이루는 뼈. 좌우 열두 쌍이 있음. ㊇늑골.

갈비찜 소나 돼지 따위의 갈비에 양념을 하여 푹 찐 음식.

갈비탕 (―湯) 소의 갈비를 토막 내어 물에 넣고 끓인 국.

갈빗대 [갈비때 / 갈빋때] 갈비의 낱낱의 뼈대. 사람의 갈빗대는 24개임.

갈색 (褐色) [갈쌕] 검은빛을 띤 주황색. ㊇밤색. ➡brown

갈수록 [갈쑤록] 점점. 더욱더. ㉠갈수록 실력이 는다.

갈아대다 [가라대다] 묵은 것 대신 새것을 바꾸어 대다. ㉠대팻날을 갈아대다 / 구두창을 갈아대다.

갈아엎다 [가라업따] 땅을 갈아 뒤집어엎어 놓다. (예)쟁기로 논을 갈아엎다.

갈아입다 [가라입따] 입고 있던 옷을 벗고 다른 옷으로 바꾸어 입다. (예)자기 전에 잠옷으로 갈아입다.

갈아타다 [가라타다] 타고 있던 것에서 내려 다른 것으로 바꿔 타다. (예)버스를 갈아타다.

갈음 [가름] 다른 것으로 바꾸어 대신함. **—하다.** →가름 (주의)

갈이 [가리] **1** 논밭을 가는 일. (예)갈이를 마치다. **2** 하루 동안에 한 마리의 소가 갈 만한 논밭의 넓이. (예)하루갈이.

갈ː잎 [갈립] **1** '가랑잎'의 준말. **2** 떡갈나무의 잎. (비)떡갈잎. **3** 갈대의 잎. (비)갈댓잎.

갈조식물 (褐藻植物) [갈쪼싱물] 녹갈색 또는 담갈색의 바닷말. 한류의 깊은 곳에 많이 남. 다시마·미역 따위. (비)갈조류. 갈색 조류.

갈증 (渴症) [갈쯩] 목이 몹시 말라서 물을 마시고 싶은 느낌. (예)갈증을 느끼다 / 갈증이 나다.

갈채 (喝采) 기뻐서 크게 소리 지르며 칭찬함. (예)갈채가 쏟아지다 / 갈채를 받다 / 갈채를 보내다.

갈치 갈칫과의 바닷물고기. 길고 얄팍한 띠 모양인데 비늘이 없고 몸 전체에 은백색의 가루 같은 것이 덮여 있음. 등지느러미가 꼬리까지 뻗어 있고 배지느러미와 꼬리지느러미가 없음.

갈퀴 나뭇잎·마른 풀 따위를 긁어모으는 데 쓰는 기구. 한쪽 끝이 구부러진 대쪽이나 철사를 여러 개 엮어 만듦.

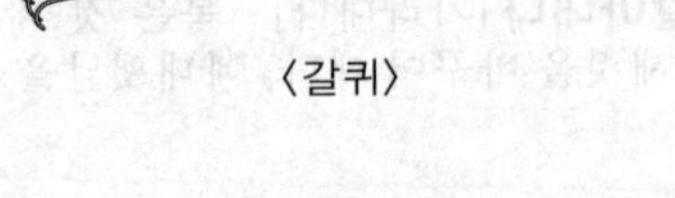

〈갈퀴〉

갈파래 갈파랫과의 바닷말. 김과 비슷하나 더 푸르고 물결이 잔잔한 바닷가에서 많이 남. 먹기도 하나 사료로 많이 씀. (비)청태.

갈팡질팡 목표·방향을 정하지 못하고 이리저리 헤매는 모양. (예)산속에서 길을 잃고 갈팡질팡하다. **—하다.**

갈피 **1** 겹치거나 포갠 물건의 하나하나의 사이. (예)책갈피에 끼우다. **2** 일의 갈래가 구별되는 어름.

갈피를 못 잡다 어떻게 된 일인지 또는 어떻게 할지를 모르다. (예)너무 복잡하여 갈피를 못 잡겠다.

갉다 [각따] 바닥이나 거죽 따위를 날카롭고 뾰족한 끝으로 자꾸 문지르다. (예)칼끝으로 갉아 구멍을 내다. (큰)긁다. (발음) 갉고[갈꼬] / 갉아서[갈가서] / 갉지[각찌].

갉아먹다 [갈가먹따] **1** 사물이나 시간 따위를 조금씩 헛되이 소모하다. **2** 남의 돈이나 물건을 좀스럽게 빼앗아 가지다. (예)백성의 재물을 갉아먹다. (큰)긁어먹다.

*__감ː__[1] 감나무의 열매. 빛깔은 붉으며 가을에 익음. 맛이 달고 좋으며, 껍질을 벗기고 말려서 곶감을 만듦. (예)감을 따다 / 감이 익다 / 못 먹는 감 찔러나 본다.

*__감ː__[2] 무엇을 만드는 재료 또는 바탕이 되는 천. (예)구김이 잘 가는 감이다 / 이 옷은 감이 질기다.

감ː[3] (感) 느낌이나 생각. (예)감을 잡다 / 때늦은 감이 있다.

-감[1] **1** 바탕이 되는 재료의 뜻. (예)이불감 / 양념감. **2** 어떤 자리에 알맞은 사람의 뜻. (예)사윗감 / 사장감. **3** 어떤 일의 대상이 되는 사물이나 도구, 사람의 뜻. (예)일감 / 놀림감 / 장난감.

-감[2] (感) 느낌 또는 느끼는 마음의 뜻. (예)자신감 / 친밀감 / 사명감.

*__감ː각__ (感覺) **1** 눈·귀·코·혀·살갗

따위의 작용을 통하여 느끼는 것. ㉮손의 감각이 무디다 / 감각이 예민하다 / 추워서 손발의 감각이 마비되다. **2** 사물을 느껴서 깨달음. ㉮패션 감각 / 유머 감각 / 언어 감각이 뛰어나다. ➡ sense

감ː각 기관 (感覺器官) [—끼관] 동물의 몸에서 외부의 자극을 받아들여 느끼는 기관. 눈·귀·코·혀·살갗 따위.

감ː각적 (感覺的) [감각쩍] **1** 느낀 대로 행동하거나 표현하는 (것). **2** 감각을 자극하는 (것).

감감무소식 (—無消息) 소식이나 연락이 오랫동안 전혀 없음. ㉮떠나고는 감감무소식이다. 비 감감소식.

감감하다 **1** 너무 멀어서 아득하다. ㉮감감한 수평선. **2** 소식이 없다. ㉮이사 간 친구 소식이 몇 해 동안 감감하다. **3** 어떤 사실을 전혀 모르거나 기억이 없다.

감ː개 (感慨) 마음속 깊이 느낀 감동이나 느낌. ㉮감개에 젖다.

감ː개무량하다 (感慨無量—) 마음에 느낀 감동이 매우 크다. ㉮10년 만에 만나니 참으로 감개무량하다.

*__감ː격__ (感激) **1** 몹시 고맙게 느낌. ㉮감격의 눈물을 흘리다. **2** 마음에 깊이 느끼어 크게 감동함. ㉮감격과 흥분의 도가니. 비 감동. **—하다.**

감ː격스럽다 (感激—) [감격쓰럽따] 마음에 깊이 느끼어 감동이 매우 크다. ㉮감격스러운 목소리. 활용 감격스러워 / 감격스러우니.

감ː격적 (感激的) [감격쩍] 감격할 만한 (것). ㉮감격적인 장면. 비 감동적.

감ː광성 (感光性) [감광썽] 물질이 빛을 받아 화학적 변화를 일으키는 성질.

감ː광지 (感光紙) 빛을 받으면 화학적 변화가 일어나는 종이. 사진의 인화지·복사지·청사진 종이 따위가 있음.

감귤 (柑橘) 귤과 밀감의 총칭.

감금 (監禁) 마음대로 드나들지 못하게 일정한 곳에 가둠. ㉮불법 감금 / 독방에 감금하다. **—하다.**

*__감ː기__ (感氣) 호흡기 계통에 염증이 생겨, 몸이 추워지면서 콧물·기침이 나고 열이 나는 병. ㉮감기가 들다 / 감기에 걸리다. 비 고뿔.

감기다[1] **1** 눈이 저절로 감아지다. ㉮너무 졸려서 눈이 자꾸 감긴다. **2** 다른 사람의 눈을 감게 하다.

감기다[2] 노끈이나 실 같은 것이 감아지다. ㉮실패에 감긴 실.

감기다[3] 머리나 몸을 물로 씻어 주다. ㉮머리를 감기다.

감ː나무 감나뭇과의 낙엽 활엽 교목. 5–6월에 좀 누런 흰색 꽃이 피며, 10월에 열매가 주황색으로 익음. 나무는 가구의 재료로 쓰임.

감ː는줄기 스스로 서지 못하고 다른 물건을 칭칭 감으면서 벋어 올라가는 덩굴진 줄기. 칡 따위.

*__감ː다[1]__ [감따] 아래위의 눈시울을 한데 붙이다. ㉮눈을 지그시 감다. 반 뜨다.

*__감ː다[2]__ [감따] 머리·몸 따위를 물에 담가 씻다. ㉮창포물에 머리를 감다.

*__감ː다[3]__ [감따] 실·끈·줄 등을 무엇에 말거나 두르다. ㉮붕대를 머리에 감다 / 실을 실패에 감다.

감당 (堪當) **1** 일을 맡아서 해냄. ㉮이 일은 혼자 감당하기 어렵다. **2** 견디어 냄. ㉮슬픔이 커 감당하기 힘들다. **—하다.**

감독 (監督) **1** 일이나 사람 따위가 잘못되지 않도록 보살피고 지도함. 또는 그런 일을 맡은 사람. ㉮시험 감독. **2** 연극·영화 등을 만들 때 연출을 맡아 직접 지휘하고 배우를 관리하는 사람. ㉮영화감독. **3** 운동 경기에서 선수를 지도하는 사람. ㉮

축구 팀의 감독. —하다.
감독관 (監督官) [감독꽌] 감독하는 직무를 맡은 사람. ㉡감독관으로 임명되다.
감:돌다 **1** 어떤 것의 둘레를 빙빙 돌다. **2** 생각 따위가 마음속에서 사라지지 않고 아른거리다. ㉡아름다운 선율이 귓가에 감돌다 / 친구와의 추억이 머릿속에 감돌다. **3** 어떤 기운·분위기 따위가 주위에 가득 어리다. ㉡긴장이 감돌다 / 따뜻한 분위기가 감돌다. **4** 길이나 물굽이가 모퉁이를 따라 돌다. ㉡바위를 감돌아 흐르는 냇물. 활용 감돌아 / 감도니 / 감도는.
*__감:동__ (感動) 깊이 느끼어 마음이 움직임. ㉡벅찬 감동을 느끼다 / 선생님의 말씀을 듣고 큰 감동을 받았다 / 지극한 효성에 하늘이 감동하다. 비 감격. —하다.
감:동적 (感動的) 감동할 만한 (것). ㉡감동적인 순간. 비 감격적.
감:량 (減量) [감냥] 수량이나 무게를 줄임. ㉡체중 감량에 성공하다. —하다.
감로수 (甘露水) [감노수] 깨끗하고 맛이 좋은 물.
감:면 (減免) 형벌·세금·부담 따위를 덜어 주거나 면제함. ㉡학비 감면을 받다. —하다.
감:명 (感銘) 깊이 감동하여 마음에 새김. ㉡감명 깊은 이야기 / 큰 감명을 받다. —하다.
감미롭다 (甘味—) [감미롭따] **1** 맛이 달거나 달콤하다. ㉡감미로운 과실. **2** 달콤한 느낌이 있다. ㉡감미로운 음악. 활용 감미로워 / 감미로우니.
감미료 (甘味料) 단맛을 내는 데 쓰는 조미료. 설탕·물엿·과당·포도당 따위.
감방 (監房) 교도소에서 죄수를 가두어 두는 방. ㉡감방에 가다 / 감방에 가두다.
감별 (鑑別) 물건을 살펴보고 구별함. ㉡병아리의 암수를 감별하다. —하다.
감:복 (感服) 마음에 깊이 느껴 진심으로 따름. ㉡그의 정성에 감복했다. —하다.
감:봉 (減俸) 봉급의 액수를 줄임. ㉡감봉 처분을 내리다. 반 가봉. —하다.
감:빛 [감삗] 잘 익은 감과 같이 붉은 빛.
*__감:사__[1] (感謝) 고맙게 여김. 또는 고마움을 나타내는 인사. ㉡감사 편지 / 감사한 마음 / 선생님의 은혜에 감사를 드리다. 비 사례. —하다. —히. ➲thank
감사[2] (監査) 잘하도록 감독하고 검사함. ㉡정기 국회의 국정 감사. —하다.
감사[3] (監司) ⇨관찰사.
감사원 (監査院) 대통령 직속의 헌법 기관으로, 국가의 세입과 세출을 결산하고 공무원의 직무를 감찰하는임무를 맡아봄.
감:사장 (感謝狀) [감사짱] 감사의 뜻을 적어 표창하는 문서. ㉡감사장을 전달하다.
감:상[1] (感想) 마음속에서 일어나는 느낌이나 생각. 비 느낌. 소감.
감:상[2] (感傷) **1** 마음에 느껴 슬퍼함. ㉡감상에 젖다 / 감상에 빠지다. **2** 감정이 하찮은 자극에도 쉽게 흔들려 움직이는 상태. ㉡가을은 감상의 계절.
*__감상__[3] (鑑賞) 영화·문학·음악·미술 따위의 예술 작품의 아름다움을 느끼고 이해하며 즐기는 것. ㉡음악 감상 / 영화 감상 / 국악을 감상하다. —하다.
감:상문 (感想文) 어떤 사물이나 현상을 보거나 겪으면서 마음속으로 느낀 점을 적은 글. 또는 어떤 작

품이나 글에 대한 감상을 적은 글. ㊀독서 감상문.

감ː상적 (感傷的) 지나치게 쉽게 슬퍼하거나 감동하는 (것). ㊀감상적인 생각에 빠지다.

감색 (紺色) 검은빛을 띤 남빛. ㊀감색 양복을 입은 남자.

감ː성 (感性) 자극에 대하여 느낌·생각이 일어나게 하는 능력. ㊀감성이 풍부하다. 비 감수성.

감ː성적 (感性的) 감성이 작용하는 (것). 감성이 예민한 (것).

감ː소 (減少) 수량이 줄어서 적어짐. ㊀수출 감소 / 인구가 감소하다. 반 증대. **—하다.**

감ː속 (減速) 속도를 줄임. 또는 속도가 줄어듦. ㊀빗길에서는 감속 운행해야 한다. 반 가속. **—하다.**

감ː수[1] (減收) 수입이나 수확이 줆. ㊀수해 때문에 농작물 수확이 감수되다. 반 증수. **—하다.**

감수[2] (監修) 책을 쓰거나 펴낼 때 지도하고 감독함. ㊀감수자 / 사전을 편찬하면서 전문가의 감수를 받다. **—하다.**

감ː수성 (感受性) [감수썽] 외부의 자극을 받아들이고 느끼는 성질이나 능력. ㊀예민한 감수성 / 감수성이 풍부하다. 비 감성.

감수하다 (甘受—) 괴롭거나 힘든 일 따위를 달게 받아들이다. ㊀비난을 감수하다.

감시 (監視) 단속하기 위해 주의하여 지켜봄. ㊀감시병 / 감시를 받다 / 감시를 피하다 / 감시가 소홀한 틈을 타 도망치다. 비 감독. **—하다.**

감식 (鑑識) 어떤 물건의 가치나, 가짜인가 진짜인가를 알아냄. ㊀보석 감식 / 지문을 감식하다. **—하다.**

*__감ː싸다__ **1** 휘감아 싸다. ㊀상처를 붕대로 감싸다. **2** 흉이나 약점을 덮어 주다. ㊀허물을 감싸 주다. **3** 편을 들어 두둔하다. ㊀자식을 감싸다.

감아쥐다 [가마쥐다] 손이나 팔로 휘감아 쥐다. ㊀목덜미를 감아쥐다.

감안하다 (勘案—) [가만하다] 여러 사정을 헤아려 생각하다. ㊀여러 가지 사정을 감안하다.

감언이설 (甘言利說) [가먼니설] 남의 비위에 맞도록 꾸민 말과 이로운 조건을 내세워 꾀는 말. ㊀감언이설로 꾀다 / 감언이설에 속아 넘어가다.

감ː염 (感染) [가몀] 병균이 몸 안에 들어와 병이 듦. ㊀결핵에 감염되다.

감영 (監營) [가명] 조선 때, 관찰사가 직무를 보던 관청.

*__감옥__ (監獄) [가목] 죄수를 가두어 두는 곳. '교도소'의 이전 이름. ㊀감옥에 갇히다. 준 옥.

감옥살이 (監獄—) [가목싸리] 감옥에 갇혀 지내는 생활. ㊀반평생을 감옥살이하다. 준 옥살이. **—하다.**

감ː원 (減員) [가뭔] 사람 수를 줄임. 반 증원. **—하다.**

감ː은사 (感恩寺) [가믄사] 경상북도 경주시 양북면에 있던 절. 통일 신라 신문왕 때, 통일을 성취한 문무왕의 명복을 빌기 위하여 지었음. 국보 제112호인 삼층 석탑이 남아 있음.

*__감자__ 가짓과의 여러해살이풀. 찬 기후에도 잘 자라며 초여름에 흰색 또는 보라색의 꽃이 핌. 땅속의 둥근 덩이줄기인 '감자'는 녹말이 많아 널리 식용함. ㊀감자를 캐다 / 찐 감자. ➲ potato

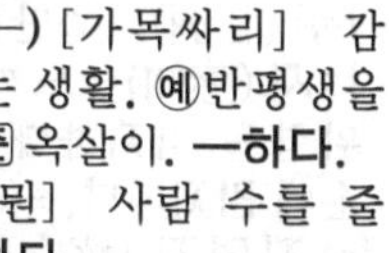

〈감자〉

감ː전 (感電) 전기가 통하는 물체에 몸이 닿아 충격을 받음. ㊀감전 사고 / 전기에 감전되다.

감ː점 (減點) [감쩜] 점수가 깎임. 또는 그 점수. **—하다.**

*__감:정[1]__ (感情)　사물에 대하여 느끼어 일어나는 심정·마음. ㉠감정이 풍부하다 / 감정에 호소하다 / 감정을 솔직하게 표현하다.

__감:정[2]__ (憾情)　마음에 언짢게 여기어 원망하거나 성내는 마음. ㉠감정을 품다 / 감정이 있는 말투.

__감정[3]__ (鑑定)　진짜와 가짜, 좋고 나쁨을 구별하여 결정함. ㉠보석을 감정하다 / 필적 감정을 의뢰하다. **—하다.**

__감:정 이입__ (感情移入)　예술 작품 따위에 자신의 감정이나 정신을 불어넣어 자기와 대상이 서로 통한다고 느끼는 정신의 작용.

__감:정적__ (感情的)　쉽게 감정에 치우치거나 흥분하는 (것). ㉠감정적으로 말하다.

__감주__ (甘酒)　⇨단술.

__감:지__ (感知)　느끼어 앎. ㉠곧 닥칠 위험을 감지하다 / 단단한 물체가 손에 감지되다. **—하다.**

__감:지덕지__ (感之德之) [감지덕찌]　매우 고맙게 여기는 모양. ㉠밥 한 술에 감지덕지 눈물을 글썽인다. **—하다.**

__감질__ (疳疾)　먹고 싶거나 갖고 싶어 애타는 마음.

__감질나다__ (疳疾—) [감질라다]　먹고 싶거나 가지고 싶어 애타는 마음이 생기다. ㉠감질나서 못 견디겠다 / 수돗물이 찔끔찔끔 감질나게 나온다.

__감쪽같다__ [감쪽깓따]　꾸민 일이나 고친 물건이 조금도 알아차릴 수 없을 만큼 흔적이 없다. ㉠솜씨 좋게 수리해 놓으니 감쪽같구나.

__감쪽같이__ [감쪽까치]　감쪽같게. ㉠감쪽같이 속다.

__감찰__ (監察)　감시하여 살핌. 감독하고 단속함. **—하다.**

__감:천__ (感天)　지극한 정성에 하늘이 감동함. ㉠지성이면 감천이라.

__감초__ (甘草)　**1** 콩과의 여러해살이풀. 약용 식물의 한 가지. 높이 1 m 정도, 여름에 자줏빛 꽃이 핌. 단맛이 나는 뿌리는 먹거나 약으로 씀. **2** 감초의 뿌리.

〈감초〉

__감:촉__ (感觸)　살갗에 닿거나 만질 때의 느낌. ㉠감촉이 부드럽다 / 감촉이 좋다. 비 촉감.

*__감추다__　**1** 남이 보거나 찾지 못하도록 숨기다. ㉠자취를 감추다 / 돈을 장롱 속에 감추다. **2** 어떤 사실을 남이 모르도록 알리지 않다. ㉠사실을 감추다.

__감:축__ (減縮)　덜어서 줄임. ㉠예산의 감축 / 병력을 감축하다. **—하다.**

__감:치다__　바느질감의 가장자리나 솔기를 실올이 풀리지 않게 용수철 모양으로 감아 꿰매다. ㉠옷단을 감치다.

__감:칠맛__ [감칠맏]　**1** 음식이 입에 당기는 맛. ㉠음식이 맛깔스럽고 감칠맛이 난다. **2** 어떤 일이나 물건이 사람의 마음을 끌어당기는 힘. ㉠감칠맛이 있는 문장.

__감:침질__　바늘로 감치는 일. 단을 접어 넣고 꿰맬 때 쓰는 방법임. **—하다.**

__감:탄__ (感歎)　마음에 깊이 느끼어 감동하여 칭찬함. 비 탄복. **—하다.**

__감탄고토__ (甘呑苦吐)　달면 삼키고 쓰면 뱉는다는 뜻으로, 사리의 옳고 그름에 관계없이 자신의 비위에 맞으면 좋아하고 맞지 않으면 싫어한다는 말.

__감:탄문__ (感歎文)　사물을 보고 자신이 받은 느낌을 표현하는 문장. '키가 많이 컸구나' 따위.

__감:탄사__ (感歎詞)　감동·응답·부름·놀람 따위의 느낌을 나타내는 말. 비 간투사. 느낌씨.

감:퇴 (減退) 능력·기능·세력·체력 따위가 줄어 약해짐. ㉠식욕 감퇴 / 기억력이 감퇴되다. ㉡증진. **—하다.**

감투 **1** 예전에, 어른이 된 남자가 쓰던 모자. 말총·가죽·헝겊 따위로 만듦. **2** '벼슬'의 낮춤말.

감:하다 (減—) 줄이다. 덜다. 빼다. ㉠빚을 감해 주다.

감:행 (敢行) 어려움을 무릅쓰고 일을 용기 있게 행함. ㉠모험을 감행하다 / 위험을 무릅쓰고 탈출을 감행하다. **—하다.**

감:화 (感化) 좋은 영향을 주어 마음이 변하게 함. 또는 좋은 영향을 받아 마음이 변함. ㉠덕으로써 학생들을 감화시키다. **—하다.**

감:회 (感懷) 지난 일을 돌이켜 볼 때 드는 생각이나 느낌. ㉠고향을 찾으니 감회가 새롭다.

감:흥 (感興) 마음에 깊이 감동되어 일어나는 흥취. ㉠시적인 감흥을 자아내다.

감:히 (敢—) **1** 어려움을 무릅쓰고. ㉠감히 용기를 내어 말씀드립니다. **2** 주제넘게 함부로. ㉠선생님 앞에서 감히 무슨 짓들이냐.

*__갑__[1] (甲) **1** 차례나 등급의 첫째. **2** 둘 이상의 사물이 있을 때 그 하나의 이름 대신에 쓰는 말. ㉠세 사람을 갑, 을, 병이라고 하자.

갑[2] (匣) 작은 상자. ㉠성냥갑 / 담배 한 갑.

갑각류 (甲殼類) [갑깡뉴] 절지동물의 한 강. 대개 물속에 살며 딱딱한 등딱지로 덮였음. 게·가재·새우 따위.

갑갑증 (—症) [갑깝쯩] 갑갑한 증세. ㉠하루 종일 집 안에만 있었더니 갑갑증이 난다.

갑갑하다 [갑까파다] **1** 답답하게 꽉 막힌 느낌이 있다. ㉠앞이 막혀 갑갑하다 / 옷이 작아 갑갑하다 / 말귀를 못 알아들으니 갑갑한 노릇이다. **2** 가슴이나 배 속이 막힌 듯 불편하다. ㉠과식해서 속이 갑갑하다. ㉡답답하다.

갑골 문자 (甲骨文字) [갑꼴문짜] 거북의 등딱지나 짐승의 뼈에 새긴 중국 고대의 상형 문자. 한자의 가장 오래된 글자임.

갑남을녀 (甲男乙女) [감나믈려] 갑이란 남자와 을이란 여자의 뜻으로, 평범한 사람들을 이르는 말.

갑론을박 (甲論乙駁) [감노늘박] 여럿이 서로 자기 주장을 내세우고 상대방의 주장을 반박함. ㉠갑론을박이 벌어지다 / 갑론을박으로 결론을 못 짓다. **—하다.**

갑문 (閘門) [감문] 운하 등에서 물 높이를 일정하게 하기 위해 물의 양을 조절하는 문.

갑부 (甲富)[갑뿌] 첫째가는 큰 부자. ㉠장안의 갑부.

갑사댕기 (甲紗—)[갑싸댕기] 품질이 좋은 얇고 성긴 비단으로 만든 댕기.

갑상선 (甲狀腺)[갑쌍선] 신체의 발육과 신경 활동에 관계하는 호르몬을 분비하는 기관. 목 밑에 있음.

갑석 (—石)[갑썩] 돌 위에 다시 포개어 얹는 납작한 돌.

갑신정변 (甲申政變) [갑씬정변] 조선 고종 21년(1884)에 김옥균·박영효·홍영식 등의 개화당이 민씨 일파를 물리치고 새로운 정부를 세우기 위하여 일으킨 정변.

갑오개혁 (甲午改革) [가보개혁] 조선 고종 31년(1894)에, 그때까지의 정치 제도를 서양의 법식을 본받아 근대적으로 고친 일. 개화파의 김홍집 등이 민씨 일파의 사대 세력을 물리치고 대원군을 불러들여 개혁을 선포하였음. ㉡갑오경장.

갑오경장 (甲午更張) [가보경장] ⇨갑오개혁.

갑옷 (甲—) [가볻] 예전에 싸움할 때 입던 옷. 화살이나 창, 또는 칼을 막기 위하여 쇠나 가죽을 덧붙여 만들었음.

갑인자 (甲寅字) [가빈자] 조선 세종 16년(1434)에 왕의 명령을 받아 구리로 만든 활자.

*__갑자기__ [갑짜기] 생각할 사이도 없이 급히. 예 갑자기 들이닥치다. 비 별안간.

갑작스럽다 [갑짝쓰럽따] 생각할 사이도 없이 매우 급하다. 활용 갑작스러워 / 갑작스러우니.

갑작스레 [갑짝쓰레] 갑작스럽게.

갑절 [갑쩔] **1** 어떠한 수량을 두 번 합침. 또는 그 수량. 예 크기가 꼭 갑절이다. 비 배. **2** 두 번 합친 만큼. 예 남보다 갑절 노력하다.

갑판 (甲板) 큰 배나 군함 등의 위에 철판이나 나무 등으로 깐 넓고 평평한 바닥.

*__값__ [갑] **1** 물건을 사고팔 때 주고받는 돈. 예 물건을 사고 값을 치르다. **2** 사고팔기 위하여 정한 액수. 비 가격. **3** 사물이 지니고 있는 가치. **4** 수학에서, 문자나 식이 나타내는 수. 계산하여 얻은 수. 예 방정식의 값을 구하다. 발음 값이[갑씨] / 값을[갑쓸] / 값도[갑또] / 값만[감만].

값나가다 [감나가다] 값이 많은 액수로 매겨지다.

값비싸다 [갑삐싸다] **1** 값이 비싸다. 예 값비싼 옷. **2** 들이는 노력이 크거나 애를 많이 쓰다. 예 값비싼 대가를 치르다. 반 값싸다.

값싸다 [갑싸다] **1** 값이 싸다. **2** 별로 값어치가 없다. 예 값싼 동정은 받기 싫다. 반 값비싸다.

값어치 [가버치] 값에 해당하는 가치. 예 공부한 값어치가 있다.

값없다 [가법따] **1** 하찮아서 값이 나가지 않다. **2** 너무 귀해 값을 매길 수 없다.

값있다 [가빋따] 많은 가치나 보람이 있다. 예 값있는 일.

값지다 [갑찌다] **1** 값이 많이 나갈 만한 가치가 있다. 예 값진 보석. **2** 가치나 보람이 크다. 예 값진 희생을 치르다.

값하다 [가파다] 그 값에 맞는 일을 하다.

갓[1] [갇] **1** 예전에, 어른이 된 남자가 말총으로 만들어 머리에 쓰던 모자의 한 가지. **2** 갓 모양을 한 물건을 통틀어 이르는 말. 예 전등의 갓.

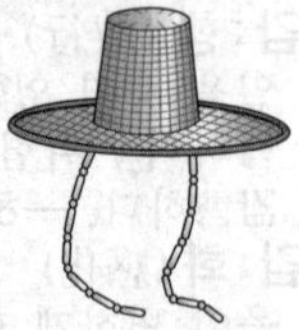

〈갓[1]1〉

갓[2] [갇] 겨잣과에 속하는 두해살이풀. 줄기와 잎은 먹으며, 씨는 겨자씨와 같이 쓰나 매운맛이 적고 향기가 있음.

갓[3] [갇] 금방. 바로. 이제 막. 예 시골에서 갓 올라왔다.

갓:길 [가낄 / 갇낄] 고속도로나 자동차 전용 도로 차선의 양 바깥쪽 가장자리 길. 예 갓길 주행 금지.

갓김치 [갇낌치] 갓의 줄기와 잎으로 담근 김치.

갓난아기 [간나나기] 태어난 지 얼마 안 된 아기를 귀엽게 일컫는 말.

갓난아이 [간나나이] 낳은 지 얼마 안 되는 아이. 준 갓난애.

갓난애 [간나내] '갓난아이'의 준말.

갓모 [간모] **1** '갈모'의 본딧말. 기름종이로 만들어 비가 올 때에 갓 위에 덮어 쓰는 것. **2** 사기그릇을 만들 때 쓰는 물레 밑구멍에 끼우는 자기로 만든 고리.

*__강__[1] (江) 넓고 길게 흐르는 큰 물줄기. 예 강을 건너다. 반 산. ➡ river

강 건너 불구경 자신과 관계없는 일이라 하여 남의 일 대하듯 무관심하게 보고만 있는 모양.

강2 (綱) 생물을 분류하는 단위의 하나. 문의 아래, 목의 위로 짐승강·개구리강 따위.

강-1 아주 호되거나 억척스러움을 나타내는 말. (예)강추위 / 강다짐.

강-2 (強) '매우 세거나 매우 무리함'을 뜻하는 말. (예)강숏 / 강펀치 / 강행군.

강가 (江—) [강까] 강의 가장자리에 닿아 있는 땅. (예)강가를 거닐다. (비)강변.

강감찬 (姜邯贊) 〖인명〗 고려의 장군. 현종 10년(1019)에 거란족을 귀주에서 크게 무찌름. [948-1031]

강강술래 여자들이 손을 잡고 원을 그리며 빙빙 돌면서 추는 민속춤. 또는 그 춤에 맞추어 부르는 노래. 중요 무형 문화재 제 8 호.

강건하다1 (強健—) 몸과 마음이 튼튼하고 건강하다. (예)신체가 강건하다.

강건하다2 (剛健—) 기상이나 뜻이 꼿꼿하고 건전하다. (예)강건한 젊은이의 기백.

강경 (強硬) 굳세게 버티어 굽히지 아니함. (예)강경 자세 / 태도가 강경하다. **—하다. —히.**

강경책 (強硬策) 강경한 방책이나 대책. (예)강경책을 쓰다.

강경파 (強硬派) 강경한 의견을 주장하는 파.

강:구하다 (講究—) 좋은 대책과 방법을 찾으려고 노력하다. (예)대응책을 강구하다 / 적절한 방법을 강구하다.

강국 (強國) 경제적으로나 군사적으로 힘이 강한 나라. (비)강대국.

강:권1 (強勸) 하고 싶지 않은 일을 억지로 권함. (예)강권에 못 이겨 술을 마시다. **—하다.**

강권2 (強權) [강꿘] **1** 강한 권력. **2** 국가가 강제적으로 행사할 수 있는 강력한 권력. (예)강권 정치를 하다 / 강권을 발동하다.

강기 (剛氣) 굳센 기상.

강기슭 (江—) [강끼슥] 강 양편의 가장자리 땅. (발음)강기슭에[강끼슬게] / 강기슭도[강끼슥또] / 강기슭만[강끼승만].

강나루 (江—) 배로 강을 건너는 강가의 일정한 곳.

강남 (江南) **1** 강의 남쪽 지역. **2** 중국의 양쯔 강 남쪽의 땅. (예)강남 갔던 제비가 돌아오다. **3** 서울에서, 한강의 남쪽 지역. (반)강북.

*__강낭콩__ 콩과의 한해살이 덩굴풀. 여름에 흰색, 또는 연한 자줏빛의 꽃이 피고 열매는 가늘고 긴 꼬투리로 맺히는데 그 속에 흰색, 황갈색 또는 흑색의 씨앗이 들어 있음. ×강남콩.

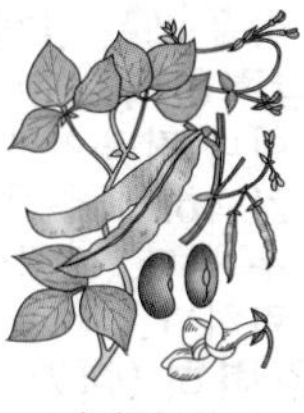
〈강낭콩〉

강냉이 ⇨옥수수.

강단1 (剛斷) **1** 어떤 일을 야무지게 결정하고 처리하는 힘. (예)일을 강단 있게 처리하다. **2** 굳세고 꿋꿋하게 어려움을 견디어 나가는 힘. (예)강단이 세다.

강:단2 (講壇) 강의나 강연, 설교 등을 하기 위해 올라서게 만든 자리. (예)강단에서 연설하다.

강:당 (講堂) 학교·회사 등에서 많은 사람을 모아 놓고 강의나 강연, 의식 따위를 할 수 있게 만든 건물이나 큰 방.

강대국 (強大國) 힘이 강하고 큰 나라. (비)강국. (반)약소국.

강대하다 (強大—) 나라의 힘 등이 강하고 크다. (예)강대한 나라. (반)약소하다.

강도1 (強度) 강한 정도. (예)훈련의 강도를 높이다.

강:도2 (強盜) 강제로 남의 재물을 빼앗는 도둑. 또는 그런 행위. (예)은

행 강도 / 강도를 당하다.
강:독 (講讀) 글을 읽고 그 뜻을 밝힘. ㉠영어 강독. **—하다.**
강동하다 아랫도리나 속옷이 드러날 정도로 입은 옷이 짧다. ㉠강동한 미니스커트. ㉢깡똥하다.
강둑 (江—) [강뚝] 강물이 넘치지 않도록 강의 가장자리를 흙이나 돌로 쌓은 둑. ㉥제방.
강:등 (降等) 등급이나 계급을 내림. ㉠2계급 강등. ㉦진급. 승진. **—하다.**
강력범 (強力犯) [강녁뻠] 흉기·폭력을 쓰는 범행. 또는 그 범인.
강력하다 (強力—) [강녀카다] **1** 힘이나 작용이 세다. ㉠강력한 대책 / 강력하게 추진하다. **2** 가능성이 매우 높다. ㉠강력한 우승 후보. ㉦무력하다.
강력히 (強力—) [강녀키] 강력하게. ㉠개혁을 강력히 주장하다.
강렬하다 (強烈—) [강녈하다] 강하고 세차다. ㉠강렬한 인상 / 강렬한 펀치를 날리다.
강령 (綱領) [강녕] 어떤 정당이나 사회단체 등의 기본 이념이나 목적, 방침 따위. ㉠행동 강령 / 당의 강령을 채택하다.
강:론 (講論) [강논] 학문이나 종교에 관한 문제에 대해 설명하고 토론함. **—하다.**
강릉 (江陵) [강능] 〖지명〗 강원도 동해안에 있는, 영동 지방의 중심 도시. 명승지로 관동 팔경의 하나인 경포대와 이율곡이 태어난 집인 오죽헌이 유명하며 경관이 뛰어난 해수욕장이 있음. → [학습마당] 9(255쪽)
강:매하다 (強賣—) 남에게 물건을 강제로 떠맡겨 팔다. ㉠불량품을 강매하다.
강모 (剛毛) 뻣뻣한 털. ㉦연모.
***강물** (江—) 강에 흐르는 물.
강바닥 (江—) [강빠닥] 강의 밑바닥. ㉠가뭄으로 강바닥이 드러났다.
강바람 (江—) [강빠람] 강에서 부는 바람. ㉦산바람.
강:박 (強迫) 마음에 느끼는 심한 압박. ㉠시험 성적에 대한 강박에 쫓기다.
강:박 관념 (強迫觀念) [—꽌념] 의식 속에 떠오른 어떤 관념을 없애려 해도 없앨 수 없는 정신 상태. ㉠강박 관념에 사로잡히다.
강변 (江邊) 강가. 물가.
강변도로 (江邊道路) 강변을 따라 만들어 놓은 길. ㉣강변로.
강북 (江北) **1** 강의 북쪽. **2** 중국 양쯔 강 북쪽의 땅. **3** 서울에서, 한강 북쪽 지역을 이르는 말. ㉦강남.
강:사[1] (講士) 강연회에서 강연을 하는 사람.
강:사[2] (講師) 학교·학원 등에서 특정한 과목을 시간 단위로 맡아 가르치는 사람. ㉠학원 강사 / 대학에 강사로 나가다.
***강산** (江山) **1** 강과 산. ㉠십 년이면 강산도 변한다. ㉥자연. **2** 나라의 땅. ㉠삼천리 금수강산. ㉥강토.
강:설량 (降雪量) 일정한 기간 동안 일정한 곳에 내린 눈의 양.
강성하다 (強盛—) 세력이 강하고 활동이 왕성하다.
강세 (強勢) **1** 강한 세력이나 기세. ㉠양궁에서 강세를 보이다. **2** 물가나 가치 따위의 시세가 올라가는 기세. ㉠집값이 강세를 보이다. ㉦약세. **3** 어떤 부분을 강하게 발음하는 일. ㉠밑줄 친 말에 강세를 두다.
강소천 (姜小泉) 〖인명〗 아동 문학가. '닭', '봄비', '꿈을 찍는 사진관' 등의 작품이 있음. [1915-1963]
강속구 (強速球) [강속꾸] 야구에서, 투수가 던지는 강하고 빠른 공.
강:수량 (降水量) 일정한 기간 동안 일정한 곳에 내린 비·눈·우박 따위를 합친 양. ㉠연평균 강수량 / 강

수량이 적다.

강:습 (講習) 여러 사람을 모아 놓고 지식이나 기술 따위를 배우고 익히도록 가르침. ㉕요리 강습 / 수영 강습을 받다. **—하다.**

강:습회 (講習會) [강스풰] 여러 사람을 한자리에 모아 놓고 강습하는 모임. ㉕꽃꽂이 강습회.

강:시 (僵〔殭〕屍) 얼어 죽은 송장.

강심장 (強心臟) 극히 대담하거나 유들유들하여 웬만한 일에는 놀라거나 겁을 내지 아니하는 성격. 또는 그런 성격을 가진 사람.

강심제 (強心劑) 쇠약한 심장의 기능을 강하게 하는 약.

*__강아지__ 개의 새끼. ➲ puppy

강아지풀 볏과의 한해살이풀. 잎은 가늘고 길며, 여름에 강아지 꼬리 모양의 초록색 또는 자주색 꽃이 핌. 들·밭·길가에 남.

〈강아지풀〉

강압 (強壓) 강한 힘이나 권력으로 강제로 억누름. ㉕강압적 수단. ㉥억압.

강약 (強弱) 셈과 여림. ㉕강약을 잘 살린 음악.

강어귀 (江—) 강물이 바다로 흘러 들어가는 어귀. ㉥하구.

강:연 (講演) 청중 앞에서 어떤 주제에 대하여 연설을 하는 것. ㉕공개 강연 / 강연을 듣다. ㉥연설. **—하다.**

강:연회 (講演會) 강연하기 위한 모임. ㉕강연회를 열다.

강:요 (強要) 상대가 하기 싫어하는 일을 억지로 하도록 함. 무리하게 요구함. ㉕자백을 강요하다. **—하다.**

강우규 (姜宇奎) 〘인명〙 독립 운동가. 사이토 마코토가 조선 총독으로 부임할 때(1919) 이를 암살하고자 서울역에서 폭탄을 던졌으나 실패하고 순국함. [1855~1920]

강:우량 (降雨量) 일정한 시간 동안 일정한 곳에 내린 비의 양. ㉕강우량이 많다. ㉥강수량.

강원도 (江原道) 〘지명〙 우리나라 중동부에 위치한 한 도. 산악 지대로 동해에 접함. 국립공원인 설악산·오대산·관동 팔경 등의 명승지가 있음.

강:의 (講義) [— / 강이] 학문이나 지식, 기술 등을 체계적으로 설명하여 가르침. ㉕ 역사 강의 / 강의를 듣다. **—하다.**

강:의실 (講義室) [— / 강이실] 강의하는 교실.

강인하다 (強靭—) 억세고 질기다. ㉕강인한 체력.

강자 (強者) 힘이나 세력이 강한 사람이나 생물. ㉕업계의 새로운 강자로 떠오르다. ㉶약자.

강장제 (強壯劑) 몸의 영양을 돕고 체력을 키우기 위한 약.

강적 (強敵) 아주 강한 적. 강한 적수. ㉕강적과 싸워 이기다 / 강적을 만나다.

강:점[1] (強占) 남의 땅이나 물건을 강제로 차지함. ㉕남의 땅을 강점하다. **—하다.**

강점[2] (強點) [강쩜] 남보다 훨씬 뛰어난 점. ㉕근면과 끈기가 우리 민족의 강점이다. ㉶약점.

강:점기 (強占期) 남의 땅이나 물건 또는 권리 따위를 강제로 빼앗은 시기. ㉕일제 강점기.

강정 **1** 찹쌀가루 반죽을 썰어서 기름에 튀기고 꿀을 바른 다음 깨·잣가루 따위를 묻힌 재래식 과자. **2** 볶은 깨·콩·땅콩 따위를 물엿으로 버무려 굳힌 재래식 과자.

*__강:제__ (強制) 남을 억눌러 원하지 않는 일을 억지로 하게 함. ㉕강제

로 일을 시키다. 비 강요. **—하다.**

강:제적 (強制的) 힘으로 남을 억눌러 원하지 않는 일을 억지로 시키는 (것). 비 강압적. 반 자발적.

강:조 (強調) 어떤 부분을 특히 강하게 주장하거나 두드러지게 함. 예 형제간의 우애를 강조하다. **—하다.**

강:좌 (講座) **1** 대학에서 교수가 가르치는 학과목. 예 교양 강좌를 개설하다. **2** 일정한 주제에 대해 강의 형식으로 행하는 여러 차례의 강연.

강줄기 (江—) [강쭐기] 강물이 뻗어 흐르는 줄기.

강직하다 (剛直—) [강지카다] 마음이 굳세고 곧다. 예 강직한 사람.

강진 (強震) 진도 5의 강한 지진. 벽이 갈라지고 굴뚝이나 돌담 따위가 부서질 정도의 지진. → [학습마당] 23(997쪽)

강철 (鋼鐵) 기계나 칼날 따위를 만드는 데 쓰이는 단단한 쇠. 반 연철.

강철판 (鋼鐵板) 강철로 만든 철판. 비 강판.

강:청 (強請) 억지로 짓궂게 청함. **—하다.** →간청 주의

강촌 (江村) 강가에 있는 마을.

강추위 눈도 오지 않고 바람도 불지 않으면서 몹시 매서운 추위.

강타 (強打) **1** 강하게 때림. 세게 침. 예 주먹으로 얼굴을 강타하다. **2** 큰 피해를 줌. 예 태풍이 서해안을 강타하다. 비 맹타. **—하다.**

강:탈 (強奪) 남의 물건이나 권리를 억지로 빼앗음. 예 돈을 강탈당하다. **—하다.**

강토 (疆土) 한 나라의 국경 안에 있는 땅. 비 국토. 영토.

강판[1] (鋼板) ⇨강철판.

강판[2] (薑板) 생강·과일·무 따위를 잘게 갈아 즙을 내거나 채를 만들 때 쓰는 부엌용 기구. 예 감자를 강판에 갈다.

강풍 (強風) 세차게 부는 바람. 예 강풍이 불다. 비 센바람.

강:하 (降下) 높은 곳에서 아래로 내려옴. 예 낙하산으로 강하하다. 비 하강. **—하다.**

강하다[1] (剛—) 딱딱하고 단단하다. 예 겉으로는 강하게 보이나 속은 부드러운 사람이다. 반 유하다.

*__강하다__[2] (強—) 세다. 힘이 있다. 예 추위와 병충해에 강한 품종 / 의지가 강하다 / 책임감이 강하다. 반 약하다. ➡ strong

강:행군 (強行軍) **1** 무리함을 무릅쓰고 먼 거리를 급히 가는 행군. **2** 짧은 시간 안에 끝내려고 무리하게 일을 함. **—하다.**

강:행하다 (強行—) 어려움을 무릅쓰고 억지로 실행하다. 예 빗속에서 경기를 강행하다.

강호 (強豪) 힘이나 실력이 뛰어나고 강한 사람이나 집단. 예 우리나라가 강호 일본을 이기다.

강화[1] (強化) 부족한 점을 보충하여 강하게 함. 예 수비를 강화하다. 반 약화. **—하다.**

강:화[2] (講和) 싸움을 벌인 나라끼리 싸움을 멈추고 서로 화해함. 예 강화 협상을 벌이다. **—하다.**

강화도 (江華島) 〖지명〗 인천광역시 강화군에 있는 섬. 인삼과 화문석이 유명함. 단군과 관계 깊은 유적이 많으며, 섬 남쪽 마니산에는 참성단이 있음.

강화도 조약 (江華島條約) 1876년 우리나라와 일본 사이에 맺어진 최초의 조약. 이 조약을 맺은 이후로 우리나라는 외국과 통상을 하게 되었음. 비 병자수호조약.

강:화 조약 (講和條約) 서로 싸우던 나라끼리 전쟁을 끝내고 평화롭게 지내기 위해 맺는 조약.

강희안 (姜希顔) 〖인명〗 조선 세조 때의 서화가. 시·글씨·그림에 모두 뛰어나 이름이 높았음. 작품에 '산

수인물도' 등이 있음. [1417-1464]

갖가지 [갇까지] 여러 가지. ㉥갖가지 음식을 차리다. 본 가지가지.

***갖다**[1] [갇따] '가지다'의 준말. ㉥모임을 갖다 / 자신감을 갖다 / 가방을 갖고 다니다.

갖다[2] [갇따] '가지어다가'의 준말. ㉥책을 제자리에 갖다 놓다.

갖바치 [갇빠치] 예전에, 가죽신 만드는 것을 직업으로 삼던 사람.

갖은 [가즌] 골고루 갖춘. 가지가지의. ㉥갖은 양념 / 갖은 고생을 다하다. 비 온갖. →가지다 주의

갖은소리 [가즌소리] 온갖 소리. ㉥갖은소리로 사정하다.

갖저고리 [갇쩌고리] 짐승의 털가죽을 안에 댄 저고리.

갖추갖추 [갇추갇추] 골고루 모두 다. 골고루 갖추어. ㉥시설이 갖추갖추 마련되다.

***갖추다** [갇추다] **1** 필요한 것을 미리 골고루 준비하다. ㉥자격을 갖추다 / 필요한 서류를 갖추다 / 준비 태세를 갖추다 / 어른 앞에서 예의를 갖추다. **2** 몸을 가누어 자세를 바로 잡다. ㉥자세를 갖추다.

갖춘꽃 [갇춘꼳] 꽃받침·꽃잎·암술·수술을 완전히 갖춘 꽃. 무궁화꽃·벚꽃 따위. 반 안갖춘꽃.

갖춘마디 [갇춘마디] 악보 첫머리에 있는 박자표대로 되어 있는 마디. 반 못갖춘마디.

***같다** [갇따] **1** 서로 다르지 아니하다. 서로 딴 것이 아니다. ㉥나이가 같다 / 같은 학교에 다니다. 반 다르다. **2** 추측이나 불확실한 단정을 나타내는 말. ㉥비가 올 것 같다 / 무슨 일이 난 것 같다. **3** '…라면'의 뜻으로 가정하여 비교함을 나타내는 말. ㉥당신 같으면 / 옛날 같으면. **4** 닮아서 비슷하다. ㉥샛별 같은 눈 / 사람 같은 사람. **5** 못마땅하거나 남을 욕할 때 그와 다름없다는 뜻을 나타내는 말. ㉥괘씸한 놈 같으니라고 / 나쁜 놈 같으니. **6** '지금의 마음이나 형편으로는'의 뜻을 나타내는 말. ㉥마음 같아서는 도와주고 싶은데. ➲ same

같아지다 [가타지다] 같게 되다. 닮게 되다. ㉥자라면서 말투나 걸음걸이까지 아버지와 같아졌다.

***같이** [가치] **1** 같게. ㉥이것과 같이 만들다. **2** 함께. ㉥나와 같이 가자. **3** 처럼. ㉥눈같이 희다 / 호수같이 맑다. → [학습마당] 25(1177 쪽)

같이하다 [가치하다] 같은 사정에 놓이다. 함께하다. ㉥생사를 같이하는 전우 / 친구와 행동을 같이하다. 반 달리하다.

같잖다 [갇짠타] **1** 하는 짓이나 꼴이 격에 맞지 않아 눈꼴사납고 못마땅하다. ㉥같잖은 놈. **2** 드러나게 말해야 할 만큼 대단치 않다. ㉥같잖은 일을 가지고 뭘 그러나. 비 하찮다.

***갚다** [갑따] **1** 꾸거나 빌린 돈이나 물건 따위를 도로 돌려주다. ㉥빚을 갚다. ➲ pay **2** 은혜나 원한 따위를 받은 대로 돌려주다. ㉥은혜를 갚다.

***개**ː[1] 갯과의 짐승. 가축으로 영리하고 냄새를 잘 맡으며 귀가 밝아 도둑을 잘 지킴. ➲ dog

***개**[2] (個〔箇〕) 낱으로 된 물건의 수를 세는 말. ㉥사탕 한 개 / 사과 두 개 / 떡 몇 개.

개[3] 윷놀이에서, 윷가락이 두 짝은 엎어지고 나머지 두 짝은 잦혀진 경우를 일컫는 말.

개ː**-** 참 것이나 좋은 것이 아니고 함부로 된 것이라는 뜻. ㉥개꿈 / 개살구 / 개죽음.

-개 어떤 말 뒤에 붙어 간단한 도구나 물건 또는 사람의 뜻을 나타냄. ㉥덮개 / 가리개 / 지우개 / 오줌싸개 / 코흘리개.

주의 -개와 -게
-개와 -게는 잘못 쓰기 쉬운 말이다. 다음과 같이 구별해서 적어야 한다.
-개 : 깔개 / 꽂개 / 꾸미개 / 날개 / 베개 / 싸개 / 지우개 / 찌개
-게 : 뜯게 / 지게 / 집게 / 족집게

개ː가¹ (凱歌) 큰 승리나 성과. ㉠ 개가를 올리다.

개ː가² (改嫁) 시집갔던 여자가 남편이 죽거나 이혼하여 다시 딴 남자에게 시집감. 비 재가. **—하다.**

개ː각 (改閣) 내각의 장관을 바꾸는 일. ㉠개각을 발표하다. **—하다.**

개간하다 (開墾—) 버려 둔 거친 땅을 일구어 논밭으로 만들다. ㉠황무지를 개간하여 씨앗을 뿌리다.

개강 (開講) 강좌·강의 따위를 시작함. ㉠개강 일자 / 3월에 개강하다. **—하다.**

개ː개 (個個) 하나하나. 낱낱. ㉠ 개개의 물건 / 개개의 사람.

개ː개인 (個個人) 한 사람 한 사람. 낱낱의 사람. ㉠학생 개개인의 능력을 파악하다.

개경 (開京) 〖지명〗 '개성'의 고려 때 이름. 고려 태조 왕건이 왕위에 오른 이듬해(919)에 이곳을 서울로 정하고 새 왕조를 열었음.

개ː고 (改稿) 원고를 고치어 씀. 또는 그 원고. ㉠여러 번 개고한 원고. **—하다.**

개골산 (皆骨山) [개골싼] 겨울의 '금강산'을 부르는 이름. 참고 봄 : 금강산, 여름 : 봉래산, 가을 : 풍악산.

개ː과천선 (改過遷善) 지난날의 잘못을 고치고 착하게 됨. **—하다.**

개관¹ (開館) **1** 도서관·회관·영화관 따위의 시설을 지어 놓고 처음으로 엶. ㉠개관식 / 박물관을 개관하다. **2** 도서관·영화관 등을 열어 그 날의 업무를 시작함. ㉠개관 시간은 9시부터다. 반 폐관. **—하다.**

개ː관² (概觀) 어떤 사실이나 내용의 전체를 대강 살펴봄.

개ː괄 (概括) 중요한 내용이나 줄거리를 대충 추려 한데 뭉뚱그림. ㉠개괄해서 설명하라. **—하다.**

개교 (開校) 학교를 새로 세우고 처음으로 학교 운영을 시작함. ㉠개교 기념식에 참석하다. 반 폐교. **—하다.**

개교기념일 (開校記念日) [개교기녀밀] 학교의 개교를 기념하는 날. 학교의 생일.

***개구리** 청개구리·무당개구리·맹꽁이 따위를 통틀어 일컫는 말. 올챙이가 자란 것으로, 뒷다리가 길고 발가락 사이에 물갈퀴가 있음. 수컷은 울음주머니를 부풀려 소리를 냄. ➲ frog

〈개구리〉

개구리밥 개구리밥과의 여러해살이 물풀. 논이나 연못 따위의 물 위에 떠서 자람. 잎은 물 위에 뜨고 수염 모양의 뿌리는 물속에 늘어뜨림. 비 부평초.

〈개구리밥〉

개구리참외 [개구리차뫼] 박과의 한해살이풀. 참외와 비슷한데 껍질이 푸르고 개구리 등처럼 얼룩얼룩한 무늬가 있음.

개구리헤엄 ⇨평영.

개구쟁이 장난을 심하고 짓궂게 하는 아이를 가리키는 말. ㉠개구쟁이라서 말썽을 많이 피운다. ×개구장이.

개국¹ (個國) 나라를 세는 단위. ㉠ 십여 개국의 자동차 회사들이 다양

한 신제품을 선보였다.

개국² (開國) **1** 나라를 새로 세움. ㉥건국. **2** 다른 나라와 관계를 맺고 교류를 시작함. ㉦쇄국. **—하다.**

개국 공신 (開國功臣) [—꽁신] 새로 나라를 세울 때에 공로가 많은 신하.

개굴개굴 개구리가 잇따라 우는 소리. ㉶개골개골.

개그 (gag) 배우가 관객을 웃기려고 하는 즉흥적인 대사나 우스갯짓.

개근 (皆勤) 학교나 직장 따위에 일정한 기간 하루도 빠짐없이 출석하거나 출근함. ㉤6년 개근상을 타다. **—하다.**

개기 월식 (皆旣月蝕) [—월씩] 달이 지구에 가리어 햇빛을 전혀 받지 못하는 현상.

개기 일식 (皆旣日蝕) [—일씩] 달이 해를 완전히 가리어 해가 전혀 보이지 않는 현상. ㉦부분 일식.

*개:나리 물푸레나뭇과의 낙엽 활엽 관목. 줄기 높이는 2 m가량으로, 이른 봄 잎이 나기 전에 노란 네잎꽃이 먼저 핌. 정원이나 울타리에 많이 심으며 우리나라 특산종임.

개:나리꽃 [개나리꼳] 개나리에 핀 꽃. ㉤샛노란 개나리꽃이 활짝 피다.

개년 (個年) 숫자 다음에 쓰여, 햇수를 나타내는 말. ㉤10 개년 / 5 개년 계획.

개:념 (槪念) 어떤 사물이나 현상에 대한 일반적인 이해나 생각. ㉤집합의 개념을 이해하다.

*개:다¹ 비나 눈이 그치고 구름·안개가 걷혀서 날씨가 맑아지다. ㉤비가 개다 / 흐렸던 날씨가 활짝 개다. ㉦흐리다.

개:다² 가루나 덩이진 것에 물이나 기름 따위를 넣어 서로 섞이거나 풀어지도록 저어 반죽하다.

개:다³ 옷이나 이부자리 따위를 개켜서 포개어 접다. ㉤담요를 개다. ㉦펴다.

개:떡 보리나 밀을 빻아 반죽하여 납작납작한 반대기를 지어 찐 떡.

개떡 같다 보잘것없다. 하잘것없다. ㉤개떡 같은 녀석.

개:똥 **1** 개의 똥. **2** 보잘것없고 천한 것. ㉤개똥 같은 소리만 한다.

개:똥벌레 ⇨반딧불이.

개:똥지빠귀 지빠귓과의 새. 날개 길이는 13 cm, 꽁지는 10 cm 정도이고 부리는 약간 길며 끝이 굽음. 등은 흑갈색, 배는 흼. 다른 새의 울음소리를 잘 흉내 냄. 곤충과 식물의 씨를 먹음. ㉥티티새. ㉾지빠귀.

개:똥참외 [개똥차뫼] 길가나 들에 저절로 자라서 열린 참외. 보통 참외보다 작고 맛이 없음.

개:략 (槪略) 대강 추려 줄임. 또는 그 추려 줄인 것. ㉤사건의 개략을 말하다. **—하다.**

개:략적 (槪略的) [개략쩍] 내용을 대강 추려 간단하게 줄인 (것). ㉤개략적 설명.

개:량 (改良) 품질이나 성능 등의 나쁜 점을 고치어 좋게 함. ㉤품종 개량 / 부엌을 개량하다. ㉥개선. ㉦개악. **—하다.**

개:량식 (改良式) 나쁜 점을 고쳐 쓸모 있게 새로 만드는 방식. ㉦재래식.

개:량종 (改良種) 품종을 개량하여 기르거나 재배하는 가축·농작물 등의 새 품종. ㉦재래종.

개:마고원 (蓋馬高原) 〘지명〙 함경도와 평안도에 걸쳐 있는 우리나라에서 가장 높고 넓은 고원 지대.

개막 (開幕) **1** 연극·음악회 등의 막을 올리거나 엶. **2** 어떤 행사 등을 시작함. ㉤올림픽 경기의 개막. ㉦폐막. **—하다.**

개막식 (開幕式) [개막씩] 대회·행사 등을 시작할 때 하는 의식. ㉤월드컵 개막식이 성대하게 열리다.

반 폐막식.

개:머루 포도과의 낙엽 활엽 덩굴나무. 골짜기나 개울가에 나는데, 잎은 어긋나고 3-5 갈래로 갈라지며 여름에 녹색 꽃이 핌. 과실은 가을에 익으며 머루와 비슷하나 먹지 못함.

개:명[1] (改名) 이름을 고침. 또는 그 고친 이름. 예개명 신고. **—하다.**

개명[2] (開明) 지혜가 열리고 문화가 발달함. 예개명한 나라. 비 개화. **—하다.**

개문 (開門) 문을 엶. 예개문한 채 버스가 출발하다. 반 폐문. **—하다.**

*__개:미__ 땅속이나 썩은 나무 속에 집을 짓고 떼를 지어 사는 곤충. 몸은 머리·가슴·배로 구분되고 허리가 가늚. 여왕개미와 수개미는 날개가 있으나 일개미는 없음. ▶ant

개:미귀신 (—鬼神) 명주잠자리의 애벌레. 길이는 1 cm 가량이며 빛은 연한 갈색임. 양지바른 모래땅에 깔때기 모양의 구멍을 파고 그 밑에 숨어 있다가 미끄러져 떨어지는 개미를 잡아먹음.

개:미핥기 [개미할끼] 개미핥깃과의 포유동물. 길이는 1.5 m, 머리가 길고 뾰족하며 이가 없고, 온몸이 잿빛 나는 검은색의 거친 털로 덮여 있음. 깊은 숲 속에 살며 앞발톱으로 개미집을 파헤쳐 긴 혀로 개미를 잡아먹음. 라틴 아메리카에 분포함.

*__개발__ (開發) **1** 토지나 천연자원 따위를 개척하여 쓸모 있게 만듦. 예개발 지역 / 유전 개발. **2** 지식이나 기술, 능력 등을 더 낫게 발전시킴. 예기술 개발 / 각 학생의 능력을 개발하다. **3** 산업이나 경제 따위를 발전시킴. 예경제 개발. **4** 새로운 것을 만들어서 생활에 쓰이게 함. 예신제품 개발에 힘쓰다. 비 개척. **—하다.**

> 주의 **개발과 계발**
>
> **개발** '기술, 경제, 국토, 제품' 등 물질적인 대상이나 '능력, 재능' 등의 단어와도 어울려 상태를 개선해 나간다는 뜻으로 쓰인다.
>
> **계발** '능력, 재능' 등 사람의 속성을 가리키는 말과 어울려 잠재되어 있는 속성을 더 나아지게 한다는 뜻으로 쓰인다.

개발도상국 (開發途上國) 선진국과 비교해 발전이 뒤처지지만 개발이 한창 진행되고 있어 발전해 가고 있는 나라. 준 개도국.

개:발새발 ⇨괴발개발.

개방 (開放) **1** 문이나 공간 따위를 열어 놓아 사람들이 자유롭게 드나들고 이용하게 함. 예공원 개방 시간은 오전 7시부터입니다. **2** 출입이나 교통이 자유로이 이루어지게 함. 예문호 개방. 반 폐쇄. **—하다.**

개방적 (開放的) 비밀 따위를 툭 터놓고 숨기지 않는 (것). 예개방적인 사람.

개벽 (開闢) 세상이 처음으로 생김. 예천지가 개벽하다. **—하다.**

개:별 (個別) 하나씩 따로 떨어진 것. 예개별 면담 / 개별 학습.

개:별성 (個別性) [개별썽] 사물이나 사람 등이 각각 지니고 있는 다른 특성.

개봉 (開封) **1** 내용물이 보이지 않게 싸거나 봉한 것을 떼어 엶. 예편지를 개봉하다. **2** 새 영화를 처음으로 보여 줌. 예개봉 박두 / 오늘 개봉하는 영화. **—하다.**

개비 **1** 가늘게 쪼갠 나무토막의 조각. 예나뭇개비. **2** 쪼갠 나무토막의 조각을 세는 단위. 예성냥 한 개비.

개:살구 보통 살구보다 맛이 시고 떫은 살구의 일종.

개:상 (—床) 타작하는 데 쓰는 농

기구의 한 가지. 굵은 통나무 네댓 개를 가로 대어 엮고 다리 네 개를 박아 만듦.
개:선[1] (改善) 잘못된 것을 고쳐 좋게 함. ㉠체질을 개선하다. 비 개량. 반 개악. **—하다.**
개:선[2] (凱旋) 싸움에 나가서 이기고 돌아옴. ㉠개선 행진. **—하다.**
개:선가 (凱旋歌) 싸움에서 이기고 돌아오면서 부르는 노래. ㉠개선가를 부르다. 준 개가.
개:선문 (凱旋門) 싸움에서 이기고 돌아오는 군사를 환영하고 기념하기 위해 세운 문. ㉠개선문을 세우다.
개:선장군 (凱旋將軍) 전쟁에서 이기고 돌아온 장군.
개설하다 (開設—) **1** 기관이나 시설 따위를 새로 설치하다. ㉠지방에 지점을 개설하다. **2** 은행에서, 새로운 계좌를 만들다.
*__개:성__[1] (個性) 개인이 지니고 있는 특별한 성질. ㉠강한 개성 / 개성을 살리다.
개성[2] (開城) 〖지명〗 경기도 북서부에 있는 시. 고려의 수도였으며 선죽교·인삼 따위가 유명함. 지금은 북한 지역에 속해 있음.
개:성적 (個性的) 남과 구별되는 독특한 특징을 가지고 있는 (것). ㉠개성적인 표현.
개:수[1] (改修) 길·건물·둑 따위를 고치어 닦거나 튼튼히 지음. ㉠개수 공사. **—하다.**
*__개:수__[2] (個〔箇〕數) [개쑤] 하나씩 낱으로 세는 물건의 수효. ㉠짐짝의 개수를 세다.
개수대 (—臺) 부엌에서 그릇이나 먹을거리를 씻을 수 있도록 된 대 모양의 장치.
개:수작 (—酬酌) 이치에 맞지 않는 엉뚱하고 쓸데없는 말과 행동. ㉠개수작을 부리지 마라. **—하다.**
개수통 (—桶) 개숫물을 담는 통. 비 설거지통.
개숫물 [개순물] 설거지하는 물. 준 개수.
개시 (開始) 어떤 일이나 행동을 처음으로 시작함. ㉠공격을 개시하다. 비 시작. 반 종료. **—하다.**
개:신교 (改新敎) 종교 개혁의 결과로 가톨릭에서 갈라져 나온 기독교. 비 신교.
개:심 (改心) 잘못된 마음을 바르게 고침. 그릇된 마음을 고쳐먹음. **—하다.**
개:악 (改惡) 고쳐서 도리어 나빠지게 함. 반 개선. **—하다.**
개암 산에 나는 개암나무의 열매. 모양은 도토리와 비슷하며 맛은 밤과 비슷함.
개암나무 자작나뭇과의 낙엽 활엽 관목. 산기슭의 양지에 나는데, 높이는 2–3 m, 봄에 꽃이 피고 가을에 열매를 맺음. 과실은 먹음.
개업 (開業) 영업이나 사업을 시작함. ㉠약국을 개업하다 / 개업을 축하하다. 반 폐업. **—하다.**
개:연성 (蓋然性) [개연썽] 어떤 일이 일어날 수 있는지 없는지에 관한 확실성의 정도. 반 필연성.
개:요 (槪要) 대강의 요점. ㉠글의 개요. 비 개략.
개운하다 **1** 몸이나 기분이 상쾌하고 거뜬하다. ㉠목욕을 하고 나니 몸이 개운하다. **2** 입맛이 산뜻하다. ㉠동치미 국물이 개운하다.
개울 골짜기나 들에 흐르는 작은 물줄기. ㉠개울에서 가재를 잡다.
개울가 [개울까] 개울 언저리.
개울물 개울에 흐르는 물.
개원 (開院) **1** 학원·병원 따위를 처음으로 엶. 또는 업무를 처음으로 시작함. ㉠종합 병원을 개원하다. **2** 국회 등에서 회기를 맞이하여 회의를 엶. ㉠임시 국회를 개원하다.

—하다.

*개월 (個月) 달을 세는 단위. ㉠1년 3개월 / 태어난 지 5개월 된 아기. 비 달.

개:의하다 (介意—) 마음에 두고 생각하거나 신경 쓰다《뒤에 '아니하다', '말다' 따위 부정하는 말이 따름》. ㉠잘못을 개의치 아니하다 / 지난 일은 개의치 마라.

*개:인 (個人) 나라나 사회를 이루고 있는 하나하나의 사람. ㉠개인의 자유를 존중하다 / 개인 생활을 침해하다. 반 단체. 집단.

개:인기 (個人技) 운동 경기 등에서 선수 개인이 가지고 있는 기술. ㉠개인기가 좋다.

개:인용 컴퓨터 (個人用computer) [개인뇽—] 개인이나 가정에서 이용하도록 만들어진 소형 컴퓨터. 비 퍼스널 컴퓨터. 피시(PC).

개:인적 (個人的) 개인에 속하거나 관계되는 (것). ㉠개인적 의견 / 개인적인 사정이 생기다 / 개인적인 행동을 삼가다.

개:인전 (個人展) 미술가 한 사람의 작품만을 모아서 전시하는 전람회. ㉠판화 개인전을 열다.

개:인주의 (個人主義) [— / 개인주이] **1** 개인의 자유와 권리를 중요하게 여기고 이를 기초로 하여 모든 행동을 규정하려는 주의. 반 전체주의. **2** 사회나 집단의 이익보다 개인의 이익이나 자유를 더욱 중히 여기는 주의.

개:입 (介入) 어떤 일에 끼어들어 관계함. ㉠싸움에 개입하다 / 사건에 깊이 개입하다. —하다.

개:작 (改作) 작품이나 원고 따위를 다시 고쳐 지음. 또는 그 작품. ㉠노래 가사를 개작하다. —하다.

개장 (開場) 어떤 장소를 열어 입장을 하게 함. ㉠놀이 공원을 개장하다. 반 폐장. —하다.

개점 (開店) **1** 가게를 차리어 영업을 시작함. ㉠개점 안내장. **2** 가게 문을 열고 그날의 영업을 시작함. ㉠개점 시간. 반 폐점. —하다.

개:정[1] (改正) 옳지 않거나 알맞지 않은 것을 바르게 고침. ㉠헌법 개정 / 법률을 개정하다. —하다.

개:정[2] (改定) 정해져 있던 것을 고쳐 다시 정함. ㉠한글 맞춤법이 개정되다. —하다.

개:정[3] (改訂) 책의 잘못된 부분을 고쳐 바로잡음. ㉠개정 증보판을 내다. —하다.

개:정안 (改正案) 개정한 안건. 또는 개정할 안건. ㉠법률 개정안.

개:정판 (改訂版) 전에 출판한 책의 내용을 고치거나 바꾸어 다시 낸 책. ㉠개정판을 내다.

개:조 (改造) 조직이나 구조 따위를 고쳐 다시 만듦. ㉠집을 개조하다. —하다.

개:중 (個中) 여럿 있는 그 가운데. 그중. ㉠개중에는 쓸 만한 장난감도 있다. 참고 주로 '개중에'의 꼴로 쓰임.

개:찰 (改札) 차표·입장권 따위를 입구에서 확인함. ㉠개찰구 / 기차표를 개찰하다. —하다.

*개척 (開拓) **1** 쓰지 않고 버려 둔 땅을 일구어 논이나 밭을 만듦. ㉠황무지를 개척하다. 비 개간. **2** 새 분야를 찾아 일을 시작함. ㉠수출 시장의 개척. **3** 어려움을 이기고 앞길을 헤쳐 나감. ㉠운명을 개척하다. —하다.

개척자 (開拓者) [개척짜] 개척하는 사람.

개천 (—川) **1** 수채 물 따위가 흐르는 긴 도랑. **2** 개울이나 내.

개천절 (開天節) 국경일의 하나. 우리나라의 건국을 기념하는 날. 10월 3일.

개최 (開催) 어떤 모임이나 행사 따

위를 맡아 주관하여 엶. ㉡월드컵을 개최하다. —하다.

개:축 (改築) 집이나 건물 따위가 허물어지거나 낡아서 다시 고쳐 짓거나 쌓음. ㉡개축 공사 / 담장을 개축하다. —하다.

개키다 이불·옷 따위를 잘 포개어 접다. ㉡마른 옷을 거두어 개켜 놓다 / 일어나자마자 이불을 개키다. ㉥개다.

개:탄 (慨歎〔嘆〕) 분하거나 못마땅하게 여겨 탄식함. ㉡어지러운 세상을 개탄하다. —하다.

개통 (開通) 도로·철도·다리·전화 따위가 완성되거나 이어져 처음으로 이용할 수 있게 됨. ㉡개통식 / 고속도로 개통 / 지하철이 개통되다. —하다.

개펄 갯가의 개흙이 깔린 땅. ㉡개펄에서 게를 잡다. ㊤펄.

개:편 (改編) **1** 책 따위의 내용을 고쳐서 엮음. ㉡교과서 개편. **2** 조직 따위를 다시 짜서 이룸. ㉡행정 구역을 개편하다. —하다.

개폐 (開閉) 열고 닫음. ㉡이 문은 자동으로 개폐된다. —하다.

개:표[1] (改票) 차표나 입장권 따위를 입구에서 검사함. ㉡개표 시간이 1분 남았다. —하다.

개표[2] (開票) 투표함을 열고 투표 결과를 조사함. ㉡개표 결과를 발표하다. —하다.

개:표구 (改票口) 차표나 입장권 따위를 검사하는 입구.

개피떡 흰떡이나 쑥떡을 얇게 밀어 팥이나 콩가루로 만든 소를 넣고 반달 모양으로 만든 떡.

*__개학__ (開學) 학교에서 방학 등으로 한동안 쉬었다가 수업을 다시 시작함. ㉡긴 방학을 끝내고 개학을 맞이하다. ㉦방학. —하다.

개항 (開港) 공항 또는 항구를 열어 업무를 보거나 외국과 교역을 시작함. —하다.

개:헌 (改憲) 헌법의 내용을 고침. ㉡헌법을 개헌하다. —하다.

개:헤엄 손바닥을 아래로 엎어 팔을 물속 앞쪽으로 내밀어 물을 끌어당기면서 치는 헤엄.

개:혁 (改革) 제도나 기구 따위를 새롭게 뜯어고침. ㉡대학 입시 제도를 개혁하다. ㉥변혁. —하다.

개화 (開化) 외국의 더 발전된 문화나 제도를 받아들임. ㉡개화된 세상. ㉥개명. ㉦미개. —하다.

개화기 (開化期) 1876년의 강화도 조약 이후 봉건적인 사회 질서에서 벗어나 근대적인 사회로 나아가던 시기.

개화파 (開化派) 19세기 말에 낡은 제도를 고치고 발달된 서양 문물을 받아들여 개화한 나라를 만들자고 주장한 파. 독립당 또는 개화당이라고도 함.

개회 (開會) 회의나 모임을 시작함. ㉡개회사 / 국회 개회 / 개회를 선언하다. ㉦폐회. —하다.

개회식 (開會式) 회의나 모임을 시작할 때에 하는 의식. ㉦폐회식.

개흙 [개흑] 개펄이나 늪 바닥에 있는 거무스름하고 미끈미끈한 흙.

객 (客) 찾아온 사람. 손님.

-객 (客) 손님이나 사람의 뜻을 나타내는 말. ㉡관광객 / 입장객 / 방문객.

객관 (客觀) [객꽌] 자기 혼자만의 생각이나 감정에서 벗어나 제삼자의 입장에서 사물을 보고 생각하는 일. ㉦주관.

객관성 (客觀性) [객꽌썽] 객관적 성질. ㉦주관성.

객관식 (客觀式) [객꽌식] 시험 문제에서 맞는 답을 주어진 여러 개의 보기에서 고르는 방식.

객관적 (客觀的) [객꽌적] 제삼자의 입장에서 사물을 보고 생각하는

(것). ㉯객관적인 입장 / 객관적인 평가를 내리다. 반주관적.

객기 (客氣) [객끼] 쓸데없이 부리는 혈기나 용기. ㉯객기를 부리다.

객사 (客死) [객싸] 객지에서 죽음. ㉯객사를 당하다. **—하다.**

객석 (客席) [객썩] 연극·영화·운동 경기 등에서 손님이 앉는 자리. ㉯객석을 꽉 메우다.

객실 (客室) [객씰] **1** 손님을 묵게 하거나 대접하는 방. ㉯손님을 객실로 모시다. **2** 여관·기차·배 따위에서 손님이 드는 방이나 칸. ㉯객실을 잡다 / 객실을 빌리다.

객지 (客地) [객찌] 자기가 살던 고장을 떠나 임시로 가 머무르는 곳. ㉯객지 생활. 비타향.

객쩍다 (客—) [객쩍따] 말이나 행동이 쓸데없고 실없다. ㉯객쩍은 소리 이제 그만 해라.

객차 (客車) 손님을 실어 나르는 철도 차량. 반화차. 본여객 열차.

객토 (客土) 흙의 성질을 좋게 하기 위하여 다른 곳에서 흙을 가져다가 논밭에 넣는 일. 또는 그 흙. ㉯객토 작업. **—하다.**

갠지스 강 (Ganges江) 인도의 큰 강. 힌두교도가 숭배하는 신성한 강임. 길이 약 2,510 km.

갯가 [개까 / 갣까] **1** 바닷물이 드나드는 강이나 내의 가. **2** 물이 흐르는 곳의 가장자리.

갯가재 [개까재 / 갣까재] 갯가잿과의 동물. 바닷가 진흙 속에 사는데, 모양이 새우와 비슷하며 몸길이 15 cm 정도, 머리 위에 크고 작은 2쌍의 더듬이와 낫 모양의 다리가 한 쌍 있음. 새우·갯지렁이 따위를 잡아먹음.

갯고랑 [개꼬랑 / 갣꼬랑] 바닷물이 드나드는 갯가의 고랑. 준갯골.

갯마을 [갠마을] 갯가에 자리 잡고 있는 마을.

갯버들 [개뻐들 / 갣뻐들] 버드나뭇과의 낙엽 활엽 관목. 개울가에 많이 나며 높이 1-2 m, 꽃은 잎보다 먼저 핌. 비땅버들.

갯벌 [개뻘 / 갣뻘] 바닷물이 드나드는 모래톱. ㉯갯벌이 드러나다 / 갯벌에서 조개를 줍다.

갯지렁이 [개찌렁이 / 갣찌렁이] 갯지렁잇과의 동물. 지네와 비슷한데 납작하고 길이 5-12 cm, 빛은 엷은 홍색임. 바닷가의 진흙 속에 사는데, 낚싯밥으로 쓰임. 비갯지네.

갱 (坑) 광물을 파내기 위하여 땅속으로 파 들어간 굴.

갱ː년기 (更年期) 사람이 나이가 들어 몸의 여러 기능이 떨어지는 시기. 보통 마흔 살에서 쉰 살 무렵임.

갱도 (坑道) 토목 공사장·광산에서, 사람이 드나들며 짐을 운반하기 위해 굴처럼 뚫어 놓은 길. 준갱.

갱목 (坑木) 갱 안이나 갱도가 무너지지 않게 버티어 세운 통나무.

갱ː생 (更生) 잘못된 생활 태도나 정신을 바로잡아 본래의 바람직한 상태로 되돌아감. ㉯갱생의 길을 걷다. **—하다.**

갱ː신 (更新) 법적인 문서의 효력이나 기간이 끝나 다시 새로 바꾸거나 기간을 늘리는 일. ㉯비자 갱신 / 계약을 갱신하다. **—하다.**

> 주의 **갱신과 경신**
>
> '更'은 '고친다'라는 뜻으로는 '경'으로, '다시'라는 뜻으로는 '갱'으로 읽는다. 면허증이나 계약서의 기간을 다시 연장할 때는 '갱신'으로 쓰고, 운동 경기에서 신기록을 세워 기록이 고쳐졌을 때는 '경신'으로 쓴다.
>
> ㉯면허증을 갱신하다.
> 100 m 세계 기록을 경신하다.

갱ː지 (更紙) 표면이 좀 거칠고 품

질이 낮은 종이. 신문지나 시험지 따위로 씀.

갸:륵하다 [갸르카다] 마음씨나 행동이 착하고 장하다. 매우 기특하다. ㉠갸륵한 마음씨 / 정성이 갸륵하다.

갸름하다 조금 가늘고 긴 듯하다. ㉠갸름한 얼굴 / 눈매가 갸름하다. 큰 기름하다.

갸우뚱거리다 물체가 자꾸 이쪽저쪽으로 기울어지며 흔들리다. 큰 기우뚱거리다. 센 꺄우뚱거리다.

갸우뚱하다 머리를 한쪽으로 기울이다. ㉠의아스러운 표정으로 고개를 갸우뚱했다.

갸웃거리다 [갸욷꺼리다] 무엇을 보거나 알려고 고개를 자꾸 기울이다. 큰 기웃거리다.

갸웃이 [갸우시] 고개를 한쪽으로 비스듬히 기울여서. ㉠고개를 갸웃이 기울이다.

갸웃하다 [갸우타다] 고개를 한쪽으로 비스듬히 기울이다. ㉠고개를 약간 갸웃했다.

갹출 (醵出) 어떤 일을 위해 여러 사람이 각기 돈이나 물건을 냄. ㉠기금을 갹출하다. **—하다.**

걔 '그 아이'의 준말. ㉠걔는 어디 사니.

*__거__ **1** '것'의 준말. ㉠이건 내 거야. **2** '그것'의 준말. ㉠거 좋은 생각이다. **3** '거기'의 준말. ㉠너 꼼짝 말고 거 있어.

거간 (居間) **1** 물건을 사고파는 사람 사이에 들어 흥정을 붙임. **2** '거간꾼'의 준말.

거간꾼 (居間—) 거간 일을 직업으로 하는 사람. 준 거간.

거:개 (擧皆) 거의 모두. 대부분. ㉠연극을 관람한 사람은 거개가 대학생이었다.

거:구 (巨軀) 매우 큰 몸집. ㉠거구의 사나이.

거:국 (擧國) 온 나라. 국민 전부. ㉠거국 연립 내각을 구성하다.

거:국적 (擧國的) [거국쩍] 온 국민이 함께 참여하는 (것). ㉠거국적 행사를 벌이다.

거:금 (巨金) 큰 액수의 돈. 많은 돈. ㉠불우 이웃 돕기 성금으로 거금을 내다. 비 큰돈.

*__거기__ **1** 그곳. ㉠거기가 어디냐 / 거기에서 1시간 뒤에 보자. **2** 그곳에. ㉠거기 서 있거라. **3** 앞에서 말한 것을 가리키는 말. ㉠거기까지는 미처 생각을 못했다. 준 게. 작 고기. *여기. 저기. ➡ there

거꾸러지다 **1** 거꾸로 엎어지다. **2** 싸움에 지다. **3** ⇨죽다1. 작 가꾸러지다. 센 꺼꾸러지다.

*__거꾸로__ 차례나 방향이 반대로 바뀌게. ㉠옷을 거꾸로 입다. 작 가꾸로. 센 꺼꾸로.

거나 받침 없는 말에 붙어서 사람·시간·장소·사물 등을 가리지 아니하는 뜻을 나타내는 말. ㉠우유거나 홍차거나 다 괜찮다. 준 건.

-거나 동사나 형용사의 어간에 붙어 가리지 않는 뜻을 나타내는 말. ㉠남이 보거나 말거나 상관없다 / 맛이 좋거나 나쁘거나 다 먹어라. 준 -건.

거나하다 술을 먹어 많이 취해 있다. ㉠거나하게 취한 얼굴 / 술이 거나하게 취하다. 준 건하다.

거느리다 **1** 돌봐야 할 손아랫사람들을 데리고 있다. ㉠식솔을 거느리다. **2** 부하나 군대 따위를 이끌다. ㉠선수단을 거느리다. **3** 누구를 데리고 함께 행동하다. ㉠아들딸을 거느리고 잔칫집에 가다.

거:닐다 가까운 거리를 이리저리 한가히 걷다. ㉠공원을 거닐다. 활용 거닐어 / 거니니 / 거니는.

거:대 (巨大) 엄청나게 큼. ㉠몸집이 거대하다. **—하다.**

거덜 **1** 망하여 살림이나 재산이 다 없어짐. ㉥가게가 거덜 나다 / 살림을 거덜 내다. **2** 옷·신 따위가 해지거나 닳아 못 쓰게 됨. 참고 주로 '나다', '내다'와 함께 쓰임.

거:동 (擧動) 몸을 움직이는 동작이나 태도. ㉥거동을 살피다 / 거동이 불편하다 / 거동이 수상한 사람을 경찰서에 신고하다. 비 동작. **—하다.**

거:두 (巨頭) 나라나 큰 조직에서 중요한 지위에 있고 실권을 가지고 있는 사람. ㉥학계의 거두.

*__거두다__ **1** 곡식이나 열매 따위를 수확하다. ㉥벼를 거두다. **2** 널리거나 흩어진 것을 한데 모으다. ㉥빨래를 거두다. **3** 어떤 결과·성과 따위를 얻다. ㉥승리를 거두다 / 수학 경시 대회에서 우수한 성적을 거두다. **4** 보살펴 주다. ㉥부모 잃은 아이를 거두다. **5** 멈추어 끝을 내다. ㉥숨을 거두다. **6** 여러 사람에게서 돈이나 물건 따위를 받아들이다. ㉥회비를 거두다.

거두어들이다 [거두어드리다] **1** 돈이나 물건, 농작물 따위를 한데 거두어 모아들이다. ㉥벼를 거두어들이다. **2** 여러 사람에게서 돈이나 물건 따위를 받아서 들여오다. ㉥세금을 거두어들이다. 준 거둬들이다.

거:두절미 (去頭截尾) 머리와 꼬리를 자른다는 뜻으로, 앞뒤의 필요 없는 부분은 빼고 가장 중요한 것만 말함. ㉥거두절미하고 용건을 말하겠소. **—하다.**

거드럭거리다 [거드럭꺼리다] 거드름을 피우며 거만하게 행동하다. 준 거들거리다.

거:드름 잘난 체하는 태도. ㉥거드름을 피우다.

거들다 **1** 남이 하는 일을 도와주다. ㉥이삿짐 나르는 일을 거들다. **2** 남이 하는 말이나 행동에 끼어들어 참견하다. ㉥곁에서 한마디 거들다. 활용 거들어 / 거드니 / 거드는.

거들떠보다 아는 체하거나 관심을 가지고 보다. ㉥거들떠보지도 않다.

거들먹거리다 [거들먹꺼리다] 신이 나서 잘난 체하며 도도하게 굴다. ㉥재력을 뽐내며 거들먹거린다. 비 거들먹대다.

거들먹대다 [거들먹때다] ⇨거들먹거리다.

*__거듭__ 되풀이하여. ㉥거듭 강조하다 / 같은 말을 거듭 되뇌다.

거듭제곱 [거듭쩨곱] 같은 수·문자를 지수만큼 거듭 곱함. 또는 그렇게 하여 얻은 값. 제곱·세제곱·네제곱 따위. **—하다.**

거듭하다 [거드파다] 어떤 일을 자꾸 되풀이하다. ㉥해를 거듭하다 / 실험을 거듭하다.

거뜬하다 **1** 생각보다 썩 가볍고 간편한 느낌이 있다. **2** 걱정·아픔 따위가 없어져 기분이 상쾌하고 몸이 개운하다.

거뜬히 거뜬하게. ㉥어려운 일을 거뜬히 해내다.

-거라 '가다'나 '가다'로 끝나는 동사 어간에 붙어 명령의 뜻을 나타냄. ㉥집에 빨리 가거라 / 어서 들어가거라.

거란족 (契丹族) 4세기경 만주에 있었던 부족. 발해를 멸망시킨 뒤 요나라를 세우고 크게 발전하였음.

거:래 (去來) 돈을 주고받거나 물건을 사고파는 일. ㉥거래를 트다 / 거래가 활발하다 / 처음 거래하다. **—하다.**

거:래처 (去來處) 돈이나 물건을 계속적으로 거래하는 상대방. ㉥거래처를 바꾸다.

거:론 (擧論) 어떤 일을 이야기의 주제나 문제로 삼음. ㉥회의에서 거론할 문제가 아니다. **—하다.**

*__거:룩하다__ [거루카다] 훌륭하고 성스럽다. ㉥거룩한 마음.

거룻배 [거루빼/거룬빼] 돛이 없는 작은 배. ㉎거룻배로 화물을 실어 나르다.

〈거룻배〉

거류 (居留) 외국에 머물러 삶. **—하다.**

거류민 (居留民) 외국에 머물러 사는 사람. ㉎재일 **거류민.**

*__거르다__[1] 체나 거름종이 따위를 사용해 국물을 짜내고 찌꺼기나 건더기를 받쳐 내다. ㉎술을 **거르다.** 활용 걸러 / 거르니.

거르다[2] 정해진 차례를 건너뛰다. ㉎점심 식사를 **거르다.** 활용 걸러 / 거르니.

> 주의 이 말은 '거르고 / 거르니 / 걸러서 / 걸러라…'의 꼴로 사용되는 말이다. 그런데 '걸러서 / 걸러라'의 경우를 보고 '거르다'를 '걸르다'로 쓸 때가 많다. '걸르다'는 잘못된 말이다.
> ㉎끼니를 걸르다(×)
> 끼니를 거르다(○)
> 차례를 걸르다(×)
> 차례를 거르다(○)

*__거름__ 식물이 잘 자라도록 주는 양분. ㉎밭에 **거름**을 주다. 비 비료.

> 주의 **거름**과 **걸음**
> **거름** 비료. ㉎밭에 거름을 주다.
> **걸음** 걷는 일. ㉎걸음이 빠르다.

거름종이 액체 속에 들어 있는 찌꺼기·건더기 따위를 걸러 내는 종이. 비 여과지.

거름흙 [거름흑] **1** 기름진 흙. **2** 거름이 있던 자리에서 그러모은 흙.

거리[1] **1** 음식을 만드는 데 재료가 되는 것. ㉎반찬**거리. 2** 어떤 행동이나 느낌을 나타내는 내용·소재가 되는 것. ㉎웃음**거리** / 읽을**거리.**

*__거리__[2] 사람이나 차가 많이 다니는 번화한 길. ㉎**거리**의 소음 / 복잡한 **거리.** 본 길거리. ➲ street

*__거ː리__[3] (距離) **1** 두 곳 사이의 떨어진 정도. ㉎먼 **거리**를 걸어왔다. **2** 어떤 시간 동안에 갈 수 있는 공간적 간격. ㉎걸어서 10분 **거리**에 있는 학교를 다닌다. **3** 사람과 사귀는 데 있어서의 간격. ㉎**거리**를 두다.

-거리 **1** 날수·달·해를 나타내는 말에 붙어, 어떤 현상이 주기적으로 나타나는 동안을 뜻하는 말. ㉎하루**거리** / 이틀**거리** / 달**거리** / 해**거리. 2** 어떤 말을 조금 속되게 표현하는 말. ㉎떼**거리** / 짓**거리** / 패**거리.**

거ː리감 (距離感) 사이가 멀어진 느낌. ㉎**거리감**을 느끼다 / **거리감**을 갖고 대하다.

거리끼다 **1** 어떤 일이 딴 일에 방해가 되다. ㉎일하는 데 **거리끼**는 것이 많다. **2** 마음에 걸려 꺼림하다. ㉎양심에 **거리끼**는 일을 하다.

거리낌 **1** 일이나 행동 따위를 하는 데 걸려서 방해가 됨. ㉎아무 **거리낌** 없이 일이 진행되었다. **2** 마음에 걸려서 꺼림칙하게 생각됨. ㉎조금도 양심에 **거리낌**이 없다.

-거리다 같은 동작을 자꾸 잇달아 함을 나타내는 말. ㉎넘실**거리다** / 방긋**거리다.** 비 -대다.

거ː만 (倨慢) 잘난 체하며 남을 업신여김. ㉎**거만**을 떨다 / **거만**하게 굴다. 비 교만. 오만. 반 겸손. **—하다. —스럽다.**

거ː머리 **1** 거머릿과의 동물. 몸길이 3–4 cm, 몸이 길고 납작함. 논·못에 살며, 다른 동물에 달라붙어 피를 빨아 먹음. **2** 남에게 달라붙어 괴롭히는 사람. ㉎**거머리** 같은 놈.

거머안다 [거머안따] 두 팔로 휘감듯이 안다. ㉎공을 **거머안고** 뛰다.

거머잡다 [거머잡따] 손으로 꽉 움켜잡다. (예)목덜미를 거머잡다. [준]검잡다.

거머쥐다 손으로 꽉 움켜쥐다. (예)멱살을 거머쥐다. [준]검쥐다.

거:멓다 [거머타] 빛깔이 매우 검다. [작]가맣다. [센]꺼멓다. [활용]거머니 / 거메서.

거:목 (巨木) **1** 매우 큰 나무. **2** 큰 인물. (예)거목이 쓰러지다(큰 인재가 세상을 떠나다).

거무스름하다 빛깔이 조금 검다. (예)거무스름한 얼굴. [준]거뭇하다. [작]가무스름하다. [센]꺼무스름하다.

거무죽죽하다 [거무죽쭈카다] 빛깔이 고르지 못하고 우중충하게 거무스름하다. (예)바닷물이 빠져 거무죽죽한 개펄이 드러났다. [작]가무족족하다. [센]꺼무죽죽하다.

거무칙칙하다 [거무칙치카다] 빛깔이 검고 칙칙하다. (예)거무칙칙한 옷감. [작]가무칙칙하다. [센]꺼무칙칙하다.

거무튀튀하다 빛깔이 흐리터분하게 거무스름하다. (예)햇볕에 그을려 얼굴이 거무튀튀하다. [작]가무퇴퇴하다. [센]꺼무튀튀하다.

*** 거문고** 민속 악기의 하나. 줄이 여섯 개 있는 현악기로, 오동나무로 만들며, 줄을 튀겨 소리를 냄. (예)거문고를 타다.

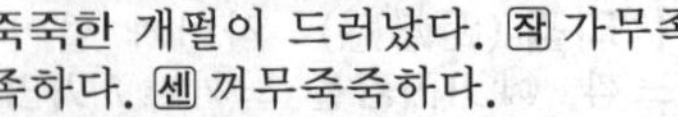

〈거문고〉

거:물 (巨物) 어떤 분야에서 뛰어나 중요한 위치에 있거나 영향력이 큰 사람. (예)학계의 거물.

거뭇거뭇 [거묻꺼묻] 군데군데 검은 모양. (예)거뭇거뭇한 피부 / 수염이 거뭇거뭇하다. [작]가뭇가뭇. [센]꺼뭇꺼뭇. **—하다.**

*** 거미** 몸에서 끈끈한 실을 뽑아 그물 같은 줄을 쳐 놓고, 벌레가 걸리면 그것을 잡아먹고 사는 벌레. 몸은 머리·가슴·배로 구분되며, 4쌍의 다리가 있음. ➡ spider

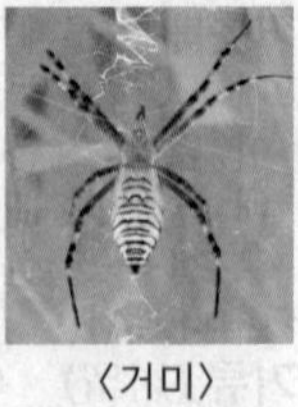

〈거미〉

거미줄 **1** 거미가 뽑아내는 가는 줄. 또는 그 줄로 친 그물. (예)거미줄을 치다 / 거미줄에 파리가 걸리다. **2** 범인을 잡기 위해 쳐 놓은 수사망.

거:부[1] (巨富) 썩 큰 부자. 큰 재산. (예)졸지에 거부가 되다.

거:부[2] (拒否) 상대편의 요구·제안 따위를 받아들이지 않고 물리침. (예)거부 반응을 일으키다 / 대화를 거부하다. [비]거절. [반]승인. **—하다.**

거:부감 (拒否感) 어떤 것을 꺼리거나 싫어하는 마음. (예)거부감이 들다 / 거부감을 불러일으키다.

거:부권 (拒否權) [거부꿘] 남의 의견이나 요구를 거부할 수 있는 권리. (예)거부권을 행사하다.

*** 거북** 거북과의 동물. 몸은 둥글넓적하고, 등과 배가 단단한 딱지로 되어 있음. 지느러미 모양의 네 발로 기어다님. ➡ turtle

거북선 (—船) [거북썬] 임진왜란 때 이순신 장군이 만든 거북 모양의 배. 세계 최초의 철갑선임. [비]귀선.

〈거북선〉

거북이 [거부기] '거북'을 흔히 이르는 말.

거:북하다 [거부카다] **1** 몸이나 마음이 편안하지 아니하다. (예)속이 거북하다. **2** 말이나 행동을 하기 어렵다. (예)딱 거절하기가 거북하다. [비]난처하다.

거:사 (擧事) 큰일을 일으킴. (예)거사를 모의하다. **—하다.**

거:상 (巨商) 밑천을 많이 가지고 하는 장사. 또는 그 사람.

거:세 (去勢) **1** 수컷의 불알이나 암컷의 난소를 없애 버림. ㉠소를 거세하다. **2** 저항이나 반대를 하지 못하도록 세력을 꺾어 버림. ㉠반대 세력을 거세하다. **—하다.**

거세다 거칠고 세다. 매우 힘차다. ㉠바람이 거세다 / 파도가 거세게 치다. ㉥ 세차다.

거센말 뜻은 같으나 말의 느낌을 강하게 하기 위하여 거센소리를 쓰는 말. '감감하다, 빙그르르'에 대하여 '캄캄하다, 핑그르르' 따위.

거센소리 ㅊ·ㅋ·ㅌ·ㅍ 따위와 같이 거센 숨을 따라서 나는 소리. ㉥ 격음. *된소리.

거:수 (擧手) 손을 위로 들어 올림. ㉠거수로 결정하다. **—하다.**

거:수경례 (擧手敬禮) [거수경녜] 보통 때는 눈썹 끝 부분, 모자를 썼을 때는 챙 옆에 곧게 편 오른손을 올려 하는 인사. ㉠거수경례를 붙이다. ㉤ 거수례. **—하다.**

거스르다[1] **1** 남의 뜻, 가르침, 명령 따위를 따르지 않다. ㉠부모님의 말씀을 거스르다. **2** 반대 방향으로 움직이다. ㉠바람을 거슬러 나아가다. **3** 남의 마음이나 기분을 상하게 하다. ㉠신경을 거스르다. 활용 거슬러 / 거스르니.

거스르다[2] 셈할 돈을 빼고 남은 돈을 내주거나 받다. ㉠잔액을 거슬러 받다. 활용 거슬러 / 거스르니.

거스름돈 [거스름똔] 셈할 돈을 빼고 거슬러 주거나 받는 돈. ㉠거스름돈을 모자라게 받았다. ㉥ 잔돈.

거슬리다 순순히 받아들여지지 않고 언짢은 느낌이 들다. ㉠귀에 거슬리는 말.

거슴츠레하다 졸리거나 술에 취해 눈에 기운이 없고 감길 듯하다. ㉠거슴츠레한 눈. ㉥ 게슴츠레하다.

거실 (居室) **1** 거처하는 방. **2** 가족이 모여서 생활하는 공간. ㉠거실에서 텔레비전을 보다.

거:액 (巨額) 많은 액수의 돈. ㉠장학 재단에 거액을 기부하다.

거:역 (拒逆) 윗사람의 뜻이나 명령을 따르지 않고 거스름. ㉠부모의 뜻을 거역하다. **—하다.**

***거울** **1** 물체의 형상을 비추어 보는 물건. ㉠거울을 들여다보다 / 거울에 얼굴을 비추다. **2** 비추어 보아 모범이나 경계가 될 만한 사실. ㉠신문은 사회의 거울이다. ➲ mirror

거울삼다 [거울삼따] 지난 일이나 남의 일을 본보기로 삼다. ㉠실패를 거울삼아 더욱 분발하다.

***거위** 오릿과의 새. 몸빛이 희고 목이 길며 부리는 황금색임. 헤엄은 잘 치나 날지 못함. 밤눈이 밝아서 개 대신 기름. ➲ goose

〈거위〉

거위배 회충으로 말미암은 배앓이. ㉥ 횟배.

***거:의** [-/거이] 어느 한도에 매우 가까운 정도로. ㉠거의 하루가 걸리다 / 목적지에 거의 다 왔다. ㉥ 거반. 거지반. ➲ almost

거:인 (巨人) **1** 몸이 유난히 큰 사람. ㉦ 소인. **2** 어떤 분야에서 재능이나 업적이 아주 뛰어난 사람. ㉠학계의 거인. ㉥ 위인.

거:장 (巨匠) 주로 예술 분야에서 특별히 뛰어난 사람. ㉠현대 미술의 거장 피카소.

거저 **1** 값을 치르지 않고. 무료로. 공짜로. ㉠쓰던 물건을 거저 달라고 하다. **2** 힘들이지 않고. ㉠사랑은 거저 얻어지지 않는다.

거저먹다 [거저먹따] 힘들이지 않고 어떤 것을 차지하거나 일을 해내다. ㉥노력 없이 거저먹으려 하지 마라.

거적 새끼와 짚으로 두툼하게 엮거나 결어서 자리처럼 만든 물건. ㉥거적을 덮어서 눈보라를 막다.

거:절 (拒絕) 요구·제의·물건 따위를 받아들이지 않고 물리침. ㉥부탁을 거절하다 / 선물을 거절하다. 비 사절. 반 승낙. **—하다.**

거:점 (據點) [거쩜] 활동의 근거가 되는 곳. ㉥적의 거점을 분쇄하다.

거:제도 (巨濟島) 〖지명〗 경상남도 통영시와 진해만에 면해 있는 섬. 우리나라에서 제주도 다음으로 큰 섬임.

거:족적 (擧族的) [거족쩍] 민족이 다 같이 참가하는 (것). 온 겨레에 관한 (것). ㉥거족적인 행사.

거주 (居住) 일정한 곳에 자리를 잡고 머물러 삶. 또는 그곳. ㉥국내에 거주하는 외국인. **—하다.**

거주지 (居住地) 현재 살고 있는 곳. ㉥거주지를 옮기다.

거죽 물체의 겉 부분. 비 표면. 반 속. 안.

거:중기 (擧重機) 예전에 무거운 물건을 들어올리는 데 쓰던 기계.

거즈 (gauze) 무명실로 성기게 짠 천. 소독하여 상처에 대거나 묶는 데에 씀. 가제.

*__거:지__ 남에게 구걸하여 얻어먹고 사는 사람. 비 걸인.

거:지꼴 거지와 같은 초라한 모양. ㉥거지꼴이 되다.

거지반 (居之半) 절반 이상. ㉥거지반 끝나다. 비 거의. 준 거반.

*__거:짓__ [거짇] 사실과 어긋남. 또는 사실이 아닌 것을 사실인 것처럼 꾸밈. ㉥거짓 증언 / 거짓을 늘어놓다 / 거짓으로 자백하다 / 거짓된 정보를 알려 주다. 비 허위. 반 참.

*__거:짓말__ [거진말] 사실과 다르게 꾸며 말을 함. 또는 그런 말. ㉥거짓말을 밥 먹듯 하다 / 선생님에게 아프다고 거짓말하다. 비 허언. 반 참말. 정말. **—하다.** ➲ lie

거:짓말쟁이 [거진말쟁이] 거짓말을 잘하는 사람. ×거짓말장이.

거:참 어이없을 때 나오는 소리. ㉥거참 안됐다. 본 그것참.

거:창하다 (巨創〔刱〕—) 모양이나 규모가 엄청나게 크다. ㉥거창한 계획을 세우다. 비 거대하다.

거처 (居處) 일정하게 자리 잡고 삶. 또는 그렇게 살거나 묵는 장소. ㉥거처를 정하다 / 임시로 거처하다. **—하다.**

거:추장스럽다 [거추장스럽따] 물건 따위가 짐스럽고 귀찮아 다루기가 거북하다. ㉥가방이 무거워 거추장스럽다. 활용 거추장스러워 / 거추장스러우니.

거:취 (去就) **1** 어디로 가거나 다니거나 하는 일. **2** 어떤 사태에 대하여 자신의 입장을 밝혀 취하는 태도. ㉥거취를 분명히 하다.

*__거치다__ **1** 지나는 길에 잠깐 들르다. ㉥동경을 거쳐 미국에 가다. **2** 어떤 단계나 과정을 밟다. ㉥예선 심사를 거치다.

> 주의 **거치다**와 **걷히다**
>
> **거치다** 경유하다. ㉥천안을 거쳐서 온양으로 간다.
>
> **걷히다** '걷다'의 피동사. ㉥안개가 걷힌다 / 세금이 잘 걷힌다.

거치적거리다 [거치적꺼리다] 움직임에 방해되게 자꾸 여기저기 걸리고 닿다. ㉥거치적거리는 물건.

*__거칠다__ **1** 살이나 물건의 표면이 곱지 않다. 반드럽지 않다. ㉥살결이 거칠다. **2** 땅이 손질이 되지 않아 잡풀이 많이 나고 지저분하다. ㉥거친 땅을 일구다. **3** 말이나 행동, 성질이 얌전하지 않고 난폭하다. ㉥말이

거칠다. 비 막되다. **4** 격렬하다. 예 거친 물결/숨소리가 거칠다. 활용 거칠어/거치니/거친.

거:칠하다 살이 빠져 피부나 털이 윤기가 없다. 예피부가 거칠하다. 작 가칠하다. 센 꺼칠하다.

거침없다 [거치멉따] 일이나 행동 따위가 중간에 걸리거나 막히는 것이 없다. 예거침없는 행동.

거침없이 [거치멉씨] 거침없게. 예 거침없이 말을 하다.

거푸 잇따라 거듭. 예바가지의 물을 거푸 들이켜다.

거푸집 쇠붙이를 녹여 부어 넣어 물건의 모양을 만들어 내는 틀. 비 주형.

거품 **1** 액체 속에 공기가 들어가서 속이 비어 둥글게 부푼 방울. 예비누 거품/거품을 내다. **2** 입가에 내뿜어진, 속이 빈 침방울.

거품(을) 물다 몹시 흥분하여 화를 내다. 예입에 거품을 물고 이야기하다.

거:행 (擧行) **1** 어떤 일을 명령대로 함. 예분부대로 거행하겠습니다. **2** 의식이나 행사 따위를 치름. 예졸업식을 거행하다. **—하다.**

*__걱정__ [걱쩡] **1** 마음이 놓이지 않아 속을 태우는 일. 예늦은 시간까지 아이가 집에 오지 않아서 걱정이다. 비 근심. 반 안심. **2** 아랫사람의 잘못을 꾸짖음. 예부모님께 걱정을 듣다. **—하다.** ➲ worry

걱정도 팔자 필요 없는 걱정을 한다는 말.

걱정이 태산이다 극복해야 할 일이 많거나 복잡해 걱정이 아주 크다.

걱정거리 [걱쩡꺼리] 걱정이 되는 일. 예걱정거리가 많다.

걱정스럽다 [걱쩡스럽따] 걱정이 되어 마음이 편하지 못하다. 예언니의 얼굴이 걱정스러워 보인다. 활용 걱정스러워/걱정스러우니.

*__건__ (件) [껀] 특정한 일이나 사건을 세는 말. 예소송 두 건/화재가 한 건 발생하다.

건- (乾) **1** 마른. 말린. 예건어물/건포도. **2** 액체를 쓰지 않은. 예건전지.

-건 '-거나'의 준말. 예오건 말건/좋건 나쁘건.

*__건:강__ (健康) 마음이나 몸에 탈이 없고 튼튼함. 또는 그런 상태. 예건강한 신체/몸 건강히 지내다/건강을 유지하다/건강을 돌보다. 반 쇠약. 허약. **—하다. —히.** ➲ health

건:강미 (健康美) 건강한 육체의 아름다움. 예건강미가 넘치다.

건:강 진단 (健康診斷) 의사가 몸에 병이 있고 없음을 자세히 살피는 일. 예건강 진단을 받다.

건건하다 감칠맛이 없이 좀 짜다. 예건건한 음식/김치찌개가 건건하다. 작 간간하다.

건:국 (建國) 새로 나라를 세움. 예 건국 기념일. 비 개국. **—하다.**

건:국 신화 (建國神話) [—씬화] 신의 신비로운 힘으로 나라를 세웠다는 내용의 설화.

건:너 맞은편 쪽. 예길 건너에 있는 집/강 건너 산.

*__건:너가다__ 건너서 저쪽으로 가다. 예길을 건너가다/배를 타고 강을 건너가다.

*__건:너다__ **1** 사이에 있는 것을 넘어서 맞은편으로 가다. 예바다를 건너다. **2** 차례를 거르다. 예하루 건너 한 번씩.

건:너다니다 어떤 곳을 건너서 왔다 갔다 하다. 예학교에 가려면 육교를 건너다녀야 한다.

건:너다보다 이쪽에서 저쪽을 바라보거나 살피다. 예강 저편 언덕을 건너다보다.

건:너뛰다 **1** 어떤 공간이나 사물을 사이에 두고 단번에 건너편까지

뛰다. ㉮도랑을 건너뛰다. **2** 차례를 거르다. ㉮점심을 건너뛰다.
건:너오다 건너서 이쪽 편으로 오다. ㉮강을 건너오다.
건:너지르다 양쪽에 닿도록 긴 물건을 가로 대어 놓다. [활용] 건너질러 / 건너지르니.
건:너짚다 [건너집따] **1** 팔을 내밀어 멀리 짚다. **2** 어떤 일을 앞질러서 짐작하다. ㉮멋대로 건너짚지 말고 사정을 자세히 들어 보아라.
건:너편 (一便) 서로 마주 대하고 있는 저쪽 편. ㉮길 건너편에서 기다려라.
건:넌방 (一房) 안방에서 마루를 사이에 두고 맞은편에 있는 방.

> 주의 **건넌방과 건넛방**
> **건넌방** 안방의 맞은편, 대청 건너에 있는 방.
> **건넛방** 건너편에 있는 방.

건:널목 기찻길과 도로가 서로 만나는 곳. ㉮철길 건널목을 건너다.
건:넛마을 [건넌마을] 건너편에 있는 마을.
건:넛방 (一房) [건너빵 / 건넏빵] 건너편에 있는 방. →건넌방 주의
건:네다 **1** 남에게 말을 걸다. ㉮처음 보는 아이에게 말을 건네다. **2** 돈이나 물건 따위를 남에게 옮기어 주다. ㉮계약금을 건네다. **3** 건너가게 하다. ㉮나룻배로 사람들을 건네다.
건:네받다 [건네받따] 돈이나 물건 따위를 다른 사람에게서 옮기어 받다. ㉮형에게서 책을 건네받다.
건:네주다 **1** 건너게 해 주다. ㉮배로 사람을 건네주다. **2** 돈이나 물건 따위를 남에게 옮기어 주다. ㉮아내에게 월급봉투를 건네주다.
건달 (乾達) 일정한 직업도 없이 빈둥빈둥 놀거나 건들거리며 돌아다니는 사람. ㉮백수건달.
-건대 앞으로 하려는 일을 미리 말하여 둘 때 쓰는 말. ㉮생각건대 / 바라건대.
건더기 국물 있는 음식 속에 섞여 있는 고기나 채소 따위. ㉮건더기는 남기고 국물만 먹다. ×건덕지.
건:드리다 **1** 손으로 만지거나 무엇으로 대어 조금 움직이게 하다. ㉮자는 사람을 툭툭 건드리다. **2** 남의 마음을 상하게 하거나 화나게 하다. ㉮비위를 건드리다 / 자존심을 건드리다. **3** 어떤 일에 손을 대다. ㉮이 일 저 일을 건드려 보다.
건들거리다 **1** 싱겁고 멋없게 행동하다. ㉮건들거리며 걷다. **2** 바람이 부드럽고 시원하게 불다. [작] 간들거리다. **3** 하는 일 없이 빈둥거리다.
건들건들 건들거리는 모양. ㉮건들건들 걸어가다. **—하다.**
건:립 (建立) [걸립] 건물·동상·탑 따위를 만들어 세움. ㉮독립 기념관 건립. **—하다.**
-건마는 이미 말한 사실과 같지 않은 일을 말하려 할 때 쓰는 말. ㉮그렇게 타일렀건마는 / 나이는 먹었건마는 철이 없다. [준] -건만.
건:망증 (健忘症) [건망쯩] 기억을 잘 못하거나 잘 잊어버리는 증상. ㉮건망증이 심하다. [준] 건망.
*__건:물__ (建物) 사람이 들어 살거나, 일을 하기 위해 지은 집 같은 것. ㉮건물을 짓다 / 고층 건물이 들어서다. [비] 건축물. ➲ building
건:반 (鍵盤) 피아노·오르간 같은 악기에서 손가락으로 치는 부분. 키보드. ㉮건반을 두드리다.
건:반 악기 (鍵盤樂器) [건바낙끼] 피아노·오르간 따위의 건반이 있는 악기.
건방 젠체하여 주제넘은 태도. ㉮건방을 떨다 / 건방을 피우다.
건방지다 지나치게 잘난 체하다. 말과 행동이 주제넘어 보기에 아니

꼽다. (예)건방진 녀석 / 건방진 소리 / 건방지게 굴다.

건배 (乾杯) 성공이나 건강, 행복 따위를 빌면서 서로 술잔을 높이 들어 마시는 일. [비] 축배. **—하다.**

건빵 (乾—) 딱딱하게 구운 마른과자의 하나. 군대의 야전 식량으로 주로 쓰임.

건사 **1** 자기에게 딸린 것을 잘 보살피고 돌봄. (예)제 몸 하나 건사하기도 힘들다. **2** 물건을 잘 챙겨 보관함. (예)음식이 상하지 않게 잘 건사해라. **—하다.**

***건ː설** (建設) **1** 건물이나 설비 따위를 새로 만들어 세움. (예)아파트를 건설하다. **2** 조직이나 단체 따위를 새로이 이룩함. (예)살기 좋은 사회를 건설하다. [반] 파괴. **—하다.**

건ː설 교통부 (建設交通部) 중앙 행정 기관의 하나. 나라 안의 큰 공사나 건설과 교통 등에 관한 일을 맡아봄. [준] 건교부.

건ː설적 (建設的) [건설쩍] 어떤 일을 보다 좋은 방향으로 이끌어 가려는 (것). (예)건설적인 제안 / 문제를 건설적으로 해결해 나가다. [반] 파괴적.

건성[1] 정성을 다하거나 주의를 하지 않고 겉으로만 대강대강 하는 것. (예)인사를 건성으로 받다 / 남의 말을 건성으로 듣다.

건성[2] (乾性) 쉽게 마르는 성질. 수분이 적은 성질. (예)건성 피부. [반] 습성.

건습구 습도계 (乾濕球濕度計) [건습꾸 습또계 / 건습꾸습또게] 물이 증발하는 정도를 재어 공기 중의 습도를 측정하는 장치. [준] 건습계.

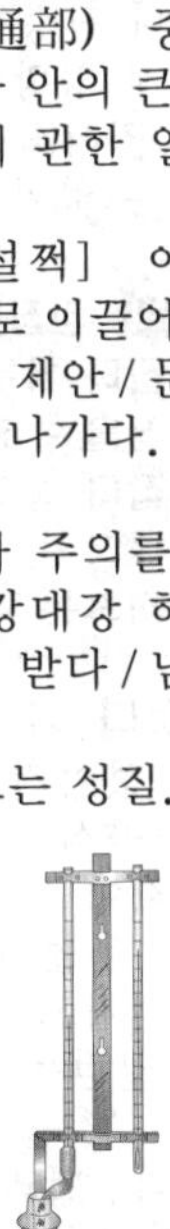

〈건습구 습도계〉

건식 (乾式) 어떤 작업에서, 물이나 액체 따위를 쓰지 않는 방식. [반] 습식.

건ː실하다 (健實—) 생각·태도 따위가 건전하고 착실하다. (예)건실한 생활 태도를 본받다.

건ː아 (健兒) [거나] 건강하고 씩씩한 사나이. (예)대한의 건아.

건어물 (乾魚物) [거너물] 말린 물고기나 조개류 따위. [준] 건어.

건ː의 (建議) [거늬 / 거니] 의견이나 희망을 윗사람이나 상급 기관에 말함. 또는 그 의견. (예)건의 사항. **—하다.**

건ː의서 (建議書) [거늬서 / 거니서] 어떤 사항에 대한 의견이나 희망을 적은 문서. (예)건의서를 올리다.

건ː장하다 (健壯—) 몸이 크고 굳세다. (예)체격이 건장한 청년.

건ː재 (健在) 힘이나 능력이 줄어들지 않고 그대로임. (예)그는 아직 건재하다. **—하다.**

건전지 (乾電池) 탄소막대를 양극, 아연을 음극으로 하여, 그 사이에 이산화망간·흑연 따위를 섞어 넣어 만든 전지. 휴대용으로 손전등·라디오 따위에 씀. [반] 습전지.

〈건전지〉

건ː전하다 (健全—) **1** 건실하고 올바르다. (예)건전한 생각. **2** 건강하고 병이 없다.

건ː조[1] (建造) 배·건물 따위를 설계하여 만듦. (예)선박을 건조하다. **—하다.**

건조[2] (乾燥) 습기나 물기가 없어짐. (예)건조한 공기. **—하다.**

건조기 (乾燥器〔機〕) 물체 속에 들어 있는 물기를 말리는 장치. 드라이어.

건조 기후 (乾燥氣候) 열대나 온대 지방 일부에서 볼 수 있는, 극히 비가 적은 기후. [반] 습윤 기후.

건조대 (乾燥臺) 물건 따위를 말리려고 설치한 대. ㉠건조대에 세탁한 옷을 널다.

건지다 1 물속에 있는 것을 집어내다. ㉠분수대에 빠진 신발을 건지다. 2 곤경에서 구해 내다. ㉠목숨만 겨우 건졌다.

건천 (乾川) 조금만 가물어도 마르는 내.

건초 (乾草) 베어서 말린 풀.

*__건:축__ (建築) 흙·나무·돌·시멘트·철근 따위를 써서 집이나 다리 등을 세움. ㉠건축 설계 / 학교를 건축하다. **—하다.**

건:축가 (建築家) [건축까] 건축에 대한 전문적인 지식이나 기술이 있는 사람.

건:축물 (建築物) [건충물] 건축한 구조물을 통틀어 이르는 말.

건:축술 (建築術) [건축쑬] 건축물을 짓는 기술.

건:축 양식 (建築樣式) [건충냥식] 건축물의 모양이나 짓는 방식.

건:투 (健鬪) 씩씩하게 잘 싸우거나 일해 나감. ㉠건투를 빌다.

건:평 (建坪) 건물이 차지하는 바닥의 평수. 비 건축 면적.

건:폐율 (建蔽率) [— / 건페율] 대지 면적에 대한 건평의 비율.

건포도 (乾葡萄) 포도를 말려 단맛과 향기가 있게 만든 식품.

*__걷:다__[1] [건따] 두 다리를 번갈아 떼어 앞으로 옮기어 가다. ㉠빠른 걸음으로 걷다. 활용 걸어 / 걸으니 / 걷는.

➲ walk

*__걷다__[2] [걷따] 1 덮거나 가린 것을 벗기다. ㉠소매를 걷다. 2 늘어지거나 펴진 것을 말아 올리거나 치우다. ㉠커튼을 걷다. 3 여러 사람에게서 돈이나 물건을 받아서 모으다. ㉠회비를 걷다.

걷다[3] [걷따] 1 끼었던 구름이나 안개 따위가 흩어져서 없어지다. ㉠구름이 걷고 파란 하늘이 보이다 / 안개가 걷다. 2 비가 그치고 날씨가 맑아지다. ㉠장마가 걷다.

걷어붙이다 [거더부치다] 소매나 바짓가랑이 따위를 말아 올리다. ㉠소매를 걷어붙이고 일하다.

걷어차다 [거더차다] 1 발을 들어 몹시 세게 차다. ㉠엉덩이를 힘껏 걷어차다. 2 일방적으로 관계를 끊거나 저버리다.

걷어채다 [거더채다] 남에게 걷어참을 당하다. ㉠발길에 걷어채다.

걷어치우다 [거더치우다] 1 흩어진 것을 거두어 치우다. ㉠이불을 걷어치우다. 2 하던 일을 거두어서 그만두다. ㉠사업을 걷어치우다.

걷잡다 [걷짭따] 한 방향으로 치우쳐 흘러가는 형세나 마음을 바로잡거나 진정시키다. ㉠일이 걷잡을 수 없게 엉망이 되었다 / 설레는 마음을 걷잡을 수 없었다 / 눈물이 걷잡을 수 없이 쏟아지다.

> 주의 **걷잡다**와 **겉잡다**
> **걷잡다** 거두어 붙잡다. ㉠상태가 걷잡을 수 없게 악화되었다.
> **겉잡다** 겉으로 보아 대략 어림치다. ㉠모인 사람은 겉잡아서 30만 명 정도는 되겠다.

걷히다 [거치다] 1 구름·안개 따위가 없어지다. ㉠안개가 걷히다. 2 돈·곡식 따위가 거두어지다. ㉠외상값이 잘 걷히다. →거치다 주의

걸[1] 윷놀이에서, 윷가락의 세 짝이 젖혀지고 나머지 한 짝은 엎어진 것을 일컫는 말.

걸[2] '것을'의 준말. ㉠먹는 걸 좋아한다 / 빨리 갈 걸 그랬구나.

걸걸하다[1] 1 목소리가 좀 쉰 듯하면서 우렁차고 힘이 있다. 2 성질이나 행동이 조심성이 없고 거칠다. ㉠걸걸한 성미.

걸걸하다[2] (傑傑—) 헌칠하게 생기고 성격이 쾌활하다. 반 옹졸하다.

*__걸:다__[1] **1** 물건을 매달아 늘어뜨리다. 예옷을 걸다. **2** 말·싸움 따위를 붙이다. 예시비를 걸다. **3** 전화를 하다. 예친구에게 전화를 걸다. **4** 문을 닫고 빗장을 지르다. 예빗장을 걸다. **5** 희생을 각오하고 실행하다. 예목숨을 걸고 구해 내다. **6** 상금 등을 내놓다. 예현상금을 걸다. **7** 희망·기대 등을 갖다. 예희망을 걸다. 활용 걸어 / 거니 / 거는.

걸:다[2] **1** 땅이 기름지다. 예밭이 걸다. 반 메마르다. **2** 액체가 묽지 않고 걸쭉하다. 예풀을 걸게 쑤다. **3** 말을 거리낌 없이 함부로 하다. 예입이 걸다. 활용 걸어 / 거니 / 건.

*__걸레__ 더러운 곳이나 물기 따위를 닦거나 훔쳐 내는 데 쓰는 헝겊. 예걸레를 빨다.

걸레질 걸레로 더러운 것을 훔치는 일. **—하다.**

*__걸리다__ **1** 매달려 있다. 예연이 전깃줄에 걸리다 / 액자가 벽에 걸려 있다. **2** 그물·낚시 따위에 잡히다. 예그물에 걸리다. **3** 마음에 꺼림칙하게 여겨지다. 예거짓말한 게 마음에 걸린다. **4** 병이 들다. 예감기에 걸리다. **5** 전화 따위가 잘 이어지다. 예전화가 잘 걸리다. **6** 날짜나 시간이 들다. 예시간이 꽤 걸리다. **7** 규칙이나 법규를 어겨 잡히다. 예음주 운전을 하다가 단속에 걸렸다.

걸리버 여행기 (Gulliver旅行記) 〘책〙 영국의 소설가 스위프트의 풍자 소설. 걸리버가 항해 중에 폭풍우를 만나 소인국, 대인국 등을 거치며 기이한 경험을 한다는 줄거리.

걸리적거리다 [걸리적꺼리다] ⇨거치적거리다.

걸림돌 [걸림똘] 일을 하는 데 방해가 되는 것을 비유하는 말. 예걸림돌을 제거하다 / 걸림돌이 많다.

걸:맞다 [걸맏따] 어울리게 알맞다. 잘 어울리다. 예걸맞은 상대.

걸머지다 **1** 밧줄로 짐을 걸어 등에 지다. 예짐을 걸머지다. **2** 책임이나 임무 따위를 떠맡다. 예나라의 장래를 걸머진 젊은이.

걸:상 (—床) [걸쌍] 한 사람 또는 여러 사람이 걸터앉을 수 있게 된 가구. 비 의자. *책상.

걸 스카우트 (Girl Scouts) 전 세계에 널리 조직된 소녀들의 수양·교육 단체. 1912년 미국에서 창시되었음. 소녀단. 반 보이 스카우트.

걸식 (乞食) [걸씩] 음식 따위를 빌어먹음. 예걸식을 다니다. **—하다.**

걸신 (乞神) [걸씬] 빌어먹는 귀신이란 뜻으로, 굶주려 염치없이 음식을 몹시 탐내는 마음의 비유.

걸신들리다 (乞神—) [걸씬들리다] 배고파 음식에 대한 욕심이 몹시 나다. 예걸신들린 듯이 먹다.

*__걸어가다__ [거러가다] 탈것에 타지 않고 걸어서 나아가다. 예함께 길을 걸어가다. 활용 걸어가거라.

걸어오다[1] [거러오다] **1** 탈것에 타지 않고 걸어서 오다. 예빨리 걸어오너라 / 먼 길을 걸어오느라 수고했다. **2** 지내 오거나 살아오다. 예자신이 걸어온 길을 돌이켜 보다. 비 살아오다. 활용 걸어오너라.

걸어오다[2] [거러오다] 말이나 수작 따위를 상대방에서 먼저 붙여 오다. 예싸움을 걸어오다.

*__걸음__[1] [거름] **1** 두 발을 번갈아 앞으로 옮겨 놓는 동작. 예걸음을 멈추다 / 걸음이 가볍다 / 걸음이 빠르다. **2** 어떤 곳을 방문하는 일. 예걸음이 뜸하다 / 어려운 걸음을 하다. →거름 주의

걸음[2] [거름] 발걸음을 세는 단위. 예두어 걸음을 앞서 걷다.

걸음걸이 [거름거리] 걸음을 걷는 모양새.

걸음마 [거름마] 어린애가 걸음을 배울 때의 걸음걸이. 또는 그것을 재촉하는 소리. ⓔ**걸음마**를 배우다.

-걸이 [거리] 물건을 걸어 두는 기구의 뜻. ⓔ**옷걸이** / **팔걸이**.

걸인 (乞人) [거린] 돈이나 음식 따위를 빌어먹고 사는 사람. ⓑ 거지. 비렁뱅이.

걸작 (傑作) [걸짝] 썩 훌륭한 작품. ⓔ '춘향전' 은 고대 소설의 **걸작**이다. ⓑ 명작. ⓡ 졸작.

걸쩍지근하다 [걸쩍찌근하다] **1** 음식을 닥치는 대로 먹어 배부르다. **2** 말 따위가 거리낌이 없고 입이 매우 걸다.

걸쭉하다 [걸쭈카다] 액체가 묽지 않고 걸다. ⓔ**걸쭉한** 국물. ×걸찍하다.

걸쭉히 [걸쭈키] 걸쭉하게. ⓔ죽을 **걸쭉히** 쑤다.

*__걸:치다__ **1** 가로질러 걸리다. ⓔ빨랫줄을 마당에 **걸치다**. **2** 시간·공간·횟수를 거쳐 이어지다. ⓔ교섭이 이틀에 **걸쳐** 진행되다. **3** 해나 달이 기울어져 산이나 고개 따위에 얹히다. ⓔ서산마루에 **걸쳐** 있는 해. **4** 어떤 물체를 다른 물체에 얹어 놓다. ⓔ 의자에 엉덩이를 살짝 **걸치다**. **5** 옷이나 이불 따위를 아무렇게나 입거나 뒤집어쓰다. ⓔ누더기를 **걸치다** / 외투를 **걸치고** 나가다.

걸터앉다 [걸터안따] 엉덩이를 걸치고 앉다. ⓔ마루 끝에 **걸터앉다**.

걸핏하면 [걸피타면] 조금이라도 무슨 일만 있으면 곧. ⓔ**걸핏하면** 운다. ⓑ 툭하면.

검: (劍) 크고 긴 칼.

검:- 동사나 형용사 앞에 붙어서 '지나칠 정도로' · '몹시' · '매우' 의 뜻을 나타내는 말. ⓔ**검질기다** / **검푸른** 바다.

검:객 (劍客) 칼을 잘 쓰는 사람.

검:거 (檢擧) 죄지은 사람을 잡음. ⓔ살인범을 **검거**하다. **—하다**.

*__검:다__ [검따] **1** 숯이나 먹의 빛깔과 같이 어둡고 짙다. ⓔ**검게** 탄 얼굴. ⓡ 희다. ⓙ 감다. ⓢ 껌다. **2** 마음이 정직하지 못하고 엉큼하다. ⓔ**검은** 속셈을 숨기고 접근하다. ➡ black

검댕 그을음이나 연기 따위가 엉겨서 생긴 검은 빛깔의 물질.

검:도 (劍道) 죽도를 사용하여 상대편의 머리·허리·손목을 치거나 찔러서 승부를 가리는 운동 경기.

검둥이 **1** 털이 검은 개를 귀엽게 부르는 말. **2** 살빛이 검은 사람이나 흑인을 얕잡아 이르는 말. ⓡ 흰둥이. ⓢ 껌둥이.

검:문 (檢問) 경찰관·헌병 등이 사람이나 차량 따위를 멈추게 하고 신분·짐 등을 조사함. ⓔ경찰의 **검문**을 받다. **—하다**.

검:문소 (檢問所) 통행인과 그 소지품 및 차량 등을 조사하기 위해 교통의 요소에 만든, 경찰관·헌병 등의 임시 파견소.

검:버섯 [검버섣] 노인의 피부에 나는 거무스름한 얼룩점. ⓔ얼굴에 **검버섯**이 피다.

검:법 (劍法) [검뻡] 검도에서 칼을 쓰는 기술이나 방법. ⓑ 검술.

검불 마른 풀이나 낙엽·지푸라기 따위. ⓑ 검부러기.

검:붉다 [검북따] 검은빛을 띠면서 붉다. ⓔ**검붉은** 얼굴. 발음 검붉고 [검불꼬] / 검붉은[검불근] / 검붉지 [검북찌].

*__검:사__[1] (檢事) 공권력인 검찰권을 행사하여 죄지은 사람을 조사하고, 재판을 통하여 벌을 받게 하는 일을 맡은 공무원.

*__검:사__[2] (檢査) 자세히 살피고 조사함. ⓔ숙제 **검사**를 받다 / 품질을 **검사**하다 / 시력을 **검사**하다. **—하다**.

검:사기 (檢査器) 검사하는 데 쓰이는 기구.

검:사장(檢査場) 검사를 하는 곳. ㉠체력 검사장.

검:산(檢算) 계산이 맞았는지 틀렸는지를 알아보는 것. **—하다.**

검:색(檢索) **1** 자세히 살펴 찾아봄. ㉠검색을 당하다 / 검문검색을 강화하다. **2** 컴퓨터에서, 필요한 정보나 자료를 찾아내는 일. ㉠인터넷으로 자료를 검색하다. **—하다.**

검:소(儉素) 사치하지 아니하고 수수함. ㉠검소한 생활 / 옷차림이 검소하다. 비소박. 반사치. 화려. **—하다.**

검:술(劍術) 검을 가지고 싸우는 기술. 비검법.

검:시(檢屍) 범죄나 사고를 당해 사람이 죽었을 때 죽은 원인을 알아내려고 시체를 검사함. **—하다.**

검:안(檢眼) [거만] 시력을 검사함. **—하다.**

검:약(儉約) [거먁] 돈이나 물건 따위를 헛되이 쓰지 않고 아낌. ㉠검약을 가훈으로 삼다. 비절약. 반낭비.

검:역(檢疫) [거멱] 전염병이 퍼지는 것을 막기 위하여, 특히 차량·선박·비행기 및 그 승객·승무원·짐 등에 대해 병균이 있는지를 검사하고 소독하는 일. ㉠항구에 들어온 배를 검역하다. **—하다.**

검:열(檢閱) [검녈 / 거멸] 언론이나 출판, 영화 따위의 내용을 미리 심사하여 그 내용을 통제하는 일. ㉠우편물을 검열하다 / 영화의 사전 검열을 폐지하다. **—하다.**

검은깨 [거믄깨] 검은 참깨.

검은담비 [거믄담비] 족제빗과의 산짐승. 족제비보다 좀 크고, 몸빛은 검은 보라색인데 배 아래는 잿빛을 띤 흰색, 턱·가슴에는 엷은 황색의 얼룩무늬가 있음.

검은빛 [거믄빋] 먹의 빛깔과 같이 어둡고 짙은 빛. 비검은색.

검:인(檢印) [거민] 서류나 물건을 검사한 표시로 찍는 도장. ㉠당국의 검인을 받다.

검:인정(檢認定) [거민정] 검사하여 인정함. ㉠검인정 교과서.

***검정**[1] 검은 빛깔이나 물감. 작감장. 센껌정. ➡black

검:정[2](檢定) **1** 자격이나 조건 등을 검사하여 정함. **2** '검정고시'의 준말. **—하다.**

검:정고시(檢定考試) 어떤 자격에 필요한 지식·학력·기술을 갖추고 있는지를 알아보기 위해 실시하는 시험. ㉠대학 입학 검정고시를 준비하다. 준검정.

검정말 자라풀과의 여러해살이 물풀. 줄기는 가늘고 뭉쳐나는데 마디가 많고 높이는 60 cm 정도임. 연못이나 개울가에서 자람.

검정풍뎅이 풍뎅잇과의 곤충. 몸길이 20 mm 가량. 몸 빛깔은 밤색 또는 검은 갈색이며 해충임.

검:증(檢證) **1** 검사하여 증명함. ㉠실험으로 이론이 옳음을 검증하다. **2** 판사나 검사가 증거 물품이나 장소를 실지로 조사함. ㉠현장 검증을 실시하다. **—하다.**

검:지(—指) 집게손가락.

검:진(檢診) 건강 상태와 병이 있는지를 알아보기 위해 검사하는 진찰. ㉠1년에 한 번 정기 검진을 받다. **—하다.**

검:찰(檢察) **1** 검사하여 살핌. **2** 죄를 조사하여 사실을 확실히 함. 또는 그 일을 하는 관청이나 사람.

검:찰청(檢察廳) 법무부 소속으로 검찰 사무를 통괄하는 관청. 대검찰청·고등 검찰청·지방 검찰청의 세 가지가 있음.

검:출(檢出) 검사하여 찾아냄. 검사하여 뽑아냄. ㉠철분을 검출하다. **—하다.**

검:침(檢針) 전기·수도·가스 따위

의 사용량을 알기 위하여 계량기의 눈금을 검사함. **—하다.**

검:토 (檢討) 사실이나 내용을 자세히 살펴 따져 봄. ㉡보고서 내용을 검토하다. **—하다.**

검:푸르다 검은빛이 나면서 푸르다. ㉡검푸른 바다. [활용] 검푸르러 / 검푸르니.

*__겁__ (怯) 무서워하거나 두려워하는 마음. ㉡겁이 많다 / 겁 없는 아이.

겁나다 (怯—) [검나다] 무섭거나 두려운 마음이 생기다. ㉡밤에 나다니기가 **겁난다.**

겁내다 (怯—) [검내다] 무섭고 두려운 마음을 나타내다.

겁먹다 (怯—) [검먹따] 무섭거나 두려워하는 마음을 가지다. ㉡**겁먹은** 얼굴.

*__겁쟁이__ (怯—) [겁쨍이] 겁이 많은 사람.

겁탈 (劫奪) 남의 것을 강제로 빼앗음. **—하다.**

*__것__ [걷] **1** 사물·일·현상 따위를 가리키는 말. ㉡입을 것 / 밀가루로 만든 것. **2** 사람을 낮추어 이르거나 동물을 이르는 말. ㉡에구, 불쌍한 것. **3** 말하는 이의 확신·결정·결심·추측을 나타내는 말. ㉡담배는 몸에 해로운 것이다 / 내일은 비가 올 것이다. [준] 거.

겅중겅중 긴 다리로 힘 있게 높이 솟구쳐 뛰는 모양. ㉡신이 나서 겅중겅중 뛰다. [센] 껑충껑충. **—하다.**

*__겉__ [걷] 밖으로 드러난 쪽. ㉡겉은 멀쩡한데 속은 썩었다. [비] 거죽. 표면. [반] 속. 안.

겉- [걷] **1** 겉만 보고 대략 어림잡는다는 뜻. ㉡겉짐작 / 겉잡다. **2** 실속보다는 겉으로만 그렇다는 뜻. ㉡겉치레 / 겉늙다. **3** 껍질을 벗기지 아니한 채로 그냥의 뜻. ㉡겉보리. **4** 한데 어울리거나 섞이지 않고 따로라는 뜻. ㉡겉돌다 / 겉놀다.

겉가량 (—假量) [걷까량] 겉으로 보고 대강 하는 셈. ㉡짐의 무게를 겉가량해 보다. [반] 속가량. **—하다.**

겉감 [걷깜] 옷이나 이불 따위의 겉에 대는 감. [반] 안감.

겉껍질 [걷껍찔] 겉을 싸고 있는 껍질. [반] 속껍질.

겉넓이 [건널비] 물체의 겉면의 넓이. [비] 표면적.

겉늙다 [건늑따] 나이에 비해 더 늙어 보이다. ㉡고생을 많이 해서 **겉늙다.** [발음] 겉늙고[건늘꼬] / 겉늙어서[건늘거서] / 겉늙지[건늑찌].

겉대중 [걷때중] 겉으로만 보고 대강 어림잡은 것. [반] 속대중.

겉돌다 [걷똘다] **1** 한데 섞이지 아니하고 따로따로 되다. ㉡물과 기름이 **겉돈다. 2** 서로 어울리지 않고 따로 지내다. ㉡겉도는 사람. **3** 말의 내용이 핵심에서 벗어나 있다. ㉡얘기가 **겉돌기**만 해서 재미가 없다. **4** 바퀴나 나사 따위가 헛돌다. ㉡눈길에서 차바퀴가 **겉돌기**만 하다. [활용] 겉돌아 / 겉도니 / 겉도는.

겉멋 [건먿] 실속은 없이 겉으로만 부리는 멋. ㉡겉멋만 들다 / 겉멋을 부리다.

겉면 (—面) [건면] 겉으로 드러난 면. [비] 표면.

겉모습 [건모습] 겉으로 드러나 보이는 모습. [비] 외관. 외모.

겉모양 (—模樣) [건모양] 겉으로 보이는 모양. [비] 외형. 외양.

겉보기 [걷뽀기] 겉으로 보이는 모양새. ㉡**겉보기**와는 다르다.

겉봉 (—封) [걷뽕] **1** 편지나 서류 따위를 싸서 봉하는 종이. ㉡겉봉을 뜯다. **2** 봉투의 거죽. ㉡겉봉에 주소와 성명을 쓰다.

겉불꽃 [걷뿔꼳] 불꽃 가장자리의 밝지 않은 부분. 산소 공급이 잘되어 온도가 가장 높음.

겉씨식물 (—植物) [걷씨싱물] 종

자식물을 크게 둘로 나누었을 때의 한 무리. 밑씨가 씨방 안에 있지 않고 드러나 있는 식물. 소나무·전나무·은행나무 등 670여 종이 있음. 반 속씨식물.

겉옷 [거돋] 겉에 입는 옷. 반 속옷.

겉자락 [걷짜락] 저고리나 치마 따위를 여몄을 때, 맨 겉으로 나오는 옷자락. 반 안자락.

겉잡다 [걷짭따] 겉으로 보고 대강 헤아려 어림잡다. 예겉잡아서 이틀이면 충분하다. →걷잡다 주의

겉장 (一張) [걷짱] **1** 여러 장 가운데 맨 겉에 있는 종이. **2** ⇨표지[1]. 반 속장.

겉절이 [걷쩌리] 열무·배추 따위를 절여 바로 무쳐 먹는 반찬.

겉치레 [걷치레] 겉만 보기 좋게 꾸밈. 예겉치레 인사 / 겉치레뿐이고 실속은 없다.

겉표지 (一表紙) [걷표지] 책의 거죽을 싼 종이.

겉핥다 [거탈따] 내용을 제대로 파악하지 않고 겉만 대강 보다. 예수박 겉핥듯이 / 겉핥기식 공부.

***게**ː[1] 몸이 납작하고 등과 배는 단단한 껍데기로 싸였으며, 다리가 다섯 쌍인 갑각류의 하나. 옆으로 기어다님. 식용함.

〈게[1]〉

게[2] '거기'의 준말. 예게 앉거라 / 게 섰거라.

게[3] '것이'의 준말. 예집에 먹을 게 많다.

-게[1] 어떤 말에 붙어서 도구나 연장의 뜻을 나타내는 말. 예지게 / 집게. → -개 주의

***-게**[2] **1** 동사나 '있다'의 어간에 붙어, 어떤 동작을 시키는 말. 예많이 먹게 / 자네가 하게 / 가만히 있게. **2** 동사·형용사의 어간에 붙어, 뒤에 오는 동사나 형용사의 내용을 제한하는 말. 예아름답게 꾸미다 / 지나치게 술을 마시다.

게걸 마구 먹으려고 탐내는 마음.

게걸들리다 먹고 싶은 욕심에 사로잡히다. 예게걸들린 사람처럼 먹어 대다.

게걸스럽다 [게걸스럽따] 게걸들린 태도가 있다. 예며칠 굶은 사람처럼 게걸스럽게 먹다. 활용 게걸스러워 / 게걸스러우니.

게ː걸음 [게거름] 게처럼 옆으로 걷는 걸음.

게걸음(을) 치다 ㉠옆으로 걸어 나가다. ㉡머뭇거리고 뒤로 물러서다.

-게끔 '-게'를 강조하는 말. 예추위에 떨지 않게끔 두둑이 껴입어라.

게다가 **1** 그런 데다가 또 그 위에. 예날이 저물어 어둡고 게다가 비까지 왔다. **2** 거기에다가. 예게다가 놓아라.

게ː딱지 [게딱찌] 게의 등딱지.

게릴라 (에 guerilla) 적진이나 그 후방을 갑자기 습격하여 소란하게 하는 작은 규모의 무장 부대. 유격대. 예게릴라 전술.

게스트 (guest) 손님이라는 뜻으로, 라디오나 텔레비전 방송 등에 특별히 초대된 출연자.

게슴츠레하다 졸리거나 술에 취해 눈이 기운이 없고 감길 듯하다. 비 거슴츠레하다.

게ː시 (揭示) 여러 사람에게 알리기 위하여 내걸거나 붙여서 보게 함. 또는 그 글. 예불조심 표어를 게시하다. **—하다**.

게ː시판 (揭示板) 여러 사람에게 알릴 글이나 그림, 사진 따위를 붙이기 위하여 세워 둔 판.

게ː아재비 장구애빗과의 곤충. 못이나 늪에서 어린 물고기·애벌레를 잡아먹고 삶. 길이 4 cm 내외로 가늘고 길며, 몸빛은 누런 갈색임.

게:양 (揭揚) 깃발 따위를 높이 겖. ㉠광복절에 국기를 게양하다. 반 하기. **—하다.**

게:양대 (揭揚臺) 국기 따위를 높이 걸기 위해 만들어 놓은 대.

게우다 먹은 것을 소화시키지 못하고 입으로 토하다.

*__게으르다__ 행동이 느리고 움직이기 싫어하는 성미와 버릇이 있다. ㉠게으른 사람. 반 부지런하다. 준 게르다. 활용 게을러 / 게으르니.

게으름 행동이 느리고 움직이기 싫어하는 버릇이나 태도. ㉠게으름 부리다 / 게으름을 피우다.

게으름뱅이 게으른 사람을 낮잡아 이르는 말.

게을러빠지다 몹시 게으르다. 비 게을러터지다.

게을리 게으르게. ㉠자신의 일을 게을리 해서는 안 된다.

게이트볼 (gate+ball) 3명 또는 5명으로 이루어진 두 팀이 나무공을 'T' 자 모양의 나무망치로 때려, 3개의 문을 차례로 통과시켜 골대에 맞히는 경기.

*__게임__ (game) 운동 경기나 여러 사람이 함께 하는 놀이. ㉠야구 게임 / 컴퓨터 게임.

게임기 (game機) 소형 컴퓨터를 이용하여 게임을 즐길 수 있도록 만든 전자 장치.

게:장 (—醬) 산 게를 소금물이나 간장에 담가 삭혀 만든 음식. ㉠게장을 담그다.

게:재 (揭載) 신문·잡지 등에 글·그림 따위를 실음. ㉠동시를 신문에 게재하다. **—하다.**

*__-겠-__ [겓] **1** 동사·형용사의 어간에 붙어, 미래를 나타내는 말. ㉠내일 다시 오겠습니다. **2** 추측의 뜻을 나타내는 말. ㉠그 사람은 참 좋겠네. **3** 동사의 어간에 붙어, 가능성을 나타내는 말. ㉠그만한 것이라면 아이들도 가볍게 들겠다.

겨 벼·밀·보리 등의 곡식을 찧어 벗겨 낸 껍질의 총칭.

겨:냥 목표물을 겨눔. ㉠겨냥이 빗나가다. **—하다.**

겨:냥도 (—圖) 건물 따위의 모양·배치를 알기 쉽게 그린 그림.

겨누다 목표물을 향하여 방향과 거리를 똑바로 잡다. ㉠총을 겨누다.

> 주의 **겨누다와 겨루다**
> **겨누다** 총 따위로 겨냥하다.
> **겨루다** 상대방과 서로 힘이나 실력 따위를 견주다. ㉠힘을 겨루다.

겨드랑이 가슴의 양편 옆, 양쪽 팔 밑의 오목한 곳. 준 겨드랑.

*__겨레__ 한 조상에서 태어나 이어 내려온 자손들. ㉠우리 겨레 고유의 문화. 비 민족. 동포.

겨레말 한 겨레가 같이 쓰는 말.

겨레붙이 [겨레부치] 같은 겨레를 이룬 사람.

*__겨루다__ 서로 힘이나 능력을 견주다. ㉠승부를 겨루다 / 팔심을 겨루다. →겨누다 주의

*__겨를__ 일을 하다가 쉬게 되는 틈. ㉠시험 공부에 바빠 놀 겨를이 없다. 비 여가.

*__겨우__ 어렵게 힘들이어. ㉠겨우 먹고 살다. 비 가까스로.

겨우내 겨울 동안 죽. ㉠겨우내 강이 얼다. 본 겨울내.

겨우살이[1] [겨우사리] **1** 겨울을 지냄. ㉠동물들은 겨우살이 준비를 합니다. 비 월동. **2** 겨울철에 입는 옷.

겨우살이[2] [겨우사리] 겨우살잇과에 속하는 상록 관목. 잎은 타원형이고 초봄에 한두 개의 꽃이 줄기 끝에 피며, 참나무·밤나무 등에 기생함. 줄기와 잎은 한약 재료로 씀.

*__겨울__ 일 년의 네 철 중 마지막 철. 반 여름. ➡ winter

참고 **겨울을 생각나게 하는 것**
자연 : 눈·고드름·얼음·찬 바람
동물 : 개구리·곰·토끼
꽃 : 동백
과실 : 곶감·잣·호도
나물 : 시래기·박고지·호박고지·가지 오가리
놀이 : 눈사람 만들기·얼음지치기·썰매 타기·연날리기·팽이치기
기타 : 군밤·군고구마·모닥불·화롯불·김장·팥죽·문풍지·목도리

겨울나기 [겨울라기] 겨울을 지내는 것. ㉠**겨울나기** 준비로 김장을 하다. 비 월동.

겨울눈 [겨울룬] 늦여름이나 가을에 생겨 이듬해 봄에 싹이 될 눈. 대개 비늘잎으로 싸여 있음. 비 동아.

겨울 방학 (—放學) [—빵학] 학교에서 몹시 추운 때에 수업을 일정 기간 쉬는 일.

겨울새 [겨울쌔] 가을에 우리나라에 와서 겨울을 지낸 다음, 이듬해 봄에 다시 북쪽으로 날아가는 철새. 기러기·청둥오리·백조·두루미 따위. 반 여름새.

겨울잠 [겨울짬] 곰·뱀·개구리 등의 동물이 땅속이나 굴속에서 활동하지 않고 겨울을 지내는 일. ㉠**겨울잠**을 자다. 비 동면.

***겨울철** 겨울의 때. 비 동절기.

겨워하다 힘겹게 여기다. ㉠아침 일찍 일어나는 일을 **겨워해서**는 안 된다.

겨자 노란 빛깔의 몹시 매운 양념.

격 (格) **1** 환경과 사정에 자연스럽게 어울리는 분수나 품위. ㉠**격**이 높다 / **격**에 맞는 행동. **2** 신분. 지위. ㉠모임의 대표 **격**인 사람.

격감 (激減) [격깜] 아주 많이 줆. 또는 줄임. 반 격증. **—하다.**

격구 (擊毬) [격꾸] 예전에 말을 타고 달리며 막대기로 공을 치던 무예 또는 놀이.

격납고 (格納庫) [경납꼬] 비행기 따위를 넣어 두거나 정비하는 건물.

격년 (隔年) [경년] 한 해를 거름. ㉠운동회를 **격년**으로 개최하다.

격노 (激怒) [경노] 몹시 화를 냄. 비 격분. **—하다.**

격돌 (激突) [격똘] 세차게 부딪침. ㉠결승에서 **격돌**하다. **—하다.**

격동 (激動) [격똥] 사회 상황이 빠르고 심하게 변함. ㉠**격동**하는 세계. **—하다.**

격려 (激勵) [경녀] 마음이나 기운을 북돋우어 힘쓰도록 함. ㉠선수들을 **격려**하다. **—하다.**

격렬하다 (激烈—) [경녈하다] 말이나 행동이 몹시 세차고 사납다. ㉠**격렬**한 논쟁. 비 격심하다.

격론 (激論) [경논] 의견을 내세워 심하게 다툼. ㉠회의에서 **격론**을 벌이다. **—하다.**

격리 (隔離) [경니] 다른 것과 통하지 못하도록 사이를 막거나 떼어 놓음. ㉠전염병 환자를 **격리**시키다. **—하다.**

격멸 (擊滅) [경멸] 전쟁이나 전투에서, 적을 쳐서 없앰. ㉠아군이 적을 **격멸**하다. **—하다.**

격몽요결 (擊蒙要訣) [경몽뇨결] 〖책〗 조선 선조 10년(1577)에 율곡 이이가 지은 어린이용 학습서. 독서와 학문, 일상생활에서의 도덕 등을 가르침.

격무 (激務) [경무] 몹시 힘이 들고 바쁜 일. ㉠**격무**에 시달리다.

격문 (檄文) [경문] 널리 일반 사람들에게 알려 선동하기 위한 글. ㉠사방에 **격문**을 띄우다.

격변 (激變) [격뻔] 갑자기 심하게 변함. ㉠사태가 **격변**하다. **—하다.**

격분 (激憤) [격뿐] 화가 몹시 나서 흥분함. 비 격노. **—하다.**

격세지감 (隔世之感) [격쎄지감] 너무 많이 변해서 딴 세상에 있는 것 같은 느낌. ㉮6·25 전쟁 당시를 생각하면 격세지감이 있다.
격식 (格式) [격씩] 격에 맞는 방식. ㉮격식을 갖추다 / 격식을 따지다 / 격식을 차리다.
격심하다 (激甚—) [격씸하다] 몹시 심하다. ㉮격심한 빈부 격차 / 격심한 타격. 비 격렬하다.
격앙 (激昂) [겨강] 감정이나 기운이 거세게 일어남. ㉮격앙된 목소리. **—하다.**
***격언** (格言) [겨건] 속담 등과 같이 이치에 꼭 맞아 교훈이 될 만한 짧은 말. 비 금언. 잠언.
격월 (隔月) [겨궐] 한 달을 거름. ㉮격월에 한 번씩 발행하는 잡지.
격월간 (隔月刊) [겨궐간] 한 달씩 걸러 발간함. ㉮격월간 잡지.
격일 (隔日) [겨길] 하루를 거름. ㉮격일로 교실 청소를 하다.
격자 (格子) [격짜] 바둑판처럼 가로세로를 일정한 간격으로 직각이 되게 짠 구조나 물건. 또는 그런 형식. ㉮격자무늬.
격전 (激戰) [격쩐] 격렬하게 하는 싸움. ㉮6·25 전쟁 때의 격전지 / 격전을 치르다.
격정 (激情) [격쩡] 몹시 기세가 세차고 갑작스러워 누르기 힘든 감정. ㉮솟아오르는 격정을 누르다.
격정적 (激情的) [격쩡적] 감정이 격렬하게 일어나 높아지는 (것). ㉮춤을 격정적으로 추다.
격증 (激增) [격쯩] 수량이 갑자기 늘거나 불어남. ㉮해외 여행객 수가 격증하고 있다. 반 격감. **—하다.**
격차 (隔差) 수준이나 품질, 수량 따위의 서로 벌어진 차이. ㉮소득 격차 / 격차가 생기다.
격찬 (激讚) 크게 칭찬함. ㉮격찬을 받은 작품 / 격찬을 아끼지 않다. **—하다.**
격추 (擊墜) 적의 비행기 등을 공격하여 떨어뜨림. **—하다.**
격침 (擊沈) 적의 배를 공격하여 물속에 가라앉힘. ㉮간첩선을 격침하다. **—하다.**
격퇴 (擊退) 적을 쳐서 물리침. ㉮왜군을 격퇴하다. **—하다.**
격투 (格鬪) 서로 맞붙어 치고받으며 싸움. ㉮격투를 벌이다. **—하다.**
격파 (擊破) **1** 공격해서 물리침. ㉮왜군을 격파한 충무공. **2** 태권도에서, 널빤지 따위를 쳐서 깨뜨림. ㉮격파 시범을 보이다. **—하다.**
격하다 (激—) [겨카다] **1** 갑자기 화를 내다. 몹시 흥분하다. ㉮격한 마음을 가라앉히다. **2** 기세나 감정 등이 급하고 거세다. ㉮격한 운동 / 감정이 격해서 말도 안 나온다.
***겪다** [격따] **1** 어려운 일이나 경험이 될 만한 일을 당하여 치르다. ㉮불편을 겪다 / 갖은 고생을 다 겪다. **2** 사람을 사귀어 지내다. ㉮많은 사람을 겪어 보다.
견갑골 (肩胛骨) [견갑꼴] ⇨어깨뼈.
견고하다 (堅固—) 굳세고 튼튼하다. ㉮견고한 수비.
***견디다** **1** 괴로움을 잘 참다. ㉮추위를 참고 견디다. **2** 오랫동안 버티다. ㉮구두가 오래 견디다.
견:문 (見聞) **1** 보고 들음. **2** 보고 들어서 얻은 지식. ㉮견문을 넓히다. **—하다.**
견:물생심 (見物生心) 물건을 보면 가지고 싶은 욕심이 생김.
견:본 (見本) 많은 것 중에서 본보기가 되는 물건. 샘플. ㉮상품의 견본을 보내다.
견사 (絹絲) 비단을 짜는 명주실. ㉮인조 견사. 비 비단실.
견:습 (見習) 남이 하는 일을 보고 익힘. 비 수습. **—하다.**

견:식 (見識) 견문과 학식. ㉠견식이 넓다 / 견식이 풍부하다.

견실 (堅實) 생각이나 태도 따위가 튼튼하고 충실함. 굳고 착실함. ㉠견실한 생활. 비 견고. **—하다.**

견우성 (牽牛星) [겨누성] 독수리자리에서 가장 밝은 별. 은하수를 경계로 직녀성과 마주하고 있음. 준 견우.

견우직녀 (牽牛織女) [겨누징녀] 견우성과 직녀성을 함께 이르는 말.

견원지간 (犬猿之間) [겨뉜지간] 개와 원숭이의 사이처럼 대단히 사이가 나쁜 관계.

견인 (牽引) [겨닌] 끌어당김. ㉠물에 빠진 차량을 견인하다. **—하다.**

견인자동차 (牽引自動車) [겨닌자동차] 다른 차량을 끄는 시설을 갖추고 있는 자동차. 비 견인차.

견:적 (見積) 어떤 일에 드는 비용 등을 미리 대강 계산함. ㉠견적을 뽑다 / 견적이 나오다 / 자동차 수리비의 견적을 내다.

견:적서 (見積書) [견적써] 견적 내용을 자세히 적은 서류. ㉠견적서를 받다.

견제 (牽制) 상대편을 억눌러서 자유롭게 행동하지 못하게 함. ㉠견제를 당하다 / 상대 선수의 집중적인 견제를 받다. **—하다.**

견제구 (牽制球) 야구에서, 상대편 주자의 도루를 막거나 아웃시키려고 투수나 포수가 내야수에게 던지는 공.

*__견주다__ **1** 비교하여 가리다. ㉠실력을 견주다. **2** 맞대어 보다. ㉠키를 견주어 보다.

견직물 (絹織物) [견징물] 누에고치에서 뽑은 실로 짠 천. 실크. 비 비단.

*__견:학__ (見學) 현장에 실지로 가서 보고 배워 구체적인 지식을 넓힘. ㉠방송국을 견학하다. **—하다.**

견:해 (見解) 사물이나 현상에 대한 의견이나 생각. ㉠견해가 다르다 / 자기 견해를 밝히다.

견훤 (甄萱) 〖인명〗 후백제의 시조. 지금의 전라도와 경상도의 일부를 병합하여 완산(지금의 전주)을 도읍으로 정하고 후백제를 세워 즉위함. [?-936 ; 재위 892-935]

겯:다[1] [겯따] 기름기가 흠뻑 묻어 배다. ㉠때에 겯은 작업복. 활용 결어 / 결으니 / 겯는.

겯:다[2] [겯따] **1** 여럿이 가로서서 팔을 서로의 어깨에 올려 꽉 끼다. ㉠어깨를 겯고 달리다. **2** 대·갈대·싸리채 따위를 쪼개어 엮어 짜다. ㉠대바구니를 겯다. 활용 결어 / 결으니 / 겯는.

*__결__[1] 나무·돌·살갗·비단 등에 굳고 무른 조직의 부분이 모여 켜를 이룬 바탕의 무늬. ㉠결이 고운 옷감.

결[2] '때·김·사이·짬' 등의 뜻. ㉠어느 결에 다 해치웠나 / 지나는 결에 들렀다. 참고 이 말은 주로 '결에'의 꼴로 쓰임.

-결 **1** '얼핏 스쳐가는 짧은 동안'을 뜻하는 말. ㉠꿈결 / 잠결 / 얼떨결. **2** 물·바람 따위의 높고 낮은 층이 섞여 이룬 상태를 뜻하는 말. ㉠물결 / 바람결 / 숨결.

결격 (缺格) [결껵] 필요한 자격을 갖추지 못함. ㉠결격 사유.

*__결과__ (結果) 어떤 원인으로 말미암아 생긴 일의 상태나 상황. ㉠좋은 결과를 얻다. 비 결말. 반 원인.

결과적 (結果的) 결과와 관련된 (것). ㉠결과적으로 네 잘못이다.

결구 (結句) [결꾸] 문장·편지 따위의 끝을 맺는 어구.

*__결국__ (結局) **1** 일이 마무리되는 단계. ㉠결국은 같은 것이다. **2** 드디어. 나중에는. 끝장에 이르러. ㉠열심히 하더니 결국 성공했다.

결근 (缺勤) 일을 해야 하는 날에

일터에 나가지 않음. ㉠몸이 아파서 회사를 결근하다. 반 출근. **—하다.**

결단 (決斷) [결딴] 딱 잘라 결정함. ㉠결단을 내리다. **—하다.**

결단력 (決斷力) [결딴녁] 결단을 내릴 수 있는 능력. ㉠결단력 있는 지도자 / 결단력이 부족하다.

결단코 (決斷—) [결딴코] **1** 딱 잘라 말해서. ㉠결단코 그런 일은 없다. 비 분명히. 절대로. **2** 반드시. ㉠결단코 해내고야 말겠다. 준 결코.

결딴나다 **1** 일이나 물건이 망가져 손을 쓸 수 없는 상태가 되다. ㉠시계를 떨어뜨려 결딴났다. **2** 살림·사업 따위가 망하여 거덜나다. ㉠사업 실패로 집안이 결딴나다.

결렬 (決裂) 회담이나 협상을 할 때 서로 의견이 맞지 않아 갈라짐. ㉠회담이 결렬되다. 비 분열. **—하다.**

결례 (缺禮) 예의를 갖추지 못함. ㉠결례를 용서하십시오. 비 실례. **—하다.**

결론 (結論) **1** 말이나 글의 끝맺는 부분. ㉠결론을 맺다. 비 결말. 맺음말. **2** 최종적으로 판단을 내림. 또는 그 판단. ㉠결론을 내다.

결론짓다 (結論—) [결론짇따] 결론을 내리다. 말이나 글의 끝을 맺다. ㉠그것이 옳다고 결론지을 수밖에 없다. 활용 결론지어 / 결론지으니 / 결론지은.

결리다 숨을 쉬거나 움직일 때, 몸의 한 부분이 뻐근하거나 당기어서 아프다. ㉠옆구리가 결리다.

결막 (結膜) 눈꺼풀의 안과 눈알의 겉을 이어서 싼 투명한 얇은 막.

결막염 (結膜炎) [결망념] 눈의 결막에 생기는 염증. 눈이 충혈되고 발갛게 부으며 눈곱이 낌.

결말 (結末) 일을 맺는 끝. ㉠결말을 짓다. 비 끝장.

결박 (結縛) 몸이나 손을 마음대로 움직이지 못하게 끈이나 밧줄로 단단히 묶음. ㉠결박을 당하다 / 범인을 결박하다. **—하다.**

결백 (潔白) 잘못이나 죄를 저지른 것이 없음. ㉠결백을 주장하다 / 결백을 증명하다. **—하다.**

결벽 (潔癖) 지나치게 깨끗한 것을 좋아하는 성질. ㉠결벽증. **—하다.**

결별 (訣別) **1** 기약 없는 작별. 비 이별. **2** 관계나 교제를 끊음. ㉠친구와 결별하다. **—하다.**

결부 (結付) 서로 연관시킴. ㉠그 문제와 결부시키지 마라. **—하다.**

결빙 (結氷) 물이 얾. ㉠강이 결빙했다. 반 해빙. **—하다.**

결사 (結社) [결싸] 공통의 목적을 이루기 위하여 많은 사람들이 모여 단체를 만듦. ㉠결사의 자유.

결사반대 (決死反對) [결싸반대] 죽음을 각오하고 있는 힘을 다하여 반대함. ㉠쌀 수입을 결사반대하다. **—하다.**

결사적 (決死的) [결싸적] 죽음을 각오하고 덤비는 (것). ㉠결사적으로 싸우다.

결산 (決算) [결싼] **1** 일정한 기간 동안 들어오고 나간 돈의 계산을 마감함. ㉠연말 결산을 해 보니 적자다. **2** 일정한 기간 동안 한 일을 정리하여 마무리하는 것. **—하다.**

결산서 (決算書) [결싼서] 일정한 기간 동안 들어오고 나간 돈을 계산하여 기록한 문서.

결석 (缺席) [결썩] 가야 할 자리에 나가지 않음. ㉠결석계 / 무단결석 / 감기로 학교를 결석하다. 반 출석. **—하다.** ➡ absent

결선 (決選) [결썬] **1** 선거에서, 표를 많이 얻은 두 사람을 놓고 당선자를 가리기 위해 다시 투표를 하는 것. ㉠결선 투표. **2** 운동 경기에서 마지막 우승자를 가리는 시합. ㉠결선에 오르다 / 결선에 진출하다. 반 예선. **—하다.**

결성 (結成) [결썽] 모임이나 단체를 만듦. ㉠새로운 정당을 결성하다. **—하다.**

결속 (結束) [결쏙] 뜻이 같은 사람들끼리 마음을 합하고 뭉침. ㉠결속을 다지다. 비 단결. **—하다.**

결손 (缺損) [결쏜] **1** 모자라거나 부족함. ㉠결손이 나다 / 결손을 메우다. **2** 수입보다 지출이 더 많아서 생기는 손해. ㉠결손액. 비 적자.

결손 가정 (缺損家庭) [결쏜—] 미성년 자녀가 있는 가정에서, 사망·이혼 등으로 말미암아 부모 또는 그 중 한쪽이 없는 가정.

결승 (決勝) [결씅] 운동 경기에서 마지막 승패를 결정함. 또는 그 경기. ㉠아깝게도 결승에서 졌다.

결승선 (決勝線) [결씅선] 경주 따위에서 마지막 도착 지점에 친 줄이나 그은 선. 골라인. ㉠결승선을 제일 먼저 통과하다.

결승전 (決勝戰) [결씅전] 마지막 승부를 판가름 짓는 경기. ㉠결승전을 벌이다.

결승점 (決勝點) [결씅쩜] **1** 경주 따위에서 마지막 승부가 결정되는 지점. **2** 승부를 결정하는 득점.

결식 (缺食) [결씩] 끼니를 거름. ㉠결식아동. **—하다.**

결실 (結實) [결씰] **1** 열매가 맺힘. ㉠결실의 계절. **2** 일의 결과가 잘 맺어짐. ㉠노력의 결실. **—하다.**

*__결심__ (決心) [결씸] 마음을 굳게 정함. 단단히 마음먹음. 또는 그 마음. ㉠굳은 결심 / 결심이 서다. 비 다짐. 결의. **—하다.**

결여 (缺如) [겨려] 있어야 할 것이 빠져서 없거나 모자람. ㉠의지의 결여 / 공정성이 결여되다. **—하다.**

결연 (結緣) [겨련] 가까운 친선 관계를 맺음. ㉠섬 마을 학교와 결연을 맺다. **—하다.**

결연하다 (決然—) [겨련하다] 태도가 매우 굳세고 꿋꿋하다. ㉠결연한 태도.

결연히 (決然—) [겨련히] 결연하게. ㉠눈보라에도 아랑곳하지 않고 결연히 출발하였다.

결원 (缺員) [겨뤈] 정한 인원에서 사람이 빠져 모자람. ㉠결원이 생기다 / 결원을 보충하다.

결의[1] (決意) [겨릐 / 겨리] 확실하게 뜻을 정함. 또는 그 뜻. ㉠결의를 굳히다. 비 결심. **—하다.**

결의[2] (決議) [겨릐 / 겨리] 회의에서 어떤 일을 결정함. 또는 그 결정. ㉠만장일치로 결의하다. **—하다.**

결의[3] (結義) [겨릐 / 겨리] 남남끼리 부자·형제·남매와 같은 관계를 맺음. ㉠결의형제 / 의형제가 되기로 결의하다. **—하다.**

결의문 (決議文) [겨릐문 / 겨리문] 결의한 사항을 적은 글.

결재 (決裁) [결째] 아랫사람이 제출한 의견 등을 윗사람이 헤아려 승인함. ㉠결재를 받다 / 결재를 올리다. **—하다.**

결전 (決戰) [결쩐] 승부를 결정짓는 싸움. ㉠결전의 순간 / 결전을 벌이다. **—하다.**

결점 (缺點) [결쩜] 완전하지 못한 점. ㉠누구나 결점은 있다. 비 단점. 결함. 반 장점.

*__결정__[1] (決定) [결쩡] 결단하여 정함. ㉠결정을 내리다 / 빨리 결정하다. **—하다.** ➲ decision

결정[2] (結晶) [결쩡] **1** 일정한 법칙에 따라 규칙적인 모양을 한 고체. **2** 애써 노력하여 나타난 훌륭한 결과. ㉠노력의 결정.

결정권 (決定權) [결쩡꿘] 결정할 수 있는 권한. ㉠결정권을 가지다.

결정적 (決定的) [결쩡적] **1** 일이 그렇게 될 것이 확실한 (것). ㉠결정적 사실 / 승리가 결정적이다. **2** 무엇을 결정지을 만큼 중요한 (것). ㉠결정적 순간 / 결정적 영향을 미치다.

결정짓다 (決定—) [결쩡짇따] 어떤 일이 결정되도록 만들다. ㉠안건을 다수결로 결정짓다 / 마음을 결정지으니 속이 후련하다. [활용] 결정지어 / 결정지으니 / 결정지은.

결정판 (決定版) [결쩡판] **1** 더 이상 고칠 여지가 없도록 완벽하게 하여 내는 출판. 또는 그 출판물. **2** 흠이 없을 정도로 완벽한 것을 비유적으로 이르는 말.

결제 (決濟) [결쩨] 돈을 주고받음으로써 둘 사이의 거래 관계를 끝맺음. ㉠카드로 결제하다 / 요금이 자동으로 결제되다. **—하다.**

*__결코__ (決—) 어떤 일이 있어도 절대로. ㉠결코 그 은혜는 잊지 않겠다. ㉥ 결단코. [참고] 뒤에 '아니다', '없다', '못하다' 따위 부정하는 말과 함께 쓰임. ➡ never

결탁 (結託) 주로 나쁜 일에 서로 마음을 맞추고 한편이 됨. **—하다.**

결투 (決鬪) 원한이나 다툼을 결말짓기 위하여 목숨을 걸고 싸움. ㉠결투를 신청하다. **—하다.**

결판 (決判) 잘잘못이나 승패를 가리어 판가름함. ㉠사건을 명쾌하게 결판 짓다.

결판나다 (決判—) 잘잘못이나 승패의 결정이 끝나다. ㉠승부는 이미 결판났다.

결핍 (缺乏) 있어야 할 것이 없거나 모자람. ㉠애정이 결핍되다.

결핍증 (缺乏症) [결핍쯩] 있어야 할 것이 없거나 부족하여 일어나는 증세. ㉠비타민 결핍증.

결함 (缺陷) 완전하지 못하여 흠이 되는 점. 모자라는 점. ㉠성격상의 결함 / 기계 결함을 발견하다. ㉥ 흠. 결점.

결합 (結合) 둘 이상이 서로 관계를 맺고 하나로 합침. ㉠물은 수소와 산소가 결합한 것이다. **—하다.**

결항 (缺航) 정기적으로 다니는 비행기나 배가 운항을 거름. ㉠태풍으로 여객선이 결항하다. **—하다.**

*__결핵__ (結核) 결핵균이 폐나 장 따위에 들어가 일으키는 병. 좁은 뜻으로는 폐결핵을 일컬음. ㉦ 결핵병.

결행 (決行) 마음먹은 대로 실제로 행함. ㉥ 단행. **—하다.**

*__결혼__ (結婚) 시집가고 장가드는 일. 남녀가 부부가 되는 일. ㉠연애결혼 / 결혼 생활. ㉥ 혼인. ㉸ 이혼. **—하다.** ➡ marriage

결혼식 (結婚式) 남녀가 부부 관계를 맺는 서약을 하는 의식. 웨딩. ㉠결혼식을 올리다. ㉥ 혼례식.

겸 (兼) 한 가지 일 외에 또 다른 일을 아울러 함을 나타내는 말. ㉠산책 겸 외출을 했다.

겸비 (兼備) 두 가지 이상을 아울러 갖추고 있음. ㉠미모와 지성을 겸비하다 / 재색을 겸비하다. **—하다.**

겸사겸사 (兼事兼事) 여러 가지 일을 한꺼번에 겸하여 하는 모양. × 겸두겸두.

겸상 (兼床) 두 사람이 한 상에 마주 앉게 차린 상. 또는 마주 앉아서 식사하는 일. ㉠겸상을 차리다. ㉸ 독상. **—하다.**

겸손 (謙遜) 남을 존중하고 자기를 낮춤. ㉠겸손한 태도를 보이다. ㉥ 공손. ㉸ 거만. 오만. **—하다. —히.**

겸양 (謙讓) [겨먕] 겸손한 태도로 양보하거나 사양함. ㉠겸양의 미덕을 발휘하다. **—하다.**

겸양어 (謙讓語) [겨먕어] 자신을 낮춤으로써 상대를 높이는 뜻의 말. 저희·말씀 따위.

겸연쩍다 (慊然—) [겨면쩍따] 너무 미안하여 부끄럽다. ㉠마주 대하기가 겸연쩍은지 자리를 박차고 나갔다. → -쩍다 [주의]

겸용 (兼用) [겨뵹] 하나를 가지고 여러 가지로 겸하여 씀. ㉠냉난방

겸용 / 전화기와 팩스 겸용의 제품을 구입하다. **―하다.**

겸하다 (兼―) **1** 본래 하는 일 외에 다른 일을 더 맡다. ㉠교장이 교감을 겸하다. **2** 두 가지 이상을 아울러 가지다. ㉠문무를 겸하다.

겸허하다 (謙虛―) 잘난 체하지 않고, 스스로 자신을 낮추어 남을 존중하는 태도가 있다. ㉠겸허한 태도 / 겸허한 사람.

겹 **1** 넓고 얇은 물건이 포개진 것. 또는 가늘고 긴 물건이 포개진 것. ㉠겹으로 된 종이 / 겹으로 꼰 실. **2** 포개져 있는 넓고 얇은 물건의 수를 세는 단위. ㉠천을 두 겹으로 접다. 반 홑.

겹겹이 [겹껴비] 여러 겹으로 거듭된 모양. ㉠겹겹이 에워싸다.

겹눈 [겸눈] 여러 개의 홑눈이 모여서 벌집 모양으로 된 눈. 곤충·새우·게 따위에서 볼 수 있음. 비 복안.

겹:다 [겹따] **1** 감정이 거세게 일어나 누를 수 없다. ㉠졸음에 **겨워** 깜박 잠이 들다 / 흥에 **겨워** 덩실덩실 춤을 추다. **2** 정도나 양이 지나쳐 힘에 부치다. ㉠힘에 겨운 일. 활용 겨워 / 겨우니.

겹받침 [겹빧침] 서로 다른 닿소리가 겹쳐 된 받침. '앉다, 읽다, 밟다' 등에서 'ㄵ, ㄺ, ㄼ' 따위.

> **주의** **겹받침 'ㄺ, ㄼ'의 발음**
>
> **'ㄺ'의 경우**
>
> (1) 말끝 또는 자음 앞에서 [ㄱ]으로 발음한다.
> ㉠닭[닥], 맑다[막따], 늙지[늑찌]
>
> (2) 다만, 동사·형용사의 어간 끝음 'ㄺ'은 'ㄱ'앞에서 [ㄹ]로 발음한다.
> ㉠맑고[말꼬], 읽거나[일꺼나], 낡거든[날꺼든]
>
> (3) 모음으로 시작되는 조사나 어미, 접미사와 결합되는 경우에는 뒤의 자음만을 뒤 음절 첫소리로 옮겨 발음한다.
> ㉠닭을[달글], 읽으면[일그면]
>
> (4) 뒤에 'ㅏ, ㅓ, ㅗ, ㅜ, ㅟ'로 시작되는 낱말이 올 때에는, 대표음 [ㄱ]으로 바뀐 다음 뒤 음절 첫소리로 옮겨 발음한다.
> ㉠닭 앞에[다가페]
>
> **'ㄼ'의 경우**
>
> (1) 말끝 또는 자음 앞에서 [ㄹ]로 발음한다.
> ㉠여덟[여덜], 넓다[널따], 짧게[짤께]
>
> (2) 다만, '밟-'은 자음 앞에서 [밥]으로 발음하고, '넓-'은 다음의 경우에 [넙]으로 발음한다.
> ㉠밟다[밥따], 밟고[밥꼬], 밟는[밥는→밤는], 넓죽하다[넙쭈카다], 넓둥글다[넙뚱글다], 넓적하다[넙쩌카다]
>
> (3) 모음으로 시작되는 조사나 어미, 접미사와 결합되는 경우에는 뒤의 자음만을 뒤 음절 첫소리로 옮겨 발음한다.
> ㉠넓어[널버], 밟아[발바], 밟으니[발브니]

겹세로줄 [겹쎄로줄] 음악에서, 오선 위에 수직이 되게 두 줄로 그은 세로줄. 두 줄의 굵기가 같은 것은 박자나 리듬 등이 바뀌는 곳을 표시하며, 오른쪽이 굵은 것은 마침을 표시함.

겹옷 [겨볻] 솜을 두지 않고 거죽과 안을 맞붙여 지은 옷. 반 홑옷.

겹쳐지다 [겹처지다] 여럿이 서로 포개어져 덧놓이다.

*__겹치다__ **1** 여럿을 포개어 덧놓다. ㉠요를 겹쳐 깔다. **2** 일 따위가 한꺼번에 생기다. ㉠경사가 겹치다.

겹홀소리 [겨폴쏘리] 소리를 내는 동안 처음과 끝의 입 모양이 달라지는 홑소리. 'ㅑ, ㅛ, ㅘ' 따위. 비 이중 모음. 반 홑홑소리.

경[1] (卿) **1** 임금이 높은 벼슬자리에 있는 신하를 대우하여 부르던 칭호. **2** 영국에서, 귀족의 작위를 받은 사람을 높여 이르는 말. 예 처칠 경.

경[2] (經) **1** '경서'의 준말. **2** '불경'의 준말.

경[3] (京) 억의 억 배. 조의 만 배.

경- (輕) '가벼운'·'간편한' 등의 뜻. 예 경기관총 / 경공업 / 경음악.

-경 (頃) 어떤 시간이나 날짜에 가까운 때를 일컫는 말. 예 다섯 시경. 비 무렵.

경각 (頃刻) 아주 짧은 시간. 눈 깜짝할 사이. 예 경각을 다투다 / 생명이 경각에 달렸다.

경:각심 (警覺心) [경각씸] 정신을 가다듬어 조심하는 마음. 예 경각심을 불러일으키다.

경거망동 (輕擧妄動) 가볍고 생각 없이 함부로 행동함. 예 경거망동을 삼가다. **—하다.**

경:건하다 (敬虔—) 공경하여 깊이 삼가고 조심하는 태도가 있다. 예 경건한 마음으로 기도를 하다.

경계[1] (境界) [— / 경게] **1** 서로 맞닿는 자리. 예 말뚝을 박아 경계를 표시하다. **2** 지역이 나누어지는 한계.

경:계[2] (警戒) [— / 경게] 뜻밖의 사고나 잘못이 생기지 않도록 미리 조심함. 예 경계경보 / 경계를 게을리하지 않다 / 경계 근무를 서다. 비 주의. 반 방심. **—하다.**

경:계색 (警戒色) [— / 경게색] 동물이 다른 동물로부터 자신을 보호하기 위하여 뚜렷이 드러내고 있는 몸 빛깔. *보호색.

경계선 (境界線) [— / 경게선] 서로 맞닿는 자리를 나타내는 선.

경:계심 (警戒心) [— / 경게심] 경계하여 조심하는 마음. 예 경계심을 늦추다 / 경계심을 품다.

경:고 (警告) 위험한 일에 대해 조심하거나 삼가라고 미리 알림. 예 경고문 / 앞으로 닥칠 위험을 경고하다. **—하다.** ➡ warning

경공업 (輕工業) 부피에 비하여 무게가 가벼운 물건을 생산하는 공업. 섬유·화학·식품·제지 공업 따위. 반 중공업.

경과 (經過) **1** 시간이 지남. 예 세 시간이 경과했다. **2** 일이 되어 가는 형편. 예 수술 경과가 좋다 / 그동안의 경과를 보고하다. **—하다.**

경관[1] (景觀) 산·강·바다 따위 자연의 풍경. 예 주위의 자연경관이 뛰어나다. 비 경치. 풍경.

경:관[2] (警官) '경찰관'의 준말.

경구 (經口) 약 따위를 입으로 먹는 일. 예 경구 투약.

경:구 (警句) [경꾸] 교훈적인 내용이나 진리를 짧으면서도 날카롭게 나타낸 글귀.

경국대전 (經國大典) [경국때전] 〖책〗 조선 시대, 정치의 기준이 된 법전. 세조 때 최항·노사신 등이 왕명으로 육전의 체제를 갖춘 법전을 만들기 시작하여 성종 때 완성함. 6권 4책.

경국지색 (傾國之色) [경국찌색] 임금이 반하여 나라가 어지러워도 모를 만한 미인이라는 뜻으로, 뛰어나게 아름다운 미인을 이르는 말.

경금속 (輕金屬) 비중이 4~5 이하인 비교적 가벼운 쇠붙이. 알루미늄·마그네슘 따위. 반 중금속.

경기[1] (京畿) 〖지명〗 **1** 서울을 중심으로 한 가까운 주위의 땅. **2** '경기도'의 준말.

경기[2] (景氣) 경제생활의 여러 가지 움직임. 예 경기 회복 / 경기가 좋다 / 경기가 활기를 띠다.

*__경:기__[3] (競技) 일정한 규칙 아래 승부를 겨루는 일. 예 경기 규칙 / 축구 경기가 열리다 / 야구 경기를 관전

하다. 비 운동 경기. **—하다.**

경기[4] (驚氣) [경끼] 어린아이가 갑자기 경련을 일으키며 의식을 잃거나 깜짝깜짝 놀라는 병. ⓔ경기를 일으키다. 비 경풍.

경기도 (京畿道) 〖지명〗 우리나라의 한 도. 한반도의 가운데에 위치함. 도청 소재지는 수원. 준 경기.

경:기장 (競技場) 운동 경기를 위한 여러 가지 시설을 갖춘 곳. ⓔ야구 경기장. 비 운동장.

경기평야 (京畿平野) 한강 하류 및 임진강 하류 일대에 펼쳐진 평야.

경:남 (慶南) '경상남도'의 준말.

경내 (境內) 일정한 지역의 안. ⓔ절의 경내로 들어서다.

경:단 (瓊團) 수수나 찹쌀가루를 반죽하여 작고 둥글게 빚어 삶아 고물을 묻힌 떡. ⓔ경단을 빚다.

경당 (扃堂) 고구려 때 각 지방에 세운 사립학교. 평민의 자녀에게 한학과 무술 따위를 가르침. 신라 시대의 화랑 제도와 비슷함.

경:대 (鏡臺) 거울을 달아 세운 화장대. ⓔ경대 앞에 앉아 머리를 빗고 화장을 하다.

경도[1] (經度) 지구 상의 위치를 표시하는 좌표 중의 하나. 본초 자오선을 기준으로 동과 서를 각각 180° 로 가르고, 동쪽을 동경, 서쪽을 서경이라 부름. 반 위도.

경도[2] (傾度) 기울어진 정도. 비 기울기.

경도[3] (硬度) ⇨굳기.

경량 (輕量) [경냥] 가벼운 무게. 반 중량.

경량급 (輕量級) [경냥끕] 운동 경기에서 몸무게가 가벼운 편에 드는 체급. ⓔ경량급 선수. 비 라이트급.

경력 (經歷) [경녁] 겪어 지내 온 여러 가지 일들. ⓔ경력을 쌓다 / 경력이 길다. 비 이력.

경련 (痙攣) [경년] 근육이 병적으로 오그라들거나 떨리는 현상. ⓔ경련을 일으키다.

경:례 (敬禮) [경녜] 공경의 뜻을 나타내기 위하여 인사하는 일. ⓔ거수경례 / 경례를 받다. 준 예. **—하다.**

경:로[1] (敬老) [경노] 노인을 공경함. ⓔ경로 우대권 / 마을 회관에서 경로잔치를 벌이다.

경로[2] (經路) [경노] **1** 지나는 길. ⓔ여행 경로. **2** 일이 진행되어 온 형편이나 순서. ⓔ외교 경로 / 민주주의의 발달 경로.

경:로당 (敬老堂) [경노당] 노인을 공경하고 위로하는 뜻에서, 노인들이 모여 쉬거나 놀 수 있게 지은 집.

경:로석 (敬老席) [경노석] 버스·지하철 등에서 노인들이 앉도록 마련한 자리.

경륜[1] (經綸) [경뉸] **1** 일을 짜임새 있게 계획함. 또는 그 계획. **2** 천하를 다스림. ⓔ나라를 경륜할 만한 인재. **—하다.**

경:륜[2] (競輪) [경뉸] 자전거 경기. ⓔ경륜 대회.

경리 (經理) [경니] 회계에 관한 일을 맡음. 또는 그 사람. ⓔ경리 사원 / 경리 장부 / 경리를 보다.

경:마 (競馬) 일정한 거리를 말을 달리게 하여 승부를 겨루는 일.

경:마장 (競馬場) 경마를 하는 경기장.

경망 (輕妄) 행동이나 말이 가볍고 방정맞음. ⓔ경망한 짓. **—하다.**

경망스럽다 (輕妄—) [경망스럽따] 행동이나 말이 가볍고 방정맞은 데가 있다. ⓔ경망스럽게 행동하다. 활용 경망스러워 / 경망스러우니.

경:매 (競賣) 사겠다는 사람이 많을 때 값을 가장 높게 부르는 사람에게 파는 일. ⓔ경매 가격 / 미술품을 경매에 붙이다. **—하다.**

경멸 (輕蔑) 깔보고 업신여김. ⓔ경멸에 찬 눈길을 보내다. **—하다.**

경미하다 (輕微—) 가볍고 아주 적어서 대수롭지 아니하다. ㉡**경미한** 손실.
경박하다 (輕薄—) [경바카다] 말과 행동이 신중하지 못하고 가볍다. ㉡**경박한** 말투 / **경박하게** 행동하다.
경:배 (敬拜) 종교적 신앙의 대상을 공경하여 절하거나 받듦. ㉡신께 **경배**를 드리다 / 왕에게 **경배**하다. **—하다.**
경범 (輕犯) 가벼운 죄. 본 경범죄.
경:보[1] (競步) 육상 경기의 한 가지. 한쪽 발이 땅에서 떨어지기 전에 다른 발이 땅에 닿게 하여 빨리 걷는 경기.
경:보[2] (警報) 위험에 대비하라고 미리 알리는 보도. ㉡폭풍 **경보** / 호우 **경보**를 발령하다. *주의보.
경:보기 (警報器) 특이한 소리나 빛으로 급한 위험이나 고장을 알리는 기구. ㉡화재**경보기**가 울리다.
경:복궁 (景福宮) [경복꿍] 조선 태조 3년(1394)에 지은 궁궐. 1592년 임진왜란 때 불탔는데, 고종 9년(1872)에 대원군이 다시 세웠음.
경부 고속도로 (京釜高速道路) [— 고속또로] 서울과 부산 사이를 잇는 고속도로. 길이 428 km. 1970년 개통.
경부선 (京釜線) 서울과 부산 사이를 잇는 철도. 1905년에 개통. 길이 445.6 km.
경:북 (慶北) '경상북도'의 준말.
경:북선 (慶北線) [경북썬] 경상북도 김천과 영주 사이를 잇는 철도. 1966년 개통. 길이 116.9 km.
경비[1] (經費) 일을 하는 데 필요한 비용. ㉡여행 **경비** / **경비**를 대다 / **경비**를 마련하다.
경:비[2] (警備) 사고가 나지 않도록 미리 주의하고 살피어 지킴. 또는 그 사람. ㉡**경비**를 서다 / **경비**가 삼엄하다. **—하다.**
경:비선 (警備船) 바다를 경비하는 데 쓰는 경찰 배. ㉡해안 **경비선.**
경:비원 (警備員) 경비의 책임을 맡은 사람. ㉡아파트 **경비원.**
경:비정 (警備艇) 바다나 강을 경비하는 데 쓰는 작은 함정.
경비행기 (輕飛行機) 연습용 또는 스포츠용으로 쓰는 작은 비행기.
경:사[1] (慶事) 축하할 만한 즐겁고 기쁜 일. ㉡**경사**가 나다. 반 흉사.
경사[2] (傾斜) 비스듬히 한쪽으로 기울어짐. 또는 그 정도. ㉡**경사**가 급하다 / **경사**가 심하다 / 완만한 **경사**를 이루다. 비 기울기.
경사면 (傾斜面) 비스듬히 기울어진 면. 비 비탈.
경:사스럽다 (慶事—) [경사스럽따] 기뻐하고 축하할 만하다. ㉡**경사스**러운 날 / 결혼이란 참으로 **경사스러**운 일이다. 활용 경사스러워 / 경사스러우니.
경상 (輕傷) 조금 다침. 가벼운 상처. ㉡**경상**을 입다. 반 중상.
경:상남도 (慶尙南道) 〖지명〗 우리나라의 한 도. 한반도 남동쪽 끝에 위치. 기후가 따뜻하고 비가 많이 내리며 쌀·보리·콩·사과 등이 많이 남. 남쪽 해안에 부산, 마산 등 항구가 많고, 창원과 울산을 중심으로 공업 단지가 조성되었음. 도청 소재지는 창원.
경:상도 (慶尙道) 〖지명〗 경상남도와 경상북도를 함께 이르는 말.
경:상북도 (慶尙北道) [경상북또] 〖지명〗 우리나라의 한 도. 한반도 남동쪽에 위치. 기후가 따뜻하며 비가 적게 내림. 쌀·보리·담배·사과 따위의 농업과 함께 동해에서는 어업이 성함. 우리나라 최대의 내륙 공업지임. 도청 소재지는 대구.
경서 (經書) 유교의 가르침을 적어 놓은 책. 논어·맹자·대학·중용·역경·서경·시경·예기·춘추 따위. 준

경. *사서오경.

경선[1] (經線) 지도 위에 가상으로 세로줄을 그어 경도를 나타낸 선. 남극과 북극을 지나며 위선과 직각으로 교차함. 비 날줄. 반 위선.

경:선[2] (競選) 둘 이상의 후보가 경쟁하는 선거. 예 경선을 치러 회장으로 선출됐다.

경세제민 (經世濟民) 세상을 다스리고 백성을 구함.

경솔 (輕率) 말이나 행동이 조심성이 없고 가벼움. 예 경솔한 행동 / 경솔하게 일을 처리하다 / 경솔해서 실수가 잦다. **—하다. —히.**

경수필 (輕隨筆) 생활 주변에서 일어나는 사소한 일을 소재로 가볍게 쓴 수필.

경시 (輕視) 대수롭지 않게 보거나 업신여김. 예 인명을 경시하다. 비 깔봄. 반 중시. **—하다.**

경신 (更新) 이미 세운 기록보다 더 좋은 기록을 냄. 예 세계 기록을 경신하다. **—하다.** → 갱신 주의

경악 (驚愕) 깜짝 놀람. 예 경악을 금할 수 없다. **—하다.**

경:애 (敬愛) 공경하고 사랑함. 예 경애하는 국민 여러분. **—하다.**

경양식 (輕洋食) 간단한 서양식 요리.

경:어 (敬語) 상대를 공경하는 뜻을 나타내는 말. 예 경어를 쓰다. 비 높임말. 존댓말. 반 비어.

경:연 (競演) 연극·노래 등의 재주를 겨룸. 예 합창 경연 대회 / 경연을 벌이다.

경영 (經營) 기업이나 사업을 관리하고 운영해 나감. 예 경영 능력 / 회사를 경영하다. **—하다.**

경영자 (經營者) 기업이나 사업을 관리하고 운영하는 사람. 예 최고 경영자.

경:외 (敬畏) 어떤 대상을 두려워하여 조심하며 우러러봄. 예 신을 경외하다. **—하다.**

***경우** (境遇) **1** 사리나 도리. 예 경우가 밝다 / 경우에 어긋난다. **2** 놓여 있는 조건 또는 놓이게 된 형편이나 사정. 예 비가 올 경우 / 만일의 경우에 대비하다. 비 처지.

경우의 수: (境遇—數) [— / 경우에—] 어떤 사건이 일어날 수 있는 경우의 가짓수. 예 동전을 던졌을 때, 앞면이 나올 수 있는 경우의 수는 1이다.

경운기 (耕耘機) 논이나 밭을 갈아 일구는 농기계.

〈경운기〉

경:원 (敬遠) 공경하되 가까이하지는 않음. 예 서로 경원하는 사이다. **—하다.**

경위 (經緯) 어떤 일이 진행되어 온 과정. 예 사건의 경위를 조사하다.

경유[1] (經由) 어떤 곳을 거쳐 지나감. 예 일본을 경유하여 귀국하다. **—하다.**

경유[2] (輕油) 석유의 원유를 가공하여 얻는 기름. 중유보다 가볍고 등유보다 무거우며 디젤 기관이나 난방용 연료로 씀.

경음악 (輕音樂) [경으막] 작은 규모의 악단이 연주하는 가벼운 대중음악.

경:의 (敬意) [— / 경이] 존경하는 마음. 예 경의를 표하다.

경의선 (京義線) [— / 경이선] 서울과 신의주 사이를 잇는 철도. 1906년 개통. 총길이 499.3 km. 현재는 경기도 문산까지만 통함.

경이 (驚異) 놀랍고 신기하게 여김. 예 경이에 찬 눈으로 쳐다보다.

경이롭다 (驚異—) [경이롭따] 놀랍고 신기한 데가 있다. 예 경이로운 기록을 세우다. 활용 경이로워 / 경이로우니 / 경이로운.

경이적(驚異的) 놀라서 이상히 여길 만한 (것). 놀랄 만한 (것). ㊇경이적인 발전.
경인(京仁) 서울과 인천을 아울러 이르는 말.
경인 고속도로(京仁高速道路) [—고속또로] 서울과 인천 사이를 잇는 고속도로. 1968년에 우리나라에서 처음으로 개통된 고속도로임. 길이 29.5 km.
경인 공업 지대(京仁工業地帶) [—찌대] 서울·인천·부천·안양·수원 등을 중심으로 중화학 및 경공업이 발달한 우리나라 최대의 공업 지대.
경인선(京仁線) 서울과 인천 사이를 잇는 철도. 1899 년에 우리나라에서 처음으로 개통되었으며, 길이는 39.3 km. 현재는 지하철과 이어져 전철화됨.
경작(耕作) 논밭을 갈아 농사를 지음. ㊕농경. **—하다.**
경작지(耕作地) [경작찌] 농사를 짓는 땅. ㊕농경지. 농지. ㊟경지.
경:쟁(競爭) 서로 앞서거나 이기려고 다툼. ㊇경쟁이 붙다 / 치열한 경쟁을 벌이다. **—하다.**
경:쟁력(競爭力) [경쟁녁] 경쟁에서 이길 수 있는 힘이나 능력. ㊇경쟁력을 키우다.
경:쟁률(競爭率) [경쟁뉼] 경쟁의 비율. ㊇경쟁률이 높다.
경:쟁심(競爭心) 경쟁하려는 마음. 남에게 지기 싫어하는 마음. ㊇경쟁심이 강한 사람.
경:쟁자(競爭者) 경쟁 관계에 있는 사람. 경쟁의 상대자. ㊇경쟁자를 물리치다.
경:적(警笛) 위험을 알리거나 신호를 하기 위해 소리를 내는 장치. 또는 그 소리. ㊇경적을 울리다.
경전[1](耕田) 논밭을 갊. 또는 그 논밭. **—하다.**
경전[2](經典) **1** 성인의 말이나 행실을 적은 글. **2** 종교의 교리를 기록한 책. ㊇불교의 경전.
경:전선(慶全線) 경상남도 삼랑진과 광주광역시 송정동을 잇는 철도. 우리나라 남부 지방을 동서로 이음. 1968년 개통. 길이 315 km.
***경제**(經濟) 사람들이 생활에 필요한 물건을 생산·분배하고, 그것을 소비하는 데 관계되는 모든 활동. ㊇경제가 발전하다.
경제 개발(經濟開發) 자원을 개발하고 산업을 발달시켜 나라의 경제를 발전시키는 일.
경제 공:황(經濟恐慌) 상품은 생산되는데 팔리지 않아 값이 크게 떨어지고 실업자가 늘고 기업체들이 망하여 모든 경제 활동이 혼란에 빠지는 상태. ㊟공황.
경제권(經濟圈) [경제꿘] 국제적·국내적으로 경제 활동이 서로 밀접한 관계가 있는 일정한 범위 안의 지역. ㊇아시아 경제권 / 동북아 경제권.
경제난(經濟難) 경제상의 어려움. ㊇경제난을 겪다.
경제력(經濟力) 경제 활동을 해나가는 힘. ㊇우리나라의 경제력도 선진국 수준에 다가섰다.
경제 사회 이:사회(經濟社會理事會) 유엔의 주요 상설 기관의 하나. 국제적인 경제·사회·문화와 관련된 문제를 다룸.
경제성(經濟性) [경제썽] 경제적으로 이득이 될 수 있는 성질. ㊇경제성을 높이다 / 경제성이 떨어지다.
경제 성장(經濟成長) 경제가 발전하여 국민 소득·국민 총생산과 같은 국민 경제의 기본적 지표가 시간이 지남에 따라 점점 상승하는 일.
경제 성장률(經濟成長率) [—성장뉼] 일정 기간 동안 경제 성장의 실질적인 증가율. 국민 총생산의 증가율로 측정함. ㊟성장률.

*경제적 (經濟的) **1** 경제에 관한 (것). ㉠경제적인 도움 / 경제적으로 곤란을 받다. **2** 돈이나 노력, 시간 따위가 적게 드는 (것). ㉠시간을 경제적으로 이용하다.

경제 정책 (經濟政策) 나라가 국민의 경제상의 이익을 늘리기 위해 세우는 방책.

경제학 (經濟學) 경제에 관하여 연구하는 학문.

경제 협력 (經濟協力) [—혐녁] 국가 간에 차관이나 기술 등을 제공하여 경제 활동을 서로 돕는 일.

경제 협력 개발 기구 (經濟協力開發機構) [—혐녁깨발—] 선진국들이 경제 협력을 통해서 세계 경제의 안정과 무역 확대, 저개발국 원조를 목적으로 만든 기구. 1961년에 발족되었으며, 사무국은 파리에 있음. 오이시디(OECD).

경제 활동 (經濟活動) [—활똥] 생활에 필요한 재화의 생산·분배·소비 등 경제와 관련된 인간의 모든 활동.

경ː조 (慶弔) **1** 결혼과 같은 경사스러운 일과 장례와 같은 슬픈 일. **2** 기쁜 일을 축하하고 궂은일을 조문함. ㉠경조전보.

경ː조사 (慶弔事) 기쁜 일과 슬픈 일. 결혼·회갑·돌·백일·장례 등을 포함함. ㉠경조사를 챙기다.

경ː종 (警鐘) 다급한 일이나 위험을 미리 알리기 위하여 치는 종.

경종을 울리다 다급한 일이나 위험한 일을 미리 알려 조심하게 하다.

경ː주¹ (慶州) 〖지명〗 경상북도 남동부에 있는 한 시. 신라의 옛 서울로, 불국사· 석굴암·첨성대·다보탑 등 많은 명승고적이 있음. 국립공원으로 지정됨.

경ː주² (競走) 사람이나 자동차 따위가 일정한 거리를 달려 빠르기를 겨루는 일. 또는 그러한 운동. ㉠자동차 경주 / 달리기 경주를 벌이다. **—하다.** ➲ race

경주하다 (傾注—) 힘이나 정신을 한곳에만 모으다. ㉠온 힘을 경주하다.

경중 (輕重) **1** 가벼움과 무거움. ㉠죄의 경중에 따라 처벌하다. **2** 큰 일과 작은 일. 또는 중요함과 중요하지 않음. ㉠일의 경중을 가리다.

경지¹ (耕地) 농사를 짓는 땅. ㉠경지 면적. 본 경작지.

경지² (境地) **1** 몸이나 마음이 어떤 단계에 도달한 상태. ㉠성인의 **경지**에 이르다. **2** 독자적으로 개척한 새로운 분야나 부분. ㉠새로운 **경지**를 개척하다.

경직 (硬直) **1** 몸 따위가 굳어서 뻣뻣하게 됨. ㉠안마로 경직된 근육을 풀어 주다. **2** 사고방식·태도 따위가 부드럽지 못하고 융통성이 없이 딱딱함. ㉠경직된 분위기를 풀어 주다. **—하다.**

경질 (更迭〔佚〕) 어떤 직위에 있는 사람을 딴 사람으로 바꿈. ㉠장관을 경질하다. **—하다.**

*경ː찰 (警察) 국민의 안전과 재산을 보호하고 사회의 질서를 지키며 범죄의 예방과 수사, 범죄자 체포 등을 맡아 하는 행정. 또는 그 행정 기관이나 기구. ➲ police

*경ː찰관 (警察官) 국민의 생명과 신체 및 재산의 보호 등 공공의 안녕과 질서 유지를 임무로 하는 공무원. 준 경관. ➲ policeman

*경ː찰서 (警察署) [경찰써] 일정한 관할 구역 안에서 경찰 사무를 맡아 보는 관청.

경ː찰청 (警察廳) 경찰에 관한 사무를 맡아보는 행정 자치부에 속한 기관.

경ː천사 십층 석탑 (敬天寺十層石塔) 고려 시대의 대표적인 석탑. 경천사에 세웠던 탑으로, 대한 제국

말기에 일본인이 가져갔던 것을 되돌려받아 서울 경복궁 안에 다시 세웠음. 높이는 13 m. 국보 제 86 호.

경:천애인 (敬天愛人) [경처내인] 하늘을 숭배하고 사람을 사랑함. **—하다.**

경첩 돌쩌귀처럼 쓰는 장식. 같은 모양의 쇳조각 두 개를 맞물려서 만들며, 문짝이나 창문을 다는 데 씀.

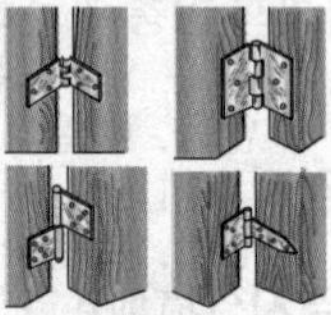
〈경첩〉

경청 (傾聽) 상대가 말할 때 귀를 기울이고 주의해 들음. 예연설을 경청하다. **—하다.**

경:축 (慶祝) 기쁘고 좋은 일을 축하함. 예삼일절 경축 행사. 비경하. **—하다.**

경:축식 (慶祝式) [경축씩] 기쁘고 좋은 일을 축하하는 식. 예광복절 경축식을 거행하다.

경춘선 (京春線) 서울과 춘천을 잇는 철도. 길이는 93.5 km. 1939년에 개통.

*__경치__ (景致) 자연의 아름다운 모습. 예뛰어난 경치. 비풍경.

경치다 (黥—) 심한 꾸지람을 듣다. 단단히 벌을 받다. 예또다시 이런 짓 하면 호되게 경칠 줄 알아라.

경칩 (驚蟄) 이십사절기의 셋째. 곧, 우수와 춘분 사이로 양력 3월 5일경. 땅속에서 겨울잠을 자던 개구리·벌레 따위가 깨어 꿈틀대기 시작하는 시기라는 뜻. ×경첩. → [학습마당] 22(863 쪽)

경:칭 (敬稱) **1** 사람을 공경하여 부르는 이름. 각하·선생 따위. **2** 존대하여 일컬음. 예경칭을 쓰다.

경쾌하다 (輕快—) 마음이나 움직임, 모습 따위가 홀가분하고 상쾌하다. 예발걸음이 경쾌하다.

경탄 (驚歎) 몹시 놀랍게 여기고 감탄함. 예훌륭한 솜씨를 보고 경탄하다. **—하다.**

경:포대 (鏡浦臺) 강원도 강릉시에 있는 누각. 고려 때 지은 것으로, 관동 팔경의 하나.

경:품 (景品) 손님에게 감사의 뜻으로 주는 물품. 물건에 곁들여 주거나 제비를 뽑아 타게 하는 선물. 예푸짐한 경품을 걸다.

경풍 (驚風) ⇨경기.

경:하 (慶賀) 기쁘고 즐거운 일을 축하함. 비경축. **—하다.**

경하다 (輕—) **1** 무게가 가볍다. **2** 사태가 중대하지 않다. **3** 말과 행동이 경솔하다. **4** 병·죄·형벌 따위가 대수롭지 않다. 예병세가 경하다. 반중하다.

경:합 (競合) 서로 겨루어 다툼. 예경합을 벌이다. **—하다.**

경향¹ (京鄕) 서울과 시골. 예경향 각지를 둘러보다.

경향² (傾向) 성격이나 상태 등이 한쪽으로 쏠림. 또는 그런 방향. 예이기적인 경향.

*__경험__ (經驗) 실지로 겪어 보거나 치러 본 일. 직접 보고 듣고 해 본 일. 예산 경험을 하다 / 경험을 쌓다. 비체험. **—하다.** ➡ experience

경험담 (經驗談) 직접 겪은 이야기. 예여행 경험담을 들려주다.

경험적 (經驗的) 경험해서 얻어진 지식이나 인상을 중시하는 (것). 예경험적 방법 / 경험적 법칙.

경:호 (警護) 중요한 사람이 위험이 없도록 경계하고 보호함. 예경호를 요청하다 / 대통령을 경호하다. **—하다.**

경:호원 (警護員) 경호의 일을 맡은 사람. 보디가드.

경화 (硬化) 단단하게 굳어짐. 예동맥 경화. 반연화. **—하다.**

경황 (景況) 흥미나 관심을 가질 만한 마음의 여유. 예그런 데 신경 쓸

경황이 없다.
경황없다 (景況—) [경황업따] 너무 바빠서 다른 생각을 할 겨를이 없다. ㊎경황없이 지내다.
경:회루 (慶會樓) 경복궁 연못 한가운데 있는 누각. 임금과 신하들이 모여 잔치를 하던 곳. 조선 태종 12년(1412)에 세워져 임진왜란 때 불탔으나 고종 4년(1867)에 다시 일으켜 세움. 국보 제 224 호.
경:희궁 (慶熙宮) [경히궁] 서울 종로구 신문로에 있던 궁궐. 광해군 8년(1616)에 지었음. 비 서궐.
*__곁__ [겯] 사람이나 물체의 옆. 또는 가까운 곳. ㊎내 곁을 떠나지 마라 / 엄마 곁에 앉다.
곁가지 [겯까지] 식물의 원가지에서 다시 옆으로 뻗은 작은 가지. ㊎곁가지를 치다.
곁길 [겯낄] 큰길에서 옆으로 난 길. ㊎곁길로 빠지다. 비 샛길.
곁눈 [견눈] 얼굴은 돌리지 않고 눈알만 돌려서 옆을 보는 눈.
곁눈(을) 팔다 주의를 기울여야 할 곳에 신경 쓰지 않고 딴 곳에 관심을 보이다.
곁눈질 [견눈질] **1** 곁눈으로 보는 짓. ㊎힐끔힐끔 곁눈질하다. **2** 곁눈으로 뜻을 알리는 짓. **—하다.**
곁두리 [겯뚜리] 농부나 일꾼들이 끼니 사이에 참참이 먹는 음식. ㊎곁두리를 먹다. 비 새참. 샛밥.
곁들다 [겯뜰다] 남이 하는 일을 옆에서 거들어 도와주다. 활용 곁들어 / 곁드니 / 곁드는.
곁들이다 [겯뜨리다] **1** 그릇 하나에 두 가지 이상의 음식을 어울리게 담다. ㊎고기에 야채를 곁들이다. **2** 어떤 일을 하면서 그것과 어울릴 만한 다른 일을 덧붙여 하다. ㊎노래와 춤을 곁들이다.
곁말 [견말] 말을 바로 하지 않고 다른 말로 빗대어 하는 말. 총알을 '콩알'이라 하는 따위.
곁순 (—筍) [겯쑨] 식물의 원줄기 옆에서 돋는 싹.
계:¹ (計) [— / 게] 합계. 총계. ㊎계를 내다.
계:² (係) [— / 게] 사무나 작업 분담의 작은 갈래. 또는 그 갈래를 맡은 사람. ㊎기록계.
*__계:³__ (契) [— / 게] 예로부터 우리나라에 내려오는 협동 단체. 경제적인 도움을 주고받거나 친목을 도모하는 모임. ㊎계 모임 / 계를 타다. **—하다.**
계:⁴ (界) [— / 게] 생물을 분류하는 가장 큰 단위. 동물계·식물계 따위.
-계¹ (系) [— / 게] 어떤 계통에 속함의 뜻. ㊎기독교계 학교 / 독일계 미국인.
-계² (屆) [— / 게] 어떤 사실을 적는 문서. ㊎결석계.
-계³ (界) [— / 게] 그러한 사회나 동아리를 가리키는 말. ㊎실업계 / 언론계.
-계⁴ (計) [— / 게] 계량·측정하는 계기의 뜻. ㊎습도계 / 온도계.
계:간 (季刊) [— / 게간] 봄·여름·가을·겨울로 나누어 1년에 네 번 펴냄. 또는 그 책.
계:간지 (季刊誌) [— / 게간지] 계간으로 내는 잡지. 준 계간.
*__계곡__ (溪谷) [— / 게곡] 산과 산 사이에 물이 흐르는 골짜기. 비 산골짜기.
계:교 (計巧) [— / 게교] 요리조리 생각하여 낸 꾀. ㊎계교를 꾸미다.
계급 (階級) [— / 게급] 지위나 관직 또는 신분의 높고 낮음. ㊎계급이 높다.
계:기¹ (契機) [— / 게기] 어떤 일이 일어나는 결정적인 원인이나 기회. ㊎만나는 계기가 되다. 비 동기.
계:기² (計器) [— / 게기] 무게·길이·속도 따위를 재는 기구. 미터.

㉠계기판. 비 계량기.

*계단 (階段) [–/게단] 1 ⇨층계. ㉠비상계단/계단을 천천히 내려가다. 2 일을 이루는 데 밟아야 할 순서. 비 단계.

계단 경작 (階段耕作) [–/게단–] 비탈진 땅을 계단같이 층지게 만들어 하는 농사.

계단식 논 (階段式–) [계단식-/게단식–] 비탈진 땅을 층이 지게 일구어 만든 논.

계:도 (啓導) [–/게도] 남을 깨우치어 이끌어 줌. —하다.

계란 (鷄卵) [–/게란] ⇨달걀.

계:략 (計略) [–/게략] 어떤 일을 이루기 위한 꾀나 수단. ㉠계략에 빠지다/계략을 꾸미다.

*계:량 (計量) [–/게량] 물건의 무게나 분량을 잼. —하다.

계:량기 (計量器) [–/게량기] 계량하는 데 쓰는 기구. ㉠수도 계량기. 비 계기.

계:량스푼 (計量spoon) [–/게량–] 음식을 만들 때 가루·조미료·액체 따위의 양을 재는 숟가락.

계:량컵 (計量cup) [–/게량–] 음식을 만들 때 재료의 분량을 잴 수 있게 눈금이 표시된 컵.

계룡산 (鷄龍山) [–/게룡산] 충청남도 공주시 계룡면과 반포면 사이에 있는 산. 국립공원의 하나임. 높이는 828 m. *국립공원.

계명[1] (階名) [–/게명] ⇨계이름.

계:명[2] (戒〔誡〕命) [–/게명] 종교에서 꼭 지켜야 할 규칙. 기독교의 십계명 따위. ㉠계명을 어기다.

계:모 (繼母) [–/게모] 아버지가 다시 결혼하여 맞은 아내. 비 의붓어머니.

계:몽 (啓蒙) [–/게몽] 바른 지식을 가질 수 있게 사람들을 가르쳐 깨우쳐 줌. ㉠청소년을 계몽하다. —하다.

계:몽 운:동 (啓蒙運動) [–/게몽–] 지식 수준이 낮은 사람을 가르치고 깨우쳐 주려는 사회적 운동.

*계:발 (啓發) [–/게발] 슬기와 재능을 발휘할 수 있게 깨우쳐 줌. ㉠소질을 계발하다. 비 개발. —하다. →개발 주의

계백 (階伯) 〖인명〗 백제의 장군. 신라와 당나라 연합군이 쳐들어오자, 결사대 5천 명을 거느리고 황산벌에서 맞서 싸우다 마지막 전투에서 전사함. [?–660]

계:보 (系譜) [–/게보] 1 조상 때부터 내려오는 혈통과 집안의 역사를 적은 책. 비 족보. 2 사람의 혈연관계 및 학문·사상 등의 계통과 순서를 나타낸 기록. ㉠자연주의 문학의 계보.

*계:산 (計算) [–/게산] 1 수량을 헤아림. ㉠계산이 맞다. 2 값을 치름. ㉠옷값을 계산하다. 3 어떤 일에 대하여 이득이나 손해를 따짐. ㉠계산이 빠르다. 비 셈. —하다.

계:산기 (計算器〔機〕) [–/게산기] 계산을 빠르고 정확하게 하려고 사용하는 기기. 전자계산기 따위.

계:산대 (計算臺) [–/게산대] 슈퍼마켓 등에서 물건 값을 치르려고 물건을 올려놓고 계산을 하는 대.

계:산서 (計算書) [–/게산서] 1 계산한 내용을 적은 서류. 2 물건 값의 청구서.

계삼탕 (鷄蔘湯) [–/게삼탕] 어린 햇닭의 내장을 빼내고 인삼·대추·밤·찹쌀 따위를 넣어 끓인 음식. 비 삼계탕.

*계:속 (繼續) [–/게속] 1 앞의 것에 이어 끊이지 않고 잇대어 나감. ㉠이야기를 계속하다. 비 지속. 반 중단. 2 어떤 행동을 잇대어 또는 잇달아. ㉠숙제를 하지 않고 계속 놀기만 한다. —하다. ➡ continuation

계:수 (計數) [–/게수] 수를 계산

함. 또는 계산하여 얻은 값. ㉠계수에 밝은 사람. **—하다.**

계ː수나무 (桂樹—) [— / 게수나무] 계수나뭇과의 상록 교목. 높이는 8–15 m. 껍질인 계피는 약재나 향료 따위의 원료로 쓰임.

계ː승 (繼承) [— / 게승] 조상이나 선인의 뒤를 이어받음. ㉠전통문화를 **계승**하다. **—하다.**

계ː시 (啓示) [— / 게시] 사람의 지혜로 알 수 없는 진리를 신(神)이 가르쳐 알게 함. ㉠신의 **계시**를 받다. ㉥묵시. **—하다.**

***계ː시다** [— / 게시다] '있다'의 높임말. ㉠아버지께서 집에 **계시다** / 책을 읽고 **계시다.**

계ː약 (契約) [— / 게약] 두 사람 이상의 합의로 이루어지는 약속으로, 그들 사이에 권리와 의무가 생기는 행위. ㉠매매 **계약** / **계약** 보증금 / 전세 **계약**을 맺다. **—하다.**

계ː약금 (契約金) [계약끔 / 게약끔] 계약을 지킬 것을 보증하기 위해 미리 치르는 돈. ㉠**계약금**을 걸다.

계ː약서 (契約書) [계약써 / 게약써] 계약이 이루어졌음을 증명하는 서류. ㉠전세 **계약서.**

계ː엄 (戒嚴) [— / 게엄] 국가에 전쟁이나 내란 등의 비상사태가 났을 때, 일정 지역을 군대가 맡아 다스리는 일. ㉠**계엄**을 선포하다.

계ː엄령 (戒嚴令) [계엄녕 / 게엄녕] 대통령이 계엄 실시를 선포하는 명령. ㉠**계엄령**을 선포하다.

계ː열 (系列) [— / 게열] 서로 연관이 있거나 비슷한 점이 있어 맺어진 조직이나 계통. ㉠인문 **계열** / 기독교 **계열**의 학교.

계ː열사 (系列社) [계열싸 / 게열싸] 그룹이나 큰 회사에 딸린 회사. ㉠이 회사는 어느 그룹의 **계열사**냐.

계ː율 (戒律) [— / 게율] 불교에서, 승려가 지켜야 할 규칙. ㉠**계율**을 범하다. ㉥율법.

계이름 (階—) [— / 게이름] 음악에서, 도·레·미·파·솔·라·시 등의 음계 이름. ㉥계명.

***계ː절** (季節) [— / 게절] 일 년을 철에 따라 구분한 그 한동안. 우리나라는 봄·여름·가을·겨울로 나눔. ㉠가을은 독서의 **계절** / 우리나라는 사계절이 뚜렷하다 / **계절**이 바뀌다. ㉥철. ➲ season

계ː절병 (季節病) [계절뼝 / 게절뼝] 계절에 따라 유행하는 병. 여름의 식중독, 겨울의 감기 따위.

계ː절풍 (季節風) [— / 게절풍] 철에 따라서 여름에는 바다에서 육지로, 겨울에는 육지에서 바다로 부는 일정한 방향의 바람. 우리나라에서는 여름엔 동남풍, 겨울엔 북서풍이 불어옴.

계제 (階梯) [— / 게제] **1** 계단과 사닥다리라는 뜻으로, 일이 진행되는 순서나 절차. **2** 어떤 일을 할 수 있게 된 형편이나 기회. ㉠이것저것 가릴 **계제**가 아니다.

계ː좌 (計座) [— / 게좌] 금융 기관에서 각 고객의 저축 또는 대출에 대한 계산과 그 기록. ㉠돈을 온라인으로 **계좌**에 입금시키다.

계ː주[1] (契主) [— / 게주] 계를 조직하고 이끄는 사람. ㉡계원.

계ː주[2] (繼走) [— / 게주] 이어달리기. 릴레이.

계ː주 경ː기 (繼走競技) [— / 게주—] 이어달리기. 릴레이 경주. ㉣계주.

***계ː집** [— / 게집] **1** '여자'의 낮춤말. **2** '아내'의 낮춤말. ㉡사내.

계ː집아이 [계지바이 / 게지바이] 나이가 어린 여자 아이. ㉣계집애.

계ː책 (計策) [— / 게책] 어떤 일을 이루려고 생각한 꾀와 방법. ㉠**계책**을 꾸미다 / **계책**을 세우다.

계ː측 (計測) [— / 게측] 기계 따위

를 써서 수나 양, 길이 따위를 잼. 비 측정. **—하다.**

계층 (階層) [— / 게층]　사회를 이루고 있는 여러 층. 예 지식 **계층.**

계:통 (系統) [— / 게통]　**1** 일정한 체계에 따라 서로 연결되어 있는 부분들의 통일적 조직. 예 소화기 **계통. 2** 한 원리나 법칙에 따라 사물 사이에 있는 관계를 벌여 놓은 것. 예 동물을 **계통**에 따라 분류하다 / 전기 **계통**의 고장. **3** 같은 방면이나 비슷한 부문. 예 종교 **계통** / 사무 **계통. 4** 일의 체계나 순서. 예 **계통**을 밟아 일을 처리하다.

계:투 (繼投) [— / 게투]　야구에서, 이제까지 던지던 투수의 뒤를 이어 공을 던지는 일. **—하다.**

계:표 (計票) [— / 게표]　표를 정리하여 수를 헤아림. **—하다.**

계:피 (桂皮) [— / 게피]　계수나무의 껍질. 향수와 향료의 원료 및 약제로 씀.

계:핏가루 (桂皮—) [계피까루 / 게핀까루]　계피를 곱게 간 가루. 음식의 향료로 씀.

*__계:획__ (計劃〔畫〕) [— / 게획]　해 나갈 일을 미리 생각해 놓음. 예 경제 개발 5개년 **계획** / 다시 시작할 **계획**이다 / **계획**을 세우다. 비 기획. 예정. **—하다.** ➡ plan

계:획 경제 (計劃經濟) [—경제 / 게획껑제]　정부가 세운 계획에 따라서 모든 생산과 소비가 이루어지는 경제. 주로 사회주의 사회에서 볼 수 있음. 반 자유 경제.

계:획성 (計劃性) [계획썽 / 게획썽]　미리 세워 놓은 계획에 따라 일을 처리하려는 성질.

계:획적 (計劃的) [계획쩍 / 게획쩍]　계획을 세워서 일을 하는 (것). 계획이 서 있는 (것). 예 **계획적**으로 범행을 저지르다.

계:획표 (計劃表) [— / 게획표]　계획을 적은 표. 예 생활 **계획표.**

곗:돈 (契—) [계똔 / 겓똔]　**1** 계에 든 사람이 내는 돈. 예 곗돈을 붓다. **2** 계에서, 자기 차례가 되어 타는 돈. 예 곗돈을 타다.

고[1]　옷고름·노끈 등을 맬 때, 풀리지 않게 한 가닥을 고리처럼 맨 것.

고[2]　말하는 대상을 얕잡거나 귀엽게 가리키는 말. 예 고 녀석 / 고 모양 고 꼴. 큰 그.

고:[3] (故)　이미 세상을 떠난. 예 고 안중근 의사.

고[4]　**1** 두 가지 이상의 사실을 잇달아 설명할 때 쓰는 말. 예 이것은 여우고 저것은 개다. **2** 두 가지 이상의 사물을 아울러 설명할 때 쓰는 말. 예 개고 돼지고 다 가축이다.

고:-[1] (古)　'오랜·오래된'의 뜻. 예 고서적 / 고시조.

고-[2] (高)　'높은·훌륭한'의 뜻. 예 고기압 / 고소득 / 고혈압 / 고성능 / 고품질.

-고[1] (高)　어떤 일을 한 결과로 얻어진 물질의 양이나 돈의 액수를 나타내는 말. 예 생산**고** / 판매**고.**

*__-고__[2]　**1** 두 가지 이상의 동작·성질·사실 등을 연결시키는 말. 예 밥을 먹고 나서 과일을 먹자. **2** 어떤 동작을 계속하면서 다음 동작을 연결시키는 말. 예 문을 열고 보자. **3** 동작의 진행, 끝남 등을 나타내는 말. 예 지금 글을 쓰고 있다.

고:가[1] (古家)　지은 지 오래된 집. 예 고산 윤선도가 살았던 고가.

고가[2] (高架)　땅 위로 높이 건너질러 걸침. 예 고가 도로 / 고가 사다리.

고가[3] (高價) [고까]　비싼 가격. 예 고가품. 반 염가. 저가.

고갈 (枯渴)　물·돈·물자 등이 마르거나 다 써서 없어짐. 예 지하자원이 고갈되다. **—하다.**

*__고개__　**1** 목의 뒷등. 예 고개가 뻣뻣하다. **2** 산이나 언덕을 넘어 다니게 된

비탈진 곳. ㉠고개 너머 마을.
고개가 수그러지다 존경하는 마음이 들다.
고개를 갸웃거리다 어떤 일에 대하여 의심스러워하다.
고개(를) 들다 생각이나 의심이 떠오르다.
고개(를) 숙이다 ㉠상대에게 굴복하다. ㉡존경하는 마음을 가지다.
고개(를) 젓다 고개를 옆으로 흔들어 부정·거절 따위의 뜻을 나타내다.
고객 (顧客) 가게에 물건을 사러 오는 손님. ㉠고객이 줄어들었다.
고갯마루 [고갠마루] 산이나 언덕의 꼭대기.
고갯짓 [고개찓 / 고갠찓] 고개를 흔들거나 끄덕이는 짓. **—하다.**
고견 (高見) **1** 뛰어난 의견. **2** '남의 의견'의 높임말. ㉠선생님의 고견을 듣고 싶습니다.
고결하다 (高潔—) 성품이 고상하고 깨끗하다. ㉠고결한 성품.
고경명 (高敬命) 〖인명〗 임진왜란 때의 의병장. 의병 7천 명을 거느리고 금산에서 왜군과 싸우다 전사함. [1533–1592]
고고하다 (孤高—) 혼자 세상일에 초연하여 고상하다. ㉠고고한 성품을 지니다.
고고학 (考古學) 고대의 유물이나 유적을 통하여 옛날 사람의 생활과 문화를 과학적으로 연구하는 학문.
고공 (高空) 높은 공중. 반 저공.
고공비행 (高空飛行) 15,000–20,000 m 이상의 높은 하늘을 비행하는 일. ㉠고공비행 훈련. 반 저공비행. **—하다.**
고관 (高官) **1** 높은 벼슬. **2** 지위가 높은 관리.
고교 (高校) '고등학교'의 준말. ㉠고교 시절 / 고교 생활.
고구려 (高句麗) 우리나라 삼국 시대의 한 나라. 동명왕이 세워, 제 28대 보장왕 때 신라와 당나라 연합군에게 망함. 압록강 중류 지방의 국내성을 중심으로, 한반도의 북부와 만주 일대의 넓은 영토를 다스렸음. [기원전 37–서기 668]
***고ː구마** 메꽃과의 여러해살이풀로 농작물의 하나. 큰 알뿌리는 달고 맛이 좋아 찌거나 구워 먹고 잎과 줄기도 나물로 먹음. 우리나라에는 조선 영조 때 통신사 조엄이 일본 쓰시마에서 들여왔다고 함.

〈고구마〉

고ː국 (故國) 자기가 나서 자란 나라. ㉠고국 땅을 밟으니 감회가 새롭다. 비 모국. 조국. 반 외국. 타국.
고ː국산천 (故國山川) [고국싼천] 조국의 산과 내. ㉠고국산천을 그리워하다.
고군분투 (孤軍奮鬪) **1** 수가 적고 후원이 없는 빈약한 군사력으로 많은 적과 싸움. **2** 홀로 힘겨운 일을 해내는 것을 비유한 말. **—하다.**
고ː궁 (古〔故〕宮) 옛 궁전. 옛날에 임금이 살던 대궐.
고귀하다 (高貴—) **1** 훌륭하고 귀중하다. ㉠고귀한 생명 / 고귀한 희생. **2** 지위가 높고 귀하다. ㉠고귀한 신분. 반 비천하다.
고ː금 (古今) 옛날과 지금. ㉠고금의 명작 / 고금을 막론하고 드문 일이다.
고급 (高級) **1** 물건의 품질이 뛰어나고 값이 비쌈. ㉠고급 자가용. **2** 지위·신분·수준 따위가 높음. ㉠고급 관리. 반 저급. 하급.
고급스럽다 (高級—) [고급쓰럽따] 품질이 뛰어나고 값이 비싼 듯하다. ㉠가구가 고급스러워 보인다. 활용 고급스러워 / 고급스러우니.
고급 언어 (高級言語) [고그버너]

컴퓨터에서, 사용자가 쉽게 이해하고 마음대로 다루어 쓸 수 있는 프로그래밍 언어. 베이식·포트란·코볼 따위.

고급 장ː교 (高級將校) [—짱교] 소령 이상의 장교를 일컫는 말.

고급품 (高級品) **1** 값이 비싼 물건. **2** 품질이 좋은 물건. [반] 하급품.

***고기** **1** 먹을거리로 쓰는 온갖 동물의 살. [예] 고기를 구워 먹다. ➡ meat **2** 생선. 물고기. [예] 고기를 낚다 / 고기를 잡으러 나가다. ➡ fish

고기압 (高氣壓) 둘레의 기압보다 높은 기압. [예] 이동성 고기압. [반] 저기압.

***고기잡이** [고기자비] **1** 물고기 잡는 일이 직업인 사람. [비] 어부. **2** 낚시나 그물 따위로 물고기를 잡음. [예] 고기잡이로 생활하다. **—하다.**

고깃간 (—間) [고기깐 / 고긷깐] 쇠고기·돼지고기 따위를 파는 가게. [비] 푸줏간.

고깃덩어리 [고기떵어리 / 고긷떵어리] 짐승 고기의 살덩어리.

고깃배 [고기빼 / 고긷빼] 고기잡이하는 배. [비] 어선.

고까짓 [고까짇] 겨우 고만한 정도의. [예] 고까짓 상처로 엄살을 몹시 부리다. [큰] 그까짓. [준] 고깟.

고깔 승려·무당·농악대들이 쓰는 모자의 하나. 베 조각을 여러 겹 포개서 접고 맞추어 세모지게 만듦. [예] 고깔을 쓴 여승.

〈고깔〉

고깝다 [고깝따] 야속하고 서운한 느낌이 있다. [예] 고깝게 생각하다 / 고까운 마음이 들다. [활용] 고까워 / 고까우니.

고꾸라지다 몸을 앞으로 구부리고 쓰러지다. [예] 문턱에 걸려 앞으로 푹 고꾸라지다.

고난 (苦難) 괴로움과 어려움. [예] 온갖 고난을 다 겪다. [비] 고초.

고뇌 (苦惱) 괴로워하고 번민함. 또는 그 괴로움과 번뇌. [예] 고뇌에 찬 모습. [비] 고민. **—하다.**

고누 놀이의 한 가지. 땅바닥이나 종이 같은 데에 말밭을 그리고, 돌·나무·종이 따위로 말을 삼아 상대방의 말을 더 많이 따먹는 사람이 이김.

고니 ⇨백조.

고ː다 **1** 고기나 뼈를 뭉그러지도록 끓는 물에 푹 삶다. [예] 고기를 고다. **2** 졸아서 엉기도록 진하게 끓이다. [예] 엿을 고다.

고단하다 일이나 운동 등을 너무 많이 해서 몸이 지치고 나른하다. [예] 오늘은 고단하니 이만 하자. [비] 피곤하다.

고달프다 몸이나 처지가 몹시 힘들고 괴롭다. [예] 사는 것이 고달프다 / 마음이 고달프니 몸도 피곤하다. [활용] 고달파 / 고달프니.

고ː대[1] (古代) 옛날. 오래 전의 시대. [예] 고대 국가. [반] 현대.

고대[2] 지금 막. 이제 막. [예] 고대 있었던 물건이 없어졌다. [비] 방금.

고대광실 (高臺廣室) 굉장히 크고 좋은 집.

고대로 아무 변함없이 고 모양으로. [예] 고대로 베껴 쓰다. [큰] 그대로.

고ː대 문명 (古代文明) 오래전에 인류가 나일 강·티그리스 강·유프라테스 강·인더스 강·황허 강 등에서 처음 일으킨 문명.

고ː대 소ː설 (古代小說) **1** 옛날 사람이 쓴 소설. **2** 신소설이 나오기 이전에 쓰여진 소설. [비] 고전 소설. [반] 현대 소설.

고대하다 (苦待—) 몹시 기다리다. [예] 비가 오기를 고대하다.

고ː도[1] (古都) 옛 도읍. [예] 신라의

고도 경주.

고도[2] (孤島) 육지에서 멀리 떨어진 작은 외딴섬. (예)무인도인 고도에서 휴가를 보내다.

*__고도__[3] (高度) **1** 높은 정도. (예)고도 5,000 m 상공을 날다. **2** 수준이나 정도가 높음. (예)고도의 기술 / 고도의 훈련을 받다.

고도성장 (高度成長) 발전 속도나 규모가 높은 정도로 빨리 이루어짐. (예)고도성장을 이루다.

고독 (孤獨) 외로움. (예)고독한 나그네 / 고독을 느끼다 / 고독에 빠지다. **—하다.**

고동[1] 기계 장치에서 나는 기적 따위의 소리. (예)뱃고동 / 멀리서 배의 고동 소리가 들려온다.

고동[2] (鼓動) 피가 도는 데 따라 심장이 뜀. (예)심장이 고동치다.

고ː동색 (古銅色) **1** 검누른 빛. **2** 붉은빛을 띤 갈색. (비) 적갈색.

고되다 하는 일이 힘에 겨워 괴롭고 힘들다. (예)일이 고되다.

고두밥 몹시 되게 지어 고들고들한 밥. (예)고두밥을 짓다.

고둥 소라·우렁이 등 연체동물에 속하는 조개류를 통틀어 이르는 말. 대개 돌돌 말려 있는 껍데기를 가지고 있음.

고드름 지붕이나 담장 등에 낙숫물이 흘러내리다가 공중에 길게 얼어붙은 얼음. (예)고드름을 따다 / 처마 끝에 고드름이 매달리다.

〈고드름〉

고들고들 밥알 따위가 물기가 적어서 속은 무르고 겉은 조금 말라 있는 상태. (예)밥이 고들고들하다. (센) 꼬들꼬들. **—하다.**

고들빼기 국화과의 두해살이풀. 산이나 들, 논밭에 나며 잎은 길쭉하거나 주걱 모양임. 어린잎은 나물로 먹고 뿌리는 김치를 담가 먹음.

고등 (高等) 정도나 등급이 높음. (예)고등 동물. (반) 하등.

고등 교ː육 (高等教育) 전문대학 이상의 정도가 높은 교육.

고등 법원 (高等法院) [—버뭔] 지방 법원의 위이고 대법원의 아래인 중급 법원. 제2심 판결을 담당함. (준) 고법.

고등어 고등엇과의 바닷물고기. 몸길이는 40–50 cm, 등은 검푸르고 배는 희며, 몸의 양쪽 옆은 누르스름함. 살이 많고 맛이 좋음.

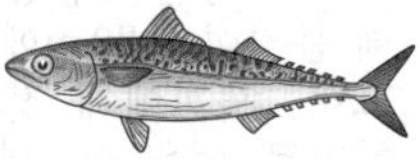
〈고등어〉

*__고등학교__ (高等學校) [고등학꾜] 중학교 과정을 마친 뒤 들어가는 학교. 인문계와 실업계의 두 종류가 있는데, 수업 기간은 3년임.

고딕 (Gothic) **1** 활자의 획이 굵은 글자체. **2** 13–15세기 말엽에 걸쳐 유럽에서 유행하던 건축 양식. 창과 출입구의 위가 아치 모양이며 높게 치솟은 뾰족한 탑이 특색임. (예)고딕 건축.

고라니 사슴과의 동물. 노루의 일종으로 몸길이는 약 90 cm, 등은 적갈색, 배와 턱의 밑부분은 흼. 우리나라나 중국 등에 분포하며, 산기슭이나 강가의 갈대밭에 삶.

고락 (苦樂) 괴로움과 즐거움. (예)고락을 같이하다.

고란사 (皐蘭寺) 충청남도 부여, 백마강 왼편 절벽 위에 있는 작은 절. 450년경 백제 때 창건되었음. 경치가 매우 좋고, 백제가 망할 때 삼천 궁녀가 강에 몸을 던져 죽었다는 이야기와 야생하는 고란초로 이름이 잘 알려짐.

고란초 (皐蘭草) 고란초과의 상록 여러해살이풀. 높이는 10–30 cm.

잎은 외겹 또는 세 갈래로 나며, 그 폭은 2-3 cm로 윗면은 녹색, 뒷면은 흰색에 가까움. 산의 벼랑이나 바위틈에서 자람.

고랑¹ '쇠고랑'의 준말.

고랑² 두둑한 두 땅 사이에 길고 좁게 들어간 곳. ㉮밭고랑 / 고랑을 내다 / 물이 잘 빠지도록 고랑을 손질하다. ㉾골. *이랑.

고랑창 폭이 좁고 깊은 고랑. ㉾골창.

***고래¹** 바다에 사는 몸집이 큰, 물고기처럼 생긴 포유동물. 종류가 많은데 몸길이가 30 m에 이르는 것도 있으며, 새끼에게 젖을 먹여 기르고 허파로 숨을 쉼. 멸종을 막기 위하여 잡는 것이 금지되어 있음.

고래 등 같다 집이 덩그렇게 높고 크다. ㉮고래 등 같은 기와집.

〈고래¹〉

고래² '방고래'의 준말.

고:래³ (古來) 예로부터 내려오면서. ㉮고래로부터 우리 선조들은 흰옷을 즐겨 입었다. ㊂자고이래.

고래고래 성이 나서 욕하거나 꾸짖을 때 목소리를 높여서 크게 소리를 지르는 모양. ㉮고래고래 고함을 지르다.

고랭지 (高冷地) 높이가 600 m 이상으로 높고 기온이 낮은 지역.

고랭지 농업 (高冷地農業) 고랭지의 차고 서늘한 기후를 이용하여 무·배추·감자 따위를 가꾸는 농업.

고렇다 [고러타] 상태·모양·성질 등이 고와 같다. ㉮고렇고 고런 아이들이 마당에서 놀고 있다. ㊔그렇다. 활용 고러니 / 고래서.

고려¹ (高麗) 우리나라 옛 왕조의 하나. 왕건이 후삼국을 멸망시키고 개성에 도읍하여 세운 나라. 이성계가 조선 왕조를 세울 때까지 34대 475년 동안 지속됨. [918-1392]

고려² (考慮) 여러 가지를 따져 생각하여 봄. ㉮특별한 사정을 고려하다. **—하다.**

고려 대:장경 (高麗大藏經) 고려 때, 부처의 힘으로 외적의 침입을 물리쳐 나라의 안전을 지키고자 간행한 대장경. 현재 남아 있는 것은 해인사의 대장경판으로, 조각된 판목수가 8만여 장이나 되어 '팔만대장경'이라고도 함.

고려사 (高麗史) 〖책〗 조선 때 세종의 명을 받아 정인지·김종서 등이 만든, 총 139권으로 된 고려의 역사에 대한 책. 고려 시대를 연구하는 데 중요한 자료가 됨.

고려자기 (高麗瓷器) 고려 때에 만든 도자기. 우리나라 공예 미술에서 가장 뛰어난 예술품으로 꼽히며 빛깔·무늬·모양이 아름다움. 푸른빛·흰빛·잿빛 등이 있는데, 특히 푸른빛의 청자는 세계적으로 유명함.

고려장 (高麗葬) 예전에, 늙고 병든 사람을 산 채로 구덩이 속에 버려 두었다가 죽으면 그곳에 장사 지내던 풍습.

고려청자 (高麗青瓷) 고려 때 만들어진 푸른빛의 자기를 통틀어 이르는 말. 특히 상감 청자가 유명함.

고려 태조 (高麗太祖) 〖인명〗 ⇨왕건.

고령 (高齡) 나이가 많음. 또는 많은 나이.

고령토 (高嶺土) 바위 속의 장석이 풍화 작용으로 분해되어 생기는 흰색 또는 회색의 진흙. 시멘트나 도자기를 만드는 데 씀.

고령화 (高齡化) 노인의 인구 비율이 높은 상태로 되어 감. ㉮고령화 시대 / 고령화 사회.

고로 (故—) '그러므로·까닭에'의

뜻. 예거리가 먼 고로 그곳에 갈 수 가 없다.

고로쇠나무 단풍나뭇과의 낙엽 활엽 교목. 숲 속에 나는데, 높이는 10-15 m, 봄에 흰 꽃이 잎보다 먼저 핌. 장식·가구재로 쓰며 나무에서 나는 액은 약으로 씀.

고료 (稿料) 원고를 써 준 대가로 받는 돈. [본] 원고료.

*__고루__[1] **1** 더하고 덜함이 없이 고르게. 예각자에게 고루 나누어 주다. **2** 두루 빼놓지 않고. 예물건을 고루 갖추다.

고루[2] (高樓) 높은 다락집.

고루고루 **1** 모두 다 고르게. 예고루고루 나누어 주다. **2** 두루두루 빼놓지 않고. 예고루고루 갖추다 / 고루고루 잘 섞다. [준] 골고루.

고루하다 (固陋—) 낡은 습관에 젖어 고집이 세고 새로운 것을 잘 받아들이지 않다. 예고루한 사람 / 사고방식이 고루하다.

*__고르다__[1] 여럿 중에서 가려내거나 뽑다. 예쌀에서 돌을 고르다 / 그중에서 마음에 드는 것을 골라라. [활용] 골라 / 고르니. choose

*__고르다__[2] **1** 높낮이, 크기, 양 따위의 차이가 없이 가지런하다. 예성적이 고르지 못하다 / 땅을 평평하게 고르다. **2** 상태가 정상적이고 순조롭다. 예숨결이 고르다 / 일기가 고르지 못하다. [활용] 골라 / 고르니.

*__고름__[1] 종기나 상처가 덧나서 생기는 누르스름하고 끈끈한 액체. 예고름을 짜다.

고름[2] '옷고름'의 준말. 예고름을 달다 / 고름을 매다.

*__고리__[1] 가늘고 긴 쇠붙이 따위를 동그랗게 구부려 만든 물건. 예방문 고리를 걸어 잠그다.

고리[2] (高利) 비싼 이자. 예고리로 돈을 꾸다. [반] 저리.

고리다 **1** 썩은 풀이나 더러운 발에서 나는 고약한 냄새 같다. 예발에서 고린 냄새가 나다. **2** 마음 쓰는 것이나 하는 짓이 다랍고 좀스럽다. [거] 코리다.

고리대금 (高利貸金) **1** 이자가 비싼 돈. **2** 비싼 이자를 받는 돈놀이. 예고리대금을 놓다. [준] 고리대.

고리버들 버드나뭇과에 속하는 낙엽 활엽 관목. 3월에 꽃이 피며 냇가나 들에 남. 가지는 껍질을 벗기어 버들고리나 키 따위를 만듦.

고리타분하다 **1** 냄새가 역겹게 고리다. 예고리타분한 냄새가 코를 찌르다. **2** 성미나 하는 짓이 새롭지 못하고 답답하다. 예이제 그 고리타분한 생각일랑 버려라.

고린내 고린 냄새. 예방 안에 고린내가 진동하다.

고릴라 (gorilla) 원숭이 종류 중에서 가장 큰 짐승. 아프리카 적도 부근의 숲에 삶. 키는 약 2 m, 몸무게는 280 kg 정도이며, 온몸에 털이 있음. 팔이 길고 다리는 짧으며, 입이 크고 눈썹이 없음. 성질은 온순하나 힘이 셈.

〈고릴라〉

고립 (孤立) 외따로 혼자 떨어져 있음. 예적을 고립시키다 / 교통이 끊겨 고립되다. **—하다.**

고:마움 고맙게 여기는 마음. 예고마움을 느끼다 / 도와준 분의 고마움을 잊지 않다.

고막 (鼓膜) 귓속에 있는 기관으로, 공기의 진동에 따라 흔들리어 소리를 전하는 얇은 막. 예고막이 울리다 / 고막이 터지다. [비] 귀청.

고만 **1** 고 정도까지만. 예이제 고만 해라. **2** 고냥 바로. 예바쁘다고 고만 가 버렸다. **3** 자신도 모르는 사이에. 달리 어찌할 수 없이. 예슬픈 얘기에 고만 울어 버렸다. ㉧그만.
고만고만하다 별다른 차이 없이 서로 비슷비슷하다. ㉠성적이 다 고만고만하다. ㉧그만그만하다.
고만이다 **1** 그것뿐이다. 그것으로 끝이다. ㉠책을 빌려 가더니 고만이다. **2** 더할 나위 없이 좋다. ㉠마음씨가 고만이다. ㉧그만이다.
고만하다 고 정도만 하다. ㉠병이 그저 고만하다. ㉧그만하다.
-고말고 물음에 대하여 그렇다는 뜻을 강조할 때 쓰는 말. ㉠좋고말고 / 가고말고 / 부자고말고.
***고:맙다** [고맙따] 은혜나 신세를 입어 마음이 기쁘고 흐뭇하다. ㉠고마운 사람. [활용] 고마워 / 고마우니. → [학습마당] 1(98쪽)
고매하다 (高邁—) 인격이나 학식 따위가 높고 뛰어나다. ㉠고매한 인격 / 고매한 학식.
고명 맛을 좋게 하거나 모양을 꾸미려고 음식 위에 얹어 놓거나 뿌리는 것. 김·버섯·대추·달걀·실고추·잣 따위를 씀.
고명딸 아들 많은 집의 외딸.
고명하다 (高名—) 이름이나 평판이 높다. ㉠고명한 학자.
***고모** (姑母) 아버지의 누이. ㉠고모가 두 분 계십니다. *이모. ➡ aunt
고모부 (姑母夫) 고모의 남편.
고:목[1] (古木) 오래 묵은 큰 나무. 나이 많은 나무. ㉠고목에 핀 꽃. ㉥노목.
고목[2] (枯木) 말라 죽은 나무.
고무[1] (鼓舞) 격려하여 용기를 북돋움. ㉠박수로 선수들을 고무하다. **—하다.**
***고무**[2] (←프 gomme) **1** 고무나무의 껍질에서 나온 액체를 굳혀서 만든 탄력성이 강한 물질. **2** '고무지우개'의 준말.
고무공 고무로 만든 공.
고무관 (—管) 고무로 만든 관.
고무나무 껍질에 칼자국을 내서 고무의 원료를 채취하는, 열대 지방의 큰 나무.
고무래 곡식을 긁어모으거나 펴거나, 밭의 흙을 고르거나, 아궁이의 재를 긁어내는 데 쓰는 기구.
고무마개 고무로 만든 마개. 실험을 할 때 플라스크나 시험관의 주둥이를 막는 데 씀.
고무밴드 (—band) 실 모양 또는 띠 모양의 동그란 고무줄.
고무신 고무로 만든 신.
고무장갑 (—掌匣) 고무로 만든 장갑. 병원이나 가정에서 진일을 할 때 씀. ㉠고무장갑을 끼다.
***고무줄** 고무로 만든 줄.
고무줄놀이 [고무줄로리] 노래를 부르면서 팽팽하게 당긴 고무줄을 다리에 걸었다 놓았다 하며 노는, 여자 아이들의 놀이.
고무지우개 연필로 쓴 것을 지우는 데 쓰는, 고무로 만든 지우개. ㉣고무.
고무 찰흙 [—찰흑] 찰흙과 같이 주물러서 마음대로 모양을 바꿀 수 있는 고무.
고무총 (—銃) Y 자로 벌어진 나뭇가지 양쪽 끝에 고무줄을 매고 그 가운데에 작은 돌 따위를 끼울 자리를 달아 고무줄을 힘껏 늘였다가 놓아서 돌을 멀리 날릴 수 있는 장난감 총.
고무판 (—板) 고무로 얇고 반반하게 만든 판.
고무풍선 (—風船) 얇은 고무주머니 속에 공기나 수소 가스를 넣어 부풀려서 공중으로 뜨게 만든 물건. ㉠고무풍선을 불다 / 고무풍선을 띄우다. ㉣풍선.
고:문[1] (古文) 옛 글. ㉤현대문.
고문[2] (顧問) 어떤 분야에 전문적인 지식이나 경험이 있어 그 분야에 관하여 의견을 말하거나 상담하는

사람. 또는 그런 일을 하는 직책. ㉠법률 고문.

고문³ (拷問) 범죄자로 의심이 가는 사람에게 스스로 자기 죄를 말하도록 견디기 어려운 신체적 고통을 주는 일. ㉠고문을 받다 / 혹독한 고문을 당하다. **—하다.**

고물¹ 인절미·경단 따위의 겉에 묻히거나 시루떡 켜 사이에 뿌리는, 팥·콩 따위의 가루. ㉠콩고물 / 떡에 고물을 골고루 묻히다.

고물² 배의 뒤쪽. 비 선미. 반 이물.

고ː물³ (古物) 헐거나 낡은 물건. ㉠고물 자동차.

고ː물상 (古物商) [고물쌍] 낡은 물건을 파는 장사나 가게. 또는 그 장수.

***고민** (苦悶) 마음속으로 괴로워하고 애를 태움. ㉠밤새워 고민하다 / 고민을 털어놓다. 비 번민. **—하다.**

고ː발 (告發) 피해자가 아닌 제삼자가 범죄 사실을 경찰이나 검찰에 신고하여 처벌을 요구하는 일. ㉠부정을 고발하다 / 고발을 당하다. 비 고소. **—하다.**

고배 (苦杯) 쓴 술잔이란 뜻으로 쓰라린 경험의 비유.

고배를 마시다 쓰라린 경험을 하다. ㉠회장 선거에서 낙선의 **고배를 마시다.**

고ː백 (告白) 숨김없이 사실대로 말함. ㉠사랑을 고백하다. **—하다.**

고ː별 (告別) 떠나는 것을 알림. 헤어지게 됨을 알림. ㉠고별인사를 나누다. **—하다.**

고ː별식 (告別式) [고별씩] **1** 전임·퇴임·퇴직 등을 할 때, 떠나게 됨을 알리는 의식. 비 송별식. **2** 죽은 사람에게 친족이나 친지 등이 작별을 고하는 의식.

고ː본 (古本) **1** 헌 책. **2** 오래된 책.

고봉 (高捧) 그릇에 곡식이나 밥 따위를 수북이 담음. ㉠밥을 고봉으로 담다.

고봉밥 (高捧—) [고봉빱] 밥그릇에 수북이 담은 밥.

고부 (姑婦) 시어머니와 며느리.

고부간 (姑婦間) 시어머니와 며느리 사이. ㉠고부간에 갈등이 심하다.

고ː분 (古墳) 옛날의 무덤. ㉠고분을 발굴하다.

고분고분 말이나 행동이 공손하고 부드러운 모양. ㉠말을 고분고분 잘 듣다. **—하다.**

고ː분 벽화 (古墳壁畫) [—벼콰] 옛날 무덤 안의 벽과 천장에 그려져 있는 그림.

고비¹ 어떤 일의 가장 중요한 때. 또는 막다른 때의 상황. ㉠죽을 고비를 여러 번 넘기다 / 추위가 한 고비 지나다.

고비² 고빗과의 여러해살이풀. 산과 들에 나는데 높이는 1 m 정도임. 어린잎과 줄기는 먹고, 뿌리는 약으로 씀.

고뿔 열이 나고 코가 막히며 머리가 아픈 병. 비 감기.

> 참고 이 말은 '코'의 옛말인 '고'에 사이시옷, 그리고 여기에 '불〔火〕'이 이어진 '곳불'이 변한 말이다. 코에 열기가 나는 것이 감기라는 말이다.

고삐 말의 재갈이나 소의 코뚜레에 잡아매어, 몰거나 부릴 때 손에 잡고 끄는 줄. ㉠고삐를 당기다.

고삐를 늦추다 경계심이나 긴장을 누그러뜨리다. ㉠중간고사가 며칠 남지 않았으니 **고삐를 늦추지** 말고 열심히 해라.

고사¹ (考査) 학교에서 학생의 학력을 시험함. 또는 그 시험. ㉠기말 고사.

고ː사² (告祀) 나쁜 운수는 없어지고 행운이 오도록 신령에게 비는 제사. ㉠고사를 지내다.

고:사[3] (故事) **1** 옛날에 있었던 일. **2** 옛날부터 전해 내려오는 유서 깊은 일. 또는 그것을 표현한 어구. (예)고사 성어.

고사[4] (枯死) 나무나 풀이 말라 죽음. **―하다.**

고사[5] (固辭) 굳이 사양함. (예)장관직 제의를 끝내 고사하다. **―하다.**

고사리 산에 나는 여러해살이풀. 초봄에 뿌리와 줄기에서 싹이 돋아나 끝이 꼬불꼬불하게 말리고 흰 솜 같은 털로 온통 덮임. 홀씨로 번식하며, 어린잎은 나물로 먹음.

〈고사리〉

고사리 같은 손 '어린아이의 작고 포동포동한 손'을 일컫는 말.

고사하고 (姑捨―) 더 말할 것도 없고. 그만두고. (예)이익은 고사하고 본전도 못 건졌다.

고산 (高山) 높은 산.

고산 기후 (高山氣候) 해발 2,000 m 이상에서 나타나는 산악 기후.

고산대 (高山帶) 식물이 높이에 따라 자라는 분포를 나타낸 구역 중 하나로 고산 식물이 자라는 곳.

고산병 (高山病) [고산뼝] 높은 산에 올라갔을 때, 산소가 부족하고 기압이 낮아져서 일어나는 병. 가슴이 뛰고 얼굴이 붉어지고 코피가 나며, 메스꺼워지는 증세가 나타남.

고산 식물 (高山植物) [―싱물] 고산대에서 자라는 식물. 여러해살이풀과 키가 작은 관목이 많음.

고삿 [고삳] 초가집의 지붕을 일 때 쓰는 새끼. (예)겉고삿. [비] 고사새끼.

고상하다 (高尙―) 인품이나 학문, 예술 따위가 품위가 있고 훌륭하다. (예)고상한 취미. [반] 저속하다.

고샅 [고삳] **1** 시골 마을의 좁은 골목길. [비] 고샅길. **2** 좁은 골짜기의 사이.

고샅길 [고삳낄] ⇨고샅 1.

고:색 (古色) **1** 오래되어 낡은 빛. **2** 옛것과 같은 멋이나 풍치.

고:색창연하다 (古色蒼然―) 오래되어 예스러운 풍치가 저절로 드러나 보이다. (예)고색창연한 절.

***고생** (苦生) 어렵고 괴로운 일을 겪음. 또는 그런 생활. (예)객지에서의 고생 / 고생을 모르고 자라다 / 고생 끝에 낙이 온다. **―하다.**

고생길 (苦生―) [고생낄] 고생을 벗어날 수 없는 어려운 형편. (예)고생길로 들어서다.

고생살이 (苦生―) [고생사리] 고생을 하며 겨우 살아가는 살림살이. (예)고생살이를 면하다. **―하다.**

고생스럽다 (苦生―) [고생스럽따] 고생이 되어 괴롭다. [활용] 고생스러워 / 고생스러우니.

고:서 (古書) 옛날 책.

고성 (高聲) 크고 높은 목소리. (예)고성이 오가다.

고성능 (高性能) 성능이 아주 좋음. (예)고성능 라디오.

고:소[1] (告訴) 피해를 입은 사람 등이 피해 사실을 수사 기관에 신고하여 범인의 처벌을 요구함. (예)사기꾼을 검찰에 고소하다. **―하다.**

고소[2] (苦笑) ⇨쓴웃음. (예)고소를 금할 수 없다. **―하다.**

고소 공:포증 (高所恐怖症) [―공포쯩] 높은 곳에 올라가면 떨어질 것 같이 느껴져 높은 곳을 병적으로 무서워하는 증상.

고:소장 (告訴狀) [고소짱] 범죄의 피해자가 수사 기관에 고소할 때 제출하는 서류.

고소하다 **1** 깨소금이나 참기름 같은 맛이나 냄새가 나다. (예)음식 냄새가 고소하다. **2** 미운 사람이 잘못되는 것을 보고 속이 시원하고 재미

있다. ㉮오빠가 거짓말한 것이 들통나다니 고소하다.

고속(高速) 속도가 매우 빠름. ㉮고속으로 질주하다. ㉯저속. ㉰고속도.

***고속도로**(高速道路) [고속또로] 자동차가 빠른 속도로 달릴 수 있도록 넓고 평탄하게 만들어 놓은 자동차 전용 도로. ㉮경부 고속도로.

고속버스(高速bus) 고속도로를 빠른 속도로 운행하는 버스.

고속 철도(高速鐵道) [─철또] 시속 200 km 이상으로 달리는 철도.

고:송(古松) 오래 묵은 소나무. ㉱노송.

고수[1](高手) 바둑이나 장기 따위에서 수가 높음. 또는 그런 사람. ㉮바둑의 고수 / 고수들의 대전이 벌어지다.

고수[2](鼓手) 악대나 소리판에서 북이나 장구를 치는 사람.

고수레 무당이 굿을 할 때나 들에서 음식을 먹을 때, 귀신에게 먼저 바친다는 뜻으로 음식을 조금씩 떼어 던지는 일. **─하다.**

고수머리 머리카락이 곱슬곱슬한 머리. 또는 그런 머리를 가진 사람. ㉱곱슬머리.

고수부지(高水敷地) ⇨둔치2.

고수하다(固守─) 굳게 지키다. ㉮1등을 고수하다.

고스란히 변함없이. 그대로. ㉮옛 모습이 고스란히 남아 있다.

고슬고슬하다 밥이 질지도 않고 되지도 않고 꼭 알맞다. ㉮초밥을 하려면 밥을 고슬고슬하게 짓는다.

고슴도치 고슴도칫과 동물. 몸길이는 30 cm, 몸빛은 어두운 갈색임. 등과 몸 양편에 가시가 빽빽이 나 있어 적이 나타나면 몸을 웅크려 밤송이처럼 만들어 자신을 보호함.

〈고슴도치〉

고승(高僧) **1** 학식이 많고 행실이 훌륭한 승려. **2** 지위가 높은 승려.

고시[1](考試) 공무원 등을 뽑기 위하여 나라에서 시행하는 시험. ㉮국가 고시 / 행정 고시.

고:시[2](告示) 행정 기관에서 일반 국민들에게 널리 알릴 것을 글로 써서 게시함. ㉮정부 고시 가격. ㉱공고. **─하다.**

고:시조(古時調) 갑오개혁 이전에 지어진 시조. ㉱단가. 옛시조. ㉯현대 시조.

고식적(姑息的) [고식쩍] 근본적인 대책 없이 그때그때 임시로 하는 (것). ㉮고식적 방법.

고심(苦心) 몹시 애를 태우며 마음을 씀. ㉮고심 끝에 결정을 내리다 / 고심한 보람이 있다. **─하다.**

고싸움놀이 [고싸움노리] 정월 대보름 때 전라남도에서 행하는 민속놀이의 하나. 두 패로 갈라, 타원형의 고가 달린 굵은 줄을 여러 사람이 메고, 상대편 고를 짓눌러 먼저 땅에 닿게 한 편이 이김. ㉱고싸움.

고아(孤兒) 부모를 여의고 의지할 곳이 없는 아이.

고아원(孤兒院) '보육원'의 이전 이름.

고아하다(高雅─) 고상하고 우아하다. ㉮고아한 모습.

고안(考案) 좋은 방법이나 새로운 것을 생각해 냄. ㉮새로 고안한 장치 / 쉽고 편리한 방법을 고안하다. **─하다.**

고압(高壓) **1** 높은 압력. **2** 높은 전압. ㉮고압 전류가 흐르다.

고압선(高壓線) [고압썬] 고압 전기를 보내는 전선. ㉰고압 전선.

고액(高額) 많은 금액. ㉮고액 과외 / 고액 소득자.

고액권(高額券) [고액꿘] 액수가

높은 수표나 지폐. ㉠고액권 수표를 바꾸다. 반 소액권.

고약 (膏藥) 종기나 상처에 붙이는 끈끈한 약.

고:약하다 [고야카다] 1 맛·냄새 따위가 비위에 거슬리게 나쁘다. ㉠고약한 냄새. 2 얼굴 생김새가 흉하거나 험상궂다. ㉠고약한 인상. 3 성미·언행 따위가 사납다. ㉠술버릇이 고약하다 / 고약한 심보. 4 날씨 따위가 거칠고 사납다. ㉠고약한 날씨.

고양 (高揚) 정신 따위를 높이 북돋움. ㉠애국심을 고양하다. **—하다.**

*__고양이__ 고양잇과의 동물. 송곳니가 특히 발달했고 발톱이 날카로움. 온몸에 부드러운 털이 있고, 눈은 어두운 곳에서도 잘 보며 쥐를 잘 잡음. 준 괭이. ➡cat

고양이 낯짝〔**이마빼기**〕**만 하다** 매우 좁다는 뜻.

고양이와 개 서로 사이가 나쁜 관계를 이르는 말. ㉠두 사람은 고양이와 개의 관계이다.

고:어 (古語) 옛날에는 썼으나 지금은 쓰지 않는 말. ㉠고어사전. 비 옛말. 반 현대어.

고역 (苦役) 몹시 힘들고 괴로운 일. ㉠고역을 치르다.

고열 (高熱) 병으로 나는 높은 열. ㉠고열로 신음하다.

고엽제 (枯葉劑) [고엽쩨] 식물의 잎을 인위적으로 떨어뜨리는 약제를 통틀어 이르는 말.

고:옥 (古屋) 지은 지 오래된 집. 비 고가.

고온 (高溫) 높은 온도. ㉠고온 다습한 지역. 반 저온.

*__고요__ 1 조용하고 잠잠한 상태. ㉠엄숙한 고요가 성당 내부에 가득 찼다. 2 풍력 계급 0의, 바람이 없는 상태. → [학습마당] 24(1145쪽)

고요의 바다 [— / 고요에—] 달의 한 지역의 이름. 1969년에 미국의 우주선 아폴로 11호가 달에 착륙하여 인류 최초로 발을 디딘 곳임.

고요하다 1 조용하고 잠잠하다. ㉠고요한 밤. 2 움직임이 없이 잔잔하다. ㉠고요하게 흐르는 강물. 3 조용하고 평화롭다. ㉠고요하게 잠든 아기의 모습.

고용[1] (雇用) 돈을 주고 사람을 부림. ㉠관리인을 고용하다. **—하다.**

고용[2] (雇傭) 돈을 받고 남의 일을 해 줌. ㉠고용살이. **—하다.**

고용원 (雇傭員) 돈을 받고 남의 일을 해 주는 사람. 비 고용인.

고용주 (雇用主) 돈을 주고 사람을 부리는 사람.

고원 (高原) 해발 고도가 높은 지역에 있는 넓은 벌판. ㉠고원 지대.

고원하다 (高遠—) 뜻이 높고 원대하다. ㉠고원한 목표를 가져라.

고위 (高位) 높고 귀한 지위. ㉠고위 공무원. 반 하위.

고위급 (高位級) [고위끕] 높은 지위의 등급. 또는 그에 속하는 사람. ㉠고위급 회담이 열리다.

고위층 (高位層) 높은 지위에 속하는 계층. 또는 그 계층에 속하는 사람. ㉠고위층 인사.

*__고유__ (固有) 본디부터 가지고 있는 특유한 것. ㉠고유 의상 / 한복 고유의 멋 / 우리 고유의 전통문화. **—하다.**

고유문화 (固有文化) 어떤 국가나 민족이 본디부터 지니고 내려오는 독특한 문화.

고유어 (固有語) 어떤 언어에 본디부터 있던 고유의 말이나 그것에 기초하여 새로 만들어진 말. 우리말에서는 외래어나 한자어에 상대하는 말. 비 토박이말.

고육지계 (苦肉之計) [고육찌계 / 고육찌게] 적을 속이거나 어려운 형편에서 벗어나기 위한 수단으로 자신의 괴로움을 무릅쓰고 꾸미는 계책. [비]고육지책. 고육책.

*__고을__ 한 도를 몇으로 나눈 옛날의 지방 이름. 오늘날의 '군' 따위와 비슷한 행정 단위. [예]고을 원님. [준]골.

__고음__(高音) 높은 소리. [예]고음을 내다. [반]저음.

__고의__[1] [—/고이] 남자가 여름에 입는 한복 홑바지.

__고ː의__[2](故意) [—/고이] 일부러 하는 태도나 행동. [예]고의로 한 거짓말이 아니다. [반]과실.

__고ː의적__(故意的) [—/고이적] 좋지 않은 결과가 있을 줄을 알면서 일부러 하는 (것). [예]그 반칙은 누가 봐도 고의적인 것이었다.

__고ː이__ **1** 정성을 다하여. 소중하게. [예]고이 키운 딸/고이 간직하다. **2** 편안히. [예]고이 잠드소서. **3** 그대로 고스란히. [예]유산을 고이 보전하다.

__고이고이__ '고이'를 강조해서 쓰는 말. [예]고이고이 잠들다/아버지의 사진을 고이고이 간직하다.

__고이다__ ⇨괴다[1·2].

__고ː인__(故人) 죽은 사람. [예]고인의 명복을 빌다/고인을 추모하다.

__고인돌__ 선사 시대의 유물로, 큰 돌을 몇 개 둘러 세우고 그 위에 넓적한 돌을 얹어 놓은 무덤. [비]지석묘.

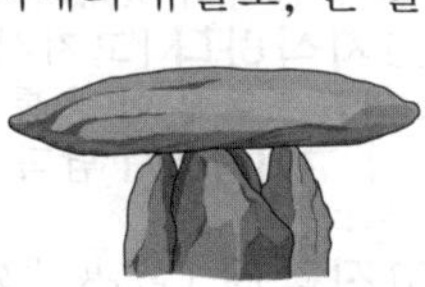

〈고인돌〉

__-고자__ 동사의 어간에 붙어 의도나 소망의 뜻을 나타내는 말. [예]여행을 하고자 한다.

__고ː자질__(告者—) 남의 잘못이나 비밀을 몰래 일러바치는 짓. [예]믿었던 친구가 나의 실수를 고자질하고 말았다. **—하다.**

__고작__ 기껏해야 겨우. 많아야. [예]고작 해야 영어 몇 마디밖에 알아듣지 못한다. *겨우.

*__고장__[1] **1** 사람이 많이 사는 지방이나 지역. [예]단풍이 아름다운 고장. **2** 특정한 물건이 많이 나거나 있는 곳. [예]사과의 고장 대구.

*__고ː장__[2](故障) 기계·기구 따위의 기능에 탈이 생기는 일. [예]고장 난 텔레비전.

__고쟁이__ 한복 안에 입는, 가랑이와 통이 넓은 여자의 속옷.

__고저__(高低) 높음과 낮음. [예]음의 고저. [비]높낮이.

__고저장단__(高低長短) 소리의 높고 낮음과 길고 짧음.

*__고ː적__(古蹟〔跡〕) 남아 있는 옛 건물이나 시설. 또는 그런 것이 있던 터. [예]고적을 답사하다. [비]유적. 유적지.

__고적대__(鼓笛隊) [고적때] 피리와 북으로 이루어진 행진용의 악대.

__고적하다__(孤寂—) [고저카다] 외롭고 쓸쓸하다. [예]고적한 분위기.

__고ː전__[1](古典) 오랜 세월 동안 많은 사람들에게 널리 읽히고 높이 평가된 책 또는 작품. [예]고전을 읽다.

__고전__[2](苦戰) 몹시 힘들고 어렵게 싸움. 또는 그런 싸움. [예]고전 끝에 이기다. [비]고투. **—하다.**

__고ː전 문학__(古典文學) 예전의 훌륭한 문학 작품.

__고ː전미__(古典美) 고전적인 아름다움. [예]고전미를 지니다.

__고ː전 음악__(古典音樂) [—으막] 서양의 전통적 작곡 기법과 연주법을 따르는 음악. 클래식. [반]대중 음악.

__고ː전적__(古典的) **1** 옛날의 의식이나 법식을 따르는 (것). [예]고전적 방식을 따르다. **2** 고전이 될 만한 내용과 의의를 가지는 (것). [예]고전적인 작품.

__고정__(固定) **1** 한번 정한 대로 변경하지 않음. [예]고정 수입/고정 출연. **2** 일정한 곳에 붙어 있어 움직이

지 않음. ㉔고정 나사 / 시선을 한곳에 고정하다. **—하다.**

고정 도르래 (固定—) 축을 움직이지 않게 한 도르래. *도르래.

고정불변 (固定不變) 고정되어 변함이 없음. **—하다.**

고정적 (固定的) 고정되거나 고정되어 있는 (것). ㉔고정적인 일자리.

고정하다 흥분이나 노여움 따위를 가라앉히다. 주로 손윗사람에게 쓰임. ㉔이제 그만 고정하시고 제 말을 들어 보십시오.

고조¹ (高調) **1** 높은 가락. 반 저조. **2** 감정·분위기 따위가 한창 무르익거나 높아짐. ㉔고조된 분위기 / 관중석의 열기가 점차 고조되어 갔다.

고조² (高祖) '고조부'의 준말.

고조모 (高祖母) 할아버지의 할머니. 아버지의 증조 할머니. 비 고조할머니.

고조부 (高祖父) 할아버지의 할아버지. 아버지의 증조 할아버지. 비 고조할아버지. 준 고조.

고:조선 (古朝鮮) 우리 민족이 제일 먼저 세운 부족 국가. 단군 왕검이 세운 나라로 대동강을 중심으로 한 지역에 넓게 펼쳐 있었음. [기원전 2333-기원전 108]

고졸 (高卒) '고등학교 졸업'의 준말. ㉔고졸 이상의 학력.

고종¹ (姑從) '고종 사촌'의 준말.

고종² (高宗) 〖인명〗 조선 제26대 임금. 흥선 대원군의 아들. 대원군의 뒤를 이어 정치를 맡으면서 '대한 제국'의 탄생을 선언하는 등 제도 개선에 힘을 씀. [1852-1919 ; 재위 1863-1907]

고종 사:촌 (姑從四寸) 고모의 아들이나 딸. 비 내종 사촌. 준 고종.

고주망태 술을 너무 많이 마셔서 정신을 차릴 수 없는 상태.

고주알미주알 아주 사소한 일까지 속속들이. ㉔고주알미주알 캐어 묻다. 비 미주알고주알.

고즈넉이 [고즈너기] 고즈넉하게. ㉔고즈넉이 가라앉은 분위기.

고즈넉하다 [고즈너카다] **1** 고요하고 아늑하다. ㉔고즈넉한 산사. **2** 잠잠하고 다소곳하다. ㉔고즈넉하게 앉아 있는 여인.

고증 (考證) 옛 문헌이나 물건 따위에 기초하여 증거를 세워 설명함. ㉔고증된 자료 / 전문가의 고증을 거치다. **—하다.**

고지¹ 호박·가지·고구마 등을 납작납작하게 또는 가늘고 길게 썰어서 말린 것. ㉔호박고지.

고:지² (告知) 공공 기관에서, 결정 사항이나 명령을 그 일과 관련 있는 사람에게 알리는 일. ㉔등록금 납부 기일을 고지하다. **—하다.**

고지³ (高地) **1** 평지보다 아주 높은 땅. ㉔고지를 탈환하다 / 마을이 고지에 자리 잡다. 반 저지. **2** 이루어야 할 목표나 단계. ㉔우승 고지에 한 발 다가서다.

고지대 (高地帶) 높은 지대. 반 저지대.

고:지서 (告知書) 관공서에서 어떤 일을 알리는 문서. ㉔납세 고지서 / 전기세 고지서.

고지식하다 [고지시카다] 성질이 외곬으로 곧아 융통성이 없다. ㉔워낙 고지식해서 남과 타협할 줄을 모른다.

고진감래 (苦盡甘來) [고진감내] 쓴 것이 다하면 단 것이 온다는 뜻으로, 고생 끝에 즐거움이 옴.

고질 (痼疾) 오래되어 고치기 어려운 병이나 버릇. ㉔고질인 축농증으로 고생하다. 비 고질병.

고질병 (痼疾病) [고질뼝] ⇨고질.

***고집** (固執) 자기의 의견을 내세우고 굽히지 않음. ㉔고집을 부리다 / 고집이 세다 / 자신의 주장을 끝까지 고집하다. **—하다.**

> 주의 **고집**과 **주장**
> **고집** 자기의 의견을 끈질기게 내세워 좀처럼 바꾸려 하지 않고 굳게 버티는 일.
> **주장** 자기의 의견을 이유나 근거를 들어 가며 상대에게 설득시키는 일.

고집불통 (固執不通) [고집뿔통] 고집이 세어 남의 말을 들을 줄 모름. 또는 그런 사람.

고집스럽다 (固執—) [고집쓰럽따] 고집이 센 듯하다. ㉠따라가겠다고 고집스럽게 버티다. 활용 고집스러워 / 고집스러우니.

고집쟁이 (固執—) [고집쨍이] 고집이 몹시 센 사람. ×고집장이.

고차원 (高次元) 생각이나 행동 따위가 뛰어나고 높은 수준. ㉠고차원의 문제.

고착 (固着) 물건 따위가 굳게 들러붙어 있음. ㉠다리의 이음매를 콘크리트로 고착시키다. **—하다.**

고찰 (考察) 자세하고 깊이 있게 살펴봄. ㉠환경오염이 생태계에 미치는 영향에 대해 고찰하다. **—하다.**

고:참 (古參) 오래전부터 한 직장이나 직위에 머물러 있는 사람. ㉠고참 사원 / 고참병. 반 신참.

고:철 (古鐵) 제 기능을 다하지 못하여 버리게 된 쇠붙이.

고체 (固體) 나무·쇠·돌같이 일정한 부피와 모양을 갖추고 있으며, 쉽게 변형되지 않는 물체. ㉠고체 연료. *기체. 액체.

고초 (苦楚) 어려움과 괴로움. ㉠갖은 고초를 겪다. 비 고난. 고통.

***고추** 가짓과의 한해살이풀. 줄기 높이 60–90 cm, 긴 타원형 열매는 녹색인데 익으면서 빨갛게 됨. 매운 맛이 있어 양념으로 많이 씀.

고추냉이 십자화과의 여러해살이풀. 시냇가에 자라며 땅속줄기는 몹시 매운 맛이 있어 양념 또는 약재로 씀.

고추잠자리 잠자리의 하나. 수컷은 몸이 붉고, 암컷은 누르스름함. 초가을에 농촌이나 연못가에 떼 지어 낢.

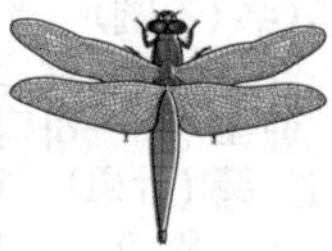
〈고추잠자리〉

고추장 (—醬) 메줏가루에 질게 지은 밥이나 떡가루를 넣어 버무리고, 고춧가루와 소금을 넣어 담근 매운 장. ㉠풋고추를 고추장에 찍어 먹다.

고춧가루 [고추까루 / 고춛까루] 붉게 익은 고추를 말려서 빻은 가루.

고충 (苦衷) 괴로운 심정이나 사정. ㉠고충을 털어놓다.

고취 (鼓吹) **1** 용기와 기운을 북돋아 일으킴. ㉠사기를 고취하다. **2** 의견이나 사상 따위를 열렬히 주장하여 널리 알림. ㉠애국심을 고취하다. **—하다.**

고층 (高層) 여러 층으로 된 높은 건물. 또는 그런 건물의 높은 층. ㉠고층 건물 / 고층 아파트.

고치 누에가 번데기로 변할 때에 실을 토하여 자기의 몸을 둘러싸서 타원형으로 얽어 만든 집. 명주실을 뽑아 내는 원료가 됨.

***고치다** **1** 헐거나 고장이 난 물건을 손질하여 쓸 수 있게 만들다. ㉠기계를 고치다. **2** 병을 낫게 하다. ㉠위장병을 고치다. **3** 잘못된 것을 바로잡다. ㉠버릇을 고치다. **4** 제도나 이름 따위를 바꾸다. ㉠규칙을 고치다. **5** 모양·위치를 가지런히 하거나 바르게 하다. ㉠화장을 고치다 / 자세를 고쳐 앉다.

***고통** (苦痛) 몸이나 마음의 괴로움과 아픔. ㉠고통이 심하다 / 고통을 참다. 비 고초. 반 쾌락.

고통스럽다 (苦痛—) [고통스럽따] 몸이나 마음이 괴롭고 아픈 느낌이 있다. ㉠목이 부어 말하는 것조차

고통스럽다. 활용 고통스러워 / 고통스러우니.

고투 (苦鬪) 몹시 힘들게 싸우거나 일함. ⓔ온갖 고투 끝에 성공하다. 비 고전. **—하다.**

고:풍 (古風) **1** 옛날의 풍속. **2** 예스러운 모습. ⓔ고풍이 배어 있는 전통 가옥. **—스럽다.**

***고프다** 배 속이 비어 음식을 먹고 싶다. ⓔ배가 고프니 꼼짝도 하기 싫다. 활용 고파 / 고프니.

고하 (高下) 높고 낮음이나 귀하고 천함. ⓔ지위의 고하를 막론하고 모두 참석하십시오.

고하간 (高下間) 높고 낮음이나 귀하고 천함 따위를 따지지 않음. ⓔ값은 고하간에 사겠다.

고:하다 (告—) **1** 웃어른이나 신령에게 어떤 사실을 아뢰다. ⓔ자초지종을 고하다. **2** 어떤 사실을 알리거나 말하다. ⓔ작별을 고하다.

고학 (苦學) 학비를 스스로 벌어서 고생하며 배움. ⓔ고학으로 대학을 졸업하다. **—하다.**

고학년 (高學年) [고항년] 높은 학년. 초등학교에서 4,5,6 학년을 가리킴. 반 저학년.

고학생 (苦學生) [고학쌩] 학비를 스스로 벌어서 공부하는 학생.

고함 (高喊) 크게 부르짖거나 외치는 소리. ⓔ고함 소리.

고함치다 (高喊—) 높고 크게 소리치다.

고해 (苦海) 불교에서, 괴로움이나 근심, 고뇌가 많은 이 세상을 바다에 비유하여 이르는 말.

고행 (苦行) 여러 가지 고통스러운 일을 참고 견디면서 수행을 쌓는 일. **—하다.**

***고향** (故鄕) 자기가 태어나서 자란 곳. ⓔ고향을 떠나다 / 추석을 쇠러 고향에 내려가다. 반 타향.

고혈압 (高血壓) [고혀랍] 혈압이 정상보다 높은 증세. ⓔ고혈압 환자. 반 저혈압.

고형 (固形) 단단하고 일정한 모양을 가진 것. ⓔ고형 연료.

고혼 (孤魂) 의지할 곳 없이 떠돌아다니는 외로운 넋.

고환 (睾丸) 정자를 만들고 남성 호르몬을 분비하는, 작은 알 모양의 남자 생식기. 비 불알.

고흐 (Gogh, Vincent van) 네덜란드의 화가. 붓 자국이 대담하고 특이하며 색채가 강렬함. 작품에 '자화상', '해바라기', '별이 빛나는 밤' 등이 있음. [1853–1890]

고:희 (古稀) [고히] '일흔 살'을 이르는 말. 칠순.

***곡**[1] (曲) '곡조'의 준말.

곡[2] (哭) 장례나 제사를 지낼 때 소리를 내어 욺. 또는 그런 울음. ⓔ곡하는 소리가 구슬프다. **—하다.**

-곡 (曲) 어떤 종류의 노래나 악곡임을 나타내는 말. ⓔ합창곡 / 교향곡 / 행진곡.

곡가 (穀價) [곡까] 쌀·보리·밀 따위 곡식의 가격.

곡괭이 [곡꽹이] 단단한 땅을 파는 데 쓰는, 쇠로 만든 연장. 황새 부리 모양의 날을 양쪽으로 길게 내고 가운데 구멍에 긴 나무 자루를 박음.

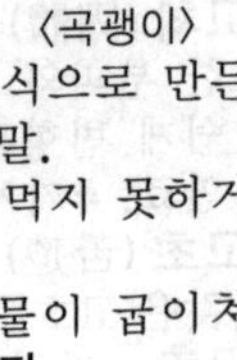

〈곡괭이〉

곡기 (穀氣) [곡끼] 곡식으로 만든 음식을 통틀어 이르는 말.

곡기를 끊다 음식을 먹지 못하거나 먹지 않다.

곡류[1] (曲流) [공뉴] 물이 굽이쳐 흐름. 또는 그 물. **—하다.**

곡류[2] (穀類) [공뉴] 쌀·보리 따위의 곡식.

곡률 (曲率) [공뉼] 곡선이나 곡면의 굽은 정도를 나타내는 수.

곡마단 (曲馬團) [공마단] 곡예나

말 따위 짐승을 부리며 재주를 보여 주는 단체. 서커스.

곡면 (曲面) [공면] 곡선으로 이루어진 면. 공·달걀 따위의 표면. 반 평면.

곡명 (曲名) [공명] 노래의 이름. 곡조의 이름. 비 곡목.

곡목 (曲目) [공목] **1** ⇨곡명. **2** 연주할 곡명을 적어 놓은 목록.

곡물 (穀物) [공물] ⇨곡식. 예 곡물을 재배하다.

곡사포 (曲射砲) [곡싸포] 포탄이 곡선을 그리며 나가게 쏘는 포.

곡선 (曲線) [곡썬] 부드럽게 굽은 선. 반 직선.

곡선미 (曲線美) [곡썬미] **1** 그림·조각·건축 등에서 나타난 곡선의 아름다움. 예 한옥은 추녀 끝의 곡선미가 뛰어나다. 반 직선미. **2** 사람 몸의 곡선에서 나타나는 아름다움.

*__곡식__ (穀食) [곡씩] 사람의 식량이 되는 쌀·보리·콩 따위를 통틀어 일컫는 말. 비 곡물.

곡예 (曲藝) [고계] 줄타기·요술·재주넘기 따위의 보통 사람이 할 수 없는 여러 가지 재주나 기술. 예 곡예단 / 곡예를 펼치다.

곡예사 (曲藝師) [고계사] 곡예를 전문으로 하는 사람.

곡옥 (曲玉) [고곡] 구부러진 모양의 구슬.

곡절 (曲折) [곡쩔] 복잡한 사정이나 이유. 까닭. 예 많은 곡절을 겪다.

곡조 (曲調) [곡쪼] **1** 음악이나 가사의 가락. 예 슬픈 곡조. 준 곡. **2** 곡이나 노래의 수를 세는 단위. 예 한 곡조 부르다.

곡창 (穀倉) **1** 곡식을 쌓아 두는 창고. **2** 곡식이 많이 나는 지방. 예 곡창 지대.

곡학아세 (曲學阿世) [고카가세] 바른길에서 벗어난 학문으로 세상 사람에게 아첨함. **—하다.**

곡해 (曲解) [고캐] 사실과 어긋나게 잘못 이해함. 예 친구의 의도를 곡해하다. **—하다.**

-곤[1] 같은 동작을 되풀이함을 나타내는 말. 예 일요일이면 등산을 하곤 하였다. 본 -고는.

-곤[2] 앞의 내용이 뒤에 오는 내용의 전제나 조건이 됨을 나타내는 말. 예 남에게 빚지곤 못 산다.

곤:경 (困境) 어려운 경우나 처지. 예 곤경에서 벗어나다.

곤:궁 (困窮) 가난하여 살림이 어려움. 예 곤궁에 빠지다 / 곤궁을 면치 못하다. **—하다.**

곤돌라 (이 gondola) 빌딩이나 고층 아파트 따위의 옥상에서 늘어뜨려 유리창을 닦거나 짐을 실어 오르내릴 때 쓰는 기구.

곤두박다 [곤두박따] 높은 곳에서 거꾸로 떨어지다.

곤두박이다 [곤두바기다] 머리가 땅에 닿도록 거꾸로 넘어지다.

곤두박이치다 [곤두바기치다] 높은 곳에서 머리가 아래로 가게 거꾸로 떨어지다.

곤두박질 [곤두박찔] 갑자기 넘어지거나 거꾸로 박히는 일. **—하다.**

곤두박질치다 [곤두박찔치다] 세차게 거꾸로 내리박히다. 예 성적이 곤두박질치다.

곤두서다 **1** 거꾸로 꼿꼿이 서다. 예 무서워서 머리털이 곤두서다. **2** 신경 따위가 날카로워지다. 예 신경이 곤두서다.

곤두세우다 **1** 거꾸로 꼿꼿이 서게 하다. 예 눈썹을 곤두세우고 대들다. **2** 신경 따위를 날카롭게 긴장시키다. 예 귀를 곤두세우다.

곤드레만드레 술이나 잠에 몹시 취하여 정신을 차리지 못하고 몸을 가누지 못하는 모양. 예 곤드레만드레가 되도록 술을 마시다.

곤:란 (困難) [골란] 사정이 매우

딱하고 어려움. 또는 그런 일. ㉠곤란한 질문 / 생활이 곤란하다 / 곤란에 부딪치다. **—하다.**

곤:룡포 (袞龍袍) [골룡포] 임금이 입던 정복. ㉡용포.

곤봉 (棍棒) 짧은 방망이 모양의 체조 기구의 하나.

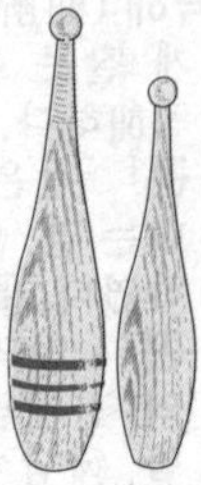
〈곤봉〉

곤봉 체조 (棍棒體操) 두 개의 곤봉을 가지고 하는 체조. 양손에 쥐거나 손가락 사이에 끼고 손목 동작에 의하여 곤봉을 앞뒤 좌우로 휘두르면서 팔을 크게 회전함.

곤여 만:국 전도 (坤輿萬國全圖) [고녀—쩐도] 1602년에, 명나라에 와 있던 가톨릭 선교사 마테오 리치가 만든 세계 지도.

곤:욕 (困辱) [고뇩] 심한 모욕이나 참기 힘든 일. ㉠곤욕을 치르다.

곤장 (棍杖) 예전에, 죄인의 볼기를 치던 도구. 또는 그 형벌. ㉠곤장을 치다 / 곤장을 때리다.

곤전 (坤殿) '왕비'를 높여 이르던 말. ㉥중궁전.

곤죽 (—粥) **1** 몹시 질어서 질퍽질퍽한 것. ㉠밥이 곤죽이 되다 / 길이 곤죽이다. **2** 일이 엉망진창이 되어 갈피를 잡기 어려운 상태. ㉠일을 곤죽으로 만들다. **3** 술에 몹시 취하거나 몸이 지쳐서 힘없이 늘어진 모양. ㉠곤죽이 되도록 술을 마시다.

곤줄박이 [곤줄바기] 박샛과의 새. 야산이나 평지에 삶. 머리와 목은 검고, 등·가슴·배는 밤색이며, 날개와 꽁지는 회청색임. 보호새임.

곤지 전통 혼례에서, 새색시가 단장할 때 이마에 찍는 붉은 점.

곤지곤지 젖먹이에게 왼손 손바닥에 오른손 집게손가락을 댔다 뗐다 하라는 뜻으로 내는 말. 또는 그 동작. **—하다.**

*__곤충__ (昆蟲) 몸이 머리·가슴·배의 세 부분으로 되어 있으며, 세 쌍의 다리와 두 쌍의 날개가 있고, 알·애벌레(번데기)·어미벌레의 차례로 한살이를 하는 벌레. 파리·모기·잠자리·매미 등. ㉠곤충 채집. ➲ insect

곤충기 (昆蟲記) 〖책〗 프랑스의 곤충학자 파브르가 곤충의 생활을 관찰하여 쓴 책.

곤충학자 (昆蟲學者) [곤충학짜] 곤충을 연구하는 사람.

곤:하다 (困—) **1** 기운이 없고 나른하다. ㉠피로가 쌓여 몹시 곤하다. **2** 몹시 고단하여 잠든 상태가 깊다. ㉠곤한 잠에 빠지다.

곤:혹 (困惑) 곤란한 일을 당하여 어찌할 바를 모름. ㉠예기치 못한 질문에 곤혹을 느꼈다.

곤:혹스럽다 (困惑—) [곤혹쓰럽따] 곤혹을 느끼게 하는 점이 있다. ㉠곤혹스러운 질문. 활용 곤혹스러워 / 곤혹스러우니.

곤:히 (困—) 기운이 풀려서 나른하게. ㉠곤히 잠들다.

*__곧__ **1** 즉시. 바로. ㉠지금 곧 달려가겠습니다. **2** 바꾸어 말하면. 다름 아닌 바로. ㉠민심이 곧 천심이다. **3** 시간적으로 머지않아. ㉠어머니께서 곧 오실 거야.

*__곧다__ [곧따] **1** 굽거나 비뚤어지지 않고 똑바르다. ㉠자세가 곧다. **2** 마음이 바르다. ㉠곧은 사람.

곧바로 [곧빠로] **1** 바로 그 즉시. ㉠학교 졸업 후 곧바로 군에 가다. **2** 곧은 방향으로. ㉠곧바로 가면 학교가 나온다. **3** 다른 곳을 거치지 않고. ㉠학교가 끝나면 곧바로 집으로 오너라.

곧바르다 [곧빠르다] 기울거나 굽지 않고 곧고 바르다. ㉠곧바른 마음. 활용 곧발라 / 곧바르니.

곧뿌림 모내기를 하지 않고 논밭에 씨를 직접 뿌림. ㉥직파. **—하다.**

곧은결 [고든결] 나이테와 직각이 되게 자른 나무의 면에 나타난 결.
곧은창자 [고든창자] ⇨직장[2].
곧이곧대로 [고지곧때로] 꾸밈이나 거짓 없이 사실대로. ㉾곧이곧대로 말하다 / 곧이곧대로 믿다.
곧이듣다 [고지듣따] 남의 말을 듣고 그대로 믿다. ㉾농담을 곧이듣다. 활용 곧이들어 / 곧이들으니 / 곧이듣는.
곧이어 [고디어] 바로 이어서. ㉾곧이어 2부가 방송됩니다.
*__곧잘__ [곧짤] **1** 제법 잘. ㉾인희는 탁구를 곧잘 친다. **2** 가끔가다 잘. ㉾철수는 곧잘 넘어지곤 한다.
곧장 [곧짱] **1** 곧바로. ㉾이 길로 곧장 가거라. **2** 곧이어 바로. ㉾소식을 듣고 곧장 달려왔다.
곧추다 굽은 것을 곧게 하다. ㉾허리를 곧추어 앉다.
곧추세우다 꼿꼿이 서게 하다. ㉾깃대를 곧추세우다.
곧추안다 [곧추안따] 어린아이를 곧게 세워서 안다.
곧추앉다 [곧추안따] 허리를 펴고 똑바로 앉다.
골[1] 생각하고, 몸의 각 기관이 제대로 움직이게 하는 따위의 일을 맡아 하는 우리 몸의 주요 부분. 머리뼈로 보호되어 있음. ㉾골이 지끈지끈 아프다. 비 뇌. 본 머릿골.
골(이) 비다 아는 것이 없거나 생각이 모자라다. ㉾골 빈 녀석.
골[2] 언짢은 일을 당하여 벌컥 내는 화. ㉾골을 내다. 비 성. 화.
골ː[3] **1** ⇨골짜기. ㉾골이 깊다. **2** 표면에 길게 파이거나 들어간 자국. ㉾이마에 골이 깊게 주름이 지다. **3** '고랑[2]'의 준말.
골ː[4] '고을'의 준말.
골[5] (goal) **1** 축구·농구·럭비 따위에서, 공을 넣으면 득점하게 되는 문이나 바구니 모양의 표적. **2** 축구나 농구 따위에서, 공을 넣어 득점하는 일. 또는 그 득점. ㉾한 골 차로 이겼다.
골각기 (骨角器) [골각끼] 석기 시대에 동물의 뼈·뿔·엄니 따위로 만들어 쓰던 도구나 장신구.
골격 (骨格) **1** 동물의 체격을 이루고 몸을 지탱하게 하는, 주로 근육이 붙어 있는 기관. ㉾골격이 크다 / 골격이 좋다. 비 뼈대. **2** 어떤 사물이나 일의 기본이 되는 틀이나 줄거리. ㉾골격을 짜다 / 기본 골격을 그대로 유지하다.
*__골고루__ '고루고루'의 준말. ㉾음식을 골고루 먹다.
골골 병이 오래되거나 몸이 약하여 늘 조금씩 앓는 모양. ㉾골골하는 환자. **—하다.**
골내다 [골래다] 노여움을 나타내다. 비 성내다.
*__골ː다__ 잠을 잘 때 드르렁드르렁 콧소리를 내다. ㉾코를 골다. 활용 골아 / 고니 / 고는.
골다공증 (骨多孔症) [골다공쯩] 뼈의 단백질·칼슘이 줄어서, 뼈가 물러지고 부러지기 쉽게 되는 병. 50-60세에 발병하며, 여성에 많음.
골대 (goal—) [골때] 축구 따위의 골 양쪽의 기둥. 골포스트.
골동품 (骨董品) [골똥품] 오래되었거나 희귀한 물건이나 미술품. ㉾골동품을 수집하다.
골똘하다 한 가지 일에 온 정신을 기울이다. ㉾연구에 골똘하다.
골똘히 골똘하게. ㉾골똘히 궁리하다 / 골똘히 생각하다.
골ː라내다 여럿 가운데서 골라 따로 집어내다. ㉾생선의 가시를 골라내다 / 썩은 콩을 골라내다.
골라인 (goal line) **1** ⇨결승선. **2** 축구나 하키 따위에서, 골대를 따라 그은 선.
골ː라잡다 [골라잡따] 여럿 가운

데에서 마음에 드는 대로 골라 가지다. ㉥마음대로 골라잡다.

골리다 상대편을 놀리어 약을 올리거나 골이 나게 하다. ㉥별명을 부르며 친구를 골리다.

골:마루 **1** 안방이나 건넌방 뒤에 딸려 붙은 좁은 마루. **2** 집의 가장자리에 골처럼 만든 좁고 긴 마루.

골마지 간장·술 따위의 물기 많은 음식물에 생기는 곰팡이 같은 흰 물질. ㉥골마지가 끼다.

골막 (骨膜) 뼈의 표면을 싸고 있는 얇고 튼튼한 흰 막.

골막염 (骨膜炎) [골망념] 세균 감염, 유행성 감기, 타박상 따위에 의한 자극으로 골막에 생기는 염증.

*__골:목__ 집들 사이로 나 있는 좁은 길. ㉥막다른 골목.

골:목길 [골목낄] 골목을 따라 난 길. ㉥골목길로 들어서다.

골:목대장 (—大將) [골목때장] 아이들의 대장 노릇을 하는 아이.

골:목쟁이 [골목쨍이] 골목에서 더 깊숙이 들어간 좁은 곳. ×골목자기. 골목장이.

골몰하다 (汨沒—) 한 가지 일에 온 정신을 쏟다. ㉥수학 문제 풀이에 골몰하다. 비 열중하다.

골무 바느질할 때, 바늘을 눌러 밀기 위해 손가락 끝에 끼는 물건. ㉥골무를 끼다.

골:바람 [골빠람] 산골짜기에서 산꼭대기로 부는 바람. 반 산바람.

골반 (骨盤) 엉덩이 부분의 뼈대로, 허리뼈와 등골뼈에 붙어 배 속의 내장을 싸고 있는 깔때기 모양의 크고 납작한 뼈.

골:방 (—房) 큰방의 뒤쪽에 딸린 작은방. ㉥골방에 숨다.

골백번 (—百番) [골백뻔] '여러 번'을 강조하여 이르는 말. ㉥골백번 타일러도 듣지 않는다.

골병 (—病) 속으로 깊이 든 병.

골병들다 (—病—) 병이 속으로 깊이 들다. 활용 골병들어 / 골병드니 / 골병드는.

골:뿌림 파 놓은 골을 따라서 씨앗을 뿌림. 비 줄뿌림. **—하다.**

골수 (骨髓) [골쑤] **1** 뼈의 속에 차 있는 부드러운 조직. **2** 마음속 깊은 곳. ㉥원한이 골수에 사무치다.

골수염 (骨髓炎) [골쑤염] 상처·세균 감염 따위로 골수에 생기는 염증.

골육 (骨肉) [고륙] **1** 뼈와 살. **2** 부자·형제 등 핏줄이 같은 사람. ㉥골육의 정.

골인 (goal+in) **1** 축구·농구 등에서, 공이 골 안에 들어감. ㉥슛 골인. **2** 육상·수영 등에서, 경기자가 결승점에 도착함. **3** 하려던 일을 이룸. ㉥결혼에 골인하다. **—하다.**

골자 (骨子) [골짜] 일 또는 말의 중심이 되는 중요한 부분. ㉥골자만 말해라. 비 요점.

골재 (骨材) [골째] 시멘트와 섞어서 콘크리트를 만드는 데 쓰는 모래나 자갈 따위의 재료.

골절 (骨折) [골쩔] 뼈가 부러짐. ㉥넘어져 팔이 골절되다.

*__골짜기__ 산과 산 사이에 깊숙하게 패어 들어간 곳. ㉥높은 산일수록 골짜기는 깊다. 비 골[3]. 준 골짝.

골짝 '골짜기'의 준말.

골치 '머리1'의 낮춤말. ㉥골치가 쑤시다 / 골치를 썩이다.

골치(가) 아프다 성가시고 귀찮아 머리가 아프다. ㉥취직 문제로 골치가 아프다.

골칫거리 [골치꺼리 / 골칟꺼리] **1** 일을 잘못하거나 말썽만 피워 늘 애를 태우는 사람이나 사물. ㉥그 학생은 우리 반의 골칫거리다. **2** 성가시거나 처리하기 어려운 일. ㉥주차 문제가 각 동네마다 가장 큰 골칫거리다.

골키퍼 (goal keeper) 축구·하키·

핸드볼 따위에서, 골을 지키는 선수. [준] 키퍼.

골탕(—湯) 심한 손해나 곤란.

골탕(을) 먹다 크게 욕을 당하거나 손해를 입다.

골:판지(—板紙) 판지의 한 면 또는 두 장의 판지 사이에 골이 진 얇은 종이를 덧붙인 판지. 물건을 포장할 때 씀.

골품(骨品) 신라 때, 혈통에 따라 나눈 신분 제도. 성골·진골·육두품·오두품·사두품 따위로 나뉨.

골프(golf) 넓은 잔디밭에 있는 18개의 구멍에 골프채로 공을 쳐서 들여보내는 경기. 공을 친 횟수가 적은 사람이 이김.

*__곪:다__ [곰따] 상처에 염증이 생겨 고름이 들다. (예)상처가 곪다. [발음] 곪고[곰꼬] / 곪아서[골마서].

곬 [골] 한쪽으로 트인 길. (예)한 곬으로 파고들다. [발음] 곬이[골씨] / 곬으로[골쓰로].

곯다[1] [골타] 먹은 것이 모자라서 배가 늘 고프다. (예)배를 곯다. [발음] 곯고[골코] / 곯지[골치] / 곯아서[고라서] / 곯는[골른].

곯다[2] [골타] **1** 속이 물크러져 상하다. (예)달걀 곯은 냄새. **2** 속으로 골병이 들다. (예)객지 생활에 몸이 곯았다. [발음] 곯고[골코] / 곯지[골치] / 곯아서[고라서] / 곯는[골른].

곯아떨어지다 [고라떠러지다] 잠이나 술에 몹시 취하여 정신을 잃고 자다. (예)술에 곯아떨어지다 / 정신없이 잠에 곯아떨어지다.

*__곰:__ **1** 곰과의 동물. 몸집이 크고 꼬리와 네 다리는 짧음. 나무에 잘 오르고, 잡식성으로 겨울에는 동굴 속에서 겨울잠을 잠. **2** 미련하거나 행동이 느린 사람을 비웃는 말. (예)이 곰 같은 녀석아. ▶bear

곰:곰이 [곰고미] 여러모로 깊이 생각하는 모양. (예)곰곰이 생각해 보니 내가 잘못했다. [비] 곰곰.

곰:국 [곰꾹] 소의 고기와 뼈 따위를 오랜 시간 푹 고아서 끓인 국. [비] 곰탕.

곰바지런하다 일을 잘하지는 못하지만 꼼꼼하고 바지런하다.

곰방대 짧은 담뱃대. 〈곰방대〉

곰배팔이 [곰배파리] 팔이 꼬부라져 붙거나 팔뚝이 없는 사람.

곰:보 얼굴이 얽은 사람.

곰비임비 일이나 물건이 거듭 생기는 모양. 자꾸자꾸. 계속하여.

곰:삭다 [곰삭따] 젓갈 따위가 오래되어 푹 삭다. (예)새우젓이 곰삭다.

곰:살갑다 [곰살갑따] 성질이 보기보다 부드럽고 다정하다. (예)곰살갑게 대하다. [큰] 굼슬겁다. [활용] 곰살가워 / 곰살가우니.

곰:살궂다 [곰살굳따] 성질이 부드럽고 친절하며 다정하다. (예)곰살궂게 굴다.

곰실거리다 작은 벌레 따위가 느릿느릿 자꾸 움직이다. [큰] 굼실거리다. [센] 꼼실거리다.

곰실곰실 곰실거리는 모양. (예)송충이가 곰실곰실 움직인다. **—하다.**

곰:탕(—湯) ⇨곰국.

곰:팡내 곰팡이에서 나는 매캐하고 퀴퀴한 냄새.

*__곰:팡이__ 동식물에 붙어살며, 습기가 있을 때 음식물·옷·기구 따위에 생기는 미생물. 퀴퀴한 냄새를 냄. (예)곰팡이가 끼다. [준] 곰팡.

*__곱__ **1** 곱셈에서 얻은 값. **2** '곱절'의 준말.

곱다[1] [곱따] 손가락이나 발가락이 얼어서 감각이 없고 놀리기가 어렵다. (예)곱은 손을 녹이다.

*__곱:다__[2] [곱따] **1** 산뜻하고 아름답다. (예)곱게 꾸민 새색시. [반] 밉다. **2** 말이나 소리가 맑고 부드럽다. (예)고

운 목소리. 반 거칠다. **3** 느낌이 거칠지 않고 부드럽다. 예고운 소금 / 피부가 곱다. 반 거칠다. **4** 부드럽고 순하다. 예고운 마음씨. **5** 편안하고 순탄하다. 예곱게 자라다. **6** 그대로 온전하다. 예곱게 간직하다 / 물건을 곱게 쓰다. 활용 고와 / 고우니. → [학습마당] 1(아래)

곱:다랗다 [곱따라타] **1** 매우 곱다. 예곱다랗게 핀 목련꽃. **2** 축나거나 변하지 않고 온전하다. 예처녀 시절의 얼굴을 곱다랗게 간직하다. 활용 곱다라니 / 곱다래서.

곱돌 [곱똘] 윤이 나고 매끈매끈한 돌. 예곱돌솥. 비 납석.

곱빼기 **1** 두 배의 분량. 비 곱절. **2** 음식의 두 몫을 한 그릇에 담은 분량. 예자장면 곱빼기.

곱사등이 [곱싸등이] 등뼈가 굽고 등에 큰 혹 같은 뼈가 나온 사람. 비 꼽추.

곱:살하다 [곱쌀하다] 얼굴이나 성미가 예쁘고 얌전하다. 예곱살한 얼굴.

곱삶다 [곱쌈따] 두 번 거듭하여 삶다. 예곱삶은[곱쌀믄] 보리밥 / 빨래를 곱삶다.

***곱셈** [곱쎔] 어떤 수를 곱하여 셈함. 또는 그 셈. 예7에 5를 곱셈하면 35이다. 반 나눗셈. **—하다.**

곱셈표 (—標) [곱셈표] 곱셈의 기호 '×'의 이름. 비 곱셈 기호.

곱솔 [곱쏠] 꺾어 박은 솔기를 다시 가늘게 접어서 박는 일. 얇은 감으로 옷을 지을 때 씀.

곱슬곱슬하다 [곱쓸곱쓸하다] 털이나 실 따위가 말려서 고불고불하다. 예머리털이 곱슬곱슬하다.

곱슬머리 [곱쓸머리] ⇨고수머리.

곱씹다 [곱씹따] **1** 거듭하여 씹다. **2** 말이나 생각 따위를 곰곰이 되풀이하다. 예선생님의 말씀을 찬찬히 곱씹어 보았다.

곱자 [곱짜] 나무나 쇠를 이용하여 90도 각도로 만든 'ㄱ' 자 모양의 자. 비 곡척. 기역자자.

곱절 [곱쩔] 같은 수량을 몇 번이나 되짚어 합치는 일. 또는 그 셈. 예세 곱절 / 물가가 곱절이나 올랐다. 비 배. 준 곱.

곱집합 (—集合) [곱찌팝] 두 집합의 원소들을 하나씩 뽑아 짝 지은 모든 순서쌍의 집합. 보기 집합 ㉮와 집합 ㉯의 곱집합의 기호는 ㉮×㉯로 나타냄.

곱창 소의 작은창자.

곱하기 [고파기] 곱셈을 하는 일. 반 나누기.

***곱하다** [고파다] 곱셈을 하다. 예3에 5를 곱하다.

***곳** [곧] 어떤 장소나 자리. 예낯선 곳 / 조용한 곳에 머물다.

[학습마당] 1

말의 줄기에 'ㅂ' 받침을 가진 말의 활용

(1) '곱다'와 '돕다'의 활용꼴

곱다	고우니	고우면	고와서	고와라
돕다	도우니	도우면	도와서	도와라

(2) 그 밖의 말의 활용

고맙다	고마우니	고마우면	고마워서	고마워라
가깝다	가까우니	가까우면	가까워서	가까워라
굽다	구우니	구우면	구워서	구워라
눕다	누우니	누우면	누워서	누워라

곳간 (庫間) [고깐 / 곧깐] 곡식 따위를 넣어 두는 창고. ㉥쌀자루를 곳간에 쌓아 두다. 비 곳집.

*__곳곳__ [곧꼳] 여러 곳. 이곳저곳. ㉥식목일에는 곳곳에서 나무를 심는다 / 폭설로 도로가 곳곳에서 마비되었다.

곳곳이 [곧꼬시] 곳곳마다. ㉥시내 곳곳이 물난리다.

*__공:__[1] 고무나 가죽으로 둥글게 만들어 차거나 치거나 던지는 운동 기구. ㉥공을 던지다 / 공에 맞다. ➲ball

*__공__[2] (功) **1** 애를 써서 이룬 보람. ㉥공을 세우다 / 공이 크다. 비 공로. **2** 어떤 일에 들인 노력과 수고. ㉥많은 공을 들이다.

공[3] (空) **1** 아라비아 숫자 '0'을 이르는 말. 비 영[1]. ➲zero **2** 기호 '○'의 이름.

공[4] (公) 여러 사람에게 관계되는 국가나 사회의 일. ㉥공과 사를 구별하다. 반 사[4].

공[5] (公) 옛말 투로 상대나 다른 사람을 높여 이르는 말.

-공[1] (工) 어떤 일을 하는 기술직 근로자를 나타내는 말. ㉥인쇄공 / 숙련공.

-공[2] (公) 시호 따위의 뒤에 붙어서 높여 부르는 말. ㉥충무공 / 태사공.

*__공간__ (空間) **1** 아무것도 없이 비어 있는 곳. ㉥넓은 공간 / 공간을 채우다. **2** 끝없이 퍼져 있는 빈 곳. ㉥우주 공간. **3** 어떤 일을 하기 위한 특정한 장소. ㉥생활공간 / 휴식 공간. 반 시간.

공간적 (空間的) 공간에 관련되거나 공간의 성질을 띠는 (것). ㉥공간적 거리 / 작품의 공간적 배경.

공:갈 (恐喝) **1** 을러서 겁을 줌. ㉥공갈과 협박으로 돈을 빼앗다. **2** '거짓말'의 낮춤말. **—하다.**

공:감 (共感) 남의 의견이나 주장 따위에 대하여 자기도 그렇다고 느낌. 또는 그런 기분. ㉥공감을 느끼다 / 친구의 주장에 공감이 간다. 비 동감. **—하다.**

공:감대 (共感帶) 서로 공감하는 부분. ㉥공감대를 이루다.

공개 (公開) 어떤 사실이나 사물 따위를 여러 사람에게 널리 보임. ㉥공개 사과 / 비밀을 공개하다. 반 비공개. 비밀. **—하다.**

공개 방:송 (公開放送) 여러 사람에게 직접 보이며 하는 방송. ㉥라디오 공개 방송.

공개적 (公開的) 비밀로 하지 않고 여러 사람에게 널리 보이는 (것). ㉥공개적으로 진실을 밝히다.

공것 (空—) [공껃] 노력이나 대가 없이 거저 얻은 물건. ㉥공것을 밝히다. 비 공짜.

*__공:격__ (攻擊) **1** 적을 침. ㉥공격 명령. 비 공략. 반 방어. **2** 시비를 가려 비난함. ㉥인신공격. 비 공박. **3** 운동 경기에서 득점을 위한 적극적인 행동. ㉥경기 내내 활발한 공격을 펼치다. 반 수비. **—하다.**

공:격력 (攻擊力) [공경녁] **1** 공격하는 힘. **2** 공격할 수 있는 군대의 병력.

공:격수 (攻擊手) [공격쑤] 운동 경기에서, 공격을 주로 하는 선수. 반 수비수.

공:격적 (攻擊的) [공격쩍] 공격하는 태도를 취하는 (것). ㉥공격적인 경기를 펼치다.

공:격진 (攻擊陣) [공격찐] 공격을 주된 임무로 하는 진. 또는 그런 군사나 선수. ㉥공격진이 막강하다.

공경 (恭敬) 공손히 섬김. ㉥어른을 공경하다. **—하다.**

공고 (公告) 관청이나 공공 단체에서 어떤 일을 널리 알림. ㉥사원 모집 공고 / 기말 시험일을 공고하다. **—하다.**

공:고하다 (鞏固—) 굳고 튼튼하

다. ㉰공고한 기반.
공:고히 (鞏固―) 공고하게. ㉰단결을 공고히 하다.
공공 (公共) 국가나 사회의 구성원에게 널리 관계되는 일. ㉰공공 도서관/ 공공 생활. 비 공중.
공공건물 (公共建物) 여러 사람이 함께 사용하는 건물. 학교·도서관 따위.
공공 단체 (公共團體) 공공의 행정을 맡아보는 단체.
공공사업 (公共事業) 공공의 이익을 위해 하는 사업. 수도·전기·전화 시설 따위.
공공성 (公共性) [공공썽] 일반 사회 전체에 두루 관련되거나 미치는 성질.
공공시설 (公共施設) 여러 사람이 함께 쓸 수 있도록 만든 시설. 공중화장실·공중전화 따위.
공공연하다 (公公然―) 꺼리거나 숨기는 기색이 없이 그대로 드러나 있다. ㉰공공연한 비밀.
공공연히 (公公然―) 공공연하게. ㉰공공연히 상대를 비난하다.
공공요금 (公共料金) [공공뇨금] 철도·우편·전기·가스·수도 등 공익사업의 서비스에 대한 요금.
공과 (功過) 공로와 잘못. ㉰공과를 따지다.
공과금 (公課金) 국가나 지방 자치 단체에서 매긴 세금. ㉰공과금 고지서 / 공과금을 내다.
공관 (公館) **1** 정부의 높은 자리에 있는 사람이 공적으로 쓰는 저택. **2** 대사관·공사관·영사관 따위를 통틀어 일컫는 말.
공교롭다 (工巧―) [공교롭따] 때나 기회가 썩 묘하다. ㉰공교롭게도 그와 같은 버스를 탔다. 활용 공교로워 / 공교로우니.
공교육 (公教育) 학교 교육처럼 국가가 하는 교육.
공교하다 (工巧―) **1** 재치가 있고 교묘하다. ㉰공교한 솜씨. **2** 뜻밖의 우연과 마주쳐 기이하다. ㉰복권이 공교하게 당첨되었다.
공구[1] (工具) 물건을 만들거나 고치는 데 쓰는 기구나 도구.
공구[2] (工區) 큰 공사에서 전체를 여러 구역으로 나눌 때 그 나눈 각각의 구역.
***공군** (空軍) 항공기로 공중 전투 및 폭격 등 공격과 방어를 하는 군대. ＊육군. 해군.
공권력 (公權力) [공꿘녁] 국가나 공공 단체가 국민에게 명령하고 통제할 수 있는 권력. ㉰공권력을 행사하다.
공그르기 옷 솔기를 접을 때나 치맛단을 꿰맬 때 실 땀이 겉으로 나오지 않게 하는 바느질법의 하나. ×공구르기.
공글리다 **1** 바닥 따위를 단단하게 다지다. **2** 일을 틀림없이 잘 마무리하다.
공금 (公金) 나라나 공공 단체 또는 조직이나 모임 등의 돈. ㉰공금을 횡령하다.
공:급 (供給) **1** 필요에 따라 물품을 대어 줌. ㉰가뭄에 식수를 공급하다. **2** 바꾸거나 팔 목적으로 시장에 상품을 내놓음. 반 수요. **—하다.**
공:기[1] **1** 다섯 개의 밤톨만 한 돌을 땅바닥에 놓고, 일정한 규칙에 따라 집고 받는 아이들의 놀이. 또는 그 돌. **2** 헝겊에 콩 따위를 싸서 만든 공을 가지고 노는 아이들의 놀이.
***공기**[2] (空氣) **1** 지구를 둘러싸고 있는, 빛깔이나 냄새가 없는 투명한 기체. 주로 질소와 산소의 혼합 기체로, 비율은 4:1임. ㉰맑은 공기를 마시다 / 공기가 탁하다. **2** 주위에 감도는 분위기나 느낌. ㉰교실의 공기가 가라앉았다. ➲ air
공기[3] (空器) 위가 넓고 밑이 좁은

작은 그릇. 주로 밥을 담아 먹는 데 씀. ㉠밥공기 / 공기에 밥을 가득 담다.

공기업 (公企業) 국가 또는 지방 자치 단체가 경영하는 기업. 철도·수도·통신 따위.

공기 청정기 (空氣淸淨器) 공기 속의 먼지·세균을 걸러 내어 공기를 맑고 깨끗하게 하는 장치. 비 공기 정화기.

공기총 (空氣銃) 압축 공기의 힘으로 총알이 발사되도록 만든 총.

공기 펌프 (空氣pump) 타이어나 밀폐된 그릇의 공기를 빼내거나 넣는 데 쓰는 펌프.

공납금 (公納金) [공납끔] **1** 학생이 학교에 정기적으로 내는 돈. 수업료·육성회비 따위. **2** 관공서에 의무적으로 내는 돈.

공단 (工團) '공업 단지'의 준말.

공대 (恭待) **1** 공손히 대접함. **2** 상대편에게 높임말을 씀. ㉠서로 공대해서 말하다. 반 하대. **—하다.**

공덕 (功德) 좋은 일을 하여 쌓은 어진 덕. ㉠공덕을 쌓다.

*__공:동__ (共同) 여러 사람이나 단체가 함께 일을 하거나, 같은 자격으로 관계를 가짐. ㉠공동 우승 / 공동 제작한 영화. 비 합동. 반 단독.

공:동 경작 (共同耕作) 둘 이상의 농가 또는 한 마을이 함께 농사를 짓는 일.

공:동묘지 (共同墓地) 여러 사람이 같이 무덤을 쓸 수 있게 마련한 묘지. ㉠공동묘지에 묻히다.

공:동 사회 (共同社會) 가족·촌락처럼 핏줄이나 지역 등에 의해 자연적으로 맺어진 사회. 비 공동체.

공:동생활 (共同生活) 목적이나 환경 조건이 같은 사람들이 한데 모여 서로 도우며 사는 생활.

공:동 주:택 (共同住宅) 하나의 건물 안에서 여러 세대가 각각 독립된 생활을 할 수 있게 만든 주택.

공:동 책임 (共同責任) [—채김] 여러 사람이 함께 지는 책임. ㉠공동 책임을 지다.

공:동체 (共同體) **1** ⇨공동 사회. **2** 생활이나 행동, 목적 따위를 같이하는 집단.

공:동 판매 (共同販賣) **1** 판매 조합을 통하여 물건을 공동으로 파는 일. **2** 기업체가 물건을 스스로 팔지 않고 공동 판매장을 거쳐서 파는 일. 준 공판.

공들다 (功—) 어떤 일을 이루는 데 정성과 노력이 많이 들다. ㉠공든 탑이 무너지랴. 활용 공들어 / 공드니 / 공든.

공들이다 (功—) [공드리다] 무엇을 이루려고 힘과 마음을 다하여 애쓰다. ㉠공들인 작품.

공란 (空欄) [공난] 글 쓸 종이에 글자 없이 비워 둔 난. ㉠공란에 이름을 쓰시오.

공:략 (攻略) [공냑] 적의 진지나 영토를 공격하여 빼앗음. ㉠목표 지점을 공략하다. **—하다.**

공로 (功勞) [공노] 어떤 일을 이루는 데 들인 노력과 수고. 또는 애를 써서 이룬 공적. ㉠공로를 치하하다. 비 공적. 공훈. 준 공.

공론1 (公論) [공논] 여러 사람이 모여 의논함. 또는 여러 사람의 공통된 의견이나 사회 일반의 공통된 여론. ㉠공론에 따르다 / 공론에 부치다 / 공론이 분분하다. 비 여론.

공론2 (空論) [공논] 실속 없는 헛된 논의를 함. 또는 그런 이론이나 논의. ㉠헛된 공론을 벌이다.

공:룡 (恐龍) [공뇽] 중생대에 살았던 거대한 파충류를 통틀어 이르는 말. 길이는 5-25 m, 육상에서 살았으며 화석에 의하여 수백 종 이상이 알려져 있음.

공리1 (公利) [공니] 사회의 여러

사람의 이익. 반 사리.

공리² (公理) [공니] 누구에게나 통할 수 있는 이치.

공립 (公立) [공닙] 학교나 병원 따위를 지방 자치 단체가 세워서 운영하는 것. 예 공립 병원. 반 사립.

공립학교 (公立學校) [공니팍꾜] 지방 자치 단체가 세워 운영하는 학교. 반 사립학교.

공명¹ (功名) 공을 세워 이름이 널리 알려짐. 또는 그 이름. 예 공명을 떨치다 / 부귀와 공명을 누리다.

공ː명² (共鳴) **1** 물체가 외부의 음파에 자극을 받아 그와 같은 소리를 내는 것. **2** 남의 의견이나 행동을 마음으로부터 찬성함. 비 공감. 찬동. **—하다.**

공명선거 (公明選擧) 부정이 없는 공정하고 바른 선거. 예 국민 모두가 공명선거에 앞장서야 한다.

공명심 (功名心) 공을 세워 이름을 떨치려는 마음. 예 공명심에 차다 / 공명심에 눈이 멀다.

공명정대하다 (公明正大—) 마음이 바르고 떳떳하다. 예 공명정대한 선거.

공명하다 (公明—) 사사로움이나 한쪽으로 치우침이 없이 공정하고 명백하다. 예 일의 공명한 처리 / 이번 선거는 공명하게 치렀다.

공모¹ (公募) 여러 사람에게 널리 알려 뽑음. 예 독서 감상문을 공모하다. **—하다.**

공ː모² (共謀) 두 사람 이상이 주로 옳지 못한 일을 같이 꾀함. 예 공모에 가담하다 / 공모하여 도둑질을 하다. **—하다.**

공모전 (公募展) 공개 모집한 작품의 전시회. 예 공모전을 열다 / 서예 공모전에 입선하다.

공무 (公務) **1** 여러 사람에 관한 공적인 일. 예 공무가 바쁘다. **2** 국가 또는 공공 단체 공무원의 일. 예 공무를 수행하다. 반 사무.

***공무원** (公務員) 국가 또는 지방 자치 단체의 사무를 맡아보는 사람. 국가 공무원과 지방 공무원이 있음. 비 관리.

공문 (公文) '공문서'의 준말.

공문서 (公文書) 공무에 관계되는 서류. 준 공문.

공ː물 (貢物) 예전에, 백성이 세금으로 나라에 바치던 특산물.

공민 (公民) 한 나라의 국적을 가지고 있고 그 나라 법에 따른 권리와 의무를 가진 사람.

공민왕 (恭愍王) 〖인명〗 고려 제31대 임금. 왕위에 오른 뒤 원나라의 지배에서 벗어나기 위하여 친원파를 몰아내고, 영토 회복, 제도 개혁 따위에 힘을 씀. [1330–1374 ; 재위 1352–1374]

공ː박 (攻駁) 남의 잘못을 따지고 나무람. 예 친구의 잘못을 너무 공박하지 마라. **—하다.**

공밥 (空—) [공빱] 값을 치르지 않거나 일하지 않고 거저 먹는 밥. 예 공밥을 얻어먹다.

공ː방 (攻防) 서로 공격하고 방어함. 예 공방을 벌이다.

공ː방전 (攻防戰) 서로 공격하고 방어하는 싸움. 예 치열한 공방전이 벌어지다.

공배수 (公倍數) 둘 이상의 정수에 공통으로 들어 있는 배수. 3과 5의 공배수는 15, 30 등임. 반 공약수.

공백 (空白) **1** 종이나 책 따위에 글씨나 그림이 없는 빈 곳. 예 책의 공백에 메모하다. **2** 아무것도 없이 비어 있음. 예 공백 기간.

공ː범 (共犯) **1** 두 사람 이상이 짜고 죄를 저지름. 예 공범으로 몰리다. **2** '공범자'의 준말. 반 단독범.

공ː범자 (共犯者) 함께 죄를 저지른 사람. 준 공범.

공법 (公法) [공뻡] 나라와 나라 사

이의 관계 또는 나라와 개인의 관계 따위를 규정한 법률. ㉥사법.

공ː변세포 (孔邊細胞) 잎 뒷면의 구멍을 둘러싸고 있는 반달 모양의 세포. 식물체 안의 물기의 양에 따라 닫고 열어서 물기를 조절함.

공병 (工兵) 군대에서 필요한 도로·다리·건축 따위의 공사를 맡고 있는 병과. 또는 그에 속한 군인.

공보 (公報) 국가 기관에서 국민에게 각종 활동 사항을 널리 알리는 일. ㉥사보.

공복 (空腹) 아무것도 먹지 않아 빈 배 속. 또는 배고픔. ㉠공복을 느끼다 / 공복을 채우다.

*__공부__ (工夫) 학문이나 기술을 배우고 익힘. ㉠시험 공부 / 공부를 잘하다. ㉡수업. 학습. **—하다.** ➲ study

공부방 (工夫房) [공부빵] 공부를 하기 위하여 따로 마련해 놓은 방.

공비[1] (公費) 관청이나 공공 단체가 일을 하는 데 쓰는 돈. ㉥사비.

공ː비[2] (共匪) 공산군이나 공산당의 유격대를 도둑 떼에 비유한 말. ㉠공비 소탕.

*__공사__[1] (工事) 시설이나 건물을 짓거나 고치는 일. ㉠아파트 신축 공사 / 공사를 마무리하다 / 공사를 벌이다. ㉡역사. **—하다.**

공사[2] (公私) 공적인 일과 사적인 일. ㉠공사를 혼동하다 / 공사를 구분하다.

공사[3] (公使) 조약을 맺은 나라에 머무르면서 자기 나라를 대표하여 외교 사무를 맡아보는 공무원.

공사[4] (公社) 국가적 사업을 위해 설립한 정부의 기업체. ㉠한국 방송 공사.

공사비 (工事費) 건축이나 토목 공사 따위를 하는 데 드는 돈. ㉠공사비를 줄이다.

공사장 (工事場) 공사를 하는 곳.

공사판 (工事—) 공사가 벌어지고 있는 현장.

공산 (公算) 어떤 일이 일어날 가능성의 정도. ㉠이길 공산이 크다. ㉡가망. 확률.

공ː산 국가 (共產國家) [—국까] 공산주의를 받들고, 그 주의에 따라서 다스려지는 나라.

공ː산당 (共產黨) 공산주의를 따르고 그 실현을 위해 조직된 정당.

공ː산주의 (共產主義) [— / 공산주이] 모든 재산과 생산 수단을 국가 소유로 하며 혁명을 통해 계급을 없애는 것을 내세우는 정치 사상. ＊사회주의. 자본주의.

공산품 (工產品) 공업에서 생산되는 제품. 공업 생산품.

공상 (空想) 현실적이지 못하거나 실현될 가능성이 없는 것을 생각하는 일. ㉠공상 만화 / 공상에 잠기다. **—하다.**

공상가 (空想家) 공상적인 생각을 늘 하는 사람.

공상 과학 소ː설 (空想科學小說) [—쏘설] 과학적 지식을 바탕으로 상식을 뛰어넘는 공상 세계를 그린 소설. 에스에프(SF).

공상적 (空想的) 생각이 현실과 동떨어지거나 실현될 가망이 없는 (것). ㉠공상적 이야기.

공ː생 (共生) **1** 같은 곳에서 서로 도우며 함께 삶. ㉠공생 관계. **2** 종류가 다른 생물이 서로 이익을 주고받으며 같이 생활하는 일. 개미와 진디, 악어와 악어새 따위. **—하다.**

공ː생 식물 (共生植物) [—싱물] 종류가 다르면서 서로 이익을 주고받으며 같이 사는 식물. 콩과 식물과 뿌리혹박테리아 따위.

공석[1] (公席) 공적인 일로 모인 자리. ㉥사석.

공석[2] (空席) 비어 있는 자리.

공설 (公設) 국가나 공공 단체에서 세움. ㉠공설 시장 / 공설 운동장.

반 사설.

공ː세 (攻勢) 공격하는 태도나 자세. 예공세를 취하다 / 질문 공세를 받다. 반 수세.

공소 (公訴) 검사가 법원에 재판을 요구하는 일. **—하다.**

공소권 (公訴權) [공소꿘] 법원에 공소를 할 수 있는 검사의 권리.

공손하다 (恭遜—) 예의 바르고 겸손하다. 예태도가 공손하다. 비 겸손하다. 반 거만하다. 불손하다.

공손히 (恭遜—) 공손하게. 예공손히 대답하다.

공ː수[1] (攻守) 공격과 수비. 예공수의 전환이 빠르다.

공수[2] (空輸) 비행기로 사람·짐 따위를 옮겨 나름. 예보급품 공수 작전. 본 항공 수송. **—하다.**

공순하다 (恭順—) 공손하고 온순하다. 예공순한 마음가짐.

공술 (空—) [공쑬] 공짜로 얻어먹는 술.

공습 (空襲) 적진이나 적의 영토에 비행기로 폭탄을 떨어뜨리거나 공격하는 일. **—하다.**

공습경보 (空襲警報) [공습꼉보] 적의 비행기가 공격해 왔음을 알리는 경보. 방송·사이렌·종 따위로 알림. 예공습경보가 울리다.

공시 (公示) 사람들에게 널리 알림. 예선거일을 공시하다. **—하다.**

공시가 (公示價) [공시까] 정부나 공공 기관에서 매긴 값.

공식 (公式) **1** 국가나 공공 기관에서 정한 방식이나 형식. 예공식 방문 / 공식 행사. **2** 셈하는 방법을 수학의 기호를 써서 나타낸 식. 예원의 넓이를 구하는 공식.

공식적 (公式的) [공식쩍] 공적인 형식이나 방식을 가지는 (것). 예정부의 공식적(인) 입장을 발표하다.

공식화 (公式化) [공시콰] 공식적인 것으로 됨. 또는 그렇게 되게 함. 예외교 관계를 공식화하다. **—하다.**

공신 (功臣) 나라를 위해 공을 세운 신하. 예개국 일등 공신.

공신력 (公信力) [공신녁] 사회적으로 인정받을 수 있는 신용. 예국가 공신력 / 회사의 이미지와 공신력이 떨어졌다.

공안 (公安) 여러 사람의 안녕과 질서를 유지하는 일.

공약 (公約) 정부·정당·선거의 입후보자 등이 어떤 일에 대해 국민에게 하는 약속. 예선거 공약. **—하다.**

공약수 (公約數) [공약쑤] 둘 이상의 정수에 공통되는 약수. '16, 12, 8' 에서 4, 2 따위. 반 공배수.

공ː양 (供養) **1** 웃어른께 음식을 드림. 예시부모 공양. **2** 부처 앞에 음식물을 올림. **3** 절에서, 음식을 먹는 일. **—하다.**

공ː양미 (供養米) 부처에게 공양으로 바치는 쌀. 예공양미 삼백 석.

공언[1] (公言) 여러 사람 앞에서 분명하게 공개하여 하는 말. 예정계 은퇴를 공언하다. **—하다.**

공언[2] (空言) **1** 말뿐이고 실천이 따르지 않는 빈말. 예공언을 일삼다. **2** 근거 없는 빈말. **—하다.**

*__공업__ (工業) 원료를 가공하여 새로운 제품을 만들어 내는 산업. 예공업 제품.

공업 고등학교 (工業高等學校) [—꼬등학교] 공업에 관한 지식과 기능을 가르치는 고등학교.

공업국 (工業國) [공업꾹] 공업이 발달하여 산업의 중심이 되는 나라. 예선진 공업국.

공업 단지 (工業團地) [—딴지] 경제 발전 계획을 이루기 위하여 공업 생산에 필요한 시설들을 갖추어 놓고 많은 공장을 한곳에 모아 놓은 지역. 준 공단.

공업용 (工業用) [공엄뇽] 공업에 쓰임. 예공업용 약품.

공업용수 (工業用水) [공엄뇽수] 공산품 생산 과정에 쓰이는 물. 냉각용·보일러용·원료용·온도 조절용 등이 있음.

공업화 (工業化) [공어퐈] 산업 구성의 중점이 농업·광업 등 원시산업에서 가공 산업·제조 공업으로 바뀌어 발달하여 가는 현상. ㉠공업화를 이룩하다. **—하다.**

*__공연__[1] (公演) 여러 사람 앞에서 음악·무용·연극 따위를 하는 일. ㉠지방 공연 / 연극 공연을 보러 가다. **—하다.**

공ː연[2] (共演) 연극이나 영화 따위에 함께 출연함. ㉠외국 배우와 공연하다. **—하다.**

공연스레 (空然—) 특별한 까닭이나 필요가 없이. ㉠공연스레 시비를 걸다.

공연장 (公演場) 연극·음악·무용 따위의 공연을 하는 장소. ㉠공연장이 관객들로 가득 찼다.

공연하다 (空然—) 까닭이나 필요가 없다. ㉠공연한 짓을 하다 / 공연한 트집을 잡다.

공연히 (空然—) 별 까닭이 없이. ㉠공연히 심술을 부리다.

공염불 (空念佛) [공념불] **1** 입으로만 외는 헛된 염불. **2** 말만 앞세우고 실천하지 않음의 비유. ㉠공염불로 끝나다.

공영[1] (公營) 관청이나 공공 단체가 경영함. ㉥민영. **—하다.**

공ː영[2] (共榮) 서로 함께 번영함. ㉠공존공영 / 인류 공영에 이바지하다. **—하다.**

공영 방ː송 (公營放送) 국가 기관으로부터 떨어져 나와 방송 사업을 경영하되, 이익 추구를 목적으로 하지 않는 방송 기관.

공예 (工藝) 물건을 실용적이면서 예술적으로 아름답게 만드는 재주나 솜씨.

공예품 (工藝品) 실용적이면서 예술적 가치가 있게 만든 물건. 도자기·가구·서화·칠기 따위.

공용[1] (公用) 공공의 목적으로 씀. ㉠공용 물품. ㉥사용.

공ː용[2] (共用) 함께 씀. ㉠이 옷은 남녀 공용이다. ㉥전용.

공용어 (公用語) **1** 한 나라 안에서 공식적으로 쓰는 언어. **2** 국제회의나 기구에서 공식적으로 쓰는 언어.

*__공원__[1] (公園) 여러 사람이 놀거나 쉴 수 있도록 나무·풀밭·꽃 등을 가꾸어 놓고 여러 가지 놀이 시설을 갖추어 만든 장소. ㉠호수 공원 / 공원을 거닐다. ➲ park

공원[2] (工員) 공장에서 일하는 근로자. ㉥직공.

공유[1] (公有) 국가나 공공 단체의 소유. ㉥사유.

공ː유[2] (共有) 두 사람 이상이 한 물건을 함께 소유함. ㉠아파트의 공유 면적. **—하다.**

공유지 (公有地) 국가나 공공 단체가 소유하는 땅. ㉥사유지.

공으로 (空—) 힘이나 돈을 들이지 아니하고 거저. 공짜로. ㉠공으로 얻었다고 마구 쓰지 마라.

공이 **1** 절구에 든 물건을 찧거나 빻는 기구. ㉠공이를 내리치다. **2** 총알의 뇌관을 쳐서 폭발하게 하는 송곳 모양의 장치.

*__공익__ (公益) 여러 사람의 이익. ㉠공익 광고 / 공익 단체. ㉥사익.

공익사업 (公益事業) [공익싸업] 철도·전신·전화·수도·가스·의료 사업 등 여러 사람을 이롭게 하는 사업. ㉥공공사업.

공인[1] (公人) **1** 국가나 사회를 위해 일하는 사람. 또는 사회 전체에 끼치는 영향이 큰 사람. 정치가·연예인 등이 속함. **2** 공직에 있는 사람. ㉠공인으로서의 몸가짐이 반듯하다. ㉥사인.

공인² (公認) 국가나 사회단체가 어떤 행위나 물건에 대해 인정함. ㉠공인 기록 / 공인 회계사 / 불교를 공인하다. **—하다.**

공일 (空日) 일을 하지 않고 쉬는 날. 비휴일.

공:자 (孔子) 〖인명〗 중국의 사상가·학자. 세계 4 대 성인의 한 사람. 마음을 닦아 어진 정치를 펼쳐야 한다는 윤리와 정치의 이상을 가르침. 그의 말과 행동은 제자들에 의하여 '논어' 에 정리되어 있음. [기원전 552–기원전 479]

공:작¹ (孔雀) 꿩과에 속하는 새. 인도 원산으로 꿩과 비슷하나 꿩보다는 몸집이 큼. 특히 수컷이 꽁지를 펴면 큰 부채와 같으며 오색찬란함.

〈공작¹〉

공작² (工作) **1** 어떤 목적을 위하여 미리 계획하여 일을 꾸밈. ㉠방해 공작을 펴다. **2** 기계나 공구 등을 가지고 물건을 만드는 일. ㉠공작 재료. **—하다.**

공작실 (工作室) [공작씰] 간단한 기구나 물건을 만들 수 있는 시설을 갖추어 놓은 방.

*__공장__ (工場) 여러 가지 기계를 설치·사용하여 원료나 재료를 가공해서 물건을 만들어 내는 곳. ㉠공장을 세우다 / 신발 공장을 견학하다.

공장장 (工場長) 공장의 일과 노동자들을 지휘·감독하는 우두머리.

공:저 (共著) 한 책을 두 사람 이상이 함께 지음. 또는 그 책. **—하다.**

공적¹ (公的) [공쩍] 사회적으로 관계되는 (것). 여러 사람에 관계되는 (것). ㉠공적인 일. 반사적.

공적² (功績) 애써 이룩한 좋은 실적. ㉠빛나는 공적. 비공로.

공전¹ (公轉) 한 천체가 다른 천체의 주위를 도는 운동. 지구가 태양의 둘레를 돌거나 달이 지구의 둘레를 도는 것과 같은 것. 반자전. **—하다.**

공전² (工錢) 물건을 만드는 데 드는 품삯. ㉠한복은 공전이 비싸다.

공전³ (空前) 비교할 만한 것이 이전에는 없음. ㉠공전의 대성공을 거두다.

공전⁴ (空轉) **1** 일이나 행동이 헛되이 진행됨. ㉠국회가 아무 성과 없이 공전하고 있다. **2** 바퀴 따위가 헛돎. **—하다.**

공전 주기 (公轉週期) 한 천체가 다른 천체의 둘레를 한 바퀴 도는 데 걸리는 기간.

공정¹ (工程) **1** 일이 되어 가는 정도. **2** 제품을 생산하는 과정에서 거쳐야 하는 하나하나의 작업 단계. ㉠자동차는 복잡한 공정을 거친다.

공정² (公正) 공평하고 올바름. ㉠공정한 재판을 받을 권리. 반불공정. **—하다. —히.**

공정 가격 (公定價格) [—까격] 국민 생활의 안정을 위해서 나라가 정하여 준 물품의 판매 가격.

공:제¹ (共濟) 힘을 합하여 서로 도움. ㉠공제 조합.

공:제² (控除) 받을 몫에서 일정한 돈이나 수량을 뺌. ㉠월급에서 세금을 공제하다. **—하다.**

공조 (工曹) 고려·조선 시대에 두었던 육조의 하나. 공업에 관한 일을 맡아보았음.

공:존 (共存) **1** 두 가지 이상의 일이나 물건이 함께 있음. **2** 서로 도와서 함께 존재함. ㉠평화 공존의 시대. **—하다.**

*__공주__¹ (公主) 왕비가 낳은 임금의 딸. 비왕녀. 반왕자.

공주² (公州) 〖지명〗 충청남도에 있는 도시. 옛날 백제의 서울로, 유물과 유적이 많이 남아 있음.

공주병 (公主病) [공주뼝] 여자가 마치 자기 자신이 공주처럼 예쁘다고 착각하는 일.

*__공중[1]__ (空中) 하늘과 땅 사이의 빈 곳. ㉠색색의 풍선들이 공중으로 떠올랐다. 비 하늘.

공중(에) 뜨다 물건의 수량 따위가 모자라거나 없어지다. ㉠돈 만 원이 공중에 떴다.

*__공중[2]__ (公衆) 사회의 여러 사람. 일반 사람들. ㉠공중을 위한 휴게실.

공중도덕 (公衆道德) 여러 사람이 함께 살아가면서 다 같이 지켜야 할 예절과 질서.

공중위생 (公衆衛生) 많은 사람들의 건강을 지키는 일. 환경 정화·전염병 예방 등이 있음. 반 개인위생.

공중전화 (公衆電話) 여러 사람들이 필요할 때마다 동전이나 카드를 넣고 쓸 수 있도록 길거리나 일정한 장소에 설치한 전화.

공중제비 (空中—) 두 손을 땅에 짚고 두 다리를 공중으로 쳐들어서 반대 방향으로 넘는 재주. 텀블링. ㉠공중제비를 넘다.

공지[1] (公知) 사람들에게 널리 알림. **—하다.**

공지[2] (空地) 빈 땅. 빈터.

공지 사ː항 (公知事項) 사람들에게 널리 알리는 사항.

공직 (公職) 관청이나 공공 단체의 일을 맡아보는 직무. ㉠공직 생활 / 공직에서 물러나다.

공직자 (公職者) [공직짜] 공무원·국회의원 따위의 공직에 있는 사람.

공집합 (空集合) [공지팝] 원소가 하나도 없는 집합.

보기 ㉮={3, 5, 6, 7}, ㉯={4, 8, 9}일 때, ㉮∩㉯=ϕ 즉, 집합 ㉮와 집합 ㉯의 교집합은 원소가 하나도 없는 공집합임.

공짜 (空—) 거저 얻는 것. 또는 그 물건. ㉠공짜로 영화 구경을 하다. 비 무료.

공ː차기 공을 발로 차는 운동이나 놀이.

공채 (公債) 국가나 공공 단체가 재정이 모자랄 때 필요한 경비를 모으기 위해 빌리는 빚. 반 사채.

*__공책__ (空冊) 글씨를 쓸 수 있게 줄이 쳐 있거나 빈 종이로 만든 책. 노트. 비 필기장. ➲ notebook

공ː처가 (恐妻家) 아내에게 눌려 지내는 남편.

공천 (公薦) 정당에서 선거에 입후보자로 나설 사람을 추천함. ㉠당의 공천을 받다. **—하다.**

공청회 (公聽會) 나라에서 중요한 일을 결정하기 전에 전문가 및 관계자들로부터 의견을 듣는 모임. ㉠공청회를 열다.

공ː출 (供出) 일제 강점기 때, 물자나 곡식을 강제로 바치게 하던 일. **—하다.**

공ː치기 공을 치고 받고 하는 운동을 통틀어 이르는 말. **—하다.**

공치다 (空—) 무슨 일을 하려다가 이루지 못하고 허탕 치다. ㉠비가 와서 오늘 장사는 공쳤다.

공치사[1] (功致辭) 남을 위해 애쓴 일을 스스로 자랑함. **—하다.**

공치사[2] (空致辭) 빈말로 하는 칭찬. ㉠마음에도 없는 공치사를 하다. **—하다.**

공터 (空—) 비어 있는 땅. 빈터.

공ː통 (共通) 어느 것에나 두루 통함. 여럿 사이에 같은 관계가 있음. ㉠공통 과제 / 공통되는 부분. 반 상이. 특수. **—하다.**

공ː통분모 (共通分母) 수학에서 분모가 다른 여러 분수를 통분한 분모. 분모의 최소 공배수를 공통분모로 함. $\frac{2}{3}$와 $\frac{3}{4}$을 $\frac{8}{12}$과 $\frac{9}{12}$로 했을 때의 12.

공ː통적 (共通的) 여럿 사이에 두

루 통하거나 관계하는 (것). ㉠공통적인 문제.

*공ː통점 (共通點) [공통쩜] 여럿 사이에 두루 통하는 점. ㉠그들은 성격이나 취미에 공통점이 많다. 반 차이점.

공판 (公判) 형사 재판에서 죄가 있고 없음을 재판하는 일.

공ː판장 (共販場) 공동으로 판매하는 장소. ㉠농산물 공판장.

공평 (公平) 치우치지 않고 공정함. ㉠유산을 공평하게 나누다. 반 불공평. **—하다. —히.**

공포[1] (公布) 모든 사람에게 널리 알림. ㉠법령을 공포하다. **—하다.**

공ː포[2] (恐怖) 무섭고 두려움. ㉠공포 분위기 / 공포에 떨다.

공포[3] (空砲) **1** 실탄을 넣지 않고 소리만 나게 총을 쏨. ㉠공포를 쏘다. 비 헛총. **2** 위협하기 위하여 공중을 향해 총을 쏨. ㉠달아나는 범인에게 공포를 쏘다.

공ː포감 (恐怖感) 두렵고 무서운 느낌. ㉠공포감에 휩싸이다 / 공포감을 불러일으키다.

공ː포심 (恐怖心) 무서워하고 두려워하는 마음. ㉠공포심이 일다.

공ː포증 (恐怖症) [공포쯩] 항상 불안하고 두려운 마음을 가지는 병적인 증세.

공포탄 (空砲彈) 탄알 없이 화약만 들어 있는 탄환.

공표 (公表) 세상에 널리 알림. ㉠새 학설이 공표되다. **—하다.**

공학[1] (工學) 과학을 공업 생산에 이용하여 생산 능률을 향상시키기 위한 기술을 연구하는 학문. ㉠컴퓨터 공학.

공ː학[2] (共學) 남학생과 여학생이 한 학교에서 함께 배움. ㉠남녀 공학. **—하다.**

공한지 (空閑地) **1** 농사를 지을 수 있는데도 아무것도 심지 않고 놀리는 땅. ㉠공한지를 줄이다. **2** 집을 짓지 아니한 빈 터.

*공항 (空港) 비행기가 뜨고 내릴 수 있도록 시설을 만들어 놓은 곳. ㉠인천 국제 공항 / 공항에 마중 나가다. 비 비행장. ➲airport

공해[1] (公害) 산업이 발달하고 교통량이 늘어남에 따라 나타나는 자연환경의 파괴 및 소음·폐수·매연 따위로 인한 피해. ㉠공해 산업 / 공해가 심각하다.

공해[2] (公海) 어느 나라의 주권도 미치지 아니하여, 자유롭게 사용할 수 있는 바다. 반 영해.

공허감 (空虛感) 텅 빈 듯한 허전한 느낌. ㉠공허감을 느끼다.

공허하다 (空虛—) **1** 속이 텅 비다. ㉠마음이 공허하다. **2** 실속이 없이 헛되다. ㉠공허한 이야기.

공ː헌 (貢獻) 어떤 일을 위하여 힘을 써서 이바지함. ㉠사회 발전에 공헌하다. 비 기여. 이바지. **—하다.**

공ː화국 (共和國) 국민이 뽑은 사람이 나라의 최고 대표자가 되어 정치를 하는 나라.

공ː화 정치 (共和政治) 주권이 국민에게 있고 국민이 선출한 대표자들이 국법에 따라 행하는 정치.

공활하다 (空豁—) 텅 비고 매우 넓다. ㉠공활한 가을 하늘.

공ː황 (恐慌) '경제 공황'의 준말.

공회당 (公會堂) 여러 사람의 모임을 위하여 세운 집. ㉠회의가 공회당에서 열리다.

공훈 (功勳) 나라나 사회를 위해 세운 훌륭한 공로.

공휴일 (公休日) 국경일·일요일같이 공적으로 쉬기로 정하여진 날. 비 휴일. 반 평일. ➲holiday

공ː히 (共—) 모두. 다 같이. ㉠남녀노소 공히 즐기는 노래.

곶 (串) [곧] 바다 쪽으로 좁고 길게 뻗어 있는 육지의 끝 부분.

-곶 (串) [곧] 지명 뒤에 붙어, 반도 모양으로 바다로 내민 작은 땅을 이르는 말. ㉑장산곶.

곶감 [곧깜] 껍질을 벗기고 꼬챙이에 꿰어서 말린 감. 비 건시.

과[1] (科) **1** 학과나 연구 분야를 구분하는 단위. ㉑국어과 / 그 친구는 무슨 과에 다니니. **2** 생물의 분류에서 목의 아래, 속의 위에 있는 단계. ㉑소나뭇과 / 고양이는 무슨 과에 속하느냐.

*__과__[2] (課) **1** 관공서나 회사 등의 조직의 한 단위. ㉑총무과 / 우리 과는 분위기가 좋다. **2** 교과서 따위에서 내용에 따라 차례로 벌여 놓은 학습의 단위. ㉑시험 범위는 제1과에서 3과까지이다.

*__과__[3] 받침 있는 말에 붙어, 여러 가지를 열거하거나 다른 말과 비교할 때, 또는 함께함을 나타낼 때 쓰는 말. ㉑형과 아우 / 성격이 불과 같다 / 동생과 심부름을 가다. *와[2].

과:감성 (果敢性) [과감썽] 과감한 성질.

과:감하다 (果敢—) 일을 딱 잘라서 결정하는 성질이 있고 용감하다. ㉑과감한 행동.

과:객 (過客) 지나가는 나그네. ㉑과객이 하룻밤 묵기를 청하다.

과거[1] (科擧) 고려와 조선 시대에 관리를 뽑기 위하여 보이던 시험. ㉑과거에 급제하다.

*__과:거__[2] (過去) **1** 지나간 때. ㉑과거에는 없던 일. **2** 지나간 일이나 생활. ㉑과거를 속이다. *미래. 현재.

과:격파 (過激派) 과격한 방법으로 자기의 주장을 실현하려는 사람이나 무리. 반 온건파.

과:격하다 (過激—) [과격카다] 지나치게 격렬하다. ㉑과격한 운동.

과:꽃 [과꼳] 국화과에 속하는 한해살이풀. 줄기의 높이는 30-60 cm. 가을에 보라·연분홍·흰색 등의 꽃이 핌.

〈과꽃〉

과:녁 활이나 총을 쏘는 연습을 할 때 목표로 세워 놓은 물건. ㉑쏜 화살이 모두 과녁에 꽂혔다. 비 표적.

과:녁판 (—板) 과녁으로 세우는 나무 따위의 판.

과:년하다 (過年—) 여자의 나이가 시집갈 때를 지나다. ㉑과년한 처녀.

과:다 (過多) 너무 많음. ㉑과다 노출 / 과다한 지출. 비 과잉. 반 과소. **—하다.**

과:단성 (果斷性) [과단썽] 일을 딱 잘라서 결정하는 성질. ㉑과단성 있게 일을 처리하다.

과:당 (過當) 정도가 보통보다 지나침. ㉑과당 경쟁.

과:대[1] (過大) 지나치게 큼. ㉑과대한 요구. 반 과소[1]. **—하다.**

과:대[2] (誇大) 작은 것을 큰 것처럼 떠벌림. ㉑과대 선전 / 사실을 과대하여 말하다. **—하다.**

과:대망상 (誇大妄想) 자기의 현재 상태를 실제보다 턱없이 과장해서 사실인 것처럼 믿는 현상. ㉑과대망상에 빠지다.

과:대평가 (過大評價) [과대평까] 실제 이상으로 높이 평가함. ㉑상대의 실력을 지나치게 과대평가하다. 반 과소평가. **—하다.**

과:도[1] (果刀) 과일을 깎는 칼. 비 과일칼.

과:도[2] (過渡) 한 단계에서 다음 단계로 넘어가거나 바뀌어 가는 도중. ㉑과도 정부.

과:도기 (過渡期) **1** 한 단계에서 다음 단계로 넘어가는 도중의 시기. **2** 사회의 사상과 제도가 확립되지 않고 인심이 불안정한 시기. ㉑과도기 현상.

과:도하다 (過度—) 정도가 지나치다. ㊞과도한 경쟁 / 과도한 운동은 오히려 몸에 해롭다.

과:로 (過勞) 지나치게 일하여 몸이 고달픔. 또는 그로 인한 피로. ㊞과로로 병을 얻다. **—하다.**

과:망간산칼륨 (過Mangan酸Kalium) 검은 보라색이 나는 기둥 모양의 결정. 물에 녹으면 붉은 보라색의 용액이 됨. 살균제·표백제 등으로 쓰임.

***과목** (科目) 가르치거나 배워야 할 내용을 공부의 분야와 방법에 따라 일정하게 나눈 것. ㊞전공 과목 / 내일 수업 받을 과목의 책을 챙기다.

과:묵하다 (寡默—) [과무카다] 말이 적고 침착하다. ㊞과묵한 성격.

과:민 (過敏) 지나치게 예민함. ㊞신경과민 / 과민한 반응을 보이다. **—하다.**

과:밀 (過密) 인구나 산업이 한곳에 지나치게 모여 있음. ㊞과밀 교실 / 인구 과밀 현상은 심각한 사회 문제가 되고 있다. 반 과소³. **—하다.**

과:반수 (過半數) 절반이 넘는 수. ㊞참석자의 과반수 찬성을 얻다.

과:보호 (過保護) ⇨과잉보호. **—하다.**

과:부 (寡婦) 남편이 죽어서 혼자 사는 여자. 비 홀어미. 미망인. 반 홀아비.

과:부족 (過不足) 남거나 모자람. ㊞과부족 없이 꼭 들어맞다.

과:분하다 (過分—) 분수에 넘치게 좋다. ㊞과분한 칭찬.

과:산화수소 (過酸化水素) 산소와 수소의 화합물로 색깔과 냄새가 없는 액체. 표백제나 소독제 따위로 씀.

과:산화수소수 (過酸化水素水) 과산화수소를 물에 녹인 액체. 상표명은 옥시풀.

과:세¹ (過歲) 설을 쇰. 새해를 맞음. **—하다.**

과세² (課稅) 세금을 매김. ㊞과세 기준 / 특별 소비세를 과세하다. **—하다.**

과:소¹ (過小) 지나치게 작음. 반 과대¹.

과:소² (過少) 지나치게 적음. 반 과다.

과:소³ (過疏) 지나치게 성김. 어느 지역의 인구 따위가 너무 적음. ㊞인구 과소 지역. 반 과밀. **—하다.**

과:소비 (過消費) 돈을 정도에 지나치게 많이 써서 없앰. ㊞과소비 추방 / 과소비를 조장하다.

과:소평가 (過小評價) [과소평까] 실제보다 지나치게 약하거나 낮게 평가함. ㊞상대를 과소평가하다. 반 과대평가. **—하다.**

과:속 (過速) 지나치게 빠른 속도. ㊞과속 운행 / 차들이 과속으로 달리다. **—하다.**

과:수 (果樹) ⇨과실나무.

***과:수원** (果樹園) 과실나무를 많이 심어 가꾸는 밭. 준 과원.

과:시 (誇示) 자랑하여 보임. ㊞솜씨를 과시하다. **—하다.**

과:식 (過食) 지나치게 많이 먹음. ㊞과식은 건강에 좋지 않다. 반 소식. **—하다.**

과:신 (過信) 지나치게 믿음. ㊞자신의 실력을 과신하다. **—하다.**

과:실¹ (果實) 먹을 수 있는, 나무의 열매. 비 과일. 열매.

과:실² (過失) 부주의나 게으름에서 오는 잘못이나 실수. ㊞과실을 인정하다. 비 과오. 반 고의.

과:실나무 (果實—) [과실라무] 열매를 얻기 위하여 재배하는 나무의 총칭. 비 과수. 과일나무.

과:실 치:사 (過失致死) 실수로 사람을 죽이는 일.

과:언 (過言) 정도에 지나친 말. ㊞그는 천재라 해도 과언이 아니다.

과업 (課業) 마땅히 해야 할 일이나 맡겨진 일. ㉠과업을 완수하다.

*__과:연__ (果然) **1** 아닌 게 아니라 정말로. 들은 바와 같이. ㉠실물을 보니 듣던 대로 **과연** 아름답구다. **2** 참으로. 도대체. ㉠이 책을 읽어 본 사람이 **과연** 몇 명이나 될까.

과:열 (過熱) **1** 지나치게 뜨거워짐. ㉠난로 **과열**로 불이 났다. **2** 경쟁 따위가 지나치게 치열함. ㉠입시 과열. **—하다.**

과:오 (過誤) 잘못이나 실수. ㉠과오를 범하다. 비 과실.

과외 (課外) 학교에서 배우는 것 이외에 따로 학교 밖에서 배우는 것. ㉠과외 공부.

과외 활동 (課外活動) [—활똥] 학생들이 정규 교과목 학습 외에 하는 활동.

과:욕 (過慾) 욕심이 지나침. 또는 그 욕심. ㉠과욕은 실패의 지름길이다. **—하다.**

과:용 (過用) 너무 많이 씀. ㉠약을 **과용**하다 / 여행 경비를 **과용**하다. **—하다.**

과:음 (過飮) 술을 지나치게 많이 마심. **—하다.**

과:인 (寡人) 임금이 자기를 낮추어 일컫던 말.

과:인산 석회 (過燐酸石灰) [—서쾨] 뿌리의 성장과 가지치기를 돕는 비료의 하나. 인산을 주성분으로 하는 회백색의 화학 비료임.

*__과:일__ 사람이 먹을 수 있는 열매. 사과·배·감 따위. ㉠과일을 깎다. 비 과실. 실과. fruit

과:일칼 ⇨과도.

과:잉 (過剩) 남을 정도로 지나치게 많음. ㉠과잉 친절 / 인구 **과잉**. 반 부족.

과:잉보호 (過剩保護) 부모가 자식을 지나치게 감싸고 보호하는 일. 비 과보호. **—하다.**

*__과자__ (菓子) 밀가루나 쌀가루에 설탕·우유 따위를 섞어 굽거나 기름에 튀겨 만든 음식. ㉠간식으로 과자를 먹었다. cookie

과:장[1] (誇張) 실제보다 지나치게 부풀려서 나타냄. ㉠**과장**된 보도 / 과장이 심하다. **—하다.**

과장[2] (課長) 관청이나 회사 따위에서, 한 과의 책임자.

과:장법 (誇張法) [과장뻡] 글을 꾸미는 방법의 하나. 사물을 실제보다 지나치게 크거나 작게 나타내는 표현 방법.

과:적 (過積) 짐을 너무 많이 실음. ㉠과적 차량을 단속하다. 본 과적재.

*__과:정__[1] (過程) 일이 되어 가는 형편이나 순서. ㉠발달 **과정** / 사건의 전개 **과정**.

과:정[2] (課程) 일정한 기간 동안 계속되는 학업이나 일. ㉠1학기 **과정**을 마치다 / 박사 **과정**을 밟다.

*__과제__ (課題) **1** 주어진 문제. ㉠방학 동안의 **과제**. 비 숙제. **2** 해결해야 할 문제. ㉠당면한 **과제**.

과제물 (課題物) 과제로서 해야 할 거리.

과제장 (課題帳) [과제짱] **1** 어떤 학과의 연구·예습·복습 따위에 관한 문제를 실은 책. **2** 과제를 기록하는 공책.

과:중하다 (過重—) **1** 너무 무겁다. ㉠짐을 **과중하게** 싣다. **2** 힘에 벅차다. ㉠과중한 책임을 지우다.

과:즙 (果汁) 과일에서 짜낸 즙. ㉠과즙 음료.

과:찬 (過讚) 지나치게 칭찬함. 또는 그런 칭찬. ㉠과찬의 말씀이십니다. **—하다.**

과:채 (果菜) 과일과 채소. ㉠신선한 **과채**류를 섭취하다.

과:태료 (過怠料) 행정상, 가벼운 의무를 지키지 않은 사람에게 벌로 물게 하는 돈. 형벌이 아님. ㉠주차

위반으로 과태료를 물다.

과:포화 (過飽和) 용액이 어떤 온도에서 녹는 정도 이상의 물질을 포함하고 있는 상태.

과하다[1] (課—) **1** 세금 따위를 매겨서 내게 하다. ㉠무거운 세금을 과하다. **2** 일이나 책임을 맡겨서 하게 하다. ㉠숙제를 과하다.

과:하다[2] (過—) 정도가 지나치다. 분에 넘치다. ㉠씀씀이가 과하다.

*__과학__ (科學) **1** 자연과 사회의 법칙과 이치에 대한 지식을 체계적으로 연구하는 학문. **2** 좁은 뜻으로는 '자연 과학'을 일컬음. ➡ science

과학관 (科學館) [과학꽌] 자연 과학에 관한 자료와 그 기술을 응용하여 만든 물품들을 모아 놓고 일반의 관람이나 연구에 이바지하는 곳.

과학 기술부 (科學技術部)[—끼술부] 과학 기술의 진흥을 위한 정책을 세우고 종합적인 사무를 맡아보는 중앙 행정 기관.

과학 기지 (科學基地)[—끼지] 어느 지역의 자연현상이나 생태계 따위를 연구하기 위하여, 전문 연구원들이 계속 머물 수 있도록 시설을 해 놓은 곳. ㉠남극 과학 기지.

과학 문명 (科學文明) [과항—] 과학이 발달하여 사람의 생활이 점점 나아져 가는 상태.

과학실 (科學室) [과학씰] 학교에서 과학 과목의 실험과 실습을 하는 교실.

*__과학자__ (科學者) [과학짜] 과학을 전문으로 연구하는 사람. ㉠그의 꿈은 과학자가 되는 것이었다.

과학적 (科學的) [과학쩍] 과학의 이치나 체계에 맞는 (것). ㉠과학적 설명. 반 비과학적.

과학화 (科學化) [과하콰] 과학으로서의 체계와 방법을 갖춤. ㉠영농의 과학화. **—하다.**

과:히 (過—) **1** 너무 지나치게. ㉠술을 과히 마시다. **2** 그다지. ㉠과히 크지 않다. 참고 뒤에 부정의 말이 따름.

곽 '갑[2]'의 잘못.

곽재우 (郭再祐) 〖인명〗 임진왜란 때 의령에서 의병을 일으켜 큰 공을 세운 장수. 붉은 옷을 입고 앞장서서 싸워 '홍의 장군'이라고도 불림. [1552-1617]

관[1] (冠) 예전에, 관복·예복을 입을 때 망건 위에 쓰던 물건.

관[2] (棺) 시체를 담는 길쭉한 궤. ㉠관을 짜다. 비 널.

관[3] (貫) 무게 단위의 하나. 한 관은 약 3.75 kg임. ㉠감자 한 관.

*__관__[4] (管) 모양이 둥글고 길며 속이 빈 물건. ㉠가스관 / 관이 굵다.

-관[1] (館) 어떤 기관이나 건물의 이름을 나타내는 말. ㉠도서관 / 박물관 / 영화관.

-관[2] (觀) 체계화된 생각이나 의견을 뜻하는 말. ㉠인생관 / 가치관 / 세계관.

관가 (官家) **1** 예전에, 관리들이 나랏일을 보던 곳. **2** 예전에, 시골 사람들이 그 고을의 원을 일컫던 말.

관:개 (灌漑) 농사를 짓는 데에 필요한 물을 논밭에 댐. ㉠관개 시설. **—하다.**

관객 (觀客) 연극·영화 따위를 구경하는 사람. ㉠우리나라 영화에 관객이 많이 몰리다.

관건 (關鍵) 어떤 사물이나 문제 해결의 가장 중요한 부분. ㉠문제 해결의 관건을 쥐다. 비 핵심.

*__관계__[1] (關係) [— / 관게] **1** 둘 이상의 사람·사물·현상 등이 서로 관련을 맺음. ㉠국제 관계 / 관계를 맺다. **2** 어떠한 사물에 서로 관련을 가짐. ㉠이 사건에 관계된 인물. **3** 어떤 일에 참견을 하거나 주의를 기울임. ㉠수업 시간에 떠들든 말든 관계하지 않는다. **4** 까닭이나 원인을

나타내는 말. ㉠사업 관계로 출장을 가다. 비 관련. **—하다.**

관계² (官界) [— / 관게] 국가의 기관이나 관리들로 이루어진 사회. ㉠관계에 진출하다.

관계식 (關係式) [— / 관게식] 수학·과학 등에서, 여러 대상들 사이의 관계를 나타내는 식. 공식·등식·부등식·방정식 따위.

관계없다 (關係—) [관계업따 / 관게업따] **1** 서로 아무런 관련이 없다. ㉠그 사건은 나와 관계없는 일이다. **2** 염려할 것 없다. ㉠비용은 아무래도 관계없다. 비 상관없다.

관계자 (關係者) [— / 관게자] 어떤 일에 관련이 있는 사람. ㉠관계자 외 출입 금지.

관공서 (官公署) 관청과 공공 기관.

***관광** (觀光) 다른 고장이나 다른 나라의 경치·풍습 등을 그곳에 가서 구경함. ㉠해외 관광 / 유적지를 관광하다. **—하다.**

관광객 (觀光客) 관광하러 다니는 사람. ㉠해외로 나가는 관광객이 해마다 늘고 있다.

관광버스 (觀光 bus) 관광객을 태우고 다니는 버스.

관광 산:업 (觀光産業) [—사넙] 관광에 따르는 교통·숙박·오락 등을 위한 산업.

관광 자원 (觀光資源) 관광객에게 보일 만한 아름다운 자연이나 문화재. ㉠관광 자원을 개발하다.

***관광지** (觀光地) 경치가 좋거나 유적지·온천 따위가 있어 관광할 만한 곳.

관군 (官軍) 예전에, 정부의 군대.

관권 (官權) [관꿘] **1** 정부의 권력. ㉠관권 개입. **2** 관청 또는 관리의 권한. ㉠관권을 행사하다. 반 민권.

관내 (管內) 관할하는 구역의 안. ㉠관내를 돌아보다.

관념 (觀念) **1** 어떤 일에 대한 생각이나 견해. ㉠시간 관념이 없다 / 위생 관념이 철저하다. **2** 어떤 대상에 대한 의식 내용이나 인식.

관념적 (觀念的) 현실성이 없고 추상적인 생각에 치우치는 (것). ㉠관념적 판단.

관노 (官奴) 예전에, 관가에서 부리던 사내종. 반 관비.

관능적 (官能的) 성적인 감각을 자극하는 (것). ㉠관능적 묘사.

관대하다 (寬大—) 마음이 너그럽고 크다. ㉠관대한 처벌을 내리다.

관동 (關東) 대관령 동쪽의 땅. 곧, 강원도의 동쪽 지방을 일컫는 말. 비 영동.

관동별곡 (關東別曲) **1** 조선 선조 때 정철이 지은 가사. 금강산과 관동 팔경을 관광하며 읊은 작품. **2** 고려 때 안축이 지은 경기체가. 관동 지방의 경치를 보고 읊은 것임.

관동 팔경 (關東八景) 강원도 동해안에 있는 여덟 군데의 명승지. 곧, 간성의 청간정, 강릉의 경포대, 고성의 삼일포, 삼척의 죽서루, 양양의 낙산사, 울진의 망양정, 통천의 총석정, 평해의 월송정을 이름.

관:두다 그 정도에서 그치다. 하던 일을 그치다. ㉠하기 싫으면 관둬라. 본 고만두다.

관등 (觀燈) 음력 4월 8일 밤에 온갖 등불을 달아 석가모니의 탄생을 축하하는 일.

관디 예전에, 벼슬아치들이 입던 제복. 지금은 전통 혼례 때 신랑이 입음. '관대'의 변한말. 비 관복.

관람 (觀覽) [괄람] 연극·영화·경기 따위를 구경함. ㉠단체 관람 / 연극을 관람하다. **—하다.**

관람석 (觀覽席) [괄람석] 연극·영화·경기 따위를 구경할 수 있도록 마련한 좌석.

***관련** (關聯) [괄련] 서로 어떤 관계를 가짐. 서로 걸려 얽힘. ㉠관련 업

체 / 범죄 조직과 관련된 사건. 비 연관. 관계. **—하다.**

관련성 (關聯性) [괄련썽] 서로 걸리어 얽힌 성질. 서로 관계되는 성질. 예식사 습관과 비만의 **관련성**. 비 연관성.

***관련짓다** (關聯—) [괄련짇따] 둘 이상의 사람·사물 따위가 서로 관계를 맺게 하다. 예우리는 서로 생각이 다르니 **관련짓지** 마라. 활용 관련지어 / 관련지으니 / 관련짓는.

관례[1] (冠禮) [괄례] 예전에, 아이가 어른이 될 때 치르던 예식. 남자는 상투를 틀어 갓을 쓰고 여자는 쪽을 찜.

관례[2] (慣例) [괄례] 이전부터 해 내려와서 습관처럼 되어 버린 일. 예국제 **관례** / **관례**에 따르다.

관록 (貫祿) [괄록] 경력이 쌓이면서 갖추어진 위엄이나 권위. 예**관록**이 붙다 / **관록**을 자랑하다.

관료 (官僚) [괄료] 정부의 직업적 관리들. 특히 영향력 있는 고위 관리. 예**관료** 사회 / 정부 고위 **관료**.

관료적 (官僚的) [괄료적] 상대편의 의사나 입장을 무시하는 형식적이고 권위를 내세우는 태도가 있는 (것). 예**관료적** 사고방식.

***관리**[1] (官吏) [괄리] 관직에 있는 사람. 예고급 **관리**. 비 공무원.

***관리**[2] (管理) [괄리] **1** 사무를 맡아 처리함. 예선거 **관리**. **2** 사람을 지휘 감독함. 예학생 **관리**. **3** 시설이나 물건의 보존이나 개량 따위의 일을 맡아 함. 예품질 **관리** / 재산을 **관리**하다. **4** 사람의 몸이나 동식물 따위를 보살핌. 예피부 **관리** / 건강 **관리**에 각별히 신경을 쓰다. **—하다.**

관리비 (管理費) [괄리비] 관리하는 데에 들어가는 비용. 예아파트 **관리비** / **관리비**를 내다.

관리인 (管理人) [괄리인] 위탁을 받아 시설 따위를 관리하는 사람. 예아파트 **관리인**.

관리직 (管理職) [괄리직] 기업·관공서 등에서, 관리나 감독을 하는 지위에 있는 직종.

관망 (觀望) 일이 되어 가는 상황을 그냥 바라봄. 예사태를 **관망하다**. **—하다.**

관ː목 (灌木) 키가 작고 원줄기와 가지의 구별이 분명하지 않으며, 밑동에서 가지가 많이 나는 나무. 진달래·사철나무·앵두나무 따위. 비 떨기나무. 반 교목.

관문 (關門) **1** 국경이나 요새의 성문. 예**관문**을 닫다. **2** 어떤 일을 하기 위해서 반드시 통과해야 하는 과정. 예입학시험의 **관문**을 뚫다 / 예선의 **관문**을 통과하다. **3** 어떤 곳을 드나드는 길목.

관민 (官民) 공무원과 민간인. 예**관민**이 일치단결하여 외적을 물리치다.

관복 (官服) **1** 관리의 제복. 예**관복**을 벗다. **2** ⇨관디.

관북 (關北) 마천령의 북쪽 지방. 함경북도를 이르는 말임.

관비[1] (官婢) 예전에, 관가에서 부리던 계집종. 반 관노.

관비[2] (官費) 관청에서 내는 비용. 예**관비** 유학생. 반 사비.

관사 (官舍) 공무원이나 관계자가 살도록 관청에서 지은 집. 비 사택.

관상[1] (觀相) 사람의 얼굴을 보고 그 사람의 성질이나 운명을 판단하는 일. 예**관상**을 보다 / **관상**이 좋다.

관상[2] (觀賞) 아름다운 것을 보고 즐김. 예**관상**식물. **—하다.**

관상대 (觀象臺) '기상대'의 전 이름.

관상쟁이 (觀相—) 관상을 보는 사람을 낮추어 이르는 말.

관서 (關西) 마천령 서쪽의 지방으로, 평안남도와 평안북도를 합쳐서 이르는 말.

관선 (官選) 관청에서 뽑음. ㉠관선 위원. ㉡민선. **—하다.**

관:성 (慣性) 정지하고 있는 물체는 언제까지나 정지해 있고, 운동하는 물체는 그 운동을 계속하려고 하는 성질. ㉠뉴턴의 관성의 법칙.

관세 (關稅) 외국에서 수입해 들여오는 물건에 나라가 매기는 세금.

관세음보살 (觀世音菩薩) 보살의 하나. 불교에서, 중생이 괴로울 때 이 이름을 정성껏 외면 도움을 받을 수 있다고 함. ㉢관세음. 관음보살.

관세청 (關稅廳) 수출입 상품에 세금을 매기고 걷는 일을 맡아 하는 행정 기관.

관:솔 송진이 많이 엉긴, 소나무의 가지나 옹이.

관:솔불 [관솔뿔] 관솔에 붙인 불. ㉠관솔불을 지피다.

관습 (慣習) 한 사회에서 오래전부터 지켜 온 규범이나 생활 방식. ㉠관습을 따르다 / 추석에 성묘하는 것은 우리의 오랜 관습이다. ㉣습관. 풍습.

관습법 (慣習法) [관습뻡] 한 사회의 관습이 굳어져서 법적 효력을 갖게 된 것.

관습적 (慣習的) [관습쩍] 한 사회의 관습에 따르는 (것).

*__관심__ (關心) 어떤 일에 마음이 끌려 흥미를 가짐. 마음에 두고 잊지 아니함. ㉠관심이 쏠리다 / 운동에 관심이 많다.

관심거리 (關心—) [관심꺼리] ⇨ 관심사.

관심사 (關心事) 관심을 두고 있는 일. ㉠요즘 동생의 관심사는 컴퓨터 게임이다. ㉣관심거리.

관아 (官衙) [과나] 예전에, 관리들이 모여 나랏일을 보던 곳. ㉣관서.

관악 (管樂) [과낙] 관악기로 연주하는 음악. ㉠관악 연주.

관악기 (管樂器) [과낙끼] 입으로 불어서 관 속의 공기를 진동시켜 소리를 내는 악기. 금관 악기와 목관 악기의 두 가지가 있음. 피리·클라리넷·오보에·트럼펫 따위. ＊타악기. 현악기.

관악산 (冠岳山) [과낙싼] 경기도 과천시와 서울특별시 관악구의 경계에 있는 산. 높이 629 m.

관여 (關與) [과녀] 어떤 일에 관계함. ㉠정치에 관여하다 / 남의 일에 더 이상 관여하지 마라. ㉣참여. **—하다.**

관엽 식물 (觀葉植物) [과녑 씽물] 잎사귀의 빛깔이나 모양을 보고 즐기기 위해 가꾸는 식물. 단풍나무·고무나무 따위.

관영 (官營) [과녕] 사업 따위를 정부에서 경영하는 일. ㉠관영 통신. ㉣국영. ㉡민영.

관용1 (官用) [과뇽] 관청에서 쓰는 것. ㉠관용 설비 / 관용 차량.

관용2 (寬容) [과뇽] 너그럽게 용서하고 받아들임. ㉠관용을 베풀다. ㉣관대. **—하다.**

관용3 (慣用) [과뇽] 습관적으로 늘 씀. ㉠관용구 / 관용적 표현. **—하다.**

관용어 (慣用語) [과뇽어] 습관적으로 쓰는 말. ㉠'눈을 감았다'는 '죽었다'의 관용어이다.

관원 (官員) [과눤] 관청에서 일하는 사람. ㉣관리.

관인1 (官印) [과닌] 관청에서 관리가 직무상으로 찍는 공적인 도장. ㉠문서에 관인을 찍다. ㉡사인.

관인2 (官認) [과닌] 관청에서 인정함. ㉠관인 학원.

관자 (貫子) 망건에 달아 망건당줄을 꿰는 작은 고리.

관자놀이 (貫子—) [관자노리] 귀와 눈 사이의 맥박이 뛰는 곳. 그곳의 맥이 뛸 때 망건에 달린 관자가 움직인다는 데서 생긴 이름임.

관장1 (管掌) 일을 맡아서 다룸. ㉠

수출 업무를 관장하는 부서. **—하다.**

관:장² (灌腸) 똥을 누게 하거나 영양물을 공급하기 위해 항문을 통하여 직장이나 대장에 약물을 넣는 일. **—하다.**

관저 (官邸) 높은 관리가 살도록 정부에서 지은 집. ㉥대통령 관저. 비 공관.

관전 (觀戰) 경기 따위를 구경함. ㉥야구 경기를 관전하다. **—하다.**

관절 (關節) 뼈와 뼈가 서로 맞닿아 움직일 수 있게 연결되어 있는 부분. ㉥무릎 관절. 비 뼈마디.

관절염 (關節炎) [관절렴] 관절에 생기는 염증.

관점 (觀點) [관쩜] 사물을 관찰할 때, 그 사람이 보는 입장이나 각도. ㉥관점이 다르다. 비 시점.

관제 (管制) 국가가 필요에 따라 강제로 금지 또는 제한하는 일. ㉥등화관제를 실시하다. **—하다.**

관제엽서 (官製葉書) [관제엽써] 정부에서 만들어 파는 우편엽서.

관제탑 (管制塔) 비행장에서 비행기가 안전하게 뜨고 내릴 수 있도록 지시하는 곳. 비 항공 관제탑.

관중 (觀衆) 운동 경기나 공연 따위를 구경하는 사람들. ㉥관중들이 열광하다. 비 관객.

관중석 (觀衆席) 관중이 앉는 자리. ㉥관중석을 꽉 메우다.

관직 (官職) 관리로서의 지위와 직무. ㉥관직에 앉다.

*__관찰__ (觀察) 사물이나 현상을 주의하여 자세히 살펴봄. ㉥관찰 기록 / 미생물을 현미경으로 관찰하다. **—하다.**

관찰력 (觀察力) 사물이나 현상을 주의하여 자세히 살펴보는 능력. ㉥관찰력을 기르다 / 사물에 대한 관찰력이 날카롭다.

관찰사 (觀察使) [관찰싸] 조선 시대에 두었던, 각 도의 행정의 으뜸 벼슬. 그 도의 살림을 전체적으로 관리하며 각 고을의 수령을 지휘 감독함. 지금의 도지사에 해당됨. 비 감사.

관찰자 (觀察者) [관찰짜] 관찰하는 사람.

관창 (官昌)〖인명〗 신라 무열왕 때의 화랑. 16세의 나이로 황산벌 싸움에 나가 백제의 계백 장군에게 붙잡혔으나 너무 어려 돌려보냈는데, 다시 나가 싸우다가 잡혀서 죽임을 당함. [645-660]

관철 (貫徹) 어려움을 이기고 끝까지 밀고 나아가 목적을 이룸. ㉥요구 사항을 관철하다 / 주장이 관철되다. **—하다.**

*__관청__ (官廳) 국가의 사무를 맡아 하는 기관. 구청·도청·시청 등. 비 관공서.

관측 (觀測) **1** 자연현상의 변화를 정확·세밀하게 관찰하여 재는 일. ㉥기상 관측. **2** 사정이나 형편 등을 미루어 봄. ㉥희망적 관측. **—하다.**

관측기 (觀測器) [관측끼] 천체나 기상 따위를 관측하는 데 사용하는 기계. 망원경·쌍안경 따위.

관측선 (觀測船) [관측썬] 바다 밑의 상태 및 부근 육지와 관련된 해양의 상태를 조사할 목적으로 만들어진 배. 본 해양 관측선.

관측소 (觀測所) [관측쏘] 천체나 기상 따위의 자연현상을 관찰하여 기록 측정하는 연구소.

관통 (貫通) 꿰뚫어 통함. ㉥총알이 가슴을 관통하다 / 산허리를 터널이 관통하다. **—하다.**

*__관하다__ (關—) 말하거나 생각하는 대상으로 삼다. ㉥풍속에 관하여 연구하다. 참고 주로 '관하여'·'관한' 꼴로 쓰임.

관할 (管轄) 권한에 의하여 다스림. 또는 그 범위. ㉥관할 경찰서 / 관할 구역이 넓다. **—하다.**

관행 (慣行) 예전부터 습관처럼 되어 내려오는 일. ㉠잘못된 관행을 개선하다.

관헌 (官憲) 예전에, 관리나 관청을 이르던 말.

관현악 (管絃樂) [관혀낙] 피리·나팔·클라리넷·트럼펫 등 관악기, 첼로·바이올린 등 현악기, 북 등 타악기로 함께 연주하는 합주 음악. * 교향악.

관현악단 (管絃樂團) [관혀낙딴] 관현악을 연주하는 단체. 오케스트라. ㉠국악 관현악단.

관형사 (冠形詞) 명사·대명사·수사의 뜻을 앞에서 꾸며 주는 말. 비 매김씨.

관혼상제 (冠婚喪祭) 관례·결혼·장례·제사 따위의 의식을 통틀어 일컫는 말.

괄괄하다 **1** 성질이 급하고 과격하다. ㉠괄괄한 성미. **2** 목소리 따위가 굵고 크다. ㉠괄괄한 목소리.

괄목하다 (刮目—) [괄모카다] 몰라보게 발전한 데 놀라서, 눈을 비비고 다시 보다. ㉠실력이 괄목할 만큼 향상되었다.

괄시 (恝視) [괄씨] 업신여기거나 깔보는 것. ㉠돈 없다고 사람 괄시하기냐. **—하다**.

괄호 (括弧) ⇨묶음표.

*__광:__[1] 세간이나 그 밖의 온갖 물건을 넣어 두는 곳. 비 창고. 헛간.

광:[2] (光) 번지르르하게 보이는 환한 윤기. ㉠광을 내다. 비 광택.

-광[1] (狂) 어떤 말 뒤에 붙어 '열광적으로 그것을 하는 사람'의 뜻을 나타내는 말. ㉠축구광 / 영화광.

-광[2] (鑛) 어떤 말 뒤에 붙어 '광석'이나 '광산'의 뜻을 나타내는 말. ㉠금광 / 우라늄광.

광:개토 대:왕 (廣開土大王) 〖인명〗 고구려 제19대 임금. 영토 확장에 힘써 북쪽으로는 만주까지, 남쪽으로는 한강 이북까지의 넓은 땅을 차지하여 고구려의 전성시대를 이룸. '호태왕' 또는 '영락 대왕'이라고도 함. [374–413 ; 재위 391–413]

광:개토 대:왕릉비 (廣開土大王陵碑) [—대왕능비] 고구려의 장수왕이 아버지인 광개토 대왕의 공적을 기념하기 위하여 세운 비석으로 만주의 퉁거우에 있음. 높이 약 6.39 m.

광견병 (狂犬病) [광견뼝] 개의 바이러스성 질병. 이 병에 걸려서 매우 사나워진 개에게 물리면 그 침으로 전염되어, 경련 및 마비를 일으켜 죽기도 함.

*__광경__ (光景) 어떤 일이나 현상이 벌어진 형편이나 모양. ㉠참혹한 광경. 비 정경. 풍경.

*__광:고__ (廣告) **1** 세상에 널리 알림. **2** 상품 따위를 널리 선전하는 일. ㉠신제품 광고 / 신문에 광고를 내다. **—하다**.

광:고란 (廣告欄) 신문·잡지 등에서 광고를 싣는 부분.

광:고 매체 (廣告媒體) 광고 내용을 소비자에게 널리 전달하는 수단. 신문·잡지·라디오·텔레비전·간판 따위.

광:고문 (廣告文) 광고하기 위하여 신문·잡지 따위에 싣는 글.

광:고지 (廣告紙) 광고하는 글이나 그림이 실린 종이.

광:공업 (鑛工業) 광업과 공업.

광:구[1] (鑛區) 광물을 캐도록 허가한 일정한 구역.

광:구[2] (鑛口) 광물을 파내는 구덩이의 입구.

광기 (狂氣) [광끼] **1** 미친 증세. ㉠광기를 띠다. **2** 미친 듯이 날뛰는 기질. ㉠광기를 부리다.

광내다 (光—) 빛이나 윤이 나게 하다. ㉠구두를 광내다.

광년 (光年) 빛이나 전파가 일 년

동안에 가는 거리. 대략 9조 4670억 km에 이름. 우주에서의 먼 거리를 나타내는 데 씀.

***광:대** 예전에, 인형극·가면극·판소리·줄타기 따위를 직업으로 하던 사람.

광:대뼈 눈 바로 아래에 있는 뼈. ㉠광대뼈가 튀어나오다.

광:대하다 (廣大—) 넓고 크다. ㉠광대한 평야.

광도 (光度) 빛을 내는 물체의 밝기의 정도. ㉠광도계.

광디스크 (光disk) 정보 기록 매체의 한 가지. 레이저 광선을 이용하여 숫자화한 그림이나 문자 등을 기록하거나 재생함.

광디스크 장치 (光disk裝置) 컴퓨터 시스템을 이루는 기억 장치의 하나. 디스크에 레이저 광선을 이용하여 정보를 기록함.

광란 (狂亂) [광난] 미친 듯이 날뜀. ㉠광란의 축제. **—하다.**

광릉 (光陵) [광능] 조선 세조와 정희 왕후의 능. 경기도 남양주시 진접읍 부평리에 있음.

광:막하다 (廣漠—) [광마카다] 아득하게 넓다. ㉠광막한 황야.

광:맥 (鑛脈) 광물이 묻혀 있는 부분. ㉠광맥을 찾다 / 광맥을 발견하다. 비 쇳줄.

광명 (光明) 밝고 환함. 또는 밝은 미래나 희망. ㉠사건 해결에 한 가닥의 광명이 비치다. 반 암흑.

광:목 (廣木) 무명실로 거칠게 짠 폭이 넓은 베. ㉠광목 한 필.

광무 (光武) 고종이 정한 대한 제국의 연호. 1897년 8월부터 1907년 7월까지 사용하였음.

광:물 (鑛物) 천연으로 나며 질이 고르고 화학 성분이 일정한 물질. 석탄·철·금·은 따위.

광:물질 (鑛物質) [광물찔] 광물로 된 물질. 광물의 성질을 가진 물질.

광:범위하다 (廣範圍—) [광버뮈하다] 범위가 넓다. ㉠전염병이 광범위하게 퍼지다 / 자료를 광범위하게 수집하다.

***광복** (光復) 빼앗긴 주권을 도로 찾음. ㉠광복을 맞이하다. **—하다.**

광복군 (光復軍) [광복꾼] 일제 강점기에, 중국에서 조직되어 우리나라의 독립을 위하여 일본군과 싸웠던 대한민국 임시 정부의 군대.

광복 운:동 (光復運動) [광보군동] 잃었던 나라를 다시 찾기 위해 벌인 운동.

광복절 (光復節) [광복쩔] 국경일의 하나. 우리나라가 1945년 8월 15일에 일본으로부터 해방된 것을 기념하고 경축하는 날. 매년 8월 15일.

광:부 (鑛夫) 광산에서 광물을 캐는 일을 직업으로 하는 사람.

광분 (狂奔) 어떤 목적을 이루기 위해 바쁘게 뛰어다님. ㉠전쟁 준비에 광분하다. **—하다.**

광:산 (鑛山) 광물을 캐내는 곳. ㉠광산 지대 / 광산을 개발하다.

광:산촌 (鑛山村) 광산이 있는 마을. 광산에서 일하는 사람들이 모여 사는 마을.

광:석 (鑛石) 쓸모 있는 성분이 많이 들어 있는 광물.

광선 (光線) 빛의 줄기. ㉠태양 광선 / 광선을 쬐다. 비 빛살.

광섬유 (光纖維) [광서뮤] 실리콘으로 만든 유리 섬유의 일종. 머리털처럼 가늘며 광 통신에 이용됨. 광파이버.

광신 (狂信) 종교·미신·주의·사상 따위를 미친 듯이 무조건 믿음. ㉠광신자. **—하다.**

광:야 (曠野) 아득하게 너른 벌판. ㉠눈 덮인 광야.

광양만 (光陽灣) 전라남도 남해안의 여수반도와 경상남도의 남해도 사이에 있는 만.

광ː어 (廣魚) ⇨넙치.

광ː업 (鑛業) 광산에 관한 사업. 광물을 캐내어 정제하기까지의 모든 작업을 통틀어 일컬음.

광ː역시 (廣域市) [광역씨] 지방 자치 단체의 하나. 1995년에 '직할시'를 바꾼 이름. 대전·부산·인천·대구·광주·울산이 있음. *특별시.

광열비 (光熱費) 난방이나 조명에 드는 비용.

광염 (狂炎) 세차게 타오르는 불길 또는 정열.

광원¹ (光源) 제 스스로 빛을 내는 물체. 태양·전구 따위. ㉥발광체.

광ː원² (鑛員) '광부'를 높여 이르는 말.

광음 (光陰) 낮과 밤이라는 뜻으로, 시간이나 세월을 이르는 말.

광ː의 (廣義) [—/광이] 넓게 보는 뜻. ㉠광의로 해석하다. ㉤협의.

광인 (狂人) 미친 사람. ㉥미치광이.

광ː장 (廣場) **1** 많은 사람이 모일 수 있게 거리에 만들어 놓은, 너른 공간. ㉠서울역 광장/환영 인파가 광장을 가득 메우다. **2** 여러 사람이 뜻을 같이하여 만나거나 모일 수 있는 장소를 비유한 말. ㉠대화의 광장/만남의 광장.

광적 (狂的) [광쩍] 미친 사람과 같은(것). ㉠광적인 신도.

광주¹ (光州) 〖지명〗 전라남도 중앙에 있는 광역시. 교통의 중심지로 쌀·면화·고치가 많이 나고 각종 공업이 발달함.

광ː주² (廣州) 〖지명〗 경기도의 한 시. 벼농사가 활발함. 2001년 3월 군에서 시로 바뀌었음.

광주리 대·싸리·버들가지 따위로 엮어서 만든 크고 둥근 그릇.

〈광주리〉

광주 학생 항ː일 운ː동 (光州學生抗日運動) [—학쌩항이룬동] 1929년 11월 3일 전라남도 광주에서, 우리나라 학생과 일본인 학생이 싸운 사건이 원인이 되어 전국적으로 일어난 항일 투쟁 운동.

광채 (光彩) **1** 아름답고 찬란한 빛. ㉠광채를 띠다. **2** 정기 있는 밝은 빛. ㉠눈에서 광채가 나다.

광택 (光澤) 반짝거리는 빛. ㉠광택을 내다/자꾸 닦으면 광택이 난다. ㉥광. 윤.

광 통신 (光通信) 텔레비전이나 전화 따위의 전기 신호를 레이저 광선에 실어 광섬유를 통하여 보내는 통신.

광포하다 (狂暴—) 사람의 행동이나 성격이 미친 듯이 사납다. ㉠광포한 행동.

광학 (光學) 빛의 성질이나 현상 등을 연구하는 학문. 물리학의 한 부문임.

광ː한루 (廣寒樓) [광할루] 전라북도 남원시에 있는 누각. 조선 태조 때 황희가 세운 건물로, 경내에 춘향의 사당이 있음. 보물 제281호.

광합성 (光合成) [광합썽] 녹색 식물의 엽록체가 빛 에너지를 이용하여 공기 중에서 빨아들인 이산화탄소와 뿌리에서 흡수한 수분으로 탄수화물을 만드는 일. 탄소 동화 작용의 한 형식.

광해군 (光海君) 〖인명〗 조선 제15대 임금. 폭군으로 불려 왕위에서 쫓겨났으나, 재위 중에는 나라 안의 정치에 힘썼으며, 명나라와 후금의 침략에 대비하여 국방을 튼튼히 함. [1575-1641 ; 재위 1608-1623]

광ː혜원 (廣惠院) 조선 고종 22년(1885)에 일반 백성의 병을 치료하기 위해 세운 한국 최초의 근대식 병원. 뒤에 '제중원'으로 이름을 바꾸었음.

광화문 (光化門) 경복궁의 정문. 조선 태조 4년(1395)에 처음 세워졌으나 임진왜란 때 불타서 고종 2년(1865)에 다시 세웠고, 지금의 것은 6·25 전쟁 때 타 버렸던 것을 1968년에 복원한 것임.

광:활하다 (廣闊—) 훤하게 넓고 전망이 트여 있다. ㉠광활한 대지.

괘 (卦) **1** 중국 고대의 복희씨가 만들었다는 형상. 이것으로 하늘과 땅의 변화를 나타내고 좋은 일과 나쁜 일을 판단함. **2** '점괘'의 준말.

괘념 (掛念) 마음에 두고 잊지 아니함. ㉠지나간 일이니 너무 **괘념**하지 마라. **—하다**.

괘다리적다 [괘다리적따] **1** 사람됨이 멋없고 거칠다. **2** 성미가 무뚝뚝하고 퉁명스럽다.

괘:도 (掛圖) 벽 따위에 걸어서 볼 수 있게 만든 도표나 그림, 지도 같은 것.

괘씸하다 사람으로서 마땅히 지켜야 할 예절·신의 등을 지키지 않아 못마땅하고 밉살스럽다. ㉠**괘씸한** 녀석 / 소행이 **괘씸하다**.

괘종시계 (掛鐘時計) 벽이나 기둥에 걸게 되어 있는 시계. 매 시간마다 종을 쳐서 시간을 알림.

괜:스레 아무 까닭이나 필요가 없이. ㉠바쁜 사람을 **괜스레** 오라 가라 한다. 본 공연스레.

***괜찮다** [괜찬타] **1** 별로 나쁘지 아니하다. ㉠음식값이 싼데도 요리 솜씨가 **괜찮은** 편이다. **2** 탈이나 문제, 지장이나 거리낄 것이 없다. ㉠여기서 놀아도 **괜찮다** / 아무 때나 와도 **괜찮다**.

괜:하다 까닭이나 필요가 없다. ㉠**괜한** 고집을 부리다 / **괜한** 걱정을 끼치다. 본 공연하다. 참고 주로 '괜한'의 꼴로 쓰임.

괜:히 쓸데없이. 아무런 까닭 없이. ㉠**괜히** 웃다 / **괜히** 트집을 잡다. 본 공연히.

***괭이**[1] 땅을 파거나 흙을 고르는 데 쓰는 농기구.

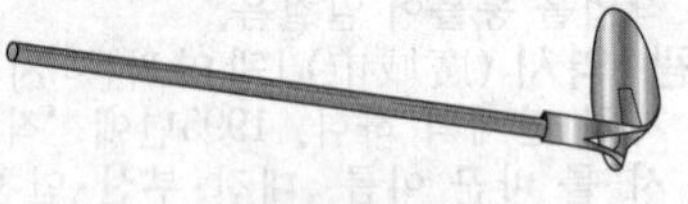

〈괭이[1]〉

괭:이[2] '고양이'의 준말.

괭:이밥 괭이밥과에 속하는 여러해살이풀. 논밭이나 길가에 나며 줄기는 약간 신맛이 나고 높이는 10-30cm, 잎은 심장 모양임. 늦여름에 노란 꽃이 핌.

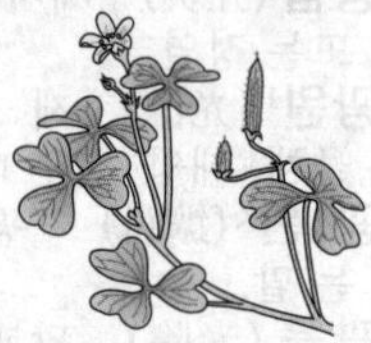

〈괭이밥〉

괭이질 괭이로 땅을 파는 일. ㉠**괭이질**이 서투르다. **—하다**.

괴괴하다 쓸쓸하고 으스스할 만큼 매우 고요하다. ㉠사방이 **괴괴하여** 쥐죽은 듯하다.

괴:기 (怪奇) 괴상하고 기이함. ㉠**괴기** 영화. **—하다**.

괴나리봇짐 [괴나리보찜 / 괴나리볻찜] 예전에, 걸어서 먼 길을 갈 때에 보자기에 싸서 어깨에 메는 작은 짐.

괴:다[1] 우묵한 곳에 액체가 모이다. ㉠빗물이 **괴다**. 비 고이다.

괴:다[2] 기울어지거나 쓰러지지 않도록 아래를 받쳐 안정시키다. ㉠턱을 **괴고** 바라보다. 비 고이다.

괴로움 몸이나 마음이 고통스러운 상태. 또는 그런 느낌. ㉠**괴로움**을 이겨 내다. 반 즐거움. 준 괴롬.

괴로워하다 괴로움을 느끼다. ㉠통증을 호소하며 **괴로워하다**.

***괴롭다** [괴롭따] 몸이나 마음이 편하지 않고 고통스럽다. ㉠거짓말한 것이 **괴로워** 진실을 털어놓았다. 활용 괴로워 / 괴로우니.

*괴롭히다 [괴로피다] 괴롭게 하다. 못살게 굴다. ㉹친구를 괴롭히다.
괴:뢰 (傀儡) ⇨꼭두각시2.
괴:뢰군 (傀儡軍) 꼭두각시 정부의 군대. ㉹괴뢰군의 앞잡이.
괴:멸 (壞滅) 모조리 파괴되어 멸망함. —하다.
괴:물 (怪物) 이상하게 생긴 물건이나 사람.
괴:발개발 글씨를 되는대로 아무렇게나 써 놓은 모양. 개발새발.
괴벽¹ (乖僻) 성격 따위가 이상하고 까다로움. ㉹괴벽한 성격. —하다. —스럽다.
괴:벽² (怪癖) 괴이한 버릇. ㉹동생은 시험 때만 되면 속옷을 갈아입지 않는 괴벽이 있다.
괴:변 (怪變) 이상한 일.
괴상망측하다 (怪常罔測—) [괴상망츠카다] 괴상하고 이상하다. ㉹괴상망측한 일이 연이어 벌어지다.
괴상야릇하다 (怪常—) [괴상냐르타다] 무엇이라고 말할 수 없이 이상하고 묘하다. ㉹괴상야릇한 옷차림.
괴상하다 (怪常—) 보통과 달리 매우 이상하다. ㉹괴상한 일. ㊊괴이하다.
괴:석 (怪石) 괴상하게 생긴 돌.
괴:성 (怪聲) 괴상한 소리. ㉹괴성을 지르다.
괴수 (魁首) 악당의 우두머리. ㊊두령. 수령.
괴이쩍다 (怪異—) [괴이쩍따] 이상야릇한 느낌이 있다. ㉹괴이쩍은 생각이 들다.
괴이하다 (怪異—) 이상야릇하다. ㉹괴이한 차림새.
괴:질 (怪疾) **1** 병의 원인을 알 수 없는 괴상한 병. ㉹괴질이 나돌다. **2** '콜레라'를 속되게 이르는 말.
괴:짜 (怪—) 괴상한 사람. ㉹괴짜 취급을 받다.
괴:팍하다 (乖愎—) [괴파카다] 붙임성이 없이 까다롭고 별나다. ㉹괴팍한 성격.
괴:한 (怪漢) 차림새나 거동이 수상한 사내. ㉹괴한이 침입하다.
괴:혈병 (壞血病) [괴혈뼝] 비타민 시(C)가 부족하여 생기는 병. 잇몸에서 피가 나고, 빈혈·피로·무기력 등의 증세가 생김.
굄: 물건의 밑을 받쳐 괴는 일. 또는 그 괴는 물건.
굄:돌 [굄똘] 물건의 밑을 받쳐 괴는 돌. ㉹차바퀴에 굄돌을 받치다.
굉음 (轟音) 몹시 요란스럽게 울리는 소리. ㉹굉음이 나다.
*굉장하다 (宏壯—) **1** 아주 크고 훌륭하다. ㉹굉장한 건물. **2** 아주 대단하다. ㉹굉장한 미인.
굉장히 (宏壯—) 굉장하게. ㉹굉장히 놀라다 / 집이 굉장히 크다.
교:가 (校歌) 학교의 교육 정신이나 이상 따위가 나타나도록 특별히 만들어 부르는 노래.
교각 (橋脚) 다리를 받치는 기둥.
교감¹ (交感) 서로 마음이 통함. ㉹우리는 아무 말 없이도 서로에 대해 충분히 교감하였다. —하다.
교:감² (校監) 교장을 도와 학교 사무와 교육을 감독하는 직책. 또는 그런 사람.
교:과 (教科) 학교에서 학생이 배울 내용과 분야.
교:과목 (教科目) 국어·수학·과학처럼 학교에서 가르치는 과목.
*교:과서 (教科書) 학교 교육 과정에 따라 가르치기 위하여 만든 책.
교:관 (教官) 군사 교육이나 훈련을 담당하는 장교.
교:교하다 (皎皎—) 달이 맑고 밝다. ㉹교교한 달빛.
교:구¹ (教具) 효과적인 학습을 위해 사용하는 온갖 기구. 칠판·괘도·모형 따위.
교:구² (教區) 종교의 포교 또는 신

자의 지도·감독을 위해 나누어 놓은 구역.

교:권(敎權) [교꿘] **1** 교사로서의 권위나 권력. ⓔ교권 확립. **2** 종교상의 권위나 권력.

교:기(校旗) 학교를 상징하는 기.

교:내(校內) 학교의 안. ⓔ교내 방송 / 교내 활동. 반 교외.

교:단(敎壇) 교실에서 교사가 가르칠 때 올라서는 단.

교단에 서다 교사가 되어 학교에서 가르치다.

교대(交代) 어떤 일을 여럿이 나누어 차례에 따라 맡아 함. ⓔ당번을 교대하다. 비 교체. **—하다.**

교:도¹(敎徒) 종교를 믿는 사람. 비 신도. 신자.

교:도²(敎導) 가르쳐 지도함. **—하다.**

교:도관(矯導官) 교도소에서 죄수를 감독하는 공무원.

교:도소(矯導所) 죄를 지어 형을 선고받은 사람을 일정한 기간 동안 가두는 곳.

교두보(橋頭堡) **1** 군대에서, 적군이 점령하고 있는 지역의 한 모퉁이를 점거하고 그곳에 설치하는 작은 진지. ⓔ교두보를 구축하다. **2** 어떤 일을 하기 위한 발판. ⓔ중국 시장 진출의 교두보.

교란(攪亂) 뒤흔들어서 어지럽게 함. ⓔ민심을 교란하다 / 교란 작전을 펴다. **—하다.**

교량(橋梁) ⇨다리². ⓔ교량을 가설하다.

교:련(敎鍊) **1** 군대에서 실시하는 기본 훈련. **2** 학교에서 가르치는 군사 훈련.

교류(交流) **1** ⇨교류 전류. 반 직류. **2** 다른 문화·사상 등이 서로 섞여 오고 가고 함. ⓔ문화 교류. **3** 서로 왕래하면서 의견이나 물건을 주고받음. ⓔ인적 물적 교류를 확대하다. **—하다.**

교류 전:류(交流電流)[—절류] 시간에 따라 크기와 방향이 주기적으로 바뀌는 전류. 비 교류.

교:리(敎理) 종교의 신앙 체계나 기본 원리. ⓔ교리 문답.

교만(驕慢) 겸손하지 않고 잘난 체하며 뽐냄. ⓔ교만한 태도 / 교만을 부리다 / 교만하게 굴다. 반 겸손. **—하다.**

교:명(校名) 학교의 이름.

교목(喬木) 줄기가 곧고 굵으며 높이 자라고 비교적 위쪽에서 가지가 퍼지는 나무. 소나무·전나무 따위. 비 큰키나무. 반 관목.

교묘하다(巧妙—) 솜씨나 재주가 매우 훌륭하고 놀랍다. ⓔ교묘한 행동 / 수법이 교묘하다.

교:무(敎務) 학교의 수업에 관한 사무. ⓔ교무 주임.

교:무실(敎務室) 교사들이 수업 준비를 하거나 여러 가지 일을 맡아 보는 곳.

교:문(校門) 학교의 정문.

교문을 나서다 학교를 졸업하다.

교미(交尾) 알이나 새끼를 낳기 위해 동물의 암수가 성적으로 관계함. **—하다.**

교민(僑民) 외국에 살고 있는 자기 나라 사람. 비 교포.

교배(交配) 생물의 암수를 인공적으로 수정시키는 일. ⓔ교배종 / 암수를 교배하다. **—하다.**

교:복(校服) 학교에서 학생들이 입도록 정한 옷. ⓔ교복 착용 / 교복을 맞추다.

교:본(敎本) 어떤 내용을 가르치거나 배우는 데 쓰는 책. 교재로 삼는 책. ⓔ기타 교본 / 바둑 교본.

교부(交付〔附〕) 관공서 등에서 서류를 내어 줌. ⓔ원서 교부 / 합격자에게 운전면허증을 교부하다. **—하다.**

교:사¹(校舍) 학교의 건물. ⓔ교사

를 새로 짓다.

*교:사² (敎師) 초등학교·중고등학교에서 일정한 자격을 가지고 학생을 가르치는 사람. 비교원. 선생.

교:생 (敎生) 대학교에서 교사 교육을 받는 과정에서 실제로 학교에 가서 학생을 가르치는 실습을 하는 학생. 예교생 실습을 나가다. 본교육 실습생.

교섭 (交涉) 어떤 일을 이루기 위하여 서로 의논함. 예교섭을 벌이다. **—하다.**

*교:수 (敎授) 대학에서 학문을 연구하고 가르치는 사람.

교:수법 (敎授法) [교수뻡] 학생들을 가르치는 방법과 기술.

교수형 (絞首刑) 사형수의 목을 옭아매어 죽이는 형벌.

교:습 (敎習) 학문이나 기예 따위를 가르쳐 익히게 함. 예운전 교습을 받다. **—하다.**

교:시 (校時) 학교에서 정한 수업 시간의 단위. 예3교시는 수학 시간이다.

교신 (交信) 우편, 전신, 전화 따위로 통신을 주고받음. 예본부와 무전기로 교신하다. **—하다.**

*교:실 (敎室) 학교에서 수업을 하는 방. classroom

교:안 (敎案) 교사가 학교에서 가르칠 내용을 적은 계획서. 예교안을 작성하다. 비학습 지도안.

교:양 (敎養) 사회생활이나 지식을 바탕으로 이루어진 마음이나 행동. 또는 문화에 대한 폭넓은 지식. 예교양 있는 행동 / 교양을 갖추다.

교:양미 (敎養美) 교양이 있는 사람에게서 풍기는 아름다움. 예교양미가 넘치다.

교역 (交易) 주로 나라와 나라 사이에서 서로 물건을 사고파는 일. 예외국과의 교역. **—하다.**

교:열 (校閱) 글이나 책의 잘못된 곳을 바로잡아 고치고 검사함. 예원고를 교열하다. **—하다.**

교외¹ (郊外) 도시의 주변 지역. 예교외순환 열차. 비근교. 야외.

교:외² (校外) 학교의 밖. 예교외 활동. 반교내.

교우¹ (交友) 벗을 사귐. 또는 그 사귀는 벗. 예교우 관계가 원만하다. **—하다.**

교:우² (校友) 같은 학교를 다니는 친구. 또는 동창생.

교우이신 (交友以信) 세속 오계의 하나. 친구를 믿음으로써 사귐.

교:원 (敎員) 학교에서 학생을 가르치는 사람. 비교사. 선생.

*교:육 (敎育) 학문이나 지식, 기술 따위를 가르치며 인격을 길러 줌. 예의무 교육 / 교육 방송 / 교육을 받다. **—하다.** education

교:육감 (敎育監) [교육깜] 서울특별시·각 광역시 및 도 교육 위원회의 사무를 총괄하는 직위. 또는 그 직위에 있는 사람.

교:육비 (敎育費) [교육삐] 교육에 드는 돈.

교육 인적 자원부 (敎育人的資源部) [교유긴쩍짜원부] 중앙 행정 기관의 하나. 교육 및 학술에 관한 사무를 맡아봄. 예전의 '교육부'가 바뀐 이름.

교:육자 (敎育者) [교육짜] 교육에 종사하는 사람. 비교육가.

교:육청 (敎育廳) 시나 군의 초등학교·중등학교의 교육과 관련된 사무를 맡아보는 관청.

교:인 (敎人) 종교를 믿는 사람. 예기독교 교인. 비신도. 신자.

교자상 (交子床) [교자쌍] 직사각형으로 된 큰 음식상.

*교:장 (校長) 초등학교·중학교·고등학교 등에서 학교를 대표하는 가장 높은 직위. 또는 그 직위에 있는 사람. 본학교장.

교:재 (教材) 수업에 쓰이는 여러 가지 재료. ㉮교재를 준비하다.

교전 (交戰) 군대가 무기를 가지고 서로 싸움. ㉮교전 상태에 들어가다. **—하다.**

교:정¹ (校正) 출판물의 잘못된 글자나 글귀를 바로잡음. ㉮원고 교정. **—하다.**

교:정² (校庭) 학교의 마당이나 운동장. campus

교:정³ (矯正) 잘못된 것을 바로잡아 고침. ㉮척추 교정 / 치열 교정을 받다. **—하다.**

교제 (交際) 서로 사귀어 가까이 지냄. ㉮교제하던 사람과 헤어지다. 반 절교. **—하다.**

교:주 (教主) 한 종교 단체의 우두머리. 비 교조.

교주도 (交州道) 고려 때에 전국을 5도 양계로 나눈 것 중의 한 도. 지금의 강원도 지방.

교:지¹ (教旨) 조선 때, 임금이 신하에게 내리던 발령장.

교:지² (校誌) 학생들이 학교에서 편집·발행하는 잡지.

교:직 (教職) 학생을 가르치는 일. ㉮교직 생활 / 교직에 몸담고 있다.

교:직원 (教職員) [교지권] 학교의 교원과 사무직원.

교:직자 (教職者) [교직짜] 학생을 가르치는 일을 하는 사람.

교집합 (交集合) [교지팝] 두 집합에 공통으로 들어 있는 원소들로만 이루어진 집합. '∩'으로 나타냄. 그림에서, 집합 ㉮와 집합 ㉯의 교집합은 빗금 친 부분임.

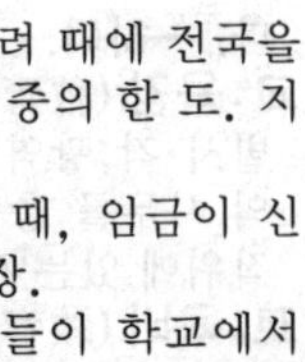

〈교집합〉

교차 (交叉) 여러 갈래로 서로 만나거나 엇갈림. ㉮철길이 교차하다. **—하다.**

교차로 (交叉路) 여러 도로가 서로 만나 엇갈리는 곳.

교차점 (交叉點) [교차쩜] 서로 엇갈리거나 마주친 곳.

교착¹ (交錯) 이리저리 엇갈려 뒤섞임. ㉮꿈과 현실이 교착하다 / 기대와 불안의 교착. **—하다.**

교착² (膠着) 어떤 상태가 고정되어 조금도 변동이나 진전이 없음. ㉮회담이 교착 상태에 빠지다.

교체 (交替) 사람이나 사물을 다른 사람이나 사물로 바꿈. ㉮선수 교체 / 헌 책상을 새것으로 교체하다. 비 교대. **—하다.**

교:칙 (校則) 학교의 규칙.

교:탁 (教卓) 교사가 가르칠 책 따위를 올려놓기 위하여 교단 앞이나 위에 놓은 탁자.

교태 (嬌態) 아양 부리는 몸짓과 태도. ㉮교태를 부리다.

***교통** (交通) 자동차·기차·배·비행기 등을 이용하여 사람이 오고 가거나 짐을 실어 나르는 일. ㉮교통이 편리하다.

교통경찰 (交通警察) 교통의 안전과 질서 유지를 임무로 하는 경찰. 비 교통순경.

교통 기관 (交通機關) 도로·철도 등의 시설과, 자동차·비행기·기차·배 등의 운수 기관.

교통난 (交通難) 교통 기관의 부족 또는 교통의 혼잡으로 통행이 원활하게 이루어지지 않는 일. ㉮출퇴근 시간에 교통난이 심각하다.

교통량 (交通量) [교통냥] 일정한 곳에서 일정한 시간에 오고 가는 사람이나 차의 양. ㉮고속도로의 교통량이 늘어나다.

교통로 (交通路) [교통노] 사람과 차가 오고 가는 길.

교통망 (交通網) 그물처럼 이리저리 벋어 있는 교통로.

교통 법규 (交通法規) [—법뀨] 사람이나 자동차가 길을 오고 갈 때 지켜야 할 법과 규칙. ㉠교통 법규를 지키다.

교통비(交通費) 자동차 따위를 타고 다니는 데 드는 비용.

교통사고(交通事故) 교통 기관을 이용하는 중에 발생하는 사고. ㉠교통사고가 빈번하다.

교통순경(交通巡警) ⇨교통경찰.

교통 신:호(交通信號) 차가 다니는 길에 설치하여 '가라·서라' 등의 신호를 빨간불·파란불 따위로 나타내는 표시. ㉠교통 신호를 지키다.

교통안전 표지(交通安全標識) 교통안전에 필요한 주의·규제·지시 등을 표시하는 표지판과 길바닥에 표시한 기호·문자·선 등의 표지. ㊂교통 표지.

교통편(交通便) 어디를 오고 갈 때 이용하는 교통수단.

교통 표지판(交通標識板) 교통안전을 위해 주의·규제·지시 따위를 표시한 판.

교:편(教鞭) 교사가 가르칠 때 필요한 사항을 가리키기 위하여 사용하는 가느다란 막대기.

교편(을) 놓다 학생을 가르치는 일을 그만두다.

교편(을) 잡다 학교에서 선생으로 근무하다.

교포(僑胞) 외국에서 살고 있는 동포. ㉠재일 교포 / 해외 교포 위문 공연을 하다. ㊂교민.

> **참고** **교포**와 **동포**
> **교포** 외국에 나가 살고 있는 우리 동포를 주로 거주지를 기준으로 해서 말할 때 쓰인다.
> **동포** '같은 핏줄을 이어받은 사람들'이라는 넓은 뜻으로 쓰인다.

교:풍(校風) 그 학교 특유의 기풍. ㉠교풍을 세우다.

교향곡(交響曲) 관현악을 위하여 작곡한, 보통 4 악장으로 된 규모가 큰 곡. 심포니.

교향악(交響樂) 관현악을 위하여 만든 음악. 큰 규모의 관현악단이 연주하는 음악. *관현악.

교:화(教化) 가르치고 이끌어서 올바른 방향으로 나아가게 함. ㉠불량 학생을 교화하다. **—하다.**

교환(交換) **1** 서로 바꾸거나 주고받음. ㉠물물 교환 / 의견을 교환하다. **2** 전화를 통할 수 있도록 사이에서 서로를 이어 줌. 또는 그런 일을 하는 사람. **—하다.**

교활하다(狡猾—) 간사하고 꾀가 많다. ㉠교활한 녀석.

교:황(教皇) 로마 가톨릭 교회에서 가장 높은 직위의 성직자.

*__교:회__(教會) **1** 기독교인들이 모여서 이룬 단체. **2** ⇨교회당. ㉠주일 예배를 보러 교회에 가다. ➲ church

교:회당(教會堂) 기독교인들이 예배나 그 밖의 모임 등을 갖는 건물. ㊂교회. 예배당.

교:훈1(校訓) 학교의 교육 이념이나 목표를 간단히 나타낸 표어.

*__교:훈2__(教訓) 가르치고 이끌어 줌. 또는 본받을 만한 가르침. ㉠교훈을 얻다.

*__구1__(九) 아홉. ➲ nine

구2(球) **1** 공같이 둥글게 생긴 물체. 또는 그런 모양. **2** 지름을 축으로 하여 반원을 1회전시켰을 때 생기는 도형.

구3(句) **1** 둘 이상의 단어가 모여 절이나 문장의 일부분이 되는 토막. **2** 시조나 사설의 짧은 토막.

구4(區) **1** 넓은 범위의 것을 몇으로 나눈 구획. **2** 행정상 필요에 의해서 정해진 특정한 구획 단위. ㉠선거구. **3** 특별시·광역시에 속한 행정 구역. ㉠종로구.

구5(具) 시체의 수효를 세는 단위. ㉠시체 한 구가 발견되다.

구:-(舊) 일부 명사 앞에 붙어, '전날의·묵은·낡은' 등의 뜻을 나타내는 말. ㉠구체제 / 구시가 / 구세대. ㉥신-.

-구[1] (口) **1** 일부 명사 뒤에 붙어, '작은 구멍·구멍이 나 있는 곳'을 나타내는 말. ㉠하수구 / 통풍구. **2** 일부 명사 뒤에 붙어, '드나드는 곳'을 나타내는 말. ㉠출입구 / 비상구.

-구[2] (具) 일부 명사 뒤에 붙어, 기구 따위의 물건을 나타내는 말. ㉠운동구 / 필기구.

구가(謳歌) **1** 많은 사람들이 칭송하여 노래함. ㉠태평성대를 구가하다. **2** 행복한 처지나 기쁜 마음 등을 거리낌 없이 나타냄. ㉠청춘을 구가하다. **—하다.**

구간(區間) 일정한 두 곳의 사이. ㉠공사 구간 / 지하철 일부 구간의 운행이 중단되다.

구:강(口腔) 입에서 목구멍에 이르는 입 안의 부분.

구:강 위생(口腔衛生) 입속 특히 이와 잇몸의 질병 예방과 치료를 꾸준히 하는 일.

구걸(求乞) 남에게 돈·먹을거리 등을 거저 달라고 빎. ㉠행인에게 돈을 구걸하다. **—하다.**

구겨지다 구김살이 잡히다. ㉠옷이 구겨지다.

*__구:경__ 경치나 경기 따위를 흥미를 가지고 봄. ㉠야구 구경 / 영화를 구경하다. ㉥관람. **—하다.**

구:경거리 [구경꺼리] 구경할 만한 것. ㉠그 당시에는 서커스가 제일가는 구경거리였다.

구:경꾼 구경하는 사람. ㉠구경꾼이 모여들다.

구:경나다 구경할 만한 일이 생기다. ㉠사람들은 공짜 구경났다고 몰려들었다.

구관조(九官鳥) 찌르레깃과의 새. 과실을 먹고 숲에서 사는데, 비둘기와 비슷함. 날개 길이 16 cm, 몸빛은 짙은 자줏빛이며 부리와 다리는 누른색임. 사람의 말을 잘 흉내 냄.

구:교(舊敎) 신교에 대한 가톨릭교의 일컬음. 가톨릭.

구구 비둘기나 닭 등이 우는 소리.

구구단(九九段) 곱셈에 쓰는 기초 공식. 1에서 9까지의 두 수를 서로 곱하여 값을 나타낸 것. ㉠구구단을 외다. ㉥구구법.

구구법(九九法) [구구뻡] ⇨구구단.

구구절절이(句句節節—) [구구절저리] 구절구절마다. ㉠구구절절이 옳은 말이다.

구구표(九九表) 구구단의 공식을 차례대로 적은 표.

구구하다(區區—) **1** 제각기 다르다. ㉠학설이 구구하다. **2** 쓸데없이 설명이 길다. ㉠구구한 변명을 늘어놓다.

구:국(救國) 위태롭게 된 나라를 구해 냄. ㉠구국 운동을 펴다.

구근(球根) ⇨알뿌리.

구금(拘禁) 사람을 교도소나 구치소에 가둠. ㉠폭력배를 구금하다. **—하다.**

구:급(救急) 위급한 환자를 구하기 위해 응급 치료를 함. ㉠구급상비약.

구:급상자(救急箱子) [구급쌍자] 구급약을 넣어 두는 상자.

구:급약(救急藥) [구금냑] 응급 치료에 필요한 약.

구:급차(救急車) 위급한 환자나 부상자를 신속히 병원으로 실어 나르는 차. 앰뷸런스. ㉠119로 구급차를 부르다.

구기[1] 기름이나 술 따위를 풀 때 쓰는, 국자보다 작은 기구.

구기[2] (球技) 공을 사용하는 운동 경기. 야구·축구·배구·농구·핸드볼 따위.

구기다 비비어 구김살이 생기게 하다. ㉮종이를 구기다. ㉯꾸기다.

구김살 [구김쌀] **1** 구겨서 생긴 금. ㉮다리미로 바지의 구김살을 펴다. **2** 주로 '없다'와 함께 쓰여, 표정이나 마음속에 서린 어두운 그늘. ㉮아이들이 구김살 없이 잘 자랐다. **3** 일 따위가 순조롭지 못한 상태. ㉮가계에 구김살이 지다. ㉯꾸김살.

-구나 **1** 형용사의 어간 또는 어미 '-았-·-었-·-겠-' 등의 뒤에 붙어 혼자 새삼스러운 감탄을 나타내는 말. ㉮달이 밝구나 / 참 잘되었구나. **2** '-로구나'의 준말. ㉮벌써 방학이구나. ㉰-군.

구내 (構內) 건물의 안. ㉮구내식당 / 역 구내를 빠져나오다.

구내전화 (構內電話) 건물 안에서만 서로 통화하는 전화. 인터폰.

구:닥다리 (舊—) [구닥따리] 오래되어 유행에 뒤떨어진 물건.

구단 (球團) 프로 야구나 프로 축구 따위를 사업으로 하는 단체.

구:대륙 (舊大陸) 아메리카 대륙이 발견되기 전부터 알려진 대륙. 곧, 아시아·유럽·아프리카의 세 대륙. ㉱신대륙.

구더기 파리의 애벌레. ㉮쓰레기통에 구더기가 득실거리다.

구덩이 땅이 움푹하게 팬 곳. ㉮구덩이를 파다. ㉲웅덩이.

구도[1] (求道) 도를 깨달으려고 애씀. **—하다.**

구도[2] (構圖) 주로 미술 작품을 만들기 위해 전체적으로 조화되게 배치하는 구성의 짜임새. ㉮구도를 잡다.

구도자 (求道者) 도를 깨달으려고 애쓰는 사람.

구독 (購讀) 잡지나 신문 따위를 사서 읽음. ㉮구독 신청 / 신문 구독을 중단하다. **—하다.**

구독료 (購讀料) [구동뇨] 신문이나 잡지 따위를 정기적으로 받아 보고 치르는 돈.

***구두**[1] 주로 가죽으로 발등을 덮게 만든 서양식의 신발. ㉮구두를 닦다 / 구두를 수선하다.

구:두[2] (口頭) 마주 대하여 입으로 하는 말. ㉮구두 약속 / 구두로 지시하다.

구두닦이 [구두다끼] 구두를 닦는 일을 직업으로 하는 사람.

***구두쇠** 돈이나 재물을 너무 지나치게 아끼는 사람. ㉮소문난 구두쇠. ㉲수전노.

구:두시험 (口頭試驗) 시험관의 물음에 말로 대답하는 시험. ㉲구술시험.

구두점 (句讀點) [구두쩜] 글을 마치거나 쉴 때에 찍는 마침표와 쉼표. ㉮구두점을 찍다.

구둣발 [구두빨 / 구둗빨] 구두를 신은 발. ㉮구둣발로 차다 / 구둣발로 방에까지 들어가다.

구들 '방구들'의 준말.

구들장 [구들짱] 방고래 위에 놓아 방바닥을 만드는 넓고 얇은 돌.

구:랍 (舊臘) 지난해의 마지막 달. ㉲객랍.

구럭 새끼로 그물처럼 엮어 만든 물건. ㉲망.

구렁 **1** 땅이 우묵하게 들어간 곳. ㉮깊은 구렁에 빠지다. **2** 빠지면 벗어나기 어려운 환경. ㉮악의 구렁에서 발을 빼다.

구렁이 **1** 뱀과에 속하는 동물의 하나. 집 근처의 담이나 돌무덤에 나타나는데, 길이 150–180 cm, 빛은 누렇고 움직임이 느림. **2** 성질이 음흉하고 능글맞은 사람의 별명. ㉮구렁이 같은 녀석.

구렁텅이 **1** 험하고 깊은 구렁. **2** 벗어나기 아주 어려운 상태. ㉮악의 구렁텅이에 빠지다.

구레나룻 [구레나룯] 귀밑에서 턱까지 잇따라 난 수염. ㉠구레나룻이 아주 멋진 아저씨.

***구ː령** (口令) 여러 사람의 움직임을 동시에 똑같이 하게 하기 위하여 부르는 호령. '차려·열중쉬어·뒤로 돌아' 따위. ㉠구령 소리 / 구령을 붙이다. **—하다.**

구류 (拘留) 죄인을 1일 이상 30일 미만의 기간 동안 구치소에 가두는 벌. ㉠폭행 혐의로 20일간 구류를 살다. **—하다.**

***구르다**[1] **1** 데굴데굴 돌며 옮겨 가다. ㉠비탈에서 굴러 떨어지다. **2** 하찮게 내버려지거나 널려 있다. ㉠길가에 구르는 낙엽. 활용 굴러 / 구르니.

구르다[2] 밑바닥이 울리도록 발로 바닥을 힘 있게 내리 디디다. ㉠발을 동동 구르다 / 아이들이 음악에 맞추어 발을 구르며 율동을 했다. 활용 굴러 / 구르니.

***구름** 공기 중의 수분이 작은 물방울이나 얼음 알갱이 상태로 연기 덩어리처럼 공중에 떠 있는 것. → [학습마당] 2(아래) ➲ cloud

구름다리 길이나 건물 등의 위를 건너질러 사람이 지나다니게 만든 다리.

구름바다 [구름빠다] 바다처럼 넓게 깔린 구름. 비 운해.

구름사다리 아주 높은 사다리. 아이들 놀이 기구. ㉠구름사다리에 매달려 놀다.

[학습마당] 2

구름의 종류

구분	명칭	모양
상층운 (5~13 km)	권운(털구름)	상층운 중 가장 높은 곳에 있는 구름. 흰 머리털이나 가는 실오리같이 보임
	권적운(털쌘구름)	작게 덩어리진 흰 구름이 물고기 비늘처럼 널려 있는 구름
	권층운(털층구름)	하늘 전체를 엷게 덮은 베일 모양의 구름. 이 구름을 통해 보면 햇무리나 달무리가 나타남. 일기가 나빠질 징조의 구름
중층운 (2~7 km)	고적운(높쌘구름)	백색 또는 회색으로 크고 둥글둥글하게 덩어리진 구름
	고층운(높층구름)	하늘 전체를 두껍게 덮은 베일 모양의 구름
	난층운(비층구름)	하늘 전체를 덮고 비 또는 눈을 내리게 하는 구름
하층운 (0~2 km)	층적운(층쌘구름)	여러 가지 모양의 구름 조각이 모여 생긴 구름
	층운(층구름)	안개비를 내리게 하는 매우 낮은 구름
	적운(쌘구름)	밑은 평평하고 꼭대기는 솜을 쌓아 놓은 것처럼 뭉실뭉실한 구름
	적란운(쌘비구름)	적운이 발달하여 하늘 한쪽을 덮은 모양이 된 구름. 아랫부분은 뇌우를 수반하는 비구름임

구름양 (–量) [구름냥] 구름이 하늘을 덮고 있는 정도. 구름이 전혀 없을 때를 0, 온 하늘을 덮었을 때를 10으로 하여 그 정도를 눈대중으로 정함. ⓑ운량.

구름장 [구름짱] 넓게 퍼진 두꺼운 구름 덩어리. ⓔ비가 오려는지 구름장이 몰려온다.

구름판 (–板) 멀리뛰기·뜀틀 운동 따위에서, 뛰어오르기 직전에 발을 구르는 판.

구릉 (丘陵) ⇨언덕.

***구리** 검붉고 윤이 나는 연한 금속. 은 다음으로 전기와 열을 잘 전달함. ⓑ동.

***구리다** **1** 똥이나 방귀 냄새와 같다. ⓔ구린 냄새. **2** 행동이 떳떳하지 못하고 의심스럽다. ⓔ구린 데가 있는지 꽁무니를 뺀다.

구리판 (–板) 구리를 얇고 넓게 편 것. ⓑ동판.

구린내 구리게 나는 냄새. ⓔ구린내가 진동하다.

구릿빛 [구리삗/구릳삗] 구리처럼 검붉은 빛깔. 햇빛에 검붉게 탄 색. ⓔ구릿빛 살결.

구매 (購買) 물건을 사들임. ⓔ충동구매/상품을 구매하다. ⓑ구입. **—하다.**

-구먼 어떤 말 맨 뒤에 붙어 반말이나 혼잣말로 새삼스러운 감탄을 나타내는 말. ⓔ빨리 왔구먼/좋은 생각이구먼/꽤 크구먼. ⓒ-군. → [학습마당] 3(아래)

***구멍** 파냈거나 뚫어진 자리. ⓔ양말에 구멍이 나다. ➲ hole

구멍가게 [구멍까게] 조그맣게 차린 가게.

구:면 (舊面) 알고 지낸 지 오래된 처지. 또는 그런 사람. ⓔ우리는 서로 구면이다. ⓑ초면.

구명¹ (究明) 깊이 연구하여 밝힘. ⓔ사건의 원인이 철저히 구명되어야 할 것이다. **—하다.** →규명 주의

구:명² (救命) 사람의 목숨을 구함. ⓔ구명 운동을 펼치다/조난자가 모두 구명되었다. **—하다.**

구:명대 (救命帶) 물 위에 쉽게 뜰 수 있도록 조끼처럼 입거나 허리나 어깨에 걸치는 기구. ⓑ구명부대.

구:명정 (救命艇) 배가 사고를 당했을 때 사람을 구하는 데 쓰는 작은 배. 배에 싣고 다님. ⓑ구명보트.

구:명조끼 (救命–) 물에 빠져도 몸이 뜰 수 있도록 만든 조끼.

구문¹ (構文) 글의 짜임. 문장의 구성. ⓔ한국어 구문의 특성.

구:문² (舊聞) 전에 들은 소문이나 이야기. 이미 묵은 소식. ⓔ그건 이미 구문이야.

[학습마당] 3

'-구먼'과 '-구려'

현재 쓰이고 있는 발음 형태를 취하여 '-구면'은 '-구먼'으로, '-구료'는 '-구려'로 적음.

(○)	(×)
많구먼	많구면
먹는구먼	먹는구면
벌써 봄이구먼	벌써 봄이구면
크구려	크구료
자는구려	자는구료
훌륭한 사람이구려	훌륭한 사람이구료

구:미 (口味) ⇨입맛. ㉮구미에 맞는 음식.

구미호 (九尾狐) **1** 오래 묵어 사람을 호린다는, 꼬리가 아홉 개 달린 여우. **2** 간사하게 아첨을 잘하는 사람. 교활한 사람.

구박 (驅迫) 못 견디게 괴롭힘. ㉮전학 온 친구를 구박하다. 비 학대. **—하다.**

구:변 (口辯) ⇨말솜씨. ㉮구변이 좋은 사람. 비 언변.

***구별** (區別) 성질이나 종류에 따라 나타나는 차이. 또는 그것을 갈라놓음. ㉮공과 사를 구별하다 / 진짜와 가짜가 구별되다. **—하다.**

구보 (驅步) 뛰어감. 또는 그런 걸음걸이. ㉮구보 행군. **—하다.**

구부러지다 한쪽으로 휘어지다. ㉮허리가 구부러지다.

구부리다 한쪽으로 굽히다. ㉮철사를 구부리다. 작 고부리다. 센 꾸부리다.

구부정하다 한쪽으로 약간 비스듬하게 굽다. ㉮구부정한 자세. 작 고부장하다. 센 꾸부정하다.

***구분** (區分) 일정한 기준에 따라 갈라 나눔. ㉮빛깔을 구분하다 / 새것과 헌것으로 구분되다. 비 식별. **—하다.**

구불거리다 이리저리 자꾸 구부러지다. ㉮구불거리는 해안 도로. 작 고불거리다. 센 꾸불거리다.

구불구불 이리저리 구부러진 모양. ㉮구불구불한 산길. 센 꾸불꾸불. **—하다.**

구:비[1] (口碑) 대대로 전해 내려오는 말. ㉮구비 동화.

구비[2] (具備) 필요한 것을 빠짐 없이 고루 다 갖춤. ㉮구비 서류 / 자격 조건을 구비하다. **—하다.**

구사 (驅使) 마음대로 능숙하게 다루어 씀. ㉮3 개 국어를 구사하다. **—하다.**

구사일생 (九死一生) [구사일쌩] 죽을 고비를 여러 번 겪고 겨우 살아남. ㉮구사일생으로 살아나다.

구상 (構想) **1** 어떤 일의 내용·규모·처리 방법 따위를 이리저리 생각함. 또는 그 생각. ㉮새로운 사업을 구상하다. **2** 예술 작품의 내용이나 표현 형식 따위에 대하여 생각을 정리함. 또는 그 생각. ㉮작품 구상에 골몰하다. **—하다.**

구색 (具色) 여러 가지 물건을 골고루 갖춤. ㉮구색을 갖추다.

***구석** **1** 모퉁이의 안쪽. ㉮구석 자리에 웅크리고 앉다. **2** 잘 드러나지 않고 치우친 곳. ㉮외딴 시골 구석에서 살다. **3** 마음이나 사물의 한 부분. ㉮빈 구석 / 사회의 어두운 구석 / 큰소리치는 것을 보니 믿는 구석이 있는 모양이다. ➡corner

구석구석 [구석꾸석] 이 구석 저 구석. 구석마다. ㉮구석구석 먼지투성이다.

구:석기 시대 (舊石器時代) [구석끼—] 석기 시대 중에서 가장 오래된 시대. 동물의 뼈나 뿔로 만든 도구와 뗀석기 등을 사용하고 동물을 사냥하거나 열매를 채집하여 생활했음. *신석기 시대.

구석방 (—房) [구석빵] 집의 한 모퉁이에 있는 방. ㉮구석방에 틀어박혀 지내다.

구석지다 [구석찌다] 한쪽 구석으로 치우쳐 으슥하거나 멀리 떨어져 외지다. ㉮구석진 자리.

구:설수 (口舌數) [구설쑤] 남에게 헐뜯는 말을 들을 운수. ㉮구설수에 오르다.

***구성** (構成) 각각의 요소를 얽어서 하나로 만듦. 또는 그렇게 짜여진 것. ㉮합창단을 구성하다 / 구성이 탄탄한 소설. 비 짜임. **—하다.**

구성원 (構成員) 어떤 조직이나 단체를 이루고 있는 사람들. ㉮가족

구성원. 비 성원.
구성지다 천연덕스럽고 구수하며 멋지다. 예구성진 목소리.
구ː세군 (救世軍) 기독교의 한 파. 군대와 같은 체계적인 조직을 갖춤. 기독교를 전파하며 사회사업 등을 많이 함. 우리나라에서는 1908년에 조직되었음. 예구세군의 자선냄비가 등장했다.
구ː세대 (舊世代) 옛 세대. 나이 든 낡은 세대. 예구세대 인물. 반 신세대.
구ː세주 (救世主) **1** 인류를 죄악에서 구제하는 주인이라는 뜻으로, 예수 그리스도를 이르는 말. **2** 어려움이나 고통에서 구해 주는 사람을 비유적으로 이르는 말.
구ː소설 (舊小說) 갑오개혁 이전에 나온 소설. *신소설.
구속 (拘束) **1** 자유로운 행동이나 생각을 못 하게 함. 예행동에 구속을 받다. 비 속박. **2** 법에 따라 일정한 장소에 가둠. 예범인을 구속하다. **—하다.**
구수하다 **1** 맛이나 냄새가 입맛이 당기도록 좋다. 예된장국 냄새가 구수하다. **2** 말이나 이야기가 마음을 끄는 은근한 맛이 있다. 예구수한 옛날이야기. 작 고소하다.
구ː술 (口述) 입으로 말함. 예구술한 내용을 받아 적다. **—하다.**
구ː술시험 (口述試驗) ⇨구두시험.
*__구슬__ **1** 사기나 유리로 작고 동그랗게 만든 장난감. **2** 보석으로 둥글게 만든 물건. 흔히 장신구로 씀.
구슬땀 구슬같이 방울방울 맺힌 땀. 예구슬땀을 흘리다.
구슬리다 그럴듯한 말로 꾀어 마음을 움직이다. 예구슬러 삶다 / 아이를 어르고 구슬려 달래다.
구슬치기 구슬을 던져서 맞히며 노는 놀이.
구슬프다 처량하고 슬프다. 예구슬픈 노래 / 구슬프게 울다. 활용 구슬퍼 / 구슬프니.
구슬피 구슬프게. 예구슬피 내리는 비.
구ː습 (舊習) 예전부터 내려오는 낡은 풍속과 습관. 예구습을 타파하다 / 구습이 뿌리 깊게 남아 있다.
구ː시대 (舊時代) 예전의 시대. 낡은 시대. 반 신시대.
구ː식 (舊式) **1** 예전의 형식이나 방식. 예구식 결혼. **2** 케케묵어 시대에 뒤떨어짐. 또는 그런 것. 예살림살이가 구식이다. 반 신식.
구실[1] 맡아서 꼭 하여야 할 일. 예자기 구실을 다하다. 비 소임. 역할.
*__구ː실__[2] (口實) 핑계 삼을 일. 예감기를 구실로 결석하다. 비 핑계.
구심력 (求心力) [구심녁] 원운동을 하는 물체가 달아나지 못하도록 중심 쪽으로 당기는 힘. 반 원심력.
구십 (九十) 아흔. 예구십 년.
구애[1] (求愛) 이성에게 사랑을 구함. 예구애의 편지. **—하다.**
구애[2] (拘礙) 거리끼거나 얽매임. 예승패에 구애되지 않다. **—하다.**
구ː약 성서 (舊約聖書) [—썽서] 기독교 성서의 하나. 예수가 나기 전부터 전해지는 유대교의 가르침을 모은 책. 준 구약. *신약 성서.
구ː어 (口語) 일상적인 대화에 쓰는 말. 비 입말. 반 문어.
구ː어체 (口語體) 구어로 쓴 문체. 비 입말체. 반 문어체.
구역 (區域) 갈라놓은 지역. 예출입 금지 구역 / 어린이 보호 구역 / 안전 구역. 비 지역.
구역질 (嘔逆—) [구역찔] 속이 메스꺼워 토하는 짓. 예구역질이 나다. 비 욕지기질. **—하다.**
구ː연 (口演) 여러 사람 앞에서 동화 따위를 말로써 재미있게 이야기함. 예동화를 구연하다. **—하다.**

구ː연동화 (口演童話) 어린이들에게 말로 재미있고 실감 나게 들려주는 동화.

구완 아픈 사람이나 아이를 낳은 사람의 시중을 드는 일. ㉠산모를 구완하다. **—하다.**

구운몽 (九雲夢) 〖책〗 조선 숙종 때 효자로 이름난 김만중이 지은 한글 소설. 주인공 성진이 여덟 선녀와 함께 인간으로 환생하여 부귀영화를 누리다가 깨어 보니 꿈이었다는 내용임.

구워삶다 [구워삼따] 여러 가지 수단과 방법을 써서 상대편이 자기의 생각대로 움직이도록 만들다. ㉠동생을 **구워삶아서**[구워살마서] 심부름을 시키다.

구ː원 (救援) **1** 어려움이나 위험에 빠진 사람을 구해 줌. ㉠구원의 손길 / 구원을 청하다. 비 구제. **2** 기독교에서, 인류를 죄악에서 건져 냄. **—하다.**

구월 (九月) 한 해 열두 달 가운데 아홉 번째 달. ➲ September

구월산 (九月山) [구월싼] 황해도 신천군에 있는 산. 단군에 관한 얘기와 많은 유적·유물이 전해 옴. 높이는 954 m.

구유 말이나 소의 먹이를 담아 주는 그릇. 흔히 큰 나무토막이나 돌을 길쭉하게 파내어 만듦.

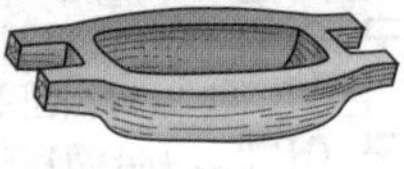
〈구유〉

구이 고기나 생선에 양념을 하여 구운 음식. ㉠갈비구이 / 장어구이.

구인 (求人) 일할 사람을 구함. ㉠구인 광고. ＊구직.

구인난 (求人難) 일할 사람을 구하기 어려움. ㉠구인난을 겪다.

***구입** (購入) 물건을 사들임. ㉠물품 구입 / 입장권을 미리 구입하다. 비 구매. 반 판매. **—하다.**

구장 (球場) 축구·야구 따위의 시합을 하는 운동장. 특히, 야구장.

구재 학당 (九齋學堂) [—학땅] 고려 문종 때 최충이 수도 개경에 세운 사립학교. 9개의 학당으로 나누어 교육을 시켰음.

구저분하다 지저분하고 더럽다. ㉠음식을 구저분하게 먹다.

구ː전 (口傳) 말로 전함. 말로 전해 내려옴. ㉠구전 문학 / 구전 민요. **—하다.**

구절 (句節) 한 토막의 글이나 말. ㉠시의 한 구절. ×귀절.

> 주의 한자 '구(句)'가 붙어서 된 낱말은 '귀'로 읽는 것을 인정하지 않고 '구'로 통일함. ㉠구절, 구점, 문구, 성구, 어구, 절구.
> 다만 '글귀, 귀글'은 '귀'로 씀.

구절초 (九節草) 국화과의 여러해살이풀. 산에 나는데 가을에 붉은색·흰색의 꽃이 줄기 끝에 핌. 잎은 약으로 쓰임.

〈구절초〉

구접스럽다 [구접쓰럽따] **1** 너절하고 더럽다. **2** 하는 짓이 지저분하다. ㉠구접스럽게 굴다. 활용 구접스러워 / 구접스러우니.

구ː정[1] (舊正) 음력 1월 1일. 음력설. ㉠구정을 쇠다. 반 신정.

구ː정[2] (舊情) 예전에 사귄 정. ㉠구정을 못 잊다.

구정물 무엇을 빨거나 씻어 더러워진 물.

구ː제[1] (救濟) 재해를 입거나 피해를 당하여 어려운 처지에 있는 사람을 도와줌. ㉠구제 사업 / 빈민을 구제하다. 비 구호. **—하다.**

구제[2] (驅除) 해충 따위를 몰아내

어 없앰. ㊀기생충 구제 / 해충을 구제하다. **—하다.**

구ː제역 (口蹄疫) 소나 돼지 따위의 동물이 잘 걸리는 바이러스성 전염병. 입 안의 점막이나 발톱 사이에 물집이 생겨 짓무름.

구ː조[1] (救助) 위험에 빠진 사람을 구해 줌. ㊀인명 구조 / 구조 신호를 보내다 / 물에 빠진 사람을 구조하다. 비 구원. 구제. **—하다.**

***구조**[2] (構造) 여러 재료나 요소를 모아 짜 이룬 전체. 또는 그 짜임새. ㊀사회 구조 / 구조가 특이한 건물. 비 얼개.

구ː조대 (救助隊) 위험에 빠진 사람이나 물건 등을 구하는 사람들로 조직된 단체. ㊀119 구조대.

구조물 (構造物) 일정한 설계에 따라 여러 재료를 얽어서 만든 물건. 건물·다리·터널 따위. ㊀구조물을 설치하다.

구ː조사다리 (救助—) 높은 건물에 불이 나거나 높은 곳에서 위험에 처한 사람을 구해 내기 위하여 쓰는 사다리.

구지레하다 지저분하게 더럽다. ㊀구지레한 세간은 없애 버려라.

구직 (求職) 일자리를 구함. ㊀구직 광고.

구질 (球質) 테니스·탁구·야구 따위에서, 선수가 치거나 던지는 공의 성질. ㊀구질이 좋다.

구질구질하다 깨끗하지 못하고 지저분하다. ㊀날씨가 구질구질하다 / 구질구질하게 변명을 늘어놓다.

구ː차하다 (苟且—) **1** 살림이 넉넉하지 못하다. ㊀구차한 살림. 비 가난하다. **2** 말이나 행동이 떳떳하지 못하다. ㊀구차한 변명은 듣기 싫다.

구청 (區廳) 구의 행정 사무를 맡아보는 관청.

구청장 (區廳長) 구청의 우두머리.

구체적 (具體的) 사물이 뚜렷한 모양을 갖춘 (것). ㊀구체적인 계획을 세우다. 반 추상적.

구체화 (具體化) 구체적으로 되게 함. 또는 구체적으로 됨. ㊀정책을 구체화하다. **—하다.**

구축 (構築) **1** 어떤 시설물을 쌓아 올려 만듦. ㊀진지를 구축하다. **2** 체제·체계 따위의 기초를 닦아 세움. ㊀초고속 인터넷 통신망을 구축하다. **—하다.**

구축하다 (驅逐—) [구추카다] 어떤 나쁜 세력이나 해로운 것 따위를 몰아서 쫓아내다. ㊀사치 풍조를 구축하다.

구축함 (驅逐艦) [구추캄] 어뢰를 갖추고 적의 주력함이나 잠수함을 공격하는 작고 빠른 군함.

구ː출 (救出) 위험한 상태에서 구하여 냄. ㊀구출 작전 / 화재 현장에서 인명을 구출하다. **—하다.**

구충제 (驅蟲劑) **1** 몸속의 기생충을 없애는 데 쓰는 약. **2** 농작물 따위의 해충을 없애는 약. 비 살충제.

구치소 (拘置所) 법을 어겨 죄지은 사람을 잡아 가두는 시설.

구치하다 (拘置—) 죄인을 일정한 곳에 잡아 가두다.

구타 (毆打) 사람을 마구 때림. ㊀구타 사건 / 집단 구타. **—하다.**

구태여 애써 굳이. 일부러. ㊀구태여 올 필요는 없다.

구ː태의연하다 (舊態依然—) [— / 구태이연하다] 변하거나 발전한 데가 없이 예전 모습 그대로이다. ㊀구태의연한 태도.

구토 (嘔吐) 먹은 음식물을 토함. ㊀멀미로 심하게 구토하다. 비 토역. **—하다.**

구판장 (購販場) 조합 등에서 공동으로 물건을 사서 싸게 파는 곳. ㊀농협 구판장.

***구하다**[1] (求—) **1** 필요한 것을 찾다. 또는 그렇게 하여 얻다. ㊀해답

을 구하다 / 직업을 구하다 / 그런 물건은 구하기 어렵다. **2** 상대편이 어떻게 해 주기를 바라다. ㉑양해를 구하다 / 용서를 구하다.

*__구:하다²__ (救一) 어려움에서 벗어나도록 도와주다. ㉑목숨을 구해 주다 / 가난한 사람을 구하다. ⇨save

__구:한말__ (舊韓末) 조선 시대 말기. 흔히 1897년부터 1910년까지의 대한 제국 시대를 말함.

__구현__ (具現) 어떤 사실을 구체적으로 나타냄. ㉑사회 정의가 구현되다. **一하다.**

__구형¹__ (求刑) 형사 재판에서, 검사가 죄지은 사람에게 어떤 형벌을 줄 것을 판사에게 요구함. ㉑유괴범에게 무기 징역을 구형하다. **一하다.**

__구형²__ (球形) 공처럼 둥근 모양.

__구:형³__ (舊型) 구식인 모양. ㉑구형 자동차. ㊐구식. ㊏신형.

__구:호¹__ (口號) 요구나 주장 따위를 나타내는 짤막한 말이나 글. ㉑구호를 외치다.

__구:호²__ (救護) **1** 재해나 재난 따위로 어려움에 처한 사람을 보호함. ㉑난민 구호 / 구호 시설. **2** 병자·부상자를 간호하거나 치료함. ㉑부상병들을 구호하다. **一하다.**

__구:호품__ (救護品) 재난을 당한 사람이나 병자 등을 돕기 위한 물품.

__구혼__ (求婚) **1** 결혼할 상대자를 구함. ㉑공개 구혼. **2** 상대에게 결혼을 청함. ㉑구혼을 받아들이다. ㊐청혼. **一하다.**

__구:황 작물__ (救荒作物) [一장물] 흉년이 들어 굶주릴 때에 곡식 대신 먹을 수 있는 농작물. 감자·메밀 따위.

__구획__ (區劃) 토지 따위를 경계를 두어 정함. ㉑구획 정리 / 구획을 짓다. **一하다.**

__구:휼__ (救恤) 가난한 사람이나 불행한 일을 당한 사람을 돕고 보살핌. **一하다.**

*__국__ **1** 고기·채소·생선 따위에 물을 많이 부어 끓인 음식. ㉑국을 끓이다. **2** '국물'의 준말.

__-국¹__ (局) 일부 명사 뒤에 붙어, 그러한 일을 하는 부서임을 뜻함. ㉑편집국 / 사무국.

__-국²__ (國) 일부 명사 뒤에 붙어, 그러한 나라임을 뜻함. ㉑공화국 / 강대국.

*__국가¹__ (國家) [국까] 일정한 영토와 거기에 사는 사람들로 이루어져 있으며, 통치 조직을 가진 사회 집단. ㉑민주 국가 / 국가 공무원. ㊐나라.

__국가²__ (國歌) [국까] 한 나라의 이상과 정신을 담아 만든 노래. 그 나라를 대표하며, 기념식 따위에서 부름. ㉑국가를 제창하다. *애국가.

__국가 보:훈처__ (國家報勳處) [국까一] 중앙 행정 기관의 하나. 전쟁에서 죽거나 다친 군인이나 그 가족들의 생활을 돕기 위한 일을 맡아봄.

__국가적__ (國家的) [국까적] **1** 국가에 관련된 (것). ㉑국가적(인) 배상. **2** 국가 전체가 관여하는 (것). ㉑국가적 행사.

__국가 정보원__ (國家情報院) [국까一] 대통령 직속의 중앙 행정 기관의 하나. 나라의 안전에 필요한 정보와 범죄 수사에 관한 일을 맡아봄.

__국거리__ [국꺼리] 국을 끓이는 데 넣는 고기·생선·채소 따위의 재료.

*__국경__ (國境) [국꼉] 나라와 나라 사이의 경계. ㉑국경 수비대 / 국경을 마주하다.

__국경선__ (國境線) [국꼉선] 나라와 나라 사이의 경계선. ㉑국경선을 넘다 / 국경선에 군대를 배치하다.

*__국경일__ (國慶日) [국꼉일] 국가적인 경사를 기념하기 위하여 법률로 정한 날. 우리나라에는 삼일절·제헌절·광복절·개천절·한글날이 있음. ㉑국경일에 태극기를 달다.

국고 (國庫) [국꼬] 나라의 재산을 보관하고, 수입·지출을 관리하는 기관. ㉥국고에서 지원하다.

국교[1] (國交) [국꾜] 나라와 나라 사이의 외교 관계. ㉥국교를 맺다.

국교[2] (國敎) [국꾜] 국가가 지정하여 전 국민이 믿도록 하는 종교. ㉥불교를 국교로 삼다.

***국군** (國軍) [국꾼] 우리나라의 군대. 육군·해군·공군을 통틀어 일컫는 말. ㉥국군 용사 / 국군 장병.

국권 (國權) [국꿘] 국가의 주권. ㉥빼앗긴 국권을 다시 찾았다.

***국기**[1] (國旗) [국끼] 한 나라를 상징하는 깃발. 우리나라의 태극기, 미국의 성조기 따위. ㉥국기에 대한 경례 / 국기를 게양하다.

국기[2] (國技) [국끼] 한 나라 특유의 전통적인 운동이나 기예. 우리나라의 씨름이나 태권도, 미국의 야구 따위.

국난 (國難) [궁난] 나라의 위태로움과 어려움. ㉥국난을 당하다 / 국난을 슬기롭게 극복하다.

***국내** (國內) [궁내] 나라 안. ㉥국내 문제. 반 국외. 해외.

국내선 (國內線) [궁내선] 나라 안의 교통이나 통신에만 이용되는 선. 철도·항공 노선·전화선 따위. 반 국제선.

국내성 (國內城) [궁내성] 〖지명〗 고구려 초기의 수도. 지금의 만주 지안 지방에 있었음.

국내 시:장 (國內市場) [궁내—] 나라 안의 시장. 반 국제 시장.

국내외 (國內外) [궁내외] 나라의 안과 밖. ㉥국내외 정세 / 국내외에 이름을 떨치다.

국내 우편 (國內郵便) [궁내—] 주고받는 사람이 다 나라 안에 있는 우편. 반 국제 우편.

국도 (國道) [국또] 나라에서 직접 관리하는 도로. 고속 국도와 일반 국도가 있음. 반 지방도.

[학습마당] 4

국립공원으로 지정된 산

호	이름	높이	위 치
1	지리산	1,915 m	전라북도, 전라남도, 경상남도
3	계룡산	845 m	충청남도
5	설악산	1,708 m	강원도
6	속리산	1,058 m	충청북도, 경상북도
7	한라산	1,950 m	제주도
8	내장산	763 m	전라북도, 전라남도
9	가야산	1,430 m	경상북도, 경상남도
10	덕유산	1,508 m	전라북도, 경상남도
11	오대산	1,563 m	강원도
12	주왕산	721 m	경상북도
15	북한산	836 m	서울특별시, 경기도
16	치악산	1,288 m	강원도
17	월악산	1,093 m	충청북도, 경상북도
18	소백산	1,440 m	충청북도, 경상북도
20	월출산	809 m	전라남도

*국력 (國力) [궁녁] 나라의 힘. ㉠예 국력을 기르다.
국론 (國論) [궁논] 국민의 공통된 의견. ㉠예국론을 모으다.
*국립 (國立) [궁닙] 나라에서 세움. ㉠예국립대학 / 국립 도서관. ㉤반 사립.
국립공원 (國立公園) [궁닙꽁원] 자연 경치가 뛰어난 곳을 보호하기 위해 나라에서 지정하여 관리하는 공원. → [학습마당] 4(135쪽)
국립묘지 (國立墓地) [궁님묘지] 나라를 위해 싸우다 죽은 군인들과 나라에 큰 공을 세운 사람들의 영령을 모시고, 그 공적을 기리기 위하여 만든 묘지.
국립 박물관 (國立博物館) [궁닙빵물관] 나라에서 세워 문화재를 진열해 놓고 운영·관리하는 박물관.
국면 (局面) [궁면] 어떤 일이 진행되어 가는 형편이나 상황. ㉠예어려운 국면에 부닥치다.
국명 (國名) [궁명] 나라의 이름. ㉥비 국호.
국모 (國母) [궁모] 임금의 아내나 임금의 어머니를 이르던 말.
국무 (國務) [궁무] 나라의 정치에 관한 일.
국무 위원 (國務委員) [궁무—] 대통령을 도와 나라의 중요한 일을 맡아보는 국무 회의의 구성원.
국무총리 (國務總理) [궁무총니] 대통령을 보좌하고 행정에 관하여 대통령의 명을 받아 중앙 행정 기관의 장을 지휘·감독하는 공무원. 국회의 동의를 얻어 대통령이 임명함. ㉦준 총리.
국무 회ː의 (國務會議) [궁무— / 궁무회이] 대통령·국무총리 및 국무위원이 정부의 중요 정책을 심의하는 회의. 대통령이 의장이 되고 국무총리는 부의장이 됨.
국문 (國文) [궁문] 우리나라 고유의 문자인 한글. 또는 한글로 쓴 글. ㉠예국문을 깨치다.
국문학 (國文學) [궁문학] **1** 자기 나라의 문학. **2** 우리나라의 문학. 또는 그것을 연구하는 학문.
국물 [궁물] 국·찌개·김치 등의 음식에서 건더기를 빼고 남은 물. ㉠예 찌개 국물. ㉦준 국.
국물도 없다 아무 이득도 없다. ㉠예 아무리 애써 봐야 국물도 없다.
*국민 (國民) [궁민] 한 나라를 구성하고 있는 사람. 또는 그 나라의 국적을 가진 사람. ㉥비 백성.
국민 교ː육 헌ː장 (國民教育憲章) [궁민교유컨장] 우리나라 교육의 지표를 제시한 헌장. 국민 도덕의 기본 방향을 밝히고 국민의 기본 자세를 확립할 것을 내용으로 함. 1968년 12월 5일에 선포하였음. ㉦준 교육 헌장.
국민성 (國民性) [궁민썽] 한 나라 국민이 공통으로 가지고 있는 독특한 성질. ㉠예근면한 국민성.
국민 소ː득 (國民所得) [궁민—] 국민 전체가 일정한 기간(보통 1년)에 생산한 것을 돈으로 계산한 액수. ㉠예국민 소득이 높다.
국민 연금제 (國民年金制) [궁민년금제] 사회 보장 제도의 하나. 정부가 국민이 낸 돈으로 사업을 하여, 가입자가 일할 능력이 없을 때에 평생 동안 일정한 소득을 보장하는 제도. 1988년 1월 1일부터 실시되고 있음.
국민운동 (國民運動) [궁미눈동] 일정한 목적을 이루기 위해 대다수의 국민이 참여하는 운동.
국민의례 (國民儀禮) [궁미늬례 / 궁미니례] 나라의 의식이나 행사에서 국민으로서 갖추어야 할 예법. 곧, 국기에 대한 경례, 애국가 제창, 순국선열에 대한 묵념 따위.
국민적 (國民的) [궁민적] 규모가 국민 전체에 관계되는 (것). ㉠예국민적 소망.
국민 총ː생산 (國民總生産) [궁민—] 한 나라에서 일정 기간(보통 1년간)에 생산한 것을 금액으로 표시한 것. 지엔피(GNP).
국민 투표 (國民投票) [궁민—] 선거 이외에 나라의 중대 사항을 결정하기 위하여 국민 전체가 참가하는 투표.
국민학교 (國民學校) [궁민학꾜] '초등학교'의 전 이름.
국밥 [국빱] 더운 국에 밥을 넣은 음식. ㉠국밥을 말다.
국방 (國防) [국빵] 다른 나라의 침입이나 위협으로부터 나라를 지킴. ㉠국방을 튼튼히 하다.
국방부 (國防部) [국빵부] 중앙 행정 기관의 하나. 국방과 군사에 관한 사무를 맡아봄.
국방비 (國防費) [국빵비] 국방에 필요한 비용.
국법 (國法) [국뻡] 나라의 법률이나 법규. ㉠국법을 준수하다.
국보 (國寶) [국뽀] **1** 나라의 보배. **2** 나라에서 귀중한 유물로 지정하여 보호하는 문화재. ㉠국보로 지정되다.
국보급 (國寶級) [국뽀끕] 국보로 정할 만한 가치가 있는 수준.
국부 (國父) [국뿌] **1** ⇨임금[1]. **2** 나라를 세우는 데 큰 공이 있어 국민에게 존경을 받는 지도자.
국비 (國費) [국삐] 나라에서 부담하는 비용. ㉠국비 장학생.
국빈 (國賓) [국삔] 나라의 귀한 손님으로 대접을 받는 외국 사람. ㉠국빈 대우를 받다.
국사[1] (國史) [국싸] **1** 한 나라의 역사. **2** 우리나라의 역사.
국사[2] (國師) [국싸] **1** 임금의 스승. **2** 예전에, 조정에서 덕이 높은 승려에게 내리던 최고의 직위.
국사[3] (國事) [국싸] 나라에 관한 일. 또는 나라의 정치에 관한 일. ㉠국사를 돌보다 / 국사를 논하다. ㈜나랏일.
국산 (國産) [국싼] 자기 나라에서 생산함. 또는 그 물건. ㉠국산 자동차. ㈜국내산. ㈝외국산.
국산품 (國産品) [국싼품] 자기 나라에서 만든 물건. ㉠국산품 애용. ㈝외래품.
국서 (國書) [국써] 한 나라의 원수가 그 나라의 이름으로 외국에 보내는 문서.
국세 (國稅) [국쎄] 국가가 국민에게서 거두어들이는 세금. 소득세·법인세·관세 따위. ㈝지방세.
국세 조사 (國勢調査) [국쎄—] 나라의 형편을 알기 위하여 인구·산업 등 여러 가지 사항에 대해 전국에 걸쳐 실시하는 조사. 센서스.
국세청 (國稅廳) [국쎄청] 세금을 매기고 거두어들이는 일을 하는 관청. 재정 경제부에 딸림.
국수 [국쑤] 밀가루나 메밀가루를 반죽하여 가늘고 길게 썰거나 국수틀로 눌러 만든 식품. 또는 그것으로 만든 음식. ㉠국수를 삶다.
국수주의 (國粹主義) [국쑤주의 / 국쑤주이] 자기 나라의 전통과 국민성을 가장 우수한 것으로 여기고 남의 나라 것은 무시하고 하찮게 보는 주의.
국숫발 [국쑤빨 / 국쑫빨] 국수의 가락. ㉠국숫발이 가늘다. ㈜면발.
국시 (國是) [국씨] 한 나라의 근본이 되는 주의와 방침. ㉠민주주의를 국시로 삼다.
국악 (國樂) [구각] 우리나라의 고전 음악. 거문고·가야금·피리·장구·북 등을 연주함.
국악기 (國樂器) [구각끼] 국악을 연주할 때 쓰는 악기. 장구·거문고·가야금·피리·북 따위.
***국어** (國語) [구거] **1** 국민 전체가

쓰는 그 나라의 고유한 말. ㉥이 책은 이십여 개 국어로 번역되었다. **2** 우리나라의 말. 비 나라말. 반 외국어. **3** 학교 교육에서 국어를 다루는 과목.

국어사전 (國語辭典) [구거사전] 자기 나라 말을 모아서 일정한 순서로 배열하고, 낱말의 발음·뜻 및 다른 말과의 관련 등에 대하여 풀이해 놓은 책.

> **참고 국어사전을 찾는 순서**
> 국어사전에서 낱말을 찾을 때에 닿소리와 홀소리의 순서는 다음과 같다.
> 닿소리 : ㄱ, ㄲ, ㄴ, ㄷ, ㄸ, ㄹ, ㅁ, ㅂ, ㅃ, ㅅ, ㅆ, ㅇ, ㅈ, ㅉ, ㅊ, ㅋ, ㅌ, ㅍ, ㅎ
> 홀소리 : ㅏ, ㅐ, ㅑ, ㅒ, ㅓ, ㅔ, ㅕ, ㅖ, ㅗ, ㅘ, ㅙ, ㅚ, ㅛ, ㅜ, ㅝ, ㅞ, ㅟ, ㅠ, ㅡ, ㅢ, ㅣ
> 받침 : ㄱ, ㄲ, ㄳ, ㄴ, ㄵ, ㄶ, ㄷ, ㄹ, ㄺ, ㄻ, ㄼ, ㄽ, ㄾ, ㄿ, ㅀ, ㅁ, ㅂ, ㅄ, ㅅ, ㅆ, ㅇ, ㅈ, ㅊ, ㅋ, ㅌ, ㅍ, ㅎ

국어 운ː동 (國語運動) [구거—] 자기 나라 말을 존중하여 애용하자는 운동.

국어학 (國語學) [구거학] 국어를 연구하는 학문.

국역 (國譯) [구격] 다른 나라의 말로 된 글을 자기 나라의 말로 번역함. ㉥이 소설은 처음으로 국역되었다. **—하다.**

국영 (國營) [구경] 나라에서 경영함. ㉥국영 기업 / 국영 방송. 비 관영. 반 민영.

국왕 (國王) [구광] 나라의 임금.

국외 (國外) [구괴] 한 나라의 영토 밖. ㉥국외로 추방하다. 비 해외. 반 국내.

국운 (國運) [구군] 나라의 운명. ㉥국운을 건 전쟁.

국위 (國威) [구귀] 나라의 권세와 위력. 나라의 위엄. ㉥국위를 떨치다 / 국위를 선양하다.

국유 (國有) [구규] 나라의 소유. ㉥국유 재산. 반 사유.

국유림 (國有林) [구규림] 국가 소유의 산과 숲.

국유화 (國有化) [구규화] 국가의 소유로 함. ㉥민간 철도를 국유화하다. **—하다.**

국으로 [구그로] 제 생긴 그대로. 자기 주제에 맞게. ㉥국으로 가만히 있어라.

국익 (國益) [구긱] 국가의 이익. ㉥국익에 도움이 되다.

국자 [국짜] 국이나 액체 따위를 뜨는 데 쓰는, 긴 자루가 달린 도구. ㉥국자로 국을 뜨다.

국자감 (國子監) [국짜감] 고려 때, 유학을 가르치던 최고의 국립 교육 기관. 뒷날 성균관으로 이름이 바뀌었음.

국장[1] (局長) [국짱] 관청이나 회사 조직에서 한 국의 책임자. ㉥부장에서 국장으로 승진하다.

국장[2] (國葬) [국짱] 나라에 큰 공을 세운 사람이 죽었을 때 나라에서 주관하여 지내는 장례.

국적 (國籍) [국쩍] **1** 한 나라의 국민으로서의 신분과 자격. ㉥국적 취득. **2** 배나 비행기가 소속되어 있는 나라. ㉥국적 불명의 비행기.

국정[1] (國定) [국쩡] 나라에서 정함. ㉥국정 교과서.

국정[2] (國政) [국쩡] 나라의 정치. ㉥국정에 참여하다.

국정 감사 (國政監査) [국쩡—] 정부가 하는 일을 국회가 직접 감독하고 조사하는 일.

국정 홍보처 (國政弘報處) [국쩡—] 국무총리 소속의 중앙 행정 기관의 하나. 국정을 널리 알리고 여론을 모으며 정부 발표 등에 관한 사무를 맡아봄.

***국제** (國際) [국쩨] **1** 나라와 나라 사이의 관계. ㉥국제 경쟁. **2** 여러 나라에 공통됨. ㉥국제 규격 / 국제 시세. **3** 여러 나라가 모여서 이루거나 함. ㉥국제 육상 대회.

국제공항 (國際空港) [국쩨공항] 나라와 나라 사이를 오가는 항공기가 뜨고 내릴 수 있도록 나라에서 지정한 공항. ㉥인천 국제공항.

국제기구 (國際機構) [국쩨기구] 국제적인 목적이나 활동을 위해서 두 나라 이상의 회원국으로 구성하는 조직체.

국제 노동 기구 (國際勞動機構) [국쩨—] 세계 노동자의 노동 조건 개선 등을 목적으로 하는 국제 연합의 전문 기구.

국제 민간 항:공 기구 (國際民間航空機構) [국쩨—] 민간 항공에 관한 국제 연합의 전문 기구. 1947년에 설립되었고 우리나라는 1952년에 가입했음. 본부는 캐나다의 몬트리올에 있음.

국제 박람회 (國際博覽會) [국쩨방남회] 산업 진흥을 꾀하기 위하여 여러 나라의 공업 제품이나 상품들을 전시하는 대규모 전시회.

국제법 (國際法) [국쩨뻡] 나라 간의 합의에 따라 나라 사이의 권리·의무의 표준을 정한 법.

국제 사법 재판소 (國際司法裁判所) [국쩨—째판소] 나라와 나라 사이의 법률적 분쟁을 해결하기 위해 설치한 재판소. 국제 연합의 주요 기관의 하나로 본부는 네덜란드의 헤이그에 있음.

국제 사회 (國際社會) [국쩨—] 여러 나라가 서로 교류하며 국제적 공동 생활을 해 나가는 사회.

국제선 (國際線) [국쩨선] 나라와 나라 사이를 오가는 비행기나 배의 길. ㉺국내선.

국제 수지 (國際收支) [국쩨—] 한 나라의 국제 거래에서 생긴 수입액과 수출액을 일정한 기간 동안 집계한 것.

국제 연맹 (國際聯盟) [국쩨—] 제1차 세계 대전 후, 국제 평화 유지와 협력을 목적으로 세워진 국제 기구. 1920년에 스위스 제네바에 설치되었으나 1946년에 해체됨.

국제 연합 (國際聯合) [국쩨—] ⇨유엔.

국제 연합 교:육 과학 문화 기구 (國際聯合教育科學文化機構) [국쩨—꾜육꽈학—] ⇨유네스코.

국제 연합군 (國際聯合軍) [국쩨연합꾼] ⇨유엔군.

국제 연합 식량 농업 기구 (國際聯合食糧農業機構) [국쩨—씽냥—끼구] 세계 각국의 식량 및 농업 문제의 해결과 세계 각 국민의 생활 수준 향상을 위하여 설립한 국제 연합의 전문 기구. 본부는 이탈리아 로마에 있음. 우리나라는 1946년 11월에 가입함.

국제 연합 아동 기금 (國際聯合兒童基金) [국쩨연하바동—] ⇨유니세프.

국제 연합 안전 보:장 이:사회 (國際聯合安全保障理事會) [국쩨연하반전—] ⇨유엔 안전 보장 이사회.

국제 연합 총:회 (國際聯合總會) [국쩨—] ⇨유엔 총회.

국제 올림픽 위원회 (國際Olympic委員會) [국쩨—] 올림픽 경기 대회를 운영·주관하는 단체. 1894년에 설립하였음. 아이오시(IOC).

국제 우편 (國際郵便) [국쩨—] 나라와 나라 사이에 주고받는 우편. ㉺국내 우편.

국제 원자력 기구 (國際原子力機構) [국쩨—끼구] 원자력의 평화적인 이용을 목적으로 1957년에 창설한 국제 기구. 본부는 오스트리아의 빈에 있음. 아이에이이에이(IAEA).

국제적 (國際的) [국쩨적] 여러 나라 사이에 관계가 있는 (것). ㉥국제적인 관광지 / 국제적인 어업 분쟁 / 국제적으로 명성을 날리다. 비 세계적. 반 국내적.

국제 적십자 (國際赤十字) [국쩨적씹짜] 스위스의 뒤낭이 1864년에 창설한 적십자의 국제적 기구. 부상자·난민·어린이의 구호, 재해와 질병의 구조와 예방 등의 활동을 함. 본부는 스위스의 제네바에 있음.

국제 통화 기금 (國際通貨基金) [국쩨—] 국제 금융 기관의 하나. 국제 연합의 전문 기관으로서 국제간의 금융 문제를 다루며, 국제 무역의 증진을 목적으로 함. 우리나라는 1955년에 가입했음. 본부는 워싱턴에 있음. 아이엠에프(IMF).

국제항 (國際港) [국쩨항] 외국 배가 많이 드나드는 큰 항구.

국제화 (國際化) [국쩨화] 국제적인 규모로 되거나 되게 함. ㉥국제화 시대가 열리다. **—하다.**

국제회의 (國際會議) [국쩨회의 / 국쩨회이] 국제적 이해 사항을 토의·결정하기 위하여 여러 나라의 대표자가 모여서 여는 회의.

국조 (國祖) [국쪼] 나라의 시조.

국채 (國債) **1** 나라의 빚. **2** 국가 재정의 균형을 맞추기 위하여 발행하는 채권.

국책 (國策) 나라의 정책이나 시책. ㉥국책 사업.

*__국토__ (國土) 한 나라의 땅. 곧, 나라의 주권과 통치력이 미치는 영토의 전부. ㉥국토 개발 / 국토 분단의 비극. 비 강토. 영토.

국토방위 (國土防衛) 적의 침략으로부터 나라를 지킴. ㉥국토방위의 임무를 다하다.

국학 (國學) [구칵] **1** 자기 나라의 고유한 역사·언어·풍속·신앙 따위를 연구하는 학문. **2** 신라 때, 교육을 맡았던 곳. 신문왕 2년(682)에 세웠으며, 경덕왕 때 태학감으로 이름을 고친 후 혜공왕 때 다시 국학이 됨.

국한 (局限) [구칸] 어떤 부분에만 제한하여 정함. ㉥응시 자격을 대졸 이상으로 국한하다. **—하다.**

국한문 (國漢文) [구칸문] **1** 한글과 한자. **2** 한글과 한자가 섞인 글.

국호 (國號) [구코] 나라의 이름. ㉥우리나라의 국호는 대한민국이다. 비 국명.

국화[1] (國花) [구콰] 한 나라의 상징으로서 사랑하고 귀중히 여기는 꽃. 비 나라꽃. 참고 우리나라는 무궁화, 영국은 장미, 프랑스는 백합, 일본은 벚꽃임.

*__국화__[2] (菊花) [구콰] 국화과의 여러해살이풀. 높이는 1m 정도이며, 주로 가을에 꽃이 피는데 꽃 모양이나 빛깔은 여러 가지임.

〈국화²〉

국화빵 (菊花—) [구콰빵] 밀가루를 풀어 국화 모양의 판에 붓고 으깬 팥과 설탕을 넣어서 구운 빵.

*__국회__ (國會) [구쾨] 국민이 뽑은 국민의 대표로 조직된 기관. 법률을 만들어 정하고 예산을 심의하는 등 나라의 중요한 일을 결정함.

국회 의사당 (國會議事堂) [구쾨—] 국회의 회의가 열리는 건물.

국회의원 (國會議員) [구쾨의원 / 구쾨이원] 국회에서 나라의 일을 결정하거나 법률을 정하는 일을 하는 국민의 대표자. 임기는 4년임.

군[1] (君) **1** 친구나 손아랫사람을 부를 때 성이나 이름 뒤에 붙여 부르는 말. ㉥이 군. **2** 그대. 자네. ㉥군의 건투를 빈다.

군[2] (軍) '군대'의 준말. ㉥군에 입대하다.

*__군ː__[3] (郡) 광역시 또는 도의 관할 아래에 있는 지방 행정 구역의 하나. 행정 구획으로 읍·면을 둠. ㉥강화군.

군ː- '쓸데없는'·'가외의'의 뜻. ㉥군소리 / 군살 / 군식구.

-군[1] (群) '무리'·'떼'의 뜻. ㉥식물군.

-군[2] **1** '-구나'의 준말. ㉥날씨가 참 좋군 / 잘됐군. **2** '-구먼'의 준말. ㉥빨리 왔군.

군가 (軍歌) 군대의 사기를 북돋우기 위해 부르는 노래.

군ː것질 [군걷찔] 끼니 외에 과일·과자·떡 따위를 먹는 일. ㉥간식. 주전부리. **—하다.**

군경 (軍警) 군대와 경찰. ㉥군경 합동 수사.

군계일학 (群鷄一鶴) [— / 군게일학] 닭의 무리 속에 섞인 한 마리의 학이라는 뜻으로, 많은 사람 가운데서 뛰어난 인물을 이르는 말.

군ː고구마 날것을 불에 구워 익힌 고구마.

군국주의 (軍國主義) [군국쭈의 / 군국쭈이] 군대의 힘으로 권력을 유지하며 나라의 발전을 이루려는 주의. ㉥일본의 군국주의가 다시 살아날 우려가 있다.

군기 (軍紀) 군대의 규율이나 질서. ㉥군기를 잡다.

군납 (軍納) 허가를 받은 업자가 군에 필요한 물자를 공급하는 일. ㉥군납품. **—하다.**

군ː내 본래의 제맛이 변하여 나는 좋지 않은 냄새. ㉥군내 나는 김치.

*__군대__ (軍隊) 일정한 규율과 질서를 갖고 조직된 군인의 집단. ㉥군대 생활. ㉦군[2].

군ː더더기 쓸데없이 덧붙은 것. ㉥글에 군더더기가 많다.

*__군데__ 낱낱의 곳. 어떤 지점. ㉥여러 군데 / 바지에 한 군데 구멍이 났다.

군데군데 여러 군데. 이곳저곳. ㉥땅이 군데군데 파이다.

군도[1] (群島) 모여 있는 크고 작은 여러 섬. ㉥제도.

군도[2] (軍刀) 군인이 차는 칼.

군란 (軍亂) [굴란] 군사들이 일으키는 난리. ㉥군란이 일어나다.

군량 (軍糧) [굴량] 군대의 양식. ㉥군량이 떨어지다.

군량미 (軍糧米) [굴량미] 군대의 식량으로 쓰는 쌀.

군령 (軍令) [굴령] 군대의 명령. ㉥군령이 엄하다.

군림하다 (君臨—) [굴림하다] 절대적 세력을 가진 사람이 남을 압도하다. ㉥산업계에 제일인자로 군림하다.

군ː말 하지 않아도 좋을 때에 쓸데없이 하는 말. ㉥군말 말고 방 청소나 하렴. ㉥군소리. **—하다.**

군무 (群舞) 여러 사람이 무리를 지어 춤을 춤. 또는 그 춤.

군민[1] (軍民) 군인과 민간인. ㉥군민 합동 구조 작업.

군ː민[2] (郡民) 그 군에 사는 사람. ㉥군민 친선 체육 대회.

군ː밤 불에 구워서 익힌 밤. ㉥군밤 장수.

군법 (軍法) [군뻡] 군대에서, 군인에게 적용하는 형법. ㉥군법으로 다스리다.

군복 (軍服) 군인들이 입는 옷.

군부 (軍部) 군의 수뇌부를 중심으로 하여 형성된 세력. ㉥군부가 정치에 개입하다.

군ː불 방을 덥게 하려고 때는 불. ㉥군불을 넣다 / 군불을 지피다.

군비 (軍備) 전쟁에 대비한 모든 군사 시설이나 전투 장비. ㉥군비를 갖추다 / 군비를 강화하다.

군비 축소 (軍備縮小) [—축쏘] 군

대와 무기 기타 전쟁에 관한 시설을 줄이는 일. ㉾군축.
군사¹ (軍士) 예전에, 군인을 이르던 말. ㊍군졸. 병사. 병졸.
***군사²** (軍事) 군대·군비·전쟁 등 군에 관한 일. 군대 사무에 관한 일. ㉠군사 훈련.
군사 독재 (軍事獨裁) [—독째] 군인들이 국가 권력을 잡고 마음대로 정치를 하는 것.
군사 동맹 (軍事同盟) 군사 행동에 대하여 두 나라 또는 여러 나라가 맺는 동맹. ㉠군사 동맹을 맺다.
군사력 (軍事力) 군대·무기·훈련·사기 따위를 종합한, 전쟁을 치를 수 있는 힘.
군사 분계선 (軍事分界線) [— / —분계선] 전쟁 중인 나라들 사이에 협정에 따라 정하여진 군사 활동의 한계선.
군사비 (軍事費) 전쟁 또는 군사적인 일에 쓰는 돈. ㊍군비.
군사 정전 위원회 (軍事停戰委員會) 한국 군사 정전에 관한 협정의 실행 상태를 감독하며 협정 위반 사건이 발생하면 협의하여 처리하는 기구. 본부는 판문점에 있음.
군:살 필요 이상으로 찐 살. 군더더기 살. ㉠군살을 빼다.
군상 (群像) 떼를 지어 모여 있는 많은 사람들.
군:색하다 (窘塞—) [군새카다] **1** 살기가 어렵다. ㉠군색한 살림. **2** 일이 떳떳하지 못하거나 거북하다. ㉠군색한 변명을 늘어놓다.
군:소리 하지 않아도 좋을 쓸데없는 말. ㉠군소리가 많다. ㊍군말. **—하다.**
군:수¹ (郡守) 군의 행정을 맡아보는 군청의 최고 직위. 또는 그 책임자. 임기는 4년임.
군수² (軍需) 군사에 필요한 물건. ㉠군수 공장 / 군수 산업.
군수 물자 (軍需物資) [—물짜] 군사 설비 또는 전쟁에 필요한 온갖 물건. ㊍군수품.
군수품 (軍需品) 군대나 전쟁에서 사용되는 온갖 물품. ㊍군수 물자.
군:식구 (—食口) [군식꾸] 본식구 외에 덧붙어서 얻어먹고 있는 식구. ㉠군식구가 많은 집. ㊍객식구.
군신 (君臣) 임금과 신하.
군신유의 (君臣有義) [군신뉴의 / 군신뉴이] 유교의 도덕인 오륜의 하나. 임금과 신하 사이의 도리는 의리에 있다는 말.
군악 (軍樂) [구낙] 군대 의식이나 장병의 사기를 높이는 데 쓰는 음악. ㉠군악에 맞춰 행진하는 군인들.
군악대 (軍樂隊) [구낙때] 군악을 연주하는 부대.
군영 (軍營) [구녕] 군대가 주둔하는 곳. ㊍병영.
군용 (軍用) [구뇽] 군사적 목적에 씀. ㉠군용 비행기 / 군용 담요.
군율 (軍律) [구뉼] **1** 군대 내의 규범이나 질서. **2** 군법에 따라 군대에서 다스리는 처벌.
군:음식 (—飮食) [구늠식] 끼니때 외에 먹는 음식. ㊍간식.
군의관 (軍醫官) [구늬관 / 구니관] 의사로서 군대에서 의료의 일을 맡고 있는 장교.
***군인** (軍人) [구닌] 육해공군에 속해 있는 장교·부사관·사병을 통틀어 이르는 말. ㉠투철한 군인 정신 / 직업 군인.
군:일 [군닐] 쓸데없는 일. ㉠회사에 군일이 많다. **—하다.**
군:입 [군닙] 본식구 외에 덧붙어서 얻어먹는 군식구. ㉠군입이 하나 늘어나다.
군입(을) 다시다 ㉠끼니 외에 군음식을 먹다. ㉡무엇을 먹고 싶어서 입을 다시다.
군자 (君子) 학식이 뛰어나고 훌륭

한 인격을 갖춘 사람. ㉥소인.

군자금(軍資金) 군사 목적에 쓰이는 돈. ㉠독립군에게 군자금을 대 주다.

군자란(君子蘭) 수선화과의 여러해살이풀. 초여름에 깔때기 모양의 주홍색 꽃이 긴 꽃줄기 끝에 많이 핌. 남아프리카 원산으로 관상용 화초임.

군정(軍政) 전쟁이나 사변 때에 군 사령관이 맡아 하는 임시 행정. ㉥민정.

군주(君主) ⇨임금. ㉠군주 정치.

군주국(君主國) 나라의 주권이 임금에게 있는 나라. ㉡왕국.

군중(群衆) 한곳에 떼를 지어 모여 있는 사람들의 무리. ㉠시위 군중. ㉡대중.

군중 심리(群衆心理) [—심니] 많은 사람이 모여 있을 때 보통 때의 마음 상태를 잃고 다른 사람의 말과 행동을 쉽게 따라 하는 마음의 움직임. ㉡대중 심리.

군집(群集) 많은 사람·짐승 등이 떼를 지어 한곳에 모임. ㉠잠실 운동장에 군집한 사람들. **—하다.**

*__군ː청__(郡廳) 군의 행정 사무를 맡아보는 관청.

군축(軍縮) '군비 축소'의 준말. ㉠군축 회담.

군ː침 무엇이 먹고 싶을 때 입속에 도는 침.

군침(을) 삼키다 ㉠음식 따위를 먹고 싶어서 입맛을 다시다. ㉡이익이나 재물을 보고 몹시 탐을 내다.

군침(이) 돌다 ㉠음식을 먹고 싶은 생각이 나다. ㉡이익이나 재물에 욕심이 생기다.

군함(軍艦) 해군에서 전투에 쓰는 큰 배. ㉡전함.

군항(軍港) 군사적 목적으로 특수한 시설을 갖춘 항구.

군화(軍靴) 군인들이 신는 구두.

굳건하다 [굳껀하다] 뜻이나 의지가 굳세고 건실하다. ㉠굳건한 신념 / 굳건한 정신.

굳건히 [굳껀히] 굳건하게.

굳기 [굳끼] 물체의 단단한 정도. ㉡경도³.

*__굳다__ [굳따] **1** 단단하다. ㉠굳은 땅. **2** 뜻이 한결같다. ㉠의지가 굳다. **3** 습관이 되다. ㉠굳어 버린 버릇. **4** 한데 엉겨 뭉치다. ㉠기름이 굳다. **5** 돈 따위가 없어지지 않고 자기의 것으로 계속 남게 되다. ㉠군것질을 하지 않으니 그만큼 돈이 굳는다. **6** 표정이나 태도 등이 부드럽지 못하고 딱딱해지다. ㉠뜻밖의 말에 표정이 돌처럼 굳었다.

> **주의** **굳다와 궂다**
>
> **굳다** 1 무르던 것이 단단해지거나 말·행동 등이 몸에 배어 버리다. ㉠굳은 땅. 2 튼튼하고 단단하다. ㉠성문을 굳게 지켜라.
>
> **궂다** 1 언짢고 꺼림칙하다. 2 눈이나 비가 와서 날씨가 나쁘다. ㉠궂은 날씨.

굳세다 [굳쎄다] **1** 굳고 힘이 세다. ㉠굳센 주먹. **2** 뜻한 바를 굽히지 않고 나아가다. ㉠굳세게 살다.

굳어지다 [구더지다] 굳게 되다. ㉠땅이 굳어지다 / 결심이 굳어지다 / 표정이 갑자기 굳어졌다.

굳은살 [구든살] 손바닥이나 발바닥에 생긴 두껍고 단단한 살. ㉠손바닥에 굳은살이 박이다.

굳이 [구지] **1** 단단한 마음으로 굳게. ㉠굳이 애쓸 필요는 없다. **2** 고집을 부려서. ㉠굳이 사양하다. → [학습마당] 25(1177쪽)

굳히다 [구치다] **1** 엉기어 단단하게 하다. ㉠기름을 굳히다. **2** 움직이지 않게 하다. ㉠승리를 굳히다.

*__굴__¹ 굴과의 조개. 바다의 바위에 붙

어 사는데 길이는 6 cm가량이고 껍데기 안쪽은 흼. 살은 먹음. [비] 석화.

*굴ː² (窟)　**1** 땅이나 바위가 깊숙이 팬 곳. (예)굴에서 살다. **2** 산이나 땅속을 뚫어 만든 길. 터널. (예)굴을 파다 / 기차가 굴로 들어가다. **3** 짐승들이 숨어 사는 구멍. (예)여우 굴.

굴곡 (屈曲)　**1** 이리저리 꺾이고 굽음. (예)굴곡이 심한 고갯길. **2** 사람이 살아가면서 겪는 여러 가지 변화. (예)굴곡 많은 생애.

***굴ː다**　그러하게 행동하거나 대하다. (예)동생을 못살게 굴다 / 얄밉게 굴다. [활용] 굴어 / 구니 / 구는.

굴ː다리 (窟—) [굴따리]　굴로 된 길 위로 가로 건너지른 다리.

굴ː대 [굴때]　수레바퀴 한가운데에 뚫린 구멍에 끼워 수레가 바로 놓이게 하는 긴 나무나 쇠. [비] 축.

***굴ː뚝**　불을 땔 때, 연기가 밖으로 빠지도록 만든 장치.　⇨ chimney

굴ː뚝같다 [굴뚝깓따]　무엇을 하고 싶은 생각이 간절하다. (예)보고 싶은 생각이 굴뚝같다.

굴ː러다니다　**1** 데굴데굴 구르며 왔다 갔다 하다. **2** 사람이 정한 곳 없이 여기저기 옮겨 다니다. (예)어디서 굴러다니던 놈이냐.

굴렁쇠　쇠로 만든 둥근 테. 막대기로 굴려서 노는 아이들 장난감의 하나.

〈굴렁쇠〉

굴레　**1** 소나 말의 목에서 고삐에 걸쳐 얽어매는 줄. (예)굴레를 씌우다. **2** 자유롭지 못하게 얽매임. (예)삶의 굴레.

굴레(를) 쓰다　일에 얽매여 구속을 받게 되다.

***굴ː리다**　**1** 굴러 가게 하다. (예)구슬을 굴리다. **2** 아무렇게나 내버려 두다. (예)책을 함부로 굴리다. **3** 차를 운행하다. (예)택시를 굴려 생활한다. **4** 생각을 이리저리 곰씹어 하다. (예)머리를 굴려 묘안을 짜내다.

굴ː림대 [굴림때]　무거운 물건을 옮길 때, 그 밑에 깔아서 굴리는 둥근 나무.

굴복 (屈服)　힘이 모자라서 복종함. (예)어떠한 위협에도 굴복하지 않았다. [비] 항복. **—하다.**

굴비　소금에 절여 통째로 말린 조기. (예)굴비 한 두름.

굴성 (屈性) [굴썽]　식물의 뿌리나 줄기가 외부의 자극에 반응하여 일정한 방향으로 굽어 자라는 성질.

굴욕 (屈辱) [구룍]　남에게 억눌리어 업신여김을 받음. (예)굴욕감 / 굴욕을 참다 / 굴욕을 강요하다.

굴절 (屈折) [굴쩔]　**1** 휘어서 꺾임. **2** 빛이나 소리가 한 매체에서 다른 매체로 들어갈 때 경계면에서 그 방향이 바뀌는 현상. (예)빛의 굴절. **—하다.**

굴지 (屈指) [굴찌]　**1** 수를 헤아릴 때 손가락을 꼽음. **2** 여럿 중에서 뛰어남. (예)굴지의 출판사.

굴착 (掘鑿)　땅이나 바위를 파내고 뚫음. (예)굴착 공사. **—하다.**

굴착기 (掘鑿機) [굴착끼]　땅을 파거나 바위를 뚫는 기계를 통틀어 일컫는 말.

굴하다 (屈—)　어떤 힘이나 어려움에 뜻을 굽히다. (예)실패에도 굴하지 않다.

굵ː기 [굴끼]　물건의 부피나 둘레의 굵은 정도. (예)대나무의 굵기.

***굵ː다** [국따]　**1** 몸피나 둘레가 크다. (예)굵은 연필. **2** 소리의 울림이 크다. (예)굵은 목소리. **3** 잘지 않고 살찌다. (예)밤알이 굵다. **4** 글씨의 획이 뚜렷하고 크다. (예)굵은 활자. [반] 가늘다. [발음] 굵고[굴꼬] / 굵은[굴근] / 굵지[국찌].

굵ː다랗다 [국따라타] 매우 굵다. ㉓굵다란 새끼줄. 반 가느다랗다. 활용 굵다라니 / 굵다래서.
굵직굵직하다 [국찍꾹찌카다] 여럿이 모두 굵다. ㉓밤알이 굵직굵직하다.
굵직하다 [국찌카다] 꽤 굵다. ㉓굵직한 목소리 / 굵직한 막대기.
굶기다 [굼기다] 굶게 하다. ㉓끼니를 굶기다.
*__굶ː다__ [굼따] 끼니를 거르다. ㉓저녁을 굶다. 비 주리다.
*__굶ː주리다__ [굼주리다] **1** 먹을 것이 없어 배를 곯다. ㉓굶주린 배를 움켜쥐다. **2** 어떤 것이 몹시 모자람을 느끼다. ㉓사랑에 굶주리다.
굶ː주림 [굼주림] 먹지 못하여 배가 고픔. ㉓추위와 굶주림에 시달리다. 비 기아.
굼ː뜨다 동작이 답답할 만큼 느리다. ㉓행동이 굼뜨다. 비 둔하다. 반 재빠르다. 활용 굼떠 / 굼뜨니.
굼ː벵이 **1** 매미의 애벌레. 누에와 비슷하나 짧고 뚱뚱함. **2** 동작이 몹시 느리고 굼뜬 사람의 별명.
굼실거리다 작은 벌레 따위가 굼뜨게 자꾸 움직이다. ㉓구더기가 굼실거리다. 작 곰실거리다.
굼지럭거리다 [굼지럭꺼리다] 둔하고 느릿하게 자꾸 움직이다. ㉓그렇게 굼지럭거리다가 지각하겠다. 준 굼질거리다. 작 곰지락거리다. 센 꿈지럭거리다.
굼질거리다 '굼지럭거리다'의 준말. ㉓벌레가 굼질거리며 기어가다. 작 곰질거리다. 센 꿈질거리다.
굽 **1** 말·소·양 따위 짐승의 발끝에 있는 두껍고 단단한 발톱. ㉓채찍을 치자 말은 굽으로 땅을 차며 달렸다. **2** 구두 밑바닥의 뒤축에 붙은 발. ㉓굽이 높은 구두 / 굽을 갈다. **3** 그릇 따위의 밑바닥에 붙은 나지막한 받침.
*__굽ː다__[1] [굽따] **1** 불에 익히거나 약간 타게 하다. ㉓생선을 굽다. **2** 도자기나 벽돌 따위를 만들 때 가마에 넣고 불을 때다. ㉓옹기를 굽다. **3** 컴퓨터에서, 비어 있는 디스크에 정보를 기록하다. ㉓시디를 굽다. 활용 구워 / 구우니. → [학습마당] 1(98 쪽)
*__굽다__[2] [굽따] 한쪽으로 구부러지거나 휘어져 있다. ㉓허리가 굽은 할머니.
굽실 [굽씰] **1** 고개나 허리를 가볍게 구푸렸다 펴는 모양. ㉓정중하게 굽실 절을 하다. **2** 남의 비위를 맞추느라고 비굴하게 행동하는 모양. 작 곱실. 센 꿉실. **—하다.**
굽실거리다 [굽씰거리다] **1** 고개나 허리를 자꾸 가볍게 구푸렸다 펴다. ㉓허리를 굽실거리다. **2** 남의 비위를 맞추느라고 자꾸 비굴하게 행동하다. ㉓사장에게 굽실거리다. 작 곱실거리다. 센 꿉실거리다.
굽어보다 [구버보다] **1** 고개나 허리를 구부려서 아래를 내려다보다. ㉓산 아래 들판을 굽어보다. **2** 아랫사람을 도우려고 사정을 살피다. ㉓하늘이 굽어보다.
굽이 [구비] 휘어서 굽은 곳. 구부러진 곳. ㉓굽이가 많은 산길 / 강이 굽이를 돌아 흐르다.
굽이굽이 [구비구비] **1** 여러 개의 굽이. 또는 휘어서 굽은 곳곳. ㉓산길 굽이굽이마다 철쭉꽃이 흐드러지게 피어 있다. **2** 여러 굽이로 구부러지는 모양. ㉓강물이 굽이굽이 흐르다.
굽이돌다 [구비돌다] 길이나 물줄기 따위가 굽이지어 돌다. ㉓굽이도는 강물. 활용 굽이돌아 / 굽이도니 / 굽이도는.
굽이지다 [구비지다] 한쪽으로 구부러져 들다. ㉓강물이 굽이진 곳.
굽이치다 [구비치다] 물이 굽이를 이루며 힘차게 흐르다. ㉓파도가 굽이치다.

*굽히다 [구피다] 1 앞으로 구부리다. ㉠허리를 굽히다. 2 주장이나 뜻 따위를 꺾다. ㉠고집을 굽히다.

굿 [굳] 무당이 음식을 차려 놓고, 노래하고 춤추며 귀신에게 복을 비는 의식. **—하다.**

굿거리 [굳꺼리] 무당이 굿할 때에 치는 장단.

굿거리장단 [굳꺼리장단] 농악에 쓰는 느린 4 박자의 장단.

궁 (宮) ⇨궁궐.

궁굴리다 1 너그럽게 생각하다. 2 좋은 말로 구슬리다. ㉠떼를 쓰는 아이를 잘 궁굴리다.

궁굴채 농악에서, 장구를 칠 때 왼손에 쥐고 장단을 치는 채.

궁궐 (宮闕) 임금이 사는 집. 비 궁. 궁전. 궐. 대궐.

궁극 (窮極) 어떤 과정의 마지막이나 끝. ㉠궁극의 목표 / 궁극에 가서는 시간이 모자라 쩔쩔맨다.

궁극적 (窮極的) [궁극쩍] 궁극에 도달하는 (것). ㉠기업의 궁극적인 목적은 이익을 남기는 것이다.

궁글다 1 착 달라붙어야 할 물건이 들떠서 속이 비다. ㉠벽지가 궁글다. 2 단단한 물체 속의 한 부분이 텅 비다. ㉠속이 궁근 나무. 활용 궁글어 / 궁그니 / 궁근.

궁금증 (—症) [궁금쯩] 궁금하여 답답한 마음. ㉠궁금증이 풀리다.

*궁금하다 어떤 상황을 몰라서 마음이 답답하다. ㉠시험 결과가 궁금하다.

궁금히 궁금하게. ㉠몇 달째 소식이 없어 궁금히 여기다.

궁내 (宮內) 대궐의 안.

궁녀 (宮女) 대궐에서 임금과 왕비를 모시던 여자. 비 나인. 시녀.

궁도 (弓道) 활을 쏘는 기술을 닦는 일.

궁둥이 엉덩이의 아랫부분으로, 앉으면 바닥에 닿는 부분.

> 주의 **궁둥이**와 **엉덩이**와 **볼기**
> **궁둥이** 엉덩이의 아랫부분으로, 앉으면 바닥에 닿는 부분.
> ㉠엉덩잇바람을 일으키며 걸어가, 궁둥이를 붙이고 앉았다.
> **엉덩이** 볼기의 윗부분으로, 궁둥이의 언저리.
> **볼기** 뒤쪽 허리 아래, 허벅다리 위 좌우 쪽으로 살이 두둑한 부분.
> * '엉덩방아를 찧다'는 맞는 말이지만 '궁둥방아를 찧다'라고는 하지 않는다.

궁리 (窮理) [궁니] 마음속으로 이리저리 따져 깊이 생각함. ㉠밤새도록 궁리하다. **—하다.**

궁벽하다 (窮僻—) [궁벼카다] 매우 외떨어지고 으슥하다. ㉠궁벽한 시골.

궁상각치우 (宮商角徵羽) 동양 음악의 다섯 가지 음을 이르는 말.

궁상맞다 (窮狀—) [궁상맏따] 초라하고 꾀죄죄하다. ㉠생활에 찌든 궁상맞은 얼굴.

궁색하다 (窮塞—) [궁새카다] 1 아주 가난하다. ㉠궁색한 살림. 2 말의 이유나 근거 따위가 부족하다. ㉠궁색한 변명을 늘어놓다. 3 태도나 입장 따위가 떳떳하지 못하다. ㉠입장이 궁색하게 되다.

궁성 (宮城) 1 궁궐을 둘러싸고 있는 성. 2 임금이 사는 궁전. 비 궁궐.

궁술 (弓術) 활 쏘는 기술. ㉠궁술 대회.

궁여지책 (窮餘之策) 생각다 못해 짜낸 꾀. ㉠궁여지책으로 되는대로 둘러댔다. 비 궁여일책.

궁예 (弓裔) 〖인명〗 후고구려의 임금. 신라의 왕족으로, 나라를 세워 후고구려라 함. 왕건에게 쫓기다가 죽음. [?-918]

궁전 (宮殿) ⇨궁궐.

궁정 (宮庭) 궁궐 안의 마당.

궁중 (宮中) 대궐 안. 비 궐내.

궁중 무:용 (宮中舞踊) 예전에, 궁중에서 잔치나 의식 때 추던 춤.

궁지 (窮地) 곤란하고 어려운 일을 당한 처지. 예궁지에 몰리다 / 궁지에 빠지다.

궁체 (宮體) 조선 때, 궁녀들이 쓰던 단정하고 아담한 한글 글씨체.

궁핍 (窮乏) 몹시 가난함. 예궁핍한 생활. 반 풍족. **—하다.**

궁하다 (窮—) **1** 가난하고 어렵다. 예살림이 궁하다. **2** 넉넉하지 못하다. 예용돈이 궁하다. **3** 빠져나가거나 피해 나갈 길이나 방법이 없다. 예갑작스러운 물음에 대답할 말이 궁했다.

궁합 (宮合) 혼인할 남녀의 사주를 오행에 맞춰 보아 부부로서의 좋고 나쁨을 알아보는 점. 예궁합을 보다 / 궁합이 맞다.

궂다 [굳따] **1** 비나 눈이 내려 날씨가 나쁘다. 예궂은 날씨. **2** 언짢고 나쁘다. 예좋고 궂고 가릴 처지가 아니다. →굳다 주의

궂은비 [구즌비] 날이 흐리어 어둠침침한 가운데 오래 내리는 비.

궂은일 [구즌닐] **1** 언짢고 좋지 못한 일. 예궂은일도 마다하지 않다. **2** 죽음에 관계되는 일. 시체를 치우거나 장례를 치르는 일 따위. 예집안에 궂은일이 생기다.

***권** (卷) 책이나 공책을 세는 단위. 예공책 한 권 / 책 두 권.

-권[1] (券) '지폐'·'증서'·'표' 따위의 뜻. 예만 원권 / 회수권 / 상품권 / 입장권.

-권[2] (圈) '범위'·'그 테두리 안'의 뜻. 예북극권 / 당선권 / 수도권.

-권[3] (權) 일부 명사 뒤에 붙어, 그 명사에 따르는 권리나 자격을 나타내는 말. 예소유권 / 선거권 / 입법권 / 참정권.

권:고 (勸告) 어떤 일을 하도록 권함. 또는 그런 말. 예사직할 것을 권고하다. 비 권유. 반 만류. **—하다.**

권력 (權力) [궐력] 남을 강제로 복종시키는 힘. 예권력을 잡다 / 권력을 휘두르다.

권력자 (權力者) [궐력짜] 권력을 가진 사람. 비 권력가.

***권리** (權利) [궐리] 자기의 이익을 주장하고 누릴 수 있는 법적인 힘. 예권리를 누리다 / 국민의 권리를 주장하다. 반 의무.

권모술수 (權謀術數) [권모술쑤] 목적을 달성하려고 온갖 수단과 방법을 가리지 않고 남을 교묘히 속이는 꾀. 예권모술수에 능하다.

권:선징악 (勸善懲惡) 착한 일을 권장하고 못되고 악한 일을 벌함.

권세 (權勢) 권력과 세력. 예권세 있는 집안 / 권세를 누리다.

권수 (卷數) [권쑤] 책의 수.

권위 (權威) [궈뉘] **1** 남을 지휘하거나 통솔하여 따르게 하는 힘. 예가장의 권위를 세우다. **2** 일정한 분야에서 사회적으로 인정을 받고 영향력을 끼칠 수 있는 위신. 또는 그런 사람. 예권위 있는 학자.

권:유 (勸誘) [궈뉴] 좋은 일을 권하여 하도록 함. 예저축을 권유하다. **—하다.**

권율 (權慄) 〖인명〗 조선 선조 때의 장군. 임진왜란 때 행주산성 싸움에서 큰 승리를 거두었음. [1537-1599]

권익 (權益) [궈닉] 권리와 이익. 예소비자의 권익을 보호하다.

권:장 (勸奬) 잘하도록 권하고 북돋워 줌. 예국산품 애용을 권장하다. **—하다.**

권좌 (權座) 권력을 쥔 자리. 예권좌에 앉다 / 권좌에 오르다.

권:총 (拳銃) 한 손으로 다룰 수 있

는 짧고 작은 총. ㉠권총을 쏘다.

권:태 (倦怠) 싫증을 느끼어 게을러짐. ㉠권태를 느끼다.

권:태기 (倦怠期) 부부가 서로 권태를 느끼는 시기. ㉠권태기에 접어든 부부.

권:태롭다 (倦怠—) [권태롭따] 어떤 일에 싫증이 나거나 몸과 마음이 나른해져서 게으른 데가 있다. ㉠권태로운 나날. 활용 권태로워 / 권태로우니.

권:투 (拳鬪) 두 사람이 양손에 글러브를 끼고 상대편 허리 벨트 위의 상체를 쳐서 승부를 겨루는 운동 경기. 복싱. ㉠권투 선수 / 권투 장갑 / 권투를 중계하다. ➡ boxing

***권:하다** (勸—) **1** 어떤 일을 하거나 힘쓰도록 부추기다. ㉠독서를 권하다. **2** 무엇을 먹거나 이용하라고 말하다. ㉠손님에게 술을 권하다.

권한 (權限) 개인이나 조직이 처리할 수 있는 권리의 범위. ㉠그 일은 내 권한 밖의 일이다 / 막강한 권한을 행사하다.

궐 (闕) ⇨궁궐. ㉠궐에 들어가다.

궐기 (蹶起) 많은 사람이 같은 뜻을 품고 힘차게 들고일어남. ㉠궐기 대회. **—하다.**

궐내 (闕內) [궐래] ⇨궁중.

궤: (櫃) 물건을 넣도록 나무 등으로 네모나게 만든 큰 상자. ㉠쌀을 궤에 넣다. 비 궤짝.

궤:도 (軌道) **1** 기차나 전차 따위가 달릴 수 있게 만든 길. **2** 일이 진행되는 정상적인 방향과 단계. ㉠일이 정상 궤도에 오르다. **3** 천체가 돌아가는 일정한 길. ㉠달의 궤도.

궤:멸 (潰滅) 무너지거나 흩어져 망함. ㉠적의 대군이 궤멸하다. **—하다.**

궤:변 (詭辯) 이치에 어긋난 말을 맞는 것처럼 억지로 꾸며 대는 말. ㉠궤변을 늘어놓다.

궤:양 (潰瘍) 피부나 점막 따위가 짓무르고 헐는 증상. 위궤양·십이지장 궤양 따위.

궤:적 (軌跡〔迹〕) **1** 수레바퀴가 지나간 자국. **2** 선인의 행적. 또는 사람이나 어떤 일의 지나온 흔적.

***귀** **1** 얼굴의 좌우에 있으며 소리를 듣는 기관. ㉠귀가 먹다. **2** '귓바퀴'의 준말. ㉠귀가 크다. **3** 바늘에서 실을 꿰는 구멍. ㉠귀에 실을 꿰다. **4** 그릇의 좌우에 귀 모양으로 달린 손잡이. ➡ ear

귀(가) 따갑다 ㉠소리가 크고 날카로워 듣기에 몹시 시끄럽다. ㉠사이렌 소리가 귀 따갑다. ㉡같은 소리를 여러 번 들어 듣기가 싫다. ㉠그 말은 귀가 따갑도록 들었다.

귀가 뚫리다 말을 알아듣게 되다.

귀가 번쩍 뜨이다 뜻밖에 반가운 소리를 들어, 그 말에 선뜻 마음이 끌리다.

귀가 솔깃하다 어떤 말을 듣고 그럴듯하여 마음이 쏠리다.

귀에 못이 박이다 같은 말을 여러 번 들어, 귀찮고 싫은 느낌이 들다. ㉠공부하라는 말은 귀에 못이 박이도록 들었다.

귀:가 (歸家) 집으로 돌아오거나 돌아감. ㉠귀가 시간이 늦다 / 일을 마치고 곧장 귀가하다. **—하다.**

귀감 (龜鑑) 거울로 삼아 본받을 만한 모범. ㉠군인의 귀감이 되다.

귀걸이 [귀거리] ⇨귀고리.

귀:결 (歸結) 어떤 결론이나 결말에 이름. 비 종결. **—하다.**

귀:경 (歸京) 지방에 갔다가 서울로 돌아옴. ㉠귀경 차량 / 귀경 행렬. **—하다.**

귀고리 귀에 다는 고리 모양의 작은 장식. 비 귀걸이.

귀:공자 (貴公子) **1** 귀한 집안에 태어난 남자. **2** 잘생기고 멋진 남자.

귀:국[1] (貴國) 상대방의 나라를 높

여 일컫는 말. ㉠귀국 대사관.

귀:국² (歸國) 외국에 있다가 자기 나라로 돌아가거나 돌아옴. ㉠귀국 길에 오르다 / 유학 생활을 끝내고 귀국하다. 비 환국. **—하다.**

귀:금속 (貴金屬) 귀하고 아름다운 광택이 있는 금속. 백금·금·은 따위.

귀넘어듣다 [귀너머듣따] 주의 깊게 듣지 않고 예사로 아무렇게나 듣다. ㉠선생님의 충고를 귀넘어듣다. 반 귀여겨듣다. 활용 귀넘어들어 / 귀넘어들으니 / 귀넘어듣는.

귀:농 (歸農) 다른 일을 하던 사람이 그 일을 그만두고 농사를 지으려고 농촌으로 돌아가는 현상. ㉠일시적 귀농 현상. **—하다.**

귀담아듣다 [귀다마듣따] 주의 깊게 잘 듣다. ㉠남의 의견을 귀담아듣다. 활용 귀담아들어 / 귀담아들으니 / 귀담아듣는.

귀동냥 남이 하는 말 따위를 얻어들어서 앎. ㉠한글을 귀동냥으로 배우다. **—하다.**

***귀뚜라미** 귀뚜라밋과의 곤충. 몸길이는 2cm가량, 몸빛은 진한 갈색에 복잡한 얼룩점이 있음. 늦여름부터 가을에 걸쳐 정원이나 풀밭, 부엌 같은 곳에 살며 수컷은 날개를 비벼 소리를 냄. 준 귀뚜리.

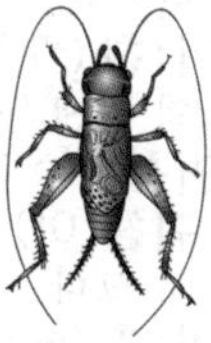
〈귀뚜라미〉

귀뚤귀뚤 귀뚜라미가 우는 소리.

귀띔 [귀띰] 눈치로 알아차릴 수 있게 슬그머니 알려 줌. ㉠내용을 귀띔하다. **—하다.**

귀:로 (歸路) 돌아가거나 돌아오는 길. ㉠귀로에 오르다.

귀:리 볏과의 한해 또는 두해살이 풀. 잎과 줄기가 보리와 비슷한 식물로 높이는 약 90cm, 열매는 술·과자의 원료가 되며, 가축 사료로도 많이 씀.

귀마개 **1** 귓구멍을 막는 물건. **2** 추위를 막기 위해 귀를 싸는 물건.

귀머거리 귀에 이상이 있어 소리를 듣지 못하는 사람.

귀먹다 [귀먹따] **1** 귀가 어두워져 소리가 잘 들리지 아니하게 되다. **2** 남의 말을 이해하지 못하다.

귀밝이술 [귀발기술] 음력 정월 대보름날 아침에 귀가 밝아지라고 마시는 술. 비 이명주.

귀:부인 (貴婦人) 신분이 높거나 돈이 많은 집안의 부인.

귀:빈 (貴賓) 귀한 손님. ㉠귀빈실 / 귀빈 대접을 받다.

귀:빈석 (貴賓席) 귀빈을 위하여 특별히 마련하여 놓은 자리.

귀:성 (歸省) 객지에서 지내다가 부모를 뵈러 고향에 돌아가거나 돌아옴. ㉠귀성객 / 귀성 차량. **—하다.**

귀:속 (歸屬) 재산·권리·영토 따위가 특정한 사람이나 단체, 국가의 것이 됨. **—하다.**

귀:순 (歸順) 적이었던 사람이 무기를 버리고 상대편 쪽으로 넘어감. ㉠귀순 용사. **—하다.**

***귀:신** (鬼神) **1** 죽은 사람의 넋. **2** 사람에게 복이나 화를 준다는 신령. **3** 어떤 일에 남보다 뛰어난 재주가 있는 사람. ㉠수학에 귀신이다.

귀신도 모르다 아주 감쪽같다. ㉠귀신도 모르게 빠져나가다.

귀신이 곡하다 일이 매우 기묘하고 신통하다. ㉠어떻게 알았는지 귀신이 곡할 노릇이다.

귀:신같다 (鬼神—) [귀신갇따] 기술·솜씨 따위나 알아맞히는 힘이 기막히게 뛰어나다. ㉠귀신같이 알아맞히다 / 솜씨가 귀신같다.

귀싸대기 귀와 뺨이 맞닿은 곳. ㉠귀싸대기를 때리다.

귀:애 (貴愛) 귀엽게 여겨 사랑함. **—하다.**

귀얄 풀이나 옻을 칠 할 때 쓰는 솔.

귀양 고려·조선 때, 죄인을 먼 시골이나 섬으로 보내어, 일정한 기간 그 지역에서만 살게 하던 형벌. ㉮귀양을 가다 / 귀양을 보내다. 비 유배.

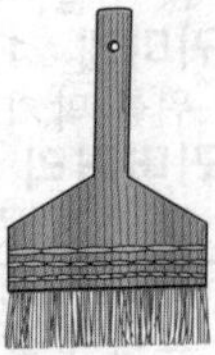
〈귀얄〉

> 참고 귀양은 고려·조선 시대에 죄인을 시골로 쫓아 보내던 형벌이다. 원래는 '귀향'이었으나 귀향의 'ㅎ' 소리가 떨어져 나간 것이다.

귀양살이 [귀양사리] 귀양 가서 부자유스럽게 지내는 생활. **—하다.**

귀엣말 [귀엔말] 남의 귀에 대고 소곤소곤하는 말. ㉮귀엣말로 속삭이다. 비 귓속말. **—하다.**

귀여겨듣다 [귀여겨듣따] 정신 차려 듣다. ㉮내 말을 귀여겨들어라. 반 귀넘어듣다. 활용 귀여겨들어 / 귀여겨들으니 / 귀여겨듣는.

귀:여워하다 귀엽게 여기다. ㉮고양이를 귀여워하다.

귀:염 **1** 예쁘거나 애교가 있어 사랑스러움. ㉮귀염을 떨다. **2** 윗사람이 아랫사람을 아끼고 사랑하는 마음. ㉮선생님의 귀염을 받다.

귀:염둥이 아주 귀여운 아이. 귀염을 받는 아이.

귀:염성 (—性) [귀염썽] 귀염을 받을 만한 성질. ㉮귀염성 있는 얼굴.

*__귀:엽다__ [귀엽따] 예쁘고 사랑스럽다. ㉮하는 짓이 귀엽고 깜찍하다. 활용 귀여워 / 귀여우니. ➲ cute

귀이개 귀지를 파내는 기구.

귀:인 (貴人) 신분이나 지위가 높은 사람. 반 천인.

귀:재 (鬼才) 세상에서 보기 드물게 뛰어난 재능. 또는 그런 재능을 가진 사람. ㉮바이올린의 귀재.

귀:족 (貴族) 가문이나 신분이 높아 사회에서 특권을 가진 사람들. ㉮귀족 출신. 비 양반. 반 평민.

귀주 대:첩 (龜州大捷) 고려 현종 10년(1019)에 침입한 거란군을 강감찬 장군이 지금의 평안북도 서쪽의 귀주에서 크게 물리친 싸움.

귀주머니 네모지게 지어 아가리 쪽으로 절반을 세 골로 접어 아래 양쪽으로 귀가 나오게 만든 주머니.

귀:중 (貴中) 편지나 물품 따위를 받을 단체나 기관의 이름 뒤에 쓰는 높임말. ㉮민중서림 귀중.

귀:중품 (貴重品) 귀중한 물건. ㉮귀중품을 맡기다.

*__귀:중하다__ (貴重—) 귀하고 중요하다. ㉮시간은 돈보다 귀중하다. 비 소중하다.

귀:지 귓구멍 속에 낀 때. ㉮귀지를 후비다.

귀:착 (歸着) **1** 돌아오거나 돌아가 닿음. **2** 의논이나 의견 따위가 어떤 결말에 다다름. **—하다.**

*__귀찮다__ [귀찬타] 마음에 들지 않고 성가시다. ㉮귀찮게 굴다 / 귀찮게 여기다.

귀:천 (貴賤) 귀함과 천함. ㉮신분의 귀천 / 직업에는 귀천이 없다.

귀청 ⇨고막. ㉮귀청이 따갑다.

귀청(이) 떨어지다 소리가 대단히 크다.

귀:추 (歸趨) 일이 되어 가는 형편. ㉮사건의 귀추가 주목된다.

귀퉁이 **1** 물건의 삐쭉 내민 부분이나 모퉁이. ㉮책상 귀퉁이에 걸터앉다. **2** 사물이나 마음의 한구석. ㉮가슴 한 귀퉁이에 슬픔이 밀려왔다 / 마루 귀퉁이에 쭈그려 앉다.

귀틀집 [귀틀찝] 큰 통나무를 '정(井)' 자 모양으로 귀를 맞추어 엊고 틈을 흙으로 메워서 지은 집.

귀:하 (貴下) **1** 편지를 받을 사람의 이름 뒤에 쓰는 높임말. ㉮홍길

동 귀하. **2** 상대자를 높여 이름 대신 부르는 말. ㉾귀하께서는 어떻게 생각하십니까.

***귀ː하다** (貴—) **1** 신분이나 지위가 높다. ㉾귀한 가문에서 태어나다. 반 천하다. **2** 흔하지 아니하다. ㉾아주 귀한 물건이다. 반 흔하다. **3** 존중할 만하다. ㉾귀한 손님을 모시다 / 귀하게 자라다.

귀ː항 (歸港) 배가 떠났던 항구로 다시 돌아가거나 돌아옴. **—하다.**

귀ː향 (歸鄕) 고향으로 돌아가거나 돌아옴. 비 귀성. **—하다.**

귀ː화 (歸化) 다른 나라의 국적을 얻어 그 나라의 국민이 됨. ㉾한국에 귀화한 미국인. **—하다.**

귀ː환 (歸還) 떠나 있던 사람이 본디 있던 곳으로 다시 돌아오거나 돌아감. ㉾무사히 본국으로 귀환하다. 비 복귀. **—하다.**

귀ː히 (貴—) 귀하게. ㉾골동품을 귀히 여기다.

귓가 [귀까 / 귇까] 귀의 가장자리. ㉾귓가를 스치는 차가운 바람. 비 귓전.

귓가로 듣다 별로 관심 없이 듣다.

귓가에 맴돌다 귓전에서 사라지지 않고 들리는 듯하다.

귓결 [귀껼 / 귇껼] 우연히 듣게 된 짧은 동안. ㉾귓결에 들은 소문.

귓구멍 [귀꾸멍 / 귇꾸멍] 귀의 밖에서 귀청까지 통한 구멍.

귓구멍이 넓다 남의 말을 곧이곧대로 듣다.

귓등 [귀뜽 / 귇뜽] 귓바퀴의 바깥쪽 부분.

귓등으로 듣다〔흘리다〕 남의 말을 귀담아듣지 않고 듣는 둥 마는 둥 하다.

귓바퀴 [귀빠퀴 / 귇빠퀴] 겉귀의 드러난 가장자리 부분.

귓밥 [귀빱 / 귇빱] **1** ⇨귓불. **2** '귀지'의 잘못.

귓병 (—病) [귀뼝 / 귇뼝] 귀에 생기는 병을 통틀어 이르는 말.

귓불 [귀뿔 / 귇뿔] 귓바퀴의 아래쪽으로 늘어진 살. 비 귓밥. ×귓볼.

귓속 [귀쏙 / 귇쏙] 귀의 안쪽. ㉾귓속에 대고 속삭이다.

귓속말 [귀쏭말 / 귇쏭말] ⇨귀엣말. ㉾귓속말을 주고받다. **—하다.**

귓속뼈 [귀쏙뼈 / 귇쏙뼈] 고막과 속귀를 연결하는 3개의 작은 뼈.

귓전 [귀쩐 / 귇쩐] 귓바퀴의 가장자리. 비 귓가.

귓전으로 듣다 주의를 기울이지 않고 건성으로 듣다.

귓전을 때리다 귀에 세게 들리다.

귓전을 울리다 가까이에서 소리 나는 듯이 들리다.

규격 (規格) **1** 일정한 표준. ㉾규격에 맞다. **2** 제품의 품질·모양·크기 등의 정해진 기준. ㉾규격 봉투.

규격화 (規格化) [규겨콰] **1** 공업 제품 등의 품질·모양·크기·성능 따위를 규격에 맞추어 통일함. ㉾제품의 규격화. 비 표준화. **2** 사상·여론 등을 일정한 방향이나 범위에 일치시킴. **—하다.**

규명 (糾明) 캐고 따져서 사실을 밝혀냄. ㉾사건의 원인을 규명하다. **—하다.**

> 주의 **규명과 구명**
> **규명** 사실을 캐고 따져서 바로 밝혀냄. ㉾사건의 책임을 규명하다.
> **구명** 까닭이나 사리를 깊이 연구하여 밝힘. ㉾진리를 구명하다.

***규모** (規模) **1** 사물이나 현상의 크기나 범위. ㉾규모가 큰 공사. **2** 씀씀이나 예산의 한도. ㉾예산 규모.

규방 (閨房) **1** 부녀자가 생활하는 방. **2** 침실, 특히 부부의 침실.

규범 (規範) 마땅히 따르고 지켜야 할 본보기. ㉾생활의 규범.

규수 (閨秀) 시집가지 않은 여자. ⓔ양갓집 규수. ⓑ처녀.
규약 (規約) 서로 지키도록 정한 규칙. ⓔ규약 위반.
규율 (規律) 지켜야 할 행동의 본보기. ⓔ엄격한 규율 / 규율을 따르다.
규장각 (奎章閣) 조선 정조 때 창덕궁에 설치하여 역대 임금의 글·글씨·문서·초상 따위를 보관하던 곳. 학문의 연구, 서적의 편찬 따위의 일도 맡아보았음.
규정 (規定) **1** 규칙으로 정함. 또는 그 정해 놓은 것. ⓔ맞춤법 규정. **2** 내용이나 성격, 의미 따위를 밝혀 정함. 또는 그 정해 놓은 것. ⓔ불법 행위로 규정하다. **—하다.**
규제 (規制) 규칙이나 규정을 세워 제한함. ⓔ수입을 규제하다 / 비닐 봉투 사용이 규제되다. **—하다.**
규중 (閨中) 부녀자가 생활하는 방. ⓔ규중처녀.
*__규칙__ (規則) 여러 사람이 지키기로 정한 법칙. ⓔ경기 규칙 / 규칙을 어기다. ⓑ규정. 법칙. ➡rule
규칙적 (規則的) [규칙쩍] 일정한 규칙을 따르고 있는 (것). ⓔ규칙적인 생활.
규탄 (糾彈) 잘못이나 허물을 잡아내어 따지고 나무람. ⓔ부정 선거를 규탄하다. **—하다.**
규합 (糾合) 어떤 일을 꾸미려고 사람이나 세력을 모음. ⓔ동지를 규합하다. **—하다.**
균 (菌) **1** '세균'의 준말. **2** '병균'의 준말.
균등 (均等) 고르고 가지런하여 차별이 없음. ⓔ기회 균등 / 균등하게 나누다. **—하다.**
균사 (菌絲) 곰팡이 따위에서 몸을 이루는 가는 실 모양의 세포. 빛이 희며 엽록소가 없음. ⓑ팡이실.
균역법 (均役法) [규녁뻡] 조선 영조 때 백성의 세금 부담을 덜어 주기 위해 만든 법. 병역 의무자가 내던 조세를 반으로 감하였음.
균열 (龜裂) [규녈] 거북의 등에 있는 무늬 모양으로 갈라져 터짐. ⓔ벽에 균열이 생기다.
균일 (均一) [규닐] 한결같이 고름. 차이가 없음. ⓔ균일 판매 / 음료수 가격이 균일하다. **—하다.**
*__균형__ (均衡) 어느 한쪽으로 치우치지 않고 고름. ⓔ균형을 이루다 / 몸매가 균형이 잡히다. ⓑ불균형.
*__귤__ (橘) 귤나무의 열매. 모양은 동글납작하고 빛깔은 붉은색이며 맛이 시고 달콤함.
귤나무 (橘—) [귤라무] 운향과의 상록 교목. 높이는 약 4 m, 여름에 흰 다섯잎꽃이 피며 주황색 열매는 초겨울에 익음. 우리나라에서는 제주도에서 많이 재배함. ⓑ밀감.
*__그__[1] **1** '그이'의 준말. ⓔ그는 국어 선생이다. ➡he **2** '그것'의 준말. ⓔ그와 같은 물건. ➡it
*__그__[2] **1** 자기로부터 조금 떨어져 있는 사물을 가리키는 말. ⓔ그 책은 내 것이다. **2** 이미 말한 것 또는 서로 이미 아는 것을 가리키는 말. ⓔ그 이야기는 나중에 하자. **3** 확실하지 않거나 밝히고 싶지 않은 것을 가리키는 말. ⓔ그 무엇이라고 하더라. ⓙ고.
그간 (一間) 그동안. 그사이. ⓔ그간의 소식 / 그간 어찌 지냈나.
*__그거__ '그것'의 준말《주격 조사 '이'가 붙으면 '그게'가 됨》. ⓔ그거야 알 수 없지 / 그건 그렇고 / 그거 참 이상한데.
*__그것__ [그걷] **1** 자기가 있는 곳에서 조금 떨어져 있는 물건을 가리키는 말. ⓔ그것은 내 것이다. **2** 바로 앞에 말한 사물을 가리키는 말. ⓔ그것이 사실인가. ⓙ그. 그거. **3** '그 사람'을 얕잡아 일컫는 말. ⓔ그것이 무얼 안다고. **4** '그 아이'를 귀엽

게 이르는 말. ㉥그것들 참 귀엽게 생겼네. 㘞고것. ➡it
그게 '그것이'의 준말. ㉥그게 정말이니. 㘞고게.
그글피 글피의 다음 날.
***그까짓** [그까짇] 겨우 그만한 정도의. ㉥그까짓 일을 가지고 쩔쩔매느냐. 㘞그깟. 㘞고까짓.
그끄러께 그러께의 전해. 삼 년 전의 해.
그끄저께 그저께의 전날. 오늘로부터 사흘 전의 날. ㉥그끄저께 설악산에 다녀왔다. 㘞그끄제.
그끄제 '그끄저께'의 준말.
그나마 그것마저도. 또는 그것이나마. ㉥그나마 다치지 않은 게 다행이다. 㘞고나마.
그나저나 '그러나저러나'의 준말. ㉥그나저나 비는 언제 그치려는지.
그날그날 하루하루. 매일. ㉥일기는 그날그날 쓰자.
***그냥** **1** 변함없이 그 모양으로. ㉥그냥 내버려 두다. **2** 그대로 줄곧. ㉥그냥 듣기만 하여라. **3** 대가나 조건 없이. ㉥그냥 해 본 말이다.
***그ː네** 높이 맨 두 줄 끝에 나무 따위를 걸쳐 놓고 올라타서, 몸을 앞뒤로 움직여 왔다 갔다 하게 만든 놀이 기구. ㉥그네를 타다.
그ː네뛰기 그네에 올라타고 몸을 앞뒤로 왔다 갔다 하는 놀이.
그녀 (—女) 그 여자. ➡she
***그늘** **1** 빛이 가려 어두운 부분. ㉥나무 그늘 / 그늘에서 쉬다. 㘞응달. 㘞양지. **2** 부모나 어느 사람이 보살펴 주는 아래. ㉥부모님의 그늘. **3** 걱정이나 근심 때문에 나타나는 어두운 표정. ㉥한 점 그늘 없이 맑은 얼굴.
그늘지다 **1** 빛이 직접 비치지 않다. ㉥그늘진 곳에 앉아 쉬다. **2** 속에 숨어 드러나지 않다. ㉥인생의 그늘진 곳. **3** 불행이나 근심으로 마음이나 표정이 무겁다. ㉥그녀의 얼굴은 늘 그늘져 있다.
그다지 **1** 그렇게까지. 그러한 정도로. ㉥그다지도 내 심정을 모르느냐. **2** 별로. 그리. ㉥그다지 나쁘지 않다. 참고 뒤에 '않다·못하다' 따위의 부정하는 말이 따름.
***그대** **1** 친구나 아랫사람을 높여 이르는 말. ㉥그대의 말이 옳다. **2** 상대방을 친근하게 이르는 말. ㉥내 사랑하는 그대여.
***그대로** **1** 전에 있던 대로. ㉥옛 습관 그대로. **2** 그것과 똑같이. ㉥내가 말한 그대로 전해라. **3** 그냥. ㉥나를 보고도 그대로 지나가더라. 㘞고대로.
그득 그득하게. 그득히. ㉥밥을 그득 담다. 㘞가득. 㘞그뜩.
그득하다 [그드카다] 분량이나 수효 등이 넘칠 만큼 많거나 한도에 차 있다. ㉥향기가 온 방에 그득하다 / 책장에 책이 그득하다. 㘞가득하다. 㘞그뜩하다.
그득히 [그드키] 넘칠 정도로 그득차게. ㉥잔을 그득히 채우다.
***그들** 그 사람들. ㉥그들은 모두 학생이다.
그들먹하다 [그들머카다] 일정한 범위 안에 거의 그득하다. ㉥뚝배기에 찌개가 그들먹하다.
그따위 얕잡는 뜻으로, 그러한 종류, 또는 그러한 종류의. ㉥그따위 녀석은 상대할 가치도 없다 / 그따위 쓸데없는 소리 그만 해라.
그때 그 당시. 전에 말한 때. ㉥그때 그는 다섯 살이었다.
그때그때 일이 생기는 때. 또는 일이 생기는 때마다. ㉥그때그때 상황에 맞게 행동해라 / 문제가 생기면 그때그때 처리하다.
그라운드 (ground) ⇨운동장.
***그래** **1** 아랫사람에게 긍정의 뜻으로 대답하는 말. ㉥그래, 내 곧 갈게. **2** 감탄이나 가벼운 놀라움을 나

타내는 말. ㉠그래, 정말 잘했구나 / 그래, 그런 일이 있었니. **3** 상대에게 따지거나 강조할 때 쓰는 말. ㉠그래, 그것도 못한단 말이냐.

그래그래 '그래'를 강조하는 말. ㉠그래그래, 그렇게 하자.

***그래도** **1** 그러하여도. ㉠그래도 내 집이 제일이다 / 그래도 난 네가 좋다. **2** '그리하여도'의 준말. ㉠아무리 그래도 가망이 없다. ㉶고래도.

***그래서** **1** 앞의 내용이 뒤의 내용의 원인·근거·조건 따위가 될 때 쓰는 말. ㉠길이 많이 막혔어요. 그래서 늦었어요. **2** '그러하여서·그리하여서'의 준말. ㉠늘 그래서 야단맞지. ㉶고래서. ➲ so

그래야 '그리하여야·그러하여야'의 준말. ㉠늘 그래야 어른한테 칭찬을 받지 / 그래야 2만 원도 못 된다. ㉶고래야.

***그래프** (graph) 수나 양의 크기를 한눈에 알아보기 쉽도록 막대나 선·점·원 따위로 나타낸 표.

그래픽 (graphic) 영상이나 인쇄물에 쓰는 사진이나 그림. 화보.

그래픽 디자인 (graphic design) 인쇄 기술의 특성을 이용하여 표현하는 시각 디자인으로, 포스터·삽화·광고·표지 따위의 디자인이 속함.

그램 (gram) 무게의 단위. 1그램은 4℃의 물 1 cm^3의 무게와 같음 《기호는 g》.

그러그러하다 **1** 서로 비슷하다. ㉠모임에는 모두 그러그러한 친구들만 모였다. **2** 그렇고 그래서 별로 신기할 것이 없다. ㉠그의 솜씨는 그저 그러그러했다. ㉶고러고러하다.

그러께 지난해의 전해. ㉠그러께 봄에 결혼했다. ㊀재작년.

***그러나** **1** 앞의 내용과 뒤의 내용이 반대될 때 쓰는 말. ㉠옷은 마음에 들었다. 그러나 값이 너무 비싸서 사지 못했다. **2** '그러하나·그리하나'의 준말. ㉠성질은 그러나 마음은 착하다 / 말은 그러나 속마음은 다른 것 같다. ➲ but

그러나저러나 '그러하나 저러하나·어떻든 간에'의 뜻. ㉠그러나저러나 이것은 네 책임이다. ㉵그나저나.

***그러니** '그러하니'의 준말. ㉠그러니 장차 이 일을 어쩐담 / 형이 그러니 아우도 그러겠지 / 형편이 그러니 어쩌겠나.

***그러니까** **1** 앞의 내용이 뒤의 내용의 이유나 근거가 될 때 쓰는 말. ㉠그러니까 내 말대로 해라. **2** '그리하니까·그러하니까'의 준말. ㉠옷 입은 꼴이 그러니까 남들이 웃지 않느냐.

그러니저러니 그러하다느니 저러하다느니. ㉠그러니저러니 말만 하지 말고 실천을 해라.

***그러다** '그렇게 하다'의 준말. ㉠그러다 넘어지겠다.

***그러다가** '그렇게 하다가'의 준

[학습마당] 5

'그러므로'와 '그럼으로(써)'

그러므로 1 그러하기 때문에. ㉠규정이 그러므로 이를 어길 수 없다.
2 그리하기 때문에. ㉠그가 스스로 그러므로 만류하기가 어렵다.
3 그렇기 때문에. ㉠그는 훌륭한 학자다. 그러므로 존경을 받는다.

그럼으로(써) 1 그렇게 하는 것으로써. ㉠그는 열심히 일한다. 그럼으로써 삶의 보람을 느낀다.
2 그렇게 하는 것 때문에. ㉠네가 그럼으로(써), 병세가 더 나빠졌다.

말. ㉠그러다가 큰코다친다.

*그러면 1 '그렇다고 하면·그렇게 하면'의 뜻. ㉠구하라, 그러면 얻을 것이오 / 그러면 갔다 오마. 2 '그리 하면·그러하면'의 준말. ㉠자꾸 그러면 못써 / 여럿이 다 그러면 따라야지. 준그럼.

*그러므로 앞의 내용이 뒤의 내용의 이유나 원인, 근거가 됨을 나타내는 말로 '그러한 까닭으로·그런고로'의 뜻. ㉠그러므로 열심히 공부해야 한다. → [학습마당] 5(154쪽)

그러안다 [그러안따] 두 팔로 끌어당겨 껴안다. ㉠두 남매가 그러안고 하염없이 울다.

*그러자 1 '그렇게 하자'의 뜻. ㉠그러자 그가 고함을 쳤다. 2 '그리 하자·그러하자'의 준말. ㉠나도 그러자고 동의했다.

그러쥐다 손가락에 힘을 주어 잡다. ㉠손잡이를 그러쥐다.

*그러하다 그와 같다. ㉠그러한 말을 많이 들었다. 준그렇다. 작고러하다.

그럭저럭 [그럭쩌럭] 1 되어 가는 대로. ㉠그럭저럭 살아가고 있다. 2 어떻게 하다 보니. ㉠그럭저럭 시간이 다 되었다.

그런 '그러한'의 준말. ㉠그런 사람 / 그런 사실이 없다.

그런대로 '그러한 대로'의 준말. ㉠찌개가 조금 짭짤하지만 그런대로 먹을 만하다.

*그런데 1 앞의 내용과 반대되는 내용을 이끌거나 화제를 바꿀 때 쓰는 말. ㉠그런데 그것은 어떻게 됐지. 2 '그러한데'의 준말. ㉠몸이 그런데 갈 수 있겠니. 준근데.

그런즉 '그러한즉'의 준말. ㉠그런즉 너도 공부 잘해라.

그럴듯하다 [그럴뜨타다] 1 그렇다고 여길 만하다. ㉠그럴듯한 의견. 2 제법 훌륭하다. ㉠야, 그거 참 그럴듯하다.

그럴싸하다 그럴듯하다. 비슷하게 괜찮다. ㉠그럴싸한 핑계를 대다 / 아주 그럴싸하게 생겼다.

*그럼[1] '그러면'의 준말. ㉠그럼, 안녕 / 그럼 안 된다.

*그럼[2] 당연하다는 뜻으로 대답할 때 쓰는 말. ㉠그럼, 그렇고 말고.

그렁그렁 눈에 눈물이 가득 괴어 있는 모양. ㉠눈물이 그렁그렁하다. 비글썽글썽. **—하다.**

*그렇게 [그러케] '그러하게'의 준말. ㉠그렇게까지 믿지 마라 / 그렇게 큰 금액은 아니다. 작고렇게.

*그렇다 [그러타] '그러하다'의 준말. ㉠그렇다고 해서 그만둘 수도 없다 / 내 말은 그렇다 치고 네 의견 좀 듣자 / 그렇다면 나도 할 말은 해야겠다. 작고렇다. 활용그러니 / 그래서.

그렇고 그렇다 대수롭거나 특별하지 아니하다. ㉠양만 많았지 맛은 그렇고 그렇다.

그렇고 말고 상대의 말에 동의하는 뜻으로 맞장구치는 말.

그렇잖다 [그러찬타] '그렇지 않다'의 준말. ㉠내 솔직한 의견은 그렇잖다.

그렇지 [그러치] 1 '그와 같이 틀림없다'는 뜻. ㉠그렇지, 오늘 약속이 있었지. 2 '그러하지'의 준말. ㉠그러면 그렇지.

*그렇지만 [그러치만] '그렇지마는'의 준말로, 앞의 내용과 반대되는 내용을 이끄는 말. ㉠배는 부르다. 그렇지만 조금 더 먹을 수는 있겠다.

*그루 1 나무·곡식 따위의 줄기의 밑동. 2 식물, 특히 나무를 세는 말. ㉠무궁화 한 그루. 3 한 해에 같은 땅에 농사짓는 횟수.

그루갈이 [그루가리] 한 해에 두 차례 짓는 농사. 벼를 거둔 뒤에 그 자리에 보리를 심어 거두는 농사 따위. ㉥ 이모작. **—하다.**

그루터기 풀이나 나무 따위를 베어 내고 남은 밑동. ㉦소나무 그루터기에 걸터앉다.

그룹 (group) **1** 여럿이 같은 목적으로 모이는 모임. 집단. 무리. 동아리. ㉦그룹 과외 / 그룹별로 모이다. **2** 계열을 이룬 기업체의 무리. ㉦그룹 회장직을 연임하다.

***그르다** **1** 옳지 못하다. ㉦그른 일 / 옳고 그름을 따지다. **2** 될 가망이 없다. ㉦일이 잘되기는 글렀다. 활용 글러 / 그르니.

그르렁거리다 가래가 목구멍에 생겨 숨을 쉬는 대로 소리가 자꾸 나다. 또는 그런 소리를 자꾸 내다. ㉦그르렁거리며 누워 있는 환자. ㉮그렁거리다. ㉸가르랑거리다.

그르렁그르렁 그르렁거리는 소리. 또는 그 모양. **—하다.**

그르치다 잘못하여 일을 그릇되게 하다. ㉦다 된 일을 그르치다.

***그릇**[1] [그륻] **1** 음식이나 물건 따위를 담는 기구. ㉦반찬 그릇 / 그릇에 나물을 담다 / 그릇을 씻어 정리하다. **2** 일을 다루는 능력이나 재주. ㉦그릇이 큰 인물.

그릇[2] [그륻] 그르게. 틀리게. 잘못되게. ㉦어설피 듣고 그릇 전하다.

그릇되다 [그륻뙤다] 그르게 되다. 일이 잘못되다. ㉦그릇된 생각.

그리[1] **1** 그러하게. ㉦그리 알고 기다려라. **2** 그다지. ㉦그리 바쁘지 않다.

그리[2] 그곳으로. 또는 그쪽으로. ㉦그리 앉으렴 / 내가 그리 가지.

***그리고** '그리하여·또·및·와'의 뜻. ㉦그대 그리고 나 / 정직하라. 그리고 노력하라. ➡ and

그리니치 천문대 (Greenwich天文臺) 영국 런던 그리니치에 있던 천문대. 이곳을 지나는 자오선(경도 0도)을 기준으로 하여 국제 표준시를 정함.

***그리다**[1] 사랑하는 마음이 있어 간절히 생각하다. ㉦고향을 그리다 / 연인을 애타게 그리다.

***그:리다**[2] **1** 물건의 모양을 그와 같게 그림으로 나타내다. ㉦고양이를 그리다. **2** 사물의 모양이나 생각을 말이나 글로 나타내다. ㉦형제애를 그린 작품. **3** 어떤 도형과 닮은 모양을 짓다. ㉦타자가 친 공이 포물선을 그리며 날아갔다. **4** 상상하거나 회상하다. ㉦어릴 때 모습을 머릿속에 잠시 그려 보았다. ➡ draw

그리스 (Greece) 〖국명〗 남부 유럽의 발칸 반도 끝에 있는 나라. 고대 그리스 문명의 중심지임. 수도는 아테네.

그리스도 (←Christ) 〖인명〗 '구세주'라는 뜻으로 기독교의 창시자 '예수'를 일컫는 이름.

그리스 신화 (Greece神話) 고대 그리스 사람들이 만든 신화와 전설. 유럽의 미술과 문학에 큰 영향을 끼쳤음.

그리움 보고 싶어 애타는 마음. ㉦사무치는 그리움.

그리워하다 보고 싶어하다. ㉦어머니를 그리워하다.

***그리하다** 그렇게 하다. ㉦그리하여 훌륭한 사람이 되었다.

그린란드 (Greenland) 대서양과 북극해 사이에 있는, 세계에서 가장 큰 섬. 덴마크령이며 주민은 대부분 에스키모 인임.

그린벨트 (greenbelt) 도시 주변을 아름답게 꾸미고 자연환경을 보호하기 위해 개발을 금지하고 있는 지역. 개발 제한 구역.

그린피스 (Green Peace) 핵무기 반대와 환경 보호 등을 목표로 활동하는 국제 단체. 본부는 네덜란드 암스테르담에 있음.

*그ː림 사람이나 사물의 모양을 선 또는 색채를 써서 평면 위에 나타낸 것. ㊉그림을 그리다.
그림의 떡 아무리 마음에 들어도 이용할 수 없거나 차지할 수 없다는 뜻.
그ː림그래프 (—graph) 통계 수치 따위를 알기 쉬운 그림으로 나타낸 그래프.
그ː림 문자 (—文字) [—문짜] 옛날 사람들이 그림으로 뜻을 나타낸 문자. 비 회화 문자.
그ː림물감 [그림물깜] 그림을 그리는 데 쓰는 물감.
그ː림엽서 (—葉書) [그림녑써] 뒷면에 사진이나 그림 따위가 있는 우편엽서. ㊉그림엽서를 보내다.
그ː림일기 (—日記) [그리밀기] 겪은 일들을 글과 그림으로 나타낸 일기. 주로 어린이들이 씀.
*그ː림자 **1** 물체가 빛을 가려 그 물체의 뒤쪽에 나타나는 검은 그늘. ㊉스승의 그림자도 밟지 않던 시절. **2** 물 등에 비치어 나타나는 물체의 모습. ㊉연못에 비친 자기 그림자를 보다. **3** 사람의 자취. ㊉어두운 골목에는 그림자 하나 볼 수 없었다. **4** 근심·걱정 따위로 얼굴에 나타나는 어두운 표정. ㊉얼굴에 수심의 그림자를 드리우다.
그림자도 없다 자취를 감추어 찾을 수가 없다. 온데간데없다. ㊉사람은 커녕 개미 그림자도 없다.
그림자를 감추다 모습을 나타내지 않다.
그ː림자놀이 [그림자노리] 사람이나 동물의 모양을 불빛에 비추어 벽 따위에 그림자가 나타나게 하는 놀이.
그ː림지도 (—地圖) 고장의 명소·유적·도로 등을 알아보기 쉽게 그림으로 나타낸 지도.
*그ː림책 (—冊) **1** 어린이들을 위하여 주로 그림으로 꾸민 책. **2** 그림을 모아 엮은 책.
*그립다 [그립따] 보고 싶어 애타는 마음이 간절하다. ㊉그리운 내 고향. 활용 그리워 / 그리우니.
*그만 **1** 그 정도까지만. ㊉오늘은 그만 하자. **2** 그대로 곧장. ㊉그 말에 그만 벌컥 화를 냈다. **3** 자신도 모르는 사이에. ㊉물을 급히 먹다가 그만 사레가 들렸다. **4** 어쩔 도리가 없이. ㊉늦잠을 자서 그만 지각하고 말았다. 작 고만.
그만그만하다 더 크거나 작지도 않고, 또는 더 많거나 적지도 않고 그저 어슷비슷하다. ㊉그만그만한 나이의 아이들. 작 고만고만하다.
*그만두다 **1** 하던 일을 그치고 하지 않다. ㊉회사를 갑자기 그만두다. **2** 할 예정이던 것을 하지 않다. ㊉비가 와서 등산을 그만두었다. 작 고만두다. stop
그만이다 **1** 그것뿐이다. 그것으로 마지막이다. ㊉가면 그만이다 / 그것만 하면 오늘은 그만이다. **2** 그것으로 족하다. ㊉책과 노트만 사 주시면 그만이에요. **3** 더할 나위 없이 좋다. 가장 낫다. ㊉아내의 요리 솜씨는 그만이다. 작 고만이다.
그만큼 그만한 정도로. ㊉땀 흘리면 그만큼 거두게 된다.
그만하다 **1** 상태·모양 따위의 정도가 그러하다. ㊉아버님 병환이 그만하시다니 다행이다. **2** 웬만하다. ㊉이 학생 성적은 그저 그만합니다. **3** 정도나 수량이 그것만 하다. ㊉그만한 돈은 내게도 있다 / 그만한 일로 싸우다니. 작 고만하다.
그맘때 그만큼 된 때. ㊉그맘때가 되면. 작 고맘때.
*그물 물고기·날짐승 따위를 잡기 위해 노끈이나 쇠줄 따위를 엮어서 만든 기구. ㊉물고기가 그물에 걸리다 / 그물을 던지다.

그물망 (—網) 그물코처럼 구멍이 있는 망. ㉡그물망을 치다.
그물코 그물에 뚫려 있는 구멍. ㉡그물코가 촘촘하다.
그믐 '그믐날'의 준말. →날 참고
그믐날 음력으로 한 달의 맨 마지막 날. ⓑ초하루. ⓒ그믐.
그믐달 [그믐딸] 음력으로 매월 그믐께 뜨는 달. 달의 왼쪽 부분이 칼날같이 보임. ⓑ초승달.

참고 이 말은 '어두워지다'의 뜻을 나타내는 '그믈다'에서 나온 말 '그믐'에 '달'이 붙은 말로 그 달 마지막 날 떠오르는 달을 뜻한다.

그믐밤 [그믐빰] 음력으로 그믐날의 컴컴한 밤.
그분 '그이·그 사람'의 높임말. ㉡그분은 지금 어디 계시냐.
그스르다 1 '그슬리다'의 잘못. 2 '그을리다'의 잘못.
그슬리다 1 불에 겉만 조금 타다. ㉡머리카락이 촛불에 그슬리다. 2 불에 겉만 조금 타게 하다. →그을리다 주의
그악하다 [그아카다] 1 장난 따위가 지나치게 심하다. 2 모질고 사납다. ㉡그악한 성질. 3 억척스럽고 끈질기다. ㉡여러 식구를 혼자 먹여 살리는 그악한 처녀.
그야 '그것이야'의 준말. ㉡그야 그렇겠지만.
그야말로 1 '그것이야말로'의 준말. ㉡조선업은 그야말로 한국이 제일이지. 2 말한 바와 같이 참으로. ㉡오늘은 실적이 좋아 그야말로 보람찬 하루였다.
그예 마지막에 가서는 그만. 마침내. ㉡그예 울음보를 터뜨렸다.
그윽이 [그으기] 그윽하게. ㉡그윽이 들리는 새벽 종소리.
그윽하다 [그으카다] 1 깊숙하고 고요하다. ㉡그윽한 정취. 2 뜻이나 생각이 깊다. ㉡그윽한 애정을 보이다. 3 느낌이 은근하다. ㉡방 안 가득 그윽한 향내가 풍겼다.
그을다 햇볕이나 연기 따위에 오랫동안 쐬어 빛이 검게 되다. ㉡햇볕에 그은 얼굴/천장이 그을다. 활용 그을어/그으니/그으는.
그을리다 1 그을게 되다. ㉡햇볕에 그을린 얼굴. 2 그을게 하다. ㉡햇볕에 살갗을 그을리다.

주의 **그을리다**와 **그슬리다**
그을리다 '햇볕이나 연기 같은 것에 오랫동안 쐬어 빛이 검게 되다 또는 검게 하다'의 뜻이다.
㉡얼굴이 새까맣게 그을렸다.
그슬리다 '불에 겉만 조금 타게 하다'란 뜻의 '그스르다'에서 나온 말이다.
㉡그슬린 돼지가 달아맨 돼지 타령한다.

그을음 [그으름] 불이 탈 때 불꽃과 함께 연기에 섞여 일어나는 먼지 같은 검은 가루. ㉡촛불의 그을음.
그이 1 그 사람. ㉡아까 그이에게 한번 부탁해 보자. 2 아내가 다른 사람에게 자기 남편을 가리켜서 이르는 말. ㉡그이가 몹시 아끼는 물건입니다.
*__그저__ 1 그대로 줄곧. ㉡주말엔 그저 잠만 자는구나. 2 별로 신기함이 없이. ㉡사는 게 그저 그렇지요 뭐. 3 무조건하고. ㉡그저 시키는 대로만 해라. 4 특별한 이유나 목적이 없이. 아무 생각 없이. ㉡그저 농담으로 한 말이다.
*__그저께__ 어제의 전날. ㉡그저께 밤에 도착했다. ⓒ그제.
그전 (—前) 1 얼마 되지 않은 전날. ㉡그전 장관. ⓑ지난날. 2 퍽 오래된 지난날. ㉡그전에는 여기도 밭이

었다. 비 예전.

*그제 '그저께'의 준말.

그제야 그때에야 비로소. 예그제야 말문을 열었다.

그중 (一中) 많은 가운데서 가장. 예그 아이가 그중 예쁘다 / 이것이 그중 낫다.

그지없다 [그지업따] **1** 끝이 없다. 예부모님의 사랑은 그지없다. 비 한량없다. **2** 이루 다 말할 수 없다. 예 억울하기 그지없다.

그지없이 [그지업씨] 그지없게. 예 잘 자라 준 자식들을 보니 그지없이 행복하다.

*그치다 **1** 움직임이 멈추거나 끝나다. 또는 그렇게 하다. 예바람이 그치다 / 과자를 주었더니 울음을 그쳤다. **2** 어떤 상태에 머무르다. 예 지난 대회 때는 8위에 그쳤다.

그토록 그렇게까지. 예그토록 기다렸는데 만날 수 없었다.

*극[1] (極) **1** 어떤 정도가 그 이상 갈 수 없는 지경. 예슬픔이 극에 달하다. **2** 지축의 양쪽 끝. 남극과 북극. **3** 전극에서 양극과 음극. **4** 자석에서 자기력이 가장 센 두 끝. 남극과 북극.

극[2] (劇) 연극이나 연극의 대본이 되는 문학 작품.

극광 (極光) [극꽝] 남극이나 북극 부근의 하늘에서 가끔 볼 수 있는 아름다운 빛. 오로라.

극구 (極口) [극꾸] 온갖 말이나 행동을 다하여. 예극구 사양하다 / 극구 부인하다.

극기 (克己) [극끼] 자기의 욕심이나 감정을 슬기롭게 눌러 이김. 예 극기 훈련 / 극기는 최대의 승리이다. **—하다.**

극단[1] (極端) [극딴] **1** 맨 끝. **2** 심하게 한쪽으로 치우침. 예생각이 극단으로 흐르다.

극단[2] (劇團) [극딴] 연극을 전문으로 공연하는 단체.

극단적 (極端的) [극딴적] 한쪽으로 심하게 치우친 (것). 예극단적인 행동을 삼가라.

극대 (極大) [극때] 그 이상 큰 것이 없을 정도로 큼. 반 극소.

극대화 (極大化) [극때화] 아주 커짐. 또는 아주 크게 함. 예이윤을 극대화하다 / 작업 능률을 극대화시키다. 반 극소화. **—하다.**

극도 (極度) [극또] 더할 수 없는 정도. 예극도로 흥분하다 / 분노가 극도에 달하다.

극동 (極東) [극똥] 아시아의 가장 동쪽에 있는 지역. 곧, 우리나라·중국·일본 등이 포함된 지역. *근동.

극락 (極樂) [긍낙] **1** 불교에서 아미타불이 살고 있는, 지극히 편안하고 걱정이 없는 행복한 세상. 비 극락세계. **2** 지극히 안락하여 아무 걱정이 없는 경우와 처지. 또는 그런 장소. 반 지옥.

극락세계 (極樂世界) [긍낙쎄계 / 긍낙쎄게] ⇨극락1.

극락전 (極樂殿) [긍낙쩐] 아미타불을 모셔 둔 법당.

극력 (極力) [긍녁] 있는 힘을 다함. 예극력 반대하다. 비 힘껏.

극렬 (極烈) [긍녈] 지극히 심함. 예극렬한 시위를 벌이다. **—하다. —히.**

극명하다 (克明—) [긍명하다] 매우 자세하고 분명하다. 예자기 입장을 극명하게 드러내다.

*극복 (克服) [극뽁] 어렵고 힘든 일을 이겨 냄. 예난관을 극복하다. **—하다.**

*극본 (劇本) [극뽄] 연극이나 방송극 따위에서, 대사·동작·무대 장치 따위를 적은 글. 비 각본.

극비 (極祕) [극삐] 가장 중요한 비밀. 예극비 문서 / 극비에 부치다.

극비리 (極祕裡) [극삐리] 극히 비

밀스러운 가운데. ㉥극비리에 일을 진행하다.

극빈 (極貧) [극삔] 몹시 가난함. ㉥극빈자 / 극빈한 가정. **—하다.**

극성 (極盛) [극썽] **1** 몹시 왕성함. **2** 성질이나 행동이 몹시 드세거나 지나치게 적극적임. ㉥장난감을 사 달라고 아이가 극성이다.

극성스럽다 (極盛—) [극썽스럽따] 성질이나 행동이 몹시 드세거나 지나치게 적극적인 데가 있다. ㉥극성스럽게 짖어 대는 개 / 극성스럽게 매달리다 / 공부에 극성스러웠던 그는 언제나 1등을 했다. 활용 극성스러워 / 극성스러우니.

극소수 (極少數) [극쏘수] 아주 적은 수. ㉥극소수 사람만이 그를 따랐다.

극심하다 (極甚—) [극씸하다] 매우 심하다. ㉥극심한 가뭄 / 교통 체증이 극심하다.

극악무도하다 (極惡無道—) [그강무도하다] 더없이 악하고 도리에 완전히 어긋나다. ㉥극악무도한 만행을 저지르다.

극악하다 (極惡—) [그가카다] 몹시 악하다. ㉥극악한 범인.

극약 (劇藥) [그갹] 적은 양으로도 사람이나 동물을 해치는 약품.

극언 (極言) [그건] 극단적으로 말함. 또는 그 말. ㉥매국노라고 극언을 퍼붓다. **—하다.**

극작 (劇作) [극짝] 연극의 각본을 씀.

극작가 (劇作家) [극짝까] 전문적으로 연극의 각본을 쓰는 사람.

*__극장__ (劇場) [극짱] 영화나 연극 따위를 감상할 수 있게 무대와 관람석 따위의 시설을 갖춘 곳.

극적 (劇的) [극쩍] **1** 극의 특성을 나타내는 (것). ㉥극적 효과. **2** 극을 보는 것처럼 감동적이거나 인상을 남기는 (것). ㉥극적인 장면 / 극적으로 만나다 / 극적인 순간을 담은 사진.

극중 (劇中) [극쭝] 극의 내용 가운데. ㉥극중 인물.

극지 (極地) [극찌] **1** 맨 끝에 있는 땅. **2** ⇨극지방. ㉥극지 탐험.

극지방 (極地方) [극찌방] 지구의 남극 지방과 북극 지방. 비 극지.

극진하다 (極盡—) [극찐하다] 마음과 정성을 다하다. ㉥효성이 극진하다 / 극진하게 간호하다 / 손님에게 극진한 대접을 하다.

극진히 (極盡—) [극찐히] 극진하게. ㉥부모님을 극진히 모시다.

극찬 (極讚) 매우 높이 칭찬함. ㉥극찬을 받은 작품. **—하다.**

극치 (極致) 도달할 수 있는 최고의 경지나 상태. ㉥아름다움의 극치를 보여 주는 그림.

극터듬다 [극터듬따] 간신히 붙잡고 기어오르다. ㉥험한 낭떠러지를 극터듬어 꼭대기에 오르다.

극하다 (極—) [그카다] 아주 심해 더할 수 없는 정도에 이르다. ㉥감동이 극해서 눈물을 흘리다.

극한 (極限) [그칸] 도달할 수 있는 최후의 단계. 사물의 끝닿은 데. ㉥극한 대립 / 슬픔이 극한에 달하다.

극한 상황 (極限狀況) [그칸—] 더 이상 어쩔 수 없는 한계에 도달한 상황. ㉥극한 상황의 인간 심리.

극형 (極刑) [그켱] 가장 무거운 형벌인 '사형'을 이르는 말. ㉥극형에 처하다 / 죄인을 극형으로 다스리다.

극화하다 (劇化—) [그콰하다] 사건이나 소설 따위를 극의 형식으로 만들다. ㉥소설을 극화하다.

극히 (極—) [그키] 매우. 대단히. 심히. ㉥극히 드문 일.

근[1] (斤) 저울로 다는 무게의 단위. 고기나 한약재 따위에서는 1근을 600 g으로, 채소 따위에서는 375 g으로 씀. ㉥돼지고기 한 근.

근:[2] (近) 그것에 거의 가까움을 나타내는 말. ㉠근 한 달 동안 병원에 입원했다.

근:간[1] (近刊) **1** 최근에 출판한 간행물. ㉠근간 서적. **2** 머지않아 곧 출간됨. 또는 그런 간행물. ㉠근간 예정.

근:간[2] (近間) 요사이. ㉠근간에는 만난 적이 없다.

근간[3] (根幹) **1** 뿌리와 줄기. **2** 사물의 바탕이나 중심이 되는 부분. ㉠근간을 이루다.

*__근거__ (根據) **1** 근본이 되는 터전. ㉠생활의 근거. **2** 의견·의논 등에 그 근본이 되는 사실. ㉠근거 없는 소문 / 근거를 대다. **—하다.**

근:거리 (近距離) 가까운 거리. ㉠근거리 통학. ㉡원거리.

근거지 (根據地) 활동의 중심으로 삼는 곳. ㉠독립 운동의 근거지. ㉥본거지.

근검 (勤儉) 부지런하고 검소함. ㉠근검한 생활. **—하다.**

근:교 (近郊) 도시에 가까운 변두리 지역. ㉠서울 근교.

근:교 농업 (近郊農業) 대도시 근처에서 채소나 꽃 따위를 재배하는 농업.

근:근이 (僅僅—) [근그니] 겨우. 간신히. ㉠쥐꼬리만 한 월급으로 근근이 살아가다.

근:년 (近年) 요 몇 해 사이. ㉠근년에 없었던 대풍작.

근대[1] 명아줏과의 두해살이 채소. 줄기와 잎은 국을 끓이거나 무쳐서 먹음. 밭에서 재배함.

근:대[2] (近代) **1** 지나간 지 얼마 안 되는 가까운 시대. **2** 역사의 시대 구분의 하나. 현대의 바로 앞 시대. ㉥근세. *고대[1].

근:대 산:업 (近代産業) [—사넙] 산업 혁명 이후에 일어난 산업. 공장을 세우고 기계를 도입하여 분업화한 산업 형태임.

근:대식 (近代式) 근대의 발전 수준에 맞는 방식. ㉠근대식 건축물.

근:대적 (近代的) 근대의 특징이 될 만한 성질이나 경향이 있는 (것). ㉠근대적인 설비 / 토지 제도를 근대적으로 정비하다.

근:대화 (近代化) 뒤떨어진 상태에서 벗어나 발전된 상태로 되게 함. ㉠산업의 근대화. **—하다.**

근데 '그런데'의 준말. ㉠근데 숙제는 다 했니.

근:동 (近東) 유럽에서 보아 가까운 동쪽. 즉, 터키·시리아·레바논·요르단 등을 포함하는 지역. *극동.

*__근:래__ (近來) [글래] 가까운 요즈음. ㉠근래에 보기 드문 일.

근력 (筋力) [글력] **1** 근육의 힘. ㉠근력을 기르다. **2** 일을 능히 감당해 내는 힘. ㉠할아버지는 근력이 좋으시다. ㉥기력.

*__근:로__ (勤勞) [글로] **1** 부지런히 일함. ㉠근로 정신. **2** 일정한 시간에 정해진 일을 함. ㉠근로 시간.

근:로 기본권 (勤勞基本權) [글로기본꿘] 근로자의 인간다운 생활을 보장하기 위해 헌법이 정한 기본권. 근로권·단결권·단체 교섭권 따위. ㉥노동 기본권.

근:로 소:득 (勤勞所得) [글로—] 근로자가 일을 한 대가로 받는 소득. 봉급·연금·상여금 따위.

*__근:로자__ (勤勞者) [글로자] 일을 하여 얻는 소득으로 생활하는 사람. ㉠근로자의 날. ㉥노동자.

근:린공원 (近隣公園) [글린공원] 근처에 사는 시민들이 쉽게 이용할 수 있는 조그마한 공원.

*__근면__ (勤勉) 부지런하게 힘씀. ㉠근면한 사람. **—하다.**

근:면성 (勤勉性) [근면썽] 부지런한 품성. ㉠그의 근면성을 본받다.

근무 (勤務) 일터에 나가 일함. 일

을 맡아 함. ㉠근무 시간 / 근무 태도가 성실하다 / 야간에 근무하다. **—하다.**

근:방 (近方) 가까운 곳. ㉠집 근방에 공원이 있다. 비 근처.

***근본** (根本) 사물이 생겨나는 본바탕. ㉠근본 원인. 비 기초. 근원.

근본적 (根本的) 근본을 이루거나 근본이 되는 (것). ㉠근본적인 문제. 비 기본적.

***근:사하다** (近似—) **1** 거의 같다. ㉠내 생각과 근사하게 들어맞았다. **2** 그럴싸하게 괜찮다. 꽤 좋다. ㉠근사한 옷차림.

근:삿값 (近似—) [근사깝 / 근삳깝] 참값에 아주 가까운 값. ㉠근삿값을 구하다. 비 근사치.

근성 (根性) **1** 어떤 일을 끝까지 해내려고 하는 끈질긴 성질. ㉠승부 근성이 강하다. **2** 태어날 때부터 지니고 있는 근본 성질. ㉠근성이 착한 친구다.

근:세 (近世) 중세와 현대의 중간 시대. 우리나라에서는 조선 시대, 유럽에서는 르네상스에서 현대에 이르기까지가 이에 해당함. ㉠한국의 근세 문학.

근:세조선 (近世朝鮮) 고조선과 구별하기 위하여 고려를 이은 조선 시대 500년을 이르는 말. 준 조선.

근:소하다 (僅少—) 아주 적다. ㉠근소한 차이로 탈락하다.

근:속 (勤續) 한 직장에서 오랫동안 일을 함. ㉠20년 동안 근속하다. **—하다.**

근:시 (近視) 가까운 데는 잘 보면서 먼 데는 잘 보지 못하는 시력. 또는 그런 눈. 반 원시.

근:시안적 (近視眼的) 앞일이나 사물을 전체적으로 보지 않고 눈앞에 보이는 부분만 보는 (것). ㉠근시안적인 사고방식.

근:신 (謹愼) **1** 말과 행동을 삼가고 조심함. ㉠근신의 뜻을 나타내다. **2** 일정 기간 동안 등교나 출근 따위의 활동을 삼가고 반성함. ㉠근신 처분을 내리다. **—하다.**

근심 괴롭게 애를 태우는 마음. ㉠근심에 잠기다 / 근심이 태산 같다. 비 걱정. 염려. **—하다.**

근심거리 [근심꺼리] 근심이 될 만한 일. ㉠근심거리가 생기다. 비 걱정거리. 근심사.

근심스럽다 [근심스럽따] 근심하는 태도가 있다. ㉠근심스러운 표정으로 바라보았다. 비 걱정스럽다. 활용 근심스러워 / 근심스러우니.

근:엄하다 (謹嚴—) [그넘하다] 점잖고 엄숙하다. ㉠근엄한 표정. 비 엄숙하다.

근원 (根源) [그눤] **1** 물이 흘러내리기 시작하는 곳. ㉠한강의 근원은 태백산이다. **2** 사물이 생겨나는 본바탕. ㉠근원을 밝히다. 비 근본.

근원지 (根源地) [그눤지] 사물의 근원이 되는 곳. ㉠소문의 근원지를 캐다.

근:위 (近衛) [그뉘] 임금을 가까이에서 보호하고 지킴. 또는 그런 장병이나 부대. ㉠근위병.

***근육** (筋肉) [그뉵] 몸의 연한 부분을 이루며, 뼈와 내장 등을 싸고 있는 힘줄과 살. ㉠근육이 발달하다. 비 힘살.

근육질 (筋肉質) [그뉵찔] 운동으로 근육을 잘 발달시켜 몸 전체가 우람하고 단단한 체격. ㉠근육질의 남자.

근:인 (近因) [그닌] 어떠한 사실의 가까운 원인. 반 원인.

근:일 (近日) [그닐] **1** 요사이. 요즈음. **2** 가까운 장래. ㉠근일 개봉.

근:자 (近者) 요즈음. 요사이. ㉠근자에 들어 관심을 갖게 되었다.

근절 (根絶) 어떤 일이 다시 일어나지 못하도록 아주 뿌리째 없애 버림. ㊎부정부패를 근절하다 / 폭력배를 근절하다. **―하다.**

근:접 (近接) 가까이 다가감. 가까이 닿음. ㊎근접 사격 / 목표에 근접하다 / 근접한 거리에 있다. 비 접근. **―하다.**

근:정전 (勤政殿) 경복궁 안에 있는 궁전. 임금의 즉위식 등을 하던 곳으로, 태조 4년(1395)에 지었으나 임진왜란 때 불타서 고종 4년(1867)에 대원군이 다시 지은 것임. 국보 제 223 호.

근:조 (謹弔) 삼가 조의를 표함.

근지럽다 [근지럽따] **1** 피부에 조금 가려운 느낌이 있다. ㊎등이 근지럽다. 작 간지럽다. **2** 어떤 일을 하고 싶어서 참고 견디기 어렵다. ㊎운동하고 싶어서 몸이 근지러우나. 활용 근지러워 / 근지러우니.

근질거리다 **1** 자꾸 근지러운 느낌이 나다. ㊎머리가 근질거리다. **2** 어떤 일을 자꾸 몹시 하고 싶어하다. ㊎컴퓨터 게임이 하고 싶어서 손이 근질거린다. 작 간질거리다.

근질근질하다 **1** 자꾸 또는 매우 근지럽다. ㊎괜히 몸이 여기저기 근질근질하다. **2** 어떤 일을 몹시 하고 싶어 참기가 매우 어렵다. ㊎비밀을 말하고 싶어 입이 근질근질하다.

근질대다 ⇨근질거리다.

*__근:처__ (近處) 가까운 곳. ㊎학교 근처에 산다. 비 근방. 부근.

근처에도 못 가다 비교가 되지 않다. 어림도 없다.

근:초고왕 (近肖古王) 〖인명〗 백제 제13대 임금. 왕이 된 후 고구려가 침범하자 이를 격퇴하고 이어 고구려의 평양성을 점령하였음. 아직기와 왕인을 일본에 파견하였으며, 박사 고흥에게 명하여 '서기'를 편찬하게 함. [?-375 ; 재위 346-375]

근:친 (近親) 촌수가 가까운 일가. 흔히 팔촌 이내의 일가붙이.

근:하신년 (謹賀新年) 삼가 새해를 축하한다는 뜻으로, 주로 연하장에 쓰는 말.

근:해 (近海) 육지에서 가까운 바다. ㊎근해 어업. 비 연해. 반 원양.

근:황 (近況) 요즈음의 형편. ㊎근황을 묻다 / 선생님의 근황이 궁금하다.

*__글__ **1** 어떤 생각이나 말 따위의 내용을 글자로 나타낸 것. ㊎글을 쓰다 / 글을 짓다 / 네가 지은 글을 읽어 보았다 / 자신의 생각을 글로 표현하다. **2** 학문이나 학식. ㊎글깨나 배웠다는 사람 / 글 못한 놈 서러워서 살겠나. **3** '글자'의 준말. ㊎아이에게 글을 가르치다. 비 문장. 글월.

글감 [글깜] 글로 쓸 만한 재료. ㊎글감을 고르다.

글공부 (―工夫) [글꽁부] 글을 익히거나 배우는 일. **―하다.**

글귀 (―句) [글뀌] 글의 구나 절.

글눈 [글룬] 글을 보고 이해하는 능력. ㊎글눈을 뜨다.

글동무 [글똥무] 같은 곳에서 함께 공부하는 친구.

글라디올러스 (gladiolus) 붓꽃과의 여러해살이풀. 잎은 알뿌리에서 나오는데 긴 칼 모양이고, 여름에 깔때기 모양의 꽃이 밑에서 위로 차례로 핌. 관상용임.

글라스 (glass) 유리로 만든 잔. 유리잔.

글라이더 (glider) 엔진이나 프로펠러가 없이 바람을 이용하여 나는 간단한 비행기.

〈글라이더〉

글러브 (glove) 권투나 야구를 할

때 손에 끼는 두꺼운 가죽 장갑.

글리세린 (glycerine) 빛깔과 냄새가 없는 끈끈한 액체. 의약품·폭약·화장품 따위의 원료로 씀. 글리세롤.

글리코겐 (glycogen) 동물의 간장·근육 등에 들어 있는 탄수화물의 하나. 동물의 에너지 대사에 중요한 물질임.

글말 글에서만 쓰는 말. ㊐문어.

글방 (一房) [글빵] 예전에, 한문을 가르치던 곳. ㊎옛날에는 글방에서 글을 배웠다. ㊐서당.

글벗 [글뻗] 글로써 사귄 벗.

글쇠 [글쐬] 타자기·컴퓨터 따위에서 손가락으로 누르거나 칠 수 있도록, 낱낱의 글자나 기호가 표시되어 있는 글자판. 키.

글썽거리다 눈물이 눈가에 자꾸 넘칠 듯이 그득하게 고이다. ㊎헤어지기 아쉬워 눈물을 글썽거리다.

글썽글썽 글썽거리는 모양. ㊎벅찬 감격으로 눈물이 글썽글썽하다. **—하다.**

글썽이다 눈에 눈물이 그득히 괴어 넘칠 듯하다.

***글쎄** **1** 확실하지 않을 때 쓰는 말. ㊎글쎄, 내가 할 수 있을까. **2** 자기의 뜻을 강조할 때 쓰는 말. ㊎글쎄, 내 말이 맞다니까.

글쓴이 [글쓰니] 글을 쓴 사람. ㊐저자.

***글씨** **1** 써 놓은 글자의 모양. ㊎글씨가 참 예쁘다. **2** 글자를 쓰는 일. ㊎글씨 연습. ㊐글자. 문자.

글씨본 (一本) 글씨 연습을 할 때에 보고 쓰도록 만든 책.

글씨체 (一體) **1** 글씨를 쓰는 일정한 격식. **2** 글자를 써 놓은 모양새. ㊎글씨체에 힘이 넘치다. ㊐서체.

글월 [그뤌] **1** 글. 문장. **2** 편지.

***글자** (一字) [글짜] 사람의 말을 눈으로 볼 수 있도록 나타낸 기호. ㊎글자를 적다. ㊐문자. ㊟글.

글자판 (一字板) [글짜판] 타자기·컴퓨터 등에서 손가락으로 누르는 글쇠를 배열해 놓은 판. 키보드. ㊐자판.

글재주 (一才一) [글째주] 글을 잘 깨치거나 짓는 재주. ㊎글재주가 뛰어나다.

***글짓기** [글짇끼] 사실·생각·느낌 따위를 글로 적는 일. ㊎글짓기 대회. ㊐작문. **—하다.**

글피 모레의 다음 날. ㊎모레나 글피쯤에 만나자.

긁다 [극따] **1** 손톱이나 뾰족한 기구 따위로 바닥이나 거죽을 문지르거나 붙은 것을 벗겨 없애다. ㊎가려운 데를 긁다 / 밥솥에서 누룽지를 긁다. **2** 갈퀴 따위로 거두어서 그러모으다. ㊎검불을 긁다. 발음 긁고[글꼬] / 긁어서[글거서] / 긁지[극찌].

긁어내다 [글거내다] **1** 안에 있는 것을 긁어서 밖으로 꺼내다. ㊎아궁이에서 재를 긁어내다. **2** 꾀를 써서 부당하게 받아 내다. ㊎돈을 긁어내다.

긁어모으다 [글거모으다] **1** 흩어져 있는 물건을 긁어서 한데 모으다. ㊎낙엽을 긁어모으다. **2** 부정한 방법으로 재물을 모아 들이다.

긁적거리다 [극쩍꺼리다] 자꾸 긁적이다. ㊎머리를 긁적거리다.

긁적이다 [극쩌기다] 가볍게 자꾸 긁다. ㊎머리를 긁적이며 멋쩍게 웃었다.

긁히다 [글키다] 긁음을 당하다. ㊎손톱에 긁힌 자국.

금[1] 물건의 값. ㊎금을 매기다. ㊐가격.

***금**[2] **1** 구겼거나 접었거나 줄을 친 자국. ㊎금을 긋다. **2** 갈라지지 않고 가늘게 터지기만 한 흔적. ㊎찻잔에 금이 가다.

금(을) 긋다 한도나 한계선을 정하다. ㉮정확히 금을 그어 놓고 일을 하자.

금(이) 가다 친한 사이가 벌어지다. ㉮우정에 금이 가는 일.

***금**³ (金) 누른 빛깔의 광택이 있는 쇠붙이로, 귀금속의 하나. ㉮금으로 만든 목걸이 / 금을 입히다 / 금을 캐다. ➲ gold

금이야 옥이야 애지중지하여 금이나 옥처럼 귀중히 여기는 모양. ㉮금이야 옥이야 키운 딸.

***금**⁴ (金) '금요일'의 준말.

금- (今) '지금의'의 뜻. ㉮금세기.

-금 (金) '돈'을 나타내는 말. ㉮기부금 / 계약금 / 장학금.

금값 (金—) [금깝] **1** 금의 값. **2** 매우 비싼 값. ㉮배추 값이 금값이다.

금ː강 (錦江) 충청남도와 전라북도의 경계를 이루면서 공주·부여 등을 거쳐 황해로 흘러 들어가는 강. 길이는 401 km.

금강산 (金剛山) 강원도 북부에 있는 명산. 일만이천이나 되는 봉우리가 있으며 경치가 세계적으로 유명함. 철에 따라 봄에는 금강산, 여름에는 봉래산, 가을에는 풍악산, 겨울에는 개골산으로 일컫기도 함. 서쪽을 내금강, 동쪽을 외금강, 바다에 솟아 있는 섬들을 해금강이라 함. 높이는 1,638 m.

금강석 (金剛石) 보석의 하나. 광물 중에서 가장 단단하며 광택이 매우 아름다움. 공업용으로도 씀. 다이아몬드.

금고¹ (金庫) **1** 돈이나 중요한 서류 따위를 화재나 도난으로부터 안전하게 보관하는 데 쓰는 쇠붙이 상자나 창고. ㉮금고를 털다. **2** 특별한 목적에 쓸 돈을 마련하기 위해 설치한 은행 비슷한 금융 기관. ㉮상호 신용 금고 / 새마을 금고.

금ː고² (禁錮) 교도소에 가두어 두기만 하고 강제로 노동을 시키지 않는 형벌.

금관 (金冠) 금으로 만들거나 장식한 관.

금관가야 (金官伽倻) 육 가야의 하나. 지금의 경상남도 김해 땅에 있었음. 수로왕이 건국했다고 하며 한때 육 가야 중에서 세력이 가장 강했음. [42–532]

금관 악기 (金管樂器) [금과낙끼] 금속으로 만든 관악기. 트럼펫·트롬본 따위. ＊목관 악기.

금관총 (金冠塚) 경상북도 경주시 노서동에 있는 신라의 고분. 순금의 금관·허리띠·귀고리·반지·구슬 따위의 많은 유물이 발굴되었음.

금광 (金鑛) 금을 캐내는 광산.

금괴 (金塊) ⇨금덩이.

금궤 (金櫃) 금으로 만들거나 장식한 궤. 귀중품을 넣어 둠.

금귤 (金橘) 운향과의 상록 관목. 귤나무와 비슷한데, 높이는 2 m가량이며, 참새알만 한 과실이 겨울에 익어 봄까지 떨어지지 않으며, 맛은 달고 심. 껍질째 먹음.

금ː기 (禁忌) 꺼려서 싫어하거나 피함. ㉮금기 사항. **—하다.**

금ː남 (禁男) 남자의 출입을 금함. ㉮금남의 집.

***금년** (今年) ⇨올해. ㉮벼농사가 금년에도 풍년이다.

금니 (金—) 금으로 만든 이.

금당 (金堂) 절에서 본존 불상 등을 모신 불당.

금당 벽화 (金堂壁畫) [—벼콰] 고구려 영양왕 때의 승려인 담징이 일본 호류 사의 금당에 그린 벽화.

금덩이 (金—) [금떵이] 황금의 덩이. ㉥금괴.

금돈 (金—) 금으로 만든 돈. ㉮금돈 백 냥. ㉥금화.

금동 (金銅) 금을 입힌 구리. ㉮금동 불상.

금리 (金利) [금니] 빌려 준 돈이나 예금 따위에 붙는 이자. ㉔은행 금리 / 금리가 높다.

금메달 (金medal) 금으로 만든 메달. 각종 경기에서 1위를 한 사람에게 줌. ㉔금메달을 따다 / 금메달을 획득하다.

금명간 (今明間) 오늘이나 내일 사이. ㉔합격자는 금명간에 발표할 예정이다.

금ː물 (禁物) 해서는 안 되는 일. ㉔환자에게 술과 담배는 금물이다.

금물결 (金—) [금물껼] 햇빛을 받아서 금빛으로 반짝거리는 물결. ㉔금물결이 넘실거리는 바다.

금박 (金箔) 금을 두드려 아주 얇게 만든 것. ㉔금박을 입히다 / 금박을 씌우다.

금반지 (金半指) 금으로 만든 반지. ㉥금가락지.

금발 (金髮) 금빛 나는 머리털. ㉔금발의 소녀.

*__금방__ (今方) **1** 이제 방금. ㉔금방 구워 낸 빵. **2** 조금 뒤에 곧. ㉔금방 눈이 내릴 것 같다. **3** 순식간에. ㉔합격 소식을 듣더니 금방 얼굴이 환해졌다. ㉥금세. → 방금 주의

금방금방 (今方今方) 아주 빨리. ㉔문제를 읽자마자 답을 금방금방 적어 나갔다.

*__금붕어__ (金—) 잉엇과에 속하는 물고기. 붕어의 변종으로 원산지는 중국임. 종류가 많고 빛깔이 여러 가지이며 아름다움. 관상용으로 기름.

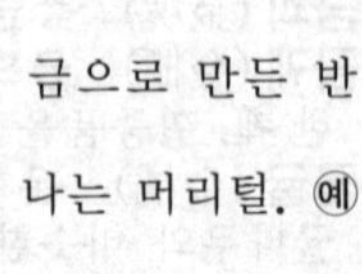

〈금붕어〉

금붙이 (金—) [금부치] 금으로 만든 모든 물건.

*__금빛__ (金—) [금삗] 금과 같이 누런 빛깔. ㉔금빛 모래 / 금빛 찬란한 왕관. ㉥금색.

금ː산 (錦山) 〖지명〗 충청남도 금산군에 있는 읍. 금산 인삼의 집산지이며, 구리·납·아연 따위의 광산물이 남.

금상 (金賞) 상의 등급을 금·은·동으로 나누었을 때의 일등 상. ㉔금상을 타다.

금ː상첨화 (錦上添花) 비단 위에 꽃을 보탠다는 뜻으로, 좋은 일에 또 좋은 일이 더함.

금색 (金色) 황금같이 광택이 나는 누런색. ㉔금색 단추 / 금색 배지. ㉥금빛.

금ː서 (禁書) 출판이나 판매를 법으로 금지한 책. ㉔금서 목록.

금석지교 (金石之交) [금석찌교] 쇠붙이와 돌처럼 굳고 변함없는 친분. ㉥금석지계.

금성 (金星) 태양계의 두 번째 행성. 지구의 바로 안쪽에서 태양의 주위를 돎. 밤에 가장 밝게 보이는 별로, 초저녁 하늘에 보이면 태백성·장경성, 새벽 하늘에 보이면 샛별·계명성이라 함. 지구에서 가장 가까운 행성으로 크기도 지구와 거의 비슷함. 비너스.

금세 지금 바로. 또는 얼마 지나지 않아서. '금시에'가 줄어 변한 말. ㉔금세 알아보다. ㉥금방.

금세기 (今世紀) 지금의 세기. 이 세기. ㉔금세기 최고의 과학자 / 금세기 최대의 공사.

*__금속__ (金屬) 철·금·은·구리 등과 같은 쇠붙이. 특유한 광택이 있고 빛이 통하지 않으며, 열과 전기를 통과시키는 성질이 있음. ㉔금속 공예. ㉥쇠붙이.

금속성 (金屬性) [금속썽] **1** 쇠붙이가 지니는 금속 특유의 성질. **2** 금속과 비슷한 성질.

금속 활자 (金屬活字) [금소콸짜] 구리·납 따위의 쇠붙이로 글자 모양을 본떠 만든 활자.

금수 (禽獸) **1** 날짐승과 길짐승. 곧, 모든 짐승. **2** 무례하고 추잡한 행실을 하는 사람을 빗대어 이르는 말. ㊎금수만도 못한 놈.

금:수강산 (錦繡江山) 비단에 수를 놓은 듯이 아름다운 산천이라는 뜻으로, 우리 국토의 아름다움을 일컫는 말. ㊎삼천리 금수강산.

금슬 (琴瑟) 거문고와 비파.

> 주의 **금슬**과 **금실**
> **금슬** 거문고와 비파를 뜻함.
> **금실** 금슬에서 온 말로, 부부 사이의 애정을 말함.

금시 (今時) 지금. 금방.

금시초문 (今始初聞) 이제야 비로소 처음으로 들음. ㊎그 이야기는 금시초문이다.

금:식 (禁食) 일정 기간 음식을 먹지 않음. ㊎금식 기도 / 수술 전에 금식하다. 비 단식. **—하다.**

금실[1] (琴瑟) 부부간의 사랑. ㊎금실이 좋은 부부. → 금슬 주의

금실[2] (金—) **1** 금을 가늘게 뽑아 만든 실. **2** 금빛이 나는 실. 비 금사.

금싸라기 (金—) 황금으로 된 싸라기라는 뜻으로, 귀중한 물건을 가리키는 말. ㊎금싸라기 땅.

*__금액__ (金額) [그맥] 돈의 액수.

금어초 (金魚草) [그머초] 현삼과에 속하는 여러해살이풀. 높이는 30-90 cm로 여름에 줄기 끝에 이삭을 이루며 꽃이 피고, 꽃부리를 손으로 만지면 금붕어 입처럼 뻐끔뻐끔 열림. 관상용임. 비 금붕어꽃.

금언 (金言) [그먼] 삶에 교훈이 될 만한 귀중한 내용을 담은 짧은 어구.

금:연 (禁煙) [그면] **1** 담배를 피우지 않음. ㊎건강을 위해 금연하다. **2** 담배를 피우는 것을 금함. ㊎금연 구역 / 실내 금연. **—하다.**

금오산 (金烏山) [그모산] 경상북도 김천시·칠곡군·구미시 사이에 있는 산. 경상북도의 도립 공원이며 높이는 977 m.

금오신화 (金鰲新話) [그모신화] 〖책〗 조선 세조 때 김시습이 지은 우리나라 최초의 한문 소설.

금와왕 (金蛙王) 〖인명〗 동부여의 임금. 설화에 나오는 인물로, 하백의 딸 유화를 아내로 맞아 고구려의 시조 주몽을 낳았다고 함.

금요일 (金曜日) [그묘일] 일요일부터 여섯째 되는 날. ➡ Friday

금:욕 (禁慾) [그묙] 하고 싶은 일이나 가지고 싶은 마음을 참으며 억제함. ㊎금욕 생활. **—하다.**

금융 (金融) [금늉 / 그뮹] 돈의 융통. 곧 경제에서 자금을 빌려 주고 빌려 쓰는 데 관계되는 활동.

금융 기관 (金融機關) [금늉- / 그뮹—] 금융을 전문으로 하는 기관. 은행·보험 회사·증권 회사·상호 신용 금고 따위.

금은방 (金銀房) [그믄빵] 금은을 가공하거나 사고파는 가게.

금은보화 (金銀寶貨) [그믄보화] 금·은·옥·진주 따위의 귀중한 보물. 비 금은보배.

금:의환향 (錦衣還鄕) [그믜환향 / 그미환향] 비단옷을 입고 고향에 돌아온다는 뜻으로, 세상에서 성공하여 당당하게 고향에 돌아옴을 이르는 말. ㊎시험에 합격하여 금의환향하다. **—하다.**

금일 (今日) [그밀] 오늘. ㊎금일 밤 / 금일 휴업.

금일봉 (金一封) [그밀봉] 돈의 액수를 밝히지 않고 주는 상금·기부금 따위. ㊎금일봉을 받다 / 금일봉을 하사하다.

금자탑 (金字塔) 영원히 전해질 만한 가치 있는 업적. ㊎금자탑을 세우다 / 금자탑을 쌓다.

금잔디 (金—) 볏과의 여러해살이

풀. 잎의 길이는 2-5 cm 정도로 누런색이며 가장자리에 털이 나 있음.
금잔화 (金盞花) 국화과에 속하는 한해살이풀. 높이 30 cm가량으로 잎은 긴 타원형이며 여름에 노란색 꽃이 핌. ㉥금송화.
금전 (金錢) 돈. ㉠금전 관계.
금전 출납부 (金錢出納簿) [—출랍뿌] 돈이 들어오고 나간 내용을 적는 장부.
금제 (金製) 금으로 만듦. 또는 그 물건. ㉠금제 귀고리.
금종이 (金—) 금박을 붙이거나 금박 가루를 바른 종이.
금주[1] (今週) 이번 주일. 이번 주간. ㉠금주 들어 기온이 뚝 떨어졌다.
금:주[2] (禁酒) **1** 술을 마시지 못하게 함. **2** 술을 끊음. ㉠금주 운동. **—하다.**
금:줄 (禁—) [금쭐] 부정한 사람이 함부로 드나들지 못하게 문이나 길 어귀에 건너질러 매는 새끼줄. ㉠금줄을 치다.
금:지 (禁止) 하지 못하게 함. ㉠통행금지 / 금지 조항. **—하다.**
금:지령 (禁止令) 금지하는 명령이나 법령. ㉠출국 금지령 / 금지령을 내리다.
금지옥엽 (金枝玉葉) [금지오겹] 금으로 된 가지와 옥으로 된 잎이라는 뜻으로, 귀한 자손을 이르는 말. ㉠금지옥엽으로 자란 아이.
금:침 (衾枕) 이부자리와 베개. ㉥침구.
금테 (金—) 금 또는 금빛 나는 것으로 만든 테. ㉠금테 안경.
금품 (金品) 돈과 물품.
금:하다 (禁—) **1** 어떤 일이나 행동 따위를 못하게 하다. ㉠학생들에게 유흥장 출입을 금하다. ㉥금지하다. **2** 감정 따위를 억누르거나 참다. ㉠분한 마음을 금할 길이 없다.
금혼식 (金婚式) 혼인한 지 만 50년 되는 날을 축하하는 의식.
금화 (金貨) 금으로 만든 돈.
금환식 (金環蝕) 달이 태양의 가운데만을 가려 태양 광선이 달의 주위에 고리 모양으로 보이는 일식. ㉥고리 일식. 금환 일식.
금후 (今後) 지금으로부터 뒤. ㉠금후에 다시 만나서 논의하자. ㉥이후.
급 (級) 계급이나 등급 따위를 이르는 말. ㉠바둑 3급.
급- (急) 어떤 말 앞에 붙어 '갑작스러운' 또는 '매우 급한·매우 심한'의 뜻을 나타냄. ㉠급가속 / 급상승 / 급회전 / 급경사.
-급 (級) 어떤 말 뒤에 붙어 실력이나 등급 따위의 정도를 나타냄. ㉠수준급 / 정상급 / 헤비급.
급강하 (急降下) [급깡하] **1** 기온이나 가격, 비율 따위가 갑자기 내림. **2** 비행기·새 등 날던 것이 거의 수직으로 급히 내려옴. ㉠급강하 비행. ㉡급상승. **—하다.**
급격하다 (急激—) [급껴카다] 변화·행동 등이 급하고 세차다. ㉠급격한 변화를 보이다. ㉡완만하다.
급격히 (急激—) [급껴키] 급격하게. ㉠강물이 급격히 불어났다.
급급하다 (汲汲—) [급끄파다] 한 가지 일에만 정신을 쏟아 다른 일을 할 마음의 여유가 없다. ㉠돈벌이에 급급하다.
급기야 (及其也) [급끼야] 끝에 가서는. 마침내. ㉠급기야 두 사람은 절교하기에 이르렀다.
급등 (急騰) [급뜽] 물가 따위가 갑자기 오름. ㉠장마로 채소 값이 급등했다. ㉡급락. **—하다.**
급락 (急落) [금낙] 물가 따위가 갑자기 떨어짐. ㉠주가가 급락하다. ㉡급등. **—하다.**
급료 (給料) [금뇨] 회사 등에서 일에 대한 대가로 주는 돈. ㉥월급.

급류 (急流) [급뉴] 빠른 속도로 흐르는 물. ㉝급류에 휩쓸리다.
급박하다 (急迫—) [급빠카다] 조금의 여유도 없이 매우 급하다. ㉝급박하게 돌아가는 국제 정세.
급변 (急變) [급뼌] 상황이나 상태가 갑자기 달라짐. ㉝급변하는 세계 정세. **—하다.**
급보 (急報) [급뽀] 급히 알림. 또는 그런 소식. ㉝급보를 받다 / 급보를 전하다.
급사 (急死) [급싸] 갑자기 죽음. ㉝교통사고로 급사하다. **—하다.**
급상승 (急上昇) [급쌍승] **1** 기온이나 가격, 비율 따위가 갑자기 높이 오름. ㉝인기가 급상승하다. **2** 비행기 따위가 갑자기 빠른 속도로 올라감. 반 급강하. **—하다.**
급선무 (急先務) [급썬무] 무엇보다 가장 먼저 서둘러 해야 할 일.
급성 (急性) [급썽] 병의 증세가 갑자기 나타나 빠르게 진행되는 성질. ㉝급성 폐렴. 반 만성.
급소 (急所) [급쏘] **1** 몸 중에서 조금만 다쳐도 생명이 위험한 부분. ㉝급소를 맞다. **2** 사물의 가장 중요한 곳. ㉝급소를 찌른 질문. 비 요점.
급속 (急速) [급쏙] 몹시 급하고 빠름. ㉝급속 냉동기.
급속도 (急速度) [급쏙또] 매우 빠른 속도. ㉝급속도로 친해지다.
급속하다 (急速—) [급쏘카다] 몹시 빠르다. ㉝급속한 발전.
급속히 (急速—) [급쏘키] 급속하게. ㉝급속히 증가하다.
급수 (給水) [급쑤] 물을 공급함. 또는 그 물. ㉝급수 시설. **—하다.**
급수차 (給水車) [급쑤차] 가물거나 수돗물이 나오지 않을 때에 물을 공급하려고 물탱크를 장치한 차.
급습 (急襲) [급씁] 갑자기 적을 공격함. ㉝적진을 급습하다. **—하다.**
급식 (給食) [급씩] 학교나 공장 등에서 식사를 주는 일. 또는 그 식사. ㉝학교 급식. **—하다.**
급식비 (給食費) [급씩삐] 식사를 공급하는 데 드는 비용.
급여 (給與) [그벼] **1** 회사 등에서 일정 기간 일한 사람에게 주는 월급이나 수당 따위. ㉝낮은 급여 / 급여가 오르다. 비 급료. **2** 돈이나 물건 따위를 줌. 또는 그 돈이나 물건. ㉝생활 보조비를 급여하다. **—하다.**
급우 (級友) [그부] 같은 반에서 공부하는 친구. ➲ classmate
급작스럽다 [급짝쓰럽따] 생각할 사이도 없이 매우 급하다. ㉝급작스러운 사고 / 급작스러운 사정으로 조퇴하다. 작 갑작스럽다. 활용 급작스러워 / 급작스러우니.
급전[1] (急錢) [급쩐] 급하게 쓸 돈. ㉝급전이 필요하다.
급전[2] (急轉) [급쩐] 갑자기 일의 형편이 바뀜. ㉝국내 정세가 급전하다. **—하다.**
급정거 (急停車) [급쩡거] 차 등을 급히 세움. 또는 차가 급히 섬. ㉝버스가 급정거하는 바람에 승객들이 앞으로 넘어졌다. **—하다.**
급제 (及第) [급쩨] **1** 시험에 합격함. 반 낙제. **2** 과거에 합격함. ㉝장원 급제하다. 반 낙방. **—하다.**
급증 (急增) [급쯩] 갑자기 늘어남. ㉝해외 여행객이 급증하다. **—하다.**
급진적 (急進的) [급찐적] 어떤 목적을 급하게 이루려는 (것). ㉝급진적인 생각. 반 점진적.
급진전 (急進展) [급찐전] 일이 빠르게 나아감. ㉝사태가 급진전하다. **—하다.**
급파하다 (急派—) 급히 보내다. ㉝사고 현장에 구조대를 급파했다.
***급하다** (急—) [그파다] **1** 바빠서 우물쭈물할 틈이 없다. ㉝돈이 급하다 / 급한 일로 상경하다. **2** 성격이 팔팔해 잘 참지 못하다. ㉝너는 성

격이 너무 급해서 탈이다. **3** 병이 위독하다. ㉠급한 고비는 넘겼다. **4** 몹시 서두르거나 다그치는 경향이 있다. ㉠밥을 급하게 먹다 / 일을 급하게 하다. **5** 기울기가 가파르다. ㉠경사가 급한 언덕길.

급행 (急行) [그팽] **1** 급히 감. **2** '급행열차'의 준말. ㉥완행.

급행열차 (急行列車) [그팽녈차] 주로 먼 거리를 다니며 큰 역에서만 서는 속도가 빠른 기차. ㉥완행열차. ㉦급행.

급훈 (級訓) [그푼] 학급에서 교육 목표로 정한 교훈. ㉠우리 반의 급훈은 정직, 근면, 사랑이다.

*__급히__ (急—) [그피] 급하게. ㉠돕기 위해 급히 달려가다.

*__긋:다__[1] [귿따] **1** 줄을 치거나 금을 그리다. ㉠경계선을 긋다. **2** 성냥개비를 황에 대고 문지르다. ㉠성냥을 그어 불을 붙이다. 활용 그어 / 그으니 / 긋는.

긋:다[2] [귿따] **1** 비가 잠깐 멈추다. ㉠비가 긋기를 기다리다. **2** 비를 잠시 피해 그치기를 기다리다. ㉠처마 밑에서 비를 긋다. 활용 그어 / 그으니 / 긋는.

긍:정 (肯定) 어떤 사실이나 생각에 대하여 옳다고 인정함. ㉥부정. **—하다.**

긍:정적 (肯定的) 어떠한 사실이나 생각에 대하여 그렇다고 인정하거나 찬성하는 (것). ㉠긍정적인 태도를 보이다. ㉥부정적.

*__긍:지__ (矜持) 믿는 바가 있어서 스스로 자랑하는 마음. ㉠긍지가 높다 / 문화 민족의 긍지를 갖다.

긍:휼 (矜恤) 불쌍히 여김. 가엾게 여김. **—하다. —히.**

*__기__[1] (旗) 무엇을 상징하기 위해서 종이나 헝겊 따위에 특정한 글자·그림·빛깔 등을 그리거나 써서 만든 것. 국기·군기 따위. ➲ flag

*__기__[2] (氣) **1** 활동하는 힘. 또는 뻗어 나가는 기운. ㉠기가 세다 / 기가 죽다 / 기를 꺾다. **2** 숨을 쉴 때 나오는 기운. ㉠기를 통하다.

기(가) 살다 기세가 오르다.

기(가) 차다 하도 어이가 없어 말이 나오지 않다.

기(를) 쓰다 있는 힘을 다하다. ㉠기를 쓰고 덤벼들다.

기(를) 펴다 억눌림이나 곤경에서 벗어나 마음을 편히 가지다. ㉠이제는 좀 기를 펴고 살 수 있겠지.

-기[1] (氣) '느낌'·'기운'의 뜻을 나타내는 말. ㉠찬기 / 시장기 / 기름기.

-기[2] (記) '기록'의 뜻. ㉠여행기 / 체험기.

-기[3] (期) 어떤 시기를 몇 단계로 나눈 것 가운데의 하나. ㉠하반기 / 사춘기 / 유아기.

-기[4] (機) '기계'의 뜻. ㉠발동기 / 비행기 / 세탁기.

-기[5] (器) '도구'·'기구'·'그릇'의 뜻. ㉠각도기 / 녹음기 / 주사기.

-기[6] '이다' 또는 동사·형용사의 말의 줄기에 붙어서, 명사로 만드는 말. ㉠읽기 / 쓰기 / 먹기 / 크기.

기각 (棄却) 법원이 소송을 검토한 뒤 이를 받아들이지 않고 물리치는 일. ㉠항소를 기각하다. **—하다.**

*__기간__[1] (期間) 어느 일정한 시기의 사이. ㉠시험 기간 / 음주 단속 기간.

기간[2] (基幹) 근본이나 중심이 되는 부분. 본바탕이 되는 줄기.

기간산업 (基幹産業) [기간사넙] 한 나라의 모든 산업의 기초가 되는 중요 산업. 화학·제철·기계·전력·석유 공업 따위.

기갈 (飢渴) 배가 고프고 목이 마름. ㉠기갈이 들다.

기강 (紀綱) 으뜸이 되는 규율과 질서. ㉠기강 확립 / 기강을 세우다.

기개 (氣槪) 씩씩한 기상과 꿋꿋한

절개. ㉾기개가 높다.

기거 (起居) 어떤 곳에서 먹고 자고 하는 따위의 일상적인 생활을 함. ㉾기숙사에서 기거하다. **—하다.**

기겁 (氣怯) 갑자기 놀라거나 겁에 질려 숨막히는 듯한 소리를 지름. ㉾기겁을 하고 놀라다. **—하다.**

*__기계__ (機械) [— / 기게] 동력 장치의 힘으로 작업을 하는 기구. ㉾기계를 돌리다 / 기계를 잘 다루다 / 공장에 기계를 들여놓다. ▶ machine

기계 공업 (機械工業) [— / 기게—] 기계를 사용하여 각종 기계나 부품을 생산·가공하는 공업. ㊉수공업.

기계 문명 (機械文明) [— / 기게—] 기계의 발달로 대량 생산이 이루어져 발전한 근대 문명.

기계 체조 (器械體操) [— / 기게—] 철봉·평행봉·평균대·뜀틀·링 따위의 기구를 사용하는 체조. ㊉맨손 체조.

기계톱 (機械—) [— / 기게톱] 동력을 이용하여 톱날을 움직여 물체를 자르는 톱.

기계화 (機械化) [— / 기게화] 인간이나 동물의 노동력 대신에 기계의 힘을 이용함. ㉾농업의 기계화 / 모든 작업을 기계화하다. **—하다.**

기고 (寄稿) 신문·잡지 등에 싣기 위하여 신문사나 잡지사로 글을 써서 보냄. 또는 그 원고. ㉾신문에 글을 기고하다. **—하다.**

기고만장 (氣高萬丈) 기운이 만 길이나 뻗쳤다는 뜻으로, 일이 뜻대로 잘되어 기세가 대단함. **—하다.**

기골 (氣骨) 건장하고 튼튼한 체격. ㉾기골이 장대하다.

기공[1] (氣孔) **1** ⇨기문. **2** 식물 잎의 뒷면에 있는 작은 구멍. 공기 중의 이산화탄소를 빨아들이고 산소와 수분을 밖으로 내보내는 구실을 함.

기공[2] (起工) 공사를 시작함. ㉾기공식. ㊉준공. **—하다.**

*__기관[1]__ (器官) 생물체에서 하나 또는 몇 개의 조직으로 이루어져 일정한 모양과 생리 기능을 가지고 있는 부분. ㉾호흡 기관.

*__기관[2]__ (機關) **1** 어떤 에너지를 기계적인 힘으로 바꾸는 장치를 통틀어 이르는 말. 증기 기관·내연 기관 등이 있음. 엔진. **2** 어떤 목적을 이루기 위하여 설치한 조직. ㉾보도 기관 / 교육 기관.

기관[3] (氣管) 숨을 쉴 때 공기가 통하는 길. ㊌숨관. 숨통.

기관사 (機關士) 열차·배·항공기 따위를 운전하는 사람. ㊌기관수.

기관실 (機關室) **1** 기차·항공기·선박에서 추진 기관을 설치한 방. **2** 발전·난방·냉방·환기·급수 등의 기관을 설치한 방.

기관지 (氣管支) 목구멍 속의 기관의 아래 끝에서 나뭇가지 모양으로 갈라져서 좌우의 폐에 이어지는 부분. ㉾기관지가 약하다.

기관지염 (氣管支炎) 기관지에 생기는 염증. 기관지 카타르.

기관차 (機關車) 철도에서 객차나 화차를 끌고 다니는 차. ㉾디젤 기관차.

기관총 (機關銃) 방아쇠를 당기고 있으면 자동적으로 탄환이 재어지면서 연속으로 발사되는 총.

기괴망측하다 (奇怪罔測—) [기괴망츠카다] 이상야릇하기가 이루 말할 수 없다. ㉾기괴망측한 옷차림.

기괴하다 (奇怪—) 이상야릇하다. ㉾기괴한 행동.

기교 (技巧) 재주 있게 부리는 솜씨나 기술. 테크닉. ㉾기교를 부린 그림 / 표현 기교가 뛰어나다.

*__기구[1]__ (器具) **1** 세간·그릇·연장 따위를 통틀어 일컫는 말. ㉾부엌 기구. **2** 간단한 구조의 기계. ㉾실험 기구.

기구[2] (氣球) 공기보다 가벼운 수

소나 헬륨을 넣어 공중 높이 띄우는 큰 공 모양의 주머니. ㉠기구를 띄우다. ➡balloon

*기구³ (機構) 활동 단위로서의 조직체. ㉠세계 보건 기구 / 행정 기구를 개편하다.

기구하다 (崎嶇—) 세상살이가 험하고 사납다. ㉠기구한 운명 / 팔자가 기구하다.

기권 (棄權) [기꿘] 자기의 권리를 스스로 포기하고 행사하지 않음. ㉠시합을 기권하다. —하다.

기근 (飢〔饑〕饉) 1 흉년으로 곡식이 부족해 굶주림. ㉠기근이 들다. 2 생활에 필요한 것이 부족한 현상. ㉠물 기근 / 생필품 기근.

기금 (基金) 어떤 일에 쓸 목적으로 모아서 준비해 놓은 돈. ㉠장학 기금 / 기금을 마련하다.

기기 (機器) 기구와 기계를 통틀어 일컫는 말. ㉠음향 기기 / 통신 기기.

기기묘묘하다 (奇奇妙妙—) 매우 이상하고 묘하다. ㉠기기묘묘한 재주를 부리다.

기꺼워하다 기껍게 여기다. 기꺼운 느낌을 가지다.

기꺼이 기쁘게. 기껍게. ㉠기꺼이 승낙하다.

기껍다 [기껍따] 은근히 마음속으로 기쁘다. 활용 기꺼워 / 기꺼우니.

기:껏 [기껃] 힘이 미치는 한껏. 힘을 다하여. *겨우. 고작.

기:껏해야 [기꺼태야] 아무리 한다고 하여도. ㉠학교는 기껏해야 여기서 10분 정도 걸린다.

기:나긴 매우 긴. 아주 긴. ㉠기나긴 세월. 비 긴긴.

기내 (機內) 비행기의 안. ㉠기내 식사 / 기내 방송.

기네스북 (Guinness Book) 〖책〗 영국의 맥주 회사 기네스가 해마다 발행하는 책. 세계 최고 기록만을 모아 엮음. ㉠기네스북에 오르다.

*기념 (記〔紀〕念) 어떤 일을 오래도록 잊지 아니하고 마음에 간직함. ㉠기념 행사 / 업적을 기념하다. —하다.

기념관 (記念館) 어떤 뜻깊은 일이나 위인 등을 기념하기 위하여 세운 건물. 여러 가지 자료나 유품 등을 진열하여 둠. ㉠유관순 기념관.

기념물 (記念物) 1 특히 보존해야 할 가치가 있는 물건. ㉠천연기념물. 2 ⇨기념품.

기념비 (記念碑) 어떤 일을 기념하기 위하여 세운 비.

기념식 (記念式) 어떤 일을 기념하기 위하여 행하는 식.

기념일 (記念日) [기녀밀] 어떤 일을 오래도록 잊지 않기 위하여 기념하는 날.

기념탑 (記念塔) 어떤 일을 기념하기 위하여 세운 탑.

기념품 (記念品) 어떤 일을 기념하기 위하여 주고받는 물건. ㉠기념품 가게 / 여행 가서 기념품을 사 오다. 비 기념물.

기능¹ (技能) 기술적인 능력이나 재능. ㉠국제 기능 올림픽 대회. 비 기량.

*기능² (機能) 1 하는 구실이나 작용. ㉠불규칙한 식사로 소화 기능이 약해졌다. 2 어떤 기관의 역할과 작용. ㉠행정 기능이 마비되다.

기능공 (技能工) 1 기술적으로 숙달된 기능이 있는 직공. 2 기술 자격을 얻은 사람.

기능직 (技能職) 기술적인 재능을 필요로 하는 직업이나 직책. ㉠기능직 공무원.

*기다 1 가슴과 배를 아래로 향하거나 바닥에 대고 팔과 다리를 움직여 앞으로 나아가다. ㉠아기가 엉금엉금 기어 다닌다. 2 게·가재·벌레·뱀 따위가 발·배 등을 움직여 나아가다. ㉠송충이가 꿈틀꿈틀 기다. 3

남에게 눌리어 꼼짝 못하고 비굴하게 굴다. ㉠사장 앞에서는 설설 긴다. **4** 몹시 느리게 가다. ㉠길이 빙판으로 변해 차들이 기고 있다.

기:다랗다 [기다라타] 매우 길다. 생각보다 퍽 길다. ㉠기다란 막대기. 반 짤따랗다. 준 기닿다. 활용 기다라니 / 기다래서. ×길다랗다

*__기다리다__ 어떤 사람이나 때가 오기를 바라다. ㉠차례를 기다리다 / 버스를 기다리다. ➲ wait

기단[1] (氣團) 수평으로 넓게 퍼져 있는, 기온·습도가 거의 같은 공기의 큰 덩이. ㉠북태평양 기단.

기단[2] (基壇) 집이나 탑의 터전이 되는 단.

기대 (期待) 어떤 일이 이루어지기를 바라고 기다림. ㉠기대를 걸다 / 기대에 어긋나다 / 기대가 크면 실망도 크다 / 좋은 소식을 기대하다. **—하다.** ➲ expectation

기대감 (期待感) 어떤 일이 이루어지기를 바라고 기다리는 마음. ㉠기대감을 갖다 / 기대감에 부풀다.

기:대다 **1** 몸을 의지하여 비스듬히 대다. ㉠난간에 기대다. **2** 남의 힘에 의지하다. ㉠부모에게 기대다.

기도[1] (祈禱) 소원이 이루어지기를 신에게 비는 일. ㉠금식 기도 / 간절한 기도를 올리다 / 합격하게 해 달라고 신에게 기도하다. 비 기원. **—하다.** ➲ prayer

기도[2] (企圖) 일을 꾸며 내려고 꾀함. ㉠탈출을 기도하다. **—하다.**

기도[3] (氣道) 숨을 쉴 때, 공기가 허파로 들어가는 통로.

기독교 (基督教) [기독꾜] 예수 그리스도의 인격과 가르침을 중심으로 유일신 하나님을 믿는 종교. 크게 구교와 개신교로 나눔. 비 예수교. 크리스트교.

기동[1] (起動) 몸을 일으켜 움직임. ㉠기동을 제대로 못하는 환자 / 기동이 불편하다. **—하다.**

기동[2] (機動) 조직적이고 재빠르게 행동함. **—하다.**

기동대 (機動隊) 전략에 따라 조직적이고 재빠르게 움직이는 군이나 경찰 부대. ㉠경찰 기동대.

기동력 (機動力) [기동녁] 상황에 따라 빠르게 움직일 수 있는 능력.

기동성 (機動性) [기동썽] 상황에 따라 빠르게 움직일 수 있는 특성.

*__기둥__ **1** 어떤 물건을 떠받치는 구조물. ㉠건물의 기둥을 세우다. **2** 집안이나 단체에서 의지가 될 만한 중요한 사람. ㉠한 집안의 기둥.

기량 (技倆) 기술적인 재능. ㉠기량을 연마하다 / 기량을 마음껏 발휘하다. 비 기능.

기러기 오릿과에 속하는 새. 목이 길고 다리가 짧으며, 몸은 어두운 갈색을 띰. 가을에 와서 봄에 북쪽으로 가는 철새로 강가·바닷가·늪 등지에서 겨울을 지냄.

〈기러기〉

기력 (氣力) 정신과 육체의 힘. ㉠기력이 왕성하다 / 기력을 회복하다 / 기력이 쇠하다. 비 근력.

기로 (岐路) 갈림길. ㉠생사의 기로에 서다.

*__기록__ (記錄) **1** 남길 필요가 있는 사실을 적음. 또는 그런 글. ㉠신상 기록 카드 / 회의 내용을 기록하다. **2** 스포츠 따위의 성적이나 결과. 특히 그 최고의 것. ㉠세계 기록 / 기록을 세우다. **—하다.** ➲ record

기록문 (記錄文) [기롱문] 보고 들은 것을 사실대로 정확하게 쓴 글.

기류 (氣流) 대기 중에서 일어나는 공기의 흐름.

*__기르다__ **1** 동물이나 식물을 보살펴

자라게 하다. (예)개를 기르다. **2** 육체나 정신을 단련하여 강하게 하다. (예)기본 체력을 기르다. **3** 사람을 보살피면서 가르쳐 키우다. (예)낳은 정 기른 정. **4** 기술이나 버릇 따위를 몸에 익게 하다. (예)일찍 자고 일찍 일어나는 습관을 기르다. **5** 머리카락이나 수염 따위를 자라게 내버려 두다. (예)수염을 기르다. [활용] 길러/기르니.

> [주의] **기르다와 기리다**
> **기르다** '자라게 하거나 튼튼하게 하다'의 뜻. (예)난초를 기르다/힘을 기르다/못된 버릇을 기르다.
> **기리다** 업적이나 공적에 대하여 '찬사를 드리다'의 뜻. (예)스승의 은덕을 기리다.

***기름** **1** 동물·식물·광물에서 얻을 수 있는 끈끈하고 잘 마르지 않는 액체. 물에 녹지 않으며 불을 붙이면 잘 탐. (예)기름을 바르다/콩에서 기름을 짜다. **2** '석유'를 달리 이르는 말. (예)이 차는 기름을 많이 먹는다. ➲ oil

기름기 (—氣) [기름끼] **1** 물건에 섞여 있는 기름 덩이. (예)기름기가 적은 음식/기름기가 끼다. **2** 윤택한 기운. (예)얼굴에 기름기가 돌다.

기름때 기름이 묻고 그 위에 먼지가 앉아서 된 때.

기름종이 기름을 먹여서 물에 젖지 않도록 한 종이.

기름지다 **1** 기름이 많이 끼어 있다. (예)기름진 음식. **2** 땅이 비옥하다. (예)논밭이 기름지다. **3** 영양이 좋아서 윤기가 있다. (예)기름진 배를 두드리다.

기리다 업적이나 공적 등을 칭찬하여 말하다. (예)공덕을 기리다. →기르다 [주의]

기린 (麒麟) 기린과의 포유동물. 포유동물 가운데 가장 키가 크며 목과 다리가 특히 길. 아프리카 특산으로 초원 지대에 떼 지어 살며 나뭇잎이나 과실 따위를 먹음. ➲ giraffe

〈기린〉

기립 (起立) 일어섬. (예)기립 박수를 보내다. **—하다**.

기마병 (騎馬兵) ⇨ 기병.

기마전 (騎馬戰) 사람으로 말을 만들어 겨루는 경기. 두세 사람이 앞에 선 사람의 어깨에 팔을 걸어 말을 만들고, 거기에 한 사람이 올라타서 다른 말을 탄 사람과 겨뤄 쓰러뜨리거나 모자를 빼앗는 놀이임.

기막히다 (氣—) [기마키다] **1** 어이없거나 엄청나서 질릴 정도이다. (예)기막혀 말을 못하겠다. **2** 말할 수 없을 만큼 좋거나 정도가 높다. (예)음식 맛이 기막히게 좋다.

기만 (欺瞞) 남을 그럴듯하게 속여 넘김. **—하다**.

기명 (記名) 이름을 적음. (예)기명 투표. [반] 무기명.

기묘하다 (奇妙—) 이상하고 신기하다. (예)기묘한 풍습.

기문 (氣門) 곤충류의 몸뚱이 옆에 있는 숨을 쉬는 구멍. [비] 기공.

기물 (器物) 그릇이나 기구 따위 살림살이에 쓰는 물건.

기미[1] 사람의 얼굴에 끼는 거무스름한 얼룩점. (예)기미가 끼다.

기미[2] (幾〔機〕微) ⇨김새. (예)도망칠 기미가 보인다.

기민하다 (機敏—) 눈치가 빠르고 행동이 재빠르다. (예)기민한 행동. [비] 민첩하다.

기밀 (機密) 대단히 중요한 비밀. (예)군사 기밀/기밀을 누설하다. [비] 비밀.

*기반 (基盤) 기초가 될 만한 바탕. 기본이 되는 자리. ㉠출세의 기반을 다지다 / 생활 기반을 잡다.

기발하다 (奇拔―) 엉뚱하고 기묘할 정도로 생각이 놀랍고 뛰어나다. ㉠기발한 생각.

기백 (氣魄) 씩씩한 기상과 진취성이 있는 정신. ㉠기백이 넘치다 / 기백을 떨치다. 비 기개. 기상.

기법 (技法) [기뻡] 예술 작품을 만드는 기술. ㉠창작 기법 / 새로운 기법을 터득하다.

기벽 (奇癖) 남과 매우 다른 이상한 버릇.

기별 (奇〔寄〕別) 소식을 알림. 또는 그 소식. ㉠고향집에 기별을 보내다. ―하다.

기병 (騎兵) 말을 타고 싸우는 군사. 비 기마병.

기복 (起伏) **1** 땅 모양새가 높았다 낮았다 함. ㉠구릉의 기복이 심하다. **2** 세력이 강했다 약했다 함. ㉠기복이 많은 인생 / 감정의 기복이 심하다.

*기본 (基本) 어떤 일이나 사물의 기초와 근본. ㉠기본 동작. 비 근본. 기초.

기본권 (基本權) [기본꿘] 인간으로서 누려야 할 기본적인 권리.

기본적 (基本的) 밑바탕이 되는 성질을 가지고 있는 (것).

기본형 (基本形) **1** 기본이 되는 꼴이나 형식. **2** ⇨으뜸꼴.

기부 (寄附) 어떤 일을 도와줄 목적으로 돈이나 물건을 스스로 내어 줌. ㉠모든 재산을 학교에 기부하다. 비 기증. ―하다.

기부금 (寄附金) 어떠한 일에 도움을 줄 목적으로 내는 돈. ㉠기부금을 내다.

*기분 (氣分) 마음에 저절로 느껴져 한동안 계속되는 감정 상태. ㉠축제 기분 / 기분 전환 / 공부할 기분이 안 난다.

기분파 (氣分派) 그때그때의 기분에 따라 행동하는 사람.

*기뻐하다 기쁘게 여기다. ㉠아이들은 선물을 받고 기뻐했다. 반 슬퍼하다.

*기쁘다 마음에 즐거운 느낌이 나다. ㉠새해를 기쁘게 맞이하다 / 너무 기뻐서 눈물을 흘리다. 반 슬프다. 활용 기뻐 / 기쁘니. ➲ glad

*기쁨 즐거운 마음이나 느낌. ㉠기쁨의 눈물을 흘리다. 반 슬픔. ➲ joy

기사[1] (技士) '운전기사'의 준말.

*기사[2] (技師) 관청이나 회사에서 전문적인 기술에 관계된 일을 맡아보는 사람.

*기사[3] (記事) 신문·잡지 따위에서 어떤 사실을 보도하거나 논평하는 글. ㉠신문 기사 / 기사를 쓰다 / 기사가 실리다.

기사[4] (棋士) 바둑이나 장기를 전문으로 두는 사람.

기사[5] (騎士) **1** 말을 탄 무사. ㉠백마 탄 기사. **2** 중세 유럽의 무사 계급. ㉠기사도 정신.

기사문 (記事文) 사실을 보고 들은 그대로 적은 글.

기삿거리 (記事―) [기사꺼리 / 기삳꺼리] 신문이나 잡지 따위에 실릴 만한 소재. ㉠기자들은 기삿거리를 찾아 뛰어다닌다.

*기상[1] (氣象) 비·눈·바람·안개·구름·기온 등 대기 중에서 일어나는 여러 가지 현상. ㉠기상 변화가 심하다. → [학습마당] 6(176쪽)

기상[2] (氣像) 사람의 타고난 마음씨와 겉으로 드러난 태도. ㉠늠름한 기상.

기상[3] (起床) 잠에서 깨어 자리에서 일어남. ㉠아침 6시에 기상한다. ―하다.

기상대 (氣象臺) 기상청에 속하여 그 지방의 기상이나 날씨를 관찰하고 연구하는 곳.

기상 예ː보 (氣象豫報) [―녜보] 기상 상황이나 각 지방의 날씨·폭풍 경보·해상 기상 등을 매일 신문·방송을 통해 여러 사람에게 알림. → [학습마당] 6(아래)

기상천외 (奇想天外) [기상처뇌] 보통 사람이 쉽게 짐작할 수 없을 만큼 생각이 놀랍고 엉뚱함. (예)기상천외한 행동을 하다. **―하다.**

기상청 (氣象廳) 중앙 행정 기관의 하나. 우리나라의 기상이나 날씨를 조사하여 미리 알려 줌.

기상 특보 (氣象特報) [―특뽀] 기상 등의 급격한 변화로 재해가 일어날 수 있음을 미리 경고하는 예보. 주의보와 경보가 있음. → [학습마당] 6(아래)

기색 (氣色) 얼굴에 나타난 마음의 움직임과 얼굴색. (예)화난 기색 / 불편한 기색을 보이다. (비)눈치.

기ː생[1] (妓生) 예전에, 잔치나 술자리에서 노래를 부르거나 춤을 추어 흥을 돋우는 것을 직업으로 하던 여자. (비)기녀.

기생[2] (寄生) **1** 혼자서 살 수 없는

[학습마당] 6

기상 예보와 기상 특보

(1) 기상 예보의 종류

종류		내용
일기 예보	일일예보	오늘, 내일 및 모레의 날씨(하늘 상태·기상 현상·기온·바람·물결 높이 등)
	주간예보	1주간의 날씨
	월기상전망	1개월간의 개략적인 기상 전망
	계절기상전망	여름철과 겨울철의 기상 전망
기상 특보	주의보	재해가 예상되는 기상 상태
	경보	심한 재해가 예상되는 기상 상태

(2) 기상 특보의 종류

종류	요소		주의보	경보
폭풍	최대 풍속		14 m / 초 이상	21 m / 초 이상
	순간 최대 풍속		20 m / 초 이상	26 m / 초 이상
대설	신적설	대도시 지역	5 cm 이상	10 cm 이상
		일반 지역	10 cm 이상	30 cm 이상
		울릉도	20 cm 이상	50 cm 이상
호우	24시간 우량		80 mm 이상	150 mm 이상
파랑	파고		3 m 이상	6 m 이상
건조	실효 습도		50 % 이하	40 % 이하
	최소 습도		30 % 이하	20 % 이하
해일	해안 지대		침수 예상	심한 침수 예상
한파	최저 기온차		10℃ 이상	15℃ 이상
태풍	최대 풍속		14 m / 초 이상 호우·해일 동반	21 m / 초 이상 호우·해일 동반

생물이 다른 생물의 몸에 붙어 양분을 빼앗아 살아가는 일. ㉠기생 식물 / 기생 동물. **2** 남의 힘을 빌려 생활하는 일. **—하다.**

기생충 (寄生蟲) **1** 다른 생물에 붙어서 양분을 빨아 먹고 사는 벌레를 통틀어 일컫는 말. 회충·요충·십이지장충·이·벼룩 따위. **2** 남에게 의지해 살아가는 사람을 이르는 말. ㉠사회의 기생충.

***기선**[1] (汽船) 증기 기관의 힘으로 움직이는 배.

기선[2] (機先) 상대의 세력이나 기세를 누르기 위해 먼저 재빠르게 행동하는 것. ㉠기선을 잡다.

기성 (既成) 이미 이루어져 있음. ㉠기성 질서 / 기성품.

***기성복** (既成服) 일정한 기준 치수에 맞추어 미리 여러 벌을 만들어 놓고 파는 옷.

기성세대 (既成世代) 현재 사회에서 활동하고 있는 나이가 든 층.

기세 (氣勢) 남이 보기에 두려워할 만큼 기운차게 뻗치는 힘. ㉠기세가 등등하다 / 기세를 떨치다.

기소 (起訴) 형사 사건에서 검사가 법원에 심판을 요구하는 일. ㉠살인 혐의로 기소하다. **—하다.**

기수[1] (機首) 비행기의 앞머리. ㉠기수를 동쪽으로 돌리다.

기수[2] (騎手) 말을 타는 사람.

기수[3] (旗手) **1** 기를 가지고 신호를 하는 사람. **2** 단체 행진 등에서 그 표시가 되는 기를 든 사람. ㉠한국 선수단의 기수. **3** 새로운 운동·사상 등의 앞장을 서는 사람. ㉠개혁의 기수가 되다.

기수[4] (奇數) ⇨홀수. 반 우수.

기수[5] (基數) 수를 나타내는 데 기초가 되는 수. 십진법에서는 0에서 9까지의 정수를 이름. 비 기본수.

기수법 (記數法) [기수뻡] 숫자로 수를 나타내는 방법.

기숙 (寄宿) 남의 집이나 시설에서 먹고 자고 함. ㉠친척 집에서 기숙하다. **—하다.**

기숙사 (寄宿舍) [기숙싸] 학교나 회사 등에서, 학생이나 사원들이 먹고 자고 생활할 수 있도록 시설을 해 놓은 집. ㉠기숙사 생활을 하다 / 기숙사에 들어가다.

***기술** (技術) 만들거나 짓거나 하는 재주 또는 솜씨. ㉠기술을 배우다.

***기술자** (技術者) [기술짜] 기술을 가진 사람. 기술을 업으로 삼는 사람. ㉠전기 기술자.

기술적 (技術的) [기술쩍] **1** 기술에 관계되는 (것). ㉠기술적인 문제가 생기다. **2** 일을 처리하는 솜씨나 요령이 좋은 (것). ㉠기술적으로 마무리 짓다.

기슭 [기슥] **1** 비탈진 곳의 아랫부분. ㉠뒷산 기슭에 있는 집. **2** 바다·강 따위의 물과 닿아 있는 땅. ㉠배가 기슭에 닿다. 발음 기슭에[기슬게] / 기슭으로[기슬그로] / 기슭도[기슥또] / 기슭만[기승만].

기습 (奇襲) 몰래 갑자기 들이쳐 공격함. ㉠기습 작전 / 기습 공격을 당하다. 비 습격. **—하다.**

기승 (氣勝) 기운이나 힘이 누그러들지 않음. ㉠더위가 기승을 부리다.

기식 (寄食) 남의 집에 머물면서 지냄. ㉠형은 친척 집에 기식하며 학교에 다녔다. **—하다.**

기아 (饑〔飢〕餓) ⇨굶주림. ㉠기아에 허덕이다.

기악 (器樂) 악기를 써서 연주하는 음악. 반 성악.

기악곡 (器樂曲) [기악꼭] 기악 연주를 위하여 만든 곡.

기악 합주 (器樂合奏) [기아캅쭈] 여러 가지 악기로 여럿이 함께 하는 연주.

기안 (起案) 공문 따위의 바탕이 되는 안이나 글을 씀. ㉠공문을 기안하다. **―하다.**
기암괴석 (奇岩怪石) 이상하게 생긴 바위와 돌.
기암절벽 (奇岩絶壁) 이상하게 생긴 바위와 깎아지른 듯한 낭떠러지.
기압 (氣壓) 지구를 둘러싸고 있는 공기가 지구 표면을 누르는 힘. ㉵기압이 높다.
기압계 (氣壓計) [기압꼐 / 기압께] 기압을 재는 기계.
기압골 (氣壓―) [기압꼴] 일기도에서, 저기압 중심에서 가늘고 길게 뻗은 기압이 낮은 부분.
기약 (期約) 때를 정하여 약속함. ㉵다시 만날 것을 기약하고 헤어지다. **―하다.**
기약 분수 (旣約分數) [―뿐쑤] 분모와 분자 사이의 공약수가 1뿐이어서 더 이상 약분되지 않는 분수.
기어 (gear) **1** ⇨톱니바퀴. **2** 톱니바퀴를 이용하여 속도를 변환시키는 장치. ㉵기어를 넣다.
기어가다 [―/ 기여가다] **1** 기어서 앞으로 나아가다. ㉵아기가 엄마한테 기어간다. **2** 자동차 따위가 매우 천천히 가다. ㉵눈길을 차들이 엉금엉금 기어가고 있다.
기어들다 [―/ 기여들다] **1** 기어서 또는 기는 듯한 모습으로 들어오거나 들어가다. ㉵구멍으로 기어드는 벌레. **2** 남이 모르게 들어오거나 들어가다. ㉵식탁 밑으로 기어들어 숨다. **3** 움츠러져 들어가다. ㉵기가 죽어 목소리가 기어들고 있다. **4** 다가들거나 파고들다. ㉵엄마 품속으로 기어드는 아이. [활용] 기어들어 / 기어드니 / 기어드는.
기어오르다 [―/ 기여오르다] **1** 기어서 높은 곳으로 가다. ㉵벼랑을 기어오르다. **2** 윗사람에게 버릇없이 굴다. ㉵귀엽다 귀엽다 하니까 머리끝까지 기어오른다. [활용] 기어올라 / 기어오르니.
기어이 **1** 꼭. 반드시. ㉵기어이 해내겠다. **2** 마침내. ㉵기어이 우승하였구나. [비] 기어코.
기어코 (期於―) **1** 어떤 일이 있더라도 반드시. ㉵기어코 이기겠다. **2** 결국에 가서는 마침내. ㉵동생은 기어코 울음을 터뜨렸다. [비] 기어이.
*__기억__ (記憶) 지난 일을 잊지 아니함. ㉵기억에 남는 영화 / 기억을 더듬다 / 얼굴을 자세히 기억하다. **―하다.** ➲ memory
기억나다 (記憶―) [기엉나다] 전의 인상·경험·말 따위가 잊히지 않고 생각에 떠오르다. ㉵너무 오래된 일이라 기억나지 않는다.
기억력 (記憶力) [기엉녁] 기억하는 능력. ㉵기억력이 떨어지다.
기억 상실 (記憶喪失) [―쌍실] 머리를 다치거나 약물 중독 따위로 인하여 그 이전의 어떤 기간의 기억을 잃어버리는 일.
기억 장치 (記憶裝置) [―짱치] 컴퓨터에서, 데이터나 명령을 비롯하여 컴퓨터 내부에서 계산 처리된 결과를 기억하는 장치.
*__기업__ (企業) 회사나 공장처럼 이익을 얻을 목적으로 사업을 하는 조직.
기업가 (企業家) [기업까] 기업에 돈을 대고 그 기업의 경영을 맡은 사람. ㉵기업가의 자세. [비] 기업인.
기업체 (企業體) 기업을 경영하는 조직체. ㉵여러 기업체를 거느리다.
기여 (寄與) 도움이 되도록 이바지함. ㉵나라에 크게 기여하다. [비] 공헌. **―하다.**
기역 한글 자모 'ㄱ'의 이름.
기연 (奇緣) 놀랍고 이상한 인연.
기염 (氣焰) 대단한 기세. ㉵기염을 토하다.
기예 (技藝) 예술 등에서의 재주와 솜씨. ㉵기예를 닦다 / 끊임없이 기예를 연마하다. [비] 기술.
*__기온__ (氣溫) 대기의 온도. 보통 지

면으로부터 1.5m의 높이에서 잰 온도로 나타냄. ㉠기온을 재다 / 기온이 높다 / 기온이 영하로 떨어지다.

기와 지붕을 이는 물건. 흙이나 시멘트로 만듦.

기와집 지붕을 기와로 인 집. ㉠고래 등 같은 **기와집**. 비 와가.

기왓장 (一張) [기와짱 / 기왇짱] 기와의 낱장. ㉠태풍에 **기왓장**이 날아갔다.

기왕 (既往) **1** 이미 지나간 이전. ㉠기왕의 일은 빨리 잊어버려라. **2** 이미 그렇게 된 바에. ㉠기왕 가려면 빨리 떠나는 것이 좋다.

기왕이면 (既往—) ⇨이왕이면. ㉠**기왕이면** 나도 끼어 주렴.

기용 (起用) 어떤 사람을 높은 자리에 뽑아 씀. ㉠부장으로 **기용하다**. **—하다**.

기우 (杞憂) 중국 기(杞)나라 사람이 하늘이 무너질까 걱정했다는 데서 나온 말로, 쓸데없는 걱정을 이르는 말. ㉠그런 걱정은 **기우**에 지나지 않는다.

기우뚱거리다 물체가 이쪽저쪽으로 기울어지며 흔들리다. 작 갸우뚱거리다. 센 끼우뚱거리다.

기우뚱하다 물체가 한쪽으로 조금 기울어지다. ㉠벽시계가 **기우뚱하게** 걸려 있다.

기우제 (祈雨祭) 가뭄이 오래 계속될 때에 비가 내리기를 비는 제사. ㉠**기우제**를 올리다.

***기운**[1] **1** 생물이 살아 움직이는 힘. ㉠기운을 차리다 / 기운이 난다 / 기운이 세다. **2** 눈으로 볼 수는 없지만 느낄 수 있는 힘이나 분위기. ㉠쓸쓸한 기운이 감돌다 / 봄의 따스한 기운이 완연하다. **3** 낌새. ㉠약 기운이 돌다 / 몸살 기운이 있다.

기운[2] (氣運) 어떤 일이 벌어지려는 분위기. ㉠민주화 운동의 **기운**이 높아지다.

기운차다 기운이 세차다. ㉠**기운찬** 목소리 / 걸음걸이가 **기운차다**.

기울기 기울어진 정도.

***기울다** **1** 비스듬하게 한쪽이 낮아지거나 비뚤어지다. ㉠배가 한쪽으로 **기울다**. **2** 마음이나 생각 따위가 어느 한쪽으로 쏠리다. ㉠영화 구경을 가자는 쪽으로 의견이 **기울었다**. **3** 해나 달이 저물다. ㉠해가 **기울기** 시작했다. **4** 형편이 이전보다 못하여지다. ㉠사업이 **기울다**. 활용 기울어 / 기우니 / 기운.

기울어지다 [기우러지다] **1** 비스듬하게 한쪽이 낮아지거나 비뚤어지게 되다. ㉠액자가 한쪽으로 **기울어졌다**. **2** 마음·생각 따위가 한쪽으로 쏠리게 되다. ㉠마음이 그 친구에게 **기울어지다**. **3** 해나 달 따위가 저물어 가다. **4** 형세가 이전보다 못하게 되다. ㉠가세가 **기울어지다**.

***기울이다** [기우리다] **1** 일정한 기준에서 한편으로 쏠리게 하다. ㉠몸을 앞으로 **기울이다**. **2** 어떤 방향으로 향하게 하다. ㉠귀를 **기울이다**. **3** 한 가지 일에 온 힘을 쏟다. ㉠온 정성을 **기울인** 작품.

기웃 [기욷] 무엇을 보려고 고개나 몸을 기울이는 모양. 작 갸웃. 센 끼웃. **—하다**.

기웃거리다 [기욷꺼리다] 무엇을 보려고 고개를 자꾸 기울이다. 작 갸웃거리다. 센 끼웃거리다.

기원[1] (起源) 사물이 생긴 근원. ㉠인류의 **기원**. **—하다**.

기원[2] (祈願) 바라는 일이 이루어지기를 빎. ㉠간절한 **기원** / 하느님께 **기원하다**. **—하다**.

기원[3] (紀元) **1** 역사상으로 연대를 계산하는 데 기준이 되는 해. **2** 새로운 출발이 되는 시대나 시기. ㉠새로운 **기원**을 긋는 획기적인 사업.

기원전 (紀元前) 서력기원이 시작되기 이전. ㉠**기원전** 3 세기.

기이하다 (奇異—) 매우 놀랍고도 이상하다. ㉠기이한 모습.
기인[1] (起因) 어떤 일이 일어나게 된 원인. **—하다.**
기인[2] (奇人) 성질이나 말, 행동 등이 유별난 사람.
기일[1] (忌日) 사람이 죽은 날. ㉥제삿날.
기일[2] (期日) 정해진 날짜. 기한이 되는 날. ㉠기일까지 전기 사용료를 납부하다.
기입 (記入) 문서나 장부에 필요한 사항을 적어 넣음. ㉠수첩에 전화번호를 기입하다. **—하다.**
기입장 (記入帳) [기입짱] 필요한 사항을 적어 넣는 공책.
*__기자__ (記者) 신문사·잡지사·방송국 등에서 취재하거나 기사를 쓰고 편집하는 사람. ㉠종군 기자 / 사회부 기자 / 기자들이 열띤 취재 경쟁을 벌이다.
기자 회ː견 (記者會見) 기자들과 만나서 질문을 받고 답하는 형식의 회견. ㉠기자 회견을 가지다.
기장[1] 볏과의 한해살이풀. 수수와 비슷한 곡식으로 이삭은 가을에 익음. 높이는 1.2-1.6 m, 열매는 떡·술·엿·빵 등의 원료나 가축의 사료로 씀.
기장[2] (機長) 항공기 승무원 가운데 최고 책임자로서 항공기를 조정하고 운항 중의 모든 안전을 책임지는 사람.
기장[3] (記帳) 장부에 적음. 또는 그 장부. **—하다.**
기재[1] (記載) 적어서 넣음. ㉠기재사항. **—하다.**
기재[2] (器材) 기구와 재료. ㉠실험용 기재 / 의료 기재.
기저귀 어린아이의 똥오줌을 받아내기 위하여 다리 사이에 채우는 헝겊이나 종이. ㉠기저귀를 갈다 / 기저귀를 채우다.
기적[1] (奇蹟) 상식으로는 생각할 수 없는 아주 신비로운 일. ㉠한강의 기적 / 기적을 바라다 / 기적이 일어나다.
기적[2] (汽笛) 기차나 기선 따위의 신호 장치. 또는 그 소리. ㉠기차가 기적을 울리다.
기절 (氣絶) 한동안 정신을 잃음. ㉠기절할 정도로 놀라다. ㉥실신. **—하다.**
기절초풍 (氣絶—風) 정신을 잃을 정도로 몹시 놀람. ㉠기절초풍할 일이다. **—하다.**
기점 (起點) [기쩜] 어떤 일이 처음으로 일어나거나 시작하는 곳. ㉠경부선의 기점은 서울역이다. ㉥출발점. ㉤종점.
기정 (旣定) 이미 정해져 있음. ㉠기정의 방침을 따르다. ㉤미정.
기정사실 (旣定事實) 이미 정해져 있는 사실. ㉠우리가 이길 것은 기정사실이다.
기제 (忌祭) '기제사'의 준말.
기제사 (忌祭祀) 삼년상이 끝난 뒤에 해마다 사람이 죽은 날에 지내는 제사. ㉠기제사를 지내다. ㉦기제.
기조 (基調) 사상이나 학설 등의 기본적인 경향. ㉠기조연설 / 낭만주의를 기조로 한 문학.
기존 (旣存) 이미 존재함. ㉠기존 시설을 이용하다. **—하다.**
기죽다 (氣—) [기죽따] 기세가 꺾여 약해지다. ㉠성적이 떨어졌다고 기죽지 마라.
*__기준__ (基準) **1** 기본이 되는 표준. ㉠판단의 기준. **2** 군대나 학교 따위에서, 정렬할 때 표준이 되는 사람. ㉠우측 일 번 기준.
기준량 (基準量) [기준냥] 수량을 비교할 때 기준으로 삼는 양.
기준점 (基準點) [기준쩜] 계산·측정의 기준이 되는 점.
기중기 (起重機) 무거운 물건을 들

어 옮기는 기계. 크레인.

기증 (寄贈) 물건을 선물로 보내어 줌. ㉠도서관에 동화책을 기증하다 / 평생 모은 재산을 학교에 기증하다. 비 기부. 증여. **—하다.**

기지[1] (機智) 그때그때의 경우에 따라 재치 있게 움직이는 슬기. 위트. ㉠기지가 넘치다.

기지[2] (基地) **1** 부대가 머물고 있는 곳이나 군사 활동의 기점이 되는 장소. ㉠보급 기지. **2** ⇨터전.

*__기:지개__ 피곤을 덜기 위해 몸을 펴고 팔다리를 뻗는 짓. ㉠기지개를 켜다 / 기지개를 펴다. **—하다.**

기진맥진하다 (氣盡脈盡—) [기진맥찐하다] 몸의 기운이 다 빠져 힘이 없어지다. ㉠강행군에 모두들 기진맥진하였다.

기질 (氣質) **1** 기력과 체질. **2** 성질을 나타내는 밑바탕이 되는 특성. ㉠낙천적인 기질 / 예술가적인 기질을 타고나다.

*__기차__ (汽車) 증기 기관을 원동력으로 하여 궤도 위를 달리는 차량. 비 열차. ➲ train

기차다 (氣—) 말할 수 없을 만큼 좋거나 훌륭하다. ㉠노래를 기차게 잘 부른다.

기차역 (汽車驛) 기차를 타고 내리는 정거장.

기차표 (汽車票) 기차를 타기 위해 사는 표. 비 승차권.

기착지 (寄着地) [기착찌] 목적지로 가는 도중에 잠시 들르는 곳.

기착하다 (寄着—) [기차카다] 목적지로 가는 도중에 잠시 들러 머물다. ㉠귀국 길에 동경에 잠시 기착했다.

기찻길 (汽車—) [기차낄 / 기찬낄] 기차가 달리게 만들어 놓은 길. 비 철로.

기척 사람이 있다는 것을 짐작할 만한 소리나 자취. ㉠그는 방 안에 있으면서 기척도 안 한다.

*__기체[1]__ (氣體) 공기·산소·가스 따위와 같이 일정한 모양과 부피가 없는 물질. *고체. 액체.

기체[2] (機體) 비행기의 몸통. ㉠추락한 기체를 조사하다.

기체 연료 (氣體燃料) [—열료] 기체의 상태에서 사용되는 연료. 천연가스·프로판 가스 따위.

*__기초[1]__ (基礎) **1** 사물의 밑바탕. ㉠기초를 다지다 / 기초를 닦다 / 기초 지식을 쌓다. **2** 집이나 다리, 둑 따위의 무게를 받치기 위하여 만든 바닥. ㉠기초 공사.

기초[2] (起草) 글의 초안을 잡음. ㉠법안을 기초하다. 준 초. **—하다.**

기초 과학 (基礎科學) 공학이나 응용과학의 밑바탕이 되는 자연 과학 수학·물리학·화학·생물학 따위.

기초식품 (基礎食品) 단백질·탄수화물·지방질·비타민C·카로틴·무기질 등 사람이 매일 섭취해야 하는 여섯 종류의 영양소를 각각 함유하는 식품군(群).

기초 자치 단체 (基礎自治團體) 우리나라의 지방 자치 행정의 기초가 되는 시·구·군 따위의 단체.

기초적 (基礎的) 어떤 일의 밑바탕이 되는 (것). ㉠기초적인 체력을 다지다.

기초하다 (基礎—) 토대를 두다. 바탕을 두다. ㉠논리적 추론에 기초한 증명 방법.

기침[1] **1** 감기에 걸렸을 때, 목의 자극으로 생겨 갑자기 터져 나오는 숨소리. ㉠기침이 나다 / 기침이 멎다 / 손으로 입을 가리고 기침하다. **2** 가래를 뱉거나 인기척을 낼 때 일부러 터져 나오게 하는 숨소리. ㉠기침 소리를 내다. **—하다.** ➲ cough

기침[2] (起寢) 잠자리에서 일어남. 비 기상. 반 취침. **—하다.**

*__기타[1]__ (其他) 그 밖. 그 밖의 다른

것. ⓔ기타 등등 / 기타 사항.

기타² (guitar) '8' 자 모양의 나무로 된 넓적한 울림통과 여섯 가닥의 줄로 된 현악기의 한 가지.

〈기타²〉

기탁 (寄託) 남에게 맡기어 그 보관이나 처리를 부탁함. **—하다.**

기탄없다 (忌憚—) [기타넙따] 거리낌이 없다. ⓔ학생들의 기탄없는 의견을 듣다.

기탄없이 (忌憚—) [기타넙씨] 거리낌 없이. ⓔ기탄없이 말해 주게.

기특하다 (奇特—) [기트카다] 말이나 행동이 대견하고 귀염성이 있다. ⓔ기특한 아이.

기특히 (奇特—) [기트키] 기특하게. ⓔ할머니는 손자의 행동을 기특히 여기셨다.

기틀 어떤 일의 가장 중요한 바탕이나 기초. ⓔ기틀을 다지다 / 기틀을 닦다 / 기틀을 마련하다.

기틀(이) 잡히다 어떤 일의 가장 중요한 부분이 제 기능을 발휘할 수 있게 되다.

기포 (氣泡) 유리·액체 등에 기체가 들어가 거품처럼 둥그렇게 부풀어 있는 것. ⓔ기포가 생기다.

기폭 (起爆) 화약이 압력이나 열 따위의 충동을 받아 폭발을 일으키는 현상. ⓔ기폭 장치.

기표 (記票) 투표용지에 써넣거나 표시를 함. ⓔ자신이 원하는 후보에게 자유로이 기표하는 것이 중요하다. **—하다.**

기표소 (記票所) 투표장 안에 기표하도록 특별히 마련한 곳.

기품 (氣品) 고상한 성품이나 품격. ⓔ기품 있는 사람 / 기품이 높다.

기풍 (氣風) **1** 어느 집단이나 지역 안의 사람들의 공통적인 기질. ⓔ보수적인 기풍 / 새로운 기풍을 세우다. **2** 기상과 풍채. ⓔ호방한 기풍. ⓑ기질.

기피 (忌避) 꺼리어 피함. ⓔ병역을 기피하다. **—하다.**

기필코 (期必—) 어김없이. 반드시. 꼭. ⓔ기필코 성공하겠다.

기하다 (期—) **1** 기일을 정하다. ⓔ24시를 기하여 휘발유 가격을 인상하다. **2** 이루어지도록 기약하다. ⓔ완벽을 기하다 / 신중을 기하다.

기하학 (幾何學) 도형 및 공간에 관한 성질을 연구하는 수학의 한 부문. ㉾기하.

기한 (期限) 미리 정하여 놓은 때. ⓔ유통 기한 / 기한을 넘기다.

기합 (氣合) **1** 정신을 집중하여 어떤 일을 하는 기세. 또는 그때 내는 큰 소리. ⓔ기합을 넣다. **2** 군대·학교 등에서 잘못한 사람에게 벌을 주는 일. ⓔ단체 기합 / 기합을 받다.

기행¹ (奇行) 보통 사람과 다른 기이한 행동.

기행² (紀行) 여행하는 동안에 보고 듣고 느낀 것을 적은 것.

기행문 (紀行文) 여행 중에 보고 듣고 느낀 것을 적은 글.

기형 (畸形) 동식물에서, 정상적인 형태와는 다른 모양.

기형아 (畸形兒) 신체의 발육이나 기능에 장애가 있어 정상과는 다른 모습으로 태어난 아이.

기형적 (畸形的) 기형으로 된 (것).

*__기호¹__ (記號) 어떤 뜻을 나타내거나 적어 보이는 부호·문자·표시 따위. ⓔ발음 기호를 달다.

기:호² (嗜好) 즐기고 좋아함. ⓔ기호 식품.

기:호품 (嗜好品) 향기·맛·자극을 즐기기 위한 음식물. 술·담배·커피·차 따위.

기혼 (旣婚) 이미 결혼함. ⓔ기혼 여성 / 기혼자. ⓑ미혼.

기화 (氣化) 고체나 액체가 기체로 바뀌는 것. ㉠물이 기화하다. 반 액화. **—하다.**

*__기회__ (機會) 어떤 일을 하기에 알맞은 시기나 경우. ㉠절호의 기회를 놓치다. ⮊ chance

기회균등 (機會均等) 누구에게나 기회를 고루 주는 일. ㉠교육의 기회균등.

기획 (企劃) 일을 계획함. ㉠기획 상품 / 기획실 / 공연을 기획하다. **—하다.**

*__기후__ (氣候) 기온·눈·비·바람 따위의 기상 상태. ㉠서늘한 기후 / 기후의 변화가 심하다.

기후대 (氣候帶) 지구의 기후 특성에 따라 크게 나눈 지대. 열대·온대·한대 등이 있음.

기후도 (氣候圖) 어떤 지역의 매년 되풀이되는 기상 상태(기온·강수량·바람 등)의 평균을 나타낸 도표.

긴가민가하다 그런지 그렇지 않은지 분명하지 않다. ㉠긴가민가하여 자세히 보았다.

긴급 (緊急) 일이 중대하고도 급함. ㉠긴급 사태 / 긴급 조치를 취하다. **—하다. —히.**

긴:긴 길고 긴. ㉠긴긴 세월.

긴:긴날 1 길고 긴 날. 2 낮이 밤보다 훨씬 긴 여름날을 이르는 말.

긴:긴밤 1 길고 긴 밤. 2 밤이 낮보다 훨씬 긴 겨울밤을 이르는 말.

긴:긴해 길고 긴 낮. ㉠한여름의 긴긴해.

긴:말 길게 늘어놓는 말. ㉠긴말이 필요 없다. **—하다.**

긴밀하다 (緊密—) 매우 밀접하다. ㉠긴밀한 연락 / 긴밀한 관계.

긴밀히 (緊密—) 긴밀하게. ㉠긴밀히 협조하다.

긴박감 (緊迫感) [긴박깜] 몹시 긴장되고 급한 느낌. ㉠긴박감이 감돌다 / 긴박감에 사로잡히다.

긴박하다 (緊迫—) [긴바카다] 몹시 다급하고 절박하다. ㉠긴박한 사태가 일어나다.

긴:소리 '긴말'의 낮춤말. ㉠쓸데없는 긴소리는 하지 마라.

긴요하다 (緊要—) [기뇨하다] 매우 필요하고 중요하다. ㉠긴요한 물건을 손에 넣다. 비 요긴하다.

긴장 (緊張) 마음을 가다듬어 정신을 바짝 차림. ㉠긴장을 늦추다 / 긴장이 풀리다. **—하다.**

긴장감 (緊張感) 긴장한 상태나 그 느낌. ㉠팽팽한 긴장감이 감돌다.

긴축 (緊縮) 바짝 줄임. ㉠긴축 정책을 쓰다. 반 이완. **—하다.**

긴:파람 길게 부는 휘파람.

긴하다 (緊—) 1 꼭 필요하다. ㉠긴한 물건. 비 긴요하다. 2 매우 간절하다.

긴히 (緊—) 긴하게. ㉠긴히 부탁할 말이 있다.

긷:다 [긷따] 우물이나 샘 같은 데에서 물을 두레박이나 바가지로 떠내다. ㉠물을 길어서 나르다. 활용 길어 / 길으니 / 긷는.

*__길__[1] 1 사람이나 차 등이 오가는 곳. ㉠길을 건너다. 2 사람으로서 지켜야 할 도리. 3 ⇨도중. ㉠오는 길에 만났다. 4 방법. 수단. ㉠생명을 살릴 길이 없다. ⮊ road, way

길이 열리다 해결 방법이 생겨나다. 방해하던 것이 없어져 나아가기 쉽게 되다.

길[2] 1 물건에 손질을 잘하여 생기는 윤기. ㉠길이 잘 든 장독. 2 어떤 일에 익숙해진 솜씨. ㉠차츰 길이 들겠지.

길:[3] 사람의 키 정도의 길이. ㉠열 길 물속.

*__길가__ [길까] 길의 가장자리. 길의 양쪽 옆. ㉠길가의 가로수. 비 노변.

길거리 [길꺼리] 사람이나 자동차가 많이 다니는 길. 준 거리.

길괘(吉卦) 좋은 일이 있을 듯한 점괘. [반]흉괘.

길:길이[길기리] **1** 물건이 높이 쌓인 모양. (예)연탄이 길길이 쌓이다. **2** 성이 나서 펄펄 뛰는 모양. (예)길길이 날뛰다.

길눈[길룬] 한 번 가 본 길을 잘 기억하여 찾아가는 눈썰미. (예)늙으면 길눈이 어두워진다.

***길:다** **1** 물체의 두 끝이 서로 멀다. (예)긴 머리 / 줄을 길게 늘이다. **2** 시간이 오래다. (예)긴 세월 / 해가 길다. **3** 글이나 말 등의 분량이 많다. (예)긴 이야기 / 서론이 너무 길다. [반]짧다. **4** 소리·한숨 따위가 오래 계속되다. (예)길게 한숨을 내쉬다. [활용]길어 / 기니 / 긴. ➲ long

길다랗다 '기다랗다'의 잘못.

길동무[길똥무] 길을 함께 가는 동무. 또는 같은 길을 가는 사람. [비]길벗. **—하다**.

길들다 **1** 물건에 손질을 잘하여 윤기가 나다. (예)잘 길든 지갑. **2** 짐승이 잘 따르거나 부리기 좋게 되다. (예)잘 길든 사냥개. **3** 어떤 일에 익숙하게 되다. [활용]길들어 / 길드니 / 길드는.

길들이다[길드리다] 길들게 하다.

길라잡이[길라자비] 길을 가르쳐 이끄는 사람. [준]길잡이.

길마 짐을 실으려고 소의 등에 얹는 안장. (예)길마를 지우다.

〈길마〉

길마중 올 사람을 맞이하기 위하여 길에 나가 있는 일.

길모퉁이 길이 구부러지거나 꺾어져 돌아간 자리.

길목 **1** 길의 중요한 통로가 되는 목. (예)학교로 가는 길목. **2** 큰길에서 좁은 길로 들어가는 어귀.

길몽(吉夢) 좋은 일이 생길 조짐이 보이는 꿈. [반]흉몽.

길바닥[길빠닥] **1** 길의 표면. (예)길바닥에 넘어져 무릎을 다치다. **2** 길 가운데. (예)길바닥에서 서성거리다.

길섶[길썹] 길의 가장자리.

길손[길쏜] 먼 길을 가는 나그네.

길쌈 동식물의 섬유를 손질하여 옷감을 짜 이루기까지 사람의 손이 가는 모든 일. **—하다**.

***길이**[1] [기리] **1** 한 끝에서 다른 한 끝까지의 거리. (예)다리의 길이가 길다. **2** 어떤 때로부터 다른 때까지의 동안. (예)낮의 길이가 짧아졌다.

***길이**[2] [기리] 오래오래. 오랜 세월이 지나도록. (예)선생님의 은혜를 길이 잊지 말자.

길일(吉日)[기릴] 좋은 날. 길한 날. (예)길일을 택하여 결혼하다.

길잡이[길자비] **1** 앞에 나서서 길을 안내하는 사람. **2** 길을 찾아 나갈 수 있는 목표가 되는 일이나 물건. (예)낱말 공부의 길잡이.

길재(吉再)〘인명〙 고려 말의 유학자. 호는 야은. 성균관에서 선비를 가르쳤으며, 조선조에서 벼슬살이를 거절함. 고려 말의 삼은(포은·목은·야은)의 한 사람. [1353–1419]

길조(吉兆)[길쪼] 좋은 일이 있을 조짐. 길할 징조. [반]흉조.

길주(吉州)[길쭈]〘지명〙 함경북도 길주군의 군청 소재지. 길주 평야의 중심지로서 쌀·콩·보리·수수 따위의 농산물이 많이 남.

길짐승[길찜승] 기어 다니는 짐승을 통틀어 일컫는 말. 개·소·말·뱀 따위. [반]날짐승.

길쭉하다[길쭈카다] 길이가 좀 길다. (예)길쭉한 얼굴. [반]짤막하다.

길하다(吉—) 운수가 좋거나 일이 복되고 좋은 방향으로 풀려 가다. [반]흉하다.

길흉(吉凶) 좋은 일과 언짢은 일.

행복과 재앙. ㉥길흉을 점치다.

*김ː¹ **1** 물 따위의 액체가 높은 열을 받아서 기체로 변한 것. ㉥김이 무럭무럭 나다. **2** 입에서 나오는 더운 기운. ㉥입으로 더운 김을 내뿜다. **3** 수증기가 차가운 물체에 닿아 작은 물방울로 엉긴 것.

*김ː² 길이 10–15 cm 되는 해초의 한 가지. 바다 속 바위에 이끼 모양으로 붙어 남. 종이처럼 얇게 떠서 말린 것에 소금과 기름을 발라 구워서 반찬으로 함. ㊥감태.

*김ː³ 논밭에 난 잡초. ㉥김을 매다.

김⁴ 어떤 일의 기회. ㉥시작한 김에 끝내자 / 가는 김에 들르다.

김광섭 (金珖燮) 〘인명〙 시인. 호는 이산. 민족 문학 건설을 위해 노력함. '마음', '동경', '해바라기', '성북동 비둘기' 등의 시집을 통해 주지적 시인으로 알려짐. [1904–1977]

김구 (金九) 〘인명〙 독립 운동가·정치가. 호는 백범. 임시 정부 주석. 8·15 광복 후에 한국 독립당 위원장으로 있을 때 암살당함. 저서에 '백범일지'가 있음. [1876–1949]

김대건 (金大建) 〘인명〙 우리나라 최초의 천주교 신부. 25세 때 순교함. 세례명은 안드레아. 천주교의 성인으로 받들어짐. [1822–1846]

김만중 (金萬重) 〘인명〙 조선 숙종 때 판서·문학자. 호는 서포. 한글 소설 문학의 선구자로서, 작품에 '구운몽', '사씨남정기' 따위가 있음. [1637–1692]

김ː매기 논이나 밭에 나는 잡초를 뽑는 일. ㊥제초.

김ː밥 김으로 밥과 반찬을 말아 싸서 만든 음식.

김병연 (金炳淵) 〘인명〙 조선 철종 때의 시인. 호는 난고. 홍경래의 난 때 집안이 망하자 삿갓을 쓰고 대나무 지팡이를 짚고 각지를 방랑하며 풍자시를 많이 지음. '김삿갓'으로 통함. [1807–1863]

김부식 (金富軾) 〘인명〙 고려 인종 때의 학자이며 정치가. 묘청의 난을 평정하였으며, '삼국사기'를 지었음. [1075–1151]

김ː빠지다 **1** 더운 김이나 본디의 맛·냄새가 없어지다. ㉥**김빠진** 맥주. **2** 흥미나 의욕, 기운이 빠져 없어지다. ㉥**김빠지는** 이야기 / **김빠진** 얼굴을 하고 있다.

김소월 (金素月) 〘인명〙 시인. 본명은 정식. 평안북도 정주 출생. 민요적인 서정시를 썼으며 천재적인 재질을 보였으나, 젊은 나이에 죽음. 시집으로 '진달래꽃', '소월 시집' 등이 있음. [1902–1934]

김시습 (金時習) 〘인명〙 조선 단종 때의 생육신의 한 사람. 호는 매월당. 한국 최초의 한문 소설 '금오신화'를 지었음. [1435–1493]

김영랑 (金永郞) 〘인명〙 시인. 본명은 윤식. 전라남도 강진 출생. 한국적 정서가 담긴 서정시를 많이 발표하였고, 6·25 때 죽었음. 시집으로 '영랑 시집', '영랑 시선' 등이 있음. [1903–1950]

김옥균 (金玉均) 〘인명〙 조선 고종 때의 정치가. 개화사상을 부르짖고 독립당을 조직하는 한편, 갑신정변을 일으켜 새 정부를 세웠으나 3 일 만에 실패함. [1851–1894]

김유신 (金庾信) 〘인명〙 신라의 장군. 15세 때 화랑이 되었으며, 나당 연합군으로 백제·고구려를 멸망시켜 삼국을 통일하는 데 공을 세움. 이후 당나라 군사를 몰아내고 대동강 이남의 고구려 옛 땅을 도로 찾음. [595–673]

*김장 겨울 동안 먹기 위해 김치·깍두기·동치미 등을 한꺼번에 많이 담가 두는 일. 또는 그렇게 담근 것. ㉥김장 김치. **—하다.**

김장독 [김장똑] 김장을 담아 두는 독. ㉥김장독을 뒤뜰에 묻었다.

김정호 (金正浩) 〘인명〙 조선 말기의 지리학자. 호는 고산자. 30여 년 동안 전국 방방곡곡을 돌아다니며 땅 모양을 조사하여 1861년 '대동여지도'를 완성함. [?-1864]

김정희 (金正喜) 〘인명〙 조선 헌종 때의 문신·서화가. 호는 완당·추사. 추사체 글씨로 유명함. [1786-1856]

김종서 (金宗瑞) 〘인명〙 조선 단종 때의 충신. 호는 절재. 6진을 개척하여 두만강을 국경으로 삼는 데 공이 커 좌의정에까지 오름. 수양 대군에게 죽임을 당함. [1390-1453]

김좌진 (金佐鎭) 〘인명〙 독립 운동가·장군. 호는 백야. 3·1 운동 때 만주로 건너가 북로 군정서를 조직하고, 청산리 싸움(1920)에서 이범석 장군과 함께 일본군을 크게 무찌름. [1889-1930]

김춘추 (金春秋) 〘인명〙 신라 제29대 임금인 태종 무열왕의 이름. 인품과 수완이 뛰어나 당나라와 연합군을 결성, 백제를 멸망시키고 삼국 통일의 기초를 닦음. [604-661; 재위 654-661]

*__김치__ 무·배추·오이 따위 채소를 소금에 절인 다음, 고추·마늘·파·젓갈 따위의 양념으로 버무려 익힌 반찬. ㉥김치를 담그다 / 김치가 익다.

> 참고 **김치의 종류**
> 갓김치, 고수김치, 굴김치, 나박김치, 닭김치, 동아김치, 무김치, 박김치, 배추김치, 보쌈김치, 부들김치, 얼갈이김치, 열무김치, 오이김치, 오이소박이김치, 중갈이김치, 짜개김치, 초김치, 총각김치, 통김치, 파김치, 풋김치, 홀아비김치.

김치찌개 김치를 넣고 끓인 찌개.

김칫국 [김치꾹 / 김칟꾹] **1** 김치의 국물. **2** 김치를 넣고 끓인 국.

김칫독 [김치똑 / 김칟똑] 김치를 담아 두는 독.

김포 공항 (金浦空港) 서울 강서구에 있는 국내선 전용 공항.

김포평야 (金浦平野) 〘지명〙 경기도 김포시에 있는 평야. 쌀이 많이 나며, 강화도와 함께 인삼 재배지로도 유명함.

김해평야 (金海平野) 〘지명〙 경남 김해를 중심으로 한 낙동강 하류에 있는 평야. 곡창 지대임.

김홍도 (金弘道) 〘인명〙 조선 영조 때의 서화가. 호는 단원. 산수화·인물화·풍속화·불화·신선화 등에 뛰어나 정교한 필치로 많은 그림을 그렸음. [1745-?]

깁: 명주실로 바탕을 좀 거칠게 짠 비단.

깁:다 [깁따] 해진 데에 헝겊 조각을 대고 꿰매다. ㉥해진 옷을 깁다. 활용 기워 / 기우니.

> 주의 **깁다와 깊다**
> **깁:다** 다른 조각을 대고 꿰매다.
> **깊다** 1 '얕다'의 반대말. 2 지식·생각 따위가 가볍지 않다. '깊은, 깊어서'로 활용.

깁스 (독 Gips) 부러지거나 금이 간 뼈에 붕대를 감고 석고를 발라 굳힌 것. **—하다.**

*__깃__[1] [긷] 새의 날개에 달린 털. 비 깃털.

깃[2] [긷] '옷깃'의 준말. ㉥양복 깃 / 코트의 깃을 세우다.

*__깃대__ (旗—) [기때 / 긷때] 기를 달아매는 긴 막대기. ㉥깃대가 꺾이다 / 깃대를 세우다.

깃들다 [긷뜰다] **1** 아늑하게 서려 있다. ㉥평화가 깃든 곳. **2** 감정·생각·노력 따위가 어리거나 스며 있다. 예미소가 깃든 얼굴.

깃들이다 [긷뜨리다] **1** 짐승이 보금자리에서 살다. 예제비가 처마 밑에 깃들여 살고 있다. **2** 어느 곳에 사람이 살거나 건물 따위가 자리 잡다. 예건전한 정신은 건강한 신체에 깃들인다.

깃발 (旗—) [기빨 / 긷빨] 기의 바탕이 되는 넓적한 헝겊이나 종이 부분. 예깃발이 바람에 펄럭이다 / 깃발이 날리다. ➡ flag

깃털 [긷털] 새의 깃에 붙어 있는 털. 새의 털.

*깊다 [깁따] **1** 겉에서 속까지의 거리가 멀다. 예깊은 바다. 반 얕다. **2** 아는 것이 많다. 예음악에 조예가 깊다. **3** 마음과 뜻이 가볍지 않다. 예생각이 깊다. **4** 정이 두텁다. 예우정이 깊다. **5** ⇨이슥하다. 예밤이 깊다. **6** 어떤 상태가 오래되어 정도가 더하다. 예병이 깊어졌다. →깁다 주의 ➡ deep

깊숙이 [깁쑤기] 깊고 으슥하게. 예모자를 깊숙이 눌러쓰다 / 산 깊숙이 들어가다. ×깊숙히.

깊숙하다 [깁쑤카다] 깊고 으슥하다. 예깊숙한 산골짜기.

*깊이¹ [기피] **1** 겉에서 속까지의 거리. 예바다의 깊이 / 깊이를 재다. **2** 내용의 충실한 정도. 예깊이 있는 소설. **3** 듬직한 믿음성. 예사람이 깊이가 있다.

*깊이² [기피] **1** 겉에서 속까지의 거리가 멀게. 예땅을 깊이 파다 / 산속 깊이 들어가다. **2** 생각이 신중하게. 예깊이 생각하다. **3** 수준이 높게. 예역사를 깊이 연구하다.

ㄲ (쌍기역) 'ㄱ'의 된소리.

까까머리 빡빡 깎은 머리. 또는 그렇게 머리털을 자른 사람. 예머리를 깎고 까까머리 중이 되다.

까ː뀌 한 손으로 나무를 찍어 깎는 연장.

까놓다 [까노타] 마음속의 비밀을 숨김없이 털어놓다. 예툭 까놓고 말하다.

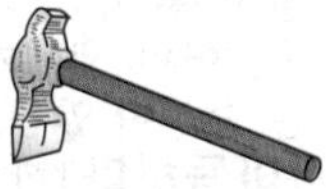
〈까뀌〉

*까다¹ **1** 껍질을 벗기다. 예밤을 까다. **2** 알을 품어서 새끼가 태어나게 하다. 예병아리를 까다.

까다² 셈에서 빼다. 예이자를 까다.

까ː다롭다 [까다롭따] **1** 복잡하고 어렵다. 예까다로운 시험 문제. **2** 성미가 너그럽지 못하다. 예까다로운 성격 / 식성이 까다롭다. 활용 까다로워 / 까다로우니.

까닥이다 [까다기다] 머리를 앞뒤로 가볍게 흔들다. 큰 끄덕이다. 센 까딱이다.

*까닭 [까닥] 어떤 일이 생기게 된 이유나 사정. 예까닭 없이[까다겁씨] 싫어하다 / 반대할 까닭이[까달기] 없다.

까딱 **1** 고개를 앞으로 가볍게 꺾어 움직이는 모양. 예고개를 까딱한다. 큰 끄떡. **2** 조금 움직이는 모양. 예눈썹 하나 까딱하지 않다. 큰 끄떡. **—하다.**

까딱거리다 [까딱꺼리다] 고개 따위를 아래위로 가볍게 자꾸 움직이다. 예고개를 까딱거리다.

까딱까딱 고개 따위를 아래위로 가볍게 자꾸 움직이는 모양. **—하다.**

까딱없다 [까따겁따] 조금도 변함이나 탈이 없다. 예아무리 덤벼도 까딱없다. 큰 끄떡없다.

까딱하면 [까따카면] 조금이라도 실수하면. 예까딱하면 큰일 난다. 비 자칫하면.

까르르 여러 사람이 한꺼번에 자지러지게 웃는 소리.

*까마귀 까마귓과의 새. 몸 전체가

〈까마귀〉

검고 윤이 나며, '까옥까옥' 하고 욺. 어미 새에게 먹이를 물어다 주는 습성이 있음.

까마득하다 [까마드카다] 아주 멀거나 오래되어서 아득하다. (예)까마득하게 지난 과거 / 목적지까지는 아직도 까마득하다.

까마득히 [까마드키] 까마득하게. (예)까마득히 멀다.

까막까치 까마귀와 까치.

까막눈 [까망눈] 글을 전혀 모르는 사람의 눈. 또는 그런 사람.

까막눈이 [까망누니] 글을 전혀 모르는 무식한 사람.

까망 '깜장' 의 잘못.

***까:맣다**[1] [까마타] 아주 검다. (예)까만 머리카락. (큰) 꺼멓다. [활용] 까마니 / 까매서.

까:맣다[2] [까마타] **1** 거리나 시간이 아주 멀어서 아득하다. (예)까맣게 먼 옛날. **2** 도무지 기억이 없다. **3** 아는 바가 전혀 없다. [활용] 까마니 / 까매서.

까:매지다 까맣게 되다. (예)볕에 그을려 까매진 얼굴. [여] 가매지다.

까먹다 [까먹따] **1** 껍데기를 벗기고 먹다. (예)밤을 까먹다. **2** 어떤 일을 잊어버리다. (예)약속을 까먹다. **3** 밑천을 다 없애다. (예)본전까지 다 까먹었다.

까무러치다 잠깐 정신을 잃다. (예) 까무러치게 놀라다. [여] 가무러치다.

까무잡잡하다 [까무잡짜파다] 얼굴이 곱지 않게 까만 편이다. [여] 가무잡잡하다.

까물거리다 **1** 작고 약한 불빛이 사라질 듯 말 듯 하다. (예)까물거리는 호롱불. **2** 물건이 보일 듯 말 듯 하다. **3** 의식이 있는 둥 없는 둥 하다. [여] 가물거리다.

까발리다 **1** 껍데기를 벌려 젖히고 속의 것을 드러내다. (예)조개를 까발리다 / 밤송이를 까발리다. **2** 비밀 따위를 속속들이 들추어내다. (예)그 사람의 잘못을 까발리다.

까부르다 곡식에 섞인 겨·티 따위를 키에 담아 위아래로 흔들어 날려 보내다. (준) 까불다. [활용] 까불러 / 까부르니.

***까불다** **1** 가볍고 방정맞게 행동하다. (예)자꾸 까불면 혼난다. **2** 몹시 아래위로 흔들리다. 또는 그렇게 하다. (예)발을 까불다. [활용] 까불어 / 까부니 / 까부는.

까슬까슬하다 거죽이 매끄럽지 않고 깔깔하다. (예)까슬까슬한 턱수염. (큰) 꺼슬꺼슬하다.

까실까실하다 '까슬까슬하다' 의 잘못.

까옥까옥 까마귀가 우는 소리. (준) 깍깍. **—하다.**

***까지** **1** 동작이나 상태가 계속하여 미침을 나타내는 말. (예)할 수 있는 데까지 해 보겠다. **2** 지정된 시간이나 공간 안으로의 뜻을 나타내는 말. (예)점심때까지 / 서울에서 부산까지. **3** '다시 그 위에 더하여' 의 뜻을 나타내는 말. (예)바쁜데 차까지 고장 났다.

까지다 **1** 껍질·피부 따위가 벗겨지다. (예)무릎이 까지다. **2** 몸의 살이나 재물이 줄어들다.

까짓 [까짇] 대수롭지 않은. 별것 아닌. (예)까짓 고생쯤이야 / 까짓, 내가 하지 뭐.

-까짓 [까짇] 앞말에 붙어 '…만 한 정도의' 의 뜻을 나타내는 말. (예)이까짓 / 네까짓 놈은 이길 수 있다.

***까:치** 까마귓과의 새. 날개 길이는 20 cm가량임. 머리에서 등까지는 광택 있는 검은빛이고 가슴과 어깨는 흰빛임. 높은 나무 위에 마른 나뭇가지로 둥지를 지음. 우리나라 국조임.

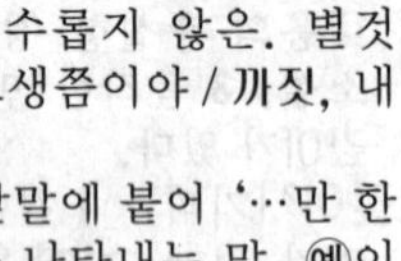

〈까치〉

까:치발 발뒤꿈치를 든 발. ㉠까치발을 딛고 보다.

까:치설날 [까치설랄] 설날의 전날. 곧, 섣달 그믐날. 주로, 어린이들이 쓰는 말임.

까칠까칠하다 여기저기 까칠한 데가 있다. ㉠까칠까칠한 피부. ㉡꺼칠꺼칠하다.

까칠하다 야위거나 메말라 살갗이나 털이 윤기가 없고 매끄럽지 않다.

까탈 트집을 잡아 까다롭게 구는 일. ㉠사사건건 까탈을 부리다.

까투리 '암꿩'의 딴 이름. ㉦장끼.

까풀 여러 겹으로 된 껍질의 켜. ㉠까풀을 벗기다. ㉡꺼풀.

깍깍 까마귀나 까치 따위가 자꾸 우는 소리.

깍깍거리다 [깍깍꺼리다] 까마귀나 까치가 자꾸 심하게 울다.

깍두기 [깍뚜기] 무를 작고 네모나게 썰어서 고춧가루 따위에 버무린 뒤에 양념과 새우젓, 파 따위를 넣어 담근 김치.

깍듯이 [깍뜨시] 깍듯하게. ㉠깍듯이 인사하다.

깍듯하다 [깍뜨타다] 예의범절을 따르는 태도가 극진하다.

깍쟁이 [깍쨍이] **1** 남에게는 인색하면서 자기 이익에는 밝은 사람. **2** 얄미울 정도로 약빠른 사람. ㉠나이는 어려도 여간 깍쟁이가 아니다.

깍지[1] [깍찌] 콩 따위의 알맹이를 까 낸 꼬투리.

깍지[2] [깍찌] **1** 열 손가락을 서로 엇갈리게 바짝 맞추어 잡은 상태. **2** 활시위를 잡아당길 때 엄지손가락의 아랫마디에 끼는 뿔로 만든 기구.

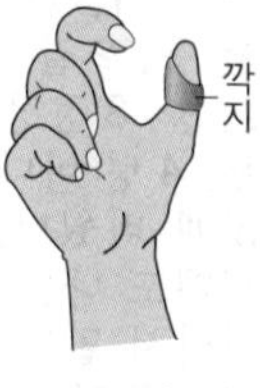

〈깍지²2〉

***깎다** [깍따] **1** 얇게 벗겨 내다. ㉠연필을 깎다. **2** 털·풀 따위를 잘라 내다. ㉠머리를 빡빡 깎다. **3** 값을 덜다. ㉠값을 호되게 깎다.

깎아지르다 [까까지르다] 반듯하게 깎아 바로 세우다. ㉠깎아지른 듯한 벼랑을 기어오르다. 활용 깎아질러 / 깎아지르니.

깎이다 [까끼다] **1** 깎음을 당하다. ㉠체면이 깎이다 / 바위가 비바람에 깎이다 / 칼날이 무뎌져 연필이 잘 깎이지 않는다. **2** 깎게 하다. ㉠이발사에게 머리를 깎이다.

깐깐하다 성미가 까다로워 싹싹한 맛이 없다. ㉠깐깐한 성격.

깔개 눕거나 앉을 곳에 까는 물건.

깔깔 큰 목소리로 못 참을 듯이 웃는 소리. ㉡껄껄.

깔깔거리다 되바라진 큰 목소리로 자꾸 웃다. ㉡껄껄거리다.

깔깔하다 **1** 감촉이 보드랍지 못하고 까칠까칠하다. ㉠혀가 깔깔하다. ㉡껄껄하다. **2** 성질이 부드럽지 못하고 거칠다.

깔끔하다 **1** 모양이나 생김새 따위가 맵시 있고 매끈하다. ㉠옷차림새가 깔끔하다. **2** 솜씨가 야물고 알뜰하다. ㉠바느질 솜씨가 깔끔하다.

***깔다** **1** 밑에 펴 놓다. ㉠자리를 깔다. **2** 타고 앉다. ㉠베개를 깔고 앉다. **3** 눈을 아래로 내리뜨다. ㉠부끄러운지 시선을 아래로 깔고 앉았다. 활용 깔아 / 까니 / 까는.

깔딱 **1** 물 같은 액체를 겨우 조금 삼키는 소리나 모양. **2** 곧 숨이 넘어갈 듯 말 듯 하는 소리나 모양. **3** 빳빳하고 얇은 물체가 뒤집힐 때 나는 소리. ㉡껄떡. —하다.

깔때기 액체를 병 따위에 부을 때 쓰는, 나팔꽃 모양을 하고 밑에 구멍이 뚫린 기구.

〈깔때기〉

깔리다 **1** 흩어져 있다. 펴 놓은 것

처럼 퍼지다. ㉔연못에 얼음이 깔리다. **2** 밑에서 눌림을 당하다. ㉔밑에 깔린 사람.
깔보다 남을 업신여기고 얕잡아 보다. ㉔키가 작다고 깔보지 마라.
깔아뭉개다 [까라뭉개다] **1** 밑에 두고 눌러 뭉개다. ㉔이불을 깔아뭉개며 뒹굴다. **2** 남의 의견을 무시하다. ㉔자존심을 깔아뭉개다.
깔유리 (—琉璃) [깔류리] ⇨슬라이드 글라스. 반덮개유리.
깜깜 아무것도 알지 못하는 상태. ㉔어떻게 된 일인지 깜깜 모른다.
깜깜무소식 (—無消息) 소식이나 연락이 전혀 없음. ㉔떠나간 이후로는 깜깜무소식이다.
깜깜절벽 (—絶壁) 전혀 아무것도 모르거나 보이지 않는 상태.
깜깜하다 **1** 몹시 어둡다. ㉔깜깜한 길을 혼자서 걷다. 큰껌껌하다. **2** 어떤 사실을 전혀 모르고 있다. ㉔소식이 깜깜하다. **3** 희망이 보이지 않는 상태에 있다. ㉔앞일을 생각하니 눈앞이 깜깜하구나.
깜냥 스스로 일을 해낼 만한 능력. ㉔제 깜냥에 뭘 하겠다고 나서지.
깜박 **1** 어둠 속에서 빛이 잠깐 비쳤다가 사라지는 모양. **2** 정신이 잠깐 흐려지는 모양. **3** 눈을 잠깐 감았다가 뜨는 모양. 큰끔벅. 센깜빡. **—하다. —거리다.**
깜부기 **1** 깜부깃병에 걸려 검게 변한 곡식의 이삭. **2** 얼굴빛이 까만 사람의 별명.
깜부기불 불꽃 없이 거의 꺼져 가는 불.
깜빡 **1** 빛이 잠깐 세게 비쳤다가 사라지는 모양. **2** 정신이 순간적으로 흐려지는 모양. ㉔약속을 깜빡 잊었다. **3** 눈을 잠깐 감았다가 뜨는 모양. **—하다. —거리다.**
깜작거리다 [깜작꺼리다] 눈을 자꾸 감았다 떴다 하다. 큰끔적거리다. 센깜짝거리다.
깜장 까만 빛깔이나 물감.
***깜짝**[1] 눈을 잠깐 감았다가 뜨는 모양. ㉔눈 깜짝할 사이. 큰끔쩍. 여깜작. **—하다.**
***깜짝**[2] 갑자기 놀라는 모양. ㉔깜짝 놀라다. 큰끔쩍. **—하다.**
깜찍하다 [깜찌카다] **1** 몸집이나 생김새가 작고 귀엽다. ㉔깜찍한 모자. **2** 생각보다 태도나 행동 따위가 영악하다. ㉔깜찍한 거짓말.
깝죽거리다 [깝쭉꺼리다] **1** 신이 나서 방정맞게 까불거리다. **2** 잘난 체하다. 큰껍죽거리다.
깡 악착같이 버티는 힘을 속되게 이르는 말. ㉔깡으로 버티다 / 그 친구는 깡이 세다.
깡그리 조금도 남김없이 온통. ㉔깡그리 먹어 치우다 / 논밭을 깡그리 팔아 버리다.
깡마르다 몸에 살이 없이 바싹 마르다. ㉔깡마른 몸집. 활용 깡말라 / 깡마르니.
깡충깡충 짧은 다리로 자꾸 힘 있게 솟구쳐 뛰는 모양. ㉔깡충깡충 뛰다. 큰껑충껑충.
깡통 통조림 따위의 빈 양철통.
깡패 (—牌) 폭력을 휘두르며 나쁜 짓을 일삼는 무리.
깨 참깨·들깨의 일컬음.
***깨끗이** [깨끄시] 깨끗하게. ㉔흙 묻은 손을 깨끗이 씻다.
***깨끗하다** [깨끄타다] **1** 흐리지 않고 맑다. 더럽지 않다. ㉔깨끗하게 빤 옷. **2** 잘 정돈되어 있다. ㉔깨끗한 방. **3** 정정당당하다. ㉔깨끗한 승부. **4** 텅 비다. ㉔밥 한 그릇을 깨끗하게 비웠다. **5** 결백하다. ㉔누가 뭐래도 나는 깨끗하다. **6** 병 따위가 나아서 말짱하다. ㉔상처가 깨끗하게 아물었다. ➲ clean
깨끼옷 [깨끼옫] 옷의 안팎 솔기를 곱솔로 박아 지은 겹옷.

깨나 '어느 정도는'의 뜻. ㉥돈깨나 있겠다 / 힘깨나 쓰겠다.

*__깨ː다__[1] 1 잠·꿈·술기운 따위가 사라져 정신이 맑아지다. ㉥술이 깨다. 2 배워 지혜가 열리다. ㉥깬 사람. 3 자던 잠을 그치다. ㉥천둥소리에 잠을 깨다.

*__깨다__[2] 1 단단한 것을 조각나게 하다. ㉥유리창을 깨다. 2 어려운 장벽이나 기록 따위를 넘어서다. ㉥기록을 깨다. 3 일이 틀어지게 하다. ㉥약속을 깨다. 4 상처를 내다. ㉥이마를 깨다. ➲ break

깨ː다[3] 알을 까게 하다. ㉥알에서 갓 깬 병아리.

*__깨닫다__[깨닫따] 1 깨치어 환히 알게 되다. ㉥이치를 깨닫다. 2 몰랐던 사정 따위를 알아채다. ㉥잘못을 깨닫다. [활용] 깨달아 / 깨달으니 / 깨닫는.

깨달음[깨다름] 진리나 이치를 생각하고 궁리하여 알게 되는 것.

*__깨뜨리다__ '깨다[2]'의 힘줌말. ㉥그릇을 깨뜨리다.

깨물다 위아래 이가 맞닿도록 세게 물다. ㉥입술을 깨물다. [활용] 깨물어 / 깨무니 / 깨무는.

깨소금 참깨를 볶아 소금을 치고 빻은 양념.

깨알 깨의 낟알. ㉥깨알 같은 글씨.

*__깨어나다__ 1 잠이나 꿈에서 평시로 돌아오다. ㉥꿈에서 깨어나다. 2 잃었던 의식을 회복하다. ㉥혼수상태에서 깨어나다. 3 문명이 발달하지 못한 상태에서 문명한 상태로 되다. ㉥무지에서 깨어나다.

깨우다 잠에서 깨게 하다. ㉥자는 사람을 흔들어 깨우다. ➲ awake

깨우치다 가르쳐서 깨닫게 하다. ㉥한글을 깨우치다 / 잘못을 깨우쳐 주다.

*__깨ː지다__ 1 단단한 물건이 쪼개지거나 갈라지다. ㉥화분이 깨지다. 2 일이 틀어지다. ㉥균형이 깨지다. 3 상처를 입다. ㉥이마가 깨지다. 4 기록 따위가 돌파되다. ㉥최고 기록이 깨지다.

깨치다 깨달아 알게 되다. ㉥진리를 깨치다 / 세 살짜리 어린아이가 한글을 깨쳤다.

깨트리다 ⇨깨뜨리다.

깻묵[깬묵] 들깨나 참깨에서 기름을 짜낸 찌꺼기.

깻잎[깬닙] 1 깨의 잎. 2 채소의 한 가지로 주로, 들깨의 잎을 말함.

깽깽 강아지가 아플 때 내는 소리. [큰]깅깅. 낑낑. —하다.

깽깽거리다 강아지 따위가 아프거나 부대끼어 자꾸 깽깽 소리를 내다. ㉥다리를 다친 강아지가 깽깽거리다. [큰]깅깅거리다. 낑낑거리다.

*__꺼ː내다__ 1 안에서 밖으로 내다. ㉥돈을 꺼내다. 2 이야기 따위를 하기 시작하다. ㉥말을 꺼내다.

꺼뜨리다 불을 잘못하여 꺼지게 하다. ㉥난롯불을 꺼뜨리다.

꺼ː리다 피하거나 싫어하다. ㉥양심에 꺼리다 / 승낙하기를 꺼리다.

꺼림칙하다[꺼림치카다] 매우 꺼림하다. ㉥마음이 꺼림칙하다.

꺼ː멓다[꺼머타] 좀 지나치게 검다. ㉥꺼먼 연기. [작]까맣다. [활용] 꺼머니 / 꺼메서.

*__꺼지다__[1] 1 불·거품 따위가 사라져 없어지다. ㉥전깃불이 꺼지다. 2 목숨이 끊어지다. ㉥꺼져 가는 생명. 3 기계 따위가 동작을 멈추다. ㉥시동이 꺼지다.

꺼지다[2] 겉이 우묵하게 들어가다. ㉥땅이 꺼지다.

꺼칠하다 살이 빠져 피부나 털에 윤기가 없다. ㉥꺼칠하게 여윈 얼굴. [작]까칠하다. [여]거칠하다.

꺼풀 여러 겹으로 된 껍질이나 껍데기 따위의 켜. ㉥한 꺼풀 벗기다. [작]까풀.

꺾꽂이 [꺽꼬지] 식물의 가지를 잘라 흙에 꽂아 살게 하는 일. ㉠뜰에 버드나무를 꺾꽂이하다. **—하다.**

*__꺾다__ [꺽따] **1** 휘게 하거나 부러뜨리다. ㉠꽃가지를 꺾어다 꽃병에 꽂다. **2** 방향을 바꾸어 돌리다. ㉠핸들을 꺾다. **3** 생각을 굽히다. ㉠고집을 꺾다.

꺾쇠 [꺽쐬] 'ㄷ' 자 모양으로 양쪽 끝을 꺾어 꼬부린 쇠토막. 잇댄 두 개의 나무 따위를 벌어지지 않게 하는 데 씀.

꺾어지다 [꺼꺼지다] **1** 휘어져 부러지다. ㉠폭풍우에 나뭇가지가 꺾어지다. **2** 종이 같은 것이 모지게 접히다.

꺾은선 그래프 (—線 graph) [꺼끈선—] 막대그래프의 끝을 꺾은선으로 연결한 그래프. 시간의 흐름에 따른 양의 변화를 나타내는 데 주로 씀. 꺾은 그림표.

꺾이다 [꺼끼다] **1** 꺾어지다. ㉠나뭇가지가 바람에 꺾이다. **2** 기세나 기운 따위가 약해지다. ㉠더위가 한풀 꺾이다. **3** 길 따위가 구부러지다. ㉠길이 오른쪽으로 꺾이다.

껄껄 우렁찬 목소리로 웃는 소리. ㉠큰 소리로 껄껄 웃다. [작]깔깔.

껄껄거리다 우렁찬 목소리로 시원스럽게 웃다.

껄껄대다 ⇨껄껄거리다.

껄껄하다 물건이나 사람의 성격이 부드럽지 못하고 거세다.

껄끄럽다 [껄끄럽따] **1** 꺼끄러기 따위가 몸에 붙어서 살이 따끔거리는 느낌이 있다. **2** 껄껄하여 미끄럽지 못하다. [작]깔끄럽다. [활용]껄끄러워 / 껄끄러우니.

껌 (←gum) 고무 비슷한 치클이라는 물질에 설탕·박하·향료 따위를 넣어 만든 씹는 과자.

껌껌하다 몹시 어둡다. ㉠껌껌한 골목. [작]깜깜하다. [거]컴컴하다.

껌벅거리다 [껌벅꺼리다] **1** 불빛 따위가 자꾸 어두워졌다 밝아졌다 하다. **2** 눈을 자꾸 감았다 떴다 하다.

*__껍데기__ [껍떼기] **1** 달걀·조개 따위의 겉을 싼 단단한 물질. ㉠소라 껍데기. **2** 속을 채우고 그 겉을 싼 것. ㉠이불 껍데기. [작]깝대기.

> [주의] **껍데기와 껍질**
>
> **껍데기** 달걀·조개·호두 같은 것의 겉을 싸고 있는 단단한 물질을 가리킨다. 껍데기와 내용물이 비교적 쉽게 분리된다.
>
> **껍질** 딱딱하지 아니한 무른 물체의 거죽을 싸고 있는, 질긴 물질로 된 켜를 가리킨다. 사과나 배처럼 껍질과 내용물이 쉽게 잘 분리되지 않는다.

껍죽거리다 [껍쭉꺼리다] **1** 신이 나서 함부로 까불거리다. **2** 잘난 체하다. [작]깝죽거리다.

*__껍질__ [껍찔] 무른 물체의 거죽을 싸고 있는 질긴 물질의 켜. ㉠포도 껍질. [작]깝질. → 껍데기 [주의]

-껏 [껃] '있는 대로 다하여'의 뜻. ㉠마음껏 먹다 / 환자를 정성껏 돌보다 / 힘껏 돕다.

껑충 긴 다리로 힘 있게 솟구쳐 뛰는 모양. [작]깡충.

껑충거리다 긴 다리로 자꾸 위로 솟구쳐 뛰다. [작]깡충거리다.

껑충껑충 껑충거리는 모양. ㉠망아지가 껑충껑충 뛰다 / 신이 나서 껑충껑충 뛰다. [작]깡충깡충.

*__께__ '에게'의 높임말. ㉠선생님께 드리다.

-께 어떤 때나 장소에서 가까운 범위. ㉠그믐께 / 남대문께.

*__께서__ '가·이'의 높임말. ㉠아버지께서 말씀하셨다.

껴안다 [껴안따] 두 팔로 감싸서 안

다. ㉡어린아이를 껴안다.
껴입다 [껴입따] 옷을 입은 위에 또 입다. ㉡내복을 껴입다.
꼬깃꼬깃 [꼬긷꼬긷] 종이 따위가 몹시 구겨져 구김살이 심한 모양. ㉡종이를 꼬깃꼬깃 접다.
꼬:까신 빛이 알록달록하여 고운 아이의 신.
꼬꼬 암탉의 우는 소리.
꼬끼오 수탉의 우는 소리.
꼬:다 1 여러 가닥의 줄을 비비어 한 줄이 되게 하다. ㉡새끼를 꼬다. 2 몸·팔·다리 등을 이리저리 뒤틀다. ㉡다리를 꼬다.
꼬:드기다 1 연줄을 잡아 잦히어 연을 높이 오르도록 하다. 2 남의 마음을 부추기어 움직이게 하다. ㉡싸움을 하라고 꼬드기다.
꼬르륵 1 배 속이 비었을 때 나는 소리. 2 술이나 물 등이 작은 구멍으로 간신히 빠져나갈 때 나는 소리. 3 닭이 놀라서 지르는 소리. 큰 꾸르륵. **—하다.**
*__꼬리__ 1 동물의 꽁무니에 가늘고 길게 내민 부분. ㉡꼬리를 감추다. 반 머리. 2 사물의 아래나 뒤에 길게 내민 부분. ㉡연 꼬리 / 혜성의 꼬리.
꼬리(를) 감추다 사라지다.
꼬리(를) 물다 끊일 사이 없이 계속되다.

> 주의 **꼬리와 꽁지**
> 꼬리는 길짐승에게 쓰이는 말이고 꽁지는 날짐승에게 쓰이는 말이다. 그러나 게는 날짐승이 아니지만 꽁지라고 한다.
> 1 꼬리가 쓰이는 말 : 개 꼬리, 노루 꼬리, 쥐 꼬리.
> 2 꽁지가 쓰이는 말 : 게 꽁지, 참새 꽁지, 제비 꽁지.

꼬리지느러미 물고기의 꼬리를 이루고 있는 지느러미.
꼬리표 (—票) 받는 이나 보내는 이의 이름·주소 따위를 적어서 짐에 달아매는 쪽지. ㉡여행 가방에 꼬리표를 달다.
*__꼬마__ 1 어린아이. ㉡우리집 꼬마. 2 조그마한 것. ㉡꼬마 자동차.
꼬마전구 손전등이나 성탄절 장식에 쓰이는 작은 전구.
꼬막 돌조갯과의 바닷물조개. 껍데기는 둥근 부챗살처럼 생겼으며 모래, 진흙 속에 삶. 살이 연하고 맛이 좋아 요리에 씀. 비 고막.
꼬맹이 키나 몸집이 작은 사람을 놀리어 일컫는 말.
꼬물거리다 1 좀스럽고 느리게 자꾸 움직이다. ㉡송충이가 꼬물거리며 기어가다. 2 몹시 굼뜨고 게으르게 행동하다. ㉡꼬물거리며 신발을 신다. 큰 꾸물거리다. 여 고물거리다.
꼬박[1] 고대로 꼳꼳내 기다리거나 밤을 새우는 모양. ㉡꼬박 사흘을 기다렸다.
꼬박[2] 졸거나 절을 할 때에 머리와 몸을 앞으로 숙였다가 드는 모양. 큰 꾸벅. 센 꼬빡.
꼬박꼬박 1 졸거나 절할 때 머리와 몸을 자꾸 앞으로 숙였다가 드는 모양. ㉡꼬박꼬박 졸다. 2 빠짐없이 다 하는 모양. ㉡꼬박꼬박 말대답하다. 3 어김없이 따르는 모양. ㉡시키는 대로 꼬박꼬박 일을 잘한다.
꼬부라지다 한쪽으로 굽게 되다. ㉡허리가 꼬부라진 할머니 / 혀가 꼬부라지다.
꼬부랑길 [꼬부랑낄] 꼬부라진 길. 큰 꾸부렁길.
꼬부리다 한쪽으로 세게 힘을 주어 굽히다. ㉡철사를 꼬부리다 / 손가락을 꼬부리다. 큰 꾸부리다.
꼬불꼬불 이리저리 꼬부라진 모양. ㉡꼬불꼬불한 골목길. 큰 꾸불꾸불. **—하다.**

꼬빡 어떤 상태를 끝까지 계속하는 모양. [예]밤을 꼬빡 새우다.

꼬이다[1] **1** 일이 제대로 되지 않다. [예]일이 꼬이다. **2** 뒤틀리다. [예]마음이 꼬이다. **3** 얽히다. [예]털실이 꼬이다. [준]꾀다.

꼬이다[2] ⇨꾀다[1·2].

꼬장꼬장하다 **1** 성미가 곧고 꼿꼿하다. [예]꼬장꼬장한 성격. **2** 노인이 허리도 굽지 않고 정정하다.

꼬질꼬질 **1** 몹시 뒤틀어지고 꼬불꼬불한 모양. **2** 옷이나 몸에 때가 많이 낀 모양. [예]옷에 때가 꼬질꼬질하구나. **—하다.**

*__꼬집다__ [꼬집따] **1** 살을 집어 뜯거나 비틀다. [예]허벅지를 꼬집다. **2** 분명하게 드러내어 말하다. **3** 남의 약점을 비꼬아서 말하다.

꼬집어 말하다 분명하게 꼭 집어서 말하다.

꼬챙이 가늘고 길쭉한 나무·대·쇠 따위의 끝을 뾰족하게 만든 물건.

꼬치 꼬챙이에 꿴 음식물.

꼬치꼬치 **1** 샅샅이 따지고 캐어묻는 모양. [예]꼬치꼬치 캐묻다. **2** 몸이 몹시 여위어서 꼬챙이같이 마른 모양. [예]병으로 몸이 꼬치꼬치 마르다.

꼬투리 **1** 콩 같은 식물의 열매를 싸고 있는 깍지. **2** 시비를 걸기 위한 핑계. **3** 사건이나 이야기의 실마리. [예]꼬투리를 잡다.

〈꼬투리〉

*__꼭__[1] **1** 지그시 힘을 주어 세게 누르거나 조르는 모양. [예]내 손을 꼭 잡아라. **2** 힘들여 고통을 참고 견디는 모양. [예]아픔을 꼭 참다.

꼭[2] **1** 어떤 일이 있어도 반드시. [예]약속은 꼭 지켜라. **2** 조금도 어김없이. [예]옷이 몸에 꼭 맞는다 / 마음에 꼭 든다.

> [주의] **꼭과 똑**
> **꼭** '어김없이·반드시'를 뜻하는 말로 뒤의 동사를 꾸민다. [예]신이 꼭 맞는다 / 그는 꼭 성공한다 / 약속은 꼭 지켜라.
> **똑** '아주 틀림없이'를 뜻하는 말로 뒤의 동사나 형용사를 꾸민다. [예]아버지를 똑 닮았다.

꼭꼭 **1** 단단히 힘을 주어 누르거나 조르는 모양. [예]밥을 꼭꼭 씹어 먹다. [큰]꾹꾹. **2** 어김없이 완전하게. [예]창문을 꼭꼭 닫다.

*__꼭대기__ [꼭때기] **1** 제일 위쪽. 맨 위. [예]나무 꼭대기. **2** 여럿 가운데의 우두머리.

꼭두각시 [꼭뚜각씨] **1** 꼭두각시놀음에서, 여러 가지 탈을 씌운 인형. **2** 남이 시키는 대로 따라 하는 사람의 비유. [비]괴뢰. ×꼭둑각시.

꼭두각시놀음 [꼭뚜각씨노름] 여러 인형을 무대에 번갈아 내세우고 동작하게 하는 민속 연극의 하나. **—하다.**

꼭두새벽 [꼭뚜새벽] 아주 이른 새벽. [예]꼭두새벽부터 수선을 떨다.

꼭지 [꼭찌] **1** 나무의 잎사귀나 열매를 지탱하는 줄기. [예]사과 꼭지. **2** 그릇 뚜껑의 손잡이. [예]냄비 꼭지. **3** 연 머리의 가운데에 붙인 표.

꼭지각 (—角) [꼭찌각] 이등변삼각형에서, 길이가 같은 두 변 사이에 끼인 각. 곧, 이등변삼각형의 밑변에 대응하는 각.

꼭지쇠 [꼭찌쇠] 전구를 소켓에 끼우는 부분으로, 둥글게 싼 금속으로 된 부분.

꼭지연 (—鳶) [꼭찌연] 연 머리의 가운데에 꼭지를 붙인 연.

*__꼭짓점__ (—點) [꼭찌쩜 / 꼭찓쩜] **1** 각을 이루는 두 선분이 만나는 점. **2** 맨 꼭대기가 되는 점.

꼲다 [꼰타] 잘되고 잘못됨을 살피어 정하다.

꼴¹ 사물의 생김새나 됨됨이.

꼴² 마소에게 먹이는 풀. ㉒꼴을 먹이다 / 꼴을 베다.

-꼴 전체에 대한 비율을 나타낸 말. ㉒두 명에 한 개꼴로 나누다.

꼴깍 적은 양의 액체가 목구멍으로 단번에 넘어가는 소리. ㉒침이 꼴깍 넘어가다. 큰꿀꺽.

꼴딱 **1** 목구멍으로 한꺼번에 힘차게 삼키는 소리. 큰꿀떡. **2** 해가 서쪽으로 완전히 지는 모양. **3** 전혀 먹지 아니하고 굶는 모양. ㉒사흘을 꼴딱 굶다.

꼴뚜기 꼴뚜깃과의 작은 오징어. 다리는 열 개, 몸길이는 7 cm 가량이고 몸빛은 회색을 띤 적갈색이며 자라면 혹처럼 도톨도톨한 것이 몸 표면에 돋음. 얕은 바다 모래밭에 삶.

〈꼴뚜기〉

꼴불견(─不見) 꼴이나 하는 짓이 같잖고 우스워 차마 볼 수 없음.

꼴사납다 [꼴사납따] 모양이나 하는 짓이 보기에 흉하다. 활용 꼴사나워 / 꼴사나우니.

꼴찌 차례의 맨 끝. ㉒성적이 꼴찌다 / 꼴찌를 면하다.

꼼꼼하다 성질이나 행동이 찬찬하고 자세하여 빈틈이 없다.

꼼꼼히 꼼꼼하게. ㉒맡은 일을 꼼꼼히 해내다.

꼼지락 몸을 둔하고 느리게 조금 움직이는 모양. ㉒아기가 손가락을 꼼지락거리다. 큰꿈지럭. **─하다. ─거리다.**

꼼짝 둔하고 느리게 조금 움직이는 모양. ㉒꼼짝 말고 거기 있어라. 큰꿈쩍. **─하다.**

꼼짝 못하다 힘이나 기세에 눌려 기를 펴지 못하다. ㉒선 채로 꼼짝 못하다.

꼼짝없이 [꼼짜겁씨] 어찌할 방법이 없이. ㉒꼼짝없이 당하다.

꼽다 [꼽따] **1** 수를 세려고 손가락을 하나씩 꼬부리다. **2** 골라서 지목하다. ㉒유명한 남녀 배우들의 이름을 꼽다.

꼽추 등뼈가 몹시 굽어 등이 불룩하게 나와 있는 사람. 비곱사등이.

꼿꼿하다 [꼳꼬타다] **1** 단단하고 길쭉한 것이 굽은 데가 없이 쪽 바르다. **2** 뜻이 굳세고 곧다. ㉒꼿꼿한 기질.

꽁꽁 **1** 단단히 언 모양. ㉒물이 꽁꽁 얼었다. **2** 단단히 죄어서 묶는 모양. ㉒짐을 꽁꽁 묶다.

꽁무니 **1** 엉덩이를 중심으로 한 몸의 뒷부분. ㉒꽁무니에 권총을 차다. **2** 긴 사물의 맨 뒤나 맨 끝. ㉒여자 꽁무니만 쫓아다닌다.

꽁무니(를) 빼다 겁이 나서 슬그머니 물러나다.

꽁보리밥 보리쌀로만 지은 밥.

꽁지 새의 꽁무니에 달린 기다란 깃. → 꼬리 주의

꽁지깃 [꽁지긷] 새의 꽁지의 깃.

꽁초 피우다 남은 담배의 끝 부분. ㉒담배꽁초 / 꽁초를 피우다.

꽁:치 꽁칫과의 바닷물고기. 정어리와 비슷하며 길이는 30 cm 정도, 약간 납작하며 주둥이가 길고 뾰족함. 등은 흑청색, 배는 은백색임.

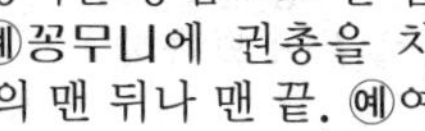
〈꽁치〉

꽁:하다 **1** 말이 없고 옹졸하다. ㉒꽁한 사람. **2** 어떤 일을 잊지 않고 속으로만 언짢아하다. ㉒꽁하게 생각지 마라.

*__꽂다__ [꼳다] **1** 박아 세우거나 찔러 넣다. ㉒비녀를 꽂다 / 화병에 꽃을 꽂다. **2** 거꾸로 박히게 하다. ㉒상대를 바닥에 힘껏 꽂다. 반뽑다.

*__꽃__ [꼳] **1** 종자식물의 번식 기관. 모

양과 색이 여러 가지이며, 식물의 줄기나 가지에 핌. 암술·수술·꽃잎·꽃받침으로 이루어졌음. ㉠꽃이 피다. **2** 꽃이 피는 식물. ㉠꽃을 가꾸다 / 꽃을 심다. 비 화초. **3** 아름다운 여자를 비유하여 이르는 말. ㉠사교계의 꽃. ➲ flower

꽃가루 [꼳까루] 꽃의 수술 속에서 나는 고운 가루. 비 화분.

꽃가루받이 [꼳까루바지] 수술의 꽃가루가 바람·곤충·새 등에 의해 암술 끝에 옮겨 붙는 것.

꽃게 [꼳께] 꽃겟과의 게. 어른 손바닥만 한 크기로, 평퍼짐한 등은 가로로 끝이 뾰족하고 몸빛은 어두운 자주색임. 크고 힘이 센 한 쌍의 집게발이 있음.

〈꽃게〉

꽃구름 [꼳꾸름] 여러 가지 빛깔로 아롱진 아름다운 구름.

꽃길 [꼳낄] 꽃이 아름답게 피어 있는 길. ㉠꽃길을 걷다.

꽃꽂이 [꼳꼬지] 화초나 나무의 가지를 꽃병 따위에 꽂아 자연미를 나타내는 일. 또는 그런 기법. ㉠꽃꽂이 강습.

꽃나무 [꼰나무] 꽃이 피는 나무.

꽃눈 [꼰눈] 자라서 꽃이 될 눈.

꽃다발 [꼳따발] 예식에서 쓰는, 여러 가지 꽃을 한데 묶은 다발. ㉠꽃다발을 받다 / 꽃다발을 가슴에 안고 사진을 찍다.

꽃다지[1] [꼳따지] 오이·가지·호박 따위의 맨 처음 열린 열매.

[학습마당] 7

꽃말

꽃 이름	뜻	꽃 이름	뜻
개나리	희망·청초	백합	순결
과꽃	추억	샐비어	정력
국화	평화·굳은 절개	아네모네	비밀의 사랑
글라디올러스	젊음	아이리스	기다림
금잔화	인내	아카시아	친교·깨끗한 마음
나리	순결	안개꽃	약속
난초	절개	올리브	평화
달리아	정열·변덕	월계수	영광·승리
데이지	순진	장미	사랑·애정
도라지	따뜻한 애정	제비꽃	가난한 행복·겸손
동백	자랑	카네이션	어머니의 사랑
라일락	연정	코스모스	처녀의 진심·순애
매화	결백	클로버	근면·행운
모란	부귀	튤립	밀회
목련	우아	팬지	사랑해 주세요·생각
무궁화	일편단심	프리지어	정숙
물망초	망각·진심·잊지 말아요	해바라기	믿음
백일홍	꿈	히아신스	슬픔

꽃다지[2] [꼳따지] 십자화과의 두해살이풀. 산·논밭에 나는데, 줄기 높이는 20–30 cm로 온몸에 짧은 털이 빽빽하게 남. 봄에 노란 꽃이 줄기 끝에 핌.
꽃답다 [꼳땁따] 꽃과 같이 아름답다. ㉮꽃다운 나이. [활용] 꽃다워 / 꽃다우니.
꽃동산 [꼳똥산] 꽃이 많이 피어 있는 동산.
꽃등 (一燈) [꼳뜽] 꽃무늬가 있는 종이로 만든 등.
꽃말 [꼰말] 꽃의 특성에 따라 각각 상징적인 의미를 붙인 말. → [학습 마당] 7(196 쪽)
꽃망울 [꼰망울] 어린 꽃봉오리. [준] 망울.
꽃모종 [꼰모종] 옮겨 심기 위하여 가꾼 어린 화초.
꽃무늬 [꼰무니] 꽃 모양의 무늬.
꽃물 [꼰물] 물감으로 쓸 수 있는 꽃의 즙. ㉮손톱에 봉선화 꽃물을 들이다.
꽃바구니 [꼳빠구니] 꽃을 담거나 꽂아서 장식에 쓰는 바구니. ㉮꽃바구니를 선물하다.
꽃반지 (一半指) [꼳빤지] 꽃이 달린 가는 가지를 휘어서 손가락에 반지처럼 감은 것.
꽃받침 [꼳빧침] 꽃에서 꽃잎을 받치고 있는 부분. 보통 녹색이나 갈색임.
*__꽃밭__ [꼳빧] **1** 꽃을 많이 심어 가꾼 곳. 또는 꽃이 많이 피어 있는 곳. ㉮꽃밭에 물을 주다. [비] 화원. **2** 미인들이 많이 모여 있는 곳의 비유.
꽃뱀 [꼳뺌] 알록달록한 고운 무늬가 있는 뱀.
꽃병 (一瓶) [꼳뼝] 꽃을 꽂는 병. [비] 화병.
꽃봉오리 [꼳뽕오리] 망울만 맺히고 아직 피지 아니한 꽃. ㉮꽃봉오리가 맺히다 / 꽃봉오리를 터뜨리다. [준] 꽃봉. *꽃망울.
꽃부리 [꼳뿌리] 꽃의 가장 고운 부분으로, 한 송이 꽃의 꽃잎 전체를 이르는 말.
꽃비 [꼳삐] 바람이 불면 비처럼 날리며 한꺼번에 떨어지는 꽃잎.
꽃사슴 [꼳싸슴] 누런색의 털에 흰 점이 드문드문 박힌 사슴.
꽃삽 [꼳쌉] 꽃 따위를 옮겨 심거나 매만져 가꾸는 데 쓰는 작은 삽.
꽃샘바람 [꼳쌤바람] 이른 봄, 꽃 필 무렵에 부는 쌀쌀한 바람.
꽃샘추위 [꼳쌤추위] 이른 봄, 꽃이 필 무렵의 추위.
꽃송이 [꼳쏭이] 꽃자루 위에 붙은 꽃 전체를 이르는 말.
꽃술 [꼳쑬] 꽃 안의 실같이 생긴 것. 암술과 수술이 있음.
꽃식물 (一植物) [꼳씽물] 꽃이 피는 식물. 열매를 맺을 수 있음.
꽃신 [꼳씬] 꽃 모양이나 여러 가지 빛깔로 예쁘게 꾸민, 어린아이나 여자의 신.
*__꽃씨__ [꼳씨] 꽃이 피는 풀과 나무의 씨앗. ㉮꽃씨를 받다 / 정원에 꽃씨를 뿌리다.
*__꽃잎__ [꼰닙] 꽃을 이루고 있는 낱낱의 조각.
꽃자루 [꼳짜루] 꽃이 달리는 짧은 가지. [비] 화경.
꽃줄기 [꼳쭐기] 꽃이 달리는 줄기.
꽃집 [꼳찝] 꽃을 파는 가게. [비] 꽃가게.
꽃창포 (一菖蒲) [꼳창포] 붓꽃과의 여러해살이풀. 높이는 80–95 cm이고 잎은 칼 모양으로 어긋나며 여름에 붉은 보라색 꽃이 핌.
꽃피다 [꼳피다] 어떤 일이 한창 발전하거나 성하다. ㉮민주주의가 꽃피다.
꽃피우다 [꼳피우다] 어떤 일을 한창 성하게 하다. ㉮사랑을 꽃피우다 / 민족 문화를 꽃피우다.

꽃향기 (一香氣) [꼬턍기] 꽃에서 나는 향기.

꽈:리 가짓과의 여러해살이풀. 높이는 90 cm가량, 잎은 달걀꼴임. 열매는 아이들이 입에 넣고 부는 장난감임.

〈꽈리〉

꽈:배기 밀가루 반죽을 길고 가늘게 만들어 두 가닥으로 꼬아서 기름에 튀긴 과자.

꽉 **1** 힘을 주어 누르거나 묶는 모양. (예)손을 꽉 쥐다. **2** 가득 찬 모양. (예)가방에 책을 꽉 채우다.

꽝 **1** 무겁고 딱딱한 것이 세게 떨어지거나 다른 물건에 부딪쳐서 울리는 소리. (예)문을 꽝 닫다. **2** 대포나 총을 쏘거나 폭발물이 터질 때 울리는 소리. (거)쾅.

꽝꽝 **1** 단단한 물건이 잇따라 떨어지거나 다른 물건에 부딪쳐서 나는 소리. **2** 세차게 자꾸 나는 대포나 총을 쏘는 소리. (거)쾅쾅.

꽤 비교적. 매우. 제법. 생각한 것보다 더 많이. (예)숙제가 꽤 많구나.

꽥 성이 나거나 남을 놀라게 할 때 목청을 높여 세게 지르는 소리.

***꽹과리** 놋쇠로 만든 농악기의 한 가지. 모양은 징과 같으나 훨씬 작고 소리가 높게 남. (예)꽹과리를 치다.

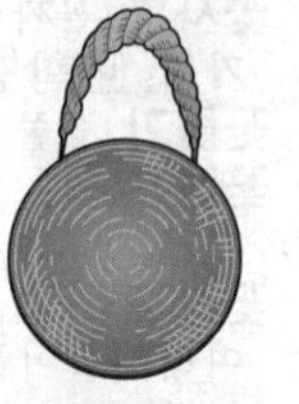
〈꽹과리〉

***꾀** **1** 일을 잘 꾸며 내는 묘한 생각. (예)꾀가 많다. **2** 해야 할 일을 피하기 위한 교묘한 방법이나 핑계. (예)심부름을 가지 않으려고 꾀를 부리다. (비)계책.

꾀꼬리 **1** 꾀꼬릿과의 새. 날개 길이 15 cm가량, 몸빛은 주로 노란색이며 꼬리와 날개 끝은 검음. '꾀꼴꾀꼴' 하고 아름답게 욺. **2** 목소리가 고운 사람의 비유. (예)꾀꼬리 같은 목소리로 노래를 부르다.

〈꾀꼬리〉

꾀:다[1] 벌레 같은 것이 수없이 모여들어 뒤끓다. (예)설탕에 불개미가 꾀다. (비)꼬이다.

꾀:다[2] 그럴듯한 말로 자기 생각에 따르게 하다. (예)어린애를 꾀다. (비)꼬이다.

꾀돌이 [꾀도리] 꾀가 많아 귀염성 있는 어린아이.

꾀병 (一病) 거짓으로 앓는 체하는 짓. (예)꾀병을 부리다 / 꾀병을 앓다.

꾀보 꾀가 많은 사람.

꾀이다 남에게 꾐을 당하다.

꾀죄죄하다 차림이나 모양새가 몹시 초라하고 지저분하다. (예)땟국이 꾀죄죄하게 흐르는 얼굴.

꾀하다 어떤 일을 이루려고 계획하거나 힘쓰다. (예)못된 짓을 꾀하다 / 경제적 발전을 꾀하다.

꾐: 어떤 일을 할 마음이 생기도록 꾀거나 부추기는 일. (예)꾐에 빠지다 / 사기꾼의 꾐에 넘어가다.

꾸기다 접거나 비벼서 잔금이 생기게 하다. (예)새 옷을 꾸기다.

***꾸다**[1] 남의 것을 잠시 빌려 쓰다. (예)돈을 꾸다.

***꾸다**[2] 꿈을 보다. (예)태몽을 꾸다.

-꾸러기 '어떤 버릇이 많거나 심한 사람'의 뜻. (예)잠꾸러기 / 장난꾸러기 / 말썽꾸러기.

꾸러미 **1** 꾸려서 싼 물건. (예)열쇠 꾸러미. **2** 물건의 꾸러미를 세는 단위. (예)달걀 두 꾸러미.

꾸리다 **1** 싸서 묶다. (예)이삿짐을 꾸리다 / 배낭을 꾸리다. **2** 살림이나 사업 따위를 알뜰하고 규모 있게 처리하다. ㉠가정을 꾸리다 / 살림을 꾸려 나가다.

꾸물거리다 1 느리게 자꾸 움직이다. ㉠지렁이가 꾸물거리다. 2 굼뜨고 느리게 행동하다. ㉠뭘 그리 꾸물거리느냐.

꾸물대다 ⇨꾸물거리다.

*꾸미다 1 모양이 나게 잘 만들다. ㉠머리를 꾸미다. 2 거짓으로 둘러대거나 만들다. ㉠거짓말을 그럴듯하게 꾸며 대다. 3 글 따위를 지어서 만들다. ㉠서류를 꾸미다. 4 짜고 꾀하다. ㉠음모를 꾸미다.

꾸밈 1 겉모양을 보기 좋게 만듦. 비 수식. 2 속이기 위하여 만듦.

꾸밈말 임자말이나 풀이말 앞에서 그 말의 뜻이나 내용을 자세히 설명하는 구실을 하는 말. 비 수식어. 참고 '그 말은 매우 빠르다'에서 '그'는 임자말 '말'을, '매우'는 풀이말 '빠르다'를 각각 꾸밈.

꾸밈새 꾸민 모양새. ㉠집의 꾸밈새가 훌륭하다.

꾸벅 졸거나 절할 때에 머리와 몸을 앞으로 숙였다가 드는 모양. ㉠꾸벅 인사를 하다. 작 꼬박. 센 꾸뻑. —하다.

꾸벅거리다 [꾸벅꺼리다] 머리와 몸을 자꾸 앞으로 숙였다가 들다.

꾸벅꾸벅 1 머리와 몸을 자꾸 꾸벅이는 모양. ㉠꾸벅꾸벅 졸다 / 꾸벅꾸벅 절을 하다. 2 시키는 대로 따르는 모양.

꾸부리다 1 굽거나 휘게 하다. ㉠철사를 꾸부리다. 2 몸을 굽히거나 오그리다. ㉠허리를 꾸부려 인사하다. 작 꼬부리다.

꾸부정하다 매우 굽어 있다. ㉠꾸부정한 자세로 앉다.

꾸불꾸불하다 이리저리 구부러져 있다. ㉠꾸불꾸불한 산길. 작 꼬불꼬불하다. 여 구불구불하다.

꾸역꾸역 1 한군데로 많은 물건이나 사람이 몰려들거나 나가는 모양. ㉠사람들이 꾸역꾸역 모여들다. 2 어떤 마음이 자꾸 생기는 모양. ㉠욕심이 꾸역꾸역 생기다. 3 음식을 입에 한꺼번에 많이 넣고 잇따라 씹는 모양. ㉠밥을 꾸역꾸역 먹다.

꾸준하다 부지런하고 끈기가 있다. ㉠꾸준한 성격.

*꾸준히 꾸준하게. ㉠성적이 꾸준히 오르고 있다.

*꾸중 '꾸지람'의 높임말. ㉠아버지한테 꾸중을 들었다. —하다.

꾸지람 아랫사람의 잘못을 꾸짖는 말. ㉠꾸지람을 듣다 / 꾸지람이 심하다. —하다.

꾸짖다 [꾸짇따] 잘못을 바로잡기 위하여 나무라다. ㉠동생의 잘못을 꾸짖다.

*꾹 1 굳게 누르거나 조르는 모양. ㉠입을 꾹 다물다 / 모자를 꾹 눌러 쓰다. 2 괴로움을 참고 견디는 모양. ㉠모욕을 꾹 참다. 작 꼭.

-꾼 1 어떤 일을 전문적으로 또는 습관적으로 하는 사람을 가리키는 말. ㉠나무꾼 / 씨름꾼 / 장사꾼 / 사기꾼. 2 어떤 일에 모이는 사람을 가리키는 말. ㉠구경꾼. ×-군.

> 주의 전에는 '-군'으로 쓰는 말과 '-꾼'으로 쓰는 말이 있었으나, 1989년 3월부터 시행된 한글 맞춤법에서는 '-꾼'으로 통일하였음.
> ㉠나무꾼, 낚시꾼, 농사꾼, 말썽꾼, 몰이꾼, 사기꾼, 사냥꾼, 심부름꾼, 일꾼, 주정꾼, 짐꾼, 협잡꾼

*꿀 꿀벌이 꽃에서 따다가 먹이로 벌집 속에 저장해 두는 끈끈하고 단 액체. 비 벌꿀.

꿀꺽 1 물 같은 액체가 목구멍으로 넘어가는 소리. ㉠물을 꿀꺽 마시다. 2 분한 마음을 억지로 참는 모양. ㉠노여움을 꿀꺽 삼키다.

꿀꺽꿀꺽 물 같은 액체가 한꺼번에 목구멍이나 좁은 통로로 넘어갈 때 나는 소리. ㉠물을 꿀꺽꿀꺽 마시다. **—하다.**

꿀꿀 돼지의 우는 소리. **—하다. —거리다.**

꿀단지 [꿀딴지] 꿀을 넣어 두는 단지.

꿀돼지 [꿀뙈지] 욕심이 많은 사람. ㉠꿀돼지처럼 혼자 먹다.

꿀떡[1] 떡가루에 꿀이나 설탕물을 내려서 밤·대추·잣 따위를 켜마다 넣고 찐 떡.

꿀떡[2] 음식물 따위를 한꺼번에 삼키는 소리. 또는 그 모양. ㉠알약을 꿀떡 삼키다. 작 꼴딱. **—하다.**

꿀리다 **1** 생활 형편이 옹색하게 되다. ㉠살림이 꿀리다. **2** 마음이 켕기다. ㉠뭔가 꿀리는 데가 있다. **3** 힘이나 능력이 남에게 눌리다. ㉠힘이 꿀리다.

꿀맛 [꿀맏] **1** 꿀의 단맛. **2** 꿀처럼 단 맛의 비유. ㉠밥맛이 꿀맛이다.

꿀물 꿀을 타서 달게 만든 물.

꿀밤 주먹 끝으로 가볍게 머리를 때리는 짓.

꿀밤(을) 먹다 머리에 꿀밤을 맞다. ㉠선생님께 꿀밤을 먹었다.

***꿀벌** 꿀벌과의 곤충. 몸길이 14 mm 가량. 한 마리의 여왕벌을 중심으로 큰 집단을 이룸. 꿀을 모아 먹이로 함. 준 벌. ➲ bee

꿇다 [꿀타] 무릎을 구부려 바닥에 대다. ㉠무릎을 꿇고 용서를 빌다. 발음 꿇고[꿀코] / 꿇어서[꾸러서] / 꿇는[꿀른].

꿇어앉다 [꾸러안따] 무릎을 꿇고 앉다. ㉠꿇어앉아서 벌을 받다.

***꿈** **1** 잠자는 동안에 깨어 있을 때와 마찬가지로 여러 가지 사물을 보는 일. ㉠꿈에서 하늘을 날다. **2** 희망이나 이상. ㉠꿈 많은 소녀 시절 / 꿈이 크다 / 꿈을 이루다. **3** 이루어질 수 없는 생각. ㉠허황된 꿈을 버리다. 반 현실. ➲ dream

꿈에도 없다 생각조차 해본 일이 없다.

꿈같다 [꿈갇따] 현실이 아닌 것 같다. ㉠꿈같은 이야기.

꿈결 [꿈껼] 꿈을 꾸고 있는 동안. ㉠꿈결에 가 본 고향.

꿈꾸다 **1** 꿈을 꾸는 상태에 있다. **2** 은근히 바라거나 뜻을 세우다. ㉠행복한 미래를 꿈꾸다. ➲ dream

꿈나라 **1** 이상적인 세계. **2** '잠'을 이르는 말. ㉠꿈나라로 가다.

꿈자리 꿈에 나타난 일이나 내용. ㉠꿈자리가 뒤숭숭하다.

꿈지럭거리다 [꿈지럭꺼리다] 일이나 행동을 빨리 하지 않고 시간을 끌며 천천히 하다.

꿈쩍 몸을 둔하고 느리게 움직이는 모양. ㉠눈썹 하나 꿈쩍하지 않다. **—하다.**

꿈쩍거리다 [꿈쩍꺼리다] 작고 둔하게 자꾸 움직이다.

꿈틀 몸의 일부를 구부리거나 비틀며 움직이는 모양. ㉠눈썹을 꿈틀하다 / 지렁이도 밟으면 꿈틀한다. **—하다.**

꿈틀거리다 몸을 이리저리 꾸부리어 자꾸 움직이다. 작 꼼틀거리다.

꿈틀꿈틀 꿈틀거리는 모양. **—하다.**

꿉꿉하다 [꿉꾸파다] 조금 축축하다. ㉠옷이 덜 말라서 꿉꿉하다.

꿋꿋이 [꾿꾸시] 꿋꿋하게. ㉠꿋꿋이 살아가다. 작 꼿꼿이.

꿋꿋하다 [꾿꾸타다] **1** 힘이 세고 단단하다. **2** 마음이 곧고 굳세다. ㉠꿋꿋한 성격. 작 꼿꼿하다.

꿍꿍이 '꿍꿍이셈'의 준말. ㉠무슨 꿍꿍이로 날 찾아왔지.

꿍꿍이셈 속으로만 우물쭈물하는 속셈. 준 꿍꿍이.

꿍꿍이속 도무지 모를 수작. ㉠무

는 꿍꿍이속인지 알 수 없다.

꿍:하다 마음이 언짢고 못마땅하여 말도 아니하고 덤덤히 있다.

***꿩** 꿩과의 새. 산과 들에 사는데 닭과 비슷함. 수컷은 '장끼'라고 하며 몸길이는 65cm가량에 몸빛이 아름다우며, 암컷은 '까투리'라 하여 수컷보다 작고 검은색 얼룩무늬가 있음.

〈꿩〉

꿰:다 1 구멍으로 실이나 끈을 이쪽에서 저쪽으로 나가게 하다. ㉠바늘에 실을 꿰다. 2 가운데를 뚫고 나가게 하다. ㉠생선을 꿰미에 꿰다. 3 옷을 입거나 신을 신다. ㉠소매에 팔을 꿰다. 4 어떤 사정·내용 따위를 자세히 알고 있다. ㉠그 일에 대해 훤히 꿰고 있다.

꿰:뚫다 [꿰뚤타] 1 이쪽에서 저쪽까지 꿰어서 뚫다. ㉠총알이 벽을 꿰뚫다. 2 어떤 일을 속속들이 잘 알다. ㉠마음속을 꿰뚫어 보다. 발음 꿰뚫고[꿰뚤코] / 꿰뚫어서[꿰뚜러서] / 꿰뚫는[꿰뚤른].

꿰:매다 해지거나 뚫어진 자리를 깁거나 얽다. ㉠양말을 꿰매다.

꿰:미 구멍 뚫린 물건을 꿰는 데 쓰는 노끈. 또는 노끈 같은 것으로 꿰어 놓은 묶음. ㉠엽전 닷 냥씩을 한 꿰미로 묶다.

뀌:다 방귀를 몸 밖으로 내보내다.

끄나풀 1 길지 않은 끈의 나부랭이. 2 남의 앞잡이. ×끄나불.

***끄다** 1 타는 불을 타지 못하게 하다. ㉠산불을 끄다. 2 전기 장치에 전기가 통하지 않게 하다. ㉠텔레비전을 끄다. 활용 꺼 / 끄니.

끄덕거리다 [끄덕꺼리다] 고개를 자꾸 앞뒤로 꺾어 움직이다. 작 까닥거리다. 센 끄떡거리다.

끄덕끄덕 끄덕거리는 모양. 작 까닥까닥. 센 끄떡끄떡. **—하다.**

***끄덕이다** [끄더기다] 머리를 앞뒤로 꺾어 움직이다. 작 까닥이다. 센 끄떡이다.

끄떡없다 [끄떠겁따] 조금도 움직이지 아니하다. ㉠아무리 흔들어도 끄떡없다. 작 까딱없다.

끄르다 1 맺은 것이나 맨 것을 풀다. ㉠허리띠를 끄르다 / 짐을 끄르다. 2 잠그거나 채운 것을 열다. ㉠단추를 끄르다 / 자물쇠를 끄르다. 활용 끌러 / 끄르니.

끄:집어내다 [끄지버내다] 1 속에 든 것을 끄집어서 밖으로 내다. ㉠서랍에서 서류를 끄집어내다. 2 이야기를 시작하다. ㉠이미 지난 일이니 더 이상 끄집어내지 마라. 3 결론 따위를 찾아내다. ㉠아직 결론을 끄집어내지 못했다.

끄트머리 맨 끝 부분. ㉠실의 끄트머리를 잡다.

***끈** 물건을 묶거나 꿰는 데에 쓰는 가늘고 긴 줄.

끈기 (一氣) 1 끈끈한 기운. 단단하여 질기고 차진 기운. 2 참을성이 있어 꾸준히 이어가는 성질. ㉠끈기 있게 버티다.

끈끈이 [끈끄니] 작은 새나 벌레를 잡는 데 쓰는 끈끈한 물건.

끈끈하다 1 잘 떨어지지 않고 차지다. ㉠끈끈한 고약. 2 정이 매우 두텁다. ㉠끈끈한 정을 느끼다. 3 성질이 질겨서 싹싹한 맛이 없다. 작 깐깐하다.

끈덕지다 [끈덕찌다] 꾸준하고 끈기가 있다. ㉠끈덕지게 조르다.

끈적거리다 [끈적꺼리다] 끈끈하여 자꾸 척척 들러붙다. ㉠손에 풀이 묻어 끈적거리다.

끈적이다 [끈저기다] 끈끈하여 잘 달라붙다.

끈질기다 끈기 있게 질기다. ㉠사탕을 사달라고 끈질기게 조르다. 비 끈덕지다.

*끊다[끈타] 1 잘라 내다. (예)테이프를 끊다. 2 교제 따위를 그치다. (예)연락을 끊다. 3 습관처럼 하던 것을 하지 않다. (예)담배를 끊다. 4 기차표·배표 따위를 사다. (예)왕복표를 끊다. 5 하던 일을 중도에서 그만두다. (예)지원을 끊다. 발음 끊고[끈코] / 끊어서[끄너서] / 끊지[끈치].

*끊어지다[끄너지다] 1 잘라져 따로 떨어지다. (예)실이 끊어지다. 2 죽게 되다. (예)숨이 끊어지다. 3 중단되거나 차단되다. (예)소식이 끊어지다.

끊음표 (—標) [끄늠표] 한 음표씩 끊어서 연주함을 나타내는 기호. 스타카토.

끊임없다[끄니멉따] 잇대어 떨어지지 않다. 꾸준하다. (예)끊임없는 노력.

*끊임없이[끄니멉씨] 끊임없게. (예)끊임없이 밀려오는 파도.

끌 나무에 구멍을 파거나 다듬는 데 쓰는 연장.

〈끌〉

*끌:다 1 바닥에 댄 채 잡아당기다. (예)신을 질질 끌다. 2 인기·주의 따위를 쏠리게 하다. (예)눈길을 끌다 / 인기를 끌다. 3 운전하다. (예)택시를 끌다. 4 시간을 미루다. (예)시간을 끌다. 활용 끌어 / 끄니 / 끄는.

끌:려가다 억지로 상대방 쪽으로 딸리어 가다. (예)경찰서에 끌려가서 조사를 받다.

*끌:리다 1 저쪽으로 잡아당김을 당하다. 2 옷 따위의 늘어진 부분이 바닥에 스치다. (예)바짓단이 끌리다. 3 어떤 것에 관심·주의 따위가 쏠리다. (예)호기심에 끌리다.

끌:어내다[끄러내다] 끌어서 밖으로 내다. (예)방에서 끌어내다.

끌:어당기다[끄러당기다] 끌어서 앞으로 당기다. (예)의자를 바싹 끌어당겨 앉다.

끌:어들이다[끄러드리다] 꾀어서 어떤 일에 끼어들게 하다. (예)친구를 싸움에 끌어들이다.

끌:어안다[끄러안따] 두 팔로 가슴에 당기어 껴안다. (예)서로 끌어안고 펑펑 울다.

끌:어올리다[끄러올리다] 이끌어서 높은 지위나 수준으로 올려 주다. (예)성적을 상위권으로 끌어올리다. (반)끌어내리다.

끓는점 (—點) [끌른점] 액체가 끓는 온도. 1 기압에서 물의 끓는점은 100℃임. (비)비등점.

*끓다[끌타] 1 액체가 몹시 뜨거워져서 부글부글 솟아오르다. (예)물이 끓다. 2 화가 나서 속이 타는 듯하다. (예)속이 끓다. 발음 끓고[끌코] / 끓어서[끄러서] / 끓는[끌른] / 끓지[끌치]. boil

*끓이다[끄리다] 1 끓게 하다. (예)보리차를 끓이다 / 찌개를 끓이다. 2 속을 태우다. (예)애를 끓이다 / 속을 끓이다.

끔찍이[끔찌기] 끔찍하게. (예)할머니께서는 나를 끔찍이 아껴 주셨다. ×끔찍히.

끔찍하다[끔찌카다] 1 너무 참혹하여 놀랄 만하다. (예)끔찍한 사고가 일어나다. 2 정성이나 성의가 대단하다. (예)끔찍한 대접을 받다.

끙 썩 아프거나 힘들 때 내는 소리.

끙끙 몹시 아프거나 힘에 겨워 자꾸 내는 소리. (예)끙끙 앓다.

끙끙거리다 앓거나 힘든 일에 부대끼어 자꾸 끙끙 소리를 내다. (예)끙끙거리며 대청소를 하다. (작)깽깽거리다.

끙끙대다 ⇨끙끙거리다.

*끝 1 길고 가느다란 것의 마지막 부분. (예)콧등의 끝. 2 차례의 마지막. (예)끝에서 세 번째. 3 일의 결과. (예)끝이 좋아야 보람도 있지.

끝끝내[끋끈내] 마지막에 이르기

까지. ⓔ끝끝내 버티다. 준 끝내.

*끝나다 [끈나다] 1 일이 다 이루어지다. ⓔ공사가 끝나다. 2 기간·시간 등이 다 되다. ⓔ방학이 끝나다 / 방송이 끝나다. ➲ end

끝내 [끈내] '끝끝내'의 준말.

*끝내다 [끈내다] 일을 끝나게 하다. ⓔ수업을 끝내다 / 한 점 차로 경기를 끝냈다. ➲ finish

끝마치다 [끈마치다] 일을 끝내어 마치다. ⓔ작업을 끝마치다.

끝맺다 [끈맫따] 일을 마무리하여 끝내다. 마치다. ⓔ말을 끝맺고 주위를 둘러보다.

끝물 [끈물] 그해의 맨 나중에 나오는 과일·푸성귀·해산물 따위. ⓔ끝물 참외 / 딸기도 끝물이 되니 맛이 없다. 반 만물.

끝소리 [끋쏘리] ⇨받침소리.

끝없다 [끄덥따] 끝나는 데가 없다. 한이 없다. ⓔ끝없는 사막.

끝없이 [끄덥씨] 한이 없이. ⓔ끝없이 펼쳐진 들판.

끝장 [끋짱] 일의 맨 마지막.

끼[1] 주로 놀이 따위에서 타고난 재주를 발휘할 수 있는 기질. ⓔ끼가 넘치다.

끼[2] '끼니'를 셀 때 쓰는 말. ⓔ두 끼를 굶다.

끼니 아침·점심·저녁과 같이 일정한 시간에 먹는 밥. 또는 그렇게 먹는 일. ⓔ끼니를 때우다 / 바빠서 끼니도 거르고 있다.

*끼:다[1] 1 안개나 연기 따위가 서리다. ⓔ구름이 끼다. 2 때나 먼지 따위가 덮이어 묻다. ⓔ옷에 때가 끼다. 3 이끼나 녹 따위가 생기다. ⓔ바위에 이끼가 끼다.

*끼다[2] 1 팔이나 손을 서로 걸다. ⓔ팔짱을 끼다. 2 장갑·반지 따위를 착용하다. ⓔ결혼반지를 끼다. 3 옷 따위가 몸에 꽉 달라붙다. ⓔ몸에 꽉 끼는 청바지를 입다. 4 '끼우다'의 준말. ⓔ전구를 끼다.

끼룩끼룩 기러기 같은 것이 자꾸 우는 소리. —하다.

-끼리 여럿이 함께 패를 짓는 뜻을 나타내는 말. ⓔ우리끼리만 가자.

끼리끼리 무리를 지어 따로따로. ⓔ끼리끼리 떼 지어 다니다.

끼어들다 [—/끼여들다] 1 좁은 틈 사이로 헤집고 들다. ⓔ구경꾼들 틈에 끼어들다. 2 자기와 관계없는 일에 간섭하려 들다. ⓔ남이 하는 일에 끼어들지 마라. 활용 끼어들어 / 끼어드니 / 끼어드는.

끼얹다 [끼언따] 어떤 것의 위로 흩어지게 뿌리다. ⓔ물을 끼얹다.

*끼우다 좁은 사이에 빠지지 않게 밀어 넣다. ⓔ단추를 끼우다 / 자물쇠에 열쇠를 끼우다. 준 끼다.

끼인각 (—角) 두 직선 사이에 낀 각. 준 낀각.

*끼치다[1] 살가죽에 소름이 돋다. ⓔ온몸에 소름이 끼치다.

*끼치다[2] 1 남에게 폐나 괴로움을 주다. ⓔ수고를 끼치다. 2 어떠한 일을 뒷날에 남아 있게 하다. ⓔ학계에 끼친 공로가 크다.

끽소리 [끽쏘리] 조금이라도 떠들거나 반항하는 소리. ⓔ끽소리도 못 내다. *찍소리.

끽해야 [끼캐야] 한껏 한다고 해도. ⓔ끽해야 천 원 안팎이다.

낄낄 낄낄거리는 소리. 거 킬킬.

낄낄거리다 나오는 웃음을 참아 가면서 자꾸 웃다.

낄낄대다 ⇨낄낄거리다.

낌새 일이 되어 가는 형편. ⓔ낌새가 보이다. 비 기미. 눈치.

낑낑 1 못 견디게 아프거나 몹시 힘을 쓸 때 자꾸 내는 소리. 2 어린아이가 어리광을 부리며 자꾸 조르거나 보챌 때 내는 소리.

낑낑거리다 자꾸 낑낑 소리를 내다. ⓔ낑낑거리며 짐을 옮기다.

ㄴ (니은)　한글 닿소리의 둘째 글자.

-ㄴ대　듣거나 본 사실을 말하거나 물을 때 쓰는 말. (예)내일은 비가 온대 / 어디서 들었는대.

*__-ㄴ데__　**1** 다음 말을 끌어내기 위하여, 어떤 사실을 먼저 말하고자 할 때 쓰는 말. (예)키는 좀 큰데 힘은 없다 / 네가 무엇인데 그런 소릴 하니. **2** 스스로 감탄하는 말을 할 때 쓰는 말. (예)날씨가 꽤 찬데 / 풀기 어려운 문젠데.

-ㄴ들　'-다고 할지라도 어찌'의 뜻으로, 받침 없는 말에 붙는 말. (예)아무리 예쁜들 꽃만 하랴.

-ㄴ바　뒷말을 설명하기 위하여 관련된 일을 미리 말할 때 쓰는 말. (예)서류를 검토한바 문제가 없었다.

-ㄴ지　'이다' 또는 받침 없는 형용사의 말 줄기에 붙어, 막연한 의문이나 감탄을 나타내는 말. (예)얼마나 기쁜지 모르겠다 / 어떤 사람인지 알 수 없다.

나[1]　서양 음계의 칠음 중에 제7음인 '시'의 우리말 음이름.

*__나__[2]　말하는 사람이 자신을 가리키어 일컫는 말. (예)나와 함께 가자. (반)너. ➲ I

-나　받침 없는 말에 붙어, **1** 뒷말의 뜻과 같지 않음을 나타냄. (예)밤은 기나 낮은 짧다. **2** 동작이나 상태를 나타냄. (예)자나 깨나 불조심.

*__나가다__　**1** 안에서 밖으로 가다. (예)밖에 나가 놀다. (반)들어오다. **2** 있던 곳에서 옮기다. (예)그 집에서 나간대. **3** 일이 어느 정도 진행되다. (예)영어는 몇 과까지 나갔니. **4** 값이나 무게 따위가 어느 정도에 이르다. (예)값이 나가는 물건. **5** 전기 따위가 꺼지다. (예)불이 나가다. **6** 의식이나 정신 따위가 없어지다. (예)정신 나간 사람.

나가동그라지다　뒤로 물러가면서 넘어져 구르다. (준)나동그라지다.

나가떨어지다 [나가떠러지다]　뒤로 물러가면서 되게 넘어지다. (예)얼음판에서 나가떨어지다.

나가자빠지다　뒤로 물러가면서 넘어지다. (예)뒷걸음치다가 벌렁 나가자빠지다. (준)나자빠지다.

나각 (螺角)　소라고둥의 껍데기로 만든 옛 군대 악기. 윗부분을 잘라 내고 구멍을 뚫어 불게 되어 있음.

나귀　'당나귀'의 준말.

*__나그네__　집을 떠나 객지에 있거나 여행 중인 사람. (예)정처 없는 나그네. (비)길손.

나긋나긋하다 [나근나그타다]　말이나 태도 따위가 친절하고 부드럽다. (예)나긋나긋한 여자.

나꿔채다　'낚아채다'의 잘못.

나날　계속 이어지는 하루하루의 날들. (예)바쁜 나날을 보내다.

나날이 [나나리]　날마다. 매일. (예)나날이 발전하는 우리 학교.

나누기　나눗셈을 함. (반)곱하기.

*__나누다__　**1** 둘 또는 그 이상으로 가르다. (예)사과를 둘로 나누다. (비)가르다. **2** 나눗셈을 하다. (예)25를 5로 나누면 5가 된다. **3** 고생이나 즐거움 따위를 함께하다. (예)슬픔을 나누다. **4** 말이나 이야기를 주고받다. (예)이야기를 나누다. →노느다 (주의)

나누어떨어지다 [나누어떠러지다]　나눗셈에서, 몫이 정수로만 되고 나머지가 없게 되다. ㉠9는 3으로 나누어떨어진다.

나누어지다 **1** 서로 떨어지다. **2** 둘 이상의 부류가 되다. **3** 분배하다. **4** 어떤 수가 몇 개의 똑같은 몫으로 갈라지다.

나누이다 나누어지다. ㉠청군과 백군으로 나누이다. ㉟나뉘다.

***나눗셈** [나눋쎔] 어떤 수로 다른 수를 나누는 셈. ㉡곱셈.

나뉘다 '나누이다'의 준말. ㉠우리나라는 남북으로 나뉘어 있다.

***나다[1]** **1** 없던 것이 새로 생기다. ㉠병이 나다 / 소리가 나다. **2** 밖으로 흘러나오다. ㉠땀이 나다. **3** 생산되다. ㉠금이 나는 광산. **4** 신문 따위에 실리다. ㉠신문에 난 사건. **5** 태어나다. ㉠내가 난 해. **6** 새로 솟다. ㉠힘이 나다. **7** 시간적 여유나 여분이 생기다. ㉠틈이 나다.

***나다[2]** 일정한 기간을 지내다. ㉠겨울을 나다.

나다니다 밖으로 나가 여기저기 돌아다니다. ㉠나다니지 말고 공부 좀 해라.

나대다 까불거리며 나다니다. ㉠철없이 나대지 말고 집에 좀 있어라.

나돌다 **1** 밖에 나가서 돌아다니다. **2** 소문·물건·병 따위가 여기저기 나타나거나 퍼지다. ㉠유언비어가 나돌다 / 전염병이 나돌다. 활용 나돌아 / 나도니 / 나도는.

나돌아다니다 [나도라다니다] 여기저기 나가 돌아다니다. ㉠공부는 하지 않고 나돌아다니기만 하느냐. ㉟나돌다.

나동그라지다 '나가동그라지다'의 준말. ㉠시멘트 바닥에 나동그라지다.

나뒹굴다 **1** 뒤로 물러나면서 넘어져 뒹굴다. **2** 이리저리 마구 뒹굴다. **3** 여기저기 어지럽게 널려 있다. ㉠길가에 나뒹구는 낙엽. 활용 나뒹굴어 / 나뒹구니 / 나뒹구는.

***나들이** [나드리] 가까운 곳에 잠시 다녀오는 일. ㉠봄나들이 / 온 가족이 나들이하다. ㉥외출. **—하다.**

나들이옷 [나드리옫] 나들이할 때 입는 옷. ㉥외출복.

***나라** **1** 한 정부가 다스리는 영역. ㉠나라를 지키다. ㉥국가. **2** 어떤 특별한 사물의 세계. ㉠달나라 / 동화 나라. ➡ country

나라꽃 [나라꼳] ⇨국화[1].

나라님 ⇨임금[1].

나라말 ⇨국어.

나락 (奈〔那〕落) ⇨지옥. ㉠나락에 떨어지다.

나란하다 여럿이 줄지어 있는 모양이 가지런하다. ㉠댓돌에 신발이 나란하게 놓여 있다.

***나란히** 나란하게. ㉠일렬로 나란히 서다.

나래[1] 논밭을 반반하게 고르는 데 쓰는 농기구. 써레와 비슷하나 아래에 발 대신에 널빤지를 대었음.

〈나래[1]〉

나래[2] '날개'의 문학적 표현.

나루 강가·냇가·바닷가 따위에 나룻배가 닿고 떠나는 곳. ㉠나루를 건너다.

나루터 나룻배가 닿고 떠나는 일정한 곳.

나룻배 [나루빼 / 나룯빼] 나루를 드나들면서 사람이나 물건을 나르는 작은 배. ㉠나룻배 사공.

***나르다** 물건을 다른 곳으로 옮기다. ㉠이삿짐을 나르다. ㉥운반하다. 활용 날라 / 나르니. ➡ carry

나른하다 몸이 피곤하여 기운이 없다. ㉠나른한 오후 / 봄이라 그런지 몸이 나른하다. ㉢느른하다.

나름 '됨됨이나 하기에 달림'의 뜻

을 나타내는 말. (예)사람 나름 / 생각하기 나름이다.

나:리[1] **1** 아랫사람이 벼슬아치를 높여서 부르던 말. (예)사또 나리. **2** 지체가 높거나 권세가 있는 사람을 높여서 부르던 말. (예)나리 부르셨습니까.

나리[2] ⇨백합[1].

나리꽃 [나리꼳] 나리의 꽃. (비) 백합화.

나마 '만족스럽지 못하지만 아쉬운 대로 양보함'의 뜻을 나타내는 말. (예)전화나마 걸어 주었으면 좋으련마는.

-나마 받침 없는 말에 붙어, '-지만, -더라도'의 뜻을 나타내는 말. (예)돕지는 못하나마 방해는 하지 마라.

-나 마나 받침 없는 말의 줄기에 붙어, '그렇게 하거나 아니하거나 마찬가지'·'그것이거나 아니거나 매한가지'의 뜻을 나타내는 말. (예)보나 마나 합격이다 / 부자나 마나 돈을 쓸 데가 없으니 / 찬성이나 마나 투표권도 없다.

나막신 [나막씬] 나무를 파서 만든 신. 앞뒤에 높은 굽이 있어 비가 오는 날이나 땅이 진 곳에서 신었음.

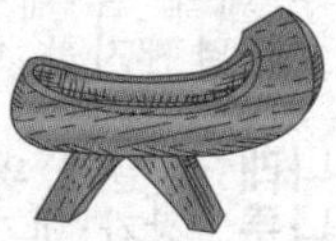

〈나막신〉

*__나머지__ **1** 어느 한도에 차고 남은 부분. (예)쓰고 난 나머지를 저축하다. **2** 마치지 못한 부분. (예)나머지는 내일 해라. **3** 어떤 일의 결과. (예)너무 감격한 나머지 눈물을 흘렸다. **4** 나누어떨어지지 않고 남은 수. (비) 우수리. ×남어지.

*__나무__ **1** 줄기와 가지가 단단한 여러해살이 식물. (예)나무 한 그루 / 나무를 심다. (비) 수목. **2** 무엇을 만드는 데 쓰는 재목. (예)나무 의자 / 나무로 기둥을 세우다. **3** '땔나무'의 준말. (예)나무 한 단 / 나무를 한 짐 해 오다. —하다.

*__나무꾼__ 땔나무를 하는 사람. ×나뭇꾼. 나뭇군.

나무라다 **1** 잘못을 꾸짖어 알아듣도록 말하다. (예)딸의 잘못을 나무라다. (비) 꾸짖다. **2** 흠을 지적해 말하다. (예)나무랄 데 없는 인물.

나무람 나무라는 말이나 일. (예)나무람을 듣다. (비) 꾸지람.

나무숲 [나무숩] 나무가 우거져 이루어진 숲.

나무아미타불 (南無阿彌陀佛) **1** '아미타불에게 돌아가 의지한다'는 뜻으로 염불하는 소리. **2** 공들여 해 놓은 일이 아무 소용이 없어짐을 이르는 말. (예)십년공부 나무아미타불.

나무젓가락 [나무저까락 / 나무젇까락] 나무로 만든 젓가락.

나무토막 나무를 짧게 도막을 낸 동강.

*__나물__ 먹을 수 있는 풀이나 나뭇잎 등을 통틀어 일컫는 말. 또는 그것에 갖은 양념을 하여 무친 반찬. (예)나물을 캐다 / 나물을 무치다.

나물국 [나물꾹] 나물을 넣고 끓인 국. (예)나물국이 입맛을 돋우다.

*__나뭇가지__ [나무까지 / 나묻까지] 나무의 줄기에서 뻗어 나는 가지. (예)바람에 흔들리는 나뭇가지 / 나뭇가지를 꺾지 마시오.

나뭇결 [나무껼 / 나묻껼] 나무를 세로로 잘랐을 때 자른 면에 나타나는 무늬. ×나무결.

나뭇단 [나무딴 / 나묻딴] 단으로 묶어 놓은 땔나무.

나뭇등걸 [나무뜽걸 / 나묻뜽걸] 나무의 줄기를 베어 내고 남은 밑동. (비) 등걸.

*__나뭇잎__ [나문닙] 나무의 잎. (예)나뭇잎이 노랗게 물들다.

나박김치 [나박낌치] 무를 얄팍하고 네모지게 썰어서 절인 뒤에, 고추·파·마늘·미나리 등을 넣고 국물을 부어 익힌 김치.

나발 우리나라 옛날 관악기의 하나. 쇠붙이로 만들었는데, 부는 쪽이 가늘고 끝 부분이 퍼진 긴 대롱 모양임.

> 주의 **나발과 나팔**
> **나발** 1 태평소라고도 불리는 옛날 관악기의 하나. ㉠**나발수**. 2 객쩍거나 당치도 않은 말. ㉠**나발 불고 있네**. 3 앞의 말을 무시하는 말. ㉠**돈이고 나발이고 싫다**.
> **나팔** 1 쇠붙이로 만든 관악기의 하나. ㉠**기상 나팔 소리**. 2 나팔꽃 모양의 확성기.

나방 곤충의 한 가지. 모양은 나비와 비슷하나 몸통이 더 통통함. 식물의 잎·줄기 따위를 갉아 먹는 해충임. 주로 밤에 날아다니며 고치를 만듦.

〈나방〉

나:병 (癩病) ⇨문둥병. ㉠**나병 환자**.

나부끼다 얇고 가벼운 것이 흔들려 날리다. ㉠태극기가 바람에 **나부끼다**.

나부대다 가만히 있지 못하고 자꾸 움직이다.

나부랭이 1 실·종이·헝겊 등의 자질구레한 조각. 2 어떤 물건이나 사람을 하찮게 여기어 일컫는 말. ㉠세간 **나부랭이** / 양반 **나부랭이**. 큰 너부렁이. ×나부랑이.

나불거리다 1 가볍게 자꾸 흔들리다. 2 경솔하게 자꾸 말하다. ㉠그만 좀 **나불거려라**. 큰 너불거리다. 거 나풀거리다.

나불나불 [나불라불] 나불거리는 모양. ㉠**나불나불** 말도 많구나. —하다.

나붙다 [나붇따] 눈에 잘 뜨이는 바깥에 붙여지다. ㉠벽보가 **나붙다**.

*__나비__[1] 곤충의 하나. 두 쌍의 날개는 빛깔이 아름답고 겉에는 분가루 같은 것이 많음. 긴 대롱처럼 생긴 입으로 꽃의 꿀을 빨아 먹음. ➲ butterfly

〈나비[1]〉

나비[2] 옷감이나 종이 같은 것의 너비. ㉠**나비를** 재다. 비 폭.

나비[3] 고양이를 부를 때 흔히 쓰는 말. ㉠**나비야**, 이리 온.

나비넥타이 (—necktie) 늘어뜨리는 부분이 없고 나비 모양으로 매듭을 지은 넥타이.

나비잠 갓난아이가 두 팔을 머리 위로 벌리고 자는 잠.

나빠지다 나쁘게 되다. ㉠건강이 **나빠지다**.

*__나쁘다__ 1 좋지 않다. ㉠기분이 **나쁘다** / 성적이 **나쁘다**. 2 건강 따위에 해롭다. ㉠담배는 건강에 **나쁘다**. 3 옳지 않다. ㉠거짓말하는 것은 **나쁜** 일이다. 반 좋다. 활용 나빠 / 나쁘니. ➲ bad

나삐 나쁘게. ㉠**나삐** 보다.

나사[1] (螺絲) 1 소라의 껍데기처럼 비틀리어 고랑이 진 물건. 물건을 고정시키는 데에 씀. 2 '나사못'의 준말.

나사[2] (NASA) 미국이 우주 개발을 위하여 1958년에 설립한 국립 항공 우주국.

나사돌리개 (螺絲—) 나사못을 돌려서 박거나 빼는 기구. 드라이버.

나사못 (螺絲—) [나사몯] 비틀어 박게 만든 못. 준 나사.

*__나서다__ 1 앞이나 밖으로 나와서 서다. ㉠앞으로 불쑥 **나서다**. 2 나타

나다. ㉠일자리가 나서다. **3** 어떤 일을 적극적으로 또는 직업적으로 시작하다. ㉠장사꾼으로 나서다 / 발 벗고 나서다. **4** 간섭하다. ㉠남의 일에 나서지 마라. **5** 어떤 곳을 떠나다. ㉠집을 나서다.

나석주 (羅錫疇) 〖인명〗 독립 운동가. 우리나라의 땅과 자원을 빼앗은 동양 척식 주식 회사와 식산 은행에 폭탄을 던지고 자결함. [1892-1926]

나선 (螺旋) 나사처럼 빙빙 비틀리어 돌아간 모양. ㉠나선 계단.

나선형 (螺旋形) 나사처럼 빙빙 돌아간 모양. 비 나선상.

나성 (羅城) 성 밖에 겹으로 에워쌓은 성. 비 외성.

***나아가다** **1** 앞으로 향해 가다. ㉠힘차게 나아가다. **2** 일이 점점 되어가다. ㉠영어는 몇 과나 나아갔니. 준 나가다. 활용 나아가거라.

나아지다 어떤 일이나 상태가 좋아지다. ㉠성적이 나아지다 / 형편이 나아지다.

나앉다 [나안따] 물러나거나 밖으로 옮겨 앉다. ㉠마루로 나앉으며 한탄하기 시작한다.

나:약하다 (懦〔儒〕弱—) [나야카다] 뜻이나 의지가 굳세지 못하다. ㉠나약한 마음 / 나약한 의지력.

나열 (羅列) 죽 벌여 놓음. ㉠장난감을 나열하다. **—하다.**

***나오다** **1** 안에서 밖으로 오다. ㉠방에서 나오다. **2** 속에서 바깥으로 솟아나다. ㉠새싹이 나오다. **3** 어떤 데에 나타나다. ㉠모임에 나오지 않다. **4** 일터로 일하러 오다. ㉠직장에 나오다. **5** 앞으로 내밀다. ㉠배가 나온 사람. **6** 감정·표정 따위가 겉으로 드러나다. ㉠울음이 나오다. 활용 나오너라.

나왕 (羅王) (←lauan) 열대 지방에서 나는 상록 교목. 빛깔이 곱고 결이 부드럽고 가공하기 쉬워 가구·문짝·문틀의 재료로 많이 씀.

나운규 (羅雲奎) 〖인명〗 영화감독·배우. 호는 춘사. 함경북도 회령에서 태어났고 23세 때부터 영화계에 몸담음. 초기 한국 영화의 선구자이며, '금붕어'·'벙어리 삼룡이'·'아리랑' 등의 작품이 있음. [1902-1937]

나위 더 할 수 있는 여유나 더 해야 할 필요. ㉠더할 나위 없다 / 말할 나위 없다.

***나이** 사람이나 생물이 세상에 나서 살아온 햇수. ㉠나이가 지긋하다. 비 연령. ➡ age

나이(가) 아깝다 말이나 행동이 나이에 어울리지 않게 유치하다.

참고 나이를 이르는 말

10세—유학
15세—지학
20세—약관
30세—이립
40세—불혹
50세—지천명
60세—이순, 육순
61세—환갑, 회갑, 화갑
62세—진갑
70세—고희, 칠순
71세—망팔
80세—팔순
81세—망구
90세—졸수
91세—망백
99세—백수

나이지리아 (Nigeria) 〖국명〗 아프리카의 서부, 기니 만에 있는 공화국. 야자유·바나나·코코아·땅콩·면화 등이 많이 남. 수도는 아부자.

나이테 나무 줄기를 가로로 자른 면에 보이는 둥근 테. 해마다 하나씩 생겨 그 수로 나무의 나이를 알

수 있음. 비 연륜.

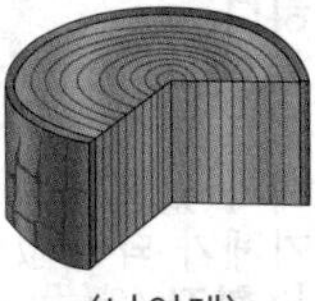
〈나이테〉

나이팅게일 (Nightingale, Florence) 〖인명〗 영국의 간호사. 1854년 크림 전쟁 때에 처음으로 종군 간호사를 자원하여 적십자 운동을 일으키는 동기가 되었으며, 평생을 간호 사업에 바쳤음. [1820−1910]

나이프 (knife) 양식을 먹을 때 쓰는 작은 칼.

나:인 (←內人) 예전에, 궁궐 안에서 왕과 왕비를 모시던 여자들을 통틀어 이르던 말. 비 궁녀.

나일 강 (Nile江) 아프리카 대륙의 북동부를 흐르는 강. 세계에서 제일 긺. 길이 6,690 km.

나일론 (nylon) 석탄·물·공기 따위를 원료로 하여 만든 가볍고 질기고 잘 구겨지지 않는 인조 섬유. 예 나일론 끈.

나잇값 [나이깝 / 나읻깝] 나이에 어울리는 말이나 행동. 예 그 사람은 나잇값도 못한다.

나잇살 [나이쌀 / 나읻쌀] '지긋한 나이'를 얕잡아 일컫는 말. 예 나잇살이나 먹어 가지고 그게 무슨 짓인가. 준 낫살.

나자빠지다 '나가자빠지다'의 준말. 예 돌부리에 걸려 나자빠지다.

나전 (螺鈿) 광채가 나는 작은 자개 조각을 여러 모양으로 박아 붙여 꾸민 공예품.

나전 칠기 (螺鈿漆器) 옻칠을 한 후에 자개 조각을 박은 나무 그릇이나 공예품.

나절 **1** 낮의 어느 무렵이나 동안. 예 오전 나절. **2** 하루 낮의 절반쯤 되는 동안.

나졸 (邏卒) 조선 때, 포도청에 딸려 밤에 사람의 통행을 금지시키고 순찰을 돌던 병졸.

나주 (羅州) 〖지명〗 전라남도에 있는 한 시. 나주평야의 중심지로 농산물의 집산지임.

나주평야 (羅州平野) 전라남도 영산강 유역에 펼쳐진 평야. 쌀·보리·면화 따위가 생산되며 배가 유명함.

*__나:중__ **1** 얼마의 시간이 지난 뒤. 예 나중에 또 보자. **2** 순서에 있어서 어떤 일의 다음. 예 이걸 먼저 하고 그건 나중에 해라. 반 먼저. 우선.

나지막이 [나지마기] 나지막하게. 예 나지막이 중얼거리다.

나지막하다 [나지마카다] 높이나 소리가 매우 나직하다. 예 나지막한 목소리 / 나지막한 집.

나직이 [나지기] 나직하게. 예 나직이 속삭이다. 반 높직이. ×나직히.

나직하다 [나지카다] 소리나 위치가 조금 낮다. 예 나직한 목소리. 반 높직하다.

나철 (羅喆) 〖인명〗 대종교의 창시자. 호는 홍암. 본명은 인영. 국권 피탈 후 민족의식을 고취하기 위하여 대종교를 창시함. [1863−1916]

나:체 (裸體) 벌거벗은 몸. 누드. 비 벌거숭이. 알몸.

나침반 (羅針盤) 배·항공기 따위에서 방향과 위치를 알기 위해 쓰는 기구. 자침이 남북을 가리키는 특성을 이용함.

*__나타나다__ **1** 나와서 눈에 뜨이다. 예 밤하늘에 별이 나타나다. **2** 겉으로 드러나서 알게 되다. 예 본성이 나타나다 / 낌새가 나타나다. **3** 없던 것이 생겨나다. 예 새로운 상품이 나타나다. 반 사라지다. ➡ appear

*__나타내다__ 나타나게 하다. 예 기쁨을 얼굴에 나타내다 / 자신의 느낌을 잘 나타냈다.

나:태 (懶怠) 행동이나 성격 따위가 느리고 게으름. 예 나태한 생활 / 나태에 빠지다. **—하다**.

나토 (NATO) ⇨북대서양 조약 기

구. 예나토군.

나트륨 (독 Natrium) 흰 빛깔의 금속 원소. 소금이나 그 밖의 여러 가지 화합물로 많이 존재함.

*__나팔__ (喇叭) 금속으로 만든 관악기의 하나. 군대에서 행진하거나 신호할 때 씀. →나발 주의

나팔관 (喇叭管) 자궁(子宮) 밑의 좌우 양쪽에 있는 나팔 모양의 관. 난소에서 생긴 난자를 자궁 속에 들여보내는 작용을 함.

나팔꽃 (喇叭—) [나팔꼳] 덩굴을 길게 벋는 한해살이풀. 여름에 아침 일찍 나팔 모양의 꽃이 피었다가 낮에는 서서히 오므라듦.

〈나팔꽃〉

나팔수 (喇叭手) 나팔을 부는 일을 하는 사람.

나:포하다 (拿捕—) 자기 나라 영해를 침범한 배를 붙잡다. 예동해안에서 나포한 간첩선.

나폴레옹 (Napoléon, Bonaparte) 〖인명〗 프랑스의 황제. 코르시카섬 출신. 프랑스 혁명에 장교로 참가하여 활약하다가 황제가 됨. 한때 유럽 대륙을 정복했으나, 러시아 원정에 실패하여 세인트헬레나 섬에 귀양 가서 죽음. [1769-1821 ; 재위 1804-1815]

나폴리 (Napoli) 〖지명〗 이탈리아 반도의 남서 해안에 있는 항구 도시. 세계에서 가장 아름다운 항구의 하나임.

나풀거리다 바람에 날려 가볍게 자꾸 흔들리다. 예머리카락이 바람에 나풀거리다. 큰너풀거리다. 여나불거리다.

나풀나풀 [나풀라풀] 나풀거리는 모양. 큰너풀너풀. 여나불나불. —하다.

나프탈렌 (naphthalene) 좀약 등으로 많이 쓰이는 약품. 독특한 냄새가 있으며 보통 온도에서 조금씩 기체가 되어 없어짐.

나:환자 (癩患者) 나병을 앓고 있는 사람.

나흗날 [나흔날] **1** '초나흗날'의 준말. **2** 넷째 날. 준나흘.

나흘 **1** 네 날. 예집을 나간 지 나흘 만에 돌아왔다. **2** '나흗날'의 준말.

낙 (樂) 즐거움. 재미. 예등산을 낙으로 삼다. 반고.

낙관[1] (落款) [낙꽌] 동양화나 서예 작품에 작가가 이름이나 호를 쓰고 도장을 찍는 일. 또는 그 도장.

낙관[2] (樂觀) [낙꽌] 앞날의 일이 잘 되어 갈 것으로 여김. 예자신의 미래에 대해 낙관하다. 반비관. **—하다.**

낙낙하다 [낭나카다] 크기·수효·부피·무게 따위가 조금 크거나 남음이 있다. 예낙낙한 옷. 큰넉넉하다.

낙농 (酪農) [낭농] 소나 염소 따위를 길러 젖을 짜거나, 그 젖으로 버터·치즈 따위를 만드는 농업. 비낙농업.

낙농품 (酪農品) [낭농품] 우유를 재료로 해서 만드는 제품. 분유·버터·치즈 따위. 비낙제품.

낙담 (落膽) [낙땀] 일이 뜻대로 되지 않아 몹시 실망함. 예시험에 떨어져 낙담하다. 비낙심. **—하다.**

낙도 (落島) [낙또] 육지에서 멀리 떨어져 있는 섬. 예낙도 어린이들의 서울 나들이. 비외딴섬.

낙동강 (洛東江) [낙똥강] 우리나라 5대 강의 하나. 태백산에서 흘러나와 경상도를 지나 남해로 흘러 들어감. 길이는 약 525 km.

낙랑 (樂浪) [낭낭] 한사군의 하나. 지금의 청천강 이남 황해도 자비령 이북에 있었던 군현. 뒤에 고구려에 병합됨.

낙뢰 (落雷) [낭뇌] 벼락이 떨어짐. 또는 그 벼락. **—하다.**

낙마 (落馬) [낭마] 말에서 떨어짐. **—하다.**

낙망 (落望) [낭망] 희망이 없어짐. 희망을 잃음. ㊐ 낙심. **—하다.**

낙반 (落磐) [낙빤] 광산·토목 공사장 따위에서 갱 안의 암석이나 흙, 모래가 무너져 떨어짐. 또는 그 암석이나 흙. ㊎낙반 사고.

낙방 (落榜) [낙빵] 시험에서 떨어짐. ㊎대학 입시에 낙방하다. ㊙합격. 급제. **—하다.**

낙산사 (洛山寺) [낙싼사] 강원도 양양군에 있는 절. 관동 팔경의 하나. 신라 때 의상 대사가 세웠으며, 7층 석탑 등이 있음.

낙상 (落傷) [낙쌍] 높은 곳에서 떨어지거나 넘어져서 다침. 또는 그 상처. ㊎계단에서 굴러 낙상하였다. **—하다.**

낙서 (落書) [낙써] 장난으로 아무데나 함부로 쓴 글자나 그림. ㊎낙서 금지. **—하다.**

낙석 (落石) [낙썩] 산 위나 벼랑 따위에서 돌이 떨어짐. 또는 그 돌.

낙선 (落選) [낙썬] **1** 선거에서 떨어짐. ㊎회장 선거에서 낙선하다. ㊙당선. **2** 출품한 작품 등이 심사에서 떨어짐. ㊎낙선한 작품. ㊙입선. **—하다.**

낙성 (落成) [낙썽] 집·다리 등의 공사를 끝냄. 또는 공사가 끝남. ㊎낙성식. ㊐준공. **—하다.**

낙숫물 (落水—) [낙쑨물] 처마 끝에서 떨어지는, 빗물이나 눈 따위가 녹은 물. ㊎낙숫물 소리.

낙승 (樂勝) [낙씅] 힘들이지 않고 쉽게 이김. ㊎낙승을 거두다. ㊙신승. **—하다.**

낙심 (落心) [낙씸] 바라던 일을 이루지 못하여 마음이 상함. ㊎낙심에 빠지다 / 실패했다고 낙심하지 마라. ㊐낙담. 낙망. 실망. **—하다.**

*__낙엽__ (落葉) [나겹] 나뭇잎이 떨어짐. 또는 그 나뭇잎. ㊎낙엽이 지다.

낙엽송 (落葉松) [나겹쏭] 소나뭇과의 침엽수. 높이는 30 m가량, 잎은 바늘 모양임. 건축 재료·펄프·선박 재료 따위로 씀.

낙엽수 (落葉樹) [나겹쑤] 가을에 잎이 떨어졌다가 이듬해 봄에 새잎이 나는 나무. 감나무·오동나무·단풍나무 따위. ㊙상록수.

낙오 (落伍) [나고] **1** 군대의 행렬에서 뒤떨어짐. ㊎한 사람의 낙오도 없이 행군을 마쳤다. **2** 사회나 시대의 발전에 뒤떨어짐. ㊎경쟁 대열에서 낙오하다. **—하다.**

낙오자 (落伍者) [나고자] 낙오된 사람. ㊎낙오자 하나 없이 모두 함께 도착해야 한다.

낙원 (樂園) [나권] 아무런 근심이나 걱정 없이 안락하게 살 수 있는 즐거운 곳. ㊎지상 낙원 / 낙원을 건설하다. ㊐천국. ➲ paradise

낙인 (烙印) [나긴] **1** 불에 달구어 찍는 쇠도장. ㊎소에 찍은 낙인. **2** 씻기 어려운 불명예스러운 이름. ㊎문제아라는 낙인이 붙어 다녔다.

낙제 (落第) [낙쩨] **1** 시험에서 떨어짐. ㊐낙방. ㊙급제. **2** 성적이 나빠서 진학 또는 진급하지 못함. ㊎낙제생 / 낙제 점수. **—하다.**

낙조 (落照) [낙쪼] 저녁때의 지는 햇빛. ㊎서쪽 하늘이 붉은 낙조에 물들었다. ㊐석양.

낙지 [낙찌] 바다에 사는 연체동물의 하나. 몸길이는 70 cm가량이고 몸빛은 회색인데 주위의 빛에 따라 변하며, 적을 만나면 먹물을 뿜고 도망침. 여덟 개의 다리는 길이가 거의 같은데, 많은 빨판이 있음.

〈낙지〉

낙차 (落差) **1** 떨어지거나 흐르는 물의 높낮이의 차. ㉠낙차를 이용한 수력 발전. **2** 높낮이의 차. ㉠낙차가 큰 커브를 던지다.

낙착 (落着) 일이 끝남. 결정됨. ㉠예정대로 낙착되다. **—하다.**

낙천적 (樂天的) 세상과 인생을 즐겁게 생각하는 (것). ㉠낙천적인 성격. 반 염세적.

낙타 (駱駝) 낙타과에 속하는 짐승. 등에 지방을 저장하는 큰 혹이 하나나 둘 있으며, 다리가 길고 발굽이 둘로 갈라짐. 단봉낙타와 쌍봉낙타가 있음. 사막 여행에 중요한 교통수단임. ➡ camel

낙태 (落胎) 배 속의 아이를 인공적으로 떼어 내어 없앰. ㉠낙태 수술. **—하다.**

낙토 (樂土) 살기 좋은 땅.

낙하 (落下) [나카] 높은 데서 낮은 데로 떨어짐. ㉠낙하 지점 / 낙하 훈련. **—하다.**

낙하산 (落下傘) [나카산] 날고 있는 비행기에서 사람이나 물건이 안전하게 땅 위에 내리도록 하는 데 쓰는 우산 모양의 기구. ㉠낙하산을 펴다.

〈낙하산〉

낙향 (落鄕) [나걍] 서울에 사는 사람이 시골로 이사함. ㉠낙향하여 농사를 짓다. **—하다.**

낙화 (落花) [나콰] 꽃이 떨어짐. 또는 그 꽃. **—하다.**

낙화암 (落花岩) [나콰암] 충청남도 부여의 부소산 서쪽에 있는 큰 바위. 백마강에 잇닿아 절벽을 이룸. 백제가 망할 때 삼천 궁녀가 이 바위에서 백마강에 몸을 던져 죽었다는 전설이 있음.

낙후 (落後) [나쿠] 기술이나 문화, 생활 따위의 수준이 뒤떨어짐. ㉠낙후 지역. **—하다.**

낚다 [낙따] 낚시로 물고기를 잡다. ㉠월척을 낚다.

***낚시** [낙씨] **1** 미끼를 꿰어 물고기를 낚는 데 쓰는, 작은 바늘로 된 갈고랑이. ㉠낚시에 물고기가 걸리다. 비 낚싯바늘. **2** '낚시질'의 준말. **—하다.**

낚시꾼 [낙씨꾼] 낚시질을 하는 사람. 낚시질을 직업으로 하는 사람.

낚시질 [낙씨질] 낚시로 물고기를 낚는 일. 준 낚시. **—하다.**

낚시터 [낙씨터] 낚시질하는 곳.

낚싯대 [낙씨때 / 낙씯때] 낚싯줄을 매는 가늘고 긴 대. 준 낚대.

낚싯바늘 [낙씨빠늘 / 낙씯빠늘] ⇨ 낚시1.

낚싯밥 [낙씨빱 / 낙씯빱] 물고기가 물도록 낚시 끝에 꿰는 미끼. ㉠낚싯밥으로 지렁이를 쓰다.

낚싯줄 [낙씨쭐 / 낙씯쭐] 낚시를 매어 단 가늘고 긴 줄.

낚아채다 [나까채다] **1** 무엇을 갑자기 힘차게 잡아당기다. ㉠머리채를 낚아채다. **2** 남의 물건을 재빨리 빼앗거나 가로채다. ㉠돈가방을 낚아채 달아나다.

난ː[1] (亂) '난리'의 준말. ㉠난을 일으키다 / 난을 피하다.

난[2] (蘭) '난초'의 준말. ㉠난의 향기가 은은하다.

***난**[3] (欄) **1** 신문이나 잡지에서 글이나 그림 따위를 싣는 자리. ㉠독자들의 글을 싣는 난을 마련하다. **2** 문서에 필요한 사항을 적어 넣게 만든 빈칸. ㉠빈 난을 채우다. → [학습마당] 9(255쪽)

난[4] '나는'의 준말. ㉠난 가오 / 난 네가 좋아.

난- (難) '어려운'의 뜻을 나타내는 말. ㉠난공사 / 난문제.

-난 (欄) 고유어나 외래어 뒤에 붙

어, 신문·잡지의 구분된 일정한 지면을 나타내는 말. ㉠어린이난 / 가십난. → [학습마당] 9(255 쪽)

난간 (欄干〔杆〕) 층계나 다리 등의 가장자리에 일정한 높이로 막아 세우는 구조물. ㉠난간에 기대다.

난감하다 (難堪—) 견디어 내거나 해결하기가 어렵다. ㉠겨울을 날 일이 난감하다.

난공불락 (難攻不落) 공격하기가 어려워 좀처럼 함락되지 않음. ㉠난공불락의 요새.

난공사 (難工事) 장애물이 많아서 일하기가 퍽 어려운 공사.

난관 (難關) 일을 해 나가기가 어려운 고비. ㉠난관에 부닥치다.

난국 (難局) 사회의 어지러운 상황. ㉠난국을 헤쳐 나가다.

난:대 (暖帶) 열대와 온대의 중간으로 기후가 따뜻한 지대. 평균 온도 13-20℃가량임. ㊓아열대.

난:데없다 [난데업따] 갑자기 불쑥 나와 나온 데를 알 수 없다. ㉠난데없는 고함 소리.

난:데없이 [난데업씨] 난데없게. ㉠ 난데없이 나타나다.

난도 (難度) 어려움의 정도. ㉠난도 높은 묘기.

난:도질 (亂刀—) 칼로 마구 베거나 잘게 다지는 짓. ㉠고기를 난도질하다. **—하다.**

난:동 (亂動) 질서를 어지럽히며 마구 행동함. 또는 그런 행동. ㉠난동을 부리다.

*__난:로__ (煖爐) [날로] 석탄이나 석유, 가스 따위의 연료를 때거나 전기를 이용하여 방 안을 덥게 하는 기구. 스토브.

난:롯불 (煖爐—) [날로뿔 / 날롣뿔] 난로에 땔감을 넣고 피운 불. ㉠난롯불을 쬐다 / 난롯불을 피우다.

난:류 (暖流) [날류] 온도가 높고 소금기가 많은 해류. 적도 부근에서 차츰 온대·한대로 향하여 흐름. ㊐한류.

난:리 (亂離) [날리] **1** 전쟁이나 분쟁 따위로 세상이 어지러워진 상태. ㉠난리가 나다 / 난리가 터지다. **2** 작은 소동. ㉠장난감을 사 달라고 울고불고 난리를 치다. ㊟난.

난:립 (亂立) [날립] 질서 없이 여기저기서 나섬. ㉠학교 앞에 술집이 난립하다 / 입후보자가 난립하다. **—하다.**

난:무 (亂舞) 함부로 나서서 마구 날뜀. ㉠폭력이 난무하다. **—하다.**

난문제 (難問題) 해결하기 어려운 문제. ㉠난문제에 부딪치다.

난민 (難民) 전쟁이나 재난 따위로 어려움을 겪는 사람. ㉠난민 구호 / 난민 수용소. ㊓이재민.

난:방 (暖〔煖〕房) 방이나 건물 안을 따뜻하게 함. 또는 그 장치. ㊐냉방.

난:방 시:설 (暖房施設) ⇨난방 장치.

난:방 장치 (暖房裝置) 방이나 건물 안을 따뜻하게 하는 장치. ㊓난방 시설. ㊐냉방 장치.

난봉 허랑방탕한 짓. 또는 그러한 짓을하는 사람. ㉠난봉꾼.

난:사 (亂射) 총이나 활 따위를 함부로 쏨. ㉠기관총을 난사하다. **—하다.**

난산 (難産) **1** 아기 낳는 일이 순조롭지 못해 고생함. ㊐순산. **2** 해결하기 어려운 일을 가까스로 이룸. ㉠난산 끝에 합의를 보다. **—하다.**

난:상 토론 (爛商討論) 여러 사람이 모여 충분히 의논함. ㉠난상 토론을 벌이다.

난:색1 (暖色) 보기에 따뜻한 느낌을 주는 빛깔. 노랑·주황·빨강 등. ㊐한색.

난색2 (難色) 꺼리거나 어려워하는 기색. ㉠난색을 보이다 / 난색을 짓다 / 난색을 표하다.

난:생 (—生) 세상에 태어나서 이제까지. ㉠난생 본 적이 없는 희귀 식물.

난:생 동:물 (卵生動物) 물고기·새와 같이 새끼가 알에서 깨어 나와 자라는 동물. ㉥태생 동물.

난:생처음 (—生—) 세상에 태어난 후 처음. ㉠난생처음 타 본 비행기 / 난생처음 느껴 본 사랑.

난센스 (nonsense) 이치에 맞지 않거나 평범하지 않은 말이나 일. ㉠난센스 퀴즈.

난:소 (卵巢) 난자를 만들고 호르몬을 분비하는 동물 암컷의 생식 기관.

난:수표 (亂數表) 0 에서 9 까지의 숫자를 무질서하게 늘어놓은 표. 통계 조사·암호 통신 등에 사용함.

난:시 (亂視) 눈의 각막 또는 수정체의 굴절면이 고르지 않아 광선이 망막의 한 점에 모이지 않기 때문에, 물체가 똑똑하게 보이지 않는 눈. 또는 그런 시력.

난이도 (難易度) [나니도] 어려움과 쉬움의 정도. ㉠난이도가 높다 / 난이도를 조절하다.

난:입 (亂入) [나닙] 여럿이 함부로 들어가거나 들어옴. ㉠폭력배들이 사무실에 난입하다. **—하다.**

난:자¹ (卵子) 동식물의 암컷의 생식 세포.

난:자² (亂刺) 칼이나 창 따위로 아무 데나 마구 찌름. **—하다.**

난:잡하다 (亂雜—) [난자파다] **1** 행동이 막되고 문란하다. ㉠난잡한 행동. **2** 어수선하고 너저분하다. ㉠난잡하게 늘어놓다.

난:장판 (亂場—) 여러 사람이 마구 떠들어 대거나 뒤죽박죽이 된 곳. 또는 그런 상태. ㉠난장판이 벌어지다 / 회의가 난장판이 되다.

난쟁이 키가 몹시 작은 사람. ㉥키다리. ×난장이.

난점 (難點) [난쩜] 처리나 해결이 어려운 점. ㉠이번 일에는 난점이 많다.

난제 (難題) 어려운 문제.

난:조 (亂調) 조화나 정상을 잃어 흐트러진 상태. ㉠투수가 난조를 보이다.

난:중일기 (亂中日記) 〖책〗 이순신 장군이 임진왜란 중에 쓴 일기. 임진왜란이 일어난 1592년부터 1598년 9월까지의 일을 기록함. 충남 아산시 현충사에 보관되어 있으며, 국보 제76호임.

난처하다 (難處—) 이럴 수도 없고 저럴 수도 없어 처지가 곤란하다. ㉠말하기가 난처하다.

난청 (難聽) **1** 청각 기관의 장애로 소리를 잘 들을 수 없는 상태. ㉠노인성 난청. **2** 라디오 방송 등이 잘 들리지 않는 상태. ㉠난청 지역.

난초 (蘭草) 난초과의 여러해살이 풀. 잎은 좁고 길며 꽃은 향기가 좋음. 관상용으로 재배함. ㉡난.

난치 (難治) 병이나 버릇 따위를 고치기 어려움.

난치병 (難治病) [난치뼝] 고치기 어려운 병. ㉠난치병에 걸리다.

난:타 (亂打) 함부로 마구 때림. ㉠얼굴을 난타하다. **—하다.**

난:투 (亂鬪) 서로 뒤섞여 어지러이 싸움. 또는 그런 싸움. **—하다.**

난:투극 (亂鬪劇) 한데 엉켜 치고받으며 싸우는 소동. ㉠난투극을 벌이다.

난파 (難破) 배가 항해 중에 폭풍우 따위를 만나 부서지거나 뒤집힘. ㉠태풍으로 배가 난파되다. **—하다.**

난파선 (難破船) 난파한 배.

난:폭 (亂暴) 행동이 몹시 거칠고 사나움. ㉠난폭 운전 / 난폭한 성격. **—하다.**

난항 (難航) **1** 폭풍우 따위로 몹시

어렵게 항행함. **2** 일이 순조롭게 되어 가지 않음의 비유. ㉮협상이 난항을 거듭하다.

난해하다 (難解—) 뜻을 이해하기 어렵다. ㉮난해한 시.

난형난제 (難兄難弟) 누가 더 낫다고 할 수 없을 만큼 비슷하여 분간하기 어려움. ㉮난형난제의 실력.

낟ː 곡식의 알.

> **주의** **낟·낫·낮·낯·낱**
> **낟** 곡식의 알갱이.
> **낫** 풀을 베는 연장.
> **낮** '밤'의 반대말.
> **낯** 얼굴. 면목.
> **낱** 물건의 하나하나.

낟ː가리 [낟까리] 낟알이 붙은 곡식을 그대로 쌓은 더미. ㉮벼 낟가리 / 들판에는 군데군데 낟가리가 쌓여 있었다.

낟ː알 [나달] **1** 껍질을 벗기지 않은 곡식의 알갱이. ㉮낟알을 줍다 / 낟알을 털다. **2** ⇨쌀알.

*__날__[1] **1** 지구가 돌면서 밤과 낮을 이루는 24시간. ㉮기분 좋은 날. **2** '날씨'의 준말. ㉮날이 개다 / 날이 좋다. **3** '날짜'의 준말. ㉮날을 잡다 / 날을 정하다. **4** 하루의 낮 동안. ㉮날이 저물다. ➡ day

> **참고** **음력으로 날 읽기**

1일 : 초하루	11일 : 열하루
2일 : 초이틀	12일 : 열이틀
3일 : 초사흘	15일 : 보름
4일 : 초나흘	17일 : 열이레
5일 : 초닷새	18일 : 열여드레
6일 : 초엿새	19일 : 열아흐레
7일 : 초이레	20일 : 스무날
8일 : 초여드레	21일 : 스무하루
9일 : 초아흐레	22일 : 스무이틀
10일 : 열흘	30일 : 그믐

날[2] 칼이나 가위와 같은 연장의 가장 날카로운 부분. 물건을 베거나 자르거나 깎게 된 부분. ㉮날을 세우다 / 날이 잘 든다.

날- 익히거나 말리거나 가공하지 않았음을 나타내는 말. ㉮날고기 / 날달걀.

날강도 (—強盜) 매우 뻔뻔스럽고 악독한 강도.

*__날개__ **1** 새나 곤충 따위가 날 때 펴는 부분. ㉮날개가 돋다 / 날개를 퍼덕이다 / 날개를 접다 / 날개를 치다. **2** 공중에 잘 뜨도록 비행기의 양쪽 옆에 단 부분. ㉮보조 날개. **3** 바람을 일으키는 데 쓰이는 도구. ㉮선풍기의 날개. ➡ wing

날개(가) 돋치다 상품 등이 시세를 만나 빠르게 팔려 나가다.

날갯죽지 [날개쭉찌 / 날갣쭉찌] 날개가 몸에 붙어 있는 부분.

날갯짓 [날개찓 / 날갣찓] 새가 날개를 펴고 아래위로 세게 움직이는 짓. ㉮학이 크게 날갯짓을 하면서 날아오른다. **—하다.**

날것 [날껃] 익히거나 말리거나 가공하지 않은 고기나 채소 따위. ㉮날것을 잘못 먹고 배탈이 났다.

날고기 익히거나 가공하지 않은 고기. 비 생고기.

날고뛰다 갖은 재주를 다 부리다. ㉮제아무리 날고뛰는 재주가 있어도 소용없다.

*__날다__ **1** 공중에 떠서 움직이다. ㉮새가 무리를 지어 날다. **2** 매우 빨리 움직이다. ㉮주먹이 날다. **3** 달아나다. ㉮도둑은 이미 멀리 날았다. 활용 날아 / 나니 / 나는. ➡ fly

> **주의** **'날다'의 활용**
> '날다'는 '나니, 나오, 나는'과 같이 활용하는 단어이다. '하늘을 날으는' 또는 '하늘을 나르는'은 잘못된 표기이다.

㉥하늘을 나는 새(○)
하늘을 날으는 새(×)
하늘을 나르는 새(×)
* '나르다(운반하다)'의 활용형은 '나르는'이다.
㉥물건을 나르는 사람들

날뛰다 1 날 듯이 껑충껑충 뛰다. ㉥갑자기 말이 날뛰기 시작했다. 2 함부로 덤비거나 거칠게 행동하다. ㉥그렇게 날뛰다가 큰코다치지.

날라리 '태평소'의 잘못.

날래다 움직임이 나는 듯이 기운차고 빠르다. ㉥몸이 날랜 사람 / 발걸음이 날래다. 비 날쌔다.

날:렵하다 [날려파다] 날래고 재빠르다. ㉥날렵한 행동 / 말이 날렵하게 달리다.

날로[1] 날이 갈수록. ㉥날로 심해지는 교통난. 비 나날이.

날로[2] 날것인 채로. ㉥생선을 날로 먹다.

날름 1 혀가 입 밖으로 빨리 나왔다 들어가는 모양. ㉥뱀이 혀를 날름거리다. 2 손을 빨리 내밀어 날쌔게 가지는 모양. ㉥날름 집어 먹다. 큰 널름. 늘름. **—하다. —거리다.**

날리다[1] 이름을 떨치다. ㉥한때 날리던 배우.

*__날리다__[2] 1 공중으로 날게 하다. ㉥연을 날리다 / 홈런을 날리다. 2 바람에 불리어 이리저리 움직이게 하다. ㉥먼지를 날리다. 3 빠르게 움직이다. ㉥주먹을 날리다. 4 지녔던 것을 잘못하여 잃어버리다. ㉥어렵게 모은 재산을 몽땅 날렸다.

날림 아무렇게나 대강대강 하는 일. 또는 그 물건. ㉥날림 공사 / 날림으로 지은 집.

*__날마다__ 그날그날. 매일. ㉥날마다 일기를 쓰다.

날밤[1] 자지 않고 꼬박 새우는 밤. **날밤(을) 새우다** 부질없이 뜬눈으로 밤을 밝히다.

날밤[2] 익히거나 말리지 않은 날것 그대로의 밤. 비 생밤.

날벌레 [날뻘레] 날아다니는 벌레. 반 길벌레.

날벼락 1 맑은 날씨에 치는 벼락처럼 뜻밖에 당하는 불행이나 재난. ㉥마음을 놓고 있다가는 날벼락 맞는다. 2 호된 꾸지람이나 나무람. ㉥그러다가는 날벼락이 떨어지지.

날삯 [날싹] 그날그날 셈하는 품삯. ㉥날삯을 받고 일하다. 발음 날삯이[날싹씨] / 날삯으로[날싹쓰로].

날수 (—數) [날쑤] 무슨 일을 하는 날의 수. ㉥날수를 채우다.

날숨 [날쑴] 내쉬는 숨. 반 들숨.

날실 옷감에서 세로로 놓인 실. 비 경사. 반 씨실.

날쌔다 동작이 날래고 재빠르다. ㉥날쌔게 몸을 피하다.

*__날씨__ 그날의 일기. ㉥화창한 날씨. 비 일기. 준 날. ➡ weather

날씬하다 몸이 가늘고 호리호리하여 맵시가 있다. ㉥몸매가 날씬하다. 큰 늘씬하다.

*__날아가다__ [나라가다] 1 공중을 날면서 가다. ㉥기러기가 날아가다 / 비행기가 날아가다. 2 있던 것이 사라지거나 없어지다. ㉥하루아침에 꿈이 날아갔다.

*__날아다니다__ [나라다니다] 날면서 이리저리 다니다. ㉥꽃밭을 이리저리 날아다니는 나비.

날아들다 [나라들다] 1 공중에 떠서 안으로 들다. ㉥집 안에 날아든 제비. 2 뜻하지 않게 들이닥치다. ㉥난데없이 슬픈 기별이 날아들었다. 활용 날아들어 / 날아드니 / 날아드는.

*__날아오다__ [나라오다] 1 날아서 움직여 오다. ㉥공이 날아오다. 2 빠르게 움직여 오다. ㉥총알이 날아오다 / 다짜고짜 주먹이 날아왔다. 3

소식 따위가 전하여 오다. 예입영 통지서가 집으로 날아왔다.

날아오르다 [나라오르다] 날아서 위로 높이 오르다. 예나비가 포르르 날아오르다 / 비행기가 하늘로 높이 날아오르다. 활용 날아올라 / 날아오르니.

날염 (捺染) [나렴] 무늬를 새긴 본을 대고 풀을 섞은 물감을 발라서 물을 들임. 예날염 공장. **—하다.**

날인 (捺印) [나린] 도장을 찍음. 예영수증에 날인하다. **—하다.**

날조 (捏造) [날쪼] 없는 일을 사실인 것처럼 꾸밈. 예날조 기사 / 역사의 날조. **—하다.**

날줄 [날쭐] ⇨경선[1]. 반 씨줄.

날짐승 [날찜승] 날아다니는 짐승. 흔히, 새를 가리킴. 반 길짐승.

*__날짜__ **1** 어떤 일에 드는 날의 수. 예날짜가 많이 걸리다. 비 시일. **2** 어느 날이라고 정한 날. 예결혼 날짜를 잡다. **3** 날의 차례. 예날짜 가는 줄도 모르다. 준 날. ➲ date

날치 날칫과의 바닷물고기. 몸길이는 30-40 cm, 입이 작고 눈이 크며 가슴지느러미가 매우 커서 날개 모양을 이루어 물 위로 날아오름.

날치기 남의 물건을 재빨리 채어 달아나는 짓. 또는 그런 도둑. 예돈 가방을 날치기당하다. **—하다.**

*__날카롭다__ [날카롭따] **1** 끝이 뾰족하거나 날이 서 있다. 예칼날이 날카롭다. **2** 생각하는 능력이 빠르고 정확하다. 예날카로운 질문 공세. **3** 모양이나 기세가 매섭다. 예인상이 날카롭다. **4** 성질이 예민하고 신경질적인 데가 있다. 예신경이 날카롭다. 반 무디다. 활용 날카로워 / 날카로우니.

날품 날삯을 받고 하는 일.

날품(을) 팔다 하루하루 품삯을 받고 일하다.

날품팔이 [날품파리] 날품을 파는 일. 또는 그런 일을 하는 사람. 예날품팔이로 겨우 살아가다. **—하다.**

*__낡다__ [낙따] **1** 오래되어 지저분하거나 헐다. 예낡은 옷. **2** 생각이나 제도 따위가 시대에 뒤떨어져 구식이 되다. 예낡은 사상. 반 새롭다. 발음 낡고[날꼬] / 낡아서[날가서] / 낡은[날근] / 낡지[낙찌].

*__남__[1] **1** 나 이외의 다른 사람. 예남의 집. **2** 친척이 아닌 사람. **3** 관계를 끊은 사람. 예이제 그는 남이다. 비 타인. 반 자기.

*__남__[2] (男) 남자. 사내. 반 여.

*__남__[3] (南) '남쪽'의 준말. 반 북.

남가일몽 (南柯一夢) 꿈과 같이 헛된 한때의 부귀영화.

남국 (南國) 남쪽 나라. 반 북국.

남극 (南極) 지구의 남쪽 끝. 예남극 탐험. 반 북극.

남극 대ː륙 (南極大陸) [—때륙] 남극을 중심으로 한 대륙. 기온이 매우 낮아 춥고, 펭귄·바다표범 따위가 삶. 반 북극 대륙.

남극 지방 (南極地方) [—찌방] 남극을 둘러싼 지역의 일대. 반 북극 지방.

남극해 (南極海) [남그캐] 남극을 둘러싼 해양. 1년 내내 얼음에 덮여 있음. 비 남빙양.

*__남기다__ **1** 나머지가 있게 하다. 예밥을 왜 남기니. **2** 남아 있게 하다. 예고향에 부모님만 남기고 떠나다. **3** 시간이 흐른 뒤에까지 전하다. 예이름을 남기다 / 좋은 인상을 남기다. **4** 이익을 보게 하다. 예이익을 많이 남기다.

남김없이 [남기멉씨] 하나도 빼어놓음이 없이 죄다. 여유를 남기지 않고 있는 대로 모두. 예식탁에 있는 요리를 남김없이 먹어 치웠다.

남남 서로 아무런 관계가 없는 남과 남. 예남남이 되다.

*__남녀__ (男女) 남자와 여자.

남녀 공:학 (男女共學) 남자와 여자가 같은 학교나 같은 학급에서 배움.

남녀노소 (男女老少) 남자와 여자, 늙은이와 젊은이. 곧, 모든 사람. (예)윷놀이는 **남녀노소** 누구나 함께 즐길 수 있는 놀이다.

남녀별 (男女別) 남자와 여자의 구별. (예)**남녀별**로 앉다.

남녀평등 (男女平等) 남자와 여자가 법률적·사회적으로 차별이 없고 같음. (예)**남녀평등**을 부르짖다. [비] 남녀동등.

남녘 (南—) [남녁] 남쪽 방면. [반] 북녘. [발음] 남녘에[남녀케] / 남녘을 [남녀클].

***남:다** [남따] **1** 나머지가 있게 되다. (예)용돈이 **남다**. [반] 모자라다. **2** 떠나지 않고 그대로 있다. (예)당번만 **남고** 모두 운동장으로 나갔다. **3** 뒤에까지 전하다. (예)역사에 길이 **남다**. **4** 이익을 보다. (예)많이 **남는** 장사. [반] 밑지다.

남다르다 다른 사람과 유별나게 다르다. (예)어딘가 **남다른** 데가 있다 / **남다른** 관심을 보이다. [활용] 남달라 / 남다르니.

남단 (南端) 남쪽 끝. (예)한반도의 **남단**. [반] 북단.

남달리 다른 사람과 다르게. 남다르게. (예)**남달리** 키가 크다.

남대문 (南大門) 서울을 둘러싼 4대문 중의 하나. 조선 태조 5년(1396)에 세움. 본디 이름은 숭례문임. 국보 제1호.

남동 (南東) 남쪽과 동쪽 사이의 방향. [비] 동남.

남동생 (男同生) 남자 동생. [반] 여동생.

남동풍 (南東風) 남동쪽에서 북서쪽으로 부는 바람. [비] 동남풍.

남:루하다 (襤褸—) [남누하다] 옷 따위가 낡고 해져서 너절하다. (예)**남루한** 옷을 걸치다.

남매 (男妹) **1** 오빠와 누이. (예)**남매**간. **2** 한 부모에서 태어난 남녀 동기. (예)삼 **남매** 모두 장성하여 잘살고 있다. [비] 오누이.

남모르다 남이 알지 못하다. 혼자만 은밀히 알다. (예)**남모르는** 괴로움 / **남모르게** 그와 만나다. [활용] 남몰라 / 남모르니.

남몰래 남이 모르게. (예)**남몰래** 일을 꾸미다.

남바위 예전에, 추울 때 머리에 쓰던 모자의 하나.

〈남바위〉

남반구 (南半球) 적도를 경계로 지구를 둘로 나눈 경우의 남쪽 부분. [반] 북반구.

남:발 (濫發) **1** 법령·지폐 등을 마구 공포하거나 발행함. (예)어음을 **남발**하다. **2** 말이나 약속 따위를 함부로 함. (예)선거 공약을 **남발하다**. **—하다**.

남방 (南方) **1** 남쪽 지방. **2** '남방셔츠'의 준말.

남방셔츠 (南方shirts) 여름에 양복저고리 대신 간편하게 입는 남자용 윗옷. [준] 남방.

남:벌 (濫伐) 나무를 함부로 벰. (예)수목의 **남벌**을 금하다. **—하다**.

남부 (南部) 어떤 지역의 남쪽 부분. (예)**남부** 지방. [반] 북부.

남부끄럽다 [남부끄럽따] 창피하여 남을 대하기가 부끄럽다. (예)**남부끄러워** 얼굴을 들 수 없었다. [활용] 남부끄러워 / 남부끄러우니.

남부럽다 [남부럽따] 남의 잘되었거나 좋은 점을 보고 그와 같이 되고 싶다. (예)어린 시절 난 **남부러울** 것이 없었다. [활용] 남부러워 / 남부러우니.

남부럽잖다 [남부럽짠타] 형편이

좋아서 남을 부러워하지 않을 만하다. ㉠남부럽잖은 윤택한 살림.

*남북 (南北) **1** 남쪽과 북쪽. ㉡동서. **2** 남한과 북한. ㉠남북 교류 / 남북 대화.

남북 적십자 회:담 (南北赤十字會談) [―쩍씹짜―] 남북 이산가족의 형편을 알아보고 이들의 소식을 알려 주며 만남을 마련하는 일을 구체적으로 의논하기 위하여 여는 남한과 북한의 적십자사 사이의 회담.

남북 전:쟁 (南北戰爭) [―쩐쟁] 미국 링컨 대통령 때 노예 제도를 둘러싸고 북부와 남부 사이에 일어난 전쟁. 북부가 승리하여 노예 제도가 폐지되었음. [1861-1865]

남북통일 (南北統一) 남한과 북한으로 갈린 우리 겨레와 나라가 다시 하나로 되는 일. ㉠남북통일을 기원하다. ㉢통일.

남비 '냄비'의 잘못.

남빙양 (南氷洋) [남빙냥] ⇨남극해.

남빛 (藍―) [남삗] 푸른빛과 자줏빛의 중간 빛. ㉣남색.

남사당 (男―) 예전에, 무리를 지어 이곳저곳 떠돌아다니면서 노래와 춤을 팔던 남자.

남사당패 (男-牌) 남사당의 무리.

남산 (南山) **1** 남쪽에 있는 산. **2** 서울 한복판에 있는 산. 본디 이름은 목멱산. 도서관·공원·식물원 등의 시설이 있음. 높이 262 m.

남상 (男相) 남자 얼굴같이 생긴 여자 얼굴. ㉡여상.

남새 심어서 가꾸는 무·배추·시금치·미나리 따위의 나물.

남색 (藍色) 푸른빛과 자줏빛의 중간 빛깔. ㉣남빛.

남생이 냇가나 연못에 사는 동물. 거북과 비슷하나 작고, 네 발에 각각 다섯 개의 발가락이 있으며, 발가락 사이에는 물갈퀴가 있음.

남서 (南西) 남쪽과 서쪽의 중간 방위. ㉣서남.

남서풍 (南西風) 남서쪽에서 불어오는 바람. ㉣서남풍.

남성 (男性) **1** 남자. 사내. **2** 남자의 성질 또는 체질. ㉠남성답게 행동하다. ㉡여성.

남성미 (男性美) 남자의 성질·체질 따위에서 풍기는 아름다움. ㉠남성미가 넘치다. ㉡여성미.

남실거리다 **1** 욕심이 생겨서 슬그머니 자꾸 넘겨다보다. **2** 물결 따위가 자꾸 보드랍게 굽이쳐 움직이다. ㉠산들바람에 잔물결이 남실거리다. ㉤넘실거리다.

남아 (男兒) [나마] **1** 남자 아이. ㉠남아를 선호하다. ㉡여아. **2** 남자다운 남자. ㉠대한의 남아. ㉣대장부.

남아돌다 [나마돌다] 사람이나 물건이 아주 흔해서 나머지가 많다. ㉠남아도는 음식 / 요즘 시간이 남아돈다. [활용] 남아돌아 / 남아도니 / 남아도는.

남아메리카 (南America) 아메리카 대륙의 남쪽 대륙. 파나마 지협에 의하여 북아메리카와 구분됨. ㉣남미.

남아프리카 공:화국 (南Africa共和國) 〖국명〗 아프리카 남부에 있는 공화국. 1961년 영국으로부터 독립함. 금·다이아몬드가 많이 남. 수도는 프리토리아. ㉢남아공.

남여 (藍輿) [나며] 위를 덮지 않은, 의자처럼 생긴 작은 가마.

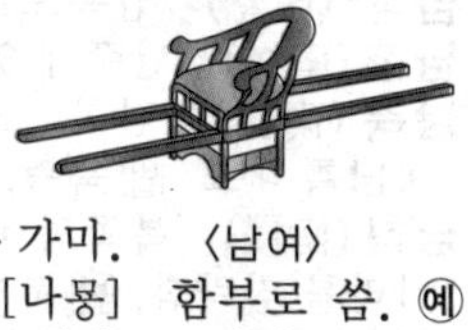
〈남여〉

남:용 (濫用) [나몽] 함부로 씀. ㉠진통제를 남용하다. **―하다.**

남위 (南緯) [나뮈] 적도부터 남극에 이르기까지의 위도. ㉡북위.

남의눈 [나믜눈 / 나메눈] 여러 사람의 시선. ㉠남의눈을 피하다 / 남의눈이 두렵다. 비 이목2.

*남자 (男子) 1 남성인 사람. 예 남자 친구 / 무뚝뚝한 남자. 반 여자. 2 사내다운 사내. 예 그는 과연 남자로구나. 비 사나이. ➡ man

남자답다 (男子—) [남자답따] 남자로서 씩씩하고 강한 기개가 있다. 예 남자답게 행동하다. 활용 남자다워 / 남자다우니.

남장 (男裝) 여자가 남자처럼 차림. 반 여장. —하다.

남존여비 (男尊女卑) [남존녀비] 사회적 지위가 남자는 높고 귀하며 여자는 낮고 천하다는 말. 예 남존여비 사상. 반 여존남비.

남중 (南中) 천체가 자오선을 통과하는 일. 천체의 높이는 이때가 가장 높으며, 태양의 남중은 낮 열두 시에 해당함. —하다.

남중 고도 (南中高度) ⇨자오선 고도.

남진 (南進) 남쪽으로 나아감. 반 북진. —하다.

남짓 [남짇] 크기·수효·부피 따위가 어떤 한도에서 조금 더 됨을 나타내는 말. 예 천 명 남짓한 학생. —하다. —이.

*남쪽 (南—) 해가 뜨는 쪽을 향하여 오른쪽의 방향. 예 따뜻한 남쪽 나라. 반 북쪽. 준 남. ➡ south

남창[1] (男唱) 국악에서, 여자가 남자 목소리로 부르는 노래.

남창[2] (南窓) 남쪽으로 난 창.

남촌 (南村) 남쪽에 있는 마을.

남측 (南側) 남쪽. 또는 남한 측. 예 남측 대표. 반 북측.

남침 (南侵) 북쪽의 나라가 남쪽의 나라를 침략함. 반 북침. —하다.

남탕 (男湯) 대중목욕탕에서, 남자들이 따로 목욕을 하는 곳. 반 여탕.

남파 (南派) 임무를 주어 남쪽으로 보냄. 예 남파 간첩. —하다.

*남편 (男便) 결혼하여 여자의 짝이 된 남자. 반 아내. ➡ husband

남포 '남포등'의 준말.

〈남포등〉

남포등 (—燈) 석유를 넣어 불을 켜는 등. 불이 잘 꺼지지 않도록 유리로 만든 등피를 끼움. 준 남포.

남풍 (南風) 남쪽에서 북쪽으로 부는 바람. 반 북풍.

남하 (南下) 남쪽으로 내려감. 예 러시아의 남하 정책. 비 남진. 반 북상. —하다.

*남학생 (男學生) [남학쌩] 남자 학생. 반 여학생.

*남한 (南韓) 1 광복 후 삼팔선 이남의 한국. 2 6·25 전쟁 후 휴전선 이남의 한국. 반 북한.

남한강 (南漢江) 한강의 한 줄기. 오대산에서 시작하여 강원도·충청북도를 거쳐 경기도 남양주시에서 북한강과 합류함. *북한강.

남한산 (南漢山) 경기도 광주군과 성남시 사이에 있는 산. 북한산·관악산 등과 더불어 서울을 둘러쌈. 높이 495 m.

남한산성 (南漢山城) 경기도 남한산에 있는 산성. 조선 선조 때 쌓았음. 높이 7.2 m, 둘레 7.2 km. 사적 제57호.

남해 (南海) 남쪽 바다.

남해안 (南海岸) 우리나라의 남쪽 바다에 닿은 경상남도와 전라남도의 바닷가.

남행 (南行) 남쪽으로 향하여 감. 예 남행 열차. —하다.

남향 (南向) 남쪽으로 향함. 또는 그 방향. —하다.

남향집 (南向—) [남향찝] 남쪽을 향하게 지은 집.

남회귀선 (南回歸線) 남위 23° 27′의 위선. 반 북회귀선.

남:획 (濫獲) 물고기나 짐승 따위를 가리지 않고 마구 잡음. (예)어린 물고기를 **남획**하다. **—하다.**

*__납__ 금속 가운데 가장 무거운 푸르스름한 잿빛의 금속 원소. 무르고 불에 잘 녹음. (예)납 중독. [비]연.

납골당 (納骨堂) [납꼴땅] 유골을 모셔 두는 곳.

납기 (納期) [납끼] 세금·공과금 따위를 내는 기한. (예)**납기** 안에 세금을 내다.

납덩이 [납떵이] 납의 덩어리.

납덩이같다 [납떵이갇따] 몹시 피로하거나 몸이 무겁고 나른함의 비유. (예)몸이 **납덩이같다.**

납득 (納得) [납뜩] 남의 말이나 행동을 잘 알아 이해함. (예)**납득**할 수 있도록 설명하다. **—하다.**

납땜 땜납으로 쇠붙이를 때우는 일. (예)**납땜**인두. **—하다.**

납량 (納涼) [남냥] 여름에 더위를 피하여 서늘한 기운을 느낌. (예)**납량** 특집 영화.

납부 (納付〔附〕) [납뿌] 세금·공과금 따위를 냄. (예)등록금을 **납부**하다. **—하다.**

납세 (納稅) [납쎄] 나라에 세금을 냄. (예)**납세** 고지서. **—하다.**

납세 의:무 (納稅義務) [납쎄—] 세금을 내야 할 국민의 의무.

납세자 (納稅者) [납쎄자] 세금을 내는 사람.

납입 (納入) [나빕] 세금이나 공과금 따위를 냄. (예)**납입** 고지서 / 등록금을 제때에 **납입**하다. **—하다.**

납작 [납짝] **1** 말대답하거나 무엇을 받아먹을 때 입을 재빨리 딱 벌렸다가 닫는 모양. (예)떡을 **납작** 받아먹다. **2** 몸을 바닥에 바짝 대고 냉큼 엎드리는 모양. (예)바닥에 **납작** 엎드리다. [큰]넙적.

납작이 [납짜기] 납작하게.

납작코 [납짝코] 콧등이 낮고 납작하게 가로 퍼진 코. [큰]넓적코.

납작하다 [납짜카다] 판판하고 얇으면서 약간 넓다. (예)**납작**한 쟁반 / 뒤통수가 **납작하다.** [큰]넓적하다.

납치 (拉致) 강제로 데리고 감. (예)**납치**범 / **납치** 사건. **—하다.**

납품 (納品) 주문받은 물건을 가져다 줌. 또는 그 물건. (예)백화점에 여성복을 **납품**하다. **—하다.**

*__낫__ [낟] 농기구의 하나. 풀·곡식 등을 베는 'ㄱ' 자 모양의 연장. →낟 [주의]

〈낫〉

*__낫:다__[1] [낟따] 상처나 병 등의 몸의 이상이 없어지다. (예)감기가 다 **나았다** / 병이 씻은 듯이 **낫다.** [비]치료되다. [활용]나아 / 나으니 / 낫는.

*__낫:다__[2] [낟따] 서로 견주어서 더 좋거나 앞서 있다. (예)성적은 그가 더 **낫다.** [활용]나아 / 나으니 / 나은.

> [주의] **낫다, 낮다, 낳다**
> **낫다** 1 병이 없어져 건강하게 되다. (예)배가 아픈 것이 다 **나았다.** 2 서로 견주어 더 좋은 점이 있다. (예)전보다 **나은** 대우를 받다.
> **낮다** 아래에서 위까지의 길이가 짧다. '높다'의 반대말.
> **낳다** 알·새끼 따위를 내어 놓다.

낫:살 [나쌀 / 낟쌀] '나잇살'의 준말. (예)**낫살**깨나 먹은 사람.

낫질 [낟찔] 낫으로 풀이나 나무 따위를 베는 일. **—하다.**

낭군 (郎君) 예전에, 젊은 아내가 자기 남편을 사랑스럽게 일컫던 말.

*__낭:독__ (朗讀) 소리 내어 글을 읽음. (예)독립 선언문을 **낭독**하다. [반]묵독. **—하다.**

낭떠러지 깎아지른 듯한 언덕. [비]벼랑. ×낭떨어지.

낭:랑하다 (朗朗—) [낭낭하다] **1**

소리가 맑고 또랑또랑하다. (예)낭랑한 목소리. **2** 빛이 매우 밝다. (예)낭랑한 달빛 아래.

낭ː만 (浪漫) 현실감이 없이 감정적이고 달콤하게 사물을 느끼는 일. 또는 그렇게 느낀 세계. (예)낭만과 모험이 가득한 소설.

낭ː만적 (浪漫的) 현실적이 아니고 환상적이며 공상적인 (것). (예)낭만적인 분위기.

낭ː보 (朗報) 기쁘고 반가운 소식. (예)낭보를 띄우다 / 마라톤 우승의 낭보가 전해지다. [반] 비보.

낭ː비 (浪費) 재물이나 시간 따위를 헛되이 씀. (예)시간 낭비 / 낭비가 심하다. [반] 절약. **—하다.**

낭ː비벽 (浪費癖) 낭비하는 버릇. (예)그 친구는 낭비벽이 심하다.

낭ː설 (浪說) 터무니없는 헛소문. (예)낭설을 퍼뜨리다.

낭ː송 (朗誦) 소리 내어 글을 읽거나 욈. (예)시를 낭송하다. **—하다.**

낭자 (娘子) 예전에, '처녀'를 점잖게 이르던 말.

낭ː자하다 (狼藉—) **1** 여기저기 흩어져 어지럽다. (예)유혈이 낭자하다. **2** 왁자지껄하고 시끄럽다. (예)낭자하게 떠들어 대다.

낭ː패 (狼狽) 실패하거나 기대에 어긋나 매우 딱하게 됨. (예)낭패를 당하다 / 낭패를 보다 / 이것 참 낭패로군. **—하다.**

*__낮__ [낟] 해가 떠 있는 동안. (예)낮이 길다. [반] 밤. →낟 [주의] ➲ day

*__낮다__ [낟따] **1** 아래에서 위까지의 길이가 짧다. (예)낮은 산. **2** 음성이 높지 않다. (예)낮은 목소리. **3** 정도나 자리가 아래에 있다. (예)문화 수준이 낮다. **4** 온도·습도 따위가 높지 않다. (예)온도가 낮다. [반] 높다. →낫다 [주의] ➲ low

낮말 [난말] 낮에 하는 말.

낮은음자리표 (—音—標) [나즈늠자리표] '바'음의 자리를 가리키는 표(기호는 𝄢). [반] 높은음자리표.

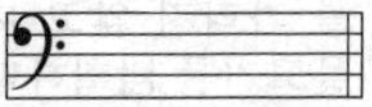
〈낮은음자리표〉

낮잠 [낟짬] 낮에 자는 잠. (예)낮잠을 자다. [비] 오수. [반] 밤잠.

낮잡다 [낟짭따] 실제 지닌 값보다 낮게 치다. →얕잡다 [주의]

낮추다 [낟추다] **1** 낮게 하다. (예)목소리를 낮추다 / 값을 낮추다. **2** 낮게 대하는 말을 쓰다. (예)말씀 낮추시지요.

낮춤말 [낟춤말] '하게, 해라'처럼 낮추어 쓰는 말. [반] 높임말.

*__낯__ [낟] **1** 얼굴. (예)낯을 붉히다 / 웃는 낯으로 대하다. **2** 남을 대할 만한 체면. (예)볼 낯이 없다. [비] 면목. →낟 [주의]

낯가리다 [낟까리다] **1** 어린아이가 낯선 사람을 대하기 싫어하다. **2** 체면을 겨우 세우다.

낯가림 [낟까림] 어린아이가 낯선 사람을 대하기 싫어하는 일. (예)낯가림이 심한 아기. **—하다.**

낯간지럽다 [낟깐지럽따] 떳떳하지 못하여 말하거나 듣기에 거북하고 부끄럽다. (예)너무 칭찬을 받으니 낯간지럽다. [활용] 낯간지러워 / 낯간지러우니.

낯모르다 [난모르다] 누구인 줄 모르다. (예)낯모르는 사람. [활용] 낯몰라 / 낯모르니.

낯빛 [낟삗] 얼굴의 빛깔이나 기색. (예)금세 낯빛이 변하다. [비] 얼굴빛. 안색.

낯설다 [낟썰다] **1** 얼굴이 익지 않아 어색하다. (예)낯선 사람. **2** 사물이 눈에 익지 아니하다. (예)오랜만에 찾은 고향은 낯설게 변해 있었다. [반] 낯익다. [활용] 낯설어 / 낯서니 / 낯선.

낯익다 [난닉따] 여러 번 보아 눈에

익다. 예낯익은 얼굴 / 낯익은 거리. 반 낯설다.

낱: [낟] 셀 수 있게 된 물건의 하나하나. 예낱으로 사다. → 낟 주의

***낱:개** (—個) [낟깨] 따로따로의 한 개 한 개. 예낱개로 포장해서 팔다.

낱:권 (—卷) [낟꿘] 따로따로의 한 권 한 권. 예책을 낱권으로 사다.

낱:낱이 [난나치] 하나하나 빠짐없이 모두. 예비리를 낱낱이 들추어

[학습마당] 8

낱말의 종류(품사)

우리말의 낱말의 종류는 다음과 같이 9 가지로 나눔.

1. 나무, 풀, 가을, 공부, 서울, 이순신
과 같이, 물건이나 일·땅·사람의 이름 등을 나타내는 낱말을 '명사'라 함.
2. 나, 너, 누구, 이것, 저기
와 같이, 사람·물건·일 등의 이름 대신으로 그것을 직접 가리키는 말을 '대명사'라 함.
3. ① 하나, 둘, 셋, 다섯, 열, 스물, 백, 천
② 첫째, 둘째, 셋째, 다섯째, 열째, 쉰째
와 같이, 물건의 수(①)나 차례(②)를 나타내는 말들을 '수사'라 함.
4. 말이 뛴다. 너는 소에게 꼴을 주어라.
개가 짖는다. 나도 일하러 들에 가겠다.
다섯은 열의 반이다.
위의 문장들 속의 '이·는·에게·을·가·도·에·은·의·이다' 등은 명사·대명사·수사 뒤에 붙어서, 그 명사·대명사·수사가 다른 말에 대하여 가지는 관계를 나타내는 구실을 함. 이러한 말들을 '조사'라 함.
5. 물이 흐른다. 여름이 온다. 까치가 짖는다. 고양이가 잔다.
이 문장들 속의 '흐른다·온다·짖는다·잔다'와 같이 사람이나 사물의 동작(움직임)·작용(하는 짓)을 나타내는 말을 '동사'라 함.
6. 꽃이 곱다. 바람이 서늘하다. 쇠는 무겁고, 솜은 가볍다.
이 문장들 속의 '곱다·서늘하다·무겁고·가볍다'는 물건이나 일의 모양이나 성질이 어떠하다는 말들인데, 이러한 말들을 '형용사'라 함.
7. 새 옷, 헌 그릇, 이 책, 그 책상, 저 학생
이 말들 속의 '새·헌·이·그·저'는 반드시 명사 앞에 쓰여 그 명사가 가진 뜻을 꾸며 주는 말들인데, 이러한 말들을 '관형사'라 함.
8. 물이 늘 흐른다. 여름이 빨리 온다.
꽃이 퍽 곱다. 바람이 매우 서늘하다.
돈이 아직 있다. 잠이 꽤 없다.
이 문장들 속의 '늘·빨리·퍽·매우·아직·꽤'는 대체로 동사나 형용사 앞에 쓰여 그 동사·형용사가 나타내는 뜻의 정도를 밝히어 제한하는 말들인데, 이러한 말들을 '부사'라 함.
9. 아이고, 저를 어쩌나. 아, 참 재미있다.
얘, 이리 오너라. 예, 곧 가겠습니다.
이 문장들 속의 '아이고·아·얘·예'와 같이, 어떠한 느낌을 나타내는 말이나 부르는 소리, 대답하는 소리를 '감탄사'라 함.

내다.
*낱ː말 [난말] 어떤 뜻을 나타내거나 어떤 구실을 하는 낱낱의 말. 예컨대, '학교·친구·읽다' 따위. 비 단어. → [학습마당] 8(223 쪽)
낱ː셈 [낟쎔] 개수를 하나하나 세는 셈.
낱ː자 (一字) [낟짜] 하나하나의 글자. ㄱ·ㄴ·ㄷ, ㅏ·ㅓ·ㅗ 따위.
낱ː장 (一張) [낟짱] 종이 따위의 한 장 한 장.
*낳다 [나타] 1 사람이나 동물이 아이나 새끼 따위를 몸 밖으로 내어 놓다. 예 쌍둥이를 낳다. 2 어떤 결과를 이루거나 가져오다. 예 비극을 낳다. 3 인재를 내다. 예 한국이 낳은 세계적인 지휘자. →낫다 주의
내¹ 물건이 불에 탈 때에 일어나는 부옇고 매운 기운. 비 연기.
*내ː² 시내보다는 크고 강보다는 작은 물줄기. 예 내를 건너다.
*내³ 1 '내가'의 꼴로 쓰이어 '나'를 가리키는 말. 예 내가 먹겠다. 2 '나의'의 뜻. 예 그 시계는 내 것이다.
내⁴ '냄새'의 준말. 예 향기로운 내가 난다.
*내⁵ (內) 범위나 구역의 안. 예 일주일 내 / 교실 내에서 뛰지 마라. 비 속. 반 외.
-내 처음부터 끝까지의 뜻. 예 가으내 / 겨우내 / 저녁내.
내ː가다 안에서 밖으로 가지고 가다. 예 밥상을 내가다.
내ː각¹ (內閣) 국가의 행정을 담당하는 최고 기관. 여러 장관 또는 국무 위원으로 조직됨.
내ː각² (內角) 1 한 직선이 각각 다른 점에서 두 직선과 만날 때, 두 직선의 안쪽에 생기는 각. 2 다각형에서 인접한 두 변이 안쪽에 만드는 모든 각. 반 외각.
내객 (來客) 찾아온 손님.
내ː걸다 1 밖에 내어 걸다. 예 태극기를 내걸다. 2 목표·조건 따위를 앞세우거나 내세우다. 예 요구 사항을 내걸다. 3 목숨·명예 따위의 희생을 무릅쓰다. 예 목숨을 내걸고 싸우다. 활용 내걸어 / 내거니 / 내거는.
내ː과 (內科) [내꽈] 내장의 각 기관의 기능에 탈이 난 병을 고치는 의술의 한 부문. 또는 그러한 치료를 하는 병원의 한 부서. 반 외과.
내ː구성 (耐久性) [내구썽] 오래 견디는 성질. 예 내구성이 강하다.
내ː국인 (內國人) [내구긴] 자기 나라 사람. 반 외국인.
내ː근 (內勤) 회사나 관청 등의 직장 안에서 일을 봄. 예 내근 사원. 반 외근. ―하다.
내기 돈이나 물건 따위를 걸고 이기는 사람이 가지기로 하고 겨루는 일. 예 내기 바둑을 두다 / 내기를 해서 이기다 / 누가 빨리 달리는지 내기하다. ―하다.
-내기 1 거기서 태어났거나 자랐음을 가리키는 말. 예 서울내기. 2 그러한 특성을 지닌 사람임을 얕잡아 일컫는 말. 예 풋내기 / 신출내기.
*내ː내 처음부터 끝까지. 예 오후 내내 나가 놀다. 비 줄곧.
*내년 (來年) 올해의 다음 해. 비 명년. 반 작년.
*내ː놓다 [내노타] 1 어떤 범위 밖으로 옮겨 놓거나 꺼내어 놓다. 예 화분을 베란다에 내놓다. 2 간직했던 것을 드러내 보이다. 예 내놓고 자랑할 것이 없다. 3 희생을 무릅쓰다. 예 목숨을 내놓고 싸우다. 4 물건 따위를 팔려고 남에게 보이거나 알리다. 예 집을 전세로 내놓다. 5 생각이나 의견을 제시하다. 예 실천 공약을 내놓다.
*내ː다¹ 1 밖으로 나오게 하다. 예 책상을 밖으로 내다. 2 틈을 만들다. 예 시간을 내다. 3 제출하거나 바치다. 예 세금을 내다 / 원서를 내다. 4

길을 새로 만들다. ㉠길을 내다. **5** 힘이나 속도를 더하다. ㉠속력을 내서 달리다 / 힘을 내다. **6** 어떤 상태로 만들거나 그렇게 되도록 하다. ㉠박살을 내다. **7** 밖으로 드러나게 하다. ㉠헛소문을 내다. **8** 구멍이나 자국 따위를 만들다. ㉠송곳으로 구멍을 내다. **9** 일어나게 하다. ㉠먼지를 내다 / 소리를 내다. **10** 음식 따위를 제공하다. ㉠기분 좋게 저녁을 내다.

*__내:다__[2] '-아'·'-어' 다음에 쓰여, 어떤 동작을 제힘으로 이루어 냄을 보이는 말. ㉠땀을 닦아 내다 / 끝까지 견디어 내다.

*__내:다보다__ **1** 안에서 밖을 보다. ㉠창밖을 내다보다. 반 들여다보다. **2** 앞일을 미리 헤아리다. ㉠장래를 내다보고 계획하다.

내:다보이다 **1** 안에 있는 것이 밖에서 보이다. ㉠속살이 내다보이다. **2** 밖에 있는 것이 안에서 바라보이다. ㉠바다가 내다보이는 창문. 준 내다뵈다.

내:닫다 [내닫따] 갑자기 힘차게 앞으로 뛰어나가다. ㉠지각할 것 같아 학교까지 한걸음에 내달았다. 활용 내달아 / 내달으니 / 내닫는.

내:달 (來―) 이달의 바로 다음 달. ㉠내달 이맘때 다시 보자.

내:달리다 힘차게 달리다. ㉠병사들은 적진을 향하여 내달렸다.

내:던지다 **1** 아무렇게나 냅다 던지다. ㉠화가 나서 공을 내던졌다. **2** 관계를 끊고 돌아보지 않다. ㉠하던 작업을 내던지고 집으로 가다.

내:돋다 [내돋따] 안에서 겉이나 밖으로 돋아 나오다. ㉠이마에 땀방울이 내돋다.

내:돌리다 물건을 함부로 내놓아 남의 손에 가게 하다. ㉠카세트를 아무렇게나 내돌리다.

내:동댕이치다 아무렇게나 힘껏 마구 내던지다. ㉠책가방을 마루에 내동댕이치다.

내:두르다 **1** 이리저리 휘휘 흔들다. ㉠팔을 내두르다. **2** 남을 자기 마음대로 이리저리 움직이게 하다. ㉠부하를 심하게 내두르다. 활용 내둘러 / 내두르니.

내:디디다 **1** 발을 바깥쪽이나 앞으로 밟다. ㉠한 발자국도 내디디지 못했다. **2** 어떤 분야에 처음으로 들어서다. ㉠직장인으로 첫발을 내디디다. 준 내딛다.

내:딛다 [내딛따] '내디디다'의 준말. ㉠정계에 발을 내딛다.

내:란 (內亂) 나라 안에서 일어난 난리. ㉠작은 사건이 내란으로 번지다. 비 내전. 반 외란.

*__내려가다__ **1** 높은 곳에서 낮은 곳으로 가다. ㉠산길을 내려가다. **2** 음식이 소화되다. ㉠점심 먹은 것이 아직 내려가지 않았다. **3** 값이 떨어지다. ㉠값이 내려가다. **4** 지방으로 가다. ㉠고향으로 내려가다. 반 올라가다.

내려놓다 [내려노타] 위에 있는 것을 아래로 내려서 놓다. ㉠짐을 땅에 내려놓다.

*__내려다보다__ **1** 위에서 아래를 보다. ㉠비행기에서 내려다보는 경치. **2** 자기보다 한층 아래로 보다. ㉠가난하다고 내려다보고 대하다. 반 올려다보다.

내려본각 (―角) 높은 곳에서 수평으로 본 시선과 낮은 곳을 내려다본 시선이 이루는 각. 비 부각. 반 올려본각.

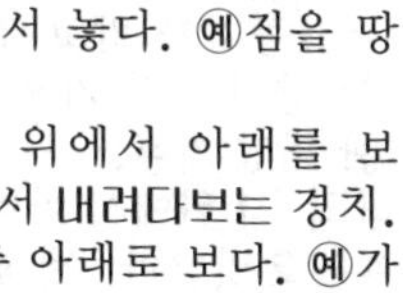

〈내려본각〉

내려서다 높은 데서 낮은 곳으로 내려와 서다. ㉠계단에서 내려서다. 반 올라서다.

내려쓰다 자리를 아래쪽에 잡아서

글자를 쓰다. ㉠원고지에 글을 쓸 때, 제목을 쓰고 이름을 내려쓰시오. 활용 내려써 / 내려쓰니.

내려앉다 [내려안따] **1** 아래로 내려와 앉다. ㉠비행기가 활주로에 내려앉다. **2** 건물·다리·산 따위가 무너지다. ㉠홍수로 다리가 내려앉다. **3** 낮은 지위에 옮겨 앉다.

***내려오다** **1** 위에서 아래로 향해 오다. ㉠산에서 내려오다. **2** 서울에서 시골로 떠나오다. ㉠서울에서 내려오신 삼촌. **3** 과거에서 오늘날까지 전해 오다. ㉠대대로 내려온 보물.

내려치다 위에서 아래로 힘껏 때리거나 치다. ㉠주먹으로 책상을 내려치다.

내력 (來歷) 겪어 온 자취. ㉠살아온 내력을 들려주다.

내로라하다 어떤 분야를 대표할 만하다. ㉠내로라하는 배우들이 다 모였다.

내:륙 (內陸) 바다에서 멀리 떨어진 육지. 반 해안.

내:륙 기후 (內陸氣候) [-끼후] 일 년 또는 하루에도 기온의 차가 심하며, 공기가 맑고 건조하여 비 내리는 양이 적은 기후. 비 대륙성 기후. 반 해양 기후.

내리 **1** 위에서 아래로. ㉠내리 굴리다. **2** 잇달아. 계속하여. ㉠내리 세 시간을 서 있었다. 비 줄곧.

내리깔다 눈을 반쯤 뜨고 시선을 아래로 보내다. 활용 내리깔아 / 내리까니 / 내리까는.

내리누르다 위에서 아래로 힘껏 누르다. ㉠무언가로 내리누르듯이 가슴이 답답하다. 활용 내리눌러 / 내리누르니.

***내리다** **1** 높은 데서 낮은 데로 향하여 옮다. ㉠연극이 끝나고 막이 내리다. **2** 눈·비·서리·이슬 따위가 오다. ㉠눈이 내리다. **3** 타고 있던 데서 밖으로 나오다. ㉠기차에서 내리다. **4** 뿌리가 나서 땅으로 들어가다. ㉠뿌리가 내려서 죽지 않는다. **5** 상이나 벌 따위를 윗사람이 아랫사람에게 주다. ㉠명령을 내리다. **6** 판단·결정을 하거나 결말을 짓다. ㉠고심 끝에 결론을 내리다. **7** 가루 따위를 체에 치다. ㉠밀가루를 체에 내리다.

내리닫다 [내리닫따] 아래로 향해 뛰다. 활용 내리달아 / 내리달으니 / 내리닫는.

내리닫이[1] [내리다지] 어린아이 옷의 한 가지. 바지와 저고리를 한데 붙이고 뒤를 터서 똥오줌 누기에 편하게 만들었음.

내리닫이[2] [내리다지] 두 짝의 창문이 서로 위아래로 오르내려서 여닫게 된 창.

내리뜨다 눈을 아래로 향해 뜨다. ㉠눈을 내리뜨고 조용히 앉아 있다. 반 치뜨다. 활용 내리떠 / 내리뜨니.

내리막 **1** 아래로 내려가는 비탈진 곳. **2** 기운이나 기세가 한창때가 지나 쇠퇴해 가는 판. ㉠한창 기승을 부리던 더위도 내리막에 접어들었다. 반 오르막.

내리막길 [내리막낄] 내리막으로 된 길. ㉠내리막길에서 넘어지다.

내리사랑 윗사람의 아랫사람에 대한 사랑. 반 치사랑.

내리쬐다 볕이 세차게 내리비치다. ㉠햇볕이 쨍쨍 내리쬐다.

내리치다 위에서 아래로 힘껏 치다. ㉠도끼로 장작을 내리치다.

내림 혈통적으로 그 집안에 내려오는 특성. ㉠키가 작은 것은 그 집의 내림이다. 비 내력.

내림세 (一勢) 시세·물가 따위가 내리는 기세. ㉠쌀값이 내림세를 보이다. 반 오름세.

내림표 (一標) 음의 높이를 반음 내리는 기호. 악보에 '♭'로 표시함. 플랫.

내ː막 (內幕) 비밀로 하는 어떤 일의 내용. ㉥사건의 **내막**.

내ː맡기다 [내맏끼다] **1** 아주 맡기어 버리다. ㉥집안 살림을 며느리에게 **내맡기다**. **2** 되는대로 내버려 두다. ㉥운명에 **내맡기다**.

내ː면 (內面) **1** 물건의 안쪽. **2** 인간의 정신·심리에 관한 면. ㉥**내면** 세계 / 인간의 **내면**을 그린 소설 / **내면**의 괴로움. 반 외면.

내ː몰다 **1** 밖으로 몰아 내쫓다. ㉥염소를 우리 밖으로 **내몰다**. 반 들이몰다. **2** 몹시 빠르게 몰다. ㉥차를 갑자기 **내몰다**. 활용 내몰아 / 내모니 / 내모는.

내ː무 (內務) **1** 나라 안의 일과 관계된 일. **2** 병영 안에서 생활하는 사병들의 일상적인 일. ㉥**내무** 생활.

내ː무반 (內務班) 군대에서, 사병들이 일상생활을 하는 방.

내ː무부 (內務部) 중앙 행정 기관의 하나. 지방 행정·선거·국민 투표 및 민방위에 관한 사무를 맡아보았음. 지금은 '행정자치부'로 이름이 바뀜.

내물왕 (奈勿王) 〖인명〗 신라의 제 17대 임금. 364년 쳐들어온 왜병과 부현 동방에서 싸워 크게 무찔렀으며, 이 임금 때 처음으로 한자를 쓰기 시작한 듯함. [재위 356-402]

***내ː밀다** 안에서 밖으로 내보내다. ㉥창문 밖으로 얼굴을 **내밀다** / 손을 **내밀다**. 반 들이밀다. 활용 내밀어 / 내미니 / 내미는.

내방 (來訪) 만나기 위하여 찾아옴. **—하다**.

내ː뱉다 [내밷따] **1** 입 밖으로 뱉어 내보내다. ㉥침을 **내뱉다**. **2** 마음에 내키지 않는 태도로 불쑥 말하다. ㉥그는 말을 **내뱉듯이** 하고는 가 버렸다.

내ː버리다 필요 없게 된 것을 아주 버리다. ㉥쓰레기를 **내버리다**.

내ː보내다 **1** 안에서 밖으로 나가게 하다. **2** 일하던 곳이나 살던 곳에서 아주 나가게 하다. ㉥직원을 **내보내다**.

내ː보이다 속에 있는 것을 꺼내어 보이다. ㉥신분증을 **내보이다**.

내ː복 (內服) 속에 입는 옷. ㉥**내복**을 입다. 비 속옷.

내ː복약 (內服藥) [내봉냑] 병의 치료나 건강을 위해 먹는 약. 알약·물약·가루약 따위가 있음.

내ː부 (內部) **1** 안쪽의 부분. ㉥**내부** 수리. **2** 어떤 조직의 범위 안. ㉥**내부** 사정. 반 외부.

내분 (內紛) 단체 따위의 안에서 일어나는 분쟁. ㉥**내분**을 겪다.

내ː비치다 **1** 빛이 앞이나 밖을 향하여 비치다. ㉥불빛이 **내비치다**. **2** 속의 것이 겉으로 드러나 보이다. ㉥속옷이 **내비치다**. **3** 감정이나 생각 따위를 슬쩍 나타내다. ㉥글쎄 그런 말을 **내비치더라**.

내빈 (來賓) 모임에 초청을 받고 찾아온 손님. ㉥**내빈**들께 절을 하다.

내ː빼다 '달아나다'의 속된 말. ㉥가는 도중에 **내뺀** 학생은 없었다. 준 빼다.

내ː뻗다 [내뻗따] **1** 뻗어 나가다. ㉥곧게 **내뻗은** 도로. **2** 바깥쪽으로 힘차게 뻗다. 바깥을 향하여 뻗치다. ㉥팔을 힘껏 **내뻗다**.

내ː뿜다 [내뿜따] 밖으로 세게 내보내다. ㉥담배 연기를 **내뿜다**.

내ː색 (—色) 마음에 느낀 것을 얼굴에 드러냄. ㉥싫은 **내색**을 보이다. **—하다**.

내생 (來生) 불교에서, 사람이 죽은 후에 다시 태어나 살게 되는 일생. 반 전생.

내ː성적 (內省的) 감정이나 생각을 겉으로 드러내지 않는 (것). ㉥**내성적**인 성격.

내세 (來世) 불교에서, 죽은 뒤에

다시 태어나 산다는 세상. ⓔ내세관. 반 전세.

*내:세우다 1 나서게 하다. ⓔ대표로 내세우다. 2 무엇이 좋든가 옳다고 고집하다. ⓔ자기 입장만 내세우다. 3 무엇을 남에게 자랑하다. ⓔ한글은 우리 민족의 자랑거리로 내세울 만하다.

내:숭 겉으로는 순하게 보이나 속으로는 엉큼함. ⓔ내숭을 떨다 / 내숭을 피우다. **—스럽다.**

내:쉬다 숨을 밖으로 내보내다. ⓔ한숨을 내쉬다. 반 들이쉬다.

내:시 (內侍) 고려·조선 때, 궁중에서 임금의 시중을 들던 벼슬아치. 비 내관.

내:시경 (內視鏡) 목구멍이나 항문 따위로 밀어 넣어 몸의 내부를 관찰할 수 있는 의료 기구. ⓔ내시경 검사.

내:신 (內申) 상급 학교로 진학할 때, 지원자의 출신 학교에서 학업 성적·품행 등을 적어 보내는 일. 또는 그 성적. ⓔ내신 성적만으로 신입생을 뽑다.

내:실 (內實) 내적인 충실. ⓔ내실을 기하다 / 내실을 다지다.

내:심 (內心) 속마음. ⓔ내심을 털어놓다.

내:쏘다 거리낌 없이 함부로 날카롭게 말을 하다. ⓔ퉁명스럽게 한마디 내쏘았다.

내:야 (內野) 야구장에서 일루·이루·삼루·본루를 이은 사각형의 안쪽. ⓔ내야 안타. 반 외야.

내:야수 (內野手) 야구에서, 내야를 맡아 지키는 선수. 반 외야수.

내:역 (內譯) 분명하고 자세한 내용. ⓔ내역을 밝히다. 비 명세.

내:열 (耐熱) 높은 열을 견디어 냄. ⓔ내열 유리.

내:열성 (耐熱性) [내열썽] 높은 온도에서도 변하지 않고 견디어 내는 성질.

내:오다 안에서 밖으로 가져오다. ⓔ과일을 내오다.

내왕 (來往) 사람이나 차가 오고 감. ⓔ거리에 차들의 내왕이 뜸하다 / 사업 차 중국을 자주 내왕한다. 비 왕래.

내:외 (內外) 1 안과 밖. ⓔ건물 내외. 비 안팎. 2 남편과 아내. ⓔ삼촌 내외분. 비 부부. 3 국내와 국외. ⓔ내외 정세. 4 어떤 기준에 약간 넘거나 덜한 것. ⓔ200자 원고지 5장 내외로 쓰시오.

내:외하다 (內外—) 남남인 남녀가 얼굴을 마주 대하는 것을 피하다.

*내:용 (內容) 1 글이나 말 따위에 들어 있는 것. ⓔ편지 내용 / 기사 내용이 사실과 다르다. 2 그릇이나 포장 따위의 속에 든 것. ⓔ선물 꾸러미의 내용. 3 어떤 일의 내막. ⓔ사건의 내용. 반 형식.

내용물 (內容物) 속에 든 것. ⓔ소포의 내용물을 확인하다.

내:우외환 (內憂外患) 나라 안팎의 여러 가지 걱정거리.

내음 '냄새'의 시적인 표현.

*내:의 (內衣) [— / 내이] ⇨속옷.

내:의원 (內醫院) [— / 내이원] 조선 때, 궁중에서 치료와 약을 맡아보던 관청.

*내일 (來日) 오늘의 바로 다음 날. ⓔ내일은 일요일이다. 비 명일. 반 어제. 준 낼. tomorrow

내일모레 (來日—) 1 모레. 2 가까운 때. ⓔ내일모레면 벌써 나이 서른이다. 준 낼모레.

내:장 (內臟) 동물의 배와 가슴에 들어 있는 여러 기관의 총칭. 호흡기·소화기·비뇨 생식기·내분비선 등이 이에 속함.

내:장산 (內藏山) 전라북도 정읍시에 있는 명산의 하나. 금강산과 비슷하여 남금강이란 별명이 있음.

내장사와 가을 단풍이 유명함. 국립 공원임. 높이 763 m.

내:장하다 (內藏―) 내부에 가지고 있다. ㉥자동 응답 기능을 **내장한** 전화기.

내:적 (內的) [내쩍] **1** 사물의 내부에 관한 (것). ㉥**내적** 원인. **2** 정신이나 마음의 작용에 관한 (것). ㉥**내적인** 갈등. 반 외적.

내:전 (內戰) 한 나라 안에서 같은 국민끼리 벌이는 전쟁. 특히 내란. ㉥**내전을** 치르다.

내:젓다 [내젇따] 손이나 손에 든 물건 따위를 내어 휘두르다. ㉥팔을 **내젓다**. 활용 내저어 / 내저으니 / 내젓는.

내:정[1] (內政) 나라 안 정치. ㉥**내정** 간섭.

내:정[2] (內定) 드러내지 않고 속으로 작정함. **―하다.**

내:조 (內助) 아내가 남편의 뒷바라지를 함. 또는 그 뒷바라지. ㉥**내조의** 공이 컸다 / 아내의 **내조를** 받다. **―하다.**

내주 (來週) 이번 주의 바로 다음 주. ㉥**내주에** 만나자.

내:주다 **1** 가졌던 것을 남에게 건네주다. ㉥돈을 **내주다**. **2** 차지한 자리를 비워서 남에게 넘겨주다. ㉥방을 **내주다**. 본 내어 주다.

내:지 (乃至) **1** 수량을 나타내는 말 사이에 쓰여, '얼마에서 얼마까지'의 뜻을 나타냄. ㉥한 달 **내지** 석 달 동안. **2** 또는. 혹은. ㉥서울 **내지** 부산에서 많이 소비된다.

내:지르다 **1** 주먹이나 발길, 무기 따위를 힘껏 내밀어 뻗다. ㉥허공에 주먹을 **내지르다**. **2** 소리 따위를 냅다 지르다. ㉥비명을 **내지르다** / 환호성을 **내지르다**. 활용 내질러 / 내지르니.

내:쫓기다 [내쫃끼다] 내쫓음을 당하다. ㉥직장에서 **내쫓기다** / 길바닥으로 **내쫓기다**.

내:쫓다 [내쫃따] **1** 있던 자리에서 억지로 떠나게 하다. ㉥직장에서 **내쫓다**. **2** 밖으로 나가도록 쫓아내다. ㉥강아지를 **내쫓다**.

내:처 내친 바람에. 하는 김에 끝까지. ㉥하던 김에 **내처** 해 버리다.

내:치다 내던지거나 뿌리치다. ㉥잡은 손을 **내치고는** 밖으로 뛰어나갔다.

내:친김 이왕 일을 시작한 김. ㉥**내친김에** 온 집안일을 다 해치우다. 참고 이 말은 주로 '내친김에'의 꼴로 쓰임.

내:키다 하고 싶은 마음이 솟아나다. ㉥마음이 별로 **내키지** 않다.

내:통 (內通) 속사정이나 비밀을 남에게 몰래 알림. ㉥적과 **내통하다**. **―하다.**

내:팽개치다 **1** 냅다 던져 버리다. ㉥가방을 **내팽개치다**. **2** 돌보지 않고 버려두다. ㉥처자식을 **내팽개치고** 떠나다. **3** 일 따위에서 손을 놓다. ㉥학교 공부는 **내팽개치다시피** 했다.

내:포 (內包) 어떤 뜻을 그 속에 포함함. ㉥많은 뜻을 **내포한** 글이다. **―하다.**

내:포평야 (內浦平野) 충청남도 남부 지방을 남서쪽으로 흐르는 금강 상류 지방에 발달한 평야.

내한 (來韓) 외국인이 한국에 옴. ㉥외국 사절단이 **내한하다**. 반 이한. **―하다.**

내:항[1] (內項) 비례식에서 안쪽에 있는 두 항. 2:3=4:6에서 3과 4를 말함. 내항의 곱은 외항의 곱과 같음. 반 외항.

내:항[2] (內港) 항만의 안쪽에 깊숙이 있는 항구. 비 외항.

내:화 (耐火) 불에 타지 않고 잘 견딤. ㉥**내화** 벽돌.

내후년 (來後年) 후년의 다음 해.

냄비 음식을 끓이는 데 쓰는, 솥보다 작고 뚜껑과 손잡이가 있는 그릇. ×남비.

*__냄:새__ **1** 코로 맡을 수 있는 온갖 기운. ㉥김치 **냄새**. **2** 어떤 사물·분위기 등에서 느껴지는 느낌이나 낌새. ㉥고리타분한 양반 **냄새**가 나다. ㊜내.

참고 **여러 가지 냄새**
고린내 썩은 달걀이나 발가락에서 나는 냄새
곰팡내 곰팡이에서 나는 냄새
구린내 방귀·똥에서 나는 냄새
노린내 짐승의 털이 타는 냄새
누린내 짐승의 고기·기름기에서 나는 냄새
단내 음식이 눋는 냄새
땀내 땀에서 나는 냄새
비린내 물고기·날콩·피에서 나는 냄새
쉰내 상한 음식에서 나는 냄새
암내 겨드랑이·짐승의 암컷에서 나는 냄새
입내 입에서 나는 냄새
젖내 젖에서 나는 냄새
지린내 소변에서 나는 냄새
탄내 타는 냄새
풋내 풀에서 나는 냄새

냅다 [냅따] 몹시 세차고 빠르게. ㉥**냅다** 집어 던지다 / **냅다** 팽개치다 / **냅다** 소리를 지르다.

냅킨 (napkin) 음식을 먹을 때 옷을 더럽히지 않도록 무릎에 놓거나 가슴을 가리거나, 입을 닦는 데 쓰는 수건이나 종이.

*__냇:가__ [내까 / 낻까] 냇물의 언저리. ㉥**냇가**에서 물장구치고 놀다.

*__냇:물__ [낸물] 내에 흐르는 물. ㉥**냇물**에 발을 담그다.

냉:- (冷) '차가운·차게 한'의 뜻을 나타냄. ㉥**냉**커피 / **냉**국.

냉:가슴 (冷—) 겉으로 드러내지 아니하고 혼자 속으로 끙끙거리며 걱정하는 일. ㉥차마 반대할 수 없어 **냉가슴**만 앓았다.

냉:각 (冷却) 식어서 차게 됨. 또는 그렇게 함. ㉥**냉각** 장치 / **냉각**제. **—하다.**

냉:국 (冷—) [냉꾹] 맑은장국을 끓여 차게 식히거나 찬물에 간장과 초를 쳐서 만든 국물. ㊔찬국.

냉:기 (冷氣) 찬 공기. 찬 기운. ㉥집 안에 **냉기**가 돌다. ㊥온기.

냉:난방 (冷暖房) 실내를 차게 하는 일과 덥게 하는 일. ㉥**냉난방** 장치 / **냉난방**이 잘되다.

냉:담 (冷淡) **1** 사물에 흥미나 관심이 없음. ㉥**냉담**한 반응을 보이다. **2** 동정심이 없고 불친절함. ㉥**냉담**하게 뿌리치다. **—하다.**

냉:대[1] (冷待) 쌀쌀하게 대접함. ㉥**냉대**를 받다. ㊔푸대접. **—하다.**

냉:대[2] (冷帶) 온대와 한대의 중간에 있는 지역.

냉:동 (冷凍) 생선·육류 따위를 상하지 않게 저장하기 위하여 얼림. ㉥**냉동** 생선. **—하다.**

냉:동고 (冷凍庫) 식품 따위를 얼게 하거나, 언 식품을 보관하는 상자 모양의 장치.

냉:동식품 (冷凍食品) 얼려서 보존·저장하는 식품.

냉:동실 (冷凍室) 식품 따위를 얼려서 보관하는 곳.

냉:랭하다 (冷冷—) [냉냉하다] **1** 매우 차갑다. ㉥**냉랭**한 밤공기. **2** 태도가 쌀쌀맞다. ㉥**냉랭**한 말투.

냉:면 (冷麵) 삶은 국수를 찬 국물에 넣고 양념과 고명을 얹은 음식.

냉:방 (冷房) **1** 찬 방. ㉥불을 때지 않은 **냉방**에서 잠을 자다. **2** 방 안을 차게 하는 일. ㉥**냉방** 시설. ㊥난방.

냉:방병 (冷房病) [냉방뼝] 냉방 장치를 한 방에서 생활함으로써 일

어나는 병. 감기·몸살 따위의 증상을 보임.

냉ː방 장치 (冷房裝置) 실내의 온도를 낮추어 시원하게 하는 장치. (반)난방 장치.

냉ː소 (冷笑) 쌀쌀한 태도로 업신여겨 비웃음. 또는 그러한 웃음. (예)냉소를 머금다. **—하다.**

냉ː수 (冷水) ⇨찬물. (예)냉수욕 / 냉수마찰. (반)온수.

냉수 먹고 속 차리다 정신 차리다.

냉ː엄하다 (冷嚴—) **1** 태도 따위가 차갑고 분명하다. (예)냉엄하게 말하다. **2** 일의 형편이 빈틈없다. (예)냉엄한 현실을 올바르게 깨닫다.

*냉이 겨잣과에 속하는 두해살이풀. 봄에 들·밭에 흔히 남. 줄기 높이 50cm가량. 어린잎과 뿌리는 식용함.

〈냉이〉

냉ː장 (冷藏) 식료품이나 약품 따위를 신선하게 보관하기 위하여 낮은 온도에서 저장하는 일. **—하다.**

*냉ː장고 (冷藏庫) 식료품 따위를 차게 하거나 상하지 않도록 낮은 온도에서 보관하기 위한 상자 모양의 장치. ➡ refrigerator

냉ː장실 (冷藏室) 식품 따위를 낮은 온도에서 저장하는 곳.

냉ː전 (冷戰) 전쟁은 하지 않으면서 마치 전쟁을 하는 듯한 긴장감이 감도는, 나라와 나라 사이의 심한 대립. (예)동서 간의 냉전. (반)열전.

냉ː정 (冷靜) 감정에 흐르지 않고 침착함. (예)냉정을 되찾다. **—하다.**

냉ː정하다 (冷情—) 인정이 없고 쌀쌀하다. (예)냉정한 사람 / 냉정하게 거절하다.

냉ː철하다 (冷徹—) 침착하고 사리에 밝다. (예)냉철한 판단 / 냉철한 눈으로 관찰하다.

냉ː철히 (冷徹—) 냉철하게. (예)냉철히 분석하다.

냉큼 머뭇거리지 않고 곧. 꾸물대지 말고 빨리. (예)냉큼 갔다 오너라 / 냉큼 먹어 치우다. (큰)닝큼.

냉큼냉큼 머뭇거리지 않고 잇달아 빨리. (예)잔을 냉큼냉큼 비우다.

냉ː탕 (冷湯) 찬물이 들어 있는 욕탕. (반)온탕.

냉ː해 (冷害) 여름철에 날씨가 보통 때보다 서늘하거나 햇빛 부족으로 생기는 농작물의 피해. (예)냉해 대책을 세우다 / 냉해를 입다 / 냉해가 심하다.

냉ː혈 (冷血) **1** 동물의 체온이 외부의 온도보다 낮은 상태. (예)냉혈 동물. **2** 인정이 없고 차가운 사람을 빗댄 말. (예)냉혈 인간.

냉ː혹하다 (冷酷—) [냉호카다] 인정이 없고 모질다. (예)냉혹한 현실.

냉ː혹히 (冷酷—) [냉호키] 냉혹하게. (예)냉혹히 거절하다.

-냐 받침 없는 말의 줄기에 붙어 묻는 뜻을 나타낼 때 쓰는 말. (예)배가 고프냐 / 이것이 사과냐.

냠냠 음식을 맛있게 먹으면서 내는 소리. **—거리다.**

냥 (兩) 돈이나 무게의 단위. 한 냥은 한 돈의 열 배임. (예)돈 열 냥 / 은 한 냥.

*너[1] 친구나 손아랫사람에게 쓰는 이인칭 대명사. (예)너까지 나를 괴롭히니. ➡ you

너ː[2] 돈·말·발·푼 따위의 단위 앞에 쓰여, '넷'의 뜻을 나타내는 말. (예)너 말 / 너 푼 / 너 돈.

너구리 갯과의 동물. 여우보다 작고 살이 쪘으며 다리가 짧고 주둥이가 뾰족하며 꼬리는 뭉툭함. 털은 방한용 또는 붓을 만드는 데 씀.

너그러이 너그럽게. (예)너그러이 용서하다.

너그럽다 [너그럽따] 마음이 넓고

이해심이 많다. 예너그럽게 대하다. 반 옹졸하다. 활용 너그러워 / 너그러우니.

너끈하다 무엇을 하는 데 힘이 넉넉하여 여유가 있다. 예턱걸이 열 번을 너끈하게 해냈다.

너끈히 너끈하게. 예이 일은 혼자서도 너끈히 해치울 수 있다.

너나없이 [너나업씨] 너나 나나 가릴 것 없이 모두. 예너나없이 같은 마음이다.

너덜거리다 여러 가닥이 늘어져서 자꾸 흔들리다. 예해어진 바짓가랑이가 너덜거리다.

너덜너덜하다 [너덜러덜하다] 여러 가닥이 자꾸 흔들리며 어지럽게 늘어져 있다. 예옷이 낡아 소매가 너덜너덜하다.

너덧 [너덛] 네다섯. 예친구 너덧이 함께 가다.

너도나도 여럿이 모두 다. 예너도나도 서로 앞다투어 구호의 손길을 뻗쳤다.

너도밤나무 참나뭇과의 낙엽 활엽 교목. 울릉도에 많이 분포하며, 높이는 20 m 가량임. 나뭇결이 단단하여 건축재·가구재 따위로 씀.

너럭바위 [너럭빠위] 넓고 평평한 바위.

너르다 탁 트이고 넓다. 예너른 마당. 비 넓다. 활용 널러 / 너르니.

*__너머__ 집·담·산·고개 같은 높은 것의 저쪽. 예산 너머 동네.

> **주의 너머와 넘어**
> 너머 높은 것의 저쪽. 예고개 너머에 있는 마을.(명사임)
> 넘어 이쪽에서 저쪽으로 높은 것의 위를 넘어서. 예고개를 넘어 날아간 새.('넘다'를 활용한 말임)

*__너무__ 정도에 지나치게. 분에 넘치게. 예너무 심하다 / 너무 예뻐.

*__너무나__ '너무'를 강조하는 말. 예너무나 밉다 / 너무나 힘들다.

너무너무 '너무'를 강조하는 말. 예그 책의 내용이 너무너무 좋았다.

너무하다 도가 지나치게 심하다. 예그것은 너무한 처사예요 / 해도 해도 너무한다.

너부죽하다 [너부주카다] 조금 넓은 듯하다. 예너부죽한 얼굴.

너비 가로의 길이. 예너비를 재다. 비 폭. →넓이 주의

너스레 수다스럽게 떠벌려 늘어놓는 말이나 짓. 예너스레를 떨다.

너:와 지붕을 이는 데 쓰는, 나무토막을 쪼개 만든 널빤지.

너:와집 너와로 지붕을 인 집.

너울거리다 **1** 물결·불꽃·큰 천·잎 따위가 부드럽고 느리게 자꾸 흔들리다. 예황금 들녘이 바람에 너울거린다. **2** 팔이나 날개 따위를 부드럽게 자꾸 움직이다. 예나비가 날개를 너울거린다.

너울너울 [너울러울] 너울거리는 모양. 예너울너울 춤추다. **—하다.**

너저분하다 너절하고 지저분하다. 예너저분한 거리.

너절하다 **1** 허름하고 더럽다. 예옷차림이 너절하다. **2** 변변하지 못하다. 예너절한 변명을 늘어놓다.

너털웃음 [너터루슴] 드러내 놓고 크게 소리를 내어 웃는 웃음. 예너털웃음을 웃다.

너트 (nut) 볼트에 끼워 돌려서 물건이 움직이지 않도록 죄는 데 쓰는, 쇠로 만든 부품. 반 볼트.

너풀거리다 거세게 흔들리어 자꾸 나부끼다. 예커튼이 바람에 너풀거리다 / 긴 머리카락을 너풀거리며 달려오다. 작 나풀거리다. 여 너불거리다.

*__너희__ [너히] 말을 듣고 있는 여러 사람을 가리키는 말. 예너희끼리 가거라. ➔ you, your

넉ː 냥·되·섬·자 등의 단위 앞에 쓰여 '넷'의 뜻을 나타내는 말. ㉠넉 냥 / 넉 달 / 넉 섬 / 넉 자. ＊석².

넉가래 [넉까래] 곡식·눈 따위를 한곳으로 밀어 모으는 데 쓰는 기구. 넓적한 나무판에 긴 자루를 닮.

*__넉넉하다__ [넝너카다] **1** 크기·부피 따위가 모자라지 아니하고 남음이 있다. ㉠허리 품이 넉넉한 옷. 작 낙낙하다. **2** 살림살이가 여유가 있다. ㉠집안이 넉넉하다.

넉넉히 [넝너키] 넉넉하게. ㉠용돈을 넉넉히 주다.

넋 [넉] **1** 마음의 작용을 맡고 있다고 생각되는 것. 예로부터 몸이 죽어도 영원히 남아 있다고 생각되고 있음. 비 혼백. **2** 정신. 기력. 마음. ㉠넋을 잃고 바라보다. 비 얼. 영혼. 반 육체. 발음 넋이[넉씨] / 넋도[넉또] / 넋만[넝만].

넋두리 [넉뚜리] 불평이 있을 때 투덜거리는 말. ㉠넋두리를 늘어놓다. **—하다.**

넌더리 몹시 싫은 생각. ㉠넌더리를 내다. 준 넌덜.

넌더리(를) 대다 넌더리가 나게 굴다.

넌지시 드러나지 않게 가만히. ㉠넌지시 충고하다.

널ː **1** '널빤지'의 준말. **2** 널뛰기에 쓰는 널빤지.

*__널ː다__ 볕을 쬐어 말리려고 펼쳐 놓다. ㉠빨래를 널다. 활용 널어 / 너니 / 너는.

널따랗다 [널따라타] 생각보다 훨씬 넓다. ㉠운동장이 널따랗다. 활용 널따라니 / 널따래서.

널ː뛰기 긴 널빤지의 중간을 괴고, 양쪽 끝에 한 사람씩 올라서서 번갈아 뛰어오르는 여자들의 놀이. ㉠널뛰기하는 아낙네들. **—하다.**

널름거리다 혀끝이나 손 또는 불길이 자꾸 빨리 나왔다 들어갔다 하다. ㉠뱀이 혀를 널름거리다.

널름널름 널름거리는 모양. ㉠널름널름 받아먹다. **—하다.**

*__널리__ **1** 너르게. 범위가 넓게. ㉠널리 알려진 인물. **2** 너그럽게. ㉠널리 이해를 해 주십시오.

널리다 **1** 넓게 펼쳐 놓이다. ㉠빨랫줄에 널린 빨래를 걷다. **2** 여기저기 흩어져 놓이다. ㉠책상 위에 책들이 어지럽게 널려 있다.

널ː빤지 나무를 판판하고 넓게 켠 큰 조각. 비 판자. 준 널. ×널판지.

널찍이 [널찌기] 널찍하게. ㉠널찍이 자리를 잡다.

널찍하다 [널찌카다] 꽤 너르다. ㉠널찍한 마당.

*__넓다__ [널따] **1** 폭이 너르다. ㉠마당이 넓다. **2** 마음이 너그럽다. ㉠마음 씀씀이가 넓다. 반 좁다. **3** 내용이나 범위 따위가 널리 미치다. ㉠친구를 두루 넓게 사귀다. 발음 넓고[널꼬] / 넓어서[널버서] / 넓은[널븐] / 넓지[널찌]. ➲ broad, wide

*__넓이__ [널비] 어떤 장소나 물건의 넓은 정도. ㉠국토의 넓이 / 삼각형의 넓이를 구하시오. 비 면적.

> 주의 **넓이와 너비**
> '넓이'와 '너비'는 '넓다'의 '넓-'에 '-이'가 붙어서 생긴 말이다.
> '넓이'는 면적을 나타내는 본디의 뜻을 가지고 있으므로 본디의 표기를 살려 적은 것이고, '너비'는 폭을 나타내므로 본디의 뜻과 멀어진 것이어서 소리 나는 대로 적은 것이다.

넓이뛰기 [널비뛰기] '멀리뛰기'의 전 용어.

넓적다리 [넙쩍따리] 다리의 무릎 위쪽의 부분. ㉠넓적다리를 드러내다.

넓적하다 [넙쩌카다] 평평하게 넓다. ㉠넓적한 얼굴. 작 납작하다.

*넓히다 [널피다] 넓게 하다. ㊎길을 넓히다. ㊓좁히다.
넘겨다보다 1 남의 것을 탐내거나 노리다. ㊎재산을 넘겨다보다. 2 넘어다보다. ㊎담장을 넘겨다보다.
넘겨주다 물건이나 권리·책임·일 따위를 남에게 건네주거나 맡기다. ㊎서류를 넘겨주다 / 자리를 넘겨주다. ㊓넘겨받다.
넘겨짚다 [넘겨집따] 정확히 알지 못하고 지레짐작하다. ㊎넘겨짚고 한 말.
*넘기다 1 낮은 데에서 높은 데로 넘어가게 하다. ㊎담 너머로 공을 넘기다. 2 종잇장 따위를 젖히다. ㊎책장을 넘기다. 3 어려움에서 벗어나다. ㊎죽을 고비를 넘기다. 4 권리나 책임 따위를 남에게 맡기다. ㊎책임을 남에게 넘기지 마라.
넘:나들다 넘어서 드나들거나 왔다 갔다 하다. ㊎휴전선을 자유롭게 넘나드는 새. 활용 넘나들어 / 넘나드니 / 넘나드는.
*넘:다 [넘따] 1 정한 범위·수량·정도를 벗어나다. ㊎한 되가 넘다. 2 때가 지나가다. ㊎열 살이 넘었다. 3 이쪽에서 저쪽으로 사물의 위를 지나다. ㊎산을 넘다. 4 어려움을 잘 헤쳐 나가다. ㊎숱한 고비를 넘다. →너머 주의
넘버 (number) 번호나 차례. 또는 그 숫자. ㊎차량 넘버.
넘:보다 1 업신여겨 낮추어 보거나 깔보다. ㊎상대를 넘보다. 2 탐내다. ㊎남의 돈을 넘보다.
넘실거리다 강·바다의 물결이 파도를 이루며 아래위로 흔들리다. ㊎물결이 넘실거리다.
*넘어가다 [너머가다] 1 높은 곳을 지나서 가다. ㊎언덕을 넘어가다. 2 쓰러지다. ㊎짚 더미가 넘어가다. 3 해·달이 지다. ㊎해가 서산으로 넘어가다. 4 속임수에 빠지다. ㊎잔꾀에 넘어가다. 5 음식물이 목구멍을 지나가다. ㊎밥이 넘어가다. 6 다음 차례로 옮아가다. ㊎다음 문제로 넘어가다. 활용 넘어가거라.
넘어다보다 [너머다보다] 고개를 들어 가리운 물건의 위를 지나서 보다. ㊎옆집을 넘어다보다.
*넘어뜨리다 [너머뜨리다] 1 서 있는 물건을 쓰러뜨리다. ㊎의자를 바닥에 넘어뜨리다. 2 남의 권세나 차지한 지위를 꺾다. ㊎독재 정권을 넘어뜨리다.
넘어서다 [너머서다] 1 높은 부분의 위를 넘어서 지나다. ㊎산을 넘어서면 마을이 있다. 2 일정한 기준이나 한계를 넘어서 지나다. ㊎예상을 넘어서다.
*넘어오다 [너머오다] 1 저쪽에서 이쪽으로 넘어서 오다. ㊎국경선을 넘어오다 / 산을 넘어오다. 2 바로 선 것이 쓰러져 이쪽으로 오다. ㊎짚 더미가 넘어오다. 3 먹은 것이 입으로 도로 나오다. ㊎먹은 것이 넘어오다. 활용 넘어오너라.
*넘어지다 [너머지다] 한쪽으로 쓰러지다. ㊎발에 걸려 넘어지다.
*넘:치다 1 가득 차서 밖으로 흘러나오다. ㊎강물이 넘치다. 2 보통의 정도보다 지나치다. ㊎분수에 넘치는 생활 / 기쁨에 넘치다 / 자신감이 넘치다.
넙죽 [넙쭉] 1 망설이지 않고 선뜻. ㊎영수는 넙죽 말을 받았다. 2 몸을 얼른 엎드리는 모양. ㊎넙죽 엎드려 절을 하다.
넙치 넙칫과의 바닷물고기. 근해의 모래밭에 사는데, 길이는 30 cm 가량, 몸통은 위아래로 넓적한 긴 타원형임. 두 눈은 몸 왼쪽에 있음. ㊒광어.
넝마 낡고 해어져 입지 못하게 된 옷 따위.
넝마주이 넝마나 헌 종이 따위를

주워 모으는 사람.

넝쿨 ⇨덩굴.

*__넣:다__ [너타] **1** 속으로 들여보내다. ㉼돈을 지갑에 넣다. **2** 단체나 학교, 직장 따위에 다니게 하다. ㉼아이를 유치원에 넣다. **3** 다른 것에 섞거나 타다. ㉼커피에 설탕과 프림을 넣다. **4** 돈을 납부하거나 은행에 입금하다. ㉼통장에 돈을 넣다. **5** 서류 등을 제출하다. ㉼대학에 원서를 넣다. **6** 어떤 범위 안에 들어 있게 하다. ㉼올림픽 종목에 태권도를 넣다. ➲put

*__네__[1] **1** 너의. ㉼네 이름이 뭐냐. **2** 너. ㉼이 일을 네가 했니.

*__네:__[2] '넷'의 뜻. ㉼네 사람 / 네 가지 / 네 시간.

네[3] 존대할 자리에서 대답·반문하는 말. ㉼네, 그렇습니다 / 네, 무슨 말씀이신지. ㉥예. ×녜. ➲yes

-네 **1** 처지가 같은 사람의 한 무리. ㉼동갑네 / 여인네 / 우리네. **2** 어떤 집안이나 가족 전체를 나타내는 말. ㉼철수네 집.

네:거리 길이 한 곳에서 네 방향으로 갈라진 곳. ㉼학교 앞 네거리. ㉥십자로. 사거리.

네:댓 [네댇] 넷이나 다섯가량. ㉼네댓 개 / 네댓 명.

네덜란드 (Netherlands) 〖국명〗 유럽 북서부에 있는 왕국. 국토의 25%는 바다보다 낮아 둑이 없으면 물에 잠김. 수도는 암스테르담.

*__네:모__ ⇨네모꼴.

네:모꼴 네 변으로 에워싸여 네 개의 모서리가 있는 모양. ㉥사각형.

네:모나다 모양이 네모꼴로 되어 있다. ㉼종이를 네모나게 접다. ㉥네모지다.

네:모지다 물체의 각이 네모꼴로 되어 있다. ㉼네모진 도시락. ㉥네모나다.

네:발짐승 네 개의 발을 가진 짐승. 소·말·개·돼지 따위.

네온사인 (neon sign) 네온 가스를 넣은 유리관에 전류를 통하여 네온관을 만들어서 여러 가지 빛을 내도록 한 것. 광고 간판에 많이 쓰임.

네트 (net) **1** 테니스·배구·탁구 등에 쓰이는 그물. 경기장이나 경기대의 한가운데를 가로질러 걸어 놓아 두 편의 경계를 이룸. **2** 축구·핸드볼·아이스하키 따위에서 골문 뒤쪽에 치는 그물.

네트워크 (network) **1** 라디오·텔레비전의 방송망. **2** 여러 대의 컴퓨터를 서로 연결하여 자료를 주고받을 수 있게 한 컴퓨터 통신망.

네팔 (Nepal) 〖국명〗 히말라야 산맥 남쪽에 있는 작은 왕국. 산지가 많고 농업과 목축이 주된 산업임. 수도는 카트만두.

넥타이 (necktie) 와이셔츠의 깃에 매는 천으로 된 가늘고 긴 장식용 끈. ㉨타이.

*__넷:__ [넫] 셋에 하나를 더한 수.

*__넷:째__ [넫째] 네 번째. ㉼넷째 딸 / 넷째 시간.

*__녀석__ **1** 남자를 욕으로 일컫는 말. ㉼사내 녀석. **2** 사내아이를 귀엽게 일컫는 말. ㉼손자 녀석 / 요 녀석 참 잘생겼구나.

*__년__[1] (年) **1** '해'를 세는 단위. ㉼백 년. **2** 순서가 정해진 해를 세는 말. ㉼서기 1997년 / 세종 28년. ➲year

년[2] 여자를 낮추어 또는 욕으로 일컫는 말. ㉼못된 년. ㉤놈.

년대 (年代) 10년, 100년, 1000년 단위의 해를 뜻하는 말 뒤에 쓰여, 그 단위의 첫 해에서 다음 단위로 넘어가기 전까지의 모든 기간. ㉼2000년대.

년도 (年度) 해를 뜻하는 말 뒤에 쓰여, 일정한 기간 단위로서의 그 해. ㉼2006년도 졸업식.

녘 [녁] 어떤 때의 무렵이나 어떤

방향·지역을 가리키는 말. ㉡동틀녘 / 동녘. 비 쪽.

*노 (櫓) 물을 헤쳐 배를 나아가게 하는 기구. ㉡노를 젓다.

노간주나무 측백나뭇과에 속하는 상록 침엽 교목. 높이 10m가량, 5월에 녹갈색의 꽃이 핌. 달걀 모양의 동그란 열매는 약으로 먹기도 하고 향을 내는 데도 씀.

노고 (勞苦) 수고하고 애씀. ㉡노고를 위로하다 / 노고를 치하하다.

노고지리 '종다리'의 옛말.

노곤하다 (勞困—) 피곤하여 나른하다. ㉡온종일 일을 했더니 몸이 몹시 노곤하다.

노골적 (露骨的) [노골쩍] 숨김없이 있는 그대로 드러내는(것). ㉡노골적인 표현.

노:구 (老軀) 나이를 먹어 마음대로 움직일 수 없게 된 늙은 몸.

노:기 (怒氣) 성난 얼굴빛. ㉡노기를 띠다.

노끈 종이 따위로 꼬아서 만든 가늘고 긴 끈. ㉡노끈을 꼬다. 비 노.

노:년 (老年) 늙은 나이. 늙은 사람. ㉡노년에 접어들다. 비 만년.

노:년기 (老年期) 늙은이가 되어 지내는 시기.

노느다 물건 따위를 여러 몫으로 가르다. ㉡똑같이 노느다. 활용 노나 / 노느니.

> 주의 **노느다**와 **나누다**
> '노느다'는 가르다의 뜻만 있고, '나누다'는 가르다·구별하다·나눗셈하다·분배하다의 뜻이 있다.

노:닐다 한가히 이리저리 왔다 갔다 하면서 놀다. ㉡새들이 평화롭게 노닐고 있었다. 활용 노닐어 / 노니니 / 노니는.

노다지 금·은 따위 광물이 쏟아져 나오는 광맥. ㉡노다지를 캐다.

노닥거리다 [노닥꺼리다] 일을 하지 않고 쓸데없이 이야기를 나누며 시간을 보내다.

노:도 (怒濤) 무섭게 밀려오는 큰 물결. ㉡노도처럼 밀려오는 사람들 / 노도같이 밀어닥치다.

노동 (勞動) 마음과 힘을 써서 일함. **—하다.**

노동력 (勞動力) [노동녁] 생산품을 만드는 데에 드는 인간의 정신적·육체적인 모든 능력. ㉡노동력이 부족하다. 비 노동 능력.

노동부 (勞動部) 중앙 행정 기관의 하나. 근로자들에 대한 문제를 맡아 처리하고 그들을 보호하며, 안정된 생활을 할 수 있도록 하기 위하여 노동에 관한 사무를 맡아봄.

노동자 (勞動者) 일을 하여 그 대가로 받은 돈으로 생활을 하는 사람. 비 근로자.

노동조합 (勞動組合) 노동자들이 자신들의 노동 조건을 개선하고 사회적·경제적 지위를 높이기 위해 조직한 단체. 준 노조.

-노라 어떤 사실을 선포하거나 감동의 느낌을 나타낼 때 쓰는 말. ㉡이제 가노라 / 나는 이겼노라.

-노라고 '…한다고'의 뜻. ㉡하노라고 애썼는데 실패다.

> 주의 **-노라고**와 **-느라고**
> **-노라고** 말하는 사람의 말로 '자기 나름으로 한다고'의 뜻을 나타내는 말. ㉡쓰노라고 쓴 것이 결국 이 꼴이다.
> **-느라고** '하는 일로 말미암아'란 뜻을 나타냄. ㉡공부하느라고 밤을 새우다.

-노라면 '하다가 보면'·'계속한다면'의 뜻을 나타냄. ㉡열심히 공부하노라면 성공할 때가 오겠지.

*노란색 (—色) 병아리나 개나리꽃

과 같은 빛깔.

***노랑** 노란 빛깔이나 물감. ㉠노랑 병아리. 큰 누렁. ⊙yellow

노랑나비 흰나빗과의 곤충. 편 날개 길이 4-6 cm, 빛은 황색, 앞뒤 날개의 가장자리에 넓은 흑색 부분이 있고 그 안에 황색 무늬가 있음. 애벌레는 콩과 식물의 해충임.

***노ː랗다** [노라타] **1** 노란빛이 짙다. ㉠은행 잎이 **노랗게** 물들다. 큰 누렇다. **2** 얼굴이 핏기가 없고 노르스름하다. ㉠얼굴이 **노랗다**. 활용 노라니 / 노래서.

***노래** 곡조를 붙여 부르는 소리나 말 또는 글. ㉠흘러간 옛 **노래**. 비 가곡. **—하다**. ⊙song

노래기 몸통이 20-30 개의 마디로 되고, 각 마디에 두 쌍의 짧은 다리가 있는 벌레. 그늘지고 습기가 많은 곳에 모여 사는데 고약한 노린내가 남.

노랫가락 [노래까락 / 노랟까락] 노래 부를 때의 높고 낮은 곡조.

노랫말 [노랜말] 노래의 내용이 되는 글귀. ㉠**노랫말**이 아름답다. 비 가사.

노랫소리 [노래쏘리 / 노랟쏘리] 노래를 부르는 소리.

노략질 (擄掠—) [노략찔] 떼를 지어 다니며 사람 또는 재물을 빼앗아 가는 짓. **—하다**.

노량 대ː첩 (露梁大捷) 조선 선조 31년(1598) 정유재란 때 노량 앞바다에서 왜군을 쳐부순 이순신 장군의 마지막 해전. 장군은 이 해전에서 적탄에 맞아 전사함.

노려보다 매서운 눈초리로 쏘아보다. ㉠무섭게 **노려보며** 나무라다.

***노력** (努力) 힘을 들이고 애를 씀. ㉠모든 일에 **노력**을 기울이다 / 꾸준히 **노력하다**. **—하다**.

노ː련하다 (老鍊—) 오랫동안 경험을 쌓아 익숙하고 능란하다. ㉠솜씨가 **노련하다**.

노ː령 (老齡) 늙은 나이. ㉠**노령**의 나이에도 불구하고 건강하다. 비 고령. 노년.

노루 사슴과의 짐승. 뿔은 작고 가지가 셋인데 겨울에 빠졌다가 봄에 다시 나며 꼬리는 흔적만 있음. 얕은 산이나 숲에서 삶.

〈노루〉

노루발 **1** 한쪽 끝은 못을 박는 데 쓰고, 다른 한쪽 끝은 못을 빼는 데 쓰는 장도리. **2** 재봉틀에서, 바느질감을 눌러 주는 두 갈래로 갈라진 부품.

노르스름하다 산뜻하면서 옅게 노르다. ㉠**노르스름하게** 익은 벼. 큰 누르스름하다.

노르웨이 (Norway) 〖국명〗 유럽의 북서부 스칸디나비아 반도 서쪽에 위치한 왕국. 수도는 오슬로.

노른자 '노른자위'의 준말.

노른자위 **1** 알의 흰자위에 둘러싸인 둥글고 노란 액체. 반 흰자위. **2** 어떤 사물의 가장 중요한 부분. ㉠이곳은 서울의 **노른자위** 땅이다. 준 노른자.

노름 돈이나 재물을 걸고 화투·주사위·카드 따위로 내기를 하는 일. ㉠**노름**에 빠지다. 비 도박. **—하다**.

> 주의 **노름과 놀음**
> **노름** 도박. ㉠**노름**빛 / **노름**판이 벌어졌다.
> **놀음** 여럿이 모여 즐겁게 노는 일. ㉠즐거운 **놀음** / 각시**놀음**.

노름꾼 노름을 일삼아 하는 사람. 비 도박꾼.

***노릇** [노륻] **1** 직업이나 직책을 낮잡아 이르는 말. ㉠선생 **노릇**. **2** 맡

은 바 구실. ㉠사람 노릇/주인 노릇. **3** 어떤 일의 딱한 처지나 형편. ㉠귀신이 곡할 노릇이다/기가 찰 노릇이다.

노릇노릇하다 [노른노르타다] 군데군데 노르스름하다.

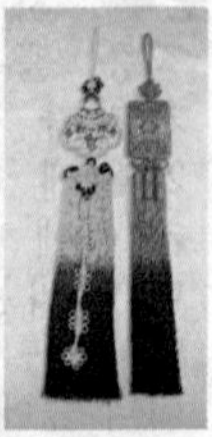

노리개 **1** 여자의 한복 저고리의 고름이나 치마허리 따위에 다는, 금·은·주옥 등으로 만든 패물. **2** 심심풀이로 가지고 노는 물건. 〈노리개〉

노리다[1] **1** 기회를 엿보다. ㉠공격 기회를 노리다. **2** 눈에 독기를 품고 쏘아보다.

노리다[2] 털이 타는 냄새나 노래기의 냄새와 같다.

노린내 노래기·양·여우 등에서 나는 고약한 냄새. ㉠노린내가 나다.

노:망 (老妄) 늙어서 망령을 부림. ㉠노망이 들다/노망을 부리다. ㉥망령. **—하다.**

노:면 (路面) 길의 표면. ㉠비가 와서 노면이 미끄럽다/노면이 울퉁불퉁하다.

노:모 (老母) 늙은 어머니. ㉠노모를 모시고 살다.

노무자 (勞務者) 주로 육체노동으로 벌이를 하는 사람.

노:발대발 (怒發大發) 몹시 노하여 크게 성을 냄. ㉠노발대발하며 크게 꾸짖다. **—하다.**

노벨 (Nobel, Alfred Bernhard) 〖인명〗 스웨덴의 화학자·발명가. 다이너마이트·무연 화약 따위를 발명하여 큰 부자가 됨. 죽을 때 모든 재산을 노벨상의 기금으로 내놓음. [1833-1896]

노벨상 (Nobel賞) 1896년 노벨의 유언에 따라 '인류의 복지에 가장 구체적으로 공헌한 사람'에게 주는, 세계에서 가장 권위 있는 상. 노벨의 유산을 기금으로 하여, 1901년부터 물리학상·화학상·문학상·생리 의학상·평화상·경제학상을 해마다 12월 10일에 스톡홀름에서 수여함.

노:변 (路邊) ⇨길가. ㉠노변에 핀 들국화.

노:부모 (老父母) 늙은 부모. ㉠노부모를 극진히 모시다.

노:부부 (老夫婦) 늙은부부.

노비 (奴婢) 사내종과 계집종. ㉠노비 문서. ㉥비복. 종.

노사 (勞使) 노동자와 사용자. 일을 하는 사람과 일을 시키는 사람. ㉠노사 협약.

노:상[1] (路上) 길바닥. 길 위. ㉠노상에서 강도를 만나다.

노상[2] 언제나 늘 변함없이. ㉠그는 노상 웃고 다닌다/그는 노상 젊어 보인다.

노새 수나귀와 암말 사이에서 난 짐승. 크기는 말만 하나 생김새는 나귀를 닮았음. 몸이 튼튼하고 힘이 세어 무거운 짐을 나를 수 있음.

노:선 (路線) 버스·기차·비행기 따위가 다니도록 정해 놓은 길. ㉠시내버스 운행 노선.

노:소 (老少) 늙은이와 젊은이. ㉠노소를 가리지 않다.

노:송 (老松) 늙은 소나무.

노:쇠 (老衰) 늙어서 힘이 없음. ㉠노쇠한 몸. **—하다.**

노숙 (露宿) 길이나 공원 등지의 한데서 잠. ㉠벤치에서 하룻밤을 노숙하다. ㉥한뎃잠. **—하다.**

노숙자 (露宿者) [노숙짜] 노숙하는 사람.

노:숙하다 (老熟—) [노수카다] 경험을 많이 쌓아 익숙하다. ㉠노숙한 연기. ㉥노련하다.

노:승 (老僧) 나이가 많은 승려.

노심초사하다 (勞心焦思—) 마음을 쓰며 애를 태우다. ㉠오랫동안

노심초사한 끝에 결정하다.

노:약자 (老弱者) [노약짜] 늙은 사람과 약한 사람. ㉮노약자에게 자리를 양보하다.

노:여움 노여운 마음. ㉮노여움을 사다 / 노여움을 풀다. ㉹노염.

노역 (勞役) 아주 힘들고 수고로운 노동. ㉮강제 노역에 시달리다.

노:엽다 [노엽따] 분하고 섭섭하다. ㉮노여운 마음을 가라앉히다. 활용 노여워 / 노여우니.

***노예** (奴隷) 자유와 권리를 빼앗기고 남에게 부림을 당하는 사람. ㉮노예 해방. ㉥종.

***노을** 해가 뜨거나 질 무렵에 하늘이 벌겋게 보이는 현상. ㉮저녁 노을 / 노을이 지다. ㉹놀.

노이로제 (독 Neurose) 불안·과로·갈등·억압 따위의 감정으로 일어나는 신경 기능 이상의 증세.

노:익장 (老益壯) [노익짱] 나이가 들었어도 의욕이나 기력이 젊은이 못지않게 왕성함. ㉮노익장을 과시하다.

***노:인** (老人) 늙은 사람. ㉮노인을 공경하다. ㉥늙은이.

노:인장 (老人丈) '노인'을 높여 이르는 말.

노:인정 (老人亭) 노인들이 모여서 쉴 수 있도록 마련해 놓은 정자나 시설.

노임 (勞賃) 일한 값으로 받는 돈. ㉮노임이 비싸다.

노:자[1] (路資) 여행하는 데 드는 돈. ㉮노자가 떨어지다 / 노자를 마련하다. ㉥노비. 여비.

노:자[2] (老子) 〔인명〕 중국 춘추 시대의 사상가. 초나라 사람으로 도가의 시조. 저서에 '노자도덕경'이 있음.

노:장 (老將) **1** 늙은 장군. **2** 싸움 경험이 풍부한 장군. **3** 경험을 많이 쌓아 노련한 사람. ㉮노장 선수.

노:적 (露積) 곡식 따위를 한데에 쌓아 둠. 또는 그런 물건. **—하다.**

노:적가리 (露積—) [노적까리] 한데에 쌓아 놓은 곡식 더미.

노점 (露店) 길가에 벌여 놓은 가게. ㉮노점 상인.

노조 (勞組) '노동조합'의 준말.

노즐 (nozzle) 끝의 작은 구멍으로부터 액체나 기체를 뿜어내도록 만든 통 모양의 장치.

노:처녀 (老處女) 결혼할 나이가 훨씬 지난 처녀. ㉦노총각.

노천 (露天) ⇨한데[2].

노천극장 (露天劇場) [노천극짱] 한데에 임시로 무대를 설치한 극장.

노:총각 (老總角) 결혼할 나이가 훨씬 지난 총각. ㉦노처녀.

노출 (露出) 밖으로 드러나거나 드러냄. ㉮감정 노출 / 노출이 심한 옷 / 약점을 노출하다. **—하다.**

노:친 (老親) 늙은 부모.

노크 (knock) 방이나 화장실 등에 들어가기 전에 문을 가볍게 두드림. ㉮노크를 잊지 마세요. **—하다.**

노트[1] (note) **1** 공책. 필기장. **2** 어떤 내용을 잊지 않으려고 적음. ㉮수업 내용을 노트하다. **—하다.**

노트[2] (knot) 배의 속도를 나타내는 말. 1노트는 한 시간에 1해리, 곧 1,852미터를 달리는 속도임.

노트북 컴퓨터 (notebook computer) 가지고 다니면서 사용할 수 있도록 작고 가볍게 만든 컴퓨터. 줄여서 '노트북'이라고도 함.

노:파 (老婆) 늙은 여자.

노:파심 (老婆心) 남의 일에 대해 지나치게 걱정하는 마음. ㉮노파심에서 하는 말이다.

노:폐물 (老廢物) [— / 노페물] 신진대사의 결과로 생물의 몸 안에 생긴 불필요한 찌꺼기.

노:하다 (怒—) '성내다'의 높임말. ㉮불같이 노하다.

노하우 (know-how) 특허를 받지 않은 기술로 제품 생산·개발에 필요한 정보. ㉠노하우가 쌓이다.

노:화 (老化) 나이가 들면서 신체적·정신적 기능이 약해지는 현상. ㉠노화 현상 / 노화 방지. **—하다.**

노:환 (老患) 늙어서 생기는 병. ㉠노환으로 고생하시다.

노획 (鹵獲) 싸워서 적의 물품을 빼앗음. ㉠노획한 전리품. **—하다.**

노:후[1] (老朽) 낡아서 쓸모가 없음. ㉠시설이 노후하다. **—하다.**

노:후[2] (老後) 늙은 뒤. ㉠노후에 대비하여 저축을 해야 한다.

녹[1] (祿) '녹봉'의 준말.

녹(을) 먹다 벼슬아치가 되어 녹봉을 받다. ㉠나라의 녹을 먹다.

녹[2] (綠) 산소의 작용으로 쇠붙이의 표면에 생기는 물질. ㉠녹이 나다 / 쇠에 녹이 슬다.

녹는점 (—點) [농는점] 고체가 녹아서 액체가 되기 시작하는 온도. ㊐용융점. 융점. 융해점.

***녹다** [녹따] **1** 굳은 물건이 액체처럼 되다. ㉠얼음이 녹다. **2** 추워서 굳어진 몸이 풀리다. ㉠아랫목에 누우니 몸이 스르르 녹는다.

녹두 (綠豆) [녹뚜] 콩과의 한해살이풀. 팥과 비슷한데 여름에 엷은 녹색 꽃이 핌. 열매는 둥글고 긴 꼬투리로 되어, 그 속에 팥보다 더 작고 녹색인 씨가 들어 있음. 씨는 갈아 식용함.

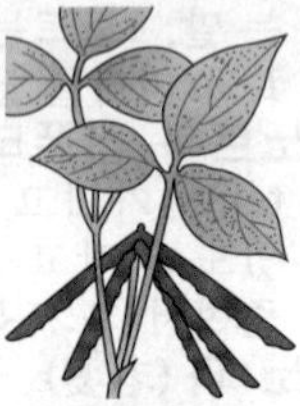
〈녹두〉

녹말 (綠末) [농말] **1** 감자나 고구마, 물에 불린 녹두 따위를 갈아서 가라앉힌 앙금을 말린 가루. **2** 식물의 씨앗·줄기·뿌리 등에 들어 있는 흰 탄수화물. ㊐전분.

녹물 (綠—) [농물] 쇠붙이의 녹이 우러난 물. ㉠수도관이 낡아 자꾸 녹물이 나온다.

녹봉 (祿俸) [녹뽕] 나라에서 관리들에게 봉급으로 주던 쌀·콩·보리·명주·베·돈 따위를 통틀어 이르는 말. ㊌녹.

***녹색** (綠色) [녹쌕] 푸른빛과 누른빛의 중간 색. 나뭇잎이나 풀잎과 같은 빛. ㊐풀빛. ➲ green

녹색등 (綠色燈) [녹쌕뜽] 사람이나 차가 지나가도 좋다는 표시를 하는 녹색의 신호등. 파란불.

녹색말 (綠色—) [녹쌩말] ⇨녹조식물.

녹색 식물 (綠色植物) [녹쌕씽물] 잎과 줄기 따위가 녹색을 띠고 있는 식물. 엽록소가 있어서 광합성을 하여 스스로 녹말을 만듦. 대부분의 식물이 이에 속함.

녹색 조류 (綠色藻類) [녹쌕쪼류] ⇨녹조식물.

녹슬다 (綠—) [녹쓸다] **1** 쇠붙이가 산화해서 빛이 변하다. ㉠녹슨 못 / 칼이 녹슬다. **2** 상태나 기능이 낡거나 무디어지다. ㉠머리가 녹슬다. 활용 녹슬어 / 녹스니 / 녹스는.

녹십자 (綠十字) [녹씹짜] 재해로부터의 안전을 상징하는 녹색의 십자 표지. ㉠녹십자 운동.

녹용 (鹿茸) [노공] 사슴의 새로 돋은 연한 뿔. 보약으로 씀. ㊌용.

녹음[1] (錄音) [노금] 테이프나 레코드 따위에 소리를 기록해 놓음. ㉠노래를 녹음하다. **—하다.**

녹음[2] (綠陰) [노금] 푸른 잎이 우거진 나무나 수풀. 또는 그 나무의 그늘. ㉠녹음이 우거지다 / 녹음이 짙다.

녹음기 (錄音器) [노금기] 테이프나 레코드 등에 소리를 기록해 놓는 기계.

***녹이다** [노기다] 녹게 하다. ㉠얼음을 녹이다 / 사탕을 녹여 먹다.

녹조식물 (綠藻植物) [녹쪼싱물]

엽록소가 있어 광합성을 하며, 물에 사는 식물을 통틀어 일컫는 말. 민물에서 나는 것과 바다에서 나는 것이 있음. 청각·파래 따위. 비 녹색말. 녹색 조류.

녹지 (綠地) [녹찌] 풀과 나무가 우거진 땅. 특히, 도시의 공원이나 시가지에 경치·보건 따위의 목적으로 풀이나 나무를 많이 심어 놓은 곳을 이름. 예 **녹지**를 보호하다.

녹지대 (綠地帶) [녹찌대] 도시의 공원이나 그 주변에 녹지가 있는 지역. 비 녹지 지역.

녹차 (綠茶) 푸른빛이 그대로 나도록 말린 부드러운 찻잎. 또는 그것을 끓인 차.

녹초 아주 맥이 풀어져 힘을 못 쓰는 상태. 예 피곤해서 **녹초**가 되다.

녹화 (錄畫) [노콰] 사물의 모습이나 움직임 따위를 나중에 다시 볼 수 있도록 필름이나 비디오테이프 따위에 기록함. 또는 그 화면. 예 결혼식 장면을 **녹화**하다. **—하다**.

녹화 방:송 (錄畫放送) [노콰—] 녹화해 두었다가 시간에 맞춰 내보내는 방송. 반 생방송.

*__논__ 물을 대어 벼를 심으려고 만든 땅. 예 **논** 열 마지기 / **논**에 물을 대다. *밭.

논갈이 [논가리] 논을 가는 일. 마른갈이와 물갈이가 있음. **—하다**.

논개 (論介) 〖인명〗 조선 선조 때의 의로운 기생. 임진왜란 때에 진주성을 빼앗은 일본 장수를 껴안고 남강에 떨어져 죽음.

논거 (論據) 이론이나 주장을 뒷받침하는 논리적 근거.

논고[1] (論考〔攷〕) 여러 문헌을 살피어 증거를 대고 밝힘. 예 고려사 **논고**. **—하다**.

논고[2] (論告) 법정에서 검사가 피고인에 대해 마지막으로 법률 적용에 대한 의견을 말함. **—하다**.

논공행상 (論功行賞) 어떤 큰 일을 해낸 후에 공이 얼마나 컸는지를 의논하여 그에 알맞은 상을 주는 일.

논길 [논낄] 논 사이에 난 좁은 길.

논농사 (—農事) 논에 짓는 농사. 반 밭농사.

논두렁 [논뚜렁] 물이 괴어 있도록 논가에 흙으로 둘러막은 두둑.

논둑 [논뚝] 논의 가장자리에 쌓아 올린 둑. 물을 막으려고 높고 길게 쌓음.

논란 (論難) [놀란] 잘못을 논하여 비난함. 예 이번 사건은 많은 **논란**을 일으켰다. **—하다**.

논리 (論理) [놀리] 생각하는 것의 올바른 이치. 예 **논리**에 맞는 글.

논리적 (論理的) [놀리적] 논리에 맞는 (것). 예 **논리적** 사고 / **논리적** 추리 / **논리적** 근거를 대다.

논리학 (論理學) [놀리학] 바른 생각과 판단을 얻으려고 규범이 될 수 있는 생각의 형식과 법칙을 연구하는 학문.

논문 (論文) 연구한 내용과 결과를 체계적으로 적은 글. 예 학위 **논문**.

논바닥 [논빠닥] 논의 바닥. 예 가뭄으로 **논바닥**이 쩍쩍 갈라졌다.

논박 (論駁) 상대의 의견이나 잘못을 공격하여 말함. 예 그의 주장을 **논박**하다. **—하다**.

*__논밭__ [논받] 논과 밭. 예 **논밭**을 갈다. 비 농토. 전답.

논배미 [논빼미] 논두렁으로 둘러싸인 논의 한 구역.

논산평야 (論山平野) 충청남도 논산시를 중심으로 남부 지방을 남서로 흐르는 금강 유역에 발달한 평야.

논설 (論說) 의견이나 주장을 논하거나 설명함. 또는 그 글. 예 **논설**집 / **논설**을 쓰다.

논설문 (論說文) 어떤 문제에 대한 의견이나 주장을 조리 있게 논리적으로 밝힌 글.

논설위원 (論說委員) [논서뤼원] 신문사나 방송국에서 시사 문제를 논하거나 해설을 맡은 사람.
논술 (論述) 의견을 조리 있게 말하거나 써 나가는 것. 또는 그 말이나 글. ㉠논술 시험. **—하다.**
논어 (論語) [노너] 〖책〗 사서의 하나. 공자의 제자들이 공자가 말하고 행동한 사실들을 모아 엮은 책.
논의 (論議) [노늬 / 노니] 어떤 문제에 대하여 서로 의견을 내놓고 의논함. ㉠해결 방안을 활발하게 논의하다. 비 논평. **—하다.**
논일 [논닐] 논에서 하는 일. 반 밭일. **—하다.**
논쟁 (論爭) 서로 다른 의견을 가진 사람들이 자기의 주장을 내세워서 말이나 글로 다툼. ㉠찬반에 대해 열띤 논쟁을 벌이다. **—하다.**
논점 (論點) [논쩜] 논의나 논쟁의 중심이 되는 문제점.
논제 (論題) 토론이나 논문, 논설 따위의 주제나 제목. ㉠토론회의 논제를 정하다.
논증 (論證) 옳고 그름을 사리에 맞도록 증거를 들어 밝힘. **—하다.**
논지 (論旨) 논하고자 하는 말이나 글의 기본적인 뜻.
논평 (論評) 잘되고 못됨을 따져서 비판하여 말함. 또는 그런 글. ㉠논평할 가치조차 없는 글. **—하다.**
논픽션 (nonfiction) 사실을 바탕으로 한 작품. 기록 문학·기록 영화·전기·기행문 따위. ㉠논픽션 드라마 / 논픽션 소설.
논하다 (論—) **1** 자기의 의견이나 사물의 이치 따위를 조리 있게 차근차근 말하다. ㉠음악을 논하다. **2** 서로 옳고 그름을 따져 말하다. ㉠일의 옳고 그름을 논하다.
놀ː '노을'의 준말.
*__놀ː다__ **1** 재미있는 일을 하며 즐기다. ㉠친구들과 어울려 놀다. **2** 일이 없어 한가하게 있다. 직업이 없이 세월을 보내다. ㉠직장을 그만두고 놀고 있다. **3** 어떤 일을 하다가 일정한 기간 동안 쉬다. **4** 윷이나 주사위 같은 것을 던지거나 굴리다. **5** 사용하고 있지 아니하다. ㉠노는 땅. **6** 이리저리 돌아다니다. ㉠어항에서 열대어가 논다. 활용 놀아 / 노니 / 노는. ⏵play
*__놀ː라다__ **1** 뜻밖의 일을 당하여 가슴이 두근거리다. ㉠경적 소리에 놀라다. **2** 갑자기 무서움을 느끼다. ㉠총소리에 놀라다. **3** 신기하거나 훌륭한 것을 보고 감동하다. ㉠엄청난 규모에 놀라다.

> 주의 **놀라다**와 **놀래다**
> **놀라다** 뜻밖의 일로 가슴이 두근거리거나 무서움·감동 따위를 느끼다. ㉠깜짝 놀랐다.
> **놀래다** 남을 놀라게 하다.

*__놀ː랍다__ [놀랍따] **1** 굉장하거나 훌륭하다. ㉠놀라운 기술의 발전. **2** 두렵고 충격적이다. ㉠그가 실종되었다니 참으로 놀랍다. 활용 놀라워 / 놀라우니.
놀ː래다 남을 놀라게 하다. →놀라다 주의
*__놀리다__ **1** 남을 깔보고 웃음거리로 만들다. ㉠친구를 놀리지 마라. **2** 손이나 발 따위를 재빠르게 움직이다. **3** 놀게 하다. ㉠일감이 없어서 직원들을 놀렸다.
놀림 웃음거리로 만드는 짓.
놀림감 [놀림깜] 놀림의 대상이 될 만한 것. 또는 그런 사람. ㉠놀림감이 되다 / 놀림감으로 삼다.
놀부 **1** 흥부전에 나오는 주인공의 한 사람. 마음씨가 나쁘고 심술궂음. **2** 심술궂고 욕심 많은 사람을 비유하는 말.
놀음 [노름] 여럿이 모여 즐겁게 노

는 일. ㉮꼭두각시놀음 / 탈놀음. 본 놀음놀이. →노름 주의

*놀이 [노리] 노는 일. ㉮고무줄 놀이 / 술래잡기 놀이를 하다. **—하다.**

놀이 기구 (—機〔器〕具) [노리—] 놀이를 할 때 사용하는 기구. 그네·시소·회전목마 따위를 일컬음.

놀이마당 [노리마당] 판소리·춤·탈놀음 따위를 하는 일. 또는 그런 자리.

놀이방 (—房) [노리방] 돈을 받고 아이들을 맡아 돌보아 주는 집.

*놀이터 [노리터] 아이들이 놀 수 있도록 여러 가지 놀이 기구를 마련해 놓은 곳.

*놈 **1** '사내1'의 낮춤말. ㉮나쁜 놈. 반 년. **2** 사내아이를 귀엽게 일컫는 말. ㉮제 자식 놈입니다. **3** 동물이나 물건을 가리켜 쓰는 말. ㉮암놈 / 큰 놈을 잡아라.

놋그릇 [녿끄륻] 놋쇠로 만든 그릇.

놋다리밟기 [녿따리밥끼] 경상북도 안동·의성 등지에서, 음력 정월 보름날 밤에 행하여지던 부녀자들의 놀이. 부녀자들이 한 줄로 서서 뒷사람이 앞사람의 허리를 붙잡고 사람의 다리를 만들면, 그 위를 공주로 뽑힌 한 소녀가 노래에 맞추어 밟고 지나감.

놋쇠 [녿쐬] 구리와 아연을 섞어서 만든 쇠붙이. 그릇이나 장식물을 만드는 데 씀. 준 놋.

농:1 (弄) '농담'의 준말. ㉮농을 걸다 / 농이 심하다.

*농2 (籠) **1** 대·싸리·버들로 엮어 만들어 종이를 바른 상자. 옷 따위를 넣어 둠. **2** '장롱'의 준말.

*농가 (農家) 농사짓는 사람이 사는 집. ㉮농가 소득. 비 농삿집.

농:간 (弄奸) 남을 속여 일을 그르치게 하는 짓. ㉮농간을 부리다 / 농간에 넘어가다. **—하다.**

농경 (農耕) 논밭을 갈아 농사를 지음. ㉮농경지 / 농경 사회.

농공 (農工) 농업과 공업.

농구1 (農具) 농사일에 쓰는 도구. 비 농기구.

*농구2 (籠球) 구기의 하나. 다섯 사람이 한 팀이 되어 서로 상대편의 바스켓에 공을 던져 넣어 얻은 점수로 승부를 겨루는 경기. ➡ basketball

농군 (農軍) ⇨농민.

농기 (農旗) 농촌에서 마을 단위로 만든 기. '농자천하지대본야'라고 써넣고, 여럿이 모여 농사일을 할 때 이 기를 옮겨 가며 농악을 울리고 모내기·김매기·추수 등을 함.

농기계 (農機械) [— / 농기게] 농사짓는 데 쓰는 기계. 경운기·트랙터·콤바인 따위.

농기구 (農器具) 농사짓는 데 쓰는 여러 가지 기구나 기계를 통틀어 이르는 말. 삽·호미·괭이·쟁기 따위. 비 농구.

농:담1 (弄談) 실없이 하는 장난의 말. ㉮농담을 진담으로 듣다. 반 진담. 준 농. **—하다.**

농담2 (濃淡) 짙음과 옅음. ㉮먹물의 농담.

농도 (濃度) 기체나 액체 속에 들어 있는 어떤 성분의 양의 비율. ㉮술의 알코올 농도.

농락 (籠絡) [농낙] 약은 꾀로 남을 속여 자기 마음대로 놀리거나 이용함. ㉮소비자를 농락하다. **—하다.**

농림 (農林) [농님] 농업과 임업.

농림부 (農林部) [농님부] 중앙 행정 기관의 하나. 농산·잠업·식량·농지·수리·축산 따위에 관한 일을 맡아봄.

농무 (濃霧) 짙은 안개. ㉮농무가 걷히다 / 자욱한 농무가 사방을 뒤덮다.

*농민 (農民) 농사짓는 일을 직업으로 하는 사람. 비 농군. 농부.

농번기 (農繁期) 농사일이 한창 바

쁜 시기. 모내기·논매기·추수 따위를 할 때. 반 농한기.

*농부 (農夫) 농사짓는 사람. 비 농민. 농사꾼. ➡ farmer

농부가 (農夫歌) 농부들이 부르는 노래. 농사일이나 농촌을 내용으로 하여 흔히 일할 때 부름. 준 농가.

*농사 (農事) 논밭을 갈아 농작물을 심고 가꾸고 거두는 일. 예 보리 농사 / 올해 농사는 대풍이다. 비 농업. **—하다**.

농사꾼 (農事—) 농사짓는 일을 하는 사람.

농사일 (農事—) 농사짓는 일.

농사직설 (農事直說) [농사직썰] 〖책〗 우리나라에서 가장 오래된 농사에 관한 책. 조선 시대 세종 11년(1429)에 정초가 지었음.

농사짓다 (農事—) [농사짇따] 농사를 직업으로 삼아 일을 하다. 예 땅을 일구어 농사짓다. 활용 농사지어 / 농사지으니 / 농사짓는.

농사철 (農事—) 농사짓는 시기.

*농산물 (農産物) 농업으로 생산된 물건. 곡식·채소·과일 따위.

농성 (籠城) 어떤 목적을 이루려고 한자리에서 떠나지 않고 시위함. 예 철야 농성 / 농성 투쟁을 벌이다. **—하다**.

농수산 (農水産) 농업과 수산업.

농수산물 (農水産物) 농산물과 수산물. 예 농수산물 도매 시장.

농아 (聾啞) 듣지 못하고 말하지 못하는 사람.

*농악 (農樂) 농촌에서 농부들 사이에 행하여지는 우리나라 고유의 음악. 함께 일할 때나 명절에 꽹과리·징·북·소고·자바라·태평소·장구·피리 따위를 울리면서 춤추고 노래함. 비 민속 농악.

농악대 (農樂隊) [농악때] 농악을 연주하는 사람들의 무리.

농약 (農藥) 농작물에 해로운 병충해를 막는 데 쓰는 약품. 예 농약을 뿌리다 / 농약을 치다.

농어 농엇과의 바닷물고기. 몸길이 50-90 cm로 길고 옆으로 납작함. 어려서는 민물에 살며 초겨울에 바다로 나감.

농어민 (農漁民) 농민과 어민. 예 농어민 후계자를 양성하다.

농어촌 (農漁村) 농촌과 어촌. 예 농어촌 개발 사업.

*농업 (農業) 땅을 이용하여 곡식·채소 따위를 가꾸거나 가축을 기르는 산업. 또는 농사를 짓는 직업. 예 농업 지역 / 농업 인구 / 농업에 종사하다. 비 농사.

농업 고등학교 (農業高等學校) [—꼬등학꾜] 농업에 관한 지식과 기술을 가르치는 고등학교.

농업국 (農業國) [농업꾹] 주로 농사를 많이 짓는 나라. 반 공업국.

농업용수 (農業用水) [농엄뇽수] 농사를 짓는 데 필요한 물.

농업 협동조합 (農業協同組合) [농어편똥조합] 농가들이 서로 협력하여 생산력을 높이고 경제적·사회적 지위 향상을 위하여 조직하는 협동조합. 공동으로 생산하고 생활필수품을 공동 구입함. 준 농협.

농요 (農謠) 농부들이 농사일을 하면서 부르는 노래.

농원 (農園) 주로, 원예 작물을 심어 가꾸는 농장.

농익다 (濃—) [농닉따] 흠뻑 익다. 무르익다. 예 농익은 복숭아 / 분위기가 한창 농익어 갔다. 반 설익다.

*농작물 (農作物) [농장물] 논밭에 심어 가꾸는 곡물·채소 따위. 예 올해는 농작물이 잘되었다. 준 작물.

*농장 (農場) 일정한 농지에 집·농기구·가축 및 사람의 노동력을 갖추고 농업을 경영하는 곳. 예 과학적인 농장 관리. ➡ farm

농지 (農地) 농사짓는 데 쓰는 땅.

논과 밭. ㉮농지 정리. 비 경작지. 농경지. 농토.

***농촌**(農村) 농사를 짓고 사는 사람들이 모여 사는 마을. ㉮살기 좋은 농촌. 반 도시.

농촌 진ː흥청(農村振興廳) 농촌 발전을 위한 실험·연구, 농민의 지도 및 농촌 지도자 수련 따위의 일을 맡아보는 중앙 행정 기관. 농림부에 딸려 있음.

농축(濃縮) 액체 등이 진하게 엉기어 바짝 졸아듦. 또는 졸아들게 하여 농도를 높임. ㉮농축 세제 / 농축 우라늄. **—하다**.

농축산물(農畜產物) [농축싼물] 농산물과 축산물. ㉮농축산물 도매 시장.

***농토**(農土) 농사짓는 땅. ㉮가뭄으로 갈라진 농토. 비 농지.

농한기(農閑期) 농사일이 바쁘지 않은 겨울·이른 봄 따위의 한가로운 때. ㉮농한기를 이용하여 가마니를 짜다. 반 농번기.

농협(農協) '농업 협동조합'의 준말. ㉮농협 공판장.

농후하다(濃厚—) **1** 맛·빛깔·성분 따위가 매우 짙다. **2** 가능성이 다분히 있다. ㉮실패할 가능성이 농후하다. **3** 어떤 경향이나 기색 따위가 뚜렷하다. ㉮종교적 색채가 농후하다.

높낮이 [놈나지] 높음과 낮음. 또는 높고 낮은 정도. ㉮의자의 높낮이를 조절하다. 비 고저.

***높다** [놉따] **1** 아래에서 위로 향하여 길게 솟아 있다. ㉮산이 높다. **2** 지위·신분·수준·정도 따위가 위에 있다. ㉮계급이 높다. **3** 유명하다. ㉮명성이 높다. **4** 값이 비싸다. ㉮물가가 높다. **5** 온도·습도·비율 따위를 나타내는 숫자가 크다. ㉮합격률이 높다. 반 낮다. ➲ high

높다랗다 [놉따라타] 썩 높다. ㉮높다란 가을 하늘. 활용 높다라니 / 높다래서.

높새바람 [놉쌔바람] 봄부터 초여름에 걸쳐 북동쪽에서 불어오는 덥고 건조한 바람.

높아지다 [노파지다] 전보다 더 높은 정도나 수준에 이르다. ㉮생활수준이 높아지다 / 노동의 생산성이 높아지다.

높은음자리표(—音—標) [노프늠자리표] '사' 음의 자리를 가리키는 표(기호는 𝄞). 비 사음자리표. 반 낮은음자리표.

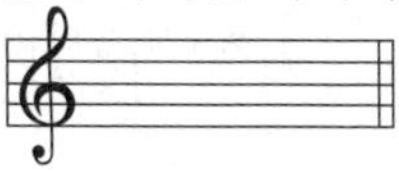

〈높은음자리표〉

***높이** [노피] **1** 높은 정도. ㉮파도의 높이 / 건물의 높이를 재다. **2** 높게. ㉮높이 오르다.

***높이다** [노피다] **1** 정도나 높이 따위를 올리다. 높게 하다. ㉮온도를 높이다 / 담을 높이다. **2** 존대하다. ㉮말을 높이다.

***높이뛰기** [노피뛰기] 공중에 가로질러 놓은 막대를 뛰어넘어 그 높이를 겨루는 육상 경기.

높임말 [노핌말] 상대편을 높이어 하는 말. 진지·말씀·병환 따위. 비 경어. 공대말. 존댓말. 반 낮춤말.

높임법(—法) [노핌뻡] 말하는 사람이 어떤 대상이 되는 사람이나 사물에 대하여 높임의 태도를 나타내는 문법 기능.

> **참고** 높임법에는 주체 높임법과 상대 높임법이 있다.
>
> **주체 높임법** 말하는 이가 문장의 주체를 높이는 것으로, 동사나 형용사의 말 줄기에 높임의 말인 '-(으)시-'를 붙여 표현함.
> ㉮어머니, 선생님께서 오십니다.
>
> **상대 높임법** 말하는 이가 듣는 상대방을 높이거나 낮추어 말하는 법으로 일정한 말을 써서 표현함.

격식체	합쇼체	아주 높임	예안녕히 계십시오.
	하오체	보통 높임	예빨리 밖으로 나오시오.
	하게체	보통 낮춤	예이리 와서 앉게.
	해라체	아주 낮춤	예빨리 자라.
비격식체	해체	낮춤	예이리 와서 앉아.
	해요체	높임	예밖으로 나오세요.

높직하다 [놉찌카다] 높은 듯하다. 예높직한 언덕. 반 나직하다.

높푸르다 [놉푸르다] 높고 푸르다. 예높푸른 기상 / 높푸른 가을 하늘. 활용 높푸르러 / 높푸르니.

***놓다** [노타] **1** 일정한 자리에 두다. 예제자리에 놓아라. **2** 손에 잡은 것을 손에서 떨어지게 하다. 예가방을 놓아라. **3** 긴장이나 걱정 따위를 풀어서 없애다. 예넋을 놓고 바라보다 / 이젠 마음을 놓겠다. **4** 시설·가설하다. 예전화를 놓다. **5** 실로 수를 만들거나 무늬를 넣다. 예꽃수를 놓다. **6** 하던 일을 그치다. 예일손을 놓다. **7** 일정한 대상에게 어떤 짓을 해 대다. 예훼방을 놓다. **8** 불을 지르거나 피우다. 예논둑에 불을 놓다. **9** 주사·침 따위로 찌르다. 예예방 주사를 놓다. ➲ put

놓아기르다 [노아기르다] 보살피거나 거두지 아니하고 제멋대로 자라게 하다.

놓아두다 [노아두다] **1** 들었던 것을 내려 어떤 곳에 두다. 예차에 우산을 놓아두다. **2** 건드리지 않고 그대로 두다. 예이불을 개지 않고 그대로 놓아두다. **3** 마음대로 하도록 내버려 두다. 예하고 싶은 대로 하도록 놓아두어라.

놓아주다 [노아주다] 잡혔거나 얽매였거나 갇힌 것을 풀어 자유롭게 하여 주다. 예잡은 새를 놓아주다.

> 참고 '놓아'가 '놔'로 줄 적에는 준 대로 적는다. 따라서 '놓아주다'의 준말은 '놔주다'이다. '좋아'라는 말이 줄어서 '좌'로 되지 않는 것과 비교해 보면 준말의 형태에 특색이 있음을 알 수 있다.

***놓이다** [노이다] **1** 시설이 만들어지다. 예다리가 놓이다. **2** 안심이 되다. 예마음이 놓이다. **3** 얹히어 있다. 예시계가 책상 위에 놓이다.

놓치다 [놓치다] 잡거나 얻거나 닥쳐온 것을 도로 잃어버리다. 예기차를 놓치다. ➲ miss

뇌 (腦) 머리 속에 있어 신경을 지배하며 정신 활동을 하는 부분. 대뇌·소뇌·연수 따위로 구분되는데, 특히 대뇌는 사람의 의식 활동의 중심이 됨.

뇌관 (雷管) 포탄·탄환 따위와 같은 폭발물의 점화에 사용하는, 쇠붙이로 만든 관.

뇌까리다 **1** 남의 허물이나 잘못을 듣기 싫도록 자꾸 말하다. **2** 아무렇게나 되는대로 지껄이다.

뇌리 (腦裡) 머릿속. 예뇌리를 스치다 / 뇌리에 박혀 있다.

뇌막염 (腦膜炎) [뇌망념] 두개골 안에 뇌를 싸고 있는 얇은 막에 생기는 염증.

뇌물 (賂物) 자기가 뜻하는 바를 이루기 위해 남에게 몰래 주는 돈이나 물건. 예뇌물을 쓰다.

뇌사 (腦死) 뇌의 기능이 완전히 멈추어 본디 상태로 되돌아가지 않는 상태.

뇌성 마비 (腦性痲痺) 태어날 때부터 뇌의 이상으로 생기는 소아의 운동 마비. 팔다리의 마비 및 지능 장애를 일으킴. 비 뇌성 소아마비.

뇌성벽력 (雷聲霹靂) [뇌성병녁] 천둥소리와 벼락. 예뇌성벽력 같은 소리를 지르다.

뇌신경 (腦神經) 대뇌의 밑과 연수에서 시작하여 머리·얼굴 등에 퍼져 있는 운동 신경과 지각 신경. 큰 줄기가 12쌍이 있음.

뇌염 (腦炎) 뇌에 염증이 생겨 일어나는 병을 통틀어 이르는 말. 예뇌염모기.

뇌우 (雷雨) 천둥소리와 함께 쏟아지는 비. 예뇌우가 퍼붓다.

뇌일혈 (腦溢血) 고혈압·동맥 경화 따위로 뇌 속의 혈관이 터져 피가 뇌 속에 흘러나오는 병.

뇌졸중 (腦卒中) [뇌졸쭝] 뇌에 혈액 공급이 제대로 되지 않아 일어나는 증세. 갑자기 의식을 잃고 쓰러지며, 손발의 마비 현상이 나타남.

뇌종양 (腦腫瘍) 뇌에 생기는 종양. 두통·구토·경련·마비·시력 장애 등의 증세가 나타남.

뇌진탕 (腦震蕩) 머리를 크게 부딪치거나 몹시 얻어맞았을 때 그 충격으로 일시적으로 의식 장애를 일으키는 일.

뇌출혈 (腦出血) 고혈압·동맥 경화 따위로 뇌의 동맥이 터져 피가 뇌 속에 흘러나오는 병. 비 뇌일혈.

뇌파 (腦波) 뇌의 활동에 의하여 일어나는 전류.

누ː (累) 정신적으로나 물질적으로 다른 사람에게 끼치는 부담. 예누가 되다 / 누를 끼치다.

누각 (樓閣) 사방을 바라볼 수 있게 높이 지은 다락집.

누ː계 (累計) [– / 누게] 많은 수나 양을 처음부터 차례로 합쳐 감. 또는 그 합친 셈.

***누구** 어떤 사람을 막연히 일컫거나 이름을 모르는 사람을 물을 때 쓰는 말. 예누구세요 / 그것은 누구나 할 수 있는 일이다. 준 뉘. who

누구누구 '누구'의 복수형. 예모임에 누구누구 나왔니.

누그러뜨리다 누그러지게 하다.

누그러지다 **1** 딱딱하던 성질이 부드러워지거나 약하여지다. 예표정이 누그러지다. **2** 추위·물가·병 따위의 정도가 덜해지다. 예통증이 누그러지다.

***누ː나** 사내아이가 손위 누이나 손위의 여자를 부르는 말. 높 누님.

누ː누이 (屢屢–) 여러 번. 자꾸. 예알아듣도록 누누이 타이르다.

누ː님 '누나'의 높임말.

***누다** 똥이나 오줌을 몸 밖으로 내보내다. 예오줌을 누다 / 똥을 누다.

누더기 누덕누덕 기운 헌 옷. 예누더기를 걸치다.

누덕누덕 [누덩누덕] 해진 곳을 여러 번 덧붙여 기운 모양. 예누덕누덕 기운 바지. **—하다.**

누드 (nude) 벌거벗은 몸.

누ː락 (漏落) 마땅히 적혀 있어야 할 것이 빠짐. 예합격자 명단에서 누락되다. **—하다.**

누렁이 **1** 누런 빛깔의 개. **2** 누런 빛깔의 물건. 작 노랑이.

***누ː렇다** [누러타] 매우 누르다. 예벼가 누렇게 익어 간다. 작 노랗다. 활용 누러니 / 누레서.

누룩 밀을 굵게 갈아 반죽하여 띄운, 술을 빚는 재료.

누룩곰팡이 [누룩꼼팡이] 누룩곰팡잇과의 자낭균. 균사는 무색으로 퍼져서 솜처럼 됨. 술을 만드는 데에 널리 씀.

누룽지 솥 바닥에 눌어붙은 밥.

누르께하다 곱지도 짙지도 않게 누르다.

***누ː르다**1 **1** 어떤 물체에 힘이나 무게를 가하다. 예머리를 누르다 / 초인종을 누르다. **2** 꼼짝 못하게 규제를 가하다. **3** 어떤 기분·느낌·심리

작용 따위를 억제하다. ㉑슬픔을 누르고 웃음 짓다. **4** 계속 머물다. ㉑언니 집에 눌러 살다. ㊥참다. 활용 눌러/누르니.

*__누르다²__ 놋쇠나 금의 빛과 비슷한 빛이다. ㉗노르다. 활용 누르러/누르니.

누르스름하다 조금 누르다.

누름단추 손가락으로 눌러서 신호를 울리거나 기계를 움직이게 하는 단추같이 생긴 장치. 버튼.

누릇누릇 [누른누름] 군데군데 누른빛이 나는 모양. ㉗노릇노릇. **—하다.**

누리 '세상'의 옛말. ㉑온 누리에 빛나리.

*__누리다¹__ 어떤 좋은 점을 지니고 살면서 마음껏 즐기다. ㉑자유를 누리다/행복을 누리다.

누리다² 기름기가 많아 메스꺼운 냄새가 나다.

누린내 **1** 짐승의 고기에서 나는 기름기의 냄새. **2** 짐승의 털이 불에 타는 냄새. ㉗노린내.

누:명 (陋名) 억울하게 뒤집어쓴 좋지 않은 평판. ㉑누명을 벗다/억울한 누명을 쓰다. ㊥오명.

누비 두 겹의 천 사이에 솜을 넣고 줄이 죽죽 지게 박은 바느질. 또는 그렇게 만든 물건. ㉑누비이불/누비 솜옷.

누비다 **1** 두 겹의 천 사이에 솜을 두어 죽죽 줄이 지도록 꿰매다. ㉑누빈 이불. **2** 이리저리 거리낌 없이 다니다. ㉑자전거로 골목길을 누비고 다니다.

누:설 (漏泄〔洩〕) **1** 비밀이 새어 밖으로 알려짐. 또는 비밀이 새어 나가게 함. ㉑비밀을 누설하다. **2** 물이 샘. 물이 새게 함. **—하다.**

누:수 (漏水) **1** 물이 샘. 또는 그 물. ㉑누수 방지 공사. **2** 물시계에서 떨어지는 물.

누에 누에나방의 애벌레. 검은 무늬를 띠고 13개의 마디가 있음. 잠은 네 번 자는데 그동안 네 번 꺼풀을 벗고, 커서 실을 토하여 고치를 지음.

〈누에〉

누에고치 누에가 번데기로 될 때에 그 바깥 둘레에 만드는 둥그스름한 집. 명주실의 원료가 됨.

누에나방 누에나방과의 곤충. 편 날개 길이 약 4 cm, 몸빛은 회백색임. 알을 낳은 뒤 곧 죽음. 애벌레는 누에라 하며, 명주실을 얻기 위해 기름.

누에섶 [누에섭] 누에가 올라가 고치를 짓도록 마련한 짚이나 잎나무.

누에치기 누에를 기르는 일. ㊥양잠. **—하다.**

*__누이__ 남자의 여자 형제. 흔히 나이가 아래인 여자를 이름.

누이다¹ 눕게 하다. ㉑아기를 침대에 누이다. ㊟뉘다.

누이다² 오줌이나 똥을 누게 하다. ㉑오줌을 누이다. ㊟뉘다.

누이동생 (—同生) 자기보다 나이가 어린 누이. ㊥여동생. ㊟누이.

누:적 (累積) 포개져서 쌓임. 포개어 쌓음. ㉑누적된 울분이 폭발하다. **—하다.**

누:전 (漏電) 전기가 새어 나감. ㉑누전으로 불이 났다.

누:지다 습기를 먹어 축축한 기운이 있다.

누:진 (累進) **1** 등급이나 지위 따위가 차차 올라감. **2** 가격이나 수량이 더하여 감에 따라 그에 대한 비율이 점점 높아짐. ㉑누진 세율을 적용하다. **—하다.**

누:진세 (累進稅) [누진쎄] 과세 대상의 가격이나 수량이 더하여 감에 따라 높은 비율로 매기는 세금. ㉑누진세를 내다.

누ː차(屢次) 여러 차례. 여러 번. 수차. ㉧누차 설명해도 이해를 못 한다.

누ː추하다(陋醜—) 지저분하고 더럽다. ㉧집이 누추하다.

누ː출(漏出) 액체나 기체 따위가 밖으로 새어 나옴. ㉧가스 누출 사고. **—하다**.

눅눅하다[눙누카다] **1** 물기나 기름기가 있어 좀 무르고 부드럽다. ㉶ 녹녹하다. **2** 축축한 기운이 있다. 습기가 있다. ㉧눅눅한 옷.

눅눅히[눙누키] 눅눅하게.

눅다[눅따] **1** 반죽 따위가 무르다. ㉧수제비 반죽이 눅다. **2** 춥던 날씨가 풀리다. ㉧눅은 날씨. **3** 값이 싸다. ㉧과일 값이 눅다. **4** 성질이 너그럽다. ㉧성질이 눅은 사람. **5** 습기가 있어 눅눅하다. ㉧김이 눅다 / 과자가 눅다.

눅이다[누기다] **1** 굳은 물건을 부드럽게 하다. **2** 마음을 풀리게 하다. ㉧마음을 눅이고 참게.

*__눈__[1] **1** 사람이나 동물의 보는 기능을 맡은 감각 기관. ㉧눈을 뜨다 / 눈을 흘기다. ➲ eye **2** 시력. ㉧눈이 나쁘다. **3** 사물을 보고 판단하는 힘. ㉧보는 눈이 정확하다. **4** 시선. 눈길. ㉧눈을 끌다. **5** 태풍에서, 중심을 이루는 부분. ㉧태풍의 눈.

눈 깜짝할 사이 아주 짧은 순간. ㉧눈 깜짝할 사이에 일이 끝났다.

눈에 넣어도 아프지 않다 매우 귀엽고 사랑스럽다. ㉧눈에 넣어도 아프지 않을 내 자식.

눈에 밟히다 잊으려고 해도 자꾸 눈에 나타나다.

눈에 불을 켜다 몹시 욕심을 내거나 관심을 기울이다.

눈에 흙이 들어가다 죽어서 땅에 묻히다. ㉧내 눈에 흙이 들어가기 전에는 안 된다.

눈(을) 돌리다 관심을 돌리다.

눈(을) 붙이다 잠을 자다.

눈(이) 높다 분수에 맞지 않게 좋은 것만 찾는 버릇이 있다.

*__눈__ː[2] 공중의 수증기가 찬 기운을 만나 얼어서 땅 위로 떨어지는 여섯 모의 흰 결정체. ➲ snow

> **참고** 눈의 종류
> - 가랑눈
> - 가루눈
> - 눈보라
> - 대설
> - 마른눈
> - 만년설
> - 밤눈
> - 봄눈
> - 싸라기눈
> - 우박
> - 진눈깨비
> - 첫눈
> - 함박눈

*__눈__[3] 나무에 새로 막 터져 돋아나려는 싹. ㉧마른 나뭇가지에 눈이 움트다.

〈눈³〉

눈[4] '눈금'의 준말.

눈[5] 그물 따위의 매듭.

눈가[눈까] 눈의 가장자리.

눈가림 겉만 잘 꾸며 남의 눈을 속이는 짓. ㉧눈가림으로 일을 하다. **—하다**.

눈감다[눈감따] **1** 목숨이 끊어지다. **2** 남의 잘못을 알고도 모르는 체하다. ㉧실수를 눈감아 주다 / 동생의 거짓말을 눈감아 주다.

눈겨룸 ⇨눈싸움.

눈곱[눈꼽] **1** 눈에서 나오는 진득진득한 액. 또는 그것이 말라붙은 것. ㉧눈곱이 끼다. **2** 아주 작은 물건을 비유하는 말. ㉧인정이라곤 눈곱만큼도 없는 사람.

*__눈금__[눈끔] 저울·자·온도계 따위에서 양·길이·도수를 나타내는 금. ㉧눈금을 재다 / 눈금을 속이다.

눈길[눈낄] 눈이 가는 곳. 또는 눈으로 보는 방향. ㉧눈길을 끌다 / 눈길이 마주치다. ㉥ 시선.

눈까풀 눈을 보호하기 위해 눈알을 덮은 까풀. 큰 눈꺼풀.

눈꺼풀 눈을 덮는 꺼풀. 예 눈꺼풀이 무겁다. 작 눈까풀. ➡ eyelid

눈꼬리 눈의 귀 쪽 가장자리 부분.

눈꼴사납다 [눈꼴사납따] 보기에 아니꼽다. 예 눈꼴사나운 모습을 보이다. 활용 눈꼴사나워 / 눈꼴사나우니.

눈꼽 '눈곱'의 잘못.

눈:꽃 [눈꼳] 나뭇가지에 얹혀 꽃이 핀 것처럼 보이는 눈.

눈높이 [눈노피] **1** 바닥에서 사람의 눈까지의 높이. **2** 일이나 사물에 대해 생각하는 수준. 예 눈높이를 맞추다.

눈대중 [눈때중] 눈으로 보아 어림잡아 헤아림. 예 청중이 눈대중으로 천 명은 넘어 보였다. 비 눈어림. 눈짐작. **—하다**.

눈:덩이 [눈떵이] 눈을 뭉쳐서 둥글게 만든 덩어리.

눈독 [눈똑] 욕심을 내어 눈여겨 봄. 예 새로 나온 휴대 전화에 눈독을 들이다.

***눈동자** (—瞳子) [눈똥자] 눈알의 한가운데 있으며, 빛이 들어가는 곳으로 동그랗고 검은 부분. 예 빛나는 눈동자. 비 동공.

눈두덩 [눈뚜덩] 눈 주위의 두두룩한 곳. 예 눈두덩이 부었다.

눈뜨다 **1** 잠을 깨다. 예 눈뜨니 아침이다. **2** 모르는 것을 깨달아 알다. 예 학문에 눈뜨다. 활용 눈떠 / 눈뜨니.

눈뜬장님 **1** 눈을 뜨고는 있으나 보지 못하는 사람. 비 당달봉사. **2** 무엇을 보고도 알지 못하는 사람. **3** 글을 모르는 사람.

눈망울 눈알의 앞쪽의 두두룩한 곳. 눈동자가 있는 곳. 예 초롱초롱한 눈망울. 비 눈방울. 눈알.

눈매 눈의 생김새. 예 고운 눈매 / 눈매가 날카롭다.

눈멀다 **1** 눈이 나빠져 아무것도 보이지 않게 되다. 예 눈먼 사람. **2** 어떤 일에 몹시 마음이 쏠리다. 예 돈에 눈멀다 / 사랑에 눈멀다. 활용 눈멀어 / 눈머니 / 눈머는.

***눈물** 눈알 위에 있는 눈물샘에서 나오는 물. 늘 조금씩 나와서 눈을 축이는데, 감동·자극을 받으면 더 많이 나옴. 예 눈물을 글썽이다 / 감동의 눈물을 흘리다.

눈물을 삼키다 나오려는 눈물을 꾹 참다.

눈물이 앞을 가리다 눈물이 자꾸 흐르다.

눈물겹다 [눈물겹따] 눈물이 날 만큼 가엾고 애처롭다. 예 눈물겨운 광경. 활용 눈물겨워 / 눈물겨우니.

눈물샘 [눈물쌤] 눈물이 나오는 샘. 눈망울이 박힌 곳의 바깥 위쪽에 있음. 비 누선.

눈물짓다 [눈물짇따] 눈물을 흘리다. 예 돌아가신 어머니를 생각하며 눈물짓다. 비 울다. 활용 눈물지어 / 눈물지으니 / 눈물짓는.

눈:발 [눈빨] 눈이 힘차게 내릴 때에 줄이 죽죽 져 보이는 상태. 예 눈발이 날리다.

눈병 (—病) [눈뼝] 눈에 생기는 병. 비 안질.

눈:보라 바람에 불리어 휘몰아치는 눈. 예 눈보라 치는 추운 겨울날.

눈부시다 **1** 빛깔이 황홀하다. 예 눈부신 옷차림. **2** 활약이나 업적이 뛰어나다. 예 눈부신 경제 발전.

눈:비 눈과 비.

눈빛 [눈삗] **1** 눈에 나타나는 기색. 예 성난 눈빛. **2** 눈에서 비치는 빛깔이나 기운. 예 고양이의 파란 눈빛.

***눈:사람** [눈싸람] 눈을 뭉쳐서 만든 사람의 모습.

눈:사태 (—沙汰) 산비탈에 쌓인 눈이 한꺼번에 무너져 내리는 일.

눈살 [눈쌀] 두 눈썹 사이에 있는 주름. ㉨눈살을 찌푸리다.
눈속임 [눈소김] 남의 눈을 속이는 짓. ㉨마술은 일종의 눈속임이다.
눈ː송이 [눈쏭이] 한데 엉겨 꽃송이처럼 내리는 눈. ㉨하얀 눈송이.
눈시울 [눈씨울] 속눈썹이 난 눈언저리. ㉨눈시울을 적시다.
눈싸움[1] 마주 보며 오랫동안 눈을 깜빡이지 않기를 내기하는 아이들의 장난. 비 눈겨룸. **—하다.**
눈ː싸움[2] 눈을 뭉쳐 서로 상대방을 향하여 던져 맞히는 장난. 준 눈싸. **—하다.**
눈ː썰매 눈 위에서 타거나 끄는 썰매. ㉨눈썰매를 타다.
눈썰미 한 번 본 것이라도 곧 그대로 흉내를 잘 내는 재주. ㉨눈썰미가 있어 무엇이든 잘한다.
*__눈썹__ 두 눈두덩 위에 가로로 길게 모여 난 짧은 털. ➔ eyebrow
눈알 [누날] 눈구멍 안에 있는 알 모양의 기관. ㉨눈알을 굴리다 / 눈알을 부라리다. 비 안구.
*__눈앞__ [누납] **1** 눈에 보이는 아주 가까운 곳. ㉨눈앞에 남산이 보인다. 비 목전. **2** 가까운 장래. ㉨결혼을 눈앞에 두다.
눈앞이 캄캄하다 갑자기 당하는 어려움 앞에서 어찌할 바를 모르다. ㉨형편없는 성적표를 받고 보니 눈앞이 캄캄하다.
눈약 (—藥) [눈냑] 눈병 치료에 쓰이는 약. 비 안약.
눈어림 [누너림] 눈으로 대강 헤아림. 비 눈대중. 눈짐작. **—하다.**
눈엣가시 [누네까시 / 누넫까시] 몹시 미워 항상 눈에 거슬리는 사람. ㉨눈엣가시로 여기다.
눈여겨보다 [눈녀겨보다] 잊어버리지 않게 주의하여 잘 보다. 자세히 보다. ㉨친구의 행동을 눈여겨보다.
눈요기 (—療飢) [눈뇨기] 눈으로 보는 것만으로 어느 정도 만족을 느끼는 일. **—하다.**
눈웃음 [누누슴] 소리를 내지 아니하고 눈으로만 웃는 웃음.
눈웃음치다 [누누슴치다] 남의 마음을 사려고 소리를 내지 않고 눈으로만 살짝살짝 웃다. ㉨인형을 사 달라고 눈웃음치며 조르다.
눈인사 (—人事) [누닌사] 눈짓으로 가볍게 하는 인사. ㉨눈인사를 나누다 / 눈인사를 보내다. **—하다.**
눈자위 [눈짜위] 눈알의 언저리. 눈의 가장자리.
눈접 (—椄) 나무를 접붙이는 방법의 하나. 나뭇가지 가운데에 있는 눈을 도려내어, 바탕이 되는 나무의 자른 곳에 끼우고 묶음. 비 아접.
눈조리개 눈 속으로 들어오는 빛의 양을 조절하고 물체의 모양을 고르게 하는 얇은 막. 비 홍채.
눈짐작 [눈찜작] ⇨눈대중.
눈짓 [눈찓] 눈을 움직여 어떤 뜻을 나타내는 짓. ㉨눈짓으로 알리다 / 눈짓을 주고받다. **—하다.**
*__눈초리__ **1** 눈의 꼬리. ㉨눈초리가 처졌다. **2** 사물을 볼 때의 눈의 모양. 흔히, 시선이 날카로운 경우에 쓰임. ㉨매서운 눈초리.
눈총 못마땅하여 매섭게 쏘아보는 눈길. ㉨눈총을 주다.
눈총(을) 맞다 남의 미움을 받다.
눈총(을) 쏘다 몹시 쏘아보거나 노려보다.
*__눈치__ **1** 남의 마음을 알아채는 재주. ㉨눈치가 빠르다. **2** 속으로 생각하는 일이 겉으로 드러나는 태도. ㉨눈치를 주다 / 떠나고 싶어하는 눈치이다. 비 낌새.
눈치(가) 있다 눈치로 일의 기미를 알아채는 재주가 있다.
눈치(를) 보다 남의 마음과 태도를 살피다.
눈치(를) 살피다 남의 눈치를 엿

보다.

눈치(를) 채다 남의 속마음을 알아채다. ㊞비밀을 눈치 채다.

눈치코치 '눈치'의 힘줌말.

눈치코치도 모른다 남의 생각이나 태도를 전혀 알아차리지 못한다.

눈칫밥 [눈치빱 / 눈칟빱] 눈치를 보아 가며 얻어먹는 밥. ㊞눈칫밥을 먹고 자라다.

눈코 눈과 코.

눈코 뜰 사이 없다 몹시 바쁘다.

눋:다 [눋따] 누른빛이 나도록 조금 타다. ㊞밥이 눋다. 활용 눌어/눌으니/눋는.

눌:러앉다 [눌러안따] 그 자리에 그대로 계속 머무르다. ㊞그대로 그곳에 눌러앉다.

눌리다 1 눋게 하다. ㊞밥을 눌리다. 2 누름을 당하다. ㊞짐짝에 눌리다.

눌변 (訥辯) 더듬거리며 하는 서투른 말솜씨. 반 능변. 달변.

눌어붙다 [누러붇따] 1 조금 타서 바닥에 붙다. ㊞밥이 솥 바닥에 눌어붙었다. 2 한곳에 오래 있으면서 떠나지 않다. ㊞언니 집에 눌어붙어 지내다.

눌은밥 [누른밥] 솥 바닥에 눌어붙은 누룽지에 물을 부어 긁어낸 밥.

*__눕다__ [눕따] 1 몸을 바닥에 대고 수평 상태가 되게 하다. ㊞베개를 베고 눕다. 2 병을 앓아 자리에서 일어나지 못하다. ㊞감기로 사흘을 누워 있다. 3 나무·풀 따위가 쓰러지다. → [학습마당] 1(98 쪽) ➡ lie

눕히다 [누피다] 눕게 하다. ㊞아이를 침대에 눕히다. 비 누이다.

뉘[1] 쓿은 쌀 속에 섞인 벼 알갱이.

뉘:[2] '누구의'의 준말. ㊞뉘 집 강아지냐.

뉘:다 1 눕게 하다. ㊞환자를 침대에 뉘다. 반 일으키다. 2 대소변을 누게 하다. ㊞아이에게 오줌을 뉘다. 본 누이다.

뉘앙스 (프 nuance) 빛깔·소리·뜻·감정 등의 미묘한 차이. ㊞뉘앙스가 다르다.

뉘엿뉘엿 [뉘연뉘엳] 해가 곧 지려고 하는 모양. ㊞해가 뉘엿뉘엿 넘어가다. **—하다.**

뉘우치다 자기 잘못을 스스로 깨달아 마음속으로 꾸짖다. ㊞지난날의 잘못을 뉘우치다.

뉘우침 뉘우치는 일.

뉴런 (neuron) 신경계를 구성하는 기본 단위. 신경 세포와 신경 돌기로 되어 있으며, 감각 세포와 근육 세포 사이에 있음. 자극을 수용하고 전달하는 기능을 함. 신경원.

*__뉴스__ (news) 새로운 소식을 전하여 주는 신문·방송 등의 보도.

뉴스 캐스터 (news caster) 뉴스를 전하면서 해설을 하는 방송 진행자.

뉴욕 (New York) 〖지명〗 미국 최대의 항구 도시. 세계 상공업의 중심지이고 유엔 본부가 있으며 항구에는 자유의 여신상이 서 있음.

뉴질랜드 (New Zealand) 〖국명〗 오스트레일리아 대륙의 남동쪽에 있는 섬나라. 영국 연방을 구성하는 한 나라로 수도는 웰링턴.

뉴턴 (Newton, Isaac) 〖인명〗 영국의 과학자·수학자. 반사 망원경을 만들고, 만유인력의 법칙을 발견함. [1642-1727]

느글거리다 토할 것같이 자꾸 속이 메스꺼워지다. ㊞멀미가 나서 속이 느글거리다.

느긋이 [느그시] 느긋하게.

느긋하다 [느그타다] 마음에 여유가 있고 넉넉하다. ㊞느긋한 성격 / 느긋하게 기다리다.

*__느끼다__ 1 감각 기관을 통하여 자극을 받아 깨닫다. ㊞추위를 느끼다. 2 마음속으로 깨닫거나 알게 되다. ㊞고마움을 느끼다.

느끼하다 음식에 기름기가 너무 많아 비위에 거슬리다. ㉲돼지고기에 기름기가 많아 느끼하다.

*느낌 감각이나 마음으로 느낀 것. ㉲영화를 본 느낌. 비 감상.

느낌표 (—標) 감탄·놀람·부르짖음·명령 따위의 강한 느낌을 나타낼 때에 쓰는 부호(기호는 !). 보기 아, 달이 밝구나!

-느냐 동사나 '있다·없다·계시다'의 말 줄기에 붙어, 손아랫사람에게 물음을 나타내는 말. ㉲무엇을 하느냐 / 어디 있느냐.

느닷없다 [느다덥따] 나타나는 모양이 전연 뜻밖이고 갑작스럽다.

느닷없이 [느다덥씨] 느닷없게. ㉲느닷없이 집에 찾아온 손님.

-느라고 동사나 '있다·계시다'의 말 줄기에 붙어, '하는 일로 말미암아'의 뜻을 나타내는 말. ㉲노느라고 시간 가는 줄도 모른다. →노라고 주의

느릅나무 [느름나무] 느릅나뭇과의 낙엽 활엽 교목. 골짜기·개울가의 습한 데에 남. 높이 20 m, 지름 50 cm가량. 나무는 건축재 따위로 쓰고, 껍질은 약으로 쓰거나 먹음.

*느리다 **1** 말이나 동작이 빠르지 못하다. ㉲달리기가 느리다. 반 빠르다. **2** 성질이 누그러져 야무지지 못하다. 반 급하다. ➲ slow

> 주의 **느리다**와 **늘리다, 늘이다**
> **느리다** 속도가 빠르지 못하다. ㉲걸음이 느리다.
> **늘리다** 크게 하거나 많게 하다. ㉲수효를 늘리다.
> **늘이다** 1 본디보다 길게 하다. ㉲고무줄을 늘이다. 2 아래로 처지게 하다. ㉲밧줄을 늘여 내리다.

느림보 행동이 느린 사람. 게으른 사람.

느릿느릿 [느린느릳] 움직임이 느리게. ㉲느릿느릿 걷다. **—하다.**

느릿하다 [느리타다] 느린 듯하다.

느슨하다 **1** 잡아맨 끈이나 줄 따위가 늘어나서 헐겁다. ㉲짐을 느슨하게 묶다. **2** 마음이 풀어져 다부지지 못하다. ㉲성격이 느슨한 사람.

느지막하다 [느지마카다] 시간이나 기한이 매우 늦다. ㉲느지막하게 아침을 먹었다.

느직이 [느지기] 느직하게.

느직하다 [느지카다] **1** 좀 늦다. **2** 좀 느슨하다.

느타리 송이버섯과의 버섯. 모양은 조개껍데기 비슷하고 빛은 갈색 또는 흰색임. 식용함.

*느티나무 느릅나뭇과의 낙엽 활엽 교목. 마을 부근의 산기슭이나 골짜기에 남. 줄기 높이 30 m, 지름 2 m가량. 그늘이 넓게 지고 수명이 길어 정자나무로 많이 씀.

〈느티나무〉

늑골 (肋骨) [늑꼴] 가슴 부분을 이루는 활 모양의 긴 뼈. 좌우 12쌍임. 비 갈비뼈.

*늑대 [늑때] 개와 비슷한 우리나라 특산의 짐승. 산속에 살며, 성질이 사납고 작은 동물을 잡아먹고 가축도 해침.

〈늑대〉

늑막 (肋膜) [능막] 갈비뼈의 안쪽과 가로막의 윗면을 덮고 있는 얇은 막. 비 흉막.

늑막염 (肋膜炎) [능망념] 상처나 결핵으로 늑막에 생기는 염증. 가슴이 아프고 호흡 곤란 따위가 나타남.

늑목 (肋木) [능목] 몸을 바르게 하는 데에 쓰는 체조 기구. 몇 개의 기

등에 많은 막대를 가로로 고정시켜 놓았음.

늑장 [늑짱] 당장 할 일이 있는데도 딴 일을 하거나 느릿느릿 행동하는 일. ㉠늑장을 부리다. 비 늦장.

*__는__ 받침 없는 말에 붙어, 사물을 구별하거나 지정하여 가리키는 뜻을 나타내는 말. ㉠나는 너를 사랑한다 / 너무 멀리는 가지 마라.

*__-는__ 움직임을 나타내는 말이나 '있다·없다·계시다'에 붙어, 그 동작이 지금 계속되고 있는 중임을 나타내는 말. ㉠흐르는 물 / 눈이 내리는 오후 / 웃고 있는 아이.

는개 안개보다는 조금 굵고 이슬비보다는 가는 비.

-는걸 움직임을 나타내는 말의 줄기에 붙어 어떤 움직임에 대한 자기의 느낌을 나타내는 말. ㉠벌써 왔는걸.

-는데 **1** 다음의 말을 끌어 내기 위해 그와 상반되는 사실을 미리 말할 때 쓰는 말. ㉠비가 오는데 어디 가니 / 밥은 있는데 반찬이 없다. **2** 남의 의견도 들으려는 태도로 스스로 느낄 때 쓰는 말. ㉠잘 달리는데 / 꽤 추웠겠는데.

*__늘__ 끊임없이. 언제나. 항상. ㉠늘 웃는 얼굴로 이야기하다.

늘그막 늙어 가는 판. ㉠늘그막에 고생을 면하다. ×늙으막.

> 주의 '늙다'의 파생어에는 늙다리·늙바탕·늙수그레하다·늙숙이·늙숙하다·늙정이·늙직하다 등 많이 있다. 따라서 '늙으막'이 맞는 말이라고 생각하기 쉬우나 사실은 '늘그막'이 맞는 말이다.

*__늘다__ **1** 많아지거나 커지다. ㉠식구가 늘다. **2** 재주·실력·솜씨 따위가 나아지다. ㉠솜씨가 많이 늘었군. 반 줄다. 활용 늘어 / 느니 / 느는.

*__늘리다__ 더 크게 하거나 많게 하다. ㉠학급 수를 늘리다. →느리다 주의

늘비하다 질서 없이 여기저기 많이 널려 있다. ㉠방 안에 여러 가지 장난감이 늘비하다.

늘씬하다 몸이 가늘고 키가 커서 맵시가 있다. ㉠늘씬한 몸매. 작 날씬하다.

*__늘어나다__ [느러나다] 길이·부피·수량 따위가 길어지거나 커지거나 많아지다. ㉠인구가 점점 늘어나다. 비 증가하다. 반 줄어들다.

*__늘어놓다__ [느러노타] **1** 이곳저곳에 많이 놓다. ㉠장난감을 늘어놓다. **2** 줄을 지어 죽 벌여 놓다. ㉠한 줄로 늘어놓다. **3** 말이나 글을 이것저것 꺼내어 벌여 놓다. ㉠잔소리를 늘어놓다.

늘어뜨리다 [느러뜨리다] 물건의 한쪽 끝을 아래로 처지게 하다. ㉠긴 머리를 늘어뜨리고 걷는 여자.

늘어서다 [느러서다] 죽 줄지어 서다. ㉠연극 표를 사기 위해 한 줄로 늘어서다 / 길가에 늘어선 가로수.

늘어지다 [느러지다] **1** 기운이 풀리어 몸을 가누지 못하다. ㉠축 늘어진 어깨. **2** 당겨지는 힘으로 물체가 길어지다. ㉠고무줄이 늘어지다. **3** 물체의 끝이 아래로 처지다. ㉠늘어진 버들가지. **4** 근심이나 걱정이 없이 편하게 되다. ㉠팔자가 늘어지다. ×느러지다.

*__늘이다__ [느리다] **1** 본디보다 길게 하다. ㉠고무줄을 늘이다. **2** 아래로 길게 처지게 하다. ㉠발을 아래로 길게 늘이다. →느리다 주의

늘임표 (一標) [느림표] 음표나 쉼표의 위 또는 아래에 붙여 본래의 박자 길이보다 길게 연주하라는 음악 기호(부호는 '𝄐'). 페르마타.

늘푸른나무 ⇨상록수.

*__늙다__ [늑따] **1** 나이가 많아지다. **2** 한창때를 지나 몸의 기능이 쇠퇴하

다. [발음] 늙고[늘꼬] / 늙어서[늘거서] / 늙은[늘근] / 늙지[늑찌].

늙수그레하다 [늑쑤그레하다] 꽤 늙어 보이다. ㉑늙수그레한 남자.

*늙은이 [늘그니] 나이가 많은 사람. [비] 노인. [반] 젊은이.

늠:름하다 (凜凜—) [늠늠하다] 의젓하고 씩씩하다. ㉑늠름한 우리의 국군 / 늠름하게 걷다.

능 (陵) 임금이나 왕후의 무덤. → [학습마당] 9(아래)

능가 (凌駕) 무엇에 비교하여 그보다 훨씬 뛰어남. ㉑요리사를 능가하는 아버지의 음식 솜씨. **—하다.**

능구렁이 **1** 뱀과의 동물. 연못·논두렁 따위에 흔히 나타나는데, 길이 120 cm가량으로 등이 적갈색, 배는 황갈색임. 목에서 꼬리 끝까지 69-100 개의 검은 가로띠가 있음. 동작이 느리고 독이 없음. **2** 음흉한 사람을 비유하는 말. ㉑능구렁이가 되어서 실속은 다 차린다.

능글능글하다 [능글릉글하다] 태도가 비웃는 듯하고 뻔뻔스럽다. ㉑능글능글한 눈웃음을 치다.

능글맞다 [능글맏따] 태도가 비웃는 듯하고 뻔뻔스럽고 엉큼하다. ㉑능글맞게 말을 걸다.

능금 능금나무의 열매.

능금나무 장미과의 낙엽 활엽 교목. 봄에 흰 꽃이 피고 여름에 '능금'이 익는데 사과보다 작고 맛이 덜함. 우리나라 특산임.

능동 (能動) 자기 스스로 내켜서 함. [반] 수동.

능동적 (能動的) 다른 것의 영향을 받지 않고 자기 스스로 작용하는 (것). ㉑능동적으로 일을 처리하다. [반] 수동적.

능란하다 (能爛—) [능난하다] 익숙하고 솜씨가 뛰어나다. ㉑말솜씨가 능란하다.

*능력 (能力) [능녁] 어떤 일을 해낼 수 있는 힘. ㉑능력 있는 사람 / 능력을 시험하다 / 능력이 모자라다.

*능률 (能率) [능뉼] 일정한 시간에 해낼 수 있는 일의 양. 일의 효율. ㉑일의 능률을 높이다.

능률적 (能率的) [능뉼쩍] 일을 효율적으로 하는 (것).

능멸 (凌〔陵〕蔑) 업신여겨서 깔봄. **—하다.**

능사 (能事) **1** 자기에게 알맞아 능히 해낼 수 있는 일. ㉑거짓말을 능사로 하다. **2** 잘하는 일. ㉑피하는 것만이 능사는 아니다.

능선 (稜線) 산등성이를 따라 죽 길게 이어진 봉우리의 선.

능수능란하다 (能手能爛—) [능수능난하다] 일 따위에 익숙하고 솜씨가 좋다. ㉑능수능란하게 사람을 다룬다.

능수버들 버드나뭇과의 낙엽 교목. 가지가 길게 늘어지고 개울가나 들에 남. 우리나라 특산임.

능숙하다 (能熟—) [능수카다] 일

[학습마당] 9

능과 릉, 난과 란

낱말의 첫머리에 오는 '릉(陵), 란(欄)' 은 '능, 난' 으로 적고, 첫머리 이외에 오는 '릉, 란' 은 '릉, 란' 으로 적는다

㉑능군, 능묘, 능침, 강릉, 태릉, 왕릉, 정릉

난외, 독자란, 비고란, 투고란

다만, 고유어나 외래어 뒤에 오는 '란' 은 '난' 으로 적는다.

㉑어린이난, 가십난

을 솜씨 있고 익숙하게 하다. 예컴퓨터를 다루는 솜씨가 능숙하다. 반미숙하다.

능지처참 (陵遲處斬) 옛날에 죄인에게 내리던 가장 큰 벌. 온몸을 여섯으로 토막 쳐서 각지에 돌려 구경시켰음. 준능지. **—하다.**

능청 마음속으로 다른 생각을 하면서 겉으로는 천연스럽게 행동하는 태도. 예능청을 떨다 / 저런 능청 좀 보게.

능청맞다 [능청맏따] 마음속으로는 다른 생각을 하면서 겉으로는 딴청을 부리다. 예능청맞게 굴다.

능청스럽다 [능청스럽따] 거짓말을 그럴듯하게 하거나 남을 감쪽같이 속이고도 태연하다. 활용능청스러워 / 능청스러우니.

능통하다 (能通—) 무슨 일에 막힘이 없이 훤히 알다. 예프랑스 어에 능통한 사람.

능하다 (能—) 서투르지 않고 잘하다. 예붓글씨에 능하다.

능히 (能—) 익숙하게 잘. 예너도 능히 할 수 있는 일이다.

늦가을 [늗까을] 늦은 가을. 비만추. 반초가을.

늦겨울 [늗껴울] 겨울이 다 갈 무렵. 반초겨울.

늦깎이 [늗까끼] 나이가 많이 들어서 어떤 일을 시작한 사람.

***늦다** [늗따] 정한 때에 이르지 못하다. 반빠르다. 이르다. ➔late

늦더위 [늗떠위] 여름이 다 가도록 식지 않는 더위.

늦되다 [늗뙤다] **1** 나이보다 늦게 철이 나다. 예늦된 아이. **2** 열매나 곡식 따위가 제철보다 늦게 익다. 예벼가 늦되다.

늦둥이 [늗뚱이] **1** 나이가 들어 늦게 낳은 자식. **2** 박력이 없고 또랑또랑하지 못한 사람.

늦봄 [늗뽐] 봄의 마지막 무렵. 반초봄.

늦여름 [는녀름] 여름이 다 끝나 갈 무렵. 반초여름.

늦잠 [늗짬] 제때 일어나지 않고 아침 늦게까지 자는 잠. 예늦잠을 자다 / 늦잠이 들다.

늦장마 [늗짱마] 제철이 지난 뒤에 지는 장마.

늦추다 [늗추다] **1** 졸라맨 것을 느슨하게 하다. 예허리띠를 늦추다. 반죄다. **2** 정해진 시간이나 날짜를 뒤로 미루다. 예개학 날짜를 늦추다. 반당기다. **3** 긴장을 조금 풀다. 예경계심을 늦추다.

늦추위 [늗추위] 겨울철이 다 지나갈 무렵에 드는 추위. 예늦추위가 더 매섭다.

***늪** [늡] **1** 호수보다 작고 못보다 크며 바닥은 수렁으로 되어 늘 물이 괴어 있는 곳. 예늪에 빠지다. **2** 빠져나오기 힘든 상태나 상황. 예3연패의 늪에 빠지다.

늪지대 (—地帶) [늡찌대] 늪이 많은 지역.

늴리리 [닐리리] 퉁소·피리·나발 따위의 소리를 흉내 낸 소리.

늴리리야 [닐리리야] 경기 민요의 한 가지. 후렴 '늴리리야'에서 온 이름.

-니[1] **1** 앞으로 하려는 말의 원인이나 근거가 됨을 나타내는 말. 예봄이 오니 꽃이 핀다. **2** 어떠한 사실을 말할 때 씀. 예서울역에 도착하니 일곱 시였다.

-니[2] '-냐·-느냐'보다 더 친밀하고 부드럽게 의문을 나타내는 말. 예무엇을 하니 / 어디 가니 / 오늘이 무슨 날이니.

-니까 '-니[1]'의 힘줌말. 예여름이 되니까 더워진다.

니스 투명하며 광택이 나고 습기를 방지하는 데 쓰는 칠감의 하나. 비바니시.

니은 한글 자모 'ㄴ'의 이름.
니카라과 (Nicaragua) 중앙아메리카에 있는 나라. 열대 농업국으로 수도는 마나과.
니켈 (nickel) 금속 원소의 하나. 공기·습기에서도 잘 녹슬지 않는 단단한 은백색 금속.
니코틴 (nicotine) 담배 속에 2–8% 들어 있는 성분. 무색의 휘발성 액체로, 독성이 강하여 신경 계통의 조직을 자극하여 마비시킴.
니크롬 (nichrome) 니켈과 크롬을 주로 한 합금. 열과 산에 강하며, 가늘게 만들 수 있는 것이 특징임.
니크롬선 (nichrome線) 니켈과 크롬의 합금으로 만든 선. 전기풍로·전기다리미 따위에 쓰임.
니트 (knit) 뜨개질을 하여 만든 옷이나 옷감.
니퍼 (nipper) 펜치의 한 가지. 주로 전선이나 철사를 자르는 데에 쓰는 공구.

〈니퍼〉

-님 사람이나 사물의 이름 밑에 붙여 존경의 뜻을 나타내는 말. ㉠선생님 / 달님.
님프 (nymph) 그리스 신화에 나오는 들·언덕·동굴·샘·나무·강 등에 깃들여 있다고 하는 여자 요정.
닢 [닙] 돈이나 가마니같이 납작한 물건을 세는 데 쓰는 말. ㉠엽전 열 닢 / 가마니 다섯 닢.

ㄷ

ㄷ (디귿)　한글 닿소리의 셋째 글자.

*다[1]　서양 음계의 칠음 중에 제1음인 '도'의 우리말 음이름.

*다:[2]　**1** 모조리. 남김없이. (예)다 가져라. **2** 어떤 것이든지. (예)둘 다 좋다. **3** 거의. (예)다 되어 간다.

*-다　동사나 형용사의 어간 뒤에 붙어 그 말의 기본형을 나타내는 말. (예)가다 / 먹다 / 희다 / 검다.

-다가　**1** 계속되던 상태나 동작이 그치고 다른 상태나 동작으로 옮겨 감을 나타내는 말. (예)흐렸다가 개다 / 책을 읽다가 잠이 들었다. **2** 이유나 원인을 나타냄. (예)그렇게 뽐내다가 큰코다친다. **3** 두 가지 이상의 사실이 번갈아 일어남을 나타냄. (예)아기가 울다가 웃다가 한다.

***다가가다**　어떤 대상 쪽으로 가까이 가다. (예)창가로 다가가 밖을 내다보다. 【활용】다가가거라.

다가붙다 [다가붇따]　어떤 대상 쪽으로 더 가까이 붙다. (예)정답게 다가붙어서 사진을 찍다.

다가서다　어떤 대상 쪽으로 더 가까이 옮겨 서다. (예)바싹 다가서다.

다가앉다 [다가안따]　더 가까이 옮겨 앉다. (예)좀 다가앉으렴.

***다가오다**　**1** 어떤 대상 쪽으로 더 가까이 옮겨 오다. (예)불 가까이 다가오너라. **2** 일정한 때가 가까이 닥쳐오다. (예)여름 방학이 다가오다. 【활용】다가오너라.

다각도로 (多角度—) [다각또로]　여러 방면으로. (예)문제를 다각도로 검토하다. 【비】여러모로.

다각형 (多角形) [다가켱]　셋 이상의 직선으로 둘러싸인 평면 도형. 【비】다변형.

다감하다 (多感—)　감정이나 감수성이 풍부하다. (예)다감한 소녀.

다과 (茶菓)　차와 과자. (예)다과를 내놓다 / 다과를 대접하다.

다과상 (茶菓床) [다과쌍]　다과를 차리는 상. (예)다과상을 차리다.

다과회 (茶菓會)　차와 과자를 마련해 놓은 간단한 모임.

다국적 기업 (多國籍企業) [다국쩍끼업]　여러 나라에 계열 회사를 가지고 세계적인 규모로 활동하는 대기업.

다그치다　**1** 일이나 행동 따위를 빨리 끝내려고 몰아치다. (예)일손을 다그치다. **2** 말이나 행동 따위를 빨리 하도록 몰아붙이다. (예)우는 이유를 다그쳐 물었지만 묵묵부답이다.

다급하다 [다그파다]　일이 바싹 닥쳐서 몹시 급하다. (예)다급한 일이 생기다.

다급히 [다그피]　다급하게. (예)다급히 뛰쳐 나가다.

다기 (茶器)　차를 끓이고 담아 마실 때 쓰는 그릇.

다녀가다　어느 곳에 왔다가 가다. 어느 곳을 들렀다가 가다. (예)아버지께서 금방 다녀가셨습니다. 【활용】다녀가거라.

***다녀오다**　어느 곳에 갔다가 오다. 어느 곳을 들렀다가 오다. (예)학교에 다녀왔습니다. 【활용】다녀오너라.

다년간 (多年間)　여러 해 동안. (예)다년간의 연구 끝에 성공하다.

다년생 (多年生)　⇨여러해살이.

***다니다**　**1** 직장·학교 따위에 일과로

갔다 오다. ⓔ동생은 유치원에 다닌다. **2** 왔다 갔다 하다. ⓔ같은 길로만 **다니다** / 사람들이 많이 **다니는** 길. **3** 볼일이 있어 어떤 곳에 들러서 오다. ⓔ할머니 댁에 **다니러** 가다. **4** 일정한 곳을 정하여 놓고 드나들다. ⓔ항상 **다니는** 도서관.

다다르다 **1** 목적한 곳에 이르러 닿다. ⓔ학교에 **다다르다**. **2** 어떤 기준이나 한계에 미치다. ⓔ절정에 **다다르다**. 활용 다다라 / 다다르니.

다다익선 (多多益善) [다다익썬] 많을수록 더욱 좋음. ⓔ**다다익선**이니 될 수 있는 대로 많이 가져와라.

다닥다닥 [다닥따닥] 조그만 것들이 한곳에 많이 붙어 있는 모양. ⓔ감나무에 감이 **다닥다닥** 붙었다. 본 다다귀다다귀. 큰 더덕더덕.

다달이 [다다리] 달마다. 매월. 매달. ⓔ**다달이** 봉사 활동에 참가하다 / **다달이** 용돈을 받는다.

다도 (茶道) 차를 달여 손님에게 대접하거나 마실 때의 예의범절.

다도해 (多島海) 섬이 많은 바다. 우리나라에서는 남해를 일컬음.

다독 (多讀) 책을 많이 읽음. ⓔ**다독**과 정독. **—하다.**

다독거리다 [다독꺼리다] **1** 흩어진 것을 모아 가볍게 두드려 누르다. ⓔ화롯불을 **다독거리다**. **2** 주로 아이를 재우거나 달랠 때 몸을 가만가만 계속 두드리다. ⓔ우는 아이를 **다독거려** 재우다.

*__다듬다__ [다듬따] **1** 매만져서 맵시를 내다. ⓔ머리를 **다듬다**. **2** 필요 없는 부분을 떼어 내고 깎아 쓸모 있게 만들다. ⓔ파를 **다듬다**. **3** 거친 바닥을 고르게 만들다. ⓔ길을 **다듬다**. **4** 글 따위를 짜임새 있게 손질하다. ⓔ원고를 **다듬다**.

다듬이 [다드미] '다듬이질'의 준말. **—하다.**

다듬이질 [다드미질] 옷감에 풀을 먹여 반반하게 방망이로 다듬는 일. 준 다듬이. 다듬질. **—하다.**

다듬잇돌 [다드미똘 / 다드믿똘] 다듬이질할 때 밑에 받치는 돌.

다듬잇방망이 [다드미빵망이 / 다드믿빵망이] 다듬이질할 때 쓰는 두 개의 나무 방망이.

다듬질 **1** 새기거나 만든 물건을 마지막으로 매만져 손질하는 일. **2** '다듬이질'의 준말. **—하다.**

*__다락__ 지붕과 부엌 천장 사이의 공간을 이용하여 물건을 두거나 사람이 쉬도록 꾸민 곳. ⓔ**다락**에 책을 올려놓다.

다락방 (—房) [다락빵] 다락처럼 높은 곳에 만들어 꾸민 방. ⓔ**다락방**에서 공부하다.

*__다람쥐__ 다람쥣과의 동물. 쥐와 비슷하나, 등에 다섯 줄의 검은 선이 있고 귀가 작음. 도토리·밤 따위를 먹고, 나무를 잘 타며 겨울에는 나무 구멍에서 삶.

〈다람쥐〉

다:랍다 [다랍따] 몹시 인색하다. ⓔ돈에 지나치게 **다랍게** 군다. 큰 더럽다. 활용 다라워 / 다라우니.

다랑어 (—魚) 고등어 비슷한 바닷물고기. 길이는 3m 정도. 등은 청흑색, 배는 회색인데 살은 붉은색임.

〈다랑어〉

다래 산에서 자라고 굵은 덩굴에 열리며, 가을에 푸르스름하고 노란 빛깔로 익는, 작고 동그랗고 달콤한 열매.

다래끼 눈시울에 나는 작은 부스럼. ⓔ**다래끼**가 나다.

다량 (多量) 많은 분량. ⓔ물품을 **다량**으로 구입하다. 반 소량.

*__다루다__ **1** 일을 처리하다. ⓔ다루기

힘든 일. **2** 기계나 물건 따위를 움직이거나 부리다. 취급하다. ㉠물건을 소중히 다루다. **3** 매만져서 쓰기 좋게 하다. ㉠가죽을 다루다. **4** 사람이 나 짐승을 부리거나 상대하다. ㉠학생들을 엄히 다루다.

*__다르다__ **1** 서로 같지 않다. ㉠취미가 다르다. **2** 특별히 표나는 데가 있다. ㉠역시 수재라 다르다. 반 같다. 활용 달라 / 다르니.

> 주의 **다르다와 틀리다**
> **다르다** 비교되는 두 가지 사실이 같지 않거나 어떤 사람의 말·행동·생각 따위가 보통 수준 이상으로 뛰어날 때 쓰는 말. 반 같다.
> ㉠모양이 서로 다르다 / 기술자는 역시 다르군.
> **틀리다** 일정한 기준에 맞지 않거나 올바르지 않고 비뚤어졌을 때 쓰는 말. 반 맞다. 올바르다. 좋다.
> ㉠틀린 답을 골라라 / 성공하기는 틀렸어 / 아팠는지 얼굴이 틀려졌어.

*__다른__ 어떤 사물·장소·경우가 같지 않은. ㉠다른 사람 / 다른 데 가서 놀아라. 비 딴. 반 같은. ➡ other

다름없다 [다르멉따] 비교해 보아 다른 점이 없다. ㉠이 물건은 진짜나 다름없다.

다름없이 [다르멉씨] 다름없게. ㉠평소와 다름없이 행동하다.

*__다리[1]__ **1** 동물의 몸통 아래 붙어서 서거나 걷는 일을 맡은 신체의 부분. ㉠다리가 아프다. **2** 물건 아래에 붙어서 그 물건을 버티는 부분. ㉠책상 다리. ➡ leg

다리(를) 뻗고 자다 걱정과 시름을 잊고 편히 자다.

*__다리[2]__ 개천·강 따위의 양쪽에 걸쳐 놓아 다닐 수 있게 한 시설. ㉠다리를 세우다 / 다리가 끊기다. ➡ bridge

다리(를) 놓다 중간에서 관계를 맺어 주다.

다리다 다리미로 옷이나 천 따위의 구겨진 주름살을 문질러 펴다.

> 주의 **다리다와 달이다**
> **다리다** 다리미로 문지르다.
> ㉠옷을 다리다.
> **달이다** 끓여서 진하게 하다. 약제에 물을 부어 끓게 하다.
> ㉠간장을 달이다 / 보약을 달이다.

*__다리미__ 옷이나 천 따위의 구김살을 펴는 데 쓰는 도구. ➡ iron

다리미질 다리미로 옷이나 천 따위를 다리는 일. 준 다림질. **—하다.**

다리밟기 [다리밥끼] 정월 보름날 밤에 그해의 재앙을 물리친다 하여 열두 다리를 밟던 풍속. 비 답교. **—하다.**

다리뼈 다리를 이루고 있는 뼈. 넓적다리뼈와 정강이뼈로 나눔.

다리품 길을 걷는 데 드는 노력.

다림질 '다리미질'의 준말. ㉠바지를 다림질하다. **—하다.**

다릿돌 [다리똘 / 다릳똘] 시냇물이나 개울 따위를 건널 수 있게 띄엄띄엄 놓은 돌.

다릿목 [다린목] 다리가 놓여 있는 길목.

*__다:만__ **1** '오직 그뿐'의 뜻. ㉠다만 동생이 그리울 뿐이다. 비 단지. **2** 앞의 말에 대해서 그와 반대되는 말을 할 때 쓰는 말. ㉠가도 좋다. 다만, 고생은 각오해라. 비 단[6].

다면체 (多面體) 네 개 이상의 평면 다각형으로 둘러싸인 입체 도형.

다모작 (多毛作) 같은 땅에서 한 해 동안에 세 번 이상 농작물을 수확하는 경작 방식.

다목적 (多目的) [다목쩍] 여러 가지 목적. ㉠다목적 기능.

다목적 댐 (多目的dam) [다목쩍—]

수력 발전뿐만 아니라 농업 용수·상수도·공업 용수·홍수 조절 따위의 여러 가지 용도를 겸한 댐.

*다물다 위아래 입술을 마주 대다. ㉥입을 다물고 말이 없다. 활용 다물어 / 다무니 / 다무는.

다반사 (茶飯事) 일상 있는 일. ㉥굶는 것을 다반사로 여긴다.

다발[1] 꽃·푸성귀 따위의 묶음. 또는 그것을 세는 말. ㉥시금치 한 다발 / 안개꽃 한 다발을 선사하다.

다발[2] (多發) 많이 발생함. ㉥사고 다발 지역.

다방 (茶房) 이야기를 나누거나 쉴 수 있게 꾸며 놓고, 차·음료 따위를 파는 곳. 비 찻집.

다방면 (多方面) 여러 방면. 많은 곳. ㉥다방면에 걸친 이야기.

다변형 (多邊形) ⇨다각형.

다변화 (多邊化) 방법이나 모양이 다양하고 복잡함. ㉥수출 시장을 다변화하다. **—하다.**

다보록하다 [다보로카다] 풀·작은 나무·머리털 따위가 무성하여 위가 소복하다. 큰 더부룩하다.

다보탑 (多寶塔) 경주 불국사에 있는 탑. 흰빛 화강암으로 만들어졌으며 높이는 10.4 m로 통일 신라 때 세워졌음. 국보 제 20 호.

〈다보탑〉

다복하다 (多福—) [다보카다] 복이 많다. ㉥다복한 가정.

다부지다 **1** 벅찬 것을 능히 이겨 낼 힘과 결단력이 있다. **2** 생김새가 옹골차다. ㉥다부지게 생긴 몸매.

다분하다 (多分—) 분량이나 비율이 많다. ㉥그는 그림에 대한 소질이 다분하다.

다분히 (多分—) 다분하게. ㉥그럴 가능성이 다분히 있다.

다사다난하다 (多事多難—) 여러 가지 일도 많고 어려움도 많다. ㉥다사다난했던 한 해를 보내다.

다사롭다 [다사롭따] 조금 따뜻한 기운이 있다. ㉥다사로운 햇살. 센 따사롭다. 활용 다사로워 / 다사로우니.

다산 (多産) 아이나 새끼를 많이 낳음. **—하다.**

다색 (多色) 여러 가지 빛깔. ㉥다색 판화.

*다섯 [다섣] 넷에 하나를 더한 수. ㉥꽃잎이 다섯인 꽃 / 다섯 사람 / 다섯 번째. 비 오. ➲ five

다섯째 [다섣째] 넷째의 다음.

다세대 (多世帶) 많은 세대. 여러 세대. ㉥다세대 주택.

다세포 (多細胞) 한 생물체 안에 여러 개의 세포가 있는 것. ㉥다세포 생물. 반 단세포.

*다소 (多少) **1** 많음과 적음. ㉥사람마다 능력에 다소의 차이는 있다. **2** 조금이긴 하지만 어느 정도. ㉥다소나마 도움이 되었으면 좋겠다.

다소간 (多少間) 많든 적든 얼마간. 약간. ㉥모두 다소간의 피해를 입었다.

다소곳이 [다소고시] 다소곳하게. ㉥다소곳이 앉아 있다.

다소곳하다 [다소고타다] **1** 고개를 좀 숙이고 말이 없다. ㉥다소곳한 태도. **2** 온순한 태도를 보이다.

다수 (多數) 수효가 많음. ㉥다수의 찬성 / 다수의 의견을 따르다. 반 소수.

다수결 (多數決) 회의에서 많은 사람 쪽의 의견에 따라 결정하는 일. ㉥다수결의 원칙.

다수확 (多收穫) 많은 수확. ㉥다수확 작물.

다스 (←dozen) 물건 열두 개를 한 묶음으로 세는 말. 타. ㉥양말 한 다스 / 연필 한 다스.

*다스리다 1 나라·사회·집안의 일 따위를 보살피거나 맡아 하다. ㉠나라를 다스리다. 2 어지럽던 것을 평온하게 진정시키다. 3 죄에 대하여 벌을 주다. ㉠죄인을 엄하게 다스리다. 4 병을 고치다. ㉠열을 다스리다. 5 몸이나 마음을 가다듬어 바로잡다. ㉠감정을 다스린 다음 이야기하자.

다슬기 다슬깃과 고둥의 하나. 시내나 연못에 살며, 길이 3 cm, 지름 1 cm 정도임. 껍데기는 나사 모양이며, 노란 갈색 또는 검은 갈색이고 때로 흰 무늬도 있음. 삶아서 속의 살을 먹음.

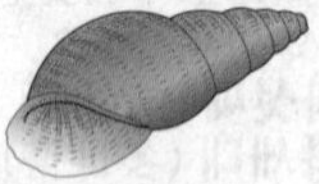
〈다슬기〉

*다시 1 하던 것을 되풀이하여 또. ㉠다시 갔다 오너라. 2 한 번 더 거듭. ㉠꺼진 불도 다시 보자. 3 고쳐서 또. 새로이. ㉠다시 만들어 봅시다. 4 있다가 또. ㉠내일 다시 만납시다. ➲ again

다시금 '다시'의 힘줌말. ㉠선생님의 고마움을 다시금 느꼈다.

다시다 무엇을 먹거나 먹을 때처럼 입을 놀리다. ㉠입맛을 다시다.

다시마 좀 깊은 바다에서 나는 해초의 한 가지. 띠 모양으로 바탕이 두껍고 미끄러우며 쭈글쭈글한 주름이 있음.

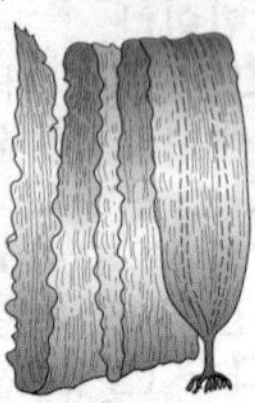
〈다시마〉

다시없다 [다시업따] 더 나은 것이 없을 만큼 완전하다. ㉠다시없는 영광이다.

-다시피 말의 줄기에 붙어 그 동작과 모양이 사실과 '마찬가지로'의 뜻을 나타내는 말. ㉠보다시피 제품은 완전하다 / 도서실에서 살다시피 했다.

다식 (茶食) 녹말·소나무 꽃가루·밤·검은깨 따위의 가루를 꿀에 섞어 다식판에 박아 낸 과자.

다식판 (茶食板) 다식을 박아 내는 나무틀.

다신교 (多神教) 여러 신을 인정하고 그 신들을 믿고 받드는 종교. ㉥일신교.

다양성 (多樣性) [다양썽] 모양이나 성질, 상태 따위가 여러 가지인 특성.

*다양하다 (多樣—) 모양이나 종류 따위가 여러 가지로 많다. ㉠다양한 색깔 / 취미가 다양하다.

다용도 (多用途) 여러 가지 쓰임새. ㉠다용도실 / 다용도 가구.

다운 (down) 1 가격이나 수량 따위를 내림. ㉠가격을 다운시키다. 2 권투에서, 상대 선수의 주먹을 맞고 쓰러짐. 3 완전히 지쳐서 떨어짐. 4 컴퓨터가 작동되지 않음.

다윈 (Darwin, Charles) 〖인명〗 영국의 생물학자. 화석과 생물을 연구하여 생물 진화론을 주장함. [1809–1882]

*다음 1 어떤 차례의 바로 뒤. ㉠다음 역 / 다음 토요일 / 우리 집 다음 집. 2 ⇨버금. 3 어떤 일이 끝난 뒤. ㉠발표가 끝난 다음에 질문을 받다. 4 일정한 시간이 지난 뒤. ㉠다음에 또 만나자. 5 말이나 글에서 바로 뒤따라오는 것. ㉠다음 문장을 읽고 물음에 답하시오. ㉤담. ➲ next

다음가다 등급이나 차례가 비교하는 대상의 바로 뒤에 가다. ㉥버금가다.

다음날 정하여지지 않은 미래의 어떤 날. ㉠다음날 꼭 찾아뵙겠습니다. ㉥훗날.

다이너마이트 (dynamite) 폭발약의 한 가지. 산에서 바위 따위를 깨뜨리는 데 많이 쓰임. 스웨덴의 과학자 노벨이 발명했음.

다이빙 (diving) 높은 곳에서 물속으로 뛰어드는 일. ㉠공중에서 세 번 회전하고 다이빙하다. **—하다.**

다이아몬드 (diamond) **1** 보석의 하나. 가장 단단하고 아름다운 빛을 냄. 금강석. **2** 야구장의 내야. 준 다이아.

다이어트 (diet) 미용이나 건강을 위해서 살이 찌지 않도록 먹는 음식의 양과 종류를 조절하는 일.

다이얼 (dial) **1** 시계·나침반 등의 글자판. **2** 자동식 전화기의 숫자판. **3** 라디오 주파수 눈금이 있는 판.

다이오드 (diode) 전류를 한쪽 방향으로 흐르게 하는 장치. 이극 진공관·반도체 따위.

다작 (多作) 작품을 많이 지음. ㉠다작을 남기다. **—하다.**

다잡다 [다잡따] **1** 손으로 단단히 잡다. ㉠말고삐를 다잡고 달리다. **2** 감독을 철저히 하여 통제하다. ㉠선수들을 다잡아 훈련시키다. **3** 들뜬 마음을 가라앉혀 바로잡다. ㉠마음을 다잡고 공부하다.

다재다능하다 (多才多能—) 여러 방면에 걸쳐 재주가 많고 능력이 뛰어나다.

다정다감하다 (多情多感—) 정이 많고 감정이 풍부하다. ㉠다정다감한 소녀.

다정스럽다 (多情—) [다정스럽따] 다정한 데가 있다. ㉠서로 다정스럽게 지내다. 활용 다정스러워 / 다정스러우니.

***다정하다** (多情—) 사이가 아주 좋다. ㉠다정한 친구. 반 냉정하다.

다정히 (多情—) 다정하게. ㉠다정히 지내다.

다지다 **1** 무른 것을 눌러 단단하게 하다. ㉠땅을 다지다. **2** 칼질을 하여 잘게 만들다. ㉠마늘을 다지다. **3** 마음이나 뜻을 단단히 가다듬다. ㉠마음을 다져 먹다. **4** 튼튼히 하다. ㉠기반을 굳건히 다지다.

***다짐** **1** 마음속으로 굳게 결심함. ㉠열심히 공부할 것을 다짐하다. **2** 한 일이나 앞으로 할 일이 틀림없음을 확인하거나 강조함. ㉠필승을 다짐하다. **—하다.**

다짜고짜 ⇨다짜고짜로.

다짜고짜로 옳고 그름을 가리지 아니하고 단박에 들이덤벼서. ㉠다짜고짜로 때리다. 비 다짜고짜.

다채롭다 (多彩—) [다채롭따] **1** 갖가지 빛깔이 한데 어울려 호화롭다. **2** 여러 가지로 많고 화려하다. ㉠다채로운 행사. 활용 다채로워 / 다채로우니.

다층 (多層) 층이 많음. 여러 층. ㉠다층 건물.

다층탑 (多層塔) 탑신이 여러 층으로 된 탑.

***다치다** 부딪치거나 맞거나 하여 몸에 상처를 입다. ㉠사고로 다리를 다치다.

> 주의 **다치다**와 **닫치다**와 **닫히다**
>
> **다치다** 맞거나 부딪쳐서 상처를 입다. ㉠부주의로 손을 다쳤다 / 허리를 다치다.
>
> **닫치다** '닫다'의 힘줌말. ㉠문을 힘껏 닫쳤다.
>
> **닫히다** 열렸던 것이 닫아지다. ㉠문이 저절로 닫혔다.

다큐멘터리 (documentary) 실제로 일어난 사건의 전개에 따라 짜여진, 기사·소설·영화·방송 프로 따위를 말함. 실록.

***다투다** **1** 서로 옳고 그름을 따지며 싸우다. ㉠말소리를 높여 다투다. **2** 승부를 겨루다. ㉠선두를 다투다.

다툼 다투는 일. ㉠세력 다툼을 벌이다.

***다ː하다** **1** 다 없어지다. 끝이 나다. ㉠힘이 다하다 / 수명이 다하다.

2 물자나 힘 등을 있는 대로 다 들이다. ㉠정성을 다하다 / 최선을 다하여 달리다. 3 어떤 일을 끝내어 마치다. ㉠책임을 다하다 / 자식된 도리를 다하다.

다행 (多幸) 뜻밖에 일이 잘되어 운이 좋음. ㉠그만한 게 다행이다 / 다행히 시험에 합격했다. 반 불행. 준 행. **—하다. —히.**

다행스럽다 (多幸—) [다행스럽따] 다행한 느낌이 있다. ㉠무사하다니 다행스럽다. 활용 다행스러워 / 다행스러우니.

다혈질 (多血質) [다혈찔] 감정의 움직임이 빨라서 자극에 민감하고 곧 흥분하나 오래가지 못하며, 성급하고 참을성이 부족한 성질.

다홍빛 (—紅—) [다홍삗] 짙고 산뜻한 붉은 빛깔. 비 다홍색.

다홍치마 (—紅—) 한복의 다홍빛 치마.

닥나무 [당나무] 뽕나뭇과의 낙엽 활엽 관목. 높이는 5m 정도이고, 초가을에 붉은색의 열매가 열림. 나무껍질은 한지를 만드는 데 쓰고, 열매는 약으로 씀.

닥닥 [닥딱] 소리가 나도록 자꾸 긁는 소리. 또는 그 모양. ㉠누룽지를 닥닥 긁다. 큰 득득.

닥쳐오다 [닥처오다] 가까이 다다라 오다. ㉠시험 날짜가 코앞으로 닥쳐오다.

닥치다[1] 어떠한 일이나 물건이 가까이 다다르다. ㉠재난이 닥치다.

닥치는 대로 이것저것 가릴 것 없이. ㉠닥치는 대로 집어던지다.

닥치다[2] 입을 다물다. 말을 그만두다. ㉠입 닥치고 시키는 대로 해라.

*닦다 [닥따] **1** 문질러 윤기를 내다. ㉠구두를 닦다. **2** 문지르거나 씻어 깨끗이 하다. ㉠창문을 닦다. **3** 거죽의 물기를 훔치다. ㉠눈물을 닦다. **4** 평평하게 고르고 다지다. ㉠터를 닦다. **5** 힘써 배우다. ㉠학문을 닦다. **6** 기초 따위를 개척해 튼튼히 하다. ㉠기초를 닦다.

닦달 [닥딸] 몰아대서 다그침. ㉠빨리 오라고 닦달하다. **—하다.**

닦아세우다 [다까세우다] 몹시 나무라서 꼼짝 못하게 하다. ㉠부하를 닦아세우다.

닦이다 [다끼다] 닦아지다. 닦게 하다. ㉠유리창이 깨끗하게 닦이다.

*단:[1] 땔나무·푸성귀 따위의 묶음. 또는 그것을 세는 말. ㉠열무 두 단. 비 다발.

단:[2] '옷단'의 준말.

단[3] (壇) **1** 제사를 지내기 위하여 흙이나 돌로 쌓은 터. ㉠단에 제물을 바치다. **2** 강의 따위를 하기 위하여 높게 만들어 놓은 자리. ㉠단에 오르다.

*단[4] (段) 바둑·태권도·유도 따위의 잘하는 정도의 등급. ㉠바둑 초단.

*단[5] (單) '겨우·단지'의 뜻. ㉠단 한 번 / 단 하나밖에 없는 동생.

*단:[6] (但) 예외나 조건이 되는 말을 할 때 그 앞에 쓰는 말. ㉠내일은 임시 휴교, 단 반장들은 나올 것.

단:가[1] (短歌) 짧은 형식의 시. 흔히, 시조를 이르는 말.

단가[2] (單價) [단까] 물건의 낱개의 값. ㉠단가가 높다.

단감 단감나무의 열매. 단단하고 아삭아삭하며 맛이 닮.

단:거리 (短距離) 짧은 거리. ㉠단거리 선수. 반 장거리.

단:거리 달리기 (短距離—) 짧은 거리를 달려 속도를 겨루는 육상 경기. 100m·200m·400m 달리기 종목이 있음. *장거리 달리기.

단걸음에 (單—) [단거르메] 내친 걸음을 멈추지 않고 단숨에. ㉠단걸음에 다녀오너라.

단:검 (短劍) 길이가 짧은 칼. 비 단도.

단것 [단걷] 사탕류·과자류 따위의 맛이 단 음식.
단결 (團結) 많은 사람이 한데 뭉침. ㊍국민의 단결로 난국을 이겨내다. 비 단합. 반 분열. **—하다.**
단결력 (團結力) 많은 사람이 한데 뭉치는 힘. ㊍단결력이 강하다.
단결심 (團結心) [단결씸] 많은 사람이 한데 뭉치는 마음. ㊍단결심을 발휘하다.
단계 (段階) [— / 단게] 일이 나아가는 과정. ㊍걸음마 **단계** / 마무리 단계에 이르다. 비 순서. 차례.
단계적 (段階的) [— / 단게적] 차례를 따라 구분하는 (것). ㊍일을 단계적으로 처리하다.
단골 늘 정해 놓고 거래하는 상점이나 손님. ㊍단골손님 / 단골 가게.
단:교 (斷交) **1** 서로 사귀다가 교제를 끊음. 비 절교. **2** 나라와 나라 사이의 외교 관계를 끊음. ㊍단교를 선언하다. **—하다.**
단구 (段丘) 침식·융기 등의 작용으로 강가·바닷가 등에 생긴 계단 모양의 지형.
***단군** (檀君) 〘인명〙 우리 겨레가 시조로 받드는 태초의 임금. 단군 조선을 건국하였다 하며, 환인·환웅과 함께 3신의 하나로 받들어지고 있음. 단군왕검.
단군 신화 (檀君神話) 환인의 자손인 단군이 고조선을 세웠다는 내용으로, 우리 민족의 건국에 관한 이야기.
단군왕검 (檀君王儉) ⇨단군.
단군 조선 (檀君朝鮮) 단군이 기원전 2333 년에 아사달에 도읍을 정하고 세운 고조선.
단:기[1] (短期) 짧은 기간. ㊍단기 요리 강습. 반 장기.
단기[2] (檀紀) 단군이 즉위한 해를 첫해로 치는 우리나라의 기원. 서력 기원보다 2333 년이 앞섬. 본 단군 기원.
단:기간 (短期間) 짧은 기간. ㊍그 일은 단기간에 끝났다. 반 장기간.
단:김에 [단기메] **1** 열이 식지 않았을 때에. **2** 좋은 기회가 지나가기 전에. 비 단결에.
단꿈 기분 좋고 달콤한 꿈. ㊍신혼의 단꿈을 꾸다.
단:내 **1** 물질이 높은 열에 눋거나 달아서 나는 냄새. ㊍냄비에서 단내가 난다. **2** 몸의 열이 몹시 높을 때, 입이나 코 안에서 나는 냄새.
단:념 (斷念) 품었던 생각을 끊어 버림. ㊍여행을 단념하다. 비 체념. **—하다.**
*단단하다 **1** 무르지 않고 매우 굳다. ㊍땅이 단단하다. **2** 약하지 않고 튼튼하다. ㊍몸이 단단하다. **3** 야무지고 실속이 있다. ㊍살림이 단단하다. **4** 헐겁거나 느슨하지 않다. ㊍끈이 풀리지 않게 단단하게 묶어라. 큰 든든하다. 센 딴딴하다. 거 탄탄하다.
단단히 **1** 단단하게. ㊍포장을 단단히 하다. **2** 크게. 몹시. ㊍눈병을 단단히 앓다. **3** 엄중히. ㊍문단속을 단단히 하다.
단:도 (短刀) 짧고 작은 칼.
단독 (單獨) 단 한 사람. ㊍단독 선두 / 단독으로 행동하다. 비 혼자.
단독 주:택 (單獨住宅) [—쭈택] 한 채씩 따로따로 지은 집. 반 공동 주택.
단돈 '아주 적은 돈'의 뜻. ㊍단돈 백 원도 없다.
단둘 단 두 사람. ㊍단둘만의 비밀 / 서울에서 언니와 단둘이 산다.
단락 (段落) [달락] **1** 일이 다 된 끝. **2** 글을 내용에 따라 끊어서 구분한 하나하나의 토막. ㊍단락을 나누다 / 단락을 짓다.
단란하다 (團欒—) [달란하다] 가족이나 가까운 사람들끼리 즐겁게 지내고 화목하다. [예]단란한 가족 / 단란한 분위기.

단련 (鍛鍊) [달련] **1** 쇠붙이를 불에 달구어 두드려서 단단하게 함. **2** 몸과 마음을 굳세게 함. [예]체력 단련 / 심신을 단련하다. [비] 연마. **3** 어떤 일을 반복하여 익숙하게 함. [예]추위에 단련이 되다. **—하다.**

단막극 (單幕劇) [단막끅] 한 막으로 구성된 연극.

단말기 (端末機) 컴퓨터의 본체와 떨어진 장소에 설치되어 필요한 정보를 입력하거나 출력하는 기능을 지닌 장치.

단맛 [단맏] 꿀·사탕처럼 당분이 있는 것의 맛. [반] 쓴맛1.

> **[참고] 여러 가지 단맛**
>
> ⑴ **단순한 단맛**
> 달금하다, 달큼하다, 달곰하다, 달콤하다, 들큼하다, 달짝지근하다, 달착지근하다, 들쩍지근하다, 들척지근하다, 달보드레하다, 들보드레하다, 다디달다.
>
> ⑵ **단맛과 신맛**
> 달곰새금하다, 달콤새큼하다.
>
> ⑶ **단맛과 쓴맛**
> 달곰쌉쌀하다, 달곰씁쓸하다.

단ː면 (斷面) **1** 물체의 자른 면. [예]나무의 단면을 관찰하다. **2** 사물을 어떤 입장에서 본 모양. [예]일상생활의 한 단면.

단ː면도 (斷面圖) 물체를 평면으로 자른 것처럼 가정하여 그 내부 구조를 나타낸 그림.

단ː명 (短命) 목숨이 짧음. [예]단명 내각. **—하다.**

단모음 (單母音) ⇨홑홀소리.

단무지 무로 담근 일본식 짠지. 시들시들하게 말린 무를 소금을 섞은 쌀겨에 묻고 돌로 눌러 담금.

단ː문 (短文) 짧은 글. [반] 장문.

단물 **1** ⇨민물. **2** 단맛이 나는 물. [반] 짠물. **3** 알짜나 실속 있는 부분. [예]단물만 빨아먹다. **4** 광물질이 적게 들어 있는 물. [비] 연수. [반] 센물.

단박 그 자리에서 바로. [예]단박에 알아보다. [참고] 주로 '단박에'의 꼴로 쓰임.

단발[1] (單發) 총알이나 포탄의 한 발. [예]단발에 목표물을 맞히다.

단ː발[2] (短髮) 짧은 머리털.

단ː발[3] (斷髮) 머리털을 자르거나 짧게 깎음. **—하다.**

단ː발머리 (斷髮—) 단발한 머리. 또는 그런 머리를 한 사람. [예]단발머리의 소녀.

*__단ː백질__ (蛋白質) [단백찔] 사람의 몸에 필요한 3대 영양소 가운데 하나. 세포의 원형질을 이루는 주성분으로, 고기·우유·콩 따위에 많이 들어 있음.

단번에 (單番—) [단버네] 한 차례에. 단 한 번에. [예]단번에 이기다.

단벌 (單—) 오직 그것뿐인 한 벌의 옷. [예]단벌 신사.

단비 꼭 필요할 때 알맞게 오는 비. [예]가뭄 끝에 단비가 촉촉히 내린다.

단상 (壇上) 교단·강단 따위의 위. [예]단상에 서다. [반] 단하.

단색 (單色) 한 가지 빛깔.

단ː서[1] (但書) 본문 다음에 덧붙여 본문의 내용이나 조건, 예외를 나타내는 글. [예]단서를 붙이다.

단서[2] (端緖) 일의 처음이나 실마리. [예]사건의 단서를 잡다.

단선 (單線) 선이 하나인 것. [예]단선 궤도. [비] 외줄.

단세포 (單細胞) 그 자체만으로 한 생물체를 이루는 단 하나의 세포. [반] 다세포.

단ː소 (短簫) 우리나라의 관악기의 하나. 대로 만들며 퉁소보다 좀 짧고 구멍은 앞에 넷, 뒤에 하나가 있음.

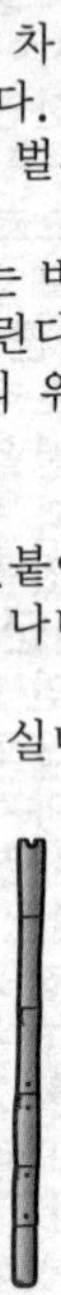
〈단소〉

단속 (團束) 주의를 기울여 단단히 다잡음. ㉠음주 운전 단속. 반 방임. **—하다.**

단수[1] (段數) [단쑤] **1** 바둑·태권도 따위의 단의 수. **2** 술수를 쓰는 재간의 정도. ㉠단수가 높다.

단수[2] (單數) 문법에서 사람이나 사물이 하나임을 나타내는 말.

단:수[3] (斷水) 수돗물이 끊어짐. 또는 수돗물을 끊음. **—하다.**

***단순** (單純) **1** 복잡하지 않고 간단함. ㉠단순 노동 / 단순하게 여기다. **2** 외곬으로 순진하고 어수룩함. ㉠단순한 성격 / 어린아이처럼 단순하다. **—하다. —히.**

단순화 (單純化) 단순하게 됨. 또는 그렇게 되게 함. **—하다.**

단술 엿기름을 우린 물에 밥을 넣어 삭혀서 끓인 음식. 비 감주.

단숨에 (單—) [단수메] 쉬지 아니하고 곧장. ㉠주스를 단숨에 들이켜다 / 방학 숙제를 단숨에 해치우다. 비 한숨에.

단:시 (短詩) 짧은 형식의 시.

단:시간 (短時間) 짧은 시간. ㉠단시간에 일을 끝내다. 반 장시간.

단:시일 (短時日) 짧은 시일. ㉠단시일 안에 마치다. 반 장시일.

단식[1] (單式) **1** 단순한 방식이나 형식. **2** '단식 경기'의 준말. 반 복식.

단:식[2] (斷食) 일정한 기간 동안 음식을 먹지 않음. ㉠단식 투쟁. 비 금식. **—하다.**

단식 경:기 (單式競技) [—꼉기] 테니스나 탁구 따위에서, 양편이 한 사람씩 서서 싸우는 경기. 반 복식 경기. 준 단식.

단신 (單身) 단 혼자의 몸. ㉠단신으로 적진에 뛰어들다. 비 홀몸.

단아하다 (端雅—) [다나하다] 단정하고 보기 좋다. ㉠단아한 기품 / 용모가 단아하다.

단:안 (斷案) [다난] **1** 옳고 그름을 판단함. **2** 어떤 안을 딱 잘라 정함. ㉠단안을 내리다.

단양 팔경 (丹陽八景) [다냥—] 충청북도 단양군에 있는 여덟 군데의 명승지로, 상선암·중선암·하선암·구담봉·옥순봉·사인암·도담 삼봉·석문을 가리킴.

단어 (單語) [다너] ⇨낱말. ➲ word

단:언 (斷言) [다넌] 주저하지 않고 딱 잘라 말함. ㉠내 예상이 맞다고 단언할 수 있다. **—하다.**

단역 (端役) [다녁] 연극이나 영화에서, 비중이 크지 않은 역. 또는 그 역을 맡은 사람. ㉠단역 배우.

단:연 (斷然) [다년] 확실히 단정할 만하게. ㉠나는 단연 반대다 / 우리 팀이 단연 우세하다.

단:연코 (斷然—) [다년코] '단연'의 힘줌말. ㉠단연코 그에게 지는 일은 없다.

단:열재 (斷熱材) [다녈째] 열을 잘 전하지 않는 재료. 석면·유리 섬유·코르크 따위.

***단오** (端午) [다노] 우리나라 명절의 하나. 음력 5월 5일. 여자는 창포물에 머리를 감고 그네를 뛰며, 남자는 씨름을 함. 비 단옷날.

단옷날 (端午—) [다논날] ⇨단오.

단원[1] (單元) [다눤] 하나로 묶은 학습 단위. ㉠교과 단원.

단원[2] (團員) [다눤] 어떤 단체를 이루고 있는 개인. ㉠합창단 단원.

단원제 (單院制) [다눤제] 국회를 상하 양원으로 나누지 않고 하나만 두는 제도. 우리나라는 단원제임. 반 양원제.

***단위** (單位) [다뉘] **1** 비교·계산하는 데 기본이 되는 것. ㉠화폐 단위. **2** 어떤 조직을 이루는 가장 기본적인 사물. ㉠가정은 사회 구성의 기본 단위이다.

단위 분수 (單位分數) [다뉘분쑤] 분자가 1인 분수. 보기 $\frac{1}{2}$·$\frac{1}{3}$ 따위.

단:음 (短音) [다늠] 짧게 나는 소리. [반] 장음.

단:음계 (短音階) [다늠계 / 다늠게] 둘째 음과 셋째 음, 다섯째 음과 여섯째 음 사이의 음정이 반음인 음계. [반] 장음계.

단일 (單一) [다닐] **1** 단 하나. (예)단일 후보. **2** 다른 것이 섞이지 않음. (예)단일 경작. **—하다.**

단일 민족 (單一民族) [다닐—] 단일한 인종으로 이루어져 있는 민족. (예)단일 민족 국가.

단일어 (單一語) [다니러] 더 이상 쪼갤 수 없는 낱말. 사람·하늘·꽃·밥 따위. [반] 복합어.

단자 (端子) 전기 기계나 기구 따위에서, 전력을 끌어들이거나 보내는 데 쓰는 회로의 끝 부분.

단자음 (單子音) ⇨홑닿소리.

단잠 달게 자는 잠. 깊이 든 잠. (예)단잠을 깨우다. [반] 선잠.

단장[1] (丹粧) 모양을 내어 꾸밈. (예)새로 단장한 집. **—하다.**

단:장[2] (短杖) 짧은 지팡이.

단장[3] (團長) '단' 자가 붙은 단체의 우두머리. (예)응원단 단장 / 사절단 단장.

단적 (端的) [단쩍] 분명하고 직접적인 (것). (예)단적으로 말하면.

단전[1] (丹田) 배꼽 아래로 한 치 다섯 푼 되는 곳. 아랫배에 해당하며 여기에 힘을 주면 건강과 용기를 얻는다고 함. (예)단전호흡.

단:전[2] (斷電) 전기 보내는 것을 끊음. **—하다.**

단:절 (斷絕) 관계를 끊음. (예)국교 단절 / 대화의 단절. **—하다.**

단:점 (短點) [단쩜] 나쁜 점. (예)단점을 지적하다. [비] 결점. [반] 장점.

단:정 (斷定) 딱 잘라서 결정함. (예)단정을 내리다. **—하다.**

단정하다 (端正—) 얌전하고 바르다. (예)품행이 단정하다.

단정히 (端正—) 단정하게. (예)의자에 단정히 앉다.

단:조 (短調) [단쪼] 단음계로 된 곡조. [반] 장조.

단조롭다 (單調—) [단조롭따] 단순하고 변화가 없다. (예)단조로운 생활. [활용] 단조로워 / 단조로우니.

단:죄 (斷罪) 죄를 처단함. **—하다.**

*__단지__[1] 목이 짧고 배가 부른 자그마한 항아리. (예)된장 단지.

〈단지[1]〉

단지[2] (團地) 아파트·공장 따위가 집단을 이루고 있는 일정한 구역. (예)아파트 단지.

단지[3] (但只) 다만. 오직.

단짝 매우 친해서 늘 함께 지내는 사이. (예)단짝 동무.

단청 (丹靑) 집의 벽·기둥·천장 같은 데에 여러 가지 빛깔로 그림이나 무늬를 그림. 또는 그 그림이나 무늬. (예)단청을 입히다. **—하다.**

*__단체__ (團體) **1** 같은 목적으로 모인 사람들의 일정한 조직체. (예)친목 단체 / 단체에 가입하다. **2** 여러 사람이 모여서 이루어진 집단. (예)단체 관람 / 단체 생활 / 단체 사진을 찍다. [비] 집단. [반] 개인.

단체 경:기 (團體競技) 단체를 이루어 하는 경기. [반] 개인 경기.

단체상 (團體賞) 단체에 주는 상. [반] 개인상.

단체전 (團體戰) 단체 사이에 행하여지는 경기. (예)단체전에서 우승하다. [반] 개인전.

*__단추__ 옷의 벌어진 두 자락의 한 쪽에 붙어 있어서, 다른 쪽에 나 있는 구멍에 끼워 두 자락을 여미게 하는, 대개 동그란 작은 물건. (예)단추를 달다. ➡ button

단:축 (短縮) 시간이나 거리 따위

가 짧게 줄어듦. 또는 짧게 줄임. (예) 단축 수업. [반] 연장. **—하다.**

단출하다 **1** 식구가 적어 홀가분하다. (예)단출한 식구. **2** 일이나 차림새가 간편하다. (예)단출한 차림.

단층[1] (單層) 단 하나의 층. (예)단층 건물. [반] 고층.

단:층[2] (斷層) 지구 내부의 압력 차이 때문에 한쪽은 가라앉고, 한쪽은 솟아서 생기는 현상. 또는 그런 지형. (예)단층 지형.

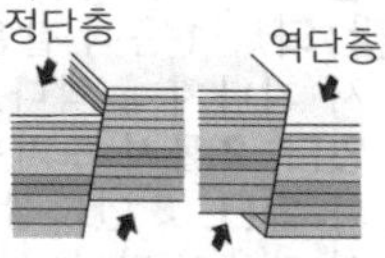

〈단층²〉

단칸 (單—) 단 한 칸. (예)단칸 셋방에 살다.

단칸방 (單-房) [단칸빵] 단 한 칸뿐인 방. (예)단칸방에 세 들어 살다.

단칼 (單—) 단 한 번 쓰는 칼. (예)단칼에 베다. [참고] 주로 '단칼에·단칼로'의 꼴로 쓰임.

단:타 (短打) 야구에서, 주자의 진루를 위해 배트를 짧게 쥐고 정확하게 치는 타격.

단:파 (短波) 파장이 약 10–100 m 사이의 전파. (예)단파 방송. [반] 장파.

단판 (單—) 단 한 번에 승부를 정하는 판. (예)단판 승부.

단팥죽 (—粥) [단팓쭉] 팥을 삶아 으깨고 설탕을 넣어 달게 만든 음식. (예)단팥죽을 쑤다.

단:편 (短篇) **1** 짤막하게 지은 글이나 영화. **2** '단편 소설'의 준말. [반] 장편.

단:편 소:설 (短篇小說) 길이가 짧은 소설. 줄거리가 간략하고 구성이 치밀함. [반] 장편 소설. [준] 단편.

*__단풍__ (丹楓) **1** 늦가을에 식물의 잎이 붉고 누르게 변하는 일. 또는 그렇게 변한 잎. (예)단풍이 들다. **2** '단풍나무'의 준말.

단풍나무 (丹楓—) 단풍나뭇과의 낙엽 활엽 교목. 산의 골짜기에 남. 잎은 손바닥 모양인데 6–7 갈래로 깊게 갈라졌음. 가을에 붉게 물듦. [준] 단풍.

단풍잎 (丹楓—) [단풍닙] **1** 단풍이 든 잎. **2** 단풍나무의 잎.

단합 (團合) 한데 뭉침. (예)단합 대회. [비] 단결. **—하다.**

단:행 (斷行) 결정한 것을 실행함. (예)주민의 반대를 무릅쓰고 공사를 단행하다. **—하다.**

단행본 (單行本) 단 한 권으로 된 책.

단:호하다 (斷乎—) 결심한 것을 처리함에 과단성이 있다. (예)단호한 태도 / 단호하게 대처하다.

단:호히 (斷乎—) 단호하게. (예)단호히 거절하다.

닫다[1] [닫따] 빨리 뛰어가다. (예)전속력으로 닫다. [활용] 달아 / 달으니 / 닫는.

*__닫다__[2] [닫따] **1** 열려 있는 것을 도로 제자리로 가게 하여 막다. (예)교실 문을 닫다. **2** 하던 일을 잠시 멈추거나 아주 그만두다. (예)가게를 닫다. [반] 열다. ➲ close, shut

> [주의] **닫다와 닿다**
> **닫다** 1 빨리 뛰어 달리다. (예)닫는 말에 채찍질한다. 2 열린 문·뚜껑 따위를 제자리로 가게 하여 막다. (예) 뚜껑을 닫다.
> **닿다** [다타] 1 사물이 서로 접하다. (예)책상이 서로 닿다. 2 어떤 목적지에 가서 이르다. (예)세 시엔 서울에 닿을 수 있다.

닫아걸다 [다다걸다] 문·창 같은 것을 닫고 잠그다. (예)방문을 닫아걸다. [활용] 닫아걸어 / 닫아거니 / 닫아거는.

닫치다 문·창 따위를 힘차게 닫다. →다치다 [주의]

닫히다 [다치다] 열렸던 것이 닫아지다. ㉠문이 바람에 닫혔다. →다치다 주의, → [학습마당] 25(1177쪽)

*__달__ **1** 밤에 햇빛을 받아 밝은 빛을 내는 지구의 위성. ㉠달이 뜨다 / 달이 훤히 밝다. ➡ moon **2** 한 해를 열둘로 나눈 것의 하나. ㉠달이 가고 해가 바뀌다. **3** 30일 또는 31일을 한 단위로 세는 단위. ㉠한 달 만에 만나다. ➡ month

> **참고** 음력으로 달 읽기
>
> • 1월 : 정월 • 7월 : 칠월
> • 2월 : 이월 • 8월 : 팔월
> • 3월 : 삼월 • 9월 : 구월
> • 4월 : 사월 • 10월 : 시월
> • 5월 : 오월 • 11월 : 동짓달
> • 6월 : 유월 • 12월 : 섣달

달가닥 단단하고 작은 물건이 맞닿아서 나는 소리. ㉠가방 속에서 달가닥 소리가 나다. ㈜달각. ㈝덜거덕. ㉥딸가닥. **—하다.**

달가닥거리다 [달가닥꺼리다] 자꾸 달가닥 소리가 나다. 또는 그런 소리를 자꾸 내다.

달갑다 [달갑따] **1** 마음에 들어 만족하다. ㉠달갑지 않은 손님. **2** 거리낌이나 불만이 없다. ㉠벌을 달갑게 받다. 활용 달가워 / 달가우니.

달개비 ⇨닭의장풀.

*__달걀__ 닭이 낳은 알. ㉥계란. ➡ egg

달관 (達觀) **1** 사물의 진실을 꿰뚫어 보는 뛰어난 관찰. **2** 활달하여 세상에서 벗어나 높은 경지에 이름. ㉠인생을 달관하다. **—하다.**

달구 땅을 다지는 데 쓰는 기구.

*__달구다__ 불에 대어 뜨겁게 하다. ㉠쇠를 달구다.

*__달구지__ 소나 말이 끄는 짐수레. ㉠달구지를 몰다.

달그락 단단하고 작은 물건이 부딪치거나 서로 스쳐 나는 소리. ㈝덜그럭. ㉥딸그락. **—하다.**

달그락거리다 [달그락꺼리다] 자꾸 달그락 소리가 나다. 또는 그런 소리를 자꾸 내다. ㉠컵을 흔드니 얼음 조각들이 달그락거렸다. ㈝덜그럭거리다.

달나라 [달라라] 달의 세계.

*__달님__ [달림] 달을 사람처럼 여기어 높여 이르는 말.

달:다[1] **1** 음식 같은 것이 너무 끓어서 지나치게 익다. ㉠국이 너무 달았다. **2** 몹시 뜨거워지다. ㉠다리미가 달다. **3** 안타깝거나 조마조마하여 마음이 타다. ㉠애가 달다. 활용 달아 / 다니 / 다는.

*__달다__[2] **1** 물건을 높이 매어 늘어뜨리다. ㉠종을 달다. ㉥매달다. **2** 물건을 일정한 곳에 붙이다. ㉠이름표를 달다. **3** 말·글에 설명 등을 덧붙이다. ㉠한자에 음을 달다. **4** 저울로 무게를 헤아리다. ㉠고기를 저울에 달다. 활용 달아 / 다니 / 다는.

*__달다__[3] **1** 꿀이나 설탕의 맛과 같다. ㉠이 빵은 너무 달아서 못 먹겠다. ➡ sweet **2** 입맛이 당기도록 맛이 좋다. ㉠저녁을 달게 먹었다. **3** 당연한 것으로 여기는 마음이 있다. ㉠벌을 달게 받다. ㉥쓰다[4]. 활용 달아 / 다니 / 단.

달달[1] 무섭거나 추워서 몸을 떠는 모양. ㉠너무 추워서 달달 떨고 있다. ㈝덜덜.

달달[2] **1** 콩·깨 따위를 휘저으며 볶거나 맷돌에 가는 모양. ㉠깨를 달달 볶다. **2** 사람을 못 견디게 구는 모양. ㉠엄마를 달달 들볶다. ㈝들들.

달동네 (―洞―) [달똥네] 산등성이나 산비탈 등의 높은 곳에 가난한 사람들이 모여 사는 동네.

*__달:라다__ '달라고 하다'의 준말. ㉠책을 사 달라다 / 용돈을 달라다.

달라붙다 [달라붇따] **1** 끈끈하게 바짝 붙다. ㉠껌이 책상에 달라붙다. **2** 한곳에 머물러 자리를 뜨지 않다. ㉥책상에 달라붙어 공부만 하다. ㉪들러붙다.

*__달라지다__ 변하여 이전 것과 다르게 되다. ㉥달라지는 농촌 / 갑자기 마음이 달라졌다.

달랑 **1** 작은 방울 따위가 한 번 흔들리는 소리. 또는 그 모양. **2** 침착하지 못하고 가볍게 행동하는 모양. ㉳딸랑. **3** 딸린 것이 적거나 하나만 있는 모양. ㉥가방 하나 달랑 들고 나서다 / 교실에 혼자 달랑 남았다. ㉪덜렁.

달랑달랑 **1** 자꾸 달랑 소리를 내는 모양. ㉥방울이 달랑달랑 울리다. **2** 침착하지 못하고 계속해서 까부는 모양. **—하다**.

달랑달랑하다 돈·음식 따위가 거의 다 떨어져 얼마 남아 있지 않다. ㉥용돈이 달랑달랑하다.

달래 백합과의 여러해살이풀. 봄에 숲이나 들에서 나며, 땅속에 희고 동그란 작은 알뿌리가 있고 잎은 파처럼 가늘고 긴 대롱 모양임. 나물로 먹음.

달래다 **1** 상대의 기분을 맞추어 가면서 구슬리거나 타이르다. ㉥우는 아이를 달래다. **2** 슬프거나 흥분된 마음을 가라앉히다. ㉥슬픔을 달래다 / 울분을 달래다.

달러 (dollar) 미국 돈의 단위. 1달러는 100센트. 불.

*__달려가다__ ⇨뛰어가다. ㉥언덕길을 달려가다. [활용] 달려가거라.

*__달려들다__ 와락 대들다. 별안간 덤비다. ㉥개가 달려들다. [활용] 달려들어 / 달려드니 / 달려드는.

*__달려오다__ ⇨뛰어오다. ㉥먼 길을 달려오다. [활용] 달려오너라.

*__달력__ (—曆) 한 해 동안의 날짜·요일·절기 따위를 적어 놓은 것. 캘린더. ㉥월력. ➜ calendar

*__달리__ 다르게. ㉥달리 방법이 없다.

*__달리기__ 일정한 거리를 빨리 달리는 것을 겨루는 일. ㉥달리기 선수. **—하다**.

*__달리다__[1] **1** 매이거나 딸리다. ㉥달린 식구가 많다. **2** 어떤 관계에 좌우되다. ㉥합격 여부는 노력에 달렸다. **3** 열매가 맺히다. ㉥나무에 감이 많이 달렸다.

달리다[2] 재물이나 기술, 힘이 모자라다. ㉥일손이 달리다 / 자금이 달리다 / 기운이 달려서 더 이상 못 걷겠다.

*__달리다__[3] **1** 빨리 가다. 뛰어가다. ㉥전속력으로 달리다. ➜ run **2** 빨리 가게 하다. ㉥차를 달리게 하다.

달리아 (dahlia) 국화과의 여러해살이풀. 멕시코가 원산지이며, 알뿌리로 번식함. 여름부터 가을에 걸쳐 흰색·붉은색·자주색 등의 꽃이 줄기 끝에 핌.

달리하다 어떤 사정이나 조건 따위를 서로 다르게 가지다. ㉥의견을 달리하다.

달맞이 [달마지] 음력 정월 보름날 저녁에, 횃불을 들고 산이나 들에 나가서 달이 뜨기를 기다려 맞이하는 일. **—하다**.

달맞이꽃 [달마지꼳] 바늘꽃과의 두해살이풀. 전체적으로 털이 나 있으며, 잎은 가늘고 길며 끝이 뾰족함. 여름에 노란 꽃이 저녁에 피었다가 이튿날 아침에 시듦.

〈달맞이꽃〉

달무리 달 언저리에 둥그렇게 생기는 구름 같은 허연 테. ㉥달무리가 지다. *햇무리.

*__달밤__ [달빰] 달이 뜬 밤.

달변 (達辯) 막힘이 없이 말을 아주 잘하는 솜씨.

*__달빛__ [달삗] 달에서 비치는 빛. ㉥

월광.

달성 (達成) [달썽] 원하는 것을 이룸. ㉥목표를 달성하다. 비 성취. **—하다.**

달싹달싹 [달싹딸싹] 자꾸 달싹이는 모양. 큰 들썩들썩. **—하다.**

달싹이다 [달싸기다] **1** 가벼운 물건을 들었다 놓았다 하다. **2** 마음이 좀 들떠서 움직이다. **3** 어깨나 궁둥이가 아래위로 가벼이 움직이다.

*달아나다 [다라나다] **1** 빨리 뛰어가다. **2** 없어지거나 떨어지다. ㉥단추가 달아나다 / 잠이 달아나다. **3** 도망치다. ㉥소매치기가 달아나다.

달아매다 [다라매다] 드리워지도록 높이 걸어 잡아매다. ㉥나무에 그네를 달아매다.

달아오르다 [다라오르다] **1** 쇠붙이 따위가 몹시 뜨거워지다. ㉥프라이팬이 달아오르다. **2** 얼굴이 화끈해지다. ㉥얼굴이 빨갛게 달아오르다. 활용 달아올라 / 달아오르니.

달음박질 [다름박찔] 급히 뛰어 달려가는 걸음. 준 달음질. **—하다.**

달음박질치다 [다름박찔치다] 힘있게 뛰어 달려가다. ㉥달음박질쳐 달아나다. 준 달음질치다.

달이다 [다리다] **1** 액체 따위를 끓여서 진하게 만들다. ㉥간장을 달이다. **2** 약제에 물을 부어 우러나도록 끓이다. ㉥보약을 달이다. →다리다 주의

달인 (達人) [다린] **1** 학문·기술·예술 등의 분야를 막힘이 없이 환히 알고 있는 사람. ㉥달인의 솜씨. **2** 널리 사물의 이치에 통달한 사람. ㉥달인의 경지에 이르다.

달집 [달찝] 달맞이할 때 불을 질러 밝게 하기 위하여 집채처럼 쌓은 나무 무더기.

달짝지근하다 [달짝찌근하다] 조금 달콤한 맛이 있다. ㉥포도주가 달짝지근하다. 큰 들쩍지근하다. 거 달착지근하다.

달카닥 작고 단단한 물건이 흔들려 부딪쳐 나는 소리. ㉥문이 달카닥 닫히다. 준 달칵. 큰 덜커덕. **—하다. —거리다.**

달콤하다 **1** 맛이 알맞게 달다. ㉥달콤한 솜사탕. **2** 마음을 끄는 느낌이 있다. ㉥달콤한 말로 속삭이다. 큰 달큼하다. 여 달곰하다.

달팽이 달팽잇과의 동물. 소용돌이 모양의 껍데기를 지고 다님. 머리에 두 개의 더듬이가 있는데 그 끝에 명암만 알아내는 눈이 있음. 여름에 습기가 많을 때나 밤에 나와 어린 잎 등을 먹음.

〈달팽이〉

달팽이관 (—管) 척추동물의 귓속에 있는, 달팽이 모양으로 생긴 관. 소리를 듣는 데 관계가 있음. 비 와우관.

달포 한 달 이상이 되는 동안. ㉥떠난 지 달포는 지났다.

달필 (達筆) 아주 잘 쓰는 글씨.

달하다 (達—) **1** 목적을 이루다. **2** 어떤 곳·수준·양에 이르다. ㉥국제 수준에 달하다.

*닭 [닥] 가축으로 기르는 꿩과의 새. 머리에 붉은 볏이 있고 날개가 짧아 잘 날지 못함. 고기와 알을 먹음. 품종이 많음. 발음 닭이[달기] / 닭과[닥꽈] / 닭을[달글] / 닭만[당만]. ➲ chicken

닭고기 [닥꼬기] 닭의 살코기.

닭살 [닥쌀] 닭의 껍질처럼 오톨도톨한 피부.

닭싸움 [닥싸움] **1** 닭을 싸우게 하여 승부를 겨루는 구경거리. **2** 한쪽 다리를 손으로 잡고, 외다리로 뛰면서 상대방을 밀어 넘어뜨리는 놀이. 준 닭쌈. **—하다.**

닭의장풀 (—欌—) [달긔장풀 / 달게장풀] 습한 땅에 자라는 높이 15-50 cm 정도의 한해살이풀. 줄기는 마디가 굵고 잎은 가늘고 길며 끝이 뾰족함. 7-8월에 푸른색의 꽃이 핌.

〈닭의장풀〉

닭장 (—欌) [닥짱] 닭을 가두어 기르는 집. 비 닭의장.

*__닮ː다__ [담따] 서로 비슷하게 생기다. 예할아버지를 닮았다. 발음 닮고[담꼬] / 닮아서[달마서] / 닮은[달믄].

닮은꼴 [달믄꼴] 크기만 다르고 모양은 같은 둘 이상의 도형.

닮음 [달믐] 크기가 다른 두 도형에서, 대응변의 비가 같고 대응각이 서로 같은 일.

닮음비 (—比) [달믐비] 닮은꼴에서, 대응하는 두 선분의 비.

닮음의 중심 (—中心) [달므믜— / 달므메—] 닮은 두 도형의 대응점을 이은 직선이 한 점에서 만날 때, 그 점을 이르는 말.

*__닳다__ [달타] **1** 오래 써서 낡아지거나 줄어들다. 예신발이 닳다. **2** 액체 따위가 졸아들다. 예국이 너무 닳아서 짜다. 발음 닳고[달코] / 닳아서[다라서] / 닳은[다른] / 닳지[달치] / 닳소[달쏘].

닳고 닳다 세상일에 시달려 약아빠지다.

닳아빠지다 [다라빠지다] 성질이나 생각 따위가 지나치게 약다.

*__담__[1] 벽돌·흙 따위로 높이 쌓아 올려서 집의 주위를 둘러막은 것. 예담을 쌓다. 비 담장. ➡ wall

담ː[2] '다음'의 준말. 예담에는 꼭 이겨야지.

담ː[3] (痰) **1** ⇨가래[2]. 예담이 생기다. **2** 몸의 분비액이 한 부분에 뭉쳐 있어서 아픈 병. 예담이 들다 / 옆구리에 담이 결리다.

담ː[4] (膽) **1** ⇨쓸개. **2** '담력'의 준말. 예담이 크다.

-담 '-단 말인가'의 뜻을 나타냄. 예그렇게 좋담.

*__담그다__ **1** 액체 속에 넣다. 예시냇물에 발을 담그다. **2** 술·김치·간장·젓갈 따위가 익거나 삭도록 재료를 섞어 그릇에 넣다. 예김치를 담그다 / 오징어젓을 담그다. 활용 담가 / 담그니.

담금질 쇠를 불에 달구었다가 찬물에 담그는 일. **—하다**.

*__담기다__ **1** 그릇 속에 물건이 담아지다. 예광주리에 담긴 과일. **2** 생각이나 감정이 들어 있다. 예정성이 담긴 선물 / 애정이 담겨 있는 눈빛.

담ː낭 (膽囊) ⇨쓸개.

*__담ː다__ [담따] **1** 어떤 물건을 그릇 따위에 넣다. 예쌀을 자루에 담다. **2** 어떤 내용이나 생각을 글이나 그림 따위에 나타내다. 예마음을 담은 편지.

담ː담하다 (淡淡—) 마음이 편안하고 침착하다. 예담담한 얼굴.

담ː담히 (淡淡—) 담담하게. 예담담히 듣고만 있다.

담당 (擔當) 어떤 일을 맡음. 예청소 담당. **—하다**.

담당자 (擔當者) 책임을 맡은 사람. 예담당자에게 물어보다.

담ː대하다 (膽大—) 겁이 없고 용감하다. 배짱이 두둑하다. 예담대한 사람.

담ː력 (膽力) [담녁] 겁이 없고 용감한 기운. 예담력을 기르다. 준 담.

*__담ː배__ **1** 가짓과의 한해살이풀. 높이 1.5-2 m, 잎은 가

〈담배〉

늘고 길며 가장자리가 물결 모양임. 꽃은 엷은 붉은색의 깔때기 모양으로 핌. **2** 담뱃잎을 말려서 만든, 피우는 물건. ㊎ 연초.

담:백하다 (淡白—) [담배카다] **1** 욕심이 없고 마음이 깨끗하다. ㊌성격이 솔직하고 담백하다. **2** 맛이나 빛이 산뜻하다. ㊌담백한 음식.

담:뱃대 [담배때 / 담밷때] 썬 담배를 넣어서 피우는, 나무나 뿔 등으로 만든 대롱 모양의 기구.

담벼락 [담뼈락] 담이나 벽의 겉으로 드러난 부분. ㊌담벼락에 낙서를 하다.

담보 (擔保) 빚진 사람이 빚을 갚지 않을 때, 돈을 빌려 준 사람이 마음대로 해도 좋다는 약속으로 맡기는 물건 따위. ㊌집을 담보로 돈을 빌리다. ㊎ 저당.

담비 족제빗과의 동물. 족제비와 비슷하고, 몸빛은 주로 갈색이나 계절과 지역에 따라 다름. 다리가 짧고 발은 검음. 모피의 질이 좋음.

담뿍 가득 담기거나 들어 있는 모양. ㊌접시에 딸기를 담뿍 담다. ㊖ 듬뿍.

담:색 (淡色) 엷은 빛깔. ㊞ 농색.

담소 (談笑) 웃으면서 이야기함. ㊌담소를 나누다. **—하다.**

담:수 (淡水) 단물. 민물.

담:수호 (淡水湖) 담수가 모여서 된 호수. 1*l* 가운데 0.5 g 이하의 염분을 함유하는 호수.

담쌓다 [담싸타] **1** 담을 만들다. **2** 관계나 인연을 끊다. ㊌친구와 싸워서 담쌓고 지낸다.

담양 (潭陽) [다먕] 〖지명〗 전라남도의 영산강 상류에 위치한 읍. 담양군의 군청 소재지로, 쌀·보리가 주요 작물이며 대그릇·발·부채 따위 죽세공품의 명산지임.

담:요 (毯—) [담뇨] 털 등으로 만들어 깔거나 덮게 된 요. ㊌담요를 덮다. ㊎ 모포. ➡ blanket

담임 (擔任) [다밈] 학급이나 학년 따위를 책임지고 맡아봄. 또는 그 사람. ㊌담임 선생님. **—하다.**

담장 (—牆) ⇨담[1].

담쟁이덩굴 포도과에 속하는 덩굴나무. 바위·담벼락 같은 데 달라붙어서 자람. 초여름에 엷은 녹색 꽃이 피고 가을에 자줏빛 열매를 맺음. ㊟ 담쟁이.

담:징 (曇徵) 〖인명〗 고구려의 승려이며 화가. 일본 호류 사에 가서 승려들에게 공예와 종이, 먹 따위의 제조법을 전해 주고, 금당 벽화를 그린 것으로 유명함. [579-631]

담:채 (淡彩) 엷은 빛깔.

담판 (談判) 서로 의논하여 옳고 그른 것을 판단함. ㊌담판을 벌이다 / 담판을 짓다. **—하다.**

담화 (談話) **1** 서로 이야기를 주고받음. **2** 한 단체나 공적인 자리에 있는 사람이 어떤 문제에 대한 의견이나 태도를 밝히는 말. ㊌대통령이 담화문을 발표하다. **—하다.**

***답** (答) **1** '대답'의 준말. ㊌묻는 말에 답하다. **2** '해답'의 준말. ㊌답을 맞추어 보다. **—하다.**

-답다 [답따] 어떤 말에 붙어서 '성질이나 특성이 있음'의 뜻을 나타냄. ㊌남자답다 / 선생님답다 / 어린이답다. [활용] -다워 / -다우니.

답답하다 [답따파다] **1** 근심이나 걱정으로 가슴이 갑갑하다. ㊌답답한 심정. **2** 숨이 막힐 듯하다. ㊌방안 공기가 너무 답답하다. ㊞ 시원하다. 후련하다. **3** 고지식하여 딱하다. ㊌이런 답답한 사람 보았나.

답례 (答禮) [담녜] 남의 인사나 선물에 답하여 하는 인사나 보내는 선물. ㊌답례의 선물. **—하다.**

답배 (答拜) [답빼] 받은 절의 답으로 하는 절. **—하다.**

답변 (答辯) [답뻰] 물음에 대하여

대답하는 말. ㉥답변을 피하다. 반 질문. 질의. **—하다.**

답사[1] (答辭) [답싸] 식장에서 축사나 환영사 따위에 답하는 말. ㉥졸업생 대표의 답사. **—하다.**

답사[2] (踏査) [답싸] 어떠한 곳에 실제로 가서 보고 듣고 조사함. ㉥현지 답사. **—하다.**

답습 (踏襲) [답씁] 옛것을 그대로 따르거나 이어 나감. ㉥옛 관습을 답습하다. **—하다.**

답신 (答信) [답씬] 회답으로 보내는 통신이나 편지. **—하다.**

답안 (答案) [다반] 문제의 해답. 또는 해답을 쓴 종이. ㉥시험 답안.

답안지 (答案紙) [다반지] 문제의 해답을 쓰는 종이. ㉥답안지를 제출하다. 비 답지.

답장 (答狀) [답짱] 받은 편지에 답하여 보내는 편지. ㉥친구에게 답장하다. 비 답서. 회신. **—하다.**

닷 [닫] '다섯'의 뜻. ㉥닷 냥 / 닷 말 / 논 닷 마지기.

닷새 [닫쌔] **1** 다섯 날. ㉥닷새쯤 걸리는 일. **2** 그달의 다섯째 날. ㉥오월 닷새가 어머님 생신이시다.

당[1] (當) **1** '그·바로 그·이·지금의' 등의 뜻. ㉥당 회사의 제품입니다. **2** 그 당시의 나이를 나타내는 말. ㉥당 13세의 건강한 소년.

당[2] (黨) ⇨정당. ㉥당 간부 / 당에 가입하다.

-당 (當) '앞에·마다'의 뜻. ㉥일인당 만 원.

당구 (撞球) 네모난 대 위에 붉은 공과 흰 공을 놓고 긴 막대기 끝으로 쳐서 맞히어 승부를 가리는 실내 오락. ㉥당구를 치다.

당국 (當局) 어떤 일을 직접 맡아 하는 기관. ㉥학교 당국 / 당국에 신고하다.

***당근** 미나릿과에 속하는, 뿌리를 먹는 식물. 빛깔이 붉고 맛이 달콤하며 향기가 있음. 비 홍당무.

***당기다** **1** 끌어서 가까이 오게 하다. ㉥의자를 당겨 앉아라. ➲ pull **2** 줄을 팽팽하게 하다. ㉥활시위를 당기다. **3** 정한 시일을 앞으로 끌다. ㉥방학을 당기다. **4** 입맛이 돋우어지다. ㉥입맛이 당기는 계절. **5** 마음이 무엇에 끌리다. ㉥구미가 당기는 이야기.

> 주의 **당기다와 댕기다**
> **당기다** 앞쪽으로 끌어서 가까이 오게 하거나 팽팽하게 하다.
> **댕기다** 이쪽의 불이 저쪽으로 옮아 붙다. 또는 불을 옮아 붙게 하다.

당김음 (—音) [당기믐] 같은 높이의 센박과 여린박이 어울려서 여린박이 센박, 센박이 여린박으로 바뀌는 일.

***당나귀** 말과의 짐승. 말과 비슷하나 몸이 작고 앞머리의 긴 털이 없으며 귀가 긺. 병에 대한 저항력이 강하여 부리기에 알맞음. 준 나귀.

〈당나귀〉

당나라 (唐—) 중국 수나라 다음의 왕조. 남북을 통일하였고 정치·문화 등이 크게 발전하였으며, 우리나라와 깊은 관계를 가졌음. 도읍은 장안. [618–907]

당년 (當年) **1** 바로 그해. **2** 그해의 나이. ㉥그는 당년 사십이다.

당뇨 (糖尿) 포도당이 많이 섞여 나오는 병적인 오줌. 또는 그런 병.

당뇨병 (糖尿病) [당뇨뼝] 당뇨가 오랫동안 계속되는 병.

당당하다 (堂堂—) **1** 떳떳하고 바르다. ㉥당당한 권리. **2** 힘이나 세력이 크다. ㉥기세가 당당하다.

당당히 (堂堂―) 당당하게. ㉦당당히 맞서서 싸우다.

당대 (當代) **1** 사람의 한평생. ㉦당대에 모은 재산. **2** 그 시대. ㉦조선 당대 최고의 화가. **3** 지금 이 시대. ㉦당대 최고의 배우.

당도 (糖度) 당분의 농도. 단맛의 정도. ㉦당도가 높다.

당도하다 (當到―) 어떤 곳에 다다르다. ㉦목적지에 당도하다.

당돌하다 (唐突―) 윗사람에게 대하는 것이 버릇없고 주제넘다. ㉦당돌한 아이 / 당돌하게 대들다.

당론 (黨論) [당논] 정당의 의견이나 논의. ㉦당론이 일치되다.

당류 (糖類) [당뉴] 물에 잘 녹으며 단맛이 있는 탄수화물. ㊟당.

당면[1] (當面) 일이 바로 눈앞에 닥침. ㉦당면 과제. **―하다.**

당면[2] (唐麵) 녹말가루로 만든 국수. 주로 잡채의 재료로 씀.

당번 (當番) 어떤 일을 할 차례. 또는 그 사람. ㉦청소 당번. ㉥비번.

당부 (當付) 단단히 부탁함. 또는 그 부탁. ㉦거듭 당부하다. **―하다.**

당분 (糖分) 단맛이 있는 성분.

당분간 (當分間) 앞으로 얼마 동안. 잠시 동안. ㉦당분간 여기 머물다 가야겠다.

당사자 (當事者) 그 일에 직접 관계가 있는 사람. ㉦당사자 이외 출입 금지. ㉥본인. ㉥제삼자.

당산 (堂山) 마을의 수호신을 모시는 마을 근처의 산이나 언덕.

당선 (當選) 선거나 심사에서 뽑힘. ㉦당선을 축하하다 / 국회의원에 당선되다. ㉥낙선. **―하다.**

당선작 (當選作) 심사에서 뽑힌 작품. ㉦당선작이 전시되다.

당수 (黨首) 당의 우두머리. ㉦당수를 선출하다.

당숙 (堂叔) 아버지의 사촌 형제. ㉥종숙.

당숙모 (堂叔母) [당숭모] 당숙의 아내. ㉥종숙모.

***당시** (當時) 어떤 일이 있었던 그 때. ㉦초등학교 입학 당시에는 반에서 키가 제일 컸다.

***당신** (當身) **1** 친근하지 않은 사이에서 자기보다 나이가 적거나 비슷한 사람을 부르는 말. ㉦당신은 누구요. **2** 웃어른을 높여 일컫는 말. ㉦생전에 당신께서 아끼시던 물건. **3** 부부가 서로 상대방을 일컫는 말. ㉦여보, 당신에게 미안하오.

당연하다 (當然―) 이치로 보아 마땅히 그러하다. ㉦학생이 공부하는 것은 당연한 일이다.

당연히 (當然―) 당연하게. ㉦당연히 내가 해야 할 일이다.

당원 (黨員) 정당에 가입한 사람.

당의 (唐衣) [― / 당이] 조선 때 저고리 위에 덧입었던, 소매가 넓고 앞뒤 자락이 무릎까지 오고 옆이 트인 여자 예복. ㉥당저고리.

당일 (當日) 일이 있는 바로 그날. ㉦사건 당일의 행적이 묘연하다.

당일치기 (當日―) 일이 있는 바로 그날 하루에 해 버리는 일. ㉦당일치기로 여행을 다녀오다.

***당장** (當場) **1** 무슨 일이 일어난 바로 그 자리 또는 그때. ㉦효과가 당장에 나타났다. **2** 바로 그 자리에서 곧. ㉦당장 내쫓다.

당쟁 (黨爭) 당파를 이루어 서로 싸우던 일. ㉦당쟁에 말려들다.

당좌 (當座) '당좌 예금'의 준말.

당좌 예:금 (當座預金) 기한을 정하지 않고 예금자의 청구에 따라 지급하는 예금. ㊟당좌.

당직 (當直) 근무하는 곳에서 숙직이나 일직 따위의 당번이 됨. 또는 그 차례가 된 사람. ㉦당직을 서다. **―하다.**

당질 (糖質) 탄수화물을 많이 지닌 물질.

당집 (堂—) [당찝] 신을 모셔 두는 집. [준]당.

당차다 몸집이나 나이에 비해 야무지고 기운차다. (예)키는 작아도 당차게 생겼다.

당찮다 (當—) [당찬타] 말이나 행동이 이치에 맞지 않거나 적당하지 않다. (예)이 밤중에 가겠다니 당찮은 소리 하지도 마라.

당첨 (當籤) 제비나 추첨에 뽑힘. (예)복권이 당첨되다.

당초 (當初) 일이 생긴 처음. (예)당초부터 잘못되었다. [비]애초.

당최 도무지. 영. (예)네 말은 당최 알아들을 수가 없구나.

당파 (黨派) 정치적 목적이나 주의, 주장을 같이하는 사람들끼리 모인 단체.

*__당하다__ (當—) **1** 어떤 형편이나 때에 이르거나 처하다. (예)막상 눈앞에 당하면 어찌할 수 없는 법이다. **2** 피해나 놀림 따위를 받다. (예)누구에게 당했느냐. **3** 맞서서 이겨 내다. (예)혼자서 두서너 명을 당하다. **4** 어떤 일이나 때를 맞거나 겪다. (예)교통사고를 당하다.

-당하다 (當—) 움직임을 나타내는 말에 붙어 그 움직임을 받음을 나타냄. (예)거절당하다 / 무시당하다 / 이용당하다.

당혹 (當惑) 어떤 일을 당하여 어쩔 줄을 모름. (예)당혹한 표정을 짓다. **—하다. —스럽다.**

당황하다 (唐惶〔慌〕—) 뜻밖의 일에 놀라서 어떻게 해야 할지 모르다. (예)사고 소식에 당황하다.

*__닻__ [닫] 배를 고정시키기 위하여 줄에 매어 물 밑바닥으로 가라앉히는, 갈고리가 달린 기구. (예)닻을 내리다. ➲ anchor

〈닻〉

> [주의] **닻과 덫과 돛**
> **닻** 배를 고정시키기 위해 줄에 매어 물 밑바닥에 가라앉히는 쇠.
> **덫** 짐승을 꾀어 잡는 기구.
> **돛** 배의 돛대에 달아 바람을 받게 하는 헝겊.

*__닿:다__ [다타] **1** 사물이 서로 접하다. (예)손이 서로 닿다. **2** 목적지에 이르다. (예)3시면 제주도에 닿는다. **3** 어떤 정도나 범위에 미치다. (예)거기까지 생각이 닿을 줄은 몰랐구나. **4** 서로 관련이 맺어지다. (예)선생님과 연락이 닿지 않는다. **5** 감명 깊거나 절실하게 느껴지다. (예)그의 말이 마음에 와 닿는다. [발음] 닿고[다코] / 닿아서[다아서] / 닿는 [단는] / 닿지[다치] / 닿소[다쏘]. →닫다 [주의]

닿소리 [다쏘리] 발음할 때 혀·이·입안·입술 등의 발음 기관에 숨이 닿아서 나는 소리. ㄱ·ㄴ·ㄷ 따위 모두 14자. [비]자음. [반]홀소리.

> [참고] **닿소리의 순서와 이름**
> 한글 닿소리의 수는 14자로 하고, 그 순서와 이름은 다음과 같이 정함.
> ㄱ(기역) ㄴ(니은) ㄷ(디귿)
> ㄹ(리을) ㅁ(미음) ㅂ(비읍)
> ㅅ(시옷) ㅇ(이응) ㅈ(지읒)
> ㅊ(치읓) ㅋ(키읔) ㅌ(티읕)
> ㅍ(피읖) ㅎ(히읗)
> 또, 위의 닿소리로써 적을 수 없는 소리는 두 개 이상의 닿소리를 어울러서 적되, 그 순서와 이름은 다음과 같이 정함.
> ㄲ(쌍기역) ㄸ(쌍디귿)
> ㅃ(쌍비읍) ㅆ(쌍시옷)
> ㅉ(쌍지읒)

대1 **1** 식물의 줄기. (예)수수의 대. **2** 자기의 뜻을 굽히지 않으려는 의지.

㊀대가 약한 젊은이. **3** 주사나 침을 맞는 횟수를 세는 단위. ㊀주사를 한 대 맞다. **4** 쥐어박거나 때리는 횟수를 세는 단위. ㊀한 대 때리다.

대ː³ (大) 큰 것. 중요한 것. ㊀대를 위하여 소를 희생하다. ㊁소.

대ː³ (代) 집안의 계통이나 지위를 이어 그 자리에 있는 동안. ㊀대를 잇다.

***대⁴** (臺) 탈것이나 기계, 악기 따위를 셀 때 쓰는 말. ㊀자전거 두 대 / 피아노 한 대.

대- (大) '큰'의 뜻. ㊀대가족 / 대성공 / 대찬성.

-대 '-다고 해'의 준말. ㊀내일은 비가 온대.

> 주의 -대와 -데
> -대 '-다(고) 해'의 준말로, 들은 이야기를 다른 사람에게 간접적으로 전달하는 의미를 갖는다.
> ㊀오늘은 날씨가 좋대(좋다고 해).
> -데 자신이 직접 경험한 지난 일을 돌이켜 말할 때 쓴다.
> ㊀어제는 날씨가 좋데(좋더라).

대ː가¹ (大家) **1** 학문·기술 따위에 뛰어나 권위를 인정받는 사람. ㊀대가의 작품. **2** 큰 집.

대ː가² (代價) [대까] **1** 물건을 산 대신의 값. ㊀대가를 지급하다. ㊂대금. **2** 일을 하고 받는 보수. ㊀노동의 대가. **3** 어떤 일을 함으로써 생기는 희생이나 손해. ㊀너무 큰 대가를 치르다.

대가리 **1** '머리'를 낮추어 일컫는 말. **2** 동물의 머리. ㊀생선 대가리. **3** 주로 길쭉한 물건의 앞이나 윗부분. ㊀못 대가리 / 콩나물 대가리.

대ː가족 (大家族) **1** 식구가 많은 가족. ㊀대가족이 한집에 살다. **2** 여러 세대가 한 집에 모여 사는 가족. ㊁핵가족.

대ː가족 제ː도 (大家族制度) [—제도] 대가족을 이룬 가족 제도. ㊁소가족 제도.

대ː각 (對角) 다각형에서 서로 마주 보는 한 쌍의 각. ㊂맞각.

대ː각 국사 (大覺國師) 〖인명〗 ⇨ 의천.

대ː각선 (對角線) [대각썬] 다각형에서 서로 이웃하지 않는 두 꼭짓점을 연결하는 직선. 또는 다면체에서 같은 면에 있지 않은 두 꼭짓점을 연결하는 직선.

대ː감 (大監) 조선 때, 정이품 이상의 벼슬아치를 높여서 부르던 말.

***대ː강** (大綱) 기본적인 부분만으로. ㊀대강 짐작하다 / 설명은 대강 들었다. ㊂대충.

대ː강당 (大講堂) 많은 사람이 모일 수 있는 넓은 강당.

대ː강대강 (大綱大綱) 적당히 간단하게. ㊀시간이 없으니 대강대강 하시오. ㊂대충대충.

***대ː개** (大概) **1** ⇨대부분. ㊀내 친구들은 대개 키가 크다. **2** 그저 웬만한 정도로. ㊀그 일에 대해서는 대개 알고 있다. ㊂대체로.

대ː거 (大擧) 한꺼번에 많이. ㊀적군이 대거 침입하다.

대걸레 긴 막대 자루가 달린 걸레. 바닥을 닦는 데 씀. ㊂자루걸레.

대ː검 (大劍) 큰 칼.

대견스럽다 [대견스럽따] 대견한 데가 있다. ㊀대견스럽게도 또 일등을 했다는구나. 활용 대견스러워 / 대견스러우니.

대견하다 흐뭇하고 자랑스럽다. ㊀어려운 친구를 도와주었다니 정말 대견하구나.

대ː결 (對決) 서로 맞서서 이기고 짐을 겨룸. ㊀맞수끼리 대결하여 승부를 가리다. **—하다.**

대ː경실색 (大驚失色) [대경실쌕] 크게 놀라 얼굴빛이 하얗게 질림.

—하다.

대:공[1] (對共) 공산주의나 공산주의자를 상대함. ㊞대공 사찰.

대:공[2] (對空) 지상에서 공중의 목표물을 상대함. ㊞대공 사격 / 대공 미사일.

대:공원 (大公園) 많은 사람들이 쉬고 거닐 수 있도록 만든 큰 공원.

대:관 (戴冠) 황제나 국왕이 왕관을 받아 씀. ㊞대관식. **—하다.**

대:관령 (大關嶺) [대괄령] 강원도 강릉시와 평창군 사이에 있는 높은 고개. 매우 험하여 아흔아홉 고개라 함. 해발 865 m.

대:관절 (大關節) 여러 말 할 것 없이 요점만 말하건대. ㊞대관절 어찌 된 일이냐. ㊀도대체.

대:괄호 (大括弧) 문장 부호의 한 가지인 '〔〕' 모양의 묶음표.

대:교 (大橋) 규모가 큰 다리. ㊞남해 대교 / 한강 대교.

대구[1] (大口) 대구과의 물고기. 깊고 찬 바다에 삶. 몸은 넓적하고 앞쪽은 둥글며, 머리와 입이 매우 큼. 고기는 먹고 간에서 노란 기름을 빼내 약으로 씀.

대구[2] (大邱) 〖지명〗 광역시의 하나. 섬유 공업이 활발하며, 특히 사과 산지로 유명함. 팔공산 등의 높은 산으로 둘러싸여 분지를 이룸.

대:구[3] (對句) [대꾸] 짝을 맞춘 시의 글귀.

대:구법 (對句法) [대꾸뻡] 수사법의 하나. 서로 관계가 있는 두 말을 나란히 써서 가지런한 느낌이나 대립하는 멋을 나타냄.

대:국[1] (大國) 국토가 넓고 세력이 강한 나라. ㊞경제 대국. ㊥소국.

대:국[2] (對局) 마주 앉아 바둑이나 장기를 둠. **—하다.**

대:군[1] (大軍) 병사의 수가 많은 군대. ㊞십만 대군.

대:군[2] (大君) 조선 때, 왕비가 낳은 아들. ㊞양녕 대군.

대굴대굴 작고 단단한 물건이 계속 굴러 가는 모양. ㊍데굴데굴. ㊓때굴때굴.

대:권 (大權) [대꿘] 국가 원수가 국가를 통치하는 법적 권한. ㊞대권에 도전하다 / 대권을 잡다.

대:궐 (大闕) 임금이 사는 집. ㊀궁궐. 왕궁.

대:규모 (大規模) 범위가 넓고 큼. ㊞대규모 아파트 단지. ㊥소규모.

대:금[1] (大笒) 가로로 불게 된 우리나라 고유의 목관 악기. 대나무로 만들며 13 개의 구멍으로 소리를 조절함.

〈대금[1]〉

대:금[2] (代金) 물건의 값으로 치르는 돈. ㊞우유 대금을 청구하다.

대:기[1] (大氣) 지구를 둘러싸고 있는 기체. ㊀공기.

대:기[2] (待機) 때나 기회가 오기를 기다림. **—하다.**

대:기권 (大氣圈) [대기꿘] 지구를 둘러싸고 있는 공기층의 범위.

대:기만성 (大器晩成) 큰 그릇을 만드는 데는 시간이 오래 걸린다는 뜻으로, 크게 성공할 사람은 늦게 이루어짐을 이르는 말. ㊞그 사람은 대기만성형이다.

대:기실 (待機室) 기다리는 사람을 위하여 마련한 방이나 장소. ㊞병원 대기실에서 기다리다.

대:기업 (大企業) 자본금이나 근로자 수 따위의 규모가 큰 기업.

대:기 오:염 (大氣汚染) 산업·교통 등의 발달로 생기는 해로운 물질이 공기를 더럽히는 일.

대:꾸 남의 말을 듣고 바로 자기 생각을 나타내는 말. ㊞묻는 말에 대꾸가 없다. ㊂말대꾸. **—하다.**

대나무 줄기가 꼿꼿하고 마디가 있

으며 속이 빈 나무. 줄기는 단단하여 기구나 장대를 만드는 데 씀. 어린싹은 죽순이라 하여 먹음.

*대:낮 [대낟] 환히 밝은 낮. 비 백주. 한낮.

대:내적 (對內的) 나라나 사회에 관련되는 (것). 예 대내적인 문제. 반 대외적.

대:농 (大農) 규모가 큰 농업. 반 소농.

대:뇌 (大腦) 척추동물의 뇌의 일부. 뇌의 대부분을 차지하며, 주로 정신 작용, 즉 생각이나 판단, 보고 듣는 일 등을 맡음. 비 큰골.

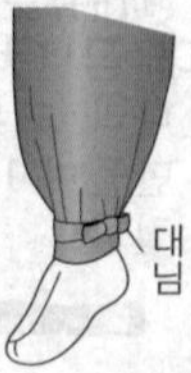

〈대님〉

대님 한복 바지의 끝을 접어서 졸라매는 끈.

대:다[1] 정한 시간에 이르다. 예 기차 시간에 대다.

*대:다[2] **1** 비교하다. 예 키를 대어 보다 / 옷을 몸에 대어 보다. **2** 탈것 따위를 멈추어 서게 하다. 예 주차장에 차를 대다 / 항구에 배를 대다. **3** 서로 닿게 하다. 예 귀에 수화기를 대다. **4** 기대다. 의지하다. 예 벽에 등을 대고 앉다. **5** 물이 어느 곳으로 흐르게 하다. 예 논에 물을 대다. **6** 뒤를 보살피다. 예 학비를 대다. **7** 사실대로 밝히거나 말하다. 예 증거를 대다. **8** 이유나 구실 따위를 들고 나서다. 예 핑계를 대다.

-대다 ⇨-거리다. 예 방실대다 / 출렁대다.

대:다수 (大多數) 대단히 많은 수. 거의 다. 예 대다수가 찬성하다.

대:단원 (大團圓) [대다눤] **1** 일의 맨 끝. 예 대단원을 장식하다. 비 대미. **2** 영화나 연극 따위에서 사건의 결말을 짓는 마지막 장면. 예 대단원의 막을 내리다.

*대:단하다 **1** 정도가 매우 심하다. 예 엄살이 대단하다 / 이번 감기는 대단한데. **2** 아주 중요하다. 예 대단한 일이 아니다. **3** 아주 뛰어나다. 예 대단한 인물.

대:단히 대단하게. 예 대단히 높은 점수를 땄다 / 대단히 고맙습니다.

*대:담 (對談) 마주 보고 이야기를 주고받음. 예 대담을 나누다. 비 대화. **—하다.**

대:담하다 (大膽—) 행동이나 성격이 용감하고 겁이 없다. 예 대담한 행동을 하다. 반 소심하다.

*대:답 (對答) 물음에 대하여 자기의 뜻을 나타냄. 예 선생님 질문에 대답하다. 비 대꾸. 응답. 반 질문. 준 답. **—하다.** ➡ answer

대:대 (大隊) 군대 단위의 하나. 4개 중대로 이루어짐.

대:대로 (代代—) 여러 대를 계속하여. 예 대대로 살아온 고향.

대:대손손 (代代孫孫) 대대로 내려오는 여러 대. 예 대대손손 번영을 누리다.

대:대적 (大大的) 범위나 규모가 썩 큰 (것). 예 대대적인 행사.

대:도시 (大都市) 지역이 넓고 인구가 많으며 정치·문화·경제 활동의 중심이 되는 도시. 예 대도시로 인구가 집중되다. 반 소도시.

대:동강 (大同江) 동백산·소백산에서 시작하여 평안남도 평양을 거쳐 황해도와의 경계에서 황해로 흘러 들어가는, 우리나라에서 다섯째로 긴 강. 길이는 약 439 km.

대:동소이하다 (大同小異—) 큰 차이 없이 거의 같다. 예 대동소이한 의견 / 실력이 대동소이하다.

대:동여지도 (大東輿地圖) [대동녀지도] 조선 철종 때 김정호가 만든, 우리나라 전 국토를 자세히 나타낸 지도.

대:들다 요구하거나 반항하느라고 맞서서 달려들다. 예 윗사람에게 대들면 못써. 활용 대들어 / 대드니 /

대드는.

대들보 (大—) [대들뽀] **1** 한옥에서, 중심이 되는 두 기둥을 가로질러 연결시키는 큰 나무. **2** 중심이 되는 중요한 물건이나 사람. ㉠나라의 대들보.

대:등 (對等) 양쪽이 비슷함. ㉠대등한 실력. **—하다.**

대뜸 이것저것 생각할 것 없이 그 자리에서 곧. ㉠대뜸 소리 지르다.

대:란 (大亂) **1** 크게 어지러움. ㉠교통 대란을 예고하다. **2** 큰 난리. ㉠대란이 일어나다.

대:략 (大略) 대체로. 대충. 대강. ㉠내용은 대략 다음과 같다.

대:량 (大量) 많은 분량. ㉠대량 생산. ㉡소량.

대:련 (對鍊) 태권도·유도 등에서, 두 명이 서로 겨루어 공격과 방어 방법을 동시에 연습하는 일.

대:령[1] (大領) 중령의 위, 준장의 아래인 국군의 계급. 또는 그 계급에 있는 사람.

대:령[2] (待令) **1** 명령을 기다림. **2** 준비하고 기다림. ㉠차를 대령하다. **—하다.**

대:로[1] (大路) 폭이 넓은 길. ㉠대로를 활보하다. ㉢큰길. ㉡소로.

*__대로[2]__ **1** 그 모양과 같이. ㉠들은 대로 이야기하다 / 하라는 대로 하다. **2** 그 즉시. ㉠날이 밝는 대로 떠나겠다. **3** 어떤 상태가 매우 심하다는 뜻을 나타내는 말. ㉠낡을 대로 낡은 신발.

대로[3] **1** 그 모양과 같이. ㉠사실대로 말해라. **2** 따로따로. 각각. ㉠나는 나대로 하겠다.

대롱 가느스름한 통으로 된 대의 토막.

대롱대롱 작은 물건이 매달려 가볍게 흔들리는 모양.

대:류 (對流) 액체나 기체가 열을 받으면 팽창하여 밀도가 작아져 위로 올라가고, 열을 받지 않은 부분은 아래로 내려가는 현상.

대:류권 (對流圈) [대류꿘] 지구를 둘러싸고 있는 공기 중 가장 낮은 층. 땅에서 약 8–16 km까지임.

*__대:륙__ (大陸) 지구 상의 넓고 큰 육지. ㉠아시아 대륙. ㉢대지. 육지. ㉡대양. 해양.

대:륙붕 (大陸棚) [대륙뿡] 대륙의 가장자리에서 이어지는 깊이 약 200 m 정도까지의 바다 밑의 완만한 경사면.

대:륙 사면 (大陸斜面) [—싸면] 대륙붕에서 대양저에 이르는 경사면. 평균 경사는 2–4° 이고, 깊이는 해면에서 약 200–3,000 m 임.

대:륙성 기후 (大陸性氣候) [대륙썽—] 대륙의 내부에 나타나는, 여름과 겨울, 낮과 밤의 기온의 차가 심하며 강우량이 적은 기후. ㉡해양성 기후.

대:륙적 (大陸的) [대륙쩍] **1** 대륙에만 있는 (것). **2** 도량이 넓고 대범한 (것).

대:리 (代理) **1** 남을 대신하여 일을 처리함. ㉠대리 근무 / 대리 출석. **2** 회사 따위에서, 사원보다는 높고 과장보다는 아래인 직위. 또는 그 직위에 있는 사람. ㉠대리로 승진하다. **—하다.**

대:리석 (大理石) 석회암이 높은 온도와 강한 압력을 받아 변질된 돌. 건축·조각·장식용 따위로 씀.

대:리인 (代理人) 남을 대신하여 의사 표시를 하거나 다른 사람으로부터 의사 표시를 받을 권한을 가진 사람.

대:리점 (代理店) 생산자가 장사하는 일을 대신하거나 관계를 맺어 주는 가게. ㉠전자 대리점.

대:립 (對立) 의견이나 처지 따위가 서로 반대되거나 모순되어서 맞서거나 버팀. 또는 그런 관계. ㉠의

견이 대립하다. 비 대치. ―하다.
대만 (臺灣)〖지명〗 ⇨타이완.
대:만원 (大滿員) [대마눤] 혼잡을 이룰 정도로 사람이 가득 참. 예출근 시간이라 지하철은 대만원을 이루었다. 비 초만원.
대:만족 (大滿足) 어떤 일이나 상황에 매우 만족스러워함.
대:망 (待望) 바라고 기다림. 예대망의 새해가 밝았다. ―하다.
대:머리 머리털이 많이 빠져 벗어진 머리. 또는 그런 사람.
대:면 (對面) 서로 얼굴을 마주 보고 대함. 예첫 대면. ―하다.
대:명사 (代名詞) **1** 사람·사물·장소 따위의 이름을 대신해서 나타내는 말. **2** 사람이나 사물의 특색을 나타내는 것의 비유. 예꽃은 미의 상징적인 대명사이다. 비 대이름씨.
대목 **1** 설이나 추석 따위의 명절을 앞두고 경기가 가장 활발한 시기. 예대목 장사 / 설 대목이라 시장은 사람들로 넘쳐 난다. **2** 일의 특정한 부분이나 대상. 예주목할 만한 대목. **3** 이야기·글 따위의 특정한 부분. 예춘향가 한 대목을 부르다.
대:못 (大―) [대몯] 길고 굵은 못. 예벽에 대못을 박다. 비 큰못.
대문[1] (大文) 글의 한 동강이나 단락. 예이 글은 두 대문으로 나뉜다. 비 단락. 문단.
*__대:문__[2] (大門) 집의 정문. 큰 문. 예대문을 나서다.
대:문간 (大門間) [대문깐] 대문을 여닫기 위하여 만든 대문 안쪽의 빈 곳. 예대문간까지 나와 반기다.
대:문자 (大文字) [대문짜] 서양 글자의 큰 체로 된 글자. 반 소문자.
대:물렌즈 (對物lens) 현미경 같은 광학 기계에서, 물체에 가까운 쪽의 렌즈. 반 접안렌즈.
대:물리다 (代―) 일이나 물건 따위를 자손에게 넘겨주다.
대:미[1] (大尾) 맨 끝. 비 대단원.
대:미[2] (對美) 미국에 대한 일. 예대미 무역.
대바구니 대로 엮어 만든 바구니.
대발 대로 엮어 만든 발.
대번 '대번에'의 준말.
대번에 [대버네] 서슴지 않고 단숨에. 예대번에 알아채다. 비 단번에. 준 대번.
대:범하다 (大泛―) 성격이나 태도가 작은 것에 얽매이지 않고 너그럽다. 예대범한 성격.
대:법관 (大法官) [대법꽌] 대법원장과 더불어 대법원을 구성하는 법관. 대법원장의 제청에 따라 대통령이 국회의 동의를 얻어 임명함. 임기는 6년임.
대:법원 (大法院) [대버붠] 우리나라의 최고 법원. 재판을 최종적으로 담당하여 판결함. 준 대법.
대:법원장 (大法院長) [대버붠장] 대법원의 최고 직위. 또는 그 직위를 맡은 사람. 대통령이 국회의 동의를 얻어 임명함.
대:변[1] (大便) 사람의 똥. 반 소변.
대:변[2] (對邊) 다각형에서, 한 변이나 한 각과 마주 대하고 있는 변. 비 맞변.
대:변인 (代辯人) [대벼닌] 대변하는 일을 맡은 사람.
대:변하다 (代辯―) 어떤 사람이나 기관을 대신하여 그의 의견이나 태도를 발표하다. 예우리의 뜻을 대변하기 위하여 반장이 나섰다.
대:별 (大別) 크게 나눔. 예생물은 동물과 식물로 대별된다. ―하다.
대:보다 서로 비교해 보다. 예친구와 키를 대보다.
대:보름 (大―) 음력 정월 보름날을 특별히 일컫는 말. 비 상원. 본 대보름날.
대본 (臺本) 연극이나 영화의 대사와 연출, 연기·무대·배경 따위에 대

한 지시를 적은 글. ㉠연극 대본을 대강 훑어보다. 비 각본. 극본. 시나리오.

대:부 (貸付) **1** 은행 따위에서, 이자와 기한을 정하고 돈을 빌려 줌. **2** 돌려 받기로 하고 어떤 물건을 남에게 빌려 줌. **—하다.**

*대:**부분** (大部分) 반이 훨씬 넘는 수효나 분량. 거의 모두. ㉠용돈의 대부분을 저축하다 / 내 의견에 대부분 찬성했다.

대:북 (對北) '북한에 대한'의 뜻을 나타내는 말. ㉠대북 방송 / 대북 정책.

*대:**분수** (帶分數) [대분쑤] 정수와 진분수로 된 분수. $2\frac{1}{3}$ 따위.

대:비[1] (對比) 차이를 알아보려고 둘을 서로 비교하여 그 차이를 드러내는 것. **—하다.**

*대:**비**[2] (對備) 앞으로 있을지도 모를 힘들거나 어려운 일을 겪지 않기 위해서 미리 준비함. ㉠만일의 사태에 대비하다. 비 준비. **—하다.**

대:사[1] (大使) 다른 나라에 파견되어 국가 원수를 대표하여 국가의 의사를 표시하는 임무를 가진 외교관.

대:사[2] (大事) ⇨큰일. 반 소사.

대:사[3] (大師) 덕이 높은 승려를 높여 부르는 말. ㉠사명 대사.

대사[4] (臺詞) 연극이나 영화 따위에서 배우가 하는 말.

대:사간 (大司諫) 조선 때, 사간원의 으뜸 벼슬. 주로 임금의 잘못을 고치도록 말하는 일을 맡았음.

대:사관 (大使館) 대사와 외교를 맡은 관리들이 일을 보는 사무소. ㉠주미 한국 대사관.

대:사헌 (大司憲) 고려·조선 때, 사헌부의 으뜸 벼슬. 주로 관리들의 기강을 바로잡고 풍기·풍속을 단속하였음.

대:상[1] (大賞) 여러 가지 상 중에서 가장 큰 상. 그랑프리. ㉠글짓기 대회에서 대상을 받다.

대상[2] (隊商) 사막이나 초원에서 낙타나 말에 짐을 싣고 떼를 지어 다니는 상인 단체.

*대:**상**[3] (對象) 어떤 일의 상대나 목표가 되는 것. ㉠어린이를 대상으로 한 방송 프로.

대:상자 (對象者) 대상이 되는 사람이나 집단. ㉠경쟁 대상자 / 합격 대상자를 호명하다.

대:서 (大暑) **1** 몹시 심한 더위. **2** 이십사절기의 열두째. 양력 7월 23일경. → [학습마당] 22(863 쪽)

대:서양 (大西洋) 오대양의 하나. 유럽·아프리카·남북 아메리카 대륙 사이에 있는, 세계에서 두 번째로 큰 바다.

대:서특필 (大書特筆) 신문·잡지 따위에서 어떤 사실이나 사건을 두드러지게 알리기 위해서 큰 글자로 보도하는 일. ㉠신문에 대서특필로 보도하다. **—하다.**

대:설 (大雪) **1** 아주 많이 내린 눈. ㉠대설로 교통이 마비되다. **2** 이십사절기의 스물한째. 양력 12월 7일경. → [학습마당] 22(863 쪽)

대:성 (大成) 학문이나 일 등을 크고 훌륭하게 이룩함. ㉠문학으로 대성한 사람. **—하다.**

대:성공 (大成功) 큰 성공. 크게 성공함. ㉠연주회는 대성공이었다.

대:성통곡 (大聲痛哭) 큰 소리로 몹시 슬피 욺. **—하다.**

대:성황 (大盛況) 몹시 큰 성황. 또는 행사 규모나 참가 인원, 기세 따위가 몹시 성대한 판. ㉠전시회는 예상외의 대성황을 이루었다.

대:세 (大勢) **1** 세상일이나 하는 일의 돌아가는 형편. ㉠대세가 기울다. **2** 큰 권세. ㉠대세를 쥐다.

대:소 (大小) 사물의 크고 작음. 큰 것과 작은 것.

대:소변 (大小便) 똥과 오줌.

대ː소사 (大小事) 크고 작은 모든 일. ㉠집안의 대소사를 도맡다.
대ː수[1] 중요한 일. 대단한 일. ㉠돈벌이만 잘하면 대수냐.
대수[2] (臺數) [대쑤] 차·기계 따위의 수. ㉠화물차보다 승용차 대수가 훨씬 많다.
대ː수롭다 [대수롭따] 중요하게 여길 만하다. ㉠대수롭지 않은 일. [활용] 대수로워 / 대수로우니.
대ː순환 (大循環) 심장의 좌심실에서 대동맥으로 흐르는 피가 온몸을 한 바퀴 돈 뒤 대정맥을 통해 우심방으로 돌아오는 순환 계통. [비] 큰피돌기.
대ː승 (大勝) 크게 이김. [비] 대승리. [반] 대패. **—하다.**
대ː식구 (大食口) [대식꾸] 많은 식구. 식구가 많음.
대ː신[1] (大臣) **1** 조선 고종 때, 궁내부 각부의 으뜸 벼슬. **2** 왕이 다스리는 나라에서 장관을 이르는 말.
*__대ː신__[2] (代身) **1** 남의 구실이나 책임을 떠맡음. ㉠아픈 친구를 대신해서 청소하다. **2** 어떤 행동이나 사물, 상태를 다른 것으로 바꿔 채움. ㉠밥 대신 떡을 먹다 / 대답 대신 고개를 끄덕이다. **—하다.**
대ː안 (代案) 어떤 안건에 대해 대신할 안건. ㉠대안을 마련하다.
대야 물을 담아서 주로 얼굴·손발 등을 씻는 데 쓰는 둥글넓적한 그릇. [비] 세면기.
대ː양 (大洋) 세계의 해양 가운데에서 특히 넓고 큰 바다. 태평양·대서양 따위. [비] 대해.
대ː어 (大魚) 큰 물고기. ㉠대어를 낚다 / 대어를 놓치다.
대ː업 (大業) 큰 사업. ㉠조국 통일의 대업.
대ː여 (貸與) 빌려 줌. ㉠도서관에서 책을 대여하다. **—하다.**
대ː여섯 [대여섣] 다섯이나 여섯 가량. ㉠대여섯 사람 / 아이들 대여섯 명이 공을 차고 있다. [준] 대엿.
대ː여점 (貸與店) 돈을 받고 일정 기간 동안 특정한 물품을 빌려 주는 가게. ㉠비디오 대여점 / 책 대여점.
대ː역 (代役) 영화나 연극에서, 어떤 역을 맡은 사람을 대신하여 다른 사람이 그 역을 맡아 하는 일. 또는 그 사람. ㉠대역을 쓰다. **—하다.**
대열 (隊列) 무리를 지어 죽 늘어선 행렬. ㉠대열에서 이탈하다.
대오 (隊伍) 군대 행렬의 줄. ㉠대오를 지어 나아가다.
대오리 가늘게 쪼갠 댓개비.
*__대ː왕__ (大王) 훌륭하고 뛰어난 왕을 높여 이르는 말. ㉠세종 대왕.
대ː외 (對外) 외부나 외국에 대함. ㉠대외 무역 / 대외 정책. [반] 대내.
대ː외적 (對外的) 외부나 외국에 관련되는 (것). [반] 대내적.
대ː용 (代用) 다른 것의 대신으로 씀. 또는 그런 물건. ㉠책을 베개 대용으로 쓰다. **—하다.**
대ː우 (待遇) **1** 예의를 갖추어 대함. ㉠귀빈 대우. **2** 직장에서의 지위나 급료 따위의 조건. ㉠대우가 좋다 / 대우를 개선하다. **3** 어떤 사회적 관계에서 대하는 태도나 방식. ㉠차별 대우. **—하다.**
대ː웅전 (大雄殿) 절에서 본존 불상을 모신 법당.
대원 (隊員) 부대나 집단을 이루고 있는 사람. ㉠해병대 대원 / 탐험대 대원.
대ː위 (大尉) 중위의 위, 소령의 아래인 국군의 계급. 또는 그 지위에 있는 사람.
대ː응 (對應) **1** 어떤 일이나 사태에 알맞은 태도나 행동을 취함. ㉠상대 선수의 공격에 신속하게 대응하다. **2** 서로 짝이 되는 일. 또는 합동을 이루는 두 도형이 서로 포개어지는 부분. **—하다.**

대:응각 (對應角) 합동 또는 닮은꼴인 다각형에서 서로 대응하는 각.
대:응변 (對應邊) 합동 또는 닮은꼴인 다각형에서, 서로 대응하는 자리에 있는 변.
*대:응점 (對應點) [대응쩜] 합동 또는 닮은꼴인 다각형에서, 서로 대응하는 두 점.
대:의[1] (大意) [—/대이] 말이나 글의 대강의 뜻.
대:의[2] (大義) [—/대이] 사람으로서 마땅히 지키고 행해야 할 큰 도리. ㊎대의에 어긋나는 행동.
대:의명분 (大義名分) [—/대이명분] 사람으로서 마땅히 지켜야 할 도리나 바른 일.
대:의원 (代議員) [—/대이원] 정당이나 단체의 대표로 뽑혀, 토의나 의결에 참가하는 사람. ㊎학급 대의원/노조 대의원.
대:의 정치 (代議政治) [—/대이—] 국민이 대표를 뽑아, 그 대표를 정치에 참여시키는 일.
대:인[1] (大人) 1 어른. ㊎대인 요금. 2 말과 행실이 바르고 점잖으며 덕이 높은 사람.
대:인[2] (對人) 사람을 대함. ㊎대인 관계가 좋다.
대:일 (對日) 일본에 대한 일. ㊎대일 외교.
대:입[1] (大入) '대학 입학'을 줄여 이르는 말. ㊎대입 시험/대입 준비.
대:입[2] (代入) 수학에서, 어떤 수식의 변수를 특정한 숫자나 문자로 바꾸어 넣는 일. **—하다.**
대:자연 (大自然) 넓고 큰 자연. 위대한 자연.
대:작 (大作) 1 뛰어난 작품. ㊎대작을 남기다. 2 규모가 큰 작품. ㊎대작을 구상하다.
대:장[1] (大腸) 소장의 끝에서 항문에 이르는 소화 기관. 식물성 섬유와 수분을 빨아들임. ㊈큰창자.
*대:장[2] (大將) 1 군대에서 가장 높은 계급. ㊈사성장군. 2 한 무리의 우두머리. ㊎대장 노릇을 하다. 3 어떤 일을 잘하거나 즐기는 사람. ㊎싸움 대장/그는 지각 대장이다.
대장[3] (隊長) 한 부대의 우두머리. ㊎청년 대장/소방대 대장.
대장[4] (臺帳) 어떤 근거가 되도록 일정한 양식으로 기록한 장부.
대:장간 (—間) [대장깐] 쇠를 달구어 여러 가지 연장을 만드는 곳.
대:장경 (大藏經) 모든 불경을 모아 엮은 책. ㉾장경.
대:장균 (大腸菌) 사람 또는 동물의 창자 속에 있는 세균의 하나.
대:장부 (大丈夫) 사내답고 씩씩한 남자. ㊎그까짓 일로 울면 대장부가 아니지. ㊥졸장부.
대:장장이 쇠를 달구어 온갖 기구와 연장을 만드는 일을 업으로 삼는 사람. ㉾대장.
대:적 (對敵) 1 적과 마주 대함. 2 힘·세력 따위에 맞서서 서로 겨룸. 또는 그 상대. ㊎대적할 상대가 없다. **—하다.**
대전[1] (大田) 〖지명〗 광역시의 하나. 대전 분지에 자리 잡고 있는 교통의 중심지로, 대덕 연구 단지와 유성 온천 등이 있음.
대:전[2] (大戰) 규모가 큰 전쟁. ㊎제2차 세계 대전.
대:절 (貸切) ⇨전세[1].
대:접[1] 위가 넓적하고 높이가 낮은, 국이나 물 따위를 담는 그릇.
*대:접[2] (待接) 1 음식을 차려 놓고 손님을 모심. ㊎진수성찬을 차려 대접하다. 2 예를 차리어 대함. ㊎극진한 대접을 받다. ㊈접대. ㊥푸대접. **—하다.**
대:정맥 (大靜脈) 몸 안에 흐르는 피를 모아 심장의 우심방으로 들여보내는 굵은 혈관. ㊥대동맥.
대:제학 (大提學) 조선 때, 홍문관·

예문관의 정이품 으뜸 벼슬.

대:조 (對照) 둘 이상을 마주 대어 비교함. ㉠장부를 대조하다. ㉡대비. **—하다.** →비교 주의

대:조영 (大祚榮) 〖인명〗 발해의 건국자. 고구려 유민들과 말갈족을 합하여 만주에 발해를 세움. [?-719 ; 재위 699-719]

대졸 (大卒) '대학 졸업'의 준말. ㉠대졸 사원 / 대졸 학력.

대:종교 (大倧教) 단군을 교조로 받드는 우리나라 고유의 종교. 1909년에 홍암 대종사 나철이 창시함. ㉡단군교.

대:주다 **1** 끊이지 않게 계속 주다. ㉠학비를 대주다. **2** 방향·주소 따위를 가르쳐 주다. ㉠범인의 집을 대주다.

대중[1] 대강 어림잡아 헤아림. ㉠수확량을 대중할 수가 없다 / 집까지의 거리를 대중해 보다. **—하다.**

대:중[2] (大衆) 수많은 사람의 무리. 또는 일반 사람. ㉠대중 앞에서 연설하다. ㉡군중.

대:중가요 (大衆歌謠) 널리 대중들이 즐겨 부르는 노래. ㉣가요.

대:중교통 (大衆交通) 많은 사람이 함께 이용할 수 있는, 버스·지하철 따위의 교통.

대중없다 [대중업따] **1** 미리 헤아려 짐작할 수가 없다. ㉠그가 사무실에 있는 시간은 대중없다. **2** 어떠한 기준이나 표준을 잡을 수가 없다. ㉠대중없는 이야기.

대:중 전달 매체 (大衆傳達媒體) ⇨매스 미디어.

대:중화 (大衆化) 대중 사이에 널리 퍼져 친근하게 됨. ㉠컴퓨터의 대중화. **—하다.**

대:지[1] (大地) 대자연 속의 넓고 큰 땅. ㉠광활한 대지.

대지[2] (垈地) 집터로서의 땅.

대:질 (對質) 두 사람의 말이 서로 다를 때 두 사람을 마주 대하여 말하게 함. ㉠대질 신문. **—하다.**

대쪽 **1** 대를 쪼갠 조각. ㉡댓조각. **2** 성품이나 절개 따위가 곧은 것의 비유. ㉠대쪽같은 성미.

대차다 성미가 꿋꿋하고 세차다. ㉠악을 쓰며 대차게 대들다.

대:책 (對策) 어떤 일에 대한 방책.

대:처 (對處) 어떤 일에 대응하는 조치. ㉠위기에 대처하다. **—하다.**

대:첩 (大捷) 크게 이김. ㉠살수 대첩. ㉡대승.

대:청 (大廳) 한옥에서, 방과 방 사이에 있는 마루. ㉡대청마루.

대:청봉 (大青峰) 설악산의 가장 높은 봉우리. 해발 1,708 m.

대:청소 (大淸掃) 평소에 손이 미치지 못하는 구석구석까지 대규모로 하는 청소. ㉠봄맞이 대청소. **—하다.**

*__대:체__[1] (大體) 요점만 말한다면. 대관절. ㉠대체 어찌 된 일인가.

대:체[2] (代替) 다른 것으로 바꿈. ㉠국산품으로 대체하다. **—하다.**

*__대:체로__ (大體—) 대강의 요점만 말해서. ㉠대체로 잘된 편이다.

대:체 에너지 (代替energy) 석유를 대신할 수 있는 에너지원. 원자력·태양열 따위.

*__대:추__ 대추나무의 열매. 익으면 겉질이 붉어지고 맛이 달며 속에 단단한 씨가 있음.

대:추나무 갈매나뭇과의 낙엽 활엽 교목. 촌락 및 밭둑에 남. 높이는 약 5 m, 초여름에 황록색 꽃이 피고 열매인 대추는 초가을에 붉게 익음.

대:출 (貸出) 돈이나 물품 따위를 빌려 줌. ㉠대출한 책을 반납하다. **—하다.**

대충 대체로 추리는 정도로. 어림잡아. ㉠일이 대충 끝나다. ㉡대강.

대충대충 일이나 행동을 적당히 하는 모양. ㉠큰 글씨만 보고 대충

대충 넘기다. 비 대강대강.

대:취타 (大吹打) 옛날 군대에서, 임금의 행차 또는 군대의 행진 때 연주하던 전통 음악.

대:치[1] (代置) 다른 것으로 바꾸어 놓음. 예수판을 계산기로 **대치**하다. **—하다.**

대:치[2] (對峙) 서로 마주 대하여 버팀. 예남북의 **대치** 상태. 비 대립. **—하다.**

대:칭 (對稱) 점·선·면 또는 이것들로 된 도형이 어떤 기준되는 점·선·면을 중심으로 서로 맞서는 자리에 놓이는 경우.

대:칭의 중심 (對稱-中心) [—/대칭에—] 두 도형이 한 점에 대하여 대칭이 될 때, 그 점을 이르는 말. 비 대칭점.

대:칭축 (對稱軸) 두 도형이 한 직선을 사이에 두고 대칭이 될 때의 그 직선을 이르는 말.

대:타 (代打) 야구에서, 경기의 중요한 시점에서 정식 타자를 대신하여 공을 치는 사람. 예**대타**를 내보내다.

*__대:통령__ (大統領) [대통녕] 공화국의 원수. 국민이 직접·간접으로 선출하며, 정해진 임기 동안 나라 전체의 모든 일을 맡아보고, 국가를 대표함. ➡ President

대:통령제 (大統領制) [대통녕제] 대통령에게 행정에 관한 실권을 부여하는 제도. 민주 국가의 주요 정부 형태임.

대:파[1] (大—) 줄기가 길고 굵은 파.

대:파[2] (大破) **1** 크게 부서짐. 예풍랑으로 배가 **대파**하다. **2** 적을 크게 쳐부숨. 예상대 팀을 3대 0으로 **대파**하다. **—하다.**

대:판 (大—) 크게 차리거나 벌어진 판. 예사소한 일로 친구와 **대판** 싸웠다. 본 대판거리.

대:패[1] 나무를 곱게 밀어 깎아 매끈하고 반듯하게 만드는 연장.

〈대패[1]〉

대:패[2] (大敗) 싸움이나 경기 따위에서 크게 짐. 반 대승. **—하다.**

*__대:포__ (大砲) 화약의 힘으로 포탄을 멀리 내쏘는 무기. 준 포.

대:폭 (大幅) **1** 넓은 범위. 예인력을 **대폭** 줄이다. **2** 썩 많이. 예가격을 **대폭** 올리다.

*__대:표__ (代表) **1** 개인이나 단체를 대신하여 의견을 말하거나 일을 함. 또는 그 사람. 예학급 **대표**로 상을 받다. **2** 전체를 표시할 만한 한 가지 사물 또는 한 부분. 예우리 민요를 **대표**하는 아리랑 타령. **—하다.**

대:표자 (代表者) 여러 사람이나 단체를 대표하는 사람. 준 대표.

대:표작 (代表作) 개인이나 한 시대를 대표할 만한 작품 중에서 으뜸이 되는 작품.

대:표적 (代表的) 여럿 가운데 대표할 수 있을 만한 (것).

대:풍 (大豊) 곡식이 아주 잘되어 수확이 많음. 또는 그런 해. 예**대풍**이 들다 / 올 농사도 **대풍**이다.

대:피 (待避) 위험이나 피해를 임시로 피함. 예**대피** 훈련. **—하다.**

대:피소 (待避所) 비상시에 대피할 수 있도록 만들어 놓은 곳. 예긴급 **대피소**.

대:필 (代筆) 남을 대신하여 글씨나 글을 씀. 또는 그 글씨나 글. 예편지를 **대필**하다. **—하다.**

대:하 (大河) 큰 강.

*__대:하다__ (對—) **1** 마주 보다. 예얼굴을 **대하다**. **2** 접대하다. 예손님을 반갑게 **대하다**. **3** 대상으로 하다. 예국어 공부에 **대한** 이야기. **4** 상대하다. 응하다. 예물음에 **대하여** 대답하다. 비 관하다.

*대:학(大學) 고등 교육을 가르치는 교육 기관. 단과 대학·종합 대학의 두 종류로 나뉘며, 특수한 목적의 교육 대학·전문 대학 등이 있음.

대:학가(大學街)[대학까] 1 대학 주변의 거리. 2 대학을 중심으로 하여 이루어진 사회. ㉠대학가에 널리 퍼진 소문.

대:학교(大學校)[대학꾜] 예전에, 종합 대학을 단과 대학과 구별하여 부르던 말.

대:학생(大學生)[대학쌩] 대학에서 교육을 받고 있는 학생.

대:학원(大學院)[대하권] 대학을 졸업한 사람이 전문적으로 학문을 더 깊이 연구하는 과정.

대:학자(大學者)[대학짜] 학식이 아주 뛰어난 학자.

*대:한¹(大韓)〖국명〗 1 '대한 제국'의 준말. 2 '대한민국'의 준말. ㉠씩씩한 대한의 건아들.

대:한²(大寒) 1 지독한 추위. 2 이십사절기의 마지막 절기. 양력 1월 21일경. → [학습마당] 22(863쪽)

*대:한민국(大韓民國)〖국명〗 우리나라의 국호. 준 대한. 한국.

대:한민국 임시 정부(大韓民國臨時政府) 3·1 운동 이후 1919년 4월에 중국 상하이에서 대한민국의 광복을 위하여 조직한 임시 정부. 그 후 충칭으로 옮겼다가 1945년 8월 15일 광복과 더불어 귀국한 뒤 해체됨. 상해 임시 정부.

대:한 적십자사(大韓赤十字社)[—적씹짜사] 적십자 정신에 입각하여 설립된 특수 법인. 재해 구조 및 국민 보건 향상·남북 이산가족 상봉 따위의 일을 함. 1947년 설립됨.

대:한 제:국(大韓帝國) 조선 말 고종 34년(1897)부터 국권 피탈 때까지의 우리나라의 국호. 연호를 '광무'라 하였고 왕을 '황제'라 하였음. 준 대한.

대:한 해:협(大韓海峽) 우리나라의 남해와 일본의 쓰시마 섬 사이의 바다.

대:합(大蛤) 백합과의 바닷조개. 해변의 진흙 모래밭에 사는데, 껍데기의 길이는 8cm, 높이는 6cm, 폭은 4cm가량이며, 빛은 잿빛 갈색이고 안쪽은 흰.

대:합실(待合室)[대합씰] 역·공항 등에서 손님이 쉬며 기다리도록 마련해 놓은 곳. ㉠서울역 대합실.

*대:항(對抗) 서로 지지 않으려고 맞서서 버티어 겨룸. ㉠학교 대항 축구 경기. —하다.

대:해(大海) 넓고 큰 바다. ㉠망망대해. 비 대양.

대:행(代行) 남의 일을 대신 행함. ㉠대통령 권한 대행 / 업무를 대행하다. —하다.

대:형¹(大型) 같은 종류의 물건 중에서 크기나 규모가 큰 것. ㉠대형 자동차 / 대형 냉장고. 반 소형.

대형²(隊形) 여러 사람이 줄을 지어 이룬 무리의 모양. ㉠대형이 흐트러지다.

대:형화(大型化) 사물의 형체나 규모가 크게 됨. 또는 크게 함. ㉠슈퍼마켓이 대형화되다. —하다.

*대:화(對話) 마주 대하여 이야기함. 또는 그 이야기. ㉠남북 대화 / 대화를 나누다. —하다.

대:화체(對話體) 문학의 한 형식으로 두 사람이 마주 대하여 말하는 형식으로 쓴 글.

*대:회(大會) 1 큰 모임이나 회의. 2 실력이나 기량 따위를 겨루는 큰 모임. ㉠대회 신기록 / 어린이 글짓기 대회를 개최하다.

*댁(宅) 1 남의 집이나 가정을 높여 부르는 말. ㉠선생님 댁 / 댁은 어디십니까. 2 상대를 높여, 직접 부르지 않고 완곡하게 이르는 말. ㉠댁은 누구요.

> 주의 **댁과 택**
> 둘 다 '집'을 나타내는 말로서 한자도 같으나, '댁'은 남을 높일 때에 씀.
> **댁** 남을 높이어 그 '집'이나 '집안·가정'을 이르는 말. 또는 남편의 성이나 직함 밑에 붙여서 그의 '아내'라는 뜻을 나타내는 말.
> ㉨댁내 / 시댁 / 사돈댁 / 댁으로 찾아뵙겠습니다.
> **택** '집'을 가리키는 말.
> ㉨택지 / 가택.

댄스 (dance) 서양식 춤. 무도.

댐 (dam) 전기를 얻거나 그 밖에 물을 이용할 목적으로 강이나 바닷물을 막아 쌓은 큰 둑. ㉨다목적 댐 / 댐을 건설하다.

댑싸리 명아줏과의 한해살이풀. 높이 1.5 m가량, 가지가 많음. 잎은 가늘고 길며 끝이 뾰족하고, 한여름에 연한 녹색의 꽃이 핌. 줄기로 비를 만듦.

댓: [댇] '다섯가량(의)'의 뜻. ㉨댓 마리 / 학생 댓이 모여 있다.

댓개비 [대깨비 / 댇깨비] 대를 쪼개어서 가늘게 깎은 개비.

댓돌 (臺—) [대똘 / 댇똘] 뜰에서 집 안으로 오르내리기 위해 놓은 돌. 비 섬돌.

댓바람 [대빠람 / 댇빠람] 일이나 때를 당하여 서슴지 않고 당장. ㉨댓바람에 모두 해치우다.

댕강 한 번에 부러지거나 잘려 나가는 모양. 또는 그런 소리. ㉨연필이 댕강 부러지다.

댕그랑 방울이나 작은 종 따위의 쇠붙이가 흔들리거나 부딪쳐서 나는 소리. ㉨방울이 댕그랑 울리다. 준 댕강. 큰 뎅그렁. 센 땡그랑. **—하다. —거리다.**

댕기 여자의 길게 땋은 머리 끝에 드리는 헝겊이나 끈.

댕기다 **1** 불을 옮아 붙게 하다. ㉨양초에 불을 **댕기다.** **2** 불이 옮아 붙다. ㉨옷자락에 불이 **댕기다.** →당기다 주의

***더** **1** 보다 많이. ㉨조금만 **더** 주십시오. **2** 보다 오래. ㉨**더** 두고 보자. **3** 보다 심하게. ㉨날씨가 **더** 추워지다. **4** 더욱. ㉨웃으니까 **더** 예쁘다.

***더구나** 그 위에 또. ㉨날씨도 추운데 **더구나** 눈까지 내려 빙판이 되었다. 본 더군다나.

-더니 어떤 원인이나 조건을 만들고 다음에 다른 말이 이어지게 하는 말. ㉨무덥**더니** 비가 온다.

더더욱 '더욱'을 힘주어 하는 말. ㉨얼굴이 **더더욱** 예뻐지다.

더덕 초롱꽃과의 여러해살이 풀. 깊은 산에 자라며 줄기는 다른 물건에 감겨 올라가고 잎은 타원형임. 여름에 종 모양의 꽃이 붉게 피며, 뿌리는 먹거나 약으로 씀.

〈더덕〉

더덕더덕 [더덕떠덕] 곳곳에 많이 붙어 있는 모양. ㉨얼굴에 분을 **더덕더덕** 바르다. 본 더더귀더더귀. 작 다닥다닥.

더듬거리다 **1** 눈으로 보지 않고 손으로만 찾으려고 자꾸 이리저리 만져 보다. **2** 잘 알지 못하는 길을 이리저리 찾으며 가다. ㉨친구의 집을 찾느라고 이 골목 저 골목을 **더듬거렸다.** **3** 말을 하거나 글을 읽을 때 순하게 나오지 않고 자꾸 막히다. ㉨긴장을 해서인지 말을 **더듬거린다.** 작 다듬거리다. 센 떠듬거리다.

더듬다 [더듬따] **1** 잘 보이지 않는 것을 손으로 만져 보며 찾다. ㉨선반 위를 **더듬다.** **2** 말을 하거나 글을 읽을 때 자꾸 막히다. ㉨말을 더듬

다. **3** 희미한 일이나 기억을 애써 밝히려고 하다. ㉠어린 시절의 기억을 더듬다.

더듬더듬 **1** 말을 하거나 글을 읽을 때 군데군데 막히는 모양. ㉠책을 더듬더듬 읽다. **2** 보이지 않아서 손으로 자꾸 어루만지는 모양. **—하다.**

더듬이 [더드미] ⇨촉각[1].

더디 늦게. 느리게. ㉠날짜가 왜 이렇게 더디 갈까.

더디다 움직임이나 일에 걸리는 시간이 오래다. ㉠발걸음이 더디다. 비느리다.

-더라 지난 일을 돌이키거나 새로이 알게 된 사실을 전달할 때 쓰는 말. ㉠한라산은 과연 높더라 / 내일은 비가 온다더라.

*__더러[1]__ **1** 전체 가운데 얼마쯤. ㉠운동장엔 학생들이 더러 남아 공을 차고 있다. **2** 이따금. 가끔. ㉠그 친구는 더러 만난다.

더러[2] '에게·에 대하여·보고'의 뜻을 나타내는 말. ㉠그 사람더러 가라고 해라.

더ː러움 더러운 것이나 더러워지는 일. ㉠더러움이 잘 타다 / 더러움을 씻어 내다. 준더럼.

더럭 한꺼번에 많이. ㉠겁이 더럭 나다 / 더럭 화를 내다.

*__더ː럽다__ [더럽따] **1** 때나 찌꺼기 따위가 있어 지저분하다. ㉠옷이 더럽다. **2** 말이나 행동이 야비하다. ㉠아주 심보가 더러운 사람. **3** 못마땅하거나 불쾌하다. ㉠그 돈은 더럽고 치사해서 받지 않겠다. 작다랍다. 활용더러워 / 더러우니. ➲ dirty

더ː럽히다 [더러피다] 더러워지게 하다. ㉠옷을 더럽히다.

더미 사물이 모여 쌓인 큰 덩어리. ㉠쓰레기 더미 / 장작 더미.

더벅머리 [더벙머리] 더부룩하게 흩어진 머리. 또는 그런 머리털을 가진 사람. ㉠더벅머리 총각.

더부룩이 [더부루기] 더부룩하게.

더부룩하다 [더부루카다] **1** 풀·나무·머리털 따위가 우거져 수북하다. ㉠머리카락이 더부룩하게 자랐다. **2** 소화가 잘 안 되어 배 속이 거북하다. ㉠배가 더부룩하다.

더부살이 [더부사리] 남의 집에 살면서 품삯을 받고 일을 해 줌. 또는 그렇게 사는 사람. **—하다.**

*__더불어__ [더부러] 함께. 같이. ㉠가족과 더불어 여행을 가다.

더블 (double) '겹·이중·두 갑절'의 뜻. ㉠더블 침대.

더블 베이스 (double base) 현악기 가운데 가장 낮은 소리를 내는 악기. 비콘트라베이스.

더빙 (dubbing) **1** 대사만 녹음된 테이프에 음악·효과음 따위를 더하여 녹음하는 일. **2** 외국어로 된 영화의 대사를 다른 언어로 바꾸어 다시 녹음하는 일.

더없다 [더업따] 그 이상 더 바랄 것이 없다. ㉠더없는 기쁨 / 이렇게 와 주시니 더없는 영광입니다.

더없이 [더업씨] 더 바랄 것이 없이. ㉠더없이 아름답다.

*__더욱__ 갈수록 더 심하게. 점점 더. ㉠병세가 더욱 악화되다 / 손을 더욱 힘주어 잡았다.

더욱더 [더욱떠] 한층 더. ㉠더욱더 아름다워지다.

더욱이 [더우기] 그 위에 더. 게다가. ㉠몸집도 작은데 더욱이 몸도 약하다. ×더우기.

더운물 따뜻하게 데워진 물. 비온수. 반찬물.

더운밥 갓 지은 밥. 식지 아니한 밥. 반찬밥.

*__더위__ 여름날의 더운 기운. ㉠삼복더위 / 찌는 듯한 더위. 반추위.

더위(를) 먹다 더위 때문에 병이 생기다.

더위(를) 타다 더위를 몹시 견디

기 어려워하다.

더위팔기 정월 보름날 하는 풍속의 하나. 이날 아침에 아는 사람을 만나 그의 이름을 불러 대답하면, '내 더위' 또는 '내 더위 사 가게' 라고 말하는 일. 그러면 그해는 더위를 타지 않는다고 함.

더하기 더하는 일. ㉥빼기.

***더하다** **1** 전보다 심해지다. ㉮병세가 더하다. **2** 더 늘리다. ㉮하나에 둘을 더하다. ㉥빼다. **3** 비교하여 한쪽이 더 많거나 심하다. ㉮게으르기로 말하면 그가 더하다.

더할 나위 없다 더 이상 뭐라고 말할 것이 없다.

더한층 (一層) 더욱더. 한층 더.

***덕** (德) **1** 인간으로서의 도리를 행하려는 어질고 올바른 마음이나 훌륭한 인격. ㉮덕이 높은 사람. **2** 은혜. 덕택. ㉮선배의 덕을 입다.

덕(을) 보다 이득·혜택을 얻다. ㉮땅값이 올라 덕을 보았다.

덕담 (德談) [덕땀] 남이 잘되기를 비는 말. ㉮설날 아침에 덕담을 주고받았다. ㉥악담.

덕망 (德望) [덩망] 많은 사람이 우러러보는 높은 덕과 인격. ㉮덕망 있는 학자 / 덕망을 쌓다.

덕목 (德目) [덩목] 충·효·인·의 따위의 덕을 분류하는 항목.

***덕분** (德分) [덕뿐] 남이 베풀어 준 고마운 은혜나 도움. ㉮덕분에 잘 지내고 있다. ㉥덕택.

덕성 (德性) [덕썽] 어질고 너그러운 성질. ㉮덕성을 갖추다 / 덕성스럽게 생긴 처녀. **—스럽다.**

덕수궁 (德壽宮) [덕쑤궁] 조선 성종 때에 지은 옛 대궐의 하나. 서울특별시 중구 정동에 위치하고, 그 안에는 석조전이 있으며, 정문을 대한문이라 함.

덕지덕지 [덕찌덕찌] 먼지나 때 같은 것이 많이 낀 모양. ㉮때가 덕지덕지 끼다. ㉶닥지닥지. **—하다.**

덕택 (德澤) 남에게서 받은 은혜나 도움. ㉮도와주신 덕택으로 사업이 성공했습니다. ㉥덕분.

덕행 (德行) [더캥] 착하고 어진 행실. ㉮덕행을 쌓다.

-던 설명하는 말 끝에 붙여 지난 일을 회상하거나 동작이 끝나지 않았음을 나타내는 말. ㉮내가 살던 집.

-던지 **1** 지난 일을 회상하여 막연하게 의심을 나타낼 때 쓰는 말. ㉮시간이 얼마나 지났던지 생각이 안 난다 / 그 아이가 뉘 집 아이였던지 잘 모르겠다. **2** 지난 일을 회상하면서 그것이 다른 어떤 사실을 일으키는 원인이 됨을 나타낼 때 쓰는 말. ㉮날씨가 어찌나 춥던지 손이 꽁꽁 얼었다.

> **주의** **-던지와 (-)든지**
> **-던지** 지난 일을 나타내는 말 '-더-'에 '-ㄴ지'가 결합된 말.
> ㉮얼마나 놀랐던지 몰라.
> **(-)든지** 무엇이나 가리지 않음을 나타내는 말.
> ㉮배든지 사과든지 마음대로 먹어라 / 가든지 오든지 마음대로 해라.

던지기 포환던지기나 원반던지기를 통틀어 이르는 말.

***던지다** **1** 물건을 손으로 공중을 향해 날려 보내어 다른 곳에 다다르게 하다. ㉮공을 던지다. ➲ throw **2** 어떤 것을 향하여 말이나 눈길을 보내거나 주다. ㉮질문을 던지다. **3** 투표하다. ㉮깨끗한 한 표를 던지다. **4** 영향을 주거나 문제를 일으키다. ㉮파문을 던지다. **5** 어떤 환경에 자기 몸을 뛰어들게 하다. ㉮정계에 몸을 던지다.

***덜**ː 한도에 미처 다 차지 못함을 나타내는 말. ㉮감이 아직 덜 익었다 / 잠이 덜 깨다. ㉥더.

덜거덕 크고 단단한 물건이 맞닿아 서 나는 소리. ㊜덜걱. ㉶달가닥. ㉾떨거덕. **—하다. —거리다.**

덜그럭 단단하고 큰 물건이 부딪치거나 서로 스쳐 나는 소리. ㉶달그락. ㉾떨그럭. **—하다.**

덜그럭거리다 [덜그럭꺼리다] 자꾸 덜그럭 소리가 나다. 또는 그런 소리를 자꾸 내다. ㉶달그락거리다. ㉾떨그럭거리다.

*__덜:다__ **1** 일정한 수량이나 정도에서 일부를 떼어서 줄이거나 적게 하다. ㉨짐을 **덜다** / 밥을 공기에 **덜어** 먹다. **2** 어떤 상태나 행동의 정도를 적게 하다. ㉨근심을 **덜다** / 수고를 **덜다**. 활용 덜어 / 더니 / 더는.

덜덜 무섭거나 추워서 몸을 떠는 모양. ㉨너무 추워 몸이 **덜덜** 떨린다. **—거리다.**

덜렁 **1** 큰 방울이 한 번 흔들려 나는 소리. **2** 침착하지 못하고 가볍게 행동하는 모양. **3** 가진 것이나 딸린 것이 적거나 단 하나만 남아 있는 모양. **—하다.**

덜렁거리다 **1** 덜렁 소리가 잇달아 나다. **2** 침착하지 못하고 자꾸 덤벙거리다. ㉶달랑거리다.

덜렁이 조심스럽지 못하여 실수를 잘하는 사람을 놀리는 말.

덜미 목덜미 아래와 어깻죽지 사이. ㉯뒷덜미.

덜미(를) 잡히다 못된 일 따위를 꾸미거나 하다가 들키다.

덜커덕거리다 [덜커덕꺼리다] 크고 단단한 물건이 맞부딪쳐 자꾸 소리가 나다. 또는 그런 소리를 자꾸 내다. ㊜덜컥거리다. ㉶달카닥거리다.

덜커덩거리다 단단하고 속이 빈 큰 물건이 맞부딪쳐 자꾸 소리가 나다. 또는 그런 소리를 자꾸 내다. ㊜덜컹거리다.

덜컥 **1** 어떤 일이 갑자기 일어나는 모양. ㉨**덜컥** 사고를 내다. **2** 갑작스레 놀라거나 겁에 질려 가슴이 내려앉는 모양. ㉨**덜컥** 겁이 나다. **3** 크고 단단한 물건이 맞부딪치는 소리. ㉯덜커덕. **—하다.**

덜컹 **1** 크고 단단하고 속이 빈 큰 물건이 맞부딪쳐 나는 소리. **2** 갑자기 놀라거나 겁에 질려서 가슴이 몹시 울렁거리는 모양. ㉨지목을 당하자 가슴이 **덜컹했다**. ㉯덜커덩. **—하다.**

덜:하다 어떤 기준이나 정도보다 약하거나 적다. ㉨어제보다 아픔이 **덜하다** / 단맛이 **덜하다** / 추위가 한결 **덜하다**.

덤: 물건을 사고팔 때, 제 값어치의 물건 외에 조금 더 얹어서 주거나 받는 물건. ㉨**덤**을 많이 받다.

덤덤하다 마땅히 말할 만한 자리에서 아무 말도 없이 잠자코 있다.

덤덤히 덤덤하게. ㉨고개를 숙이고 **덤덤히** 앉아 있다.

덤벙거리다 침착하지 아니한 행동으로 함부로 덤비거나 서두르다. ㉨**덤벙거리지** 말고 잘 찾아봐라. ㉶담방거리다.

덤벙대다 ⇨덤벙거리다.

덤벼들다 **1** 마구 대들거나 달려들다. ㉨함부로 **덤벼들지** 마라. **2** 어떤 일을 이루려고 적극적으로 뛰어들다. ㉨여럿이 **덤벼들어** 일을 순식간에 끝마치다. ㉯덤비어들다. 활용 덤벼들어 / 덤벼드니 / 덤벼드는.

덤불 어수선하게 엉클어진 수풀.

*__덤비다__ **1** 함부로 대들거나 달려들다. ㉨철없이 **덤비다**. **2** 침착하지 못하고 서두르다. ㉨**덤비지** 말고 차근차근히 해라.

덤터기 남에게 넘겨씌우거나 넘겨맡는 걱정거리. ㉨**덤터기**를 쓰다. ㉶담타기.

덤프차 (dump車) ⇨덤프트럭.

덤프트럭 (dump truck) 짐 싣는 칸

의 한쪽을 들어 올려 짐을 한꺼번에 쏟아 내릴 수 있게 만든 화물 자동차. 돌·자갈·모래 따위를 나르는 데 씀. 덤프차.

〈덤프트럭〉

덤핑 (dumping) 상품을 제값보다 훨씬 낮은 값으로 파는 일. 투매. (예)덤핑 방지 대책을 세우다. **—하다.**

*__덥:다__ [덥따] **1** 몸으로 느끼기에 기온이 높다. (예)날씨가 굉장히 **덥다.** [반]춥다. **2** 온도가 높다. (예)**더운** 목욕물 / **더운** 음식. [반]차다. [활용]더워 / 더우니.

덥석 [덥썩] 왈칵 달려들어 급히 움켜잡거나 입에 무는 모양. (예)반가움에 친구의 손을 **덥석** 잡았다. [작]답삭. **—거리다.**

덥수룩하다 [덥쑤루카다] 많이 난 털 같은 것이 어수선하게 덮여 있다. (예)**덥수룩하게** 난 수염.

덧- [덛] '거듭' 또는 '덧붙임'의 뜻을 나타내는 말. (예)덧니 / 덧버선 / 덧대다.

덧나다 [던나다] **1** 병이나 상처 따위를 잘못 다루어 더 나빠지다. (예)종기가 **덧나다.** **2** 이미 나 있는 위에 덧붙어 나다. (예)이가 **덧나다.**

덧니 [던니] 이가 난 줄의 곁에 포개어 난 이. (예)웃을 때마다 **덧니**가 보인다. →젖니 [참고]

덧대다 [덛때다] 댄 것 위에 다시 또 대다. (예)해진 바지에 헝겊을 **덧대고** 깁다.

덧문 (—門) [던문] 문짝 겉쪽에 덧단 문.

덧버선 [덛뻐선] **1** 버선 위에 겹쳐 신는 큰 버선. **2** 양말 위에 겹쳐 신거나 맨발에 신는, 목 없는 버선.

덧붙이다 [덛뿌치다] **1** 있는 위에 겹쳐 붙게 하다. (예)도배지를 **덧붙이다.** **2** 한 말에 더 보태서 말하다. (예)**덧붙여** 한 말씀 드리겠습니다.

*__덧셈__ [덛쎔] 두 개 이상의 수나 식을 더하여 그 값을 구하는 셈. [비]가산. 더하기. [반]뺄셈. **—하다.**

덧신 [덛씬] 구두 위에 덧신는 신.

덧없다 [더덥따] **1** 세월이 너무 빨라 허무하다. (예)**덧없는** 세월. **2** 헛되고 허전하다. (예)**덧없는** 인생. [비]무상하다.

덧없이 [더덥씨] 덧없게. (예)세월이 **덧없이** 흐르다.

덧저고리 [덛쩌고리] 저고리 위에 겹쳐서 입는 저고리.

덧칠 (—漆) [덛칠] 칠한 데에 겹쳐 칠하는 칠. **—하다.**

*__덩굴__ 땅바닥으로 벋어 나가거나 다른 것을 감아 오르는 식물의 줄기. (예)호박 **덩굴.** [비]넝쿨.

덩굴손 잎이나 가지가 실같이 되어 다른 물건을 감아서 줄기를 버티게 하는 가는 덩굴.

덩그렇다 [덩그러타] **1** 홀로 높이 솟아 있다. (예)**덩그렇게** 잘 지은 집. **2** 넓은 공간이 텅 비어 쓸쓸하다. (예)방학이라 교실이 **덩그렇게** 비었다. [활용]덩그러니 / 덩그레서.

덩달아 [덩다라] 속 내용도 모르고 남이 하는 대로 따라서. (예)**덩달아** 나서지 마라.

덩더꿍 북이나 장구를 흥겹게 두드리는 소리.

덩실덩실 신이 나서 계속 춤을 추는 모양. (예)**덩실덩실** 춤추다. [작]당실당실. **—하다.**

덩어리 **1** 뭉쳐서 크게 이루어진 것. (예)얼음 **덩어리**가 녹아 물이 되다. **2** 뭉쳐서 이루어진 것을 세는 단위. (예)수박 한 **덩어리.** [비]덩이.

덩어리지다 한데 뭉쳐 덩어리가 되다. (예)**덩어리진** 흙을 부수다.

덩이 **1** 같은 물질이 뭉쳐진 것. (예)빵이 돌**덩이**처럼 딱딱하게 굳다. **2**

뭉쳐진 것의 수를 세는 단위. ㉠떡 다섯 덩이. 비 덩어리.

덩치 몸의 부피. ㉠덩치를 보니 힘깨나 쓰겠다. 비 몸집.

덩크 슛 (dunk shoot) 농구에서, 높이 뛰어올라 바스켓 위에서 공을 내리꽂듯이 던져 넣는 슛.

덫 [덛] 짐승을 꾀어 잡는 기구. ㉠덫을 놓아 쥐를 잡다 / 덫에 치인 노루. →닻 주의

덮개 [덥깨] **1** 덮는 물건. ㉠자동차에 덮개를 씌우다. **2** 뚜껑. ㉠항아리 덮개.

덮개 유리 (—琉璃) [덥깨—] ⇨커버 글라스.

*__덮다__ [덥따] **1** 뚜껑을 씌우다. ㉠솥뚜껑을 덮다. **2** 어떤 내용이나 사실을 알려지지 않게 숨기다. ㉠이번만은 잘못을 덮어 주자. **3** 위로부터 얹어 씌우다. ㉠이불을 덮어 주다. **4** 펼쳐진 책 따위를 닫다. ㉠읽던 책을 덮다. ➲cover

덮밥 [덥빱] 더운밥에 오징어·쇠고기 따위로 만든 반찬을 얹은 음식.

덮어놓고 [더퍼노코] 무턱대고. 이유를 밝히지 않고 다짜고짜로. ㉠덮어놓고 짜증을 내다 / 덮어놓고 믿었다가 손해를 봤다.

덮어두다 [더퍼두다] **1** 옳고 그름이나 잘잘못을 가리어 드러내지 아니하다. ㉠이 문제는 덮어두기로 하자. **2** 하던 일을 그만두다. ㉠하던 일을 덮어두고 그냥 나가 버렸다. **3** 비밀로 하다. ㉠우리끼리만 알고 덮어두자.

덮어쓰다 [더퍼쓰다] **1** 억울한 누명을 쓰다. ㉠죄를 덮어쓰다. **2** 위로부터 써서 가리다. ㉠이불을 덮어쓰다. **3** 먼지·가루·물 따위를 온몸에 뒤집어쓰다. ㉠흙먼지를 덮어쓰다. 활용 덮어써 / 덮어쓰니.

*__덮이다__ [더피다] 드러난 것에 다른 것이 얹히어 보이지 않게 되다. ㉠눈으로 덮인 들판.

덮치다 [덥치다] **1** 들이닥쳐 덮어누르다. ㉠파도가 어선을 덮치다. **2** 여러 가지 일이 한꺼번에 닥치다. ㉠엎친 데 덮치다. **3** 갑자기 습격하다. ㉠경찰이 도박판을 덮쳤다.

*__데__ **1** 곳. ㉠올 데 갈 데 없다. **2** 경우. 처지. ㉠아픈 데에 먹는 약. **3** '일'이나 '것'의 뜻. ㉠노래 부르는 데도 소질이 있다.

-데 **1** 지난 일을 회상할 때 쓰는 말. ㉠시장엔 아직도 참외가 있데. **2** 지난 일을 생각하고 물을 때 쓰는 말. ㉠그 사람 아직도 키가 작데 / 큰 짐승이데. →-대 주의

데굴데굴 크고 단단한 물건이 계속하여 굴러 가는 모양. 작 대굴대굴. 센 떼굴떼굴.

*__데:다__ **1** 뜨거운 기운이나 물질에 닿아 살이 상하다. ㉠난로에 손을 데다. **2** 몹시 놀라거나 심한 고통을 겪어 진저리가 나다. ㉠그 일에는 정말 데었다.

데려가다 함께 거느리고 가다. ㉠동생을 놀이터에 데려가서 놀았다. 반 데려오다.

데려오다 함께 거느리고 오다. ㉠친구를 집에 데려오다. 반 데려가다.

*__데리다__ 아랫사람이나 동물 따위를 가까이 있게 하거나 따라다니게 하다. ㉠아이를 데리고 공원에 가다 / 아이를 데리러 가다. 참고 주로 '데리고·데리러·데려'의 꼴로 쓰임.

데릴사위 [데릴싸위] 처가에서 데리고 사는 사위. 반 민며느리.

데모 (demo) 어떤 주장이나 목적을 위하여 많은 사람들이 모여서 벌이는 시위 운동. ㉠데모를 벌이다 / 데모를 진압하다. **—하다.**

데뷔 (프 début) 일정한 활동 분야에 처음으로 나타나는 일. ㉠데뷔 작품 / 영화계에 배우로 데뷔하다. **—하다.**

데생 (프 dessin) 형태와 밝고 어두움을 주로 나타내기 위하여 연필·목탄 따위로 그리는 단색 그림. 서양화의 기초가 됨. 소묘.

데시리터 (deciliter) 1리터의 10분의 1《기호는 dl》.

데시벨 (decibel) 소리의 크기를 나타내는 단위《기호는 dB》.

데우다 찬 것에 열을 가하여 덥게 하다. ㉠우유를 데우다. 준 데다.

데이터 (data) **1** 이론을 세우는 데 바탕이 되는 자료. ㉠데이터를 뽑다. **2** 컴퓨터에서 쓸 수 있도록 기호와 숫자로 나타낸 자료.

데이트 (date) 남녀가 서로 사귀기 위하여 하는 약속. 또는 그 만남. ㉠데이트를 신청하다. **—하다.**

데:치다 끓는 물에 슬쩍 삶아 내다. ㉠시금치를 데치다.

데칼코마니 (프 décalcomanie) 미술 기법의 하나. 종이 위에 물감을 두껍게 칠한 다음, 반으로 접었다 펴거나 다른 종이를 덮어 찍어서 대칭적이고 환상적인 무늬를 나타내는 표현 방법.

데크레셴도 (이 decrescendo) 악보에서, 셈여림을 나타내는 말. '점점 여리게'의 뜻《기호는 >》. 반 크레셴도.

덴마크 (Denmark) 〖국명〗 독일 북쪽에 있는 유틀란트 반도와 그 부근의 섬으로 된 나라. 세계적인 낙농국으로 농사를 주로 짓지만, 제2차 세계 대전 후로는 각종 공업도 발전함. 사회 보장 제도가 잘 마련되어 있음. 수도는 코펜하겐.

뎅그렁 방울·종·풍경 따위가 흔들리거나 부딪칠 때 나는 소리. 작 댕그랑. 센 뗑그렁.

도[1] 윷놀이에서, 윷가락의 한 짝만이 잦혀진 것을 일컫는 말. ㉠도가 나오다. →윷짝 참고

도:[2] (度) 알맞은 정도나 한도. ㉠도가 지나친 행동.

*__도:__[3] (度) **1** 각도의 단위. 직각의 90분의 1. ㉠직선은 180도이다. **2** 온도의 단위. ㉠섭씨 34 도.

도:[4] (道) **1** 마땅히 지켜야 할 도리. ㉠도를 지키다. **2** 종교에서 근본이 되는 뜻. 또는 깊이 깨달은 지경. ㉠도를 깨닫다.

도:[5] (道) 우리나라 지방 행정 구역의 하나. 시와 군을 포함함.

도[6] 어떤 말의 뒤에 붙어 '또한, 역시'의 뜻을 나타내는 말. ㉠나도 배가 고프다 / 춤도 잘 춘다.

도[7] (이 do) 장음계의 첫째 음, 단음계의 셋째 음의 계이름. '다' 음의 이탈리아 음이름.

-도[1] (島) '섬'의 뜻. ㉠울릉도 / 강화도.

-도[2] (圖) '그림'의 뜻. ㉠산수도 / 설계도.

도:가 (道家) 중국의 노자와 장자의 가르침을 따르는 교. 또는 그 사상가나 무리.

도가니 **1** 쇠붙이를 녹이는 데 쓰이는 그릇. 단단한 흙이나 흑연 따위로 우묵하게 만듦. **2** 여러 사람이 흥분·감격하여 들끓는 상태를 표현하는 말. ㉠축구장은 흥분의 도가니였다. **3** 소의 무릎에 있는 뼈와 거기에 붙은 고기. ㉠도가니탕.

도감 (圖鑑) 그림이나 사진을 모아서 풀이를 붙여 놓은 책. ㉠곤충 도감 / 동물 도감.

도:계 (道界) [— / 도게] 행정 구역에서, 도와 도의 경계.

도공 (陶工) 오지그릇·질그릇을 만드는 사람. 비 옹기장이.

도:교 (道敎) 중국에서 널리 행해진 민간 신앙. 예로부터의 신선 사상에 불교·유교 등 여러 가지 사상이 합쳐진 것으로, 황제·노자를 교조로 함.

*__도:구__ (道具) **1** 일에 쓰는 여러 가

지 연장. ㉠청소 도구. **2** 어떤 목적을 이루기 위한 수단이나 방법. ㉠출세의 도구로 삼다. ➲ tool

도ː구함 (道具函) 도구를 넣어 두는 상자.

도굴 (盜掘) 고분 따위를 허가 없이 파내는 일. **—하다.**

도ː금 (鍍金) 쇠붙이의 겉에 녹스는 것을 막거나 장식을 위해 금·은·니켈·주석·크롬 등의 얇은 금속 막을 입히는 일. ㉠은으로 도금한 숟가락 / 니켈 도금. **—하다.**

도기 (陶器) 흙으로 빚어 비교적 낮은 온도로 구운 질그릇.

도깨비 동물이나 사람 모습을 한 잡된 귀신의 한 가지. 비상한 힘과 괴상한 재주를 가져 사람을 호리기도 하고 짓궂은 장난이나 험상궂은 짓을 많이 한다고 함.

도깨비 장난 같다 하는 짓이 분명하지 않아서 갈피를 잡을 수 없음을 이르는 말.

도깨비바늘 국화과의 한해살이풀. 줄기 높이는 50-100 cm. 열매에 갈고리 모양의 털이 있어 사람의 옷이나 짐승의 몸에 잘 붙음.

도깨비방망이 도깨비가 가지고 다닌다는, 두드리면 무엇이든지 원하는 것이 나온다는 요술 방망이.

도깨비불 어두운 밤에 무덤이나 축축한 땅, 또는 오래 묵은 나무 따위에서 인의 작용으로 번쩍거리는 푸른빛의 불빛.

*__도ː끼__ 나무를 찍거나 패는 연장의 하나. 쐐기 모양의 큰 쇠 날의 머리 부분에 구멍을 뚫어 자루를 끼움.

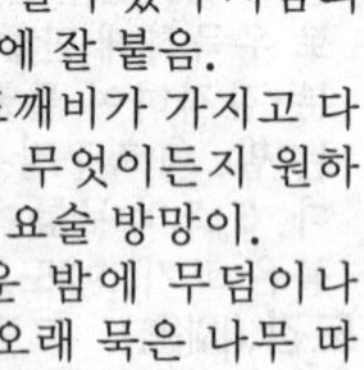
〈도끼〉

도ː끼눈 분하거나 미워서 사납게 쏘아보는 눈.

도난 (盜難) 도둑을 맞는 재난. ㉠도난 신고 / 도난을 당하다.

도넛 (doughnut) 밀가루에 버터·설탕·달걀 따위를 넣고 반죽하여 고리 모양으로 만들어 기름에 튀긴 서양 과자.

도ː달 (到達) 정한 곳이나 어떤 수준에 다다름. ㉠설악산 정상에 도달하다. 비 도착. **—하다.**

*__도대체__ (都大體) '대체1'보다 뜻을 더 넓게 강조하여 쓰는 말. ㉠도대체 여기가 어디냐. 비 대관절.

*__도ː덕__ (道德) 사람으로서 마땅히 지켜야 할 바른 도리 및 행동. ㉠교통 도덕을 잘 지키자.

도ː덕심 (道德心) [도덕씸] 도덕을 지키고 받드는 마음. 선하고 악함 또는 옳고 그름을 판별하여 선을 행하려는 마음.

도ː덕적 (道德的) [도덕쩍] 도덕에 따라 사물을 판단하려고 하는 (것). 또는 도덕에 적합한 (것). ㉠도덕적 가치.

도ː도하다 잘난 체하여 주제넘게 거만하다. ㉠도도하게 굴지 마라.

도돌이표 (一標) [도도리표] 악곡을 처음부터 되풀이하여 연주하거나 노래 부를 것을 표시하는 기호 《기호는 𝄆 𝄇》. 비 반복 기호.

*__도둑__ 남의 물건을 훔치거나 빼앗는 짓. 또는 그런 짓을 하는 사람. ㉠도둑으로 의심받다 / 도둑을 잡다 / 도둑이 들다. 비 도적. ➲ thief

도둑고양이 [도둑꼬양이] 주인 없이 여기저기 돌아다니며 쓰레기를 뒤지거나 음식을 훔쳐 먹는 고양이.

도둑맞다 [도둥맏따] 물건 따위를 도둑에게 잃거나 빼앗기다.

도둑질 [도둑찔] 남의 물건을 훔치거나 빼앗는 짓. 비 도적질. **—하다.**

*__도라지__ 초롱꽃과의 여러해살이풀. 높이 약 60 cm. 산과 들에서 자라는데, 잎은 긴 달걀꼴이며, 한여름에 종 모양의 흰색이나 하늘색 꽃이

핌. 뿌리는 인삼과 비슷한데, 먹기도 하고 한방에서 약재로도 씀.

〈도라지〉

도란도란 나직한 목소리로 서로 정답게 이야기하는 모양. ㉥친구와 사이좋게 도란도란 이야기하다. ㉤두런두런. **—하다.**

***도랑** 폭이 좁은 작은 개울. ㉥도랑을 건너다.

도:래(到來) 어떤 시기나 기회가 닥쳐옴. ㉥정보화 시대가 도래하다. **—하다.**

도:량(度量) 너그러운 마음과 깊은 생각. ㉥도량이 넓은 사람.

도:량형(度量衡) 길이·넓이·양·무게 따위를 재는 기구인 자·되·말·저울을 통틀어 일컫는 말. 보통, 계량 단위나 그 제도를 가리킴.

도려내다 빙 둘러서 베거나 파내다. ㉥사과의 상한 곳을 도려내다.

도련님 **1** 총각을 대접하여 일컫는 말인 '도령'의 높임말. **2** 결혼하지 아니한 시동생을 높여 일컫는 말.

도:령 아직 장가가지 않은 남자를 대접하여 일컫는 말.

도로[1] **1** 향하던 쪽에서 되돌아서. ㉥가던 길을 도로 돌아오다. **2** 또다시. ㉥중단했던 일을 도로 시작하다. **3** 먼저대로. ㉥제자리에 도로 갖다 놓다.

***도:로**[2](道路) 사람이나 차가 다닐 수 있도록 만든 길. ㉥버스 전용 도로. ㉥길. ➲road

도:로망(道路網) 그물처럼 여러 갈래로 복잡하게 얽힌 도로의 체계. ㉥도로망을 넓히다. ㉥교통망.

도:로변(道路邊) 도로의 양쪽 가장자리. ㉥길가.

도롱뇽 도롱뇽과의 동물. 몸길이는 15cm가량. 물이 차고 깨끗한 개울·못 등의 낙엽 밑이나 땅속에 살며 작은 벌레를 잡아먹음. 1-4월에 논·연못가의 풀밭에 알을 낳음.

도롱이 비옷의 한 가지. 짚이나 띠 같은 풀로 엮어 만듦. 흔히 농부들이 어깨에 걸쳐 두름.

도료(塗料) 물체의 겉에 칠하여 썩지 않게 하거나 아름답게 하는 재료. 니스·페인트 따위.

도루(盜壘) 야구에서, 주자가 수비의 허술한 틈을 타서 다음 누로 가는 일. **—하다.**

도르래 바퀴에 홈을 파고 줄을 걸어서 물건을 끌어 올리거나 힘의 방향을 바꾸거나 하는 데 쓰이는 장치. 고정 도르래와 움직도르래가 있음. ㉥활차.

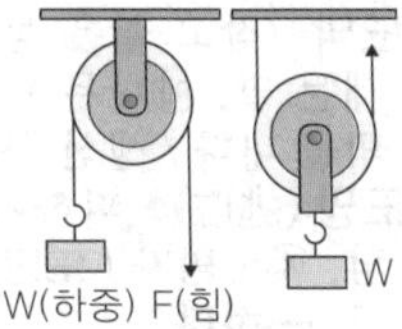

〈도르래〉

도리[1] 서까래를 받치기 위하여 기둥과 기둥 위에 건너지르는 나무.

도:리[2](道理) **1** 사람이 마땅히 지켜야 할 바른 길. ㉥인간의 도리 / 자식 된 도리를 다하다. **2** 나아갈 방도와 길. ㉥어찌할 도리가 없다.

도리깨 곡식의 이삭을 두드려서 알갱이를 떠는 데 쓰는 농기구. 긴 작대기 끝에 서너 개의 긴 나뭇가지를 잡아매어 휘둘러 가며 침.

〈도리깨〉

도리깨질 도리깨로 곡식 이삭을 두드려 알갱이를 떠는 일. **—하다.**

도리어 **1** 생각했던 것과는 다르게. ㉥벌기는커녕 도리어 손해만 봤다. ㉥오히려. **2** ⇨차라리. ㉥도리어 죽느니만 못하다. ㉦되레.

도리질 말귀를 겨우 알아듣는 어린아이가 어른이 시키는 대로 머리를 좌우로 흔드는 재롱. ㉥도리질을 치다. ㉥도리머리. **—하다.**

도마 칼질할 때 밑받침으로 쓰는, 나무 따위로 만든 두꺼운 토막이나 널조각.
도마 위에 오르다 어떤 사람이나 사건이 비판의 대상이 되다.

도마뱀 도마뱀과의 동물. 풀밭에 삶. 몸길이 약 19 cm. 온몸은 비늘로 덮이고 네 다리는 짧고 다섯 개의 발가락이 있음. 긴 꼬리는 위험을 당하면 저절로 끊어졌다 새로 자람.

〈도마뱀〉

*__도막__ 작고 짧은 동강. 또는 그것을 세는 말. (예)나무 도막 / 동강동강 도막을 내다 / 생선 두 도막.

*__도망__ (逃亡) 피하거나 쫓겨서 달아남. (예)도망자 / 도망을 다니다. [비]도주. **—하다.**

도망가다 (逃亡—) 피하거나 쫓겨 달아나다. (예)멀리 도망가다.

도망치다 (逃亡—) 도망가는 짓을 하다. (예)도망치는 도둑을 잡다. [본]도망질치다.

도맡다 [도맏따] 모든 책임을 혼자서 떠맡다. (예)가족의 생계를 도맡다 / 잔심부름을 도맡아서 하다.

도매 (都賣) 물건을 낱개로 팔지 않고 일정한 분량 이상으로 묶어 팖. (예)도매가격 / 도매로 팔다. [반]소매. **—하다.**

*__도매상__ (都賣商) 물건을 도매로 파는 장사. 또는 그런 가게나 장수. [반]소매상.

도매 시:장 (都賣市場) 물건을 도매로만 파는 가게들로 이루어진 시장. [반]소매 시장.

도메인 (domain) 인터넷을 사용할 때 컴퓨터가 접속된 위치를 나타내는 주소의 이름.

도면 (圖面) 토목·건축·기계·토지 등의 구조나 설계 따위를 제도기를 써서 그린 그림. (예)도면을 작성하다 / 도면을 놓고 설명하다. [비]도본.

도모 (圖謀) 어떤 일을 이루기 위하여 수단과 방법을 꾀함. (예)친목을 도모하다. **—하다.**

*__도무지__ **1** 이것저것 할 것 없이 모두. (예)무슨 영문인지 도무지 모르겠다. **2** 이러니저러니 할 것 없이 아주. (예)도무지 반성의 빛이 없다. [비]도통.

도:미[1] 도밋과의 바닷물고기. 몸은 타원형으로 납작하고 대부분 붉은빛이며, 몸길이 40–50 cm. 머리는 크고 입은 작으며, 온몸이 큰 비늘로 덮임. 먹을 수 있음. [준]돔.

도미[2] (渡美) 미국으로 건너감. (예)도미 유학. **—하다.**

도민[1] (島民) 섬에서 사는 사람. [비]섬사람.

도:민[2] (道民) 그 도 안에 사는 사람. (예)강원도 도민.

도박 (賭博) **1** 돈이나 재물을 걸고 따먹기를 다투는 짓. (예)도박에 빠지다 / 도박으로 재산을 다 없애다. [비]노름. **2** 위험한 일이나 가능성이 없는 일에 손을 대는 일. (예)그 사업은 도박이나 다름없다. **—하다.**

도발 (挑發) 남을 건드려 일이 일어나게 함. (예)도발 행위. **—하다.**

도배 (塗褙) 벽이나 천장 따위를 종이로 바르는 일. (예)내 방을 새로 도배하다. **—하다.**

도배장이 (塗褙—) 도배하는 일을 직업으로 하는 사람.

도배지 (塗褙紙) 도배하는 데 쓰는 종이.

도벽 (盜癖) 남의 물건을 훔치는 버릇. (예)그 친구는 도벽이 있다.

도보 (徒步) 자전거나 차 따위의 탈것을 타지 않고 걸어감. (예)도보 여행. **—하다.**

도:복 (道服) 검도·유도·태권도 등을 수련할 때 입는 운동복. (예)태권

도 도복.

도:봉산 (道峰山) 서울특별시 도봉구에 있는 산. 산 전체가 큰 바위로 이루어져 있으며 경치가 아름다움. 높이 717 m.

도:사 (道士) **1** 도를 닦는 사람. **2** 어떤 일에 매우 능숙한 사람을 속되게 이르는 말. ㉠형은 수학 문제 풀이에 도사다.

도사리다 **1** 두 다리를 꼬부려 서로 어긋매껴 앉다. ㉠점잖게 도사리고 앉아 있다. **2** 들뜬 마음을 가라앉히다. ㉠마음을 도사려 먹고 그의 말을 되새겨 보았다. **3** 긴장된 상태로 기회를 엿보다. ㉠먹이를 노리며 도사리고 있는 사자. **4** 일이나 말의 끝에 탈이 생기지 않도록 조심하여 감추다. ㉠말끝을 도사리다. **5** 앞으로 일어날 일의 낌새가 숨어 있다. ㉠항상 위험이 도사리고 있다.

도:산 (倒産) 기업이 재산을 잃고 망함. 비 파산. **—하다.**

도산 서원 (陶山書院) 경상북도 안동시 도산면에 있는 서원. 조선의 대학자 퇴계 이황을 모신 곳임.

도살 (屠殺) 가축을 잡아 죽임. ㉠전염병이 번지자 수백 마리의 돼지를 도살하였다. 비 도축. **—하다.**

도살장 (屠殺場) [도살짱] 고기를 얻으려고 소나 돼지 따위의 가축을 잡아 죽이는 곳. 비 도축장.

도서[1] (圖書) ⇨책. ㉠도서 목록 / 도서 전시회.

도서[2] (島嶼) 크고 작은 섬들. ㉠남해 도서 지방.

*__도서관__ (圖書館) 많은 책과 자료를 모아 정리하여 두고 여러 사람들이 볼 수 있도록 만들어 놓은 곳. ㉠국립 도서관 / 도서관을 개관하다 / 도서관에서 책을 대출하다. ➲ library

*__도서실__ (圖書室) 많은 책을 모아 두고 여러 사람이 볼 수 있게 꾸며 놓은 방.

도:선 (導線) 열이나 전기가 통하는 쇠붙이 줄. 전기가 가장 잘 통하는 것은 백금·구리·납의 순서임.

도성 (都城) **1** 서울. 한 나라의 수도. ㉠도성을 정하다 / 도성이 함락되다. **2** 도읍 둘레에 쌓은 성곽.

도:수 (度數) [도쑤] **1** 거듭하는 횟수. ㉠도수가 잦다. **2** 각도·온도 등을 나타내는 수. ㉠도수가 높은 안경 / 알코올 도수가 높다.

도:술 (道術) 도를 닦아 놀라운 재주를 부리는 기술. ㉠도술을 부리다 / 도술에 걸리다.

도승지 (都承旨) 조선 때, 승정원의 여러 승지 가운데의 으뜸인 정삼품 벼슬.

*__도시__ (都市) 인구가 많이 모여 상공업이 발달하고 정치·경제·문화 등의 중심을 이룬 곳. ㉠도시 생활 / 도시는 자동차 공해가 심하다. 비 도회지. 반 농촌, 시골. ➲ city

도시 계:획 (都市計劃) [— / —게획] 도시 생활에 필요한 교통·위생·주택·행정 등에 관하여 주민의 이익을 꾀하고 공공질서를 유지하기 위한 계획.

도시 국가 (都市國家) [—국까] 도시 그 자체가 하나의 국가를 이루는 정치 공동체. 고대의 아테네·로마 등이 여기에 속함.

*__도시락__ 플라스틱이나 알루미늄 따위로 만들어져 간편하게 가지고 다닐 수 있도록 만든 음식 그릇. 또는 그 음식. ㉠도시락을 싸다 / 도시락에는 어머니의 정성이 담겨 있다.

도심 (都心) 도시의 중심. ㉠도심은 교통이 복잡하다.

도심지 (都心地) 도시의 중심이 되는 지대. ㉠도심지의 차량 소통이 원활하다.

도안 (圖案) 모양·색채 따위를 장식 등에 이용하려고 그림으로 나타내는 일. 또는 그 그림의 무늬나 모양. ㉥도안을 그리다. **—하다.**

도야 (陶冶) 훌륭한 인격을 갖추려고 마음과 몸을 닦아 기름. ㉥인격 도야. **—하다.**

도약 (跳躍) **1** 뛰어오름. **2** 더 나은 상태로 발전함. ㉥선진국 대열로 도약하다. **—하다.**

도열하다 (堵列—) 많은 사람이 죽 늘어서다. ㉥학생들이 길 양쪽에 도열하다.

도예 (陶藝) 도자기를 소재로 한 미술·공예. ㉥도예를 배우다.

도:외시하다 (度外視—) 중요한 것으로 생각하지 않다. ㉥현실을 도외시하다.

도용하다 (盜用—) 남의 것을 허락받지 않고 몰래 쓰다. ㉥유명 상표를 도용하다.

***도움** 남을 돕는 일. ㉥도움을 청하다 / 큰 도움이 되다.

***도움닫기** [도움닫끼] 높이뛰기·멀리뛰기 등의 육상 경기에서 속도를 내려고 일정한 선까지 뛰어가는 일.

도움말 **1** 옆에서 말을 덧붙여 도움. 또는 그 말. ㉥비 조언. **2** 문제집 등에서, 어려운 부분을 상세히 설명한 글. ㉥도움말을 참고하여 문제를 풀다.

도읍 (都邑) 한 나라의 서울. ㉥도읍을 옮기다.

도읍지 (都邑地) [도읍찌] 한 나라의 서울로 정한 곳. ㉥부여는 백제의 도읍지였다.

도읍하다 (都邑—) [도으파다] 서울로 정하다. ㉥한양에 도읍하다.

도:의 (道義) [— / 도이] 사람이 마땅히 지키고 따라야 할 윤리적 원칙. ㉥학생으로서 지켜야 할 도의가 있다 / 도의적 책임을 지다.

도:인 (道人) 도를 닦아 깨달은 사람. 비 도사.

도:입 (導入) **1** 기술·방법·물자 따위를 끌어들임. ㉥새로운 선진 기술을 도입하다. **2** 단원 학습 등에서 앞으로 배울 준비 학습으로서의 안내 역할. ㉥학습의 도입 부분. **—하다.**

***도자기** (陶瓷〔磁〕器) 질그릇·오지그릇·사기그릇 따위를 통틀어 일컫는 말. ㉥도자기를 굽다 / 도자기를 빚다.

도:장[1] (道場) 검도·유도·태권도 등을 가르치거나 연습하는 곳. ㉥검도 도장에 다니다.

도장[2] (圖章) 나무나 뼈 따위에 개인이나 단체의 이름·지위 등을 새겨 찍을 수 있게 만든 물건. ㉥도장을 찍다 / 도장을 새기다. 비 인장.

도:저히 (到底—) 아무리 하여도. ㉥도저히 용서할 수가 없다.

도적 (盜賊) ⇨도둑.

도전 (挑戰) **1** 상대에게 싸움을 걺. ㉥도전에 응하다. **2** 어려운 일이나 기록 경신에 맞섬. ㉥세계 신기록에 도전하다. **—하다.**

도정 (搗精) 기계로 곡식을 찧거나 껍질을 벗기어 먹기 좋게 하는 일. **—하다.**

도주 (逃走) 피하거나 쫓겨서 달아남. ㉥도주의 우려가 있어 구속시키다 / 범인이 도주하다. 비 도망. **—하다.**

도:중 (途中) **1** 길을 가고 있는 동안. ㉥집에 가는 도중에 친구를 만나다. **2** 일이 끝나지 않고 진행되는 중간. ㉥수업 도중에 계속 졸았다.

도:지다 나아가거나 나았던 병이 다시 덧나거나 심해지다. ㉥찬바람을 쐬어 감기가 도졌다.

도:지사 (道知事) 한 도의 행정 사무를 맡아보는 최고 책임자. 비 도백. 준 지사.

***도:착** (到着) 목적지에 다다름. ㉥도착 시간을 알려 주다 / 10시간 걸려 부산에 도착했다. 비 도달. 반 출발. **—하다.** ➲ arrive

도:처 (到處) 가는 곳. 이르는 곳.

여러 곳. 가는 곳마다. ㉠이 산 도처에 절이 있다.

도청[1] (盜聽) 남의 대화나 전화 통화 따위를 몰래 엿듣는 일. ㉠도청 장치 / 전화를 도청하다. **—하다.**

도ː청[2] (道廳) 도의 행정을 맡아보는 지방 관청. ㉠경기도의 도청 소재지는 수원이다.

도ː체 (導體) 열이나 전기가 비교적 잘 통하는 물체. 금속·물·탄소 따위. 반 부도체.

도ː출하다 (導出—) 어떤 생각이나 판단, 결론 따위를 이끌어 내다. ㉠합의를 도출해 내다.

도취 (陶醉) 무엇에 마음이 쏠려 취하다시피 됨. ㉠감미로운 음악에 도취되다. **—하다.**

도ː치 (倒置) 차례나 위치 따위가 뒤바뀜. 또는 차례나 위치 따위를 뒤바꿈. ㉠순서를 도치하다. **—하다.**

도ː치법 (倒置法) [도치뻡] 수사법의 하나. 문장에서 말의 순서를 뒤바꾸어 글에 변화를 주는 표현법.

도쿄 (일 東京) 〖지명〗 일본의 수도. 일본의 정치·문화·경제의 중심지임. 동경.

도탄 (塗炭) 생활이 몹시 어렵고 고통스러운 처지. ㉠도탄에 빠진 백성을 구하다.

도탑다 [도탑따] 인정이나 사랑이 많고 깊다. ㉠친구 사이의 우정이 도탑다 / 도타운 정을 나누다. 활용 도타워 / 도타우니.

도태 (淘汰) **1** 여럿 가운데서 불필요하거나 부적당한 것을 없애거나 버림. **2** 적자생존에 의하여 환경이나 조건에 맞는 생물만이 살아남고 그렇지 않은 것은 죽어 없어지는 현상. ㉠공룡은 빙하기에 도태되었다. **—하다.**

*__도토리__ 떡갈나무·갈참나무·상수리나무 따위의 참나뭇과의 나무 열매. 모양은 조금 길쭉하게 둥글고 빛깔은 갈색임. 갈아서 묵을 만들어 먹기도 함.

〈도토리〉

도토리묵 도토리로 만든 묵.

도톰하다 알맞게 두껍다. ㉠도톰한 입술. 큰 두툼하다.

도통 (都統) ⇨도무지. ㉠무슨 말인지 도통 알 수가 없다.

도ː통하다 (道通—) 사물의 깊은 이치를 깨달아 알다.

도ː포 (道袍) 예전에, 보통 예복으로 입던 남자의 겉옷. 소매가 아주 넓고 옷의 길이가 길며 등 뒤에 다른 폭을 대어 만듦. ㉠도포 자락.

〈도포〉

도표 (圖表) 선이나 숫자를 써서 보기 쉽게 여러 자료를 정리하여 그림으로 나타낸 표. ㉠도표를 그리다.

도피 (逃避) 도망하여 몸을 피함. ㉠도피 생활 / 현실 도피 / 해외로 도피하다. **—하다.**

도하 (渡河) 강을 건넘. ㉠도하 작전. 비 도강. **—하다.**

도ː학 (道學) 도덕에 관한 학문.

도해 (圖解) **1** 그림으로 풀어 놓은 설명. **2** 그림의 내용에 대한 설명. **—하다.**

*__도형__ (圖形) **1** 그림의 모양이나 형태. **2** 입체·면·선·점 등으로 어떤 모양을 나타낸 것. 삼각형·사각형·구·원 따위. ㉠평면 도형.

도ː화선 (導火線) **1** 폭약이 터지도록 불을 붙이는 심지. ㉠도화선에 불을 댕기다. **2** 사건이 일어나게 된 직접적인 원인. ㉠사소한 오해가 싸움의 도화선이 되다.

*__도화지__ (圖畫紙) 그림을 그릴 때

쓰는 종이.

도회지 (都會地) 사람이 많이 살고 있는 번잡한 지역. ㉠도회지로 나가 일자리를 찾다. 비 도시. 반 농촌. 준 도회.

독[1] 간장·김치·술 따위를 담가 두는 큰 오지그릇이나 질그릇. ㉠땅에 독을 묻다.

독 안에 든 쥐 궁지에서 벗어날 수 없는 처지.

독[2] (毒) 건강이나 생명을 해치는 성분. 특히, 독약. ㉠독이 있는 버섯 / 독을 제거하다 / 독이 퍼지다.

독(이) 오르다 ㉠독기가 퍼지거나 치밀다. ㉡독한 마음이나 기운이 치밀어 오르다. ㉠독이 오른 표정으로 쏘아보다.

독감 (毒感) [독깜] 지독한 감기. ㉠독감에 걸려 학교에 결석하다.

독기 (毒氣) [독끼] **1** 독의 기운. ㉠온몸에 독기가 퍼지다. **2** 사납고 악한 기운이나 기색. ㉠두 눈에 독기가 서리다.

독단적 (獨斷的) [독딴적] 남과 상의하지 않고 자기 혼자의 생각대로 결정하거나 판단하는 (것). ㉠독단적으로 처리하다.

독도 (獨島) [독또] 〖지명〗 우리나라의 동해 끝에 있는 화산섬. 경상북도 울릉군에 속하며 대부분 암석으로 되어 있음. 넓이는 0.186 km^2.

독려 (督勵) [동녀] 어떤 일을 잘 하도록 용기를 북돋아 주며 부추김. **—하다.**

*__독립__ (獨立) [동닙] **1** 남의 도움을 받지 않고 홀로 섬. ㉠독립하여 가게를 차리다. **2** 한 나라가 다른 나라의 지배를 받지 않고 스스로 정치를 함. ㉠독립 국가. 비 자립. 반 예속. **3** 다른 것과 아주 별도임. ㉠독립 주택. **—하다.**

독립국 (獨立國) [동닙꾹] 다른 나라의 지배를 받지 않고 독립된 주권을 가진 나라.

독립군 (獨立軍) [동닙꾼] 나라의 독립을 위하여 싸우는 군대.

독립 기념관 (獨立記念館) [동닙끼념관] 우리나라의 독립과 관련된 자료나 유품 따위를 모아 전시하고 독립의 뜻을 기리는 곳. 충청남도 천안시에 있음.

독립문 (獨立門) [동님문] 독립 정신을 높이기 위해 1896년 독립 협회에서 세운 돌문. 서울특별시 서대문구 현저동에 있음. 사적 제32호.

독립 선언문 (獨立宣言文) [동닙써넌문] ⇨독립 선언서.

독립 선언서 (獨立宣言書) [동닙써넌서] 1919년 3·1운동 때 우리나라의 독립을 세계만방에 알린 글. 최남선이 만들고 민족 대표 33인이 서명하여 그해 3월 1일 서울 태화관에서 발표하였음. 비 독립 선언문.

독립신문 (獨立新聞) [동닙씬문] 1896년에 독립 협회의 서재필이 중심이 되어 펴낸 우리나라 최초의 한글 민간 신문. 민족정신을 드높이고자 펴냈으나, 1899년 독립 협회의 해산과 함께 폐간됨.

독립심 (獨立心) [동닙씸] 남에게 기대지 않고 혼자 힘으로 어떤 일을 해내려고 하는 마음. ㉠독립심이 강하다 / 독립심을 키우다.

독립 운:동 (獨立運動) [동니분동] 나라의 독립을 찾기 위한 여러 가지 정치적 운동.

독립적 (獨立的) [동닙쩍] 남에게 기대지 않고 제힘으로 해 나가는 (것). ㉠독립적 생활.

독립 정신 (獨立精神) [동닙쩡신] 남에게 얽매이지 않고 스스로 살아가려는 정신.

독립 협회 (獨立協會) [동니펴푀] 1896년 국가의 독립과 민족의 자립을 위하여 만든 정치·사회 단체. 서재필·이상재·윤치호 등이 중심이 되어 독립신문 발간 및 독립문 건립 등의 업적을 남김.

독무대 (獨舞臺) [동무대] **1** 배우 한 사람만 나와서 연기하는 무대. **2** 어떤 판을 혼자서 휩쓺. (예)이번 경기는 그의 독무대였다. [비] 독판.

독물 (毒物) [동물] 독이 들어 있는 물질.

독방 (獨房) [독빵] **1** 혼자서 쓰는 방. [비] 독실. **2** 한 사람의 죄수만을 가두는 감방. (예)독방에 가두다.

*__독백__ (獨白) [독빽] **1** 혼자서 중얼거림. **2** 무대에서 배우가 혼자서 하는 대사. **—하다**. *방백.

독뱀 (毒—) [독뺌] ⇨독사.

독버섯 (毒—) [독뻐섣] 독이 있는 버섯.

독보적 (獨步的) [독뽀적] 남이 따를 수 없을 정도로 뛰어난 (것). (예)활쏘기의 독보적 존재.

독본 (讀本) [독뽄] 읽어서 그 내용을 익히기 위한 책. (예)영어 독본.

독사 (毒蛇) [독싸] 독을 가진 뱀. 보통 머리가 세모꼴이고 몸이 굵으며 꼬리가 짧음. 살무사·코브라 등이 있으며 물 때에 이빨에 든 독액이 나옴. [비] 독뱀.

독사진 (獨寫眞) [독싸진] 혼자 찍은 사진.

독살[1] (毒殺) [독쌀] 독약을 먹이거나 독을 써서 죽임. (예)독살을 당하다. **—하다**.

독살[2] (毒煞) [독쌀] 악독한 마음을 품은 기운. (예)독살을 부리다.

독상 (獨床) [독쌍] 혼자 먹게 차린 음식상. (예)독상을 받다. [반] 겸상.

*__독서__ (讀書) [독써] 책을 읽음. (예)가을은 독서의 계절이다. **—하다**.

독서 감:상문 (讀書感想文) [독써—] 책을 읽고 마음에 느끼어 일어나는 생각을 적은 글. [비] 독후감.

독서삼매 (讀書三昧) [독써삼매] 오직 책 읽기에만 몰두함. (예)독서삼매에 빠지다.

독서실 (讀書室) [독써실] 공부하고 책을 읽을 수 있도록 꾸민 업소.

독선 (獨善) [독썬] 자기 혼자만이 옳다고 생각하고 행동하는 일. (예)독선에 빠지다 / 독선적인 생각.

독설 (毒舌) [독썰] 남을 심하게 욕하거나 비판하는 사나운 말. (예)독설을 퍼붓다.

독성 (毒性) [독썽] 독이 있는 성분이나 성질. (예)독성이 강한 물질.

독소 (毒素) [독쏘] **1** 해롭거나 나쁜 요소. **2** 독이 있는 화합물.

독수리 (禿—) [독쑤리] 수릿과의 크고 사나운 새. 날개 길이 70-90 cm, 빛은 짙은 갈색, 다리는 회색으로 부리와 발톱이 날카롭고 큼. 나무나 절벽 따위에 집을 짓고 살며 주로 죽은 동물을 먹음.

〈독수리〉

독식 (獨食) [독씩] 이익을 혼자 독차지함. **—하다**.

독신 (獨身) [독씬] **1** 형제자매가 없는 사람. **2** 결혼하지 않고 혼자 사는 사람. (예)독신 여성 / 독신을 고집하다. [비] 홀몸.

독신자 (獨身者) [독씬자] 배우자 없이 혼자 사는 사람.

독실하다 (篤實—) [독씰하다] 열성 있고 성실하다. (예)독실한 신자.

독약 (毒藥) [도갹] 사람이나 동물의 생명을 해치는, 독성이 있는 약.

독일 (獨逸) [도길] 〖국명〗 중부 유럽에 있는 나라. 제2차 세계 대전 후 국토가 동서로 갈리었다가 1990년 10월에 통일되었음. 수도는 베를린. 도이칠란트.

독자[1] (獨子) [독짜] 하나뿐인 아들. (예)삼대 독자인 아들을 얻다. [비] 외아들.

독자² (讀者) [독짜] 책·신문·잡지 따위의 출판물을 읽는 사람. ㉠독자의 편지를 받다.

독자적 (獨自的) [독짜적] **1** 남에게 의지하지 않고 혼자 하는 (것). ㉠독자적인 연구. **2** 남의 것을 흉내 내지 않은 독특한 (것). 독창적인 (것). ㉠독자적인 전통과 문화.

*__독재__ (獨裁) [독째] 한 사람 또는 소수 집단이 마음대로 국민을 지배함. ㉠독재 국가. 비 전제. **—하다**.

독재자 (獨裁者) [독째자] 독재 정치를 하는 사람.

독재 정치 (獨裁政治) [독째—] 국민의 의견을 무시하고 지배자 한 사람이나 몇 사람이 마음대로 하는 정치. 반 민주 정치.

독점 (獨占) [독쩜] 어떤 이로운 것을 혼자 차지함. ㉠독점 사업 / 이익을 독점하다. 비 독차지. **—하다**.

독종 (毒種) [독쫑] 성질이 매우 모질거나 냉정한 사람. ㉠너 같은 독종은 처음 봤다.

독주¹ (獨走) [독쭈] 경주 등에서 남을 앞질러 혼자서 앞서 나감. **—하다**.

독주² (獨奏) [독쭈] 혼자 악기를 연주함. 반주가 있을 때도 있고 없을 때도 있음. ㉠바이올린 독주를 하다. 반 합주. **—하다**.

독주곡 (獨奏曲) [독쭈곡] 한 악기로 연주하도록 된 곡. ㉠피아노 독주곡.

독지가 (篤志家) [독찌가] 자신의 이익에 상관하지 않고 어려운 이웃에 돈이나 물품을 주어 돕는 사람.

독차지 (獨—) 혼자서 모두 차지함. ㉠재산을 독차지하다. 비 독점. **—하다**.

독창 (獨唱) 혼자서 노래를 부름. 솔로. 반 합창. **—하다**.

독창곡 (獨唱曲) 혼자서 부르도록 된 노래.

독창력 (獨創力) [독창녁] 혼자서 새로운 것을 생각해 내거나 만들어 내는 능력이나 재주. ㉠독창력이 뛰어난 작품. 비 창조력.

독창성 (獨創性) [독창썽] 독창적인 성향이나 성질. ㉠독창성을 기르다 / 독창성을 살리다.

독창적 (獨創的) 혼자서 새로운 것을 생각해 내거나 만들어 내는 (것). ㉠독창적인 작품.

독창회 (獨唱會) 한 사람이 노래하는 음악회. ㉠독창회를 열다.

독촉 (督促) 일을 서둘러 하라고 재촉함. ㉠돈을 갚으라고 독촉하다. **—하다**.

독충 (毒蟲) 독이 있는 벌레. 비 독벌레.

독침 (毒針) **1** 독을 묻힌 바늘이나 침. **2** 벌·개미 따위 암컷의 배 끝에 있는, 독을 내쏘는 바늘 같은 기관. ㉠독침에 쏘이다. 비 독바늘.

*__독특하다__ (獨特—) [독트카다] 특별하게 다르거나 뛰어나다. ㉠독특한 맛 / 독특한 건축 양식.

독파 (讀破) 책을 처음부터 끝까지 다 읽음. **—하다**.

독하다 (毒—) [도카다] **1** 독기가 있다. **2** 맛이나 냄새가 자극적이고 진하다. ㉠독한 냄새. **3** 성질이 모질고 잔인하다. **4** 참고 견디는 힘이 굳세다. ㉠마음을 독하게 먹다.

독학 (獨學) [도칵] 스승 없이 또는 학교에 다니지 않고 혼자서 공부함. ㉠독학으로 고시에 합격하다 / 영어를 독학하다. **—하다**.

독해 (讀解) [도캐] 글을 읽고 그 내용을 이해함. ㉠영어 문장을 독해하다. **—하다**.

독해력 (讀解力) [도캐력] 글을 읽고서 이해할 수 있는 능력. ㉠독해력을 키우다.

독후감 (讀後感) [도쿠감] 책이나 글을 읽고 난 뒤의 느낌. 또는 그 느낌을 적은 글. 비 독서 감상문.

*돈:[1] 1 물건을 사고팔 때 쓰는 물건. 예돈을 내다 / 돈을 벌다 / 돈을 세다. 비 화폐. 2 재물이나 재산. 예 돈 많은 사람. ➡ money

*돈:[2] 금·은·보석 같은 귀금속이나 한약의 무게를 나타내는 말. 예한 돈짜리 금반지.

돈독하다 (敦篤—) [돈도카다] 인정이 두텁다. 예형제간의 우애가 돈독하다.

돈독히 (敦篤—) [돈도키] 돈독하게. 예우정을 돈독히 하다.

돈:방석 (—方席) [돈빵석] 돈을 아주 많이 가지고 있음을 비유한 말.

돈방석에 앉다 썩 많은 돈을 가지게 되다. 예복권 당첨으로 돈방석에 앉게 되었다.

돈:벌이 [돈뻐리] 돈을 버는 일. 예 돈벌이가 괜찮다. **—하다.**

돈의문 (敦義門) [도늬문 / 도니문] 서울 4 대문의 하나로 옛 서울의 서쪽에 있던 정문 이름. 보통 '서대문'이라 함.

돈화문 (敦化門) 서울시 종로구에 있는 창덕궁의 정문. 현재 서울에 남아 있는 목조 건물 가운데 가장 오래된 건물임. 보물 제 383 호.

돋구다 [돋꾸다] 더 높게 하다.

> 주의 **돋구다**와 **돋우다**
> **돋구다** 정도를 더 높게 한다는 뜻. 예안경의 도수를 돋구다.
> **돋우다** 위로 끌어 올리다, 높아지게 하다, 가운데를 소복하게 만들다의 뜻. 예용기를 돋우다 / 호미로 흙을 돋우다 / 심지를 돋우다.

*돋다 [돋따] 1 새싹 따위가 생겨 나오다. 예새싹이 돋다. 2 해나 달이 솟아오르다. 예해가 돋다. 3 살갗에 어떤 것이 우툴두툴하게 내밀다. 예 두드러기가 돋다.

*돋보기 [돋뽀기] 1 작은 것을 크게 보이게 하는, 알의 가운데가 볼록한 안경. 흔히 노인이 씀. 예돋보기를 끼고 신문을 보다. 2 ⇨확대경.

돋보이다 [돋뽀이다] 실제보다 더 크게 또는 더 좋게 보이다. 예한층 돋보이는 연기. 본 도두보이다.

돋아나다 [도다나다] 1 싹이나 움 따위가 솟아 나오다. 예파릇파릇한 새싹이 돋아나다. 2 해·별 따위가 하늘에 또렷이 솟아오르다. 3 살갗에 종기가 생기다. 예얼굴에 여드름이 돋아나다.

돋우다 [도두다] 1 위로 끌어 올리다. 예심지를 돋우다. 2 기분·느낌·의욕 따위의 감정을 자극하여 일으키다. 예용기를 돋우다. 3 밑을 괴거나 쌓아 올려 높게 하다. 예발을 돋우다. 4 입맛이 좋아지게 하다. 예식욕을 돋우다. 준 돋다. →돋구다 주의

돋을새김 [도들새김] ⇨부조[2]. 예 돋을새김을 한 관세음보살상.

돋치다 돋아서 내밀다. 예뿔이 돋치다 / 가시 돋친 말.

*돌[1] 1 태어난 뒤에 해마다 돌아오는 그날. 2 '첫돌'의 준말. 예돌잔치. 3 특정한 날이 해마다 돌아올 때, 그 횟수를 세는 말. 예개교 열 돌을 맞다. ×돐.

*돌:[2] 바위의 조각으로 모래보다 큰 덩어리. 예돌을 쌓다. ➡ stone

돌:개바람 ⇨회오리바람.

돌격 (突擊) 1 갑자기 덤벼 침. 2 적진으로 쳐들어가 공격함. 예돌격을 감행하다. 비 돌진. **—하다.**

돌:고드름 석회 동굴의 천장에 고드름처럼 달려 있는 석회암. 비 종유석.

돌고래 돌고랫과의 포유동물. 생김새는 고래와 비슷하나 작음. 온대 해안에 살며 몸길이는 1-5 m, 등은 짙은 갈색에 배 쪽은 흼. 양 턱에 많

은 이가 나고 주둥이는 가늘고 길며 등지느러미가 큼. 길들여 재주를 부리게도 함. ➡ dolphin

돌기 (突起) 어떤 것의 일부가 뾰족하게 내밀거나 도드라져 나옴. 또는 그렇게 된 것. ㉠해삼은 겉에 돌기가 많다. **—하다.**

돌:기둥 돌을 다듬어서 만든 기둥. ㉥석주.

돌:길 [돌낄] **1** 돌이나 자갈이 많은 길. **2** 돌을 깐 길.

***돌:다** **1** 한 곳을 중심으로 원을 그리며 움직이다. ㉠팽이가 돌다. **2** 소문이나 전염병 등이 널리 퍼지다. ㉠이상한 소문이 돌고 있다. **3** 가까운 길을 두고 먼 길로 가다. ㉠돌아서 가는 길. **4** 정신이 이상해지다. ㉠머리가 돌다. **5** 기운이 드러나다. ㉠생기가 돌다. **6** 눈물이나 침 따위가 생기다. ㉠군침이 돌다 / 눈물이 핑 돌다. **7** 길을 끼고 방향을 바꾸게 하다. ㉠모퉁이를 돌다. 활용 돌아 / 도니 / 도는. ➡ turn

돌:다리 돌로 만든 다리.

돌:담 돌로 쌓은 담.

돌:덩이 [돌떵이] 돌멩이보다 크고 바위보다 작은 돌.

돌:도끼 돌로 만든 도끼.

돌돌 **1** 여러 겹으로 둥글게 말리는 모양. ㉠종이를 돌돌 말다. **2** 작고 둥근 물건이 가볍고 빠르게 구르는 소리. ㉠구슬이 돌돌 구르다. 큰 둘둘. 센 똘똘.

돌려놓다 [돌려노타] **1** 방향을 바꿔 놓다. **2** 마음·결심 따위를 바꾸게 하다. ㉠마음을 돌려놓다.

돌려받다 [돌려받따] 주었던 것을 다시 받다. ㉠빌려 준 돈을 돌려받다. 반 돌려주다.

돌려보내다 **1** 가져온 것을 도로 보내다. ㉠선물 꾸러미를 돌려보내다. **2** 찾아온 사람을 그냥 보내다.

돌려쓰다 **1** 돈이나 물건을 변통하여 쓰다. **2** 쓰임을 여러 가지로 바꾸어 가며 쓰다. ㉠이 침대는 소파로도 돌려쓸 수 있다. 활용 돌려써 / 돌려쓰니.

돌려주다 남의 것을 도로 보내 주다. ㉠빌려 온 책을 돌려주다. 반 돌려받다.

돌려짓기 [돌려짇끼] 같은 땅에 여러 가지 농작물을 해마다 바꾸어 심는 방법. ㉥윤작. 반 이어짓기. **—하다.**

***돌리다** **1** 돌게 하다. ㉠바퀴를 돌리다. **2** 남에게 책임이나 공을 넘기다. ㉠아랫사람에게 공을 돌리다. **3** 방향을 다른 쪽으로 바꾸다. ㉠화제를 돌리다. **4** 여러 곳으로 배달하다. ㉠신문을 돌리다. **5** 마음을 달리 먹다. ㉠가려던 마음을 돌리다. **6** 가동하거나 운영하다. ㉠공장의 기계를 돌리다.

돌림 **1** 차례대로 돌아가는 일. **2** ⇨ 항렬. ㉠돌림자.

돌림 노래 같은 노래를 일정한 마디의 사이를 두고 뒤따르며 부르는 합창. ㉥윤창.

돌림병 (一病) [돌림뼝] 한 사람에게서 다른 사람에게로 옮아 앓게 되는 병. ㉠돌림병이 돌다 / 돌림병이 퍼지다. ㉥유행병.

돌:멩이 돌덩이보다 작고 자갈보다 큰 돌. ㉠돌멩이를 던지다. ×돌맹이.

돌:무더기 돌덩이가 쌓인 무더기.

돌:무덤 돌을 높이 쌓아 올려 만든 무덤. ㉥석총.

돌:무지 돌이 많이 깔려 있는 땅. ㉠돌무지를 개간하다.

돌발 (突發) 예상하지 못했던 일이 갑자기 일어남. ㉠돌발 사고 / 돌발 사태. **—하다.**

돌발적 (突發的) [돌발쩍] 예상하지 못했던 일이 갑자기 일어나는 (것). ㉠돌발적인 상황이 벌어지다.

돌변하다 (突變—) 갑작스럽게 변하다. ㉠태도가 돌변하다.

*__돌:보다__ 관심을 가지고 보살피다. ㉠아기를 돌보다 / 건강을 돌보다.

돌:부리 [돌뿌리] 땅 위로 내민 돌멩이의 뾰족한 부분. ㉠돌부리에 걸려 넘어지다.

돌:부처 1 돌로 만든 불상. 비 석불. 2 감각이 둔하고 고집이 센 사람.

돌:산 (—山) 바위나 돌이 많은 산. 비 석산.

돌:솥 [돌솓] 돌로 만든 솥.

*__돌아가다__ [도라가다] 1 물체가 축을 중심으로 하여 둥글게 움직이다. ㉠바퀴가 돌아가다. 2 있던 곳으로 다시 가다. ㉠집으로 돌아가다. 3 차례로 옮기어 가다. ㉠돌아가며 노래를 부르다. 4 '죽다'의 높임말. ㉠할머니께서 돌아가셨다. 5 가까운 길을 두고 먼 길로 가다. ㉠시위 행렬을 피해 샛길로 돌아갔다. 6 어떤 상태로 끝나다. ㉠일이 수포로 돌아가다. 활용 돌아가거라.

돌아눕다 [도라눕따] 방향을 바꾸어 눕다. ㉠돌아누워 눈물을 닦는다. 활용 돌아누워 / 돌아누우니.

*__돌아다니다__ [도라다니다] 1 여기저기 쏘다니다. ㉠전국을 돌아다니다. 2 병이나 소문 따위가 널리 퍼지다. ㉠독감이 돌아다니다.

돌아들다 [도라들다] 1 돌고 돌아서 일정한 곳으로 들어오다. 2 흐르는 물 따위가 굽이를 돌아서 들어오다. 활용 돌아들어 / 돌아드니 / 돌아드는.

*__돌아보다__ [도라보다] 1 고개를 돌려 보다. ㉠주위를 돌아보다. 2 지난 일을 다시 생각해 보다. ㉠어린 시절을 돌아보다. 3 돌아다니며 두루 살피다. ㉠집 안팎을 돌아보다. 4 돌보다. ㉠가정을 돌아보다.

*__돌아서다__ [도라서다] 1 뒤로 향하고 서다. ㉠인사를 하고 돌아서다. 2 남과 등지다. ㉠싹 돌아서서 말도 안 한다.

*__돌아앉다__ [도라안따] 앉은 자리에서 다른 쪽으로 방향을 바꾸어 앉다. ㉠토라져서 홱 돌아앉다.

*__돌아오다__ [도라오다] 1 다시 오다. 2 차례나 순서가 닥치다. ㉠발표할 차례가 돌아오다. 3 몫으로 주어지다. ㉠책임이 내게 돌아오다. 4 곧장 오지 않고 돌아서 오다. ㉠먼 길로 돌아오다. 활용 돌아오너라.

돌연 (突然) [도련] 갑자기. 뜻밖에. ㉠돌연 차를 세우다. **—하다. —히.**

돌연변이 (突然變異) [도련벼니] 어버이의 계통에는 없던 새로운 형태와 성질이 자손에게 갑자기 나타나는 일. 비 우연 변이.

돌이키다 [도리키다] 1 향하고 있던 방향과 반대쪽으로 돌리다. ㉠발길을 돌이키다. 2 반성하여 생각하다. ㉠자기 자신을 돌이켜 보다. 3 지난 일을 다시금 생각하다. ㉠그 일은 돌이키고 싶지 않다. 4 본디의 상태로 돌아가게 하다. ㉠돌이킬 수 없는 실수.

돌입하다 (突入—) [도리파다] 세찬 기세로 갑자기 뛰어들다. ㉠선진국 대열에 돌입하다.

돌:조각 (—彫刻) 돌로 만든 조각.

돌진 (突進) [돌찐] 거침없이 세차게 곧장 나아감. ㉠적진 속으로 돌진하다. **—하다.**

돌:쩌귀 여닫는 문짝을 문설주에 붙어 있게 하는 쇠붙이로 만든 한 벌의 장치.

돌출 (突出) 1 툭 튀어나옴. ㉠돌출 발언. 2 쑥 내밀어 있음. ㉠바위가 돌출되어 있다. **—하다.**

돌:층계 (—層階) [— / 돌층게] 돌로 쌓아 만든 층계. 비 돌계단.

돌:칼 석기 시대에 쓰던, 돌로 만든 칼. 비 석도.

돌:탑 (—塔) 돌로 쌓아올린 탑. 비 석탑.

돌파 (突破) **1** 쳐서 깨뜨려 뚫고 나아감. 예적진을 돌파하다. **2** 기준·기록 등을 넘어섬. 예인구가 4,500만을 돌파하다 / 목표량이 돌파되다. **3** 장애·어려움 등을 이겨 냄. 예난국을 돌파하다. **—하다.**

돌파구 (突破口) **1** 진지 등의 한쪽을 깨뜨려서 만든 통로나 목. 예돌파구를 뚫다. **2** 장애나 어려움 따위를 해결하는 실마리. 예사태 해결의 새 돌파구를 찾다.

돌:팔매 무엇을 맞히려고 던지는 돌멩이. 예돌팔매를 던지다 / 돌팔매로 새를 잡다.

돌:팔매질 무엇을 맞히려고 돌멩이를 던지는 짓. **—하다.**

돌:팔이 [돌파리] 제대로 된 자격이나 실력이 없이 전문적인 일을 불법으로 하는 사람. 예돌팔이 의사.

돌풍 (突風) **1** 갑자기 세게 부는 바람. 예돌풍이 일다. **2** 갑작스레 많은 관심을 끌거나 커다란 영향을 미치는 현상. 예돌풍을 일으키다.

돌:하르방 제주도에서 안녕과 질서를 지켜 준다고 믿는 수호 석신.

〈돌하르방〉

돔 (dome) 반구형으로 된 지붕이나 천장.

*__돕:다__ [돕따] **1** 남이 하는 일을 거들거나 힘을 보태다. 예부엌일을 돕다 / 서로 도우며 살다. **2** 위험이나 어려운 상황에서 벗어나게 보살피고 돌보다. 예불우 이웃을 돕다. **3** 어떤 상태를 촉진·증진시키다. 예소화를 돕다. 활용 도와 / 도우니. → [학습마당] 1(98 쪽) help

돗바늘 [돋빠늘] 돗자리·구두·가죽 따위를 꿰매는 데 쓰는 길고 굵은 바늘.

돗자리 [돋짜리] 왕골이나 골풀의 줄기를 잘게 쪼개어 짠 자리. 예돗자리를 깔다.

*__동__[1] (東) ⇨동쪽. 반 서.

*__동:__[2] (洞) 시·구·읍을 구성하는 지방 행정 구역.

*__동__[3] (銅) ⇨구리. 예동메달.

동[4] (棟) **1** 건물의 수를 세는 말. 예열 동짜리 아파트. **2** 여러 아파트 건물 하나하나에 차례로 매긴 번호. 예2동 908호.

동감 (同感) 남과 같은 생각이나 느낌. 예나도 그 생각에 동감이다 / 전적으로 동감하다. **—하다.**

동갑 (同甲) 같은 나이. 나이가 같은 사람. 예동갑내기.

동강 긴 물건을 작고 짤막하게 자른 도막. 예나무를 동강 내다.

동강이 동강 난 물건.

동거 (同居) 한집에서 함께 사는 일. 예동거 생활. 반 별거. **—하다.**

동격 (同格) [동껵] 같은 자격이나 지위. 예동격으로 대우하다.

동:결 (凍結) **1** 기온이 낮아 얼어붙음. **2** 물가나 임금 따위를 올리는 것을 금하는 일. 예임금을 동결하다. **—하다.**

동경[1] (東京) 일본의 '도쿄'를 우리 한자음으로 읽은 이름.

동경[2] (東經) 본초 자오선을 기준으로, 지구 위에서 동쪽에 있는 어떤 장소의 위치를 나타내는 경도. 반 서경.

동:경[3] (憧憬) 그리워하고 늘 생각함. 예동경의 대상. **—하다.**

동:계 (冬季) [— / 동게] 겨울철. 예동계 올림픽 대회. 비 동절.

동고동락 (同苦同樂) [동고동낙] 괴로움도 즐거움도 같이함. 예동고동락하던 벗. **—하다.**

동:공 (瞳孔) ⇨눈동자.

동구[1] (東歐) ⇨동유럽. 반 서구.
동:구[2] (洞口) 동네로 들어가는 어귀. 예동구 밖까지 마중 나가다.
동국 (東國) **1** 예전에, 우리나라를 일컫던 말. **2** 동쪽에 있는 나라.
동국여지승람 (東國輿地勝覽) [동궁녀지승남] 〖책〗 조선 때 성종의 명으로 노사신·양성지 등이 지은 지리책. 각 도의 지리·풍속·역사·특산물·효자·위인 등의 이야기가 기록되어 있음.
동국통감 (東國通鑑) 〖책〗 조선 성종 때 서거정 등이 왕명을 받아, 신라 초부터 고려 말까지 1,400년간의 역사를 기록한 책.
동국통보 (東國通寶) 고려 숙종 때 만든 엽전의 하나. 가운데에 네모난 구멍이 뚫려 있음.
동:굴 (洞窟) 자연적으로 생긴 깊고 넓은 큰 굴. 예동굴 속에 숨어 살다. 비 동혈.
동그라미 동그랗게 생긴 모양. 예맞는 답에 동그라미 표시를 하다. 비 원.
***동그랗다** [동그라타] 또렷하게 동글다. 예동그랗게 원을 그리다. 큰 둥그렇다. 센 똥그랗다. 활용 동그라니 / 동그래서.
동그래지다 동그랗게 되다. 예깜짝 놀라 눈이 동그래지다. 큰 둥그레지다. 센 똥그래지다.
동그스름하다 모나지 않고 좀 동글다. 예동그스름한 얼굴. 큰 둥그스름하다.
동글다 동그란 모양으로 되어 있다. 예얼굴이 동근 아이. 큰 둥글다. 활용 동글어 / 동그니 / 동근.
동글동글 **1** 여럿이 모두 동근 모양. 예아이들의 동글동글한 눈망울. **2** 동그라미를 그리며 잇달아 돌아가는 모양. 큰 둥글둥글. 센 똥글똥글. **—하다**.
동급 (同級) **1** 같은 등급. **2** 같은 학급이나 학년.
동급생 (同級生) [동급쌩] 같은 학급이나 학년의 학생.
동기[1] (同氣) 형제와 자매. 예동기간에 우애가 깊다.
동기[2] (同期) **1** 같은 시기. **2** 학교나 회사 따위에 같은 시기에 들어간 사람. 예동기 동창 / 입사 동기.
동:기[3] (動機) 결정이나 행동의 직접적인 원인. 예범행 동기. 비 계기.
동나다 **1** 늘 쓰던 물건이 다 떨어져 없어지다. 예기름이 동나다. **2** 상품이 다 팔리다. 예할인 품목은 이미 동났다.
동남 (東南) **1** 동쪽과 남쪽. **2** 동쪽과 남쪽의 중간이 되는 방위. 예동남풍. 비 남동.
동남아시아 (東南Asia) 아시아의 동남부 지역. 대개 인도차이나 반도·필리핀·인도네시아 등의 지역을 말함. 준 동남아.
동남쪽 (東南—) 동쪽과 남쪽 사이의 방위.
동:냥 **1** 거지가 돌아다니며 돈이나 물건 따위를 구걸함. 예동냥을 얻다 / 동냥을 주다. **2** 승려가 시주를 얻으려고 돌아다님. **—하다**.
***동:네** (洞—) 자기가 사는 집의 근처. 예동네 사람들 / 동네에 소문이 퍼지다. 비 동리. 마을.
동:네방네 (洞—坊—) 온 동네. 이 동네 저 동네. 예동네방네 떠벌리고 다니다.
동년 (同年) **1** 같은 해. **2** 같은 나이. 예아내와 나는 동년이다.
동년배 (同年輩) 나이가 같은 또래. 예동년배끼리 친하게 지내다.
동녘 (東—) [동녁] 동쪽의 방향. 예동녘 하늘이 밝아 오다. 반 서녘.
동대문 (東大門) 서울 동쪽의 큰 성문이란 뜻으로, '흥인지문'을 달리 일컫는 말.
동댕이치다 **1** 힘껏 내던지다. 예

가방을 동댕이치고 놀러 나가다. **2** 하던 일을 그만두다.

***동동¹** 안타깝거나 추울 때 발을 자꾸 구르는 모양. ㉠발을 동동 구르다. **—거리다.**

동동² 작은물체가 물 위에 떠서 가볍게 움직이는 모양. ㉠종이배가 동동 떠내려가다. ㉢둥둥.

동동걸음 [동동거름] 급하거나 추워 발을 자주 떼며 걷는 걸음.

동등 (同等) 등급이나 정도가 같음. ㉠동등한 대우 / 동등한 조건에서 공부하다. **—하다.**

동등권 (同等權) [동등꿘] 서로 똑같이 누릴 수 있는 권리. ㉠남녀 동등권.

동떨어지다 [동떠러지다] **1** 거리가 멀리 떨어지다. ㉠집과 직장이 동떨어져 있어 출퇴근하기가 불편하다. **2** 관련이 거의 없다. ㉠회의와 동떨어진 의견은 말하지 말자.

동ː란 (動亂) [동난] 폭동·반란·전쟁 따위가 일어나 사회가 질서를 잃고 혼란해지는 일. ㉡난리.

동ː력 (動力) [동녁] 전기·물·바람·열 따위를 이용하여 기계를 움직이는 힘.

동ː력 자원 (動力資源) [동녁짜원] 기계를 움직이는 힘의 원천이 되는 자원. 석유·석탄·물·바람 따위.

동료 (同僚) [동뇨] 같은 직장에서 함께 일하는 사람. ㉠직장 동료.

동류 (同類) [동뉴] **1** 같은 종류. ㉡동종. **2** 같은 무리. ㉠동류로 취급되다.

동률 (同率) [동뉼] 같은 비율이나 비례. ㉠동률 우승.

동ː리 (洞里) [동니] ⇨마을.

동ː맥 (動脈) 심장의 피를 몸의 각 부분으로 보내는 핏줄. ㉤정맥.

동맹¹ (同盟) 같은 목적이나 이익을 위해 행동을 같이할 것을 맹세하여 맺는 약속이나 조직체. ㉠동맹 파업 / 동맹을 맺다. **—하다.**

동맹² (東盟) 고구려 때 해마다 10월에 지내던 일종의 추수 감사제.

동맹국 (同盟國) 서로 동맹을 맺은 나라. ㉠우리나라와 미국은 동맹국이다.

동메달 (銅medal) 경기나 대회에서 3등을 한 사람에게 주는, 구리로 만든 메달. ㉠동메달을 따다.

동ː면 (冬眠) 뱀·개구리·곰 등이 겨울 동안 땅속이나 굴속 등에서 잠자는 것처럼 활동을 멈춘 상태. ㉡겨울잠. **—하다.**

동명¹ (同名) 이름이 서로 같음. 또는 같은 이름.

동ː명² (洞名) 동네의 이름.

동명 성ː왕 (東明聖王) 〖인명〗 고구려의 시조. 이름은 주몽. 해모수의 아들. 자기를 해치려고 한 동부여에서 탈출하여 졸본에 나라를 세우고 이름을 고구려라 하였음. 동명왕. [기원전 58-기원전 19 ; 재위 기원전 37-기원전 19]

동명이인 (同名異人) 같은 이름을 가진 서로 다른 사람. ㉠범인은 내가 아는 사람과 동명이인이었다.

동몽선습 (童蒙先習) 〖책〗 예전에 서당에서 어린이들이 천자문을 익힌 다음 배우던 한문 책. 조선 중종 때 박세무가 지었음.

***동무** 늘 친하게 어울리는 사람. ㉠동무들과 오락을 하다. ㉡벗. 친구.

동문¹ (同門) 같은 학교를 나왔거나 같은 스승에게서 배운 사람. ㉠중학교 동문. ㉡동창.

동문² (東門) 동쪽에 있는 문.

동문서답 (東問西答) 묻는 말에 맞지 않은 엉뚱한 대답을 함. **—하다.**

***동ː물** (動物) **1** 새·짐승·물고기 따위의 생물. ㉤식물. **2** 사람 이외의 동물. ➡ animal

동ː물 병ː원 (動物病院) 동물들만 전문적으로 치료하는 병원.

동ː물성 (動物性) [동물썽] 동물이 지닌 체질이나 성질. ㉠동물성 지방. 반 식물성.

*__동ː물원__ (動物園) [동무뤈] 일정한 시설을 갖춘 곳에 여러 가지 동물을 모아 가두어 기르면서 사람들에게 구경시키는 곳. 반 식물원. ➡ zoo

동반 (同伴) 일을 하거나 길을 갈 때 짝을 이뤄 함께 함. ㉠부부 동반으로 여행을 가다. 비 동행. **—하다.**

동반구 (東半球) 지구를 동서 두 쪽으로 나눈 것의 동쪽 부분. 반 서반구.

동반자 (同伴者) **1** 짝이 되어 함께 하는 사람. ㉠인생의 동반자. **2** 이해하고 뜻을 함께하는 사람. 비 동조자.

동방[1] (東方) 동쪽. 동쪽 지방. ㉠동방 박사. 반 서방.

동방[2] (東邦) **1** 동쪽에 있는 나라. **2** 우리나라.

동백꽃 (冬柏—) [동백꼳] 동백나무의 꽃.

동백나무 (冬柏—) [동뱅나무] 차나뭇과의 상록 활엽 교목. 잎은 타원형으로 두껍고 광택이 남. 봄에 붉은색·흰색의 큰 꽃이 가지 끝에 피고 열매는 가을에 붉게 익음. 열매에서 짜낸 기름은 머릿기름·등유 따위로 씀. 따뜻한 지방의 해안에서 자람.

〈동백나무〉

동병상련 (同病相憐) [동병상년] 같은 병을 앓는 환자끼리 서로 가엾게 여긴다는 뜻으로, 어려운 처지에 있는 사람끼리 서로 동정하고 도움.

동ː복 (冬服) 겨울철에 입는 옷. 비 겨울옷. 반 하복.

동봉 (同封) 같이 넣어 함께 봉함. ㉠사진을 동봉하다. **—하다.**

동부 (東部) 어떤 지역의 동쪽 부분. ㉠동부 지방. 반 서부.

동부여 (東扶餘) 고대 두만강 유역에 있던 나라. 부여왕 해모수의 아들 해부루가 가섭원으로 서울을 옮긴 뒤부터의 국호임.

동북 (東北) **1** 동쪽과 북쪽. **2** 동쪽과 북쪽 사이의 방위.

동분서주 (東奔西走) 이리저리 바쁘게 돌아다님. ㉠일자리를 찾아 동분서주하다. **—하다.**

동ː사 (動詞) 사람이나 사물의 동작이나 작용을 나타내는 말. 쓰임이나 성질에 따라 형태가 변함. 비 움직씨.

동사강목 (東史綱目) 〖책〗 조선 영조 때 안정복이 지은 역사책. 기자 조선 때부터 고려 때까지의 역사를 기록하였음.

동ː사무소 (洞事務所) 동의 행정 사무를 맡아보는 곳.

*__동산__[1] 집이나 마을 부근에 있는 작은 산이나 언덕. ㉠뒷동산 / 동산에 꽃이 만발했다.

동ː산[2] (動産) 토지나 건물이 아닌, 쉽게 옮길 수 있는 재산. 돈·보석·가구 따위. 반 부동산.

동ː상[1] (凍傷) 추위 때문에 피부가 얼어서 상하는 일. 또는 그 상처. ㉠동상에 걸리다.

동상[2] (銅賞) 상의 등급을 금·은·동으로 나누었을 때의 3등 상.

동상[3] (銅像) 구리로 만든 사람이나 동물의 모양. ㉠안중근 의사의 동상.

동상이몽 (同牀異夢) '같은 잠자리에서 서로 다른 꿈을 꾼다'는 뜻으로, 겉으로는 같이 지내지만 속으로는 다른 생각을 하고 있음을 일컫는 말.

*__동생__ (同生) 같은 부모에게서 태어난 사이거나 친척 가운데 손아랫사람. ㉠사촌 동생 / 동생을 돌보다. 비 아우. 반 언니. 형.

동서[1] (同壻) 자매의 남편끼리 또는 형제의 아내끼리 서로 부르는 말. ㉠동서 간에 사이가 좋다.

동서[2] (東西) **1** 동쪽과 서쪽. ㉠동서로 뻗은 길. **2** 공산주의 진영과 자유주의 진영을 함께 일컫는 말. ㉠동서 냉전. **3** 동양과 서양. ㉠동서 문화의 교류.

동서고금 (東西古今) 동양과 서양, 옛날과 지금을 통틀어 이르는 말로, '어디서나, 언제나'의 뜻. ㉠동서고금에 없는 일이다.

동서남북 (東西南北) 동쪽과 서쪽과 남쪽과 북쪽. 곧, 모든 방향. 모든 곳.

동서양 (東西洋) 동양과 서양. 곧, 온 세계.

동석 (同席) 자리를 같이함. 또는 같은 자리. **—하다.**

동선[1] (銅線) 구리로 만든 가는 철사. ㉥구리철사.

동:선[2] (動線) 어떤 일을 할 때 몸이 움직이는 자취나 방향. ㉠동선을 고려해서 가구를 배치하다.

동성[1] (同性) **1** 성질이 같음. **2** 남녀나 암수의 성이 같음. ㉠동성 친구. ㉡이성.

동성[2] (同姓) 같은 성.

동성애 (同性愛) 남자와 남자, 또는 여자와 여자끼리 하는 사랑.

동수 (同數) 같은 수효. ㉠찬반 동수가 되다.

동승 (同乘) 자동차·배·비행기 따위에 같이 탐. ㉠택시에 동승하다. **—하다.**

*__동시__[1] (同時) **1** 같은 때나 같은 시기. ㉠동시 녹음 / 동시에 도착하다. **2** 함께. 아울러. ㉠장점인 동시에 단점이다.

동:시[2] (童詩) 어린이의 생활이나 마음의 움직임 또는 꿈의 세계를 나타낸 시. 또는 어린이가 쓴 시.

동:시집 (童詩集) 어린이를 위한 시를 모아 엮은 책.

동:식물 (動植物) [동싱물] 동물과 식물. ㉠동식물의 분포.

동:심 (童心) 어린이의 마음. 또는 어린이처럼 순진한 마음. ㉠동심의 세계 / 동심으로 돌아가다.

동심원 (同心圓) [동시뭔] 같은 중심을 가지며 크기가 다른 둘 이상의 원.

동아리[1] 크거나 긴 물건의 한 부분. ㉠생선의 가운데 동아리.

동아리[2] 목적이 같은 사람끼리 이룬 무리. ㉠동아리에 가입하다.

동아시아 (東Asia) 아시아의 동부. 곧, 한국·중국·일본을 포함하는 지역을 이름.

동아줄 굵고 튼튼하게 꼰 줄.

*__동안__[1] 어느 때부터 어느 때까지의 사이. ㉠방학 동안 / 살아 있는 동안. ㉥사이.

동:안[2] (童顔) 나이 든 것에 비해 젊어 보이는 얼굴. ㉠동안이라 나이를 짐작할 수 없다.

*__동양__ (東洋) 동쪽 아시아 및 그 부근. 한국·중국·일본 등이 있음. ㉠동양 문학. ㉡서양.

동양계 (東洋系)[— / 동양게] 동양 계통의 사람.

동양인 (東洋人) 동양의 여러 나라 사람. ㉡서양인.

동양적 (東洋的) 동양의 특징이 있는 (것). ㉠동양적 미인. ㉡서양적.

동양화 (東洋畫) 한국·중국·일본 등에서 예로부터 발달한 그림. 주로 먹을 사용하여 종이나 헝겊에 산수화·사군자 등을 그림. ㉡서양화.

동업 (同業) **1** 같은 종류의 직업이나 영업. **2** 같이 사업을 함. ㉠동업자. **—하다.**

동여매다 끈이나 실 따위로 두르거나 감아서 묶다. ㉠흰 수건으로 이마를 질끈 동여매다.

동예 (東濊) 지금의 강원도 북부와

함경남도 남쪽에 있던 상고 시대의 부족 국가. 고구려에 병합됨.

동ː요[1] (動搖) **1** 물체 따위가 흔들리고 움직임. ㉥거센 파도에 배가 동요하다. **2** 어수선하고 떠들썩하여 갈팡질팡함. ㉥마음의 동요가 일어나다. **—하다.**

***동ː요**[2] (童謠) 어린아이들의 감정에 맞아 아이들이 부를 만한 노래. ㉥동요를 부르다 / 동요를 짓다.

동ː원 (動員) 어떤 목적을 위하여 사람이나 물건을 한곳으로 모음. ㉥매스 게임에 많은 학생이 동원되다. **—하다.**

동유럽 (東Europe) 유럽의 동부. 폴란드·헝가리·체코·슬로바키아 및 러시아의 서쪽 등이 포함됨. 비 동구. 반 서유럽.

동음 (同音) 같은 소리. 같은 음.

동음이의 (同音異義) [동으미의 / 동으미이] 글자의 음은 같으나 뜻이 다른 단어.

동의[1] (同意) [— / 동이] 뜻이나 의견을 같이함. ㉥결혼에 동의하다. 반 반대. **—하다.** ➡ agreement

동ː의[2] (動議) [— / 동이] 회의 중에 토의할 안건을 내놓음. 또는 그 안건. ㉥긴급 동의. **—하다.**

동의보감 (東醫寶鑑) [— / 동이보감] 〖책〗 조선 때 선조의 명으로 허준이 엮은 의학책. 중국과 우리나라의 의학책을 모아 지음. 동양에서 가장 우수한 의학서의 하나로 꼽힘.

동이 모양이 둥글고 아가리가 넓으며 양옆에 손잡이가 달린 질그릇. 흔히 물 긷는 데 씀. ㉥물동이 / 동이를 이고 가다.

동이다 끈이나 실 따위로 두르거나 감아서 묶다. ㉥머리를 수건으로 동이다.

동인[1] (同人) 뜻을 같이하는 사람. ㉥문학 동인.

동인[2] (東人) 조선 선조 때 동과 서로 갈린 당파 중 김효원·유성룡 등을 지지하던 파. 반 서인.

동ː인[3] (動因) 어떤 사태를 일으키거나 변화시키는 직접적인 원인.

동일 (同一) 차이가 없이 똑같음. ㉥동일 인물 / 동일한 조건. **—하다.**

동일시 (同一視) [동일씨] 같은 것으로 봄. **—하다.**

동일인 (同一人) [동이린] 같은 사람. ㉥동일인의 소행.

동ː자 (童子) 나이 어린 사내아이.

동ː자승 (童子僧) 나이 어린 중.

***동ː작** (動作) 몸이나 손발을 움직이는 일. ㉥기본 동작을 따라하다 / 동작이 굼뜨다 / 동작이 빠르다. 비 거동. 행동. **—하다.**

동ː장 (洞長) 동사무소에서 지위가 제일 높은 사람.

동ː적 (動的) [동쩍] 움직이고 있는 (것). 활동성이 있는 (것). ㉥동적인 묘사. 반 정적.

***동전** (銅錢) 구리나 구리 합금으로 만든 돈. ㉥동전 한 닢 없다 / 동전을 모으다. ➡ coin

동ː절기 (冬節期) 보통 12월에서 2월까지의 추운 때. 비 겨울철. 반 하절기.

동점 (同點) [동쩜] 같은 점수. ㉥동점을 만들다.

동정[1] 한복에서, 저고리 깃 위에 덧대는 폭이 좁고 길면서 빳빳한 흰 헝겊 조각. ㉥동정을 달다.

동정[2] (同情) 남의 불행을 가엾게 여기어 따뜻한 마음을 씀. ㉥동정이 가다 / 동정의 손길. **—하다.**

동ː정[3] (動靜) 일이나 현상이 진행되는 상태나 형편. ㉥적의 동정을 몰래 살피다.

동정심 (同情心) 남을 가엾게 여겨 따뜻이 대하는 마음. ㉥동정심이 많다 / 동정심을 느끼다.

동조 (同調) 다른 사람의 생각이나 주장 따위에 생각을 같이하여 따르는 일. 예학생들의 시위에 동조하다. **—하다**.

동족 (同族) 같은 겨레.

동종[1] (同種) 같은 종류. 예동종 업체 / 동종의 물건.

동종[2] (銅鐘) 구리로 만든 종.

동지[1] (冬至) 이십사절기의 하나. 1년 중 낮이 가장 짧고 밤이 가장 긺. 양력 12월 22-23일경임. 예동지엔 팥죽을 먹는다. 반하지. → [학습마당] 22(863쪽)

동지[2] (同志) 목적이나 뜻이 서로 같은 사람. 예동지를 모으다.

동지섣달 (冬至—) [동지섣딸] 동짓달과 섣달을 아울러 이르는 말.

동지애 (同志愛) 목적과 뜻을 같이하는 사람끼리의 사랑. 예뜨거운 동지애를 느끼다.

동질 (同質) 같은 성질. 예이름은 달라도 동질의 물건이다. 반이질.

동짓달 (冬至—) [동지딸 / 동짇딸] 음력 11월. →달 참고

*__동쪽__ (東—) 해가 뜨는 쪽. 비동. 동녘. 반서쪽. ➲ east

동참 (同參) 어떤 일이나 모임 따위에 함께 참가함. 예여러분의 적극적인 동참을 바랍니다 / 불우 이웃 돕기에 동참하다. **—하다**.

동창[1] (同窓) 같은 학교에서 공부한 사람. 예초등학교 동창. 비동기. 동문.

동창[2] (東窓) 동쪽으로 난 창문. 반서창.

동창생 (同窓生) 같은 학교를 졸업한 사람.

동창회 (同窓會) 같은 학교를 졸업한 사람들이 모여 만든 모임. 예동창회를 갖다.

동체 (胴體) **1** 사람이나 동물의 몸에서, 목·팔·다리 따위를 제외한 가운데 부분. **2** 비행기 등의 몸체 부분. 예동체 착륙.

동ː치미 흔히 겨울에, 소금에 절인 통무에 끓인 소금물을 식혀서 부어 심심하게 담근 무김치. 예시원한 동치미 국물.

동ː태[1] (凍太) 얼린 명태. 예동태찌개. 본동명태.

동ː태[2] (動態) 움직이거나 변하는 상태. 예적의 동태를 살피다.

동ː토 (凍土) 언 땅. 얼어붙은 땅.

동ː통 (疼痛) 몸이 쑤시고 아픔. 예동통을 느끼다.

동트기 (東—) 동쪽 하늘이 밝아 오는 새벽녘. 예동트기에 출발하다.

동트다 (東—) 동쪽 하늘이 밝아 오다. 예동틀 무렵에 집을 나서다. 활용 동터 / 동트니.

동ː티 공연히 건드려서 스스로 걱정이나 해를 입음. 예괜한 일을 쑤석거려 동티가 나다.

동ː파 (凍破) 얼어서 터짐. 예수도관이 동파했다. **—하다**.

동판 (銅版) 구리 조각의 평면에 그림이나 글씨를 새긴 판.

동판화 (銅版畫) 동판에 새긴 그림. 또는 동판으로 찍어 낸 그림.

동편 (東便) 해가 뜨는 쪽. 동쪽 방향. 예동편 하늘에 달이 떠오른다. 반서편.

*__동포__ (同胞) 같은 겨레. 예해외 동포 위문 공연. →교포 참고

동포애 (同胞愛) 같은 겨레끼리 아끼고 사랑하는 마음. 예동포애를 발휘하다. 비겨레사랑.

동풍 (東風) 동쪽에서 부는 바람. 반서풍.

동학[1] (同學) 한 학교나 한 스승 아래에서 같이 공부함. 또는 그런 사람. 예동학 친구. **—하다**.

동학[2] (東學) 조선 말기 철종 11년(1860)에 최제우가 일으킨 종교. 유교·불교·도교를 토대로 '사람이 곧 하늘'이라는 사상을 기본으로 삼고 동학 농민 운동의 중심 사상이 됨. 후에 천도교로 발전하였음. 반서

학. *천도교.

동학 농민 운:동 (東學農民運動) [동항농미눈동] 1894년 전봉준의 지휘로 동학 교도들이 중심이 되어 일으킨 농민 운동. 외국 세력 배척, 계급 타파, 여성 해방 등을 주장하였으며, 청일 전쟁의 원인이 되었음.

동해 (東海) **1** 동쪽에 있는 바다. **2** 우리나라의 동쪽 바다.

동해안 (東海岸) **1** 동쪽의 바닷가. **2** 우리나라의 동쪽 해안.

동행 (同行) 길을 같이 감. 또는 그 사람. ㉥친구와 동행하다. **—하다.**

동향[1] (同鄕) 같은 고향. ㉥객지에서 동향 사람을 만나다.

동향[2] (東向) 동쪽을 향함. ㉥집을 동향으로 짓다. ㉤서향. **—하다.**

동:향[3] (動向) 정세·행동 등이 움직이는 방향. ㉥민심의 동향을 살피다. ㉥경향.

동헌 (東軒) 예전에 지방의 수령이 공공 사무를 보던 대청이나 집.

동형 (同形) 사물의 성질이나 모양 따위가 서로 같음.

동호인 (同好人) 취미가 같아 함께 어울리는 사람. ㉥바둑 동호인 / 축구 동호인.

동호회 (同好會) 동호인들의 모임. ㉥낚시 동호회.

*__동화[1]__ (同化) **1** 서로 다른 것이 닮아서 같게 됨. ㉥이민족을 동화시키다. **2** 동식물이 몸 밖에서 영양을 섭취해서 자기 몸에 알맞게 변화시키는 기능. ㉥탄소 동화 작용. **—하다.**

*__동:화[2]__ (童話) 어린이를 위하여 동심을 바탕으로 지은 이야기. ㉥동화 작가 / 동화를 들려주다.

동:화책 (童話冊) 동화를 모아 엮은 책. ㉥동화집.

*__돛__ [돋] 바람의 힘으로 배가 움직이도록, 배 위에 세운 기둥에 높게 매달아 펼친 천. ㉥순풍에 돛을 달다 / 돛을 올리다. →닻 주의

*__돛단배__ [돋딴배] 돛에 닿는 바람의 힘을 이용하여 나아가게 된 배. ㉥돛배. 범선.

돛대 [돋때] 돛을 달기 위하여 배 바닥에 세운 기둥.

〈돛단배〉

*__돼:지__ **1** 고기를 얻기 위하여 집에서 기르는 멧돼짓과의 짐승. 몸이 뚱뚱하고 네 다리가 짧으며 주둥이가 길고, 동작이 느림. **2** 욕심이 많고 미련한 사람의 별명. ㉥돼지같이 미련한 녀석. ➡ pig

돼:지고기 음식으로서의 돼지의 살. ㉥제육. ➡ pork

돼:지우리 돼지를 가두어 키우는 곳. ㉥돈사.

되 곡식·액체 따위의 분량을 헤아리는 단위. 또는 그 그릇. 한 말의 10분의 1. ㉥쌀 한 되 / 되로 쌀을 되다.

되- '도리어·다시·도로'의 뜻. ㉥되돌아가다 / 되새기다.

되감다 [되감따] 도로 감거나 다시 감다. ㉥테이프를 되감다.

되:게 ⇨몹시. ㉥되게 덥다 / 되게 잘난 척한다. ㉥되우.

되뇌다 같은 말을 되풀이하여 말하다. ㉥같은 말을 수없이 되뇌다.

되는대로 함부로. 아무렇게나. ㉥되는대로 지껄이다.

*__되다[1]__ **1** 다 만들어지다. ㉥옷이 다 되다. **2** 어떤 신분이나 상태에 놓이다. ㉥부자가 되다. **3** 성취되다. ㉥일이 제대로 되다. **4** 어떤 수량에 미치다. ㉥합계가 만 원이 되다. **5** 어떤 때가 돌아오다. ㉥봄이 되다. **6** 변하다. ㉥은행 잎이 노랗게 되다. **7** 나이 따위를 먹다. ㉥열 살이 되다. **8** 시간이 지나다. ㉥떠난 지 5년이 되다. ➡ become

참고 '되어'의 준말은 '돼'로, '되

었다'의 준말은 '됐다'로 씀.
되다² 말이나 되 따위로 분량을 헤아리다. ㉠쌀을 말로 되다.
되:다³ 1 물기가 적어 빡빡하다. ㉠밀가루 반죽이 되다. ㉥묽다. 질다. 2 힘에 벅차다. ㉠일이 너무 되다. 3 정도가 심하다. ㉠된 꾸중을 듣다.
-되다 1 어떤 말에 붙어 동작이나 작용이 저절로 또는 다른 것에 의해서 이루어짐을 나타냄. ㉠사용되다/정돈되다/해결되다. 2 어떤 말에 붙어 그 말이 상태나 성질을 띠고 있음을 나타냄. ㉠막되다/참되다/거짓되다.
되도록 될 수 있는 대로. ㉠되도록 책을 많이 읽어라.
되돌리다 1 돌던 방향과 반대되는 쪽으로 돌게 하다. ㉠시곗바늘을 되돌려 놓다. 2 본디의 상태로 되게 하다. ㉠마음을 되돌리다.
되돌아가다 [되도라가다] 다시 돌아가다. ㉠학창 시절로 되돌아가고 싶다/왔던 길을 되돌아가다.
되돌아보다 [되도라보다] 1 이미 본 것을 다시 돌아다보다. ㉠힐끗 되돌아보다. 2 지나온 과정을 돌아보다. ㉠과거를 되돌아보다.
되돌아서다 [되도라서다] 먼저 향했던 방향으로 다시 돌아서다. ㉠되돌아서서 살피다.
되돌아오다 [되도라오다] 다시 돌아오다. ㉠가던 길을 되돌아오다/편지가 집으로 되돌아오다.
되:레 '도리어'의 준말. ㉠고자질했다가 되레 야단만 맞았다.
되묻다 [되묻따] 1 같은 질문을 다시 하다. ㉠문제를 되묻지 마라. 2 묻는 말에 대답하지 않고 도리어 묻다. ㉥반문하다. [활용] 되물어/되물으니/되묻는.
되바라지다 1 너그럽지 못하다. 2 얄밉도록 지나치게 똑똑하다. ㉠되바라진 아이.
되받다 [되받따] 1 도로 받다. ㉠공을 되받아 차다. 2 꾸짖음에 말대답을 하며 반항하다. ㉠지지 않고 말을 되받다. ㉡뒤받다.
되살다 1 거의 죽어 가던 것이 다시 살다. ㉠인공호흡으로 되살다. 2 잊었던 기억·감정·기분 따위가 다시 생기다. ㉠옛 모습이 되살아 어른거리다. [활용] 되살아/되사니/되사는.
*__되살리다__ 1 죽거나 꺼진 것을 다시 살아나게 하거나 원상태로 돌아가게 하다. ㉠우리의 전통을 되살릴 필요가 있다. 2 잊고 있던 것을 다시 생각나게 하다. ㉠어린 시절의 기억을 되살리다.
되살아나다 [되사라나다] 1 다시 살아나다. ㉠죽은 화초가 되살아나다. 2 잊었던 기억·감정 따위가 다시 생각나거나 느껴지다. ㉠지난날의 악몽이 되살아나다.
되새기다 1 소나 염소 따위가 먹은 것을 다시 게워 내어 씹다. ㉠소가 여물을 되새기고 있다. 2 어떤 일을 골똘하게 자꾸 생각하다. ㉠선생님의 말씀을 되새기다. ㉥되씹다.
되새김질 소나 염소 따위가 입으로 넘긴 음식을 다시 게워 내어 씹는 짓. ㉠소가 여물을 되새김질하다. ―하다.
되쏘다 1 빛을 받아 도로 쏘다. ㉠거울이 빛을 되쏘다. ㉥반사하다. 2 총알이나 화살 따위를 날아오던 방향으로 쏘다.
되씹다 [되씹따] 1 같은 말을 자꾸 되풀이하다. ㉠끝난 말을 되씹다. 2 ⇨되새기다. ㉠슬픔을 되씹다.
되우 몹시. 매우 심하게. ㉠몸살을 되우 앓다.
되지못하다 [되지모타다] 사람답지 못하다. ㉠되지못한 녀석.
되직이 [되지기] 되직하게. ㉠풀을 되직이 쑤다.

되직하다 [되지카다] 죽이나 풀 따위가 묽지 않고 좀 되다. ㉠죽을 되직하게 끓이다.

되짚다 [되집따] **1** 다시 짚다. ㉠지팡이를 되짚고 가다. **2** 다시 살피거나 반성하다. ㉠실수가 아닌지 되짚어 보다. **3** '곧 되돌아서, 곧 되돌려'의 뜻을 나타내는 말. ㉠왔던 길을 되짚어 가다. 참고 이 말은 주로 '되짚어'로 쓰임.

되찾다 [되찯따] 다시 찾거나 도로 찾다. ㉠잃었던 기억을 되찾다 / 문화재를 되찾다.

되팔다 산 물건을 도로 팔다. 활용 되팔아 / 되파니 / 되파는.

*__되풀이__ [되푸리] 같은 말이나 몸짓을 자꾸 함. ㉠되풀이해서 이야기하다. 비 반복. **—하다.**

된ː밥 물을 적게 넣고 지어 물기가 적고 뻑뻑한 밥. 비 고두밥.

된ː서리 늦가을에 아주 심하게 내린 서리. 반 무서리.

된서리를 맞다 큰 손해를 보거나 불행을 당하다. ㉠사업이 된서리를 맞고 망했다.

된ː소리 되게 소리 나는 닿소리. 곧, ㄲ·ㄸ·ㅃ·ㅆ·ㅉ 따위. 비 경음.

된ː장 (—醬) **1** 간장을 담가서 장물을 떠내고 남은 건더기. **2** 메주에 소금물을 부어 익혀서 장물을 내지 않고 그냥 먹는 장.

된ː장국 (—醬—) [된장꾹] 된장을 거른 물에 채소·고기 따위를 넣고 끓인 국. 비 토장국.

된ː장찌개 (—醬—) 물에 된장을 풀어 넣고 감자·호박·고추·파 따위를 넣어 끓여 만든 찌개.

된ː통 매우 심하게. 몹시. ㉠된통 혼나다.

될성부르다 [될썽부르다] 앞으로 잘될 가망이 있다. ㉠하는 행동을 보니 될성부른 아이이다. 비 됨직하다. 활용 될성불러 / 될성부르니.

됨됨이 [됨되미] 사람의 품행과 인격. ㉠그의 됨됨이가 믿음직스럽다 / 사람 됨됨이를 보다.

됫박 [되빡 / 됟빡] **1** 되 대신 쓰는 바가지. ㉠됫박으로 쌀을 떠 주다. **2** '되'의 속된 말.

*__두ː__ '둘'의 뜻. ㉠두 번 / 두 사람 / 사과 두 개.

두 다리 쭉 뻗다 걱정 없이 편하게 지내다. ㉠이제는 두 다리 쭉 뻗고 잘 수 있겠다.

두 손 털고 나서다 가지고 있던 것을 다 잃고, 남은 것이 없게 되다.

두각 (頭角) 뛰어난 학식이나 재능 등을 비유적으로 이르는 말. ㉠두각을 나타내다.

두개골 (頭蓋骨) 사람이나 짐승의 머리를 이루고 있는 뼈.

두건 (頭巾) 남자 상제가 상중에 머리에 쓰는 베로 만든 물건.

두견새 (杜鵑—) 두견잇과의 새. 뻐꾸기와 비슷하며 울음소리가 특이함. 스스로 둥지를 짓지 않고 다른 새집에 한 개의 알을 낳아 그 새가 기르도록 내맡김. 비 두견이.

두견이 (杜鵑—) [두겨니] ⇨두견새.

두고두고 여러 번에 걸쳐 오랫동안. 오래도록. ㉠두고두고 후회하다.

두근거리다 몹시 놀라거나 겁이 나서 가슴이 자꾸 뛰다. ㉠가슴을 두근거리며 발표를 기다렸다.

두근대다 ⇨두근거리다.

두근두근 두근거리는 모양. ㉠깜짝 놀라서 가슴이 두근두근 뛰었다. **—하다.**

두꺼비 두꺼빗과에 속하는 개구리 같이 생긴 동물. 개구리보다 조금 크며, 피부가 두껍고, 등은 우툴두툴함. 위험을 느

〈두꺼비〉

끼면 살가죽에서 흰색의 독이 든 액체를 냄.

두꺼비집 너무 센 전류가 흐르면 저절로 끊어지게 하는, 퓨즈가 들어 있는 장치. 비 안전기.

*__두껍다__ [두껍따] 두께가 두툼하다. 예두꺼운 이불 / 책이 두껍다 / 옷을 두껍게 입다. 반 얇다. 활용 두꺼워 / 두꺼우니. ➡ thick

> 주의 **두껍다**와 **두텁다**
> **두껍다** 두께가 크다. '얇다'의 반대말. 예벽이 두껍다.
> **두텁다** 인정이 많다. 사랑이 깊다. 예우정이 두텁다.

두께 물건의 두꺼운 정도. 예두께를 재다 / 책 두께가 얇다.

두뇌 (頭腦) **1** 뇌. **2** 사물을 판단하는 슬기. 예명석한 두뇌를 가진 아이 / 두뇌 회전이 빠르다.

*__두다__ **1** 일정한 곳에 놓다. 예쌀가마를 창고에 두다. **2** 사람을 쓰다. 예비서를 두다. **3** 마음에 간직하다. 예그 일은 염두에 두지 마라. **4** 바둑이나 장기 등의 놀이를 하다. 예장기를 두다. **5** 어떤 대상을 일정한 상태에 있게 하다. 예말썽을 부리면 그냥 두지 않겠다.

두고 보다 어떤 결과가 될지 일정 기간 동안 살펴보다. 예누가 더 잘 되는지 두고 보자.

두더지 두더짓과의 포유동물. 귀와 코는 예민하나 눈은 퇴화하여 매우 작음. 몸은 어두운 갈색이며 머리는 노란색임. 다리가 짧으며 발바닥이 넓고 큼. 땅속에 굴을 파고 삶.

〈두더지〉

두덩 우묵하게 들어간 땅의 가장자리에 약간 두두룩한 곳. 예논두덩.

두두룩하다 [두두루카다] 가운데가 솟아서 불룩하다. 예두두룩하게 살이 오른 볼. 준 두둑하다. 작 도도록하다.

두둑 밭과 밭 사이에 경계를 이루어 놓은 두두룩한 언덕.

두둑이 [두두기] 두둑하게. 예용돈을 두둑이 타다.

두둑하다 [두두카다] **1** 매우 두껍다. 예옷을 두둑하게 껴입었다. **2** 넉넉하거나 풍부하다. 예주머니가 두둑하다 / 배짱이 두둑하다. **3** '두두룩하다'의 준말.

두둔 편들어 감싸 줌. 예잘못을 했는데도 두둔만 하니 아이가 버릇이 없다. **—하다.**

두둥실 물 위나 공중에 가볍게 떠오르거나 떠 있는 모양. 예두둥실 떠가는 구름 / 해가 두둥실 떠오르다.

두드러기 급성 피부병의 한 가지. 약이나 음식을 잘못 먹어서 생기며, 피부가 붉거나 희게 부풀어오르며 몹시 가려움.

두드러지다 **1** 겉으로 드러나서 뚜렷하다. 특히 눈에 띄다. 예두드러지게 피부가 고와지다. **2** 가운데가 쑥 나와 불룩하다. 예이마가 두드러진 사람. 작 도드라지다.

*__두드리다__ 소리가 나도록 잇따라 치거나 때리다. 예문을 세게 두드리다. 센 뚜드리다. ➡ knock

*__두들기다__ 소리가 날 정도로 마구 때리거나 세게 치다. 예두들겨 맞다. 센 뚜들기다.

두런두런 여럿이 모여 조용하고 나직한 목소리로 정답게 이야기하는 소리. 예밤늦게까지 두런두런 이야기가 그치지 않았다. **—하다.**

두렁 논이나 밭의 가장자리에 둘러 쌓은 작은 언덕. 예논밭 두렁.

두레[1] 농촌에서 바쁜 농사철에 서로 도와 함께 일을 하는 마을 단위의 모임.

두레² 논에 물을 퍼붓기 위하여 나무로 만든 기구.

*__두레박__ 줄을 길게 매어 우물물을 길어 올리는 데 쓰는 기구.

> 참고 두레박은 '두레'와 '박'이 이어진 말이다. '두레'는 논에 물을 퍼붓는, 나무로 만든 기구이다. 따라서 '두레박'은 물을 푸는 기구로 '두레'에 비해 작은 바가지, 또는 바가지같이 만든 기구에서 나온 말이다.

두려움 두려운 느낌. ㉠두려움에 떨다 / 두려움이 없다.

두려워하다 꺼려하거나 무서워하는 마음을 갖다. ㉠어둠을 두려워하다 / 죽음을 두려워하다.

*__두렵다__ [두렵따] 마음에 꺼리거나 염려스럽다. ㉠잘못이 탄로날까 두렵다 / 입학시험에서 떨어질까 봐 두렵다. 활용 두려워 / 두려우니.

두령 (頭領) 여러 사람을 거느리는 우두머리. 비 두목.

두루 빠짐없이 골고루. ㉠두루 찾아보다 / 두루 살피다.

*__두루마기__ 우리나라 고유의 웃옷. 주로 외출할 때나 예를 갖추어야 할 때 입음.

〈두루마기〉

두루마리 종이를 가로로 길게 이어서 둥글게 돌돌 만 물건. ㉠두루마리 화장지.

두루뭉술하다 1 모나지도 않고 아주 둥글지도 않다. ㉠얼굴이 두루뭉술하다. 2 행동이나 태도 따위가 분명하지 않다. ㉠두루뭉술하게 얼버무리다.

두루미 두루미과에 속하는 새. 목·다리·부리가 길고, 몸은 흰빛이며 날개 끝은 검음. 연못이나 냇가에서 주로 곤충·미꾸라지·조개 등을 잡아먹고 삶. 천연기념물 제202호로 정하여 보호함. 비 학.

〈두루미〉

*__두르다__ 1 어떤 대상의 둘레를 감거나 싸서 가리다. ㉠울타리를 두르다. 2 남을 속이다. ㉠그럴듯하게 둘러서 말하다. 3 겉에 기름을 고르게 바르거나 얹다. ㉠프라이팬에 기름을 두르다. 활용 둘러 / 두르니.

두름 물고기나 나물을 두 줄로 엮은 것. 또는 그것을 세는 말. 물고기는 한 줄에 열 마리씩 스무 마리가 한 두름임. ㉠굴비 한 두름.

두릅 두릅나무의 어린순. 살짝 데쳐서 무쳐 먹거나 초고추장에 찍어 먹음.

두릅나무 [두름나무] 두릅나뭇과의 낙엽 활엽 관목. 산과 들에 남. 줄기에 가시가 많고 여름에 흰 꽃이 핌. 나무껍질·열매는 약으로 쓰고 어린순은 먹음.

두리둥실 물 위나 공중에 가볍게 떠서 움직이는 모양. ㉠두리둥실 떠 가는 배.

두리뭉실하다 ⇨두루뭉술하다.

두리번거리다 눈을 크게 뜨고 이쪽저쪽을 자꾸 번갈아 둘러보다. ㉠누가 엿듣지나 않나 하고 사방을 두리번거렸다.

두리번두리번 눈을 크게 뜨고 여기저기 자꾸 휘둘러 살펴보는 모양. ㉠주위를 두리번두리번 둘러보다. **—하다.**

두만강 (豆滿江) 백두산의 남동쪽에서 시작하여, 우리나라와 중국의 경계를 이루면서 동해로 흘러 들어가는 강. 길이 521 km.

두:말 1 이랬다저랬다 하는 말. ㉠한 입으로 두말하지 마라 / 다시는 두말 말게. 2 이러니저러니 불평을

하거나 덧붙이는 말. ㉥두말할 필요 없다. **—하다.**
두:말없이 [두마럽씨] 여러 말 하지 아니하고. ㉥두말없이 허락하다.
두메 도시에서 멀리 떨어져 사람이 많이 살지 않는 깊은 산골. ㉥두메산골.
두메산골 (—山—) [두메산꼴] ⇨두메.
두목 (頭目) 좋지 못한 무리의 우두머리. ㉥도둑의 두목. ㉥두령.
두문불출 (杜門不出) 밖에 나가지 않고 집 안에서만 지냄. **—하다.**
두발 (頭髮) 머리카락. 머리 모양. ㉥두발 자유화. ㉥머리털.
***두부** (豆腐) 물에 불린 콩을 갈아 자루에 넣고 짜낸 물을 끓인 다음 간수(소금이 녹은 물)를 넣어 엉기게 한 음식. ㉥두부 한 모 / 두부를 지지다.
두상 (頭相) 머리의 생김새. ㉥두상이 크다.
두서 (頭緖) 일의 차례나 갈피. ㉥일의 두서를 가리다. ㉥조리.
두서너 둘이나 셋 또는 넷. ㉥두서너 개의 사과.
두서없다 (頭緖—) [두서업따] 일이나 말이 분명하지 않고 앞뒤가 안 맞다. ㉥두서없는 말.
두서없이 (頭緖—) [두서업씨] 두서없게. ㉥두서없이 써 내려간 글.
두세 둘이나 셋의. ㉥두세 명.
두셋 [두섿] 둘이나 셋. ㉥두셋씩 무리를 짓다.
두어 둘쯤 되는 수의. 둘가량의. ㉥두어 달이 걸릴 예정이다.
두엄 구덩이를 파고 짚·풀 따위를 넣어 썩힌 거름. ㉥퇴비.
두엇 [두얻] 둘쯤 되는 수. 둘가량. ㉥일꾼 두엇이 더 필요하다.
두유 (豆乳) 물에 불린 콩을 갈아 물을 붓고 끓여 걸러서 만든 우유 같은 액체.
두절 (杜絕) 교통이나 통신이 막히거나 끊어짐. ㉥교통이 두절되다 / 연락이 두절되다. **—하다.**
두텁다 [두텁따] 인정이나 사랑 따위가 깊다. ㉥두터운 우정 / 선생님의 신임이 두텁다. ㉿도탑다. 활용 두터워 / 두터우니. →두껍다 주의
두통 (頭痛) 머리가 아픈 증세. ㉥두통이 나다 / 두통이 심하다.
두통거리 (頭痛—) [두통꺼리] 머리가 아플 정도로 귀찮고 성가신 사람이나 일. ㉥골칫거리.
두툼하다 꽤 두껍다. ㉥두툼한 입술 / 두툼한 옷차림.
두:해살이 [두해사리] 첫해에 싹이 나서 자라다가 이듬해에 열매를 맺은 뒤에 죽는 식물. 나팔꽃·맨드라미·코스모스 따위. ㉥이년생.
***둑** **1** 홍수로 물이 넘치는 것을 막기 위해서 내나 강의 가장자리에 흙이나 돌을 쌓아 만든 언덕. **2** 높은 길을 내려고 쌓은 언덕. ㉥둑 위를 걷다 / 둑을 쌓다.
둑길 [둑낄] 둑 위로 난 길.
둔:각 (鈍角) 90도보다는 크고 180도보다는 작은 각. ㉥예각.
둔:감하다 (鈍感—) 감각이나 감정이 무디다. ㉥유행에 둔감하다. ㉥민감하다.
둔:갑 (遁甲) 어떤 방법을 써서 갑자기 다른 것으로 변함. ㉥여우가 여자로 둔갑하다. **—하다.**
둔덕 두두룩하게 언덕이 진 곳.
둔부 (臀部) ⇨엉덩이.
둔:재 (鈍才) 둔하고 재주가 없는 사람. ㉥천재.
둔치 **1** 물가의 언덕. **2** 장마가 져서 물높이가 높을 때에만 잠기는 강가의 널찍한 땅. ㉥한강 둔치에는 운동 시설이 마련되어 있다. ㉥고수부지.
둔:하다 (鈍—) **1** 깨우침이 늦고 재주가 없다. ㉥머리가 둔하다. **2** 말·

행동이 미련하고 느리다. ㉠행동이 둔하다. **3** 감각이나 느낌이 예리하지 못하다. ㉠신경이 둔하다. **4** 소리가 무겁고 무디다. ㉠멀리서 둔하게 들리는 포성. **5** 생김새나 모습이 무겁고 투박하다. ㉠옷을 잔뜩 껴입었더니 몸이 둔하다.

*__둘:__ 하나에 하나를 더한 수. ㉠둘다 수영을 못한다. ➲ two

둘도 없다 ㉠오직 그것뿐이고 더는 없다. 하나뿐이다. ㉠둘도 없는 목숨. ㉡가장 귀중하다. ㉠둘도 없는 친구.

둘둘 물건을 여러 겹으로 말거나 감는 모양. ㉠신문지를 둘둘 말다. 작 돌돌. 센 뚤뚤.

둘러대다 그럴듯하게 꾸며 속이다. ㉠말을 이리저리 둘러대다.

둘러막다 [둘러막따] 둘레를 빙 둘러 가며 막다. ㉠돌담으로 집을 둘러막다.

둘러메다 물건을 번쩍 들어 올려 어깨에 메다. ㉠배낭을 둘러메다 / 쌀자루를 어깨에 둘러메다.

*__둘러보다__ 주위를 두루 살펴보다. ㉠교실을 둘러보다.

둘러서다 여러 사람이 둥글게 늘어서다. ㉠빙 둘러서서 싸움 구경을 하다.

*__둘러싸다__ **1** 빙 둘러서 에워싸다. ㉠적을 둘러싸고 공격하다. **2** 둘러서 감싸다. ㉠아기를 포대기로 둘러싸다. **3** 행동이나 관심의 중심으로 삼다. ㉠그 문제를 둘러싸고 논쟁이 벌어졌다.

*__둘러싸이다__ 빙 둘러서 에워싸이다. ㉠산으로 둘러싸인 마을.

둘러쓰다 머리에 두르거나 온몸을 덮어 가리다. ㉠머리에 수건을 둘러쓰다 / 이불을 둘러쓰다. 활용 둘러써 / 둘러쓰니.

둘러앉다 [둘러안따] 여러 사람이 둥글게 앉다. ㉠정답게 둘러앉아 이야기를 나누다.

둘러치다 **1** 휘둘러 세차게 내던지다. ㉠가방을 방바닥에 둘러치다. **2** 메·몽둥이 따위를 휘둘러서 세게 때리다. **3** 둘레를 돌아가며 막거나 가리다. ㉠병풍을 둘러치다.

*__둘레__ **1** 사물의 테두리나 바깥 언저리. ㉠집 둘레에 나무를 심다. **2** 무엇의 가장자리를 한 바퀴 돈 길이. ㉠허리 둘레 / 운동장 둘레를 재다.

*__둘:째__ 첫째의 다음. ㉠둘째 아들.

> 참고 차례나 수량을 나타내는 말은 '첫째, 둘째, 셋째, 넷째'로 쓰고, '두째, 세째, 네째'로는 쓰지 않음. 다만, '둘째'는 십 단위 이상의 차례를 나타내는 말에 쓰일 때에 '두째'로 씀.
> ㉠열두째, 스물두째, 서른두째

둥 무슨 일을 하는 것도 같고 하지 않는 것 같기도 함을 나타내는 말. ㉠보는 둥 마는 둥.

둥그렇다 [둥그러타] 크고 뚜렷하게 둥글다. ㉠둥그런 보름달. 활용 둥그러니 / 둥그레서.

둥그레지다 둥그렇게 되다. ㉠놀라 눈이 둥그레지다. 작 동그래지다. 센 뚱그레지다.

둥그스름하다 약간 둥글다. ㉠둥그스름한 얼굴. 작 동그스름하다.

둥글넓적하다 [둥글럽쩌카다] 모양이 둥글고 넓적하다. ㉠둥글넓적한 부침개. 작 동글납작하다.

*__둥글다__ **1** 모양이 동그라미나 공과 같거나 비슷하다. ㉠둥근 해가 떴습니다. 작 동글다. ➲ round **2** 성격이 모나지 않고 원만하다. ㉠성격이 둥글다. 활용 둥글어 / 둥그니 / 둥근.

둥글둥글 **1** 여럿이 모두 둥근 모양. ㉠둥글둥글하게 썰다. **2** 원을 그리며 자꾸 돌아가는 모양. ㉠물레방아가 둥글둥글 돈다. 작 동글동글. **3**

성격이 모나지 않고 원만한 모양. (예)세상을 둥글둥글 살아가다 / 성격이 둥글둥글하다. **—하다.**

둥둥[1] 큰 북을 계속 치는 소리. (예)둥둥 북소리가 들리다. [작]동동.

*__둥둥__[2] 물체가 가볍게 떠있는 모양. (예)수박을 물 위에 둥둥 띄워 놓다. [본]둥실둥실. [작]동동.

둥실 물체가 공중이나 물 위에 가볍게 떠 있는 모양. (예)달이 둥실 떠 있다.

둥우리 **1** 짚이나 댑싸리로 바구니와 비슷하게 엮어 만든 그릇. **2** 새 따위가 알을 낳거나 깃들이기 위해 둥글게 만든 집.

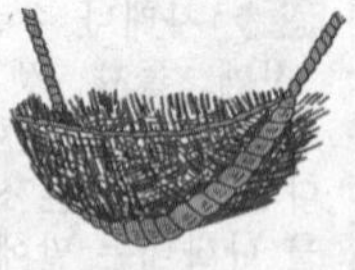
〈둥우리 1〉

둥지 알을 낳거나 기르기 위하여 나뭇가지 따위로 둥글게 만든 새의 집. (예)둥지를 틀다. [비]보금자리.

둥치 큰 나무의 밑동. (예)둥치가 굵은 나무.

*__뒤:__ **1** 향하고 있는 방향과 반대되는 쪽이나 곳. (예)뒤를 연신 돌아보다. [반]앞. ➡ back **2** 이다음. 나중. (예)며칠 뒤에 다시 보자 / 일을 뒤로 미루다. **3** 마지막. 끝. (예)이 책은 뒤로 갈수록 재미있다. **4** 보이지 않는 곳. (예)사건 뒤에 숨은 비밀. **5** '똥'을 달리 이르는 말. (예)뒤를 보다.

뒤가 구리다 결백하지 못하고 떳떳하지 못하다. (예)뒤가 구린지 슬슬 꽁무니를 뺀다.

뒤가 켕기다 약점이나 잘못이 있어 마음이 편하지 않다.

뒤- 낱말 앞에 붙어서, **1** '몹시·함부로'의 뜻을 나타냄. (예)뒤흔들다 / 뒤틀다 / 뒤섞다 / 뒤떠들다. **2** '반대로·뒤집어'의 뜻을 나타냄. (예)뒤엎다 / 뒤바꾸다 / 뒤놓다. **3** '온통·전부'의 뜻을 나타냄. (예)뒤덮다.

뒤:꼍 [뒤껻] 집 뒤에 있는 뜰이나 마당.

뒤:꿈치 '발뒤꿈치'의 준말. (예)양말 뒤꿈치가 해어지다. ➡ heel

뒤:늦다 [뒤늗따] 제때가 지나서 매우 늦다. (예)뒤늦은 후회 / 뒤늦게 소식을 들었다.

뒤덮다 [뒤덥따] 빈 데가 없이 모두 덮다. (예)하늘을 뒤덮은 먹구름.

뒤:돌다 뒤로 돌다. (예)뒤돌아 눕다. [활용]뒤돌아 / 뒤도니 / 뒤도는.

뒤:돌아보다 [뒤도라보다] **1** 뒤쪽을 돌아보다. (예)뒤돌아보지 말고 가거라. **2** 지난 일을 돌이켜 생각해 보다. (예)어린 시절을 뒤돌아보다.

뒤:돌아서다 [뒤도라서다] 뒤를 향하여 돌아서다. (예)뒤돌아서서 일행을 기다렸다.

뒤:따라가다 앞서 있는 사람의 뒤를 따라가다. (예)선생님을 뒤따라가다. [반]뒤따라오다.

뒤:따라오다 앞서 있는 사람의 뒤를 따라오다. (예)아이가 엄마를 뒤따라오다. [반]뒤따라가다.

뒤:따르다 **1** 앞서 있는 사람의 뒤를 따르다. (예)형을 뒤따라 극장에 갔다. **2** 어떤 일의 과정에 함께 따르거나 결과로서 생기다. (예)권리에는 의무가 뒤따른다. [활용]뒤따라 / 뒤따르니.

뒤:떨어지다 [뒤떠러지다] **1** 앞서 있는 사람의 뒤에 거리를 두고 떨어져 있다. (예)대열에서 뒤떨어져서 걸어가다. **2** 남만 못하다. (예)수학이 좀 뒤떨어진다. **3** 시대에 맞지 않다. (예)뒤떨어진 사고방식 / 감각이 뒤떨어지다.

뒤뚱거리다 물체나 몸이 중심을 잃고 이리저리 자꾸 흔들리다. (예)엉덩이를 뒤뚱거리며 걷다.

뒤뚱뒤뚱 뒤뚱거리는 모양. (예)오리가 뒤뚱뒤뚱 걸어가다. **—하다.**

뒤:뜰 집채의 뒤에 있는 뜰. [비]뒷마당. [반]앞뜰.

뒤:미처 그 뒤에 곧이어. ㉠뒤미처 따라가다.

뒤바꾸다 차례나 위치 따위를 정반대가 되게 하다. ㉠자리를 뒤바꾸어 놓다.

뒤바뀌다 차례나 위치 따위가 정반대가 되다. ㉠처지가 뒤바뀌다 / 순서가 뒤바뀌다.

뒤범벅 마구 뒤섞여서 구별할 수 없는 상태. ㉠눈물과 콧물로 뒤범벅된 얼굴.

뒤섞다 [뒤석따] 서로 다른 것들을 한데 모아 마구 섞다. ㉠밀가루와 물을 뒤섞어 반죽하다.

뒤섞이다 [뒤서끼다] 서로 다른 것들이 한데 섞이다. ㉠좋은 것과 나쁜 것이 뒤섞여 있다.

뒤숭숭하다 **1** 마음이 어수선하고 불안하다. ㉠꿈자리가 뒤숭숭하다. **2** 물건이 어수선하게 흩어져 있다. ㉠옷가지가 뒤숭숭하게 널려 있다.

뒤안길 [뒤안낄] **1** 늘어선 집들의 뒤쪽으로 나 있는 길. **2** 관심을 받지 못하는 초라하고 쓸쓸한 생활이나 처지. ㉠인생의 뒤안길.

뒤얽히다 [뒤얼키다] 여러 가닥들이 마구 얽히다. ㉠나무 뿌리가 뒤얽혀 있다.

뒤엉키다 마구 엉키다. ㉠유독 가스와 먼지가 뒤엉켜 발생하는 스모그 현상 / 실이 뒤엉키다.

뒤엎다 [뒤업따] ⇨뒤집어엎다. ㉠계획을 뒤엎다 / 예상을 뒤엎다.

뒤웅박 박을 쪼개지 않고 꼭지 근처에 구멍만 뚫어서 속을 파낸 둥그런 바가지.

뒤:잇다 [뒤읻따] 일이나 물건이 끊어지지 않도록 뒤를 잇다. ㉠새로운 자동차를 뒤이어 만들어 내다. 활용 뒤이어 / 뒤이으니 /뒤잇는.

뒤적거리다 [뒤적꺼리다] 자꾸 뒤적이다. ㉠주머니를 뒤적거리다. 센 뒤척거리다.

뒤적이다 [뒤저기다] 무엇을 찾느라고 물건을 이리저리 들추며 뒤지다. ㉠백과사전을 뒤적이다. 센 뒤척이다.

뒤주 쌀 따위의 곡식을 담아 두는 나무로 만든 궤짝.

〈뒤주〉

뒤죽박죽 [뒤죽빡쭉] 이것저것이 뒤섞이고 헝클어져 엉망이 된 모양. ㉠머릿속이 뒤죽박죽이 되다.

뒤지다[1] 무엇을 찾으려고 이리저리 들추어 찾다. ㉠가방을 뒤지다 / 집 안을 샅샅이 뒤지다.

뒤:지다[2] **1** 걸음 따위가 뒤떨어지다. ㉠선두에서 한참 뒤져 있는 상태다. **2** 능력·수준 따위가 미치지 못하다. ㉠문화 수준이 뒤진 민족. **3** 어떤 기준에 미치지 못하다. ㉠유행에 뒤진 옷차림.

***뒤집다** [뒤집따] **1** 안과 겉을 뒤바꾸다. ㉠양말을 뒤집어 신다. **2** 위가 밑으로, 밑이 위가 되게 하다. ㉠아기가 몸을 뒤집다. **3** 일의 차례를 바꾸다. ㉠순서를 뒤집다. **4** 조용하던 것을 소란하고 어지럽게 하다. ㉠집안을 발칵 뒤집어 놓다.

뒤집어쓰다 [뒤지버쓰다] **1** 머리에 얹어 쓰다. ㉠모자를 뒤집어쓰다. **2** 몸 전체가 보이지 않을 정도로 내리덮다. ㉠이불을 뒤집어쓰다. **3** 남의 허물이나 책임을 억울하게 넘겨 맡다. ㉠죄를 뒤집어쓰다. 활용 뒤집어써 / 뒤집어쓰니.

뒤집어씌우다 [뒤지버씨우다] 뒤집어쓰게 하다. ㉠물을 뒤집어씌우다 / 누명을 뒤집어씌우다.

뒤집어엎다 [뒤지버업따] **1** 안과 겉을 또는 위와 밑이 뒤집히도록 엎다. ㉠쟁기로 흙을 뒤집어엎다. **2** 물건을 뒤집어서 그 속에 담긴 것을 엎지르다. ㉠밥그릇을 뒤집어엎다.

3 어떤 일이나 상태를 전혀 딴 것으로 바꾸거나 망치다. ㉠계획을 뒤집어엎다. 비 뒤엎다.

뒤집히다 [뒤지피다] **1** 일이나 물건의 안과 겉, 위와 아래가 뒤바뀌어지다. ㉠우산이 뒤집히다. **2** 야단나다. ㉠그 사건으로 회사가 발칵 뒤집혔다.

뒤:쪽 사물이나 장소의 뒤의 부분. ㉠뒤쪽 창문. 비 뒤편. 반 앞쪽.

뒤:쫓다 [뒤쫃따] 뒤를 따라 쫓다. ㉠범인을 뒤쫓다.

뒤:처리 (ㅡ處理) 일이 벌어진 뒤나 끝난 뒤에 그 일을 마무리하여 끝맺음. ㉠뒤처리를 깨끗이 하다. **ㅡ하다.**

뒤척이다 [뒤처기다] **1** 물건을 찾느라고 이리저리 뒤지다. ㉠ 뒤적이다. **2** 누워서 몸을 이리저리 움직이다. ㉠잠을 못 이루고 뒤척이다.

뒤:축 **1** 신이나 버선의 발꿈치가 닿는 부분. ㉠구두 뒤축이 닳다. **2** '발뒤축'의 준말.

뒤치다 엎어진 것을 젖히거나 젖혀진 것을 엎어 놓다. ㉠몸을 뒤치며 돌아눕다.

뒤:치다꺼리 **1** 뒤에서 일을 보살피고 도와주는 일. ㉠자식 뒤치다꺼리에 바쁘다. **2** 일이 끝난 뒤에 남은 일을 정돈하는 일. ㉠손님이 간 뒤 뒤치다꺼리하다. **ㅡ하다.**

뒤:탈 (ㅡ頉) 어떤 일 뒤에 생기는 좋지 않은 일. ㉠뒤탈이 나다 / 뒤탈이 없도록 조심해라.

뒤:통수 머리의 뒤쪽. ㉠뒤통수를 얻어맞다. 비 뒷골. 뒷머리.

뒤틀다 **1** 꼬아서 비틀다. ㉠몸을 뒤틀다. **2** 일이 잘 안되도록 하다. ㉠남의 계획을 뒤틀어 놓다. 활용 뒤틀어 / 뒤트니 / 뒤트는.

뒤틀리다 **1** 물건이나 일이 꼬여서 어긋나다. ㉠계획이 중간에서 뒤틀리다. **2** 감정이나 마음이 사납고 험해지다. ㉠심사가 뒤틀리다.

뒤:풀이 [뒤푸리] 행사나 모임을 끝낸 뒤에 사람들이 모여 남은 흥을 즐김. **ㅡ하다.**

뒤흔들다 **1** 마구 흔들다. ㉠천지를 뒤흔드는 폭음. **2** 큰 충격이나 영향을 미치다. ㉠세상을 뒤흔들어 놓은 사건. **3** 거침없이 마음대로 하다. ㉠학급 일을 혼자서 뒤흔들다. 활용 뒤흔들어 / 뒤흔드니 / 뒤흔드는.

뒷:간 (ㅡ間) [뒤깐 / 뒫깐] 대소변을 보게 만들어 놓은 곳. 비 변소. 화장실.

뒷:걸음 [뒤꺼름 / 뒫꺼름] **1** 발을 뒤로 떼어 놓으면서 걷는 걸음. **2** 본디보다 못하거나 뒤떨어짐. ㉠경제 발전이 뒷걸음하다. **ㅡ하다.**

뒷:걸음질 [뒤꺼름질 / 뒫꺼름질] 뒷걸음치는 짓. ㉠겁에 질려 뒷걸음질하다. **ㅡ하다.**

뒷:걸음치다 [뒤꺼름치다 / 뒫꺼름치다] 뒤로 물러서다. ㉠너무 놀라 뒷걸음치다가 주저앉았다.

뒷:골목 [뒤꼴목 / 뒫꼴목] 큰길 뒤에 있는 좁은 골목. ㉠밤늦게 으슥한 뒷골목으로 다니지 마라.

뒷:구멍 [뒤꾸멍 / 뒫꾸멍] **1** 뒤에 있는 구멍. **2** 정상이 아닌 방법으로 일을 처리하는 길. ㉠뒷구멍으로 입학시키다.

뒷:날 [뒨날] 앞으로 다가올 날. ㉠ 뒷날을 약속하다. 비 후일. 훗날.

뒷:다리 [뒤따리 / 뒫따리] **1** 네발 짐승의 몸 뒤쪽에 있는 다리. ㉠토끼는 뒷다리가 길다. **2** 두 다리를 앞뒤로 벌렸을 때의 뒤쪽에 놓인 다리. 반 앞다리.

뒷:덜미 [뒤떨미 / 뒫떨미] 목덜미 아래의 양 어깻죽지 사이. ㉠뒷덜미를 낚아채다 / 뒷덜미를 잡다.

뒷:동산 [뒤똥산 / 뒫똥산] 집이나 마을 뒤에 있는 작은 동산. ㉠뒷동산에 오르다.

뒷:마당 [뒨마당] 집의 뒤편에 있는 마당. ㉥뒷마당에 코스모스가 피었다. 비 뒤뜰. 반 앞마당.

뒷:말 [뒨말] **1** 계속되는 이야기의 뒤를 이음. 또는 그런 말. ㉥뒷말을 재촉하다. **2** 일이 끝난 뒤에 이러니저러니 트집 잡는 말. ㉥결정을 내린 뒤에 뒷말이 많다. **—하다.**

뒷:맛 [뒨맏] **1** 음식을 먹은 뒤에 입에서 느끼는 맛. ㉥뒷맛이 개운하다. **2** 일이 끝난 다음의 느낌. ㉥뒷맛이 씁쓸하다.

뒷:면 (—面) [뒨면] 물체의 뒤쪽 면. ㉥교과서 뒷면에 이름을 써라. 비 후면. 반 앞면.

뒷:모습 [뒨모습] 뒤에서 본 모습. ㉥뒷모습이 닮았다. 반 앞모습.

뒷:문 (—門) [뒨문] 뒤쪽이나 옆으로 난 문. ㉥버스 뒷문 / 학교 뒷문. 비 후문. 반 앞문.

뒷:바라지 [뒤빠라지 / 뒫빠라지] 뒤에서 보살피며 도와주는 일. ㉥자식들을 헌신적으로 뒷바라지하다. **—하다.**

뒷:받침 [뒤빧침 / 뒫빧침] 뒤에서 지지하고 도와주는 일. 또는 그런 사람이나 물건. ㉥뒷받침해 줄 사람이 없다 / 주장을 할 때에는 뒷받침하는 근거가 있어야 한다. **—하다.**

뒷:사람 [뒤싸람 / 뒫싸람] **1** 뒤에 있거나 나중에 온 사람. ㉥시험지를 뒷사람에게 전달하다. **2** 다음 세대의 사람. ㉥뒷사람들을 위하여 자연을 보호하자.

***뒷:산** (—山) [뒤싼 / 뒫싼] 집이나 마을 뒤쪽에 있는 산. ㉥우리는 아침마다 뒷산에 올라가서 운동을 한다. 반 앞산.

뒷:소문 (—所聞) [뒤쏘문 / 뒫쏘문] 어떤 사건이 지난 뒤에 그 사건에 관하여 들리는 여러 가지 소문. ㉥이상한 뒷소문이 나돌다. 비 후문.

뒷:이야기 [뒨니야기] **1** 계속되는 이야기의 뒷부분. **2** 어떤 일이 있은 뒤에 그 일에 관한 감추어지거나 알려지지 않은 이야기. ㉥방송 뒷이야기를 들려주다.

뒷:자락 [뒤짜락 / 뒫짜락] 옷의 뒤에 늘어진 자락. ㉥치마 뒷자락이 땅에 끌리다. 반 앞자락.

뒷:자리 [뒤짜리 / 뒫짜리] **1** 뒤에 있는 자리. ㉥뒷자리에 서다. **2** 경쟁이나 학습에서 뒤떨어진 자리. ㉥성적이 뒷자리를 맴돌다. **3** 어떤 일을 한 뒤에 남은 흔적. ㉥뒷자리가 깨끗하다.

뒷:장 (—張) [뒤짱 / 뒫짱] 종이의 뒷면이나 다음 장. 반 앞장.

뒷:전 [뒤쩐 / 뒫쩐] **1** 뒤쪽이 되는 자리. ㉥뒷전에서 구경하다. **2** 차례에서 나중. ㉥공부는 뒷전이고 놀기만 한다. **3** 남이 안 보거나 못 보는 곳. ㉥뒷전에서 욕을 하다.

뒷:정리 (—整理) [뒤쩡니 / 뒫쩡니] 일의 끝을 바로잡는 일. **—하다.**

뒷:조사 (—調査) [뒤쪼사 / 뒫쪼사] 겉으로 드러나지 않게 남몰래 조사하는 일. 또는 그런 조사. ㉥뒷조사를 부탁하다. **—하다.**

뒷:짐 [뒤찜 / 뒫찜] 두 손을 뒤로 돌려 마주 잡는 일. ㉥뒷짐을 지고 산책을 하다.

뒷짐(을) 지다 어떤 일에 참가하거나 참견하지 않고 자신은 전혀 상관없는 것처럼 구경만 하고 있다.

뒹굴다 **1** 누워서 이리저리 구르다. ㉥잔디밭에 뒹굴다. **2** 물건 따위가 여기저기 널려 구르다. ㉥거리에 뒹구는 낙엽. 활용 뒹굴어 / 뒹구니 / 뒹구는.

듀엣 (duet) 두 사람이 함께 악기를 연주하거나 노래를 부르는 것을 이르는 말. 이중주. 이중창. ㉥듀엣으로 노래를 부르다.

***드나들다** 자주 들어갔다 나왔다 하다. ㉥전자오락실에 자주 드나들

면 못써. 활용 드나들어 / 드나드니 / 드나드는.

드날리다 1 손으로 들어서 날리다. 예연을 드날리다. 2 세력이나 명성을 널리 떨치다. 예이름을 크게 드날리다.

드넓다 [드널따] 활짝 틔어서 매우 넓다. 예드넓은 평야.

드높다 [드놉따] 매우 높다. 예드높은 가을 하늘.

드높이 [드노피] 매우 높게. 예애국가가 드높이 울려 퍼지다.

드높이다 [드노피다] 매우 높게 하다. 예사기를 드높이다.

***드디어** 무엇으로 말미암아 그 결과로. 예드디어 시험이 끝났다. 비결국. 마침내.

드라마 (drama) 텔레비전 등에서 방송되는 극. 예드라마를 시청하다.

드라이 (dry) 1 '드라이클리닝'의 준말. 2 젖은 머리 따위를 말리거나 다듬는 일. **—하다.**

드라이버 (driver) 나사못을 돌려서 박거나 빼는 기구. 나사돌리개.

드라이브 (drive) 기분 전환을 위해 자동차를 타고 돌아다님. 예교외로 드라이브를 나가다. **—하다.**

드라이아이스 (dry ice) 고체 이산화탄소의 딴 이름. 이산화탄소를 얼려서 만든 눈 모양의 차가운 고체. 식료품 따위를 얼리는 데 씀.

드라이클리닝 (dry cleaning) 물 대신 벤젠 같은 세척액을 사용하는 세탁. 준드라이.

드라큘라 (Dracula) 서양 전설에서 밤에만 돌아다니며 사람의 피를 빨아 먹는다는 귀신.

***드러나다** 1 겉으로 나타나다. 예갯바닥이 드러나다. 2 감추어져 있던 것이 알려지거나 밝혀지다. 예비밀이 드러나다.

드러내다 드러나게 하다. 예본마음을 드러내다.

드러눕다 [드러눕따] 1 편한 자세로 눕다. 예잔디밭에 드러눕다. 2 앓아서 자리에 눕다. 예병석에 드러눕다. 활용 드러누워 / 드러누우니.

드럼 (drum) 서양 음악을 연주하는 데 쓰는 북.

드레스 (dress) 여성용 겉옷으로, 허리를 잘록하게 보이도록 디자인한 원피스.

드르렁거리다 요란하게 코를 고는 소리를 자꾸 내다. 또는 그런 소리가 자꾸 나다. 작다르랑거리다.

드르렁드르렁 계속 요란하게 코를 고는 소리. 예코를 드르렁드르렁 골다. **—하다.**

드르륵 1 창문 따위를 거침없이 여는 소리. 예창문을 드르륵 열다. 2 총 따위를 잇따라 쏘는 소리. 또는 그 모양. 예기관총을 드르륵 쏘다. **—거리다.**

***드리다[1]** 1 '주다'의 높임말. 예부모님께 선물을 드리다. 2 윗사람에게 말씀을 여쭙다. 예문안을 드리다. 3 신·부처에게 정성을 바치다. 예불공을 드리다.

드리다[2] 1 여러 가닥의 실이나 끈을 하나로 꼬거나 땋다. 예실을 드리다. 2 땋은 머리 끝에 댕기를 물리다. 예댕기를 드리다.

> 주의 **드리다와 들이다**
> **드리다** 1 윗사람이나 신, 부처에게 물건을 주거나 말씀을 여쭈거나 정성을 바치다. 예할머님께 선물을 드렸다 / 말씀을 드리다 / 기도를 드리다. 2 끈이나 줄 등을 꼬거나 땋다. 예실을 드리다.
> **들이다** 1 바깥에서 안으로 오게 하다. 예방으로 모셔 들이다. 2 비용·힘을 쓰다. 예비용을 적게 들이다.

드리블 (dribble) 1 축구에서, 공을 두 발로 몰고 나아가는 일. 2 배구에서, 한 사람이 두 번 이상 공을 치거나 몸에 대는 반칙. **3** 농구에서, 공을 손으로 바닥에 튀기며 나아가는 일. **—하다.**

드리우다 **1** 아래로 처져 늘어지게 하다. ㊎창문에 커튼을 드리우다. **2** 그늘이나 빛, 그림자 따위가 깃들거나 뒤덮이다. ㊎땅에 그림자가 드리우다.

드릴 (drill) 끝에 송곳날을 달아 나무나 금속에 구멍을 뚫는 공구.

드문드문 **1** 이따금. ㊎손님이 드문드문 찾아온다. **2** 띄엄띄엄. ㊎나무를 드문드문 심다 / 하늘에 구름이 드문드문 떠 있다. 센 뜨문뜨문.

***드물다** **1** 자주 일어나거나 생기지 않다. ㊎왕래가 드물다. **2** 흔하지 않다. ㊎요즘은 컴퓨터 없는 집이 드물다. 반 흔하다. 활용 드물어 / 드무니 / 드문.

드세다 **1** 힘이나 기세가 몹시 세다. ㊎고집이 드세다 / 바람이 드세게 불다. **2** 어떤 일 따위가 견디기 힘들 정도로 거칠다. ㊎팔자가 드세다.

득 (得) 이로운 것. 또는 얻는 것. ㊎득보다 실이 많다.

득남 (得男) [등남] 아들을 낳음. **—하다.**

득녀 (得女) [등녀] 딸을 낳음. **—하다.**

득달같이 [득딸가치] 잠시도 머물거나 기다리지 않고. ㊎득달같이 달려가다.

득실득실 [득씰득씰] 사람이나 동물이 떼 지어 들끓는 모양. ㊎머리에 이가 득실득실하다. 본 득시글득시글. **—하다.**

득점 (得點) [득쩜] 시험이나 경기에서 점수를 얻음. 또는 그 점수. ㊎최고 득점 / 득점의 기회를 놓치다. 반 실점. **—하다.**

득표 (得票) 투표에서 찬성의 표를 얻음. 또는 그 얻은 표. ㊎과반수의 득표로 회장에 당선되다. **—하다.**

-든 '-든지'의 준말.

든든하다 **1** 약하지 않고 굳세다. ㊎다리가 든든하다. **2** 마음이 놓이고 의지가 될 정도로 미덥다. ㊎그 말을 들으니 마음이 든든하다. **3** 먹은 것이나 입은 것이 충분해서 허전하지 않다. ㊎든든하게 입다 / 고기를 먹었더니 속이 든든하다. 작 단단하다. 센 뜬뜬하다.

든든히 든든하게. ㊎매사에 든든히 해야 한다.

-든지 무엇이나 가리지 않는다는 뜻을 나타낼 때 쓰는 말. ㊎가든지 말든지 마음대로 해라. 준 -든. → -던지 주의

듣기 [듣끼] 국어 학습의 한 부분으로, 남의 말을 정확하게 알아듣고 이해하는 일. *말하기. 쓰기. 읽기.

***듣다**[1] [듣따] **1** 귀로 소리를 느끼다. ㊎음악을 듣다. **2** 칭찬이나 꾸지람을 받다. ㊎칭찬을 듣다 / 아버지께 꾸중을 듣다. **3** 남이 시키거나 일러 주는 대로 따르다. ㊎선생님 말씀을 잘 들어라. 활용 들어 / 들으니 / 듣는. ➡ hear, listen

듣다[2] [듣따] 약 따위가 효험을 나타내다. ㊎두통에 잘 듣는 약. 활용 들어 / 들으니 / 듣는.

듣다[3] [듣따] 빗물이나 눈물 따위가 방울져 떨어지다. ㊎비구름이 몰려오더니 빗방울이 듣기 시작했다. 활용 들어 / 들으니 / 듣는.

***들:**[1] **1** 편평하고 넓게 트인 땅. ㊎들에 핀 꽃. **2** 논밭으로 되어 있는 넓은 땅. ㊎들에 일하러 나가다. 비 벌판. 평야.

들[2] 두 개 이상의 사물을 나열할 때, 그 열거한 사물 모두를 가리키거나, 그 밖에 같은 종류의 사물이 더 있음을 나타내는 말. ㊎과일에는 사과·배·감 들이 있다.

들-[1] 몹시. 굉장히. 무리하게. ㊎들

볶다 / 들끓다.

들:-[2] '들에서 자란'의 뜻. ㉠들국화 / 들장미.

-들 '여럿이 모두'·'여럿이 저마다'의 뜻. ㉠사람들 / 우리들.

들것 [들껃] 헝겊 따위의 양쪽을 긴 막대기에 잡아매어 앞뒤에서 맞들게 만든 것. 환자나 물건을 나르는 데 씀. ㉠들것으로 환자를 옮기다.

들고일어나다 [들고이러나다] 어떤 일에 항의하거나 반대하여 나서다. ㉠환경 파괴에 반대하여 들고일어나다.

들:국화 (-菊花) [들구콰] 가을철에 산이나 들에 피는 국화.

들기름 들깨로 짠 기름.

들:길 [들낄] 넓은 들에 사람이 다니도록 만들어 놓은 길.

들깨 꿀풀과의 한해살이풀. 높이는 약 80 cm. 잎은 크고 잔털이 있음. 여름에 흰 꽃이 피며, 씨는 볶거나 기름을 짜서 씀.

들:꽃 [들꼳] 들에 피는 꽃.

들끓다 [들끌타] 여럿이 한곳에 많이 모여 수선스럽게 움직이다. ㉠휴가철이라 해수욕장이 피서객으로 들끓는다. 발음 들끓고[들끌코] / 들끓지[들끌치] / 들끓어서[들끄러서] / 들끓는[들끌른].

들:나물 [들라물] 들에서 나는 나물. 반 산나물.

들:녘 [들력] 들이 넓게 펼쳐 있는 곳. ㉠벼가 누렇게 익은 들녘.

들:놀이 [들로리] 들에 나가 노는 일. ㉠온 가족이 들놀이를 가다.

*__들다__[1] **1** 살 곳을 정하고 살다. ㉠새 집에 들다. **2** 안으로 향해 가다. ㉠방 안에 들다. **3** 물감·물기·소금기 따위가 물건에 스미거나 배다. ㉠나뭇잎에 단풍이 예쁘게 들었다. **4** 마음에 꼭 맞다. ㉠선물이 마음에 꼭 든다. **5** 돈이나 물건이 쓰이다. ㉠여행 경비가 꽤 들다. **6** 병이 생기다. ㉠감기가 들다. **7** 버릇이 생기다. ㉠고약한 버릇이 들다. **8** 잠에 빠지다. ㉠아이는 울다 지쳐 잠이 들었나 보다. **9** 어떤 생각이나 느낌이 생기거나 느껴지다. ㉠불길한 예감이 들다. **10** 나이가 많아지다. ㉠나이가 들어 보이다. 활용 들어 / 드니 / 드는.

들다[2] 칼·낫 따위의 날이 날카로워 잘 베어지다. ㉠칼이 잘 들다. 활용 들어 / 드니 / 드는.

*__들다__[3] **1** 손에 가지다. ㉠가방을 한 손에 들다. **2** 위로 올리다. ㉠손을 들다. **3** 어떠한 사실이나 예를 끌어 대어 말하다. ㉠보기를 들다. **4** '먹다'의 높임말. ㉠진지 드세요. 활용 들어 / 드니 / 드는.

들뜨다 **1** 단단한 데에 붙은 얇은 것이 떨어져 틈이 생기다. ㉠벽지가 들뜨다. **2** 마음이나 분위기가 흥분되다. ㉠들뜬 마음을 가라앉히다. 활용 들떠 / 들뜨니.

들락거리다 [들락꺼리다] 자꾸 들어왔다 나갔다 하다. ㉠분주하게 집에 들락거리다.

들락날락 [들랑날락] 자꾸 들어왔다 나갔다 하는 모양. ㉠쥐구멍에서 쥐가 들락날락한다. **—하다.**

들러리 **1** 결혼식에서 신랑이나 신부를 식장으로 이끌고 옆에 서는 사람. ㉠친구 결혼식에 들러리를 서다. **2** 어떤 일을 할 때 중심인물의 주변에서 곁따르는 일이나 그런 노릇을 하는 사람의 비유. ㉠데이트에 들러리 서다.

들러붙다 [들러붇따] **1** 끈기 있게 바짝 붙다. ㉠거미줄이 얼굴에 들러붙다. **2** 한곳에 머물러 자리를 뜨지 않다. ㉠컴퓨터 앞에만 들러붙어 있다. **3** 몹시 열중하다. ㉠글쓰기에 들러붙다. **4** 끈기 있게 붙어 따르다. ㉠강아지가 들러붙어 귀찮게 한다. 본 들어붙다. 작 달라붙다.

들려주다 소리나 말을 듣게 해 주다. ㉠음악을 들려주다.

*__들르다__ 지나는 길에 잠깐 들어가 머물다. ㉠책방에 들르다. [활용] 들러/들르니.

*__들리다__[1] **1** 소리가 귀청을 울려 감각이 일어나다. ㉠부르는 소리가 들리다. **2** 소문이 퍼져 남들이 듣게 되다. ㉠들리는 소문으로는 그가 사장이 아니래.

들리다[2] 병에 걸리거나 못된 귀신이 들러붙다. ㉠감기가 들리다/귀신이 들리다.

들리다[3] **1** 남에게 듦을 당하다. ㉠몸이 번쩍 들리다. **2** 남을 시켜서 들게 하다. ㉠깃발을 들리다.

들먹이다 [들머기다] **1** 묵직한 물건을 올렸다 내렸다 하다. **2** 남의 마음을 흔들리게 하다. ㉠마음이 들먹여서 공부가 안된다. **3** 어깨나 엉덩이가 아래위로 움직이다. ㉠어깨를 들먹이며 흐느껴 울다. **4** 남을 들추어 말하다. ㉠그 사람 이름을 들먹이지 마라.

들배지기 씨름에서, 상대편의 샅바를 잡고 배 높이까지 들어 올린 뒤 자기의 몸을 돌리면서 상대편을 넘어뜨리는 기술.

들볶다 [들복따] 까다롭게 굴거나 잔소리를 하여 남을 못살게 굴다. ㉠동생을 못살게 들볶다.

들:소 [들쏘] 미국이나 인도 등지에 있는 야생의 소의 총칭.

들숨 [들쑴] 들이쉬는 숨. [반] 날숨.

들썩거리다 [들썩꺼리다] 자꾸 들썩이다. ㉠이불을 들썩거리다. [작] 달싹거리다.

들썩이다 [들써기다] **1** 물건이 들렸다 가라앉았다 하다. ㉠물이 끓어 냄비 뚜껑이 들썩이다. **2** 마음이 들떠서 움직이다. ㉠여행 갈 생각에 마음이 들썩였다. **3** 어깨나 엉덩이가 위아래로 가볍게 움직이다. ㉠어깨를 들썩이며 춤을 추다. **4** 시끄럽고 부산하게 떠들다. ㉠공연장은 많은 사람들로 몹시 들썩였다. [작] 달싹이다.

들쑤시다 **1** 무엇을 찾으려고 샅샅이 뒤지고 헤집다. ㉠책상 서랍을 들쑤시다. **2** 남을 가만히 두지 않고 성가시게 들볶다. ㉠분위기를 들쑤셔 놓다. **3** 마구 찌르는 듯이 아픈 느낌이 들다. ㉠머리가 들쑤시다. [본] 들이쑤시다.

들쑥날쑥하다 [들쑹날쑤카다] ⇨ 들쭉날쭉하다.

들쓰다 **1** 이불 등을 푹 덮어쓰다. ㉠이불을 들쓰고 눕다. **2** 모자나 갓 따위를 머리에 아무렇게나 얹거나 쓰다. ㉠모자를 들쓰다. **3** 물이나 먼지 따위를 온몸에 받다. ㉠먼지를 들쓰다. **4** 잘못이나 책임을 넘겨 맡다. ㉠누명을 들쓰다. [활용] 들써/들쓰니.

*__들어가다__ [드러가다] **1** 밖에서 안으로 향해 가다. ㉠교실로 들어가다. **2** 취직·입학을 하다. ㉠대기업에 들어가다/중학교에 들어가다. **3** 글이나 말의 내용이 잘 이해되다. ㉠새벽 공부는 머리에 잘 들어간다. **4** 새로운 시기나 상태 따위가 시작되다. ㉠겨울 방학에 들어가다. **5** 전기·수도 따위의 시설이 설치되다. ㉠두메산골에 전화가 들어가다. **6** 물체 표면이 우묵하게 되다. ㉠움푹 들어간 볼/눈이 쑥 들어가다. [활용] 들어가거라. ➲ enter

들어내다 [드러내다] **1** 물건을 들어서 밖으로 내놓다. ㉠이삿짐을 들어내다. **2** 사람을 있던 곳에서 쫓아내다.

들어맞다 [드러맏따] 틀리지 않고 정확히 맞다. ㉠꿈이 들어맞았다.

들어붓다 [드러붇따] **1** 비가 퍼붓듯이 쏟아지다. **2** 그릇에 담긴 물건을 통째로 쏟아 붓다. [활용] 들어부어 / 들어부으니 / 들어붓는.

*들어서다 [드러서다] 1 안쪽으로 옮겨 서다. ㉮대문 안에 들어서다. 2 어떤 곳에 자리 잡다. ㉮아파트가 들어서다. 3 어떤 상태나 시기가 시작되다. ㉮장마철에 들어서다. 4 정부나 기관 따위가 처음으로 세워지다. ㉮새 정부가 들어서다.

들어앉다 [드러안따] 1 안쪽으로 다가앉다. 2 건물 따위가 일정한 곳에 자리 잡고 서다. 3 어떤 지위를 차지하다. ㉮부잣집 며느리로 들어앉다.

*들어오다 [드러오다] 1 안으로 향해 오다. ㉮모기가 들어오다. 반 나가다. 2 어떤 단체의 구성원이 되다. ㉮그 사람은 우리 모임에 들어왔다. 3 수입 따위가 생기다. ㉮매달 10만 원씩 들어온다. 4 말이나 글이 이해되어 기억에 남다. ㉮책의 내용이 머리에 쏙쏙 잘 들어왔다. 활용 들어오너라.

들어주다 [드러주다] 부탁이나 원하는 것을 허락하다. ㉮부탁을 들어주다 / 소원을 들어주다.

들여놓다 [드려노타] 밖에서 안으로 갖다 놓다. ㉮방 안에 책상을 들여놓다.

*들여다보다 [드려다보다] 1 밖에서 안을 보다. ㉮문틈으로 안을 들여다보다. 2 가까이에서 자세히 보다. ㉮시험지를 꼼꼼히 들여다보다. 3 어떤 곳에 들러서 보다. ㉮입원 중인 친구를 들여다보다.

들여보내다 [드려보내다] 1 안이나 속으로 들어가게 하다. ㉮입장권을 가진 사람만 들여보냈다. 2 단체나 조직의 구성원이 되게 하다. ㉮대학에 들여보내다.

들여오다 [드려오다] 밖에서 안으로 가져오다. ㉮마당 안으로 짐을 들여오다.

*-들이 그릇에 담기는 양. ㉮2리터들이 병.

*들이다 [드리다] 1 들어오게 하다. ㉮친구를 방에 들이다. 2 비용을 내거나 힘을 쓰다. ㉮공을 들이다 / 큰 돈을 들여 사업을 하다. 3 물감을 배게 하다. ㉮손톱에 봉선화 물을 들이다. →드리다 주의

들이닥치다 [드리닥치다] 갑자기 한꺼번에 밀려들다. ㉮수업 종이 치자 학생들이 교실로 우르르 들이닥쳤다.

들이대다 [드리대다] 1 마구 대들다. ㉮선배에게 들이대다. 2 바싹 가져다 대다. ㉮권총을 들이대다 / 증거를 들이대다.

들이마시다 [드리마시다] 빨아들여 목구멍으로 넘기다. ㉮맑은 공기를 들이마시다 / 물을 들이마시다.

들이밀다 [드리밀다] 안쪽으로 밀어 넣거나 들여보내다. ㉮쪽지를 문틈으로 들이밀다. 반 내밀다. 준 디밀다. 활용 들이밀어 / 들이미니 / 들이미는.

들이받다 [드리받따] 머리를 들이대고 받다. ㉮소가 뿔로 들이받다.

들이쉬다 [드리쉬다] 숨을 들이켜 쉬다. ㉮맑은 공기를 깊이 들이쉬다. 반 내쉬다.

들이치다 [드리치다] 비·눈·햇살 따위가 안쪽으로 세차게 뿌리거나 비치다. ㉮비가 유리창에 들이치다.

들이켜다 [드리켜다] 물 따위를 마구 마시다. ㉮목이 말라 물을 벌컥벌컥 들이켰다.

들이키다 [드리키다] 안쪽으로 가까이 옮기다. ㉮책상을 들이켜 놓고 가거라. 반 내키다.

들:일 [들릴] 논이나 밭에서 하는 일. ㉮들일 나가다.

들입다 [드립따] 힘껏 마구. ㉮있는 힘을 다해 들입다 뛰었다.

들:쥐 [들쮜] 들에 사는 쥐.

들:짐승 [들찜승] 들에 사는 짐승.

들쭉날쭉하다 [들쭝날쭈카다] 들어가고 나오고 하여 가지런하지 않다. ㉠들쭉날쭉한 해안선. 비 들쑥날쑥하다.
들창 (—窓) 벽의 위쪽에 자그맣게 만든 창. ㉠들창을 열고 밖을 보다.
들창코 (—窓—) 코끝이 위로 들려서 콧구멍이 드러나 보이는 코. 또는 그렇게 생긴 사람.
들추다 **1** 지난 일이나 숨은 일 따위를 드러나게 하다. ㉠남의 사생활을 들추다. **2** 무엇을 찾으려고 자꾸 뒤지다. ㉠사전을 들추어 보다. **3** 속이 드러나게 들어 올리다. ㉠이불을 들추다.
들추어내다 들추어서 나오게 하다. ㉠남의 비밀을 들추어내다.
들치다 물건의 한쪽 끝을 잡고 쳐들다. ㉠치마를 들치다.
들키다 남 모르게 하거나 숨기려던 것이 남의 눈에 뜨이다. ㉠커닝하다가 선생님께 들키다.
들통 비밀이나 잘못이 드러난 상황. ㉠거짓말이 들통이 나다.
*__들ː판__ 들을 이룬 벌판. ㉠추수가 끝난 빈 들판. 비 벌판. 평야. ➡ field
들ː풀 들에 나는 풀.
듬뿍 넘칠 정도로 가득한 모양. ㉠밥을 듬뿍 담다. 작 담뿍.
듬성듬성 촘촘하지 않고 여기저기 드물게 있는 모양. ㉠나무를 듬성듬성 심다.
듬직하다 [듬지카다] 믿음직스럽고 든든하다. ㉠듬직한 사람.
*__듯__ [듣] 그런 것 같기도 하고 아닌 것 같기도 하다는 뜻을 나타내는 말. ㉠먹은 듯 만 듯하다.
듯싶다 [듣씹따] ⇨듯하다.
듯이 [드시] 듯하게. ㉠몸이 날아갈 듯이 가뿐하다.
*__듯하다__ [드타다] 짐작이나 추측의 뜻을 나타내는 말. ㉠비가 올 듯하다. 비 듯싶다.

*__등__[1] 사람이나 동물의 가슴과 배의 반대쪽. ㉠등이 가렵다. ➡ back
등(을) 돌리다 뜻을 같이하던 사람이나 단체와 관계를 끊고 멀리하다. ㉠등을 돌린 채로 살다.
등ː[2] (等) 등급이나 석차를 나타내는 말. ㉠일 등 / 삼 등.
*__등ː__[3] (等) '들'·'기타'·'따위'를 이르는 말. ㉠개나리, 진달래 등.
*__등__[4] (燈) 불을 켜서 어두운 곳을 환하게 밝히는 기구. ㉠등을 밝히다 / 등을 켜다. ➡ lamp
등걸 줄기를 잘라 낸 나무의 밑동. ㉠등걸에 걸터앉다.
등겨 벼의 껍질. 즉, 벼의 겨.
등ː고선 (等高線) 지도에서 같은 높이에 있는 지점들을 연결해 놓은 곡선.
등골[1] [등꼴] ⇨척수.
등골(이) 빠지다 너무 고생스러워 견디기 어려울 정도로 힘들다.
등골[2] [등꼴] 등 한가운데로 길게 고랑이 진 곳.
등골(이) 오싹하다 심한 공포감 따위로 등골에 소름이 끼치는 것 같다. ㉠등골이 오싹할 정도로 무섭다.
등골뼈 [등꼴뼈] 척추동물의 몸을 지탱하고 있는, 등 한복판의 뼈. 비 등뼈.
등교 (登校) 학생이 학교에 감. ㉠등교하는 길에 담임선생님을 만나다. 반 하교. **—하다.**
등긁이 [등글기] 등을 긁는 데 쓰는 물건.
등ː급 (等級) 높고 낮음이나 좋고 나쁨을 여러 단계로 나누어 놓은 차례. ㉠등급을 매기다.
등기 우편 (登記郵便) 우체국에서 우편을 보내는 사람에게 영수증을 주고, 받는 사람한테는 확인을 받아 배달을 확실하게 하는 특별 우편. 준 등기.
등나무 (藤—) 콩과의 낙엽 활엽 덩

굴나무. 4-5월에 자줏빛이나 흰 꽃이 핌. 정원에 심어 그늘지게 함.

등단 (登壇) 연단이나 교단에 오름. ㉥하단. **—하다.**

등대 (燈臺) 밤에 뱃길의 위험한 곳을 비추거나, 목표로 삼게 하기 위하여 등불을 켜 놓는 대.

〈등대〉

등대지기 (燈臺—) 등대를 지키는 사람. ㉥등대수.

등댓불 (燈臺—) [등대뿔 / 등댇뿔] 등대에서 비추는 불빛.

등덜미 [등떨미] 등의 윗부분. ㉥등덜미를 잡히다.

등:등 (等等) 여러 사물을 죽 들어 말할 때 '그리고 그와 비슷한 것들'의 뜻으로 쓰는 말. ㉥옷·모자·신 등등 살 것이 많다.

등등하다 (騰騰—) 기세가 아주 높다. ㉥기세가 등등하다.

등록 (登錄) [등녹] 문서에 올림. ㉥주민 등록 / 새 학기 등록을 마치다 / 회원으로 등록하다. **—하다.**

등록금 (登錄金) [등녹끔] 학교나 학원에 다니기 위해 내는 돈. ㉥대학 등록금 / 등록금을 내다.

등마루 등의 가운데, 등골뼈가 있어 두두룩하게 줄이 진 부분.

등물 ⇨목물.

등반 (登攀) 높은 곳에 오름. ㉥한라산을 등반하다. **—하다.**

등반대 (登攀隊) 험한 산이나 높은 곳에 오를 목적으로 모여 만든 무리. ㉥에베레스트 산 등반대.

등받이 [등바지] 의자에 앉을 때 등이 닿는 부분.

등본 (謄本) 원본의 내용을 그대로 베낀 서류. ㉥호적 등본. *초본.

등:분 (等分) **1** 어떤 수나 양을 똑같이 나눔. **2** 같은 분량으로 나뉜 몫을 세는 단위. ㉥사과를 네 등분으로 자르다. **—하다.**

***등불** (燈—) [등뿔] 등에 켠 불. ㉥등불을 켜다 / 등불이 밝다.

등뼈 ⇨등골뼈.

등사 (謄寫) 간단한 인쇄기인 등사기로 글씨나 그림을 박음. ㉥초대장을 등사하다. **—하다.**

등산 (登山) 산에 오름. ㉥매일 아침 등산을 한다. ㉥하산. **—하다.**

등산가 (登山家) 등산을 잘하거나 즐기는 사람.

등산객 (登山客) 운동이나 놀이를 목적으로 산에 오르는 사람.

등산로 (登山路) [등산노] 산을 오르내릴 수 있게 낸 길. ㉥등산로가 가파르다.

등산복 (登山服) 등산할 때에 입는 옷. ㉥등산복 차림을 하다.

등성이 '산등성이'의 준말.

등:수 (等數) [등쑤] 차례를 매겨 붙인 번호. ㉥등수가 오르다.

***등:식** (等式) 두 개 또는 그 이상의 식을 '='로 묶어 그것이 서로 같음을 나타내는 수식. ㉥부등식.

등:신 (等神) 몹시 어리석은 사람을 낮잡아 이르는 말. ㉥등신 같은 녀석.

등심 (—心) 소나 돼지의 등뼈에 붙은 고기. 연하고 기름기가 많음.

등쌀 몹시 귀찮게 구는 짓. ㉥아이들 등쌀에 책 읽을 틈도 없다.

등쌀(을) 대다 남에게 몹시 귀찮게 굴거나 수선을 부리다.

등:온선 (等溫線) 지도에서 온도가 같은 지점을 이은 곡선.

등:외 (等外) 정한 등급의 밖. ㉥등외로 밀려나다.

등용 (登用〔庸〕) 나라에서 능력이 있는 사람을 뽑아 지위가 높은 관리로 삼는 것. ㉥인재를 등용하다. ㉥기용. **—하다.**

등용문 (登龍門) 출세를 위해 지나

야 하는 어려운 관문. ㉡문단의 등용문.
등유 (燈油) 등불을 켜거나 난로를 피우는 데 쓰는 기름.
등잔 (燈盞) 기름을 담아서 등불을 켜는 그릇.
등잔불 (燈盞―) [등잔뿔] 등잔에 켠 불. 비 등불.
등장 (登場) **1** 무대나 연단에 나옴. ㉡연사가 등장하다. **2** 소설·연극·영화 따위에 어떤 인물이 나타남. ㉡악역으로 등장하다. **3** 새로운 제품이나 인물 등이 세상에 처음으로 나옴. ㉡신형 차가 새로 등장하다. 반 퇴장. **—하다.**
등장인물 (登場人物) 소설·연극·영화 따위에 나오는 인물.
등정 (登頂) 높은 산의 꼭대기에 오름. ㉡백두산 등정에 성공하다 / 세계 최고봉을 등정하다. **—하다.**
등줄기 [등쭐기] 등마루의 두두룩하게 줄이 진 부분. ㉡등줄기에서 식은땀이 흐르다.
등ː지 (等地) 지명 뒤에 쓰여, '그러한 곳들'이란 뜻을 나타내는 말. ㉡금산·강화 등지의 인삼.
등지느러미 물고기의 등에 있는 지느러미.
등지다 **1** 서로 사이가 나빠지다. ㉡친구와 등지다. **2** 등 뒤에 두다. ㉡나무를 등지고 서다 / 산을 등지고 있는 마을. **3** 관계를 끊고 멀리하거나 떠나다. ㉡고향을 등지다.
등짐 [등찜] 등에 진 짐.
등판 (登板) 야구에서 투수가 경기를 하려고 투수 자리에 서는 일. ㉡선발 투수로 등판하다. **—하다.**
등ː한시하다 (等閑視―) 대수롭지 않게 보아 넘기다. ㉡공부를 등한시하다.
등ː한하다 (等閑―) 관심이 없거나 소홀히 여기다. ㉡그동안 운동한다는 핑계로 공부를 등한하였다.
등ː한히 (等閑―) 등한하게. ㉡자식 교육을 등한히 하다.
등ː호 (等號) 두 수 또는 두 식이 같음을 나타내는 부호(=).
보기 30+40=70.
디귿 한글 자모 'ㄷ'의 이름. 발음 디귿이[디그시] / 디귿을[디그슬] / 디귿에[디그세].
디디다 **1** 발을 올려놓고 서거나 발로 누르다. ㉡바위를 디디고 서다. **2** 어려운 상황 따위를 이겨 내다. ㉡역경과 고통을 디디고 일어서다. 준 딛다.
디딜방아 [디딜빵아] 발로 디디어 곡식을 찧게 된 방아. 굵은 나무 한끝에 공이를 박고, 다른 한끝은 두 갈래가 나게 하여 그 끝을 디디게 되었으며, 공이 아래에 방아확을 파 놓음.

〈디딜방아〉

디딤돌 [디딤똘] 디디고 오르내리게 된 평평하고 넓적한 돌. ㉡디딤돌을 밟고 올라서다.
디밀다 '들이밀다'의 준말. ㉡얼굴을 디밀다.
디스켓 (diskette) ⇨플로피 디스크. ㉡문서를 디스켓에 저장하다.

〈디스켓〉

디스코 (disco) 빠른 음악에 맞추어 자유롭게 추는 춤.
디스크 (disk, disc) **1** 축음기의 레코드. 음반. **2** 컴퓨터의 보조 기억 장치로 사용되는, 플라스틱으로 만든 둥근 모양의 판.
디자이너 (designer) 디자인을 전문적으로 하는 사람.
디자인 (design) 의상·건축·공업 제품 등의 실용적인 목적을 위한 작품의 설계나 도안. ㉡의류 디자인 /

실내 디자인. **—하다.**

디저트 (dessert) 양식에서, 식사 끝에 나오는 과자나 과일 따위의 음식. 후식.

디젤 기관 (Diesel機關) 1897년 독일의 디젤이 발명한 엔진. 경유나 중유를 써서 배·차량 따위를 움직이는 데 쓰임.

디즈니랜드 (Disneyland) 1955년 만화 영화 제작자 디즈니가 로스앤젤레스 교외에 세운 어린이 놀이터.

디지털 (digital) 시간·소리·모양 따위를 숫자로 바꾸어 나타내는 방식. *아날로그.

디프테리아 (diphtheria) 2-7살쯤의 어린아이에게 잘 걸리는 전염병. 열이 나고 목이 아프며 음식을 잘 삼키지 못함.

딛다 [딛따] '디디다'의 준말. ㉠땅을 딛다 / 좌절을 딛고 성공하다.

딩동 초인종이 울리는 소리.

ㄸ (쌍디귿) 'ㄷ'의 된소리.

따갑다 [따갑따] **1** 몹시 더운 느낌이 있다. ㉠석양볕이 따갑다. 큰 뜨겁다. **2** 바늘같이 뾰족한 끝으로 찌르는 듯한 느낌이 있다. ㉠상처가 따갑고 아프다. **3** 눈길이나 충고 따위가 매섭고 날카롭다. ㉠따가운 시선을 느끼다 / 따가운 질책을 받다. 활용 따가워 / 따가우니.

따개 병이나 깡통 따위의 뚜껑을 따는 물건. 오프너.

따개비 따개빗과의 동물. 바다 밑의 암초나 배 밑에 붙어 삶. 지름 10-15 mm 정도의 원뿔 모양의 껍데기는 윤기 나는 회색이고 거죽에 흰색의 융기가 있음. 비 굴등.

따:귀 '뺨'의 속된 말. ㉠따귀를 때리다. 본 뺨따귀.

따끈따끈 매우 따끈한 모양. ㉠따끈따끈한 호떡 / 방바닥이 따끈따끈하다. 큰 뜨끈뜨끈. **—하다.**

따끈하다 조금 따뜻하고 더운 느낌이 있다. ㉠따끈한 숭늉.

따끔거리다 자꾸 따끔하게 쏘는 느낌이 들다. ㉠벌에 쏘인 곳이 따끔거리다. 큰 뜨끔거리다.

따끔따끔 뾰족한 물건으로 자꾸 찌르는 듯 아픈 느낌. 큰 뜨끔뜨끔.

따끔하다 맞거나 찔리어서 아픈 느낌이 있다. ㉠압정에 찔린 데가 따끔하다.

따님 남의 딸을 높이어 이르는 말. 반 아드님.

***따다** **1** 붙어 있는 것을 잡아떼다. ㉠꽃을 따다 / 바위에서 굴을 따다. **2** 꽉 봉한 것을 뜯다. ㉠깡통을 따다 / 문을 따고 들어가다. **3** 경기·내기 따위에서 이겨 돈이나 상품을 얻다. ㉠금메달을 따다. **4** 점수·자격 따위를 받다. ㉠운전면허를 따다 / 박사 학위를 따다.

따돌리다 **1** 밉거나 싫은 사람을 떼어내어 멀리하다. ㉠친구를 따돌리지 마라. **2** 뒤쫓는 사람이 따라잡지 못하게 앞서 나가다. ㉠수비수를 따돌리고 골을 넣다.

따돌림 따로 떼어 멀리하는 일. ㉠친구들로부터 따돌림을 당하다.

***따뜻하다** [따뜨타다] **1** 포근한 정도로 온도가 알맞게 높다. ㉠방 안이 따뜻하다. 큰 뜨뜻하다. **2** 감정이나 분위기가 정답고 포근하다. ㉠따뜻한 마음씨 / 어려운 이웃을 따뜻하게 보살피다. ➡ warm

***따라가다** **1** 뒤를 좇아가다. ㉠선생님을 따라가다. **2** 남의 행동이나 명령 따위를 좇아 하다. ㉠자식은 부모를 따라가기 마련이다. 활용 따라가거라. ➡ follow

따라나서다 남이 가는 대로 같이 나서다. ㉠마을 잔치에 가시는 어머니 뒤를 따라나서다.

따라다니다 **1** 남의 뒤를 좇아다니다. ㉠강아지가 나만 졸졸 따라다닌다. **2** 어떤 현상이 붙어 다니다. ㉠

좋지 않은 그 기억은 평생 날 **따라다녔다**.

따라붙다 [따라붇따] 앞선 것을 바싹 뒤따르다. ㉠끈질기게 **따라붙는** 수비수를 따돌리다.

*__따라서__ 그러므로. 그렇기 때문에. ㉠물건이 최고로 좋으니 **따라서** 값도 비싸다.

*__따라오다__ **1** 남의 뒤를 쫓아오다. ㉠내 뒤를 **따라오너라**. **2** 그대로 본떠서 따르다. [활용] 따라오너라.

따라잡다 [따라잡따] 앞지른 것을 따라가서 잡다. ㉠선진국의 기술 수준을 **따라잡다**.

*__따로__ **1** 섞이지 않고 각각 떨어져서. ㉠동화책과 교과서는 **따로** 꽂아두어라. [반] 같이. 함께. **2** 보통의 것과 다르게 특별히. ㉠너희들은 상담실에서 **따로** 얘기하자.

따로따로 제각기 따로. ㉠형제가 **따로따로** 살다.

*__따르다__[1] **1** 남의 뒤를 쫓다. ㉠친구를 **따라** 학원에 가다. **2** 앞선 것을 좇아 같은 수준에 이르다. ㉠그의 영어 실력은 아무도 **따르지** 못했다. **3** 남을 좋아하거나 존경하여 가까이 붙어다니며 섬기다. ㉠잘 **따르는** 후배. **4** 다른 일과 더불어 일어나다. ㉠성공에는 흔히 노력이 **따른다**. **5** 나란히 같이 움직이다. ㉠골짜기를 **따라** 내려가다. **6** 관례나 법규, 명령, 의견 따위를 좇다. ㉠전례에 **따르다** / 시키는 대로 **따르다**. **7** 목적이나 입장에 각기 의거하다. ㉠특징에 **따라** 분류하다. [활용] 따라 / 따르니.

*__따르다__[2] 그릇을 기울여서 담긴 액체를 쏟아지게 하다. ㉠술을 **따르다** / 컵에 우유를 **따르다**. [활용] 따라 / 따르니.

따르릉 전화벨이나 자명종 따위가 한 번 울리는 소리. ㉠전화가 **따르릉** 울리다.

따름 '-ㄹ·-을' 뒤에 쓰여 '그뿐'이라는 뜻을 나타냄. ㉠오로지 열심히 공부할 **따름이다**.

따먹다 [따먹따] 장기·바둑·내기 등에서, 상대편의 말이나 돈 따위를 얻다. ㉠졸로 상을 **따먹다**.

따발총 (—銃) 탄창이 똬리 모양으로 둥글납작한 구소련제의 기관 단총의 속된 말.

따분하다 재미가 없어 지루하고 답답하다. ㉠**따분한** 이야기.

따사롭다 [따사롭따] **1** 따스한 기운이 조금 있다. ㉠햇살이 **따사롭다**. **2** 마음이 다정하다. ㉠**따사로운** 인정이 넘치다. [활용] 따사로워 / 따사로우니.

*__따스하다__ 조금 따뜻하다. ㉠방바닥이 **따스하다**. [작] 따사하다. [여] 다스하다.

따오기 따오깃과의 새. 산간의 논이나 연못에서 삶. 백로와 비슷한데 몸빛은 희고 검은 부리는 밑으로 굽었음. 나무 위에 둥우리를 짓고 물가에서 민물고기나 게 따위를 잡아먹음. 천연기념물 제 198 호.

〈따오기〉

따오다 남의 글이나 말 가운데서 필요한 부분을 끌어 오다. ㉠소설 제목을 지명에서 **따오다**.

따옥따옥 따오기가 우는 소리.

따옴표 (—標) 어떤 글에서 따온 부분이나 강조하는 말이나 글의 앞뒤에 쓰는 문장 부호. 큰따옴표(" ")·작은따옴표(' ') 따위가 있음. [비] 인용부.

*__따위__ **1** 사람이나 물건을 얕잡아 이르는 말. ㉠너 **따위**가 무얼 알아. **2** 같은 종류를 나타냄. ㉠쌀·보리 **따위**의 곡식.

*__따지다__ **1** 계산·관계 따위를 낱낱이

헤아리다. ㉠이자를 따지다 / 촌수를 따지다. **2** 옳고 그름을 가리다. ㉠잘잘못을 따지다. **3** 중요하게 여겨 검토하다. ㉠경력을 따지다.

*__딱¹__ 단단한 것이 마주치거나 부러질 때 나는 소리. ㉠나무가 딱 부러지다. ㉣뚝.

딱² **1** 일을 단호하게 처리하는 모양. ㉠딱 잘라 말하다. **2** 완전히 그치거나 멎는 모양. ㉠비가 딱 그쳤다 / 아기 울음소리가 딱 멎었다. **3** 몹시 싫거나 언짢은 모양. ㉠정나미가 딱 떨어지다.

딱³ **1** 활짝 벌어진 모양. ㉠입을 딱 벌리다. **2** 완전히 맞닿거나 들어맞는 모양. ㉠교복이 딱 맞다 / 네 말이 딱 맞았다. **3** 굳세게 버티는 모양. ㉠딱 버티고 서서 비켜 주지 않는다. **4** 한정해서 꼭. 그뿐. ㉠딱 두 개만 먹어라. ㉣떡².

딱따구리 딱따구릿과의 새. 날카롭고 단단한 부리로 나무를 쪼아 구멍을 내고 그 속의 벌레를 잡아먹음. ×딱다구리.

딱딱 단단하고 가벼운 물건이 계속 부딪치거나 부러지는 소리나 모양. ㉠나뭇가지를 딱딱 부러뜨리다.

딱딱하다 [딱따카다] **1** 굳고 단단하다. ㉠딱딱하게 굳은 떡. **2** 태도·말씨·분위기 따위가 부드러운 맛이 없고 거세다. ㉠말투가 딱딱한 사람 / 손님에게 딱딱하게 대하다.

딱정벌레 [딱쩡벌레] 딱정벌렛과의 곤충. 몸빛은 금빛이 도는 녹색 또는 검은빛이 도는 붉은색을 띰. 밤에 곤충을 잡아먹음.

딱지¹ [딱찌] **1** 상처나 헌데에서 피나 진물이 나와 말라붙어 생긴 껍질. ㉠딱지가 앉다 / 딱지가 떨어지다. **2** 게·소라 따위의 몸을 싸고 있는 단단한 껍데기.

딱지² (一紙) [딱찌] **1** 우표나 증지처럼 어떤 특별한 그림이나 글씨를 박은 작은 종잇조각. ㉠상품에 가격 표시 딱지를 붙이다. **2** 두꺼운 종이에 그림을 그리거나 글을 쓰거나 하여 만든 장난감. ㉠딱지를 치다. **3** 어떤 대상에 대한 평가나 인정. ㉠배신자라는 딱지가 붙은 사람. **4** 교통 위반 따위에 대한 벌금이나 경고 사실을 적은 종이쪽지. ㉠신호 위반 딱지를 떼다. **5** '퇴짜'를 속되게 일컫는 말. ㉠딱지를 놓다 / 선볼 때마다 딱지를 맞다.

딱지치기 (一紙一) [딱찌치기] 종이로 만든 딱지를 땅에 놓고 다른 딱지로 쳐서 뒤집히면 따먹는 아이들 놀이. **一하다.**

딱총 (一銃) **1** 화약을 종이나 대통 같은 것의 속에 싸서 심지에 불을 붙여 터지게 만든 장난감. **2** 화약을 종이에 싸서 세게 치면 터지도록 만든 아이들의 장난감 총.

딱하다 [따카다] **1** 사정이나 처지가 애처롭고 가엾다. ㉠딱한 사정. **2** 난처하거나 곤란하다. ㉠입장이 딱하다.

딱히¹ [따키] 딱하게. 불쌍하게. ㉠딱히 여겨서 옷을 사 주다.

딱히² [따키] 정확하게 꼭 집어서. ㉠딱히 무어라 말하기가 어렵구나.

*__딴__ 다른. ㉠딴 이야기.

딴생각 **1** 엉뚱한 생각. ㉠바빠서 딴생각할 겨를이 없다. **2** 다른 데에 쓰는 생각. ㉠딴생각하느라 선생님 말씀을 못 듣다. **一하다.**

딴소리 아무 관계도 없는 엉뚱한 말. ㉠딴소리만 늘어놓다. **一하다.**

딴전 그 일과는 전혀 관계없는 일이나 행동. ㉠시치미를 떼며 딴전을 피우다. ㉥딴청.

딴전(을) 부리다 그 일과는 아주 다른 일을 하다.

딴죽 씨름 따위에서 상대자의 다리를 옆으로 치거나 끌어당기어 넘어뜨리는 기술.

딴죽(을) 걸다 동의하였던 일을 딴전을 부려 어기다.
딴청 ⇨딴전.
딴청(을) 부리다 ⇨딴전(을) 부리다.
딴판 아주 다른 모양. ㉥말과 행동이 딴판이다 / 형제의 성격이 딴판으로 다르다.
*__딸__ 여자로 태어난 자식. ㉥딸을 낳다. ㉯아들. ➲daughter
딸:기 장미과에 속하는 여러해살이풀. 과실의 한 가지로 봄에 흰 꽃이 피며, 열매는 붉게 익는데 날로 먹음. ➲strawberry
딸:기코 코끝이 딸기처럼 빨갛게 된 코.
딸꾹질 [딸꾹찔] 숨이 막혔다가 터져 나오려고 할 때에, 목구멍에서 이상한 소리가 나는 증세. ㉥딸꾹질이 일어나다. **—하다.**
딸리다 **1** 어떤 것에 매이거나 붙어 있다. ㉥딸린 식구가 많다. **2** 어떤 부서나 종류에 속하다. ㉥호랑이는 고양잇과에 딸려 있다.
딸림음 (—音) [딸리믐] 장음계·단음계의 으뜸음의 5도 위의 음.
*__땀__[1] 더울 때나 운동을 했을 때 몸에서 나오는 찝찔한 액체. 체온을 조절하는 구실을 함. ㉥땀이 나다 / 땀을 뻘뻘 흘리며 일하다. ➲sweat
땀[2] 바느질할 때에 바늘로 한 번 뜬 자국. ㉥땀이 촘촘하다.
땀구멍 [땀꾸멍] 몸 밖으로 땀을 내보내는 살갗의 구멍.
땀내 땀이 묻은 옷이나 몸에서 나는 냄새. ㉥옷에서 땀내가 나다.
땀띠 땀을 많이 흘리어 피부가 자극되어 좁쌀 모양으로 돋는 붉은색의 종기. ㉥땀띠가 돋다.
땀방울 [땀빵울] 물방울처럼 맺힌 땀의 덩이. ㉥이마에 땀방울이 송골송골 맺혔다.
땀샘 땀을 몸 밖으로 내보내고 체온을 조절하는 세포 조직.
*__땅__ **1** 강이나 바다와 같이 물이 있는 곳을 뺀 부분. ㉥땅에 사는 동물 / 땅에 묻다. ㉥육지. **2** 논·밭을 통틀어 일컫는 말. ㉥땅을 일구다. **3** 영토. ㉥독도는 우리 땅이다. **4** 지방. ㉥전라도 땅. **5** 토지나 택지. ㉥땅을 사서 집을 짓다. **6** 흙이나 토양. ㉥땅이 기름지다. ➲ground, land
땅에 떨어지다 권위·명성 따위가 거의 없어지다. ㉥사기가 땅에 떨어지다.
땅을 치다 매우 원통해 하다. ㉥이런 땅을 칠 노릇이 있나 / 땅을 치며 아쉬워하다.
땅거미 해가 지고 컴컴해 지기 전까지의 어둑어둑한 동안. ㉥땅거미가 깔리다 / 땅거미가 지다.
*__땅굴__ (—窟) [땅꿀] **1** 땅속으로 뚫린 굴. **2** 땅을 파낸 큰 구덩이. ㉥땅굴을 파다.
땅꾼 뱀을 잡아 파는 사람.
땅덩이 [땅떵이] 땅의 큰 덩이. 흔히, 대륙·국토·지구 따위를 가리킴. ㉥땅덩이가 큰 나라.
땅딸보 키가 매우 작은 사람을 얕잡아 이르는 말.
땅마지기 몇 마지기의 논이나 밭. ㉥땅마지기나 가졌다고 으스댄다.
땅문서 (—文書) 땅의 소유권을 증명하는 문서. ㉥땅문서를 잡히고 빚을 얻다.
땅바닥 [땅빠닥] 땅의 맨바닥. ㉥땅바닥에 주저앉다.
땅벌 [땅뻘] 땅속에 집을 짓고 사는 벌을 통틀어 일컫는 말.
땅볼 (—ball) 야구나 축구에서, 땅 위로 굴러 가도록 치거나 찬 공.
땅콩 콩과의 한해살이풀. 여름 동안 나비 모양의 노란꽃이 핌. 열매는 땅속에서 고치 모양으로 열리는데, 볶아 먹기도 하고 기름을 짜서 먹기도 함. ㉥낙화생. 호콩.

땋:다 [따타] 머리털 따위를 둘 이상의 가닥으로 갈라서 어긋나게 엮어서 한 가닥으로 하다. ㉠머리를 두 갈래로 땋다. 발음 땋고[따코] / 땋아서[따아서] / 땋는[딴는] / 땋소[따쏘].

***때**[1] **1** 시간의 어떤 순간이나 부분. ㉠때를 알리는 종소리. **2** 좋은 기회나 운수. ㉠때를 기다리다 / 때를 놓치다. **3** 시기. 그 당시. ㉠어렸을 때의 기억을 더듬다.

***때**[2] 몸이나 옷에 묻은 더러운 것. ㉠때가 묻다 / 때를 씻다.

> 주의 **때와 떼**
> 때 1 시간. 기회. 시기. ㉠떠날 때가 되었다 / 때를 보아 찾아가겠다. 2 먼지 따위가 묻어 더러운 것. ㉠옷에 때가 묻었다.
> 떼 1 목적과 행동을 같이하는 무리. ㉠떼를 지어 항의하다. 2 부당한 일을 억지로 요구하거나 고집하는 짓. ㉠떼를 쓰며 덤비다. 3 잔디. ㉠떼를 입히다.

때굴때굴 작고 단단한 물건이 자꾸 구르는 모양. 큰 떼굴떼굴. 여 대굴대굴.

때까치 때까칫과의 새. 까치보다 좀 작은데, 부리가 날카롭고 성질이 사나움. 개구리·곤충 따위를 잡아먹는데 잡은 먹이는 나뭇가지에 꿰어 놓는 습성이 있음.

때늦다 [때늗따] **1** 정한 시간보다 늦다. ㉠때늦은 점심. **2** 알맞은 시기가 지나다. ㉠때늦은 후회. **3** 제철보다 늦다. ㉠때늦은 과일.

***때:다** 아궁이 따위에 불을 지펴 타게 하다. ㉠군불을 때다.

***때때로** 가끔. 이따금. ㉠때때로 생각이 나다.

때때옷 [때때옫] 알록달록한 색을 넣어 곱게 지은 어린아이의 옷. 비 꼬까옷.

때려잡다 [때려잡따] **1** 주먹이나 몽둥이 따위로 때려서 잡다. ㉠멧돼지를 때려잡다. **2** 결정적인 타격을 주어 다시 일어나지 못하게 하다. ㉠도둑의 무리를 때려잡다.

때려치우다 하던 일을 아주 그만두다. ㉠공부를 때려치우다.

***때로** **1** 경우에 따라서. ㉠원숭이도 때로 나무에서 떨어진다. **2** 이따금. ㉠때로 늦기도 한다.

***때리다** **1** 손이나 손에 쥔 물건으로 아프게 치다. ㉠뺨을 때리다. **2** 세차게 부딪치다. ㉠굵은 빗방울이 창문을 때리다.

때마침 그때에 마침. ㉠때마침 그가 나타났다.

때맞추다 [때맏추다] 시기에 알맞도록 하다. ㉠때맞추어 잘 왔다 / 때맞추어 단비가 내렸다. 참고 주로 '때맞추어'의 꼴로 쓰임.

***때문** 어떤 일의 까닭이나 원인. ㉠늦잠 때문에 학교에 지각했다 / 너 때문에 일을 망쳤다. ➲ because

때우다 **1** 뚫어졌거나 깨진 자리에 다른 조각을 대어 막다. ㉠깨진 그릇을 때우다. **2** 간단한 음식으로 끼니를 대신하다. ㉠빵으로 점심을 때우다. **3** 별로 하는 일 없이 시간을 대강 보내다. ㉠공원을 거닐며 시간을 때우다. 준 때다.

땔:감 [땔깜] 불을 때는 데 쓰는 마른풀·나무·기름·석탄 따위의 재료. 비 땔거리. 연료.

땔:나무 [땔라무] 불을 때는 데 쓰는 나무.

땜: '땜질'의 준말.

땜:질 깨어지거나 뚫어진 것을 때우는 일. ㉠구멍 난 냄비를 땜질하다. 준 땜. **—하다.**

땟국물 [때꿍물 / 땐꿍물] 때가 낀 물기. ㉠땟국물이 흐르는 옷.

땡감 덜 익어 맛이 떫은 감.

땡그랑 방울 따위의 쇠붙이가 세게 흔들리거나 부딪쳐서 나는 소리. [큰] 뗑그렁. [여] 댕그랑. [준] 땡강.

땡땡 꽹과리나 작은 종 따위의 쇠붙이를 세게 두드리는 소리. (예)종이 땡땡 울리다. [큰] 뗑뗑. [여] 댕댕.

땡볕 [땡볃] 따갑게 내리쬐는 뜨거운 햇볕. (예)땡볕 아래에서 밭일을 하다.

떠나가다 **1** 본디 있던 자리에서 다른 자리로 옮겨 가다. (예)똑딱선이 항구를 떠나가다. **2** 주위가 떠서 나갈 듯이 소리가 요란하다. (예)교실이 떠나가게 떠들어 댔다.

*__떠나다__ **1** 다른 곳으로 옮겨 가다. (예)고향을 떠나다. **2** 죽다. (예)세상을 떠나다. **3** 어떤 일이나 사람들과 관계를 끊다. (예)직장을 떠나다. **4** 사라지다. (예)그에 대한 기억이 떠나질 않는다. **5** 일을 하러 나서다. (예)출장을 떠나다.

떠내다 **1** 물이나 국 따위를 덜어 내다. (예)국자로 국을 떠내다. **2** 풀이나 나무 따위를 흙과 함께 파내다. (예)삽으로 뗏장을 떠내다.

떠내려가다 물 위에 떠서 내려가다. (예)나뭇잎이 냇물에 떠내려가다.

떠넘기다 자기가 할 일이나 책임을 남에게 넘기다. (예)어려운 일을 동료에게 떠넘기다. [비] 떠맡기다.

떠다니다 공중이나 물 위를 떠서 오고 가고 하다. (예)하늘에 구름이 떠다니다.

떠다밀다 손으로 세게 밀다. (예)등을 떠다밀다. [준] 떠밀다. [활용] 떠다밀어 / 떠다미니 / 떠다미는.

떠돌다 **1** 정처 없이 이곳저곳을 돌아다니다. (예)떠도는 신세 / 거리를 떠돌다. **2** 소문이 널리 퍼지다. (예)이상한 소문이 떠돌다. **3** 공중이나 물 위에 떠서 이리저리 움직이다. (예)기름이 물 위를 떠돌다. [활용] 떠돌아 / 떠도니 / 떠도는.

떠돌아다니다 [떠도라다니다] **1** 정처 없이 이리저리 다니다. (예)낯선 도시를 떠돌아다니다. **2** 공중이나 물 위에 떠서 이리저리 움직이다. (예)풍선이 공중에 떠돌아다니다. **3** 소문 따위가 계속 퍼져 다니다. (예)학교에 이상한 소문이 떠돌아다니다.

떠돌이 [떠도리] 일정한 곳이 없이 이곳저곳으로 떠돌아다니는 사람. (예)떠돌이 신세.

*__떠:들다__[1] **1** 시끄럽게 지껄이다. (예)아이들이 떠들며 놀다. **2** 크게 문제 삼아 퍼뜨리다. (예)신문에서 그 사건에 대해 계속 떠드는 바람에 문제가 커졌다. [활용] 떠들어 / 떠드니 / 떠드는.

떠들다[2] 덮이거나 가린 것을 조금 걷어 쳐들다. (예)이불을 떠들다. [활용] 떠들어 / 떠드니 / 떠드는.

떠들썩하다 [떠들써카다] **1** 여러 사람이 큰 소리로 시끄럽게 지껄이다. (예)떠들썩한 교실. **2** 소문이 퍼져서 자자하다. (예)세상을 떠들썩하게 한 사건.

떠듬거리다 **1** 말이 자꾸 막혀서 술술 나오지 아니하다. (예)떠듬거리며 말하다. **2** 글을 읽는 데 자꾸 막히다. [여] 더듬거리다.

떠듬떠듬 떠듬거리는 모양. (예)책을 떠듬떠듬 읽다. **—하다.**

떠맡다 [떠맏따] 할 일 따위를 모두 맡다. (예)책임을 떠맡다.

떠밀다 '떠다밀다'의 준말.

떠받다 [떠받따] 머리나 뿔로 세게 밀어 부딪치다. (예)성난 소가 뿔로 떠받다.

떠받들다 [떠받뜰다] **1** 번쩍 쳐들어 위로 올리다. (예)어린아이를 두 손으로 떠받들다. **2** 공경하여 섬기다. (예)스승으로 떠받들다. **3** 소중히 다루다. [활용] 떠받들어 / 떠받드니 / 떠받드는.

떠받치다 떨어지거나 쓰러지지 않

도록 밑에서 위로 받쳐서 버티다. ㉥담을 통나무로 떠받치다.
떠버리 늘 시끄럽게 떠드는 사람.
떠벌리다 지나치게 부풀려 떠들어 대다. ㉥대단찮은 이야기를 떠벌리고 다니다.
떠보다 남의 속뜻을 넌지시 알아보다. ㉥속마음을 떠보다.
***떠오르다** **1** 솟아서 위로 오르다. ㉥붉게 떠오르는 태양/잠수함이 떠오르다. **2** 얼굴에 어떤 표정이 나타나다. ㉥그의 얼굴에 환한 미소가 떠올랐다. **3** 생각이 나다. ㉥좋은 방법이 떠오르다. **4** 관심의 대상이 되어 나타나다. ㉥떠오르는 신인 가수. [활용] 떠올라/떠오르니.
***떠올리다** **1** 기억이나 생각을 되살리다. ㉥지난 일을 떠올리다. **2** 어떤 표정을 나타내다. ㉥얼굴에 미소를 떠올리다.
***떡¹** 곡식 가루를 찌거나 삶아 익힌 음식. 백설기·인절미 따위. ㉥떡을 빚다/시루에 떡을 찌다.
떡 주무르듯 하다 저 하고 싶은 대로 마음대로 다루다.
떡² **1** 크게 벌어진 모양. ㉥깜짝 놀라 입을 떡 벌리다. **2** 굳세게 버티는 모양. ㉥문 앞에 떡 버티고 서다. [작]딱³.
떡가루 [떡까루] 떡을 만들기 위하여 빻은 곡식의 가루. ㉥체로 떡가루를 치다.
떡갈나무 [떡깔라무] 참나뭇과의 낙엽 활엽 교목. 높이는 10m가량, 해변 지대나 산 중턱에서 잘 자람. 가을에 열리는 '도토리'는 묵을 만들어 먹으며, 목재는 단단하여 쓰이는 곳이 많음.
떡고물 [떡꼬물] 떡의 겉에 묻히는 고물. 팥·콩가루 따위.
떡국 [떡꾹] 가래떡을 얇게 썰어 맑은장국에 넣고 끓인 음식. ㉥설날엔 떡국을 먹는다.
떡메 [떵메] 떡이나 인절미 따위를 만들기 위해 찐 쌀을 칠 때 쓰는 무거운 방망이. [참] 〈떡메〉

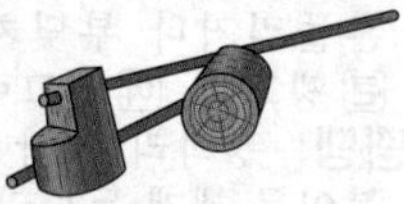

떡방아 [떡빵아] 떡가루를 만들기 위해 쌀을 찧는 방아.
떡볶이 [떡뽀끼] 가래떡을 토막 내어 고기와 야채 따위를 섞어 볶은 음식.
떡살 [떡쌀] 떡을 눌러 여러 가지 무늬를 찍어 내는 판.
떡시루 [떡씨루] 떡을 찌는 데 쓰는 둥근 질그릇. 바닥에 구멍이 여러 개 뚫려 있음.
떡잎 [떵닙] 씨앗에서 처음 싹이 터서 나오는 잎.
떡집 [떡찝] 떡을 만들어 파는 집.
떨구다 ⇨떨어뜨리다. ㉥시선을 떨구다/고개를 떨구다.
떨기 풀이나 나무의 한 뿌리에서 여러 개의 줄기가 나와 더부룩하게 된 무더기. ㉥한 떨기 장미꽃.
***떨:다¹** **1** 물체 따위가 작은 폭으로 빠르고 탄력 있게 계속 흔들리다. ㉥문풍지가 떨다. **2** 몹시 춥거나 두려워 몸을 흔들다. ㉥추워서 바르르 떨다/밤새 공포에 떨다. **3** 몹시 인색하게 굴다. ㉥단돈 몇 푼에 벌벌 떨다. **4** 어떤 행동 따위를 겉으로 나타내다. ㉥아양을 떨다. [활용] 떨어/떠니/떠는.
***떨:다²** **1** 흔들거나 털어서 붙은 것을 떨어지게 하다. ㉥먼지를 떨다. [거] 털다. **2** 팔다 남은 것을 몽땅 팔거나 사다. ㉥몽땅 떨어서 천 원만 내십시오. [활용] 떨어/떠니/떠는.
떨떠름하다 **1** 매우 떫다. ㉥떨떠름한 땡감. **2** 마음이 내키지 않다. ㉥떨떠름한 표정을 짓다.
***떨리다** 몹시 춥거나 무섭거나 분하여 몸이나 몸의 일부가 빠르게 흔들

리다. ㉠목소리가 떨리다.

떨어내다 [떠러내다] 떨어져 나오게 하다. ㉠먼지를 떨어내다.

*__떨어뜨리다__ [떠러뜨리다] **1** 위에서 아래로 내려가게 하다. ㉠나는 새를 쏘아 떨어뜨리다. **2** 가지고 있던 물건을 빠뜨려서 흘리다. ㉠지갑을 떨어뜨리다. **3** 고개를 아래로 숙이다. **4** 가치·명성 따위를 잃게 하다. ㉠신용을 떨어뜨리다.

*__떨어지다__ [떠러지다] **1** 아래로 내려지다. ㉠빗방울이 떨어지다. **2** 붙었던 것이 갈라지거나 떼어지다. ㉠단추가 떨어지다. **3** 옷·신 따위가 해어지다. ㉠다 떨어진 옷. **4** 딴 것만 못하다. ㉠아무래도 기술이 떨어진다. **5** 거리·간격이 있다. ㉠1 위와 100 m가량 떨어지다. **6** 상태가 전보다 나빠지다. ㉠성적이 떨어지다. **7** 나눗셈에서, 나머지 없이 나누어지다. **8** 명령·호령 따위가 내리다. ㉠불호령이 떨어지다. **9** 시험이나 선거 따위에서 뽑히지 못하다. ㉠전교 회장 선거에서 떨어지다. **10** 헤어지다. ㉠부모와 떨어져 살다.

떨이 [떠리] 팔다가 조금 남은 물건을 다 떨어 싸게 파는 일. 또는 그 물건. ㉠떨이로 팔다. **—하다.**

*__떨치다__ 이름이나 기세 따위를 널리 알리다. ㉠천하에 명성을 떨치다.

*__떫:다__ [떨따] **1** 덜 익은 감의 맛과 같이 텁텁한 맛이 있다. ㉠떫은 감. **2** 말이나 행동이 덜되고 못마땅하다. ㉠떫은 표정을 짓다. [발음] 떫고[떨꼬] / 떫어서[떨버서] / 떫은[떨븐] / 떫지[떨찌].

> **참고** 여러 가지 떫은맛
> (1) **단순한 떫은맛**
> 떠름하다, 떨떠름하다, 떫디떫다.
> (2) **신맛과 떫은맛**
> 시금떨떨하다, 시금털털하다.

떳떳하다 [떧떠타다] 말과 행동이 조금도 거리낄 것 없이 당당하다. ㉠떳떳하게 행동하다.

떵떵거리다 큰소리치며 아주 호화롭게 거들먹거리며 살다. ㉠한때는 떵떵거리던 집안.

*__떼__[1] 목적이나 행동을 같이하는 무리. ㉠떼로 몰려다니다 / 떼를 지어 다니다. [비] 무리. →때 [주의]

떼[2] 흙을 붙여 뿌리째 떠낸 잔디. ㉠떼를 뜨다 / 무덤에 떼를 입히다. →때 [주의]

떼[3] 억지로 요구하거나 고집하는 짓. ㉠떼를 쓰다. →때 [주의]

떼굴떼굴 좀 크고 딴딴한 물건이 계속 굴러 가는 모양. ㉠공이 떼굴떼굴 굴러 간다. [작] 때굴때굴. [여] 데굴데굴.

*__떼:다__[1] **1** 붙었던 것을 떨어지게 하다. ㉠간판을 떼다. **2** 전체에서 일부분을 덜다. 빼다. ㉠수입의 반을 떼어 저금하다. **3** 병이나 버릇을 고치다. ㉠학질을 떼다. **4** 걸음을 옮기다. ㉠발걸음을 떼다. **5** 배우던 것을 끝내다. ㉠기초 한자를 떼다. **6** 말을 시작하다. ㉠차마 입을 뗄 수가 없었다.

떼:다[2] 하고서도 하지 않은 체하다. ㉠시치미를 떼다.

떼돈 갑자기 한꺼번에 많이 생긴 돈. ㉠주식으로 떼돈을 벌었다. [반] 푼돈.

떼:밀다 힘을 주어 밀다. ㉠문 밖으로 떼밀다. [활용] 떼밀어 / 떼미니 / 떼미는.

떼쓰다 자기 의견이나 요구만을 억지로 내세우다. ㉠장난감을 사 달라고 떼쓰다. [활용] 떼써 / 떼쓰니.

떼어먹다 [떼어먹따] **1** 남에게 갚아야 할 것을 갚지 않다. ㉠빚진 돈을 떼어먹다 / 외상값을 떼어먹다. **2** 남의 몫을 중간에서 가로채다. ㉠회사의 공금을 떼어먹다.

떼이다 빌려 준 것을 못 받게 되다. ㉥돈을 떼이다.
떼쟁이 떼를 잘 쓰는 사람.
떼죽음 [떼주금] 한꺼번에 모조리 죽음. ㉥지난번 장마 때 닭들이 떼죽음을 당했다. **—하다.**
뗀:석기 (—石器) [뗀석끼] 구석기 시대에, 돌을 깨서 만든 돌연장. * 간석기.
뗏목 (—木) [뗀목] 통나무 따위를 엮어서 물에 띄워 사람이나 물건을 운반하도록 만든 것.
***또** **1** 어떤 일이 거듭하여. ㉥또 뵙겠습니다. **2** 그뿐 아니라 다시 더. ㉥용기도 있고 또 슬기도 있다. **3** 그래도 혹시. ㉥혼자 간다면 또 모르겠지만.
***또는** 그렇지 않으면. 혹은. ㉥내일 또는 모레. ➡ or
또다시 거듭하여 다시. ㉥또다시 실수를 하다 / 또다시 읽어 주세요.
또랑또랑 정신·소리 따위가 아주 밝고 똑똑한 모양. ㉥또랑또랑한 목소리 / 질문에 또랑또랑 대답하다. **—하다.**
또래 나이나 수준 따위가 같거나 어슷비슷한 무리. ㉥같은 또래의 아이들과 어울리다 / 또래들보다 유난히 키가 크다.
또렷또렷 [또렫또렫] 엉클어지거나 흐리지 않고 썩 분명한 모양. ㉥정신이 또렷또렷하다. 큰 뚜렷뚜렷. 여 도렷도렷. **—하다.**
또렷이 [또려시] 또렷하게. ㉥옛일이 또렷이 생각난다. 큰 뚜렷이.
또렷하다 [또려타다] 엉클어지거나 흐리지 않고 분명하다. ㉥또렷한 목소리로 대답을 하다 / 얼굴이 또렷하게 기억나다. 큰 뚜렷하다. 여 도렷하다.
또박또박 **1** 말이나 글씨 따위가 흐리터분하지 않고 또렷한 모양. ㉥글씨를 또박또박 쓰다. **2** 차례나 규칙 따위를 한 번도 거르지 않고 그대로 따르는 모양. ㉥매일 또박또박 복습을 하다. **—하다.**
***또한** **1** 마찬가지로. 역시. ㉥너 또한 마찬가지다. **2** 그 위에 더. 또는 거기에다 더. ㉥공부도 잘하고 또한 그림도 잘 그린다. ➡ too
***똑**[1] **1** 좀 작은 것이 떨어지는 모양이나 소리. ㉥사과가 하나 똑 떨어졌다. **2** 가늘거나 작은 것이 부러지는 소리. ㉥젓가락이 똑 부러지다. **3** 조금 단단한 물건을 한 번 두드리는 소리. 큰 뚝[1].
똑[2] **1** 계속되던 것이 갑자기 그치는 모양. ㉥소식이 똑 끊어지다. **2** 다 쓰고 없는 모양. ㉥쌀이 똑 떨어졌다. 큰 뚝[2].
똑[3] 아주 틀림없이. ㉥하는 짓이 똑 제 아버지다. →꼭 주의
***똑같다** [똑깓따] 조금도 다른 데가 없이 같다. ㉥크기가 똑같다 / 내 생각과 똑같다.
똑딱단추 [똑딱딴추] 끼우거나 뺄 때에 똑딱 소리가 나는 쇠로 만든 단추. 속옷 같은 데에 닮. 스냅.
똑똑 **1** 작은 물건이 계속 떨어지는 모양이나 소리. ㉥처마에서 물이 똑똑 떨어진다. **2** 작은 물건이 자꾸 부러지며 나는 소리. ㉥연필이 똑똑 부러지다. **3** 조금 단단한 물건을 계속 두드릴 때 나는 소리. ㉥문을 똑똑 두드리다. 큰 뚝뚝. **—하다.**
***똑똑하다** [똑또카다] **1** 또렷하고 분명하다. ㉥발음이 똑똑하다 / 안경을 쓰니까 똑똑하게 보인다. **2** 사리에 밝고 매우 영리하다. ㉥똑똑한 아이.
똑똑히 [똑또키] 똑똑하게. ㉥자기 생각을 똑똑히 말해라.
***똑바로** [똑빠로] **1** 어느 한쪽으로 기울지 않고 바르게. ㉥똑바로 앉다. **2** 틀림없이 사실대로. ㉥똑바로 말하면 용서해 주겠다.

똑바르다 [똑빠르다] **1** 어느 쪽으로도 기울지 않고 곧다. (예)똑바른 길 / 똑바르게 앉다. **2** 도리나 사실에 맞다. 올바르다. (예)똑바른 정신. [활용]똑발라 / 똑바르니.

똘똘하다 똑똑하고 영리하다. (예)똘똘한 아이.

*__똥__ 사람이나 동물이 먹은 음식이 삭아서 몸 밖으로 나오는 찌꺼기.

똥똥하다 키가 작고 살이 쪄 몸이 옆으로 퍼지다. (예)똥똥한 체격. [큰]뚱뚱하다.

똥오줌 똥과 오줌. (예)똥오줌을 가리다.

똥파리 똥파릿과의 파리. 몸빛은 황갈색에 황색 털이 많고 날개는 황색임. 똥오줌에 많이 모임.

똬:리 **1** 짐을 일 때 머리에 받치는 고리 모양의 물건. 짚이나 천으로 둥글게 틀어서 만듦. (예)똬리를 얹다. **2** 둥글게 빙빙 틀어 놓은 것. 또는 그런 모양. (예)뱀이 똬리를 틀고 있다.

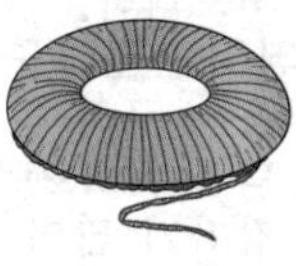
〈똬리〉

뙤약볕 [뙤약뼏] 강하게 내리쬐는 한여름의 뜨거운 볕. (예)뙤약볕 아래서 김을 매다.

*__뚜껑__ 그릇이나 상자 따위의 아가리를 덮는 물건. (예)뚜껑을 따다 / 냄비 뚜껑을 열다. [비]덮개.

뚜렷이 [뚜려시] 뚜렷하게. (예)뚜렷이 생각나다. [작]또렷이.

*__뚜렷하다__ [뚜려타다] 엉클어지거나 흐리지 않고 분명하다. (예)윤곽이 뚜렷한 얼굴 / 주관이 뚜렷하다. [작]또렷하다.

뚜벅뚜벅 발자국 소리를 뚜렷이 내며 걷는 소리. 또는 그 모양. (예)뚜벅뚜벅 구둣발 소리가 나다. [작]또박또박. **—하다.**

뚝[1] **1** 좀 큰 것이 갑자기 떨어지는 모양이나 소리. (예)호박이 뚝 떨어지다. **2** 큰 물건이 갑자기 부러지는 소리. (예)지팡이가 뚝 부러지다. **3** 조금 단단한 물건을 한 번 두드리는 소리. [작]똑[1].

뚝[2] **1** 계속되던 것이 갑자기 그치는 모양. (예)울음을 뚝 그치다. **2** 성적이나 순위 따위가 심하게 떨어지는 모양. (예)성적이 뚝 떨어지다. **3** 말이나 행동, 일처리 따위를 망설이지 않고 단호히 하는 모양. (예)시치미를 뚝 떼다. [작]똑[2].

뚝딱 무엇을 거침없이 시원스럽게 끝내는 모양. (예)숙제를 뚝딱 끝내다 / 일을 뚝딱 해치우다.

뚝뚝 **1** 좀 큰 것이 계속 떨어지는 모양이나 소리. (예)눈물을 뚝뚝 흘리다. **2** 굵거나 큰 물건이 자꾸 부러지는 소리. **3** 단단한 물건을 계속 두드리는 소리. [작]똑똑.

뚝배기 [뚝빼기] 찌개 따위를 끓이거나 국밥을 담을 때 쓰는, 아가리가 둥글고 속이 깊은 오지그릇. (예)뚝배기에 찌개를 끓이다.

뚝심 [뚝씸] **1** 굳세게 버티는 힘. (예)뚝심이 센 사람. **2** 좀 미련하게 불뚝 내는 힘. (예)뚝심을 쓰다.

*__뚫다__ [뚤타] **1** 구멍을 내다. (예)단춧구멍을 뚫다. **2** 막힌 것을 통하게 하다. (예)터널을 뚫다. **3** 시련이나 난관을 극복하다. (예)대학 입시의 관문을 뚫다. [발음]뚫고[뚤코] / 뚫어서[뚜러서] / 뚫는[뚤른] / 뚫지[뚤치].

뚫리다 [뚤리다] **1** 구멍이 나다. (예)터널이 뚫리다. **2** 길이 생기다. (예)큰길이 뚫리다.

뚫어지다 [뚜러지다] **1** 구멍이나 틈이 생기다. (예)뚫어진 양말 / 신발에 구멍이 뚫어졌다. **2** '계속 집중하여'의 뜻. (예)뚫어져라 쏘아보다.

뚱딴지 **1** 우둔하고 무뚝뚝한 사람. **2** 행동이나 말 따위가 너무 엉뚱한 사람.

뚱딴지같다 [뚱딴지간따] 말이나

행동 따위가 너무나 엉뚱하다. ㉠뚱딴지같은 생각.
뚱뚱보 ⇨뚱뚱이. 준 뚱보.
뚱뚱이 살이 쪄서 뚱뚱한 사람. 비 뚱뚱보. 반 홀쭉이.
뚱뚱하다 살이 쪄서 몸이 옆으로 퍼지고 굵다. ㉠뚱뚱하게 살이 찐 아이. 작 똥똥하다. ➡ fat
뚱보 '뚱뚱보'의 준말.
뚱:하다 **1** 말수가 적고 붙임성이 없다. ㉠워낙 뚱한 사람이라 사귀기가 힘들다. **2** 못마땅하여 시무룩하다. ㉠꾸중을 듣더니 뚱해 있다.
*__뛰놀다__ **1** 이리저리 뛰어다니며 놀다. ㉠놀이터에서 뛰노는 아이들. **2** 맥박 따위가 세게 뛰다. 활용 뛰놀아 / 뛰노니 / 뛰노는.
뛰다¹ **1** 가슴이 두근두근하다. ㉠가슴이 뛰다. **2** 값 따위가 갑자기 오르다. ㉠채소 값이 크게 뛰었다. **3** 물방울 따위가 공중으로 튀어 흩어지다. ㉠국물이 뛰어 옷에 묻다. **4** 대단한 기세를 나타내다. ㉠펄펄 뛰며 화를 내다.
*__뛰다__² **1** 빨리 달려 지나가다. ㉠100 m를 10초대에 뛰다. ➡ run **2** 몸을 높이 솟구치어 오르다. ㉠높이 뛰다. ➡ jump
*__뛰어가다__ [ㅡ / 뛰여가다] 달음박질로 빨리 가다. ㉠단숨에 뛰어가다 / 운동장을 뛰어가다. 비 달려가다. 활용 뛰어가거라.
*__뛰어나다__ [ㅡ / 뛰여나다] 여럿 가운데서 훨씬 낫다. ㉠뛰어난 성적으로 합격하다.
뛰어나오다 [ㅡ / 뛰여나오다] 빨리 달려 밖으로 나오다. ㉠손을 흔들며 운동장으로 뛰어나오는 선수들.
뛰어내리다 [ㅡ / 뛰여내리다] 몸을 솟구쳐 높은 데서 아래로 내리다. ㉠버스에서 뛰어내리다.
*__뛰어넘다__ [뛰어넘따 / 뛰여넘따] **1** 몸을 솟구쳐 높은 것의 위를 넘다. ㉠장애물을 뛰어넘다. **2** 어떤 수준을 넘어서다. ㉠상상을 뛰어넘는 일이 생기다.
뛰어다니다 [ㅡ / 뛰여다니다] 뛰면서 여기저기 돌아다니다. ㉠아이들이 온 집안을 뛰어다니는 통에 정신이 없다.
*__뛰어들다__ [ㅡ / 뛰여들다] **1** 높은 데서 물속으로 몸을 내던지다. ㉠강물에 뛰어들다. **2** 몸을 던져 위험한 곳으로 들어가다. ㉠불길 속에 뛰어들다. **3** 갑자기 들어오다. ㉠버스가 느닷없이 인도에 뛰어들다. **4** 어떤 일이나 사건에 관계를 맺다. ㉠정치판에 뛰어들다. 활용 뛰어들어 / 뛰어드니 / 뛰어드는.
뛰어오다 [ㅡ / 뛰여오다] 달음박질로 빨리 오다. ㉠지각할까 봐 단숨에 뛰어왔다. 비 달려오다. 활용 뛰어오너라.
*__뛰어오르다__ [ㅡ / 뛰여오르다] **1** 몸을 솟구쳐 높은 데에 오르다. ㉠언덕을 뛰어오르다. **2** 값·지위 따위가 갑자기 많이 오르다. ㉠물가가 큰 폭으로 뛰어오르다. 활용 뛰어올라 / 뛰어오르니.
뛰쳐나가다 [뛰처나가다] 박차고 뛰어나가다. ㉠방을 뛰쳐나가다.
뛰쳐나오다 [뛰처나오다] 박차고 뛰어나오다. ㉠화재경보기가 울려 건물 밖으로 뛰쳐나오다.
뜀 **1** 두 발을 모으고 몸을 솟구쳐 앞으로 나아가는 짓. **2** 몸을 솟구쳐 높은 곳으로 오르거나 넘는 짓.
뜀뛰기 운:동 (ㅡ運動) 멀리뛰기·높이뛰기·세단뛰기·장대높이뛰기 따위를 통틀어 이르는 말.
뜀뛰다 두 발을 모으고 몸을 솟구쳐 앞으로 나아가거나 높은 데에 오르다.
뜀박질 [뜀박찔] **1** 뜀을 뛰는 짓. 준 뜀질. **2** ⇨달음박질. **ㅡ하다.**
*__뜀틀__ 기계 체조 용구의 하나. 찬합

처럼 여러 층으로 포개 놓을 수 있는 상자 모양으로 만든 나무틀.

뜀틀 운ː동(—運動) [뜀트룬동] 뜀틀을 두 손으로 짚고 넘는 운동.

뜨개질 털실 따위로 떠서 옷이나 장갑 등을 만드는 일. **—하다.**

*__뜨겁다__ [뜨겁따] **1** 열이 몹시 높은 느낌이 있다. ㉾몸이 뜨겁다 / 물이 뜨거우니 조심해라. 작 따갑다. **2** 감정이나 열정 따위가 격렬하다. ㉾뜨거운 박수를 보내다. 활용 뜨거워 / 뜨거우니. hot

뜨끈뜨끈 매우 뜨뜻한 느낌이 자꾸 일어나는 모양. ㉾뜨끈뜨끈한 군고구마. 작 따끈따끈. **—하다.**

뜨끈하다 매우 뜨뜻한 느낌이 나다. ㉾뜨끈한 국물을 마시다. 작 따끈하다.

뜨끔하다 **1** 찔리거나 맞아서 아픈 느낌이 있다. ㉾가시에 찔려 뜨끔하다. **2** 양심에 자극을 받아서 마음에 걸리다. ㉾그 말을 듣는 순간 가슴이 뜨끔했다. 작 따끔하다.

뜨내기 사는 곳이 일정치 않고 떠돌아다니는 사람. ㉾공사판에는 뜨내기 일꾼이 많다.

*__뜨다__[1] **1** 가라앉지 않고 물 표면에 있다. ㉾물 위에 뜬 배 / 연못에 떠 있는 연꽃. **2** 공중으로 솟아오르거나 공중에 머물러 있다. ㉾비행기가 뜨다. **3** 해나 달 따위가 솟아오르다. ㉾해가 뜨다 / 쌍무지개 뜨는 언덕. **4** 착 달라붙지 않고 틈이 생기다. ㉾습기가 차서 도배지가 떴다. 활용 떠 / 뜨니.

뜨다[2] **1** 있던 곳에서 다른 곳으로 자리를 옮기거나 떠나다. ㉾자리를 뜨다. **2** 죽다. ㉾사고로 세상을 뜨다. 활용 떠 / 뜨니.

*__뜨다__[3] **1** 퍼내거나 덜어 내다. ㉾대접에 국을 뜨다 / 바가지로 물을 떠서 마시다. **2** 고기를 얇게 저미다. ㉾포를 뜨다. **3** 숟가락으로 음식을 조금 먹다. ㉾밥을 한술도 뜨지 않다. 활용 떠 / 뜨니.

*__뜨다__[4] 감았던 눈을 열다. ㉾졸린 눈을 겨우 뜨다. 활용 떠 / 뜨니.

뜨다[5] 실 따위로 짜서 만들다. ㉾털실로 장갑을 뜨다 / 그물을 뜨다. 활용 떠 / 뜨니.

뜨다[6] 말이나 행동이 느리고 더디다. ㉾동작이 뜨다. 활용 떠 / 뜨니.

뜨뜻미지근하다 [뜨뜬미지근하다] **1** 차지도 않고 뜨겁지도 않다. ㉾목욕물이 뜨뜻미지근하다. **2** 태도에 결단성과 적극성이 없다. ㉾뜨뜻미지근한 태도.

뜨뜻하다 [뜨뜨타다] 뜨겁지 않을 정도로 알맞게 덥다. ㉾뜨뜻한 방. 작 따뜻하다1.

뜨락 ⇨뜰.

-뜨리다 '-아'·'-어' 뒤나 동작을 나타내는 말의 줄기에 붙어, 그 동작을 힘주어 나타내는 말. 받침이 없는 말 뒤에서는 '-아'·'-어'가 생략됨. ㉾떨어뜨리다 / 망가뜨리다 / 퍼뜨리다. 비 -트리다.

뜨물 곡식을 씻은 뿌연 물.

뜨이다 **1** 감았던 눈이 열리다. ㉾새벽에 눈이 뜨이다. **2** 눈에 보이다. 눈에 들어오다. ㉾남의 눈에 뜨이다. **3** 두드러지게 드러나다. ㉾눈에 뜨이게 발전하다. 준 띄다.

뜬구름 **1** 하늘에 떠다니는 구름. **2** 삶의 덧없음을 빗댄 말. ㉾뜬구름 같은 인생.

뜬구름(을) 잡다 헛된 일을 추구하다. ㉾뜬구름 잡는 소리 좀 그만 해라.

뜬금없다 [뜬그멉따] 갑작스럽고도 엉뚱하다. ㉾뜬금없는 소리.

뜬눈 밤에 잠을 자지 못한 눈. ㉾뜬눈으로 밤을 새우다.

뜬소문(—所聞) 떠돌아다니는 근거 없는 소문.

뜯기다 [뜯끼다] **1** 남에게 무엇을

빼앗기다. ㉮돈을 뜯기다. **2** 마소에 게 풀을 뜯어 먹게 하다. **3** 벌레 따위에 물리다. ㉮모기에 뜯기다.

*__뜯다__ [뜯따] **1** 붙은 것을 떼거나 찢다. ㉮편지 봉투를 뜯다. **2** 이로 물어 떼어 먹다. ㉮갈비를 뜯다. **3** 손가락으로 비틀어 자르다. ㉮나물을 뜯다. **4** 벌레 따위가 피를 빨아 먹다. ㉮모기가 온몸을 뜯다.

뜯어고치다 [뜨더고치다] 잘못되거나 나쁜 점을 새롭게 고치다. ㉮집을 뜯어고치다 / 사고방식을 뜯어고치다.

뜯어말리다 [뜨더말리다] 맞붙어 싸우는 것을 떼어서 싸우지 못하게 말리다. ㉮싸움을 뜯어말리다.

*__뜰__ 집 안의 앞뒤나 좌우에 있는 평평한 땅. ㉮뜰에 꽃을 심다. 비 마당. 정원. 뜨락. ➲yard

뜸 찌거나 삶은 것을 얼마 동안 그대로 두어 푹 익게 하는 일. ㉮뜸을 푹 들이다.

뜸(을) 들이다 일을 하다가 한동안 가만히 있다. ㉮그렇게 뜸 들이지 말고 일을 빨리 끝내라.

뜸ː하다 잦거나 심하던 것이 한동안 그치다. ㉮길에 행인이 뜸하다 / 소식이 뜸하다.

*__뜻__ [뜯] **1** 마음에 품은 생각. ㉮뜻을 세우다. **2** 글이나 말이 품고 있는 것. ㉮낱말의 뜻을 풀이하다. 비 의미. **3** 어떤 일이나 행동이 지니는 가치나 중요성. ㉮참가하는 데에 뜻이 있다. 발음 뜻이[뜨시] / 뜻도[뜯또] / 뜻만[뜬만].

뜻(이) 깊다 의의나 가치가 크다. ㉮뜻 깊은 날.

뜻(이) 맞다 ㉠서로 마음이 통하다. ㉡마음에 들다.

뜻글자 (—字) [뜯끌짜] 글자 하나하나가 뜻을 지니고 있는 글자. 한자 따위가 대표적임. 비 표의 문자. 반 소리글자.

뜻대로 [뜯때로] 마음먹은 대로. ㉮일이 뜻대로 되다.

뜻밖 [뜯빡] 생각 밖. ㉮뜻밖의 일이 생겼다 / 뜻밖의 손님이 찾아왔다. 비 예상외. 의외.

뜻밖에 [뜯빠께] 생각지도 않게. 의외로. ㉮일이 뜻밖에 잘되었다.

뜻있다 [뜨딛따] **1** 일 따위를 하고 싶다. ㉮아무 때고 이 일에 뜻있으면 말해라. **2** 드러나지 않은 사정이나 실상이 있다. ㉮뜻있는 미소를 짓다. **3** 가치나 보람이 있다. ㉮뜻있는 나날들.

뜻풀이 [뜯푸리] 어떤 말이나 글의 뜻을 알기 쉽게 풀어서 설명함. **—하다.**

*__뜻하다__ [뜨타다] **1** 마음을 먹다. ㉮뜻한 바 있어 공부에 열중하다. **2** 의미하다. ㉮무엇을 뜻하는지 알겠다. **3** (주로 '않다'와 함께 쓰여) 미리 생각하거나 헤아리다. ㉮뜻하지 않던 일이 생겼다.

*__띄ː다__ [띠다] '뜨이다·띄우다'의 준말. ㉮눈에 띄는 얼굴 / 맞춤법에 맞게 띄어 써라.

> 주의 **띄다와 띠다**
> **띄다** 1 '뜨이다(없던 것이 눈에 보이다)'의 준말. 2 '띄우다(사이를 뜨게 하다)'의 준말.
> **띠다** 1 물건 따위를 몸에 지니거나 사명·용무·직책을 가지다. 2 빛깔을 조금 가지다.

띄어쓰기 [띠어쓰기 / 띠여쓰기] 글을 쓸 때에 띄어서 쓰는 일.

띄엄띄엄 [띠엄띠엄] **1** 드물게 있는 모양. ㉮집이 띄엄띄엄 있다 / 글씨를 띄엄띄엄 쓰다. **2** 자주 끊어지고 느린 모양. ㉮동화책을 띄엄띄엄 읽다. **—하다.**

*__띄우다__ [띠우다] **1** 물 위나 공중에 뜨게 하다. ㉮배를 띄우다. **2** 편지

따위를 부치거나 보내다. ㉠전보를 띄우다. **3** 메주 따위를 발효하게 하다. ㉠메주를 띄우다. **4** 사이를 뜨게 하다. ㉠책상 사이를 띄워라. 준 띄다.

***띠**[1] **1** 허리를 둘러매는 끈. ㉠띠를 매다. **2** 좁고 길다랗게 생긴 것. ㉠머리에 띠를 두르다.

띠[2] 사람이 난 해를 12가지 동물 이름으로 말할 때의 해. ㉠개띠 / 닭띠 / 돼지띠.

띠[3] 볏과의 여러해살이풀. 산과 황무지에 무더기로 남. 뿌리줄기는 가늘고 길게 땅속으로 뻗고 줄기는 1m가량, 잎은 뿌리에서 남. 초여름에 흰색이나 흑자색 꽃이 핌.

띠그래프 (—graph) 띠 모양으로 그린 그래프의 하나. 좁고 긴 직사각형의 가로 길이를 100으로 하고 각 퍼센트의 길이와 넓이로 크기를 표시함.

***띠다** **1** 띠를 감거나 두르다. ㉠허리띠를 띠다. **2** 물건을 몸에 지니다. ㉠몸에 비수를 띠다. **3** 볼일·임무·사명 따위를 가지다. ㉠중요한 사명을 띠다. **4** 빛깔을 조금 가지다. ㉠붉은빛을 띠다. **5** 표정이나 감정을 드러내다. ㉠노기를 띤 얼굴 / 미소를 띠다. →띄다 주의

띠씨름 허리에 띠를 매고 그것을 잡고 하는 씨름.

띵하다 머리가 울리듯 아프고 정신이 멍하다. ㉠잠이 모자라 머리가 띵하다.

ㄹ (리을) 한글 닿소리의 넷째 글자.

> **참고** **'ㄹ' 받침을 가진 말이 딴 말과 어울릴 때 'ㄹ' 소리가 나지 아니하는 말**
> (1) 'ㄴ' 소리 앞에서
> 버들나무 > 버드나무 / 솔나무 > 소나무 / 불나비 > 부나비 / 딸님 > 따님 / 아들님 > 아드님
> (2) 'ㄷ' 소리 앞에서
> 열닫이 > 여닫이 / 찰돌 > 차돌 / 밀닫이 > 미닫이
> (3) 'ㅅ' 소리 앞에서
> 불삽 > 부삽 / 활살 > 화살 / 말소 > 마소
> (4) 'ㅈ' 소리 앞에서
> 쌀전 > 싸전 / 바늘질 > 바느질 / 울짖다 > 우짖다

-ㄹ걸 [—껄] **1** 받침 없는 말에 붙어, 이미 한 일에 대하여 달리 하였더라면 좋았으리라고 탄식하는 말. ㉥약이나 더 써 볼걸. **2** 받침 없는 말에 붙어, 불확실한 추측을 나타내는 말. ㉥내가 너보다 더 클걸 / 저 여자는 안내원일걸.

-ㄹ게 [—께] 받침 없는 말에 붙어, 상대방에게 약속하는 뜻을 나타내는 말. ㉥다음에 놀러 갈게 / 청소는 내가 할게.

-ㄹ까 받침 없는 말에 붙어, 미래나 현재의 일을 추측할 때, 의문·의심 또는 자기의 의사를 나타내는 말. ㉥왜 이리 더울까 / 다음 차례는 누구일까.

-ㄹ까 말까 받침 없는 말에 붙어, 행동을 망설이는 뜻을 나타내는 말. ㉥여기서 더 갈까 말까 / 이야기를 할까 말까.

-ㄹ뿐더러 받침 없는 말에 붙어, 어떤 일이 그것만으로 그치지 않고 그 밖의 어떤 다른 일이 더 있음을 나타내는 말. ㉥공부도 잘할뿐더러 운동도 잘한다.

-ㄹ수록 [—쑤록] 받침 없는 말에 붙어, 어떤 일이 더하여 감을 나타내는 말. ㉥갈수록 걱정이 태산이다.

-ㄹ지 [—찌] 받침 없는 말에 붙어, 추측으로 의심함을 나타내는 말. ㉥언제 올지 모르겠다.

-ㄹ지라도 [—찌라도] 받침 없는 말에 붙어, '비록 그렇다고 하더라도'의 뜻을 나타내는 말. ㉥실패할지라도 하고 보자 / 백만장자일지라도 절약을 해야지.

라[1] 서양 음계의 칠음 중 제2음인 '레'의 우리말 음이름.

라[2] (이 la) 장음계의 여섯째 음, 단음계의 첫째 음의 계이름. '가' 음의 이탈리아 음이름.

라도 **1** 강조하는 뜻으로 쓰임. ㉥꿈에서라도 만나 보고 싶다. **2** 여럿 중에서 구태여 가리지 않음을 나타냄. ㉥너라도 가 봐야지 / 배고프면 이거라도 먹어라.

라듐 (radium) 방사성 원소의 하나. 백색의 금속으로 퀴리 부부가 발견함.

라디에이터 (radiator) **1** 난방 장치에서 증기의 열을 내보내어 공기를 따뜻하게 하는 철관. **2** 자동차의 엔진 냉각기. 방열기.

*__라디오__ (radio) 방송국의 전파를

받아 음악·뉴스·드라마·강연 따위의 음성을 들을 수 있게 만든 기계 장치. 또는 그런 방송.

라마교 (Lama敎) 티베트·몽골·네팔 등지에 퍼진 불교의 한 파. 티베트 재래의 풍속·신앙과 합쳐져 발달한 종교. 교주는 달라이 라마임.

라면 (중 拉〔老〕麵) 기름에 튀겨 말린 국수에 가루 수프와 물만 넣고 끓여 먹게 만든 즉석식품.

라오스 (Laos) 〖국명〗 아시아의 남동쪽 인도차이나 반도의 중앙부 메콩 강 중류 지역에 있는 공화국. 수도는 비엔티안.

라운드 (round) **1** 권투 경기의 한 회. **2** 골프에서, 각 홀을 한 바퀴 도는 일.

라운지 (lounge) 호텔·공항·극장 따위에 있는 휴게실.

라이벌 (rival) 같은 목적을 가지고 서로 앞서려고 다투거나 맞서는 사람. 경쟁자. ㉠라이벌 관계.

라이브 (live) 스튜디오에서 행하는 녹음·녹화가 아닌, 그 자리에서 직접 행해지는 연주나 행사. ㉠라이브 공연 / 라이브 무대.

라이터 (lighter) 주로 담배를 피울 때 성냥 대신 쓰는 자동 점화기.

라이트 (light) 조명. 조명등. ㉠라이트를 밝히다.

라이트급 (light級) 권투·레슬링·역도 따위의 경기에서, 선수의 체중에 따라 나눈 등급의 하나.

라인 (line) 경기장의 경계나 구역을 나타내기 위해 그은 선. ㉠공이 라인을 벗어나다.

라일락 (lilac) 물푸레나뭇과의 작은 낙엽 활엽 교목. 높이는 5–7 m이고, 늦봄에 흰색·보라색의 네 갈래진 작은 대롱 모양의 꽃이 가지 끝에 모여 피는데 꽃향기가 좋음.

라켓 (racket) 테니스·배드민턴·탁구 따위에서 공을 치는 기구.

라틴 아메리카 (Latin America) 〖지명〗 북아메리카 남부로부터 서인도 제도를 포함한 남아메리카에 걸친 지방을 통틀어 이르는 말. 에스파냐·포르투갈 계통의 라틴 족의 지배를 받고, 그 문화를 가진 여러 나라가 포함됨. 멕시코·아르헨티나·브라질 등.

라틴 어 (Latin語) 인도·유럽 어족에 속하는 말. 오늘날의 이탈리아어·프랑스 어 등의 근원이 됨.

라파엘로 (Raffaello, Sanzio di Urbino) 〖인명〗 이탈리아 르네상스 때의 화가·건축가. '시스티나의 성모' 등으로 르네상스 고전 양식을 확립함. [1483–1520]

-란 (欄) 신문·잡지 편집상의 한 구분. 또는 일정한 지면. 흔히, 한자말 뒤에 붙음. ㉠독자 투고란 / 광고란. *-난. → [학습마당] 9(255 쪽)

랑 받침 없는 명사나 대명사에 붙어, 두 개 이상의 사물을 같은 자격으로 늘어놓을 때 쓰는 말. ㉠너랑 나랑 함께 하자 / 사과랑 배랑 많이 있으니 실컷 먹어라.

랑데부 (프 rendez-vous) **1** 어떤 장소에서 만나는 일. **2** 인공위성이나 우주선이 우주 공간에서 만나는 일. **—하다.**

래커 (lacquer) 칠감의 한 가지. 물체 겉에 발라 썩지 않게 하거나 아름답게 하는 재료로, 빨리 마르고 오래감.

램 (RAM) 컴퓨터 본체에 설치하는 주기억 장치의 한 가지. 사용자의 요구에 따른 정보와 명령을 처리함.

램프 (lamp) **1** 석유를 넣어 심지에 불을 켜는 등. **2** 알코올램프 같은 가열용 장치.

랩¹ (rap) 팝 음악의 한 형식. 강렬하고 반복적인 리듬에 맞춰 말하듯이 읊조리는 음악.

랩² (wrap) 식품 포장에 쓰는 폴리

에틸렌제의 얇은 막.
랭킹 (ranking) 성적의 순위. 등급 매기기. ㉮미들급 세계 랭킹 2위.
량 (輛) 전철이나 열차 따위의 차량을 세는 단위. ㉮전동차 10량.
러닝셔츠 (running shirts) 소매 없는 흰 속옷 윗도리.
러시아 (Russia) 〖국명〗 독립 국가 연합을 이루는 공화국의 하나. 국토는 동유럽에서 극동에 걸치며, 세계에서 가장 넓음. 수도는 모스크바. 㐀 러시아 연방.
러시아워 (rush hour) 출퇴근이나 통학하는 사람들이 한꺼번에 몰려 교통이 혼잡한 시간.
럭비 (Rugby) 축구의 한 가지. 15명의 선수로 짜여지며, 타원형의 공을 손으로 던지고 발로 차면서 상대편 골 안의 땅에 공을 대면 점수를 얻음. 럭비풋볼.
럭스 (lux) 빛의 밝기를 나타내는 단위《기호는 Lx》.
런던 (London) 〖지명〗 영국의 수도. 세계 금융·보험의 중심지로 항구 도시임. 짙은 안개로 유명함.
레 (이 re) 장음계의 둘째 음, 단음계의 넷째 음의 계이름. '라' 음의 이탈리아 음이름.
레그혼종 (Leghorn種) 닭의 한 종류. 이탈리아의 레그혼이 원산지. 흰색 종이 우수하며 알을 많이 낳음.

〈레그혼종〉

레몬 (lemon) 운향과의 상록 교목. 인도 원산. 흰 다섯잎꽃이 일년 내내 피고, 열매는 노랗게 익으며 향기가 진함. 과즙에는 시트르산과 비타민 C가 많이 들어 있어 신맛이 남. 향료로 씀.
레미콘 (remicon) 물과 모래, 시멘트를 믹서차(mixer車)로 배합한 콘크리트. 또는 그 믹서차.
레바논 (Lebanon) 〖국명〗 서남 아시아 지중해 연안에 있는 공화국. 수도는 베이루트.
레스토랑 (프 restaurant) 서양식 음식점. 양식점.
레슨 (lesson) 일정한 시간에 받는 개인 지도. ㉮피아노 레슨.
레슬링 (wrestling) 두 사람이 매트 위에서 맨손으로 겨루어, 상대의 두 어깨가 동시에 바닥에 닿게 하는 쪽이 이기는 경기. 경기자의 체중에 따라 체급을 나누며 그레코로만형과 자유형이 있음.
레이더 (radar) 전파로 항공기나 배 등의 상태나 위치를 알아내는 장치. 전파 탐지기.
레이더 기지 (radar基地) 방공(防空) 경계나 통신 따위를 위하여 레이더를 설치한 기지.
레이스[1] (lace) 무명실·명주실·베실 따위를 코바늘로 떠서 여러 가지 구멍 뚫린 무늬를 나타낸 서양식 수예 제품. 상보·꽃병 받침 또는 옷의 장식 등으로 쓰임.
레이스[2] (race) 경주·경영·조정 따위 그 속도를 겨루는 경기.
레이저 (laser) 전자기파의 유도방출에 의한 빛의 증폭 장치. 레이더·광 통신·의료 등에 널리 이용됨.
레이저 광선 (laser光線) 레이저에서 방출되는 단색의 광선. 우주 통신·정밀 가공·의료 등에 널리 씀.
레이저 프린터 (laser printer) 레이저 광선을 이용한 인쇄기. 정확하고 빠른 인쇄가 가능함.
레인 (lane) 수영·육상 경기에서, 각 선수가 따라서 헤엄치거나 달리도록 정해진 길.
레인지 (range) 가스나 전기 따위를 연료로 쓰는 서양식 조리 기구.
레인코트 (raincoat) ⇨비옷.
레일 (rail) 기차나 전차 등이 달릴

수 있게 땅 위에 까는 가늘고 긴 강철재. 궤도.
레저 (leisure) 여가 시간을 이용한 휴식이나 오락.
레지던트 (resident) 전문의의 자격을 얻기 위하여 인턴 과정을 마친 후에 밟는 과정. 수련 기간은 4년임. 전공의.
레코드 (record) 음악이나 음성을 녹음한 평평하고 둥근 판. 음반.
레크리에이션 (recreation) 피로를 풀고 새로운 힘을 얻기 위해 휴식과 가벼운 운동, 놀이 등을 하는 일. ㉠레크리에이션 강사.
레퍼토리 (repertory) **1** 연주자·극단 등이 공연을 위해 준비한 작품의 목록. 연주곡목. **2** 들려줄 수 있는 이야깃거리나 보여 줄 수 있는 장기. ㉠레퍼토리가 다양하다.
*__렌즈__ (lens) 빛을 모으거나 흩어지게 하려고 가운데와 둘레의 두께를 다르게 만든 투명한 물체. 보통 유리·수정 따위로 만듦. 안경·카메라·망원경 따위에 씀. ㉠오목 렌즈 / 볼록 렌즈.
렌터카 (rent-a-car) 세를 받고 빌려 주는 자동차. 임대 자동차.
*__로__ **1** 수단·방법 또는 연장을 나타냄. ㉠코로 숨을 쉬다. **2** 재료를 나타냄. ㉠나무로 집을 짓다. **3** 이유·원인을 나타냄. ㉠감기로 결석하다. **4** 장소·방향을 나타냄. ㉠그리로 가면 길이 나온다. **5** 그렇게 되는 대상임을 나타냄. ㉠친구 딸을 며느리로 삼다. **6** 때·시간을 나타냄. ㉠모임은 내일로 정해졌다. **7** 구성·비율 등을 나타냄. ㉠물은 산소와 수소로 이루어진다.
로고 (logo) 그림·약자·짜 맞춘 글자 등을 이용해서 회사·단체나 전하려는 뜻을 알기 쉽고 재미있게 나타내는 표시. ㉠회사 로고.
-로구나 받침 없는 말에 붙어, 손아랫사람에 대해, 또는 스스로 새삼스러운 감탄을 나타내는 말. ㉠착한 아이로구나. ㊟-구나. -로군.
로댕 (Rodin, François A. René) 〖인명〗 프랑스의 조각가. 근대 사실파의 대표자. '생각하는 사람', '지옥의 문' 등 뛰어난 작품을 많이 남김. [1840-1917]
로데오 (rodeo) 길들지 않은 말이나 사나운 소를 타고 굴복시키거나 버티는 경기. 미국에서 카우보이들이 솜씨를 겨룬 데서 시작됨.
로마 (Roma) 〖지명〗 이탈리아의 수도. 옛 유적이 많아 세계적인 관광 도시로 유명함. 시내에 바티칸 시국이 있음.
로마 숫:자 (Roma數字) [—수짜 / —숟짜] 로마 시대에 만들어진 숫자. 번호나 시계의 문자반 따위에 쓰임. Ⅰ·Ⅱ·Ⅲ·Ⅳ·Ⅴ·Ⅵ·Ⅶ·Ⅷ·Ⅸ·Ⅹ 따위.
로마자 (Roma字) 라틴 어를 표기하는 글자. 옛 로마 시대에 발달한 글자로, 현재 영국·미국을 비롯한 서양 여러 나라에서 쓰고 있음. A·B·C…Z까지의 26자.
로마 제:국 (Roma帝國) 이탈리아 반도를 중심으로 일어난 도시 국가로, 기원전 1세기 말부터 4세기 말까지 지중해 연안 일대를 통일하여 지배한 제국.
*__로봇__ (robot) 전기·자기를 이용하여 사람의 동작·작업 따위를 할 수 있게 만든 자동 기계 장치.
로비 (robby) 호텔·회사·극장 등과 같이 사람이 많이 드나드는 건물에서 현관으로 통하는 통로를 겸한 공간. ㉠공항 로비.
로서 받침이 없거나 'ㄹ' 받침으로 끝나는 말에 붙어, '어떠한 지위·신분·자격을 가지고서'의 뜻을 나타내는 말. ㉠아버지로서 자식에게 주의를 주겠다.

> **참고** 로서와 로써
> **(으)로서** 1 …가 되어서. 예사람의 자식으로서 그런 일을 할 수가 없다 / 부모로서의 책임과 자식으로서의 의무. 2 …의 입장에서. 예선생으로서 발언한다. 3 …의 자격으로. 예국회의원의 한 사람으로서 발언한다. 4 …로 인정하고. 예그를 친구로서 대하였다.
> **(으)로써** …를 가지고. 예톱으로써 자르다 / 동지애로써 뭉치다.

로션 (lotion) 피부를 부드럽게 하는, 액체로 된 화장품. 예크림 로션 / 로션을 바르다.

로스앤젤레스 (Los Angeles) 〖지명〗 미국 캘리포니아 주 남서쪽 해안에 있는 도시. 영화 산업이 크게 발달하였으며, 우리나라 교포가 많이 살고 있음. 보통 '엘에이(LA)'라고 일컬음.

로써 받침이 없거나 'ㄹ' 받침으로 끝나는 말에 붙어 '…를 가지고서'의 뜻을 나타내는 말. 예칼로써 연필을 깎는다. →로서 주의

로열티 (royalty) 특허권·상표권 등 남의 산업 재산권이나 저작권을 사용한 대가로 내는 돈. 예비싼 로열티를 지불하다.

로케이션 (location) 영화에서, 실제 경치를 배경으로 하는 촬영. 현지 촬영. 준로케. **—하다**.

로켓 (rocket) 고체 또는 액체 연료를 폭발시켜 가스를 내보내는 힘으로 빠르게 날아가게 만든 비행체. 또는 그 장치. 예로켓을 발사하다.

로키 산맥 (Rocky山脈) 북아메리카 대륙 서부의 큰 산맥. 멕시코 중부에서 미국·캐나다를 가로질러 알래스카까지 이어짐.

로터리 (rotary) 교통이 혼잡한 네거리 따위의 중앙에 교통정리를 목적으로 둥글게 만든 교차로.

로프 (rope) 굵은 밧줄.

롤러 (roller) 회전시켜서 쓰는 원통형의 물건. 굴림대.

롤러스케이트 (roller skate) 구두 바닥에 작은 바퀴가 네 개 달린 스케이트. 마룻바닥이나 콘크리트 바닥에서 탐.

〈롤러스케이트〉

롤러코스터 (roller coaster) 경사진 레일에서 급속도로 미끄러져 내려가게 하는 오락 장치.

-롭다 [롭따] 어떤 낱말의 뒤에 붙어, '그러하다·그럴 만하다'의 뜻을 나타내는 말. 예향기롭다 / 새롭다. 활용 -로워 / -로우니.

롱 슛 (long shoot) 축구·농구·핸드볼 등에서, 먼 거리에서 골이나 바스켓을 향하여 공을 차거나 던지는 일.

롱 패스 (long pass) 축구·농구·핸드볼 등에서, 공을 길게 차거나 던져서 하는 패스.

-료 (料) **1** '대금²·요금'의 뜻. 예보험료 / 수업료. **2** '재료'의 뜻. 예조미료 / 향신료.

루마니아 (Rumania) 〖국명〗 동부 유럽 발칸 반도에 있는 공화국. 농업·임업·목축업이 성함. 수도는 부쿠레슈티.

루머 (rumour) 터무니없는 소문. 뜬소문. 예루머가 떠돌다.

루비 (ruby) 붉은빛을 띤 투명한 보석. 홍보석. 홍옥.

루주 (프 rouge) ⇨립스틱.

룩셈부르크 (Luxemburg) 〖국명〗 유럽 중부에 있으며 벨기에·독일·프랑스에 둘러싸인 입헌 군주국. 베네룩스 3국 중의 하나. 수도는 룩셈부르크.

-류 (類) 그와 같은 종류에 속하는 무리를 가리키는 말. 예채소류 / 금

속류 / 포유류.

류머티즘 (rheumatism) 한랭·습기 등이 원인이 되어 관절이 붓고 쑤시며 열이 나는 병.

-률 (率) ㄴ 받침 이외의 받침 있는 낱말 뒤에 붙어, '비율'의 뜻을 나타내는 말. ㊄합격률 / 사고 발생률.

> **참고 률과 율의 표기**
> 본음이 '률'인 말이 단어의 첫머리에 올 때는 두음 법칙에 따라 '율'로 적고 그 이외의 경우에는 '률'로 적는다. 다만 예외적으로 모음이나 'ㄴ' 받침 뒤에 오는 '률'은 실제 발음에 따라 '율'로 적는다.
> (1) '률'로 적는 경우
> 법률. 명중률. 합격률
> (2) '율'로 적는 경우
> 자율. 선율. 비율. 백분율. 전율

르네상스 (프 Renaissance) 14세기 말엽부터 16세기 초에 걸쳐 전 유럽에 퍼진, 예술·학문상의 혁신 운동. 문예 부흥.

*를 반침 없는 말에 붙어 목적이 됨을 나타내는 말. ㊄노래를 부르다 / 딸기를 먹다 / 학교를 가다. ＊을[1].

리[1] (理) ㄹ 받침의 말 뒤에 쓰여, '까닭·이치'의 뜻으로 쓰이는 말. ㊄거짓말할 리가 없다.

*리[2] (里) 거리 단위의 하나. 1 리는 약 0.4 km.

리[3] (厘〔釐〕) 1000분의 1을 나타내는 단위. 푼의 10분의 1.

-리 (里) 면 바로 아래에 있는 행정 구역. 도시 지역의 '동'과 비슷함. ㊄명천면 대치리.

리그전 (league戰) 전체 참가 팀이 적어도 한 번씩 다른 모든 팀과 경기를 하게 되는 경기 방식. 비 연맹전. 반 토너먼트.

리더 (leader) 조직이나 단체를 이끌어 가는 위치에 있는 사람. 지도자. 지휘자.

리더십 (leadership) 지도자로서의 지위·임무 또는 통솔력. ㊄리더십을 발휘하다.

리드 (lead) **1** 선두에 섬. 앞장섬. 인도. 지휘. ㊄팀을 리드하다. **2** 운동 경기에서, 상대보다 점수가 앞섬. 또는 우세한 상황에 있음. ㊄초반부터 크게 리드하다. **—하다.**

*리듬 (rhythm) 음의 길고 짧음과 강하고 약함. 가락·화성과 더불어 음악의 3 요소 중의 하나.

리듬 악기 (rhythm樂器) [—악끼] 리듬의 감각이나 능력을 기르기 위하여 쓰는 악기. 캐스터네츠·탬버린·작은북·트라이앵글 따위가 있음.

리듬 체조 (rhythm體操) 음악에 맞추어 연기하는 여자의 체조 경기. 공·링·훌라후프·줄·리본·곤봉 따위의 도구를 씀.

-리라 받침 없는 말에 붙어, 짐작이나 의지를 나타내는 말. ㊄사흘 후면 오리라 / 내일부터는 열심히 공부하리라.

-리만큼 받침 없는 말에 붙어, '그러한 정도로'의 뜻을 나타내는 말. ㊄진땀을 빼리만큼 혼이 나다.

리모컨 (←remote control) 주로 텔레비전이나 오디오 따위를 멀리서 조종할 수 있게 하는 전자 장치. 원격 조종 장치.

리바운드 (rebound) 농구에서, 던진 공이 골인되지 않고 링·백보드에 맞고 튀어 나오는 일. 또는 그 공.

리바이벌 (revival) **1** 오래된 영화·연극 등을 다시 보임. **2** 사라진 유행 따위가 다시 유행하는 일. ㊄리바이벌 붐. **—하다.**

리본 (ribbon) 무엇을 묶거나 꾸미는 데 쓰이는 끈이나 띠 모양의 좁다란 헝겊.

리비아 (Libya) 〖국명〗 북아프리카 지중해 연안에 있는 공화국. 수도는 트리폴리.
리사이틀 (recital) 독창회 또는 독주회.
리서치 (research) 조사. 실제 조사. 학술 연구.
리셉션 (reception) 어떤 사람을 환영하거나 어떤 일을 축하하기 위해 베푸는 모임.
리스트 (list) 목록. 명부. 일람표. 가격표. ㉥미술품의 **리스트** / **리스트**를 작성하다.
리시브 (receive) 테니스·탁구·배구에서, 서브한 공을 받아 넘김. **—하다.**
리아스식 해ː안 (rias式海岸) [—시캐안] 해안선이 복잡하게 들쭉날쭉한 해안. 에스파냐의 북서 해안과 우리나라의 서해안·남해안 등이 대표적인 리아스식 해안임.
리어카 (rear+car) 자전거 뒤에 달거나 사람이 직접 끌어서 물건을 운반하는, 바퀴가 둘 달린 작은 수레.
리을 한글 자모 'ㄹ'의 이름.
리코더 (recorder) 세로로 부는, 플루트의 하나인 목관 악기.
리터 (liter) 미터법에 따라 액체나 기체의 양을 재는 단위. 1*l*는 10 d*l*. 기호는 *l*·L.
리트머스 (litmus) '리트머스이끼'에서 짜낸 자줏빛 색소. 알칼리를 만나면 푸른색으로 변하고, 산을 만나면 붉은색으로 변함. 알칼리성·산성 반응 시험에 쓰임.
리트머스 종이 (litmus—) 산성과 알칼리성을 구별하는 데 쓰이는 종이. 푸른색·붉은색의 두 종류가 있음. 푸른색 종이를 산성 용액에 담그면 붉은색으로 변하고, 붉은색 종이를 알칼리성 용액에 담그면 푸른색으로 변함. ㊥리트머스 시험지.
리포터 (reporter) 신문·잡지의 취재 기자. 보도자. 보고자.
리포트 (report) **1** 주로 대학생이 교수에게 제출하는 짧은 길이의 논문. 보고서. **2** 보도[2].
리프트 (lift) **1** 스키장이나 관광지에서, 낮은 곳에서 높은 곳으로 또는 높은 곳에서 낮은 곳으로 사람을 실어 나르는 의자 모양의 탈것. ㉥리프트를 타다. **2** 엘리베이터.
리허설 (rehearsal) 음악·연극·방송 등에서, 공연 전에 실제처럼 하는 연습.
린스 (rinse) 머리를 감은 뒤 머리털에 윤기를 주기 위해 쓰는 세제. 또는 그것으로 헹구는 일.
릴레이 (relay) 조를 이룬 여러 명의 선수들이 일정한 거리를 나눠서 이어달리는 육상 경기. ㊥계주. 릴레이 경주. 이어달리기.
림프 (lymph) 고등 동물의 조직 사이를 채우는 색깔이 없는 액체. 혈관과 조직을 연결하며 세균의 침입을 막고, 장에서는 지방을 흡수하고 운반함.
립스틱 (lipstick) 여자들이 화장할 때 입술에 바르는 손가락만 한 막대기 모양의 화장품. 루주. ㉥**립스틱**을 바르다 / **립스틱**을 칠하다.
링 (ring) **1** 반지. 고리. **2** 권투·레슬링의 경기장.
링거액 (Ringer液) 몸속에 있는 피나 물 대신에 쓰이는 생리적 식염수. 중병 환자나 출혈이 심한 사람에게 주사함. ㊟링거.
링컨 (Lincoln, Abraham) 〖인명〗 미국의 제16대 대통령. 남북 전쟁을 승리로 이끌었으며 노예 제도 폐지를 주장하였음. 게티즈버그에서 행한 연설에 나오는 '국민의, 국민에 의한, 국민을 위한 정치'라는 말은 민주주의의 요점을 잘 말한 것으로 유명함. [1809-1865]
링크 (rink) 스케이트 경기를 하기 위하여 마련한 얼음판. 또는 롤러스케이트를 타게 만든 장소.

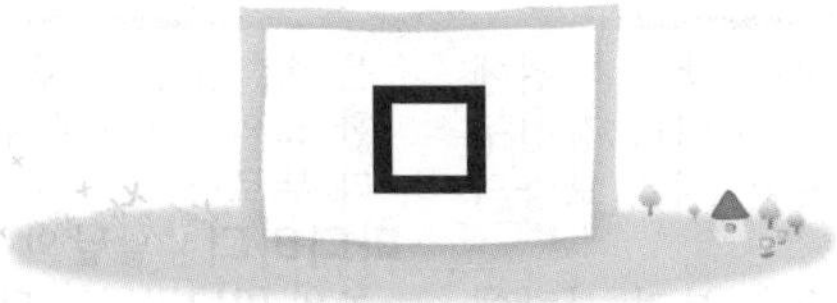

ㅁ (미음) 한글 닿소리의 다섯째 글자.

-ㅁ ㄹ 받침 이외의 받침 없는 동사·형용사에 붙어 명사를 만드는 접미사. (예)기쁨 / 꿈 / 삶.

-ㅁ으로 '…을 하는 것으로'·'…을 가지고'의 뜻으로, 어떤 결과를 이끄는 전제 조건·방법·수단 등을 나타내는 말. 받침이 있는 말 뒤에서는 '-음으로'가 됨. (예)열심히 삶으로 은혜에 보답한다. →-므로 [주의]

-ㅁ으로써 '-ㅁ으로'의 힘줌말. →-므로 [주의]

*__마__[1] 서양 음계의 칠음 중에 제3음인 '미'의 우리말 음이름.

마ː[2] 맛과의 여러해살이 덩굴풀. 여름에 자주색 꽃이 핌. 산과 들에 나는데, 밭에 재배하기도 함. 싹은 먹으며 뿌리는 약으로 씀.

마[3] (魔) **1** 사람이 하는 일을 짓궂게 방해하는 힘. (예)마가 끼다 / 마가 들다. **2** 궂은일이 자주 일어나는 장소나 때를 일컫는 말. (예)마의 건널목 / 마의 금요일.

마[4] (碼) 길이 단위의 하나. 1마는 약 91 cm. (예)옷감 한 마.

마가린 (margarine) 동식물성 기름에 발효유·소금·비타민류를 넣고 반죽하여 버터처럼 만든 식품.

마감 **1** 어떤 일의 끝을 막음. 또는 끝마치는 때. (예)마감 뉴스 / 원서 접수를 마감하다. **2** 정한 기한의 끝. (예)마감 시간. **—하다.**

마개 그릇 아가리나 구멍 따위에 끼워 막는 물건. (예)병마개 / 마개를 따다.

마고자 저고리 위에 덧입는 옷. 모양은 저고리와 비슷하나 섶이 좁고 깃이 없으며 앞을 여미지 아니하고 두 자락을 맞대어 단추를 끼워 입음. [비]마괘자.

〈마고자〉

*__마구__ **1** 아주 심하게. 세차게. (예)가슴이 마구 떨리다. **2** 앞뒤를 헤아리지 않고 닥치는 대로. 되는대로 아무렇게나. (예)쓰레기를 아무 데나 마구 버리다. [비]함부로. [준]막.

마ː구간 (馬廐間) [마구깐] 말을 기르는 곳. [비]외양간. [준]마구.

마구리 길쭉한 물건의 양쪽 끝의 면. (예)베개 마구리.

마구잡이 [마구자비] 이것저것 또는 앞뒤를 따지지 않고 마구 하는 짓. (예)마구잡이로 일을 하다.

마귀 (魔鬼) 요사스럽고 못된 귀신을 통틀어 일컫는 말. [준]마.

마그네슘 (magnesium) 금속 원소의 한 가지. 은백색의 금속으로 공기 중에서 열을 가하면 강한 빛을 내면서 타므로, 사진을 촬영할 때나 불꽃놀이 따위에 씀.

마그마 (magma) 땅속 깊은 곳에서 땅의 열로 녹아 액체 상태로 있는, 뜨거운 물질. 이것이 땅 위로 나와서 굳으면 화성암이 됨. 암장.

마ː나님 나이 많은 부인을 높여 이르는 말. (예)부잣집 마나님.

마냥 **1** 전과 다름없이 언제나. (예)마냥 그립다. **2** 부족함이 없이 실컷. (예)마냥 먹어대다.

마네킹 (mannequin) 상점 따위에 세워 놓고 유행되는 옷이나 장신구 따위를 입히거나 거는, 사람 모양의 인형.

마녀 (魔女) **1** 마술을 부려 사람에게 해를 끼친다는 여자. **2** 마음이 악한 여자를 비유한 말.

마:누라* **1 '아내'의 낮춤말. **2** '늙은 여자'의 낮춤말. ㉥주인 마누라.

**마늘* 백합과의 여러해살이풀. 밭에서 기르는데, 비늘줄기는 여러 조각으로 되어 있음. 맛이 맵고 냄새가 독특해 향신료·양념 따위로 씀.

마니산 (摩尼山) 인천광역시 강화군 강화도에 있는 산. 참성단이 있음. 높이 468 m.

마:님 지체가 높은 집안의 부인을 높여 부르던 말.

마다 '낱낱이 모두·그때에는 늘' 등의 뜻을 나타내는 말. ㉥날마다 조금씩 자라다 / 집집마다 문패를 달다.

마:다하다 싫다고 하거나 거절하다. ㉥힘든 일을 마다하지 않고 친구를 돕다.

마당* **1 집의 둘레에 닦아 놓은 단단하고 평평한 땅. ㉥마당을 쓸다 / 마당에 화초를 심다. ㊥뜰. **2** 어떤 일이 일어나거나 일을 하는 그때. ㉥이왕 이렇게 된 마당에.

마당극 (一劇) 동네 마당에서 벌이는, 주로 풍자적인 내용의 탈춤.

마당놀이 [마당노리] 마당에서 벌이는 민속놀이를 통틀어 이르는 말.

마당발 **1** 볼이 넓고 바닥이 평평하게 생긴 발. **2** 비유적으로, 사람과의 사귐이 넓음. 또는 그런 사람.

마도로스 (←네 matroos) 외항선의 선원을 일컫는 말.

마디* **1 대나 나무 따위의 줄기에서 가지나 잎이 붙은 곳. 또는 불룩하게 두드러진 곳. ㉥대나무 마디. **2** 뼈와 뼈가 맞닿은 곳. ㉥마디가 굵은 손. ㊥관절. **3** 말이나 노래 등의 한 도막. ㉥노래 두 마디를 듣고 따라 부르다.

마디마디 낱낱의 모든 마디. ㉥온몸의 마디마디가 다 아프다.

마땅찮다 [마땅찬타] 썩 마음에 들지 아니하다. ㉥반찬이 마땅찮아 외식을 했다.

마땅하다 **1** 잘 어울리거나 알맞다. ㉥마땅한 물건이 없다. **2** 마음에 들다. ㉥하는 짓이 마땅하지 않다. **3** 그렇게 하는 것이 옳다. ㉥벌을 받아야 마땅하다. ㊥당연하다.

마땅히 마땅하게. ㉥학생은 마땅히 공부를 해야 한다.

마:라도 (馬羅島) 우리나라에서 가장 남쪽에 있는 섬으로, 제주도에서 약 11 km 떨어져 있음.

마라톤 (marathon) 육상 경기의 한 종목. 달리는 거리는 42.195 km. ㊔마라톤 경주.

마력[1] (魔力) 사람을 현혹시키거나 까닭을 알 수 없는 이상한 힘. ㉥요괴의 마력 / 등산은 사람을 열중케 하는 마력이 있다.

마:력[2] (馬力) 기계가 일정 시간 안에 일하는 능률의 단위. 말 한 마리의 힘에 해당하는데, 1초 동안에 75 kg의 무게를 1 m 움직이는 일의 양《기호는 HP》.

마련*[1] 일이나 물건을 이리저리 재어 계획을 세움. 또는 그 준비. ㉥돈을 마련하다. **—하다.

마련[2] '이다' 앞에 쓰이어 '당연히 그러할 것임'의 뜻을 나타냄. ㉥돈이 있으면 쓰기 마련이다.

마렵다 [마렵따] 대소변이 나오려는 느낌이 있다. ㉥오줌이 마렵다. 활용 마려워 / 마려우니.

**마루*[1] 안방과 건넌방 사이에 나무판을 깔아 놓은 곳. ㉥마루를 깔다 / 마루에 걸터앉다. ➲ floor

마루[2] 등성이를 이루는 지붕이나

산 따위의 꼭대기. ㉠산마루 / 고갯마루.

마룻바닥 [마루빠닥 / 마룬빠닥] 마루의 바닥. ㉠마룻바닥을 닦다.

*__마르다__[1] **1** 물기가 날아가 없어지다. ㉠빨래가 마르다. **2** 야위어서 살이 없거나 살이 빠지다. ㉠몸이 마르다. **3** 몸이나 목에 물기가 없어 갈증이 나다. ㉠목이 마르다. **4** 강이나 우물 따위의 물이 줄어 없어지다. ㉠가뭄으로 강이 마르다. [활용] 말라 / 마르니. ×말르다. ➲dry

*__마르다__[2] 옷감이나 재목 등을 치수에 맞추어 베고 자르다. ㉠옷감을 마르다. [활용] 말라 / 마르니.

마른걸레 물기가 없는 걸레. ㉠마른걸레로 창문을 닦다. [반] 물걸레.

마른반찬 (—飯饌) 마른 재료로 물기 없이 만든 반찬. 건어물 따위. [반] 진반찬.

마른침 음식물을 대했을 때나, 몹시 긴장했을 때에 힘들여 삼키는, 적은 양의 침.

마른침을 삼키다 일이 되어 가는 형편을 보고 몹시 걱정하며 초조해 하는 모양을 이르는 말.

마른하늘 비나 눈이 오지 않고 맑게 갠 하늘.

마름모 네 변의 길이가 모두 같으나 모든 각이 직각이 아닌 사각형.

마름질 옷감이나 목재 따위를 치수에 맞추어 자르고 베는 일. ㉠옷감을 마름질하다. [비] 재단. **—하다.**

*__마리__ 짐승이나 물고기 또는 벌레 등의 수를 셀 때에 쓰는 말. ㉠토끼 두 마리 / 물고기 네 마리.

*__마:마__[1] (媽媽) ⇨천연두.

마:마[2] (媽媽) 왕과 그 가족들의 칭호 밑에 붙여, 존대의 뜻을 나타내는 말. ㉠어마마마 / 중전 마마.

마모 (磨耗) 마찰된 부분이 닳아서 작아지거나 없어짐. ㉠기계의 마모가 심하다. **—하다.**

마무리 어떤 일을 정리하여 끝맺음. ㉠마무리 작업 / 한 해를 마무리하다. **—하다.**

마법 (魔法) 요술을 부려 불가사의한 일을 하는 술법.

마법사 (魔法師) [마법싸] 마법을 부리는 사람.

마:부 (馬夫) 말을 부리는 사람.

마:분지 (馬糞紙) 짚으로 만든, 빛이 누렇고 질이 낮은 두꺼운 종이.

마비 (痲〔痳〕痺) **1** 신경이나 근육이 기능을 잃는 상태. ㉠심장 마비 / 하반신이 마비되다. **2** 사물의 기능이 정지되거나 없어지는 일. ㉠사고로 교통이 마비되다.

마사지 (massage) 손바닥이나 손가락 끝으로 피부를 문지르거나 주물러 피로를 풀거나 병을 다스리는 방법. ㉠마사지를 받다. ×맛사지. **—하다.**

마:산 (馬山) 〖지명〗 경상남도에 있는 항구 도시. '마산 수출 자유 무역 지역' 이 있는 공업 도시임.

마소 (馬—) 말과 소.

마수[1] **1** 처음에 팔리는 것으로 미루어 짐작하는, 그날의 장사 운수. **2** '마수걸이' 의 준말. ㉠아직 마수도 못했다. **—하다.**

마수[2] (魔手) 사람을 나쁜 길로 이끌거나 불행에 빠뜨리는 못된 꾀나 수단. ㉠마수를 뻗치다.

마수걸이 [마수거리] 가게에서 하루에 첫 번째로 물건을 파는 일. [준] 마수. **—하다.**

마:술[1] (馬術) 말을 타는 기술. [본] 승마술.

마술[2] (魔術) 재빠른 손놀림이나 여러 가지 장치 등을 써서, 사람의 눈을 속여 이상스러운 일을 실제로 해 보이는 술법. ㉠마술에 걸리다 / 마술을 부리다. [비] 요술.

마술사 (魔術師) [마술싸] 마술을 부리는 것을 전문으로 하는 사람.

㉥마법사.

마스코트 (mascot) 행운을 가져온다고 믿어 고이 간직하거나 위하는 작은 물건. ㉠행운의 마스코트.

마스크 (mask) **1** 병균이나 먼지 따위를 막기 위하여 입과 코를 가리는 물건. ㉠마스크를 쓰다. **2** 가면. 탈. **3** 야구에서, 포수가 얼굴을 보호하기 위해 쓰는 기구.

마스터하다 (master—) 어떤 기술이나 내용을 배워 충분히 익히다. ㉠영어를 마스터하다.

*__마시다__ **1** 물이나 술 따위의 액체를 목구멍으로 넘기다. ㉠시원한 냉수를 마시다. **2** 공기나 냄새 따위를 입이나 코로 들이쉬다. ㉠신선한 공기를 마시다. ➲ drink

마애불 (磨崖佛) 벼랑이나 동굴의 벽 같은 자연의 바위 벽에 새긴 불상.

마약 (痲藥) 수술 등을 할 때 마취 작용을 하며, 오랫동안 거듭 쓰면 중독 증상을 나타내는 물질. ㉠마약 중독자. ㉥마취약.

마요네즈 (프 mayonnaise) 주로 야채 요리에 쓰이는 샐러드용 소스의 한 가지. 달걀노른자·샐러드유·식초·소금·설탕 등을 섞어서 만듦.

마우스 (mouse) 컴퓨터 입력 장치의 하나. 손으로 잡고 평평한 바닥에서 움직이면 그에 따라 화면의 커서가 움직임.

마운드 (mound) 야구에서, 투수가 공을 던지기 위하여 서는 곳. 다른 곳보다 조금 높음.

마운령비 (摩雲嶺碑) [마울령비] 함경남도 이원군 마운령에 있는 비석. 신라 진흥왕이 영토를 넓히고 세운 순수비의 하나임.

*__마을__ **1** 시골에서 여러 집이 모여 사는 곳. ㉠고향 마을 / 마을 사람. ㉥동리. 촌락. **2** 이웃에 놀러 다니는 일. ㉠마을을 가다. ➲ village

마을문고 (—文庫) 농어촌 주민을 위해 마을에 설치한 작은 도서관.

마을버스 (—bus) 정기 노선버스가 다니지 않는, 대도시의 고지대나 아파트 단지 등의 교통 편의를 위해 운행하는 버스.

*__마음__ **1** 느끼거나 생각하는 것의 바탕이 되는 정신적 상태. ㉠마음을 정리하다. ㉥감정. **2** 옳고 그름을 판단하고 행동을 결정하는 힘. ㉠마음이 흐리다. **3** 겉으로는 알 수 없는 진정한 기분·생각. ㉠네 마음을 모르겠다 / 마음에도 없는 말을 하다. ㉥본심. **4** 인심. 인정. ㉠마음이 후하다. ㉦몸. ㉬맘. ➲ mind

마음에 걸리다 마음이 편안하지 않고 꺼림칙하다.

마음에 들다 어떤 대상이 만족스럽다.

마음에 없다 무엇을 하거나 가지고 싶은 생각이 없다.

마음은 굴뚝 같다 속으로는 하고 싶은 마음이 간절하다.

마음(을) 놓다 믿고 의심하거나 걱정하지 않다. 안심하다. ㉠그 일은 마음 놓고 내게 맡겨라.

마음(을) 졸이다 걱정되어 마음이 몹시 쓰이다. 매우 걱정하다. ㉠마음 졸이며 기다리다.

마음(이) 내키다 어떤 일을 하고 싶은 생각이 들다.

*__마음가짐__ 마음을 쓰는 태도. ㉠마음가짐이 바르다.

마음결 [마음껼] 마음의 바탕. ㉠마음결이 비단 같다. ㉬맘결.

*__마음껏__ [마음껏] 모자람이 없이 마음대로 실컷. ㉠놀이터에서 마음껏 뛰놀다. ㉬맘껏.

*__마음대로__ 하고 싶은 대로. 생각나는 대로. ㉠자기 마음대로 행동하다. ㉬맘대로.

마음먹다 [마음먹따] 무엇을 하겠다고 마음속으로 작정하다. ㉠선생님이 되리라 마음먹다 / 일이 마음먹은 대로 풀리다. 준 맘먹다.

마음보 [마음뽀] 마음을 쓰는 속 바탕. 예 마음보가 틀렸다. 준 맘보.

*__마음씨__ 마음을 쓰는 태도. 예 마음씨가 곱다. 준 맘씨.

마이너스 (minus) **1** 뺄셈의 기호인 '−'의 이름. **2** 뺌. 덞. **3** 전기의 음극. **4** 부족·손해·불이익 따위를 뜻하는 말. 예 오늘 장사는 마이너스다. 반 플러스.

마ː이동풍 (馬耳東風) 남의 말을 귀담아 듣지 않고 곧 흘려버림을 이르는 말.

마이크 (mike) '마이크로폰'의 준말. 예 마이크를 잡다.

마이크로폰 (microphone) 음파를 음성 전류로 바꾸는 장치. 특히, 녹음기나 확성기에 연결시키는 것을 말함. 준 마이크.

마일 (mile) 영국이나 미국에서 사용하는, 거리를 재는 단위. 1마일은 1,609 m임《기호는 mil》.

마임 (mime) 몸짓과 표정으로 하는 연기. 고대 그리스 및 로마에서 유행하였음.

마저 **1** 말끝에 붙어 '까지도'·'까지 모두'의 뜻을 나타내는 말. 예 하나 남은 잎마저 떨어졌다. **2** 전부. 남기지 않고 모두. 예 이것까지 마저 먹어라.

마ː적 (馬賊) 예전에, 말을 타고 무리를 지어 다니던 도둑.

*__마주__ 서로 똑바로 향하여. 예 얼굴을 마주 대하다 / 마주 서서 이야기하다.

마주치다 **1** 서로 부딪치다. 예 손뼉도 마주쳐야 소리가 난다. **2** 우연히 서로 만나다. 예 길을 가다 소꿉동무와 마주쳤다. **3** 눈길이 서로 닿다. 예 선생님과 눈이 마주치다.

마주하다 마주 대하다. 예 식탁을 마주하고 앉다.

마중 오는 사람을 맞이하러 감. 예 마중을 나가다. 반 배웅. **—하다.**

마지기 논밭의 넓이의 단위. 한 말의 씨를 뿌릴 만한 넓이. 비 두락.

*__마지막__ 일의 끝판. 맨 나중. 예 마지막 장면 / 마지막을 장식하다. 비 최후. 반 처음. ➡ last

마ː지못하다 [마지모타다] 마음에 내키지는 않으나 사정에 따라 하지 않을 수 없다. 예 마지못해 허락하다. → [학습마당] 10(367쪽)

마ː지아니하다 진심으로 그렇게 함을 힘주어 말할 때 쓰는 말. 예 성공하기를 바라 마지아니하다. 준 마지않다.

마ː지않다 [마지안타] '마지아니하다'의 준말. 예 존경해 마지않는 분이다.

마진 (margin) 원가와 판매가의 차이 나는 금액. 이익금.

*__마ː차__ (馬車) 말이 끄는 수레.

*__마찬가지__ 서로 같음. 예 어떻게 하든 결과는 마찬가지다. 비 매한가지.

마찰 (摩擦) **1** 두 물체가 서로 닿아서 비벼짐. 예 냉수 마찰. **2** 의견이나 뜻이 맞지 않아서 서로 부딪치는 일. 예 무역 마찰 / 마찰을 일으키다. 비 알력. **—하다.**

마찰 전ː기 (摩擦電氣) 두 가지 물체를 서로 문지를 때 일어나는 전기. 양전기와 음전기가 있음. 비 정전기.

마천루 (摩天樓) [마철루] 하늘을 찌를 듯이 높이 솟은 고층 건물.

마취 (痲醉) 수술 따위를 할 때 아픔을 느끼지 않게 하려고 약물 등을 써서 일시적으로 몸의 감각이나 의식을 잃게 하는 일. 예 마취에서 깨어나다 / 전신을 마취시키다. **—하다.**

마취제 (痲醉劑) 마취하는 데 쓰는 약. 클로로포름·에테르·알코올·모르핀·아편 따위. 비 마취약.

*__마치__[1] 거의 비슷하게. 예 마치 봄 날

씨 같다. 비 흡사.

마치² 못을 박거나 단단한 것을 두드리는 데 쓰는 연장. 예마치로 못을 박다. *망치.

*__마치다__ 어떤 일이나 과정 따위가 끝나다. 예숙제를 마치다 / 대학을 마치다. 비 끝내다. ➡ finish

> **주의** **마치다**와 **맞히다**
> **마치다** 끝내다. 예벌써 일을 마쳤다.
> **맞히다** 1 표적에 맞게 하다. 예활로 과녁을 맞히다. 2 맞는 답을 내놓다. 예문제의 답을 맞히다. 3 눈·비·주사 따위를 맞게 하다. 예침을 맞히다 / 비를 맞히다.

*__마침__ **1** 어떤 경우나 기회에 꼭 알맞게. 예보고 싶었는데 마침 잘 왔다. **2** 우연히 공교롭게도. 예일이 마침 그렇게 되었다.

*__마침내__ 드디어. 기어이. 마지막에는. 예숙제를 마침내 끝내다 / 마침내 승리를 거두다. ➡ finally

마침표 (―標) **1** 문장의 끝맺음을 나타내는 문장 부호. 온점·고리점·물음표·느낌표를 나타내는 말. **2** 악곡의 끝을 나타내는 표. 비 종지부.

마케팅 (marketing) 제품을 생산자한테서 소비자에게 잘 전달하기 위한 활동. 시장 조사·상품 계획·광고·판매 따위.

마크 (mark) **1** 기호. 표지. **2** 상품에 붙이는 고유의 표지. 상표. 예유명 마크가 붙은 옷. **3** 축구나 농구에서, 상대편의 공격을 막고 방해하는 일. 예상대 팀의 마크가 심하다. **―하다.**

마파람 남쪽에서 불어오는 바람.

마:패 (馬牌) 지름 10 cm가량으로 만든 구리쇠의 둥근 패. 조선 시대 관리들이 나랏일로 지방에 갈 때 역에서 말을 빌려 쓰는 증명으로 썼음.

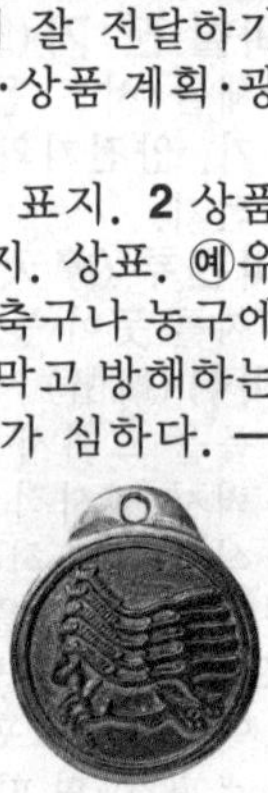
〈마패〉

마하 (Mach) 비행기나 미사일 따위의 속도를 나타내는 단위. 보통 마하 1은 초속 약 340 m임《기호는 M》.

마:한 (馬韓) 삼한의 하나. 기원전 3-4세기경에 지금의 경기도·충청도·전라도에 걸쳐서 50여 부족 국가로 이루어져 있던 나라. 대개 농업을 주로 하는 부락 공동체였음.

마호메트 (Mahomet) 〖인명〗 이슬람교를 처음 연 사람. 메카 교외의 히라 언덕에서 알라신의 계시로 새 종교를 창시함. 저서 '코란'은 문학적인 면에서도 높이 평가되고 있음. [570?-632]

*__마흔__ 열의 네 배. 비 사십.

*__막¹__ (幕) **1** 연극에서, 장면이 바뀔 때마다 쳤다 걷었다 하는 넓은 천. **2** 연극에서, 나누어진 한 단락. 예2막 3장.

막을 내리다 ㉠무대 공연을 끝내다. ㉡어떤 행사나 일을 끝내다.

막이 오르다 ㉠무대 공연이 시작되다. ㉡어떤 행사나 일이 시작되다. 예전국 체전의 막이 오르다.

*__막²__ 걷잡을 수 없이. 예막 달리다. 비 몹시. 본 마구.

*__막³__ 이제 곧. 지금 바로. 예차가 막 떠났다.

막⁴ (膜) **1** 생물체의 모든 기관을 싸고 있거나 경계를 이루는 얇은 꺼풀. 고막·복막·세포막 따위. **2** 모든 물건의 표면을 덮고 있는 얇은 물질.

막간 (幕間) [막깐] **1** 연극에서, 한 막이 끝나고 다른 막이 시작되기까지의 동안. 예막간을 이용한 광고. **2** 어떤 일의 한 단락이 끝나고 다음 단락이 시작될 때까지의 동안.

막강 (莫強) [막깡] 매우 강함. 예막강한 우리 국군 / 권력이 막강하다. **―하다.**

막걸리 [막껄리] 맑은술을 떠내지 않고 그대로 걸러 짜낸 술. 빛깔이 희뿌옇고 맛이 텁텁함. [비] 탁주.

막국수 [막꾹쑤] 메밀로 가락을 굵게 뽑아, 육수에 만 국수. 강원도의 향토 음식임.

막내 [망내] 여러 형제자매 가운데 맨 나중에 태어난 사람. [반] 맏이.

막내둥이 [망내둥이] '막내'를 귀엽게 이르는 말. ×막내동이.

막내딸 [망내딸] 맨 마지막으로 태어난 딸. [반] 맏딸.

막내아들 [망내아들] 맨 마지막으로 태어난 아들. [반] 맏아들.

막노동 (—勞動) [망노동] 쉽고 어려움을 가리지 않고 닥치는 대로 하는 육체적 노동. [비] 막일. **—하다.**

***막다** [막따] **1** 사이를 가리다. (예)칸을 막다. **2** 더 못 나아가게 하다. (예) 소문이 퍼지는 것을 막다. **3** 통하지 못하게 하다. (예)길을 막다. **4** 앞이 가리도록 둘러싸다. (예)집을 울타리로 막다. **5** 물리치다. (예)외적의 침입을 막다.

막다르다 [막따르다] 앞이 막히어 더 나갈 길이 없다. (예)막다른 길 / 막다른 곳에 다다르다. [참고] 주로 '막다른'의 꼴로 쓰임.

막다른 골목 〔골〕 ㉠끝이 막히어 더 나아가지 못하게 된 골목. ㉡일이 더는 어떻게 할 수 없는 경우.

***막대** [막때] '막대기'의 준말.

***막대그래프** (—graph) [막때—] 비교할 수나 양의 크기를 막대의 길이로 나타낸 그래프.

***막대기** [막때기] 가늘고 기름한 나무나 대나무의 토막. [준] 막대.

막대자석 (—磁石) [막때자석] 막대 모양의 길쭉한 자석.

〈막대자석〉

막대하다 (莫大—) [막때하다] 더할 수 없이 많거나 크다. (예)막대한 재산 / 막대한 영향을 끼치다.

막도장 (—圖章) [막또장] 보통 일에 사용하는, 인감을 내지 않은 개인의 도장.

막되다 [막뙤다] 말이나 행동이 버릇없고 거칠다. (예)막된 사람.

막둥이 [막뚱이] '막내아들'을 귀엽게 이르는 말.

막론하다 (莫論—) [망논하다] 이것저것 가리고 따져 말할 나위도 없다. (예)남녀노소를 막론하고. [참고] 주로 '막론하고'의 꼴로 쓰임.

막막하다[1] (漠漠—) [망마카다] 너르고 멀어서 아득하다. (예)막막하게 펼쳐진 광야.

막막하다[2] (寞寞—) [망마카다] 의지할 데가 없어서 답답하고 외롭다. (예)앞으로 살 길이 막막하다.

막말 [망말] **1** 뒤에 여유를 두지 않고 잘라서 하는 말. (예)막말로 한마디만 하겠다. **2** 조심하지 않고 나오는 대로 함부로 하는 말. (예)웃어른께 막말로 대꾸하다. **—하다.**

막무가내 (莫無可奈) [망무가내] 남의 말을 들으려고 하지를 않고 제 뜻만 내세워 떼를 씀. (예)아무리 달래도 막무가내였다.

막바지 [막빠지] **1** 일의 마지막 단계. (예)일이 막바지에 이르렀다. **2** 더 갈 수 없는 막다른 곳. (예)산골짜기의 막바지.

***막사** (幕舍) [막싸] **1** 천막이나 판자 따위로 임시로 살 수 있게 허름하게 지은 집. (예)피난민 막사. **2** 군대가 거주하는 건물.

막살다 [막쌀다] 아무렇게나 되는 대로 살다. [활용] 막살아 / 막사니 / 막사는.

막상 [막쌍] 어떤 일에 실제로 이르러. (예)막상 일을 해 보니 생각보다 어려웠다.

막상막하 (莫上莫下) [막쌍마카] 낫고 못함의 차이가 없음. (예)막상막하의 실력.
막심하다 (莫甚—) [막씸하다] 대단히 심하다. ㉥후회가 막심하다.
막아서다 [마가서다] 앞을 가로막고 서다. ㉥길을 막아서다.
막연하다 (漠然—) [마견하다] **1** 아득하여 분명하지 않다. ㉥앞일이 막연하다. **2** 분명하지 못하고 어렴풋하다. ㉥막연한 대답 / 막연한 생각.
막연히 (漠然—) [마견히] 막연하게. ㉥막연히 기다리다.
막일 [망닐] 가리지 않고 닥치는 대로 하는 육체적 노동. ㉥막일로 끼니를 잇다. 비 막노동. **—하다.**
막자 [막짜] 약을 갈아 가루로 만드는 데 쓰는, 유리나 사기로 만든 작은방망이.
막자사발 (—沙鉢) [막짜사발] 알약 등의 덩어리를 부수어 가루로 만들 때 쓰는 유리나 사기로 만든 그릇.

〈막자사발〉

막장 [막짱] 광물 등을 캐기 위하여 땅속으로 뚫은 길의 막다른 곳.
막중하다 (莫重—) [막쭝하다] 매우 중요하다. ㉥막중한 임무를 맡다 / 책임이 막중하다.
막차 (—車) 그날 마지막으로 떠나거나 들어오는 차. ㉥막차를 놓치다. 반 첫차.
막판 **1** 어떤 일의 끝이 되는 판. ㉥일이 막판에 접어들다. **2** 일이 아무렇게나 마구 되는 판.
막후 (幕後) [마쿠] **1** 보이지 않는 막의 뒤. **2** 겉으로 드러나지 않은 뒷면. ㉥막후의 인물.
***막히다** [마키다] **1** 막음을 당하다. ㉥숨이 탁 막히다 / 막힌 하수구를 뚫다. **2** 어려운 대목에서 순조롭게 풀리지 않게 되다. ㉥생각이 막히다. **3** 하려던 일을 못하게 되다. ㉥혼삿길이 막히다.
***만**[1] (灣) 바다가 육지 속으로 쑥 들어온 곳. 바닷가의 큰 물굽이. ㉥아산만.
***만ː**[2] (萬) 천의 열 배. ㉥3만 명 / 만의 하나라도 실수하면 안 된다.
만[3] (滿) 시기나 햇수가 꽉 찼음을 나타내는 말. ㉥만으로 따져 올해 열 살이다.
***만**[4] 동안이 얼마 계속되었음을 뜻하는 말. ㉥이틀 만에 돌아오다.
***만**[5] '오로지·단지·오직'의 뜻을 나타내는 말. ㉥빚만 졌다.
만ː감 (萬感) 여러 가지 느낌. ㉥만감이 교차하다.
만ː개하다 (滿開—) 꽃이 한꺼번에 활짝 피다. ㉥만개한 유채꽃이 들판을 덮었다.
만ː경창파 (萬頃蒼波) 한없이 넓고 푸른 물결.
만ː고 (萬古) **1** 아주 먼 옛날. **2** 끝없이 긴 세월. ㉥만고에 빛날 업적.
만ː고강산 (萬古江山) 오랜 세월 동안 변함없는 산천. ㉥만고강산을 유람하다.
만ː국 (萬國) 세계의 여러 나라. ㉥만국 박람회. 비 만방.
만ː국기 (萬國旗) [만국끼] 세계 여러 나라의 국기. ㉥만국기가 펄럭이다.
만ː국 평화 회ː의 (萬國平和會議) [—/—회이] 1899년과 1907년에 러시아 황제 니콜라이 2세가 제창하여 네덜란드 헤이그에서 열린 국제회의. 이 두 회의에서 나라 간의 평화 유지 문제가 토의됨. 2차 회의 때에는 우리나라 고종 황제의 밀사로 이상설·이준 등이 파견됨.
만기 (滿期) 정한 기한이 다 참. 또는 그 기한. ㉥만기 제대 / 적금이 만기가 다 되어 간다.
만끽하다 (滿喫—) [만끼카다] **1** 음식을 마음껏 먹고 마시다. ㉥별미를 만끽하다. **2** 그 기분이나 분위기를 만족할 만큼 즐기다. ㉳우승의 기쁨을 만끽하다.

***만나다** **1** 서로 마주 보게 되다. ㉳친구를 만나다. **2** 어떤 일을 당하다. ㉳화재를 만나다 / 행운을 만나다. **3** 어떤 때를 당하다. ㉳과일이 제철을 만나다 / 좋은 세월을 만나다. **4** 인연으로 어떤 관계를 맺다. ㉳스승과 제자로 만나다. ➲ meet

만날 (萬—) 여러 날을 통하여. ㉳만날 놀고만 있다. 비 맨날. 항상.

만남 만나는 일. ㉳만남의 광장.

만ː년 (萬年) 언제까지나 변하지 않고 같은 상태에 있음. ㉳만년 과장 / 만년 청춘.

만ː년설 (萬年雪) 추운 지방이나 높은 곳에 내려 언제나 녹지 않고 쌓여 있는 눈.

만ː년필 (萬年筆) 펜대 속에 잉크를 넣어 두고 쓸 때마다 적당하게 흘러나오도록 된 펜.

만ː능 (萬能) 모든 일에 다 능통하거나 모든 일을 다 할 수 있음. ㉳만능 선수.

만ː담 (漫談) 재미있고 우스운 말로 세상과 인정을 비판·풍자하는 이야기. ㉳만담가.

만ː대 (萬代) 아주 오랜 세월. ㉳이름을 만대에 빛내다.

만돌린 (mandoline) 비파와 비슷한 서양 악기의 한 가지. 평퍼짐한 바닥에 강철로 만든 줄 네 쌍을 늘였고, 통의 배가 불룩함.

만두 (饅頭) 밀가루를 반죽하여 얇게 펴서 그 속에 소를 넣고 빚어서 삶거나 찌거나 기름에 지져 만든 음식. ㉳만두를 빚다.

만두소 (饅頭—) 고기와 채소 등을 잘게 다진 후 두부와 양념을 넣어 함께 버무린, 만두 속에 넣는 것.

만두피 (饅頭皮) 만두를 빚을 때 만두소를 넣고 싸는, 밀가루 반죽으로 만든 얇은 반대기.

***만들다** **1** 기술과 힘을 들여 사물을 이루다. ㉳새로운 장난감을 만들다. **2** 새로 장만하여 내다. ㉳규칙을 만들다. **3** 무엇이 되게 하다. ㉳동생을 의사로 만들다. **4** 돈을 마련하다. ㉳등록금을 만들다. 활용 만들어 / 만드니 / 만드는. ➲ make

만료 (滿了) [말료] 정해진 기한이 꽉 차서 끝남. ㉳임기가 만료하다. **—하다.**

만ː루 (滿壘) [말루] 야구에서, 1·2·3루에 모두 주자가 있는 경우. ㉳만루 홈런.

만류 (挽留) [말류] 붙들고 하지 못하게 말림. ㉳아무리 만류해도 듣지를 않는다. 반 권고. **—하다.**

만ː리 (萬里) [말리] 매우 먼 거리. ㉳만리 길을 멀다 않고 달려오다.

만ː리장성 (萬里長城) [말리장성] 중국의 북쪽에 있는 긴 성벽. 춘추 전국 시대부터 부분적으로 있었던 것을 진나라의 시황제가 흉노의 침입을 막기 위하여 크게 더 늘려 지음. 길이는 2,400 km임.

만만찮다 [만만찬타] **1** 손쉽게 다룰 수 없다. ㉳만만찮은 사람. **2** 그렇게 쉽지 않다. ㉳만만찮은 일. **3** 수나 양이 적지 않다. ㉳사람들이 만만찮게 모였다.

만만하다[1] 마음대로 대할 수 있어 보이다. ㉳만만한 상대가 아니다.

만ː만하다[2] (滿滿—) 모자람이 없이 가득하거나 넉넉하다. ㉳여유가 만만하다 / 자신이 만만하다.

만만히 만만하게. ㉳만만히 볼 수 없는 상대.

만ː면 (滿面) 온 얼굴. 얼굴 전체. ㉳만면에 미소를 띠다.

만ː면하다 (滿面—) 얼굴에 가득 드러나 있다. ㉳희색이 만면하다.

만ː무하다 (萬無—) 도무지 없다. 결코 없다. ㉳그럴 리가 만무하다.

만:물 (萬物) 세상에 있는 모든 것. ㉮우주 만물 / 만물의 영장인 인간.

만:물상[1] (萬物相) [만물쌍] 금강산에 있는 바위산. 바위가 이상하게 온갖 모양을 하고 있어 기묘한 경치를 보여 줌.

만:물상[2] (萬物商) [만물쌍] 일상생활에 필요한 여러 가지 물건을 파는 장사. 또는 그 가게.

만:민 (萬民) 모든 백성. 모든 사람. ㉮만민이 평등하다.

만:민 공:동회 (萬民共同會) 조선 말기인 1898년에 독립 협회 주최로 서울에서 열린 민중 대회.

만:반 (萬般) 여러 가지. 빠짐없이 전부. ㉮만반의 준비를 하다.

만:발하다 (滿發—) 많은 꽃이 한꺼번에 활짝 피다. ㉮산에 들에 진달래가 만발하다. ㉥만개하다.

만:방 (萬邦) 모든 나라. ㉮세계 만방에 알리다. ㉥만국.

만:백성 (萬百姓) [만백썽] 모든 백성.

만:병통치 (萬病通治) 약효가 뛰어나 여러 가지 병을 모두 고칠 수 있음. ㉮만병통치약.

만:복 (萬福) 많은 복. 온갖 복. ㉮만복이 깃들기를 기원합니다.

만:사 (萬事) 여러 가지 일. 모든 일. ㉮만사를 제쳐 놓고 놀러 나가다 / 만사에 조심해라.

만:사형통 (萬事亨通) 모든 일이 뜻한 대로 잘됨. ㉮하는 일마다 만사형통이다. **—하다.**

만삭 (滿朔) 아이 낳을 달이 다 참. ㉮만삭의 아내. ㉥만월.

만:석꾼 (萬石—) 곡식 만 섬을 거두어들일 만한 논밭을 가진 부자.

만:선 (滿船) 잡은 물고기를 배에 가득히 실음. 또는 그런 배. ㉮만선을 기원하다. **—하다.**

만성 (慢性) **1** 급히 나빠지지도 않고 쉽사리 낫지도 않는 병의 성질. ㉮만성 위장병. ㉯급성. **2** 어떤 성질이 버릇이 되어 고치기 힘들게 된 상태.

***만:세** (萬歲) 축복이나 기쁨, 환호를 나타내기 위하여 두 손을 머리 위로 높이 들면서 외치는 소리. ㉮대한민국 만세.

만:수 (萬壽) 썩 오래 삶. 또는 장수를 비는 말. ㉮만수를 누리다.

만:수무강 (萬壽無疆) 아무 탈 없이 오래 삶. ㉮부모님의 만수무강을 빌다. **—하다.**

만:신창이 (滿身瘡痍) **1** 온몸이 상처투성이가 됨. **2** 어떤 사물이 엉망이 됨.

***만:약** (萬若) [마냑] '혹 그러한 경우에는'의 뜻으로 어떤 조건을 앞세우는 말. ㉮만약의 경우 / 만약 내가 거절한다면. ㉥만일. ➡ if

만용 (蠻勇) [마뇽] 사물의 이치나 옳고 그름을 가리지 않고 함부로 날뛰는 용맹. ㉮공연한 일에 만용을 부리다.

만:우절 (萬愚節) [마누절] 4월 1일. 서양 풍속에서, 이날에는 거짓말을 하여도 괜찮다고 하여 나쁜 마음 없이 서로 속이며 즐거워함.

만:원 (滿員) [마눤] 정한 인원이 다 참. ㉮만원 버스.

만:월 (滿月) [마눨] **1** 가장 둥근 달. ㉥보름달. **2** ⇨만삭.

만:유인력 (萬有引力) [마뉴일력] 질량을 가지고 있는 모든 물체가 서로 잡아당기는 힘. 영국의 뉴턴이 발견함.

만:인 (萬人) [마닌] 모든 사람. ㉮만인의 환영을 받다 / 법은 만인 앞에 평등하다.

***만:일** (萬一) [마닐] **1** 혹시. 어쩌다가. 혹 그러한 경우에는. ㉮만일 네가 이긴다면. **2** 뜻밖의 일. ㉮만일을 위한 준비. ㉥만약.

만:장일치 (滿場一致) 모든 사람

의 의견이 같음. ㉠학급 회장이 만장일치로 결정되다.

만점 (滿點) [만쩜] **1** 정해진 점수에 꽉 찬 점수. ㉠100점 만점을 받다. **2** 부족함이 없이 아주 만족할 만한 정도. ㉠영양 만점/솜씨가 그만하면 만점이다.

만조 (滿潮) 꽉 차게 들어왔을 때의 밀물. 반간조.

만족 (滿足) 마음에 흐뭇하여 모자람이 없음. ㉠결과에 만족하다/대답을 만족히 여기다. 비흡족. 반불만. **—하다. —히.**

만족감 (滿足感) [만족깜] 만족한 느낌. 반불만감.

만족스럽다 (滿足—) [만족쓰럽따] 꽤 만족할 만한 데가 있다. ㉠만족스러운 표정을 짓다. 활용 만족스러워/만족스러우니.

만주 (滿洲) 〖지명〗 압록강과 두만강 북쪽에 있는 중국의 넓은 땅. 우리 동포가 많이 삶.

만주족 (滿洲族) 만주 일대에 살았던 남방 퉁구스계의 한 종족. 숙신·읍루·말갈·여진 등이 같은 계통의 종족임.

*__만지다__ **1** 여기저기 손을 대어 주무르거나 문지르다. ㉠자꾸 만져서 고장을 내다. **2** 다루거나 손질을 하다. ㉠머리를 만지다.

만지작거리다 [만지작꺼리다] 가볍게 주무르듯이 자꾸 만지다. ㉠지우개를 만지작거리다.

만ː찬 (晩餐) 손님을 초대하여 함께 먹는 저녁 식사. ㉠만찬회/만찬을 열다.

만ː천하 (滿天下) 온 천하. 온 세계. ㉠만천하에 알리다.

만ː취 (漫〔滿〕醉) 술에 잔뜩 취함. ㉠만취 상태/만취하여 정신을 못 차리다. **—하다.**

*__만큼__ 거의 같은 수량이나 정도 또는 '실컷'의 뜻을 나타내는 말. ㉠배운 만큼 득이 된다/싫증이 날 만큼 먹었다.

만ː파식적 (萬波息笛) [만파식쩍] 신라 때의 전설상의 피리. 문무왕이 죽어서 된 해룡과 김유신이 죽어서 된 천신이 합심해서 용을 시켜서 보낸 대나무로 만들었다는 피리. 이 피리를 불면 소원을 이루게 되므로 소중히 여기어 나라의 보물로 삼았다고 함.

만ː평 (漫評) 인물이나 사회를 풍자하거나 비평하는 내용을 담아 신문이나 잡지에 실은 만화. ㉠시사 만평.

*__만하다__ **1** 동작이나 상태가 거의 어떤 정도에 미치어 있음을 나타냄. ㉠좀 친해질 만하니까 전학을 갔다. **2** 어떤 사물의 값어치나 형편 또는 능력이 넉넉한 정도에 이름을 나타냄. ㉠읽을 만한 책.

만ː학 (晩學) 나이가 들어서 뒤늦게 배움. 또는 그 공부. ㉠만학의 꿈을 이루다.

만행 (蠻行) 도리에 벗어난 잔인한 짓. ㉠만행을 저지르다.

*__만ː화__ (漫畫) 이야기를 간결하고 익살스러운 그림과 대화로 엮어서 나타낸 것. ㉠만화가.

만ː화경 (萬華鏡) 장난감의 한 가지. 원통 속에 3개의 길쭉한 거울을 삼각 기둥 모양으로 짜 넣고, 그 속에 색종이 조각 따위를 넣었는데, 통 끝의 작은 구멍으로 들여다보면 온갖 형상이 대칭적으로 나타남.

만ː화 영화 (漫畫映畫) 만화로 꾸며진 영화. *애니메이션.

만ː화책 (漫畫册) 내용이 만화로 꾸며져 있는 그림책.

만회 (挽回) 바로잡아 그 전의 상태로 돌이킴. ㉠떨어진 인기를 만회하다. **—하다.**

*__많ː다__ [만타] 사물의 수효나 분량이 어느 기준을 넘다. 적지 않다. 수

가 넉넉하다. ㊀많은 사람 / 경험이 많다. ㊫적다. ➡many, much

*많:이 [마니] 많게. ㊀많이 먹다 / 돈이 많이 들다.

맏- 태어나거나 생산되는 차례의 첫 번. ㊀맏누이 / 맏형.

맏딸 맨 먼저 낳은 딸. ㊥장녀. 큰딸. ㊫막내딸.

맏며느리 [만며느리] 맏아들의 아내. ㊥큰며느리. ㊫막내며느리.

맏물 [만물] 그해 들어 맨 처음 나는 푸성귀나 해산물 또는 곡식이나 과일. ㊀맏물 수박. ㊥첫물. 햇것. ㊫끝물.

맏손녀 (—孫女) [만쏜녀] 맨 먼저 낳은 손녀. ㊥장손녀.

맏손자 (—孫子) [만쏜자] 맨 먼저 낳은 손자. ㊥장손.

맏아들 [마다들] 첫째 아들. ㊥장남. ㊫막내아들.

맏이 [마지] 형제자매 중 맨 먼저 태어난 사람. ㊫막내.

맏형 (—兄) [마텽] 맏이가 되는 형. ㊥큰형.

*말¹ 말과에 속하는 동물. 네 다리와 목·얼굴이 길고 몸집이 크며 목덜미에 갈기가 있음. 힘이 세고 참을성이 많으며 빨리 달림. ㊀말을 타고 달리다. ➡horse

말² 장기·윷 따위의 판에서, 일정한 규칙에 따라 옮기는 물건.

*말³ (末) 어떤 기간의 끝이나 끝 무렵. ㊀조선 말 / 9회 말. ㊫초.

말⁴ 곡식이나 액체 따위의 분량을 되는 부피의 단위. 또는 그 그릇. '되'의 열 배. ㊀쌀 열 말.

*말:⁵ **1** 사람의 생각·느낌 따위를 목구멍을 통하여 조직적으로 나타내는 소리. ㊀말을 가르치다 / 말과 글 / 말이 거칠다. ㊥언어. ㊤말씀. **2** 낱말·구·속담·문장 등을 두루 일컬음. ㊀내 사전에 불가능이란 말은 없다. **3** 소문이나 풍문 따위. ㊀말이 퍼지다. **—하다.**

말(을) 놓다 존대하던 말씨를 반말 또는 '하게'로 바꾸어 말하다. ㊀서로 말을 놓고 지내다.

말이 통하다 말의 뜻이 이해되어 의사가 전달되다. ㊀그와 나는 말이 통한다.

말갈족 (靺鞨族) 만주 동북 지방에 살던 퉁구스계의 한 종족. 여진족과 만주족의 선조임.

말:갛다 [말가타] **1** 흐리지 않고 깨끗하고 맑다. ㊀시냇물이 말갛다. **2** 국물 따위가 진하지 않고 묽다. ㊀말간 국물. 활용 말가니 / 말개서.

말:결 [말껼] 무슨 말을 하는 김. ㊀말결에 그 말이 나왔다.

말고삐 말굴레에 매어 끄는 줄. ㊀말고삐를 당기다 / 말고삐를 잡다.

말괄량이 말이나 행동이 얌전하지 않고 덜렁거려 여자답지 않은 여자.

말구유 말먹이를 담아 주는 그릇.

말굽 말의 발톱. 둥글게 하나로 되어있음.

말굽자석 (—磁石) [말굽짜석] 말굽 모양으로 구부려 만든 자석. 양극이 서로 가까이 있기 때문에 자기력이 오래감.

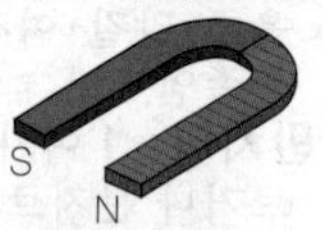

〈말굽자석〉

말:귀 [말뀌] **1** 말이 뜻하는 내용. ㊀말귀를 못 알아듣다. **2** 남이 하는 말의 뜻을 알아듣는 슬기. ㊀말귀가 어둡다.

말기 (末期) 어떤 시대나 시기가 끝날 무렵. ㊀조선 말기에 일어난 사건. ㊫초기.

말:꼬리 말의 끝 부분. ㊀말꼬리를 흐리다. ㊥말끝.

말꼬리(를) 잡다 남의 말을 듣고 있다가 그 말 자체를 가지고 시비를 걸다. ㊀말꼬리를 잡고 늘어지다.

말:꼬투리 시빗거리가 되거나 트집을 잡힐 만한 말의 한 부분. ㊀말

꼬투리를 잡고 캐다.

말끄러미 눈을 똑바로 뜨고 가만히 한곳만 바라보는 모양. ㉷물끄러미.

말끔하다 티 하나 없이 맑고 깨끗하다. ㉮옷을 말끔하게 차려입다. ㉷멀끔하다.

말끔히 말끔하게. ㉮방을 말끔히 치우다.

말:끝 [말끋] 말을 마무리 짓는 끝. ㉮말끝을 맺다 / 말끝마다 반말을 하다. ㉥말꼬리.

말년 (末年) [말련] **1** 인생의 끝 무렵. ㉮말년을 편안히 보내다. ㉥만년. ㉤초년. **2** 어떤 시기의 마지막 무렵. ㉮제대 말년.

말:놀이 [말로리] 끝말잇기, 같은 끝말 찾기, 발음하기 힘든 말 외기 등 말을 주고받으며 즐기는 놀이. **—하다.**

***말다**[1] 물이나 국물에 밥이나 국수 등을 넣어 섞다. ㉮국에 밥을 말다 / 물에 만 밥을 먹다. 활용 말아 / 마니 / 마는.

***말:다**[2] **1** 하던 것이나 할 것을 그만두다. ㉮먹다가 만 사과. **2** '아니하다'의 뜻을 나타내는 말. ㉮보나 마나 뻔한 일이다. **3** '-지' 뒤에 쓰이어, 동작을 막는 뜻을 나타내는 말. ㉮걱정하지 마라. 활용 말아 / 마니 / 마는. → [학습마당] 10(아래)

***말다**[3] **1** 너비가 있고 부드럽거나 잘 휘는 물건을 돌돌 감다. ㉮도화지를 말다 / 창문에 친 발을 말아 올리다. **2** 얇고 넓적한 물건에 내용물을 넣고 돌돌 감아 싸다. ㉮김밥을 말다. 활용 말아 / 마니 / 마는.

말:다툼 말로 옳고 그름을 가리는 다툼. ㉮작은 일로 말다툼하다. ㉥말싸움. 입씨름. **—하다.**

말단 (末端) [말딴] **1** 물건의 맨 끄트머리. **2** 조직에서 가장 낮은 지위. ㉮말단 사원.

말:대꾸 남이 하는 말을 듣고 상대와 다른 자기 생각을 나타냄. 또는 그 말. ㉮어른 앞에서 말대꾸하면 못쓴다. ㉨대꾸. **—하다.**

말:대답 (—對答) 윗사람의 말에 이유를 붙여 반대하는 뜻으로 말하는 대답. ㉮꼬박꼬박 말대답하다. **—하다.**

말:더듬이 [말더드미] 말을 더듬는 사람.

말:동무 [말똥무] 서로 이야기를 나눌 만한 친구. ㉮할머니의 말동무가 되어 드리다. ㉥말벗. **—하다.**

[학습마당] 10

'말다'의 명령형으로 '마라'와 '말라'가 모두 쓰이는 까닭

용언의 어간 끝 받침 'ㄹ'이 줄어진 형태로 굳어 쓰이는 것은 준 대로 적는다.

(×)	(○)
말지 못하다	마지못하다
말지 않다	마지않다
(하)다 말다	(하)다마다
(하)자 말자	(하)자마자
(하)지 말아	(하)지 마
(하)지 말아라	(하)지 마라

다만, '(하)지 마라'의 경우, 문어체 명령형이나 간접 인용법의 형식에서는 '말라'가 쓰인다.

가지 마라 → 가지 말라 / 읽지 말라고 하였다.

말똥구리 ⇨쇠똥구리.

말똥말똥 **1** 정신이나 눈빛이 맑고 생기가 있는 모양. ㉠정신이 말똥말똥하다. **2** 눈만 동글게 뜨고 다른 생각 없이 말끄러미 쳐다보는 모양. ㉠남의 얼굴을 말똥말똥 쳐다보다. 큰 멀뚱멀뚱. **—하다.**

말뚝 땅에 두드려 박아 세우는 몽둥이나 기둥. ㉠말뚝을 박다.

말:뜻 [말뜯] 말이 나타내는 뜻. ㉠말뜻을 이해하다.

말라깽이 몸이 바싹 마른 사람을 놀리는 말.

말라리아 (malaria) 말라리아 원충을 가진 학질모기가 옮기는 전염병. 하루나 이틀 간격으로 높은 열이 나는 것이 특징임. 심하면 빈혈 및 황달을 일으키기도 함. 학질.

말라붙다 [말라붇따] 액체가 바싹 졸거나 말라서 물기가 아주 없어지다. ㉠가뭄으로 논이 말라붙었다.

말랑말랑하다 야들야들하고 부드럽다. ㉠말랑말랑한 빵. 큰 물렁물렁하다.

말레이 반:도 (Malay半島) 〖지명〗 인도차이나 반도 남서부에서 남쪽으로 뻗은 기다란 반도. 고온 다습한 열대 기후로 고무·목재·주석 따위의 천연자원이 풍부함.

말레이시아 (Malaysia) 〖국명〗 말레이 반도 남부와 보르네오 섬 북부에 걸쳐 있는 입헌 군주국. 고무와 주석을 많이 수출하여 세계적으로 유명함. 수도는 콸라룸푸르.

말려들다 **1** 무엇에 감기어 들어가다. ㉠옷자락이 기계에 말려들다. **2** 원하지 않는 일에 끌리어 들어가다. ㉠사건에 말려들다. 활용 말려들어 / 말려드니 / 말려드는.

말로 (末路) **1** 인생의 끝 부분. ㉠그의 말로는 비참했다. **2** 망해 가는 마지막 모습이나 상태. ㉠독재자의 말로.

말리다¹ 펴졌던 물건이 둘둘 감기다. ㉠포장지가 말리다.

말리다² 남이 하려는 짓을 못하게 하다. ㉠싸움을 말리다.

*__말리다³__ 젖은 것을 마르게 하다. ㉠수건을 말리다. ➲ dry

말:머리 **1** 말의 첫머리. ㉠말머리를 꺼내다. **2** 이야기의 방향. ㉠입장이 곤란해서 말머리를 돌렸다. 비 화제.

말:문 (—門) 말을 하려고 여는 입. ㉠말문을 열다.

말문이 막히다 하려던 말이 나오지 않게 되다. ㉠느닷없는 질문에 말문이 막혔다.

말미 일에 매인 사람이 다른 일로 말미암아 얻는 겨를. ㉠며칠 말미를 주십시오. 비 휴가.

말미암다 [말미암따] 어떤 일의 이유가 되다. 계기가 되다. ㉠부주의로 말미암은 사고.

말미잘 해변말미잘과의 강장동물. 바위틈이나 다른 생물에 붙어 삶. 원기둥 모양이며 녹색이나 붉그스름한 색에 흰 반점이 있음. 입 둘레에는 많은 촉수가 있어 이것으로 먹이를 잡아먹음.

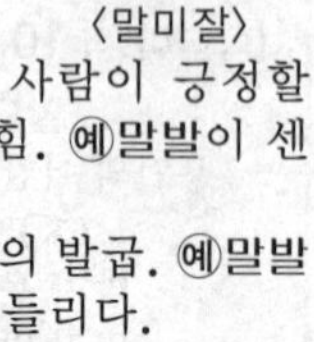
〈말미잘〉

말:발 [말빨] 듣는 사람이 긍정할 수 있게 하는 말의 힘. ㉠말발이 센 사람.

말발굽 [말발꿉] 말의 발굽. ㉠말발굽 소리가 요란하게 들리다.

말:버릇 [말뻐른] 늘 써서 버릇이 된 말의 투. ㉠말버릇이 고약하다. 비 말투. 어투.

말벌 말벌과의 벌. 몸에 갈색의 긴 털이 있고 독침이 있음. 과실·벌꿀 따위에 해를 끼치며 해충도 잡아먹음. 비 왕벌.

말:벗 [말뻗] ⇨말동무. **—하다.**

말복 (末伏) 삼복의 마지막 복날. 몹시 더운 때. ㉠말복 더위.

말살 (抹殺) [말쌀] 있는 것을 뭉개어 아주 없애 버리거나 무시해 버림. ㉠기록을 말살하다. **—하다.**

말세 (末世) [말쎄] 정치·도덕·풍속 등이 아주 쇠퇴한 시대. 망해 가는 세상.

말소 (抹消) [말쏘] 기록된 사실을 지워 없애 버림. ㉠증거 서류를 말소하다. **—하다.**

말:소리 [말쏘리] 말하는 소리. ㉠말소리를 낮추다. ㊥목소리. 음성.

말:솜씨 [말쏨씨] 말하는 솜씨. ㉠말솜씨가 뛰어나다. ㊥말재주. 말주변.

말:수 (—數) [말쑤] 사람이 입으로 하는 말의 수효. ㉠말수가 많다 / 말수를 줄이다.

말:싸움 ⇨말다툼. ㉠다행히 말싸움으로 그쳤다. **—하다.**

말:썽 문제를 일으키는 말이나 행동. ㉠말썽을 부리다 / 말썽을 일으키다.

말:썽거리 [말썽꺼리] 말썽이 될 만한 일이나 사물.

말:썽꾸러기 '말썽꾼'의 속된 말.

말:썽꾼 걸핏하면 말썽을 일으키는 사람.

말쑥이 [말쑤기] 말쑥하게. ㉠말쑥이 차려입다. ×말쑥히.

말쑥하다 [말쑤카다] 지저분함이 없이 깨끗하다. ㉠말쑥한 옷차림. ㊔멀쑥하다.

***말:씀** **1** 웃어른의 말. ㉠선생님의 말씀대로 하겠습니다. **2** 웃어른에게 하는 자기의 말. ㉠말씀을 드리다. **—하다.**

말:씨 **1** 말하는 태도나 버릇. ㉠공손한 말씨 / 말씨가 조용하다. ㊥말투. **2** 지역에 따라 다르게 나타나는 말의 특징. ㉠경상도 말씨.

말:없이 [마럽씨] 아무런 말도 아니하고. ㉠말없이 사라지다.

말엽 (末葉) [마렵] 어떤 시대를 세 시기로 나누었을 때의 끝 무렵. ㉠신라 말엽. ㊥말기. *초엽. 중엽.

말일 (末日) [마릴] **1** 어떤 시기나 기간의 마지막 날. **2** 그달의 마지막 날. ㊥그믐날.

말:장난 실속 없는 말이나 쓸데없는 말을 늘어놓는 일. ㉠말장난을 치다. ㊥언어유희. **—하다.**

말:재주 [말째주] 말을 잘하는 재주. ㉠말재주가 뛰어나다 / 말재주가 있다. ㊥말솜씨. 화술.

말:조심 (—操心) 말이 잘못되지 않게 하려는 조심. ㉠어른 앞에서는 말조심을 해라. **—하다.**

말:주변 [말쭈변] 말을 이리저리 척척 잘 둘러대는 재주. ㉠말주변이 좋은 사람. ㊥말재주. 말솜씨.

말짱하다 **1** 흠이 없고 온전하다. ㉠아직도 말짱한 물건. **2** 깨끗하다. ㉠집 안을 말짱하게 치우다. **3** 정신이 또렷하다. ㉠말짱한 정신으로 말하는 거니. ㊔멀쩡하다.

말:참견 (—參見) 남들이 이야기할 때 끼어들어서 말하는 일. ㉠말참견하지 마라. ㊥말참례. **—하다.**

말초 신경 (末梢神經) 뇌 또는 척수에서 나와 온몸에 퍼져 중추 신경계와 피부·근육·감각 기관 등을 연락하는 신경을 통틀어 이르는 말. ㉠말초 신경을 자극하다.

말총 말의 갈기나 꼬리의 털.

말타기 아이들의 놀이의 한 가지. 술래가 된 편의 한 사람이 기둥이 되고 나머지가 기둥에 등을 구부리고 엎드리면, 다른 편 아이들이 그 위에 뛰어올라 가위바위보를 하여 이긴 편을 정하는 놀이.

말:투 (—套) 말할 때 드러나는 버릇. ㉠말투가 못마땅하다 / 퉁명스러운 말투다. ㊥말버릇. 어투.

말판 윷놀이 등에서, 말이 가는 길

을 그린 판.

말:하기 말의 표현 능력을 가르치는 초등학교 등의 국어 교과의 한 부문. *듣기. 쓰기. 읽기.

***말:하다** 1 생각이나 느낌을 말로 나타내다. ㉠말할 수 없는 감격. ➡ say, speak, tell, talk 2 말리는 뜻으로 타이르거나 꾸짖다. ㉠아무리 말해도 듣지 않는다. 3 어떤 사정이나 사실, 현상 따위를 나타내 보이다. ㉠숭례문은 조선 시대의 건축미를 말해 준다.

말:하자면 알기 쉽게 다른 말로 바꾼다면. ㉠말하자면 새장 속의 새와도 같다. 비 이를테면.

말:허리 하고 있는 말의 중간. ㉠남의 말허리를 꺾다 / 말허리를 자르고 끼어들다.

***맑다** [막따] 1 잡스럽거나 더러운 것이 섞이지 않아 투명하고 깨끗하다. ㉠물이 맑다 / 맑은 공기를 마시다. 2 구름이나 안개가 끼지 않아 날씨가 좋다. ㉠맑은 하늘 / 전국이 대체로 맑겠다. 반 흐리다. 3 소리가 트이어 탁하지 않다. ㉠맑은 목소리를 내다. 4 정신이 초롱초롱하고 또렷하다. ㉠맑은 정신으로 말하다.

> 주의 **'맑다' 의 표준 발음**
> 겹받침 'ㄺ'은 말끝 또는 닿소리 앞에서 [ㄱ]으로 발음한다. 다만 'ㄱ' 앞에서는 [ㄹ]로 발음한다.
> (1) [ㄱ]으로 발음하는 경우
> 맑다[막따], 맑지[막찌], 맑습니다[막씀니다]
> (2) [ㄹ]로 발음하는 경우
> 맑게[말께], 맑고[말꼬], 맑거나[말꺼나]

맑디맑다 [막띠막따] 썩 맑다. 더할 수 없이 맑다. ㉠맑디맑은[막띠말근] 어린이의 눈동자.

맘: '마음'의 준말. ㉠맘에 들다.

맘:껏 [맘껃] '마음껏'의 준말. ㉠맘껏 뛰놀다.

맘:대로 '마음대로'의 준말.

맘:대로근 (一筋) 척추동물에서 의지에 따라 움직일 수 있는 근육. 뼈를 싸고 있는 근육이 이에 속함. 비 수의근.

맘마 '밥'의 어린이 말. ㉠아가야, 맘마 줄 테니까 울지 마.

맘:씨 '마음씨'의 준말.

맙:소사 [맙쏘사] 어처구니없는 일을 보거나 당할 때 탄식하는 소리. ㉠하느님 맙소사 / 아이고 맙소사, 그걸 몰랐다니.

***맛** [맏] 1 음식 따위를 혀에 댈 때 느끼는 감각. ㉠달콤한 맛 / 음식 맛이 좋다. 2 체험을 통해서 알게 된 느낌이나 분위기. ㉠실패의 쓰라린 맛 / 새로운 맛. ➡ taste

맛(을) 들이다 좋아하거나 재미를 붙이다. ㉠만화책에 맛을 들여서 걱정이다.

맛(이) 들다 익어서 맛이 좋게 되다. ㉠김치가 맛이 들었다.

맛 좀 보다 고통과 아픔을 경험하다. ㉠너 한번 맛 좀 봐라.

> 참고 **신맛·쓴맛·매운맛·단맛·짠맛·떫은맛**
> **신맛** … 식초와 같은 맛《시다》
> **쓴맛** … 소태나 씀바귀와 같은 맛《쓰다》
> **매운맛** … 고추와 같은 맛《맵다》
> **단맛** … 설탕과 같은 맛《달다》
> **짠맛** … 소금과 같은 맛《짜다》
> **떫은맛** … 덜 익은 감과 같은 맛《떫다》

맛깔 [맏깔] 음식 맛의 성질.

맛깔스럽다 [맏깔스럽따] 음식 맛이 입에 맞다. ㉠김치가 맛깔스럽게 익었다. 활용 맛깔스러워 / 맛깔스러우니.

맛나다 [만나다] 맛이 좋다. ㉡맛난 음식. 비 맛있다.

맛보다 [맏뽀다] **1** 음식 맛을 알기 위해 조금 먹어 보다. ㉡국을 맛보다. **2** 몸소 겪어 보다. ㉡온갖 고생을 다 맛보다.

맛없다 [마덥따] 음식 맛이 좋지 않다. ㉡맛없는 찌개.

***맛있다** [마딛따 / 마싣따] 음식의 맛이 좋다. ㉡맛있는 음식 / 맛있게 먹다. 비 맛나다.

망[1] (網) 그물 모양으로 만들어 가리거나 치거나 하는 물건을 통틀어 이르는 말. ㉡창문에 망을 치다.

망:[2] (望) 좀 떨어진 곳에서 남의 움직임이나 형편을 살피거나 감시함. ㉡망을 보다.

망가뜨리다 망가지게 하다. ㉡장난감을 던져 망가뜨리다.

망가지다 부서지거나 찌그러져 못 쓰게 되다. ㉡충돌 사고로 자동차가 망가졌다. 비 망그러지다.

망각 (忘却) 어떤 사실을 잊어버림. ㉡책임을 망각한 행위. **—하다.**

망간 (독 Mangan) 은백색의 광택이 나는 금속 원소. 철과 비슷하나 철보다 단단하고 부서지기 쉬움. 건전지·화학 약품 따위에 씀.

망건 (網巾) 상투를 튼 사람이 머리가 흩어지지 않도록 그물처럼 만들어 머리에 두르는 물건. 말총·코끼리의 꼬리털·머리카락 따위로 만듦.

망국 (亡國) 이미 망하여 없어진 나라. ㉡망국의 한.

망그러지다 ⇨망가지다.

망극하다 (罔極—) [망그카다] 임금이나 어버이의 은혜가 헤아릴 수 없을 만큼 크다. ㉡성은이 망극하옵니다.

망나니 **1** 말과 행동을 함부로 하고 성질이 아주 못된 사람. **2** 예전에, 죄인의 목을 베던 사람.

망년회 (忘年會) 연말에 그해의 온갖 괴로움을 잊자는 뜻으로 베푸는 모임. 비 송년회.

망:둥어 망둥엇과의 바닷물고기를 통틀어 이르는 말. 몸은 작고 좌우의 배지느러미가 합쳐져서 빨판처럼 되어 있는 것이 특징임. 바닷가의 모래땅에 삶. 비 망둥이.

망:둥이 ⇨망둥어.

망라하다 (網羅—) [망나하다] 널리 구하여 모두 받아들이다. ㉡교과서를 망라한 시험 문제.

망:령[1] (妄靈) [망녕] 늙거나 정신이 흐려서 말이나 행동이 정상을 벗어남. 또는 그런 상태. ㉡망령이 나다 / 망령이 들다. 비 노망.

망령[2] (亡靈) [망녕] 죽은 사람의 영혼.

망:루 (望樓) [망누] 망을 보기 위하여 높이 세운 대. 비 망대.

망막 (網膜) 눈알의 가장 안쪽에 있으며, 시신경이 분포되어 있는 막.

망막하다 (茫漠—) [망마카다] 뚜렷한 계획이나 희망이 없어 마음이 답답하다. ㉡망막한 심정.

망망대해 (茫茫大海) 한없이 넓고 큰 바다.

망명 (亡命) 정치·사상·종교 따위의 이유로 탄압을 받거나 위험을 피해 자기 나라에서 살지 못하고 다른 나라로 몸을 피함. ㉡망명자 / 망명길에 오르다. **—하다.**

망:발 (妄發) 도리에 어긋나거나 근거 없이 함부로 하는 말. 비 망언. **—하다.**

망:보다 (望—) 남의 동정을 멀리서 살피다.

망사 (網紗) 그물같이 거칠고 성기게 짠 형겊.

망:상 (妄想) 이치에 맞지 않으며 정상이 아닌 생각. ㉡망상에 빠지다 / 망상에 사로잡히다. 비 망념. **—하다.**

***망설이다** [망서리다] 머뭇거리면

서 태도를 결정하지 못하다. (예)망설이다가 기회를 놓쳤다 / 망설이지 말고 빨리 골라라. [비]주저하다.

망신 (亡身) 말이나 행동을 잘못하여 자신의 명예·체면 따위를 망침. (예)망신을 당하다 / 망신을 시키다. **—하다**.

망신살 (亡身煞) [망신쌀] 망신을 당할 운수.

망신살(이) 뻗치다 심한 망신을 당하다. 또는 계속 망신을 당하다.

망신스럽다 (亡身—) [망신스럽따] 망신을 당하는 느낌이 있다. [활용] 망신스러워 / 망신스러우니.

*** 망아지** 말의 새끼.

망:언 (妄言) 남을 헐뜯는 간사하고 건방진 말. [비]망발. **—하다**.

망연자실하다 (茫然自失—) 어이가 없어서 정신이 나간 듯이 멍하다. (예)친구의 사고 소식을 듣고 망연자실했다.

망울 **1** 우유나 풀 따위의 속에 작고 둥글게 엉기어 굳어진 덩이. [큰]멍울. **2** '꽃망울'의 준말.

망:원경 (望遠鏡) 두 개 이상의 볼록 렌즈를 맞추어서 멀리 있는 물체를 잘 보이도록 만든 장치. [비]만리경. 천리경.

망:원 렌즈 (望遠lens) 멀리 있는 물체를 크고 정확하게 보기 위해 초점 거리를 길게 만든 렌즈.

망정 '-니·-기에' 등의 뒤에 '망정이지'로 쓰이어, '그러하였으니 다행이지'의 뜻을 나타내는 말. (예)마침 네가 도와주었기에 망정이지 다칠 뻔했다.

망측하다 (罔測—) [망츠카다] 도리에 어긋나 어이가 없거나 보기가 민망하다. (예)옷차림이 망측하다.

망치 단단한 물건이나 불에 달군 쇠를 두드리는 데 쓰는, 쇠로 만든 연장의 하나. 마치와 비슷하나 훨씬 크고 무거움. ➲ hammer

망치다 일을 잘못되게 만들다. (예)신세를 망치다. [비]그르치다.

망치질 망치로 무엇을 두드리거나 박는 일. **—하다**.

망태 (網—) 가는 새끼 따위로 엮어 만든 그릇. 물건을 담아 들고 다니는 데 씀. [본]망태기.

〈망태〉

망토 (프 manteau) 소매가 없이 어깨에 걸쳐 내려 입는 외투.

망하다 (亡—) 나라·단체·개인 따위가 제구실을 못해 결딴이 나다. (예)집안이 망하다. [반]흥하다.

망:향 (望鄕) 고향을 생각하고 그리워함.

맞- [맏] **1** 서로 마주 대하는 뜻을 나타내는 말. (예)맞장구 / 맞들다. **2** 서로 비슷함을 나타내는 말. (예)맞대결 / 맞먹다.

*** 맞다**[1] [맏따] **1** 오는 사람을 기다려 받아들이다. (예)손님을 맞다. **2** 자연히 돌아오는 계절이나 날을 당하다. (예)생일을 맞다. **3** 내리는 비나 눈 등을 몸으로 받다. (예)비를 맞다. **4** 주사·침 따위로 치료를 받다. (예)예방주사를 맞다. **5** 가족으로 받아들이다. (예)아내를 맞다 / 친구의 딸을 며느리로 맞다. **6** 때리는 매나 총알 따위를 그대로 받다. (예)회초리로 종아리를 맞다. **7** 어떤 일을 당하다. (예)야단을 맞다 / 도둑을 맞다. **8** 점수를 받다. (예)100점을 맞다.

*** 맞다**[2] [맏따] **1** 틀리지 않고 옳다. (예)시계가 맞다. **2** 물건과 물건이 틈이 없이 서로 닿다. (예)발에 맞는 신. **3** 어울리다. 조화하다. (예)분에 맞는 생활 / 옷 색깔이 너한테 꼭 맞다. **4** 서로 통하다. (예)마음이 맞는 친구.

맞닥뜨리다 [맏딱뜨리다] 서로 부딪칠 정도로 마주 대하여 닥치다. (예)골목길에서 친구와 맞닥뜨리다 / 위기에 맞닥뜨리다.

맞닿다 [맏따타] 마주 닿다. ㉥지붕과 지붕이 맞닿다.
맞대결 (—對決) [맏때결] 서로 맞서서 대결함. ㉥우승 후보들끼리 맞대결을 벌이다. **—하다.**
맞대다 [맏때다] 마주 대다. ㉥이마를 맞대고 의논하다.
맞대면 (—對面) [맏때면] 서로 얼굴을 마주 보며 대하는 일. **—하다.**
맞들다 [맏뜰다] 두 사람이 마주 물건을 들다. ㉥책상을 맞들고 옮기다. 활용 맞들어 / 맞드니 / 맞드는.
맞먹다 [맏먹따] 둘이 서로 비슷하다. ㉥두 학생의 실력이 맞먹다.
맞물리다 [맏물리다] 마주 물리다. 두 끝이 서로 겹쳐지다. ㉥맞물려 돌아가는 톱니바퀴.
맞바꾸다 [맏빠꾸다] 값을 따지지 않고 물건과 물건을 서로 바꾸다.
맞바람 [맏빠람] 마주 불어오는 바람. ㉥맞바람이 치다.
맞받다 [맏빧따] **1** 마주 들이받다. ㉥정면으로 맞받는 교통사고가 났다. **2** 남의 말이나 행동 따위에 정면으로 상대하다. ㉥신경질을 부리는 그에게 맞받아 화를 내다.
맞벌이 [맏뻐리] 부부가 모두 일하여 돈을 버는 일. ㉥맞벌이 부부. **—하다.**
맞부딪치다 [맏뿌딛치다] 서로 마주 부딪치다. 또는 마주 부딪치게 하다. ㉥적수끼리 맞부딪치다.
맞붙다 [맏뿓따] **1** 마주 닿다. ㉥하늘과 땅이 맞붙은 지평선. **2** 싸움이나 내기 등에서 서로 상대하여 겨루다. ㉥두 선수가 맞붙어 싸우다.
맞상대 (—相對) [맏쌍대] 마주 상대함. 또는 그런 상대. ㉥일 대 일로 맞상대하다. **—하다.**
*__맞서다__ [맏써다] **1** 서로 마주 보고 서다. **2** 서로 굽히지 않고 버티다. ㉥양편의 의견이 맞서다.
맞선 [맏썬] 남녀가 결혼하기 위하여 당사자끼리 직접 만나 보는 일. ㉥맞선을 보다.
맞수 (—手) [맏쑤] 재주나 힘이 서로 비슷한 상대. 본 맞적수.
맞아들이다 [마자드리다] **1** 찾아온 사람을 맞아 안으로 들어오게 하다. ㉥손님을 맞아들이다. **2** 가족으로 받아들이다. ㉥친구의 아들을 사위로 맞아들이다.
맞아떨어지다 [마자떠러지다] 어떤 기준에 꼭 맞다. ㉥예상이 꼭 맞아떨어지다.
맞은편 (—便) [마즌편] **1** 마주 바라보이는 쪽. ㉥우리 집은 학교 바로 맞은편에 있다. **2** 마주 상대되는 편.
-맞이 [마지] 오는 사람이나 일·날·때를 맞는 일 따위를 뜻함. ㉥달맞이 / 생일맞이 / 설맞이 / 손님맞이.
*__맞이하다__ [마지하다] **1** 오는 사람이나 일·날·때를 기다려 맞다. ㉥새해를 맞이하다 / 손님을 맞이하다. **2** 예의를 갖추어 가족으로 받아들이다. ㉥며느리를 맞이하다.
맞잡다 [맏짭따] 손이나 물건을 마주 잡다. ㉥손을 맞잡고 기뻐하다.
맞장구치다 [맏짱구치다] 남의 말에 그렇다고 덩달아 같은 말을 하다.
맞절 [맏쩔] 서로 예를 지켜 마주 하는 절. ㉥신랑 신부가 맞절하다. **—하다.**
*__맞추다__ [맏추다] **1** 틀리거나 어긋나지 않도록 조정하다. ㉥시계를 맞추다. **2** 제자리에 맞게 짜다. ㉥조립식 장난감을 맞추다. **3** 어떤 기준이나 정도에 알맞게 하다. ㉥음식의 간을 맞추다. **4** 서로 마주 대다. ㉥입을 맞추다. **5** 상대의 마음에 들게 행동하다. ㉥비위를 맞추다. **6** 규격에 맞게 물건 만드는 일을 미리 부탁하다. ㉥옷을 맞추다. 비 주문하다. 참고 전에는 6의 뜻으로 '마추다'를 썼으나, 지금은 모두 '맞추다'로 씀.

맞춤법 (—法) [맏춤뻡] **1** 글자를 일정한 규칙에 맞도록 쓰는 법. (예)맞춤법에 맞게 쓰다. [비] 철자법. **2** '한글 맞춤법'의 준말.

맞춤옷 [맏추몯] 몸의 치수에 맞게 특별히 재단하여 만든 옷.

맞히다[1] [마치다] 물음에 옳은 답을 하다. (예)정답을 맞히다. →마치다 [주의]

*__맞히다__[2] [마치다] **1** 목표에 맞게 하다. (예)총을 쏘아 과녁을 맞히다. **2** 비·눈이나 매·주사 따위를 맞게 하다. (예)장티푸스 예방 주사를 맞히다. →마치다 [주의]

*__맡기다__ [맏끼다] **1** 어떤 일이나 물건을 부탁하거나 책임지게 하다. (예)짐을 맡기다. **2** 하게 내버려 두다. (예)상상에 맡기다. **3** 자신의 일을 남에게 미루다. (예)내게 맡겨라 / 일을 남에게 맡기고 놀기만 한다.

*__맡다__[1] [맏따] **1** 일이나 책임을 담당하다. (예)담임을 맡다. **2** 어떤 물건을 받아 보관하다. (예)가방을 맡아 두다. **3** 차지하다. (예)자리를 맡아 두어라. **4** 면허·허가·증명 따위를 얻다. (예)숙제 검사를 맡다.

*__맡다__[2] [맏따] 냄새를 코로 들이마셔 느끼다. (예)냄새를 맡다.

맡아보다 [마타보다] 어떤 일을 책임지고 맡아서 하다. (예)건물 관리를 맡아보다.

매[1] 사람이나 짐승을 때리는 회초리·몽둥이 따위를 통틀어 일컫는 말. 또는 그것으로 때리는 일. (예)매를 들다 / 매를 맞다.

매[2] 맷과의 새를 통틀어 일컫는 말. 수리보다 몸이 작고 부리와 발톱은 갈고리 모양임. 날개와 꽁지는 비교적 폭이 좁으며 빨리 낢. 작은 새나 병아리 따위를 잡아먹음. 천연기념물 제323호. [비] 송골매.

〈매[2]〉

매[3] (枚) 종이 따위를 세는 말. (예)원고지 10매.

매:[4] (每) '마다'·'각각'의 뜻을 나타내는 말. (예)매 주일마다 부모님과 등산을 간다.

-매 '맵시'·'모양'의 뜻을 나타내는 말. (예)눈매 / 몸매 / 옷매.

매:각 (賣却) 물건을 팔아 버림. (예)주식을 매각하다. **—하다.**

매개 (媒介) **1** 중간에서 양편의 관계를 맺어 줌. **2** 퍼뜨리거나 옮기는 일. (예)쥐는 페스트균을 매개한다. **—하다.**

매개체 (媒介體) 둘 사이에서 어떤 일을 맺어 주는 것. (예)매개체 역할을 하다.

매:국 (賣國) 자기의 이익을 위하여 자기 나라의 주권이나 이권을 다른 나라에 팔아먹음. (예)매국 행위. **—하다.**

매:국노 (賣國奴) [매궁노] 자신의 이익을 위하여 자기 나라의 주권이나 이권을 남의 나라에 팔아먹는 행위를 하는 사람.

매기다 값이나 등급·차례 등을 정하다. (예)번호를 매기다 / 점수를 매기다.

매끄럽다 [매끄럽따] **1** 거칠지 아니하고 반들반들하다. (예)바닥이 매끄럽다. [큰] 미끄럽다. **2** 글이나 말에 조리가 있고 어색한 데가 없다. (예)매끄러운 문장. [활용] 매끄러워 / 매끄러우니.

매끈매끈 흠이나 거친 데가 없이 부드럽고 반들반들한 모양. (예)마룻바닥이 매끈매끈하다. [큰] 미끈미끈. **—하다.**

매끈하다 흠 따위가 없이 부드럽고 반들하다. (예)매끈한 얼음판. [큰] 미끈하다.

매끌매끌 매우 매끄러운 모양. (예)

매끌매끌한 피부. 큰 미끌미끌. **—하다.**

매너 (manner) **1** 태도. 버릇. 예선수들의 경기 매너가 좋다. **2** 예절. 예테이블 매너.

매:년 (每年) 해마다. 예매년 돌아오는 생일.

매니저 (manager) **1** 호텔·회사 따위의 경영자나 책임자. 지배인. 관리인. 예호텔의 매니저. **2** 연예인이나 운동선수 등의 일을 돌봐 주는 사람.

매니큐어 (manicure) 손톱을 화장하는 일. 또는 그런 화장품.

*__매:다__[1] **1** 끈이나 줄 따위가 풀리지 않게 잡아 묶다. 예넥타이를 매다 / 옷고름을 매다. **2** 끈 따위로 꿰매거나 동여 무엇을 만들다. 예책을 매다 / 붓을 매다. **3** 달아나거나 떨어지지 않게 붙잡아 묶다. 예소를 말뚝에 매다 / 안전띠를 매다. ➡ tie

매:다[2] 논이나 밭 따위에 심은 식물이 잘 자라도록 잡풀을 뽑다. 예논의 김을 매다.

> 주의 **매다와 메다**
> **매다** 1 움직이지 않게 묶어 둔다는 뜻을 가진 말. 예안전띠를 매다 / 책을 매다 / 빨랫줄을 매다. 2 논밭에 난 잡풀을 뽑다. 예김을 매다.
> **메다** 1 구멍이 막히다. 예하수도가 메다. 2 물건을 어깨에 지다. 예가방을 메다. 3 책임·임무 따위를 맡다. 예중책을 메게 되다.

*__매:달__ (每—) 달마다. 다달이. 예매달 시험을 치르다. 비 매월.

매:달다 줄이나 끈, 실 따위로 잡아매어서 달려 있게 하다. 예천장에 풍선을 매달다. 활용 매달아 / 매다니 / 매다는.

*__매:달리다__ **1** 붙들고 늘어지다. 예철봉에 매달리다. **2** 줄기나 주장이 되는 것에 붙다. 예주렁주렁 매달린 포도송이. **3** 어떤 일에 몸과 마음이 쏠려 있다. 예시험공부에만 매달리다. **4** 어떤 것에 의지하거나 의존하다. 예부모에게 매달리다.

매:도 (罵倒) 심하게 욕하며 꾸짖음. **—하다.**

매듭 **1** 실·끈 따위를 잡아맨 자리. 또는 실·끈 따위로 만드는 공예. 예매듭이 풀리다. **2** 일의 마무리.

매듭짓다 [매듭찓따] **1** 노·실·끈 따위를 잡아매어 매듭을 만들다. **2** 어떤 일을 순서에 따라 마무리하다. 예하던 일을 완전히 매듭짓고 떠나왔다. 활용 매듭지어 / 매듭지으니 / 매듭짓는.

매력 (魅力) 사람의 마음을 사로잡아 끄는 힘. 예매력 있는 남자 / 매력을 느끼다.

매력적 (魅力的) [매력쩍] 매력이 있는 (것). 예매력적인 모습.

매료 (魅了) 남의 마음을 홀리어 사로잡음. 예청중을 매료시키는 목소리. **—하다.**

매립 (埋立) 우묵한 땅이나 하천·바다 따위를 돌이나 흙으로 메워 돋음. 예매립지 / 논을 매립하여 공장터로 만들다. **—하다.**

매립장 (埋立場) [매립짱] 돌·흙·쓰레기 따위로 메워 올리는 우묵한 땅. 예쓰레기 매립장.

매만지다 잘 가다듬어 손질하다. 예머리를 매만지다.

매매 (賣買) 물건을 팔고 삼. 예매매 계약서 / 부동산 매매 / 매매가 이루어지다. **—하다.**

매몰 (埋沒) 파묻거나 파묻힘. 예광산에서 매몰 사고가 나다 / 홍수로 논이 매몰되다. **—하다.**

매몰차다 인정이나 붙임성이 없이 차갑고 쌀쌀하다. 예매몰찬 성격 / 매몰차게 말하다.

매무새 옷을 입은 맵시. 예매무새

가 곱다. 비 옷매무새.
매무시 옷을 입을 때, 매고 여미고 하여 매만지는 일. 예 **매무시**를 고치다. 비 옷매무시. **—하다.**
*__매:미__ 매밋과의 곤충. 몸길이는 3.5 cm가량, 몸빛은 어두운 녹색이고 날개는 투명함. 가늘고 긴 입으로 나무진을 빨아 먹으며, 수컷은 배에 발성기가 있어 맴맴 하고 욺.
매:미채 매미 따위의 곤충을 잡는 데 쓰는 채. 긴 막대 끝에 그물주머니가 달림.
매:번 (每番) 번번이. 여러 번 다. 예 **매번** 같은 말만 되풀이하다.
매복 (埋伏) 상대편의 움직임이나 상태를 살피거나 불시에 공격하려고 적당한 곳에 숨어 있음. 예 숲 속에 **매복**하다. **—하다.**
매부 (妹夫) 누이의 남편. *처남.
매:부리코 매의 부리처럼 코끝이 뾰족하게 내리 숙은 코. 또는 그런 코를 가진 사람.
매:사 (每事) 일마다. 모든 일. 예 **매사**에 조심해라 / **매사**에 빈틈이 없다.
매:사냥 길들인 매로 꿩이나 새를 잡는 일. **—하다.**
매:상 (賣上) 일정한 기간 동안 물건을 판 수량이나 물건을 팔고 받은 돈의 합계. 예 **매상**을 올리다 / **매상**이 줄다. 본 매상고.
매설 (埋設) 지뢰·수도관 따위를 땅속에 파묻어 설치함. 예 **매설**된 지뢰를 제거하다. **—하다.**
매섭다 [매섭따] **1** 남이 겁을 낼 만큼 성질이 매몰차고 사납다. 예 **매서**운 눈초리 / **매섭게** 쏘아보다. 비 독하다. **2** 정도가 매우 심하다. 예 **매섭게** 추운 날씨 / **매서운** 강바람. 큰 무섭다. 활용 매서워 / 매서우니.
매:수 (買收) **1** 물건을 사들임. **2** 금품 따위로 남을 꾀어 자기편으로 만듦. 예 뇌물로 **매수**하다. **—하다.**
매스 게임 (mass game) 많은 사람이 일제히 똑같은 체조나 댄스 등을 하는 일.
매스껍다 [매스껍따] 토할 것처럼 속이 거북하다. 예 차멀미가 나서 속이 **매스껍다**. 큰 메스껍다. 활용 매스꺼워 / 매스꺼우니.
매스 미디어 (mass media) 많은 사람에게 어떤 사실·정보·사상 등을 전달하는 매체. 곧, 방송·신문·잡지·영화 따위. 대중 매체.
매스 커뮤니케이션 (mass communication) 신문·잡지·방송 따위의 매스 미디어로 많은 사람들에게 정보를 전달하는 일. 준 매스컴.
매스컴 '매스 커뮤니케이션'의 준말. 예 **매스컴**을 타다.
매:시간 (每時間) 한 시간 한 시간. 한 시간마다. 예 **매시간** 온도를 측정하다. 준 매시.
매실나무 (梅實—) [매실라무] 장미과의 낙엽 활엽 교목. 높이 5 m 정도, 이른 봄에 흰색 또는 연분홍색 꽃이 잎보다 먼저 핌. 정원수로 심고 과실은 먹거나 약으로 씀. 비 매화나무.
매양 언제든지. 번번이. 늘. 예 **매양** 그 모양이다.
매연 (煤煙) 그을음이 섞인 연기. 예 **매연**을 내뿜는 차량.
*__매우__ 보통 정도보다 훨씬 더. 예 날씨가 **매우** 덥다 / 단풍이 **매우** 곱다. 비 대단히. 무척. ➡ very
매운맛 [매운맏] 고추 따위와 같이 알알한 맛. 예 **매운맛**이 나다.

> **참고** 여러 가지 매운맛
> (1) **단순한 매운맛**
> 매움하다·매옴하다·매콤하다·매큼하다·맵싸하다·맵디맵다
> (2) **매운맛과 짠맛**
> 맵짜다

매운탕 (—湯) 생선을 주로 하고 고기·채소·두부 따위와 갖은 양념에 고추장을 풀어 얼큰하게 끓인 찌개. ㊎대구 **매운탕**.

매:월 (每月) 다달이. 달마다. ㊎매월 내는 회비. 비 매달.

매이다 1 따로 떨어지지 않도록 매어지다. ㊎밧줄에 **매이다**. 2 구속이나 압력을 받게 되다. ㊎남의 집에 **매인** 몸.

*__매:일__ (每日) 날마다. ㊎**매일** 아침 운동을 하다. ➡ everyday

매:일같이 (每日—) [매일가치] 날마다. ㊎**매일같이** 산에 오르다.

매일반 (——般) 결국 같은 형편. 마찬가지. 매한가지. ㊎힘들기는 너나 나나 **매일반**이다.

매:입 (買入) 물건 따위를 사들임. ㊎토지 **매입** 가격. 비 구입. 반 매출. **—하다**.

매장[1] (埋藏) 1 묻어서 감춤. 2 지하자원 따위가 땅속에 묻히어 있음. ㊎**매장**된 석탄. **—하다**.

매장[2] (埋葬) 1 죽은 사람이나 유골을 땅에 묻음. ㊎시체를 **매장**하다. 2 못된 짓을 한 사람을 사회에서 버림받게 함. ㊎사회에서 **매장**되다. **—하다**.

매장량 (埋藏量) [매장냥] 지하자원 따위가 땅속에 묻힌 분량.

매:점 (賣店) 어떤 기관이나 단체 안에서 물건을 파는 작은 가게. ㊎학교 **매점** / 구내**매점**.

매:점 매:석 (買占賣惜) 물건 값이 오를 것을 예상하여, 어떤 상품을 한꺼번에 많이 사 두고 되도록 팔지 않으려는 일. **—하다**.

매정스럽다 [매정스럽따] 얄미울 정도로 인정머리가 없는 듯하다. ㊎**매정스럽게** 거절하다. 활용 매정스러워 / 매정스러우니.

매정하다 얄미울 정도로 인정머리가 없다. ㊎**매정한** 사람 / 부탁을 **매정하게** 거절하다. 큰 무정하다.

매:주 (每週) 주일마다. ㊎**매주** 토요일은 쉰다.

매직잉크 (magic+ink) 어디에나 쓸 수 있고 빨리 마르는 잉크.

매직펜 (magic+pen) 매직잉크를 넣어 쓰는 펜.

매:진 (賣盡) 남김없이 모두 팔림. ㊎차표가 **매진**되다.

매:진하다 (邁進—) 어떤 목표를 향해 힘써 나아가다. ㊎학업에 **매진하다**.

매질 매로 때리는 짓. **—하다**.

매체 (媒體) 어떤 작용을 한 곳에서 다른 곳으로 전달하는 물체. ㊎소리는 공기를 **매체**로 전달된다 / 언론 **매체**를 통해서 알리다.

매:출 (賣出) 물건을 내어 팖. ㊎**매출**이 늘다. 반 매입. **—하다**.

매캐하다 연기나 곰팡이 냄새 때문에 목이나 코 따위가 칼칼하고 싸하다. ㊎담배 연기에 목구멍이 **매캐하다**.

매콤하다 조금 매운맛이 있다. ㊎**매콤한** 고추.

매트 (mat) 1 운동을 할 때 위험을 막기 위해 바닥에 까는, 두껍고 푹신한 깔개. 2 현관이나 방의 입구 따위에 두는 깔개.

매트리스 (mattress) 침대에 까는 두툼한 요.

매:표구 (賣票口) 차표나 입장권 따위의 표를 파는 창구.

매:표소 (賣票所) 차표나 입장권 따위의 표를 파는 곳. ㊎**매표소** 앞에 사람들이 길게 늘어섰다.

매한가지 마찬가지. 매일반. ㊎두 사람 다 컴맹인 것은 **매한가지**다.

매형 (妹兄) 손위 누이의 남편. 비 매부. 반 매제. *처남.

매혹 (魅惑) 남을 꾀어 마음을 사로잡음. **—하다**.

매혹적 (魅惑的) [매혹쩍] 남을 매

혹할 만한 데가 있는 (것). ㉠매혹적 인 얼굴.

매화꽃 (梅花—) [매화꼳] 매실나무의 꽃. 이른 봄에 희거나 불그레한 꽃이 잎보다 먼저 핌.

매화나무 (梅花—) ⇨매실나무.

매:회 (每回) 회마다. ㉠매회 만원이다.

맥 (脈) **1** 기운이나 힘. ㉠맥이 빠지다. **2** '맥박'의 준말. ㉠맥을 짚다. **3** 풍수지리에서, 땅에 어떤 기운이 흐르는 줄기. ㉠맥을 끊다.

맥(을) 못 추다 어떤 사람·사물에 대하여 힘을 못 쓰거나 이성을 찾지 못하다. ㉠돈이라면 맥을 못 춘다.

맥(을) 보다 ㉠병의 상태를 알아내려고 맥박의 빠르고 느림을 살펴보다. ㉡다른 사람의 뜻이나 눈치를 살피다.

맥(이) 빠지다 기운이나 힘이 없어지다. ㉠비로 경기가 중지되어 맥이 빠져 버렸다.

맥(이) 풀리다 기운이나 긴장이 풀어지다.

맥고모자 (麥藁帽子) [맥꼬모자] 밀짚 따위로 만든 여름 모자.

맥락 (脈絡) [맹낙] 사물 따위가 서로 이어져 있는 관계나 연관. ㉠같은 맥락에서 나온 말이다.

맥박 (脈搏) [맥빡] 심장의 운동에 따라 일어나는 동맥의 주기적인 움직임. ㉠맥박을 재다 / 맥박이 불규칙하다. ㊜맥.

맥없다 (脈—) [매겁따] 기운이 없다. ㉠맥없는 모습.

맥없이 (脈—) [매겁씨] **1** 기운 없이. ㉠맥없이 걷다. **2** 아무 이유도 없이. ㉠맥없이 꾸짖다.

맥주 (麥酒) [맥쭈] 엿기름가루를 물과 함께 끓인 다음, 홉을 넣어 향기와 쓴맛이 있게 한 뒤에 효모를 넣어 발효시킨 술.

맥주병 (麥酒甁) [맥쭈뼝] **1** 맥주를 담는 병. 또는 맥주가 들어 있는 병. **2** 수영을 전혀 못하거나 서투른 사람을 놀리는 말.

맨[1] '아무것도 섞이지 않고 그것뿐'이란 뜻을 나타내는 말. ㉠서재에는 맨 책이다.

***맨:**[2] '더 할 수 없이 가장'의 뜻을 나타내는 말. ㉠맨 꼭대기 / 맨 먼저.

맨- 어떤 말 앞에 붙어서, '다른 것이 섞이지 않은', '오직 그것만의'의 뜻을 나타내는 말. ㉠맨손 / 맨다리 / 맨주먹.

맨:날 ⇨만날

맨눈 안경이나 현미경 따위를 이용하지 않고 직접 보는 눈. ㊑육안.

맨드라미 비름과에 속하는 한해살이풀. 줄기는 곧고 붉은색이며, 높이는 90 cm 정도임. 7–8월에 닭의 볏 모양을 한, 빨강·노랑·흰색 따위의 꽃이 핌. 관상용으로 재배함.

〈맨드라미〉

맨땅 아무것도 깔지 않은 땅바닥. ㉠맨땅에 앉다.

맨몸 **1** 옷을 입지 않은 발가벗은 몸. ㉠맨몸으로 헤엄치는 아이들. **2** 아무것도 지니지 않은 몸. ㉠맨몸으로 사업을 시작하다.

맨바닥 아무것도 깔지 않은 바닥. ㉠맨바닥에 드러눕다.

맨발 아무것도 신지 않은 발. ㉠맨발로 뛰어다니다.

맨발(을) 벗고 나서다 어떤 일에 적극적으로 나서다.

맨발(을) 벗다 맨발이 되다.

맨밥 반찬이 없이 먹는 밥. ㉠물에 말아 맨밥을 먹다.

맨살 아무것도 입거나 걸치지 아니하여 드러난 살. ㉠큰 수건으로 맨살을 가리다.

맨션 (mansion) 대형 고급 아파트.

맨손 **1** 아무것도 갖지 않은 손. (예) 맨손으로 친척 집을 방문하다. [비] 빈손. **2** 아무것도 끼거나 감지 아니한 손. (예)손잡이가 뜨거우니 맨손으로 잡지 마라.

맨손 체조(一體操) 기계나 기구를 사용하지 않고 온몸을 고루 움직이며 하는 운동. [비] 도수 체조. [반] 기계 체조. 기구 체조.

맨송맨송하다 **1** 몸에 털이 있을 곳에 털이 없다. **2** 산에 나무나 풀이 없다. **3** 술을 마시고도 취하지 않아 정신이 말짱하다. **4** 해야 할 일이 없어서 심심하고 멋쩍다. [큰] 민숭민숭하다.

맨숭맨숭하다 '맨송맨송하다'의 큰말.

맨입 [맨닙] **1** 아무것도 먹지 않은 입. **2** 아무 대가도 없는 상태. (예)**맨입**으로 취직을 부탁하다 / **맨입**으로는 도와줄 수 없다.

맨주먹 **1** 어떤 무기나 도구도 가지지 아니한 상태. (예)**맨주먹**으로 맞서 싸우다. **2** 아무것도 갖추지 못한 상태. (예)**맨주먹**으로 시작한 사업을 크게 키우다.

맨홀(manhole) 땅속에 묻은 수도관·하수관 따위를 검사하거나 청소할 때 드나들도록 만든 구멍.

맴ː[1] 제자리에서 뱅뱅 도는 장난. [본] 매암.

맴[2] 매미가 울음을 그칠 때에 내는 소리.

맴ː돌다 **1** 제자리에서 뱅뱅 돌다. **2** 원을 그리며 빙빙 돌다. (예)솔개가 하늘을 **맴돌다**. **3** 어느 수준이나 범위에 계속 머무르다. (예)어색한 분위기가 **맴돌다** / 성적이 꼴찌에서 **맴돌다**. [활용] 맴돌아 / 맴도니 / 맴도는.

***맴ː맴**[1] 아이들이 맴을 돌 때에 부르는 소리. 또는 그 모양. (예)고추 먹고 **맴맴** 담배 먹고 **맴맴**.

맴맴[2] 매미가 우는 소리.

***맵다** [맵따] **1** 고추 맛과 같이 혀가 알알하다. (예)깍두기가 **맵다**. **2** 성질이 사납고 독하다. (예)눈초리가 **맵다**. **3** 몹시 춥다. (예)날씨가 몹시 **맵다**. **4** 연기 따위가 눈·코를 아리게 하다. (예)**매운** 연기. [활용] 매워 / 매우니.

맵시 [맵씨] 곱게 매만진 모양. (예)**맵시**가 나다 / 옷을 **맵시** 있게 입다.

맵시(를) 내다 맵시가 나게 하다.

맵싸하다 고추나 겨자처럼 혀끝이 맵고 싸한 느낌이 있다. (예)**맵싸한** 고추.

맷돌 [매똘 / 맫똘] 곡식을 가는 데 쓰는 돌로 만든 기구. 둥글넓적한 돌 두 개를 포개고 위에 있는 아가리에 갈 곡식을 넣으면서 손잡이를 돌려서 갊.

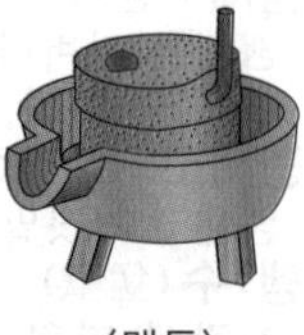
〈맷돌〉

맹ː견(猛犬) 몹시 사나운 개. (예)**맹견** 주의.

맹ː공격(猛攻擊) 맹렬하게 나아가 공격함. (예)**맹공격**을 가하다. [준] 맹공. **—하다**.

맹ː꽁이 **1** 맹꽁잇과의 개구리. 길이 4 cm가량으로 몸집이 뚱뚱하며 물갈퀴가 없음. 낮에는 땅속에 있다가 밤에 나와 곤충을 잡아먹음. 날이 흐리거나 비가 올 때 특히 맹꽁맹꽁하고 요란스레 욺. **2** 야무지지 못하고 하는 짓이 답답한 사람을 놀림조로 이르는 말.

〈맹꽁이1〉

맹ː독(猛毒) 독성이 심한 독. (예)독사의 **맹독**.

맹ː랑하다(孟浪—) [맹낭하다] **1** 생각과 달리 매우 허망하다. (예)**맹랑한** 소문이 돌다. **2** 매우 똘똘하거나 까다로워 만만히 볼 수 없다. (예)맹랑한 녀석이로군. **3** 처리하기가 매우 어렵고 묘하다. ㉳일이 맹랑하게 되어 간다.

맹:렬하다 (猛烈―) [맹녈하다] 기세가 사납고 세차다. ㉳적의 맹렬한 공격을 막아내다.

맹:렬히 (猛烈―) [맹녈히] 맹렬하게. ㉳맹렬히 싸우다.

맹목적 (盲目的) [맹목쩍] 아무 분별없이 무턱대고 하는 (것). ㉳맹목적인 사랑.

맹물 **1** 아무것도 타지 않은 물. ㉳맹물을 들이켜다. **2** 하는 짓이 싱겁고 야무지지 못한 사람.

맹세 굳게 약속하거나 다짐함. ㉳맹세를 저버리다. ㊥맹약. 서약. ×맹서. **—하다.**

맹세코 다짐한 대로 꼭. ㉳하늘에 맹세코 거짓말은 않는다.

*__맹:수__ (猛獸) 사나운 짐승. 사자나 호랑이 따위. ㉳맹수를 길들이다. ㊥야수.

맹숭맹숭하다 ⇨맨숭맨숭하다.

맹신 (盲信) 옳고 그름을 가리지 않고 덮어놓고 믿음. ㉳남의 말을 맹신하다. **—하다.**

맹아[1] (盲啞) 장님과 벙어리. 시각 장애인과 청각 장애인.

맹아[2] (萌芽) **1** 새로 튼 식물의 싹. **2** 새로운 일의 시초. 또는 그러한 조짐이 나타나는 것.

맹약 (盟約) **1** 맹세하여 맺은 굳은 약속. ㉳맹약을 지키다. **2** 동맹국 사이의 조약. **—하다.**

맹:연습 (猛練習) [맹년습] 맹렬하게 하는 연습. **—하다.**

맹:위 (猛威) 사나운 기세. ㉳추위가 맹위를 떨치다.

맹인 (盲人) 눈이 먼 사람. ㊥봉사. 소경. 시각 장애인. 장님.

맹:자[1] (孟子) 〖인명〗 중국 전국 시대의 철학자. 사람은 태어날 때부터 착하다는 '성선설'을 주장함. [기원전 372-기원전 289]

맹:자[2] (孟子) 〖책〗 맹자의 제자들이 맹자의 말과 행동을 기록한 책. 사서, 곧 논어·맹자·중용·대학 가운데의 하나임.

맹장[1] (盲腸) 대장과 소장이 이어진 곳에 달려 있는 길이 6 cm가량의 작은 관. 아랫배의 오른편 아래에 있음. ㊥막창자.

맹:장[2] (猛將) 용감하고 사나운 장수. ㉳맹장 아래 약졸 없다.

맹장염 (盲腸炎) [맹장념] 맹장의 아래 끝에 붙어 있는 가느다란 관 모양의 작은 돌기에 생기는 염증. 오른쪽 아랫배가 아프고, 열이 나며 구토 따위의 증상이 나타남.

맹점 (盲點) [맹쩜] 주의가 미치지 못하여 모르고 지나치기 쉬운 잘못된 점. ㉳맹점이 드러나다.

맹종 (盲從) 옳고 그름을 가리지 아니하고 남이 시키는 대로 덮어놓고 따름. ㉳부모님 말씀에는 무조건 맹종하다. **—하다.**

맹추 똑똑하지 못하고 흐리멍덩한 사람을 얕잡아 이르는 말. ㉳맹추 같은 소리 작작해라. ㊇멍추.

맹탕 (―湯) **1** 맹물처럼 아주 싱거운 국물. **2** 싱겁고 실속이 없는 일. 또는 그런 사람.

맹:하다 싱겁고 흐리멍덩하여 멍청한 듯하다. ㉳약으면서도 맹한 데가 있다.

맹:호 (猛虎) 몹시 사나운 범. ㉳맹호와 같은 기세로 덤벼들다.

맹:활약 (猛活躍) [맹화략] 눈부신 활약. ㉳맹활약을 펼치다. **—하다.**

맹:훈련 (猛訓鍊) [맹훌련] 맹렬한 훈련. ㉳결승전을 앞두고 맹훈련 중이다. **—하다.**

*__맺다__ [맫따] **1** 끈이나 실 따위의 두 끝을 이어 연결하다. ㉳끄나풀을 맺다. **2** 끝을 내다. ㉳하던 일의 끝을 맺다. **3** 관계나 인연 따위를 짓거나

이루다. ㉮의형제를 맺다 / 협정을 맺다. **4** 꽃망울이나 열매를 이루다. ㉮열매를 맺다.

맺음말 [매즘말] ⇨결론.

***맺히다** [매치다] **1** 꽃망울이나 열매 따위가 생기다. ㉮열매가 맺히다. **2** 마음속에 잊혀지지 않고 응어리지다. ㉮가슴에 한이 맺히다. **3** 눈물·이슬 따위가 방울이 지다. ㉮꽃잎에 이슬이 맺히다 / 두 눈에 눈물이 맺히다. **4** 살 속에 피가 뭉치다. ㉮넘어져서 다리에 피가 맺혔다.

머금다 [머금따] **1** 삼키지 않고 입 안에 넣고만 있다. ㉮물 한 모금을 머금다. **2** 생각을 품다. ㉮원한을 머금다. **3** 눈에 눈물이 괴다. ㉮눈물을 머금고 떠나다. **4** 얼굴에 어떤 표정을 나타내다. ㉮미소를 머금다. **5** 나무나 꽃이 물기를 지니다. ㉮아침 이슬을 머금은 숲.

머ː나멀다 멀고도 멀다. 아주 멀다. ㉮머나먼 길. [참고] 주로 '머나먼'의 꼴로 쓰임.

머루 포도과의 낙엽 덩굴나무. 산에 저절로 나며, 열매는 검고 맛이 포도보다 심.

***머리** **1** 동물의 목 위의 부분. ㉮머리가 아프다 / 머리에 모자를 쓰다. **2** 물건의 앞부분. ㉮배의 머리 부분. **3** 생각하고 판단하는 능력. ㉮머리가 좋다. **4** '머리털'의 준말. ㉮머리를 깎다. ➲head

머리(가) 굳다 ㉠완고하다. ㉡기억력 따위가 무디다.

머리가 깨다 뒤떨어진 생각에서 벗어나다.

머리가 돌다 ㉠생각이 잘 떠오르다. ㉡정신이 이상하게 되다.

머리가 수그러지다 존경하는 마음이 일어나다.

머리(를) 내밀다 어떤 자리에 모습을 나타내다.

머리(를) 들다 ㉠눌려 있었거나 숨겨 온 생각, 의심 따위가 겉으로 드러나게 되다. ㉡차차로 세력을 얻어 세상에 알려지게 되다.

머리(를) 숙이다 ㉠머리를 굽히다. ㉮머리를 숙여 인사하다. ㉡옳다고 인정하여 존경의 뜻을 나타내다. ㉢사과하다.

머리를 싸매다 단단히 각오하고 덤비다. ㉮머리를 싸매고 공부하다.

머리(를) 쓰다 어떤 일에 대해 이모저모 깊이 생각하거나 방법을 찾아내다.

머리를 쥐어짜다 몹시 애를 써서 궁리하다.

머리(를) 흔들다 ㉠거절하거나 부인하는 뜻으로 머리를 좌우로 젓다. ㉡싫어서 진저리를 치다.

머리기사 (―記事) 신문이나 잡지의 첫머리에 싣는 중요한 기사. [비] 톱기사.

머리끝 [머리끋] 머리의 끝. ㉮발끝에서 머리끝까지 / 머리끝까지 화가 치밀다.

머리띠 머리에 매는 띠.

머리말 책의 첫머리에 그 책에 대하여 간단히 적은 글. ㉮머리말을 쓰다. [비] 권두사. 권두언. 서문.

머리맡 [머리맏] 누울 때 머리를 두는 곳. ㉮환자 머리맡에서 시중을 들다.

머리숱 [머리숟] 머리털의 수량. ㉮머리숱이 많다.

머리채 길게 늘어뜨린 머리털. ㉮머리채를 잡아 끌다.

***머리카락** 머리털의 낱개. ㉮머리카락을 쓸어 올리다 / 머리카락이 바람에 날리다. [준] 머리칼. ➲hair

머리털 머리에 난 털. [준] 머리.

머리통 **1** 머리의 둘레. ㉮머리통이 크다. **2** 머리의 속된 말. ㉮머리통을 쥐어박다.

머리핀 (―pin) 여자가 머리를 치장하는 데 쓰는 핀. ㉮머리핀을 꽂다.

머릿결 [머리껼 / 머릳껼] 머리카락의 질이나 상태. ㉮머릿결이 곱다.
머릿돌 [머리똘 / 머릳똘] 건축에서 기초 공사를 마치고 기초의 모퉁이에 공사 날짜 등을 새겨 앉히는 돌.
머릿살 [머리쌀 / 머릳쌀] **1** 머리 속에 있는 신경의 줄. **2** '머리'·'머리 속'을 낮잡아 이르는 말.
머릿살(이) 아프다 ㉠골치가 아프다. ㉡마음이 어수선하다.
머릿속 [머리쏙 / 머릳쏙] 생각 속. ㉮머릿속을 스치다 / 머릿속이 복잡하다.
머릿수건 (―手巾) [머리쑤건 / 머릳쑤건] **1** 머리에 쓰는 수건. **2** 부녀자가 겨울에 추위를 막기 위하여 머리에 둘러 감는 흰 수건.
*__머무르다__ **1** 움직이거나 나아가던 것이 도중에 멎다. ㉮기차가 역에 잠시 머물러 있다. **2** 뒤에 처져 남다. ㉮나만 머무르기로 하고 모두 떠났다. **3** 묵다. ㉮여관에 머무르다. 준 머물다. 활용 머물러 / 머무르니. ➲ stay
머무적거리다 [머무적꺼리다] 말이나 행동을 딱 잘라서 하지 못하고 망설이다. ㉮머무적거리지 말고 빨리 해라. 준 머뭇거리다.
머물다 '머무르다'의 준말. ㉮시골에 머물다. 활용 머무니 / 머무는.
머뭇거리다 [머문꺼리다] '머무적거리다'의 준말. ㉮한참 머뭇거리다 말을 걸다.
머뭇머뭇하다 [머문머무타다] 말이나 행동 따위를 딱 잘라서 하지 못하고 자꾸 주저하다. ㉮머뭇머뭇하며 말을 잇지 못하다.
머슴 농가에 머물며 돈을 받고 농사일과 잡일을 해 주던 남자. ㉮머슴을 부리다 / 머슴을 살다.
머슴살이 [머슴사리] 머슴 노릇을 하는 생활. **―하다**.
머쓱하다 [머쓰카다] 무안을 당하거나 흥이 꺾여 어색하고 부끄럽다. ㉮야단을 맞고 머쓱해서 머리를 긁적이다.
머지않아 [머지아나] 오래지 아니하여. ㉮머지않아 좋은 소식이 올 것이다.
머큐로크롬 (Mercurochrome) 살균·소독제의 하나. 빨간 수용액 따위로 만들어 상처에 바름.
머플러 (muffler) ⇨목도리.
*__먹__ **1** 벼루에 물을 붓고 갈아 글씨를 쓰거나 그림을 그리는 데 쓰는 검은 물감. **2** '먹물'의 준말. ㉮먹이 옷에 묻다.
먹거리 [먹꺼리] ⇨먹을거리.
먹구름 [먹꾸름] 비나 눈이 내릴 듯한 몹시 검은 구름. ㉮먹구름이 몰려오다 / 먹구름이 하늘을 덮다.
먹다[1] [먹따] **1** 소리를 듣지 못하다. ㉮귀가 먹다. **2** 물이나 습기 따위를 빨아들이다. ㉮기름 먹은 종이. **3** 벌레, 균 따위가 파 들어가거나 퍼지다. ㉮벌레가 먹은 과일. **4** 화장할 때에 분 따위가 잘 발라지다. ㉮오늘은 분이 잘 먹는다.
*__먹다__[2] [먹따] **1** 음식 따위를 입을 거쳐 배 속으로 들여보내다. ㉮밥을 먹다. ➲ eat **2** 꾸지람이나 욕을 듣다. ㉮호되게 욕을 먹다. **3** 뜻을 품다. ㉮마음을 굳게 먹다. **4** 나이가 들다. ㉮나이를 먹은 사람. **5** 상대편에게 점수를 주다. ㉮한 골 먹다. **6** 두려움을 느끼다. ㉮겁을 먹다.
먹먹하다 [멍머카다] 귀가 갑자기 막힌 듯이 소리가 잘 들리지 않다. ㉮폭죽 소리에 귀가 먹먹하다.
먹물 [멍물] **1** 벼루에 먹을 갈아 까맣게 만든 물. 준 먹. **2** 먹빛같이 검은 물. ㉮오징어의 먹물.
먹보 [먹뽀] 미련하게 음식을 많이 먹거나 음식에 대한 욕심이 많은 사람을 놀리는 말. 비 식충이.
먹성 (―性) [먹썽] 음식을 먹는 성

미나 그 분량. ㉠먹성이 좋다.

먹을거리 [머글꺼리] 사람이 먹을 수 있는 모든 것. 식료품.

먹음직스럽다 [머금직쓰럽따] 보기에 먹음직하다. 활용 먹음직스러워 / 먹음직스러우니.

먹음직하다 [머금지카다] 음식이 보기에 맛이 있을 듯하다. ㉠빨갛게 익은 사과가 **먹음직하다**.

*__먹이__ [머기] **1** 동물의 먹을거리. **2** 가축에게 먹이는 풀이나 곡식. ㉠토끼에게 **먹이**를 주다.

먹이 그물 [머기─] 여러 생물의 먹이 사슬이 그물처럼 복잡하게 얽혀 있는 먹이 관계.

*__먹이다__ [머기다] **1** 음식 따위를 먹거나 마시게 하다. ㉠젖을 **먹이다**. **2** 가축 등을 기르다. ㉠돼지를 **먹이다**. **3** 돈 따위를 주다. ㉠뇌물을 **먹이다**. **4** 물·기름·풀 따위를 배어들거나 고루 퍼지게 하다. ㉠장판지에 기름을 **먹이다**.

먹이 사슬 [머기─] 초식 동물을 육식 동물이, 그 육식 동물을 다른 육식 동물이 잡아먹음으로써 이루어지는 관계. 사슬의 출발점에서 멀어질수록 큰 동물이 됨. 비 먹이 연쇄. 식물 연쇄.

먹이 연쇄 (─連鎖) [머기─] ⇨먹이 사슬.

먹잇감 [머기깜 / 머긷깜] 짐승이나 물고기 따위의 먹이가 되는 것. ㉠먹잇감을 찾아 나서다.

먹장구름 [먹짱구름] 먹빛같이 시꺼먼 구름.

먹지 (─紙) [먹찌] 아래위로 종이를 대고 눌러 써서 꼭 같이 써지도록 만든 검은 칠을 묻힌 종이.

먹칠 (─漆) **1** 먹을 칠함. **2** 명예나 체면 따위를 더럽힘. ㉠부모 얼굴에 먹칠을 하다. **─하다**.

먹히다 [머키다] **1** 먹음을 당하다. ㉠개구리가 뱀에게 **먹혔다**. **2** 먹게 되다. 먹어지다. ㉠밥이 잘 **먹힌다**.

먼:동 날이 밝아 올 무렵의 동쪽 하늘.

먼동(이) 트다 날이 새어 먼동이 밝아 오다.

먼:바다 기상 예보에서, 육지에서 동해는 20 km, 서해와 남해는 40 km 밖의 바다를 일컫는 말.

먼:발치 조금 멀리 떨어져 있는 곳. ㉠**먼발치**에서 바라보다.

*__먼저__ 시간이나 차례로 보아 앞서서. ㉠**먼저** 출발하다 / **먼저**보다는 성적이 올랐다. 반 나중.

*__먼지__ 작고 가벼운 티끌. ㉠**먼지**가 묻다 / **먼지**가 쌓이다.

먼지떨이 [먼지떠리] 먼지를 떠는 기구. 비 총채.

먼지투성이 이곳저곳에 먼지가 잔뜩 끼거나 묻어서 더럽게 된 상태.

멀거니 정신없이 물끄러미 보고 있는 모양. ㉠**멀거니** 앉아 있다 / **멀거니** 하늘만 바라보다.

멀:겋다 [멀거타] 매우 묽다. ㉠멀건 국물. 활용 멀거니 / 멀게서.

멀끔하다 훤하고 깨끗하다. ㉠키도 크고 **멀끔하게** 잘생겼다. 작 말끔하다.

멀:다[1] 눈이 보이지 않게 되거나 귀가 들리지 않게 되다. ㉠그는 어릴 적에 사고로 눈이 **멀었다**. 활용 멀어 / 머니 / 머는.

*__멀:다__[2] **1** 거리가 많이 떨어져 있다. ㉠먼 데를 보다 / 집에서 학교까지는 그리 **멀지** 않다. **2** 시간이 지나는 동안이 오래다. ㉠먼 옛날. **3** 사람 사이가 친하지 않아 서먹서먹하다. ㉠먼 일가. 반 가깝다. 활용 멀어 / 머니 / 먼.

멀뚱멀뚱 눈을 멀거니 뜨고 멍청하게 바라보는 모양. **─하다**.

*__멀:리__ 가깝지 않게. 멀게. ㉠산 너머 저 **멀리**. 반 가까이. ➡ far

*__멀:리던지기__ 공을 멀리 던지는 운동.

*멀:리뛰기 뜀뛰기 경기의 한 가지. 일정한 거리를 도움닫기하여 발구름판에서 한 발로 굴러 멀리 뛰어 그 거리를 겨루는 경기.

멀:리멀리 아주 멀리. 예노랫소리가 멀리멀리 울려 퍼지다.

멀:리하다 1 가까이 하지 않고 거리를 두다. 예한동안 책을 멀리하고 지냈다. 2 어떤 사물을 삼가거나 기피하다. 예군것질을 멀리하다. 반 가까이하다.

*멀미 배·비행기·차 따위를 탔을 때 흔들림 때문에 일어나는 메스껍고 어지러운 증세. 예멀미 때문에 속이 거북하다. —하다.

멀미(가) 나다 멀미가 생기다. 예 버스만 타면 멀미가 난다.

멀쑥하다 [멀쑤카다] 1 멋없이 크고 무르게 생기다. 예생김새가 멀쑥한 청년. 2 지저분함이 없이 맑고 깨끗하다. 작 말쑥하다.

멀어지다 [머러지다] 1 거리가 떨어지게 되다. 예차창 밖으로 멀어져 가는 고향 마을. 2 사귀며 지내는 사이가 탐탁하지 않게 되다. 예진학 후 사이가 멀어지다.

멀쩡하다 1 흠이 없이 깨끗하고 온전하다. 예손끝 하나 다치지 않고 멀쩡하다. 작 말짱하다. 2 부끄러워하는 빛이 없이 뻔뻔스럽다. 예멀쩡하게 거짓말을 하다. 3 정신이 아주 맑고 또렷하다. 예이 환자는 정신만은 멀쩡하다.

멀쩡히 멀쩡하게. 예멀쩡히 살아 돌아오다.

멀찌감치 ⇨멀찍이.

멀찍이 [멀찌기] 약간 멀리. 좀 멀게. 예멀찍이 떨어져라. 비 멀찌감치. 반 가직이. ×멀찌기.

멀티미디어 (multimedia) 컴퓨터를 이용하여 영상·음성·문자·그래픽 등의 여러 정보를 한데 모아 동시에 전달하는 복합 장치.

*멈추다 1 내리던 비나 눈 따위가 그치다. 예비가 좀 멈추거든 가거라. 비 멎다. 2 움직임을 그치게 하다. 예차가 멈추다. 3 움직임이나 동작이 그치다. 예일손을 멈추다.

멈칫 [멈칟] 하던 일이나 동작을 갑자기 멈추는 모양. 예그를 보자 멈칫했다. —하다.

멈칫거리다 [멈칟꺼리다] 1 자꾸 멈칫하다. 2 어떤 일을 자꾸 망설이다. 예묻는 말에 멈칫거리며 대답을 하지 않는다.

*멋 [먿] 1 차림새·행동·됨됨이 따위가 세련되고 아름다움. 예멋을 내다. 2 격에 어울리게 운치 있는 맛. 예한복의 멋을 살리다.

멋대로 [먿때로] 마음대로. 하고 싶은 대로. 예멋대로 지껄이다.

멋들어지다 [먿뜨러지다] 아주 멋있다. 예가곡을 멋들어지게 부르다.

멋모르다 [먼모르다] 까닭이나 속마음을 알지 못하다. 예멋모르고 친구를 따라나서다. 활용 멋몰라/ 멋모르니.

멋없다 [머덥따] 격에 맞지 않아 싱겁다.

멋없이 [머덥씨] 멋없게. 예멋없이 키만 크다.

*멋있다 [머딛따 / 머싣따] 보기에 썩 좋거나 훌륭하다. 예멋있는 그림 / 무대를 멋있게 꾸미다.

멋쟁이 [먿쨍이] 멋이 있는 사람. 또는 멋을 잘 부리는 사람. 예멋쟁이 노신사. ×멋장이.

*멋지다 [먿찌다] 매우 멋이 있다. 매우 훌륭하다. 예멋진 연기 / 멋진 모습에 반하다. ➡ fine, nice

멋쩍다 [먿쩍따] 1 동작이나 모양이 격에 맞지 않다. 예멋쩍은 웃음. 2 쑥스럽고 어색하다. 예혼자 가기가 멋쩍다. →-쩍다 주의

*멍 부딪히거나 맞아서 피부 속에 퍼렇게 맺힌 피. 예멍이 들다.

멍게 멍겟과의 동물. 크기는 주먹만 하고, 겉에 젖꼭지 같은 돌기가 많이 솟아 있으며 껍질은 두꺼움. 몸에 해초 뿌리 같은 것이 있어 바위에 붙어 삶. 속살은 주로 날것으로 먹음. [비] 우렁쉥이.

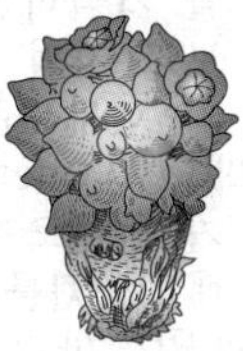
〈멍게〉

멍들다 마음속에 쓰라린 고통의 흔적이 남다. (예)이 사건은 사람들의 마음을 **멍들게** 했다. [활용] 멍들어 / 멍드니 / 멍든.

멍멍 개가 짖는 소리.

멍멍하다 정신이 빠진 것같이 어리둥절하다. (예)정신이 **멍멍하다**.

멍석 짚 같은 것을 엮어서 만든 큰 자리. (예)**멍석**을 깔다.

멍석말이 [멍성마리] 예전에 세도를 부리는 집안에서 사사로이 가하던 형벌. 사람을 멍석에 둘둘 말아 놓고 몽둥이로 침.

멍에 수레나 쟁기를 끌 수 있도록 소나 말의 목에 가로로 얹는 구부러진 막대.

〈멍에〉

멍울 **1** 우유나 풀 따위의 작고 둥글게 엉겨 굳은 덩이. **2** 사람 몸에 병적으로 생긴 동글동글한 덩이.

멍청이 어리석고 정신이 흐릿한 사람. [비] 멍텅구리.

멍청하다 **1** 어리석고 정신이 흐릿하여 일을 제대로 처리하는 힘이 없다. (예)아무리 설명해도 **멍청해서** 이해를 못한다. **2** 자극에 대한 반응이 무디고 어리벙벙하다. (예)**멍청하게** 쳐다보다 / **멍청한** 얼굴.

멍청히 멍청하게. (예)**멍청히** 서 있지 말고 일을 하게.

멍텅구리 ⇨멍청이.

멍:하니 정신이 나간 듯 우두커니. (예)기가 막혀 **멍하니** 서 있다.

멍:하다 정신이 나간 듯 우두커니 있다. (예)처음 당하는 일이라 정신이 **멍하다**.

멎다 [먿따] **1** 내리던 비·눈 따위가 그치다. (예)비가 **멎을** 때까지 기다리다. **2** 계속되던 움직임이나 상태가 그치다. (예)심장 박동이 **멎다** / 총성이 **멎다**. [비] 멈추다.

메[1] '산'의 옛말. (예)태산이 높다하되 하늘 아래 **메**이로다.

> **주의** 메-와 산-
> (1) 메와 산이 같이 쓰이는 말
> 멧돼지 / 산돼지, 멧나물 / 산나물, 멧박쥐 / 산박쥐, 멧비둘기 / 산비둘기, 멧새 / 산새, 멧짐승 / 산짐승
> (2) 산이 쓰이는 말
> 산누에, 산토끼
> (3) 메가 쓰이는 말
> 멧대추, 멧도요, 멧두릅, 멧미나리, 멧부엉이, 멧종다리

메[2] 제사 때 올리는 밥.

메[3] 무엇을 치거나 박을 때 쓰는 나무나 쇠로 만든 무거운 방망이.

메- '곡식 등에 끈기가 적은'의 뜻을 나타냄. (예)**메**떡 / **메**조 / **메**수수.

메가- (mega—) '100만 배'의 뜻. (예)**메가**헤르츠.

메가폰 (megaphone) 목소리가 멀리까지 들리게 입에 대고 말을 하는 나팔 모양의 기구.

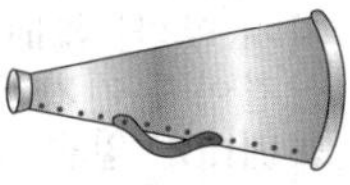
〈메가폰〉

메:기 민물고기의 하나. 길이는 1m 정도. 머리는 편평하며 입이 매우 크고 입 주변에 네 개의 긴 수염이 있음. 몸에 비늘이 없고 미끈미끈함.

메기다¹ **1** 노래를 주고받을 때, 한 편이 먼저 부르다. **2** 둘이 마주 잡고 톱질을 할 때, 한 사람이 톱을 밀어 주다.

메기다² 화살을 시위에 물리다.

메꾸다 ⇨메우다.

메뉴 (menu) **1** 음식의 이름과 값을 적은 표. 차림표. **2** 끼니때 먹는 음식의 종류. ㉠오늘 저녁 **메뉴**.

메:다¹ 구멍 등이 막히다. ㉠반가운 나머지 목이 **메다**. →매다 [주의]

*__메:다²__ **1** 물건을 어깨에 걸치거나 얹다. ㉠배낭을 **메다**. **2** 책임·임무 따위를 맡다. →매다 [주의]

메달 (medal) 우수함을 표창하거나 어떤 일을 기념하기 위해 납작한 쇠붙이에 여러 가지 모양이나 글자를 새겨서 개인이나 단체에 주는 패. ㉠**메달**을 따다.

메달리스트 (medalist) 각종 경기 대회에서 입상하여 메달을 딴 사람.

메들리 (medley) 여러 노래의 일부씩을 이어 한 곡으로 만든 곡. 접속곡.

*__메뚜기__ 메뚜깃과의 곤충. 몸은 황록색이며, 머리가 둥글고 눈이 크며 날개가 길. 뒷다리가 발달하여 잘 뛰며, 벼의 큰 해충임.

메리야스 (←에 medias) 무명실이나 털실 따위로 신축성 있고 촘촘하게 짠 옷감. 내의·장갑·양말 따위를 만듦.

메마르다 **1** 땅이 물기가 없고 기름지지 않다. ㉠**메마른** 땅. [반] 걸다. **2** 살결이 윤기가 없고 까슬까슬하다. ㉠**메마른** 입술. **3** 인정이 없거나 생활에 정서가 없다. ㉠인정이 **메마르다**. [활용] 메말라 / 메마르니.

메모 (memo) 잊지 않거나 말을 전하기 위해 요점을 간단히 적음. 또는 그 적은 글. ㉠**메모**하는 습관 / **메모**를 남기다. **—하다**.

메모리 (memory) 컴퓨터에서 명령이나 자료 또는 계산 처리된 결과를 기억하는 장치. 주기억 장치와 보조 기억 장치로 구분됨. 기억 장치. ㉠**메모리**가 부족하다.

메모지 (memo紙) 메모를 할 수 있거나 메모가 적혀 있는 작은 종이. ㉠**메모지**를 남기다.

메밀 마디풀과의 한해살이풀. 가을철에 흰 꽃이 피며, 뾰족하고 세모진 열매를 맺는데, 가루를 내어 국수·묵 따위를 만들어 먹음. 밭에 많이 심음. ×모밀.

> [주의] **메밀과 모밀**
> 끈기가 적고 차지지 않은 메진 밀이라는 뜻에서 메밀, 열매가 모가 진 데서 모밀이라 한 듯하나, 메밀이 표준어이고 모밀은 비표준어이다.
> 메밀국수(○) 모밀국수(×)
> 메밀꽃(○) 모밀꽃(×)
> 메밀묵(○) 모밀묵(×)

메밀가루 [메밀까루] 메밀 열매를 찧은 가루.

메밀국수 [메밀국쑤] 메밀가루로 만든 국수.

메밀꽃 [메밀꼳] 메밀의 꽃.

메밀묵 메밀을 갈아 쑨 묵.

메밥 멥쌀로 지은 밥. [반] 찰밥.

메벼 찰기가 없는 벼.

메스 (네 mes) 수술이나 해부할 때 쓰는 작은 칼. ㉠**메스**를 대다.

메스껍다 [메스껍따] **1** 속이 언짢아 헛구역질이 나고 토할 듯하다. ㉠차멀미로 속이 **메스껍다**. **2** 태도나 행동 따위가 못마땅하고 몹시 아니꼽다. ㉠잘난 척하는 꼴이 **메스껍다**. [작] 매스껍다. [활용] 메스꺼워 / 메스꺼우니.

메스실린더 (← measuring cylinder) 유리로 된 둥근 통에 눈금을 매겨 액체의 부피를 재는 시험관.

메슥거리다 [메슥꺼리다] 메스꺼

운 느낌이 자꾸 나다. ㉠속이 메슥거리다. ㉢매슥거리다.

메슥메슥하다 [메승메스카다] 자꾸 메스껍다. ㉠속이 **메슥메슥하여** 토할 것 같다. ㉢매슥매슥하다.

메시아 (Messiah) 세상을 죄악에서 구원할 구세주. 기독교에서, '예수 그리스도'를 이르는 말.

메시지 (message) 어떤 사실을 알리기 위해 특별히 하는 말이나 글. ㉠문자 **메시지**를 보내다.

*__메아리__ 골짜기나 산에서 소리를 지르면 잠시 후에 되울려 나는 소리. ㉠**메아리**가 울리다. ㉥산울림.

메아리치다 메아리로 울리다. ㉠야호 소리가 산 너머에까지 **메아리치다**.

메어치다 어깨 너머로 둘러메어 힘껏 내리치다. ㉠상대를 마룻바닥에 **메어치다**. ㉦메치다.

메우다 구멍이나 빈 곳을 채우다. ㉠웅덩이를 **메우다**. ㉥메꾸다.

메이커 (maker) 제작자. 특히, 유명한 제품의 제조 회사. ㉠유명 **메이커**.

메이크업 (makeup) 화장하는 일. 특히, 배우가 연극이나 영화 따위에 출연할 때 하는 무대 화장·분장.

메인이벤트 (main event) 프로그램 중 제일 중요한 것. 특히, 권투·레슬링에서 가장 중요한 경기.

메일 (mail) '전자 메일'의 준말.

메조소프라노 (이 mezzo soprano) 여성의 목소리로 소프라노와 알토 사이의 중간 소리. 또는 그 가수.

메조 포르테 (이 mezzo forte) 악보에서, 셈여림을 나타내는 말. '조금 세게'의 뜻(약호는 *mf*).

메조 피아노 (이 mezzo piano) 악보에서, 셈여림을 나타내는 말. '조금 여리게'의 뜻(약호는 *mp*).

메주 무르게 삶은 콩을 찧어, 뭉쳐서 띄워 말린 것. 간장·된장·고추장 따위를 담그는 원료임.

메지다 밥·떡·반죽 따위가 끈기가 적다. ㉠떡이 **메지다**. ㉡차지다.

메추라기 꿩과의 새. 몸빛은 황갈색에 갈색과 검은색의 세로무늬가 있음. 병아리와 비슷하고 꽁지가 짧음. ㉦메추리.

메ː치다 '메어치다'의 준말.

메카 (Mecca) 〖지명〗 사우디아라비아의 남서부에 있는 도시. 이슬람교의 교조 마호메트의 탄생지. 이슬람 교도의 최고 성지임.

메트로놈 (metronome) 음악에서 박자의 속도를 측정하는 기계.

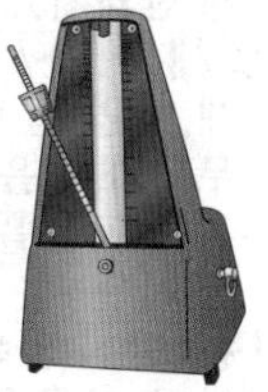
〈메트로놈〉

멕시코 (Mexico) 〖국명〗 미국 남쪽의 중앙아메리카에 있는 나라. 농업이 주이며, 은이 많이 남. 수도는 멕시코시티.

멜로드라마 (melodrama) 주로 연애를 주제로 한 감상적이고 통속적인 대중극.

멜로디 (melody) 높낮이와 리듬을 가진 음의 흐름. 가락. 선율.

멜로디언 (melodion) 피아노나 오르간과 비슷한 건반 악기. 입으로 불면서 건반을 눌러 소리를 냄.

멜론 (melon) 박과의 덩굴성 한해살이 식물. 서양종의 참외로, 녹색 껍질에 잔 그물 무늬가 있음. 타원형 또는 원형의 열매는 향기롭고 맛이 닮.

멜빵 **1** 짐을 어깨에 걸어 메는 끈. ㉠**멜빵**을 조이다. **2** 바지나 치마 따위가 흘러내리지 않도록 어깨에 걸치는 끈.

멤버 (member) 단체를 이루는 한 사람. 구성원. ㉠**멤버** 교체.

멥쌀 메벼를 찧어 만든 끈기가 적은 쌀. ㉡찹쌀.

멧돼지 [메돼지 / 멘돼지] 멧돼짓과의 산짐승. 돼지의 원종으로 몸빛은 흑색 또는 흑갈색이며 목에서 등에 걸쳐 뻣뻣한 털이 나 있음. 주둥이는 매우 길고 목은 짧으며, 날카로운 송곳니가 위로 솟아 있음. 비 산돼지.

〈멧돼지〉

멧새 [메쌔 / 멘쌔] **1** 참새와 비슷한 새. 몸빛은 밤색이며 검은색의 세로 무늬가 있음. 들이나 산에서 잡초의 씨나 곤충을 먹고 삶. 비 멥새. **2** 산에 사는 새.

며 받침 없는 말에 붙어 두 가지 이상의 사물을 이어서 말할 때 쓰는 말. 예 배며 사과며 과일이 많다.

-며 받침 없는 말에 붙어 두 가지 이상의 동작·상태를 말할 때 쓰는 말. 예 공부도 잘하며 운동도 잘한다. 비 -면서.

*__며느리__ 아들의 아내. 예 큰며느리 / 며느리를 맞아들이다. 반 사위.

며칟날 [며친날] 그달의 몇째 되는 날. 준 며칠.

*__며칠__ **1** '며칟날'의 준말. 예 내일이 며칠이지. **2** 몇 날. 예 며칠 후에 가마. × 몇일.

멱[1] 목의 앞쪽. 예 닭의 멱을 따다.

멱:[2] '미역[1]'의 준말. 예 멱을 감다.

멱살 [멱쌀] 목 아래에 옷깃을 여민 곳. 예 멱살을 잡고 다투다.

*__면:__[1] (面) **1** 낯이나 체면. 예 면을 세우다. **2** 겉으로 드러난 쪽의 바닥. 예 면이 고르지 않다. 비 표면. **3** 도형에서 넓이는 있으나 두께가 없는 것. 비 평면. **4** 책이나 신문 따위에서 각각의 쪽. 예 학교 신문 첫 면에 내가 쓴 기사가 실렸다. **5** 일의 어떤 부분이나 측면. 예 너무 나쁜 면만 보지 마라.

면:[2] (面) 군에 딸린 지방 행정 구역의 하나.

면[3] (綿) 솜 또는 무명. 예 면은 땀을 잘 흡수한다.

-면 받침 없는 말에 붙어서 가정하는 뜻을 나타내는 말. 예 봄이 오면 꽃이 핀다.

면:담 (面談) 서로 만나서 이야기함. 예 면담을 요청하다 / 담임과 면담하다. **—하다.**

면:도 (面刀) **1** 얼굴에 난 잔털이나 수염을 깎는 일. **2** '면도칼'의 준말. **—하다.**

면:도기 (面刀器) 면도하는 데 쓰는 기구.

면:도날 (面刀—) 면도칼의 날.

면:도칼 (面刀—) 면도하는 데에 쓰는 칼. 준 면도.

면:면이 (面面—) [면며니] **1** 저마다. 각자. **2** 각 면마다.

면면하다 (綿綿—) 끊이지 아니하고 끝없이 이어 있다.

면면히 (綿綿—) 면면하게. 예 면면히 이어온 민족정신.

면:모 (面貌) **1** 얼굴의 모양. **2** 사물의 겉모습. 예 면모를 새롭게 하다. 비 겉모습.

면:목 (面目) **1** 얼굴의 생김새. **2** ⇨체면. 예 면목이 서지 않다. **3** 사물의 모양이나 상태. 예 면목을 새로이 하다.

면목(이) 없다 부끄러워 남을 대할 용기가 나지 않다.

면밀하다 (綿密—) 자세하고 빈틈이 없다. 예 면밀한 계획.

면밀히 (綿密—) 면밀하게. 예 면밀히 관찰하다.

면:박 (面駁) 얼굴을 마주하여 꾸짖거나 나무람. 예 면박을 주다.

면발 (麵—) [면빨] ⇨국숫발.

면:사무소 (面事務所) 면의 행정 사무를 맡아보는 곳. 준 면소.

면:사포 (面紗布) 결혼식 때에 신부가 머리에 쓰는 흰빛의 엷은 천.

㉠면사포를 쓰다.

면:상 (面上) 얼굴의 위. 또는 얼굴. ㉠상대방 면상에 주먹을 날리다.

-면서 ⇨-며. ㉠눈물을 흘리면서 이야기하다.

면:세 (免稅) 세금을 면제함. ㉠면세 조치 / 면세 수입품. **—하다.**

면:식 (面識) 얼굴을 서로 앎. ㉠면식범 / 그 사람은 면식이 없다.

면:역 (免疫) [며녁] **1** 사람이나 동물의 몸 안에 병균이나 독이 들어와도 병이 나지 않을 만한 힘을 갖는 일. ㉠면역이 생기다. **2** 자주 되풀이되어 그 일에 익숙해짐.

면:역성 (免疫性) [며녁썽] 면역이 되는 성질. ㉠면역성을 기르다.

면:장 (面長) 지방 행정 단위인 면의 우두머리. ㉠면장을 지내다.

면장갑 (綿掌匣) 무명실로 짠 장갑. ㉠면장갑을 끼고 짐을 나르다. 비 목장갑.

*면:**적** (面積) ⇨넓이.

면:전 (面前) 얼굴을 마주 대한 앞. ㉠면전에서 욕하다.

면:접 (面接) **1** 사람을 직접 만나 봄. **2** '면접시험'의 준말. ㉠면접을 보다. **—하다.**

면:접시험 (面接試驗) [면접씨험] 직접 만나 사람 됨됨이·말·행동 따위를 시험하는 일. 준 면접.

면:제 (免除) 의무나 책임 등을 지우지 아니함. ㉠수업료를 면제해 주다. **—하다.**

면직¹ (綿織) 솜을 원료로 하여 만든 옷감을 통틀어 일컫는 말. 본 면직물.

면:직² (免職) 일자리에서 아주 물러나게 함. ㉠면직을 당하다. 비 해고. **—하다.**

면:책 (免責) 책임을 면함. ㉠국회의원의 면책 특권. **—하다.**

면포 (綿布) ⇨무명.

면:하다 (免—) **1** 책임이나 의무에서 벗어나다. ㉠책임을 **면하다.** **2** 어떤 일을 당하지 않게 되다. ㉠벌을 **면하다** / 수해를 **면하다.** **3** 어떤 범위에서 벗어나다. ㉠겨우 낙제를 **면하다.**

면:학 (勉學) 학문에 힘씀. ㉠면학하는 분위기. **—하다.**

면:허 (免許) 어떤 특정한 일을 할 수 있는 자격을 국가나 공공 기관에서 허가하는 일. ㉠운전면허.

면:허증 (免許證) [면허쯩] 면허의 내용이나 사실을 기재한 문서. 비 면허장.

면화 (棉〔綿〕花) ⇨목화.

면:회 (面會) 출입이 자유롭지 못한 사람을 찾아가 만나 봄. ㉠면회실 / 면회를 신청하다. **—하다.**

멸공 (滅共) 공산주의 또는 공산주의자를 멸망시킴. **—하다.**

멸균 (滅菌) 세균 따위를 죽여 없앰. 비 살균. **—하다.**

멸망 (滅亡) 망하여 없어짐. ㉠로마 제국의 멸망. **—하다.**

멸시 (蔑視) [멸씨] 남을 업신여기고 깔봄. ㉠멸시를 당하다. 비 무시. **—하다.**

멸종 (滅種) [멸쫑] 생물의 한 종류가 지구에서 완전히 없어짐. ㉠멸종위기. **—하다.**

멸치 멸칫과의 바닷물고기. 몸길이는 약 13 cm이며, 등은 검푸르고, 배는 은빛을 띤 백색임. 젓갈·조림 등을 만들어 먹음. ×며루치.

〈멸치〉

멸하다 (滅—) 망하여 모두 없어지다. 또는 쳐부수어 모두 없애 버리다. ㉠적을 **멸하다.**

*명¹ (名) 사람의 수효를 나타내는 말. ㉠야구는 아홉 명이 한 팀이다.

*명:² (命) **1** 목숨. ㉠명이 길다 / 명이 다하다. **2** '명령'의 준말. ㉠상사의 명을 받다.

명- (名) '유명한·훌륭한·우수한'의 뜻. ㉠명가수 / 명강의.

명가 (名家) 훌륭한 집안. 이름난 가문. ㊐명문².

명곡 (名曲) 유명한 악곡. ㉠명곡을 감상하다.

명기 (明記) 똑똑히 밝히어 적음. 분명히 기록함. **—하다.**

명나라 (明—) 중국 원나라의 뒤를 이어 세워진 왕조. 주원장이 세웠으며 도읍은 처음에 금릉, 나중에 북경으로 옮김. [1368~1644]

명년 (明年) ⇨내년.

명단 (名單) 어떤 일에 관계된 사람들의 이름을 적은 것. ㉠졸업생 명단 / 합격자 명단을 발표하다.

명답 (名答) 질문에 꼭 알맞은 답. ㉠지금 네가 한 말이 명답이다.

명당 (明堂) **1** 아주 좋은 묏자리. **2** 썩 좋은 장소나 지위의 비유.

명당자리 (明堂—) [명당짜리] 명당인 곳.

명도 (明度) 색의 삼 요소의 하나. 색의 밝고 어두운 정도. ㊐밝기. * 색상. 채도.

명란 (明卵) [명난] 명태의 알.

명란젓 (明卵—) [명난젇] 명태의 알로 담근 젓.

*__명랑__ (明朗) [명낭] 마음이 밝고 쾌활함. ㉠명랑한 성격. ㊐쾌활. ㊀우울. **—하다.**

명량 대:첩 (鳴梁大捷) [명냥—] 임진왜란 때 이순신 장군이 명량 해협에서 12척의 배로 왜군의 배 133척을 맞아 싸워 크게 이긴 해전.

명량 해:협 (鳴梁海峽) [명냥—] 전라남도 진도와 육지 사이에 있는 바다의 좁은 부분.

*__명:령__ (命令) [명녕] **1** 윗사람이 아랫사람에게 어떤 일을 하게 함. 또는 그 내용. ㉠명령을 내리다 / 명령을 어기다. ㊐분부. ㊅명. **2** 컴퓨터에서, 어떤 작용을 지시함. ㉠컴퓨터에 명령하면 컴퓨터가 작업을 한다. **—하다.** ⊃order

명:령문 (命令文) [명녕문] **1** 남에게 무엇을 시키거나 행동을 요구하는 문장. '보아라·불을 꺼라·가지 마라' 따위. **2** 명령의 뜻을 적은 글.

명료하다 (明瞭—) [명뇨하다] 뚜렷하고 분명하다. ㉠간단하고 명료한 대답. ㊐명백하다.

명마 (名馬) 이름난 말. 훌륭한 말. ㊐준마.

명망 (名望) 널리 알려진 이름과 덕. ㉠명망이 높은 선생님이시다.

명:맥 (命脈) 사라지거나 끊어지지 않고 이어지는 전통. ㉠겨우 명맥을 유지하고 있다.

명:명 (命名) 이름을 지어 붙임. ㉠우리나라 최초의 인공위성은 아리랑 1호로 명명되었다. **—하다.**

명목 (名目) **1** 겉으로 내세우는 이름. ㉠명목뿐인 사장. **2** 구실이나 이유. ㉠명목이 서지 않는다.

명문¹ (名文) 잘 지은 글. 훌륭한 글. 유명한 글.

명문² (名門) **1** 훌륭한 집안. 유명한 가문. ㉠그는 명문 출신이다. **2** 이름난 학교. ㉠야구의 명문 / 명문 대학을 나오다.

명문화 (明文化) 문서로 명확히 밝힘. ㉠헌법에 3·1 운동 정신의 계승을 명문화하고 있다. **—하다.**

명물 (名物) **1** 그 지방에서 특히 자랑할 만한 산물. ㉠인삼은 금산의 명물이다. **2** 유명하거나 특징이 있어 인기 있는 사람이나 사물. ㉠학교의 명물.

명배우 (名俳優) 연기를 잘하여 이름난 배우.

명백하다 (明白-) [명배카다] 아주 분명하다. ㉠명백한 사실.

명백히 (明白—) [명배키] 명백하게. ㉠태도를 명백히 하다.

명복 (冥福) 죽은 뒤에 저승에서 받

는 복. ㉠고인의 **명복**을 빌다.

명부 (名簿) 이름·주소·직업 따위를 적어 놓은 장부. ㉠선거인 **명부**.

명분 (名分) **1** 사람이 지켜야 할 도리. ㉠명분을 지키다. 비 본분. **2** 겉으로 내세우는 이유나 구실. ㉠명분은 그럴듯하구나. 비 명목.

명사[1] (名士) 세상에 널리 알려진 사람. ㉠사회적인 **명사**.

명사[2] (名詞) 사람이나 사물의 이름을 나타내는 말. 비 이름씨.

명사수 (名射手) 총이나 활을 잘 쏘는 사람. ㉠백발백중의 **명사수**.

명산 (名山) 이름난 산.

명산대천 (名山大川) 이름난 산과 큰 내.

명산물 (名産物) 어느 지방이나 나라에서 나는 이름난 산물.

명산지 (名産地) 이름난 산물이 나는 땅. 또는 그 지방. ㉠대구는 사과의 **명산지**이다.

명상 (瞑想) 조용히 눈을 감고 깊이 생각함. ㉠눈을 감고 **명상**에 잠기다. **—하다**.

명색 (名色) 겉으로 내세운 이름. 또는 실속 없고 이름만 그럴듯한 지위. ㉠**명색**이 손님인데 대접이 소홀하구나.

명색이 좋다 실속이 없이 이름만 듣기 좋다. ㉠**명색이 좋아** 여행이지 고생만 했다.

명석하다 (明晳—) [명서카다] 생각이나 판단력이 분명하고 똑똑하다. ㉠**명석한** 두뇌.

명성 (名聲) 세상에 널리 떨친 이름. ㉠**명성**을 날리다 / **명성**을 떨치다 / 화가로서 **명성**이 높다.

명성 황후 (明成皇后) 〘인명〙 조선 고종의 부인. 을미사변 때(1895) 경복궁에서 일본인들에게 죽임을 당함. 민비. [1851-1895]

명세 (明細) 분명하고 자세한 내용. ㉠**명세**를 알리다.

명세서 (明細書) 물품이나 금액 따위의 내용을 분명하고 자세하게 적은 문서. ㉠물품 **명세서** / 지출 **명세서**.

명소 (名所) 경치나 고적 등으로 이름난 곳. ㉠관광 **명소**.

명수 (名手) 어떤 일에 훌륭한 소질과 솜씨가 있는 사람. ㉠바둑의 **명수**. 비 명인.

명승 (名勝) 이름난 자연 경치.

명승고적 (名勝古蹟) 이름난 경치와 역사적인 유적.

명승지 (名勝地) 경치 좋기로 이름난 곳.

명시[1] (名詩) 유명한 시. 또는 아주 잘 지은 시.

명시[2] (明示) 분명하게 나타내 보임. ㉠때와 장소를 **명시**하여라. **—하다**.

명실 (名實) 겉으로 알려진 것과 실제의 내용.

명실 공히 알려진 이름과 실제의 내용이 다 같이. ㉠**명실 공히** 훌륭한 작품이다.

명실상부하다 (名實相符—) 겉으로 알려진 이름과 실제가 서로 꼭 들어맞다.

명심 (銘心) 잊지 않도록 마음속에 새겨 둠. ㉠선생님의 가르침을 **명심**하겠습니다. **—하다**.

명심보감 (明心寶鑑) 〘책〙 어린이들의 인격 수양을 위한 한문 교양서. 중국 고전에서 좋은 말이나 글을 모아 엮었으며 조선 때, 글방에서 교과서로 널리 쓰였음.

명아주 명아줏과의 한해살이 풀. 잎은 마름모의 달걀 모양이며 여름에 작은 연두색 꽃이 피고, 어린잎과 씨는 먹음.

〈명아주〉

명암 (明暗) **1** 밝음과 어두움. ㉡명암이 뚜렷하다. **2** 기쁜 일과 슬픈 일. 또는 행복과 불행. ㉡인생의 명암 / 명암이 엇갈리다.

명언 (名言) 이치에 맞는 훌륭한 말. 유명한 말. ㉡명언을 남기다.

명연기 (名演技) [명년기] 아주 훌륭한 연기. ㉡명연기를 펼치다.

명예 (名譽) **1** 세상 사람들에게서 받는 높은 평가와 그에 따르는 영광. ㉡명예를 얻다 / 잃어버린 명예를 회복하다. **2** 공적을 기리고 존경의 뜻을 나타내기 위하여 붙여 주는 이름. ㉡명예시민 / 명예 회장.

명예로이 (名譽—) 명예롭게.

명예롭다 (名譽—) [명예롭따] 명예로 여길 만하다. ㉡명예롭게 물러나다. 활용 명예로워 / 명예로우니.

명예스럽다 (名譽—) [명예스럽따] 명예로 여길 만한 데가 있다. 활용 명예스러워 / 명예스러우니.

명예욕 (名譽慾) 명예를 얻으려는 욕망. ㉡명예욕이 강한 사람.

명왕성 (冥王星) 태양계의 바깥쪽을 도는 별. 1930년에 발견됨. 지름은 지구의 반 정도. 공전 주기는 약 248년임.

명월 (明月) **1** 밝은 달. **2** 음력 8월 보름날 밤의 달.

명의 (名醫) [— / 명이] 병을 잘 고치는 이름난 의사. ㉡허준은 조선 때 명의였다.

명인 (名人) 어떤 분야에서 재주가 뛰어나 이름난 사람. ㉡창의 명인. 비 명수.

명일[1] (名日) 명절·국경일을 두루 일컫는 말.

명일[2] (明日) ⇨내일.

명작 (名作) 이름난 훌륭한 작품. ㉡명작 동화 / 명작을 남기다. 비 걸작. 반 졸작.

명장[1] (名將) 뛰어난 장군. 이름난 장수. ㉡충무공 이순신은 명장이다.

명장[2] (名匠) 기술이 뛰어나 이름난 장인. 비 명공.

***명절** (名節) 해마다 민속적으로 온 국민이 즐기는 날. 설·단오·추석 따위. ㉡명절 쇠러 고향에 가다.

> **참고** **대표적 고유 명절(음력)**
> **설**(정월 초하루)…차례, 세배, 성묘, 널뛰기, 연날리기 따위
> **대보름**(정월 보름)…부럼 깨기, 오곡밥 지어 먹기, 윷놀이 따위
> **한식**(2월)…산소의 사초 따위
> **초파일**(4월)…연등제 따위
> **단오**(5월 초닷새)…창포물로 머리 감기, 그네뛰기, 씨름 따위
> **유두**(6월 보름)…맑은 물로 머리 감기, 국수 먹기
> **백중**(7월 보름)…재 올리기
> **가위**(8월 보름)…제사, 성묘, 강강술래
> **동지**(11월)…팥죽 쑤어 먹기

명:제 (命題) 참과 거짓을 알 수 있는 내용을 문장으로 나타낸 것. '고래는 포유동물이다' 따위.

명조체 (明朝體) 중국 명나라 때의 서체를 따른 활자체. 내리긋는 획은 굵고 가로 긋는 획은 가늚. 준 명조.

명주 (明紬) 명주실로 무늬 없이 짠 천. 실크. 비 면주.

명주실 (明紬—) 누에고치에서 뽑은 실.

명:중 (命中) 겨냥한 곳에 바로 맞음. ㉡화살이 과녁에 명중하다. 비 적중. **—하다**.

명찰[1] (名札) ⇨이름표.

명찰[2] (名刹) 이름난 절.

명창 (名唱) 노래를 뛰어나게 잘 부르는 사람.

명:치 사람 몸에 있는 급소의 하나로, 가슴뼈 아래 한가운데에 우묵하게 들어간 곳.

명칭 (名稱) 사람이나 사물을 부르

는 이름. 비 이름. 호칭.

명쾌하다 (明快—) 말이나 글의 조리가 분명하여 시원스럽다. 예명쾌한 대답을 듣다.

명탐정 (名探偵) 사건을 해결하는 능력이 뛰어나 이름이 널리 알려진 탐정.

명태 (明太) 대구과의 바닷물고기. 몸은 대구와 비슷하나 더 홀쭉하고 길며 길이는 60 cm 정도임. 생선 그대로 또는 말려서 먹고, 알은 명란젓을 담금.

〈명태〉

명패 (名牌) **1** 이름이나 직위를 써서 책상 위에 놓는, 길고 세모진 패. 비 이름패. **2** ⇨문패.

명품 (名品) 뛰어나거나 이름난 물건. 또는 그런 작품.

명필 (名筆) 글씨를 아주 잘 쓰는 사람. 또는 아주 잘 쓴 글씨.

명:하다 (命—) **1** 명령하다. 예퇴장을 명하다 / 공격을 명하다. **2** 임명하다. 예위원장에 명하다.

명함 (名銜〔啣〕) 이름·주소·직업·전화번호 따위를 적은 종이쪽. 예명함을 내밀다.

명화 (名畫) **1** 아주 잘 그린 그림. 또는 유명한 그림. 예명화를 전시하다. **2** 잘 만든 영화. 예명화 감상.

명확하다 (明確—) [명화카다] 아주 뚜렷하여 틀림이 없다. 예명확한 대답.

명확히 (明確—) [명화키] 명확하게. 예일을 명확히 처리하다.

*__몇__ [멷] 확실하지 않은 수효를 일컫는 말. 예몇 사람 / 모두 몇이냐.

몇몇 [면멷] 적은 수효를 막연하게 이르는 말. 예그중 몇몇은 키가 작다 / 몇몇 사람은 반대하였다.

*__모__[1] 옮겨 심으려고 가꾸어 기른 어린 벼. 예모를 심다.

모[2] **1** 물건의 겉으로 쑥 나온 끝. 예모가 난 돌. **2** 성질·행동 등에서 특히 두드러지게 나타나는 점. 예모가 나지 않은 성격. **3** 사람이나 사물을 보는 측면이나 각도. 예여러 모로 생각한 끝에 정했다. **4** 두부나 묵을 네모나게 썰어 놓은 것. 예두부 한 모만 주세요.

모[3] 윷놀이에서, 윷가락의 네 짝이 다 엎어진 것을 일컫는 말. 예모가 나오다. →윷짝 참고

모[4] (毛) 동물의 털로 만든 섬유. 특히 양모를 가리킴. 비 털.

모:[5] (某) **1** 사람의 성(姓) 뒤에 쓰여 '아무개'의 뜻을 나타냄. 예김 모 여사. **2** 아무. 어떤. 예모 인사 / 모 단체 / 모 회사.

*__모가지__ '목'의 낮춤말.

모:계 (母系) [— / 모게] 어머니 쪽의 계통. 반 부계.

모공 (毛孔) 털이 나는 작은 구멍.

모:과 (木瓜) 모과나무의 열매. 길둥글고 거죽이 좀 울퉁불퉁하며, 푸르스름하다가 익으면서 누레지고 맛은 몹시 심.

〈모과〉

모:과나무 (木瓜—) 장미과의 낙엽 활엽 교목. 높이는 6 m가량, 봄에 연한 붉은빛 꽃이 피고 잎은 타원형임. 가을에 향기롭고 길둥근 열매가 노랗게 익는데, 기침의 약재로 씀.

모:교 (母校) 자기가 졸업한 학교. 자기의 출신 학교. 예졸업한 지 3 년 만에 모교를 찾아가다.

모:국 (母國) 외국에서 자기 나라를 이르는 말. 예해외 동포의 모국 방문.

모:국어 (母國語) [모구거] 자기 나라의 말. 반 외국어.

*__모금__[1] 물이나 술 따위를 입 안에 한 번 머금는 분량. 예물 한 모금 / 서

너 모금의 술.
모금² (募金) 어떤 일을 도와줄 목적으로 여러 사람으로부터 돈을 거두어들임. ㉠모금함 / 수재민을 위한 모금 운동. **—하다.**
*__모:기__ 모깃과의 곤충. 몸길이는 3-13 mm, 빛깔은 흑갈색이며 가슴에 세 쌍의 긴 다리가 있음. 여름철에 사람이나 가축의 피를 빨아 먹음. 갖가지 병균을 옮김.
모:기장 (—帳) 모기를 막기 위해 치는, 망사로 만든 막. ㉠모기장을 치고 자다.
모:기향 (—香) 모기를 쫓거나 잡기 위해 피우는 향.
모:깃불 [모기뿔 / 모긴뿔] 쑥 따위를 태워 연기를 피워서 모기를 쫓는 불. ㉠모깃불을 피우다.
모나다 1 물건의 거죽에 모가 생기다. ㉠모난 돌. 2 말이나 행동이 까다롭거나 유별나다. ㉠너무 모나게 굴지 마라.
모내기 모내는 일. **—하다.**
모내다 모를 못자리에서 논으로 옮겨 심다. 비 모심다.
모:녀 (母女) 어머니와 딸.
모노드라마 (monodrama) 한 사람의 배우가 하는 연극.
모노레일 (monorail) 하나의 선로로 된 철도. 단궤 철도.
모눈 모눈종이에 그려진 사각형.
*__모눈종이__ 일정한 간격을 두고 서로 직각으로 엇갈린 여러 개의 가로줄과 세로줄을 그린 종이.
모니터 (monitor) 1 신문사나 방송국 또는 일반 회사 등의 부탁으로, 방송 내용·기사·상품 따위에 관하여 의견이나 비판 사항을 말하는 사람. 2 컴퓨터 본체에서 처리되는 내용을 화면에 표시해 주는 장치.
모닥불 [모닥뿔] 잎나무 따위를 모아 놓고 태우는 불이나 그 불의 더미. ㉠모닥불을 피우다.
모델 (model) 1 모형. 본보기. 2 그림·조각·인물 사진의 대상이 되는 특정한 물건이나 사람. 3 최신 유행의 옷을 입고 관객에게 보이는 것을 직업으로 하는 사람. ㉠패션모델.
모델 하우스 (model house) 아파트 등을 지어 팔 때 본보기로 실제와 똑같게 지어 놓은 집. 견본 주택.
모뎀 (modem) 컴퓨터와 컴퓨터를 전화선으로 연결해 주어 정보를 주고받게 해 주는 장치.
모:독 (冒瀆) 말이나 행동으로 더럽혀 욕되게 함. ㉠인격을 모독하다. **—하다.**
*__모두__ 여럿이 다 함께. ㉠모두 찬성이다. 비 전부. ➲ all
모둠 초등학교 등에서, 효율적인 학습이나 놀이 등의 활동을 위하여 학생들을 몇 명씩 묶어 만든 모임. ㉠모둠 학습. 비 조(組).
모둠발 두 발을 가지런히 같은 자리에 모은 발. ㉠모둠발로 뛰다.
*__모:든__ 여러 가지의. 전부의. ㉠모든 일 / 모든 사람들이 찬성했다.
모락모락 [모랑모락] 연기나 냄새 따위가 조금씩 피어오르는 모양. ㉠김이 모락모락 나는 찐빵.
모란 (牡丹) 미나리아재빗과의 낙엽 활엽 관목. 꽃이 크고 아름다우며 향기가 좋아 정원에 널리 재배됨. 종류에 따라 분홍·연분홍·흰색 등의 꽃이 핌. 뿌리의 껍질은 약재로 씀.

〈모란〉

*__모래__ 자연적으로 잘게 부스러진 돌알갱이. ㉠모래사장 / 모래를 깔아 놓다. ➲ sand
모래땅 모래흙으로 된 땅.
*__모래밭__ [모래반] 모래가 넓게 깔려 있는 곳. 비 백사장.
모래성 (—城) 1 모래로 성처럼 쌓

은 것. ㉮파도에 **모래성**이 허물어지다. **2** '쉽게 허물어지는 것'을 비유하는 말.

모래시계 (—時計) [—/모래시게] 작은 구멍을 통해서 모래를 떨어뜨려 일정한 양의 모래가 떨어지는 시간으로 시각을 측정하는 장치.

〈모래시계〉

모래주머니 **1** 모래를 넣은 주머니. 특히 화재나 겨울철 미끄러운 길바닥에 뿌리기 위하여 준비함. **2** 날짐승의 위의 일부분. 먹이를 잘게 부수는 일을 함. 곡류를 먹는 날짐승에게만 있음. 비 사낭.

모래찜질 몸을 튼튼하게 하거나 병을 치료하기 위하여 여름철에 뜨거운 모래 속에 몸을 묻고 땀을 내는 일.

모래톱 강가나 바닷가에 있는 넓은 모래벌판. 비 모래사장.

모래판 모래가 많이 깔려 있는 곳. 흔히 씨름 경기를 할 수 있도록 깔아 놓은 곳을 일컬음. ㉮**모래판**에서 씨름을 하다.

모략 (謀略) 나쁜 꾀를 써서 남을 해치려는 일. ㉮남을 모략하다. **—하다.**

*__모:레__ 내일의 다음 날. ㉮모레 소풍을 간다.

모:로 **1** 비껴서. 대각선으로. ㉮모로 자르다. **2** 옆쪽으로. ㉮게가 모로 기어간다 / 모로 눕다.

모롱이 산모퉁이의 휘어 둘린 곳.

모:루 대장간에서, 달군 쇠를 올려놓고 두드릴 때 받침으로 쓰는 쇳덩이.

*__모르다__ **1** 알지 못하다. ㉮어찌할 바를 모르다. **2** 이해하지 못하다. ㉮나는 그가 무슨 말을 하는지 모르겠다. **3** 기억하지 못하다. ㉮나도 모르는 사람. **4** 경험이 없다. ㉮전쟁을 모르는 젊은 세대. **5** 지식이나 기능이 없다. ㉮운전을 할 줄 모른다. **6** 어떤 것 외에 다른 것을 소중히 여기지 않는다. ㉮공부밖에 모르는 사람. **7** 말로 표현할 수 없을 만큼 대단하다. ㉮대학에 합격했다니 얼마나 기쁜지 모르겠다. **8** 의식하지 못하다. ㉮그 얘기를 들으면서 나도 모르게 눈물이 흘렀다. 반 알다. 활용 몰라 / 모르니.

모르쇠 아는 것이나 모르는 것이나 다 모른다고 잡아떼는 것. ㉮곤란한 경우에는 **모르쇠**가 제일이다.

모르쇠(를) 잡다 전혀 알지 못하는 체하다.

모르타르 (mortar) 시멘트와 모래를 섞어서 물에 갠 것. 집의 바깥벽이나 마룻바닥에 바름.

모르핀 (morphine) 아편의 주성분으로 빛깔과 냄새가 없으며 많이 사용하면 중독 증상이 일어남. 마취제나 진통제로 씀.

모름지기 마땅히. 반드시. ㉮학생이면 **모름지기** 공부에 힘써야 한다.

모면 (謀免) 어려운 상황이나 책임을 꾀를 써서 벗어남. ㉮위기를 모면하다. **—하다.**

모:멸 (侮蔑) 업신여기고 얕잡아 봄. ㉮모멸을 당하다. **—하다.**

모:멸감 (侮蔑感) 모멸을 당하는 느낌. ㉮모멸감을 느끼다.

모반 (謀反) 국가나 임금을 저버리고 난리를 일으킴. ㉮모반죄 / 모반에 가담하다. **—하다.**

모발 (毛髮) **1** 사람의 머리털. **2** 사람 몸에 난 털.

모방 (模倣) 남의 것을 그대로 흉내를 냄. ㉮남의 것을 무턱대고 모방해서는 안된다. 반 창조. **—하다.**

모범 (模範) 본받아 배울 만한 본보기. ㉮다른 사람에게 모범을 보이다. 비 규범. 본보기.

모범생 (模範生) 다른 학생들이 본

받을 만한 학생.

모범수 (模範囚) 교도소의 규칙을 잘 지켜 다른 죄수의 모범이 되는 죄수.

모빌 (mobile) 가느다란 철사·실 따위로 여러 가지 모양의 금속 조각·나뭇조각 등을 매달아 균형을 이루게 한 조형품.

모사[1] (模寫) 무엇을 보거나 흉내 내어 그대로 그림. 또는 그렇게 그린 그림. **—하다.**

모사[2] (謀士) **1** 계략을 꾸미는 사람. **2** 남을 도와 꾀를 내는 사람.

모사[3] (謀事) 일을 꾀함.

모색 (摸索) 일의 해결 방법이나 사건의 실마리를 생각해 찾음. ㉠해결책을 모색하다. **—하다.**

***모서리** **1** 물건의 날카롭게 생긴 가장자리. ㉠책상 **모서리**에 머리를 부딪치다. **2** 다면체에서 면과 면이 서로 맞닿아 이룬 선.

모ː선[1] (母船) 여러 척의 작은 배가 딸려 있는, 어떤 작업의 중심체가 되는 큰 배.

모ː선[2] (母線) 선의 운동으로 어떤 면이 생겼을 경우, 그 면에 대하여 그 선을 일컫는 말.

모ː성 (母性) 여성이 어머니로서 가지는 본능적인 성질.

모ː성애 (母性愛) 자식에 대한 어머니의 본능적인 사랑.

모세관 (毛細管) '모세 혈관'의 준말.

모세 혈관 (毛細血管) 동맥과 정맥과의 사이를 잇는 아주 가느다란 혈관. 혈액은 이곳을 지나면서 산소와 영양을 온몸의 조직에 보내며, 노폐물 따위를 심장으로 되돌려 보냄. ㊥실핏줄.

모션 (motion) **1** 동작. 행위. ㉠큰 모션으로 손짓을 하다. **2** 어떤 행동의 예비적인 몸짓이나 동작.

모순 (矛盾) 말이나 행동의 앞뒤가 서로 맞지 아니함.

모스크 (mosque) 이슬람교에서, 집단 예배를 보는 신앙 공동체의 중심지로 군사·정치·사회·교육 따위의 공공 행사가 이루어지는 건물.

모스크바 (Moskva) 〖지명〗 러시아의 수도. 유럽 러시아의 중앙부, 모스크바 강의 양쪽 기슭에 걸쳐 있음. 크렘린과 붉은광장이 유명함.

***모습** **1** 사람의 생긴 모양. ㉠엄마의 모습을 쏙 빼닮은 아기. ㊥모양. **2** 자연이나 사물의 드러난 모양. ㉠발전된 서울의 모습에 놀라다. **3** 자취나 흔적. ㉠모습을 감추다.

모시 모시풀 껍질에서 뽑은 실로 짠, 희고 얇은 여름 옷감.

***모ː시다** **1** 윗사람이나 존경하는 사람을 가까이에서 보살피거나 받들다. ㉠부모님을 **모시다**. **2** 손윗사람을 받들어 손수 안내해 드리다. ㉠손님을 안방으로 **모시다**. **3** 웃어른의 제사·장사·환갑 등을 지내다. ㉠제사를 **모시다**. ×뫼시다.

모심기 [모심끼] 벼의 모를 못자리에서 논으로 옮겨 심는 일. ㊥모내기. **—하다.**

***모양** (模樣) **1** 사람이나 물건의 겉에 나타나는 생김새. ㉠머리 모양을 바꾸다. **2** 외모에 부리는 멋. ㉠모양을 잔뜩 내고 외출하다. ㊥맵시. **3** 어떠한 형편이나 되어 나가는 꼴. ㉠사는 모양이 각양각색이다. **4** 위신이나 체면. ㉠너 때문에 내 모양이 엉망이 되었다. **5** 어떤 모습과 같은 모습. ㉠펭귄 모양으로 뒤뚱거리다. **6** 짐작이나 추측을 나타내는 말. ㉠비가 올 모양이다.

모양내다 (模樣—) 꾸미어 맵시를 내다.

모양새 (模樣—) **1** 모양의 됨됨이. ㉠모양새가 좋다. **2** 체면이나 일이 되어 가는 꼴. ㉠모양새를 갖추다 / 모양새가 우습게 되다.

모양자 (模樣—) 별·삼각형·원 따위의 모양을 새긴 자. 새긴 자리를 따라 선을 그어 그 모양을 그림.

*__모여들다__ 여럿이 어떤 범위 안으로 향하여 오다. ㉠군중이 모여들기 시작했다. 활용 모여들어 / 모여드니 / 모여드는.

모:욕 (侮辱) 업신여김. 깔보고 얕잡아 봄. ㉠모욕을 주다. **—하다.**

모:욕감 (侮辱感) [모욕깜] 모욕을 당한 느낌. ㉠모욕감을 느끼다.

모:유 (母乳) 어머니의 젖.

*__모으다__ **1** 흩어져 있는 것을 한데 합치다. ㉠휴지를 쓸어 모으다. **2** 돈이나 물건들을 쌓아 두다. ㉠돈을 모으다. **3** 특별한 것을 구하여 보관하다. ㉠우표를 모으다. **4** 생각이나 힘 따위를 한곳에 집중하다. ㉠정신을 모으다 / 계속 노력을 기울이기로 의견을 모았다. **5** 여러 사람을 한곳에 오게 하거나 한 단체에 들게 하다. ㉠회원을 모으다. **6** 다른 사람들의 관심이나 흥미를 끌다. ㉠젊은이들의 인기를 한 몸에 모은 탤런트. 활용 모아 / 모으니.

> 주의 **모으다**와 **모이다**
> **모으다** 모이게 한다는 뜻. 1 집합하게 하다. 2 저축하다. 3 수집하다.
> **모이다** 스스로 모인다는 뜻. 1 집합하다. 2 저축되다.

모:음 (母音) ⇨홀소리. 반 자음.

모음곡 (—曲) 여러 개의 악곡을 모아서 하나의 곡으로 만든 기악곡. 스위트. 비 조곡.

모의[1] (模擬) [— / 모이] 남의 흉내를 냄. 비 모방. **—하다.**

모의[2] (謀議) [— / 모이] 어떤 일을 벌이려고 의논함. ㉠공동 모의 / 모의에 가담하다. **—하다.**

모의시험 (模擬試驗) [— / 모이시험] 실제의 시험에 대비하여 그를 본떠서 해 보는 시험. 비 모의고사.

모의재판 (模擬裁判) [— / 모이재판] 실제의 재판과 비슷하게 연습 삼아 해 보는 재판.

*__모이__ 닭이나 날짐승들의 먹이. ㉠닭에게 모이를 주다.

*__모이다__ **1** 여럿이 한곳으로 오다. ㉠우리는 일주일에 한 번 모인다. **2** 사물이나 돈이 들어와 쌓이다. **3** 생각이나 힘 따위가 한곳에 집중되다. →모으다 주의

모이주머니 새의 소화관의 하나. 주머니 모양으로, 먹은 모이를 저장하여 수분과 체온으로 불리어서 소화하기 쉽게 한 다음 모래주머니로 보냄. 비 멀떠구니. 소낭.

*__모임__ 여러 사람이 어떤 목적을 위하여 때와 곳을 정하여 모이는 일. ㉠동창 모임에 다녀오다.

*__모:자__[1] (母子) 어머니와 아들.

*__모자__[2] (帽子) 모양을 내거나 추위·더위·먼지 따위를 막으려고 머리 위에 쓰는 물건. ➡ hat, cap

*__모:자라다__ **1** 어떤 기준이나 정도에 미치지 못하다. ㉠잠이 모자라다 / 돈이 모자라면 내가 빌려 주겠다. **2** 지능이 정상적인 수준보다 낮다. ×모자르다.

모자이크 (mosaic) 여러 가지 빛깔의 돌·유리·조개껍데기·타일·나무 따위의 조각을 붙이거나 박아서 도안이나 그림 따위로 나타낸 것. 또는 그런 미술 형식.

모작 (模作) 남의 작품을 흉내 내어 만듦. 또는 그 작품. **—하다.**

모잠비크 (Mozambique) 〖국명〗 아프리카 대륙 남동부에 위치한 공화국. 북부는 고원 지대, 남부는 평야 지대이며, 아열대에 속해 있음. 주민의 대부분은 반투 족임. 면화·사탕수수·땅콩 따위를 재배하고, 포르투갈 지배하에서 1975 년에 독립함. 수도는 마푸토.

모:정 (母情) 자식에 대한 어머니의 정.
모조 (模造) 본떠서 만듦. 또는 그 제품. ㉹모조 보석. **—하다.**
*__모조리__ 하나도 빼지 않고 모두. ㉹죄상이 모조리 드러나다. 비 전부.
모조지 (模造紙) 종이의 한 가지. 질이 강하고 질기며 윤이 남.
모조품 (模造品) 다른 물건을 본떠서 만든 물건. 이미테이션.
*__모종__ 옮겨 심기 위하여 가꾼, 벼 이외의 온갖 씨앗의 싹. 또는 옮겨 심는 일. ㉹고추 모종. **—하다.**
모종삽 모종을 옮겨 심을 때 쓰는 작은 삽.
모지다 **1** 모양이 둥글지 않고 모가 나 있다. **2** 성격이 원만하지 못하다. ㉹성격이 **모지다.**
모직 (毛織) 털실로 짠 피륙.
모:질다 **1** 마음씨나 행동이 몹시 매섭고 독하다. ㉹모진 짓을 하다 / 마음을 **모질게** 먹다. 비 잔인하다. **2** 참고 견디지 못할 일을 잘 배겨 내다. ㉹온갖 고생을 **모질게** 이겨 내다. **3** 정도가 세다. ㉹모진 학대. 활용 모질어 / 모지니 / 모진.
모집 (募集) 조건에 맞는 사람이나 사물을 뽑아서 모음. ㉹자원 봉사자를 모집하다. **—하다.**
모쪼록 아무쪼록. 부디.
모차르트 (Mozart, Wolfgang Amadeus) 〖인명〗 오스트리아의 음악가. 교향악·실내악·가극 등 600곡 이상의 작품을 발표하여 음악의 천재라 불림. [1756–1791]
모책 (謀策) 어떤 일을 처리하거나 벗어나기 위하여 꾀를 부림. 또는 그 꾀. ㉹어떤 모책을 써 봐도 소용없다. **—하다.**
모:처 (某處) 아무 곳. 어떤 곳. ㉹시내 모처에서 회담을 갖다.
모처럼 **1** 벼르고 별러서 처음으로. ㉹모처럼 잡은 기회를 놓치다. **2** 아주 오래간만에. ㉹날씨가 모처럼 개었다.
모:체 (母體) 아기나 새끼를 밴 어미의 몸.
모:친 (母親) '어머니'의 높임말. 반 부친.
모:태 (母胎) **1** 어머니의 태 안. **2** 사물의 발생·발전의 근거가 되는 토대. ㉹산업 혁명은 현대 과학 발전의 **모태**이다.
모터 (motor) 전기나 가솔린 등으로 동력을 일으키는 기계. 발동기. 전동기. ㉹모터사이클.
모터보트 (motor-boat) 모터를 사용하여 움직이는 보트. 똑딱선. 발동기선.
모텔 (motel) 자동차로 여행하는 사람이 이용하기에 편리하도록 만든 숙박 시설.
모토 (motto) 행동이나 생활의 목표를 표어나 신조로 삼는 짤막한 말. ㉹성실을 평생 모토로 삼다.
*__모퉁이__ 구부러지거나 꺾이어 돌아간 자리. ㉹길 **모퉁이**의 가게. 비 귀퉁이. 반 가운데.
모티프 (프 motif) 예술 작품에서, 표현의 동기가 된 작가의 중심 사상이나 주제. 모티브.
모판 (–板) 들어가 손질하기에 편리하도록 못자리의 사이사이를 떼어 직사각형으로 다듬어 놓은 구역.
모포 (毛布) ⇨담요.
모피 (毛皮) 털이 붙은 채로 벗긴 짐승의 가죽. ㉹**모피** 코트.
모필 (毛筆) ⇨털붓.
모함 (謀陷) 나쁜 꾀를 써서 남을 어려운 처지에 빠지게 함. ㉹친구를 모함에 빠뜨리다. **—하다.**
모해 (謀害) 나쁜 꾀를 써서 남을 해롭게 함. **—하다.**
모:험 (冒險) 위험을 무릅쓰고 어떤 일을 함. 또는 그 일. ㉹밀림 모험 여행을 떠나다. **—하다.**

모:험가 (冒險家) 모험을 즐기거나 자주 하는 사람.

모:험담 (冒險談) 모험을 하면서 겪은 사실이나 행동에 대한 이야기.

모:험심 (冒險心) 모험을 즐기거나 도전하려는 마음.

*__모형__ (模型) **1** 실물을 본떠서 만든 물건. ㉴거북선의 모형 / 모형 지도. **2** 똑같은 모양의 물건을 만들어 내기 위한 틀. ㉫형.

모형도 (模型圖) 실제 모양을 본떠서 그린 그림.

모호하다 (模糊—) 말이나 태도가 흐리터분하고 똑똑하지 못하다. ㉴모호한 대답.

*__목__[1] **1** 머리와 몸을 이은 잘록한 부분. ㉴목도리로 목을 감다. ➲ neck **2** '목구멍'의 준말. ㉴목이 컬컬하다. **3** 모든 물건의 목에 해당하는 부분. ㉴목이 긴 병. **4** 다른 곳으로는 빠져 나갈 수 없는 통로의 중요하고 좁은 곳. ㉴통로의 목을 지키다. **5** 목을 통해 나오는 소리. ㉴목이 쉬다 / 목을 가다듬다.

목(을) 놓아 참거나 삼가지 않고 소리를 크게 내어. ㉴목을 놓아 통곡하다.

목을 축이다 목이 말라 물 따위를 마시다. ㉴시원한 음료수로 목을 축이다.

목이 빠지다 몹시 애타게 기다리다. ㉴편지가 오기를 목이 빠지게 기다리다.

목(이) 잠기다 목이 쉬어서 목소리가 잘 나오지 않게 되다.

목(이) 타다 심하게 갈증을 느끼다. ㉴목이 타서 물을 찾다.

목이 터져라(고) 매우 큰 소리로. ㉴목이 터져라고 응원하다.

목[2] (木) '목요일'의 준말.

목가적 (牧歌的) [목까적] 농촌처럼 소박하고 평화로우며 서정적인 (것). ㉴목가적인 전원 풍경.

목각 (木刻) [목깍] **1** 나무에 그림이나 글씨 따위를 새김. **2** '목각화'의 준말. **—하다.**

목각화 (木刻畫) [목까콰] 나무에 새긴 그림. ㉫목각.

목거리 [목꺼리] 목이 붓고 아픈 병. ㉴목거리를 앓다.

목걸이 [목꺼리] **1** 목에 거는 물건을 통틀어 이르는 말. **2** 보석이나 귀금속 따위로 된 목에 거는 장식품. ㉴진주 목걸이.

목격 (目擊) [목껵] 일이 벌어진 광경을 눈으로 직접 봄. ㉴교통사고 현장을 목격하다. **—하다.**

목격자 (目擊者) [목껵짜] 어떤 일을 눈으로 직접 본 사람.

목공 (木工) [목꽁] **1** 나무를 재료로 여러 가지 물건을 만드는 일. **2** ⇨목수.

목공소 (木工所) [목꽁소] 나무로 가구·창문 따위 여러 가지 물건을 만드는 곳.

목관 악기 (木管樂器) [목꽈낙끼] 몸통이 나무로 된 관악기. 클라리넷·퉁소·피리·색소폰 따위. *금관 악기.

목구멍 [목꾸멍] 입속의 깊숙한 안쪽. 곧, 기도나 식도로 통하는 곳. ㉫목.

목구멍에 풀칠한다 굶지 아니하고 겨우 살아간다.

목기 (木器) [목끼] 나무로 만든 그릇.

목다리 (木—) [목따리] 다리가 불편한 사람이 겨드랑이에 끼고 걷는 지팡이. ㉥협장.

목덜미 [목떨미] 목의 뒷부분. ㉴목덜미를 잡다.

목도리 [목또리] 추위를 막거나 멋을 내기 위하여 목에 두르는 물건. 머플러.

목돈 [목똔] 액수가 큰 돈. ㉴푼돈 모아 목돈을 만들다. ㉥모갯돈. ㉤

푼돈.
목동 (牧童) [목똥] 말·소·염소 따위 가축에 풀을 뜯기며 돌보는 아이. ㉢목동이 부는 풀피리 소리.
목련 (木蓮) [몽년] 목련과의 낙엽 활엽 교목. 높이는 7-9m, 봄에 잎이 돋기 전에 크고 향기 있는 흰 꽃이 먼저 핌.

〈목련〉

목례 (目禮) [몽녜] 눈짓으로 가볍게 하는 인사. ㉢목례를 나누다. 비 눈인사. **—하다.**
목록 (目錄) [몽녹] 어떤 물품의 이름이나 책들의 제목 따위를 일정한 차례로 적은 것. ㉢도서 목록 / 재산 목록. 비 목차.
목마 (木馬) [몽마] 어린아이들의 놀이나 승마 연습용으로 쓰는 나무로 만든 말. ㉢회전목마.
목마르다 [몽마르다] **1** 물이 먹고 싶다. ㉢땀을 흘리고 나니 목마르다. **2** 몹시 바라거나 아쉬워하다. ㉢편지를 목마르게 기다리다. 활용 목말라 / 목마르니.
목말 [몽말] 남의 어깨 위에 두 다리를 벌리고 앉거나 올라서는 짓. ㉢어린 조카를 목말 태우다.
목메다 [몽메다] 기쁨이나 설움 따위가 복받치어 목구멍이 막히는 듯하다. ㉢목메어 울다.
목물 [몽물] 팔다리를 뻗고 엎드려서 허리 위에서 목까지를 물로 씻는 일. 또는 그 물. ㉢목물을 끼얹다. 비 등물. 등목. **—하다.**
목민심서 (牧民心書) [몽민심서] 〖책〗 조선 순조 때 정약용이 쓴 책. 지방 관리들이 백성을 다스리는 데에 지켜야 할 도리를 설명한 것으로, 근세 사회 연구의 중요한 자료가 되고 있음.
목발 (木—) [목빨] '목다리'의 속된 말. ㉢목발을 짚다.
목불인견 (目不忍見) [목뿌린견] 눈뜨고는 차마 볼 수 없음.
목사 (牧師) [목싸] 기독교에서 예배를 인도하고 신자를 가르치며 교회를 다스리는 교직. 또는 그 사람. 비 목자.
목석 (木石) [목썩] **1** 나무와 돌. **2** 나무나 돌과 같이 감정이나 인정이 없는 사람. ㉢목석같은 사람.
목선 (木船) [목썬] 나무로 만든 배. 비 나무배.
목성 (木星) [목썽] 태양에서부터 다섯째의 행성. 태양계의 행성 가운데 가장 큰 별이며 밝게 빛남.
***목소리** [목쏘리] 목구멍으로 내는 소리. 곧, 말소리 따위. ㉢목소리를 낮추다. 비 음성. ➲ voice
목수 (木手) [목쑤] 나무를 다루어 집을 짓거나 물건을 만드는 일을 직업으로 하는 사람. 비 목공.
***목숨** [목쑴] **1** 숨을 쉬며 살아 있는 힘. 살아가는 데 밑바탕이 되는 힘. ㉢목숨이 위태롭다 / 목숨을 구해 준 은인. 비 생명. **2** ⇨수명**1**. ㉢목숨이 다하다.
목쉬다 [목쒸다] 목이 잠겨 소리가 제대로 나지 아니하다. ㉢목쉰 소리를 내다.
목요일 (木曜日) [모교일] 칠요일의 하나. 일요일로부터 다섯째 되는 날. 준 목요. 목. ➲ Thursday
***목욕** (沐浴) [모굑] 머리를 감으며 몸을 씻는 일. **—하다.** ➲ bath
***목욕탕** (沐浴湯) [모굑탕] 목욕할 수 있도록 시설을 갖추어 놓고 영업을 하는 곳. ㉢대중목욕탕. 준 욕탕.
목 운동 (—運動) [모군동] 머리와 목을 움직이는 맨손 체조의 하나.
목자 (牧者) [목짜] **1** 양을 치는 사람. **2** 성직자나 목사를 양에 비유하여 일컫는 말.

*목장 (牧場) [목짱] 소·양·말 따위의 가축을 놓아기르는 넓은 산이나 들판 같은 곳.

목재 (木材) [목째] 건축이나 가구 따위에 쓰는, 나무로 된 재료. ㉮목재상. 비 재목.

*목적 (目的) [목쩍] 이루려고 하는 일이나 나아가려는 방향. ㉮목적을 세우다 / 목적을 달성하다 / 목적을 이루다. 비 목표. ● purpose

목적어 (目的語) [목쩌거] 문장에서 '을' 이나 '를' 이 붙어 동작의 대상이 되는 말. 곧, '밥을 먹다' 에서 '밥을' 따위.

목적지 (目的地) [목쩍찌] 목표로 삼거나 가고자 하는 곳. ㉮목적지에 도착하다.

목전 (目前) [목쩐] 눈앞. 당장. ㉮시험이 목전에 닥치다.

목젖 [목쩓] 목구멍의 안쪽 뒤 끝에 위에서 아래로 늘어진 둥그스름한 살. 비 현옹수.

목제 (木製) [목쩨] 나무를 재료로 하여 만듦. 또는 그런 물건. ㉮목제 그릇. 비 목조.

목제품 (木製品) [목쩨품] 나무를 재료로 해서 만든 물품.

목조 (木造) [목쪼] ⇨목제. ㉮목조 건물.

목차 (目次) 목록이나 제목, 조항 따위의 차례.

목청 1 소리를 내는 기관. 2 목에서 울려 나오는 소리. 노래 부르는 목소리. ㉮목청을 가다듬다.

목청껏 [목청껃] 있는 힘을 다하여 소리를 질러. ㉮목청껏 외치다.

목초 (牧草) 소·말·양 따위에게 먹이는 풀. ㉮목초를 베다. 비 꼴.

목축 (牧畜) 소·말·양·돼지 등을 많이 기르는 일. **—하다.**

목축업 (牧畜業) [목추겁] 목축을 경영하는 직업이나 사업.

목침 (木枕) 나무토막으로 만든 베개. ㉮목침을 베고 자다.

목탁 (木鐸) 불교의 의식에서 쓰는, 나무를 둥글게 깎아 속을 파서 방울처럼 만들고 고리 모양의 손잡이를 단 물건. ㉮목탁을 두드리다.

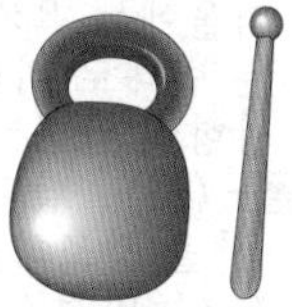
〈목탁〉

목탄 (木炭) 1 ⇨숯. 2 버드나무·오동나무 등 결이 좋고 무른 나무로 만든 숯. 데생이나 밑그림을 그릴 때 씀.

목탑 (木塔) 나무로 만든 탑.

목판 (木版〔板〕) 나무에 글자나 그림을 새긴 인쇄용의 판.

목판화 (木版畫) 목판에 새겨서 찍은 그림.

*목표 (目標) 목적으로 삼는 것. 일을 할 때 이루려는 대상. ㉮목표를 달성하다 / 목표를 정하다 / 우승을 목표로 하다. 비 목적. **—하다.**

목표물 (目標物) 목표로 하는 물건. ㉮목표물에 명중시키다.

목화 (木花) [모콰] 아욱과의 한해살이풀. 밭에 재배하는데 높이는 80cm 정도, 가을에 누렇거나 흰 꽃이 핌. 씨에 붙은 면화는 피륙이나 실의 원료가 됨. 1363년 고려 공민왕 때 문익점이 처음 들여옴. 비 면화. 목면.

〈목화〉

목회 (牧會) [모쾨] 기독교에서 목사가 교회를 맡아 설교하거나 신자의 신앙생활을 지도하는 일. **—하다.**

*몫 [목] 1 여럿으로 나누어 가지는 각 부분. ㉮자기 몫을 챙기다. 2 나눗셈에서, 어떤 수를 나누는 수로 나누어 얻은 수. ㉮8을 4로 나누면 몫은[목쓴] 2이다.

몬순 지대 (monsoon 地帶) 계절풍이 부는 지대. 약 반년을 주기로 겨울에는 육지에서 바다로, 여름에는 반대로 바다에서 육지로 바람의 방향이 바뀌는 지대. 계절풍 지대.

몰- (沒) 낱말의 앞에 붙어서 '없음'을 강조하는 말. ㉰몰염치 / 몰상식 / 몰인정 / 몰지각.

몰골 볼품없는 모양새. ㉰초라한 몰골 / 몰골이 말이 아니군.

***몰:다** **1** 바라는 쪽으로 움직여 가게 하다. ㉰소를 몰다. **2** 자전거나 자동차 따위를 운전하다. ㉰자가용을 몰다. **3** 한곳으로 모으거나 합치다. ㉰공을 몰고 나아가다 / 기세를 몰아 전진하다. **4** 남을 나쁜 사람으로 여기고 그렇게 다루다. ㉰역적으로 몰다. 활용 몰아 / 모니 / 모는.

몰두하다 (沒頭—) [몰뚜하다] 어떤 한 가지 일에만 온 정신을 다 기울여 열중하다. ㉰시험 공부에 몰두하다.

몰:라보다 **1** 잘 알아보지 못하다. ㉰몰라보게 컸군. **2** 예의를 갖추어야 할 사람에게 무례하게 굴다. ㉰어른을 몰라보고 버릇없이 굴다. **3** 진정한 가치를 제대로 평가하지 못하다. ㉰좋은 작품을 몰라보다 / 인재를 몰라보다.

몰:라주다 알아주지 않다. ㉰남의 속을 몰라주다. 반 알아주다.

몰락 (沒落) 한창 잘되어 성하던 것이 쇠하여 망함. ㉰몰락한 집안. —하다.

***몰:래** 남이 모르도록 가만히. ㉰몰래 엿듣다 / 몰래 다가가다.

몰려가다 여럿이 떼를 지어 한쪽으로 가다. ㉰무대 위로 우르르 몰려가다.

몰려나오다 여럿이 떼를 지어 나오다.

몰려다니다 여럿이 떼를 지어 돌아다니다. ㉰끼리끼리 몰려다니다.

몰려들다 **1** 여럿이 떼를 지어 한꺼번에 들어오다. ㉰구경꾼들이 몰려들다. **2** 어떤 기운이 한꺼번에 일어나다. ㉰피로가 몰려들다. 활용 몰려들어 / 몰려드니 / 몰려드는.

몰려오다 **1** 여럿이 뭉쳐 한쪽으로 밀려오다. ㉰검푸른 파도가 몰려오다. **2** 어떤 기운이 한꺼번에 생기다. ㉰잠이 몰려오다.

몰리다 **1** 여럿이 한쪽으로 밀려 뭉치다. ㉰점심시간에는 손님들이 한꺼번에 몰린다. **2** 몰아댐을 당하다. ㉰궁지에 몰리다. **3** 일이 한꺼번에 많이 밀리다. ㉰갑자기 일에 몰리어 바쁘다.

몰매 ⇨뭇매.

몰살 (沒殺) [몰쌀] 죄다 죽임. ㉰온 가족을 몰살하다. —하다.

몰상식하다 (沒常識—) [몰쌍시카다] 말이나 행동이 상식에서 벗어나다. ㉰몰상식한 행동을 하다.

몰수 (沒收) [몰쑤] 빼앗아 들임. ㉰재산을 몰수하다. —하다.

몰아내다 [모라내다] 몰아서 나가게 하다. 밖으로 쫓아 버리다. ㉰침략자를 몰아내다.

몰아넣다 [모라너타] **1** 몰아서 안으로 들어가게 하다. ㉰닭을 닭장에 몰아넣다. **2** 어떤 처지나 상태에 빠지게 하다. ㉰궁지에 몰아넣다.

몰아붙이다 [모라부치다] 한쪽으로 모두 몰려가게 하다. ㉰이삿짐을 한쪽으로 몰아붙이다.

몰아세우다 [모라세우다] 잘잘못을 묻지 않고 마구 나무라다. 준 몰아세다.

몰아쉬다 [모라쉬다] 숨 따위를 한꺼번에 모아 세게 또는 길게 쉬다. ㉰숨을 가쁘게 몰아쉬다.

몰아치다 [모라치다] **1** 한곳으로 한꺼번에 몰려 닥치다. ㉰심한 바람이 몰아치다. **2** 한꺼번에 몹시 서두르다. ㉰닷새에 할 일을 몰아쳐서 사흘에 끝내 버렸다. **3** 심하게 구박하거나 나무라다. ㉠버릇없는 아이를 호되게 몰아치다.

몰이 [모리] 사냥할 때나 물고기를 잡을 때 짐승·물고기를 모는 일.

몰이꾼 [모리꾼] 몰이를 하는 사람.

몰인정하다 (沒人情—) [모린정하다] 남을 이해하고 걱정해 주는 마음이 전혀 없다. ㉠몰인정한 사람.

몰입 (沒入) [모립] 어떤 일에 깊이 파고들거나 빠짐. ㉠영화에 몰입하다 / 책에 몰입하여 고함을 쳐도 모른다. **—하다.**

몰지각하다 (沒知覺—) [몰지가카다] 알아 깨달음이 없다. ㉠몰지각한 행동.

몰패 (沒敗) **1** 아주 패함. **2** 여럿이 다 패함. **—하다.**

*__몸__ **1** 사람이나 동물의 머리에서부터 발까지 거기에 딸린 모든 것을 통틀어 일컫는 말. ㉠몸을 구부리다 / 몸이 튼튼하다. ➡ body **2** 신분이나 사람을 이르는 말. ㉠귀하신 몸 / 형은 곧 군에 입대할 몸이다. 비 신체.

몸 둘 바를 모르다 어떻게 처신해야 할지 모르다.

몸에 배다 익숙해지다.

몸(을) 바치다 ㉠목숨을 희생하다. ㉡몸을 아끼지 않고 헌신하다.

몸(을) 풀다 ㉠아이를 낳다. ㉡몸의 피로를 덜다.

몸가짐 몸을 움직이거나 차리고 있는 태도나 모양. ㉠공손한 몸가짐 / 몸가짐이 얌전하다.

몸값 [몸깝] **1** 사람의 몸을 돌려보내는 대가로 요구하는 돈. ㉠납치범들이 몸값을 요구하다. **2** 사람의 가치를 돈으로 빗대어 하는 말. ㉠프로 선수들의 몸값이 올라가고 있다.

몸놀림 몸을 움직이는 일. ㉠몸놀림이 빠르다.

몸단장 (—丹粧) ⇨몸치장. **—하다.**

몸담다 [몸담따] 어떤 조직이나 분야에서 일을 하다. ㉠어머니께서는 교직에 몸담고 계신다.

*__몸뚱이__ 사람이나 짐승의 팔·다리·머리를 제외한 몸의 덩치.

몸매 몸의 맵시나 모양새. ㉠늘씬한 몸매 / 몸매를 가꾸다.

*__몸무게__ 몸의 무게. ㉠몸무게가 늘다 / 몸무게를 재다. 비 체중.

몸부림 **1** 울거나 떼쓰거나 할 때, 온몸을 마구 흔들고 부딪는 일. **2** 잠잘 때에 이리저리 뒹굴며 자는 일. ㉠몸부림이 심한 동생. **—하다.**

몸부림치다 **1** 온몸을 심하게 흔들고 부딪다. ㉠몸부림치며 통곡하다. **2** 어떤 일을 이루거나 고통 따위를 견디려고 몹시 애쓰다. ㉠1등을 놓치지 않으려고 몸부림치다.

몸살 지나친 피로로 온몸이 쑤시고 오한이 나는 증세. ㉠몸살이 나다.

몸서리 몹시 싫증이 나거나 무서워서 몸이 떨리는 일.

몸서리나다 몹시 싫증이 나거나 무서워서 몸이 떨리다.

몸서리치다 지긋지긋하도록 싫증이 나거나 무서워 몸을 떨다. ㉠사고 현장을 보고 몸서리쳤다.

몸소 제 몸으로 직접. ㉠몸소 실천하다. 비 친히.

몸수색 (—搜索) 무엇을 찾아내려고 남의 몸을 뒤지는 일. ㉠경찰이 몸수색을 하다. **—하다.**

몸싸움 서로 몸을 부딪치며 싸우는 일. ㉠몸싸움을 벌이다. **—하다.**

몸져눕다 [몸져눕따] 병이나 고통이 심하여 자리에 누워 있다. 활용 몸져누워 / 몸져누우니.

몸조리 (—調理) 허약해진 몸을 잘 보살피고 돌봄. ㉠산후 몸조리. 비 몸조섭. **—하다.**

몸조심 (—操心) **1** 병들거나 다치지 않도록 몸을 함부로 쓰지 아니함. ㉠점점 추워지니 몸조심해라. **2**

말이나 행동을 삼감. **—하다.**

몸종 [몸쫑] 예전에, 양반집 여자 곁에서 잔심부름하던 여자 종.

*__몸집__ [몸찝] 몸의 부피. ㉥몸집이 매우 크다 / 몸집이 좋다. ㉥비 덩치.

*__몸짓__ [몸찓] 몸을 놀리는 모양. ㉥ 재빠른 몸짓.

몸차림 ⇨몸치장. **—하다.**

몸채 여러 채로 된 살림집에서 주가 되는 집채.

몸체 (—體) 물체의 몸이 되는 부분. ㉥컴퓨터의 몸체.

몸치장 (—治粧) 장신구 따위로 몸을 잘 매만져 맵시 있게 꾸밈. ㉥곱게 몸치장하다. 비 몸단장. 몸차림. **—하다.**

몸통 가슴·배·등으로 이루어진 몸의 중심 부분. ㉥몸통 운동.

*__몹:시__ [몹씨] 더할 수 없이 심하게. ㉥몹시 춥다. 비 되게. 매우. 아주.

몹:쓸 악독하고 고약한. ㉥몹쓸 사람 / 몹쓸 병에 걸리다.

*__못__[1] [몯] 넓고 깊게 팬 땅에 늘 물이 괴어 있는 곳. 비 연못. ➲pond

*__못__[2] [몯] 쇠·대·나무 따위로 가늘고 뾰족하게 만들어 물건과 물건 사이를 잇대고 걸쳐 박거나 벽 따위에 박아서 물건을 거는 데 쓰는 물건. ㉥벽에 못을 박다. ➲nail

못(을) 박다 ㉠남의 마음에 상처를 입히다. ㉥부모님 가슴에 못 박는 짓을 해서는 안된다. ㉡어떤 사실을 꼭 집어 분명하게 말하다.

못(이) 박히다 원통한 생각, 한스러운 일 등이 마음속 깊이 맺히다.

*__못:__[3] [몯] 어떤 말 앞에서, 할 수 없다거나 이루어지지 않았다는 뜻을 나타내는 말. ㉥망가뜨려 못 쓰게 만들다 / 오늘은 늦어서 못 간다 / 시끄러워 못 자겠다.

못[4] [몯] 살갗이 무엇에 스치거나 탈이 나서 딴딴하게 된 자리. ㉥발바닥에 못이 박이다.

못가 [몯까] 못의 가장자리.

못:갖춘마디 [몯깓춘마디] 악보의 첫 마디나 끝 마디에 있는, 박자표대로 되어 있지 않은 마디. 반 갖춘마디.

못:나다 [몬나다] **1** 얼굴이 잘나거나 예쁘지 않다. ㉥못난 얼굴. **2** 능력이 모자라거나 어리석다. ㉥못난 녀석. 반 잘나다.

못:난이 [몬나니] 못나고 어리석은 사람. 비 바보.

못:내 [몬내] 잊지 못하고 늘. 그지없이. ㉥못내 그리워하다.

못:다 [몯따] '다하지 못함'을 나타내는 말. ㉥못다 읽은 책.

못:되다 [몯뙤다] 성질이나 하는 짓이 좋지 아니하다. ㉥못된 녀석.

못:마땅하다 [몬마땅하다] 마음에 들지 아니하다. ㉥못마땅한 듯이 눈살을 찌푸리다.

못뽑이 [몯뽀비] 못을 뽑는 데 쓰는 연장을 통틀어 이르는 말. 노루발·장도리 따위.

못:살다 [몯쌀다] **1** 가난하게 살다. ㉥못사는 집. 반 잘살다. **2** 기를 펴지 못하게 하다. ㉥강아지를 못살게 굴다. 활용 못살아 / 못사니 / 못사는.

못:생기다 [몯쌩기다] 생김새가 보통보다 못하다. ㉥못생긴 얼굴. 반 잘생기다. ➲ugly

못:쓰다 [몯쓰다] **1** 옳지 않다. 좋지 않다. 안 되다. ㉥너무 게을러서 못쓰겠다 / 수업 중에 장난만 하면 못써. **2** 얼굴이나 몸이 축나다. ㉥ 앓았다더니 얼굴이 못쓰게 상했구나. 활용 못써 / 못쓰니.

못자리 [모짜리 / 몯짜리] 볍씨를 뿌려 모를 기르는 논. 또는 그 논바닥. 비 묘판. 묘상.

못줄 [모쭐 / 몯쭐] 모를 심을 때 줄을 맞추려고 대는 줄.

못:지않다 [몯찌안타] 일정한 수준이나 정도에 미치다. ㉥선수 못지않

게 잘 달린다. 본 못지아니하다.

못질 [몯찔] 못을 박는 일. 예벽에 못질을 하다. **—하다.**

*__못:하다__ [모타다] 서로 견주어 질이나 양의 정도가 다른 것에 비하여 낮다. 예내 자전거는 언니 것보다 **못하다.**

몽고반 (蒙古斑) 어린아이의 엉덩이·등·허리 따위에 나타나는 푸르스름한 점. 비몽고반점.

몽골 (Mongol) 〖국명〗 러시아와 중국 사이에 있는 나라. 주민의 유일한 생활 수단은 유목이며 목축업이 발달함. 수도는 울란바토르임.

몽당연필 (—鉛筆) [몽당년필] 오래 써서 길이가 짧고 뭉툭한 연필.

몽둥이 조금 굵직하고 긴 막대기.

몽땅 **1** 전부. 모두. 예재산을 몽땅 날리다. **2** 꽤 많은 부분을 대번에 자르는 모양. 큰뭉떵.

몽땅하다 끊어서 몽쳐 놓은 것처럼 짤막하다. 예몽땅한 연필.

몽똑하다 [몽또카다] 끝이 아주 짧고 무디다. 예몽똑한 연필심.

몽롱하다 (朦朧—) [몽농하다] **1** 빛이 흐릿하다. 예몽롱한 눈빛. **2** 정신이 흐리멍덩하다. 예기억이 **몽롱하다.**

몽:상 (夢想) 꿈같이 헛되거나 허황한 생각을 함. 예몽상에 잠기다 / 몽상에 젖다. **—하다.**

몽실몽실 통통하게 살이 쪄서 야들야들하고 보드라운 느낌을 주는 모양. 예새끼 돼지가 몽실몽실 살이 쪘다. 큰뭉실뭉실. **—하다.**

몽:유병 (夢遊病) [몽유뼝] 정신병의 하나. 잠을 자다가 갑자기 일어나서, 자신도 모르게 어떤 행동을 하다가 다시 자는 병. 있었던 일을 나중에 기억하지 못함.

몽:정 (夢精) 잠을 자다가 꿈속에서 성적인 쾌감을 느끼면서 정액이 나오는 것. **—하다.**

몽치다 **1** 여럿이 합쳐서 한 덩어리가 되다. 예근육이 **몽치다. 2** 여럿을 합쳐서 한 덩이로 만들다. 예눈을 **몽치다.** 큰뭉치다.

몽타주 (프 montage) 따로따로 촬영된 화면을 알맞게 떼어 붙여서 화면 전체를 구성하는, 영화나 사진의 편집 구성의 한 방법.

몽타주 사진 (montage寫眞) 여러 사람의 사진에서 어떤 사람의 모습과 비슷한 얼굴 부분만 오려서 하나로 맞춘 사진. 흔히 범죄 수사에서 응용함. 예유괴범의 **몽타주 사진.**

몽탕 **1** 전부. **2** 꽤 많은 부분을 대번에 자르는 모양. 센몽땅.

뫼:[1] 사람의 무덤. 비묘.

뫼[2] '산'의 옛말.

뫼시다 '모시다'의 옛말.

묏:자리 [뫼짜리 / 뫼짜리] 뫼를 쓸 자리. 못자리. 예**묏자리**가 좋다 / **묏자리**를 잘 쓰다 / **묏자리**를 보다.

묘: (墓) 사람의 무덤.

묘:기 (妙技) 교묘한 기술과 재주. 예**묘기**를 부리다.

묘:령 (妙齡) 스무 살 안팎의 여자 나이. 예**묘령**의 아가씨.

*__묘:목__ (苗木) 옮겨 심기 위하여 가꾼 어린나무. 비모나무.

묘:미 (妙味) 썩 좋은 재미. 예검도는 **묘미**가 있는 운동이다.

묘:비 (墓碑) 무덤 앞에 세우는 비석. 비묘석.

묘:사 (描寫) 글이나 그림에서, 어떤 사물이나 마음의 상태 등을 있는 그대로 나타내거나 그려 냄. 예자연 경치를 잘 **묘사**한 동화. **—하다.**

묘:상 (苗床) **1** 꽃·채소 따위의 모종을 키우는 자리. **2** ⇨못자리.

묘:소 (墓所) '산소[1]'의 높임말.

묘:수 (妙手) **1** 좋은 방법이나 솜씨. 예**묘수**를 쓰다 / 특별한 **묘수**가 없다. **2** 바둑이나 장기에서, 생각해 내기 힘든 좋은 수. 예**묘수**를 두다.

묘:안 (妙案) 좋은 생각. ㉠묘안을 짜내다 / 묘안이 떠오르다.
묘:약 (妙藥) 신기하게 잘 듣는 약.
묘:연하다 (杳然—) 소식이나 행방 따위를 알 수 없다. ㉠그의 행방이 묘연하다.
묘:지 (墓地) 무덤이 있는 땅. ㉠묘지를 이장하다.
묘:지기 (墓—) 남의 산소를 지키며 보살피는 사람.
묘:책 (妙策) 매우 좋은 꾀.
묘:판 (苗板) **1** ⇨못자리. **2** 씨를 뿌려 모를 키우려고 만들어 놓은 곳.
*__묘:하다__ (妙—) **1** 모양이나 동작 따위가 색다르다. ㉠묘하게 생긴 돌. **2** 일이나 이야기 따위가 기이하여 표현하기 어렵다. ㉠기분이 묘하다 / 일이 묘하게 됐다. **3** 수완이나 재주 따위가 뛰어나거나 약빠르다. ㉠묘한 꾀를 생각해 내다.
묫:자리 (墓—) [묘짜리 / 묟짜리] ⇨ 묏자리.
*__무:__[1] 뿌리와 잎을 먹는 채소의 한 가지. 봄에 엷은 보라색이나 흰 꽃이 핌. 잎은 뿌리에서 뭉쳐나고 뿌리는 빛이 희고 살이 많음. ×무우.
무[2] (無) 없음. 반 유.
무- (無) 어떤 말 앞에 붙어서 그것이 없음을 나타내는 말. ㉠무관심 / 무질서 / 무감각.
무가치하다 (無價値—) 아무런 값어치나 쓸모가 없다.
무감각 (無感覺) **1** 감각이 없음. ㉠동상에 걸려 발가락이 무감각해지다. **2** 주위 사정이나 분위기 따위에 관심이 없음. ㉠무감각한 표정을 짓다. **—하다.**
*__무겁다__ [무겁따] **1** 무게가 많이 나가다. ㉠무거운 돌. **2** 깊이 생각한 후 말과 행동을 하다. ㉠입이 무겁다. **3** 부담·책임 따위가 크거나 중대하다. ㉠책임이 무겁다. **4** 기분이 언짢거나 우울하다. ㉠머리가 무겁다 / 마음이 무겁다. **5** 병이나 죄가 심하거나 크다. ㉠죄에 비해 무거운 벌을 받다. 반 가볍다. 활용 무거워 / 무거우니.
*__무게__ **1** 물건의 무거운 정도. ㉠무게를 달다. 비 중량. **2** 가치나 중요성의 정도. ㉠무게 있는 작품. **3** 말과 행동이 침착하고 의젓한 정도. ㉠무게 있는 사람. ➲ weight
무게 중심 (—中心) 물체를 받쳐 기울지 않게 되는 점. 그 물체의 각 부분에 작용하는 중력이 하나로 모이는 점. 비 중심.
무계획 (無計劃) 아무 계획이 없음. **—하다.**
무고[1] (無故) **1** 아무런 까닭이 없음. ㉠무고로 결석한 학생. **2** 아무런 사고 없이 편안함. ㉠식구 모두 무고하다. 비 무사. 반 유고. **—하다. —히.**
무:고[2] (誣告) 없는 사실을 거짓으로 꾸며 남을 고발하거나 고소함. **—하다.**
무:고죄 (誣告罪) [무고쬐] 남이 처벌을 받게 할 목적으로 거짓을 신고함으로써 이루어지는 죄.
무고하다 (無辜—) 아무 잘못이나 죄가 없다. ㉠무고하게 죽다 / 무고한 백성을 괴롭히다.
무:곡 (舞曲) ⇨춤곡. ㉠헝가리 무곡.
무:공 (武功) 군인으로서 세운 공적. ㉠무공 훈장. 비 무훈.
무공해 (無公害) 자연이나 사람에게 피해를 주지 않음. ㉠무공해 식품 / 무공해 농산물.
무:과 (武科) 예전에, 무관을 뽑던 과거. 반 문과.
무:관 (武官) **1** 예전에, 무과 출신의 벼슬아치. **2** 군대 일을 맡아보는 관리. 반 문관.
무관심 (無關心) 관심이나 흥미가 없음. ㉠무관심한 태도를 보이다.

—하다.

무관하다 (無關—) 관계가 없다. (예)나와는 무관한 일이다.

무궁무진 (無窮無盡) 한이 없고 끝이 없음. 매우 많다. (예)무궁무진한 자원 / 이야깃거리가 무궁무진하다. **—하다. —히.**

무궁하다 (無窮—) 한이 없다. 끝이 없다. (예)나라의 무궁한 발전을 기원하다.

***무궁화** (無窮花) **1** ⇨무궁화나무. **2** 무궁화나무의 꽃. 우리나라의 나라꽃임. (비)근화.

〈무궁화〉

무궁화나무 (無窮花—) 아욱과의 낙엽 활엽 관목. 관상용·울타리용으로 심음. 높이는 3 m, 가지가 많음. 여름에 분홍·보라·흰색·자줏빛의 꽃이 종 모양으로 핌. (비)무궁화.

무균 (無菌) 균이 없음. 또는 그런 상태. (예)무균 처리한 우유.

***무:기**[1] (武器) 전쟁에 쓰이는 총·대포·유도탄·핵폭탄 따위의 온갖 기구. (비)병기.

무기[2] (無期) '무기한'의 준말. (예)무기 연기. (반)유기.

무:기고 (武器庫) 무기를 보관하는 창고.

무기력 (無氣力) 기운과 힘이 없음. (예)무기력한 사람. **—하다.**

무기명 (無記名) 이름을 쓰지 않음. (예)무기명 비밀 투표. (반)기명.

무기물 (無機物) 생활 기능이 없는 물질이나 그것을 원료로 하여 만든 물질을 통틀어 이르는 말. 물·공기·광물 따위. (반)유기물.

무기 염류 (無機塩類) [—염뉴] 무기산과 염기가 반응하여 생긴 물질을 통틀어 이르는 말. 식염·황산암모늄·질산칼슘 따위.

무기질 (無機質) 뼈·이·피·체액 따위에 포함되어 있는 영양소로 생물의 성장·유지에 꼭 필요한 원소. 칼슘·인·철분 따위.

무기한 (無期限) 일정한 기한이 없음. (반)유기한. (준)무기.

무기 화합물 (無機化合物) [—화함물] 탄소를 포함하고 있지 않은 화합물. 다만 탄산이나 탄산가스는 여기에 포함됨. (반)유기 화합물.

무난하다 (無難—) **1** 어렵지 아니하다. 괜찮다. (예)예선은 무난하게 통과되었다. **2** 까다롭지 않고 무던하다. (예)그는 무난한 사람이다.

무난히 (無難—) 어렵지 않게. 무난하게. (예)무난히 시험에 합격하다.

무남독녀 (無男獨女) [무남동녀] 아들이 없는 집안의 외딸.

무너뜨리다 무너지게 하다. (예)담을 무너뜨리다.

***무너지다** **1** 포개어 쌓인 물건이 떨어져 흩어지다. (예)벽이 무너지다. **2** 어떤 계획 등이 이루어지지 않다. (예)공든 탑이 무너지다. **3** 질서나 체계 따위가 파괴되다. (예)사회 질서가 무너지다.

무:녀 (巫女) ⇨무당.

무논 물이 늘 괴어 있거나 물을 쉽게 댈 수 있는 논.

무능 (無能) 재주나 힘이 없음. 능력이 없음. (예)무능한 지도자. (반)유능. **—하다.**

무능력 (無能力) [무능녁] 일을 처리할 만한 힘이 없음. (예)무능력자. **—하다.**

***무늬** [무니] **1** 물건 거죽에 어룽진 모양. (예)얼룩 무늬. **2** 옷감·조각 등을 꾸미기 위한 여러 가지 모양. (예)무늬를 수놓다. (비)문양.

무:단[1] (武斷) 무력이나 억압을 써서 강제로 행함. (예)무단 정치 / 무단으로 점거하다.

무단[2] (無斷) 미리 승낙을 얻지 않음. (예)무단 외출 / 무단으로 결근하다. **—하다. —히.**

***무:당** 귀신을 섬기어 길흉을 점치고 굿을 하는 것을 업으로 하는 여자. [비]무녀.

무:당벌레 무당벌렛과의 곤충. 몸 길이는 8 mm가량이고, 딱지날개는 붉은 바탕에 검은 무늬가 있음. 몸은 달걀 모양으로 둥글게 불쑥 나와 있고 아래쪽은 편평함. 진딧물을 잡아먹는 익충임.

〈무당벌레〉

***무:대**(舞臺) **1** 노래·춤·연극 따위를 하기 위하여 높직하게 만든 단. (예)화려한 무대 / 조명이 무대를 비추다. **2** 온갖 재주나 기술 따위를 나타내 보이는 곳. (예)세계 무대에 진출하다.

무더기 많은 물건을 한데 모아 수북이 쌓은 더미. 또는 그것을 세는 말. (예)돌 무더기 / 토마토 한 무더기에 2,000원.

무더위 찌는 듯한 더위. (예)무더위에 시달리다.

무던하다 **1** 정도가 어지간하다. **2** 마음씨가 너그럽다. (예)성격이 무던한 사람.

무던히 무던하게. (예)무던히 애를 먹이는구나.

***무덤** 시체를 땅에 묻은 곳. [비]분묘. 산소.

무덤덤하다 마음에 아무 느낌이 없이 예사스럽다. (예)무덤덤한 성격 / 무덤덤한 표정을 짓다.

***무덥다** [무덥따] 찌는 듯이 덥다. (예)무더운 여름 날씨. [반]서늘하다. [활용]무더워 / 무더우니.

무:도[1](舞蹈) **1** 춤을 춤. **2** ⇨무용. **—하다.**

무:도[2](武道) **1** 무술하는 사람이 마땅히 지켜야 할 도리. **2** 무예·무술 따위를 통틀어 이르는 말.

무:도회(舞蹈會) 여러 사람이 음악에 맞추어 춤을 추는 모임.

무독(無毒) 독기가 없음. (예)무독 무해. [반]유독. **—하다.**

무:동(舞童) **1** 예전에, 나라 잔치 때 춤을 추고 노래를 부르던 아이. **2** 농악에서 남의 어깨 위에 서서 춤추는 아이.

무동(을) 서다 서 있는 다른 사람의 어깨 위에 올라서다.

무동(을) 타다 다른 사람의 어깨 위에 올라가 목 뒤로 걸터앉다.

무:두질 **1** 짐승의 날가죽에서 털과 기름을 뽑아 가죽을 부드럽게 만드는 일. **2** 몹시 배가 고프거나 속병이 나서 속이 쓰라리고 아픈 것을 가리키는 말. **—하다.**

무드(mood) 어떤 상황에서 대체적으로 느끼는 분위기나 기분. 정서. 분위기. (예)무드를 잡다 / 무드를 깨다.

무디다 **1** 끝이나 날이 날카롭지 않다. (예)무딘 면도날. **2** 느끼어 깨닫는 힘이 모자라다. (예)감각이 무디다. [반]날카롭다.

무뚝뚝하다 [무뚝뚜카다] 성격이 쾌활하지 않고 인정미가 없다. 아기자기한 맛이 없다. (예)무뚝뚝한 표정 / 무뚝뚝한 사나이.

무량수전(無量壽殿) 무량수불(수명이 한없는 부처)인 아미타불을 모신 법당. 경상북도 영주시의 부석사에 있음. 국보 제 18 호임.

***무럭무럭** [무렁무럭] **1** 힘차게 잘 자라는 모양. (예)무럭무럭 크는 아이들. **2** 연기나 냄새 따위가 피어오르는 모양. (예)김이 무럭무럭 난다. [작]모락모락.

무려(無慮) 어떤 수효를 말할 때, 그 수가 예상보다 상당히 많음을 나타내는 말. (예)사상자가 무려 50 명이나 되었다.

무:력(武力) 군사상의 힘. (예)무력

을 행사하다. 비 병력.

무력감 (無力感) [무력깜] 스스로 힘이나 능력이 없음을 알았을 때의 허탈하고도 맥 빠진 듯한 느낌. 예 무력감이 들다 / 무력감에 빠지다.

무력하다 (無力—) [무려카다] **1** 힘 또는 세력이 없다. 예 적군의 공격에 무력하게 패배했다. **2** 능력이나 활동할 힘이 없다. 예 생활에 무력한 사람.

*__무렵__ 바로 그때쯤. 일이 벌어질 그즈음. 예 해질 무렵.

무ː령왕 (武寧王) 〖인명〗 백제 제25대 왕. 시호는 무령. 동성왕의 둘째 아들. 즉위하자 반역한 신하인 구가를 죽이고, 만년에는 쌍현성을 쌓아 외침에 대비하였음. [?–523 ; 재위 501–523]

무ː령왕릉 (武寧王陵) [무령왕능] 충청남도 공주에 있는 백제 제25대 무령왕의 무덤. 1971년 발견되었는데, 백제 금관을 비롯하여 우리나라에서 가장 오래된 지석과 많은 유물이 발굴되었음.

무례 (無禮) 예의에 벗어남. 예의가 없음. 예 무례한 행동을 하다. **—하다. —히.**

무뢰한 (無賴漢) 일정한 직업이 없이 돌아다니며 나쁜 짓을 하는 사람.

무료 (無料) 값이나 요금이 없음. 예 극장에 무료로 입장하다. 비 거저. 공짜. 반 유료.

무료하다 (無聊—) 심심하고 지루하다. 예 무료하게 시간을 보내다.

무르녹다 [무르녹따] **1** 과일이나 음식 따위가 익을 대로 익어 흐무러지다. **2** 일이나 상태가 이루어지려는 단계에 이르다. 예 분위기가 무르녹다.

무르다[1] 굳은 것이 녹실녹실하게 푹 익다. 예 야채가 물러서 못 먹게 되었다. 활용 물러 / 무르니.

무르다[2] **1** 샀던 것을 도로 주고 돈을 되찾다. 예 차표를 무르다. **2** 이미 행한 일을 그 전의 상태로 되돌리다. 예 바둑돌을 무르다. 활용 물러 / 무르니.

무르다[3] **1** 단단하지 않다. 예 무른 사과. **2** 마음이나 힘이 약하다. 예 그녀는 마음이 너무 물러 걸핏하면 운다. 활용 물러 / 무르니.

무르익다 [무르익따] 익을 대로 푹 익다. 예 무르익은 오곡백과.

무릅쓰다 어려운 일을 참고 견뎌 해내다. 예 위험을 무릅쓰다. 활용 무릅써 / 무릅쓰니.

무릇 [무륻] 대체로 보아. 예 무릇 성공이란 노력의 결실이다.

무ː릉도원 (武陵桃源) 중국 진나라 때 한 어부가 길을 잃고 복숭아꽃이 핀 산속의 한 마을을 가게 되었는데, 그곳에는 난리를 피하여 온 사람들의 자손들이 바깥세상의 변천과 많은 세월이 지난 줄도 모르고 평화롭게 살고 있었다 함. **1** 신선이 살았다는 전설적인 중국의 명승지. **2** ⇨ 별세계. 준 도원.

*__무릎__ [무릅] 넓적다리와 정강이 사이의 이어진 부분의 앞쪽. ➔ knee

무릎(을) 꿇다 항복하다. 굴복하다. 예 무릎 꿇고 용서를 빌다.

무릎(을) 치다 매우 좋은 일이나 놀랄 만한 일이 있을 때 무릎을 탁 치다.

무릎걸음 [무릅꺼름] 무릎을 꿇고 걷는 걸음.

무릎베개 [무릅뻬개] 남의 무릎을 베개 삼아 베는 일. 예 무릎베개하고 잠들다. **—하다.**

무릎뼈 [무릅뼈] 무릎 앞 한가운데에 있는 종지같이 생긴 뼈. 비 슬개골. 종지뼈.

무릎장단 (—長短) [무릅짱단] 무릎을 치며 장단을 맞추는 일.

*__무리__[1] 여럿이 모여 한 동아리를 이룬 사람들. 또는 짐승의 떼. 예 무리

를 지어 돌아다니다.

*무리² (無理) 1 이치에 맞지 않음. 도리가 아님. ㊀무리한 요구를 하다. 2 힘에 부치는 일을 억지로 우겨서 함. ㊀일을 무리하게 떠맡기다/내 힘으로는 무리다. ―하다.

무리수 (無理數) 정수·분수의 형식으로 나타낼 수 없는 실수.

무:마 (撫摩) 마음을 달래어 위로함. ㊀흥분한 사람들을 무마하다. ―하다.

무면허 (無免許) 면허가 없음. ㊀무면허로 운전하다/무면허 의사를 구속하다.

*무명¹ 무명실로 짠 피륙. ㊐면포.

무명² (無名) 이름이 알려져 있지 않음. ㊀무명 가수/무명 인사. ㊁유명. ―하다.

무명실 목화의 솜을 자아서 만든 실. ㊐면사.

무명씨 (無名氏) 이름을 세상에 드러내지 않은 사람.

무명지 (無名指) ⇨약손가락.

무모하다 (無謀―) 앞뒤를 깊이 생각하는 신중함이 없다. ㊀무모한 계획을 짜다.

무미건조하다 (無味乾燥―) 재미나 멋이 없고 메마르다. ㊀무미건조한 생활/무미건조한 글.

무미하다 (無味―) 1 맛이 없다. 2 재미가 없다.

무방비 (無防備) 적을 막아 지킬 시설이나 경비가 없음. ㊀무방비한 상태에서 공격을 받다. ―하다.

무방하다 (無妨―) 방해될 것이 없다. 지장이 없다. ㊀가벼운 산책은 무방하다.

무법 (無法) 1 법이 없음. ㊀무법 지대. 2 도리에 어긋나고 난폭함.

무법자 (無法者) [무법짜] 법을 무시하고 난폭한 행동을 하는 사람.

무병장수 (無病長壽) 병 없이 건강하게 오래 삶. ―하다.

무보수 (無報酬) 일을 한 대가로 주는 돈이나 물건이 없음. ㊀무보수로 일하다.

무분별하다 (無分別―) 사리에 맞게 판단하지 못하다. 분별이 없다. ㊀무분별한 결정을 내리다.

무:사¹ (武士) 예전에, 무예를 익히어 전쟁에 종사하던 사람. ㊁문사.

무사² (無事) 아무 탈이 없음. ㊀무사 귀환을 빌다/무사히 도착하다. ㊐무고. ―하다. ―히.

무사고 (無事故) 사고가 없음. ㊀무사고 운전.

무사태평 (無事太平) 1 아무 탈 없이 편안함. 2 아무 일에도 마음을 두지 않고 태평함. ㊀어떤 일에나 무사태평인 사람. ―하다.

무상하다 (無常―) 1 덧없다. ㊀인생이 무상하다. 2 나서 죽고, 흥하고 망하는 것이 한결같지 않다. 모든 것이 늘 변하다.

무색 (無色) 아무 빛깔이 없음. ㊀무색의 기체. ㊁유색.

무색하다 (無色―) [무새카다] 1 부끄러워서 볼 낯이 없다. ㊀무색하여 자리를 피하다. ㊐무안하다. 2 본디의 특색을 드러내지 못하고 보잘것없다. ㊀가수가 무색할 정도로 노래 솜씨가 좋다.

무생물 (無生物) 생활 기능·생명이 없는 물건. 돌·물 따위. ㊁생물.

무서리 늦가을에 처음 내리는 묽은 서리. ㊁된서리.

무서움 무서워하는 느낌. ㊀무서움에 떨다. ㊂무섬.

무서워하다 무엇을 무섭게 여기다. ㊀밤에 다니기를 무서워하다.

무선 (無線) 통신이나 방송을 전선 없이 전파로 함. ㊁유선.

무선 전:신 (無線電信) 전선을 쓰지 않고 전파로 통신할 수 있는 장치. ㊂무선. 무전.

무선 전:화 (無線電話) 전선이 없

이 전파를 이용하는 전화. 국제 전화 등에 쓰임. 준 무선. 무전.

무섬 '무서움'의 준말. ㉦무섬을 타다.

무섬증 (—症) [무섬쯩] 유난히 무서워하는 심리적인 현상.

*__무섭다__ [무섭따] **1** 상대방의 위력에 눌려 마음이 약해져서 두렵다. ㉦무서운 선생님. **2** 정도나 수준 따위가 놀랄 만하다. ㉦무서운 속도로 운전을 하다. **3** 정도가 매우 심하다. 지독하다. ㉦무서운 눈초리. 작 매섭다. **4** '어떤 일을 하자마자 곧'의 뜻. ㉦종례가 끝나기가 무섭게 밖으로 뛰어나갔다. 활용 무서워 / 무서우니.

무성 (無聲) 소리가 없음. 또는 소리를 내지 않음.

무성 영화 (無聲映畫) [—녕화] 영상만 있고 대사·음향 효과 따위의 소리가 없는 영화. ㉦무성 영화 시대. 반 발성 영화.

무성의 (無誠意) [— / 무성이] 일에 정성이 없음. ㉦무성의한 태도 / 무성의하게 대답하다. **—하다.**

무:성하다 (茂盛—) **1** 풀이나 나무 따위가 많이 나서 우거지다. ㉦잡초가 무성하다. **2** 생각이나 말, 소문 따위가 마구 뒤섞이거나 퍼져서 많다. ㉦그에 대한 소문이 온 마을에 무성하다.

무소속 (無所屬) 어느 단체나 정당에도 속해 있지 않음. 또는 그런 사람. ㉦무소속으로 입후보하다.

무소식 (無消息) 소식이 없음. ㉦어제 집을 나간 후로 무소식이다.

무쇠 **1** 솥 따위를 만드는 재료가 되는 쇠. **2** 강하고 굳센 것의 비유. ㉦무쇠 같은 팔뚝.

무수하다 (無數—) 셀 수 없이 많다. 한없이 많다. ㉦무수한 별이 반짝이고 있다.

무수히 (無數—) 무수하게. ㉦밤하늘엔 별이 무수히 많다.

무순 (無順) 순서가 없음.

무:술 (武術) 무기나 맨손으로 상대와 싸우는 기술. ㉦무술을 익히다 / 무술이 뛰어나다. 비 무예.

*__무슨__ **1** 의문의 뜻을 나타내는 말. ㉦무슨 일로 왔니. 비 어떤. **2** 사물의 내용이나 특성 따위를 모를 때 이르는 말. ㉦그 사람에게 무슨 죄가 있을까. **3** 예상외로 못마땅함을 강조하는 말. ㉦무슨 말을 그렇게 하니.

무승부 (無勝負) 운동 경기 따위에서, 이기고 지는 편이 없음. ㉦무승부로 끝나다. 비 비김.

무시 (無視) **1** 존재나 가치를 알아주지 아니함. ㉦남의 의견을 무시하다. **2** 사람을 깔보거나 업신여김. ㉦돈 좀 있다고 사람을 무시하지 마라. **—하다.**

무시무시하다 무서움에 떨게 하는 기운이 있다. ㉦무시무시한 이야기.

무시험 (無試驗) 시험을 치르지 않음. ㉦무시험 입학.

무식 (無識) 배운 것이 없음. 아는 것이 없음. ㉦무식한 행동. 비 무지. 반 유식. **—하다.**

무:신 (武臣) 예전에, 무관으로서 나라의 군대를 지휘하던 신하. 반 문신.

무신경하다 (無神經—) **1** 감각이나 느낌 따위가 둔하다. **2** 어떤 자극에도 반응이 없다.

무심 (無心) **1** 아무 감정이나 생각이 없음. ㉦무심히 말하다. **2** 남의 일을 걱정하거나 관심이 없음. ㉦편지 한 장 없으니 너무도 무심하다. **—하다. —히.**

무심결 (無心—) [무심껼] 아무 생각이 없이 깨닫지 못하는 사이. ㉦무심결에 들은 이야기. 참고 주로 '무심결에'의 꼴로 쓰임.

무심코 (無心—) 뜻하지 않게. ㉦무

심코 비밀을 털어놓았다.
무쌍하다 (無雙—) 서로 견줄 만한 짝이 없다. ㉮재주가 무쌍하다.
무안 (無顔) 부끄러워 볼 낯이 없음. ㉮무안을 당하다. **—하다.**
무안(을) 주다 상대방을 무안하게 하다.
무어 1 '무엇'의 준말. ㉮이건 대체 무어야. 2 놀랐을 때 내는 소리. ㉮무어, 다쳤다구. 3 친구나 손아랫사람에게 되묻는 말. ㉮무어, 그게 무슨 소리야. 준 머. 뭐.
무언 (無言) 말이 없음. ㉮무언의 약속.
무언극 (無言劇) 말은 하지 않고 몸짓과 표정만으로 표현하는 연극. 팬터마임.
무언중 (無言中) 말이 없는 가운데. ㉮무언중에 마음이 통하다. 참고 주로 '무언중에'의 꼴로 쓰임.
무엄하다 (無嚴—) 버릇없이 굴다.
무엄히 (無嚴—) 무엄하게. ㉮어른 앞에서 무엄히 굴다.
*__무엇__ [무얻] 잘 모르는 일에 대해서 의심을 가질 때 쓰는 말. ㉮그게 무엇이냐. 준 무어. 뭣.

> **참고 무엇을·무엇이의 준말**
> '무엇을'의 준말…무얼. 뭘. 뭣을.
> '무엇이'의 준말…무에. 뭣이.

*__무:역__ (貿易) 나라와 나라끼리 서로 물건을 팔고 삼. ㉮대외 무역이 활발하다. 비 교역. 통상. **—하다.**
무:역 수지 (貿易收支) [—쑤지] 나라와 나라 사이의 무역에서, 수입과 수출을 비교한 결과.
무:역항 (貿易港) [무여캉] 외국과의 무역이 발달한 항구.
무연탄 (無煙炭) 검고 윤이 나며, 태워도 연기가 나지 않는 석탄. 탄소분이 90% 이상임.
무:열왕 (武烈王) 〖인명〗 ⇨김춘추.
무:예 (武藝) 칼·창·활·총 따위를 쓰는 재주. ㉮무예를 익히다 / 무예에 뛰어난 군사. 비 무술.
무:왕 (武王) 〖인명〗 1 백제의 제30대 임금. 일본에 천문·지리 따위의 책과 불교를 전하고, 신라 진평왕의 딸 선화 공주를 사랑하여 향가 '서동요'를 지었다고 함. [?-641; 재위 600-641] 2 발해 제2대 임금. 일본과 수교하여 문물을 교환하고 당나라를 공략함. [?-737; 재위 719-737]
무:용¹ (武勇) 싸움에서 날쌔고 용맹스러움.
*__무:용²__ (舞踊) 음악에 맞추어 몸을 움직여 감정과 뜻을 나타내는 예술. ㉮민속 무용. 비 무도. 춤. **—하다.**
무:용가 (舞踊家) 무용을 잘하거나 전문으로 연구하는 사람.
무:용곡 (舞踊曲) 무용을 할 때 맞추어 추도록 연주하는 악곡.
무:용단 (舞踊團) 무용을 전문적으로 하는 사람들로 이루어진 단체. ㉮국립 고전 무용단.
무:용담 (武勇談) 싸움에서 용감하게 싸워 공을 세운 이야기.
무:용수 (舞踊手) 극단이나 무용단 따위에서 전문적으로 춤을 추는 사람.
무용지물 (無用之物) 아무 쓸데없는 사람이나 물건.
무:용총 (舞踊塚) 중국 만주 지린성에 있는 고구려 때의 무덤. 고구려 고분 중의 하나로 1940년에 발견됨. 무덤 벽에는 남녀 14명이 춤추고 있는 벽화와 고구려 사람들의 생활 풍속을 그린 벽화가 있음.
무용하다 (無用—) 쓸모나 소용이 없다. 반 유용하다.
무위도식 (無爲徒食) 하는 일 없이 놀고먹음. ㉮무위도식으로 세월을 보내다. **—하다.**

무의미하다 (無意味―) **1** 아무 뜻이 없다. ㉠무의미한 행동을 하다. **2** 가치나 의의가 없다. ㉠무의미하게 시간을 보내다.

무의식 (無意識) [―/무이식] 자신의 말이나 행동을 스스로 깨닫지 못하는 상태. ㉠무의식중에 한 행동.

무의식적 (無意識的) [무의식쩍/무이식쩍] 의식이 없는 상태인 (것). ㉠무의식적인 행동/무의식적으로 피하다. ㉥의식적.

무익하다 (無益―) [무이카다] 이롭거나 도움이 될 만한 것이 없다. ㉠무익한 말다툼. ㉥유익하다.

무ː인[1] (武人) 무예를 닦은 사람. ㉡무사. ㉥문인.

무인[2] (無人) 사람이 없음. ㉠무인 인공위성/무인 카메라. ㉥유인.

무인도 (無人島) 사람이 살고 있지 않는 섬. ㉠난파선이 표류하다 무인도에 닿았다.

무일푼 (無一―) 한 푼도 없음. 가진 돈이 전혀 없음.

무임 (無賃) 돈을 내지 않음. ㉠무임 승차.

무자격 (無資格) 자격이 없음. ㉠무자격 선수. **―하다.**

무자맥질 [무자맥찔] 물속에서 떴다 잠겼다 하며 팔다리를 놀리는 짓. ㉦자맥질. **―하다.**

무자비하다 (無慈悲―) 인정이 없이 쌀쌀하고 모질다. ㉠군중을 무자비하게 몰아내다.

무자위 물을 높은 데로 끌어 올리는 데 쓰는 농기구. ㉡양수기.

무작정 (無酌定) [무작쩡] **1** 미리 정한 것이 없음. ㉠무작정 기다리다/무작정 집을 나오다. **2** 좋고 나쁨을 가리지 않음. ㉠무작정 혼내다.

무ː장 (武裝) **1** 전투를 하기 위해 장비를 갖춤. 또는 그 장비. ㉠무장 군인. **2** 필요로 하는 사상이나 기술 따위를 단단히 갖춤. ㉠온 국민이 정신 무장을 하다. **―하다.**

무적 (無敵) 겨룰 만한 상대가 없음. ㉠무적의 함대.

무전 (無電) '무선 전신', '무선 전화'의 준말.

무전기 (無電機) 무선 전신 또는 무선 전화를 할 수 있도록 장치가 되어 있는 기계.

무전여행 (無錢旅行) [무전녀행] 돈을 들이지 않고 하는 여행. ㉠전국 일주 무전여행에 나서다.

무절제 (無節制) [무절쩨] 어느 정도에 알맞게 조절하지 못함. ㉠무절제한 생활. **―하다.**

무정하다 (無情―) 정이 없다. 인정이 없다. ㉠무정한 사람/무정한 세월은 덧없이 흘러간다.

무제 (無題) 제목이 없음. 흔히 시나 예술 작품 따위에서 일정한 제목이 없다는 뜻으로 제목 대신 씀.

무제한 (無制限) 일정한 한도가 없는 것. ㉠무제한 공급하다.

무조건 (無條件) [무조껀] **1** 아무 조건도 없음. ㉠무조건으로 도와주다. **2** 덮어놓고. ㉠무조건 찬성하다.

무조건 반ː사 (無條件反射) [무조껀―] 입 안에 먹을 것을 넣으면 침이 나오는 것과 같이 어떤 자극에 대한 본능적인 반응. 대뇌와 관계없이 일어남. ㉥조건 반사.

무좀 발가락 사이나 발바닥에 잘게 물집이 생겨 몹시 가려운 피부병.

무죄 (無罪) **1** 아무 잘못이나 죄가 없음. **2** 법적으로 죄가 되지 않거나 범죄의 증명이 없음. 또는 그렇다는 판결. ㉠무죄로 석방되다. ㉥유죄.

무중력 상태 (無重力狀態) [무중녁쌍태] 궤도에 오른 우주선 등에서 체험할 수 있는, 무게를 느끼지 않는 상태.

무지[1] (無知) **1** 아는 것이 없음. ㉠무지를 깨치다/무지의 탓으로 돌리다. ㉡무식. **2** 미련하고 우악스러움. **—하다. —스럽다.**

무지² (無智) 굉장히 많이. ㉠오늘은 무지 춥다. 비 엄청.

*__무지개__ 비 온 뒤 하늘에 나타나는 일곱 가지 빛의 줄기. 공중의 물방울이 햇빛에 반사되어 생김. 그 빛깔은 위로부터 빨강·주황·노랑·초록·파랑·남색·보라임. ➲ rainbow

무지렁이 **1** 헐었거나 잘라져서 못 쓰게 된 물건. **2** 어리석고도 무식한 사람.

무지막지하다 (無知莫知—) [무지막찌하다] 매우 무지하고 우악스럽다. ㉠무지막지한 사람.

무지몽매 (無知蒙昧) 아는 것이 없고 사리에 어두움. **—하다.**

무직 (無職) 일정한 직업이 없음.

무진장 (無盡藏) 한없이 많이 있음. ㉠무진장한 지하자원. **—하다.**

무질서 (無秩序) [무질써] 질서가 없음. ㉠무질서한 생활. **—하다.**

*__무찌르다__ **1** 닥치는 대로 남김없이 마구 쳐 없애다. ㉠적군을 무찌르다. **2** 사정을 보지 않고 마구 쳐들어가다. 활용 무찔러/무찌르니.

무차별 (無差別) 앞뒤 가리지 않음. ㉠무차별 공격. **—하다.**

무참하다 (無慘—) 몹시 끔찍하고 참혹하다. ㉠무참한 최후를 맞다.

무채색 (無彩色) 밝기의 차이는 있으나 색상과 순도가 없는 색. 흰색·검정색·회색 따위. 반 유채색.

무책임하다 (無責任—) [무채김하다] **1** 책임이 없다. **2** 책임감이 없다. ㉠무책임한 행동을 하다.

*__무척__ 매우. 대단히. ㉠기분이 무척 좋다/수박이 무척 크다/문제가 무척 어려웠다.

무:청 무의 잎과 줄기.

무취 (無臭) 냄새가 없음. ㉠무취의 기체. **—하다.**

무치다 나물에 갖은 양념을 섞어 버무리다. ㉠콩나물을 무치다.

무침 채소나 말린 생선, 해초 따위에 갖은 양념을 하여 무친 반찬. ㉠도라지 무침.

무턱대고 [무턱때고] 아무 까닭이나 계획이 없이. 덮어놓고. ㉠무턱대고 반대하다.

무표정하다 (無表情—) 아무 표정이 없다. ㉠무표정한 얼굴을 하고 있다.

무학 (無學) 배운 것이 없음.

무한 (無限) 크기·넓이·시간 등이 한이 없음. 끝이 없음. ㉠무한한 가능성/무한히 넓은 우주 공간. 반 유한. **—하다. —히.**

무한궤도 (無限軌道) 차바퀴의 둘레에 쇠고리로 연결된 띠를 걸어 놓은 장치. 탱크·트랙터 따위에 씀.

무한대 (無限大) 한없이 큼. ㉠무한대의 우주. **—하다.**

무한정 (無限定) 한정이 없음. ㉠무한정 기다리다. **—하다.**

무해 (無害) 해가 없음. 해롭지 않음. ㉠인체에 무해하다. 반 유해. **—하다.**

무허가 (無許可) 허가를 받지 않음. ㉠무허가 건물을 철거하다.

무:협 (武俠) 무술이 뛰어나고 의로운 사람. ㉠무협 소설.

무형 (無形) 일정한 모양이나 정해진 형식이 없음. 반 유형. **—하다.**

무형 문화재 (無形文化財) 연극·무용·음악·공예·민속놀이 따위의 문화적 소산으로 역사 또는 예술적으로 가치가 있는 것. 반 유형 문화재. *문화재.

무화과 (無花果) **1** 무화과나무의 열매. **2** ⇨무화과나무.

무화과나무 (無花果—) 뽕나뭇과의 낙엽 활엽 관목. 높이는 3 m가량, 봄·여름에 엷은 붉은빛의 꽃이 핌. 열매는 가을에 짙은 자줏빛으로 익는데 먹을 수 있음. 비 무화과.

무효 (無效) 보람이나 효력이 없

음. ㉠무효 투표 / 당선을 무효로 하다. 반 유효. **—하다.**

무:희 (舞姬) [무히] 춤추는 일을 직업으로 하는 여자.

묵 메밀·도토리·녹두 따위의 앙금을 풀 쑤듯이 되게 쑤어 굳힌 음식.

묵과하다 (默過—) [묵꽈하다] 잘못을 알고도 모르는 체하고 그대로 넘기다. ㉠거짓말한 사실을 그냥 묵과할 수 없다.

묵념 (默念) [뭉념] 추모하기 위하여 눈을 감고 마음속으로 빌거나 생각에 잠김. ㉠순국선열에 대한 묵념을 올리다. **—하다.**

*__묵다__ [묵따] **1** 오래되다. ㉠묵은 쌀. **2** 어느 곳에서 손님으로 머무르다. ㉠친구 집에 묵다.

> 주의 **묵다, 묶다와 묽다**
>
> **묵다** 1 새로 나온 것이 아니다. ㉠묵은 학설. 2 머무르다. ㉠여관에서 여러 날 묵다.
>
> **묶다** 1 동여매다. 잡아매다. ㉠끈으로 묶다. 2 얽어매다. ㉠죄인을 묶다. 3 한군데로 모아 합치다.
>
> **묽다** 용액 따위가 물기가 많아 진하지 않다. ㉠죽이 묽다.

묵독 (默讀) [묵똑] 소리를 내지 않고 글을 읽음. ㉠책을 묵독하다. 비 목독. 반 음독. **—하다.**

묵묵부답 (默默不答) [뭉묵뿌답] 잠자코 아무 대답이 없음. **—하다.**

묵묵하다 (默默—) [뭉무카다] 말없이 잠잠하다. ㉠그는 묵묵하게 쳐다볼 뿐 아무런 대답이 없다.

묵묵히 (默默—) [뭉무키] 묵묵하게. ㉠묵묵히 앉아서 일만 하다.

묵비권 (默秘權) [묵삐꿘] 피의자나 피고인이 자기에게 불리한 말을 하지 않을 수 있는 권리. ㉠묵비권을 행사하다.

묵사발 (—沙鉢) [묵싸발] **1** 묵을 담은 사발. **2** 일이나 물건이 몹시 잘못되거나 망그러진 상태. ㉠대들었다가 묵사발이 되었다.

묵살 (默殺) [묵쌀] 남의 의견이나 제안 따위를 듣고도 못 들은 척하거나 무시함. ㉠남의 의견을 묵살하다. **—하다.**

묵상 (默想) [묵쌍] 말없이 마음속으로 생각함. ㉠묵상에 잠기다. **—하다.**

묵은해 [무근해] 새해를 맞이하여 지난해를 일컫는 말. 반 새해.

묵인 (默認) [무긴] 모르는 체하고 슬며시 인정함. ㉠실수를 묵인해 주다 / 그냥 묵인하기 어려운 장난. **—하다.**

묵직이 [묵찌기] 묵직하게.

묵직하다 [묵찌카다] 보기보다 꽤 무겁다. ㉠묵직한 가방.

묵화 (墨畫) [무콰] 먹물로 그린 동양화.

묵히다 [무키다] 쓰지 않고 그냥 내버려 두다. ㉠솜씨를 묵히다 / 곡식을 심지 않고 땅을 묵히다.

*__묶다__ [묵따] **1** 새끼나 끄나풀 따위로 단을 지어 동여매다. ㉠짐을 묶다. **2** 몸을 마음대로 움직이지 못하게 얽어매다. ㉠손을 뒤로 묶다. **3** 한군데로 모아 합치다. ㉠괄호로 묶다. →묵다 주의 tie

*__묶음__ [무끔] 한데 모아서 묶어 놓은 덩이. 또는 그것을 셀 때 쓰는 말. ㉠종이 한 묶음.

묶음표 (—標) [무끔표] 숫자·문자나 문장·수식의 앞뒤를 막아 딴 것과 구별하는 문장 부호. ( )·{ }·〔 〕 따위. 비 괄호.

묶이다 [무끼다] 묶음을 당하다. ㉠손발이 묶이다.

*__문__[1] (門) **1** 여닫는 물건. 방문·대문 따위. ㉠문을 두드리다 / 문을 잠그다. **2** 어떤 것을 받아들이거나 어디에 들어가기 위한 통로. ㉠취업의

문이 좁다.
문(을) 닫다 ㉠하루의 영업을 마치다. ㉔문 닫을 시간에 손님이 오다. ㉡사업을 그만두다. ㉔불경기로 문을 닫다.
문(을) 열다 ㉠하루의 영업을 시작하다. ㉡개업하다.
문² (門) 생물의 분류에서, 강(綱)의 위, 계(界)의 아래에 있는 단계.
-문 (文) 어떤 말 뒤에 붙어, '문장·문서'의 뜻을 나타내는 말. ㉔의문문 / 기행문 / 감상문.
문가 (門—) [문까] 문의 옆. ㉔문가에 기대어 서다.
문간 (門間) [문깐] 대문이 있는 자리. ㉔문간에 들어서다.
문간방 (門間房) [문깐빵] 대문간 바로 옆에 있는 방. ㉔문간방에 세 들어 살다.
문간채 (門間—) [문깐채] 대문간 곁에 있는 집채. 비 행랑채.
문갑 (文匣) 문서·문구 따위를 넣어 두는 방 세간.
문건 (文件) [문껀] 공적인 문서나 서류. 비 문서. 서류.
문고 (文庫) **1** 여러 사람이 편리하게 읽을 수 있게 책을 모아 둔 곳. ㉔학급 문고. **2** 출판물의 한 형식. 값이 싸고 가지고 다니며 읽기 편리하도록 만든 책.
문고리 (門—) [문꼬리] 문을 여닫고 잠그는 데 쓰는 쇠고리. ㉔문고리를 걸어 잠그다.
문과¹ (文科) [문꽈] 학교에서 인문과 사회 분야를 중심으로 연구하거나 배우는 학과. 또는 그런 학문의 분야. 반 이과.
문과² (文科) [문꽈] 예전에, 문관을 뽑던 과거. 비 대과. 반 무과.
문관 (文官) 예전에, 문과 출신의 벼슬아치. 반 무관.
문교부 (文教部) '교육 인적 자원부'의 전 이름.
문구¹ (文句) [문꾸] 글의 구절. ㉔문구가 아름다운 소설. 비 글귀.
문구² (文具) '문방구1'의 준말.
문구멍 (門—) [문꾸멍] 문에 바른 종이가 찢어져서 난 구멍. ㉔문구멍으로 방 안을 들여다보다.
문구점 (文具店) ⇨문방구2.
문기둥 (門—) [문끼둥] 문의 양쪽에 서 있는 기둥. 비 문설주.
***문단¹** (文段) 긴 문장 중에 크게 나눈 글의 단락. ㉔문단을 나누다.
문단² (文壇) 시·소설 따위 문학을 일삼아서 하는 사람들의 사회.
문단속 (門團束) 탈이 없도록 문을 단단히 닫아 잠금. ㉔문단속하고 외출하다. **—하다.**
문:답 (問答) 물음과 대답. 또는 서로 묻고 대답함. **—하다.**
문대다 여기저기 마구 문지르다. ㉔흙 묻은 손을 옷자락에 문대다.
문둥병 (—病) [문둥뼝] 노르웨이의 한센이 발견한, 나균이 몸에 침입하여 생기는 만성 전염병. 털이 빠지고 살이 문드러짐. 비 나병.
문둥이 문둥병에 걸린 사람.
문드러지다 썩거나 물러서 힘없이 처져 떨어지다. ㉔홍시가 터져서 문드러지다.
***문득** 생각이나 느낌 따위가 갑자기 떠오르는 모양. ㉔문득 이사 간 친구 생각이 났다. 센 문뜩.
문뜩 생각이 갑자기 떠오르는 모양. 준 무뜩. 여 문득.
문:란 (紊亂) [물란] 도덕이나 질서, 규칙 따위가 어지러움. ㉔풍기 문란 / 질서가 문란하다. **—하다.**
문루 (門樓) [물루] 궁문이나 성문 위에 지은 다락집.
문맥 (文脈) 글의 줄거리. ㉔문맥이 통하는 글.
문맹 (文盲) 글을 읽거나 쓸 줄 모름. 또는 그런 사람. ㉔문맹자 / 문맹에서 벗어나다. 비 까막눈이.

문맹 퇴:치 (文盲退治) 글을 모르는 사람에게 읽고 쓸 수 있도록 가르치는 일. (예)문맹 퇴치 운동을 벌이다.

*__문명__ (文明) 사람의 지혜가 깨어 물질적 생활이 편리해짐. (예)현대 문명/문명이 고도로 발전하다. [비]문화. [반]미개. 야만.

문명국가 (文明國家) [문명국까] 문명이 발달하여 국민의 생활수준과 문화 수준이 높은 나라. [반]미개국. [준]문명국.

문명인 (文明人) 문명이 발달한 사회에서 사는 사람. [비]문화인. [반]야만인.

문무 (文武) 학문과 무예. 곧, 글을 읽고 지식을 넓히는 일과 말 타고 활 쏘며 창검을 익히는 일을 일컬음. (예)문무를 두루 갖춘 인물.

문무백관 (文武百官) [문무백꽌] 문관과 무관을 통틀어 부르는 말.

문무왕 (文武王) 〘인명〙 신라 제30대 임금. 김유신과 함께 백제·고구려를 멸망시켜 삼국을 통일함. 유언에 따라 시체는 화장한 뒤 동해에 장사 지냄. [?-681 ; 재위 661-681]

문물 (文物) 문화의 발달로 생긴 것. 법률·예술·종교 따위.

문민 (文民) 직업 군인이 아닌 일반 국민. (예)문민정부.

문밖 (門—) [문박] 문의 바깥쪽. (예)문밖을 나서다.

*__문방구__ (文房具) **1** 붓·종이·벼루·먹·펜·잉크·연필 등 글을 쓰는 데 필요한 도구. [준]문구. **2** 학용품이나 사무용품 따위를 파는 가게. [비]문구점. 문방구점.

문방구점 (文房具店) ⇨문방구2.

문벌 (門閥) 대대로 이어 내려오는 그 집안의 신분과 지위. (예)문벌이 좋다. [비]가문.

*__문법__ (文法) [문뻡] **1** 문장을 지을 때의 규칙. **2** 말의 구성이나 사용법에서의 규칙을 체계화한 법칙. 또는 그것을 연구하는 학문. (예)문법론. [비]말본. ➲ grammar

문:병 (問病) 앓는 사람을 찾아보고 위로함. (예)병원에 입원한 친구를 문병하다. [비]병문안. **—하다.**

문살 (門—) [문쌀] 문짝의 뼈가 되는 가늘고 길게 오린 나무나 대나무의 조각. (예)문살이 부러지다.

문:상 (問喪) 초상당한 사람을 찾아가서 위로하는 것. [비]조문. 조상. **—하다.**

문:상객 (問喪客) 문상하러 온 사람. (예)문상객이 줄을 잇다.

문서 (文書) 글로써 생각이나 뜻을 적어 나타낸 것.

문선 (文選) **1** 뛰어난 글을 가려서 뽑음. 또는 그렇게 하여 엮은 책. **2** 인쇄소에서 원고대로 활자를 골라 뽑는 일. **—하다.**

문설주 (門—柱) [문설쭈] 문의 양쪽에 세워 문짝을 끼워 달게 된 기둥.

문신 (文身) 살갗을 바늘로 찔러 먹물 따위로 글씨나 그림, 무늬 따위를 새겨 넣음. 또는 그렇게 새겨 넣은 것. **—하다.**

문:안 (問安) [무난] 웃어른께 안부를 여쭘. (예)시골 할아버지께 문안 편지를 올리다. [비]안부. **—하다.**

문양 (文樣) [무냥] ⇨무늬.

문어[1] (文魚) [무너] 낙짓과의 연체동물. 몸의 길이는 발끝까지 3m 정도이며, 여덟 개의 발이 있음. 몸빛은 고동색이고, 엷은 그물 무늬가 있으며 환경에 따라 색깔이 변함.

〈문어[1]〉

문어[2] (文語) [무너] 주로 글을 쓸 때에 쓰는 말. [비]글말. [반]구어.

문예 (文藝) [무녜] **1** 문학과 예술.

2 시·소설·희곡·수필 등 아름다움을 말과 글로써 표현한 예술 작품을 통틀어 이르는 말.

문예 부:흥 (文藝復興) [무녜—] ⇨르네상스.

문외한 (門外漢) [무뇌한] **1** 어떤 일에 전문이 아닌 사람. ㉥미술에는 문외한이다. **2** 어떤 일에 직접적인 관계가 없는 사람.

문:의 (問議) [무늬 / 무니] 물어서 의논함. ㉥문의 사항 / 담당자에게 문의하다. **—하다.**

문익점 (文益漸) 〖인명〗 고려 공민왕 때의 선비. 사신으로 원나라에 갔다가 목화씨를 얻어다 목화를 퍼뜨림. [1329–1398]

문인 (文人) [무닌] 문학을 직업으로 하는 사람. 반 무인.

***문자** (文字) [문짜] 말이나 소리를 눈으로 볼 수 있도록 적어 나타낸 일종의 부호. 비 글자.

문자 그대로 과장 없이 사실 그대로. ㉥문자 그대로 참패했다.

***문장** (文章) **1** 생각이나 느낌을 글자로 기록해 나타낸 것. ㉥문장이 서투르다. 비 글월. **2** '문장가'의 준말.

문장가 (文章家) 글을 뛰어나게 잘 짓는 사람. ㉥당대 일류의 문장가. 준 문장.

문장 부호 (文章符號) 글의 뜻을 돕거나 글을 구별하여 읽고 알아보기 쉽게 하기 위하여 쓰는 여러 가지 부호. 온점(.)·반점(,)·물음표(?)·느낌표(!) 따위.

문전 (門前) 문 앞. ㉥문전에 늘어서다 / 문전에서 쫓겨나다.

문전성시 (門前成市) 찾아오는 사람이 많아 집 문 앞이 시장을 이루다시피 북적대는 것. ㉥문전성시를 이루다.

***문:제** (問題) **1** 해답을 필요로 하는 물음. ㉥수학 문제 / 문제가 어렵다 / 문제의 답을 맞히다. 반 해답. **2** 성가신 일. 또는 귀찮은 사건. ㉥문제를 일으키다 / 곤란한 문제가 생기다. **3** 연구·논의 따위의 대상이 되는 사항. ㉥환경오염 문제를 논의하다. ➲ problem

문:제시 (問題視) 문젯거리로 삼음. **—하다.**

문:제아 (問題兒) 지능·성격·행동 등이 보통 아동과 달라 특수 교육과 지도가 필요한 아동.

문:제없다 (問題—) [문제업따] 문제 삼을 정도는 아니다. 걱정할 것이 없다. ㉥당선은 문제없다.

문:제점 (問題點) [문제쩜] 문제가 되는 부분이나 요소.

문:제지 (問題紙) 시험 문제가 적힌 종이. ㉥문제지와 답안지를 나누어 주다. 비 시험지.

문:제집 (問題集) 시험 문제를 모아 놓은 책. ㉥수학 문제집을 풀다.

문조 (文鳥) 참샛과의 새. 참새와 비슷한데 부리가 크고 발과 함께 붉은색임. 머리와 꽁지는 검고 등은 푸른빛을 띤 회색, 배는 흼. 벼 따위의 농작물을 크게 해침. 애완용임.

문종 (文宗) 〖인명〗 고려 제11대 임금. 대각 국사 의천의 아버지. 학문을 좋아하였고 서예에 능통했음. [1019–1083 ; 재위 1046–1083]

문중 (門中) 성과 본이 같은 사람들로 이루어진 집안.

문지기 (門—) 문을 지키는 사람.

***문지르다** 무엇을 서로 대고 이리저리 밀거나 비비다. ㉥수건으로 등을 문지르다 / 먼지를 옷에다 쓱쓱 문지르다. 활용 문질러 / 문지르니.

문지방 (門地枋) [문찌방] 문설주 사이의 문 밑에 마루보다 조금 높게 가로 댄 나무. ㉥문지방을 넘다 / 문지방에 걸터앉다.

문지방이 닳도록 드나들다 매우 자주 드나들다.

문진[1] (文鎭) 책장 또는 종이쪽이 바람에 날리지 않도록 누르는 물건. ㊐ 서진.

문ː진[2] (問診) 진단의 기초로 삼기 위하여 의사가 환자에게 과거에 앓은 병이나 현재의 상태 등을 묻는 일. **—하다.**

문집 (文集) 시나 글을 한데 모아 엮은 책. ㉠학급 문집.

문짝 (門—) 문이나 창의 한 짝. ㉠문짝을 두드리다 / 문짝이 떨어져 나가다.

문ː책 (問責) 잘못을 캐묻고 꾸짖음. ㉠책임자를 문책하다. **—하다.**

문체 (文體) 지은이의 성격이나 개성이 글 따위에 나타난 특색. ㉠문체가 화려하다.

문ː초 (問招) 죄나 잘못을 캐어 물음. ㉠문초를 받다. **—하다.**

문턱 (門—) **1** 문짝 밑이 닿는 문지방의 윗부분. ㉠문턱을 넘다. **2** 어떤 일이 '아주 가까이 왔음'을 비유하는 말. ㉠봄의 문턱 / 정상의 문턱에서 주저앉다.

문턱이 높다 들어가기가 힘들다. 만나거나 상대하기가 어렵다. ㉠대학의 문턱이 높다.

문턱이 닳도록 드나들다 자주 찾아가거나 드나들다. ㉠도서관을 문턱이 닳도록 드나들다.

문틀 (門—) 문짝이나 창문의 양옆과 위아래에 이어 댄 테두리.

문틈 (門—) 닫힌 문의 틈새. ㉠문틈에 끼다 / 문틈으로 찬 바람이 들어오다.

문패 (門牌) 주소·성명을 적어 대문 위나 옆에 붙이는 작은 패. ㉠문패를 달다.

문풍지 (門風紙) 문틈으로 들어오는 바람을 막기 위해 문짝 가에 붙인 종이.

문필 (文筆) 글을 짓거나 글씨를 쓰는 일. ㉠문필로 이름을 날리다.

문필가 (文筆家) 문필을 전문적으로 하는 사람.

문하생 (門下生) 스승의 집에 드나들며 가르침을 받는 제자. ㊐ 문하.

문학 (文學) 감정이나 생각을 상상의 힘을 빌려 말과 글로써 나타낸 예술이나 그 작품. 시·소설·희곡·수필 따위. ㉠문학가 / 문학에 뜻을 두다.

문학 작품 (文學作品) [—짝품] 시·소설·수필 등의 작품.

문ː항 (問項) 시험에서 답을 묻는 각각의 문제.

문헌 (文獻) **1** 옛날의 제도와 문물을 기록한 책. **2** 학술 연구에 자료가 되는 문서. ㉠참고 문헌.

문호[1] (文豪) 뛰어난 문학 작품을 많이 쓴 사람.

문호[2] (門戶) **1** 집으로 드나드는 문. **2** 외부와의 교류를 위한 통로나 수단.

문호 개방 (門戶開放) **1** 마음대로 드나들게 함. **2** 외국인의 경제 활동을 위해 영토를 개방함.

***문화** (文化) **1** 진리를 구하고 끊임없이 진보·향상하려는 인간의 정신적 활동, 또는 그에 따른 정신적·물질적인 성과. 학문·예술·종교·도덕 따위. ㉠전통문화 / 문화를 교류하다 / 문화를 창조하다. **2** 사람의 지혜가 깨어 세상이 밝고 살기 편하여짐. ㊐ 문명. ㊏ 미개. 야만.

문화 관광부 (文化觀光部) 중앙 행정 기관의 하나. 문화·예술·체육·청소년·출판 및 관광에 관한 일을 맡아봄.

문화권 (文化圈) [문화꿘] 어떤 공통된 특징을 갖는 문화가 미치는 지역. ㉠이슬람 문화권.

문화생활 (文化生活) 문화를 발전시키려 노력하고 문화 산물을 누리고 즐기는 생활.

문화 수준 (文化水準) 문화가 발달

하여 생활이 편리하게 된 정도.

문화 시:설 (文化施設) 문화를 발전시키는 데 필요한 설비. 도서관·극장·학교·박물관 따위.

문화유산 (文化遺産) 다음 세대에게 물려줄 과학·기술·관습·규범 등의 민족 또는 인류 사회의 문화.

문화인 (文化人) 수준 높은 지식과 교양을 갖추고 문화생활을 하는 사람. 반 야만인.

*__문화재__ (文化財) 문화적 가치가 높은 역사적·예술적인 사물. 유형 문화재와 무형 문화재로 나뉨.

문화적 (文化的) 문화에 관한 (것).

묻다[1] [묻따] 가루·풀·물 등이 다른 물건에 들러붙다. 예 손에 때가 묻어 꼬질꼬질하다 / 옷에 흙이 묻다.

*__묻다__[2] [묻따] **1** 물건을 흙이나 다른 물건 속에 넣어 감추다. 예 땅속에 항아리를 묻다. **2** 일을 숨기어 감추다. 예 가슴 속에 비밀을 묻어 두다. **3** 얼굴이나 몸을 가리거나 푹 깊이 기대다. 예 베개에 얼굴을 묻다.

*__묻:다__[3] [묻따] 남에게 대답이나 설명을 구하다. 예 안부를 묻다 / 길을 물어 찾아가다. 활용 물어 / 물으니 / 묻는. ➡ ask

묻어나다 [무더나다] 물건에 칠하거나 바른 것이 다른 것에 닿아 옮아 묻다. 예 잉크가 손에 묻어나다.

묻히다[1] [무치다] 물·가루 따위를 다른 물건에 들러붙게 하다. 예 팥고물을 묻힌 떡.

*__묻히다__[2] [무치다] **1** 묻음을 당하다. 예 땅속에 묻히다. **2** 어떤 상태나 환경에 휩싸이다. 예 어둠에 묻히다. **3** 어떤 장소에 틀어박히다. 예 초야에 묻혀 살다. **4** 어떤 일에 몰두하다. 예 일에 묻혀 지내다.

*__물__[1] 생물이 살아가는 데 없어서는 안 될, 빛깔·냄새·맛 따위가 없는 액체. 예 물이 얼다 / 물이 맑다 / 물을 마시다. ➡ water

물[2] 물감이 물건에 묻어서 드러나는 빛깔. 예 물이 바래다 / 옷감에 물을 들이다.

물[3] 물고기 따위의 싱싱한 정도. 예 물이 좋은 생선.

물가[1] [물까] 바다·강·연못 등 물이 있는 곳의 가장자리.

물가[2] (物價) [물까] 물건의 값. 상품의 시장 가격. 예 물가 인상 / 물가가 비싸다 / 물가를 조절하다.

물갈퀴 오리·기러기·개구리 등의 발가락 사이에 있는 얇은 막. 헤엄을 치는 데 편리함.

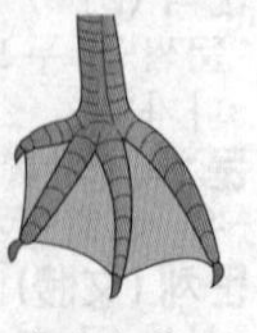
〈물갈퀴〉

*__물감__ [물깜] **1** 물들이는 물질. 염색의 재료. 비 염료. **2** 그림을 색칠하는 데 쓰는 재료. 비 그림물감.

물개 [물깨] 물갯과의 바다짐승. 북태평양 특산으로 몸길이가 수컷은 2 m, 암컷은 1 m 정도임. 귀가 작고 얼굴이 짧으며, 네 다리는 물고기의 지느러미 모양인데 헤엄을 잘 침. 비 해구. ➡ seal

물거품 **1** 물이 다른 물이나 물건에 부딪쳐서 생기는 거품. 비 수포. 포말. **2** 헛된 것, 덧없는 것의 비유. 예 모든 일이 물거품이 되다.

*__물건__ (物件) **1** 일정한 모양을 갖추고 있는 모든 것. 예 물건을 맡기다. **2** 사고파는 물품. 예 물건을 고르다 / 물건이 비싸다 / 물건을 사러 백화점에 가다.

물걸레 물에 축여서 쓰는 걸레. 예 물걸레 청소. 반 마른걸레.

*__물결__ [물껼] 바람 때문에 물이 움직여 올라갔다 내려왔다 하는 운동. 또는 그 모양. 예 물결이 높이 일다. 비 파도. ➡ wave

물결치다 [물껼치다] **1** 물결이 일어나다. **2** 파도처럼 크게 움직이거나 마음이 설레다. 예 가슴속에 감동이 물결치다 / 거리에 태극기가 물결치다.

*물고기 [물꼬기] 어류에 속하는 척추동물을 통틀어 이르는 말. 배·가슴·등·꼬리·볼기에 지느러미가 있음. 아가미로 숨 쉬며 부레로 물속을 헤엄쳐 다님. 준 고기. ➔ fish

물관 (—管) 식물의 뿌리로 흡수한 수분이나 양분을 줄기로 보내는 관 모양의 조직.

물구나무서기 두 손으로 바닥을 짚고 몸을 거꾸로 세우는 동작.

물구나무서다 두 손으로 바닥을 짚고 거꾸로 서다.

물굽이 [물꾸비] 바다·강 따위에서 물이 구부러져 흐르는 곳.

물귀신 (—鬼神) [물뀌신] 물속에 있다는 잡귀.

*물기 (—氣) [물끼] 축축한 물의 기운. 예 물기를 닦다. 비 수분.

물기둥 [물끼둥] 기둥처럼 공중에 솟구쳐 뻗치는 굵은 물줄기. 예 물기둥이 솟다.

물길 [물낄] 1 배를 타고 물로 다니는 길. 예 물길을 따라 내려가다. 비 뱃길. 2 물이 흐르거나 물을 보내는 통로. 예 물길을 내다. 비 수로.

물꼬 1 논에 물이 넘나들도록 만든 좁은 통로. 예 물꼬를 트다. 2 일이나 이야기가 시작되는 계기. 예 남북 화해의 물꼬를 트다.

물끄러미 우두커니 한 곳만 바라보는 모양. 예 창 밖을 물끄러미 바라보다. 작 말끄러미.

물난리 (—亂離) [물랄리] 1 비가 많이 와서 인명이나 재산의 피해가 생기는 일. 예 홍수로 물난리가 나다. 비 수해. 2 물이 부족하여 일어나는 소동. 예 물난리가 극심하다.

물놀이 [물로리] 1 잔잔한 물이 공기의 움직임을 받아 물 위에 잔물결을 일으키는 현상. 2 물가에서 노는 놀이. —하다.

*물다[1] 1 이빨이나 집게 따위에 무엇을 사이에 넣고 마주 누르다. 예 담배를 물다. 2 무엇을 입 안에 넣다. 예 아기가 사탕을 입에 문 채 잠들다. 3 곤충·벌레 따위가 살을 찌르다. 예 모기가 물다. 활용 물어 / 무니 / 무는.

*물다[2] 1 마땅히 내거나 갚아야 할 것을 치르다. 예 세금을 물다. 2 남에게 입힌 손해를 갚다. 예 수리비를 물어 주다. 활용 물어 / 무니 / 무는.

물동이 [물똥이] 물을 긷거나 담아 놓는 그릇. 예 물동이에 물이 가득하다 / 머리에 물동이를 이다.

*물들다 1 빛깔이 스미거나 옮아 묻다. 예 단풍이 곱게 물들다. 2 사상·행동·버릇 따위가 닮아 가다. 예 악에 물들다. 활용 물들어 / 물드니 / 물드는.

물들이다 [물드리다] 물들게 하다. 예 머리를 검게 물들이다.

물때[1] 1 아침저녁으로 바닷물이 드나드는 때. 2 밀물이 들어오는 때.

물때[2] 물에 섞여 있는 더러운 물질이 그릇 따위에 옮아 붙어서 끼는 때. 예 대야에 물때가 끼어 있다.

물량 (物量) 물건의 양.

*물러가다 1 있던 자리에서 옮겨 가다. 2 윗사람 앞에 있다가 도로 나가다. 예 이만 물러가겠습니다. 3 지위나 하던 일을 내어 놓고 떠나다. 예 사장 자리에서 물러가다. 4 있던 현상이 사라져 가다. 예 더위가 물러가다.

물러나다 1 있던 자리에서 몸을 옮기다. 예 한 발 물러나다. 2 윗사람 앞에 있다가 도로 나오다. 3 하던 일이나 지위를 내어 놓고 나오다. 예 관직에서 물러나다.

물러서다 1 있던 자리에서 비켜 서다. 예 다섯 발 뒤로 물러서다. 2 지위나 하던 일을 내놓다. 3 맞서서 버티던 일을 그만두다. 예 두 손 들고 물러서다.

물렁물렁하다 매우 무르고 물렁하다. ㉮말랑말랑하다.

물렁뼈 탄력이 있고 부드러워 구부리기 쉬운 뼈. 코나 귀 따위에 있음. ㉥연골.

물렁하다 **1** 매우 부드럽고 무르다. ㉨물렁한 홍시. **2** 사람의 몸이나 성질 또는 규율 따위가 단단하지 못하고 약하다. ㉨물렁한 성격. ㉮말랑하다.

물레 솜이나 털 따위의 섬유를 자아내어 실을 만드는 간단한 틀.

〈물레〉

***물레방아** 떨어지는 물의 힘으로 큰 바퀴를 돌려 곡식을 찧거나 빻는 방아. ㉥물방아. 수차.

물레질 물레를 돌려 고치나 솜에서 실을 뽑아내는 일. **—하다.**

물려받다 [물려받따] 재물이나 지위 따위를 뒤이어 받다. ㉨재산을 물려받다. ㉯물려주다.

***물려주다** 재물·지위 따위를 자손 또는 남에게 전하여 주다. ㉨가보를 물려주다. ㉯물려받다.

***물론** (勿論) 말할 것도 없음. ㉨물론이지 가고말고. ㉥무론.

물리 (物理) **1** 세상 모든 것의 이치. **2** '물리학'의 준말.

물리다¹ 싫증이 나다. ㉨그 이야기는 물리도록 들었다.

물리다² 시기를 늦추어 뒤로 미루다. ㉨이사 날짜를 하루 물리다.

물리다³ 자리를 치우려고 놓인 물건을 집어내다. ㉨밥상을 물리다.

***물리다⁴** 입·집게 따위로 묾을 당하다. ㉨뱀에 물리다 / 재갈을 물리다.

물리다⁵ 벌금이나 세금을 내게 하다. ㉨국민에게 세금을 물리다.

물리적 변:화 (物理的變化) [—뼌화] 물질의 성분은 변하지 않고 모양이나 형태만 변화하는 현상. ㉯화학적 변화.

***물리치다** **1** 주는 것을 거절하다. ㉨뇌물을 물리치다. **2** 쳐서 물러가게 하다. ㉨적의 공격을 물리치다. **3** 극복하거나 치워 없애다. ㉨가난을 물리치다.

물리학 (物理學) 자연 과학의 한 부문. 물질의 물리적 성질과 모든 현상 및 구조 등을 연구하며 그 사이의 관계·법칙을 밝히는 학문. ㉰물리.

물만두 (—饅頭) 물에 삶은 만두.

물맛 [물맏] 마시는 물의 맛. ㉨물맛이 좋다.

물망초 (勿忘草) 지칫과의 여러해살이풀. 봄·여름에 높이 30 cm가량의 꽃자루에 남색의 작은 꽃이 핌.

물매¹ 지붕 따위의 비탈진 정도. ㉨물매가 가파르다 / 물매가 뜨다 / 물매가 싸다.

물매² 한꺼번에 많이 때리는 매. ㉨물매를 맞다. ㉥뭇매.

물물 교환 (物物交換) 돈으로 사거나 팔지 않고 직접 물건과 물건을 서로 바꾸는 일.

물밀듯이 [물밀드시] 물결이 밀려오듯이, 사람들이나 짐승, 물건 따위가 잇달아 많이 몰려오는 모양. ㉨적군이 물밀듯이 몰려오다.

물바가지 [물빠가지] 물을 푸는 데 쓰는 바가지. ㉰물박.

물바다 홍수 따위로 넓은 지역이 물에 잠긴 상태를 일컫는 말. ㉨온 동네가 물바다가 되었다.

물받이 [물바지] 함석 따위로 만들어 처마 끝에 달아서 빗물을 받아 어느 한곳으로 흘러내리게 만든 시설.

물방개 물방갯과의 곤충. 연못이나 물이 있는

〈물방개〉

논에 사는데, 길이 4 cm가량, 등은 검은색임. 겉날개는 딱딱하고 뒷다리로 헤엄침.

물방아 ⇨물레방아.

물방앗간 (—間) [물방아깐 / 물방앋깐] 물방아로 곡식을 찧는 집.

물방울 [물빵울] 조금씩 떨어지는 물의 작은 덩이. ⓔ물방울 무늬 원피스 / 물방울이 맺히다.

물벼락 갑자기 세차게 쏟아지는 물. 또는 그런 물을 뒤집어쓰게 되는 일. ⓔ길을 가다가 물벼락을 맞다. 비 물세례.

물벼룩 물벼룩과에 속하는 아주 작은 동물. 벼룩과 비슷하게 생겼으며 길이 1–3 mm, 껍질은 달걀꼴로 반투명이고 다섯 쌍의 다리로 뛰듯이 헤엄쳐 다님. 물고기의 먹이가 됨.

물병 (—甁) [물뼝] 물을 넣는 병.

물보라 물결이 바위 따위에 부딪쳐 안개 모양으로 흩어지는 잔 물방울.

물불 **1** 물과 불. **2** 어려움이나 위험을 비유적으로 이르는 말.

물불을 가리지 않다 어떤 위험이나 곤란을 무릅쓴다는 말. ⓔ물불을 가리지 않고 덤비다.

물빛 [물삗] 물의 빛깔과 같은 엷은 남빛. ⓔ물빛 스카프를 목에 감다.

물뿌리개 꽃이나 채소 따위에 물을 뿌릴 때 쓰는 도구.

물산 (物産) [물싼] 그 지방에서 만들어 내는 물품.

물살 [물쌀] 물이 흐르는 힘. ⓔ물살이 세다 / 물살에 떠내려가다 / 물살을 헤치고 나아가다.

물새 [물쌔] 물이나 물가에 사는 새를 통틀어 이르는 말.

물색 (物色) [물쌕] **1** 물건의 빛깔. ⓔ물색이 곱다. **2** 어떤 기준에 알맞은 사람이나 물건을 찾아 고름. ⓔ새 일자리를 물색하다. **—하다.**

물소 [물쏘] 솟과의 짐승. 소와 비슷하며 길이 2 m가량, 털은 회색·회흑색, 드물게 흰 것도 있음. 머리는 길고 귀는 짧으며 활 모양의 검고 긴 뿔이 있음. 운반용·경작용으로 기름.

〈물소〉

물소리 [물쏘리] 물이 흐르거나 무엇에 부딪칠 때 나는 소리.

물속 [물쏙] 물의 가운데. ⓔ물속에서 자라는 식물. 비 수중.

물수건 (—手巾) [물쑤건] **1** 물에 적신 수건. **2** 음식점에서 손을 닦도록 내놓는, 소독한 젖은 수건.

물수세미 [물쑤세미] 개미탑과의 여러해살이 물풀. 연못에 나는데, 줄기는 가늘고 길이는 50 cm가량임. 여름에 노르스름한 꽃이 핌.

물수제비뜨다 둥글고 얄팍한 돌을 물 위로 담방담방 튀기어 가게 던지다. 활용 물수제비떠 / 물수제비뜨니.

물시계 (—時計) [물씨계 / 물씨게] 좁은 구멍을 통해 일정한 속도로 흘러나온 물의 분량에 따라 시간을 계산할 수 있도록 만든 시계.

물심양면 (物心兩面) [물씸냥면] 물질적인 면과 정신적인 면의 양쪽 면. ⓔ물심양면으로 도와주다.

물씬 짙은 냄새를 확 풍기는 모양. ⓔ술 냄새가 물씬 풍기다.

물안개 [무란개] 비가 오듯이 짙게 끼는 안개. ⓔ호수에 물안개가 피어오르다.

물안경 (—眼鏡) [무란경] 물속에서 볼 수 있게 만든 안경. 비 수중안경.

물약 (—藥) [물략] 액체로 된 약.

물어내다 [무러내다] 남에게 끼친 손해의 대가를 치르다. ⓔ치료비를 물어내다.

물어주다 [무러주다] 남의 것에 손해를 보게 한 만큼 물건이나 돈으로 갚아 주다.

물오르다 [무로르다] **1** 봄철에 나무에 물기가 오르다. ㉠개나리가 물오르다. **2** 한창때에 이르다. 성숙해지다. ㉠물오른 나이. **3** 가난하게 지내던 사람이 잘살게 되다. [활용] 물올라 / 물오르니.

물오리 [무로리] ⇨청둥오리.

물욕 (物慾) [무룍] 돈이나 물건을 탐내는 마음. ㉠물욕에 눈이 멀다.

물위 [무뤼] 물이 흘러 내려오는 위쪽. ㉫물아래.

*__물음__ [무름] 묻는 일. 또는 묻는 말. ㉠다음 물음에 답하시오.

물음표 (―標) [무름표] 문장에서, 물음이나 의심을 나타낼 때에 그 글의 끝에 쓰는 부호《기호는 ?》. ㉥의문부.

물의 (物議) [무릐 / 무리] 많은 사람들의 서로 다른 비판이나 불평. ㉠물의를 빚다 / 물의를 일으키다.

물이끼 [무리끼] 물이낏과의 이끼류. 습지·물속·바위 위에 나는데, 백색이나 담녹색이고 줄기에 많은 가지가 나오며, 수많은 작은 잎이 빽빽이 남. 흡수력이 강해 수분을 오래 저장함.

*__물자__ (物資) [물짜] 생활에 필요한 여러 가지 물건이나 자료. ㉠물자가 풍부하다.

물장구 발로 물 위를 연거푸 치면서 헤엄치는 일.

물장난 물에서 놀거나 물을 가지고 노는 장난. **―하다**.

물적 증거 (物的證據) [물쩍쯩거] 범죄에 쓰인 물건으로 뚜렷이 드러난 증거. ㉠물적 증거를 확보하다. ㉫인적 증거. ㉾물증.

물정 (物情) [물쩡] 세상의 형편이나 인심. ㉠세상 물정에 어둡다.

물주 (物主) [물쭈] 장사 따위의 밑천을 대는 사람.

물줄기 [물쭐기] **1** 물이 모여 개천이나 강으로 흘러가는 줄기. **2** 힘 있게 내뻗치는 물의 줄기. ㉠물줄기가 세차다.

물증 (物證) [물쯩] '물적 증거'의 준말. ㉠물증을 잡다.

물지게 [물찌게] 물을 져 나르는 지게. ㉠물지게를 등에 지다.

*__물질__ (物質) [물찔] 물체를 이루는 내용이나 성질. 물건의 본바탕. ㉫정신.

물질문명 (物質文明) [물찔문명] 물질을 기초로 한 문명. 흔히 기계의 발달이 고도에 이른 현대 문명을 가리킴. ㉠물질문명 시대에 살고 있는 현대인. ㉫정신문명.

물질적 (物質的) [물찔쩍] 물질에 관한 (것). ㉠물질적으로 도움을 주다 / 물질적인 풍요를 누리다. ㉫정신적.

물짐승 [물찜승] 물에서 사는 짐승. 물개·물소 따위.

물집 [물찝] 살가죽이 부르터 오르고 그 속에 물이 찬 것. ㉠물집이 터지다 / 발에 물집이 생기다. ㉥수포.

*__물체__ (物體) 물질이 모여서 일정한 모양을 이루고 있는 것.

물총 (―銃) 대롱 끝의 구멍으로 물을 내쏘도록 되어 있는 장난감 총. ㉯물딱총.

물총새 (―銃―) 물총샛과의 새. 몸의 길이 17 cm가량임. 여름새로 하천·연못가에서 물고기·새우·곤충 따위를 잡아먹으며 삶.

〈물총새〉

물컹하다 너무 익거나 곯아서 뭉그러질 듯이 무르다. ㉠참외가 곯아서 물컹하다.

물탱크 (―tank) 물을 넣어 두거나 저장하는 큰 통.

*__물통__ (―桶) **1** 물을 담아 두는 통. **2** 물을 긷는 데 쓰는 통.

물풀 물속이나 물 근처에서 자라는 풀. ㉠개구리밥은 연못에서 자라는 물풀이다. 비 수초.

물품 (物品) 쓸 만한 값어치가 있는 물건.

*__묽다__ [묵따] 죽·반죽 따위가 물이 많아 진하지 않다. ㉠죽이 묽다. 반 되다. 발음 묽고[물꼬] / 묽어서[물거서] / 묽지[묵찌]. →묵다 주의

뭇 [묻] 수효가 많음을 나타내는 말. ㉠뭇 백성 / 뭇 남성.

뭇매 [문매] 여럿이 한꺼번에 덤벼 때리는 매. ㉠뭇매를 맞다.

뭇사람 [묻싸람] 여러 사람. 많은 사람.

뭉개다 1 문질러 으깨거나 짓이기다. ㉠벌레를 밟아 뭉개다. 2 일을 어찌할 줄 모르고 머무적거리다. ㉠빨리 오지 않고 뭘 그리 뭉개느냐.

뭉게구름 밑은 평평하고 꼭대기는 둥글어 솜을 쌓아 놓은 것 같은 구름. 비 쌘구름. 적운.

뭉게뭉게 구름·연기 따위가 계속 피어오르는 모양. ㉠구름이 뭉게뭉게 피어오르다. 작 몽개몽개.

뭉그러지다 쌓인 물건이 무너져 주저앉다.

뭉그적거리다 [뭉그적꺼리다] 앉은 자리에서 내키지 않아 게으르게 자꾸 움직이다.

뭉근하다 불기운이 세지 않으면서도 끊이지 않고 꾸준하다. ㉠한약을 뭉근한 불에 달이다.

뭉근히 뭉근하게.

뭉떵 큼직하게 대번에 뚝 자르거나 잘리는 모양. 작 몽땅. 거 뭉텅.

뭉뚝하다 [뭉뚜카다] 끝이 아주 짧고 무디다. ㉠뭉뚝한 연필.

뭉뚱그리다 되는대로 대강 뭉쳐 놓다. ㉠짐을 뭉뚱그리다. 작 몽똥그리다.

뭉치 1 한데 뭉치거나 말린 덩이. ㉠원고 뭉치 / 신문 뭉치. 2 한데 뭉치거나 말린 덩이를 세는 단위. ㉠털실 한 뭉치.

*__뭉치다__ 1 하나로 단결하다. ㉠뭉치면 살고 흩어지면 죽는다. 2 한 덩이가 되게 하다. ㉠눈을 뭉치다.

뭉클하다 슬픔·기쁨 따위의 감정이 갑자기 가슴에 꽉 차 오르거나 맺혀 풀리지 않는 듯하다. ㉠그 말을 듣고 가슴이 뭉클했다.

뭉텅 한 부분이 대번에 크게 잘리거나 끊어지는 모양. 센 뭉떵.

뭉텅이 한데 뭉치어서 이루어진 큰 덩이. ㉠솜 뭉텅이.

뭉툭하다 [뭉투카다] 끝이 짧고 무디다. 작 몽톡하다.

뭍 [묻] 1 ⇨육지. ㉠뭍에 오르다. 2 섬사람들이 본토를 이르는 말.

*__뭐__ː '무어'의 준말. ㉠이것이 뭐냐 / 뭐라도 좀 먹자.

뭐니 뭐니 해도 이러쿵저러쿵 말해 보아도. ㉠뭐니 뭐니 해도 건강이 최고다.

뮤지컬 (musical) 현대 미국에서 발달한 음악·연극·무용 등을 결합시킨 종합 무대 예술의 한 형식.

-므로 까닭을 나타내는 말. ㉠성실한 사람이므로 성공을 거두었다.

> 주의 **-므로와 -ㅁ으로(써)**
>
> **-(으)므로** 까닭을 나타내는 말. ㉠그가 나를 믿으므로 나도 그를 믿는다 / 비가 오므로 외출하지 않았다.
>
> **-(으)ㅁ으로(써)** '…을 하는 것으로, …을 가지고'의 뜻으로 어떤 결과를 이끄는 조건·방법·수단 등을 나타내는 말. ㉠책을 읽음으로(써) 시름을 잊는다 / 열심히 삶으로써 은혜에 보답한다.

미ː¹ (美) 1 아름다움. ㉠조화의 미. 2 성적을 '수·우·미·양·가'의 다섯 등급으로 나눌 때 세 번째 것.

미² (이 mi) 장음계의 셋째 음. 단음계의 다섯째 음의 계이름. '마' 음의 이탈리아 음이름.

미각 (味覺) 혓바닥을 자극하는 맛의 감각. 단맛·신맛·쓴맛·짠맛의 네 가지 기본 종류가 있음. ㉠미각이 발달하다.

미간 (眉間) '양미간'의 준말. ㉠미간을 찌푸리다.

미:감 (美感) 사물의 아름다움에 대한 느낌.

미:개 (未開) **1** 꽃 따위가 아직 피지 않음. 반 개화. **2** 문명이 발달하지 못한 상태. ㉠미개 민족. 비 야만. 반 문명. **—하다.**

미:개발 (未開發) 아직 개발하지 아니함. ㉠미개발 지역.

미:개인 (未開人) 지혜나 지식 따위가 아직 덜 깬 인종. 비 야만인. 반 문명인.

미:개척 (未開拓) 아직 개척하지 못함. ㉠생물학의 미개척 분야.

미:결 (未決) 아직 결정되거나 해결되지 아니함. ㉠미결 서류. 반 기결. **—하다.**

미곡 (米穀) **1** 쌀을 비롯한 갖가지 곡식. **2** ⇨쌀. 반 맥곡.

미곡상 (米穀商) [미곡쌍] 쌀을 비롯한 갖가지 곡식을 팔고 사는 일. 또는 그런 사람이나 가게.

미:관 (美觀) 아름다운 광경. 훌륭한 경치. ㉠도시의 미관을 살리다.

미국 (美國) 〖국명〗 북아메리카에 있는 연방 공화국. 50개 주와 1특별구로 이루어짐. 1776년 독립함. 정식 이름은 '아메리카 합중국'. 수도는 워싱턴. 준 미. ➜ America

미군 (美軍) 미국의 군대. 또는 미국의 군인.

미:궁 (迷宮) **1** 한번 들어가면 쉽게 빠져나올 수 없는 곳. ㉠미궁 속을 헤매다. **2** 문제나 사건이 복잡하게 얽혀 쉽게 해결할 수 없는 상태. ㉠사건이 점점 미궁에 빠지다.

***미꾸라지** 기름종갯과의 민물고기. 논이나 개천 등의 흙바닥 속에 삶. 길이 10–20 cm, 가늘고 길며 몹시 미끄러움. 몸빛은 황갈색이고 배 쪽은 연함. 비 추어.

미꾸리 기름종갯과의 민물고기. 미꾸라지와 비슷하나 비늘이 더 많고 큼. 입에 다섯 쌍의 수염이 있고 머리와 등에는 작고 까만 점이 흩어져 있음.

***미끄러지다** **1** 미끄러운 곳에서 밀려 나가거나 넘어지다. ㉠얼음판에서 미끄러지다. 작 매끄러지다. **2** 뽑거나 고르는 데에 들지 못하는 것을 속되게 이르는 말. ㉠입학시험에 미끄러지다.

미끄럼 미끄러지는 일. 또는 그런 놀이. ㉠미끄럼을 타다 / 얼음판 위에서 미끄럼을 지치다.

미끄럼틀 앉아서 미끄러져 내려올 수 있도록 비스듬하게 세운 아이들의 놀이 시설. 비 미끄럼대.

미끄럽다 [미끄럽따] 저절로 밀리어 나갈 만큼 반드럽다. ㉠눈이 와서 길이 미끄럽다. 활용 미끄러워 / 미끄러우니.

미끈거리다 미끄럽고 반드러워서 자꾸 밀리어 나가다. ㉠뱀장어는 미끈거려 잡기 어렵다.

미끈액 (—液) [미끄낵] 뼈마디의 뼈와 뼈 사이에 들어 있는 미끈미끈한 액체. 뼈마디의 운동을 부드럽게 함. 비 활액.

미끈하다 겉모양이 흠이 없이 훤칠하고 번듯하다. ㉠미끈하게 생기다. 작 매끈하다.

미끌미끌 몹시 미끄러운 모양. **—하다.**

미끼 **1** 낚시 끝에 꿰어 물리는 물고기의 먹이. 지렁이·밥알 따위. 비 낚싯밥. **2** 사람이나 동물을 꾈 때에 쓰는 물건이나 수단. ㉠돈을 미끼로 사람을 유혹하다.

미나리 미나릿과의 여러해살이풀. 연못가나 습지에 나는데, 높이 30 cm가량, 기는줄기가 진흙 속에 뻗어서 번식함. 잎과 줄기는 독특한 향기가 나고 연하여 먹음.

〈미나리〉

미나리꽝 미나리를 심는 논.

미나리아재비 미나릿과의 여러해살이풀. 산과 들에 나는데, 미나리와 비슷하며 높이는 30–60 cm, 6월경에 줄기 끝에 누런 꽃이 핌.

미:남 (美男) 얼굴이 잘생긴 남자. [반] 추남. [본] 미남자.

미:납 (未納) 아직 내지 못함. (예) 급식비를 **미납**하다. [반] 완납. **—하다.**

미네랄 (mineral) 인체의 생리 기능에 필요한 광물성 영양소. 칼슘, 철, 인, 칼륨, 나트륨 따위.

미:녀 (美女) 얼굴이 아름다운 여자. [비] 미인.

미뉴에트 (minuet) 4 분의 3 박자로 된 프랑스의 옛 춤곡.

미늘 낚시 끝에 달려 고기가 물면 빠지지 않게 된 작은 갈고리.

미니 (mini) **1** '작은 것'의 뜻. (예) **미니** 자동차. **2** '미니스커트'의 준말.

미니스커트 (miniskirt) 옷자락 끝이 무릎 위까지 오는, 매우 짧은 길이의 스커트. [준] 미니.

미:닫이 [미다지] 문이나 창 따위를 옆으로 밀어 여닫는 방식. 또는 그런 문이나 창.

미:달 (未達) 어떤 한도에 이르지 못함. (예) 정원에 **미달**되다. **—하다.**

미:담 (美談) 듣는 사람이 감동할 만한 아름다운 이야기. (예) 흐뭇한 **미담** / **미담**의 주인공.

미더덕 미더덕과의 원색동물. 길이 4 cm, 지름 2 cm 정도의 누런 갈색 몸에 4 cm가량의 자루가 달려 있어, 바위 등에 붙어 삶. 암수한몸이며 겉껍질이 딱딱하고 식용함.

미:덕 (美德) 아름답고 갸륵한 행실. (예) 양보의 **미덕**을 보이다.

미덥다 [미덥따] 믿음성이 있다. (예) 내 말이 **미덥지** 않거든 확인해 봐라. [활용] 미더워 / 미더우니.

미동 (微動) 조금 움직임. (예) **미동**도 하지 않고 앉아 있다. **—하다.**

미디어 (media) 정보 전달의 수단이 되는 문자나 영상. (예) 활자 **미디어** / 매스 **미디어**. [비] 매체.

미라 (포 mirra) 썩지 않고 건조되어 원래 상태에 가까운 모습으로 남아 있는 사람이나 동물의 시체. × 미이라.

*__미:래__ (未來) 앞으로 올 때. (예) **미래**의 세계 / **미래**를 꿈꾸다. [비] 장래. ↔과거. 현재. ➲ future

미:래상 (未來像) 머릿속으로 그리는 미래의 모습. (예) 밝은 **미래상**을 그리다.

미량 (微量) 아주 적은 양. (예) **미량**의 독약.

미력 (微力) **1** 적은 힘. **2** 남을 위해 힘쓴 자기의 힘을 겸손히 일컫는 말. (예) **미력**하나마 노력해 보겠습니다. **—하다.**

미련[1] 어리석고 둔함. (예) **미련**한 사람. **—하다. —스럽다.**

미:련[2] (未練) 생각을 딱 끊지 못하고 끌리는 데가 남아 있는 마음. (예) **미련**이 없다 / **미련**을 못 버리다.

미련퉁이 몹시 미련한 사람.

미:로 (迷路) 복잡하게 갈래가 져서 한번 들어가면 드나드는 곳이나 방향을 알 수 없게 된 길.

미루나무 버드나뭇과에 속하는 낙엽 활엽 교목. 줄기는 높이 30 m가량으로 곧게 자라며, 잎은 광택이 남. 목재는 성냥개비나 건축재로 쓰임. 포플러. ×미류나무.

*미루다 1 기일 따위를 나중으로 넘기다. ㉠시험 날짜를 내일로 미루다. 2 일을 남에게 넘기다. ㉠네 일을 남에게 미루지 마라. 3 이미 아는 것으로 다른 것을 비추어서 헤아리다. ㉠지난 일로 미루어 짐작할 수 있다. ㊜밀다.

미륵보살 (彌勒菩薩) [미륵뽀살] 석가모니가 죽은 후 56억 7천만 년 뒤에 이승에 나타나 중생을 구한다는 보살. ㊥미륵불. ㊜미륵.

미륵사지 석탑 (彌勒寺址石塔) [미륵싸지—] 백제 시대의 대표적인 석탑. 전라북도 익산시 미륵사 터에 있음. 우리나라 석탑 가운데 가장 오래된 것으로, 원래는 7–9층인 듯한데, 지금은 6층만이 남아 있음. 국보 제11호.

*미리 어떠한 일이 생기기 전에. ㉠장마에 미리 대비하다. ㊥먼저.

미리미리 '미리'를 강조한 말. ㉠숙제는 미리미리 해 두어라.

*미:만 (未滿) 정한 수효나 정도에 차지 못함. ㉠열 살 미만의 어린이. ㊦초과.

미:망인 (未亡人) 남편이 죽고 홀로 남은 여자. ㊥과부.

미:명 (未明) 날이 밝기 전. 날이 샐 무렵. ㉠내일 미명에 출발한다.

미:모 (美貌) 아름다운 얼굴 모습. ㉠미모의 여성 / 미모가 빼어나다.

미묘하다 (微妙—) 이상하여 잘 알 수 없다. ㉠미묘한 의견 차이.

미미하다 (微微—) 아주 보잘것없다. ㉠미미한 존재.

미:비 (未備) 아직 다 갖추지 못함. 완전하지 못함. ㉠발표 자료가 미비하다. —하다.

미사 (라 Missa) 천주교에서 행하는 최대의 성찬 의식. 예수의 최후의 만찬을 기념하여 행하는데, 천주를 찬미하고 속죄를 원하며 은총을 기원함.

미사일 (missile) 로켓이나 제트 엔진 따위로 날아가 폭발하는 장거리용 공격 무기의 하나. 유도탄.

미:상 (未詳) 확실하거나 분명하지 않음. 알려지지 않음. ㉠연대 미상 / 작자 미상의 작품.

미생물 (微生物) 현미경이 아니면 볼 수 없는 아주 작은 생물. 박테리아·원생동물 등을 가리키는데, 바이러스를 포함하여 일컫기도 함.

미:성년자 (未成年者) 만 20세가 되지 않은 사람. ㉠미성년자 관람 불가.

미세하다 (微細—) 매우 가늘고 작다. ㉠미세한 차이.

*미소 (微笑) 소리를 내지 않고 빙긋이 웃는 웃음. ㉠미소를 머금다 / 입가에 미소를 짓다.

미:수 (未遂) 어떤 목적을 이루지 못함. ㉠미수에 그치다.

미:숙아 (未熟兒) [미수가] 태어났을 때 체중이 2.5 kg 이하의 아기.

미:숙하다 (未熟—) [미수카다] 일에 익숙하지 못하다. ㉠운전이 미숙하다 / 미숙한 연기를 보이다.

*미:술 (美術) 색채나 형태의 아름다움을 표현하는 예술의 한 분야. 그림·건축·조각·공예 따위. ㉠미술가 / 미술 전시회. ➲ art

미:술관 (美術館) 그림·조각 등의 미술품을 수집·진열하여, 일반의 관람과 연구에 이바지하는 시설.

미:술실 (美術室) 미술 과목의 실습을 하는 교실.

미:술품 (美術品) 회화·조각·공예 따위의 미술 작품.

미숫가루 [미수까루 / 미숟까루] 찹쌀·멥쌀·보리쌀 따위를 볶거나 쪄서 가루로 만든 식품.

미스[1] (Miss) 1 결혼하지 않은 여자의 성 앞에 붙이는 호칭. 양. ㉠미스 박. 2 미혼의 여자. 아가씨.

미스² (miss) 실수. 잘못. ㉠교정 미스 / 서브 미스.
미스터 (mister, Mr.) 남자의 성 앞에 붙이는 호칭. 군. 씨.
미스터리 (mystery) 도저히 설명하거나 이해할 수 없는 이상한 일이나 사건. ㉠미스터리 사건 / 미스터리로 남다.
미시시피 강 (Mississippi江) 미국의 중앙부를 북쪽에서 남쪽으로 흐르는, 세계에서 세 번째로 긴 강. 길이 6,300 km.
미시즈 (Mrs.) 결혼한 여자의 성 앞에 붙이는 호칭. 부인. 여사. ㉠미시즈 김.
미:식가 (美食家) [미식까] 맛있는 음식을 찾아다니며 먹는 것을 즐기는 사람.
미식축구 (美式蹴球) [미식축꾸] 미국에서 발달한, 럭비와 축구를 혼합한 구기. 한 팀이 11 명씩으로 구성되며, 공을 갖고 골 라인을 넘어 터치다운하거나 골포스트 사이로 공을 차 넣어서 득점하는 것으로, 매우 격렬한 경기임. 아메리칸 풋볼.
미:신 (迷信) 종교적·과학적으로는 헛되다고 여겨지는 믿음. ㉠미신을 믿다.
미:심쩍다 (未審—) [미심쩍따] 분명하지 못하여 마음에 거리끼다. ㉠행동이 미심쩍다.
미아 (迷兒) 길을 잃고 헤매는 아이. ㉠미아보호소. 본 미로아.
*__미안__ (未安) **1** 마음이 편하지 못하고 거북함. ㉠부탁을 거절해서 미안합니다. **2** 남에게 대하여 부끄럽고 겸연쩍음. ㉠늦어서 미안해. **—하다. —스럽다.** ➲ sorry
미약하다 (微弱—) [미야카다] 보잘것없이 약하다. ㉠미약하나마 나도 돕겠다.
미얀마 (Myanmar) 〖국명〗 인도차이나 반도 서부에 있는 연방 공화국. 주민의 대부분이 불교를 믿음. 수도는 양곤.
미어지다 [— / 미여지다] **1** 팽팽한 가죽이나 종이 따위가 해져서 구멍이 생기다. **2** 꽉 차서 찢어지고 터질 듯하다. ㉠책을 많이 넣어 가방이 미어질 지경이다. **3** 가슴이 찢어질 듯이 고통이나 슬픔을 느끼다. ㉠가슴이 미어지는 슬픔을 겪다.
미역¹ 냇물이나 강물에 들어가 몸을 담그고 씻거나 노는 일. ㉠미역을 감다. 준 멱.
미역² 갈조류 미역과의 해조. 해안 바위에 붙어 있는데, 잎은 넓고 길이 2 m가량으로 흑갈색, 황갈색을 띰. 칼슘의 함유량이 많아 특히 임산부와 어린이에게 좋음.

〈미역²〉

미역국 [미역꾹] 미역을 넣고 끓인 국. 준 멱국.
미역국(을) 먹다 ㉠직장 같은 데서 떨리어 나다. ㉡시험 따위에서 떨어지다. ㉢퇴짜를 맞다.
미열 (微熱) 건강한 몸의 온도보다 조금 높은 체온.
미:완성 (未完成) 끝을 다 맺지 못함. ㉠미완성 교향곡 / 미완성 작품. 반 완성. 준 미완.
미:용 (美容) 얼굴이나 머리 따위를 아름답게 매만짐. ㉠피부 미용. **—하다.**
미:용사 (美容師) 남의 머리나 얼굴을 아름답게 꾸미는 일을 직업으로 하는 사람.
미:용실 (美容室) ⇨미장원.
미움 밉게 여기는 마음. ㉠미움을 받다 / 미움이 커지다.
미워하다 미운 생각을 가지게 되다. 싫어하다.
미음¹ 한글의 자모 'ㅁ'의 이름.
미음² (米飮) 쌀이나 좁쌀에 물을

많이 붓고 오래 끓이어 체에 밭인 음식. 주로 환자나 어린아이들이 먹음. ㉠미음을 쑤다.

미이라 '미라(mirra)'의 잘못.

미:인 (美人) 얼굴과 몸매가 아름다운 여자. ㉠미인 대회. 비 미녀. 미희. 반 추녀.

***미:장원** (美粧院) 머리나 얼굴 모습을 아름답게 매만져 주는 일을 영업으로 하는 집. 비 미용실.

미장이 집을 짓거나 고칠 때 흙이나 회, 시멘트 따위를 바르는 일을 직업으로 하는 사람.

미적미적 [미정미적] 일이나 날짜 따위를 자꾸 미루어 시간을 끄는 모양. **—하다**.

미:정 (未定) 아직 결정하지 못함. ㉠소풍 날짜는 아직 미정이다. 반 결정.

미주 (美洲) 아메리카.

미주알고주알 아주 작은 일까지 속속들이 알아내려고 하는 모양. ㉠미주알고주알 캐묻다.

미:지 (未知) 아직 모름. 알지 못함. ㉠미지의 세계.

***미지근하다** **1** 차지도 않고 뜨겁지도 않다. ㉠방바닥이 미지근하다. **2** 행동이나 태도, 성격 따위가 흐리멍덩하다. ㉠대답이 미지근하다.

미지근히 미지근하게.

미:지수 (未知數) **1** 앞으로 어떻게 될지 아직 알지 못하는 일. ㉠상을 받게 될지는 미지수다. **2** 방정식에서, 구하려고 하는 수. 반 기지수.

미진[1] (微塵) **1** 작은 티끌이나 먼지. **2** 작고 변변치 못한 물건.

미진[2] (微震) 아주 약한 지진. → [학습마당] 23(997쪽)

미:진하다 (未盡—) 아직 다하지 못하거나 충분하지 못하다. ㉠미진한 꿈을 이루기 위해 힘쓰다.

***미처** 아직. 채. ㉠그의 실력을 예전엔 미처 몰랐다.

미천하다 (微賤—) 신분·지위 따위가 보잘것없고 천하다. ㉠미천한 신분에서 출세하다.

미치광이 **1** 미친 사람. 비 광인. **2** 말이나 행동이 정상적인 상태가 아닌 사람.

***미치다**[1] **1** 정신에 이상이 생겨 말과 하는 짓이 이상해지다. **2** 몹시 흥분해 심하게 날뛰다. ㉠저 사람 미쳐도 단단히 미쳤군. **3** 어떤 일에 지나칠 정도로 푹 빠지다. ㉠컴퓨터에 미치다. ➡ mad

미치다[2] **1** 어디에 가 닿거나 이르다. ㉠깊은 산골이라 사람의 발길이 미치지 않는다. **2** 일정한 기준에 다다르다. ㉠성적이 평균에 미치지 못하다. **3** 영향을 끼치게 되다. ㉠불행이 여러 사람에게 미치다.

***미터** (meter) 미터법에 따른 길이의 기본 단위. 'm'로 표시함. 1 m는 100 cm.

미터기 (meter器) 가스·전기·택시 따위의 자동 계기.

미터법 (meter法) [미터뻡] 미터를 길이, 리터를 부피, 킬로그램을 무게의 기본 단위로 하여 나타내는 도량형법.

미투리 예전에, 삼이나 노 따위로 짚신 같이 만든 신. 흔히, 날이 여섯 개로 되어 있음. 비 마혜. 승혜.

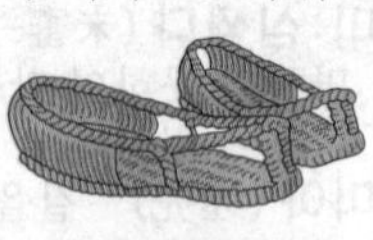

〈미투리〉

미팅 (meeting) 남녀 학생들이 사교를 목적으로 집단으로 가지는 모임. ㉠미팅을 주선하다.

미:풍[1] (美風) 아름다운 풍속. 좋은 풍속. 비 미속. 반 악풍.

미풍[2] (微風) 약하게 부는 바람. ㉠미풍이 일다. 비 세풍.

미:풍양속 (美風良俗) [미풍냥속] 아름답고 좋은 풍속. ㉠미풍양속을 해치다.

미:해결 (未解決) 아직 해결하지 못함. ㉠미해결의 문제.
미행 (尾行) 남의 행동을 살피기 위하여 몰래 뒤를 따라다님. ㉠경찰이 범인을 미행하다. **—하다.**
미혹 (迷惑) **1** 무엇에 홀려서 정신을 차리지 못함. ㉠미혹에서 깨어나다. **2** 정신이 헷갈려서 갈팡질팡 헤맴. **—하다.**
미:혼 (未婚) 아직 결혼을 하지 않음. 또는 그러한 사람. ㉠미혼 여성. 반 기혼.
미:화 (美化) 아름답게 꾸미어 보기 좋게 만듦. ㉠교내 미화 작업. **—하다.**
미:화원 (美化員) '환경 미화원'의 준말.
미:확인 비행 물체 (未確認非行物體) [미화긴—] ⇨유에프오.
미:흡하다 (未洽—) [미흐파다] 아직 만족스럽지 못하다. ㉠성적이 많이 향상되었지만 아직은 미흡하다.
믹서 (mixer) **1** 과실이나 채소 따위를 곱게 갈아 즙을 내는 데 쓰는 전기 기구. **2** 시멘트·모래·자갈 따위를 섞는 콘크리트 제조용 기계.
민가 (民家) 보통 사람들이 사는 살림집.
민간 (民間) **1** 보통 사람들의 사회. **2** 관청·군·경찰 따위에 속하지 않음. ㉠민간 기업.
민간 설화 (民間說話) 예로부터 입에서 입으로 사람들 사이에 전해 내려오는 이야기. 비 민담.
민간 신:앙 (民間信仰) [—시낭] 예로부터 민간에 전하여 내려오는 신앙.
민간요법 (民間療法) [민간뇨뻡] 민간에서 예로부터 전해 내려오는 병의 치료법. 침술·뜸 따위.
민간인 (民間人) [민가닌] 관리나 군인이 아닌 보통 사람. 비 일반인.
민감하다 (敏感—) 느낌이나 반응이 날카롭고 빠르다. ㉠민감한 반응을 보이다 / 유행에 지나치게 민감하다. 반 둔감하다.
민감히 (敏感—) 민감하게.
민권 (民權) [민꿘] **1** 국민의 권리. **2** 국민이 정치에 참여하는 권리. 반 관권.
민꽃식물 (—植物) [민꼳씽물] 꽃이 피지 않고 홀씨로 번식하는 식물. 세균·곰팡이·양치식물 따위.
민담 (民譚) 예로부터 사람들의 입을 통해 전해 내려오는 전설·속담 따위의 이야기. 비 민간 설화.
민둥산 (—山) 나무가 없는 산. 비 벌거숭이산.
민들레 국화과의 여러해살이풀. 산과 들에 나는데 땅속줄기에서 잎이 무더기로 남. 봄에 긴 줄기 끝에 노란 꽃이 피고, 씨앗이 흰 털에 붙어서 바람에 날려 번식함. 뿌리는 약에 씀.

〈민들레〉

민란 (民亂) [밀란] 못된 정치 따위에 대항하여 백성들이 일으킨 폭동이나 소요. ㉠민란에 가담하다.
민망스럽다 (憫惘—) [민망스럽따] 민망한 느낌이 있다. 활용 민망스러워 / 민망스러우니.
민망하다 (憫惘—) 답답하고 딱하여 걱정스럽다. ㉠듣기에 민망할 정도로 심한 말을 하다.
민물 강이나 호수처럼 짜지 않은 물. 비 단물. 반 바닷물.
민물고기 [민물꼬기] 민물에서 사는 물고기. 붕어·메기·뱀장어·잉어 따위. 반 바닷물고기.
민박 (民泊) 관광지 따위에서, 돈을 받고 일반 민가에서 손님을 묵게 하는 일. **—하다.**

민방위 (民防衛) 적의 공격이나 재난 따위로 인한 피해를 막기 위해 민간인들이 조직적으로 행하는 비군사적 방어 활동. ㉠민방위 훈련.
민법 (民法) [민뻡] 개인의 재산에 대한 권리나 의무, 가족 관계, 상속하는 방법 따위를 정한 법률.
민비 (閔妃) 〖인명〗 ⇨명성 황후.
민사 재판 (民事裁判) 개인들 사이에서 재산 문제 따위로 다툼이 생겼을 때 법원이 행하는 재판. 반 형사재판.
민생 (民生) **1** 일반 국민. **2** 국민의 생활. ㉠민생 치안에 힘쓰다.
민생고 (民生苦) 일반 국민이 생활하는 데 겪는 고통. ㉠민생고를 해결하다.
민선 (民選) 일반 국민이 선거로 뽑음. ㉠민선 시장. 반 관선.
*__민속__ (民俗) 민간에서 전해 내려오는 풍속이나 문화. ㉠민속 무용.
민속놀이 (民俗―) [민송노리] 민간에서 시작되어 전해 내려오는, 그 지방의 생활과 풍습이 나타나 있는 놀이. 그네뛰기·윷놀이·씨름 따위.
민속 박물관 (民俗博物館) [―빵물관] 조상들의 생활 모습·풍속·습관 등에 관한 자료나 도구 따위를 전시해 놓은 곳.
민속촌 (民俗村) 민간에 전해 오는 생활상·풍습·산업·예술 등을 옛 모습대로 재현해서 꾸며 놓은 마을.
민속춤 (民俗―) 민간에 전해 내려오는 춤. 각 지방의 생활과 풍속, 서민들의 소박한 감정이 잘 나타나 있음. 비 민속 무용.
민습 (民習) 국민들의 풍습.
민심 (民心) 국민들의 마음. ㉠민심은 천심이다.
민영 (民營) [미녕] 민간인이 하는 경영. ㉠민영 방송. 반 관영. 국영.
민영환 (閔泳煥) 〖인명〗 조선 고종 때의 문신. 을사조약(1905)이 체결될 때 조약의 효력을 없앨 것을 주장하였으나 실패하자 스스로 목숨을 끊음. 시호는 충정. 흔히 민충정공이라 일컬음. [1861–1905]
*__민요__ (民謠) [미뇨] 민간에서 자연적으로 발생하여 오랫동안 전해 내려오는, 민중의 생활 감정이 소박하게 담긴 노래. 아리랑·도라지 타령·양산도 따위.
민원 (民願) [미뉜] 주민이 행정 기관에 처리해 주기를 요구하는 일.
민원실 (民願室) [미뉜실] 민원 사무를 처리하는 관청의 한 부서.
민의 (民意) [미늬 / 미니] 국민의 뜻. ㉠정책에 민의를 반영하다.
민정[1] (民政) **1** 민간인에 의한 정치. 반 군정. **2** 국민의 안녕과 행복을 꾀하는 정치.
민정[2] (民情) 백성들의 사정과 생활 형편. ㉠민정을 살피다.
*__민족__ (民族) 같은 지역에서 오랫동안 공동생활을 함으로써 언어·풍습·문화·역사 따위가 같은 사람의 집단. 비 겨레.
민족 국가 (民族國家) [―꾹까] 하나의 민족으로 이루어진 국가.
민족 문화 (民族文化) [민종―] 한 민족의 말·풍습 따위를 토대로 하여 이루어진 독특한 문화.
민족성 (民族性) [민족썽] 그 민족만이 가지고 있는 독특한 성질. 비 국민성.
민족애 (民族愛) [민조개] 같은 민족끼리의 믿음과 사랑. ㉠민족애를 발휘하다.
민족 운ː동 (民族運動) [민조군동] **1** 다른 민족의 국가로부터 압박을 받는 약소 민족이 독립하려고 하는 운동. **2** 따로따로 흩어져 있는 민족이 서로 모여 한 민족 국가를 건설하려는 운동.
민족 자결주의 (民族自決主義) [―짜결주의 / ―짜결주이] 다른 민족이나 나라의 간섭을 받지 않고, 자기 민족의 문제를 스스로 해결해 나가려는 주의.

민족적 (民族的) [민족쩍] 온 민족에게 관계되거나 포함되는 (것). ㉵ 민족적 자랑인 문화유산.

민족정신 (民族精神) [민족쩡신] 그 민족이 가지고 있는 독특한 정신. 비 민족혼.

민족주의 (民族主義) [민족쭈의 / 민족쭈이] 다른 민족의 지배에서 벗어나, 자기 민족의 국가를 건설하고 자기 나라의 번영을 이루려는 주장이나 운동. 비 국민주의.

민족혼 (民族魂) [민조콘] 어느 한 민족만이 지니고 있는 고유한 정신. 비 민족정신.

민주 (民主) **1** 주권이 국민에게 있음. **2** '민주주의'의 준말.

민주 공ː화국 (民主共和國) 주권이 국민에게 있고, 주권의 행사가 국민의 뜻에 따르는 나라.

민주 국가 (民主國家) [—국까] 주권이 국민에게 있고 국민의 뜻에 따라 정치를 하는 나라. 비 민주주의 국가. 반 군주 국가. 독재 국가.

민주적 (民主的) 민주주의에 적합한 (것). ㉵민주적인 절차와 방법 / 민주적으로 운영하다.

민주 정치 (民主政治) 나라의 주권이 국민에게 있고, 국민의 뜻에 의하여 행해지는 정치. 반 독재 정치.

***민주주의** (民主主義) [—/ 민주주이] 주권이 국민에게 있고, 국민 스스로가 국민을 위하여 정치를 하는 주의. 데모크라시. 비 민본주의. 반 공산주의. 전제주의. 준 민주.

민주화 (民主化) 민주주의적으로 되어 감. 또는 그렇게 되게 함. ㉵민주화 운동. **—하다.**

민중 (民衆) 국가나 사회를 구성하고 있는 보통 사람들. 일반 대중. ㉵ 민중의 힘 / 민중의 지지를 받다.

민첩하다 (敏捷—) [민처파다] 동작·이해·판단 따위가 재빠르고 날쌔다. ㉵민첩한 행동.

민폐 (民弊) [— / 민페] 민간에 폐가 되는 일. ㉵민폐를 끼치다.

민화[1] (民話) 민간에 전하여 내려오는 옛날이야기나 전설. 비 민간 설화.

민화[2] (民畫) 민간 전설이나 서민 생활 등을 그린 그림. 익살스러우며 소박한 것이 특징임.

***믿다** [믿따] **1** 꼭 그렇게 여겨 의심하지 않다. ㉵그는 반드시 성공하리라고 믿는다. **2** 마음으로 의지하다. ㉵친구들을 믿다. 비 신뢰하다. **3** 종교나 미신을 받들고 따르다. ㉵불교를 믿다. ➲ believe

***믿음** [미듬] **1** 믿는 마음. ㉵친구에 대한 믿음. **2** 신앙. ㉵믿음이 깊다 / 믿음을 가지다.

믿음직스럽다 [미듬직쓰럽따] 믿음직한 데가 있다. ㉵단호한 태도가 믿음직스럽구나. 활용 믿음직스러워 / 믿음직스러우니.

믿음직하다 [미듬지카다] 믿을 만하다. ㉵믿음직한 국군 용사.

***밀** 볏과에 속하는 한해살이(봄밀), 또는 두해살이(가을밀)풀. 보리와 비슷하나 그보다 키가 더 크고 줄기가 가늘며 이삭이 길쭉함. 녹말과 단백질이 많아 중요한 곡식이 됨. 비 소맥. 참밀. ➲ wheat

***밀가루** [밀까루] 밀을 빻아 만든 가루. 여러 가지 음식의 재료로 씀. 비 맥분. 소맥분.

밀감 (蜜柑) ⇨귤나무.

밀고 (密告) 남몰래 넌지시 일러바침. ㉵동지를 밀고하다. **—하다.**

밀기울 [밀끼울] 밀을 빻아 체로 쳐서 가루를 내고 남은 찌꺼기.

***밀ː다** **1** 힘을 주어 앞으로 나아가게 하다. ㉵유모차를 밀다. **2** 바닥을 반반하게 깎다. ㉵수염을 밀다.

3 추대하거나 추천하다. ㉠회장으로 밀다. 4 도구를 써서 가루 반죽을 얇고 넓게 펴다. ㉠만두피를 밀다. 5 표면에 붙은 것이 떨어지도록 문지르다. ㉠때를 밀다. 활용 밀어 / 미니 / 미는. ➲ push

밀담 (密談) [밀땀] 남몰래 비밀히 이야기함. 또는 그 이야기. ㉠밀담을 나누다. —하다.

밀도 (密度) [밀또] 빽빽이 들어선 정도. ㉠인구 밀도가 높은 대도시.

밀레 (Millet, Jean François) 〘인명〙 프랑스의 화가. 종교적인 그림을 그림. '이삭줍기', '만종', '씨뿌리는 사람들' 등 농민 생활을 주제로 한 많은 명작을 남김. [1814-1875]

밀려가다 1 한꺼번에 떼를 지어 가다. ㉠우르르 밀려가다 / 군중에 섞여 광장으로 밀려가다. 2 떠밀려서 가다. ㉠바람에 밀려가다.

밀려나다 1 어떤 자리에서 쫓겨나다. ㉠회장 자리에서 밀려나다. 2 어떤 위치에서 다른 쪽으로 밀리다. ㉠길 옆으로 밀려나다.

밀려다니다 1 뒤에서 미는 힘으로 다니다. ㉠군중 속에 섞여 밀려다니다. 2 여럿이 떼를 지어 돌아다니다.

밀려들다 한꺼번에 여럿이 들이닥치다. ㉠학생들이 공연장으로 밀려들었다. 활용 밀려들어 / 밀려드니 / 밀려드는.

밀려오다 1 밀림을 당하여 이쪽으로 오다. ㉠파도가 밀려오다. 2 여럿이 한꺼번에 몰려오다. ㉠구경꾼들이 밀려오다. 3 어떤 현상이나 유행 따위가 거세게 일어나거나 들어오다. ㉠피로가 밀려오다 / 서양 문물이 밀려오다.

밀렵 (密獵) 금하는 것을 어기고 몰래 사냥함. ㉠밀렵꾼 / 밀렵을 단속하다. —하다.

밀리그램 (milligram) 무게의 단위. 1 그램의 1,000분의 1《기호는 mg》.

***밀리다** 1 미처 다 처리하지 못한 일이나 물건이 쌓이다. ㉠일이 산더미같이 밀리다. 2 떼밂을 당하다. ㉠인파에 밀리다.

밀리리터 (milliliter) 용량의 단위. 1리터의 1,000분의 1《기호는 ml·mL》.

밀리미터 (millimeter) 길이의 단위. 1 센티미터의 10분의 1《기호는 mm》. 준 밀리.

밀림 (密林) 큰 나무들이 빽빽하게 들어선 깊은 숲. 정글. ㉠밀림 지대.

밀매 (密賣) 거래가 금지된 물건을 몰래 팖. ㉠마약 밀매. —하다.

밀물 육지 쪽으로 밀려 들어오는 바닷물. 반 썰물.

밀반죽 밀가루를 물에 갠 반죽. 본 밀가루 반죽. —하다.

밀:방망이 반죽을 밀어서 얇고 넓게 펴는 데 쓰는 방망이.

밀봉 (密封) 단단히 붙여 봉함. ㉠밀봉한 편지. —하다.

밀사 (密使) [밀싸] 비밀히 보내는 사절.

밀서 (密書) [밀써] 비밀히 보내는 편지나 문서.

밀수 (密輸) [밀쑤] 허가받지 않고 비밀히 하는 수입과 수출. —하다.

밀실 (密室) [밀씰] 남이 함부로 드나들지 못하게 하고 비밀히 쓰는 방. ㉠밀실에 가두다.

밀어내다 [미러내다] 1 밀어서 밖으로 나가게 하다. ㉠몸싸움으로 상대편을 금 밖으로 밀어내다. 2 압력을 가하여 자리에서 물러나게 하다. ㉠폭군을 밀어내다.

밀어닥치다 [미러닥치다] 여럿이 한꺼번에 몰려 닥치다. ㉠무대 위로 팬들이 밀어닥치다.

밀어붙이다 [미러부치다] 1 한쪽으로 세게 밀다. 2 여유를 주지 않고 계속 몰아붙이다. ㉠계속 밀어붙여 상대 팀을 꺾다.

밀접하다 (密接—) [밀쩌파다] 관계가 썩 가깝다. ㊕밀접한 관계 / 두 사람 사이가 아주 밀접해졌다.

밀집 (密集) [밀찝] 빽빽하게 모임. ㊕공장이 밀집된 지역. **—하다.**

밀짚 [밀찝] 밀의 이삭을 떨고 난 줄기.

*__밀짚모자__ (—帽子) [밀찜모자] 밀짚·보릿짚 따위로 만든 여름 모자. 비 맥고모자.

밀착 (密着) **1** 빈틈없이 달라붙음. ㊕밀착 수비. **2** 서로의 관계가 매우 가깝게 됨. **—하다.**

밀:치다 힘껏 밀다. ㊕사람들을 밀치고 앞으로 나아가다.

밀크셰이크 (milk shake) 우유에 달걀·설탕 따위를 넣고 거품을 일게 하여 살짝 얼린 찬 음료수.

밀폐 (密閉) [— / 밀페] 틈이 없이 꼭 닫거나 막음. ㊕밀폐 공간 / 밀폐된 그릇. **—하다.**

밀항 (密航) 법을 어기고 몰래 배를 타고 외국으로 감. **—하다.**

밀회 (密會) 남몰래 모이거나 만남. **—하다.**

*__밉다__ [밉따] **1** 생김새가 볼품이 없다. ㊕얼굴이 밉다. **2** 행동이나 말이 마음에 들지 않고 싫다. ㊕하는 짓이 밉다. 반 곱다. 활용 미워 / 미우니.

밉살스럽다 [밉쌀스럽따] 말과 행동이 남에게 몹시 미움을 받을 만하다. ㊕밉살스럽게 굴다. 활용 밉살스러워 / 밉살스러우니.

밉상 (—相) [밉쌍] 미운 얼굴이나 행동. ㊕얼굴이 밉상은 아니다.

밋밋이 [민미시] 밋밋하게.

밋밋하다 [민미타다] **1** 생김새가 미끈하게 곧고 길다. ㊕장식이 없는 밋밋한 기둥. 작 맷맷하다. **2** 두드러진 특징이 없이 평범하다.

밍크 (mink) **1** 족제빗과의 짐승. 털빛은 광택이 있는 갈색 또는 어두운 갈색, 꼬리는 흑색, 목 아래에 백반이 있음. 주로 물가에 사는데, 급류를 헤엄쳐 물고기 등을 잡아먹음. 모피는 외투 등에 씀. **2** 밍크의 털가죽으로 만든 옷. ㊕밍크코트.

*__및__ [믿] 그 밖에. 그리고. 또. ㊕문학에는 시·소설·수필 및 희곡 따위가 있다.

*__밑__ [믿] **1** 물체의 아랫부분이나 아래쪽. ㊕책상 밑. **2** 정도·지위·나이 따위가 낮거나 적음. ㊕형보다 세 살 밑이다. **3** 지배·보호·영향 등을 받는 처지임을 나타냄. ㊕훌륭한 선생님 밑에서 배우다. **4** 일의 기초나 바탕. **5** '밑바닥'의 준말. ㊕밑 빠진 독. **6** '밑동'의 준말.

밑도 끝도 없다 앞뒤의 관계가 없이 말을 불쑥 꺼내어 갈피를 잡을 수 없다. ㊕밑도 끝도 없이 불쑥 한마디 하다.

밑각 (—角) [믿깍] 다각형의 밑변의 양 끝을 꼭짓점으로 하는 내각.

밑거름 [믿꺼름] **1** 농작물의 씨를 뿌리거나 모를 내기 전에 주는 거름. ㊕밭에 밑거름을 주다. **2** 어떤 일의 바탕이 되는 요인. ㊕발전의 밑거름으로 삼다.

밑그림 [믿끄림] **1** 모양을 대충 초를 잡아 그린 그림. **2** 수를 놓는 데 쓰려고 종이나 헝겊에 그린 그림. ㊕밑그림대로 수를 놓다.

*__밑넓이__ [민널비] 원기둥·원뿔 따위에서 밑면을 이룬 넓이. 비 밑면적. 반 윗넓이.

밑돌다 [믿똘다] 어떤 기준에 미치지 못하다. ㊕성적이 평균보다 밑돌다. 반 웃돌다. 활용 밑돌아 / 밑도니 / 밑도는.

밑동 [믿똥] **1** 긴 물건의 맨 아랫동아리. **2** 나무줄기에서 뿌리에 가까운 부분. **3** 채소 따위의 뿌리. ㊕무의 밑동을 자르다. 준 밑.

밑둥치 [믿뚱치] 나무의 뿌리에 가까운 맨 밑 부분. ㉮나무의 밑둥치를 자르다.

*__밑면__ (—面) [민면] 밑바닥을 이루는 평면.

밑바닥 [믿빠닥] **1** 바닥이 되는 밑 부분. ㉮강의 밑바닥. ㊃밑. **2** 사회 생활에서 매우 낮은 지위나 자리의 비유. ㉮밑바닥 생활 / 밑바닥부터 다시 시작하다. ➲ bottom

밑바탕 [믿빠탕] **1** 사물의 근본을 이루는 실체. ㉮밑바탕을 든든히 다지다. **2** 사람의 타고난 근본 바탕. ㉮본디 밑바탕은 착한 사람이었다. ㊇본바탕.

밑반찬 (—飯饌) [믿빤찬] 만들어서 오래 두고 언제나 손쉽게 내어 먹을 수 있는 반찬. 젓갈·자반·장아찌 따위.

밑받침 [믿빧침] **1** 밑에 받치는 물건. **2** 어떤 일을 이루는 바탕. ㉮지역 발전의 밑받침이 되다.

*__밑변__ (—邊) [믿뼌] 삼각형에서 꼭지각에 대한 변. 평행사변형에서는 평행하는 두 변.

밑실 [믿씰] 재봉틀의 북에 감은 실.

밑씨 [믿씨] 씨방 속에 생기는, 나중에 씨가 되는 기관.

*__밑줄__ [믿쭐] 가로로 쓴 글에서, 주의하기 위하여 어떤 말의 밑에 긋는 줄. 언더라인. ㉮중요한 글귀에 밑줄을 치다.

밑지다 [믿찌다] 들인 밑천을 다 건지지 못하다. 손해를 보다. ㉮밑지고 팔다. ㊉남다.

밑창 [믿창] **1** 신의 바닥 밑에 붙이는 창. ㉮구두 밑창을 갈다. ㊉속창. **2** 배나 그릇 따위의 맨 밑바닥. ㉮밑창이 빠지다.

밑천 [믿천] 어떤 일을 하는 데 기초가 되는 돈이나 물건. 또는 기술·재주 따위. ㉮장사 밑천 / 밑천을 대주다. ㊇자본.

밑판 (—板) [믿판] 밑에 대는 판이나 밑이 되는 판.

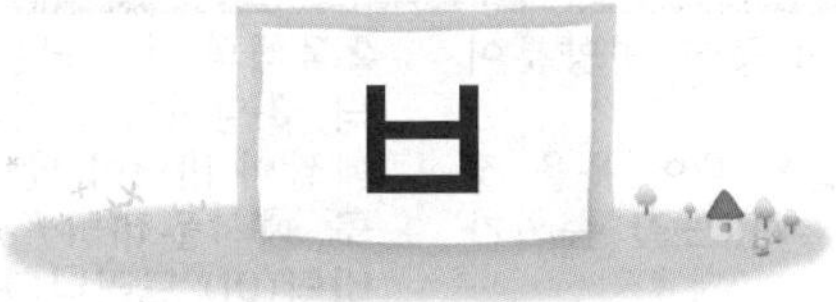

ㅂ (비읍) 한글 닿소리의 여섯째 글자.

-ㅂ니까 묻는 뜻을 나타내는 말. ㉮오늘은 무슨 요일입니까.

-ㅂ니다 현재의 동작이나 상태를 나타내는 말. ㉮집에 갑니다. *-습니다.

-ㅂ디까 지난 일을 돌이켜 묻는 뜻을 나타내는 말. ㉮누가 그런 짓을 합디까.

-ㅂ시다 같이 행동하기를 바랄 때 쓰는 말. ㉮자, 시작합시다.

***바**[1] 서양 음계의 칠음 중에 제4음인 '파'의 우리말 음이름.

***바**[2] '방법'이나 '일'의 뜻으로 쓰이는 말. ㉮기뻐서 어찌할 바를 모르다 / 네가 알 바가 아니다.

***바가지** **1** 물을 푸거나 물건을 담는 그릇. 또는 그 그릇을 세는 단위. ㉮바가지로 물을 푸다 / 쌀 세 바가지. **2** 터무니없이 비싼 요금이나 물건값. ㉮바가지요금.

바가지(를) 긁다 아내가 남편에게 불평과 잔소리를 심하게 하다.

바가지(를) 쓰다 남에게 속아서 부당하게 많은 돈을 치르거나 어떤 일을 도맡아 책임을 지게 되다.

바겐세일 (bargain-sale) 평상시에 받던 값보다 특별히 싸게 파는 일. 할인 판매. ㉮봄철 바겐세일.

***바구니** 대나 싸리 따위로 둥글게 결어 속이 깊숙하게 만든 그릇. ㉮과일을 바구니에 담다. ➲basket

바그너 (Wagner, Wilhelm Richard) 〖인명〗 독일의 가극 작곡가. 낭만파를 대표하는 음악가로, 규모가 크고 훌륭한 악극을 많이 작곡하여, '가극의 왕'이라 불림. 작품은 '탄호이저', '로엔그린', '파르시팔' 등이 있음. [1813-1883]

바글거리다 **1** 적은 물이나 거품 따위가 넓게 퍼지며 자꾸 일어나거나 끓어오르다. ㉮바글거리는 찌개를 내오다. ㉓빠글거리다. **2** 사람·짐승·벌레 따위가 많이 모여 움직이다. ㉮백화점에 사람들이 바글거린다. ㉒버글거리다.

바글바글 **1** 적은 물이나 거품 따위가 넓게 퍼지며 자꾸 일어나거나 끓어오르는 소리. 또는 그 모양. ㉮찌개가 바글바글 끓는다. **2** 사람·짐승·벌레 따위가 많이 모여 자꾸 움직이는 모양. ㉮바닷가는 피서객으로 바글바글 들끓는다. **—하다**.

***바깥** [바깐] 밖이 되는 곳. 밖으로 향한 쪽. ㉮바깥 공기가 차다 / 바깥에 나가 놀다. ㉯안.

바깥사돈 (—査頓) [바깐싸돈] 딸의 시아버지나 며느리의 친정아버지와 같은 남자 사돈의 일컬음. ㉯안사돈. ㉰밭사돈.

바깥양반 (—兩班) [바깐냥반] 그 집의 남자 주인 또는 남편.

바깥쪽 [바깐쪽] 바깥으로 드러난 쪽. ㉯안쪽.

***바꾸다** **1** 서로 주고받다. ㉮자리를 바꾸다. **2** 달라지게 하다. ㉮모양을 바꾸다. **3** 다른 것으로 고치다. ㉮계획을 바꾸다. ➲change

***바뀌다** 바꾸어지다. ㉮태도가 바뀌다 / 해가 바뀌다.

바나나 (banana) 열대·아열대 지방에서 나는 과일. 긴 타원형의 열매가 송이를 이루어 열리며, 노랗게 익음. 냄새와 맛이 좋고 영양분이 많음.

바느질 바늘에 실을 꿰어 옷을 짓거나 꿰매는 일. ㉠바느질 솜씨가 좋다. **—하다.**

바느질감 [바느질깜] 바느질할 옷이나 옷감 따위.

*__바늘__ **1** 바느질을 하는 데 쓰는, 가늘고 끝이 뾰족하며 한쪽 끝에 실을 꿰는 구멍이 있는 쇠. ㉠바늘에 실을 꿰다 / 바늘에 찔리다. **2** 시계·저울 따위에서, 눈금을 가리키는 뾰족한 물건. ㉠시계의 바늘이 정오를 가리키다. **3** 한 끝이 뾰족하고 가늘고 길어서 찌르거나 꽂는 데 쓰는 도구. 주삿바늘·낚싯바늘 따위.

바늘구멍 [바늘꾸멍] 바늘로 뚫은 구멍. 아주 작은 구멍.

바늘귀 [바늘뀌] 바늘의 위쪽에 뚫린, 실을 꿰는 구멍.

바늘꽂이 [바늘꼬지] 바늘을 꽂아 두는, 헝겊으로 만든 물건.

바늘땀 바느질할 때에 실을 꿴 바늘로 한 번 뜬 자국.

바늘방석 (一方席) 앉아 있기에 매우 불안한 자리의 비유.

바늘쌈 바늘 스물네 개를 종이로 납작하게 싼 뭉치.

바니시 (varnish) ⇨니스.

바닐라 (vanilla) 난초과의 여러해살이 덩굴풀. 열대 지방에 나며, 잎은 줄기 끝에 타원형으로 남. 과실은 오이만 하며 익기 전에 '바닐린'을 채취함.

*__바다__ **1** 지구에서 육지를 제외한 부분으로 짠물이 괴어 있는 넓은 곳. ㉠넓고 푸른 바다 / 바다에서 고기를 잡다 / 배를 타고 바다를 건너다. 비 해양. 반 육지. **2** 매우 넓거나 큼을 뜻함. ㉠불바다 / 눈물바다 / 바다와 같은 어머니의 사랑. ➡ sea

*__바닥__ **1** 물체의 편평한 평면 부분. ㉠책상 바닥 / 짐을 바닥에 놓아라. **2** 물체의 밑이 되는 부분. ㉠양말 바닥. **3** 일이나 물건의 다 없어진 끝. ㉠쌀이 바닥이 났다. **4** 넓고 번잡한 곳. ㉠서울 바닥 / 시장 바닥.

바닥(이) 드러나다 ㉠숨겨져 있던 모습이 드러나다. ㉡다 쓰여 없어지다. ㉠외화 낭비로 바닥이 드러난 국가 경제.

바닥나다 [바당나다] **1** 신 바닥 따위가 닳아서 구멍이 나다. ㉠바닥난 운동화. **2** 돈이나 물건 따위가 다 써서 없어지다. ㉠보름 만에 용돈이 바닥났다.

*__바닷가__ [바다까 / 바닫까] 바닷물과 땅이 서로 맞닿은 곳이나 그 근처. ㉠바닷가를 거닐다. 비 해변.

바닷길 [바다낄 / 바닫낄] 배가 다니는 바다 위의 길. 비 뱃길. 해로.

바닷말 [바단말] 미역·김·다시마 따위처럼 바다에서 자라는 식물. 비 해조.

*__바닷물__ [바단물] 바다의 짠물. 비 해수. 반 민물.

*__바닷물고기__ [바단물꼬기] 바다에서 사는 물고기. 반 민물고기.

바닷바람 [바다빠람 / 바닫빠람] 바다에서 육지로 불어오는 바람. 비 해풍.

바닷새 [바다쌔 / 바닫쌔] 바다에서 물고기·조개 등을 잡아먹고 사는 새. 갈매기 따위.

바동거리다 자빠지거나 주저앉거나 매달려서 팔다리를 내저으며 몸을 자꾸 움직이다. 큰 버둥거리다.

*__바둑__ 두 사람이 바둑판에 흑백의 돌을 번갈아 두어 가며 서로 에워싸서 집을 많이 차지함을 다투는 놀이. ㉠바둑을 두다.

바둑돌 [바둑똘] **1** 바둑 둘 때 쓰는 돌. 흑이 181 개, 백이 180 개임. **2** 모 없이 둥글둥글하며 반드러운 돌.

*__바둑이__ [바두기] 털에 검은 점과 흰 점이 바둑무늬 모양으로 뒤섞인 개.

또는 그런 개의 이름.

바둑판(—板) 바둑을 두는 데 쓰는 판. 네모진 널빤지 위에 가로세로 각각 열아홉 줄이 그어져 있음.

바둥거리다 '바동거리다'의 큰말.

바드득 단단하고 질기거나 반드러운 물건을 되게 비빌 때 나는 소리. (예)이를 바드득 갈다. [큰]부드득. [센]빠드득. **—하다.**

바득바득 [바득빠득] **1** 제 고집만 자꾸 부리거나 조르는 모양. (예)자기 말이 옳다고 바득바득 우기다. **2** 악착스럽게 애쓰는 모양. (예)잘살기 위해서 바득바득 애쓴다. [큰]부득부득. [센]빠득빠득.

바들바들 자꾸 몸을 작게 바르르 떠는 모양. (예)추워서 몸을 바들바들 떨다. [큰]부들부들. **—하다.**

바디 베틀·가마니틀 따위에 딸린 기구의 하나. 가늘고 길게 쪼갠 대나무로 만들어, 베실을 낱낱이 꿰어 짜는 구실을 함.

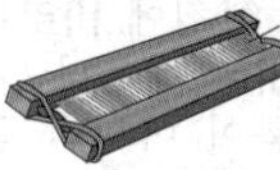

〈바디〉

바라건대 제발 부탁하노니. 원컨대. (예)바라건대 당신의 소원이 이루어지길.

***바라다** 생각대로 되기를 원하다. (예)네가 훌륭한 사람이 되기를 바란다. ×바래다. ➲ wish

> **주의 바라다와 바래다**
> **바라다** 무엇이 이루어지기를 기대하다, 생각대로 되기를 원하다의 뜻.
> (예)행복하게 살기를 바라다.
> **바래다** 햇볕을 받아 색이 변하다, 가는 사람을 도중까지 배웅하다의 뜻.
> (예)햇볕에 바래서 색이 선명하지 않다 / 손님을 정류장까지 바래다 드리다.

> **참고** '바라다'는 '생각대로 되기를 원하다'라는 미래의 희망 사항이지, 자기 의지가 아니기 때문에 '겠'을 쓸 수가 없고, 또 '바라다'는 말 속에 미래의 뜻이 있으므로, 미래를 나타내는 '겠'을 쓸 필요가 없다. 그러므로 '바라겠다·바라겠습니다'는 그릇된 표현이다.
> (예)합격하기를 바란다(○)
> 합격하기를 바라겠다(×)
> 합격하기를 바라겠습니다(×)

바라다보다 얼굴을 바로 향하고 쳐다보다. (예)먼 산을 바라다보다.

***바라보다** **1** 바로 향하여 보다. (예)앞만 바라보고 뛰다. **2** 어떤 일에 간섭하지 않고 지켜보다. (예)옆에서 바라보고만 있다. **3** 실현 가능성이 있는 일에 희망이나 기대를 가지다. (예)우승을 바라보다 / 내일을 바라보고 살다. **4** 어떤 나이에 이를 날을 가까이 두고 있다. (예)나이 50을 바라보다.

바:라지다 키가 작고 가로퍼져 똥똥하다. (예)어깨가 딱 바라진 체격.

바락 성이 나서 갑자기 기를 쓰거나 소리를 지르는 모양. (예)바락 악을 쓰다. [큰]버럭.

바락바락 [바락빠락] 성이 나서 자꾸 기를 쓰거나 소리를 지르는 모양. (예)바락바락 대들다 / 바락바락 악을 쓰다. [큰]버럭버럭.

***바람**[1] **1** 기압의 변화로 일어나는 공기의 움직임. (예)시원한 바람 / 바람에 쓰러진 나무. **2** 속이 빈 물체 속에 넣는 공기. (예)타이어에서 바람이 샌다 / 바람이 빠진 공. **3** 들뜬 마음이나 행동. (예)무슨 바람이 불어져 야단이냐. ➲ wind

바람(을) 넣다 남을 부추겨 어떤 행동을 하려는 마음이 생기게 만들다. (예)열심히 공부하는 아이에게 왜

바람을 넣고 그러냐.

바람(이) 자다 ㉠불던 바람이 그치다. ㉡들떴던 마음이 가라앉다.

바람² 바라는 것. ㉠우리 겨레의 간절한 바람은 통일이다. 비 소망. × 바램.

바람³ **1** 어떤 일이 일어날 때 더불어 일어나는 기운. 예개가 짖는 바람에 잠이 깼다. **2** 제대로 갖추지 않은 차림. 예속옷 바람으로 뛰어나가다.

***바람개비** **1** 바람에 뱅뱅 돌도록 만든 어린이 장난감. 비 팔랑개비. **2** 바람 부는 방향을 알기 위하여 만든 장치. 비 풍향계.

바람결 [바람껼] **1** 바람의 움직임. 예바람결에 흩날리는 꽃잎들. **2** 어떤 말을 간접적으로 들은 경우에 쓰는 말. 예바람결에 들으니 그가 차를 샀다더라.

바람구멍 [바람꾸멍] 바람이 통하는 구멍. 예창에 바람구멍을 내다.

바람기 (—氣) [바람끼] **1** 바람이 부는 기운. 바람의 기세. 예바람기 한 점 없는 무더운 날씨. **2** 이성과 함부로 사귀거나 관계를 맺는 기질. 예바람기 있는 남자.

바람둥이 곧잘 바람을 피우는 사람. 예소문난 바람둥이.

바람막이 [바람마기] **1** 바람을 막는 일. **2** 바람을 막는 물건. **—하다.**

바람받이 [바람바지] 바람을 몹시 받는 곳. 예바람받이에 있는 집.

바람벽 (—壁) [바람뼉] 방을 둘러막은 둘레의 벽. 준 벽.

바람잡이 [바람자비] 어떤 일을 꾸미려고 옆에서 바람을 넣거나 남의 얼을 빼는 구실을 하는 사람.

***바람직하다** [바람지카다] 바랄 만한 가치가 있다. 예음주는 학생으로서 바람직한 행동이 아니다.

바ː랑 승려가 등에 지고 다니는 자루 모양의 큰 주머니.

바ː래다¹ 빛깔이 희미해지거나 누렇게 변하다. 예빛 바랜 사진 / 빨아도 바래지 않는 옷감 / 종이가 누렇게 바래다. →바라다 주의

바래다² 가는 사람을 어느 곳까지 따라가거나 바라보면서 보내다. 예손님을 역까지 바래다 드려라. →바라다 주의

바래다주다 가는 사람을 어느 곳까지 함께 가 주다. 예친구를 역까지 바래다주다. 준 바래주다.

바레인 (Bahrain) 〖국명〗 중동 페르시아 만 서쪽에 있는 8개의 섬으로 이루어진 나라. 석유가 많이 나며, 주민은 대부분이 아랍 민족임. 수도는 마나마.

***바로¹** **1** 바르게. 곧게. 예마음을 바로 가지다. **2** 정확히. 틀림없이. 예바로 맞히다. **3** 지금 곧. 예지금 바로 떠나라. **4** 곧장. 딴 데 들르지 않고. 예집에 바로 가거라. **5** 똑바로. 예바로 세우다 / 선을 바로 긋다. **6** 다름이 아니라 곧. 예바로 오늘이 내 생일이다. ➲ just

***바로²** 제식 훈련에서, 차려 자세로 돌아가라는 뜻의 구령. 예앞으로 나란히, 바로.

바로잡다 [바로잡따] **1** 굽거나 비뚤어진 것을 곧게 하다. 예자세를 바로잡다. **2** 잘못된 것을 고치다. 예틀린 글자를 바로잡다.

***바르다¹** **1** 종이나 헝겊 따위에 풀칠하여 붙이다. 예벽지를 바르다. **2** 화장품 따위를 묻히다. 예얼굴에 분을 바르다 / 상처에 약을 바르다. 활용 발라 / 바르니. ×발르다.

***바르다²** **1** 도리에 맞다. 예예의가 바르다 / 인사성이 바른 사람. **2** 기울어지거나 비뚤어지지 않고 곧다. 예바른 자세. **3** 햇볕이 잘 비치다. 예양지 바른 언덕. **4** 사실과 어긋남이 없다. 예숨기지 말고 바르게 대답해라. 활용 발라 / 바르니.

바르다[3] **1** 속의 알맹이를 꺼내려고 겉을 쪼개어 헤치다. ㉠알밤을 바르다. **2** 뼈다귀의 살 따위를 걷거나 생성의 가시를 추려 내다. ㉠생선을 발라 먹다. [활용] 발라 / 바르니.

바르르 **1** 적은 양의 액체가 가볍게 끓어오르는 모양. 또는 그 소리. **2** 대수롭지 않은 일에 갑자기 성을 내는 모양. ㉠바르르 화를 내다. **3** 가볍게 조금 떠는 모양. ㉠손을 바르르 떨다. [큰] 버르르. [거] 파르르.

바르샤바 (Warszawa) 〖지명〗 폴란드의 수도. 상공업과 교통의 중심지이며, 박물관·사원·공원 따위가 많음.

바르셀로나 (Barcelona) 〖지명〗 에스파냐 제2의 도시. 지중해에 면한 에스파냐 최대의 항구로 상공업이 매우 성함. 1992년 제 25회 올림픽 대회 개최지임.

바른길 **1** 굽지 않고 곧은 길. **2** 참된 도리. 정당한 길. ㉠학생들을 바른길로 인도하다. [비] 정도.

바른대로 사실과 다름없이. ㉠숨김없이 바른대로 말해라.

바른말 이치에 맞는 말. 거짓이 없는 옳은 말. ㉠바른말만 하다.

바른생활 (—生活) 초등학교 1·2학년에서 이웃·사회·나라에 대한 지식과 예절을 배우는 과목.

바른쪽 오른쪽 방향. [비] 오른쪽. [반] 왼쪽.

바리[1] 놋쇠로 만든 여자의 밥그릇.

바리[2] **1** 말이나 소의 등에 잔뜩 실은 짐. 또는 그 짐을 세는 단위. ㉠나무 한 바리. **2** 윷놀이에서, 말 한 개를 이르는 말.

바리케이드 (barricade) 적의 침입이나 공격을 막기 위하여 임시로 설치한 방어벽이나 장애물. ㉠바리케이드를 치다.

바리톤 (baritone) 성악에서 테너와 베이스 사이의 남자 목소리. 또는 그 목소리로 노래하는 가수.

바림 색칠할 때에 한쪽을 진하게 하고 다른 쪽으로 갈수록 차츰 엷고 흐리게 하는 일.

바베큐 '바비큐(barbecue)'의 잘못.

***바ː보** **1** 지능이 부족하여 정상적으로 판단하지 못하는 사람. **2** 어리석고 멍청하거나 못난 사람을 욕하거나 비난하여 이르는 말. ㉠친구를 바보라고 놀리지 마라. [비] 천치. [반] 천재. ➲ fool

바ː보짓 [바보짇] 어리석고 못나게 노는 짓. ㉠그의 말에 속아서 바보짓을 하고 말았다.

바비큐 (barbecue) 돼지나 소 따위를 통째로 불에 구운 요리. 또는 그 때 쓰는 화로. ×바베큐.

바빌로니아 (Babylonia) 〖국명〗 지금의 이라크에 있던 나라. 기원전 30세기경에 설립된 세계에서 가장 오래된 문화의 발상지로, 설형 문자를 사용하였음.

***바쁘다** **1** 일이 많아 쉴 겨를이 없다. ㉠눈코 뜰 새 없이 바쁘다. **2** 몹시 급하다. ㉠바쁜 볼일이 있다 / 시험이 눈앞에 다가와서 바쁘게 되었다. [활용] 바빠 / 바쁘니.

바삐 바쁘게. 몹시 급하게. ㉠바삐 걷다 / 바삐 서두르다.

바삭 **1** 가랑잎을 밟을 때에 나는 소리. **2** 단단하고 부스러지기 쉬운 물건을 깨무는 소리. ㉠사탕을 바삭 깨물다. [큰] 버석. [센] 바싹. **—하다**.

바삭거리다 [바삭꺼리다] 바삭 소리가 자꾸 나다. ㉠가랑잎이 밟을 때마다 바삭거리다.

바삭바삭하다 [바삭빠사카다] 바스러지기 쉬울 정도로 물기가 아주 없이 보송보송하다. ㉠바삭바삭한 과자.

바셀린 (Vaseline) 석유에서 얻은 엷은 황색 기름의 일종. 화장품·연고 따위의 원료로 쓰임.

바수다 두드려 잘게 깨뜨리다. ㉠바위를 기계로 바수다. ㉡부수다.

바순 (bassoon) 오보에보다 두 옥타브가 낮은, 중저음의 목관 악기. 파곳.

바스락 마른 잎이나 종이 따위를 밟거나 뒤적일 때 나는 소리. ㉠숲 속에서 바스락 소리가 났다. ㉡버스럭. **—하다.**

바스락거리다 [바스락꺼리다] 바스락 소리가 자꾸 나다.

바스러지다 깨어져 잘게 조각이 나다. ㉠흙덩이가 바스러지다 / 바스러진 유리 거울. ㉡부스러지다.

바스켓 (basket) 농구에서, 던진 공이 통과할 수 있도록, 둥근 쇠테에 그물을 매달아 만든 장치.

바싹 **1** 물기가 마르거나 타 버린 모양. ㉠바싹 타고 재만 남다. **2** 가까이 달라붙거나 몹시 죄는 모양. ㉠바싹 껴안다. **3** 갑자기 늘거나 주는 모양. ㉠스웨터가 바싹 줄어들다. **4** 몹시 긴장하거나 힘을 주는 모양. ㉠어깨를 바싹 움츠리다 / 바싹 정신을 차리다. **5** 몸이 매우 마른 모양. ㉠바싹 야윈 몸.

바싹바싹 [바싹빠싹] **1** 물기가 아주 없도록 자꾸 마르거나 타들어 가는 모양. ㉠입 안이 바싹바싹 마르다. **2** 아주 가까이 달라붙거나 자꾸 죄는 모양. **—하다.**

바야흐로 이제 한창. 이제 막. ㉠때는 바야흐로 봄이다. ×바야호로.

> **참고** '바야흐로'는 이제부터 미래에 걸쳐 쓰이는 말로서, '이제 한창, 이제 막'이란 뜻을 나타내는 말이다. 그러므로 과거 문장에는 쓸 수 없다.
> ㉠봄이 바야흐로 무르익어 가고 있다.(○)
> 봄이 바야흐로 무르익었다.(×)

***바위** **1** 부피가 매우 큰 돌. ㉠바위에 부딪치는 파도. ㉡암석. ➡rock **2** 가위바위보에서 주먹을 쥐어 내민 것. ㉠바위를 내다.

바위섬 바위로 이루어진 섬. 또는 바위가 많은 섬.

바위틈 **1** 바위의 갈라진 틈. **2** 바위와 바위의 틈. ㉠바위틈에 핀 꽃.

바이 다른 도리 없이 전연. 아주 전혀. ㉠딱한 처지를 바이 모르는 것은 아니다.

바이러스 (virus) **1** 특수 현미경으로만 볼 수 있는 미생물. 유행성 감기·소아마비·천연두 따위를 일으키는 병원체. ㉠바이러스에 감염되다. **2** 컴퓨터에서, 다른 프로그램을 망가뜨리거나 입력된 정보를 지워 버리는 해로운 프로그램.

바이스 (vise) 작은 공작물을 아가리에 물려 나사로 꽉 죄어서 고정시키는 기계.

바이어 (buyer) 물건을 사기 위해서 외국에서 온 상인. 수입상. ㉠바이어와 계약을 맺다.

바이올린 (violin) 가운데가 잘록한 타원형의 통에 네 줄을 매어 활로 문질러 연주하는 현악기의 하나. ㉠바이올린을 켜다.

〈바이올린〉

바이킹 (Viking) **1** 7–11 세기에 걸쳐 유럽에서 활약한 노르만 족의 다른 이름. 호전적이고 모험심이 강한 종족으로, 바다를 무대로 약탈과 침략을 일삼았고, 상업 활동도 하였음. **2** 양쪽으로 왔다 갔다 하면서 타는 사람에게 짜릿한 즐거움을 주는, 바이킹의 배 모양을 한 놀이 기구.

바이트 (byte) 컴퓨터가 처리하는 정보의 양의 기본 단위. 8 비트를 1 바이트로 함. ＊비트.

바인더 (binder) **1** 서류·잡지 따위

를 한데 묶는 데 쓰는 표지. **2** 곡물을 베어 단으로 묶어 나오게 하는 농업 기계.

바자 (bazaar) 공공 또는 사회사업에 쓸 돈을 모으기 위하여 벌이는 시장. ㉮**바자**회 / 소년 소녀 가장을 돕기 위한 **바자**를 열다.

바장조 (—長調) [바장쪼] '바' 음을 으뜸음으로 하는 장조.

***바지** 아랫도리에 입는 옷의 하나. 위는 통으로 되고 아래는 두 다리를 꿰는 가랑이가 있음. ➲pants

바지락 참조갯과에 속하는 바닷조개. 껍데기는 높이가 3 cm, 길이는 4 cm가량임. 소금기가 적은 바닷가의 모래에 사는데, 살은 먹음. 비 바지락조개.

바지랑대 [바지랑때] 빨랫줄을 받치는 장대. ㉮**바지랑대** 끝에 잠자리가 앉다.

바지런하다 놀지 않고 일을 꾸준히 하다. 큰 부지런하다.

바지저고리 **1** 바지와 저고리. **2** 자기 생각대로 하지 못하고 남이 시키는 대로만 하는 사람.

바지춤 바지의 허리 부분을 접어 여민 사이. ㉮**바지춤**을 여미다 / **바지춤**을 추키다.

바지통 바짓가랑이의 폭.

바짓가랑이 [바지까랑이 / 바짇까랑이] 다리를 집어 넣는 바지의 부분. ㉮**바짓가랑이**를 걷어 올리다.

바짓부리 [바지뿌리 / 바짇뿌리] 바짓가랑이의 끝 부분. ㉮**바짓부리**가 땅에 질질 끌리다.

바짝 **1** 물기가 아주 마르거나 졸아붙는 모양. ㉮빨래가 **바짝** 마르다 / 목이 **바짝** 타들어 가다. **2** 아주 가까이 달라붙거나 몹시 죄거나 우기는 모양. ㉮허리띠를 **바짝** 졸라매다. **3** 갑자기 늘거나 주는 모양. ㉮강물이 **바짝** 줄다. **4** 몹시 긴장하거나 힘을 주는 모양. ㉮정신을 **바짝** 차리다. 큰 부쩍.

***바치다** **1** 신이나 웃어른께 드리다. ㉮햇곡식을 **바치다**. **2** 마음과 몸을 내놓다. ㉮나라를 위해 목숨을 **바치다**. **3** 세금 따위를 내다. ㉮세금을 **바치다**. → [학습마당] 11(아래)

바캉스 (프 vacance) 휴가. 주로, 피서지나 휴양지 등에서 지내는 경우를 이름.

바코드 (bar code) 상품의 관리를 컴퓨터로 처리할 수 있도록 상품에 표시해 놓은 막대 모양의 기호. 나라 이름·회사 이름·상품 이름 따위의 정보를 나타냄.

***바퀴** **1** 돌게 하기 위하여 둥근 테 모양으로 만든 물건. ㉮자동차 **바퀴**. **2** 어떤 둘레를 빙 돌아 본디 위치까지 이르는 횟수를 세는 단위. ㉮운동장을 한 **바퀴** 돌다.

[학습마당] 11

'바치다' 와 '받치다', '받히다', '밭치다'

바치다 1 신이나 웃어른께 드리다. ㉮신전에 제물을 **바치다**. 2 마음과 몸을 내놓다. ㉮온갖 정성을 다 **바치다**. 3 세금 따위를 공공 기관에 내다. ㉮부정으로 모은 재물을 나라에 **바치다**.

받치다 1 밑을 괴다. ㉮기둥 밑을 돌로 **받치다**. 2 홀소리 글자 밑에 닿소리 글자를 붙여 적다. ㉮'도' 아래 'ㄴ'을 받쳐 '돈'이라 쓴다. 3 '받다'의 힘줌말. 우산 같은 것을 펴서 들다. ㉮우산을 **받치다**.

받히다 '받다'의 피동사. ㉮소에게 **받히었다**.

밭치다 '밭다'의 힘줌말. ㉮체로 **밭친다** / 술을 **밭친다**.

바퀴벌레 바퀫과의 곤충. 몸의 길이는 1–1.5 cm로 납작한 타원형이며, 몸빛은 황갈색임. 음식물과 옷 따위에 해를 끼침.

*__바탕__ **1** 타고난 성질이나 체질. 또는 재질. ㉨바탕은 착한 사람이다. **2** 물건의 재료. 또는 그 품질. ㉨바탕이 고운 옷감. **3** 사물이나 현상의 근본을 이루는 토대. ㉨사실주의를 바탕으로 한 작품.

바탕음 (—音) 음의 높이를 고정하기 위해 그 기준으로 하는 음.

바탕천 그림을 그리거나 수를 놓을 때 밑바탕으로 사용하는 천.

바탕 화면 (—畫面) 컴퓨터의 모니터에 여러 가지 그림 표시들이 처음 나타나는 화면.

바통 (프 bâton) ⇨배턴. ㉨바통을 이어받다.

바투 **1** 두 물체의 사이가 썩 가깝게. ㉨바투 앉아라. **2** 시간이나 길이가 매우 짧게. ㉨머리를 바투 깎다 / 날짜를 바투 잡다.

바특이 [바트기] 바특하게. ㉨국을 바특이 끓이다.

바특하다 [바트카다] **1** 두 대상이나 물체 사이가 조금 가깝다. **2** 시간이나 길이가 조금 짧다. ㉨시간이 너무 바특하다. **3** 국물이 적어 톡톡하다. ㉨바특하게 끓인 찌개.

바티칸 시ː국 (Vatican市國) 〖국명〗 가톨릭교의 교황이 다스리는, 세계에서 가장 작은 독립국. 이탈리아의 수도인 로마 북서부에 있음.

바하마 (Bahamas) 〖국명〗 미국 플로리다 반도 동쪽에 있는, 700여 개의 섬으로 이루어진 나라. 아열대성 기후로 피한지·관광지로 유명함. 주민은 흑인이고, 주요 언어는 영어임. 수도는 나소.

바흐 (Bach, Johann Sebastian) 〖인명〗 독일의 작곡가. 많은 종교 음악과 관현악곡을 작곡하여 '음악의 아버지'라 불림. 작품에 '마태 수난곡', '요한 수난곡', '브란덴부르크 협주곡' 등이 있음. [1685–1750]

*__박__[1] 박과의 한해살이 덩굴풀. 여름에 흰 꽃이 저녁부터 피었다가 아침에 시듦. 열매는 둥근 호박 모양이며, 바가지를 만듦.

〈박[1]〉

박[2] (拍) **1** '박자'의 준말. **2** 국악에서 쓰는 타악기의 하나. 여섯 개의 나무쪽을 끈으로 꿰어 만듦. 연주나 춤을 시작할 때와 마칠 때, 또는 곡조의 박자를 고르는 데 쓰임.

박[3] (泊) 여행 가서 묵는 밤의 횟수를 세는 말. ㉨1박 2일.

박격포 (迫擊砲) [박껵포] 가까운 거리의 공격에 쓰이는, 구조가 간단한 대포의 한 가지.

박꽃 [박꼳] 박의 꽃.

*__박다__ [박따] **1** 물건의 한 끝을 다른 것 속에 들어가게 하다. ㉨못을 박다. **2** 인쇄하다. ㉨명함을 박다. **3** 사진을 찍다. ㉨사진을 박다. **4** 바느질에서 실을 두 번 겹치게 얽어서 꿰매다. ㉨재봉틀로 치맛단을 박다. **5** 머리 따위를 부딪치다. ㉨전봇대에 이마를 박았다.

박달나무 [박딸라무] 자작나뭇과의 낙엽 교목. 높이는 9–12 m, 나무의 질이 단단하여 건축이나 가구 따위의 재료로 쓰임. ㊣박달.

박대 (薄待) [박때] 인정 없이 모질게 대함. ㉨찾아온 손님을 박대하면 안 된다. ㊥천대. 푸대접. ㊤후대. **—하다.**

박동 (搏動) [박똥] 맥박이 뜀. ㉨심장의 박동 소리. **—하다.**

박두 (迫頭) [박뚜] 기일이나 시간이 가까이 닥쳐옴. ㉨개봉 박두 / 마감 날짜가 박두하다. **—하다.**

박두진 (朴斗鎭)〖인명〗 시인. 청록파의 한 사람. 시집에 '바다와 아기', '해' 따위가 있음. [1916-1998]

박람회 (博覽會) [방남회] 농업·공업·상업 등에 관한 온갖 물품을 모아 벌여 놓고 사람들에게 구경시키며 판매·선전하는 행사. ㉠무역 박람회 / 산업 박람회.

박력 (迫力) [방녁] 힘차게 밀고 나가는 강한 힘. ㉠박력 있는 연기 / 박력이 넘치다.

박멸 (撲滅) [방멸] 모조리 잡아 없애 버림. ㉠기생충 박멸 / 해충을 박멸하다. **—하다.**

박목월 (朴木月)〖인명〗 시인. 본명은 박영종. 청록파의 한 사람. 시집에 '산도화', '경상도의 가랑잎' 따위가 있음. [1916-1978]

박문수 (朴文秀)〖인명〗 조선 영조 때의 문신. 이인좌의 난을 평정하는 데에 공을 세웠으며, 왕의 명으로 여러 번 암행어사로 나가, 조선 시대의 대표적인 어사로 이름을 떨침. [1691-1756]

*__박물관__ (博物館) [방물관] 역사적 유물이나 예술품·자연물·학술 자료 따위를 널리 모아 전시하여 사회 교육과 학술 연구에 도움이 되게 만든 시설. ㉠박물관에 견학을 가다.

박박 [박빡] **1** 세게 문지르거나 닦는 모양. ㉠냄비를 박박 문질러 닦아라. **2** 머리를 아주 짧게 깎은 모양. ㉠머리를 박박 깎았다. **3** 얇고 질긴 종이나 천 따위를 자꾸 찢는 소리. ㉠종이를 박박 찢다. **4** 자꾸 기를 쓰거나 우기는 모양. ㉠악을 쓰며 박박 대들다. ㉭빡빡.

박복 (薄福) [박뽁] 복이 없음. 팔자가 사나움. ㉠박복을 한탄하지 마라. **—하다.**

*__박사__ (博士) [박싸] **1** 대학에서 주는 가장 높은 학위. 또는 그 학위를 받은 사람. ㉠공학 박사 / 박사 과정. **2** 어떤 일에 능통하거나 널리 아는 것이 많은 사람. ㉠그 사람은 컴퓨터 박사다.

박살 [박쌀] 깨어져 조각조각 부서지는 일. ㉠유리가 박살 나다.

박색 (薄色) [박쌕] 여자의 아주 못생긴 얼굴. 또는 그런 사람.

박수[1] [박쑤] 남자 무당.

박수[2] (拍手) [박쑤] 기쁘거나 찬성 또는 환영을 할 때 손뼉을 계속해서 치는 일. ㉠박수를 치다 / 박수가 터져 나오다. **—하다.**

박수갈채 (拍手喝采) [박쑤갈채] 손뼉을 치고 소리를 질러 반기며 기뻐하거나 찬성함. ㉠박수갈채를 보내다 / 박수갈채가 쏟아지다.

박스 (box) 물건을 넣어 두기 위하여 만든 네모난 그릇. 상자. ㉠라면 박스 / 박스에 담다.

박식 (博識) [박씩] 보고 들은 것이 많아서 아는 것이 많음. ㉠책을 많이 읽어 박식한 사람. **—하다.**

박애 (博愛) [바개] 모든 사람을 차별 없이 널리 사랑함. ㉠박애 정신. **—하다.**

박애주의 (博愛主義) [바개주의 / 바개주이] 전 인류가 서로 평등하게 사랑해야 한다는 주의. ㉥사해동포주의.

박약하다 (薄弱—) [바갸카다] **1** 의지·체력 따위가 굳세지 못하고 약하다. ㉠의지가 박약하다. **2** 불확실하고 모자라다. ㉠근거가 박약하다.

박연 (朴堧)〖인명〗 조선 세종 때의 음악가. 우리나라 3 대 악성의 한 사람. 국악 발전에 크게 공헌하였음. [1378-1458]

박연 폭포 (朴淵瀑布) [바견—] 경기도 개풍군 천마산 기슭에 있는 폭포. 약수가 있고 가을 단풍이 아름다워 '송도삼절'의 하나로 알려져 있음. 폭포의 높이는 20 m 정도.

박영효 (朴泳孝)〖인명〗 조선 말엽

의 친일 정치가. 개화사상을 펼치려고 김옥균 등과 개화당을 조직하여 갑신정변을 일으켰으나 사대당에 패하여 실패함. [1861-1939]

박은식 (朴殷植) 〖인명〗 독립 운동가. 3·1운동 후 상하이에서 독립신문의 주필과 임시 정부의 국무총리 및 대통령을 지냄. 저서에 '한국 통사', '한국 독립운동지혈사' 등이 있음. [1859-1926]

박음질 [바금질] 바느질의 한 가지. 실을 두 번 겹쳐 얽어서 튼튼하게 꿰매는 일. 온박음질과 반박음질의 두 가지가 있음. **—하다.**

박이다 [바기다] **1** 버릇이나 습관, 생각 따위가 몸에 배다. ㉥인이 박여 담배를 끊기 어렵다. **2** 손바닥이나 발바닥에 굳은살이 생기다. ㉥손바닥에 못이 **박이다.**

박인로 (朴仁老) 〖인명〗 조선 선조 때의 문인. 호는 노계. 임진왜란 때 공을 많이 세웠으며 '태평사', '노계가', '누항사', '영남가' 따위의 가사와 60여 수의 시조를 지었음. [1561-1642]

***박자** (拍子) [박짜] 센박·여린박이 규칙적으로 되풀이되는 음악적 시간의 기본 단위. ㉥**박자**가 느리다 / **박자**를 맞추다. ㉾박.

박장대소 (拍掌大笑) [박짱대소] 손뼉을 치며 크게 웃음. **—하다.**

박절하다 (迫切—) [박쩔하다] 인정이 없고 야박하다. ㉥모처럼의 부탁을 **박절하게** 거절했다.

박제 (剝製) [박쩨] 새·짐승 따위의 가죽을 곱게 벗겨 썩지 않게 처리한 후 그 안에 솜 따위를 넣어 마치 살아 있는 것처럼 만드는 일. 또는 그렇게 만든 물건. ㉥새를 **박제**하여 전시하다. **—하다.**

박제가 (朴齊家) 〖인명〗 조선 후기의 실학자. 북학파의 한 사람. 저서에 '북학의'가 있음. [1750-1805]

박:쥐 [박쮜] 박쥣과의 짐승. 쥐와 비슷한데 앞다리가 날개처럼 변형되어 날아다님. 낮에는 어두운 동굴 같은 곳에 있다가 밤에 활동함. 벌레·나비 따위를 잡아먹고 삶.

〈박쥐〉

박지원 (朴趾源) 〖인명〗 조선 정조 때의 문장가·실학자. 호는 연암. 청나라에 다녀와서 '열하일기'를 짓고, 북학론을 주장하였고 실학을 강조함. 작품에 '허생전', '양반전' 따위가 있음. [1737-1805]

박진감 (迫眞感) [박찐감] 실제에 가까운 느낌. ㉥**박진감** 넘치는 전투 장면.

박차 (拍車) **1** 말을 탈 때 신는 구두의 뒤축에 댄, 쇠로 만든 톱니 모양의 물건. 말의 배를 차서 빨리 달리게 함. ㉥말에 **박차**를 가하다. **2** 일의 진행을 더 빨리 하기 위하여 더하는 힘. ㉥신제품 개발에 **박차**를 가하다.

박차다 **1** 발길로 냅다 차다. ㉥대문을 **박차고** 나가다. **2** 어려움 따위를 힘차게 물리치다. ㉥유혹을 **박차**고 공부에 열중하다.

박치기 이마로 무엇을 세게 받아치는 짓. **—하다.**

박탈 (剝奪) 남의 재물이나 권리, 자격 따위를 강제로 빼앗음. ㉥자유를 **박탈하다** / 대회에 출전할 선수 자격을 **박탈하다.** **—하다.**

박테리아 (bacteria) ⇨세균.

박팽년 (朴彭年) 〖인명〗 조선 세종 때의 집현전 학자. 사육신의 한 사람. 성삼문·정인지 등과 세종의 훈민정음 창제를 도움. 세조가 단종을 내쫓고 왕위를 빼앗자 단종을 다시 왕으로 세우려다 발각되어 죽음을 당함. [1417-1456]

박하 (薄荷) [바카] 꿀풀과의 여러해살이풀. 특별한 향기가 있어 약재·향료·음료·사탕 따위를 만드는 데 쓰임.

박하다 (薄—) [바카다] **1** 몹시 인색하다. ㉠점수가 박하다 / 인심이 박한 세상. **2** 이익이나 소득이 보잘것없이 적다. ㉠월급이 박하다 / 이익이 박하다. 반 후하다.

박학다식 (博學多識) [바칵따식] 학식이 넓고 두루 아는 것이 많음.

박해 (迫害) [바캐] 힘이나 권력 따위로 약한 처지의 사람을 못살게 굴거나 해를 입힘. ㉠종교적 박해 / 박해에 시달리다. **—하다.**

박혁거세 (朴赫居世) 〘인명〙 신라의 시조. 왕호는 거서간. 알에서 태어났다 함. 기원전 57년 13세에 왕위에 올랐음. 농사와 양잠을 장려하였으며, 국호를 서라벌, 서울을 금성이라 하고 국가의 기틀을 닦았음. [재위 기원전 57-기원후 3]

박히다 [바키다] **1** 인쇄되거나 사진이 찍히다. 비 찍히다. **2** 물건이 다른 물건 속으로 들어가 꽂히다. ㉠손에 가시가 박히다.

***밖** [박] **1** 무슨 테나 선을 넘어선 쪽. ㉠대문 밖. 반 안. **2** 겉으로 드러나 보이는 부분. ㉠밖은 노랑, 속은 빨강. 반 속. **3** 집이 아닌 다른 곳. ㉠밖에 나가 놀아라. ➲ outside

밖에 [바께] 오직 그것뿐. ㉠너밖에 없다 / 천 원밖에 없다.

***반:¹** (半) **1** 둘로 똑같이 나눈 것의 한 부분. ㉠수박을 반으로 가르다. **2** 일이나 물건의 중간쯤 되는 부분. ㉠이제 반쯤 왔다 / 색종이를 반으로 접다. ➲ half

***반²** (班) **1** 어떤 공통점을 가지고 모인 집단. ㉠미술반. **2** 한 학년을 한 교실의 수용 인원 단위로 나눈 이름. ㉠5학년 3반. 비 학급. **3** 동네에서 '통'의 아래에 있는 가장 작은 지방 행정 단위. ㉠같은 반에 사는 이웃. ➲ class

반:가상 (半跏像) 오른발을 왼쪽 허벅다리 위에 얹고, 왼발은 오른쪽 무릎 밑에 넣고 앉은 부처의 상.

반가워하다 반가운 느낌을 가지다. 반갑게 여기다. ㉠휴가 나온 아들을 반가워하다.

반가이 반갑게. 기쁘게. ㉠손님을 반가이 맞다.

반:감¹ (反感) 불쾌하게 생각하여 반항하거나 반발하는 감정. ㉠반감을 사다 / 반감을 가지다.

반:감² (半減) 절반으로 줆. 또는 절반으로 줄임. ㉠봉급을 반감하다 / 흥미가 반감되다. **—하다.**

***반갑다** [반갑따] 뜻밖에 좋은 일을 당하거나, 친한 사람을 만나거나, 좋은 소식을 들어서 즐겁고 기쁘다. ㉠친구를 반갑게 맞이하다 / 합격했다니 반가운 소식이구나. 활용 반가워 / 반가우니.

반:값 (半—) [반깝] 본디 값의 절반이 되는 값. ㉠반값으로 팔다.

반:격 (反擊) 쳐들어오는 적군을 되받아 공격함. ㉠반격에 나서다. 비 되치기. 받아치기. **—하다.**

반:공 (反共) 공산주의에 반대함. ㉠반공 국가 / 반공 교육. 반 용공. **—하다.**

반:구 (半球) **1** 둥글게 생긴 물체의 절반. 또는 그런 모양의 물체. **2** 지구 표면을 두 쪽으로 나눈 한 부분. ㉠북반구.

반:구형 (半球形) 반구와 같이 생긴 모양. 공을 절반으로 나눈 모양.

반:기¹ (反旗) 반대의 뜻을 나타내는 행동이나 표시. ㉠반장의 의견에 반기를 들다.

반:기² (半旗) 죽은 이를 슬퍼하는 뜻에서, 깃대 끝에서 기의 한 폭만큼 내려서 다는 국기. ㉠반기를 걸어 조의를 표하다. 비 조기.

반기다 반가워하거나 반갑게 맞다. (예)손님을 **반기며** 악수를 청하다.

반:나절 (半—) 한나절의 반. 하루의 낮을 넷으로 나눈 그 하나가 되는 동안. (예)도서관에서 **반나절**을 보내다.

반:납 (返納) 꾸거나 빌린 것을 도로 돌려줌. (예)빌린 책을 **반납**하다. **—하다.**

반:년 (半年) 한 해의 반. 곧, 6개월. (예)고향을 떠나온 지 **반년**이 지났다.

반:닫이 (半—) [반다지] 앞의 위쪽 절반이 문짝으로 되어 아래로 젖혀 여닫게 된, 궤 모양의 가구. 옷 같은 것을 넣어 둠.

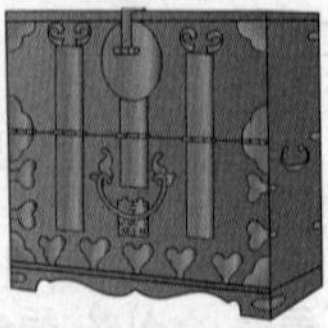

〈반닫이〉

반:달[1] (半—) 반원 모양의 달. [비] 반월.

반:달[2] (半—) 한 달의 절반. 곧, 보름 동안.

반:달곰 (半—) 곰과의 짐승. 앞가슴에 반달 모양의 흰 무늬가 있음. [비] 반달가슴곰.

반:달연 (半—鳶) [반달련] 꼭지에 반달 모양의 색종이를 붙인 연.

*__반:대__ (反對) **1** 남의 말이나 의견에 찬성하지 않고 맞서서 거스름. (예)부모가 결혼을 **반대**하다. [반] 찬성. **2** 사물의 모양·위치·순서·방향 따위가 맞서서 서로 다름. (예)**반대** 방향으로 가다. **—하다.**

반대기 가루를 반죽한 것이나 삶은 푸성귀 따위를 얄팍하고 둥글넓적하게 만든 조각.

반:대말 (反對—) 서로 뜻이 반대되는 말. '가다'와 '오다', '크다'와 '작다' 따위. [비] 반의어.

반:대색 (反對色) 서로 보색 관계를 이루는 색. 곧, 섞어서 백색·흑색 또는 회색이 되는 두 가지의 색. 빨강과 초록, 주황과 파랑 따위.

반:대쪽 (反對—) 반대되는 방향. (예)백화점은 경찰서 **반대쪽**에 있다.

반:대파 (反對派) 반대하는 무리. (예)**반대파**를 설득하다.

반:대편 (反對便) 반대되는 방향. 반대되는 쪽에 있는 곳. (예)길 **반대편**으로 건너가다.

반:도 (半島) 삼면이 바다에 싸이고 한 면은 육지에 이어진 땅. (예)한**반도** / 발칸 **반도**.

반:도체 (半導體) 낮은 온도에서는 전류가 거의 흐르지 않으나 높은 온도일수록 전류가 잘 흐르는 물질. 트랜지스터 등의 전자 공업에 많이 이용됨. (예)**반도체** 산업.

반:동 (反動) 어떤 힘에 대하여 그 반대 방향으로 일어나는 힘. (예)버스가 갑자기 서는 바람에 그 **반동**으로 쓰러졌다. **—하다.**

반:동력 (反動力) [반동녁] **1** 반동하는 힘. **2** 반동으로 일어나는 힘.

반두 양쪽 끝에 막대기를 대어 두 사람이 맞잡고 물고기를 몰아 잡도록 만든 그물. [비] 조망.

반드럽다 [반드럽따] 윤기가 나고 매끈매끈하다. (예)**반드러운** 교실 바닥. [활용] 반드러워 / 반드러우니.

반드르르 윤기가 있고 매끄러운 모양. (예)마룻바닥에 기름칠을 해서 **반드르르**하게 닦다. [큰] 번드르르. [센] 빤드르르. **—하다.**

*__반드시__ 꼭. 틀림없이. (예)**반드시** 이겨야 한다 / 꿈은 **반드시** 이루어진다.

> [주의] **반드시**와 **반듯이**
>
> **반드시** '꼭', '틀림없이'의 뜻.
> (예)약속은 **반드시** 지켜라.
>
> **반듯이** '비뚤어지거나 기울거나 굽지 않고 바르게'의 뜻.
> (예)고개를 **반듯이** 들어라.

반들반들 부드럽고 윤기가 날 정도로 매끈매끈한 모양. ㉠조약돌이 반들반들 윤이 난다. **—하다.**

반듯이 [반드시] 반듯하게. ㉠반듯이 드러눕다. →반드시 주의

반듯하다 [반드타다] **1** 물건들이 비뚤어지거나 굽지 않고 바르다. ㉠책상을 반듯하게 놓다. **2** 생김새가 반반하다. ㉠반듯한 얼굴. ㊌번듯하다. ㊍반뜻하다.

반딧불 [반디뿔 / 반딛뿔] 반딧불이의 꽁무니에서 반짝이는 불빛.

반딧불이 [반디뿌리 / 반딛뿌리] 반딧불잇과의 곤충. 빛을 내는 기관이 있어 여름밤에 반짝거리며 날아다님. ㊐개똥벌레.

〈반딧불이〉

반:란 (叛〔反〕亂) [발란] 정부나 지도자 따위에 반대하여 내란을 일으킴. ㉠반란을 꾀하다. **—하다.**

반:란군 (叛亂軍) [발란군] 반란을 일으킨 군대. ㊐반군.

반:려 (伴侶) [발려] 짝이 되는 벗. ㉠인생의 반려가 되다.

반:려자 (伴侶者) [발려자] 짝이 되는 사람. ㉠평생의 반려자.

반:론 (反論) [발론] 남의 의견이나 생각에 반대되는 말을 함. 또는 그런 말. ㉠반론을 제기하다 / 반론을 펴다. **—하다.**

반:만년 (半萬年) 만 년의 절반. 즉, 오천 년을 나타내는 말. ㉠반만년의 역사.

반:말 (半—) 친한 사람이나 손아랫사람에게 하듯 낮추어 하는 말. ㉠그 아이는 아무에게나 반말을 마구 해 댄다. **—하다.**

반:면 (反面) 다른 한편. ㉠공부는 잘하는 반면에 운동은 못한다.

반:문 (反問) 상대의 물음에 대답하지 않고 오히려 되받아서 물음. ㉠믿어지지 않아 반문하다. **—하다.**

반:미 (反美) 미국에 반대함. 또는 미국에 반대되는 것. ㉠반미 감정 / 반미 구호.

반:민족적 (反民族的) [반민족쩍] 자기 민족의 이익에 반대되는 (것). ㉠반민족적 행위.

반:민주적 (反民主的) 민주주의에 반대하거나 반대되는 (것).

반:바지 (半—) 길이가 무릎까지 내려오는 짧은 바지.

반:박 (反駁) 남의 의견에 반대하여 말함. ㉠반박 성명 / 상대의 주장에 반박하다. **—하다.**

반:반 (半半) 똑같이 가른 반과 반. ㉠반반으로 나누다.

반반하다 **1** 구김살이나 울퉁불퉁한 데가 없고 반듯하다. ㉠길이 반반하다. **2** 생김새가 얌전하고 예쁘장하다. ㉠얼굴이 반반하게 생기다. ㊌번번하다.

반:발 (反撥) 어떤 상태나 행동에 맞서서 세차게 반대함. ㉠부당한 대우에 반발하다. **—하다.**

반:발심 (反撥心) [반발씸] 지지 않고 반항하려는 마음. ㉠부모의 지나친 간섭에 반발심을 일으켰다.

반백 (斑白) 흰 머리카락이 반쯤 섞인 머리털. ㉠반백의 신사.

반:벙어리 (半—) 말소리를 내는 기관에 이상이 있어, 남이 잘 알아듣지 못하게 말을 하는 사람.

반:보 (半步) 한 걸음의 반. ㉠반보 뒤로 물러서다.

반:복 (反復) 같은 일을 되풀이함. ㉠반복하여 연습하다. **—하다.**

반:복법 (反復法) [반복뻡] 같거나 비슷한 말을 되풀이하는 수사법. '옛날 옛날 아주 먼 옛날' 따위.

반:분 (半分) 절반으로 나눔. 또는 그만한 분량. ㉠이익을 반분하다. **—하다.**

반:비례 (反比例) 대응하여 변하는 두 양 x, y에서 한쪽의 양 x가 2

배, 3배, 4배, …로 커질 때 다른 쪽의 양 y는 $\frac{1}{2}$배, $\frac{1}{3}$배, $\frac{1}{4}$배, …로 작아지는 관계. 비 역비례. 반 정비례. **—하다.**

반:사 (反射) **1** 빛 따위가 다른 물체에 부딪쳐서 방향이 바뀌는 일. ⓔ빛의 반사 / 햇빛이 거울에 반사되다. **2** 자극에 대하여 기계적으로 일어나는 신체의 반응. ⓔ조건 반사. **—하다.**

반:사각 (反射角) 반사 광선과 법선이 이루는 각.

반:사경 (反射鏡) 빛을 받아서 반사하는 거울.

반:사 광선 (反射光線) 물체의 표면에 부딪쳐 반사되는 광선.

반:사 망:원경 (反射望遠鏡) 오목거울을 써서 물체에서 오는 빛을 반사시켜 대안렌즈로 상을 확대하는 망원경. 보통 천체 관측용으로 씀.

반:사열 (反射熱) 햇볕 또는 불에 뜨거워진 물체에서 나오는 열.

반:사 운:동 (反射運動) 자극에 대하여 무의식적으로 일어나는 신체의 움직임. 무릎 반사 따위.

반상회 (班常會) 반 단위로 주민이 모여 매달 한 번씩 여는 모임. 나라에서 알리는 일을 전하거나 건의할 것을 의논하는 한편 이웃끼리 서로 돕는 등의 목적을 가짐.

반색 바라던 사물이나 기다리던 사람을 볼 때 몹시 반가워함. ⓔ손님을 반색하며 맞다. **—하다.**

반:생 (半生) 한평생의 절반. ⓔ의료 봉사에 반생을 바치다.

반석 (盤〔磐〕石) **1** 넓고 편편한 큰 돌. **2** 아주 믿음직스럽고 든든한 기초나 토대. ⓔ반석 같은 국방 태세.

***반:성** (反省) 자기의 말이나 행동에 잘못이 없었는지 스스로 돌이켜 생각함. ⓔ일기를 쓰면서 하루 일을 반성하다. **—하다.**

반:성문 (反省文) 주로 학교에서, 학생이 자신의 잘못을 깨닫고 다시는 그런 잘못을 저지르지 않을 것을 선생님께 다짐하는 글.

반:세기 (半世紀) 한 세기의 절반. 곧, 50년.

반:소매 (半—) 팔꿈치 정도까지 내려오는 짧은 소매. ⓔ반소매 와이셔츠. 비 반팔.

반:송 (返送) 우편으로 잘못 전달된 물건을 되돌려 보냄. ⓔ편지가 반송되다. **—하다.**

반:수 (半數) 전체의 절반이 되는 수. ⓔ반수 이상이 찬성하다.

반:숙 (半熟) 달걀이나 곡식 또는 음식물이 반쯤 익음. 또는 반쯤 익힘. ⓔ달걀 반숙. 반 완숙. **—하다.**

반:신반:의 (半信半疑) [반신바늬/반신바니] 한편으로는 믿으면서도 한편으로는 의심함. ⓔ뜻밖의 소식에 반신반의하다. **—하다.**

반:신불수 (半身不隨) [반신불쑤] 병이나 사고로 몸의 절반이 마비되어 마음대로 쓰지 못함. 또는 그런 사람. ⓔ중풍으로 반신불수가 되다.

반:액 (半額) [바낵] **1** 원래 정해진 값의 절반. ⓔ어린이는 입장료가 반액이다. 비 반값. **2** 모두 합한 값의 반. ⓔ수입의 반액을 저축하다.

반:어법 (反語法) [바너뻡] 수사법의 하나. 말하고자 하는 본뜻과 반대로 말하여, 오히려 자기 의도를 더 강조함.

반:역 (反〔叛〕逆) [바녁] **1** 나라와 겨레를 배반함. ⓔ반역죄 / 반역을 꾀하다. **2** 통치자에게서 권력을 빼앗으려고 함. ⓔ반역을 도모하다. 비 모반. **—하다.**

반:영 (反映) [바녕] 다른 일에 영향을 미치어 어떤 현상이 나타남. ⓔ여론을 반영하다. **—하다.**

반:영구적 (半永久的) [반녕구적] 거의 영구에 가까운 (것). ⓔ반영구적으로 사용하다.

반ː올림 (半—) [바놀림] 근삿값을 구할 때, 4 이하는 버리고 5 이상은 10으로 올려서 계산하는 법. 곧, 12.4는 12로, 12.5는 13으로 하는 따위. 비 사사오입. **—하다.**

반ː원[1] (半圓) [바눤] 원을 지름으로 이등분하였을 때의 한쪽. 예 반원을 그리다.

반원[2] (班員) [바눤] 한 반을 이루고 있는 사람. 예 반원 전체가 응원에 참가했다.

반ː음 (半音) [바늠] 온음의 절반이 되는 음정. 반 온음.

*__반ː응__ (反應) [바능] **1** 작용이나 자극에 대응하여 어떤 현상이 일어남. 또는 그 현상. 예 좋은 반응을 얻다. **2** 물질 사이에 일어나는 화학적 변화. 예 수소와 산소가 반응하면 물이 된다. **—하다.**

반ː의 (反意) [바늬 / 바니] 어떤 뜻에 반대하거나 뜻을 어김. **—하다.**

반ː의어 (反義〔意〕語) [바늬어 / 바니어] 서로 반대되는 뜻을 가진 낱말. '남자'와 '여자', '가다'와 '오다' 따위. 비 반대어. 반 동의어.

반입 (搬入) [바닙] 어떤 물품을 운반하여 들여옴. 예 공연장에 음식물 반입 금지 / 전시장에 작품을 반입하다. 반 반출. **—하다.**

반자 지붕 밑이나 위층 바닥 밑을 편평하게 치장한 각 방의 천장.

반ː작용 (反作用) [반자공] 물체 ㄱ이 물체 ㄴ에 힘을 작용하면, ㄴ도 ㄱ에게 같은 크기의 힘을 반대 방향으로 되미치는 작용. 비 반동. 반 작용.

*__반장__ (班長) 학급·행정 단위·작은 조직 따위의 반을 대표하여 일을 맡아보는 사람. 예 학급 반장 / 3통 2반 반장.

반ː전[1] (反戰) 전쟁을 반대함. 예 반전 시위 / 반전 운동. **—하다.**

반ː전[2] (反轉) 일이나 사건의 진행 방향이 완전히 바뀌는 일. 예 분위기가 반전되다. **—하다.**

반ː절[1] (半—) 아랫사람의 절을 받을 때, 그 답례로 윗몸을 반쯤 굽혀서 하는 절.

반ː절[2] (半切〔截〕) 절반으로 자름. **—하다.**

반ː점[1] (半點) 문장 부호의 하나. 가로쓰기에서 쉼표인 ','의 이름.

반점[2] (斑點) 곤충·동물 등의 몸에 얼룩얼룩하게 박힌 점.

반ː제품 (半製品) 손질을 다 하지 못하여 아직 완전하지 못한 물건. 반 완제품.

*__반ː주__ (伴奏) 연주나 노래를 돕기 위해 옆에서 다른 악기를 연주함. 예 피아노 반주에 맞추어 노래하다. **—하다.**

반죽 가루에 물을 조금 섞어서 이겨 갬. 또는 그렇게 한 것. 예 밀가루 반죽 / 반죽이 질다. **—하다.**

반ː증 (反證) 어떤 사실이나 주장에 대해 반대되는 증거를 대어 부정하는 일. 또는 그 증거. 예 허위 보도라는 것이 반증되다. **—하다.**

반지 (半〔斑〕指) 손가락에 끼는 고리. 예 반지를 끼다. ➲ ring

반지르르 매끄럽고 윤이 나는 모양. 예 반지르르한 얼굴 / 마룻바닥이 반지르르하다. 큰 번지르르. 센 빤지르르. **—하다.**

*__반ː지름__ (半—) 원이나 구의 중심에서 그 둘레나 면에 이르는 선분의 길이. 비 반경.

반짇고리 [반짇꼬리] 바늘·실·골무·헝겊 같은 바느질 도구를 담는 그릇.

반질거리다 **1** 몹시 윤이 나고 미끈거리다. 예 마루가 반질거리다. **2** 일을 살살 피하며 게으름을 부리다. 예 반질거리며 말을 안 듣다. 큰 번질거리다. 센 빤질거리다

반질반질 반질거리는 모양. 예 구

두를 반질반질하게 닦다. ㉫번질번질. ㉦빤질빤질. **—하다.**

반짝[1] **1** 무엇을 아주 가볍고 빠르게 들어 올리는 모양. ㉨아이를 반짝 들어 올리다. **2** 몸의 한 부분을 갑자기 위로 들어 올리는 모양. ㉨얼굴을 반짝 쳐들다. **3** 감았던 눈을 갑자기 뜨는 모양. ㉨눈을 반짝 뜨다. ㉫번쩍[1].

반짝[2] 작은 빛이 세게 잠깐 나타났다가 사라지는 모양. ㉫번쩍[2]. ㉦빤짝. **—하다.**

반짝[3] 갑자기 정신이 들거나 생각나거나 마음이 끌리는 모양. ㉨정신이 반짝 들다 / 귀가 반짝 뜨이는 말. ㉫번쩍[3].

반짝거리다 [반짝꺼리다] 자꾸 반짝이다. ㉨불빛이 반짝거리다. ㉫번쩍거리다. ㉧반작거리다.

반짝반짝 [반짝빤짝] 반짝거리는 모양. ㉨밤하늘에 별이 반짝반짝 빛난다. **—하다.**

***반짝이다** [반짜기다] 빛이 조금 세게 잠깐 나타났다가 사라지다. ㉨불빛이 반짝이다. ㉫번쩍이다.

반:쪽 (半—) **1** 한 개를 둘로 쪼갠 것 가운데 한쪽. ㉨사과 반쪽. **2** 살이 많이 빠져 여윈 모습. ㉨감기를 앓더니 얼굴이 반쪽이 되었다.

***반찬** (飯饌) 밥에 곁들여서 먹는 여러 가지 음식. ㉨반찬을 골고루 먹다. ㉟찬.

반찬거리 (飯饌—) [반찬꺼리] 반찬을 만드는 데 쓰는 여러 가지 재료. ㉥반찬감. 찬거리.

반창고 (絆瘡膏) 살에 잘 붙는 물질을 발라 만든 헝겊이나 테이프. 상처를 보호하거나 붕대를 고정시키는 데에 씀.

반:추 (反芻) 소나 염소 따위가 한 번 삼킨 먹이를 다시 게워 내어 씹어서 삼키는 일. ㉥되새김. 새김질. **—하다.**

반출 (搬出) 물건을 다른 곳으로 운반하여 냄. ㉨유물을 몰래 반출하다. ㉤반입. **—하다.**

***반:칙** (反則) 주로 운동 경기에서 규칙이나 규정 따위를 어김. ㉨반칙을 하여 퇴장을 당하다. **—하다.**

반:코트 (半coat) 길이가 허리와 무릎의 중간 정도까지 내려오는 외투. ㉨반코트를 걸치다.

반:투명 (半透明) **1** 어떤 물체를 통하여 볼 때에 그 반대쪽이 흐릿하게 보임. ㉨반투명 유리. **2** 한쪽에서 보면 투명하고 반대쪽에서 보면 불투명하게 보이는 일. **—하다.**

반:팔 (半—) ⇨반소매.

반포 (頒布) 세상에 널리 퍼뜨려 두루 알게 함. ㉨훈민정음을 반포하다. **—하다.**

반:포지효 (反哺之孝) 까마귀 새끼가 자라서 늙은 어미에게 먹이를 물어다 주는 효라는 뜻으로, 자식이 자라서 늙은 어버이를 정성껏 받듦을 이르는 말. ㉥안갚음.

반:품 (返品) 사들인 물건을 도로 돌려보냄. 또는 그 물품. ㉨불량품을 반품하다. **—하다.**

반:하다[1] 무엇에 마음이 취하여 홀리다. ㉨성악가의 목소리에 반하다 / 미모에 반하다 / 첫눈에 반하다.

반:하다[2] (反—) **1** 반대가 되다. ㉨공부는 열심히 하는 데 반하여 성적이 오르지 않는다. **2** 남의 의견이나 규정 따위를 거스르거나 어기다. ㉨부모의 뜻에 반하다.

반:항 (反抗) 따르지 않고 맞서서 대듦. ㉨반항아 / 이유 없는 반항. ㉥반발. ㉤복종. **—하다.**

반:항심 (反抗心) 반항하는 마음. ㉨반항심을 불러일으키다.

반:향 (反響) 어떤 일에 영향을 받아 일어나는 반응 현상. ㉨폭발적인 반향을 불러일으키다.

반:환 (返還) **1** 도로 돌려줌. ㉨공

연이 취소되어 입장료를 반환하다. 비 반려. **2** 되돌아오거나 감. 예반환 지점을 돌다. **—하다.**

반:환점 (返還點) [반환쩜] 마라톤·경보에서, 선수들이 돌아오는 점을 표시한 표지.

*__받다__ [받따] **1** 주는 것을 가지다. 예장학금을 받다. **2** 어떤 행동이나 작용의 영향을 당하거나 입다. 예존경을 받다. **3** 던지거나 떨어지는 것을 잡다. 예공을 받다. **4** 액체 따위를 그릇에 넣다. 예목욕물을 받다 / 빗물을 받다. **5** 우산 따위를 펴서 들다. **6** 음식점·병원 등에서 손님을 맞아들이다. 예환자를 받다. **7** 뿔이나 머리로 세차게 부딪치다. 예소가 뿔로 사람을 받다. **8** 무엇의 영향을 입다. 예책을 읽고 감명을 받다.

*__받들다__ [받뜰다] **1** 공경하여 높이 모시다. 예늙은 부모님을 받들다. **2** 가르침이나 뜻 따위를 소중히 여기며 따르다. 예스승의 뜻을 받들다. **3** 물건의 밑을 받쳐 올려 들다. 예잔을 받들다. 활용 받들어 / 받드니 / 받드는.

받아넘기다 [바다넘기다] **1** 거침없이 척척 대답하다. 예까다로운 질문을 잘 받아넘기다. **2** 물건 따위를 받아서 다른 사람에게 넘겨주다.

*__받아들이다__ [바다드리다] **1** 받아서 자기 것으로 되게 하다. 예외국 문물을 받아들이다. **2** 남의 말이나 요구 따위를 들어주다. 예의견을 받아들이다. **3** 어떤 사실을 인정하고 들어주다. 예현실을 받아들이다. **4** 조직체에서 어떤 사람을 구성원으로 들어오게 하다. 예신규 회원을 받아들이다. ➲ accept

받아쓰기 [바다쓰기] 학교에서 올바른 맞춤법을 익히기 위해, 문장이나 낱말 따위를 교사가 부르는 대로 적는 일. 예받아쓰기 시험을 보다.

받치다 **1** 우산이나 양산을 펴 들다. 예우산을 받치고 가다. **2** 어떤 물건의 밑이나 안에 다른 물건을 대다. 예책받침을 받치다. → [학습마당] 11(443쪽)

*__받침__¹ 한글에서 끝소리가 되는 닿소리. 비 종성.

*__받침__² 물건의 밑바닥을 받치는 물건. 예화분 밑에 받침을 받치다.

받침대 (一臺) [받침때] 무거운 물건 따위를 받치는 데 쓰는 물건. 비 지주.

받침소리 [받침쏘리] 어떤 말의 받침으로 나는 소리. '말'에서 'ㄹ' 따위. 비 끝소리. 말음.

받히다 [바치다] 떠받음을 당하다. 예소한테 받히다 / 자동차에 받혀 다치다. → [학습마당] 11(443쪽)

*__발__¹ **1** 사람이나 동물의 다리 맨 끝 부분으로, 걸을 때 땅에 디디는 몸의 부분. 예발로 공을 차다 / 구두가 발에 맞다. **2** 물건 밑에 달려서 그 물건을 받치게 된 짧은 부분. 예장롱의 발. **3** 걸음¹1. 예발이 빠르다 / 발을 멈추다. **4** 걸음을 세는 말. 예한 발 뒤로 물러서다. ➲ foot

발 벗고 나서다 자기 일처럼 열심히 하다.

발(을) 끊다 오가지 않거나 관계를 끊다. 예그와는 발 끊은 지 오래다.

발을 동동 구르다 몹시 안타까워 애를 태우다. 예구조를 기다리며 발을 동동 구르다.

발(을) 들여놓다 어떤 자리에 드나들거나 어떤 일에 몸담다. 예연예계에 발을 들여놓다.

발(을) 벗다 ㉠신은 것을 벗다. ㉡아무것도 신지 아니하다.

발(을) 빼다 어떤 일에서 관계를 완전히 끊고 물러나다. 예벌써 그 일에서 발 뺐다.

발(이) 넓다 많은 사람과 사귀거나 알고 지내다.

발이 저리다 잘못한 것이 있어 마

음이 편하지 아니하다. ㉨제 발이 저리니까 못 본 체한다.

발:² 가늘게 쪼갠 대오리나 갈대 따위로 엮어, 무엇을 가리는 데 쓰는 물건. ㉨발을 치다.

발:³ 실이나 국수 따위의 가늘고 긴 물체의 가락. ㉨발이 굵다.

발:⁴ 두 팔을 벌렸을 때 양팔 사이의 길이. ㉨두 발 길이.

발⁵(發) 탄알이나 포탄, 화살 따위의 수효를 나타내는 말. ㉨총을 한 발 쏘다.

-발¹ 1 '죽죽 내뻗는 줄'·'내뻗는 듯한 기세' 따위의 뜻을 나타내는 말. ㉨빗발/말발. 2 '효과'의 뜻을 나타내는 말. ㉨약발/화장발.

> **참고** **접미사 '-발'이 붙은 말**
> 깃발/끗발/눈발/빗발/서릿발/핏발/햇발.

-발²(發) 1 떠남의 뜻. ㉨서울발 부산행. 2 발신의 뜻. ㉨런던발 기사.

발가락 [발까락] 발의 앞쪽에 따로 갈라진 부분. ㉨발가락을 꼼지락거리다/발가락이 닮았다. ➡toe

발가벗다 [발가벋따] 옷을 죄다 벗다. 알몸뚱이가 되다. ㉷벌거벗다. ㉶빨가벗다.

발각(發覺) 숨겼던 일이 드러남. ㉨음모가 발각되다. **—되다.**

발간(發刊) 책·신문·잡지 따위를 만들어 냄. ㉨국내에서 발간된 책/잡지를 발간하다. **—하다.**

발:갛다 [발가타] 조금 연하고 곱게 붉다. ㉨발갛게 상기된 얼굴. ㉷벌겋다. ㉶빨갛다. 활용 발가니/발개서.

*__발걸음__ [발꺼름] 발을 옮겨서 걷는 동작. ㉨발걸음이 가볍다/발걸음을 재촉하다.

발걸음을 끊다 사람이 더 이상 찾아오거나 찾아가지 않다.

*__발견__(發見) 이제까지 찾아내지 못했거나 알려지지 않은 것을 처음으로 찾아내거나 알아냄. ㉨신대륙을 발견하다. **—하다.**

> **주의** **발견과 발명**
> **발견** 이제까지 찾아내지 못한 것을 처음으로 찾아낸다는 뜻. ㉨새로운 별을 발견하다.
> **발명** 이제까지 없던 물건이나 방법을 새로 생각해 내어 만든다는 뜻. ㉨원자탄을 발명하다.

발광¹(發光) 빛을 냄. ㉨발광 물질. **—하다.**

발광²(發狂) 1 병으로 미친 증세가 나타남. 2 미친 듯이 날뜀. **—하다.**

발광체(發光體) 스스로 빛을 내는 물체. 태양·불꽃·전구 따위.

발구르기 1 멀리뛰기나 뜀틀 등의 운동에서 도움닫기를 한 후 뛰어오르기 위하여 발판에 발을 구르는 동작. 2 음악에서, 박자에 맞추어 발을 구르는 것.

발군(拔群) 여럿 가운데에서 특별히 뛰어남. ㉨발군의 실력.

발굴(發掘) 1 땅속에 묻혀 있는 유적 따위를 파냄. ㉨고분을 발굴하다. 2 세상에 널리 알려지지 않거나 뛰어난 것을 찾아냄. ㉨신인 발굴/숨은 인재를 발굴하다. **—하다.**

*__발굽__ [발꿉] 말·소·양 등의 발끝에 난 두껍고 단단한 발톱.

발그레하다 조금 곱게 발그스름하다. ㉨발그레한 볼. ㉷벌그레하다.

발그스름하다 조금 발갛다. ㉨발그스름한 얼굴. ㉷벌그스름하다.

발급(發給) 공공 기관에서 증명서 따위를 만들어 내줌. ㉨주민 등록증을 발급하다. **—하다.**

발기(發起) 앞장서서 새로운 일을 꾸며 시작함. ㉨회사 설립을 발기하다. **—하다.**

발:기다 1 속에 있는 것이 드러나게 헤쳐 발리다. ㉥밤송이를 발기다. 2 종이나 헝겊 따위를 마구 찢어서 못 쓰게 만들다. ㉥서류를 발겨 쓰레기통에 버렸다. ㉢벌기다.

발기발기 여러 조각으로 마구 찢는 모양. ㉥사진을 발기발기 찢다.

발기인 (發起人) 남보다 앞서서 새로운 일을 시작하는 사람. ㉥동창회 발기인.

발길 [발낄] 1 움직여 걸어 나가는 발. ㉥발길을 돌리다. 2 사람들의 오고 감. ㉥발길을 끊다 / 발길이 뜸하다. 3 앞으로 세차게 뻗는 발. ㉥발길로 걷어차다.

발길이 내키지 않다 가고 싶은 마음이 좀처럼 나지 않다.

발길질 [발낄질] 발로 걷어차는 짓. ㉥화풀이로 강아지에게 발길질하다. ㉣발질. **―하다.**

발꿈치 ⇨발뒤꿈치.

발꿈치를 물리다 이리저리 마음을 써 준 사람으로부터 뜻밖에 해를 입다.

발끈 사소한 일에 왈칵 성을 내는 모양. ㉥발끈 성을 내며 돌아서다. ㉢벌끈. ㉦빨끈. **―하다.**

발단 (發端) [발딴] 어떤 일이 벌어지게 된 이유. ㉥사건의 발단은 오해에서 비롯되었다. **―하다.**

*__발달__ (發達) [발딸] 1 몸이나 마음이 자라 감. ㉥지능이 발달하다. ㉡발육. 2 사물이 차차 나아져 훌륭한 것으로 되어 감. ㉥우주 과학 기술의 발달. ㉡발전. ㉤퇴보. **―하다.**

발돋움 [발도둠] 1 키를 돋우느라고 발끝만 디디고 서는 짓. ㉥발돋움해서 보다. 2 더 높은 단계로 나아감. ㉥선진국 대열로 발돋움하다. **―하다.**

발동 (發動) [발똥] 1 어떤 느낌이 일어남. ㉥호기심이 발동하다. 2 동력을 일으킴. ㉥발동을 걸다. 3 어떤 법적 권한 따위를 행사함. ㉥사법권의 발동. **―하다.**

발동기 (發動機) [발똥기] 동력을 일으키는 기계. 모터. 엔진.

발동선 (發動船) [발똥선] 기름이나 가스를 연료로 하여 발동기에서 힘을 얻어 움직이는 배. 모터보트. ㉯발동기선.

발뒤꿈치 [발뛰꿈치] 발의 뒤쪽 발바닥과 발목 사이의 불룩한 부분. ㉡발꿈치. ㉣뒤꿈치.

발뒤꿈치도 따를 수 없다 상대가 너무 뛰어나 자기와 비교도 안 될 정도이다.

발뒤축 [발뛰축] 발뒤꿈치의 뒤쪽으로 두둑하게 나온 부분. ㉣뒤축.

발뒤축을 물다 은혜를 베풀어 준 상대에게 해를 입히다.

발등 [발뜽] 발의 윗부분. ㉥구둣발에 발등이 밟히다. ㉤발바닥.

발등에 불이 떨어지다 갑자기 어떤 일이 눈앞에 닥치다.

발등의 불을 끄다 가까이 닥친 어려움을 해결하다.

발딱 1 갑자기 급하게 일어나는 모양. ㉥발딱 일어나다. 2 갑자기 뒤로 반듯하게 드러눕거나 자빠지는 모양. ㉥뒤로 발딱 넘어졌다. ㉢벌떡. ㉦빨딱.

발라내다 1 껍데기를 벗기거나 속 알맹이를 따로 추려서 내다. ㉥씨를 발라내다. 2 필요한 것만 골라서 내다. ㉥생선의 살을 발라내다.

발랄하다 (潑剌―) 표정이나 행동이 생기 있고 활발하다. ㉥발랄한 아가씨.

발레 (프 ballet) 어떤 이야기의 줄거리를 음악에 맞추어 표현하는 무용. 유럽에서 발달하였음.

발레리나 (이 ballerina) 발레를 하는 여자 무용수.

발령 (發令) 1 공공 기관에서 직위에 임명하거나 해임하는 명령. ㉥교장으로 발령이 나다. **2** 경보를 발함. ㉸공습경보 발령. **—하다.**

발로(發露) 마음속의 것이 겉으로 드러남. ㉸우정의 발로. **—하다.**

발름거리다 코나 입 따위가 부드럽고 넓게 자꾸 벌어졌다 오므라졌다 하다. ㉸코를 발름거리다. ㊉벌름거리다.

발름발름 발름거리는 모양. ㉸콧구멍을 발름발름하며 냄새를 맡다. **—하다.**

발림 판소리에서 소리꾼이 하는 가벼운 몸짓이나 손짓. ㊀너름새.

발맞추다[발맏추다] 여러 사람이 말이나 행동을 같은 목표나 방향으로 일치시키다. ㉸시대 흐름에 발맞추다.

발매(發賣) 상품을 팖. 또는 팔기 시작함. ㉸새 음반을 발매하다. ㊀판매. **—하다.**

*__발명__(發明) 아직까지 없던 물건이나 기술을 새로 생각해 내거나 만들어 냄. ㉸증기 기관의 발명 / 우주선을 발명하다. **—하다.** →발견 주의

발명가(發明家) 발명을 전문적으로 하는 사람.

발명품(發明品) 새로 발명하여 낸 물품.

발목 다리와 발이 이어진 부분. ㉸발목을 삐다.

발목(을) 잡히다 ㉠어떤 일에 꽉 잡혀서 벗어나지 못하다. ㉡남에게 어떤 단서나 약점을 잡히다.

발바닥[발빠닥] 발 아래쪽의, 땅을 밟는 평평한 부분. ㉸너무 걸어서 발바닥이 부르트다. ㊁발등.

발바리 **1** 개의 한 종류. 몸이 작고 다리는 짧으며, 온몸에 긴 털이 축 늘어짐. 성질이 순하고 생김새가 예뻐 애완용으로 많이 기름. **2** 침착하지 못하고 큰 볼일 없이 여기저기 잘 돌아다니는 사람.

발발[1] **1** 춥거나 무섭거나 하여 몸을 자꾸 떠는 모양. ㉸너무 무서워서 발발 떨다. **2** 하찮은 것을 몹시 아끼는 모양. ㉸돈 몇 푼에 발발 떤다. **3** 몸을 바닥에 대고 작은 동작으로 기는 모양. ㉸아기가 방바닥을 발발 기어 다니다. ㊉벌벌.

발발[2](勃發) 일이 갑자기 크게 일어남. ㉸전쟁이 발발하다. **—하다.**

발버둥 **1** 주저앉거나 누워서 다리를 뻗었다 오므렸다 하면서 몸부림을 하는 일. ㉸장난감을 사 달라고 발버둥을 치다. **2** 힘이나 수단을 다해 몹시 애를 쓰는 일. ㉸파산을 면하려고 발버둥 치다. 참고 주로 '치다'와 함께 쓰임.

발버둥이 ⇨발버둥. ㉸줄을 놓치지 않으려고 발버둥이를 치다.

발버둥질 발버둥 치는 짓. ㊅버둥질. **—하다.**

발병[1](—病)[발뼝] 발에 생기는 병. ㉸십 리도 못 가서 발병이 나다.

발병[2](發病) 병이 남. ㉸전염병이 발병하다. **—하다.**

발본색원(拔本塞源)[발본새권] 옳지 못한 일의 근원을 아주 뽑아서 없애 버림. ㉸부정부패를 발본색원하다. **—하다.**

발부(發付) 증서·영장 따위를 내어 줌. ㉸영장을 발부하다. **—하다.**

발붙이다[발부치다] **1** 발을 대고 서다. ㉸버스가 만원이라 발붙일 틈도 없다. **2** 의지하거나 근거로 삼다. ㉸발붙일 터전을 잡다.

발뺌 책임을 지지 않으려고 핑계를 대며 피하는 짓. ㉸비겁하게 발뺌만 하지 마라. **—하다.**

발사(發射)[발싸] 총·대포·활·로켓 따위를 쏨. ㉸미사일을 발사하다. **—하다.**

발산(發散)[발싼] **1** 열·빛·냄새 따위가 사방으로 퍼져서 흩어짐. ㉸열을 발산하다. **2** 울분·감정 따위를 행동으로 나타내어 밖으로 풀어 없

앰. ㊐젊음을 발산하다. —하다.
발상 (發想) [발쌍] 어떤 생각을 해 냄. 또는 그 생각. ㊐기막힌 발상.
발상지 (發祥地) [발쌍지] 역사상 큰 사업이나 문화가 처음으로 일어난 땅. ㊐고대 문명의 발상지.
*__발생__ (發生) [발쌩] **1** 어떤 것이 새로 생겨남. ㊐해충이 발생하다. **2** 어떤 일이 일어남. ㊐교통사고가 발생하다. —하다.
발설 (發說) [발썰] 입 밖으로 말을 내어 남이 알게 함. ㊐비밀을 발설하다. —하다.
발성 (發聲) [발썽] 목소리를 냄. ㊐발성 연습. —하다.
발소리 [발쏘리] 걸을 때 발이 바닥에 닿아서 나는 소리. ㊐발소리가 나다 / 발소리를 죽이며 걷다.
발송 (發送) [발쏭] 물건·편지·서류 따위를 우편 따위로 보냄. ㊐합격 통지서를 발송하다. —하다.
발신 (發信) [발씬] 편지·전보·전신 따위를 보냄. 반 수신. —하다.
발신인 (發信人) [발씨닌] 우편·전신 따위를 보내는 사람. 반 수신인.
발아 (發芽) [바라] **1** 풀·나무의 눈이 틈. **2** 씨앗에서 싹이 나옴. ㊐발아가 늦어지다. —하다.
발악 (發惡) [바락] 앞뒤를 가리지 않고 모진 소리나 행동을 마구 하며 사납게 악을 씀. ㊐최후의 발악을 하다. —하다.
발안 (發案) [바란] **1** 새로운 안을 생각해 냄. **2** 토의에 부칠 안건을 내놓음. —하다.
발암 (發癌) [바람] 암이 생김. 또는 암을 생기게 함. ㊐발암 성분 / 발암 물질. —하다.
발야구 (—野球) [발랴구] 경기 규칙이 야구와 비슷한, 발로 공을 차서 승부를 겨루는 놀이.
발언 (發言) [바런] 회의나 모임에서 의견을 말함. 또는 그 의견. ㊐무책임한 발언을 하다. —하다.
발언권 (發言權) [바런꿘] 회의나 모임에서 의견을 말할 수 있는 권리. ㊐발언권을 얻다. 준 언권.
발열 (發熱) [바렬] **1** 물체가 열을 냄. ㊐발열 반응. **2** 체온이 높아짐. —하다.
발원 (發源) [바뤈] **1** 물줄기가 처음 생김. ㊐압록강은 백두산에서 발원한다. **2** 사물이 일어나는 근원. ㊐발원지. —하다.
발육(發育)[바륙] 동식물이 자라남. ㊐발육이 왕성하다. 비 성장. —하다.
*__발음__ (發音) [바름] 말소리를 냄. 또는 그 소리. ㊐발음 기호 / 발음을 정확히 하다. —하다.
발음 기관 (發音器官) [바름—] **1** 동물체의 소리를 내는 기관. 준 발음기. **2** 사람이 발음하는 데 필요한 목청·혀·이·입술·입천장·코 등의 기관.
*__발자국__ [발짜국] **1** 발로 밟은 자리에 남은 모양. ㊐눈 위의 토끼 발자국. **2** 걸음을 세는 단위. ㊐몇 발자국 뒤로 물러서다.
발자취 [발짜취] **1** 발로 밟은 흔적. ㊐발자취를 남기다. **2** 기록 따위에 남아 있는 지난날의 사실. ㊐조상의 발자취를 더듬어 보다.
발작 (發作) [발짝] 어떤 증상이나 격한 감정 따위가 갑자기 세차게 일어남. ㊐발작을 일으키다. —하다.
발장구 헤엄칠 때 물 위에 엎드려 두 발을 물 위로 번갈아 들었다 내렸다 하면서 물을 차는 일. ㊐발장구를 치다.
발장단 [발짱단] 두 발로 장단을 맞추는 짓. ㊐노래에 맞추어 발장단을 하다.
발전[1] (發電) [발쩐] 전기를 일으킴. ㊐태양열 발전. —하다.
*__발전__[2] (發展) [발쩐] **1** 더 낫고 좋은 상태로 나아감. ㊐사업이 나날이 발

전하다. 비 발달. 반 쇠퇴. **2** 일이 어떤 방향으로 나아감. 예사태의 발전을 지켜보다. **—하다.**

발전기 (發電機) [발쩐기] 수력이나 화력 따위를 이용해 전기를 일으키는 기계나 장치.

발전량 (發電量) [발쩐냥] 발전한 전기의 전체 양.

발전상 (發展相) [발쩐상] 발전하는 모습.

***발전소** (發電所) [발쩐소] 수력·화력·원자력 따위로 발전기를 돌려 전기를 일으키는 곳. 예수력 발전소 / 원자력 발전소.

발족 (發足) [발쪽] 어떤 모임이나 단체 따위가 새로 만들어져 활동을 시작함. 예회사가 새로 발족하다. **—하다.**

발진 (發疹) [발찐] 열로 인해 피부나 점막에 좁쌀만 한 종기가 생김. 또는 그 종기.

발진 티푸스 (發疹typhus) [발찐—] 법정 전염병의 하나. 겨울철부터 봄에 걸쳐 발생함. 높은 열이 나며 온몸에 붉고 작은 종기가 생김.

발짝 한 발씩 떼어 놓는 걸음의 수효를 나타내는 말. 예두 발짝 뒤로 물러서라.

발차 (發車) 자동차 따위가 떠나감. 예발차 신호. 반 정차. **—하다.**

발착 (發着) 출발과 도착. **—하다.**

발췌 (拔萃) 글 가운데에서 필요하거나 중요한 부분만을 뽑아냄. 또는 그런 내용. 예신문에서 중요 내용을 발췌하다. **—하다.**

발치 누울 때 발을 뻗는 곳. 반 머리맡.

발칙하다 [발치카다] 매우 버릇없고 막되어 괘씸하다. 예그는 발칙한 짓을 곧잘 한다 / 발칙하게 어른에게 대들다니.

발칵 **1** 갑작스럽게 화를 내거나 기운을 쓰는 모양. 예화를 발칵 내다. **2** 갑자기 어떤 일이 벌어져 온통 혼란스럽게 된 모양. 예동네가 발칵 뒤집혔다. 큰 벌컥. 여 발깍.

발칸 반ː도 (Balkan半島) 유럽 남동부에서 지중해로 뻗은 반도. 불가리아·유고슬라비아·알바니아·그리스·루마니아 등의 나라가 있으며 대부분 산악 지대임.

발코니 (balcony) **1** 서양식 건축에서 건물 밖으로 길게 달아 낸 난간이 있는 대. **2** 극장에서, 아래층보다 높이 좌우에 만든 특별 좌석.

발탁 (拔擢) 많은 사람들 중에서 특별히 뽑아 씀. 예신인을 발탁하다. **—하다.**

발톱 발가락 끝을 덮어 보호하고 있는 단단한 물질. 예발톱을 깎다.

발트 해 (Balt海) 유럽 대륙과 스칸디나비아 반도 사이에 있는 바다. 스웨덴·핀란드·리투아니아·라트비아·에스토니아·폴란드 및 독일 북부·덴마크가 이에 접함.

발파 (發破) 바위 같은 데에 구멍을 뚫어 화약을 넣고 폭파하는 일. 예발파 작업. **—하다.**

***발판** (—板) **1** 높은 곳에 올라가기 위하여 걸쳐 놓은 널. **2** 차에 오르내릴 때 디디게 된 장치. **3** 키를 높이려고 발 밑에 괴는 물건. 예책으로 발판을 만들다. **4** 육상·수영·다이빙·체조 따위에서 뛰는 힘을 돕기 위하여 쓰는 도구. 예발판을 힘차게 구르다. 비 구름판. 도약판. **5** 목적을 이루기 위한 수단이나 기반. 예학벌을 발판으로 삼아 출세하다.

발포 (發砲) 총이나 대포를 쏨. 예발포 명령. **—하다.**

***발표** (發表) 어떤 사실이나 결과 따위를 세상에 널리 드러내어 알림. 예논문 발표 / 합격자를 발표하다. 비 공표. **—하다.**

발표회 (發表會) 학술이나 예술 등의 창작 또는 연구 결과를 발표하는 모임. ㉳현대 무용 발표회.

발하다 (發—) 소리·빛·냄새·열·감정 따위를 내보내다. ㉳찬란한 빛을 발하는 보석.

발해 (渤海) 고구려의 장수였던 대조영이 고구려가 망한 뒤에 세운 나라. 한반도 북부와 만주 일대를 차지하였으며, 전성기에는 '해동성국'이라고 불릴 정도로 세력을 떨쳤으나, 중국의 요나라에게 멸망함. [699-926]

발행 (發行) **1** 도서·신문·잡지 따위를 출판하여 세상에 펴냄. ㉳신문 발행. 비 간행. 발간. **2** 화폐·증권·상품권·입장권·증명서 따위를 만들어 세상에 내놓음. ㉳백화점에서 상품권을 발행하다. **—하다.**

발행인 (發行人) 출판물이나 어음, 수표 따위를 발행한 사람.

발현 (發現〔顯〕) 숨겨져 있던 능력·성질·감정 따위가 드러남. ㉳민족 정신의 발현. **—하다.**

발화 (發火) 불이 일어나거나 타기 시작함. ㉳발화 지점 / 부엌에서 발화하여 집 전체로 번지다. **—하다.**

발화성 (發火性) [발화썽] 일정한 온도에서 쉽게 불이 붙는 성질. ㉳발화성 물질.

발화점 (發火點) [발화쩜] 공기 속에서 어떤 물질에 열을 가할 때 스스로 불이 붙어 타기 시작하는 가장 낮은 온도. 비 착화점.

발효1 (發效) 조약·법령 따위가 효력을 나타냄. ㉳조약이 발효되다.

발효2 (醱酵) 효모·박테리아 등이 유기물을 분해하여 이산화탄소·알코올 등을 생기게 하는 작용. 술·간장·초·김치 따위를 만드는 데에 씀. **—하다.**

*__발휘__ (發揮) 재능이나 능력 따위를 떨쳐 밖으로 드러냄. ㉳노래 실력을 발휘하다. **—하다.**

밝기 [발끼] 밝은 정도. ㉳전기스탠드의 밝기를 낮추다. 비 광도.

*__밝다__ [박따] **1** 불빛 따위가 환하다. ㉳햇살이 밝다. **2** 느낌이 환하고 산뜻하다. ㉳벽지가 밝다. **3** 청력·시력이 좋다. ㉳귀가 밝다. **4** 잘 알다. ㉳지리에 밝다. **5** 날이 새다. ㉳밝아 오는 아침. **6** 생각이나 태도가 분명하고 바르다. ㉳경우가 밝다 / 인사성이 밝다. **7** 분위기·표정 따위가 즐겁고 명랑하다. ㉳밝게 웃다. 반 어둡다.

> **주의 밝다의 표준 발음**
>
> 겹받침 'ㄺ'은 자음 앞이나 어말에서 'ㄱ'으로 발음한다. 다만 'ㄱ' 앞에서는 'ㄹ'로 발음한다.
>
> (1) 'ㄱ' 소리로 발음
> 밝다[박따], 밝지[박찌], 밝소[박쏘], 밝던[박떤]
>
> (2) 'ㄹ' 소리로 발음
> 밝고[발꼬], 밝게[발께], 밝구나[발꾸나]
>
> ※ 밝아서[발가서], 밝으면[발그면], 밝은[발근].

밝히 [발키] **1** 똑똑하고 분명하게. ㉳사정을 밝히 아는 사람이 드물다. **2** 불빛 따위가 환하게.

*__밝히다__ [발키다] **1** 어두운 곳을 환하게 하다. ㉳방 안을 밝히다. **2** 옳고 그름을 가려 분명하게 하다. ㉳진실을 밝히다. **3** 모르던 사실을 알려 주다. ㉳비밀을 밝히다. **4** 밤을 새우다. ㉳이야기로 밤을 밝히다. **5** 드러나게 좋아하다. ㉳돈을 밝히다.

*__밟:다__ [밥따] **1** 발로 어떤 곳을 디디거나 디디고 걷다. ㉳낙엽을 밟으며 걷다. **2** 물건 위에 발을 올려놓고 누르다. ㉳옆 사람 발을 밟다. **3** 순서를 거쳐 행하다. ㉳절차를 밟다. **4** 남의 뒤를 몰래 쫓다. ㉳범인의 뒤를 밟다. **5** 어떤 곳을 찾아가다. ㉳고향 땅을 밟다.

> **주의 밟다의 표준 발음**
> 겹받침 'ㄼ'은 어말 또는 자음 앞에서 'ㄹ'로 발음한다.
> (예)넓다[널따], 얇다[얄따]
> 그러나 '밟-'만은 예외적으로 자음 앞에서[밥]으로 발음한다.
> (예)밟다[밥따], 밟고[밥꼬], 밟지[밥찌], 밟게[밥께]

밟히다 [발피다] 밟음을 당하다. (예)발등을 밟히다.

*__밤__[1] 해가 져서 어두워진 때부터 다음 날 해가 뜨기 전까지의 동안. (예)밤이 이슥할 때까지 소설책을 읽다. (반)낮. ➡ night

*__밤:__[2] 밤나무의 열매. (예)밤을 까다 / 밤을 따다 / 밤이 여물다. ➡ chestnut

〈밤²〉

밤거리 [밤꺼리] 밤의 길거리. (예)밤거리를 쏘다니다.

밤길 [밤낄] 밤에 걷는 길. (예)밤길을 조심해라.

밤:나무 참나뭇과의 낙엽 활엽 교목. 산기슭·들·자갈땅에서 자람. 높이 5–15 m이며, 초여름에 꽃이 피고 '밤'이 초가을에 익음. 나무는 단단해서 토목용·건축용으로 많이 씀.

〈밤나무〉

*__밤낮__ [밤낟] **1** 밤과 낮. (비)주야. **2** 밤이나 낮이나. 늘. 언제나. (예)밤낮 놀기만 하다.

밤낮을 가리지 않다 쉬지 않고 계속하다. (예)밤낮을 가리지 않고 공부하다.

밤낮없이 [밤나덥씨] 밤이나 낮이나 계속하여. 언제나. 늘. (예)자식을 위해 밤낮없이 고생하시는 부모님 / 밤낮없이 열심히 공부하다. (비)불철주야.

밤눈 밤에 사물을 볼 수 있는 시력. (예)밤눈이 밝다.

밤늦다 [밤늗따] 밤이 깊다. (예)밤늦은 시간에 전화벨이 울리다.

밤바람 [밤빠람] 밤에 부는 바람. (예)밤바람이 시원하다.

밤새 [밤쌔] 밤이 지나는 동안. (예)밤새 내린 눈. (본)밤사이.

밤새껏 [밤새껃] 밤이 샐 때까지. (예)밤새껏 얘기를 나누다.

밤새다 밤이 지나 날이 밝아 오다. (예)밤새도록 잠을 이루지 못하고 뒤척이다.

밤새우다 잠을 자지 않고 밤을 보내다. (예)밤새워 책을 읽다.

밤새움 잠을 자지 않고 밤을 보내는 일. (예)이틀을 밤새움하다. (비)철야. (준)밤샘. **—하다.**

밤:색 (—色) 여문 밤의 껍질과 같은 갈색. 초콜릿색.

밤샘 '밤새움'의 준말. (예)밤샘 공부를 하다. **—하다.**

밤:송이 밤알을 싸고 있는 겉껍데기. 가시가 많이 돋아 있고, 익으면 네 갈래로 벌어짐.

밤안개 [바만개] 밤에 끼는 안개.

밤일 [밤닐] 밤에 하는 일. (비)야간 작업. **—하다.**

밤잠 [밤짬] 밤에 자는 잠. (예)밤잠을 설치다. (반)낮잠.

밤중 (—中) [밤쭝] 깊은 밤. (예)밤중에 돌아다니다. (비)야중. 한밤.

밤차 (—車) 밤에 다니는 차. (예)밤차를 타다 / 밤차로 출발하다.

밤참 밤중에 먹는 군음식. (예)밤참을 먹다. (비)야찬.

밤:톨 밤의 낱알. (예)밤톨이 굵다.

밤하늘 밤의 하늘. (예)밤하늘에 반짝이는 별들.

*__밥__ **1** 쌀·보리 따위의 곡식을 끓여 익힌 음식. (예)밥을 안치다 / 밥을 짓다. **2** 끼니로 먹는 음식. (예)밥을 굶

다. ⓑ식사. ⓗ진지. **3** 동물의 먹이. ⓔ물고기 밥. ➡ rice

밥 먹듯 하다 예사로 자주 하다. ⓔ지각을 밥 먹듯 하다.

밥맛 [밤맏] **1** 밥의 맛. ⓔ밥맛이 좋다. **2** 밥이 먹고 싶은 마음. ⓔ밥맛이 나다 / 군것질하면 밥맛이 없다.

밥벌이 [밥뻐리] **1** 먹고살기 위하여 하는 일. ⓔ밥벌이 나가다 / 밥벌이가 될 만한 일을 찾다. **2** 겨우 생활해 나갈 수 있을 정도의 벌이. ⓔ겨우 밥벌이나 하다. **—하다.**

밥상 (—床) [밥쌍] 음식을 차리는 데 쓰는 상. ⓔ밥상을 차리다 / 밥상에 둘러앉다. ⓗ진짓상.

밥솥 [밥쏟] 밥을 짓는 솥. ⓔ밥솥에 밥을 안치다.

밥술 [밥쑬] **1** '생계'를 비유적으로 이르는 말. ⓔ이젠 밥술 걱정 없이 지낸다. **2** 밥을 떠먹는 숟가락. ⓑ밥숟가락.

밥술이나 먹다 살아가는 형편이 꽤 괜찮다. ⓔ밥술이나 먹고 산다.

밥알 [바발] 밥의 낱알. ⓔ밥알을 꼭꼭 씹어 먹다. ⓑ밥풀.

밥통 (—桶) **1** 밥을 담는 통. **2** ⇨위³. **3** 밥만 먹고 제구실도 못하는 어리석은 사람을 놀리는 말. ⓔ그것도 모르다니 밥통이구나.

밥투정 밥을 더 달라거나 먹기 싫어 짜증을 내는 짓. ⓔ밥투정이 심한 아이. **—하다.**

밥풀 **1** ⇨밥알. **2** 무엇을 붙이기 위해 풀로 쓰는 밥알.

밧줄 [바쭐 / 받쭐] 볏짚이나 삼 따위로 세 가닥을 지어 굵다랗게 꼰 줄. ⓔ밧줄로 칭칭 묶다.

***방**¹ (房) 건물 안에, 바닥과 천장이 있고 네 개의 벽으로 둘러 막히고 드나드는 문이 있는, 사람이 생활하거나 일하는 공간. ➡ room

방ː² (榜) 예전에, 어떤 일을 여러 사람에게 알리기 위하여 길이나 사람이 많이 모이는 곳에 써 붙이던 글. ⓔ방을 붙이다.

방ː³ (放) **1** 총·대포를 쏜 횟수를 세는 말. ⓔ한 방 쏘다. **2** 주먹 따위로 때리는 횟수를 세는 말. ⓔ주먹 한 방에 나가떨어지다.

방갈로 (bungalow) 지붕이 뾰족하고 높으며 처마가 긴 집으로, 산이나 강가 같은 유원지에 지은 야영 건물이나 별장.

방계 (傍系) [— / 방게] 직계에서 갈라져 나온 계통. ⓑ직계.

방고래 (房—) [방꼬래] 방의 구들장 밑으로 나 있는, 불길과 연기가 나가게 만든 길. ⓙ고래.

방공¹ (防共) 공산주의 세력을 막아 냄. ⓔ방공 태세. **—하다.**

방공² (防空) 적의 비행기나 미사일의 공격을 막음. ⓔ방공 체제.

방공호 (防空壕) 적의 비행기나 미사일의 폭격을 피하기 위하여 땅속에 파 놓은 굴이나 구덩이. ⓔ방공호로 대피하다.

방ː과 (放課) 학교에서 그날의 수업이 끝남. ⓔ방과 후에 자전거를 타러 가다. **—하다.**

방관 (傍觀) 직접 관계하지 않고 곁에서 보기만 함. ⓔ팔짱을 끼고 방관만 하다. **—하다.**

방관자 (傍觀者) 어떤 일을 방관하는 사람. ⓑ방관인.

방광 (膀胱) 콩팥에서 나오는 오줌을 한동안 모아 두는 주머니 모양의 기관. ⓑ오줌통.

방구들 (房—) [방꾸들] 고래를 내고 구들장을 덮고 흙을 발라 만든 방바닥에 불을 때어 덥게 한 장치. ⓑ온돌. ⓙ구들.

방구석 (房—) [방꾸석] **1** 방 안의 네 귀퉁이. **2** '방·방 안'을 속되게 일컫는 말. ⓔ온종일 방구석에 처박혀 있다.

***방ː귀** 배 속의 음식물이 발효하여

항문으로 나오는 구린내 나는 가스. ㉮방귀를 뀌다. ×방구.

방그레 소리 없이 입만 약간 벌리어 부드럽게 웃는 모양. ㉮방그레 웃으며 인사하다. ㊀벙그레. ㊁빵그레.

방글거리다 입을 조금 벌리고 소리 없이 부드럽게 자꾸 웃다. ㊀벙글거리다. ㊁빵글거리다.

방글라데시 (Bangladesh) 〖국명〗 인도 동부에 있는 공화국. 농업을 주로 하며, 국민의 80%가 이슬람교도임. 본디 파키스탄의 한 주였으나 1972년에 파키스탄에서 분리하여 독립하였음. 수도는 다카.

방글방글 방글거리는 모양. ㉮방글방글 웃는 아기. ㊀벙글벙글. ㊁빵글빵글. **—하다.**

***방금** (方今) 바로 조금 전. ㉮형은 방금 도서관에 갔다 / 방금 도착했다. ㊂금방.

> **주의** **방금**과 **금방**
> '방금'과 '금방'은 같은 뜻으로 쓰일 때도 있으나 차이가 있는 말이다.
> (1) 동의어일 때
> ㉮방금 떠났다(이제 막) / 금방 떠났다(이제 막).
> (2) 차이가 날 때
> ㉮와서 한참 놀다가 방금 갔다(이제 막) / 오자마자 금방 갔다(오래 머물지 않고 곧).

방긋 [방귿] 소리 없이 입만 벌리고 가볍게 웃는 모양. ㉮방긋 웃어 보이다. ㊂방긋이. ㊀벙긋. ㊁빵긋. 빵끗. **—하다.**

방긋방긋 [방귿빵귿] 소리 없이 입만 벌리고 가볍게 잇달아 웃는 모양. ㉮아기가 엄마를 보고 방긋방긋 웃다. ㊀벙긋벙긋. ㊁빵긋빵긋. 빵끗빵끗. **—하다.**

방긋이 [방그시] ⇨방긋.

방:대하다 (厖〔尨〕大—) 규모나 양이 매우 많거나 크다. ㉮방대한 계획 / 방대한 자료.

방도 (方道〔途〕) 어떤 일을 해 나갈 방법. ㉮좋은 방도가 떠오르다.

방독면 (防毒面) [방동면] 독가스나 세균 따위에 따른 피해를 막기 위하여 얼굴에 쓰는 마스크. 가스마스크.

〈방독면〉

방:랑 (放浪) [방낭] 정처 없이 이곳저곳 떠돌아다님. ㉮방랑의 길을 떠나다. **—하다.**

방:랑자 (放浪者) [방낭자] 정처 없이 이곳저곳 떠돌아다니는 사람.

방:류 (放流) [방뉴] **1** 가두어 놓은 물을 터서 흘려보냄. ㉮저수지의 물을 방류하다. **2** 어린 물고기를 강물에 놓아줌. ㉮연어를 강에 방류하다. **—하다.**

방:만하다 (放漫—) 하는 일 따위가 야무지지 못하고 엉성하다. ㉮방만한 경영.

방망이 무엇을 두드리거나 다듬는 데에 쓰는, 둥글고 길게 만든 도구. ㉮방망이를 휘두르다. ➡ bat

방망이질 **1** 방망이로 치거나 다듬거나 두드리는 일. ㉮냇가에 앉아 빨래에 방망이질을 하다. **2** 가슴이 몹시 두근거리는 상태를 비유적으로 이르는 말. ㉮놀라서 가슴이 방망이질을 치다. **—하다.**

방면 (方面) **1** 어떤 장소나 지역이 있는 방향. ㉮부산 방면. **2** 어떤 분야. ㉮문학 방면에 관심이 많다.

방명록 (芳名錄) [방명녹] 어떤 모임이나 예식 따위에 참석한 사람들이 자기 이름을 적어 놓는 책. ㉮방명록에 서명하다.

방:목 (放牧) 소·말·양 등의 가축을 놓아기름. ㉮방목장. **—하다.**

*방문[1] (房門) 방으로 드나드는 문. ㉠방문을 똑똑 두드리다.

방:문[2] (訪問) 어떤 사람이나 장소를 찾아가서 만나거나 봄. ㉠가정 방문 / 방문을 환영하다 / 선생님 댁을 방문하다. **—하다.** ➲ visit

방:문객 (訪問客) 찾아온 손님. ㉠방문객이 줄을 잇다.

방:문단 (訪問團) 방문하기 위하여 조직한 단체나 집단. ㉠고향 방문단.

방물[1] 여자들이 쓰는 화장품·바느질 기구·패물 따위의 물건.

방물[2] (方物) 예전에, 관찰사나 수령이 임금에게 바치던 그 고장의 특산물.

방물장수 주로 여자들이 쓰는 화장품·바느질 기구·패물 등 잡화를 팔러 다니는 여자.

*방바닥 (房—) [방빠닥] 방의 바닥. ㉠방바닥에 주저앉다.

방방곡곡 (坊坊曲曲) [방방곡꼭] 한 군데도 빠짐이 없는 모든 곳. ㉠만세 소리가 삼천리 방방곡곡에 울려 퍼졌다. ㉥도처.

방백 (傍白) 연극에서, 관객에게는 들리나 무대 위에 있는 다른 연기자에게는 들리지 않는 것으로 약속하고 말하는 대사. *독백.

방범 (防犯) 범죄가 일어나지 않게 미리 살피고 막음. ㉠방범 대책 / 방범 초소. **—하다.**

방범대원 (防犯隊員) 경찰을 도와 나쁜 짓을 하는 사람이나 위험한 곳이 없는지를 살펴서 시민의 안전을 지켜 주는 사람.

*방법 (方法) 어떤 목적을 이루기 위한 수단이나 방식. ㉠사용 방법 / 수단과 방법을 가리지 않다. ㉥방도. 방책. ➲ method

방부제 (防腐劑) 식품 따위에 섞어 썩거나 변질되는 것을 막는 약품.

방비 (防備) 적의 공격이나 재해 따위를 미리 막을 준비를 함. 또는 그 시설이나 수단. ㉠방비를 튼튼히 하다. ㉥수비. **—하다.**

방:사능 (放射能) 라듐이나 우라늄 따위의 특수한 물질이 내뿜는 강력한 힘.

방:사선 (放射線) 라듐이나 우라늄 따위의 특수한 물질이 내뿜는 에너지의 흐름.

방석 (方席) 깔고 앉는 작은 자리. ㉠방석을 깔고 앉다.

*방:송 (放送) 라디오나 텔레비전을 통해서 뉴스·음악·강연·연예·스포츠 등을 보내어 널리 듣고 보게 하는 일. ㉠교내 방송 / 드라마를 방송하다. **—하다.**

*방:송국 (放送局) 방송을 하기 위한 시설을 갖춘 곳.

방:송극 (放送劇) 라디오나 텔레비전을 통해서 방송되는 극.

방:송망 (放送網) 라디오·텔레비전 따위에서 각 방송국을 연결하여 동시에 같은 프로그램을 방송하는 체제. ㉠전국 방송망을 연결하다.

방:송실 (放送室) 방송을 하기 위한 시설을 갖춘 방.

방수 (防水) 물이 새거나 스며들거나 넘쳐 흐르는 것을 막음. ㉠방수 처리 / 방수 시계. **—하다.**

방습 (防濕) 습기를 막음. ㉠방습제. **—하다.**

*방식 (方式) 일정한 방법이나 형식. ㉠생활 방식 / 경기 방식이 달라졌다. ㉥방법. 법식.

방실거리다 입을 조금 벌리고 소리 없이 밝고 예쁘게 자꾸 웃다. ㉡벙실거리다. ㉢빵실거리다.

방실방실 방실거리는 모양. ㉠아기가 방실방실 웃는다. **—하다.**

방:심 (放心) 정신을 차려 조심하지 않고 마음을 놓음. ㉠방심은 금물 / 방심하여 실수하다. **—하다.**

방싯 [방신] 입을 예쁘게 벌리며 소

리 없이 가볍게 한 번 웃는 모양. ㉠ 벙싯. ㉢ 빵싯. —하다.

방아 돌이나 나무에 움푹한 구덩이를 만들어 곡식을 넣어 공이로 찧거나 빻는 도구. 디딜방아와 물레방아, 연자방아 따위가 있음. ⓔ방아를 찧다.

방아깨비 메뚜깃과의 곤충. 여름에 풀밭에 많은데, 몸빛은 녹색 또는 회색임. 뒷다리가 매우 크고 길어서 끝을 손으로 쥐면 방아를 찧듯이 몸을 끄덕거림.

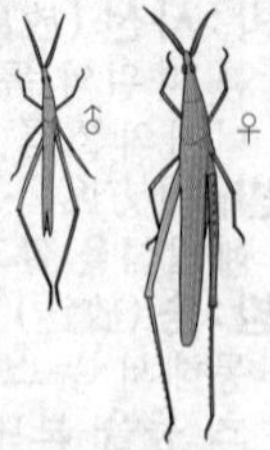

〈방아깨비〉

방아쇠 총의 아랫부분에 붙어 있어 집게손가락으로 잡아당겨서 총알이 나가게 하는 장치. ⓔ방아쇠를 당기다.

*__방안__ (方案) 일을 해 나가는 방법이나 계획. ⓔ해결 방안.

방앗간 (一間) [방아깐 / 방앋깐] 방아로 곡식을 찧거나 빻는 곳. ㉡ 정미소.

방어 (防禦) 상대편의 공격을 막음. ⓔ적의 공격을 방어하다. ㉡ 방위. 수비. ㉥ 공격. —하다.

방어선 (防禦線) 적의 공격을 막으려고 진을 쳐 놓은 전선. ⓔ방어선을 구축하다.

방어율 (防禦率) 야구에서, 투수의 방어 성적의 합계를 투구 횟수로 나누고 9를 곱한 것.

방언 (方言) ⇨사투리.

방역 (防疫) 전염병이 생기거나 퍼지는 것을 소독·예방 주사 따위의 방법으로 미리 막음. ⓔ방역 대책을 세우다. —하다.

방:영 (放映) 텔레비전으로 방송하는 일. ⓔ방영 시간 / 만화 영화가 방영되다. —하다.

*__방울__ **1** 구슬같이 둥글둥글하게 맺힌 액체 덩어리. ⓔ눈물방울. **2** 얇은 쇠붙이로 둥글게 만들어 그 속에 단단한 물체를 넣어서 흔들면 딸랑딸랑 소리가 나는 물건. ⓔ방울을 달다 / 방울을 흔들다.

방울방울 한 방울 한 방울. ⓔ풀잎에 이슬이 방울방울 맺히다.

방울뱀 살무삿과의 독사. 몸길이 약 2m, 몸빛은 누런 녹색이며 등에 어두운 갈색의 마름모형 무늬가 있음. 꼬리 끝에 방울 모양의 각질이 있고 위험할 때 꼬리를 흔들어 소리를 냄.

방울새 [방울쌔] 참샛과에 속하는 새. 산이나 들, 숲에 사는데, 벼·풀씨·곤충 등을 먹음. 울음소리가 매우 고우며, 다른 새의 울음소리를 잘 흉내 냄.

방위¹ (方位) 동서남북을 기준으로 하여 정한 방향. ㉡ 방향.

방위² (防衛) 적의 공격이나 침략을 막아서 지킴. ⓔ방위 태세를 갖추다. ㉡ 방어. ㉥ 공격. —하다.

방위각 (方位角) 북쪽을 기준으로 시곗바늘이 돌아가는 방향으로 이루는 각도.

방위표 (方位表) 지도에서 방위를 나타내는 기호나 표.

방음 (防音) 밖의 소리가 안으로 들어오거나 안의 소리가 밖으로 나가는 것을 막음. ⓔ방음 시설. —하다.

방음벽 (防音壁) 소리가 들어오거나 나가는 것을 막으려고 만든 벽. ⓔ방음벽을 설치하다.

방:임 (放任) 간섭하지 않고 내버려 둠. ⓔ제멋대로 하게 방임하다. —하다.

방:자하다 (放恣一) 꺼리거나 삼가는 태도가 없이 무례하고 건방지다. ⓔ방자하게 굴다.

방재 (防災) 폭풍·홍수·지진·화재 따위의 재해를 막음. ⓔ방재 시설 / 방재 훈련. —하다.

방적 (紡績) 솜·고치·털 따위에서

실을 뽑는 일. ㉠방적 공장.
방:전 (放電) 전기를 띤 물체가 전기를 잃는 현상. ㉥충전. **—하다.**
방정 차분하지 못하고 몹시 경망스럽게 하는 말이나 행동.
방정(을) 떨다 차분하지 못하고 아주 경망스럽게 굴다. ㉠방정을 떨어 일을 망치다.
방정맞다 [방정맏따] **1** 말이나 행동이 경망스럽고 주책없다. ㉠방정맞은 소리. **2** 가볍게 굴어서 나쁜 일이 생길 듯하다. ㉠방정맞은 생각이 들다.
방정식 (方程式) 미지수가 있는 식에서 그 미지수에 특정한 값을 주었을 때만 성립하는 등식. ㉠일차 방정식.
방정하다 (方正—) 말이나 행동이 바르고 점잖다. ㉠품행이 방정하다.
방정환 (方定煥) 〖인명〗 아동 문학가. 호는 소파. '색동회'를 만들어 우리나라에서 처음으로 어린이 운동을 벌임. '어린이'란 말을 쓰고, '어린이날'을 정함. [1899–1931]
방제 (防除) **1** 재해 따위를 미리 막아 없앰. **2** 농작물의 병충해를 예방하거나 없앰. **—하다.**
방조제 (防潮堤) 바다의 조수·해일 따위의 피해를 막으려고 해안에 쌓은 둑. ㊔방파제.
방:종 (放縱) 아무 거리낌 없이 자기 마음대로 행동함. ㉠방종한 생활. **—하다.**
방주 (方舟) 네모반듯한 모양의 배. ㉠노아의 방주.
방죽 (防—) 물이 밀려들어 오는 것을 막으려고 쌓은 둑. ㉠홍수로 방죽이 무너지다.
방지 (防止) 어떤 일이 일어나지 않도록 막음. ㉠노화 방지 / 사고를 미연에 방지하다. **—하다.**
방직 (紡織) 기계로 실을 만들거나 옷감을 짜는 일. ㉠방직 공장.
방책 (方策) 방법과 꾀. ㉠해결 방책을 세우다.
방청 (傍聽) 회의나 방송, 재판 따위에 참석하여 직접 보고 들음. ㉠재판을 방청하다. **—하다.**
방청객 (傍聽客) 방청하는 사람.
방청권 (傍聽券) [방청꿘] 방청을 허락하는 표.
방청석 (傍聽席) 방청하는 사람들이 앉는 자리. ㉠방청석은 초만원을 이루었다.
방:출 (放出) **1** 한꺼번에 밖으로 내놓음. **2** 모아 두었던 물품을 일반에게 제공함. ㉠쌀값 안정을 위해 정부가 보유미를 방출했다. **—하다.**
방충망 (防蟲網) 파리·모기 등의 해충이 집 안으로 날아들지 못하게 창문 따위에 치는 망.
방충제 (防蟲劑) 해충을 방제하는 약제. 나프탈렌 따위.
방:치 (放置) 관리하거나 보호하지 않고 내버려 둠. ㉠길가에 방치해 둔 폐차. **—하다.**
방침 (方針) 어떤 일을 하려고 하는 방향과 계획. ㉠학교의 교육 방침을 따르다.
방콕 (Bangkok) 〖지명〗 타이의 수도. 궁전과 불교 사원이 많으며, 쌀·티크 재목 따위를 수출함.
방탄 (防彈) 날아오는 탄알을 막음. ㉠방탄차 / 방탄 장치. **—하다.**
방탄유리 (防彈琉璃) [방탄뉴리] 두 장 이상의 단단한 유리를 특수한 접착제로 붙여 총탄에도 깨지지 않도록 만든 유리.
방탄조끼 (防彈—) 가슴이나 등을 총알로부터 보호하려고 입는 조끼.
방:탕하다 (放蕩—) 술과 노름 따위에 빠져 돈을 낭비하고 행실이 좋지 못하다. ㉠방탕한 생활.
방파제 (防波堤) 거센 파도를 막으려고 바닷가 둘레에 쌓아 놓은 둑. ㊔방조제.

방패 (防牌) **1** 전쟁 때, 손에 들고 적의 칼·창·화살 따위를 막는 데에 쓰던 무기. **2** 어떤 일을 할 때에 앞장을 세울 만한 사람. ㉠나라의 방패가 될 씩씩한 젊은이.

방편 (方便) 목적을 위해 이용되는 일시적인 수단과 방법. ㉠출세의 방편으로 삼다.

방풍림 (防風林) [방풍님] 바람을 막으려고 가꾸어 놓은 숲.

***방학** (放學) 학교에서 학기나 학년이 끝난 뒤, 또는 더위와 추위를 피하여 일정한 기간 동안 수업을 쉬는 일. 또는 그 기간. ㉠방학 숙제. 반 개학. **—하다.** ➔ vacation

방한[1] (防寒) 추위를 막음. ㉠방한 모자. **—하다.**

방한[2] (訪韓) 한국을 찾아옴. ㉠방한 인사. **—하다.**

방한복 (防寒服) 추위를 막기 위하여 입는 옷. ㉠방한복 차림으로 산에 오르다.

방해 (妨害) 남의 일에 끼어들어 훼방을 놓아 하지 못하게 함. ㉠영업 방해 / 동생이 공부를 방해하다. 비 훼방. **—하다.**

방해(를) 놓다 남에게 방해가 되는 짓을 하다.

***방향**[1] (方向) **1** 향하는 쪽. ㉠반대 방향으로 돌다 / 방향 감각을 잃고 헤매다. 비 방위. **2** 일정한 목표를 향하여 나아가는 쪽. ㉠앞으로 나아갈 방향을 정하다.

방향[2] (芳香) 좋은 향기. ㉠은은한 방향이 풍기다.

방향제 (芳香劑) 좋은 향이 있어 기분을 상쾌하게 하는 약제.

방호 (防護) 위험 따위를 막아 안전하게 보호함. ㉠방호벽. **—하다.**

방화[1] (邦畫) 자기 나라에서 제작된 영화. 국산 영화. 반 외화.

방화[2] (防火) 불이 나지 않도록 미리 막음. **—하다.**

방:화[3] (放火) 일부러 불을 지름. ㉠방화 사건. 반 소화. **—하다.**

방황 (彷徨) 일정한 방향이나 목적이 없이 헤맴. ㉠거리를 정처 없이 방황하다. **—하다.**

***밭** [받] **1** 물을 대지 않고 야채나 곡식을 심는 땅. ㉠밭을 갈다 / 밭을 일구다. *논. **2** 어떤 식물이 많이 우거져 있는 땅. ㉠대나무 밭.

밭갈이 [받까리] 밭을 가는 일. **—하다.**

밭걷이 [받꺼지] 밭에 심었던 곡식·야채 등을 거두어들이는 일. ㉠밭걷이를 마치다. **—하다.**

밭고랑 [받꼬랑] 밭의 이랑과 이랑 사이의 홈이 진 곳. 준 밭골.

밭농사 (—農事) [반농사] 밭에서 짓는 농사. *논농사. **—하다.**

밭다 [받따] 건더기와 액체가 섞인 것을 체 따위에 걸러 액체만 받아 내다.

밭다리 걸:기 [받따리—] 씨름에서, 공격 기술의 하나. 오른쪽 다리로 상대의 오른쪽 다리를 밖으로 걸어 앞으로 당겨 붙이면서 상대의 뒷면으로 중심이 기울어지도록 감아 밀어붙여 넘어뜨림.

밭두둑 [받뚜둑] 밭이랑의 두두룩한 부분. 비 밭두렁.

밭둑 [받뚝] 밭의 가장자리에 둘려 있는 둑.

밭이랑 [반니랑] 밭의 고랑 사이에 흙을 높게 올려 만든 두둑한 곳.

밭일 [반닐] 밭에서 하는 모든 농사일. *논일. **—하다.**

***배**[1] **1** 사람이나 동물의 몸에서 위·창자 따위의 내장이 들어 있는 곳으로 가슴과 엉덩이 사이의 부분. ㉠배가 부르다 / 배가 아프다. **2** 길쭉한 물건의 가운데 부분. ㉠배가 불룩한 기둥.

배가 남산만 하다 아기를 밴 여자의 배가 몹시 부르다.

배(가) 아프다 남이 잘되어 심술이 나고 마음이 편치 않다.

*__배²__ 사람이나 짐을 싣고 물에 떠다니게 만들어진 것. ㉠폭풍우로 **배**가 가라앉았다. 비 선박. ➲ship

*__배³__ 배나무의 열매. ㉠달고 물이 많은 **배**. ➲pear

*__배:⁴__ (倍) **1** 어떤 수나 양을 두 번 합한 만큼. 비 갑절. **2** 같은 수나 양을 여러 번 되짚어 합침. 비 곱절.

배격 (排擊) 의견·사상·물건 따위를 비난하고 물리침. ㉠사치 풍조를 배격하다. 비 배척. **—하다.**

*__배:경__ (背景) **1** 뒤쪽의 경치. ㉠바다를 **배경**으로 사진을 찍다. **2** 무대의 뒤쪽에 꾸민 그림이나 장치. ㉠무대 **배경**. **3** 시간적·공간적·사회적인 여건이나 환경. ㉠역사적 **배경**을 살펴보다.

배:경 음악 (背景音樂) [—으막] 영화·연극 따위에서, 대사·장면 따위의 분위기를 돋우기 위해 연주하는 음악.

배고프다 배 속이 비어 음식이 먹고 싶다. ㉠점심을 걸렀더니 몹시 **배고프다**. 반 배부르다. 활용 배고파 / 배고프니. ➲hungry

배곯다 [배골타] 먹는 것이 적어 배가 차지 못하다. 또는 배가 고파 고통을 받다. ㉠**배곯**았던 어린 시절.

*__배구__ (排球) 직사각형의 코트 중앙에 네트를 걸고 두 팀이 서로 손으로 공을 쳐서, 땅에 떨어뜨리지 않고 상대편 코트로 넘기는 경기. 6인제·9인제가 있음. 발리볼.

배:급 (配給) 똑같이 나누어 줌. ㉠배급을 받다. 비 분배. **—하다.**

배기 (排氣) 속에 든 공기나 가스 따위를 밖으로 뽑아 버림. ㉠**배기** 장치. **—하다.**

-배기 **1** '그 나이를 먹은 아이'의 뜻. ㉠세 살**배기**. **2** '무엇이 들어 있거나 차 있는 것'의 뜻. ㉠나이**배기** / 알**배기** 조기. **3** 특정한 곳이나 물건을 나타냄. ㉠언덕**배기** / 진짜**배기** / 공짜**배기**.

> **주의** **-배기와 -빼기**
> (1) [배기]로 발음되는 경우는 '-배기'로 적는다. ㉠귀퉁**배기** / 나이**배기** / 대짜**배기** / 육자**배기**.
> (2) 어떤 낱말 뒤에 붙어 [빼기]로 발음되는 것은 모두 '-빼기'로 적는다. ㉠고들**빼기** / 그루**빼기** / 머리**빼기** / 곱**빼기** / 과녁**빼기** / 악착**빼기** / 이마**빼기** / 코**빼기**.
> (3) 다만, 'ㄱ·ㅂ' 받침 뒤에서 [빼기]로 발음되더라도, 한 낱말인 경우는 '-배기'로 적는다.
> ㉠뚝**배기** / 학**배기**.

배기가스 (排氣gas) 엔진 따위에서 내부 연소가 끝나고 빠져나가는 가스. ㉠자동차 **배기가스**.

배기다¹ 몸에 단단한 것이 닿아 살이 눌려 아프게 느껴지다. ㉠등이 **배기다**.

배기다² 고통을 참고 버티어 나가다. ㉠힘든 일을 **배겨** 내지 못하다.

배기량 (排氣量) 엔진·펌프·압축기에서, 실린더 안의 피스톤이 한 번의 운동으로 밀어내는 기체의 양.

배꼽 배의 가운데에 있는, 탯줄을 끊은 자리.

배꼽(을) 빼다 몹시 우습다. ㉠배꼽을 **빼**는 만화.

배꼽(을) 쥐다 웃음을 참지 못하여 배를 움켜잡고 크게 웃다.

배나무 과일나무의 한 가지. 잎은 타원형이고 꽃은 희며, 과실은 달고 물이 많음.

배:낭 (背囊) 물건을 담아 등에 지도록 천이나 가죽 따위로 만든 주머니. ㉠등산 **배낭**.

*__배:다¹__ **1** 물기나 냄새 따위가 스며들다. ㉠옷에 땀이 **배다** / 고기 냄새

가 옷에 배다. **2** 버릇이 되어 익숙해지다. ㉠친절이 몸에 배다.

배:다² **1** 배 속에 아이나 새끼 또는 알을 가지다. ㉠새끼를 **배다**. **2** 팔·다리 같은 데에 근육이 단단히 뭉치다. ㉠하루 종일 걸었더니 다리에 알이 **배었다**.

> 주의 **배다와 베다**
> **배다** 1 물기나 냄새가 스며들다. ㉠옷에 땀이 배다. 2 익숙해지다. ㉠일이 손에 배다. 3 동물이 알·새끼 등을 가지다. ㉠새끼를 밴 고양이.
> **베다** 1 베개 따위로 머리를 받치다. ㉠엄마의 무릎을 베고 눕다. 2 잘라 내다. ㉠나무를 베다.

배다³ **1** 물건의 사이가 매우 촘촘하다. ㉠모를 **배게** 심었다. **2** 빈틈없이 속이 차다. 반 성기다.

배다리 배를 잇달아 띄워 그 위에 널빤지를 건너질러 깐 다리.

배:달 (配達) 물건을 가져다 전해 주는 일. ㉠운동 삼아 아침마다 신문 **배달**을 한다. **—하다**.

배:달민족 (—民族) 우리 민족을 일컫는 말. 비 배달겨레. 준 배달족.

배:달원 (配達員) [배다뤈] 신문이나 편지 또는 물건 따위를 전해 주는 일을 직업으로 하는 사람. ㉠우유 **배달원**. 비 배달부.

배:당 (配當) **1** 나누어 줌. 또는 그 양. ㉠일을 **배당**하여 시키다. **2** 이익을 몫몫이 나누어 줌. **—하다**.

배:당금 (配當金) 배당하는 돈. 특히, 주식에 대한 분배금을 일컬음.

배드민턴 (badminton) 네트를 사이에 두고 라켓으로 셔틀콕을 서로 쳐 넘기고 받는 경기.

배란 (排卵) 난자가 난소에서 자궁으로 나오는 일.

배럴 (barrel) 부피의 단위. 영국·미국에서 석유·과일·야채 따위의 부피를 잴 때 씀. 석유 1배럴은 159리터임.

배:려 (配慮) 도와주거나 보살펴 주려고 마음을 씀. ㉠다른 사람을 **배려**하지 않다. **—하다**.

배:반 (背反) 믿음과 의리를 저버리고 돌아섬. ㉠친구를 **배반**하다. 비 배신. **—하다**.

배배 여러 번 꼬이거나 뒤틀린 모양. ㉠끈이 **배배** 꼬여 풀리지 않는다. 큰 비비.

배변 (排便) 대변을 몸 밖으로 내보냄. **—하다**.

배:부 (配付) 나누어 줌. ㉠교과서를 **배부**하다. **—하다**.

배부르다 **1** 더 먹을 수 없을 정도로 양이 꽉 차다. ㉠저녁을 **배부르게** 먹었다. 반 배고프다. **2** 임신하여 배가 불룩하다. **3** 생활 형편이 넉넉하다. ㉠**배부른** 소리 그만 해라. 활용 배불러 / 배부르니.

배:분 (配分) 몫몫이 나누어 줌. ㉠인원수에 따라 **배분**하다. **—하다**.

배불뚝이 [배불뚜기] 배가 불뚝하게 나온 사람.

배불리 배부르게. ㉠**배불리** 먹다.

배상¹ (賠償) 남에게 입힌 손해를 물어 줌. ㉠손해 **배상**. **—하다**.

배:상² (拜上) '절하며 올린다'는 뜻으로, 편지 끝에 자기 이름 다음에 쓰는 말. **—하다**.

배:색 (配色) 두 가지 이상의 색을 서로 어울리게 씀. ㉠이 옷은 **배색**이 좋다. **—하다**.

배:선 (配線) 전선을 끌어 연결함. 또는 그 전깃줄. ㉠**배선** 공사를 하다. **—하다**.

배설 (排泄) 동물체가 먹은 음식에서 영양을 섭취하고 찌꺼기를 몸 밖으로 내보냄. **—하다**.

배설 기관 (排泄器官) 몸속에서 필요 없게 된 물질을 밖으로 내보내는 몸의 기관. 콩팥·방광 따위. 비 배설기.
배설물 (排泄物) 배설된 물질. 똥·오줌·땀 따위.
배ː수[1] (配水) 수돗물을 나누어 보냄. ㉼배수 공사. **—하다.**
*__배ː수__[2] (倍數) 어떤 수의 배가 되는 수.
배수[3] (排水) 안에 있는 물을 밖으로 내보냄. ㉼배수 시설 / 논은 배수가 잘되어야 한다.
배ː수관 (配水管) 상수도의 물을 보내는 관. ㉼배수관이 터지다.
배수구 (排水口) 물을 빼내거나 물이 빠져나가는 곳.
배수로 (排水路) 물을 흘려 보내기 위한 물길.
배ː수진 (背水陣) **1** 강·호수·바다 따위를 등지고 치는 진. 후퇴하면 물에 빠지므로 목숨을 걸고 적과 싸우게 됨. ㉼배수진을 치다. **2** 더 이상 물러설 수 없음의 비유. ㉼배수진을 치고 경기에 임하다.
배시시 입을 약간 벌리고 소리 없이 살짝 웃는 모양. ㉼대답은 하지 않고 배시시 웃기만 한다.
배ː식 (配食) 군대·단체 같은 데서 식사를 몫몫이 나누어 줌. ㉼줄을 서서 배식을 기다리다. **—하다.**
배ː신 (背信) 믿음이나 의리를 저버리고 돌아섬. ㉼친구를 배신하다. 비 배반. **—하다.**
배ː신감 (背信感) 배신을 당하고 느끼는 속상한 감정. ㉼배신감을 맛보다 / 배신감이 들다 / 배신감에 사로잡히다.
배ː신자 (背信者) 믿음이나 의리를 저버린 사람. ㉼배신자로 낙인이 찍히다.
배앓이 [배아리] 배를 앓는 병.
배ː양 (培養) **1** 식물·미생물 따위를 가꾸어 기름. ㉼유산균을 배양하다. **2** 인격·역량 따위가 발전하도록 가르치고 키움. ㉼국력 배양 / 실력 배양 / 인재를 배양하다. **—하다.**
배ː양액 (培養液) 식물이나 미생물 따위를 기르는 데에 필요한 영양소가 들어 있는 액체.
배ː양토 (培養土) 화초나 나무를 가꾸기 위하여 거름을 섞어 만든 기름진 흙.
배어나다 물기나 생각, 느낌 따위가 스며나오다. ㉼입가에 미소가 배어나다 / 손바닥에 땀이 배어나다.
배어들다 어떤 기운이나 냄새, 물기 따위가 속에까지 스며들다. ㉼옷에 땀이 배어들다 / 담배 냄새가 배어들다. 활용 배어들어 / 배어드니 / 배어드는.
배ː역 (配役) 연극·영화 따위에서 배우에게 어떤 역할을 맡기는 일. 또는 그 역. ㉼배역을 정하다 / 배역을 잘 소화하다. **—하다.**
배ː열 (配列) 일정한 차례나 간격으로 죽 벌여 놓음. ㉼큰 것부터 차례로 배열하다. **—하다.**
배ː영 (背泳) 물 위에 반듯이 누운 자세로 두 팔을 번갈아 돌려 물을 밀치면서 두 발로 물장구를 치는 수영법. 백스트로크. 비 송장헤엄.
*__배우__ (俳優) 연극·영화 따위에서 연기를 하는 사람. ㉼연극 배우를 지망하다.
*__배우다__ **1** 남의 가르침을 받거나 기술을 익히다. ㉼열심히 배워서 학자가 되겠다 / 수영을 배우다. **2** 남이 하는 일을 보고 그와 같이 하다. ㉼부모의 생활 태도를 배우다. **3** 경험하여 잘 알다. ㉼인생의 참뜻을 배우다. **4** 습관이나 습성을 몸에 익히다. ㉼군대에서 담배를 배웠다. 반 가르치다.
learn
배ː우자 (配偶者) 부부의 한쪽에서 본 다른 쪽. 남편이나 아내. ㉼배우자 선택을 신중히 하라.
배웅 떠나가는 손님을 따라 나가 작별하여 보냄. ㉼대문 밖까지 나가 손님을 배웅하다. 반 마중. —하다.

배ː율 (倍率) 망원경·현미경 따위로 물체를 볼 때, 실제 크기와 보이는 크기와의 비율. 예 높은 배율의 현미경.

배자[1] (排字) 글씨를 쓸 때 글자를 알맞게 벌여 놓음. —하다.

배ː자[2] (褙子) 겨울철에 추위를 막기 위해 부녀자들이 저고리 위에 덧입는 소매 없는 옷.

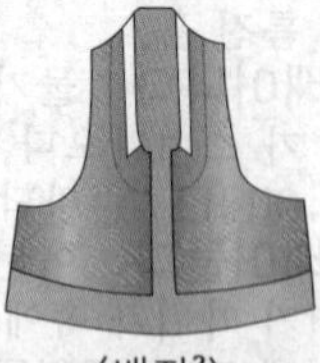
〈배자²〉

배ː점 (配點) [배쩜] 각 문제에 대한 점수를 정함. 또는 그 점수. 예 배점이 큰 문제. —하다.

배ː정 (配定) 나누어 몫을 정함. 예 방을 배정하다 / 추첨으로 학교를 배정하다. —하다.

배젖 (胚—) [배젇] 씨앗 속에 있어 식물이 싹 틀 때에 양분이 되는 조직. 비 씨젖.

배제 (排除) 물리쳐서 없앰. 예 학교 폭력을 배제하자. —하다.

배지 (badge) 신분·직무·명예를 나타내기 위해 옷·모자 따위에 붙이는 표.

배지기 씨름에서, 상대방을 끌어당겨 배 위로 들어 올린 후 옆으로 돌려 넘어뜨리는 기술.

배지느러미 물고기의 배에 달린 지느러미. 대개 좌우에 한 쌍이 있으며 몸을 나아가게 함.

배짱 **1** 마음속으로 다져 먹은 생각. 예 도둑놈의 배짱. **2** 굽히지 않고 버티어 나가는 힘. 예 배짱이 두둑하다 / 배짱을 부리다.

배짱(이) 좋다 담력과 박력이 있어, 아무것도 무서운 것이 없다.

배쫑배쫑 작은 산새가 잇따라 우는 소리.

배ː차 (配車) 자동차·전동차 따위를 일정한 시간 또는 순서에 따라 각 노선으로 나누어 보냄. 예 배차 시간. —하다.

배척 (排斥) 따돌리거나 거부하여 밀어 내침. 예 외세를 배척하다. 비 배격. 반 환영. —하다.

***배ː추** 채소의 한 가지. 잎은 여러 겹으로 포개져 자라고 긴 타원형임. 봄에 엷은 노란색의 꽃이 핌. 김치를 담그는 데 씀.

배ː추김치 배추로 담근 김치.

배ː추벌레 배추흰나비의 애벌레. 온몸에 잔털이 있고 녹색이며, 몸길이는 17 mm가량임. 무·배추 따위에 많은 피해를 줌.

배ː추흰나비 [배추힌나비] 흰나빗과의 나비. 초봄에 나와 무꽃·배추꽃에 100–200개의 알을 낳음. 애벌레는 배추벌레라 함.

〈배추흰나비〉

배출[1] (排出) 안에서 밖으로 밀어 내보냄. 예 공해를 배출하는 공장. —하다.

배ː출[2] (輩出) 인재를 길러 사회에 내보냄. 예 해마다 많은 인재가 배출되다. —하다.

배ː치 (配置) 사람이나 물건을 알맞은 자리에 나누어 둠. 예 자리 배치를 새로 하다. —하다.

배ː치도 (配置圖) 사람·물건·건물 따위를 배치하는 자리를 나타낸 도면. 예 공장 배치도.

배타적 (排他的) 남을 배척하는 경향이 있는 (것). 예 배타적인 관계 / 배타적인 태도.

배탈 (—頉) 체하거나 설사가 나는 따위의 배 속 병. 예 배탈이 나다.

배터리 (battery) ⇨전지².

***배턴** (baton) 릴레이 경주에서, 앞 주자가 다음 주자에게 넘겨주는 막대기. 비 바통.

배트 (bat) 야구나 소프트볼 따위

에서, 공을 치는 방망이.

배틀배틀 몸을 가누지 못하고 이리저리 쓰러질 듯이 계속 걷는 모양. ㉠아기가 **배틀배틀** 걷다.

배편 (—便) 배가 오고 가는 편. ㉠**배편**에 짐을 부치다. 비 선편.

배:포[1] (配布) 신문이나 책자 따위를 널리 나누어 줌. ㉠광고지를 집집마다 **배포**했다. **—하다.**

배포[2] (排布〔鋪〕) 머리를 써서 일을 조리 있게 계획함. 또는 그런 속마음. ㉠**배포**가 맞다 / **배포**가 두둑한 녀석이다 / **배포** 한번 좋구나.

배:필 (配匹) 부부로서의 짝. ㉠좋은 **배필**을 만나다 / **배필**로 삼다. 비 배우.

배:합 (配合) 이것저것을 알맞게 섞어 한데 합침. ㉠여러 가지 색의 **배합**. **—하다.**

배:합 사료 (配合飼料) [—싸료] 여러 가지 영양소를 알맞게 섞어서 만든 가축의 먹이.

배회하다 (徘徊—) 이리저리 목적 없이 돌아다니다. ㉠쓸데없이 거리를 **배회하다**.

배:후 (背後) **1** 등 뒤. 뒤쪽. ㉠적의 **배후**를 공격하다. **2** 어떤 일의 드러나지 않은 부분. ㉠**배후** 세력 / **배후**에서 조종하다.

배흘림 기둥의 중간이 배가 부르고 아래위로 가면서 점점 가늘어지게 만드는 방법. ㉠**배흘림**기둥.

백[1] (白) **1** 흰 빛깔. ㉠흑과 **백**의 조화. **2** 바둑에서, 흰 돌. ㉠**백**을 잡고 바둑을 두다.

백[2] (back) **1** 뒤에서 받쳐 주는 세력이나 사람. ㉠**백**이 든든하다. **2** 축구 따위의 경기에서 뒤쪽 수비수. **3** 차량 따위를 뒤로 가게 함. ㉠차고에 **백**으로 들어가다.

백[3] (bag) 물건을 넣어 가지고 다니는 가방.

*__백__[4] (百) 십의 열 배. ㉠**백** 날 / **백** 살 / 쌀 **백** 섬.

> **참고** **백(百)의 여러 가지 뜻**
> 1 '완전함'을 나타냄. ㉠**백** 퍼센트(100%) / **백**발**백**중 / **백**전**백**승.
> 2 '많음·여러 가지·여러 번'을 나타냄. ㉠**백**과사전 / **백**배사죄.
> 3 '온·온갖'을 나타냄. ㉠**백**화점.

백- (白) '흰'의 뜻을 나타내는 말. ㉠**백**설탕 / **백**장미.

-백 (白) '말씀 드린다'는 뜻. 말하는 사람의 이름 뒤에 씀. ㉠주인**백** / 관리소장**백**.

백골 (白骨) [백꼴] 시체의 살이 썩고 남은 흰 뼈.

백골난망 (白骨難忘) [백꼴란망] 죽어 백골이 되어도 깊은 은덕을 잊을 수 없음. ㉠이 은혜는 **백골난망**입니다.

백곰 (白—) [백꼼] 털이 하얀 곰.

백과사전 (百科事典) [백꽈사전] 학문·예술·기술·사회 따위의 모든 분야에 걸친 지식을 모아 자모 순서로, 또는 부문별로 알기 쉽게 풀이한 사전.

백관 (百官) [백꽌] 모든 벼슬아치. ㉠조정의 **백관**들이 다 모이다.

백구 (白鷗) [백꾸] ⇨갈매기.

백군 (白軍) [백꾼] 경기에서, 청·백의 두 편으로 가를 때의 백 쪽의 편. ㉠**백군**을 응원하다.

백금 (白金) [백끔] 은백색의 금속 원소. 은보다 단단하며 녹슬지 않음. 장식품·도량형기·화학 기계 따위에 쓰임.

백기 (白旗) [백끼] **1** 흰 빛깔의 기. **2** 항복을 표시하는 흰 기.

백김치 (白—) [백낌치] 고춧가루를 쓰지 않고 허옇게 담근 김치.

백날 (百—) [뱅날] **1** 아무리 오래도록. ㉠**백날** 해 봐야 안 된다. **2** 늘. 언제나. ㉠**백날** 말로만 떠든다.

백년가약 (百年佳約) [뱅년가약] 젊은 남녀가 결혼하여 평생을 함께 할 것을 다짐하는 아름다운 언약. ㉺백년가약을 맺다.

백년대계 (百年大計) [뱅년대계 / 뱅년대게] 먼 앞날을 내다보고 세우는 큰 계획. ㉺국가의 **백년대계**를 세우다.

백년해로 (百年偕老) [뱅년해로] 부부가 되어 한평생을 사이좋게 지내고 즐겁게 함께 늙음. ㉺**백년해로**를 언약하다. **—하다.**

백두산 (白頭山) [백뚜산] 함경북도·함경남도와 중국 만주의 국경 지역에 있는 우리나라에서 가장 높은 산. 정상에 '천지'가 있음. 높이는 2,744 m. ㊂장백산.

백로¹ (白露) [뱅노] 이십사절기의 열다섯 번째. 처서와 추분 사이로, 9월 8일경임. 이 무렵에 이슬이 내리며 가을 기운이 느껴짐.

*__백로²__ (白鷺) [뱅노] 백로과에 속하는 물새. 몸빛이 희고 부리가 길며, 다리는 검음. 날개 길이는 27 cm, 꽁지는 10 cm 정도임. 연못·논·강가에서 물고기·개구리 등을 잡아먹고 삶. ㊂해오라기.

〈백로²〉

백록담 (白鹿潭) [뱅녹땀] 제주도의 한라산 꼭대기에 있는 못. 둘레는 동서가 600 m, 남북이 500 m가량이며 타원형임.

백마 (白馬) [뱅마] 온몸의 털빛이 흰색인 말. ㊂흰말.

백마강 (白馬江) [뱅마강] 금강의 하류로 충청남도 부여의 부소산을 싸고 흐르는 강. 낙화암·고란사 등이 주변에 있음. ㊂백강.

백만 (百萬) [뱅만] **1** 만의 백 배가 되는 수. **2** 매우 많은 수의. ㉺**백만** 대군.

백만장자 (百萬長者) [뱅만장자] 재산이 매우 많은 사람. 큰 부자.

백모 (伯母) [뱅모] ⇨큰어머니.

백묵 (白墨) [뱅묵] 칠판에 글씨를 쓰는 필기도구. ㊂분필.

백문 (百聞) [뱅문] 여러 번 들음. ㉺**백문**이 불여일견(不如一見)(백 번 말로만 듣는 것보다는 실제로 한 번 보는 것이 더 낫다는 말).

백미¹ (白米) [뱅미] 흰 멥쌀. ㊂흰쌀. *현미.

백미² (白眉) [뱅미] **1** 흰 눈썹. **2** 여럿 중에 가장 뛰어난 사람이나 훌륭한 물건. ㉺**백미**로 꼽다 / 단편 소설의 **백미**.

백반¹ (白礬) [백빤] 떫은맛이 나는 무색투명한 물질로, 물감 들이는 데나 지혈제로 쓰임.

백반² (白飯) [백빤] **1** 흰밥. 쌀밥. **2** 음식점에서, 밥에 국과 몇 가지 반찬을 곁들여 파는 한 상의 음식. ㉺찌개 **백반** / 점심때 식당에서 **백반**을 사 먹었다.

백발 (白髮) [백빨] 하얗게 센 머리털. ㉺**백발**의 노신사 / **백발**이 성성하다. ㊂흰머리.

백발백중 (百發百中) [백빨백쭝] **1** 총이나 활 따위를 쏠 때마다 겨눈 곳에 다 맞음. ㉺**백발백중**의 명사수. **2** 어떤 일이나 생각이 잘 들어맞음. ㉺내 예상은 **백발백중**이다.

백방 (百方) [백빵] **1** 여러 가지 방법. ㉺**백방**으로 손을 써서 해결하다. **2** 여러 방향 또는 방면. ㉺**백방**으로 수소문하다.

백부 (伯父) [백뿌] ⇨큰아버지.

*__백분율__ (百分率) [백뿐뉼] 전체를 100으로 하여 어떤 수나 양이 전체에서 차지하는 비율. 그 단위를 '퍼센트·프로'라 함. 퍼센티지. ㊂백분비.

백사장 (白沙場) [백싸장] 강가나

바닷가의 흰 모래가 깔려 있는 곳. ㊀끝없이 펼쳐진 **백사장**.

백색 (白色) [백쌕] 흰 빛깔. ㊀**백색** 인종. 반흑색.

백설 (白雪) [백썰] 흰 눈. ㊀마을이 **백설**에 덮여 있다.

백설 공주 (白雪公主) [백썰—] 독일의 동화집에 나오는 옛날이야기. 아름다운 공주가 심술궂은 의붓어미 때문에 고생을 겪다가 일곱 난쟁이와 이웃 나라 왕자의 도움으로 행복하게 살게 되고, 의붓어미는 벌을 받는다는 내용.

백설기 (白—) [백썰기] 시루떡의 한 가지. 소금·설탕을 섞은 멥쌀가루를 고물 없이 시루에 안쳐 쪄 낸 떡. 준설기.

*__백성__ (百姓) [백썽] '일반 국민'의 예스러운 말. 비국민.

백수 (百獸) [백쑤] 온갖 짐승. ㊀사자는 **백수**의 왕이다.

백신 (vaccine) 각종 전염병의 병원균으로 만든 예방 접종용 의약품. ㊀**백신** 요법 / **백신** 주사.

백악기 (白堊紀) [배각끼] 지질 시대의 하나로 중생대의 말기. 약 1억 4500만 년 전부터 6500만 년 전까지를 이름. 파충류 등의 동물, 암모나이트와 같은 조개류와 속씨식물 등이 번성하기 시작하였음.

백야 (白夜) [배갸] 북극과 남극에 가까운 지방에서 밤에 어두워지지 않는 현상. 또는 그런 밤.

백업 (backup) **1** 야구에서, 수비자의 실수에 대비하여 그 뒤에 다른 수비자가 대비하는 일. **2** 컴퓨터 파일의 원본을 디스켓에 복사하여 저장하는 일. ㊀**백업** 파일을 만들어 두다. **—하다.**

백열등 (白熱燈) [배결뜽] 흰빛을 내는 가스등이나 전등 따위를 통틀어 이르는 말.

백열전구 (白熱電球) [배결전구] 진공 또는 특수한 기체를 넣은 유리공 안의 필라멘트에 전류를 흐르게 해서 불을 켜는 전구.

백엽상 (百葉箱) [배겹쌍] 기온·습도·기압 등을 재는 온도계·습도계·기압계 따위를 넣어 밖에 세워 놓은 흰색 나무 상자.

백옥 (白玉) [배곡] 흰 빛깔의 옥. 흰 구슬. ㊀**백옥** 같은 살결.

백의 (白衣) [배긔 / 배기] 흰옷. ㊀**백의**의 천사.

백의민족 (白衣民族) [배긔민족 / 배기민족] 예로부터 흰옷을 즐겨 입은 우리 민족을 이르는 말.

백의종군 (白衣從軍) [배긔종군 / 배기종군] 벼슬 없이 군대를 따라 전쟁터로 감. ㊀충무공의 **백의종군**. **—하다.**

백인 (白人) [배긴] 백인종에 속하는 사람.

백인종 (白人種) [배긴종] 피부 색깔이 흰 인종. 유럽·아메리카 민족이 거의 여기에 속함. 본백색 인종. *황인종. 흑인종.

백일 (百日) [배길] 아이가 태어난 지 백 번째가 되는 날. ㊀**백일** 떡 / **백일** 사진.

백일몽 (白日夢) [배길몽] 대낮에 꾸는 꿈이란 뜻으로, 이루어질 수 없는 헛된 공상을 일컫는 말.

백일장 (白日場) [배길짱] 여러 사람이 모여 시나 글을 짓는 솜씨를 겨루는 대회. ㊀**백일장**에서 장원을 차지하다.

백일해 (百日咳) [배길해] 몹시 심한 기침을 하는 급성 전염병. 한번 걸리면 일생 면역이 됨.

백일홍 (百日紅) [배길홍] 국화과의 한해살이풀. 여름부터 가을에 걸쳐 하양·빨강·노랑·자주 따위의 꽃이 오랫

〈백일홍〉

동안 핌. [비] 백일초.

백자 (白瓷〔磁〕) [백짜] 흰 빛깔의 자기. 조선 시대에 유행하였는데, 서민적이고 소박한 점이 특징임.

백정 (白丁) [백쩡] 예전에, 소·돼지·개 따위를 잡는 일을 직업으로 하던 사람.

백제 (百濟) [백쩨] 고구려 왕족 온조왕이 한반도 남서쪽에 세운 나라. 고구려·신라와 더불어 삼국 시대를 이루었음. 도읍은 지금의 경기도 광주였다가 뒤에 충청남도 공주로, 다시 부여로 옮겼음. 의자왕 때 신라와 당나라의 연합군에게 멸망함. [기원전 18–서기 660]

백조 (白鳥) [백쪼] 오릿과 물새의 하나. 떼 지어 해만·연못에 사는데, 날개 길이는 50–55 cm임. 온몸이 흰색이고 다리는 검음. 철새이며 천연기념물 제 201호임. [비] 고니.

〈백조〉

백조자리 (白鳥–) [백쪼자리] 여름철 저녁 북쪽 하늘에 보이는 별자리. 눈에 보이는 별은 약 200 개이며, 십여 개의 밝은 별이 '+' 자 모양으로 늘어서 있음. 가장 밝은 별은 데네브임. [비] 북십자성.

백주 (白晝) [백쭈] 대낮. 한낮. [예] 백주의 강도 사건.

백중[1] (百中〔衆〕) [백쭝] 명절의 하나. 음력 7월 보름날로, 절에서는 죽은 사람의 명복을 비는 재를 올리며, 민간에서는 과일과 음식을 먹고 놀았음. [본] 백중날.

백중[2] (伯仲) [백쭝] 실력 따위가 서로 비슷하여 누가 낫고 못함을 가리기 힘듦. [예] 백중한 경기. **—하다.**

백지 (白紙) [백찌] **1** 흰 빛깔의 종이. **2** 아무것도 쓰지 않은 종이. [예] 백지에 낙서를 하다. **3** 어떤 것에 대하여 아무것도 모르는 상태. [예] 음악에 대해서는 백지다.

백지도 (白地圖) [백찌도] 대륙·섬·나라 등의 윤곽만 그린 지도. 분포도를 만들 때 씀.

백지장 (白紙張) [백찌짱] **1** 흰 종이의 낱장. **2** 핏기나 생기가 없이 새하얀 얼굴빛을 비유하는 말. [예] 얼굴이 백지장처럼 하얘졌다.

백치 (白痴〔癡〕) 나이에 비해 지능이 낮은 사람.

백파이프 (bag pipe) 스코틀랜드의 민속 악기. 관악기의 하나로 가죽 주머니가 달려 있으며, 고음을 냄.

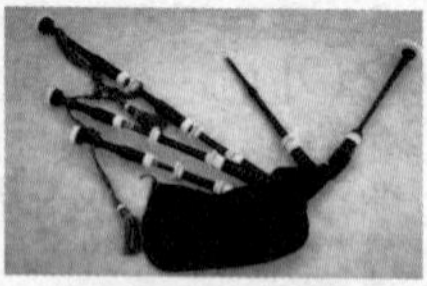
〈백파이프〉

백합[1] (百合) [배캅] 백합과의 여러해살이풀. 5–6 월에 나팔 모양의 흰 꽃이 핌. 아름답고 향기가 좋음. 뿌리는 약용함. [비] 나리.

〈백합[1]〉

백합[2] (白蛤) [배캅] 가막조개와 비슷한 조개. 껍데기는 흐린 회색에 둥근 무늬가 있고 안쪽은 흼. 살은 먹을 수 있음. [비] 마당조개.

백혈구 (白血球) [배켤구] 피를 이루는 중요한 성분. 몸속에 들어온 병균을 잡아 죽임. [비] 흰피톨. *적혈구.

백혈병 (白血病) [배켤뼝] 백혈구가 너무 많이 증가하여 생기는 병.

백호 (白虎) [배코] **1** 털빛이 흰 호랑이. **2** 서쪽 방위의 금 기운을 맡은 신을 상징하는 범의 모습의 형상. **3** 풍수지리에서 중심이 되는 산에서 오른쪽으로 갈려 나간 산줄기.

백화 (百花) [배콰] 여러 가지 꽃. 온갖 꽃. [예] 백화가 만발하다.

백화점 (百貨店) [배콰점] 여러 가지 상품을 종류별로 나누어 진열·판매하는, 규모가 큰 상점.

밴드[1] (band) 가죽이나 천, 고무 따위로 좁고 길게 만든 띠. ㉠고무 밴드 / 밴드로 묶다.

밴드[2] (band) 여러 가지 악기로 음악을 연주하는 악단. 악대. 음악대. ㉠밴드의 연주에 맞추어서 노래를 부르다.

밸ː **1** 창자. **2** 마음. ㉠너는 밸도 없는 사람 같구나. 본 배알.

밸런스 (balance) 균형. ㉠밸런스가 맞다. 반 언밸런스.

밸런타인데이 (Valentine Day) 가톨릭의 성자인 발렌티누스가 순교한 날인 2월 14일. 사랑하는 사람끼리 선물이나 편지를 주고받는 풍습이 있음.

***밸브** (valve) 실린더에서, 액체나 기체가 드나드는 구멍을 여닫는 마개. 펌프·가솔린 엔진 따위에 쓰임. ㉠가스 밸브 / 밸브를 잠그다.

***뱀ː** 파충류 뱀목의 척추동물을 통틀어 이르는 말. 몸은 둥글고 길며, 비늘로 덮여 있고 발이 없어 배로 기어다님. 혀끝은 갈라져 있으며 긴 혀를 널름거림. 입을 크게 벌려 먹이를 통째로 삼킴. 독이 있는 것도 있음. ➡ snake

뱀ː딸기 장미과의 여러해살이풀. 들·길가에 나는데, 줄기 마디마디 뿌리를 내림. 늦봄에 노란 다섯잎꽃이 피고 열매는 딸기와 비슷하지만 먹지는 못함.

뱀ː장어 (—長魚) 참장어과의 민물고기. 몸길이는 60 cm가량이고 가늘며, 뱀과 비슷하게 생김. 잔비늘로 덮여 있고 배지느러미가 없음. 민물에서 살다가 바다로 나가 알을 낳음. 준 장어.

뱁ː새 [뱁쌔] 휘파람샛과에 속하는 새. 꽁지가 길고 민첩하며, 여름·가을에 떼 지어 다니며 벌레를 잡아먹는 이로운 새임.

뱁ː새눈 [뱁쌔눈] 작고 가늘게 째진 눈.

뱃고동 [배꼬동 / 밷꼬동] 배에서 신호로 '붕' 소리를 내는 고동. ㉠뱃고동을 울리다.

뱃길 [배낄 / 밷낄] 배가 다니는 길. ㉠태풍으로 뱃길이 끊어지다. 비 선로. 수로. 항로. *물길.

뱃노래 [밴노래] 뱃사공이 노를 저어 가며 부르는 노래.

뱃놀이 [밴노리] 배를 타고 즐겁게 노는 일. **—하다.**

뱃머리 [밴머리] 배의 앞쪽 끝. ㉠뱃머리를 돌리다. 비 이물. 반 고물.

뱃멀미 [밴멀미] 배를 타면 어지럽고 메스꺼워 구역질이 나는 증세. ㉠뱃멀미가 나다. **—하다.**

뱃사공 (—沙工) [배싸공 / 밷싸공] 배를 부리는 일을 직업으로 하는 사람. 준 사공.

뱃사람 [배싸람 / 밷싸람] 배를 부리거나 배에서 일을 하는 사람. 비 선원.

뱃삯 [배싹 / 밷싹] 배를 타거나 배에 짐을 싣는 데 내는 돈. 비 선임.

뱃속 [배쏙 / 밷쏙] 마음속. ㉠뱃속을 알 수가 없다 / 뱃속이 들여다보이다.

뱃심 [배씸 / 밷씸] 자기의 생각이나 소신대로 밀고 나가는 배짱.

뱃전 [배쩐 / 밷쩐] 배의 양쪽 가장자리 부분. 비 현측.

뱅글뱅글 작은 것이 매끄럽게 자꾸 도는 모양. ㉠팽이가 뱅글뱅글 돌다. 큰 빙글빙글. 센 뺑글뺑글. 거 팽글팽글.

뱅뱅 **1** 작은 것이 자꾸 도는 모양. **2** 갑자기 정신이 자꾸 아찔해지는 모양. ㉠눈앞이 뱅뱅 돈다. 큰 빙빙. 센 뺑뺑. 거 팽팽.

뱅ː어 뱅엇과의 바닷물고기. 몸은

10 cm 정도이고 가늘며, 배 쪽에 작고 검은 점이 줄지어 있음.

뱉:다 [밷따] **1** 입속에 든 물건을 입 밖으로 내보내다. ㉥씹던 껌을 뱉어 버리다. **2** 차지한 물건을 도로 내놓다. ㉥횡령한 돈을 뱉다. **3** 말 따위를 함부로 하다. ㉥욕설을 마구 뱉다.

버겁다 [버겁따] 다루기가 힘에 겹거나 거북하다. ㉥짐이 무거워 혼자 들기에 버겁다. [활용] 버거워 / 버거우니.

버그 (bug) 컴퓨터에서, 프로그램에 끼어 있는 미리 알아차리지 못한 잘못.

버금 으뜸의 다음 되는 차례. ㉥버금 삼화음. [비] 다음.

버금가다 순서로 보아 으뜸의 다음이 되다. ㉥왕에 버금가는 자리. [비] 다음가다.

버금딸림음 (一音) [버금딸리믐] 음계의 제4음. 으뜸음보다 완전 5도 아래의 음으로, 딸림음 다음가는 중요한 음임.

버금딸림화음 (一和音) 버금딸림음 위의 삼화음. 장조에서는 '파·라·도', 단조에서는 '레·파·라'의 화음임.

버너 (burner) 야외에서 취사를 위해 사용하는 휴대용 가열 기구.

버둥거리다 **1** 주저앉거나 매달리거나 누워서 팔다리를 내저으며 자꾸 움직이다. ㉥아이는 온몸을 버둥거리며 울었다. **2** 곤란한 처지에서 벗어나려고 부득부득 애를 쓰다. ㉥아무리 버둥거려도 소용없다. [작] 바동거리다. 바둥거리다.

버드나무 버드나뭇과의 낙엽 교목. 높이는 20 m 정도이며 개울가나 들에서 잘 자람. 잎은 긴 타원형이며, 가늘고 긴 가지가 축축 늘어짐. [비] 버들.

버드렁니 바깥쪽으로 버드러진 이. [준] 벋니.

버들 ⇨버드나무.

버들강아지 ⇨버들개지.

버들개지 버드나무의 꽃. 솜과 비슷하며, 바람에 날려 흩어짐. [비] 버들강아지.

버들붕어 버들붕엇과의 민물고기. 몸길이는 7 cm 정도, 몸빛은 짙은 녹회색임. 더러운 물에서도 잘 살며, 수컷은 다른 물고기를 공격하는 성질이 있음. 관상용임.

버들잎 [버들립] 버드나무의 잎.

버들치 잉엇과의 민물고기. 몸길이는 8–15 cm 이고, 등은 어두운 갈색임. 피라미와 비슷하나 입에 수염이 없고 비늘이 비교적 큼.

버들피리 **1** 버드나무 가지의 껍질로 만든 피리. **2** 버들잎을 접어 물고 피리 소리처럼 내부는 것.

버러지 ⇨벌레.

버럭 갑자기 화를 내거나 소리를 냅다 지르는 모양. ㉥버럭 소리를 지르다. [작] 바락.

버럭버럭 [버럭뻐럭] 성이 나서 자꾸 기를 쓰거나 소리를 냅다 지르는 모양. ㉥버럭버럭 악을 쓰며 대들다. [작] 바락바락.

버려두다 **1** 아무렇게나 그냥 놓아두다. ㉥주택가에 버려둔 차량. **2** 혼자 있게 남겨 놓다. ㉥홀어머니를 홀로 버려두지 마라.

버르장머리 '버릇'을 얕잡아 일컫는 말. ㉥버르장머리 없는 녀석.

버르적거리다 [버르적꺼리다] 어려운 일이나 고통 따위에서 헤어나려고 팔다리를 내저으며 몸을 자꾸 움직이다. ㉥노루가 덫에 걸려 버르적거리다. [작] 바르작거리다. [센] 뻐르적거리다.

***버릇** [버릇] **1** 오랫동안 되풀이되어 마음이나 몸에 배어 굳어진 성질이나 행동. ㉥그는 손톱을 깨무는 버릇이 있다. **2** 어른에게 마땅히 차려

야 할 예의. ㉠버릇을 가르치다 / 버릇이 고약하다. ➲habit

버릇되다 [버른뙤다] 나쁜 습관이 붙게 되다. ㉠거짓말도 자주 하면 버릇된다.

버릇없다 [버르덥따] 어른이나 남 앞에서 마땅히 지켜야 할 예의가 없다. ㉠버릇없는 말을 하다.

버릇없이 [버르덥씨] 버릇없게. ㉠버릇없이 굴다.

버릇하다 [버르타다] 어떤 행동을 되풀이하여 버릇이 됨을 나타내는 말. ㉠손가락을 물어 버릇하다.

*__버리다__ **1** 쓰지 못할 것을 내던지다. ㉠쓰레기를 버리다. **2** 좋지 않은 버릇이나 성격을 떼어 없애다. ㉠낭비하는 습관을 버리다. **3** 돌보지 않다. ㉠가정을 버리다. **4** 상하게 하거나 더럽혀 쓰지 못하게 만들다. ㉠흙탕물이 튀어 옷을 버렸다. **5** '-아·-어' 뒤에 붙어, 앞말의 움직임을 완전히 끝냄을 나타내는 말. ㉠먹어 버리다 / 찢어 버리다.

버림 근삿값을 구할 때, 구하는 자리의 숫자까지를 그대로 두고 그것보다 아랫자리의 숫자는 모두 0으로 하는 계산법. 반 올림.

버림받다 [버림받따] 관계가 끊기고 따돌림을 당하거나 버려지다. ㉠부모에게 버림받은 아이.

버마 (Burma) 〖국명〗 ⇨미얀마.

버:마재비 ⇨사마귀².

버무리다 여러 가지를 골고루 한데 뒤섞다. ㉠나물을 버무리다.

*__버선__ 무명이나 광목 등으로 만들어 발에 꿰어 신는 물건. 솜버선·겹버선·홑버선 따위가 있음.

버선목 버선을 신었을 때 발목에 닿는 부분.

버선볼 [버선뽈] **1** 버선 바닥의 너비. **2** 해진 버선을 기울 때 덧대는 헝겊 조각.

버선코 버선 앞쪽 끝에 뾰족하게 올라온 부분. 어린아이들의 것에는 술을 달기도 함.

*__버섯__ [버섣] 산·들의 그늘진 땅이나 썩은 나무 등에 돋아나는 식물. 대부분이 우산처럼 생겼는데, 그 안쪽에 있는 홀씨로 번식함. 식용 버섯과 독버섯이 있음.

*__버스__ (bus) 여러 사람이 요금을 내고 함께 탈 수 있는 큰 자동차. ㉠버스 정류장 / 버스를 놓치다.

버저 (buzzer) 전기의 힘으로 쇳조각을 울려서 내는 신호. 또는 그 장치. ㉠버저를 누르다.

버젓이 [버저시] 버젓하게. ㉠용의자가 대낮에 버젓이 나다니다.

버젓하다 [버저타다] **1** 조심하거나 굽히는 데가 없다. ㉠젊은이가 노약자 보호석에 버젓하게 앉아 있다. **2** 번듯하고 떳떳하여 남에게 처지지 않다. ㉠제법 버젓하게 산다. 센 뻐젓하다.

버짐 피부색이 변하거나, 머리카락이 빠지거나, 반점이 생기는 피부병. 흔히 얼굴에 많이 생김. ㉠얼굴에 버짐을 먹다.

버찌 벚나무의 열매. 준 벚.

버캐 액체 속에 섞여 있던 소금기가 엉기어 뭉쳐진 찌끼. ㉠오줌 버캐 / 버캐가 끼다.

버터 (butter) 우유에서 지방을 뽑아 굳힌 식품. 빵에 발라 먹거나 요리의 재료로 씀.

버튼 (button) **1** ⇨단추. ㉠버튼을 채우다. **2** 누르면 전류가 통하거나 기계가 작동하는 장치. ㉠버튼을 눌러 스탠드의 불을 켜다.

버티다 **1** 굽히지 않고 맞서서 겨루다. ㉠못하겠다고 버티다. **2** 어려운 일 따위를 참고 견디다. ㉠끝까지 버티어 내다. **3** 쓰러지지 않게 괴거나 받치다. ㉠버팀목으로 버티다. 비 괴다. **4** 쓰러지지 않게 가누다. ㉠지팡이로 간신히 버티고 섰다.

버팀대 [버팀때] 쓰러지지 않게 받치어 대는 물건. ㉺버팀대를 세우다 / 버팀대를 받치다.
버팀목 (—木) 물건이 쓰러지지 않게 버티어 세우는 나무. ㉺가로수에 버팀목을 지르다.
버퍼 (buffer) 데이터의 처리 속도나 단위, 데이터 사용 시간이 서로 다른 두 장치나 프로그램 사이에서 데이터를 주고받기 위한 목적으로 사용되는 임시 기억 장소.
벅 **1** 질긴 종이나 헝겊 따위가 찢어지는 소리나 모양. ㉺담벼락에 붙은 포스터를 벅 찢다. **2** 세게 긁거나 문지르는 소리나 모양. 작박.
벅벅 [벅뻑] **1** 단단한 물건의 두드러진 바닥을 자꾸 긁거나 문지르는 소리나 모양. ㉺누룽지를 벅벅 긁다. **2** 질긴 종이 따위를 자꾸 찢는 소리. **3** 억지를 부리면서 우기는 모양. ㉺끝까지 벅벅 우기다. 작박박.
벅차다 **1** 감당하기 어려울 정도로 힘겹다. ㉺그 일이 나에게는 벅차다. **2** 어떤 생각이나 느낌 따위가 넘칠 듯이 가득하다. ㉺벅찬 감격. **3** 견디기 힘들 정도로 숨이 가쁘다. ㉺숨이 벅차다.
***번** (番) **1** 차례로 숙직하는 일. ㉺번을 서다. **2** 차례를 나타내는 말. ㉺둘째 번. **3** 일의 횟수를 나타내는 말. ㉺한 번.
번갈다 (番—) 일정한 시간 동안 한 사람씩 차례를 바꾸다. ㉺번갈아 청소를 하다. 참고 주로 '번갈아'의 꼴로 쓰임.
***번개** 강한 전기를 띤 두 구름이 가까이 접근했을 때 순간적으로 번쩍이는 불꽃. ㉺번개가 치다.
번개(와) 같다 매우 빠르다. ㉺번개 같은 솜씨.
번개처럼 순간적으로. 매우 빨리. ㉺무언가 번개처럼 머리를 스쳤다.
번갯불 [번개뿔 / 번갠뿔] 번개가 칠 때 번쩍이는 빛.
번거롭다 [번거롭따] **1** 일의 갈피가 어수선하고 복잡하다. ㉺절차가 번거롭다. **2** 조용하지 못하고 수선스럽다. ㉺밤이 되니 도시 거리는 한층 번거로웠다. **3** 귀찮고 짜증스럽다. ㉺대답하기 번거로운 물음. 활용 번거로워 / 번거로우니.
번뇌 (煩惱) 마음이 시달려서 괴로움. ㉺번뇌에 시달리다. **—하다.**
***번데기** 곤충의 애벌레가 어른벌레로 되기 전에 한동안 아무것도 먹지 않고 고치 따위의 속에 가만히 들어 있는 몸.
번드레하다 실속 없이 겉모양만 번드르르하다. ㉺번드레하게 차려 입다. 작반드레하다. 센뻔드레하다.
번드르르 윤기가 있고 미끄러운 모양. ㉺얼굴이 번드르르하다 / 번드르르하게 잘 닦은 바닥. 작반드르르. 센뻔드르르. **—하다.**
번득이다 [번드기다] 물체 따위에 반사된 빛이 잠깐씩 나타나다. 또는 그렇게 되게 하다. ㉺번득이는 눈빛. 작반득이다. 센번뜩이다.
번들거리다 거죽이 미끄럽고 윤이 나다. ㉺땀으로 얼굴이 번들거리다. 작반들거리다. 센뻔들거리다.
번들번들 번들거리는 모양. ㉺구두가 번들번들 광이 난다. 작반들반들. 센뻔들뻔들. **—하다.**
번듯이 [번드시] 번듯하게. ㉺번듯이 누워 꿈쩍도 않는다.
번듯하다 [번드타다] **1** 비뚤어지거나 기울거나 굽지 않고 바르다. ㉺번듯한 책장. **2** 형편이나 위세가 버젓하고 당당하다. ㉺번듯한 집안에서 자라다. **3** 생김새가 훤하고 멀끔하다. ㉺이목구비가 번듯한 청년. 작반듯하다. 센번뜻하다.
번뜩이다 [번뜨기다] **1** 빛이 빠르게 보이다 보이지 않다 하면서 비치다. ㉺두 눈에 광채가 번뜩이다. **2**

생각이나 의견 따위가 머릿속에 떠오르다. ㉠재치가 번뜩이다.

번민 (煩悶) 마음이 어수선하고 답답하여 괴로워함. ㉠번민에 시달리다. **―하다.**

번번이 (番番―) [번버니] 여러 번 다. ㉠시험에 번번이 떨어지다. 비 매번.

번복 (飜〔翻〕覆) 이리저리 뒤쳐서 고침. 뒤집음. ㉠증언을 번복하다. **―하다.**

번성 (繁盛) 일이 한창 잘되어 크게 성하고 널리 퍼짐. ㉠사업이 나날이 번성하다. 비 번창. **―하다.**

번식 (繁殖) 동물이나 식물이 널리 퍼지거나 수가 불어남. ㉠세균이 번식하다. **―하다.**

번역 (飜譯) [버녁] 한 나라의 말을 다른 나라 말로 옮김. ㉠번역가. **―하다.**

번영 (繁榮) [버녕] 일이 크게 잘되어 부와 권력을 누림. ㉠날로 번영하는 기업. 반 쇠퇴. **―하다.**

번잡 (煩雜) 한데 뒤섞여 혼잡함. ㉠도시의 번잡을 피해 교외로 나가다. **―하다. ―스럽다.**

*__번지__ (番地) 땅을 일정한 기준에 따라 나누어 매겨 놓은 번호. 또는 그 토지.

번:지다 **1** 액체 따위가 묻은 자리가 퍼져서 넓어지다. ㉠잉크가 번지다. **2** 그 자리에 있지 않고 다른 곳으로 옮아가다. ㉠전염병이 전국으로 번지다. **3** 작은 일이 크게 벌어져 나가다. ㉠일이 크게 번지기 전에 빨리 처리해라.

번지르르 **1** 미끄럽고 윤이 나는 모양. ㉠기름기가 번지르르 흐르다. **2** 실속 없이 겉만 그럴듯한 모양. ㉠번지르르한 거짓말. 작 반지르르. 센 뻔지르르. **―하다.**

번질거리다 **1** 몹시 윤이 나고 미끈거리다. **2** 몹시 게으름을 피우며 일을 하지 않다. 작 반질거리다. 센 뻔질거리다.

번질번질 번질거리는 모양. ㉠마룻바닥이 번질번질하다. **―하다.**

*__번쩍¹__ **1** 물건을 아주 힘차게 빨리 들어 올리는 모양. ㉠쌀가마니를 번쩍 들다. **2** 몸의 한 부분을 갑자기 위로 높이 들어 올리는 모양. ㉠번쩍 고개를 쳐들었다. **3** 눈을 갑자기 크게 뜨는 모양. ㉠감았던 눈을 번쩍 뜨다. 작 반짝¹.

번쩍² 빛이 잠깐 강하게 나타났다가 없어지는 모양. ㉠번개가 번쩍하더니 천둥이 친다. 작 반짝². 센 뻔쩍. **―하다. ―거리다.**

번쩍³ 갑자기 정신이 들거나 생각이 떠오르는 모양. ㉠정신이 번쩍 들다 / 좋은 생각이 번쩍 떠오르다. 작 반짝³.

번쩍번쩍 [번쩍뻔쩍] **1** 빛이 잠깐씩 여러 번 빛나는 모양. **2** 힘차게 빨리 여러 번 들어 올리는 모양. ㉠짐을 번쩍번쩍 들다.

번쩍이다 [번쩌기다] 빛이 잠깐 나타났다 없어지다. ㉠번갯불이 번쩍이다. 작 반짝이다.

번창 (繁昌) 한창 잘되어 성함. ㉠사업이 번창하다. 비 번성. **―하다.**

번트 (bunt) 야구에서, 타자가 방망이를 수평으로 쥐고, 공을 가볍게 치는 방법. ㉠번트 자세를 취하다. **―하다.**

*__번호__ (番號) 차례를 나타내거나 알아보기 위해 붙이는 숫자. ㉠비밀번호 / 우편 번호 / 참가 번호 / 번호를 매기다. ➡ number

번호표 (番號票) 번호를 적은 표. ㉠번호표를 받다.

번화가 (繁華街) 번성하고 화려한 거리. 번화한 거리.

번화하다 (繁華―) 번성하고 화려하다. ㉠번화한 도시.

벋다¹ [벋따] 끝이 바깥쪽으로 향해

있다. ㉮앞니가 벋다.

벋다² [벋따] **1** 나뭇가지나 덩굴 같은 것이 바깥쪽으로 향하여 길게 자라다. ㉮칡덩굴이 무성하게 벋다. **2** 힘이 미치다. ㉮사람의 힘이 우주에까지 벋다. 센 뻗다.

> 주의 **벋다와 벗다**
> **벋다** 1 바깥쪽으로 향해져 있다. 2 나뭇가지나 덩굴 같은 것이 길게 자라다. 3 힘이 먼 데까지 미치다.
> **벗다** 1 지니고 있던 것을 몸에서 떼어 내다. ㉮옷을 벗다. 2 면하다. ㉮책임을 벗다. 3 짐을 내려놓다. ㉮배낭을 벗다.

벌¹ 넓고 평평하게 생긴 땅. 너른 들. 비 벌판.

***벌ː²** **1** 곤충의 한 가지. 두 쌍의 날개가 있고, 대개 배 부분이 가늘며, 암컷은 꼬리 끝에 독침이 있음. **2** '꿀벌'의 준말. ➡ bee

***벌³** (罰) 죄를 짓거나 잘못을 저지른 사람에게 자유를 억제하거나 괴로움을 주어서 뉘우치도록 하는 일. ㉮벌을 받다 / 엄한 벌을 내리다. 비 형벌. 반 상. **—하다**.

***벌⁴** **1** 옷·그릇 등 짝을 이루거나 여러 가지가 한데 모여서 갖추어진 한 덩이. ㉮한 벌로 된 옷. **2** 옷·그릇 등 짝을 이루는 물건을 세는 말. ㉮양복 한 벌 / 젓가락 세 벌.

벌거벗다 [벌거벋따] **1** 알몸뚱이가 다 드러나도록 옷을 죄다 벗다. ㉮아이들이 벌거벗고 물장구치다. **2** 산에 나무나 풀이 없어서 흙이 드러나 보이다. ㉮벌거벗은 산. 작 발가벗다. 센 빨거벗다.

벌거숭이 옷을 죄다 벗은 알몸뚱이. 비 나체. 알몸. 작 발가숭이. 센 빨거숭이.

벌거숭이산 (—山) 나무나 풀이 없는 산. 비 민둥산.

벌ː겋다 [벌거타] 연하고도 곱게 붉다. ㉮쇠를 벌겋게 달구다. 작 발갛다. 센 뻘겋다. 활용 벌거니 / 벌게서.

벌ː게지다 벌겋게 되다. ㉮창피하여 얼굴이 벌게졌다.

벌금 (罰金) 약속을 어겼거나 법규를 위반했을 경우에 벌로 내게 하는 돈. ㉮교통 법규 위반으로 벌금을 물다. 비 벌과금.

***벌ː다** **1** 일을 하여 돈이 생기게 하다. ㉮용돈은 벌어 쓴다. **2** 이익을 얻거나 시간의 여유가 생기다. ㉮지름길로 가서 시간을 벌다. 활용 벌어 / 버니 / 버는.

***벌떡** 갑자기 급하게 일어나거나 뒤로 자빠지는 모양. ㉮자리에서 벌떡 일어나다.

벌러덩 갑자기 뒤로 자빠지거나 드러눕는 모양. ㉮빙판에서 미끄러져 벌러덩 자빠지다. 준 벌렁.

벌렁 '벌러덩'의 준말. ㉮풀밭에 벌렁 드러눕다. 작 발랑.

벌렁거리다 몸의 일부가 아주 재빠르고 가볍게 자꾸 움직이다. ㉮콧구멍이 벌렁거리다. 작 발랑거리다. 센 뻘렁거리다.

벌렁벌렁 벌렁거리는 모양. ㉮가슴이 벌렁벌렁하다. **—하다**.

***벌레** 사람·짐승·새·물고기·조개 따위를 제외한 동물. 벌·나비와 같은 곤충. 비 버러지.

벌름거리다 탄력 있는 물건이 부드럽고 넓게 벌어졌다 오므렸다 하다. ㉮코를 벌름거리다. 작 발름거리다.

***벌ː리다¹** **1** 둘 사이를 넓히다. ㉮틈을 벌리다. **2** 오므라진 것을 펴서 열다. ㉮입을 벌리다 / 쌀자루를 벌리다. **3** 껍질 따위를 열어 젖혀 속의 것을 드러내다. ㉮귤껍질을 까서 벌리다. 작 발리다.

벌ː리다² 돈벌이가 되다.

주의 **벌리다와 벌이다**
벌리다 '돈벌이가 되다' 또는 '사이를 넓히거나 열다'의 뜻. ㊀다리를 벌리지 마라 / 돈이 잘 벌린다.
벌이다 '일이나 가게를 시작하다' 또는 '물건을 늘어놓다'의 뜻. ㊀사업을 벌이다 / 책들을 벌여 놓다.

벌목 (伐木) 산의 나무를 벰. ㊀벌목 작업. 비 벌채. **—하다.**

벌벌 **1** 춥거나 무서워서 몸을 자꾸 떠는 모양. ㊀추워서 벌벌 떨다. **2** 재물 따위를 몹시 아끼는 모양. ㊀돈 몇 푼에 벌벌 떨다. 작 발발.

*__벌써__ **1** 이미 오래전에. ㊀그 소식은 벌써 들어 알고 있다. **2** 생각보다 빠르게. ㊀집에 벌써 도착했구나. 비 이미. 반 아직.

벌:어들이다 [버러드리다] 일한 대가로 돈이나 물건 따위를 벌어서 가져오다. ㊀큰돈을 벌어들이다.

벌:어먹다 [버러먹따] 벌이를 하여 먹고살다. ㊀혼자 벌어먹다.

*__벌:어지다__ [버러지다] **1** 갈라져서 틈이나 사이가 생기다. ㊀틈이 벌어지다. **2** 활짝 펴져서 넓게 열리다. ㊀밤송이가 벌어지다. **3** 일이 생기다. ㊀싸움이 벌어지다. **4** 두 사람 사이가 나쁘게 되다. ㊀사소한 일로 다투고는 사이가 벌어졌다. **5** 가슴이나 어깨 따위가 옆으로 퍼지다. ㊀딱 벌어진 어깨.

벌:이 [버리] 먹고살려고 돈을 버는 일. ㊀벌이가 좋다. **—하다.**

*__벌:이다__ [버리다] **1** 일을 계획해 시작하다. ㊀사업을 벌이다. **2** 가게를 차리다. ㊀생선 가게를 벌이다. **3** 물건을 늘어놓다. ㊀상품을 벌여 놓다. →벌리다 주의

벌:이줄 [버리줄] **1** 물건이 버틸 수 있도록 이리저리 얽어매는 줄. **2** 연에서 균형을 잡을 수 있도록 위아래를 매는 줄.

벌점 (罰點) [벌쩜] 잘못한 일이 있어 벌로 따지는 점수.

벌:집 [벌찝] 벌이 알을 낳고 먹이와 꿀을 저장하며 생활하는 집.
벌집(을) 쑤신 것 같다 소란이 커져서 수습할 수 없게 되다.

벌채 (伐採) 산의 나무를 베어 내는 일. ㊀벌채 작업. 비 벌목. **—하다.**

벌초 (伐草) 무덤의 잡풀을 베어서 깨끗이 함. **—하다.**

벌칙 (罰則) 약속이나 법을 어긴 행동에 대한 처벌을 정해 놓은 규칙. ㊀벌칙을 주다.

벌컥 **1** 기운이 갑자기 세게 치밀어 오르는 모양. ㊀벌컥 화를 내다. **2** 갑자기 온통 혼란스러워지는 모양. ㊀집안이 벌컥 뒤집히다. **3** 닫혀 있던 것을 갑자기 세게 여는 모양. ㊀문을 벌컥 열다. 작 발칵.

벌컥벌컥 [벌컥뻘컥] 물이나 음료 따위를 많이 세게 들이켜는 모양이나 소리. ㊀갈증이 나는지 물을 벌컥벌컥 마셨다.

*__벌:통__ (–桶) 꿀벌들이 모여 살고 꿀을 모아 놓게 하는 통.

*__벌판__ 넓은 들. 비 들판.

범:[1] ⇨호랑이1.

범:[2] (犯) 형벌을 받은 횟수를 나타내는 말. ㊀전과 3범.

범:람 (氾濫) [범남] **1** 물이 가득 차 넘쳐 흐름. ㊀큰비로 강물이 범람하다. **2** 바람직하지 못한 것들이 많이 나돎. ㊀외래어의 범람. **—하다.**

범:례 (凡例) [범녜] 책의 첫머리에 그 책을 읽는 데 필요한 사항을 따로 적은 글. 비 일러두기.

범벅 **1** 여러 가지가 뒤섞이어 갈피를 잡을 수 없게 된 물건이나 일. **2** 곡식 가루에 호박 따위를 섞어서 풀처럼 되게 쑨 음식. ㊀호박범벅.

범:법 (犯法) [범뻡] 법에 어긋나는 일을 함. ㊀범법자 / 범법 행위 / 범

법 사실을 인정하다.

범:상하다 (凡常―) 특별하지 않고 평범하다. ㉠그는 범상한 인물이 아니다.

범:선 (帆船) ⇨돛단배.

범:실 (凡失) 운동 경기 따위에서, 평범한 상황에서 저지르는 실수. ㉠범실이 잦다.

*__범:위__ (範圍) [버뮈] 한정된 구역의 언저리. 어떤 힘이 미치는 한계. ㉠시험 범위가 넓다. 비테두리.

범:인 (犯人) [버민] 죄를 지은 사람. ㉠범인을 체포하다. 비범죄자.

범절 (凡節) 법도에 맞는 모든 절차나 질서. ㉠예의범절.

범:종 (梵鍾) 절에서 사람들을 모이게 하거나 시각을 알리려고 치는 큰 종.

범:죄 (犯罪) 죄를 지음. 또는 지은 죄. ㉠범죄 행위 / 범죄를 저지르다.

범:죄자 (犯罪者) 죄를 저지른 사람. 비범인.

범:칙금 (犯則金) [범칙끔] 도로 교통법의 규칙을 어긴 사람에게 물리는 벌금. ㉠범칙금을 내다.

범퍼 (bumper) 자동차의 앞뒤에 붙여 놓아 사고가 났을 때 충격을 줄이는 장치.

범:하다 (犯―) **1** 법률·규칙·도덕을 어기다. ㉠계율을 범하다. **2** 잘못을 저지르다. ㉠과오를 범하다. **3** 남의 권리·재산 따위를 무시하거나 빼앗다.

범:행 (犯行) 범죄 행위를 함. ㉠범행 동기 / 범행을 저지르다. **—하다.**

*__법__ (法) **1** 법률·법령 등 강제력을 갖는 온갖 규칙. ㉠법의 존엄성. **2** 예의와 도리. **3** 방식과 방법. ㉠맛있게 먹는 법. **4** 어떤 말 뒤에 쓰이어 '당연히 그러함'을 나타내는 말. ㉠겨울이 가면 봄이 오는 법이다. **5** '-ㄹ·을' 뒤에 쓰이어 추측·가능성을 나타내는 말. ㉠알아들었을 법도 한데. **6** 태도나 습성 따위를 나타내는 말. ㉠아무리 늦어도 뛰는 법이 없다.

법고 (法鼓) [법꼬] **1** 부처 앞에서 치는, 쇠가죽으로 만든 작은 북. **2** 절에서 예불할 때나 의식을 치를 때 치는 큰 북.

법관 (法官) [법꽌] 법원에서 법률에 따라 재판을 담당하는 사람.

법규 (法規) [법뀨] 국민의 권리와 의무를 규정하여 활동을 제한한 법률·명령·규정. ㉠교통 법규. 비규범. 법률.

법당 (法堂) [법땅] 불상을 모셔 놓고 부처의 가르침을 설교하는 절 본채의 큰 방.

법도 (法度) [법또] **1** 법률과 제도. **2** 생활하면서 지켜야 할 예절과 제도. ㉠법도에 어긋나는 일.

법령 (法令) [범녕] 법률과 명령. ㉠법령을 공포하다. 준영.

*__법률__ (法律) [범뉼] 나라에서 정한, 국민이 지켜 나가야 할 법규. ㉠법률 위반 / 법률을 제정하다. 준법.

법률가 (法律家) [범뉼가] 법률을 연구하여 법률에 관해 전문적으로 아는 사람.

법률안 (法律案) [범뉴란] 법률로 정하고자 하는 사항을 조목별로 정리하여 국회에 제출하는 문서.

법무 (法務) [범무] 법률에 관한 사무. ㉠법무 사무소.

법무부 (法務部) [범무부] 중앙 행정 기관의 하나. 범죄의 증거 수집, 형벌의 집행, 출입국 관리 등 법률에 관한 일을 맡아봄.

법사 (法師) [법싸] 부처의 가르침에 대해 잘 알고 모범이 되는 승려.

법석 [법썩] 여러 사람이 시끄럽게 떠드는 모양. ㉠법석을 떨다 / 법석을 치다.

법석대다 [법썩때다] 여러 사람이 소란스럽게 자꾸 떠들다.

법안 (法案) [버반] 법률의 안건이나 초안. ㉠법안을 심의하다.

*__법원__ (法院) [버붠] 법관이 법률에 따라 옳고 그른 것을 가려 재판하는 기관. 대법원·고등 법원·지방 법원·가정 법원 등이 있음.

법적 (法的) [법쩍] 법에 따른 (것). ㉠법적인 조치.

법전 (法典) [법쩐] 여러 종류의 법을 체계적으로 정리하여 엮은 책. ㉠법전을 편찬하다.

법정[1] (法廷) [법쩡] 법관이 소송 절차에 따라 재판을 하는 장소. ㉠법정에 서다. ㊥재판정.

법정[2] (法定) [법쩡] 법률로 규정함. ㉠법정 시효가 지나다.

법정 전염병 (法定傳染病) [법쩡저념뼝] 전염력이 강하고 사망률이 높기 때문에 환자가 발생한 경우 반드시 신고 및 격리 치료를 하도록 법률이 규정한 전염병. 콜레라·장티푸스·말라리아 따위.

법주사 (法住寺) [법쭈사] 충청북도 보은군 속리산에 있는 절. 신라 진흥왕 때 의신 화상이 인도에서 돌아와 세웠다고 함. 석등·석련지·팔상전 등의 국보가 있음.

법치 국가 (法治國家) [─국까] 국민의 뜻에 따라 제정된 법을 기초로 해서 나라를 다스리는 국가. ㊄법치국.

법치주의 (法治主義) [─ / 법치주이] **1** 개인의 독재를 부정하고 법률에 기준을 둔 정치를 주장하는 주의. **2** 법률에 따라 국민을 통치해야 한다는 주의.

법칙 (法則) 꼭 지켜야 하는 규칙. ㉠법칙에 따르다.

법학 (法學) [버팍] 법률에 관한 학문. ㉠법학도.

*__벗__ː [벋] 비슷한 나이에 마음이 서로 통하여 사귀는 사람. ㉠벗을 사귀다. ㊥동무. 붕우. 친구.

*__벗겨지다__ [벋껴지다] 벗김을 당하여 벗어지다. ㉠신발이 벗겨지다 / 문고리가 벗겨지다 / 오명이 벗겨지다. ㊂벗기어지다.

*__벗기다__ [벋끼다] **1** 입은 옷을 벗게 하다. ㉠더러워진 아이의 옷을 벗기다. **2** 껍질이나 가죽을 떼어 내다. ㉠사과 껍질을 벗기다. **3** 거죽을 긁어 내다. ㉠때를 벗기다. **4** 씌웠거나 덮었던 것을 걷어 내다. ㉠가면을 벗기다. **5** 누명 따위에서 벗어나게 하다. ㉠누명을 벗기다.

*__벗다__ [벋따] **1** 옷·모자·신 따위를 몸에서 떼어 내다. ㉠신발을 벗다 / 외투를 벗다. **2** 의무·누명·책임 등을 면하다. ㉠억울한 누명을 벗다. **3** 졌던 짐을 몸에서 내려놓다. ㉠배낭을 벗다. →벋다 주의

*__벗어나다__ [버서나다] **1** 어려운 일이나 처지에서 헤어나다. ㉠가난에서 벗어나다. **2** 이치나 규칙에 어그러지다. ㉠도리에 벗어난 짓. **3** 남의 눈에 들지 못하다. ㉠친구들의 눈에 벗어나다.

벗어던지다 [버서던지다] 낡은 틀이나 체면, 방법 따위를 과감히 버리다. ㉠체면을 벗어던지다.

벗어부치다 [버서부치다] 옷 따위를 힘차게 벗다. ㉠옷을 훌훌 벗어부치다.

벗어지다 [버서지다] **1** 옷·모자·신 등이 몸에서 떨어져 나가다. ㉠신이 벗어지다. **2** 덮었거나 얽었거나 가리었던 물건이 그 자리에서 물러나다. ㉠포장이 바람에 벗어졌다. **3** 머리카락이 빠져 없어지다. ㉠이마가 벗어지다. **4** 누명이나 죄 따위가 없어지다. ㉠누명이 벗어지다. **5** 무엇에 스쳐 피부나 거죽 따위가 깎이다. ㉠살갗이 벗어져 피가 나다. **6** 칠 따위가 바래거나 날다. ㉠칠이 벗어지다. ㊥벗겨지다.

벗ː하다 [버타다] **1** 벗으로 삼다.

예자연과 벗하며 조용히 살다. **2** 서로 허물없이 친구처럼 가까이 지내다. 예서로 벗하는 사이다.

벙거지 털로 검고 두껍게 만든, 갓처럼 쓰는 물건. 예전에 주로 병졸이나 하인들이 썼음.

벙글거리다 좋아서 입을 크게 벌리고 소리 없이 부드럽게 자꾸 웃다. 작 방글거리다. 센 뻥글거리다.

벙글벙글 입을 벌려 소리 없이 자꾸 부드럽게 웃는 모양. 예아기가 벙글벙글 웃다. 작 방글방글. 센 뻥글뻥글. **—하다.**

벙긋 [벙귿] 소리 없이 입만 벌리고 가볍게 웃는 모양. 작 방긋. 센 뻥긋. 뻥끗. **—하다.**

벙벙하다 어리둥절하여 얼빠진 사람처럼 멍하다. 예어안이 **벙벙하다.** 준 벙하다.

***벙어리** 태어날 때부터 또는 병을 앓은 뒤로 말을 못하는 사람.

벙어리장갑 (—掌甲) 엄지손가락 외에 네 손가락이 한데 들어가도록 만든 장갑.

벙어리저금통 (—貯金筒) 적은 돈을 넣어 모으는 저금통.

벚꽃 [벋꼳] 벚나무의 꽃. 5개의 꽃잎으로 되어 있음.

벚나무 [번나무] 장미과에 속하는 낙엽 활엽 교목. 높이는 6–9 m, 잎은 타원형이고 봄철에 5개의 꽃잎으로 되어 있는 연분홍색 꽃이 핌. 과실인 '버찌'는 여름에 검은 자주색으로 익으며 먹을 수 있음.

베 삼실(삼 껍질에서 뽑은 실)이나 무명실·명주실 따위로 짠 천. 예**베**를 짜다.

***베개** 누울 때에 머리를 괴는 물건. 예**베개**를 베다. ×벼개.

베갯속 [베개쏙 / 베갣쏙] 베개의 속에 넣어 통통하게 만드는 물건. 겨·조·메밀 껍질·솜 따위.

베갯잇 [베갠닏] 베개의 겉을 덧싸는 헝겊.

베고니아 (begonia) 베고니아과의 여러해살이풀. 높이는 60 cm가량, 중국이 원산임. 땅속에 양분을 저장하는 둥근 뿌리가 있음. 잎은 갸름한 심장 모양이며 7–9월에 엷은 붉은색 꽃이 핌.

베끼다 글이나 그림 따위를 원본 그대로 옮겨 쓰거나 그리다. 예친구의 숙제를 그대로 **베끼다.**

베네룩스 (Benelux) 벨기에·네덜란드·룩셈부르크의 세 나라의 머리글자를 딴 이름.

베네수엘라 (Venezuela) 〖국명〗 남아메리카의 북서부에 위치한 공화국. 열대 지방이며, 석유·금·커피·사탕수수 등이 많이 남. 공용어는 에스파냐 어. 수도는 카라카스.

베니어합판 (veneer合板) 여러 겹의 얇은 판자를 수축하거나 굽지 않도록 결이 엇갈리게 붙여 만든 널빤지. 준 베니어.

베:다[1] 베개 따위로 머리 아래를 받치다. 예베개를 **베다** / 팔을 **베고** 눕다. →배다 주의

***베:다**[2] **1** 날이 있는 연장으로 물건을 끊거나 자르거나 가르다. 예톱으로 나무를 **베다.** **2** 날이 있는 물건으로 상처를 내다. 예과일을 깎다가 손을 **벴다.** →배다 주의

베란다 (veranda) 서양식 집에서, 집채의 앞쪽으로 넓은 툇마루같이 튀어나오게 만든 부분.

베레모 (프 béret帽) 챙이 없고 둥글납작하게 생긴 모자. 베레.

베르디 (Verdi, Giuseppe Fortunaio Francesco) 〖인명〗 이탈리아 최대의 가극 작곡가. 작품에 '아이다', '리골레토', '일트로바토레', '춘희' 등이 있음. [1813–1901]

베를린 (Berlin) 〖지명〗 독일의 수도. 제2차 세계 대전 후에 동서로 나뉘어 동쪽은 동독의 수도로, 서쪽

은 서독에 편입되었으나 1990년에 독일이 통일된 후 다시 수도가 됨.

베스트셀러 (best seller) 일정 기간 동안에 가장 많이 팔린 책. ㉮베스트셀러 작가 / 베스트셀러로 선정되다.

베어링 (bearing) 회전 운동이나 왕복 운동을 하는 굴대를 받치는 기계 부품. 축받이.

베옷 [베옫] 베로 지은 옷.

베이다 벰을 당하다. ㉮칼날에 손가락이 베이다.

베이스1 (base) 야구에서, 내야의 네 귀퉁이에 놓은 방석같이 생긴 물건. 또는 그 위치. 누(壘).

베이스2 (bass) **1** 성악에서 남자의 가장 낮은 음. 또는 그 가수. **2** 기악 합주에서 낮은 소리를 내는 악기.

베이식 (BASIC) 1960년대 말 미국 다트머스 대학의 켐니 교수가 개발한, 초보자를 위한 컴퓨터 간이 프로그래밍 언어. 문법이 간단하고 프로그램의 편집과 수정이 쉬움.

베이지 (beige) 엷고도 밝은 갈색. 낙타색. ㉮베이지색 승용차.

베이징 (중 北京) 〖지명〗 중국의 수도로 허베이 성에 있는 대도시. 요나라 시대부터 현재까지 900년 간의 수도로, 자금성·천안문·공자묘 등의 명승고적이 많음. 북경.

베이컨 (bacon) 돼지고기를 소금에 절여 연기로 그슬리거나 삶아 말린 식품. 주로 돼지의 등이나 배의 살로 만듦.

베일 (veil) **1** ⇨면사포. **2** 가리고자 하는 것을 씌워서 보이지 아니하게 하는 것. 장막. ㉮신비의 베일을 벗기다.

베짱이 여칫과의 곤충. 몸길이는 3.5 cm 가량. 몸빛은 연두색이고 더듬이는 몸보다 길며 앞날개는 꽁무니보다 길. '베짱베짱' 하고 욺.

〈베짱이〉

베테랑 (프 vétéran) 어떤 방면에 오랫동안 일해서 그 분야의 기술이나 기능에 뛰어난 사람. 전문가. ㉮베테랑 기자.

베토벤 (Beethoven, Ludwig van) 〖인명〗 독일의 작곡가. '전원', '영웅', '운명', '합창' 등 9개의 교향곡 및 소나타·현악 사중주 등 세계 음악 사상 불후의 걸작을 많이 남겨 '악성' 으로 불림. [1770-1827]

베트남 (Vietnam) 〖국명〗 동남아시아 인도차이나 반도 동부의 사회주의 공화국. 남북으로 갈라져 싸웠으나 1976년에 남부 베트남이 전쟁에서 지면서 남북이 통일되었음. 수도는 하노이.

베틀 무명·명주·삼베 따위의 옷감을 짜는 틀. ㉮베틀을 돌리다.

베풀다 **1** 무슨 일을 차리어 벌이다. ㉮큰 잔치를 베풀다. **2** 남에게 돈을 주거나 일을 도와주어서 혜택을 받게 하다. ㉮가난한 사람에게 은혜를 베풀다. 활용 베풀어 / 베푸니 / 베푸는.

벤젠 (benzene) 콜타르(석탄을 가열하여 얻은 액체)를 걸러서 만든 무색의 휘발성 액체. 물과 섞이지 않으며, 기름을 잘 녹임. 벤졸.

벤처 기업 (venture企業) 전문적인 지식과 신기술을 바탕으로 창조적이고 모험적으로 경영하는 중소기업.

벤치 (bench) **1** 여러 사람이 같이 앉을 수 있도록 나무로 길게 만들어 놓은 의자. **2** 운동 경기장에서 감독과 선수들이 앉는 자리.

벨1 (Bell, Alexander Graham) 〖인명〗 미국의 발명가. 자석식 전화기를 발명함. [1847-1922]

벨2 (bell) **1** 종. ㉮비상 벨. **2** 초인

종. ㉔벨이 울리다.

벨기에 (België) 〖국명〗 유럽 서북부에 있는 입헌 군주국. 석탄이 풍부하고 전 국토의 절반이 농업 용지로, 농업과 공업이 함께 발달했음. 수도는 브뤼셀.

벨트 (belt) **1** ⇨혁대. ㉔벨트를 매다. **2** 두 개의 기계 바퀴에 걸어 동력을 전하는 띠 모양의 물건. 피대.

***벼** 논·밭에 심는 볏과의 한해살이풀. 높이는 1–1.5 m, 줄기는 속이 비고 마디가 있음. 가을에 익는 열매를 '벼'라 하고, 이것을 찧어 껍질을 벗긴 것을 '쌀'이라고 함. ㉔벼를 거두다 / 벼를 베다.

벼농사 (—農事) 벼를 재배하여 거두는 일. ㉔벼농사를 짓다. 비 미작. 쌀농사.

***벼락** **1** 공중의 전기와 땅 위의 물체가 서로 부딪쳐 일어나는 현상. 강한 충격과 몹시 큰 소리가 남. 비 벽력. **2** 몹시 호된 꾸지람의 비유.

벼락(을) 맞다 ㉠공중에서 내리치는 벼락을 맞다. ㉡못된 짓을 하여 벌을 받다.

벼락(이) 떨어지다 어떤 큰 변이 닥치다.

벼락(이) 치다 벼락이 떨어져 땅 위의 물건을 치다.

벼락같다 [벼락깐따] **1** 일이나 행동이 몹시 빠르다. **2** 소리가 크고 요란하다. ㉔벼락같은 호령.

벼락같이 [벼락까치] 벼락같게. ㉔벼락같이 달려오다.

벼락공부 (—工夫) [벼락꽁부] 시험이 닥쳐서 갑자기 서둘러 하는 공부. ㉔시험 보는 전날에 벼락공부를 하다.

벼락부자 (—富者) [벼락뿌자] 갑자기 된 부자. 비 졸부.

벼락치기 어떤 시기가 닥쳐왔을 때 갑자기 서둘러 하는 일. ㉔벼락치기로 날림 공사를 하다.

벼랑 깎아지른 듯이 험하고 가파른 비탈. ㉔벼랑 끝에 서다 / 산에서 발을 헛디뎌 벼랑으로 굴렀다. 비 낭떠러지.

***벼루** 먹을 가는 데 쓰는 돌.

벼룩 벼룩과의 곤충. 몸은 아주 작고, 짙은 갈색임. 날개는 퇴화했으나 뒷다리가 발달하여 잘 뜀. 사람·짐승의 몸에 붙어 피를 빨아 먹음.

벼룩의 간을 내어 먹는다 어려운 형편에 있는 사람에게서 돈이나 물건을 뜯어내다.

벼룩시장 (—市場) [벼룩씨장] 갖가지 중고품을 사고파는 시장. ㉔벼룩시장이 열리다.

벼르다 어떤 일을 이루려고 단단히 마음을 먹다. ㉔한번 혼내 주려고 단단히 벼르다. 활용 별러 / 벼르니.

벼리다 날이 무디어진 연장을 불에 달구고 두드려 날카롭게 만들다.

***벼슬** 관청에 나가 나랏일을 맡아보는 자리. 또는 그 일. ㉔벼슬을 지내다. 비 관직. **—하다.**

벼슬길 [벼슬낄] 벼슬아치가 되는 길. ㉔벼슬길에 오르다 / 장원 급제를 하여 벼슬길이 트이다.

벼슬살이 [벼슬사리] 벼슬에 올라 맡은 일을 하며 지내는 일.

벼슬아치 [벼스라치] 벼슬자리에 있으면서 나랏일을 맡아보는 사람. 비 관원.

벼슬자리 [벼슬짜리] 관청에 나가 나랏일을 맡아보는 자리.

벼이삭 벼의 낟알이 달린 이삭.

벼훑이 [벼훌치] 벼의 알을 훑어 내는 농기구.

***벽** (壁) **1** 방·집 따위를 둘러막은 둘레. ㉔높은 벽 / 벽에 기대다 / 벽에 못을 박다. 본 바람벽. **2** 이겨 내기 어려운 장애. ㉔자금난으로 연구가 벽에 부딪치다. ➲ wall

벽걸이 (壁—) [벽꺼리] 옷 따위를 걸도록 벽에 붙이거나 박은 고리나

대 또는 벽에 매다는 장식.
벽난로 (壁煖爐) [병날로] 실내의 벽에다 구멍을 내고 굴뚝은 벽 속으로 통하게 만들어 불을 지피는 난로. 페치카. ㊟벽로.
*__벽돌__ (甓—) [벽똘] 진흙이나 시멘트에 모래를 섞어 틀에 박아 내거나 구운 건축 재료. ㊎벽돌로 담을 쌓다 / 벽돌을 굽다.
벽두 (劈頭) [벽뚜] **1** 글의 첫머리. **2** 일의 첫머리. ㊎신년 벽두 / 새해 벽두부터 조짐이 좋다.
벽력 (霹靂) [병녁] ⇨벼락1.
벽력같다 (霹靂—) [병녁깓따] 소리가 매우 크고 우렁차다. ㊎벽력같은 목소리로 호령하다.
벽면 (壁面) [병면] 벽의 거죽.
벽보 (壁報) [벽뽀] 종이에 써서 벽에 붙여 여러 사람에게 알리는 글. ㊎선거 벽보 / 벽보를 붙이다.
벽보판 (壁報板) [벽뽀판] 벽보를 붙이게 벽이나 담에 마련해 놓은 널빤지.
벽시계 (壁時計) [벽씨계 / 벽씨게] ⇨괘종시계.
벽신문 (壁新聞) [벽씬문] 갖가지 주장이나 뉴스·만화·사진 따위를 신문처럼 꾸며 벽에 붙이는 글.
벽장 (壁欌) [벽짱] 벽을 뚫어 문을 달고 장처럼 꾸며 물건을 넣게 된 곳. ㊎벽장에 옷가지를 넣어 두다.
벽지[1] (僻地) [벽찌] 도시에서 멀리 떨어져 으슥하고 한적한 곳. 교통이 불편하고 문화의 혜택이 적은 곳임. ㊎산간벽지.
벽지[2] (壁紙) [벽찌] 벽에 바르는 종이. ㊎벽지를 바르다.
벽창호 (碧昌—) 고집이 세고 무뚝뚝한 사람을 비유해 이르는 말.
벽촌 (僻村) 도시에서 멀리 떨어진 외딴 마을.
벽화 (壁畫) [벼콰] 건물이나 동굴, 무덤 따위의 벽에 그린 그림. ㊎고분 벽화.
*__변__[1] (邊) **1** 물체나 장소 따위의 가장자리. ㊎한강 변을 따라 걷다. **2** 다각형의 각 선분. **3** 등식·부등식에서 부호의 양편에 있는 식 또는 수. **4** 한자의 왼쪽으로 붙은 부수.
변:[2] (變) 갑자기 생긴 이상한 일이나 재앙. ㊎변을 당하다 / 마을에 변이 생기다.
변[3] (便) 대소변. 특히, 대변을 말함. ㊎변을 보다.
변경[1] (邊境) 나라의 경계가 되는 변두리 땅. ㊎변경을 지키다. ㊥국경. 변방.
변:경[2] (變更) 다르게 바꾸어서 새롭게 고침. ㊎주소 변경 / 계획을 변경하다. **—하다**.
변:고 (變故) 갑작스러운 재앙이나 사고. ㊎변고를 당하다.
변:괴 (變怪) 뜻밖에 일어난 괴이한 일. ㊎변괴가 생기다 / 원, 세상에 이런 변괴가 있나.
변기 (便器) 똥·오줌을 받아 내거나 누도록 만든 그릇.
변:덕 (變德) 이랬다저랬다 잘 변하는 성질이나 태도. ㊎변덕을 부리다 / 변덕이 심한 사람.
변덕이 죽 끓듯 하다 몹시 변덕을 부리다.
변:덕맞다 (變德—) [변덩맏따] ⇨변덕스럽다.
변:덕스럽다 (變德—) [변덕쓰럽따] 변덕을 부리는 태도나 성질이 있다. ㊎변덕스러운 날씨. 활용 변덕스러워 / 변덕스러우니.
변:덕쟁이 (變德—) [변덕쨍이] 생각이나 태도가 자주 바뀌는 사람. 또는 변덕을 잘 부리는 사람.
변:동 (變動) 변하여 움직임. ㊎물가 변동. **—하다**.
변두리 (邊—) 어떤 지역의 가장자리가 되는 곳. ㊎서울 변두리로 이사 가다.

변:란 (變亂) [별란] 재앙이나 그 밖의 큰 난리로 말미암아 세상이 어지러워지는 일. ㉩변란을 일으키다 / 변란이 일어나다.

변:론 (辯論) [별론] **1** 이치를 밝혀 옳고 그름을 말함. **2** 재판을 받고 있는 사람이나 변호인이 법정에서 하는 말. ㉩변론을 맡다. **—하다.**

변:명 (辨明) 자신의 잘못이나 실수에 대해 이해시키기 위하여 이유나 핑계를 댐. ㉩구구한 변명을 늘어놓다 / 변명의 여지가 없다 / 실수를 변명하다. **—하다.**

변:모 (變貌) 모양이나 모습이 바뀜. 또는 그 모양이나 모습. ㉩몰라보게 변모한 서울. **—하다.**

변방 (邊方) **1** 가장자리가 되는 쪽. **2** ⇨변경[1].

변변찮다 [변변찬타] 제대로 갖추지 못하여 부족한 데가 있다. ㉩대접이 변변찮다 / 인물이 변변찮다.

변변하다 **1** 됨됨이나 생김새가 흠이나 모자람이 없이 어지간하다. **2** 지위나 살림살이가 남보다 떨어지지 아니하다. ㉩변변한 집안. **3** 훌륭하거나 넉넉하다. ㉩변변한 옷 한 벌이 없다.

변변히 변변하게. ㉩인사도 변변히 못하고 급히 떠나다.

변:별 (辨別) **1** 옳고 그름과 착하고 악함을 가림. **2** ⇨분별. **—하다.**

변:별력 (辨別力) 사물의 옳고 그름 따위를 가려낼 만한 힘. ㉩변별력을 기르다.

변비 (便祕) 똥을 잘 누지 못하는 병. ㉩변비로 고생하다.

변:사[1] (辯士) 무성 영화를 상영할 때 나오는 화면에 맞는 내용을 설명하던 사람.

변:사[2] (變死) 뜻밖의 재난이나 사고로 죽는 것. **—하다.**

변:상 (辨償) **1** 빚을 갚음. ㉩빚을 변상하다. ㉥ 변제. **2** 남에게 끼친 손해를 돈이나 물건 따위로 물어 줌. ㉩자동차 수리비를 변상하다. ㉥ 배상. **—하다.**

변:색 (變色) 빛깔이 변하여 달라짐. ㉩누렇게 변색된 종이. **—하다.**

변:성기 (變聲期) 사춘기에 성대가 성장함에 따라 목소리가 굵고 낮게 달라지는 시기.

변:성암 (變成岩) 퇴적암이나 화성암이 깊은 땅속에서 높은 열이나 강한 압력을 받아 성질이 변하여 이루어진 암석.

***변소** (便所) 대소변을 보는 곳. ㉩변소를 치다. ㉥ 뒷간. 화장실.

변:수 (變數) **1** 어떤 상황의 변화를 일으킬 수 있는 요인. ㉩국민의 여론이 중요한 변수가 되었다. **2** 어떤 범위 안에서 여러 가지 값으로 변할 수 있는 수. ㉤ 상수.

변:신 (變身) 몸의 모양이나 태도 따위를 전과 다르게 바꿈. 또는 바뀐 몸. **—하다.**

변:심 (變心) 마음이 달라짐. ㉩친구의 변심을 원망하다. **—하다.**

변:압기 (變壓器) [벼납끼] 전류의 값이나 교류 전류의 전압을 올리거나 내리거나 하는 장치. 트랜스.

변:역 (變域) [벼녁] 함수에서 변수가 변화할 수 있는 값의 범위.

변:온 동:물 (變溫動物) [벼논—] 외부의 온도에 따라 체온이 변하는 동물. 뱀·개구리·악어 따위. ㉥ 냉혈 동물.

변:장 (變裝) 본디 모습을 감추려고 옷차림이나 머리 모양 따위를 고쳐서 다르게 꾸밈. ㉩왕자로 변장하다. **—하다.**

변:전소 (變電所) 변압기를 써서 발전소에서 보내오는 높은 전류의 압력을 필요한 전압으로 낮추는 곳.

변:절 (變節) 지켜야 할 절개나 지조를 지키지 않고 바꿈. ㉩변절자. **—하다.**

변ː제 (辨濟) 빚을 갚음. ㊑ 변상. **—하다.**

변ː조 (變造) **1** 어떤 사물의 형태나 내용을 다르게 고침. ㉠수표를 변조하다. **2** 물체를 손질하여 다른 모양으로 고쳐 만듦. **—하다.**

변ː종 (變種) 같은 종류의 생물 가운데 변화가 생겨 성질과 형태가 달라진 종류.

변ː주 (變奏) 어떤 가락을 바탕으로 하여 리듬·선율 따위를 여러 가지로 바꿔 연주함.

변ː주곡 (變奏曲) 어떤 가락을 바탕으로 리듬·화성 따위를 여러 가지로 바꾸어 만든 기악곡.

변죽 (邊—) 그릇이나 세간 따위의 가장자리.

변죽(을) 울리다 바로 집어 말하지 않고 돌려서 말을 하여 상대가 눈치를 채서 깨닫게 하다.

변ː질 (變質) 성질이나 물질이 변함. ㉠묵은쌀이 변질하다. **—하다.**

변ː천 (變遷) 세월의 흐름에 따라 바뀌고 변함. ㉠시대의 변천 / 자동차의 변천 과정. **—하다.**

변ː칙 (變則) 원칙에서 벗어나 달라짐. 또는 그런 법칙이나 규정. ㉠변칙으로 모은 재산.

변ː태 (變態) **1** 본래의 모습이 변해 달라짐. **2** 동물이 성체가 되기까지 시기에 따라 여러 가지 형태로 변하며 자라는 현상.

변ː통 (變通) **1** 일을 경우에 따라 융통성 있게 처리함. ㉠변통을 내다. **2** 돈이나 물건을 이리저리 돌려서 맞춰 씀. ㉠급하게 쓸 돈을 변통하다. **—하다.**

*****변ː하다** (變—) **1** 사물이 전과 다르게 되다. ㉠거리의 모습이 변하다. **2** 마음·취미·습관 따위가 달라지다. ㉠마음이 변하다.

변ː한 (弁韓) 삼한의 하나. 현재의 경상도 및 경기도·강원도 일부 지역에 있었고, 10여 개의 부족 국가로 이루어졌음.

변ː함없다 (變—) [변하멉따] 달라지지 않고 항상 같다. ㉠내 마음은 변함없다.

변ː함없이 (變—) [변하멉씨] 변함없게. ㉠변함없이 잘 있다.

변ː혁 (變革) 갑자기 바꾸어 새롭게 함. ㉠제도를 변혁하다. **—하다.**

변ː형 (變形) 모습을 바꿈. 모양이 바뀜. 또는 그 바뀐 모양. **—하다.**

변ː호 (辯護) **1** 남에게 이롭도록 편들어 도와줌. ㉠친구를 변호하다. **2** 법정에서 변호인이 검사에 맞서 피고인에게 유리하도록 말함. ㉠변호를 맡다. **—하다.**

*****변ː호사** (辯護士) 변호사법에 규정된 일정한 자격을 갖춘 사람. 재판할 때 피고 또는 원고를 변호하는 일과 그 밖의 일반 법률 사무를 맡아봄.

변ː호인 (辯護人) 재판에서 피고인의 변호를 맡은 변호사.

*****변ː화** (變化) 사물의 모양이나 성질 등이 달라짐. ㉠날씨의 변화 / 세상이 빠르게 변화하다. **—하다.**

변ː화무쌍 (變化無雙) 변화가 많거나 심함. **—하다.**

변ː환 (變換) **1** 성질·상태 등을 바꿈. 모양이 바뀜. **2** 일정한 법칙에 따라 어떤 요소를 다른 요소로 바꾸는 일. **—하다.**

*****별ː**[1] **1** 밤하늘에 반짝거리는 천체. 지구·태양·달을 제외한 항성·행성·혜성 따위. **2** 매우 뛰어난 존재. ㉠영화계의 큰 별. **3** 매우 하기 힘든 일의 비유. ㉠하늘의 별 따기. **4** 장성급의 계급장. ㉠별을 달다. ➲ star

별[2] (別) 보통과 다른. 별난. ㉠아무리 생각해도 별 뾰족한 수가 없다.

-별 (別) 어떤 말 뒤에 붙어 그 말과 같은 종류로 구별함을 나타내는 말. ㉠연령별 / 성별 / 직업별 / 학년별.

별개 (別個) 서로 다른 것. 관계가 없는 것. ㉠별개의 문제.

별거 (別居) 부부나 한집안 식구가 따로 떨어져 삶. ㉠별거 생활. 반 동거. **—하다.**

별걱정 (別—) [별걱쩡] 쓸데없는 걱정. ㉠별걱정을 다 한다.

별것 (別—) [별걷] **1** 드물고 이상한 일이나 물건. ㉠별것 아니군. **2** 다른 물건.

별고 (別故) 특별한 사고. ㉠별고 없이 잘 지내고 있습니다.

별관 (別館) 본관 말고 따로 지은 건물.

별궁리 (別窮理) [별궁니] 달리 하는 궁리. ㉠별궁리를 다 해 보다.

별기군 (別技軍) 조선 고종 18년 (1881)에 설치하였던 신식 군대.

별꼴 (別—) 남의 눈에 거슬려 보이는 모습. ㉠별꼴 다 보겠다 / 정말이지 별꼴이야.

별나다 (別—) [별라다] 보통 것과 매우 다르게 특별하거나 이상하다. ㉠별난 성격 / 별나게 굴다.

별:나라 [별라라] 어린이 말로 별의 세계.

별다르다 (別—) 다른 것과 아주 다르다. ㉠별다른 방도가 없다. 활용 별달라 / 별다르니.

별달리 (別—) 별다르게. ㉠별달리 생각 마라.

별당 (別堂) [별땅] 본채 옆이나 뒤에 따로 지은 집. ㉠별당 아씨.

별도 (別途) [별또] 다른 방식. 딴 방면. ㉠별도로 취급하다.

별도리 (別道理) 별다른 수단. 딴 방법. ㉠별도리가 없다.

별:똥 ⇨별똥별.

별:똥별 우주의 먼지가 지구 대기권에 들어왔을 때, 빠른 속도로 떨어져 공기와 부딪칠 때 그 마찰로 빛을 발하는 것. 비 별똥. 유성.

***별로** (別—) 그다지 다르게. 이렇다 하게 따로. ㉠별로 먹고 싶지 않다 / 별로 할 말이 없다. 비 별반.

별말 (別—) **1** 뜻밖의 말. ㉠별말을 다 하는군. **2** 별다른 말. ㉠별말은 없었네. 비 별소리. 높 별말씀.

별말씀 (別—) '별말'의 높임말.

별명 (別名) 본이름 외에 그 사람의 생김새·행동·성질 따위로 특징을 따서 남들이 지어서 부르는 이름. 닉네임. ㉠별명을 부르다 / 별명을 짓다. 반 본명.

별무반 (別武班) 고려 숙종 때 윤관이 여진족을 정벌하기 위해 기병을 중심으로 해서 만든 군대.

별문제 (別問題) **1** 관계가 없는 다른 문제. ㉠이것과 저것과는 별문제이다. **2** 특별한 문제. ㉠먹고사는 데는 별문제가 없다.

별미 (別味) 특별히 좋은 맛. 또는 그런 음식. ㉠한겨울에 먹는 냉면은 별미다.

별반 (別般) 별다르게. ㉠별반 좋은 줄 모르겠다. 비 별로.

별별 (別別) 보통보다 아주 다른 이상한 가지가지. ㉠별별 생각을 다하다. 비 별의별.

별:빛 [별삗] 별의 반짝이는 빛.

별산대 (別山臺) 조선 인조 이후 산대놀음이 금지되자, 서울에서 하던 산대놀이를 본받아 지방에서 생긴 놀이. 지금은 양주 별산대놀이만 전승됨.

별세 (別世) [별쎄] 윗사람이 세상을 떠남. ㉠교장 선생님의 별세 소식을 전해 듣다. **—하다.**

별세계 (別世界) [— / 별세게] 보통 세상과는 아주 다른 세상. 딴 세상. ㉠별세계에서 온 사람 같다. 비 별천지.

별소리 (別—) ⇨별말.

별수 (別—) 별다른 방법. 다른 좋은 방법. ㉠그라고 별수 있겠어 / 별수 없는 노릇이다.

별스럽다 (別—) [별스럽따] 별난 데가 있다. 남달리 이상하다. ㊀별스러운 행동을 하다. [활용] 별스러워 / 별스러우니.
별식 (別食) [별씩] 늘 먹는 음식이 아닌 특별한 음식. ㊀오늘 저녁에는 별식을 만들어 먹자.
별신굿 (別神—) [별씬꾿] 주로 우리나라 남부 해안 지방에서 하는 전통적인 굿.
*__별안간__ (瞥眼間) [벼란간] 갑작스럽고 아주 짧은 동안. 난데없이. ㊀별안간 나타나다. ㊂갑자기.
별의별 (別—別) [벼릐별 / 벼레별] 보통보다 다른 가지가지. ㊀별의별 소리를 다 듣겠다. ㊂별별.
별일 (別—) [별릴] **1** 별다른 일. ㊀별일 없이 지내다. **2** 드물고 이상한 일. ㊀별일을 다 겪는다.
별ː자리 [별짜리] 별이 늘어선 모양을 신화에 나오는 인물이나 동물 또는 물건의 이름을 따 붙인 것. 작은곰자리·백조자리 따위. ㊀카시오페이아자리는 '더블유(W)' 자 모양의 별자리이다. ㊂성좌.
별장 (別莊) [별짱] 살림을 하는 집 이외에 경치 좋은 곳에 따로 마련한 집. ㊀별장에서 휴가를 보내다.
별종 (別種) [별쫑] 보통 사람과는 다른 별스러운 사람을 속되게 이르는 말.
별주부전 (鼈主簿傳) [별쭈부전] 〖책〗 고대 소설의 하나. 거북이가 용왕의 병에 토끼의 간을 약으로 쓰려고 토끼를 속여 용궁으로 끌고 갔으나 오히려 용왕이 토끼에게 속아 넘어갔다는 이야기. ㊂토끼전.
별채 (別—) 본채와 따로 떼어서 지은 집. ㊀별채에서 공부하다. ㊂딴채. ㊁본채.
별책 (別冊) 따로 나누어 엮어 만든 책. ㊀별책 부록.
별천지 (別天地) ⇨별세계. ㊀별천지에 온 기분.
별칭 (別稱) 원래 이름 외에 달리 부르는 이름.
별ː표 (—標) 별 모양의 표. ㊀중요한 곳에는 별표를 해 두어라.
볍쌀 입쌀·찹쌀을 잡곡에 대해서 일컫는 말.
볍씨 못자리에 뿌리는 벼의 씨.
볏 [벋] 닭이나 꿩 따위의 머리 위에 세로로 붙은 살 조각. 빛깔이 붉고 톱니 모양으로 생겼음. ㊂계관.
볏가리 [벼까리 / 볃까리] 볏단을 차곡차곡 쌓아 놓은 더미.
볏단 [벼딴 / 볃딴] 벼를 베어 묶은 단. ㊀볏단을 쌓다.
볏섬 [벼썸 / 볃썸] 벼를 담은 섬.
볏짚 [벼찝 / 볃찝] 벼의 이삭을 떨어낸 줄기. ㊃짚.
*__병ː__[1] (病) **1** 몸에 탈이 나거나 아픔을 느끼게 되는 현상. 앓는 것. ㊀불치의 병에 걸리다 / 병이 나서 누워 있다. ㊂질병. **2** 좋지 못한 버릇이나 흠. ㊀그는 술을 너무 좋아하는 게 병이다.
*__병__[2] (甁) **1** 액체·가루 따위를 담는 그릇. 유리·사기 따위로 만드는데, 목이 길고 좁음. ㊀빈 병 / 유리병 / 병이 깨지다. **2** 액체·가루 따위를 담아 그 분량을 세는 단위. ㊀음료수 두 병. ➲ bottle
병ː간호 (病看護) 앓고 있는 사람을 잘 보살펴 도와줌. ㊀병간호를 극진히 하다. ㊃병간. **—하다.**
병ː구완 (病—) 병을 앓는 사람을 잘 돌보아 주는 일. ㊀정성스러운 병구완. ㊂간병. 병시중. **—하다.**
병ː균 (病菌) ⇨병원균. ㊃균.
병기 (兵器) 전쟁에 쓰는 모든 기구. ㊀최신식 병기. ㊂무기.
병ː나다 (病—) 병이 생기다. ㊀피로가 쌓여 병났다.
병ː동 (病棟) 여러 개의 병실로 된 병원 안의 한 채의 건물. ㊀소아과

병동.
병:들다 (病―) 몸이나 마음에 병이 생기다. ㉥병든 몸 / 마음이 병들다. [활용] 병들어 / 병드니 / 병드는.
병따개 (甁―) 병의 뚜껑을 따는 도구. ㉥병따개로 병을 따다.
병력 (兵力) [병녁] 군대의 힘. 또는 군인의 수.
병:렬 (竝列) [병녈] 전지를 같은 극끼리 잇는 방법. 양(+)극을 다른 전지의 양(+)극에 연결하는 일. [반] 직렬. **—하다.**
병:마 (病魔) 병을 악마에 비유한 말. ㉥병마에 시달리다.
병마개 (甁―) 병의 아가리를 막는 마개. ㉥병마개를 따다.
병:명 (病名) 병의 이름. ㉥병명도 모르는 병.
병무청 (兵務廳) 군에서 복무할 사람에 대한 징집, 소집, 신체검사 등에 관한 일을 맡아보는 국방부의 한 기관.
병:문안 (病問安) [병무난] 아픈 사람을 찾아가 위로함. ㉥병문안을 다녀오다. **—하다.**
병법 (兵法) [병뻡] 군사를 지휘하여 전쟁하는 방법. ㉥병법에 밝은 장수.
병사 (兵士) 계급이 낮은 군인. [비] 군사. 병정. 병졸. 사병.
병:살 (倂殺) 야구에서, 두 사람의 주자를 한꺼번에 아웃시키는 일. 더블 플레이. ㉥병살타. **—하다.**
병:상 (病床) 앓고 있는 사람이 누워 있는 침상. ㉥병상에 눕다 / 병상을 지키다.
병:색 (病色) 병든 사람의 얼굴빛. ㉥얼굴에 병색이 돌다.
병:석 (病席) 병든 사람이 앓아 누워 있는 자리. ㉥병석에 누운 지가 벌써 1년이 다 돼 온다 / 병석에서 일어나다.
병:설 (竝〔倂〕設) 두 가지 이상을 한곳에 함께 설치함. ㉥초등학교 병설 유치원. **—하다.**
병:세 (病勢) 병의 형편. ㉥병세가 좋아지다. [비] 증세.
병:신 (病身) **1** 몸이나 정신이 온전하지 못한 사람. ㉥다리 병신. [비] 불구자. **2** 모자라는 행동을 하는 사람을 얕잡아 이르는 말.
병:실 (病室) 환자가 있는 방. [비] 환자실.
***병아리** 알에서 갓 깨어났거나 다 자라지 못한 어린 닭.
병:약하다 (病弱―) [병야카다] **1** 병에 시달려 몸이 약하다. ㉥병약한 딸을 보살피다. **2** 몸이 허약하여 병에 걸리기 쉽다. ㉥병약한 몸.
병역 (兵役) 국민의 의무로서 일정한 기간 동안 군대에서 복무하는 일. ㉥병역을 마치다.
병영 (兵營) 군인들이 집단으로 들어 사는 집. ㉥병영 생활.
***병:원** (病院) 의료에 필요한 시설을 갖추고 병든 사람을 진찰하고 치료하는 곳. ㉥종합 병원. ➡ hospital
병:원균 (病原菌) 병을 일으키는 균. [비] 병균.
병:원비 (病院費) 병원에서 치료를 받거나 입원하는 데 드는 돈.
병:원체 (病原體) 병을 일으키는 생물. 세균·바이러스·기생충 따위.
병:인양요 (丙寅洋擾) [병인냥요] 조선 고종 3년(1866) 병인년에, 대원군의 천주교 탄압으로 프랑스 함대가 강화도에 침범한 사건.
병:자 (病者) 병에 걸려서 앓는 사람. [비] 환자.
병:자호란 (丙子胡亂) 조선 인조 14년(1636) 병자년에 청나라가 20만 대군으로 침입한 난리. [준] 병란. 호란.
병장 (兵長) 사병 계급의 하나. 하사의 아래, 상등병의 위임. ㉥병장으로 제대하다.

병:적 (病的) [병쩍] 말이나 행동이 정상에서 벗어나 건전하지 못한 (것). ㉥병적인 행동을 보이다.
병정 (兵丁) 병역을 치르고 있는 젊은 남자. ㉥병정개미 / 병정놀이. ㉥ 군인. 병사.
병조 (兵曹) 고려와 조선 때의 육조의 하나. 군사에 관한 일을 맡아봄.
병조림 (甁—) 음식물을 병에 넣고 일정 기간 썩지 않게 봉하는 일. 또는 그렇게 만든 음식물. **—하다.**
병:존 (竝存) 두 가지 이상이 아울러 있음. **—하다.**
병졸 (兵卒) 계급이 낮은 군인. ㉥ 병사. 사병.
병:중 (病中) 병에 걸려 앓는 동안.
병:진 (竝進) 함께 나란히 나아감. **—하다.**
병:창 (竝唱) 가야금 따위의 악기를 타면서 부르는 노래. ㉥가야금 병창. **—하다.**
병:충해 (病蟲害) 식물이나 농작물이 병균과 벌레 때문에 입는 피해. ㉥농작물의 병충해를 예방하다.
병:치레 (病—) 병을 앓아 치러 내는 일. ㉥병치레가 잦다. **—하다.**
병:폐 (病弊) [— / 병폐] 오랜 시간이 지나는 동안 조직이나 사물의 내부에 생긴 폐해. ㉥사회의 병폐.
병풍 (屛風) 방이나 마루 따위에 쳐서 바람을 막거나 무엇을 가리거나 장식하는 데 쓰는 직사각형의 물건. ㉥병풍을 치다.
병:합 (倂合) ⇨합병. **—하다.**
병:해 (病害) 병에 걸려 입는 농작물의 피해. ㉥병해를 입다.
병:행 (竝行) 두 가지 일을 한꺼번에 함. ㉥공부와 운동을 병행하다. **—하다.**
병:환 (病患) 어른의 병을 높여 일컫는 말. ㉥병환 중이신 할아버지.
*__볕__ [볃] 해의 내리쬐는 뜨거운 기운. ㉥볕을 쬐다 / 볕이 따갑다 / 옷을 볕에 말리다. ㉥ 햇볕.
보[1] (洑) 논에 물을 대려고 둑을 쌓고 흐르는 냇물을 막아 두는 곳. ㉥보가 터지다 / 보를 막다.
*__보__[2] (褓) **1** 물건을 싸거나 덮기 위해 네모지게 만든 천. **2** 가위바위보에서, 다섯 손가락을 다 펴서 내미는 것. ㉥보를 내다.
보[3] (步) '발걸음의 수'를 세는 단위. ㉥1보 후퇴 2보 전진.
보:강 (補強) 보태거나 채워서 더 튼튼하게 함. ㉥팀의 체력을 보강하다. **—하다.**
*__보:건__ (保健) 건강을 잘 지켜 나가는 일. ㉥보건 행정.
보:건 복지부 (保健福祉部) [—복찌부] 중앙 행정 기관의 하나. 국민이 깨끗한 환경에서 안전한 생활을 할 수 있도록 보건 위생·방역·의정·약정·구호·부녀·아동 및 사회 보장에 관한 일을 맡아봄. ㉤복지부.
보:건소 (保健所) 고장 사람들의 건강과 위생을 보살피고, 질병을 예방하는 일을 맡아보는 행정 기관.
보:고[1] (報告) **1** 주어진 임무에 대하여 그 결과나 내용을 말이나 글로 알림. ㉥담당자의 보고를 받다 / 그간의 경과를 보고하다. **2** '보고서'의 준말. **—하다.**
보:고[2] (寶庫) **1** 귀중한 재물을 넣어 두는 창고. **2** 자원이나 재물이 많이 나는 곳. ㉥바다는 자원의 보고이다.
보:고문 (報告文) 어떤 일에 대한 조사나 연구 따위를 간추려서 발표하기 위해 적은 글. ㉥보고문을 제출하다.
*__보:고서__ (報告書) 보고하는 내용을 적은 문서. ㉥보고서를 작성하다. ㉤보고. ➲ report
보:관 (保管) 맡긴 물건을 잘 간직하여 관리함. ㉥귀중한 물건은 잘 보관해라. **—하다.**

보:관함 (保管函) 물건을 간직하고 관리하기 위해 넣어 두는 상자.

보:교 (步轎) 예전에, 사방을 장막으로 두른, 벼슬아치가 타던 가마.

〈보교〉

보:궐 선:거 (補闕選擧) 의원의 임기 중에 사직·사망 등으로 빈자리가 생겼을 때 그 자리를 보충하기 위하여 하는 임시 선거. ㉠국회의원 보궐 선거. 준 보선.

보:균자 (保菌者) 병에 걸리지 않았으나, 병원균을 몸 안에 지니고 있는 사람. 다른 사람에게 병원균을 옮길 가능성이 있음.

보글보글 적은 양의 물이나 거품이 좁은 범위 안에서 야단스럽게 끓는 소리. 또는 그 모양. ㉠된장찌개가 보글보글 끓다. 큰 부글부글. 센 뽀글뽀글.

보금자리 **1** 새의 둥지. 비 둥지. **2** 지내기에 매우 포근하고 아늑한 곳. ㉠사랑의 보금자리.

보금자리(를) 치다 보금자리를 만들다. ㉠제비가 처마 밑에 보금자리를 치다.

보:급[1] (普及) 세상에 널리 펴서 알리거나 사용하게 함. ㉠요즈음은 컴퓨터가 많이 보급되었다. **—하다.**

보:급[2] (補給) 물품을 보태어 대어 줌. ㉠식량을 보급하다. 비 공급. **—하다.**

보:급로 (補給路) [보금노] 작전 지역에 필요한 보급품을 실어 나르는 길. ㉠보급로가 막히다.

보:급률 (普及率) [보금뉼] 무엇을 사람들이 갖고 있는 비율. ㉠주택 보급률.

보:급소 (普及所) [보급쏘] 일정한 지역 안에서 신문의 보급과 배달을 맡아 하는 신문사의 한 조직.

보:급품 (補給品) 계속 대어 주는 필요한 물품.

***보기** 어떠한 것임을 알기 쉽게 하기 위하여 실제로 들어 보이는 일. ㉠보기를 들어 이해하기 쉽게 설명하다. 본 본보기.

보길도 (甫吉島) [보길또] 〖지명〗 전라남도 완도군에 있는 섬. 윤선도가 시조 '어부사시사'를 지은 곳으로 유명함.

***보내다** **1** 물건을 다른 곳으로 부쳐 주다. ㉠돈을 우편으로 보내다. **2** 어떤 임무나 목적이 있어 사람을 가게 하다. ㉠부산으로 출장을 보내다. **3** 시간이나 세월을 지나가게 하다. ㉠방학을 뜻깊게 보내다. **4** 죽어서 이별하다. ㉠친구를 멀리 떠나보내다. ➲ send

보너스 (bonus) ⇨상여금. ㉠연말 보너스를 타다.

***보다**[1] **1** 사물의 모양을 눈을 통하여 알다. ㉠자세히 보다. **2** 알려고 두루 살피다. ㉠어느 모로 보아도 이게 낫다. **3** 구경하다. ㉠영화를 보다. **4** 보살피어 지키다. ㉠아이를 보다 / 혼자서 집을 보고 있다. **5** 시험을 치르다. ㉠중간고사를 보다. **6** 일을 맡아서 하다. ㉠사무를 보다. **7** 똥·오줌을 누다. ㉠소변을 보다. **8** 참고 기다리다. ㉠어디 두고 보자. **9** 자손을 낳거나 며느리·사위를 맞아들이다. ㉠사위를 보다 / 여동생을 보다. ➲ see, look

***보다**[2] '-아·-어' 따위의 뒤에서 시험 삼아 함을 나타내는 말. ㉠먹어 보다 / 잡아 보다.

***보다**[3] '-ㄴ가'·'-ㄹ까' 따위의 뒤에서 추측 따위를 나타내는 말. ㉠날이 개는가 보다 / 그만둘까 보다.

보다[4] 둘을 비교할 때 쓰이는 말. ㉠돈보다 책이 좋다. ➲ than

보다[5] 한층 더. ㉠보다 나은 내일을

계획하다.

보:답 (報答) 남에게 받은 은혜나 고마움을 갚음. ㉠부모님의 은혜에 보답하다. **—하다.**

보:도[1] (步道) 사람이 걸어 다니는 길. 비 인도. 반 차도.

*__보:도__[2] (報道) 신문·라디오·텔레비전 따위를 통해 나라 안팎에서 생긴 새로운 일을 널리 일반에게 알리는 것. ㉠신문 보도를 읽다. **—하다.**

보:도블록 (步道block) 보도 바닥에 까는 시멘트 덩어리. ㉠보도블록을 깔다.

보:도진 (報道陣) 어떤 일을 보도하기 위하여 현장에 간 기자·카메라맨 등을 통틀어 이르는 말.

보드득 단단하거나 질긴 물건을 힘주어 문지르거나 맞비빌 때 나는 소리. ㉠잠결에 이를 보드득 갈다. 큰 부드득. 센 뽀드득. **—하다.**

보드랍다 [보드랍따] **1** 거칠거나 뻣뻣하지 않고 매끈매끈하다. ㉠보드라운 살결. **2** 성질이나 태도가 곱고 순하다. ㉠마음씨가 보드랍다. **3** 가루 따위가 잘고 곱다. ㉠밀가루가 보드랍다. 큰 부드럽다. 활용 보드라워 / 보드라우니.

보들보들하다 살갗에 닿는 느낌이 매우 보드랍다. ㉠보들보들한 옷감 / 강아지의 털이 보들보들하다.

보듬다 [보듬따] 가슴에 착 대어 품듯이 안다. ㉠우는 아기를 보듬어 재우다.

보디가드 (bodyguard) ⇨경호원.

*__보따리__ (褓—) **1** 보자기에 물건을 싸서 꾸린 뭉치. ㉠옷 보따리. **2** 어떤 내용을 한데 모은 것. ㉠이야기 보따리를 풀다.

보따리(를) 싸다 관계하거나 다니던 일을 그만두다.

보따리(를) 풀다 ㉠숨은 사실을 드러내다. ㉡계획한 일을 실지로 하기 시작하다.

보라매 난 지 1년이 채 안 된 새끼를 잡아 길들여서 사냥에 쓰는 매.

보라색 (—色) 남색과 자주색의 중간 색. ㉠보라색 물감. 비 보랏빛.

*__보람__ 어떤 일을 하고 나서 얻어지는 좋은 결과나 만족스러운 느낌. ㉠보람을 느끼다 / 고생한 보람이 있다. 비 효력.

보람차다 일의 결과가 좋아서 만족스럽다. ㉠보람찬 생활.

보랏빛 [보라삗 / 보랃삗] 남빛과 자줏빛이 섞인 빛. 비 보라색. 준 보라.

보:료 솜 따위로 속을 두껍게 넣어 만들어서, 앉는 자리에 항상 깔아 두는 요. ㉠보료에 앉다.

보:류 (保留) 결정을 잠시 뒤로 미룸. ㉠결정을 보류하다. **—하다.**

보르네오 (Borneo) 〖지명〗 동남아시아 말레이 제도에 있는, 세계에서 세 번째로 큰 섬. 삼림이 무성하고 쌀이 많이 생산되며 석유, 석탄, 금 등의 광산물도 풍부함.

보름 **1** 열다섯 날 동안. 15일간. ㉠새 학기를 시작한 지 보름이 지났다. **2** '보름날'의 준말.

보름날 음력 초하루로부터 열다섯째 되는 날. 음력 15일. 준 보름.

*__보름달__ [보름딸] 음력 보름날 밤에 뜨는 둥근 달. 비 만월. 망월.

*__보리__ 볏과의 한해살이 또는 두해살이의 재배 식물. 줄기는 곧고 속이 비었으며, 높이는 1m가량임. 논·밭에 심는데, 쌀 다음가는 주요 곡물로 된장·맥주·빵 등의 원료임. ㉠보리를 심다. ➲ barley

〈보리〉

보리밟기 [보리밥끼] 겨울 동안 들뜬 보리 고랑의 겉흙을 눌러 주고, 뿌리가 튼튼히 자리를 잡도록 이른 봄에 보리 싹의 그루터기를 밟는 일. **—하다.**

보리밥 쌀에 보리를 섞거나 보리로 만 지은 밥.

보리밭 [보리받] 보리를 심은 밭.

보리수 (菩提樹) **1** 뽕나뭇과의 상록 활엽 교목. 인도 원산으로, 높이 30 m 정도, 잎은 심장 모양이며 끝은 뾰족하고 광택이 있음. 과실은 무화과와 비슷함. 석가모니가 이 나무 아래에 앉아서 도를 깨달았다고 함. **2** 슈베르트가 작곡한 가곡. 민요풍의 선율이 아름다움.

보리쌀 보리의 열매를 찧어서 껍데기를 벗긴 곡식.

*__보리차__ (—茶) 볶은 겉보리를 넣어 끓인 차.

보릿고개 [보리꼬개 / 보릳꼬개] 예전에, 묵은 곡식은 다 떨어지고 보리는 아직 여물지 않아 농촌에 먹을 것이 없어 가장 살기 어려웠던 음력 4-5월을 이르던 말. ㉺보릿고개를 넘기다. ㊎춘궁기.

보릿자루 [보리짜루 / 보릳짜루] 보리를 담은 자루.

보:모 (保姆) 유치원이나 보육원 등에서 아이들을 돌보아 주며 가르치는 여자.

*__보:물__ (寶物) **1** 금·은·옥과 같은 썩 드물고 귀한 물건. ㉺보물 상자. **2** 예로부터 대대로 물려 내려오는 보배로운 물건. ㊎보배. 보화.

보:물섬 (寶物—) [보물썸] **1** 보물이 있는 섬. 보물을 감추어 둔 섬. **2** 〖책〗 영국의 스티븐슨이 지은 장편 모험 소설.

보:물찾기 (寶物—) [보물찯끼] 주로 야외에서 상품의 이름을 적은 종이쪽지 여러 장을 군데군데 감추어 놓고 이것을 찾아 가지고 오는 사람에게 거기에 적힌 물건을 주는 놀이의 하나.

보:배 **1** 아주 귀하고 소중한 물건. **2** 아주 귀하고 소중한 사람이나 물건을 비유해 이르는 말. ㉺어린이는 나라의 보배이다. ㊎보물. **—롭다. —스럽다.**

보:병 (步兵) 육군에 속해 있으며, 주로 소총을 가지고 걸어서 이동하며 싸우는 군인. 또는 그 부대. ㉺보병 중대.

보:복 (報復) ⇨앙갚음. ㉺보복을 당하다. **—하다.**

보부상 (褓負商) 조선 시대에 주로 활동했던 행상. 봇짐장수와 등짐장수를 일컬음.

보살 (菩薩) **1** 부처의 다음가는 지위에 있는 성인. **2** 불교를 믿는 여자 신도를 높여 부르는 말.

*__보살피다__ **1** 정성을 들여 돌보아 주다. ㉺환자를 보살피다. **2** 마음을 써서 두루 살피다. ㉺선생님은 학생들을 보살핀다.

보:상[1] (補償) 남에게 입힌 손해를 갚아 줌. ㉺보상을 받다 / 피해를 보상하다. **—하다.**

보:상[2] (報償) 남에게 진 빚이나 받은 물건을 갚음. ㊎변상. **—하다.**

보:상금[1] (報償金) 잃어버린 물건을 찾아 준 사람에게 고마움의 표시로 주는 돈. ㉺보상금이 지급되다 / 보상금을 사양하다.

보:상금[2] (補償金) 피해를 보상해 주는 돈. ㉺화재 보상금.

보:색 (補色) 색상이 서로 다른 두 가지 색을 합하여 무채색을 이룰 때 이 두 색 관계를 일컫는 말. 곧, 빨강과 초록, 주황과 파랑 따위.

보:색 대:비 (補色對比) [—때비] 보색 관계에 있는 색들을 이웃해 놓았을 때 서로의 영향으로 더 뚜렷하게 보이는 현상.

*__보:석__[1] (寶石) 단단하고 빛깔과 광택이 아름다워 장식으로 쓰이는 희귀한 광물. 다이아몬드·루비·진주·사파이어 따위. ㊎보옥. ➲jewel

보:석[2] (保釋) 일정한 돈을 받고 구치소에 갇혀 있는 미결수를 풀어 주

는 일. ㉓피고인이 보석으로 풀려나다. **—하다.**

보ː세 (保稅) 관세의 부과를 미루는 일. ㉓보세품.

보송보송 **1** 잘 말라서 물기가 전혀 없는 모양. ㉓빨래가 보송보송하게 말랐다. **2** 거칠지 않아 곱고 보드라운 모양. ㉓살결이 보송보송하다. **—하다.**

보ː수[1] (保守) 급격한 변화를 반대하고 예로부터 내려오는 풍습·제도와 전통을 중히 여겨 지켜 나감. ㉓보수 세력. ㉤혁신. **—하다.**

보ː수[2] (報酬) 일을 한 대가로 주는 돈이나 물품. ㉓보수를 적게 받다.

보ː수[3] (補修) 낡거나 상한 것 따위를 보충하여 고침. ㉓도로 보수 공사 / 다리를 보수하다. **—하다.**

보ː수성 (保守性) [보수썽] 새로운 것을 반대하고 예로부터 내려오는 풍습·전통 따위를 지키려는 경향. ㉓보수성이 강하다.

보ː수적 (保守的) 사회의 오래된 관습·제도·방법 따위를 그대로 지키고 따르려고 하는 (것). ㉓보수적인 생각. ㉤진보적.

보ː수주의 (保守主義) [— / 보수주이] 현재 상태를 유지하기 위하여 전통과 관습 따위를 중히 여겨 굳게 지키려는 사상이나 생각. ㉤진보주의. 혁신주의.

보ː수파 (保守派) 보수적인 생각을 주장하거나 이를 따르는 당파. ㉤혁신파.

보스 (boss) 우두머리. 두목.

보스턴 (Boston) 〖지명〗 미국 매사추세츠 주의 중심 도시. 큰 무역항으로 수출입이나 의복, 가구 따위의 공업이 성하고 문화의 도시로서 미술관·보스턴 대학 등이 있음.

보슬보슬 눈·비가 아주 가늘고 성기게 조용히 내리는 모양. ㉓봄비가 보슬보슬 내린다. ㉢부슬부슬.

보슬비 바람 없는 날 가늘고 성기게 조용히 내리는 비. ㉢부슬비. → [학습마당] 13(535쪽)

보습[1] 농사지을 땅을 갈기 위해 쟁기에 끼우는 삽 모양의 뾰족하고 날카로운 쇳조각.

보ː습[2] (補習) 일정한 학과 과정을 마치고 나서 학습이 부족한 교과를 다시 보충하여 익힘. ㉓보습 교육 / 보습 학원.

보시기 김치·깍두기 따위를 담는 작은 반찬 그릇.

보ː신 (補身) 보약 따위를 먹어 몸의 영양을 보충함. **—하다.**

보ː신각 (普信閣) 서울 종로에 있는 종각. 조선 태조 4년(1395)에 처음 세운 것으로 여러 번 불에 타서 없어진 것을 다시 세움. 보물 제 2호로 지정됨. ㉓보신각종.

보쌈[1] (褓—) **1** 뜻밖에 누구에게 붙잡혀 가는 일. **2** 예전에, 가난하여 결혼할 때를 놓친 총각이 과부를 밤에 몰래 보자기에 싸서 데려와 아내로 삼던 일.

보쌈[2] (褓—) 삶아서 뼈를 추려 낸 소나 돼지 따위의 머리 고기를 보에 싸서 무거운 것으로 눌러, 기름을 빠지게 하여 썰어서 먹는 음식.

보쌈김치 (褓—) 배추나 무 등을 일정한 크기로 썰어 갖은 양념한 것을 넓은 배추 잎에 싸서 담근 김치.

보아주다 **1** 보살펴 주다. ㉓이웃집 아기를 보아주다. **2** 남의 허물이나 잘못을 알면서도 모르는 체하다. ㉓한 번만 보아주십시오. ㉦봐주다.

보ː안 (保安) **1** 안전을 유지함. ㉓보안을 유지하다. **2** 사회의 안녕과 질서를 유지하고 보호하는 일. ㉓보안 조치. **—하다.**

보ː안경 (保眼鏡) 눈을 보호하려고 쓰는 안경.

보ː안등 (保安燈) 사회의 안녕과 질서를 지키기 위해 어두운 곳에 달아 놓은 전등. 흔히 도둑을 막고 골목길을 환하게 하기 위해 달아 놓은 전등을 말함.

보:약 (補藥) 몸의 기운을 회복시키거나 높여 주는 한약. ㉠보약을 지어 먹다.

보:얗다 [보야타] **1** 선명하지 않고 연기나 안개가 낀 듯이 희끄무레하다. ㉠먼지가 보얗게 끼다. **2** 살갗이나 얼굴이 하얗고 말갛다. ㉠어린이의 보얀 살결. ㉤부옇다. ㉦뽀얗다. 활용 보야니 / 보얘서.

보:온 (保溫) 속에 담긴 내용물의 온도를 일정하게 유지함. ㉠보온 도시락. **—하다.**

보:온병 (保溫甁) 속에 담긴 내용물의 온도를 일정하게 유지하는 데 쓰이는 병.

보:완 (補完) 모자라거나 부족한 것을 보충하여 완전하게 함. ㉠보완 대책을 마련하다 / 미비한 곳을 보완하다. **—하다.**

보:우하다 (保佑—) 보호하고 도와주다. ㉠하느님이 보우하사 우리나라 만세.

보:위 (保衛) 보호하여 안전하게 지킴. ㉠국가를 보위하다. **—하다.**

보:유 (保有) 가지고 있음. ㉠최고 기록을 보유하고 있다. **—하다.**

보:유자 (保有者) 기능·자격 따위를 가지고 있는 사람. ㉠세계 기록 보유자.

보:육 (保育) 남의 어린아이를 돌봐 기름. ㉠보육 시설. **—하다.**

보:육원 (保育院) [보유권] 부모나 보호자가 없는 아이들을 모아서 기르고 가르치는 곳. '고아원'의 고친 이름.

보:은 (報恩) 은혜를 갚음. ㉠부모에게 보은하다. ㉥배은. **—하다.**

*__보이다__[1] **1** 눈에 뜨이다. ㉠산이 보이다. **2** 보게 하다. ㉠그림을 보이다. **3** 남의 눈에 뜨이게 하다. ㉠허점을 보이다. ㉧뵈다.

보이다[2] 남으로 하여금 보게 하다. ㉠웃어 보이다. ㉧뵈다.

보이 스카우트 (Boy Scouts) 1908년 영국에서 창설된 국제적인 청소년 교육 훈련 단체. 청소년의 인격 양성 및 사회봉사를 목표로 함. 소년단. ㉥걸 스카우트.

보일러 (boiler) 실내를 덥게 하거나 더운물을 쓰기 위하여 물을 끓이는 시설.

*__보자기__ (褓—) 물건을 쌀 수 있게 네모지게 만든 작은 보. ㉠보자기로 싸다. ㉨보. 보자.

보잘것없다 [보잘꺼덥따] 볼 만한 가치가 없을 정도로 하찮다. ㉠보잘것없는 선물.

보:장 (保障) 피해를 받거나 나쁜 상태가 되지 않도록 보호함. ㉠노후 생활을 보장하다 / 신분을 보장하다. **—하다.**

*__보:전__ (保全) 보호하여 안전하게 함. ㉠국토를 보전하다. **—하다.**

> **주의 보전과 보존**
> **보전** '영토를 보전하다' 처럼 현재의 상태를 지켜서 앞으로도 같은 상태에 있게 한다는 의미로 쓰인다.
> **보존** '문화재를 보존하다' 처럼 그냥 놔 두면 훼손될 우려가 있는 대상을 지켜야 한다는 의미로 쓰인다.

보:조[1] (步調) **1** 여러 사람이 같이 걸을 때 걸음걸이의 속도나 모양. ㉠보조가 맞다. **2** 동시에 진행되는 여러 가지 일들의 속도나 조화. ㉠보조를 맞추다.

보:조[2] (補助) 모자라는 것을 보태어 도와줌. ㉠보조금 / 학교에서 학비를 보조해 주다. **—하다.**

보조개 웃거나 말할 때에 볼에 오목하게 들어가는 자국. ㉠보조개를 짓다. ㉨볼우물.

보:조 국사 (普照國師) 〖인명〗 고려 때의 고승. 이름은 지눌. 송광사 등에서 수도하고 우리나라 불교 발전에 크게 기여함. [1158~1210]

보:조 기억 장치 (補助記憶裝置) [—짱치] 주기억 장치의 용량 부족을 보충하는 외부 기억 장치.

*__보:존__ (保存) 중요하거나 가치가 있는 것을 잘 보호하고 간수해서 본래의 모습대로 유지함. ㉠문화재가 박물관에 보존되어 있다 / 환경을 보존하다. **—하다.** →보전 주의

보:좌 (補〔輔〕佐) 윗사람을 도와 일을 처리함. ㉠보좌관 / 대통령을 보좌하다. **—하다.**

보증 (保證) **1** 어떤 사물에 대하여 틀림없음을 책임짐. ㉠신원을 보증하다. **2** 빚을 진 사람이 빚을 못 갚을 때 대신 갚을 것을 약속함. ㉠빚보증을 서다. **—하다.**

보증금 (保證金) 계약을 맺을 때 담보로 내는 돈. ㉠전세 보증금.

보증서 (保證書) 보증한다는 뜻을 적은 문서. ㉠신원 보증서 / 물품 보증서.

보증인 (保證人) **1** 어떤 사람의 신원이나 채무를 보증하는 사람. ㉠보증인을 세우다. **2** 보증 채무를 지는 사람.

보채다 **1** 억지를 부려 심하게 조르다. ㉠컴퓨터를 사 달라고 보채다. **2** 남을 몹시 성가시게 굴다. ㉠아기가 젖을 달라고 보채다.

보:청기 (補聽器) 귀가 잘 들리지 않는 사람이 소리가 잘 들리도록 귀에 꽂는 기구. ㉠할머니는 보청기를 귀에 꽂고 생활하신다.

보:초 (步哨) 군대에서, 부대의 경비를 맡아보는 사람. ㉠보초 근무 / 보초를 서다.

보:충 (補充) 모자라는 것을 보태어 채움. ㉠보충 설명을 하다 / 인원을 보충하다. **—하다.**

보:충 수업 (補充授業) 일반 교과 과목 중에 학습 기초가 부족한 학생들에게 보충하여 실시하는 수업. ㉠방학 때 보충 수업을 받다.

보크사이트 (bauxite) 알루미늄의 주된 원료가 되는 광석.

보태다 **1** 모자람을 채우다. ㉠문제집을 사는 데 돈을 보태다. **2** 있는 데다 더하여 늘리다. ㉠바쁜 농사철에 일손을 보태다.

보탬 보태어 더하거나 돕는 일. 또는 그런 것. ㉠생활에 큰 보탬이 되다 / 학업에 보탬을 주다.

*__보:통__ (普通) **1** 널리 일반에게 통함. 특별하지 않고 평범함. ㉠보통 수준 / 보통 솜씨가 아니다. 반 특별. **2** 흔히. 일반적으로. ㉠보통 11시면 잠자리에 든다.

보:통내기 (普通—) 그다지 뛰어나지 않은 평범한 사람. ㉠말하는 것을 보니 보통내기가 아니다. 비 여간내기. 참고 주로 '아니다'란 말과 함께 씀.

보:통 선:거 (普通選擧) 교육·남녀·재산·계급 등을 구별하지 않고 일정한 나이가 되면 누구나 참가하는 선거. 반 제한 선거.

보:통 예:금 (普通預金) [—녜금] 돈을 언제든지 넣거나 찾아 쓸 수 있는 은행 예금의 하나.

보퉁이 (褓—) 물건을 보자기에 싼 덩이.

보트 (boat) 노를 젓거나 작은 모터의 힘으로 움직이는 서양식의 작은 배. ㉠보트를 타다.

보:편 (普遍) **1** 모든 것에 두루 미침. **2** 모든 사물에 공통되는 성질. 반 특수.

보:편성 (普遍性) [보편썽] 모든 것에 두루 미치거나 통하는 성질.

보:편적 (普遍的) 모든 것에 예외 없이 두루 쓰이거나 관계되는 (것). ㉠보편적인 생각. 비 일반적.

보ː편화 (普遍化) 널리 일반인에게 퍼짐. 또는 퍼지게 함. ⓑ일반화. **—하다.**

보ː폭 (步幅) 걸음의 발자국과 발자국 사이의 거리. ⓔ보폭이 좁다.

보ː표 (譜表) 음표·쉼표 따위를 적기 위해 다섯 줄의 평행선을 가로 그은 표. ⓑ오선.

보푸라기 보풀의 낱개. ⓔ담요에 보푸라기가 일다. ⓚ부푸러기.

보풀 종이·헝겊 따위의 거죽에서 일어나는 가는 털. ⓔ보풀이 일다. ⓚ부풀.

보ː필 (輔弼) 윗사람의 일을 곁에서 도움. 또는 그 사람. ⓔ사장을 보필하다. **—하다.**

보ː행 (步行) 탈것을 타지 않고 걸어서 감. ⓔ다리를 다쳐 보행이 불편하다 / 공사 관계로 보행에 불편을 드려 죄송합니다. **—하다.**

보ː행기 (步行器) 젖먹이에게 걸음을 익히게 하려고 태우는, 바퀴 달린 기구.

보ː행자 (步行者) 걸어서 길을 가는 사람. 길거리를 오고 가는 사람. ⓑ보행인.

보ː험 (保險) 사망·화재 등 뜻밖의 사고에 대비하여 사람들이 미리 일정한 돈을 냈다가, 사고를 당하면 약속해 둔 금액을 받을 수 있게 하는 제도. ⓔ생명 보험에 들다.

보ː험금 (保險金) 보험에 든 사람한테 사고가 났을 때 보험 회사가 계약에 따라 그 사람에게 주는 돈. ⓔ보험금을 지급하다.

보ː험료 (保險料) [보험뇨] 보험에 든 사람이 보험 회사에 정기적으로 내는 돈. ⓔ보험료를 내다.

*__보ː호__ (保護) 위험이나 곤란 따위의 상황에 놓이지 않도록 잘 돌보아 지킴. ⓔ어린이 보호 구역 / 자연을 보호하자. **—하다.**

보ː호국 (保護國) 나라의 힘이 모자라서 어떠한 조건으로 다른 나라로부터 안전 보장을 받고 있는 나라.

보ː호림 (保護林) 명승고적의 풍치 보존·학술 연구·보호 동식물의 번식을 위해 나라에서 특별히 보호하는 산림.

보ː호색 (保護色) 다른 동물의 눈에 띄지 않도록 몸의 빛깔이 주위 환경과 비슷하게 되어 있는 것. 송충이·메뚜기 따위의 몸빛.

보ː호자 (保護者) **1** 환자나 노약자처럼 보호 받아야 할 사람을 보호하는 사람. **2** 성년이 안 된 사람을 법적으로 보호하는 권리가 있는 사람.

보ː호조 (保護鳥) 법률로 잡지 못하게 하여 보호하는 새. ⓑ보호새.

보ː화 (寶貨) ⇨보물.

보ː훈 (報勳) 공훈에 보답함.

복[1] 참복과의 바닷물고기를 통틀어 이르는 말. 몸이 똥똥하고 등지느러미가 작으며 이가 날카로움. 위험이 닥치면 공기를 들이마셔 배를 불룩하게 내미는 성질이 있음. 고기는 독이 든 내장을 제거하고 먹음. ⓑ복어.

복[2] (福) **1** 아주 좋은 운수. 큰 행운. ⓔ새해 복 많이 받으세요. **2** 배당되는 몫이 많음의 비유. ⓔ먹을 복은 타고났나 보다.

-복 (服) 어떤 말 뒤에 붙어, '옷'의 뜻을 나타내는 말. ⓔ교복 / 숙녀복 / 체육복.

복개 (覆蓋) [복깨] 하천에 덮개 구조물을 씌워 겉으로 보이지 않도록 함. ⓔ하천 복개 공사가 거의 끝나간다. **—하다.**

복고 (復古) [복꼬] 예전 상태로 돌아감. ⓔ복고풍. **—하다.**

복고적 (復古的) [복꼬적] 과거의 사상이나 전통으로 되돌아가려는 (것). ⓔ복고적 경향.

복구 (復舊) [복꾸] 파괴된 것을 다시 본래의 상태로 돌아가게 함. ⓔ

복구공사 / 복구 작업 / 지진으로 파괴된 도시를 복구하다. **—하다.**

복권 (福券) [복꿘] 번호를 적어 넣었거나 어떤 표시를 해 놓은 표를 제비를 뽑아서 맞으면 일정한 상금을 타게 되는 표. ㊀주택 복권에 당첨되다.

복귀 (復歸) [복뀌] 본디의 자리·상태로 되돌아감. ㊀부대로 복귀하다. **—하다.**

복날 (伏—) [봉날] 초복·중복·말복이 되는 날. 준 복.

복닥거리다 [복딱꺼리다] 많은 사람이 좁은 곳에 모여 수선스럽게 뒤끓다. ㊀복닥거리는 식당.

복덕방 (福德房) [복떡빵] 집이나 땅을 빌리거나 팔고 사는 것을 돈을 받고 소개하는 곳. 참고 지금은 '부동산 중개인 사무소' 라고 일컬음.

*__복도__ (複道) [복또] 건물 안에 여러 방이나 사무실을 연결해 주며 사람들이 다닐 수 있게 만든 긴 통로.

복되다 (福—) [복뙤다] 복을 받아 기쁘고 즐겁다. ㊀복된 나날.

복리[1] (福利) [봉니] 행복과 이익. ㊀국민 복리를 증진하다. 비 복지.

복리[2] (複利) [봉니] 이자에 대해 또다시 이자를 붙이는 셈.

복면 (覆面) [봉면] 남이 알아보지 못하게 얼굴의 전부나 일부를 헝겊 따위로 싸서 가림. 또는 가리는 데에 쓰이는 물건. ㊀복면강도 / 복면을 쓰다. **—하다.**

복무 (服務) [봉무] 일정한 직무를 맡아 일함. ㊀군 복무를 마치다. **—하다.**

복받치다 [복빧치다] 감정이 세차게 치밀어 오르다. ㊀설움이 복받쳐 마구 울었다. 큰 북받치다.

복부 (腹部) [복뿌] 배 부분.

복사 (複寫) [복싸] **1** 원본을 보고 베껴 쓰거나 적음. **2** 문서·그림·사진 등을 같은 크기로, 또는 확대·축소하여 복제함. 카피. ㊀서류 복사 / 사진 복사 / 책을 복사하다. **—하다.**

복사기 (複寫器〔機〕) [복싸기] 책·문서·자료 등을 복사하는 데 쓰는 기계.

복사꽃 [복싸꼳] '복숭아꽃' 의 준말.

복사뼈 [복싸뼈] 발목 부근에 안팎으로 둥글게 나온 뼈. 비 복숭아뼈.

복선[1] (伏線) [복썬] **1** 만일의 일에 대비하여 남모르게 미리 꾸며 놓은 일. **2** 소설이나 희곡에서, 나중에 생길 사건을 미리 암시하는 것.

복선[2] (複線) [복썬] 오고 가는 선로를 따로 놓아서 차가 각각 한쪽 방향으로만 다니게 되어 있는 철도.

복수[1] (復讎) [복쑤] 원수를 갚음. ㊀복수의 칼을 갈다. 비 보복. 앙갚음. **—하다.**

복수[2] (複數) [복쑤] **1** 둘 이상의 수. **2** 문법에서 어떤 말이 가리키는 사물이 둘 이상임을 나타내는 말. 반 단수.

복수심 (復讎心) [복쑤심] 자신에게 피해를 준 사람에게 앙갚음하려고 벼르는 마음. ㊀복수심에 불타다 / 복수심으로 가득 차다.

복숭아 [복쑹아] 복숭아나무의 열매. 품종에 따라 크기가 다르고 단맛이 있으며 담홍색으로 익음. 준 복사. 복숭. ➲ peach

복숭아꽃 [복쑹아꼳] 복숭아나무에 핀 꽃. 늦은 봄에 흰색·연분홍색으로, 잎보다 먼저 핌. 준 복사꽃.

복숭아나무 [복쑹아나무] 장미과의 작은 낙엽 활엽 교목. 높이 3 m 정도, 꽃이 잎보다 앞서 핌. 열매인 '복숭아' 가 여름에 익는데 부드럽고 맛이 좋음. 씨는 한약에 씀. 준 복사나무.

복숭아뼈 ⇨복사뼈.

복스럽다 (福—) [복쓰럽따] 복이 있어 보이다. ㊀복스럽게 생긴 얼굴. 활용 복스러워 / 복스러우니.

*복습 (復習) [복씁] 배운 것을 다시 익히어 공부함. 예수업 시간에 배운 것을 복습하다. 반 예습. **—하다.**

복식[1] (服飾) [복씩] 옷의 차림새. 비 옷차림.

복식[2] (複式) [복씩] 탁구·테니스·배드민턴 따위에서 두 선수가 한 팀이 되어 상대팀과 서로 겨루는 경기 방식. 반 단식.

복식 호흡 (腹式呼吸) [복씨코흡] 배를 폈다 오므렸다 해서 횡격막을 늘이고 줄이며 하는 호흡.

복싱 (boxing) ⇨권투.

복어 (—魚) [보거] ⇨복[1].

복역 (服役) [보격] 죄를 지은 사람이 법원이 정해 준 일정 기간 동안 교도소에 갇혀 사는 것. 예3년간 복역하다. **—하다.**

복용 (服用) [보공] 약을 먹음. 예하루에 두 알씩 복용한다. **—하다.**

복원 (復元〔原〕) [보권] 원래의 상태나 위치로 돌아감. 예고궁의 복원 공사 / 훼손된 문화재를 복원하다. **—하다.**

복음 (福音) [보금] **1** 기쁜 소식. **2** 그리스도에 의한, 인간을 구제하기 위한 길. 또는 그리스도의 가르침. **3** 그리스도의 생애와 교훈을 기록한 마태·마가·누가·요한의 네 책.

*복잡하다 (複雜—) [복짜파다] **1** 일이나 물건의 갈피가 뒤섞여 번거롭고 어수선하다. 예문제가 복잡하다 / 절차가 까다롭고 복잡하다. 반 간단하다. **2** 사람이나 물건들이 혼잡하게 들어차 있다. 예복잡한 버스 / 세일 기간이라 백화점은 매우 복잡하다.

복장 (服裝) [복짱] ⇨옷차림. 예복장이 단정하다.

복제 (複製) [복쩨] 본디의 것과 똑같은 것을 만듦. 또는 그 만든 것. 예복제품. **—하다.**

복조리 (福笊籬) [복쪼리] 한 해의 복을 받을 수 있다는 뜻에서, 정월 초하룻날 새벽에 부엌·안방·마루 따위의 벽에 걸어 놓는 조리.

복종 (服從) [복쫑] 남의 명령이나 뜻에 그대로 따름. 예선생님 말씀에 복종하다. 비 순종. 반 반항. 불복. **—하다.**

*복지 (福祉) [복찌] 사람들이 행복하게 살 수 있는 사회 환경. 예국민 복지 향상. 비 복리.

복지 국가 (福祉國家) [복찌국까] 국민의 생존권을 적극적으로 보장하고, 복지 향상을 꾀하는 국가.

복지 사회 (福祉社會) [복찌—] 사회를 이루고 있는 모든 사람들의 행복과 이익이 증진되고 보장된 사회.

복지 시ː설 (福祉施設) [복찌—] 양로원·보육원·아동 상담소·점자 도서관 등 국민의 복지를 위해 마련된 시설. 비 복리 시설.

복지 정책 (福祉政策) [복찌—] 국민이 자신의 적성에 맞는 직업을 가지며, 가난·질병·교육 등에 대해 걱정 없이 살아갈 수 있도록 국가가 힘써 주는 일.

복직 (復職) [복찍] 그만두었던 사람이 본디 자리로 돌아옴. **—하다.**

복창 (復唱) 남이 명령하거나 지시하는 말을 듣고 그대로 다시 한 번 소리 내어 욈. 예명령을 복창하다. **—하다.**

복채 (卜債) 점을 쳐 준 값으로 점쟁이에게 주는 돈. 예복채를 받다.

복통 (腹痛) 배가 아픈 증세. 예복통을 일으키다. 비 배앓이.

복판 어떤 장소나 사물의 한가운데. 예화살이 과녁의 복판에 맞다. 비 중심. 반 가.

복학 (復學) [보칵] 학교를 떠나 있던 학생이 다시 그 학교에 다니게 됨. 예2 학년에 복학하다. 비 복교. **—하다.**

복합(複合)[보캅] 두 가지 이상의 것을 합하여 하나로 함. 또는 하나가 됨. **—하다.**

복합어(複合語)[보카버] 바탕이 되는 말들이 결합하거나 바탕이 되는 말에 덧붙는 말이 붙어 이루어진 낱말. 눈망울·눈사람·풋고추·싸움질 따위.

***볶다**[복따] **1** 마른 음식을 그릇에 담아 불에 올려놓고 저으면서 익히다. ㉮콩을 **볶다**. **2** 냄비에 기름을 두르고 야채나 고기 따위를 양념하여 익히다. ㉮고기를 **볶다**. **3** 사람을 괴롭혀 못 살게 굴다. ㉮옷을 사 달라고 들들 **볶는다**.

볶아치다[보까치다] 몹시 급하게 서두르다. ㉮일을 제시간에 끝내려고 **볶아치다**.

볶음밥[보끔밥] 밥에 당근·쇠고기·감자 따위를 잘게 썰어 넣고 기름에 볶아 만든 음식.

***본**[1](本) **1** '본보기'의 준말. ㉮본을 보이다. **2** 옷 따위를 만들 때 필요한, 치수와 모양이 표시된 실제 크기의 그림. ㉮바지의 본을 뜨다. **3** 시조가 난 땅. ㊐관향. 본관.

본[2](本) 지금 말하고 있는 '이'의 뜻. ㉮본 사건을 결말짓다.

본가(本家) 분가하기 이전에 살던 본디의 집. ㊐본집.

본거지(本據地) 활동의 중심이 되는 곳. ㉮그곳을 **본거지**로 삼다.

본격적(本格的)[본껵쩍] 제대로의 격식을 온전히 갖춘 (것). ㉮일을 본격적으로 시작하다.

본고장(本—) **1** 자기가 나서 자란 본디의 고향. ㊐본고향. **2** 어떤 물건이 나는 본디의 곳. ㉮인삼의 본고장 / 유행의 본고장. ㊐본바닥.

본관[1](本貫) 한 집안의 성을 처음 쓰기 시작한 시조의 고향. 성이 시작된 곳. ㊐본.

본관[2](本館) 중심이 되는 건물. ㉮대학 본관. ㊥별관.

본교(本校) **1** 분교에 대하여 중심이 되는 학교. **2** 자기가 다니고 있는 이 학교. ㊥타교.

본국(本國) 자기 나라. 곧, 자기의 국적이 있는 나라. ㊥외국. 타국.

본능(本能) 생물이 태어날 때부터 가지고 있는 성질이나 능력. ㉮인간의 본능.

본능적(本能的) 본능에 따르는 (것). ㉮본능적 욕구.

본드(bond) 나무·가죽·고무 따위의 물건을 붙이는 데에 쓰는 물질. 접착제.

본디(本—) 사물이 전해 내려온 그 처음. ㉮**본디**부터 타고난 성품 / **본디** 알던 사람이다. ㊐본래. 본시.

본딧말[본딘말] 줄어들기 전의 말.

본때 본보기가 될 만한 사물이나 사람의 됨됨이. ㉮일을 **본때** 있게 해치우다.

본때를 보이다 잘못을 다시는 저지르지 않도록 따끔한 맛을 보이다. ㉮따끔하게 **본때를 보이다**.

본뜨다(本—) **1** 무엇을 본보기로 하여 그대로 좇아 하다. ㉮위인의 언행을 **본뜨다**. **2** 이미 있는 사물을 본을 삼아서 그와 같이 만들다. ㉮동그라미 모양을 **본떠서** 만들다. [활용] 본떠 / 본뜨니.

본뜻(本—)[본뜯] **1** 본래의 뜻. ㉮나의 본뜻은 그것이 아니었다. **2** 말이나 글의 근본이 되는 뜻. ㊐본의.

본래(本來)[볼래] ⇨본디. ㉮본래의 모습 / 본래 말이 없는 사람.

본론(本論)[볼론] 글이나 말 따위에서 중심이 되는 부분. ㉮자, 본론으로 들어가자. *서론.

본마음(本—) **1** 본디부터 가지고 있는 마음. ㉮**본마음**은 착하다. ㊐본심. **2** 진심. ㉮너의 **본마음**을 알고 싶다. ㊟본맘.

본말(本末) **1** 사물이나 일의 처음

과 끝. ㉠일의 본말이 바뀌다. **2** 사물이나 일의 중요한 부분과 그렇지 않은 부분.

본명 (本名) 본래의 이름. ㉠본명을 밝히다. ㉡가명.

***본문** (本文) 글에서 주요 내용이 되는 부분. ㉠본문의 내용을 요약해서 발표하다.

본바닥 (本—) **1** 본디부터 살고 있는 곳. ㉠본바닥 사람. **2** ⇨본고장2.

본바탕 (本—) 사물의 근본이 되는 본디의 바탕. ㉠본바탕이 드러나다. ㉥밑바탕. 본질.

***본받다** (本—) [본받따] 남의 것을 본보기로 하여 그대로 따라 하다. ㉠본받을 만한 행동.

본보기 (本—) **1** 전체의 모양을 구체적으로 알리는 방법의 한 부분이나 물건. ㉠본보기 물건. ㉥견본. 표본. **2** 일 처리를 실지로 들어 보이는 일. ㉠본보기로 엄벌에 처하다. **3** ⇨모범. ㉠남의 본보기가 되는 행동. ㉢보기. 본.

본봉 (本俸) 특별한 돈을 더하지 않은 본디의 봉급. ㉥기본급.

***본부** (本部) 어떤 기관이나 단체의 중심이 되는 조직. ㉠수사본부 / 본부의 지시를 따르다. ㉡지부.

본부석 (本部席) 경기 대회 따위를 지휘하거나 구경하기 위하여 지휘 본부에 마련한 임원·귀빈의 자리.

본분 (本分) **1** 사람이 저마다 갖는 본디의 신분. ㉠본분을 지키다. **2** 마땅히 하여야 할 본디의 의무. ㉠학생의 본분을 다하다.

본사 (本社) **1** 지사에 대하여 주가 되는 회사. ㉠본사로 발령이 나다 / 서울에 본사를 두다. **2** 자기가 일하고 있는 이 회사.

본색 (本色) **1** 본디의 빛깔이나 생김새. **2** 타고난 성질. ㉠본색을 감추다 / 본색을 드러내다.

본선 (本選) 여러 단계를 거쳐 우승자를 결정할 때 맨 마지막 단계의 경쟁이나 시합. ㉠본선에 오르다.

본성 (本性) 본디부터 가진 성질. ㉠본성이 어질다. ㉥본질. 천성.

본시 (本是) ⇨본디. ㉠본시는 온순한 성격이다. ㉥본래.

본심 (本心) **1** ⇨본마음. ㉠본심을 숨기다 / 본심은 착하다. **2** 꾸밈·거짓이 없는 참마음. ㉥진심.

본업 (本業) [보넙] 주가 되는 사업이나 직업. ㉠그는 본업이 요리사이다. ㉡부업.

본연 (本然) [보년] 본디 그대로의 모습이나 상태. ㉠인간 본연의 모습 / 학생 본연의 자세.

본위 (本位) [보뉘] **1** 본래의 자리. **2** 기본으로 삼는 표준. 으뜸으로 삼는 것. ㉠흥미 본위의 잡지.

본의 (本意) [보늬 / 보니] **1** 본래의 마음. ㉠본의 아니게 폐를 끼치다. **2** 진정한 마음. ㉠그게 본의는 아니었다. ㉥본뜻.

본인 (本人) [보닌] **1** 당사자인 그 사람. ㉠본인의 자백. **2** 이야기하는 사람이 자기 스스로를 가리키는 말.

본잎 (本—) [본닙] 떡잎 뒤에 나오는 잎. 또는 특수한 잎이 아닌 보통의 잎. ㉥본엽.

본적 (本籍) **1** 그 사람의 호적이 있는 곳. ㉥원적. **2** '본적지'의 준말.

본적지 (本籍地) [본적찌] 본적이 있는 곳. ㉥원적지. ㉢본적.

본전 (本錢) **1** 이자를 붙이지 않은 본래의 돈. ㉥원금. **2** 장사·사업에 밑천으로 들인 돈. ㉠본전을 뽑다. **3** 본래 살 때에 든 값. ㉠본전에 팔다. ㉥본값.

본점 (本店) 영업의 중심이 되는 점포. ㉠본점에 근무하다. ㉡지점.

본존 (本尊) 법당에 모신 부처 중 가장 으뜸되는 부처의 상.

본질 (本質) **1** ⇨본바탕. **2** 본래부터 갖고 있는 사물의 성질이나 모습. ㉠생명의 본질.

본채 (本—) 한 울타리 안의 여러 집 가운데 가장 중심이 되는 집. ㉠본채에 딸려 있는 마당.

본체 (本體) **1** 겉으로 드러나지 않는 실제의 모습. **2** 사물의 중심이 되는 부분. ㉠컴퓨터 본체.

본체만체 보고도 안 본 체. ㉠본체만체하고 지나가다. 비 본척만척. **—하다.**

본초 자오선 (本初子午線) 지구의 경도를 재는 기준으로 삼는 자오선. 영국 그리니치 천문대를 지나는 선을 0도로 함.

본토 (本土) **1** 자기가 사는 그 고장. **2** 식민지나 보호국에 대해서 지배하는 나라.

본토박이 (本土—) [본토바기] 대대로 그 땅에서 사는 사람. ㉠그는 서울 본토박이다. 준 토박이.

본회의 (本會議) [— / 본회이] 구성원 모두가 참가하는 정식 회의. ㉠제 5차 본회의를 열다.

*볼[1] **1** 뺨의 가운데 부분. ㉠볼이 발그레하다. cheek **2** 좁고 기름한 물건의 너비. ㉠발의 볼이 넓다.

볼[2] (ball) **1** 공. **2** 야구에서, 투수가 던진 스트라이크가 아닌 공.

볼거리[1] 볼 아래가 불룩하게 부어오르는 병. 주로 어린아이에게 많이 생기며 귀밑샘에 염증이 생겨 일어남.

볼거리[2] [볼꺼리] 구경할 만한 것. ㉠이곳에는 볼거리가 많다.

볼:기 뒤쪽 허리 아래, 허벅다리 위 좌우 쪽으로 살이 두둑한 부분. ㉠볼기를 치다. →궁둥이 주의

볼:기짝 '볼기'의 속된 말.

볼록 거울 [—꺼울] 가운데가 볼록하고 공같이 둥근 모양의 거울. 자동차의 백미러 따위에 쓰임. 반 오목 거울.

볼록 렌즈 (—lens) 가운데가 볼록하게 도드라진 렌즈. 빛을 한 점에 모이게 함. 현미경·카메라·망원경 등을 만드는 데 쓰임. 반 오목 렌즈.

볼록이 [볼로기] 볼록하게. ㉠자루를 볼록이 채우다. ×볼록히.

볼록판 (—版) 볼록 내민 부분에 잉크가 묻어서 인쇄되는 판.

볼록하다 [볼로카다] 통통하게 겉으로 쏙 내밀어 있다. ㉠아랫배가 볼록하다. 큰 불룩하다.

볼륨 (volume) **1** 부피. ㉠볼륨이 있다. **2** 음량. ㉠텔레비전의 볼륨을 높이다 / 볼륨을 조절하다.

볼리비아 (Bolivia) 〘국명〙 남아메리카 중부의 공화국. 광산이 많고 특히 주석은 세계적으로 유명함. 수도는 라파스.

볼링 (bowling) 평평한 마루 위에 서서 지름 20 cm가량의 공을 한 손으로 굴려 약 19 m 앞에 세워 놓은 10개의 핀을 쓰러뜨리는 경기.

볼만하다 **1** 구경거리가 될 만하다. ㉠볼만한 풍경. **2** 보고 얻을 것이 많거나 볼 가치가 있다. ㉠볼만한 연극이 많다.

볼메다 화가 나 있거나 불만이 있다. ㉠볼멘 표정을 짓다. 참고 주로 '볼멘'의 꼴로 쓰임.

볼멘소리 성이 나서 퉁명스럽게 하는 말투. ㉠볼멘소리로 대꾸하다.

볼모 **1** 약속을 지키겠다는 증거로 상대방에게 잡혀 두는 물건이나 사람. ㉠볼모가 되다 / 볼모로 잡다. **2** 예전에, 나라 사이에 침략을 아니하겠다는 약속으로 왕자를 상대국에 맡겨 두던 일. 또는 그 맡겨진 사람. ㉠볼모로 삼다. 비 인질.

볼썽 남에게 보이는 체면이나 예의.

볼썽사납다 [볼썽사납따] 체면이나 예절이 없어 보기에 좋지 않다. ㉠볼썽사납게 굴다. 활용 볼썽사나워 / 볼썽사나우니.

볼우물 [보루물] ⇨보조개.

볼ː일 [볼릴] 해야 할 일. 보아야 할 일. ㉔급한 볼일이 생기다 / 볼일 보러 나가다. ㉥용무.

볼장 [볼짱] 치러야 할 일.

볼장(을) 다 보다 ㉠일이 뜻대로 되지 않다. 틀어지다. ㉡끝나다.

볼트¹ (bolt) 너트와 함께 두 부분을 붙여 죄는 데 쓰이는 것으로 한쪽 끝은 대가리가 있고, 기둥은 나사로 되어 있는 작은 쇠 막대.

볼트² (volt) 전압의 단위를 세는 말 《기호는 V》. ㉔220볼트.

볼펜 (ball pen) 펜 끝에 작은 강철 알을 끼워 이 알이 돌면서 기름 잉크를 내어 쓰는 펜.

볼품 겉으로 드러나는 볼만한 모습. ㉔그 옷을 입으면 볼품이 난다.

볼품없다 [볼푸멉따] 겉으로 보기에 초라하다. 보아줄 만한 데가 없다. ㉔볼품없는 모습.

볼품없이 [볼푸멉씨] 볼품없게. ㉔꽃이 볼품없이 시들어 가다.

*__봄__ 일 년 네 철 중의 첫째 철. 대략 3–5월이 해당되며 절기로는 입춘부터 입하 전까지를 일컬음. ㉔만물이 소생하는 봄. ➲ spring

봄(을) 타다 ㉠봄철에 입맛이 없고 몸이 약해지다. ㉡봄기운 때문에 싱숭생숭 기분이 들뜨다.

> **참고** 봄을 생각나게 하는 것
> 자연 : 아지랑이, 봄바람, 봄비, 으스름달
> 동물 : 나비, 병아리, 제비, 종달새, 올챙이
> 꽃 : 진달래, 버들개지, 개나리, 목련, 민들레, 제비꽃, 벚꽃
> 나물 : 냉이, 달래, 쑥, 씀바귀
> 기타 : 널뛰기, 버들피리, 나물캐기, 꽃놀이

봄갈이 [봄가리] 봄에 논밭을 가는 일. ㉥춘경. ㉤가을갈이. **—하다.**

봄기운 [봄끼운] 봄을 느끼게 하는 따사로운 기운. ㉔봄기운이 완연하다. ㉥봄기.

봄나들이 [봄나드리] 봄에 가까운 산이나 들로 놀러 가는 일. **—하다.**

봄날 봄철의 날씨. 또는 봄철의 날. ㉔화창한 봄날.

봄맞이 [봄마지] 봄을 맞아서 베푸는 놀이. 또는 봄을 맞는 일. ㉔봄맞이 대청소를 하다. **—하다.**

봄바람 [봄빠람] 봄철에 부는 따뜻한 바람. ㉥춘풍.

봄볕 [봄뼏] 봄철에 비치는 따뜻한 햇볕. ㉔봄볕을 쬐다. ㉥춘양.

*__봄비__ [봄삐] 봄에 내리는 비. ㉔봄비가 대지를 촉촉하게 적신다. ㉥춘우.

봄빛 [봄삗] 봄의 경치. 봄의 기운.

봄철 봄의 계절.

봇물 (洑—) [본물] 보에 괸 물. 보에서 흘러내리는 물. ㉔봇물이 터지다. ㉦보.

봇짐 (褓—) [보찜 / 볻찜] 물건을 보자기에 싸서 꾸린 짐.

봇짐 싸 가지고 말리다 일부러 멀리 찾아가서까지 못하게 말리다.

봇짐장수 (褓—) [보찜장수 / 볻찜장수] 물건을 보자기에 싸서 메고 다니며 파는 사람. *보부상.

봉ː (鳳) **1** '봉황'의 준말. **2** 어수룩하여 이용하기 좋은 사람.

봉건 국가 (封建國家) [—국까] 임금이나 황제가 직접 다스리는 땅 이외의 땅은 제후에게 나누어 주어 다스리게 하던 나라.

봉ː급 (俸給) 공무원이나 회사원들이 직장에서 일한 대가로 받는 일정한 돈. ㉔봉급을 타다. ㉥급료.

봉기 (蜂起) 벌떼처럼 떼를 지어 일어남. ㉔민중의 봉기. **—하다.**

봉당 (封堂) 안방과 건넌방 사이에 마루를 놓지 않고 흙바닥으로 그대로 둔 곳.

봉래산 (蓬萊山) [봉내산] '금강산'을 여름철에 일컫는 이름. *개골산. 풍악산.

봉변 (逢變) 뜻밖에 변이나 망신스러운 일을 당함. ㉥이게 무슨 봉변인가. **—하다.**

봉분 (封墳) 흙을 쌓아 올려 무덤을 만듦. 또는 그 쌓아 올린 부분. ㉥봉분에 떼를 입히다.

*__봉:사__[1] (奉仕) 국가·사회 또는 남을 위해 몸을 바쳐 일함. ㉥양로원에서 봉사 활동을 하다 / 이웃을 위해 봉사하다. **—하다.**

봉:사[2] (奉事) 눈이 먼 사람. 시각장애인. 비 소경. 맹인.

봉:사단 (奉仕團) 국가·사회 또는 다른 사람을 돕기 위하여 모인 모임이나 단체.

봉:사자 (奉仕者) 남을 위해 몸을 바쳐 봉사하는 사람. ㉥자원 봉사자의 도움을 받다.

봉:산 탈:춤 (鳳山—) 황해도 봉산 지방에서 전해 내려오는 가면 무용극. 중요 무형 문화재 제 17 호.

봉:선화 (鳳仙花) 봉선화과의 한해살이풀. 줄기 높이 60 cm가량, 여름에 붉은색·흰색 꽃이 핌. 꽃과 잎을 따서 백반·소금 등을 섞어 손톱에 붉은 물을 들이기도 함. 비 봉숭아.

〈봉선화〉

봉:송 (奉送) 영령·유골 또는 귀중한 것 따위를 정중히 운반함. ㉥올림픽 성화 봉송. **—하다.**

봉쇄 (封鎖) 굳게 잠가서 사람이나 물건이 드나들지 못하게 함. ㉥출입구를 봉쇄하다. **—하다.**

봉수대 (烽燧臺) 봉화를 올릴 수 있게 만들어 놓은 곳. 비 봉화대. 봉홧둑.

봉:숭아 ⇨봉선화.

봉:양 (奉養) 부모·조부모와 같은 웃어른을 받들어 모심. ㉥홀로 되신 어머니를 봉양하다. **—하다.**

봉:오동 전:투 (鳳梧洞戰鬪) 1920년 만주 봉오동에서 독립군이 일본군을 크게 물리친 싸움.

*__봉오리__ 맺히어 아직 피지 아니한 꽃. ㉥봉오리가 맺히다. 본 꽃봉오리. ×봉우리.

봉우리 산꼭대기의 뾰족한 부분. 본 산봉우리. ×봉오리.

봉제 (縫製) 재봉틀 따위로 박아서 만듦. ㉥봉제 인형 / 봉제 공장에서 일하다. **—하다.**

*__봉지__ (封紙) 종이나 비닐 따위로 만든 주머니. ㉥과자 한 봉지 / 봉지에 들어 있는 밀가루.

봉착하다 (逢着—) [봉차카다] 어떤 처지나 상황에 부닥치다. ㉥생각지 않은 위기에 봉착하다.

봉:축 (奉祝) 공경하는 마음으로 축하함. ㉥부처님 오신 날 봉축 행사. **—하다.**

*__봉투__ (封套) 편지나 서류 따위를 넣는, 종이로 만든 주머니. ㉥서류 봉투 / 군고구마를 봉투에 담아 주다.

봉하다 (封—) **1** 문·봉투·그릇 따위를 열지 못하게 붙이거나 싸서 막다. ㉥항아리를 봉하다. **2** 입을 다물다. ㉥입을 봉하다.

봉함 (封緘) 편지를 봉투에 넣고 붙임. 또는 그 편지. ㉥봉함엽서 / 편지를 봉함하다. **—하다.**

봉합 (縫合) 수술하려고 짼 자리나 상처 때문에 갈라진 자리를 꿰매어 붙임. ㉥봉합 수술. **—하다.**

봉화 (烽火) 난리를 알리던 불. 불을 피워 낮에는 연기로, 밤에는 불빛으로 신호하였는데 상황에 따라 올리는 횟수가 달랐음. 비 봉수.

봉화대 (烽火臺) ⇨봉수대.

봉:황 (鳳凰) 옛날 중국 전설에 나

오는 상상의 새. 수컷을 봉, 암컷을 황이라 함. 몸은 닭의 머리, 뱀의 목, 제비의 턱, 거북의 등, 물고기의 꼬리 모양을 하였고, 몸과 날개 빛은 오색이 찬란하고, 다섯 가지의 소리를 낸다 함. 비 봉새. 봉황새. 준 봉.

봉:황새 (鳳凰—) ⇨봉황.

뵈:다[1] 웃어른을 만나 보다. 예선생님을 뵈러 가다.

뵈:다[2] **1** 눈에 뜨이다. **2** 보게 하다. 본 보이다.

뵙:다 [뵙따] '뵈다'의 높임말. 예선생님을 뵙고 말씀 드리겠습니다.

부[1] (部) **1** 사물의 한 갈래나 부분. 예제 1 부. **2** 우리나라의 중앙 행정 기관의 이름. 예교육 인적 자원부. **3** 관청·회사 등의 업무 조직의 한 부분. 예총무부. **4** 책·신문 등을 세는 데 쓰는 말. 예신문 50부.

부:[2] (富) 넉넉한 생활. 또는 많은 재산. 예부를 누리다.

부-[1] (不) '아님·아니함·어긋남'의 뜻. 'ㄷ·ㅈ'으로 시작되는 말 앞에 붙음. 예부도덕 / 부자유 / 부적절. →불- 참고

부:-[2] (副) 으뜸의 다음가는 직위를 나타내는 말. 예부반장 / 부회장.

-부[1] (夫) 일부 한자말 뒤에 붙어, 그러한 일을 하는 남자임을 뜻함. 예잡역부 / 청소부. 반 -부[3].

-부[2] (部) 부분이나 부문을 나타내는 말. 예중심부 / 상층부.

-부[3] (婦) 일부 한자말 뒤에 붙어, 그러한 일을 하는 여자임을 뜻함. 예가정부 / 파출부. 반 -부[1].

부:가 (附加) 이미 있는 것에 덧붙임. 예부가 기능 / 부가 가치세. 비 첨가. **—하다.**

부각[1] 다시마의 앞뒤에 찹쌀 풀을 발라 말렸다가 기름에 튀긴 반찬.

부각[2] (浮刻) 사물의 특징을 두드러지게 나타냄. 예자동차의 편리성을 부각하다. **—하다.**

부:강 (富強) 백성의 살림이 넉넉하고 군대의 힘이 강함. 예나라의 부강을 도모하다. 비 부유. **—하다.**

부:검 (剖檢) 죽은 원인 따위를 알아보려고 시체를 해부하여 검사하는 일. 예부검을 의뢰하다. **—하다.**

부:결 (否決) 회의에 낸 의안을 받아들이지 않기로 결정함. 반 가결. **—하다.**

부계 (父系) [— / 부게] 아버지 쪽의 혈연관계를 기준으로 전해 내려오는 계통. 예부계 사회. 반 모계.

부:고 (訃告) 사람의 죽음을 알리는 말이나 글. 예부고를 내다 / 부고를 받다. 비 부음.

부:과 (賦課) **1** 세금이나 벌금 따위의 돈을 구체적으로 매기어 부담하게 함. 예각종 세금을 부과하다. **2** 어떤 일이나 책임을 부담하여 맡게 함. 예무거운 임무를 부과하다. **—하다.**

부:교재 (副教材) 교과서 외에 가르치거나 공부하는 데 쓰이는 교재.

부:국 (富國) 잘사는 나라. 예부국강병.

부군 (夫君) 남의 '남편'을 높여 이르는 말.

부:귀 (富貴) 돈이 많고 지위가 높음. 반 빈천. **—하다.**

부:귀영화 (富貴榮華) 돈이 많고 지위가 높으며 영화로운 것. 예부귀영화를 누리다.

***부:근** (附近) 어떤 곳을 중심으로 그 가까운 언저리. 예강아지를 데리고 동네 부근을 산책하다. 비 근방. 근처.

부글거리다 **1** 많은 물이 야단스레 자꾸 끓어오르다. **2** 큰 거품이 자꾸 일어나다. **3** 마음에 언짢거나 착잡하여 속이 계속 들볶이다. 작 보글거리다. 센 뿌글거리다.

부글부글 부글거리는 모양. 예국

이 부글부글 끓어오르다 / 화가 나서 속이 부글부글 끓다. 작 보글보글. **—하다.**

부기[1] (浮氣) 몸이 부은 상태. 예부기가 빠지다 / 부기가 오르다 / 부기가 가라앉다.

부기[2] (簿記) 돈이나 재산이 나가고 들어오는 것을 일정한 방식으로 정리하여 장부에 적는 방법. 예상업 부기.

부끄러움 부끄러워하는 느낌. 예부끄러움을 타다 / 부끄러움을 무릅쓰고 부탁했다. 준 부끄럼.

부끄러워하다 부끄러운 태도를 나타내다. 무엇을 부끄럽게 여기다. 예가난을 부끄러워하다.

부끄럼 '부끄러움'의 준말. 예부끄럼을 타다.

*__부끄럽다__ [부끄럽따] **1** 마음에 거리낌이 있어 남을 대할 면목이 없다. 예친구를 오해하다니 참으로 부끄럽다. **2** 스스러움을 느껴 수줍다. 예부끄러워서 고개를 못 들었다. 활용 부끄러워 / 부끄러우니.

부녀 (父女) 아버지와 딸.

부녀자 (婦女子) 부인과 여자. 곧, 여성을 이르는 말. 준 부녀.

부녀회 (婦女會) 부인들의 모임 단체. 예아파트 부녀회.

부ː농 (富農) 농토와 농사의 규모가 크고 수입이 많은 농가나 농민. 예부농의 아들. 반 빈농.

부닥치다 **1** 세게 부딪치다. 예벽에 머리를 부닥치다. **2** 어려운 문제와 직면하다. 예난관에 부닥치다.

부단하다 (不斷—) 꾸준하게 잇대어 끊임이 없다. 예부단한 노력.

부단히 (不斷—) 부단하게.

부ː담 (負擔) 어떤 일을 맡아 의무나 책임을 짐. 예부담을 가지다 / 정신적인 부담을 주다. **—하다. —스럽다.**

부ː담감 (負擔感) 어떤 의무나 책임을 져야 한다는 느낌. 예부담감을 주다 / 부담감이 크다.

부당 (不當) 도리에 어긋나 옳지 않음. 예부당 요금 / 부당한 요구를 하다. 반 정당. 합당. **—하다. —히.**

부당성 (不當性) [부당썽] 도리에 어긋나 옳지 않은 성질. 예무리한 요구의 부당성을 지적하다.

부ː대[1] (附帶) 곁달아서 덧붙임. 예부대시설 / 부대조건.

부ː대[2] (負袋) 종이·피륙·가죽 따위로 만든 큰 자루. 예밀가루 부대. 비 포대.

*__부대__[3] (部隊) **1** 군대의 조직 단위. 예청룡 부대. **2** 같은 목적을 가진 한 무리의 사람들의 모임. 예박수 부대 / 응원 부대.

부대끼다 사람이나 일에 시달려 괴로움을 겪다. 예동생들에게 부대끼다.

부덕[1] (不德) 덕이 없거나 부족함. 예이번 일은 제 부덕으로 생긴 일입니다. **—하다.**

부덕[2] (婦德) 부녀자가 지켜야 할 너그럽고 옳은 도리.

부도[1] (不渡) 수표·어음에 적힌 날짜에 돈을 받지 못하는 일. 예부도 수표 / 부도를 막다.

부ː도[2] (附圖) 어떤 책에 딸려 있는 지도나 도표. 예사회과 부도.

부도나다 (不渡—) 수표나 어음에 대한 지급을 받지 못하게 되다.

부도덕 (不道德) 도덕에 어긋남. 도덕적이지 않음. **—하다.**

부도체 (不導體) 전기나 열을 전하지 못하거나 전하는 정도가 아주 작은 물체. 유리·고무·플라스틱 등은 전기 부도체, 솜·석면·회 등은 열의 부도체임. 비 절연체. 반 도체.

부동 (不動) **1** 움직이지 않음. 예부동자세. **2** 정신이 흔들리지 않음. 예부동의 신념. **—하다.**

부동산 (不動産) 땅이나 집처럼 쉽

게 움직일 수 없는 재산. ㉥부동산 투자. ㉤동산.

부동액 (不凍液) 겨울철에 자동차 엔진의 냉각수를 얼지 않게 하려고 쓰는 액체.

***부두** (埠頭) 항구에서, 배를 대고 사람이 타고 내리거나 짐을 싣고 부리는 곳. ㉥부두에 배를 대다.

부둣가 (埠頭—) [부두까 / 부둗까] 부두가 있는 근처.

부둥켜안다 [부둥켜안따] 두 팔로 꼭 끌어안다.

***부드럽다** [부드럽따] **1** 살갗에 닿는 느낌이 거칠거나 뻣뻣하지 않고 물러서 매끈매끈하다. ㉥살결이 희고 부드럽다. **2** 성질이나 태도가 곱고도 순하다. ㉥부드러운 마음 / 말씨가 부드럽다. **3** 움직임이 유연하다. ㉥춤추는 동작이 부드럽다. 작 보드랍다. 활용 부드러워 / 부드러우니.

부득부득 [부득뿌득] **1** 제 고집만 자꾸 부리는 모양. ㉥그래도 잘했다고 부득부득 우기고 있다. **2** 자꾸 졸라대는 모양. 작 바득바득. 센 뿌득뿌득.

부득불 (不得不) [부득뿔] 아니할 수 없어. ㉥부득불 그만둘 수밖에 없었다. 비 불가불.

부득이 (不得已) [부드기] 하는 수 없이. 마지못하여. 어쩔 수 없이. ㉥부득이한 사정이 생겨 가지 못했다. **—하다**.

부들 부들과의 여러해살이풀. 개울가·연못가에 남. 줄기는 곧고 잎은 가느다랗고 긺. 여름에 누런 꽃이 핌. 꽃가루는 약의 재료로, 어린 싹은 먹으며, 잎과 줄기는 자리·부채 따위를 만듦.

부들부들 자꾸 몸을 크게 부르르 떠는 모양. ㉥공포에 질려 부들부들 떨다. 작 바들바들.

부듯하다 [부드타다] **1** 꼭 맞아서 헐렁거리지 아니하다. **2** 가득 차서 벅차다. ㉥가슴 부듯한 이야기. 작 바듯하다. 센 뿌듯하다.

부등식 (不等式) 두 수나 두 식을 부등호로 연결한 관계식. ㉤등식.

부등호 (不等號) 두 개의 수식 사이에 두어 그 수식의 크고 작음이나 같지 않음을 나타내는 부호. '<·>' 따위가 있음.

부:디 '꼭·아무쪼록·틀림없이·기어이'의 뜻으로 남한테 간절하게 부탁하거나 청할 때 쓰는 말. ㉥부디 몸조심하십시오 / 부디 건강하시기 바랍니다.

부딪다 [부딛따] 물건과 물건이 서로 힘 있게 마주 닿다. 또는 힘 있게 마주 대다. ㉥버스와 택시가 정면으로 부딪다.

부딪치다 [부딛치다] '부딪다'의 힘줌말. →부딪히다 주의

***부딪히다** [부디치다] 부딪음을 당하다.

> 주의 **부딪치다**와 **부딪히다**
> **부딪치다** '부딪다'의 힘줌말. ㉥차가 서로 부딪치다 / 몸을 벽에 부딪치다.
> **부딪히다** '부딪다'의 피동사. ㉥택시가 화물차에 부딪히다 / 자전거에 부딪히다.

부뚜막 아궁이 위의 솥이 걸린 펀펀한 자리.

부라리다 상대에게 겁을 주느라고 눈을 크게 뜨고 눈망울을 사납게 굴리다. ㉥무섭게 눈을 부라리며 야단을 치다.

부락 (部落) 집이 많이 모여 있는 시골의 큰 마을. ㉥산간 부락에 모여 살다.

부랑아 (浮浪兒) 부모나 보호자의 곁을 떠나 떠돌아다니는 아이.

부랑자 (浮浪者) 일정한 주소나 직

업이 없이 떠돌아다니며 방탕한 생활을 하는 사람. ㉠부랑자 수용소.

부랴부랴 매우 급히 서두르는 모양. ㉠부랴부랴 집을 나서다.

부러 거짓으로. ㉠부러 즐거운 표정을 짓다. ㉡일부러.

부러뜨리다 단단한 물건을 꺾어서 부러지게 하다. ㉠나무젓가락을 부러뜨리다.

*__부러워하다__ 부럽게 생각하다. ㉠남의 출세를 부러워하지 마라.

*__부러지다__ 단단한 물체가 꺾여서 둘로 잘라지다. ㉠부러진 연필심.

부:럼 한 해 동안 부스럼을 앓지 않는다고 하여 음력 정월 보름날 새벽에 깨물어 먹는 잣·호두·땅콩 따위를 이르는 말. ㉠부럼을 깨물다.

*__부럽다__ [부럽따] 남의 좋은 것을 보고 저도 그렇게 되고 싶어하거나 갖고 싶어하다. ㉠몸이 건강한 네가 부럽다. 활용 부러워 / 부러우니.

부레 물고기 배 속에 있는 공기주머니. 이것을 벌렸다 오므렸다 함에 따라 물고기가 물에 뜨고 잠기고 함. ㉡부낭. 어표.

부력 (浮力) 액체나 기체 속에 있는 물체를 위로 뜨게 하는 힘.

부:록 (附錄) **1** 본문 끝에 덧붙인 기록. **2** 잡지 따위에 덧붙여 따로 내는 책자. 본책의 끄트머리에 붙이는 것과 본책과 따로 내는 것이 있음. ㉠연말 특별 부록. 반 본책.

부류 (部類) 종류에 따라 나눈 갈래. ㉠저 동물은 개의 한 부류이다.

*__부르다__[1] **1** 소리쳐 남의 주의를 끌거나 오라고 하다. ㉠부르면 들릴 거리. **2** 물건 값을 말하다. ㉠부르는 게 값이다. **3** 일컫다. ㉠친구들은 그를 천재라고 불렀다. **4** 소리 내어 외치다. ㉠만세를 부르다. **5** 노래를 하다. ㉠교가를 부르다. 활용 불러 / 부르니. ×불르다. ➲call

*__부르다__[2] **1** 먹은 것이 많아 배 속이 꽉 찬 느낌이 들다. ㉠저녁을 많이 먹어서 배가 부르다. **2** 불룩하게 부풀어 있다. ㉠고양이가 새끼를 배서 배가 부르다. 활용 불러 / 부르니.

부르르 춥거나 무서워서 갑자기 몸을 움츠리며 떠는 모양. ㉠공포에 질려서 몸을 부르르 떨다. **—하다.**

부르릉 자동차 따위가 시동이 걸릴 때나 움직이기 시작할 때 나는 소리. **—하다.**

부르짖다 [부르짇따] **1** 격한 감정을 억누르지 못하여 소리를 높여 크게 떠들다. ㉠만세를 부르짖다. **2** 어떤 주장이나 의견을 열심히 말하다. ㉠자연보호를 부르짖다. ㉡외치다.

부르트다 **1** 살가죽이 들뜨고 그 속에 물이 생기다. ㉠발바닥이 부르트도록 걸었다. **2** 물것에 물려 살이 도톨도톨하게 부어오르다. ㉠모기에 물린 자리가 부르트다. 활용 부르터 / 부르트니.

부름 어떤 일을 이루기 위하여 불러들임. ㉠나라의 부름을 받고 육군에 입대하다.

부릅뜨다 무섭고 사납게 눈을 크게 뜨다. ㉠두 눈을 부릅뜨고 노려보다. 활용 부릅떠 / 부릅뜨니.

부릉부릉 자동차 따위가 발동할 때 잇따라 나는 소리. 본 부르릉부르릉.

*__부리__ **1** 새나 짐승의 주둥이. ㉠부리로 쪼다. **2** 물건의 뾰족한 부분. ㉠소매의 부리.

부리나케 몹시 서둘러. 아주 급하게. ㉠지각하지 않으려고 부리나케 뛰어갔다.

*__부리다__[1] **1** 마소나 다른 사람을 시켜 일하게 하다. ㉠소를 부려 밭을 갈다 / 나이가 어리다고 마구 부리다. **2** 재주나 꾀를 피우다. ㉠곰이 재주를 부리다. **3** 어떤 행동을 나타내다. ㉠고집을 부리다.

부리다[2] 자동차나 배 따위에 실었

던 짐을 풀어 내려놓다. ㉠이삿짐을 부리는 데 반나절 걸렸다.

부리부리하다 눈방울이 크고 초롱초롱하다. ㉠부리부리한 눈에 눈물이 고였다.

부:마 (駙馬) 임금의 사위. 본 부마도위.

부메랑 (boomerang) 목표물을 향하여 던지면 회전하면서 날아가고 목표물에 맞지 아니하면 되돌아오는 놀이 기구. 활처럼 굽은 모양임.

***부모** (父母) 아버지와 어머니. 비 양친. 어버이. ➲ parent

부모님 (父母—) '부모'의 높임말.

***부문** (部門) 일정한 기준에 따라 갈라놓은 부분. ㉠피아노 부문 입상자. 비 분야.

부:반장 (副班長) 반에서 반장을 도와 학급 일을 보는 학생.

***부부** (夫婦) 남편과 아내. ㉠부부 동반 모임. 비 내외. 부처.

부부유별 (夫婦有別) 오륜의 하나. 남편과 아내는 분별 있게 각기 자기의 본분을 다해야 한다는 뜻.

***부분** (部分) 전체를 몇 개로 나눈 것의 하나. ㉠중요한 부분을 잊었다. 반 전체.

부분 집합 (部分集合) [—지팝] 집합 B의 모든 원소가 집합 A에 속할 때, B를 A에 대하여 일컫는 말.

부:사 (副詞) 동사·형용사 따위의 앞에서 그 뜻을 꾸며 주는 말. 비 어찌씨.

부:사관 (副士官) 육·해·공군에서 원사·중사·하사를 일컫는 말.

부산 (釜山) 〖지명〗 경상남도 동남쪽에 있는 항구 도시. 서울 다음가는 대도시이며 최대의 무역항임. 경부선의 종점이며, 6·25 전쟁 때는 임시 수도였음. 광역시임.

부:산물 (副産物) **1** 어떤 제품을 만드는 과정에서 그에 딸려 얻어지는 물건으로 상품 가치가 있는 것. 반 주산물. **2** 어떤 사물을 다루어 행할 때 부수적으로 일어나는 일 따위. ㉠연구의 부산물.

부산하다 **1** 어수선하고 바쁘다. ㉠부산한 움직임. **2** 시끄럽고 떠들썩하다. ㉠시골 장터의 부산한 모습.

부산히 부산하게.

부삽 아궁이나 화로의 재를 치거나, 불을 담아 옮기는 데에 쓰는 조그마한 삽.

부:상[1] (負傷) 몸에 상처를 입음. ㉠부상을 당하다 / 심하게 부상을 입다. **—하다.**

부상[2] (浮上) **1** 물 위로 떠오름. ㉠잠수함이 부상하다. **2** 어떤 능력이나 현상이 사람들의 관심을 받거나 눈에 띄게 나타남. ㉠강력한 우승 후보로 부상하다. **—하다.**

부:상[3] (副賞) 상장·상금 등 정식 상품 이외에 덧붙여 주는 상. ㉠부상으로 사전을 받다.

부:상병 (負傷兵) 전투나 임무 수행에서 몸에 상처를 입은 군인.

부:상자 (負傷者) 상처를 입은 사람. ㉠부상자를 치료하다.

부서 (部署) 일의 성격에 따라 나누어진 부분. ㉠담당 부서 / 부서를 옮기다.

***부서지다** 단단한 물건이 깨져 여러 조각이 나다. ㉠장난감이 부서지다. 작 바서지다.

부석부석 [부석뿌석] 살이 약간 부어오른 모양. ㉠부석부석한 얼굴. **—하다.**

부석사 (浮石寺) [부석싸] 경상북도 영주시 부석면에 있는 절. 신라 문무왕 때 의상 대사가 왕명을 받고 지었다고 하며, 의상은 이 곳에서 화엄종을 처음으로 열었음. 고려 때에 지은 무량수전과 조사당이 남아 있음.

부석사 무량수전 (浮石寺無量壽殿) [부석싸—] 고려 중기에 지은,

우리나라에서 현재 남아 있는 가장 오래된 목조 건물의 하나. 부석사의 본전. 국보 제 18 호.

부:설[1] (附設) 일이나 물건을 어느 것에 딸려서 설치함. ㉠사범 대학 부설 중학교. **—하다.**

부:설[2] (敷設) 다리·철도 따위를 깔아서 설치함. ㉠철도를 부설하다. **—하다.**

부성애 (父性愛) 자식에 대한 아버지의 사랑. ㉠깊은 부성애를 느끼다.

부:속 (附屬) 주되는 일이나 물건에 딸려서 붙음. ㉠부속 건물 / 대학 부속 병원.

부:속품 (附屬品) 어떤 기계·기구에 딸려 붙은 물건. ㉠자동차 부속품을 생산하다.

부수[1] (部數) [부쑤] 책·신문의 수효. ㉠판매 부수 / 발행 부수가 많은 신문.

부수[2] (部首) 한자 자전에서 글자를 찾는 길잡이가 되는 글자의 한 부분.

***부수다** 여러 조각이 나게 두드려 깨뜨리다. ㉠흙덩이를 잘게 부수다. ㉶바수다. break

주의 **부수다**와 **부시다**
부수다 깨뜨린다는 뜻. ㉠얼음 덩어리를 부수다.
부시다 1 빛이나 색채로 눈이 어리어리하다. 2 그릇을 씻다.

부:수입 (副收入) **1** 기본 수입 외에 일을 더하여 생기는 수입. **2** 남이 모르는 수입. ㉠부수입을 챙기다.

부스러기 잘게 부스러진 찌꺼기. ㉠빵 부스러기를 비둘기에게 던져 주다. ㉶바스라기.

부스러지다 덩이가 헐거나 깨어져 잘게 조각이 나다. ㉠과자가 부스러지다.

부스럭 마른 풀·낙엽 따위를 밟거나 뒤적일 때 나는 소리. **—하다.**

부스럭거리다 [부스럭꺼리다] 나뭇잎이나 마른 풀, 지푸라기 따위를 밟거나 뒤적일 때 자꾸 부스럭 소리가 나다. 또는 그런 소리를 내다.

부스럼 몸에 생기는 종기를 통틀어 이르는 말. ㉠부스럼이 나다.

부스스 **1** 누웠거나 앉았다가 조용히 일어나는 모양. ㉠침대에서 부스스 일어나다. **2** 머리털 등이 난잡하게 일어나거나 흐트러진 모양. ㉠부스스한 머리털. ㉶바스스. ×부시시. **—하다.**

부슬부슬 눈이나 비가 가늘고 성기게 내리는 모양. ㉠가을비가 부슬부슬 내리다. ㉶보슬보슬.

부슬비 부슬부슬 내리는 비. ㉶보슬비.

부시 부싯돌을 쳐서 불이 일어나게 하는 쇳조각.

부시다[1] 강한 빛이나 색채를 마주 보기 힘들 정도로 눈이 어리어리하다. ㉠강렬한 여름 햇살에 눈이 부시다. →부수다 주의

부시다[2] 그릇 따위를 깨끗이 씻다. ㉠접시를 깨끗한 물로 부시다. →부수다 주의

부:식[1] (副食) 주식에 곁들여 먹는 음식. 밥에 딸린 반찬 따위를 이름. ㉸주식. ㉷부식물.

부:식[2] (腐蝕) **1** 썩어서 문드러짐. **2** 금속에 녹이 스는 것. ㉠부식이 생기다. **—하다.**

부:식토 (腐植土) 식물이 썩은 유기물이 많이 섞여 있는 기름진 흙. 농사에 좋음.

부실 (不實) **1** 몸이 튼튼하지 않음. ㉠다리가 부실해서 잘 뛰지 못한다. **2** 내용이 충실하지 못하거나 실속이 없음. ㉠부실 공사 / 저녁 반찬이 부실하다. **—하다.**

부:심 (腐心) 근심·걱정이 있거나 무엇을 생각하느라고 마음을 썩임.

㉺문제 해결에 부심하다. **—하다.**

부싯돌 [부시똘 / 부싣똘] 석영의 한 가지. 부시로 쳐서 불을 일으키는 데 씀.

부아 **1** 폐. 허파. **2** 분하거나 성이 나는 마음. ㉺부아가 나다 / 부아를 돋우다 / 부아가 치밀다.

부양 (扶養) 혼자 살아갈 능력이 없는 사람의 생활을 돌봄. ㉺부양을 받다 / 부양 능력이 없다 / 부모를 부양하다. **—하다.**

부양가족 (扶養家族) 자기가 부양하고 있는 가족. ㉺부양가족이 많다.

부어오르다 살갗 따위가 부어서 부풀어 오르다. ㉺접질린 발목이 부어올랐다. 활용 부어올라 / 부어오르니.

부ː언 (附言) 덧붙여서 하는 말. ㉺한마디 부언하건대. **—하다.**

부ː업 (副業) 주로 하는 일 외에 틈을 이용하여 하는 벌이. ㉺농가 부업. 반 본업.

부엉 부엉이가 우는 소리.

부엉이 올빼밋과의 새 중 머리 위에 귀 모양의 털이 나 있는 새를 통틀어 일컫는 말. 성질이 사나워서 가축을 해치며, 해 질 녘에 '부엉부엉' 하고 욺. 비 부엉새.

*__부엌__ [부억] 일정한 시설을 갖추어 놓아 음식을 만들고 설거지를 할 수 있도록 만들어 놓은 곳. ㉺어머니는 부엌에서 식사 준비를 하신다. 비 주방. ➡ kitchen

부엌칼 [부억칼] 부엌에서 음식을 만들 때 쓰는 칼. 비 식칼.

부여[1] (夫餘) 중국 동부 지방에 한 민족의 한 갈래인 부여족이 세웠던 고대 부족 국가. 후에 고구려에 합쳐졌음. [?–494]

부여[2] (扶餘) 〖지명〗 충청남도 부여군의 군청 소재지로 읍. 백제 성왕 이후 의자왕까지의 도읍지로, 낙화암·부소산·백제 왕릉·무량사·조룡대 등 명승고적이 많음. 옛 이름은 '사비' 였음.

부ː여[3] (附與) 사람에게 권리·명예·임무 따위를 지니게 하여 주는 일. ㉺권리를 부여하다 / 임무가 부여되다. **—하다.**

부여잡다 [부여잡따] 두 손으로 힘껏 붙들어 잡다. ㉺손목을 부여잡고 이별의 눈물을 흘리다.

부여 정ː림사지 오ː층 석탑 (扶餘定林寺址五層石塔) [—정님사지—] 충청남도 부여에 있는 백제 말기의 석탑. 우리나라 석탑의 특징을 보여 주며, 단조로우면서도 균형이 잘 잡혀 있음. 국보 제9호.

부ː역 (賦役) 나라나 공공 단체가 의무적으로 국민에게 시키는 노역.

부ː연 (敷衍) 덧붙여 알기 쉽게 자세히 설명을 늘어놓음. 또는 그 설명. ㉺부연 설명을 하다. **—하다.**

부옇다 [부여타] 선명하지 않게 희끄무레하다. ㉺안개가 부옇게 끼다. 작 보얗다. 센 뿌옇다. 활용 부여니 / 부예서.

부왕 (父王) 아버지인 임금.

부용 (芙蓉) 아욱과의 낙엽 관목. 높이 1–3m이며 짧은 털이 있고 잎은 둥글면서 3–5갈래임. 초가을에 흰색 또는 붉은색 꽃이 핌. 중국이 원산지이며 관상용임.

부원 (部員) 부를 구성하는 사람. 부에 속하는 사람. ㉺태권도 부원.

부위 (部位) 어느 부분이 전체에서 차지하는 위치. ㉺아픈 부위를 살펴보다.

부ː유 (富裕) 재물이 넉넉함. ㉺그는 부유한 가정에서 태어났다. 반 가난. **—하다.** ➡ rich

부ː음 (訃音) 사람이 죽었다는 소식. ㉺뜻밖의 부음을 듣다. 비 부고.

부ː응 (副應) 무엇에 좇아서 응함. ㉺기대에 부응하여 열심히 노력하다. **—하다.**

부ː의금 (賻儀金) [— / 부이금] 상

을 당한 집에 도우려고 주는 돈.
부인¹ (婦人) 결혼한 여자.
부인² (夫人) 남의 아내의 높임말.
부:인³ (否認) 어떤 내용이나 사실을 그렇다고 인정하지 아니함. ㉲범죄 사실을 부인하다. ㊐부정. ㊙시인. **—하다.**
부인병 (婦人病) [부인뼝] 여성 생식기 질환 및 여성 호르몬 이상으로 생긴 병을 통틀어 이르는 말.
부:임 (赴任) 발령이나 임명을 받아 일할 곳으로 감. ㉲지방 학교에서 부임해 오신 선생님. **—하다.**
부자¹ (父子) 아버지와 아들. ㉲부자가 꼭 닮았다. ㊙모녀.
*__부:자²__ (富者) 살림이 넉넉하고 재산이 많은 사람. ㊐부호. ㊙가난뱅이. 빈자.
부자연스럽다 (不自然—)[부자연스럽따] 부자연한 태도가 있다. 어색한 데가 있다. ㉲부자연스러운 행동 / 웃는 것이 부자연스럽다. [활용] 부자연스러워 / 부자연스러우니.
부자연하다 (不自然—) 자연스럽지 못하다. 억지로 꾸민 듯하여 어색하다. ㉲부자연한 태도.
부자유 (不自由) 몸과 마음을 마음대로 움직일 수 없음. ㉲부자유한 생활. **—하다.**
부자유친 (父子有親) 오륜의 하나. 부모는 자녀에게 사랑을 베풀고 자녀는 부모를 존경하고 잘 섬겨야 한다는 뜻.
부:작용 (副作用) [부자공] **1** 병을 낫게 하는 작용에 곁들여 나타나는 해로운 작용. ㉲이 약은 부작용이 없다. **2** 어떤 일에 곁들여 미치는 나쁜 작용. ㉲경제 발전의 부작용으로 금전 만능 사상이 생겼다.
부:잣집 (富者—) [부자찝 / 부잗찝] 재산이 많아 살림이 넉넉한 사람의 집. ㉲부잣집 맏며느리.
부장¹ (部長) 기관이나 조직에서, 한 부를 맡아 다스리는 직위.
부:장² (副長) **1** 장을 보좌하는 지위. 또는 그 사람. **2** 군함에서 함장을 보좌하는 직. 또는 그 사람.
부:장품 (副葬品) 장사 지낼 때 시체와 함께 묻는 물건을 통틀어 일컫는 말. 옷·장신구·무기 따위.
부재 (不在) 그곳에 있지 않음. **—하다.**
부재자 투표 (不在者投票) 어떤 사정으로 선거하는 날 투표소에 나갈 수 없는 사람이 미리 우편으로 하는 투표.
부재중 (不在中) 자기 집이나 직장 따위의 일정 장소에 있지 않는 동안. ㉲부재중에 친구가 다녀갔다.
부:적 (符籍) 불교·도교 등을 믿는 집에서 잡귀를 쫓고 재앙을 물리치기 위하여 붉은색으로 글씨를 쓰거나 그림을 그려 집에 붙이거나 몸에 지니는 종이.
부적당하다 (不適當—) [부적땅하다] 어떤 기준이나 정도 따위에 알맞지 아니하다. ㉲집을 짓기에 부적당한 곳이다. ㊙적당하다. ㊟부적하다.
부적절하다 (不適切—) [부적쩔하다] 어떤 일을 하기에 알맞지 않다. ㉲표현이 부적절하다.
부전승 (不戰勝) 추첨이나 상대자의 기권으로 경기를 하지 않고 이김. ㉲부전승으로 결승에 오르다. **—하다.**
부전자전 (父傳子傳) 대대로 아버지가 아들에게 전함. **—하다.**
부젓가락 [부저까락 / 부젇까락] 화로에 꽂아 두고 쓰는 쇠로 만든 젓가락. ㊟부저.
부정¹ (不正) 바르지 않음. 옳지 않은 일. ㉲부정을 저지르다 / 부정이 탄로 나다. ㊙정당. **—하다.**
부:정² (否定) 그렇지 않다고 단정함. 옳지 않다고 반대함. ㉲사실을

부정하다. 반 긍정. **—하다.**

부정³ (父情) 자식에 대한 아버지의 정.

부정⁴ (不貞) 여자가 순결과 지조를 지키지 않음. 예 부정한 행동을 저지르다. **—하다.**

부정⁵ (不淨) **1** 깨끗하지 못함. **2** 꺼리고 피해야 할 때에 아이를 낳거나 사람이 죽는 일이 생김. **3** 무당굿의 첫거리. **—하다. —히.**

부정(을) 보다 꺼리고 피해야 할 몸으로 부정한 일을 하다.

부정(을) 치다 무당이 굿을 할 때 첫거리로 부정한 일을 없애다.

부정(을) 타다 부정한 일로 해를 입다.

부정(이) 나다 부정한 일이 생기다.

부정부패 (不正腐敗) 사회가 도덕적으로 바르지 않고 타락함. 예 부정부패 추방 운동을 벌이다.

부정 선:거 (不正選擧) 부정한 수단과 방법으로 하는 선거.

부:정적 (否定的) 부정의 내용을 갖는 (것). 예 부정적인 생각을 갖다. 반 긍정적.

부정확하다 (不正確—) [부정화카다] 바르거나 확실하지 않다. 예 부정확한 보도 / 발음이 부정확해서 알아들을 수가 없다.

부조¹ (扶助) 잔칫집이나 상갓집에 돈이나 물건을 보냄. 또는 그 돈이나 물건. 예 부조금. **—하다.**

부조² (浮彫) 둘레를 파내고 모양이나 형상을 도드라지게 새긴 조각. 예 석고 부조. 비 돋을새김. 양각.

부조리 (不條理) 도리에 어긋나거나 불합리한 일. 예 사회의 부조리를 없애다. 반 조리. **—하다.**

***부족¹** (部族) 일정한 지역에 사는 같은 민족으로, 같은 언어·종교·습관 등을 가진 원시 민족이나 미개 민족의 생활 공동체.

***부족²** (不足) 필요한 양이나 기준에 모자람. 넉넉하지 않음. 예 골고루 먹지 않아서 영양 부족이 되었다. 반 풍족. **—하다.**

부족 사회 (部族社會) [—싸회] 씨족이 모여 부족을 이루며 살았던 원시 사회. *씨족 사회.

부주의 (不注意) [— / 부주이] 조심하거나 주의하지 아니함. 예 부주의로 생긴 교통사고. **—하다.**

부지¹ (扶支〔持〕) 고생을 참고 어려운 일을 버티어 나감. 예 목숨을 부지하기 어렵다. **—하다.**

부지² (敷地) 집을 짓거나 길을 내거나 하는 데 쓰는 땅. 예 공장 부지.

부지기수 (不知其數) 너무 많아서 그 수를 알 수가 없음. 예 곱게 물든 단풍이 부지기수로 널려 있다.

부지깽이 아궁이에 불을 땔 때, 불을 헤치거나 끌어내는 일 따위에 쓰는 가느다란 막대기.

부지런 놀지 않고 하는 일에 매우 꾸준함. 예 부지런을 떨다.

***부지런하다** 어떤 일을 게으름 부리지 아니하고 꾸준하게 열심히 하다. 예 부지런하게 일하다. 반 게으르다. 작 바지런하다.

***부지런히** 부지런하게. 예 부지런히 공부하여 훌륭한 사람이 되어라.

부진 (不振) 성적이나 활동 따위가 활발하게 나가지 못함. 예 성적이 부진하다. **—하다.**

부질없다 [부지럽따] 헛되고 쓸데없다. 예 부질없는 공상으로 시간을 보내다.

부질없이 [부지럽씨] 부질없게. 예 길에서 부질없이 시간만 보내다.

부집게 [부집께] 불덩이·숯불 등을 집는 집게.

부쩍 **1** 외곬으로 세차게 우기는 모양. 예 부쩍 우기는 통에 지고 말았다. **2** 사물이 갑자기 늘거나 주는 모양. 예 강물이 부쩍 늘었다. 작 바짝.

부쩍부쩍 [부쩍뿌쩍] **1** 외곬으로 빡빡하게 자꾸 우기는 모양. **2** 사물이 거침새 없이 자꾸 늘거나 줄거나 또는 줄기차게 나아가는 모양.

부:착 (附着) 떨어지지 않게 들러붙음. 또는 붙이거나 닮. **—하다.**

부창부수 (夫唱婦隨) 남편이 주장하고 아내가 잘 따름.

*__부채__[1] 손으로 흔들어 바람을 일으키는 물건. ㉥부채를 부치다.

〈부채[1]〉

부:채[2] (負債) 남에게 빚을 짐. 또는 그 빚. ㉥부채를 지다.

부채꼴 한 원의 두 반지름과 그 호로써 이루어진 부채 모양의 도형.

부채질 **1** 부채를 흔들어 바람을 일으키는 짓. **2** 흥분된 감정·싸움 등을 더욱 부추기는 짓. **—하다.**

부채춤 부채를 들고 추는 춤.

부챗살 [부채쌀 / 부챋쌀] 부채의 뼈대를 이루고 있는 여러 가닥의 대오리.

부처[1] **1** 불교의 교조인 석가모니. **2** 불교에서, 큰 도를 깨달은 성인. **3** ⇨불상.

부처[2] (夫妻) 남편과 아내를 함께 이르는 말. 비 부부.

부처[3] (部處) 정부 조직에서의 부와 처. ㉥정부 각 부처.

부처님 '부처[1]' 의 높임말.

부처님 오신 날 [부처니모신—] ⇨ 석가 탄신일.

부:추 백합과의 여러해살이풀. 봄에 작은 비늘줄기에서 가늘고 긴 잎이 무더기로 모여남. 잎은 먹으며 씨는 약재로 씀.

부:추기다 남을 이리저리 들쑤셔서 그 일을 하게 만들다. ㉥옆에서 싸움을 부추기다.

부:축 몸이 아프거나 불편한 사람의 겨드랑이나 팔을 붙들어 걸음을 도와주는 일. ㉥할머님을 부축해서 일으키다. **—하다.**

부츠 (boots) 목이 긴 구두. 장화.

*__부치다__[1] 남을 시켜 편지나 물건 등을 보내다. ㉥짐을 부치다. → [학습마당] 12(533쪽)

부치다[2] 힘이 모자라거나 미치지 못하다. ㉥힘에 부치는 일. → [학습마당] 12(533쪽)

부치다[3] **1** 문제를 회의에 내놓아 의논 대상으로 삼다. ㉥안건을 표결에 부치다. **2** 일을 어떤 상태에 있게 하다. ㉥비밀에 부치다.

부치다[4] 논밭을 갈아 농사를 짓다. ㉥남의 논을 부치다.

부치다[5] 프라이팬에 빈대떡·누름적 등을 익혀 만들다. → [학습마당] 12(533쪽)

부치다[6] 부채 따위를 흔들어 바람을 일으키다. → [학습마당] 12(533쪽)

*__부친__ (父親) ⇨아버지. 반 모친.

부침개 기름에 부치는 빈대떡·누름적 등을 통틀어 일컫는 말. 비 지짐이.

부케 (프 bouquet) 주로 결혼식에서 신부가 손에 드는 작은 꽃다발.

*__부:탁__ (付託) 무슨 일을 해 달라고 청하거나 맡김. ㉥동생의 취직을 부탁하다. 비 당부. 청탁. **—하다.**

부탄[1] (Bhutan) 〖국명〗 인도의 북동부, 히말라야 산맥 속에 있는 왕국. 수도는 팀부.

부탄[2] (butane) 천연가스나 석유에 들어 있는 무색의 기체. 연료·화학 공업 원료로 쓰임. 비 부탄가스.

*__부터__ **1** 어떤 일이나 상태 따위의 '시작' 을 나타내는 말. ㉥처음부터 끝까지 읽어라. **2** '무엇이나 누구를 먼저' 의 뜻. ㉥우선 어머니부터 만나 뵈어야겠다.

부:통령 (副統領) [부통녕] 대통령 중심제 국가에서 대통령의 다음가는 직위.

부:패 (腐敗) **1** 썩음. **2** 도덕이나 사회 등의 질서나 규율이 어지럽고 나빠짐. ㉔부패한 사회. **—하다.**

부페 '뷔페'의 잘못.

부푸러기 부풀의 낱개. ㉔부푸러기가 일다. 작 보푸라기.

부풀 종이나 피륙 따위의 거죽에서 일어나는 가는 털. ㉔부풀이 일다. 작 보풀.

부풀다 **1** 종이나 피륙의 거죽에 부푸러기가 일어나다. 작 보풀다. **2** 살가죽이 붓거나 부르터 오르다. ㉔불에 덴 자리가 부풀어 올랐다. **3** 희망·기대 따위로 마음이 들떠 있다. ㉔가슴이 희망에 부풀다. **4** 물건의 부피가 커지다. ㉔빵이 잘 부풀었다. 활용 부풀어 / 부푸니 / 부푸는.

부풀리다 부풀게 하다. ㉔풍선을 부풀리다 / 소문을 부풀리다.

부품 (部品) 기계 등의 어떤 부분에 쓰이는 물품. ㉔자동차 부품을 생산하는 공장. 비 부속품. 본 부분품.

***부피** **1** 물건이 차지하고 있는 공간의 크기. ㉔부피가 큰 물건. **2** 도형에서 입체가 차지하는 공간의 크기. 비 용적. 체적. *넓이.

부하 (部下) 남의 밑에 딸리어 그의 명령에 따라 움직이는 사람. ㉔부하 직원. 비 휘하. 반 상관. 상사.

부합 (符合) 두 가지 것이 서로 꼭 들어맞음. ㉔사실과 부합되다. 비 일치. **—하다.**

부형 (父兄) **1** 아버지와 형. **2** 학부형.

부:호[1] (富豪) 재산이 많고 권세가 있는 사람. 비 부자.

부호[2] (符號) **1** 어떤 뜻을 나타내기 위하여 따로 정하여 쓰는 기호. ㉔문장 부호. **2** 수학에서, 음수 또는 양수임을 나타내는 기호 《+·—》. 비 기호.

부화 (孵化) 동물의 알이나 물고기의 알 속에서 자란 새끼가 알 밖으로 나옴. 또는 그렇게 되게 함. 비 부란. **—하다.**

부화기 (孵化器) 달걀이나 물고기의 알을 인공적으로 까는 데 쓰는 기구. 비 부란기.

부:활 (復活) **1** 죽었다가 다시 살아남. ㉔예수의 부활. 비 소생. **2** 쇠퇴하였던 것이 다시 일어나 흥하게 됨. ㉔군국주의의 부활. 비 부흥. **—하다.**

부:활절 (復活節) [부활쩔] 기독교에서 예수의 부활을 기념하는 날. 부활 주일.

부:회장 (副會長) 회장 다음가는 직위. 또는 그 사람.

부:흥 (復興) 한동안 쇠퇴하고 약하던 것이 다시 일어남. 또는 다시 일으킴. ㉔문예 부흥 / 농어촌을 부흥시키다. **—하다.**

***북**[1] 타악기의 하나. 둥근 나무나 쇠붙이 통의 양쪽 면에 가죽을 팽팽하게 씌우고 북채로 두드려서 소리를 내는 악기.

북[2] 베틀에 딸린 기구의 하나. 베틀에서 가로로 왔다 갔다 하면서 실을 풀어 내어 천을 짜게 하는 도구. 배 모양으로 생겼음.

***북**[3] (北) ⇨북쪽. 반 남.

북[4] 식물의 뿌리를 싸고 있는 흙. ㉔북을 돋우어 주다.

북[5] 헝겊이나 종이 따위를 갑자기 세게 찢는 소리나 모양. ㉔달력 한 장을 북 찢어 내다.

북경 (北京) [북꼉] 〘지명〙 ⇨베이징.

북극 (北極) [북끅] **1** 지구의 가장 북쪽에 위치한 아주 추운 곳. ㉔북극 탐험. **2** 자석이 가리키는 북쪽의 끝. 반 남극.

북극성 (北極星) [북끅썽] 작은곰자리에서 가장 밝은 별. 하늘의 북극에 가장 가까이 있으며, 위치가 변하지 않아 밤에 북쪽 방향을 아는 데 이용됨.
북극 지방 (北極地方) [북끅찌방] 북극을 둘러싼 지역의 일대. 대부분 얼음으로 덮여 있으며 기온은 10℃에서 영하 40℃임. 반 남극 지방.
북극해 (北極海) [북끄캐] 북극을 중심으로 아시아·유럽·북아메리카 대륙에 둘러싸인 바다. 여름철 이외에는 대부분 얼어 있음.
북녘 (北—) [붕녁] 북쪽 방면. 반 남녘. 발음 북녘에[붕녀케] / 북녘을 [붕녀클].
북단 (北端) [북딴] 북쪽 끝. 예 한강 대교 북단. 반 남단.
북대서양 (北大西洋) [북때서양] 대서양의 북쪽 바다. 아이슬란드·그린란드를 거쳐 북아메리카·북유럽을 연결함.
북대서양 조약 기구 (北大西洋條約機構) [북때서양—끼구] 북대서양 조약에 가맹한 미국·캐나다·프랑스 등 16개국이 모여 만든 집단 안전 보장 조직. 나토.
북데기 [북떼기] 짚·풀 따위가 뒤섞여 엉클어진 뭉텅이.
북돋다 [북똗따] '북돋우다'의 준말. 예 흥을 **북돋다** / 용기를 **북돋아** 주다.
***북돋우다** [북또두다] 용기나 의욕 등을 더욱 높여 주다. 예 용기를 **북돋우다**. 준 북돋다.
북동 (北東) [북똥] 북쪽과 동쪽의 중간 방위.
북동부 (北東部) [북똥부] 어떤 지역의 북쪽과 동쪽의 중간 방위.
북두칠성 (北斗七星) [북뚜칠썽] 북쪽 하늘의 큰곰자리에서 가장 뚜렷하게 보이는 국자 모양의 7개 별. 준 북두. 북두성.
북망산 (北邙山) [붕망산] 무덤이 많은 곳. 또는 사람이 죽어서 가는 곳을 일컬음. 비 북망산천.
북문 (北門) [붕문] 북쪽에 있는 문.
북미 (北美) [붕미] ⇨북아메리카. 예 **북미** 대륙. 반 남미.
북반구 (北半球) [북빤구] 지구를 적도에서 남북으로 나눈 경우의 북쪽 부분. 반 남반구.
북받치다 [북빧치다] 어떤 감정이나 힘 따위가 치밀어 오르다. 예 서러움이 **북받치다** / **북받쳐** 오르는 울분. 작 복받치다.
북방 (北方) [북빵] 북쪽. 또는 북쪽 지방. 반 남방.
북벌 (北伐) [북뻘] 무력으로 북쪽의 지역이나 나라를 쳐들어가 차지하는 일. **—하다**.
북부 (北部) [북뿌] 어떤 지역의 북쪽 부분. 예 **북부** 지방. 반 남부.
북북 [북뿍] **1** 부드럽고 무른 물건의 면을 계속 세게 갈거나 긁는 소리. **2** 무르고 두툼한 물건을 계속 찢는 소리. 작 복복. 센 뿍뿍.
북상 (北上) [북쌍] 북쪽을 향하여 올라감. 예 **북상**하는 장마 전선. 반 남하. **—하다**.
북새통 [북쌔통] 여러 사람이 한곳에 모여서 부산하게 법석이며 떠드는 기세. 예 **북새통**이 벌어지다 / 아이들의 **북새통**에 잠을 잘 수가 없다.
북서 (北西) [북써] 북쪽과 서쪽의 중간 방위.
북서부 (北西部) [북써부] 어떤 지역의 북쪽과 서쪽의 중간 방위.
북서풍 (北西風) [북써풍] 북서쪽에서 불어오는 바람.
북소리 [북쏘리] 북을 칠 때 나는 소리. 예 **북소리**가 둥둥 울리다.
북송 (北送) [북쏭] 사람이나 물건을 북쪽으로 보냄. **—하다**.
북아메리카 (北America) 세계 6대륙의 하나. 파나마 지협의 북쪽에 있으며, 멕시코·미국·캐나다·그린란드 따위가 속함. 비 북미.
북악산 (北岳山) [부각싼] 서울 북쪽에 있는 산. 인왕산·북한산·낙산·

남산 등과 함께 서울 분지를 둘러싸고 있는 자연 방벽으로, 옛날 서울 북쪽의 성벽은 이 산을 중심으로 세워졌음. 높이 348 m. ㊟북악.

북어 (北魚) [부거] 말린 명태. ㊎북어 세 마리 / 북어 한 두름.

북어쾌 (北魚-) [부거쾌] 북어 스무 마리를 한 줄에 꿴 것.

북위 (北緯) [부귀] 적도에서 북쪽으로 잰 위도. ㊥남위.

북유럽 (北Europe) 스칸디나비아 반도를 중심으로 한, 유럽의 북부 지역. 덴마크·노르웨이·스웨덴·핀란드·아이슬란드 따위가 속함.

북적거리다 [북쩍꺼리다] 많은 사람이 좁은 곳에 모여서 수선스럽게 뒤끓다. ㊎인파가 북적거리다. ㊢복작거리다.

북진 (北進) [북찐] 북쪽으로 나아감. ㊎북진 정책. ㊥남진. **—하다.**

*__북쪽__ (北-) 북극을 가리키는 쪽. ㊡북녘. 북방. ㊥남쪽. ➡north

북채 북을 쳐서 울리는 자그마한 방망이.

북청 사자놀음 (北青獅子-) [—사자노름] 함경남도 북청에 전해 오는 민속놀이. 정월 대보름 무렵에 사자 모양을 꾸미어 집집마다 다니며 춤을 추어서 잡귀를 쫓는 놀이.

북측 (北側) 북쪽. 또는 북한 측. ㊎북측 대표 / 북측 인사. ㊥남측.

북편 (-便) 장구에서, 손으로 쳐서 소리를 내는 면. ㊥채편.

북풍 (北風) 북쪽에서 불어오는 바람. ㊡뒤바람. 삭풍. ㊥남풍.

북한 (北韓) [부칸] 우리나라의 휴전선 이북 지역을 일컫는 말. ㊎북한 방송 / 북한 주민. ㊥남한.

북한강 (北漢江) [부칸강] 강원도 회양군 사동면에서 발원하여 강원도·경기도를 거쳐 한강으로 들어가는 강. 길이 371 km. ✽남한강.

북한산 (北漢山) [부칸산] 서울 북쪽에 있는 산. 백운봉·인수봉·국망봉의 세 봉우리가 있어 '삼각산'이라고도 함. 산성이 있으며, 1983년 국립공원으로 지정됨. 제일 높은 봉우리는 백운대임. 높이 836 m.

북한산성 (北漢山城) [부칸산성] 북한산에 있는 산성. 유사시에 대비하여 조선 숙종 40년(1714)에 만듦. 둘레 약 8 km.

북한산 순수비 (北漢山巡狩碑) [부칸산—] 신라 진흥왕의 북한산 순행을 기념하여 비봉에 세운 비. 문화재로서의 이름은 '북한산 신라 진흥왕 순수비'임. 지금은 경복궁에 옮겨져 있음. 국보 제3호.

북해 (北海) [부캐] **1** 북쪽에 있는 바다. ㊡북양. **2** 유럽 대륙과 영국 사이에 있는 바다. 청어·대구가 많이 잡힘.

북향 (北向) [부캉] 북쪽을 향함. 또는 그 방향.

북회귀선 (北回歸線) [부쾨귀선] 북위 23° 27′의 위도를 연결한 선. 하지에 태양이 이 선을 통과하고, 다시 남쪽으로 감. ㊡하지선. ㊥남회귀선.

*__분__¹ 사람을 높이어 일컫는 말. ㊎저 분이 바로 대통령이시다.

분² (粉) **1** 가루. 분말. **2** 얼굴에 바르는 백분. ㊎얼굴에 분을 바르다.

*__분__³ (分) **1** 각도나 경도, 위도에서 1도의 60분의 1. ㊎북위 38도 2분. **2** 시간 단위의 하나. 곧, 한 시간의 60분의 1. ㊎40분 수업에 10분 휴식하다. ➡minute

*__분__⁴ (分) 자기 신분에 맞는 한도. ㊎분에 넘치는 사치.

분:⁵ (憤·忿) 억울한 일을 당했을 때 마음 속에 치미는 노여움. ㊎분에 못 이겨 울다.

-분 (分) **1** 전체를 몇으로 나눈 부분. ㊎3분의 1. **2** 몫이 되는 분량. ㊎5인분의 식사. **3** 물질의 성분. ㊎

당분 / 영양분.

분가 (分家) 가족의 일부가 집에서 나가 딴살림을 차림. ㉥동생이 결혼해서 분가하다. **—하다.**

분간 (分揀) 사물의 옳고 그름, 좋고 나쁨, 크고 작음 따위를 가려냄. ㉥옳고 그름을 잘 분간해 보아라. ㊉분별. **—하다.**

분갈이 (盆—) [분가리] 화분에 심어져 있는 식물을 다른 화분에 옮기거나 흙을 바꾸는 일. **—하다.**

분ː개 (憤慨) 몹시 분하게 여김. ㉥분개를 느끼다. **—하다.**

분계선 (分界線) [— / 분게선] 서로 나누인 두 땅의 경계가 되는 선. ㉥군사 분계선 / 분계선을 긋다.

분교 (分校) 본교에 다니기가 불편하고 먼 학생을 가르치기 위해 따로 세운 학교. ㉥벽지의 분교. ㉤본교.

분권 (分權) [분꿘] 권력을 분산함. ㉥지방 분권. ㉤집권. **—하다.**

분규 (紛糾) 일이 뒤얽혀 말썽이 많고 시끄러움. ㉥인종간의 분규가 끊이지 않다.

분기[1] (分期) 1년을 3개월씩 넷으로 구분한 기간. ㉥일사 분기.

분ː기[2] (憤〔忿〕氣) 분한 생각이나 기운. ㉣분.

분기점 (分岐點) [분기쩜] 몇 갈래로 갈라지기 시작한 곳. 또는 그 시점. ㉥철도의 분기점.

분꽃 (粉—) [분꼳] 분꽃과의 한해살이풀. 여름부터 가을에 걸쳐 흰색·빨간색·노란색 꽃이 핌. 열매는 까맣게 익는데 속에 흰 가루가 들어있음.

분납 (分納) 몇 차례로 나누어서 냄. ㉥수업료를 분납하다. **—하다.**

분ː노 (忿怒) 분하게 여기어 몹시 성을 냄. **—하다.**

분뇨 (糞尿) 똥과 오줌. ㉥분뇨 처리 탱크.

분단[1] (分團) 한 학급을 몇으로 나누어 만든 무리. **—하다.**

분단[2] (分斷) 한 나라나 민족이 둘 이상으로 나뉘어 갈라짐. ㉥민족 분단의 시련. **—하다.**

분단장[1] (分團長) 분단의 대표.

분단장[2] (粉丹粧) 얼굴에 분을 발라서 곱게 꾸미는 일.

분담 (分擔) 일을 나누어서 맡음. ㉥업무 분담 / 일을 분담하여 끝마치다. **—하다.**

분대 (分隊) 군대의 편성 단위의 하나. 소대의 아래 단위로 9명의 사병으로 이루어짐.

분대장 (分隊長) 분대의 우두머리인 하사관.

분동 (分銅) 접시저울로 물건의 무게를 달 때 접시 위에 올려 놓는 추.

분란 (紛亂) [불란] 어수선하고 떠들썩함. ㉥집안에 분란이 일어나다. **—하다.**

***분량** (分量) [불량] 부피·수효·무게 따위의 많고 적음이나 크고 작은 정도. ㉣양.

***분류** (分類) [불류] 종류에 따라 나눔. ㉥자료를 주제별로 분류하다. **—하다.**

***분리** (分離) [불리] 갈라서 떼어 놓음. 서로 나뉘어 떨어짐. **—하다.**

분리대 (分離帶) [불리대] 차도를 진행 방향에 따라 분리하기 위하여 그 경계에 설치한 띠 모양의 장치. ㉥중앙 분리대.

분리수거 (分離收去) [불리수거] 쓰레기를 종류에 따라 모아서 거두어 감. ㉥쓰레기 분리수거.

분립 (分立) [불립] 서로 갈라져서 따로 섬. 따로 나누어서 세움. ㉥삼권 분립. **—하다.**

분만 (分娩) ⇨해산[1]. **—하다.**

분말 (粉末) ⇨가루. ㉥감자 분말 / 분말 소화기.

분망하다 (奔忙—) 매우 바쁘다.

***분명** (分明) 틀림없이. 확실히. ㉥

그것은 분명 네가 한 말이다.
*분명하다 (分明—) 1 뚜렷하고 똑똑하다. ㉠분명하게 대답하다. 2 그렇게 될 것이 뻔하다. ㉠그가 이길 것은 분명하다. ㉥확실하다.
*분명히 (分明—) 분명하게. ㉠태도를 분명히 해라.
*분모 (分母) 분수에서 가로줄 밑에 적은 수. $\frac{1}{2}$이나 $\frac{1}{3}$에서 2, 3을 말함. ㉡분자.
분묘 (墳墓) ⇨무덤.
분:무기 (噴霧器) 물이나 약품을 안개처럼 뿜어내는 기구.
분반 (分班) 한 학년을 여러 반으로 나눔. 또는 그 나뉜 반. —하다.
분:발 (奮發) 마음과 힘을 다하여 떨쳐 일어남. ㉠더욱 분발하여 연습했다. —하다.
분방하다 (奔放—) 정해진 규칙이나 규범 따위에 얽매이지 않고 자유롭다. ㉠자유롭고 분방한 성격의 소유자.
분배 (分配) 몫몫이 고르게 나눔. ㉠이익을 분배하다. —하다.
분별 (分別) 1 서로 다른 것을 따로 따로 가름. 2 어떤 일을 사리에 맞게 판단함. ㉠옳고 그른 일을 분별할 줄 알아야 한다. —하다.
분별력 (分別力) 어떤 일을 사리에 맞게 판단할 수 있는 힘.
분별없다 (分別—) [분벼럽따] 세상 물정을 가리지 못하다.
분별없이 (分別—) [분벼럽씨] 분별없게. ㉠분별없이 행동하다.
분부 (分付·吩咐) 아랫사람에게 명령을 내림. 또는 그 명령. ㉠분부대로 일을 하다. —하다.
분분하다 (紛紛—) 1 뒤숭숭하고 시끄럽다. 2 여러 의견이 다르다. ㉠의견이 분분하다. 3 여러 사물이 한데 뒤섞여 어수선하다. ㉠꽃가루가 분분하게 날리고 있다.
분비 (分泌) 생명체가 살아가는 데 필요한 침·땀·소화액 따위를 만들어 밖으로 배출하는 기능. ㉠위액의 분비를 돕다. —하다.
분비물 (分泌物) 생물체 안의 샘으로부터 분비되어 나오는 물질. 침·위액·땀·젖 따위.
분:사 (噴射) 세차게 내뿜음. ㉠물을 분사하다. —하다.
분산 (分散) 갈라져서 이리저리 흩어짐. ㉠인구 분산 정책. —하다.
분석 (分析) 어떤 일이나 현상을 이루고 있는 하나하나의 요소를 나눠 가려냄. ㉡합성. —하다.
분석적 (分析的) [분석쩍] 내용을 분해하여 자세히 밝히는 (것).
분속 (分速) 1분간을 단위로 하여 잰 속도.
분쇄 (粉碎) 1 가루처럼 잘게 부스러뜨림. 2 상대편을 쳐부숨. ㉠적의 음모를 분쇄하다. —하다.
*분수[1] (分數) 어떤 정수를 여러 개로 등분하여 나타낸 수. $\frac{1}{3}$, $\frac{3}{4}$ 따위. ㉡정수.
분:수[2] (分數) 1 자기 신분에 맞는 한도. ㉠분수를 알다 / 분수에 맞게 생활하다. 2 사물을 분별하는 지혜. ㉠분수가 없는 사람.
*분:수[3] (噴水) 좁은 구멍으로 물을 내뿜거나 뿌리도록 만든 설비. 또는 그 물. 흔히 공원이나 광장 한가운데에 설치함.
분:수대 (噴水臺) 공원이나 광장 등에 물을 뿜어 올리기 위하여 마련해 놓은 시설.
분수령 (分水嶺) 1 한 근원의 물이 양쪽으로 갈라져 흐를 때 그 경계가 되는 산 또는 산맥. ㉥분수 산맥. 2 어떤 일이 결정되는 중요한 고비. ㉠성패의 분수령.
분식 (粉食) 밀가루로 만든 음식. ㉠분식 센터. —하다.
분식점 (粉食店) [분식쩜] ⇨분식집.

분식집 (粉食―) [분식찝] 주로 밀가루로 만든 음식을 파는 식당. 비 분식점.

분신¹ (分身) 어떤 주체에서 갈라져 나간 부분. 예자식은 부모의 분신이다.

분신² (焚身) 스스로 몸을 불사름. 예분신 자살. **―하다.**

분실 (紛失) 자기도 모르는 사이에 잃어버림. 예분실 신고. **―하다.**

분실물 (紛失物) 잃어버린 물건.

*__분야__ (分野) [부냐] 어떤 일의 한 부분이나 범위. 예전문 분야에서 활동하다. 비 부문.

분양 (分讓) [부냥] 큰 덩이를 갈라서 여럿에게 나누어 줌. 예아파트 분양 광고 / 주택 분양. **―하다.**

분업 (分業) [부넙] 서로 관련된 일을 여러 사람이 나누어 맡아서 함. **―하다.**

분업화 (分業化) [부너퐈] 분업 형태로 되어 감. 예생산을 분업화하다. **―하다.**

분:연 (奮然) [부년] 세차게 떨치고 일어나는 모양. **―하다. ―히.**

분열 (分裂) [부녈] **1** 찢어져 갈라짐. **2** 단체나 집단이 여러 갈래로 나뉨. 예당이 분열하다. **3** 세포나 핵이 갈라져 그 수가 증가함. 예세포 분열. **―하다.**

분원 (分院) [부눤] 본원에서 따로 나누어 설치한 병원이나 학원 따위. 반 본원.

*__분위기__ (雰圍氣) [부뉘기] **1** 그 자리나 장면에서 느껴지는 기분. 예어색한 분위기. **2** 주위를 둘러싸고 있는 환경. 예시골집 분위기를 풍기다.

분유 (粉乳) [부뉴] 우유에서 물기를 증발시키고 가루로 만든 것. 비 가루우유.

*__분자__ (分子) **1** 분수에서 가로줄 위에 적은 수. $\frac{2}{3}$나 $\frac{1}{4}$에서 2, 1을 말함. 반 분모. **2** 물질의 성질을 잃지 않은 채로 나눌 수 있는 가장 작은 알갱이. 몇 개의 원자로 이루어짐.

분자식 (分子式) 원소 기호를 써서 분자의 구조를 나타낸 식. 소금의 분자식은 NaCl로 표시함.

분장 (扮裝) 배우가 출연 작품 중의 어느 인물로 꾸미어 차림. 예햄릿으로 분장하다. 준 분. **―하다.**

분장사 (扮裝師) 배우들의 분장을 전문으로 맡아보는 사람.

분재 (盆栽) 화초·나무 등을 화분에 심어 가꾸는 일. **―하다.**

분쟁 (紛爭) 말썽을 일으켜 시끄럽게 다툼. 예영토 분쟁 / 분쟁을 일으키다. **―하다.**

분:전 (奮戰) 힘을 다하여 싸움. 예우리 팀은 끝까지 분전했으나 아깝게 패했다. 비 분투. **―하다.**

분점 (分店) 본점이나 지점에서 따로 낸 점포. 예분점을 내다.

분주하다 (奔走―) 몹시 바쁘다. 비 분망하다. 반 한가하다.

분주히 (奔走―) 분주하게.

분지 (盆地) 산이나 고원으로 둘러싸인 평평한 지역.

분지르다 ⇨부러뜨리다. 예가지를 분지르다. 활용 분질러 / 분지르니.

분진 (粉塵) 공기 중에 섞인 돌이 부서져 생긴 가루와 먼지.

분청사기 (粉靑沙器) 고려청자의 뒤를 이은 조선 시대의 자기. 청자에 백토로 분을 발라 다시 구워 낸 것으로, 잿빛을 띤 청색·황색이며 남성적인 형태미를 지니고 있음.

분:출 (噴出) 액체나 기체가 세차게 뿜어 나옴. 예석유가 분출하다. **―하다.**

분칠 (粉漆) 분을 바르는 일. 예얼굴에 분칠을 하다. **―하다.**

분침 (分針) 시계의 분을 가리키는 긴 바늘.

분:통 (憤痛) 분하여 마음이 쓰리고 아픔. 예분통을 삭이다 / 분통을

터뜨리다. **—하다.**

분ː투(奮鬪) 있는 힘을 다하여 싸움. ㉠분투를 다짐하다. ㉥분전. **—하다.**

분ː패(憤敗) 이길 수 있는 것을 분하게 짐. **—하다.**

분포(分布) 여러 곳에 널리 퍼져 있음. ㉠식물의 분포 상태. **—하다.**

분포도(分布圖) 분포되어 있는 상태를 한눈에 잘 알아볼 수 있도록 만든 도표. ㉠인구 분포도.

분ː풀이(憤—) [분푸리] 분한 마음을 참지 못해 앙갚음을 하거나 다른 사람에게 분을 터뜨려, 분을 풂. **—하다.**

분필(粉筆) 탄산석회나 구운 석고 가루를 반죽하여 막대 모양으로 굳혀 만든 것. 칠판에 글씨를 쓰는 데 사용함. ㉥백묵. ➲chalk

분ː하다(憤〔忿〕—) **1** 억울한 일을 당하여 원통하다. **2** 될 듯한 일이 되지 않아 섭섭하고 아깝다.

분할(分割) 나누어서 쪼갬. ㉠빚을 12개월 분할하여 갚다. ×분활. **—하다.**

분해(分解) 여러 부분으로 이루어진 한 덩이의 사물을 그 구성 요소나 낱낱의 부분으로 가름. ㉠시계를 분해하다. ㉦결합. **—하다.**

분향(焚香) 부처나 죽은 사람을 위하여 향을 피움. ㉠부처님 앞에 분향하고 절하다. **—하다.**

분ː홍(粉紅) ⇨분홍색. ➲pink

분ː홍빛(粉紅—) [분홍삗] 진달래꽃의 빛깔과 같이 엷게 붉은 빛. ㉥분홍. 분홍색.

분ː홍색(粉紅色) 진달래꽃의 빛깔과 같이 엷게 붉은 색. ㉠분홍색 치마. ㉥분홍. 분홍빛.

분화(分化) 본디 하나이던 것이 여러 갈래로 나누어짐. **—하다.**

분ː화(噴火) **1** 불을 내뿜음. **2** 화산이 터져서 불기운을 내뿜는 현상. **—하다.**

분ː화구(噴火口) 화산의 불을 내뿜는 구멍.

분ː황사 석탑(芬皇寺石塔) 신라 선덕 여왕 때 경상북도 경주시 분황사에 세운 탑. 우리나라에서 가장 오래된 탑으로, 현재 일부만 남아 있음.

붇ː다 [붇따] **1** 물에 젖어서 부피가 커지다. ㉠라면이 붇다 / 콩이 통통 불었다. **2** 분량이 늘어나다. ㉠강물이 붇다 / 재산이 크게 불었다. 활용 불어 / 불으니 / 붇는.

> 주의 **붇다, 붓다와 붙다**
>
> **붇다** 1 물기에 젖어 부피가 커지다. 2 많아지다. 늘다. ㉠재산이 붇다.
> 〔참고〕 '붇'의 'ㄷ' 받침은 활용할 때 'ㄹ'로 바뀜. '붇+어'→'불어'.
>
> **붓다** 1 살가죽이 부풀어 오르다. 2 성이 나다.
> 〔참고〕 '붓'의 'ㅅ' 받침은 활용할 때 없어짐. '붓+어'→'부어'.
>
> **붙다** 1 마주 닿아 떨어지지 않다. ㉠우표가 딱 붙다. 2 시험 따위에 합격하다. 3 불이 옮아 당기다.
> 〔참고〕 '붙'의 'ㅌ' 받침은 활용할 때 그대로 있음. '붙+어'→'붙어'.

*__불__[1] **1** 열과 빛을 내며 붉게 타는 현상. 또는 그렇게 타는 것. ㉠불을 때다 / 불이 붙다. **2** 화재. ㉠불이 나다. **3** 어둠을 밝히는 빛. ㉠전깃불 / 불이 나가다.

불(을) 끄다 급한 일을 처리하다.

불(을) 보듯 뻔하다 앞일이 의심할 여지없이 명백하다.

불[2](弗) ⇨달러(dollar). ㉠백만 불짜리 다리.

불-(不) 한자로 된 말 앞에 붙어, 그 말을 부정하는 뜻을 나타내는 말. ㉠불규칙 / 불완전 / 불투명.

> **참고** 한자의 '불(不)'은 'ㄷ, ㅈ' 앞에서는 '부'로 적음.
> ㉠부당(不當), 부동(不同), 부등(不等), 부조리(不條理), 부주의(不注意)

불가 (不可) 옳지 않거나 가능하지 않음. ㉠연소자 입장 불가. **—하다.**

불가결 (不可缺) 없어서는 안됨. ㉠필요 불가결한 일. **—하다.**

불가능 (不可能) 할 수 없음. 될 수 없음. 가능하지 않음. ㉡가능. ㉢불능. **—하다.**

불가리아 (Bulgaria) 〖국명〗 발칸 반도 동쪽에 있는 공화국. 주민의 80%는 농업에 종사함. 보리·밀·옥수수 따위가 남. 수도는 소피아.

불가마 자기나 질그릇을 구워 만드는 가마.

불가분 (不可分) 나누려고 해도 나눌 수가 없음. ㉠불가분의 관계.

불가불 (不可不) 하지 않을 수 없어. 어쩔 수 없이. ㉠불가불 안할 수가 없다. ㉣부득불.

불가사리 극피동물의 하나. 바다 속에서 살며 몸은 별 모양 또는 오각형이고, 입은 배에, 항문은 등에 있음. 온몸에 가시가 덮여 있는데 담자색이나 백색임. 말려서 비료로 씀.

〈불가사리〉

불가사의 (不可思議) [—/불가사이] 사람의 생각으로는 헤아릴 수 없이 이상하고 야릇함. ㉠불가사의한 우주의 신비. **—하다.**

불가침 (不可侵) 침범해서는 안 됨. ㉠불가침 조약.

불가피하다 (不可避—) 피할 수가 없다. ㉠불가피한 사정.

불가항력 (不可抗力) [불가항녁] 사람의 힘으로는 어찌할 수 없는 힘. ㉠불가항력의 자연재해.

불간섭 (不干涉) 간섭하지 아니함. ㉡간섭. **—하다.**

불거지다 **1** 둥글게 솟아오르다. ㉠광대뼈가 불거지다 / 힘줄이 툭 불거진 팔뚝. **2** 숨겨졌던 일이나 어떤 현상이 갑자기 드러나다. ㉠그 일이 갑자기 불거지기 시작했다.

불건전하다 (不健全—) 정신이나 생각 따위가 건전하지 못하다. ㉠불건전한 오락.

불결하다 (不潔—) 깨끗하지 못하고 더럽다. ㉠불결한 환경. ㉡청결하다.

불경[1] (不敬) 존경하는 마음이나 예의가 없음. **—하다. —스럽다.**

불경[2] (佛經) 부처의 가르침을 적어 놓은 책. 불교의 경전. ㉣내전. 불전. ㉢경.

불경기 (不景氣) 여러 가지로 경제 형편이 좋지 않음. ㉡호경기.

불계 (不計) [—/불게] 바둑에서, 승부가 확실해 집 수를 계산하지 않는 일. ㉠불계로 이기다.

불고기 살코기를 얇게 저며서 양념을 하여 재었다가 불에 구운 음식.

불고하다 (不顧—) 돌아보지 않다. ㉠염치 불고하고 신세를 지다.

불공 (佛供) 부처 앞에 공양함. ㉣불향. **—하다.**

불공정 (不公正) 공정하지 않음. ㉡공정. **—하다.**

불공평 (不公平) 공평하지 않음. ㉠대우가 불공평하다. ㉡공평. **—하다.**

불과 (不過) 주로 수를 나타내는 말 앞에 쓰이어, 그 수에 지나지 못함을 나타내는 말. ㉠떠난 지 불과 3일밖에 되지 않았다. **—하다.**

불교 (佛敎) 기원전 5세기경 인도

에서 석가모니가 일으킨 종교. 이 세상의 온갖 번뇌를 버리고, 깨달음을 통하여 부처가 되는 것을 목적으로 함. ㉠불교 신자.

불구 (不具) 몸의 한 부분이 온전하지 못하거나 기능을 잃은 상태. ㉠불구의 몸.

불구속 (不拘束) 구속하지 않음. ㉠불구속 송치. **—하다.**

불구자 (不具者) 몸의 어느 부분이 온전하지 못한 사람. 비장애인.

불구하고 (不拘—) '-에도, -는데도' 따위의 뒤에 쓰이어, 앞의 말뜻을 뒤집어 뒷말에 이어 주는 말. ㉠몸살에도 불구하고 등교했다.

불국사 (佛國寺) [불국싸] 경상북도 경주시의 토함산 기슭에 있는 절. 신라 법흥왕 때 지었고, 그 뒤 김대성이 크게 고쳐 지음. 석굴암과 더불어 신라 불교 예술의 귀중한 유적임.

불굴 (不屈) 어려움이 닥쳐도 굽히지 아니함. ㉠불굴의 투지로 싸우다. **—하다.**

불규칙 (不規則) 규칙에서 벗어남. 일정하지 않음. ㉠불규칙한 생활을 하다 / 맥박이 불규칙하게 뛰고 있다. 반규칙. **—하다.**

불균등 (不均等) 고르지 않고 차별이 있음. 반균등. **—하다.**

불균형 (不均衡) 균형이 잡히지 않음. 반균형. **—하다.**

불그레하다 약간 곱게 불그스름하다. ㉠불그레한 뺨. 작볼그레하다.

불그스레하다 조금 붉다. ㉠열이 올라 얼굴이 불그스레하다.

불그스름하다 조금 붉다. ㉠저녁놀이 불그스름하게 물들었다. 준불그름하다. 작볼그스름하다. 센뿔그스름하다.

불그죽죽하다 [불그죽쭈카다] 빛깔이 칙칙하고 고르지 않게 불그스름하다.

불기 (—氣) [불끼] ⇨불기운. ㉠불기 없는 방. 비화기.

불기둥 [불끼둥] 기둥 모양으로 높이 솟아오르는 불길. ㉠시뻘건 불기둥이 무섭게 솟아올랐다.

불기운 [불끼운] 불에서 나오는 뜨거운 기운. 비불기.

불길 [불낄] **1** 세차게 타오르는 불꽃. ㉠치솟는 불길 / 불길에 휩싸이다. **2** 세차게 솟구치는 감정이나 정열을 비유하는 말. ㉠개혁의 불길.

불길하다 (不吉—) 나쁜 일이 생길 것 같은 느낌이 있다. ㉠불길한 꿈 / 불길한 징조. 반길하다.

***불꽃** [불꼳] **1** 불에서 일어나는 붉은빛을 띤 기운. 비화염. **2** 쇠붙이·돌 따위가 서로 부딪칠 때 일어나는 불빛.

불꽃놀이 [불꼰노리] 경축이나 기념 행사 때 화포를 쏘아 공중에서 불꽃이 일어나게 하는 일.

불끈 **1** 갑자기 떠오르는 모양. ㉠아침 해가 바다 위로 불끈 솟아오르다. **2** 주먹을 갑자기 단단히 쥐는 모양. ㉠주먹을 불끈 쥐다. **3** 성을 왈칵 내는 모양. ㉠울화가 불끈 치밀다. 작볼끈.

불난리 (—亂離) [불랄리] 불이 나서 뒤범벅이 된 상태.

불놀이 [불로리] 등불·화포 따위로 흥취 있게 노는 놀이. ㉠경축 불놀이. **—하다.**

불능 (不能) [불릉] '불가능'의 준말. ㉠재기 불능 / 회복 불능 / 수습 불능 상태. 반가능.

***불ː다**[1] 바람이 일어나다. ㉠바람이 불다. 활용 불어 / 부니 / 부는.

***불ː다**[2] **1** 입김을 내어 보내다. ㉠뜨거운 국물을 후후 불다. **2** 관악기를 연주하다. ㉠피리를 불다. **3** 자신의 죄를 사실대로 말하다. ㉠체포되자 범행 일체를 순순히 불었다. 활용 불어 / 부니 / 부는.

불당(佛堂) [불땅] 부처를 모셔 놓은 집. 비 불전.

불덩이 [불떵이] **1** 타고 있는 숯이나 나무 따위의 덩이. **2** 열이 심한 몸이나 뜨겁게 단 물체를 비유한 말. 예 몸이 **불덩이**같이 뜨겁다.

불도(佛道) [불또] **1** 부처님의 가르침. 예 불도를 받들다. **2** 수행하여 부처가 되는 길. 예 불도를 닦다. 비 법도. 불법.

불도그(bulldog) 영국 원산의 개. 머리가 크고 네모졌으며, 입은 폭이 넓고, 코는 짧고 넓적하며 키는 작고 성질이 사나움.

〈불도그〉

불도저(bulldozer) 흙을 밀어내어 땅을 고르는 데 쓰는 트랙터.

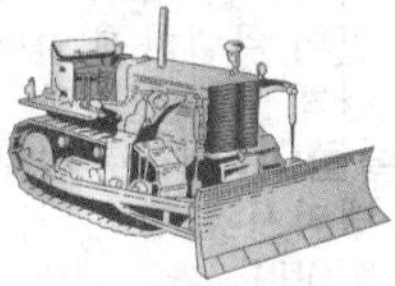

〈불도저〉

불똥 **1** 심지의 끝이 다 타서 된 작은 불덩이. **2** 불이 타는 데서 튀어나온 작은 불덩이.

불똥(이) 튀다 사건이나 말썽 따위가 전혀 상관없는 사람에게 번져 곤란하게 하다.

불량(不良) **1** 행실이 나쁨. 예 불량 청소년. 반 선량. **2** 품질이나 성적이 나쁨. 예 불량 식품. **—하다.**

불량배(不良輩) 성질이나 행동 따위가 나쁜 사람들의 무리.

불량품(不良品) 품질이 나쁜 물건. 예 불량품을 고발하다.

불러내다 불러서 밖으로 나오게 하다. 예 친구를 **불러내다**.

불러들이다 [불러드리다] 불러서 안으로 들어오게 하다. 예 친구를 집에 **불러들이다**.

불러오다 불러서 오게 하다. 예 의사를 **불러오다**.

불러일으키다 [불러이르키다] 어떤 마음·행동·상태를 일어나게 하다. 예 감동을 **불러일으키다** / 아군의 사기를 **불러일으키다**.

불로 소:득(不勞所得) 직접 일하지 않고 얻는 소득. 반 근로 소득.

불로장생(不老長生) 늙지 않고 오래 삶. **—하다.**

불로초(不老草) 먹으면 늙지 않는다는 신령스러운 풀.

불룩 물체의 거죽이 쑥 내밀려 있거나 두드러져 있는 모양. 예 배가 불룩 나오다 / 주머니가 불룩하다. 작 볼록. **—하다.**

불륜(不倫) 사람으로서 지켜야 할 도리에서 벗어나 있음. 예 불륜의 사랑 / 불륜을 저지르다. **—하다.**

불리다[1] 배를 부르게 하다. 예 배를 **불리다**.

불리다[2] **1** 무엇을 물 따위에 담가 부피가 늘어나고 물렁거리게 하다. 예 밥에 두려고 콩을 **불렸다**. **2** 많아지게 하다. 예 재산을 **불리다**.

불리다[3] **1** 남에게 부름을 받다. 예 교무실에 불려 가다. **2** 노래가 불려지다. 예 많은 사람에게 **불리는** 노래. **3** 이름이 붙여지다. 예 그는 천재라고 **불렸다**.

불리하다(不利―) 이롭지 못하다. 예 **불리**한 조건 / **불리**한 입장에 처하다 / 나의 반칙으로 우리 팀이 **불리하게** 되었다. 반 유리하다.

불만(不滿) 만족하지 않음. 마음에 차지 않거나 마땅하지 않음. 예 불만을 품다 / 불만이 쌓이다 / 불만을 털어놓다. 비 불평. 반 만족. 본 불만족.

불만스럽다(不滿―) [불만스럽따] 마음에 차지 않아 언짢은 느낌이 있다. 예 불만스러운 듯이 대꾸하다. 본 불만족스럽다. 활용 불만스러워 / 불만스러우니.

불만족(不滿足) 마음에 차지 않아

못마땅함. ㉠일의 결과에 불만족을 나타내다 / 불만족스러운 표정을 짓다. 준 불만. **—하다. —스럽다.**

불매 (不買) 사지 않음. ㉠불매 운동을 벌이다. **—하다.**

불면 (不眠) 잠을 자지 못함. ㉠불면 때문에 고생하다.

불면증 (不眠症) [불면쯩] 밤에 잠을 자지 못하는 병. ㉠불면증에 시달리다.

불멸 (不滅) 없어지지 않음. ㉠불멸의 공적. **—하다.**

불명 (不明) 분명하지 않음. ㉠원인 불명 / 생사가 불명하다. 반 분명. **—하다.**

불명예 (不名譽) 명예스럽지 못함. ㉠불명예를 씻다 / 불명예를 벗다. 반 명예. **—스럽다.**

불모 (不毛) 땅이 거칠고 메말라 식물이나 농작물이 자라지 않음. ㉠불모의 땅.

불모지 (不毛地) **1** 나무나 풀이 나지 않는 거친 땅. ㉠불모지를 일구다. **2** 전혀 개발이나 발전이 되지 않은 상태. ㉠축구 불모지.

불문 (不問) **1** 캐묻지 않음. ㉠전의 잘못은 불문에 부치겠다. **2** 가리지 않음. ㉠남녀노소를 불문하고 즐기는 놀이. **—하다.**

불미스럽다 (不美—) [불미스럽따] 옳지 못하거나 떳떳하지 못하다. 활용 불미스러워 / 불미스러우니.

불바다 넓은 지역에 걸쳐 타오르는 큰 불. ㉠사방이 순식간에 불바다가 되었다.

불발 (不發) **1** 탄알·폭탄 따위가 터지지 않음. **2** 계획했던 일을 못하게 됨. ㉠사업 확장이 불발로 끝나다. **—하다.**

불발탄 (不發彈) 쏜 뒤에도 터지지 않은 포탄.

불법 (不法) 법에 거슬림. ㉠불법 과외를 단속하다. 비 위법. 반 합법. **—하다.**

불법적 (不法的) [불법쩍] 법에 어그러지는 (것). ㉠불법적 행위.

불벼락 불같이 사나운 꾸짖음의 비유. ㉠불벼락이 내리다.

불변 (不變) 변하지 아니함. ㉠불변의 법칙. **—하다.**

불볕 [불볃] 몹시 뜨겁게 내리쬐는 볕. ㉠불볕더위 / 불볕 아래서 열띤 응원을 하다.

불복 (不服) 명령에 따르지 않음. ㉠명령에 불복하다. 비 불복종. 반 복종. 순종. **—하다.**

불분명하다 (不分明—) 분명하지 않거나 분명하지 못하다. ㉠불분명한 태도 / 기억이 불분명하다.

불붙다 [불붇따] **1** 물체에 불이 붙어 타다. ㉠이불에 불붙다. **2** 어떤 일이 치열하게 벌어지다. ㉠다시 뜨겁게 불붙은 논쟁.

불붙이다 [불부치다] 물체에 불을 댕겨서 붙게 하다. ㉠장작더미에 불붙이다.

*__불빛__ [불삗] 타거나 켜 놓은 불의 빛. ㉠문틈으로 불빛이 새다.

불사 (不死) [불싸] 죽지 않음.

불사르다 불에 태워 없애다. ㉠옛 편지를 불사르다. 활용 불살라 / 불사르니.

불사신 (不死身) [불싸신] 어떤 어려움을 당해도 쓰러지지 않는 굳센 사람의 비유.

*__불사조__ (不死鳥) [불싸조] 이집트 신화에 나오는 새. 500-600 년마다 스스로 향나무를 쌓아 불을 피워 타 죽고는 그 재 속에서 다시 태어난다고 함. 피닉스.

불사하다 (不辭—) [불싸하다] 사양하거나 마다하지 아니함. ㉠법적 대응을 불사하다.

불상 (佛像) [불쌍] 부처의 모습을 새기거나 그린 형상.

불상사 (不祥事) [불쌍사] 좋지 못

한 일. 상서롭지 못한 일. ㉰불상사가 생기지 않게 조심해라.

불성실하다 (不誠實－) [불썽실하다] 성실하지 못하다. ㉰불성실한 자세. ㊉성실하다.

불소 (弗素) [불쏘] 노란 기체 원소의 하나. 충치 예방을 위하여 수돗물이나 치약에 넣어 씀.

불손하다 (不遜－) [불쏜하다] 예의가 없고 건방지다. ㉰불손한 태도 / 불손하게 굴다. ㊉공손하다.

불순[1] (不純) [불쑨] 순수하거나 깨끗하지 못함. ㉰불순 세력 / 불순한 마음. **—하다.**

불순[2] (不順) [불쑨] **1** 온순하지 못함. ㉰불순한 태도로 대하다. **2** 순조롭지 못함. ㉰날씨가 불순하여 행사를 연기하였다. **—하다.**

불순물 (不純物) [불쑨물] 순수한 물질 속에 섞여 있는 잡스러운 물질. ㉰불순물을 걸러 내다.

불시에 (不時－) [불씨에] 뜻하지 아니한 때에. 별안간에. ㉰불시에 당한 재난.

불시착 (不時着) [불씨착] 비행기가 고장이나 날씨의 악화 따위로 목적지가 아닌 장소에 착륙하는 일. ㊀불시 착륙. **—하다.**

불식 (拂拭) [불씩] 말끔히 떨어 없앰. ㉰오해를 불식하다. **—하다.**

불신 (不信) [불씬] 믿지 않음. ㉰이웃을 불신하는 세태. **—하다.**

불신감 (不信感) [불씬감] 믿지 못하는 느낌이나 마음. ㉰불신감을 해소하다 / 불신감이 들다.

불신임 (不信任) [불씨님] 믿지 못하여 일을 맡기지 않음. ㉰불신임을 받다. **—하다.**

불심 검:문 (不審檢問) [불씸—] 경찰관이 수상쩍은 사람을 거리에서 갑자기 조사하는 일. **—하다.**

*__불쌍하다__ 가엾고 애처롭다. ㉰불쌍한 이웃을 돕다.

불쌍히 불쌍하게. ㉰가난한 사람을 불쌍히 여기다.

불쏘시개 장작을 때거나 숯불을 피울 때 불을 옮겨 붙이기 위하여 먼저 불을 붙이는 물건. 마른 잎·종이·관솔 따위. ㊅쏘시개.

불쑥 **1** 갑자기 쑥 내미는 모양. ㉰손을 불쑥 내밀다. **2** 갑자기 쑥 나타나는 모양. ㉰불쑥 나타나다. **3** 생각 없이 말을 함부로 하는 모양. ㉰그런 말을 불쑥 꺼내면 어떡하니.

불씨 **1** 불을 옮겨 붙일 수 있게 묻어 두는 불덩이. ㉰불씨를 잘 간수하다. **2** 무슨 사건이 일어날 실마리. ㉰싸움의 불씨를 안고 있다.

불안 (不安) [부란] **1** 마음이 편하지 아니함. ㉰불안한 생각이 들다. **2** 분위기 따위가 술렁거리어 뒤숭숭함. ㉰불안한 국제 정세. ㊉편안. **—하다. —스럽다.**

불안감 (不安感) [부란감] 불안한 느낌.

불안전 (不安全) [부란전] 안전하지 못함. ㉰불안전한 시설. ㊉안전. **—하다.**

불안정 (不安定) [부란정] 안정되지 못함. ㉰불안정한 생활을 하다. ㊉안정. **—하다.**

불야성 (不夜城) [부랴성] 등불이 휘황하게 켜 있어 밤에도 대낮처럼 밝은 곳. ㉰불야성을 이룬 거리.

*__불어나다__ [부러나다] **1** 수량 따위가 커지거나 많아지다. ㉰강물이 불어나다. **2** 몸집 따위가 커지다. ㉰노니까 몸이 불어나는 것 같다.

불어넣다 [부러너타] 생각이나 지식 따위를 가르쳐서 머리에 넣게 하다. ㉰용기와 희망을 불어넣다.

불어오다 [부러오다] 바람이 이쪽으로 불다. ㉰산들바람이 불어오다.

불여우 [불려우] **1** 갯과에 속하는 여우의 하나. 한국 북부와 만주 동부에 분포함. **2** 모질고 악착스럽고 나쁜 꾀를 부리는 여자를 비유하는 말. ㉠불여우같이 굴다.

불온 (不穩) [부론] 나라의 질서와 평안을 어지럽게 할 우려가 있음. ㉠불온한 사상. **—하다.**

불완전 (不完全) [부롼전] 부족함이나 흠이 있음. ㉠이 문장은 불완전하다. 반 완전. **—하다.**

불우 (不遇) [부루] **1** 살림이나 처지가 딱하고 어려움. ㉠불우 이웃 돕기 / 그의 어린 시절은 불우했다. **2** 운이 나빠 재능이 있어도 쓰여지지 않음. ㉠불우한 생애. **—하다.**

불운 (不運) [부룬] 운수가 좋지 않음. 또는 그런 운수. ㉠불운한 처지. 비 불행. 비운. 반 행운. **—하다.**

불원간 (不遠間) [부뤈간] 오래지 아니하여. 앞으로 멀지 않은 동안. 머지않아. ㉠불원간에 돌아오겠다 / 결과는 불원간 나타나겠지.

불유쾌하다 (不愉快—) [부류쾌하다] 유쾌하지 않다. 즐겁지 않다. ㉠불유쾌한 표정.

불응 (不應) [부릉] 응하지 않음. 말을 듣지 않음. ㉠명령 불응 / 지시에 불응할 경우 처벌한다. **—하다.**

불의[1] (不意) [부릐 / 부리] 뜻밖. ㉠불의의 교통사고. 비 의외.

불의[2] (不義) [부릐 / 부리] 옳지 못함. 의리에 어긋남. ㉠불의에 항거하다. 반 정의.

불이익 (不利益) [불리익] 이익이 되지 않음. ㉠불이익을 당하다.

불일치 (不一致) [부릴치] 일치하지 않음. 서로 맞지 않음. ㉠의견의 불일치. 준 불일. **—하다.**

불임 (不姙〔妊〕) [부림] 임신을 하지 못함. **—하다.**

불임증 (不姙症) [부림쯩] 임신하지 못하는 증세.

불자 (佛子) [불짜] **1** 부처의 제자. **2** 모든 중생. **3** 불교 신자.

불자동차 (—自動車) 불을 끄고 사람을 구조하는 일에 쓰도록 여러 장비를 갖춘 자동차. 비 소방차.

불장난 아이들이 불을 붙여 갖고 노는 일. ㉠아이들의 불장난은 위험하다. **—하다.**

불조심 (—操心) 불이 나지 않도록 조심함. ㉠불조심 강조 기간 / 자나 깨나 불조심. **—하다.**

불찰 (不察) 주의 깊게 살피지 않아서 생긴 잘못. ㉠저의 불찰이니 용서하십시오.

불참 (不參) 참가하지 않거나 참석하지 않음. ㉠학급 모임에 불참하다. 반 참가. 참석. **—하다.**

불철주야 (不撤晝夜) 어떤 일에 밤낮을 가리지 않고 노력하는 모양. ㉠불철주야 공부하다. **—하다.**

불청객 (不請客) 청하지 않았는데 스스로 찾아온 손님. ㉠불청객이 들이닥치다.

불초 (不肖) 아들이 부모에 대하여 자기를 겸손하게 일컫는 말. ㉠불초 소생. **—하다.**

불충분 (不充分) 충분하지 못함. ㉠불충분한 설명. 반 충분. **—하다.**

불치 (不治) 병이 낫지 않음. 고칠 수 없음. ㉠불치의 병. **—하다.**

불치병 (不治病) [불치뼝] 고치지 못하는 병. 고칠 수 없게 된 병. ㉠불치병으로 고생하다 / 불치병에 걸리다 / 불치병을 앓다.

불친절 (不親切) 친절하지 아니함. ㉠불친절한 태도. 반 친절. **—하다.**

불침번 (不寢番) 밤에 자지 않고 경비를 서는 일. 또는 그 사람. ㉠불침번을 서다.

불쾌감 (不快感) 불쾌한 느낌이나 감정. ㉠불쾌감을 주다.

불쾌지수 (不快指數) 온도와 습도에 따라 인체가 느끼는 불쾌감의 정도를 숫자로 나타낸 것. ㉠불쾌지수가 높다.

불쾌하다 (不快—) 못마땅하여 기

분이 좋지 않다. 예불쾌한 냄새. 반유쾌하다.
불타다 1 불이 붙어서 타다. 예불탄 자리. 2 몹시 붉은빛을 띠다. 예불타는 노을. 3 의욕·정열이 북받치어 솟아나다. 예애국심에 불타다.
불탄일 (佛誕日) [불타닐] ⇨석가탄신일.
불통 (不通) 교통·통신 따위가 통하지 않음. 예며칠째 소식이 불통이다 / 전화가 불통이다. **—하다.**
불투명 (不透明) 1 투명하지 않음. 예불투명한 유리 / 불투명 렌즈. 2 말·태도 따위가 분명하지 않음. 예불투명한 태도. **—하다.**
불특정 (不特定) [불특쩡] 특별히 정하지 않음. 예불특정 다수를 겨냥한 선전.
불티 타는 불에서 튀는 작은 불똥. 예불티가 여기저기 튀다.
불티나다 물건이 금방 팔리거나 없어지다. 예신학기가 되자 참고서가 불티나게 팔렸다.
*__불편__ (不便) 1 편리하지 못하고 거북스러움. 예교통이 불편하다. 반편리. 2 병으로 몸이 편하지 못함. 예다리가 불편해서 잘 걷지 못한다. 반편안. **—하다. —스럽다.**
*__불평__ (不平) 마음에 들지 않아서 불만스럽게 생각함. 예일은 하지 않고 불평만 하다. 비불만. **—하다.**
불평등 (不平等) 평등하지 않음. 예불평등한 대우를 받다. **—하다.**
불필요 (不必要) [불피료] 필요하지 않음. 예불필요한 지출을 줄이다. 반필요. **—하다.**
불한당 (不汗黨) 1 떼를 지어 돌아다니는 강도. 2 떼 지어 다니며 행패부리는 무리. 예불한당 같은 녀석.
불합격 (不合格) [불합껵] 1 어떤 기준에 맞지 않음. 예불합격 판정을 받다. 2 시험 따위에 떨어짐. 예대학에 불합격하다. 반합격. **—하다.**
불합리 (不合理) [불함니] 도리에 맞지 않음. 예불합리한 제도. 반합리. **—하다.**
*__불행__ (不幸) 1 행복하지 못함. 예불행한 사람. 2 운수가 나빠 순조롭지 못함. 예불행하게도 시험에 또 낙방했다. 반다행. 행복. **—하다. —히.**
불허 (不許) 허락하지 아니함. 예예측을 불허하다 / 미성년자 관람을 불허하다. **—하다.**
불현듯이 [불현드시] 갑자기 생각이 치밀어서 걷잡을 수 없게. 예불현듯이 옛 친구 생각이 났다.
불협화음 (不協和音) [불혀퐈음] 1 둘 이상의 음이 동시에 날 때, 서로 어울리지 않아 불안정한 감을 주는 화음. 2 서로 뜻이 맞지 않아서 일어나는 충돌. 예불협화음이 생기다.
불호령 (–號令) 몹시 화를 내며 큰 소리로 꾸짖는 일. 예아버지의 불호령이 떨어지다.
불혹 (不惑) 나이 마흔 살을 일컫는 말. 예불혹을 넘기다 / 불혹의 나이에 대학을 졸업하다.
불화 (不和) 화목하지 못함. 서로 사이가 좋지 못함. 예불화를 해소하다 / 화목한 가정에 불화는 없다. 반화목. 화합. **—하다.**
불화살 화살 끝에 불을 붙여 쏘는 화살.
불확실 (不確實) [불확씰] 확실하지 않음. 사실과 다름. 예불확실한 정보. 반확실. **—하다.**
불확정 (不確定) [불확쩡] 확실히 결정하지 못함. 반확정. **—하다.**
불황 (不況) 경기가 좋지 못함. 비불경기. 반호황.
불효 (不孝) 효도하지 않음. 어버이를 잘 섬기지 않음. 예불효를 저지르다 / 불효보다 더 큰 죄는 없다. 반효도. **—하다.**
불효막심하다 (不孝莫甚–) [불효막씸하다] 불효를 크게 저지르다.

㉠불효막심한 자식.
불효자 (不孝子) 불효한 자식. ㉠불효자를 용서하세요.
불후 (不朽) 영원히 변하거나 없어지지 않음. ㉠불후의 명작을 남기다. **—하다.**
***붉다** [북따] 빛이 핏빛과 같다. 또는 그와 같이 되다. ㉠나뭇잎이 붉게 물들었다. 활용 붉고[불꼬] / 붉은[불근] / 붉지[북찌].
붉디붉다 [북띠북따] 아주 진하게 붉다. ㉠붉디붉은 입술.
붉어지다 [불거지다] 빛이 점점 붉게 되어 가다. ㉠고추가 붉어지다 / 수줍어 얼굴이 붉어지다.
붉으락푸르락 [불그락푸르락] 성이 나거나 흥분하여 얼굴빛이 붉었다 푸르렀다 하는 모양. **—하다.**

> 참고 의미가 똑같은 형태가 몇 가지 있을 경우, 그중 어느 하나가 널리 쓰이면, 그 단어만을 표준어로 삼는다.
> ㉠ { 들락날락(○) / 오락가락(○) } { 나락들락(×) / 가락오락(×) }
> { 붉으락푸르락(○) / 푸르락붉으락(×) }

붉은빛 [불근빋] 핏빛과 같은 빛깔. ㉠붉은빛을 띠다.
붉은색 (—色) [불근색] 핏빛과 같은 색. ㉠붉은색의 천.
붉히다 [불키다] 성이 나거나 부끄러워 얼굴을 붉게 하다. ㉠낯을 붉히다.
붐 (boom) 어떤 일이 대단한 인기를 끌고 갑자기 크게 유행하는 일. ㉠고층 아파트 붐이 일다.
붐비다 사람들이 들끓어 혼잡하다. ㉠버스 안이 붐비다.
***붓** [붇] **1** 가는 대 끝에 털을 꽂아서 글씨를 쓰거나 그림을 그리는 물건. 비 모필. **2** 연필·만년필 따위의 쓰는 도구를 통틀어 일컫는 말. ㉠붓 가는 대로 글을 쓰다.
붓글씨 [붇끌씨] 붓으로 먹을 찍어 한지 따위에 쓴 글씨. ㉠붓글씨를 쓰다.
붓꽃 [붇꼳] 붓꽃과의 여러해살이 풀. 산·들에 나는데 줄기는 곧고 높이 60 cm가량, 잎은 긴 칼 모양임. 초여름에 푸른빛이 도는 짙은 자주색 꽃이 핌.
***붓:다**[1] [붇따] **1** 살가죽이 부풀어 오르다. ㉠울어서 눈이 붓다 / 잇몸이 부어 오르다. **2** 성이 나다. ㉠왜 그렇게 잔뜩 부어 있니. 활용 부어 / 부으니 / 붓는. →붇다 주의
***붓:다**[2] [붇따] **1** 액체나 가루 따위를 쏟아 담다. ㉠독에 물을 붓다. **2** 적금·이자 따위를 일정한 기간마다 내다. ㉠은행에 적금을 붓다. 활용 부어 / 부으니 / 붓는.
붓두껍 [붇뚜껍] 붓의 촉에 끼우는 뚜껑.
붕 공중에 떠오르거나 가슴이 뿌듯하게 느껴지는 모양. ㉠공중에 붕 뜨는 기분이었다.
붕괴 (崩壞) 허물어져 무너짐. ㉠지진으로 건물이 붕괴되다. **—하다.**
붕대 (繃帶) 종기나 상처를 감는 데 쓰는, 좁고 길게 만 헝겊이나 가제 따위.
붕붕 **1** 비행기나 큰 곤충 따위가 계속 날 때 나는 소리. ㉠말벌이 붕붕 날다. **2** 자동차·배 등에서 계속 울리는 경적 소리. 센 뿡뿡.
붕산 (硼酸) 색·냄새가 없고 투명하며 더운물이나 알코올에 녹는 비늘 모양의 결정. 방부제·소독제 따위에 쓰임.
***붕:어** 잉엇과의 작은 민물고기. 개울·못에 사는데 길이는 10–15 cm. 몸의 폭이 넓고 머리는 뾰족하며, 주둥이는 둥글고 수염이 없음.
붕우유신 (朋友有信) 오륜의 하

나. 친구 사이에는 믿음이 있어야 한다는 뜻.

***붙다** [붇따] **1** 맞닿아 떨어지지 않다. ㉠머리에 검불이 붙다. **2** 서로 가까이 마주 닿다. ㉠벽에 붙어 있는 침대. **3** 생활을 남에게 기대다. ㉠매형한테 붙어 산다. **4** 아주 밀접하게 사귀다. ㉠늘 붙어 다니는 두 사람. **5** 불이 옮아서 타다. ㉠옆집에까지 불이 붙었다. **6** 시험 따위에 뽑히다. ㉠입사 시험에 붙다. **7** 더 늘다. 또는 덧붙다. ㉠영어 실력이 붙다 / 이자가 붙다. **8** 새로운 상태나 현상 또는 감정이 생기다. ㉠살이 붙다 / 정이 붙다. **9** 어떤 장소에 오래 머물다. ㉠집에 붙어 있을 새가 없다. →붙다 주의

***붙들다** [붇뜰다] **1** 꽉 쥐다. ㉠손목을 붙들다. **2** 달아나는 것을 잡다. ㉠도둑을 붙들다. **3** 가지 못하게 말리다. ㉠붙들고 안 놔주다. 활용 붙들어 / 붙드니 / 붙드는.

붙들리다 [붇뜰리다] 붙듦을 당하다. ㉠청소 안 하고 도망가다가 선생님한테 붙들렸다.

붙박이 [붇빠기] 한곳에 고정되어 움직이지 않게 된 사물. ㉠붙박이 책장.

붙박이다 [붇빠기다] 한곳에 꽉 박혀 있어 움직이지 않다.

붙박이장 (—欌) [붇빠기장] 이동시킬 수 없게 벽에 붙여 만든 장.

-붙이 [부치] **1** 가까운 사람. ㉠일가붙이 / 피붙이. **2** 어떤 물건에 속하는 같은 종류. ㉠쇠붙이.

***붙이다** [부치다] **1** 서로 맞닿아서 떨어지지 않게 하다. ㉠봉투에 우표를 붙이다. **2** 습관·취미 따위가 몸에 익숙해지다. ㉠독서에 취미를 붙이다. **3** 남의 뺨을 손바닥으로 때리다. ㉠따귀를 한 대 붙이다. **4** 말을 걸다. ㉠전학 온 친구에게 말을 붙

> [학습마당] 12
>
> **'붙이다' 와 '부치다'**
>
> **붙이다** 1 붙게 하다. ㉠포스터를 붙이다.
> 2 서로 맞닿게 하다. ㉠찬장을 벽에 붙이다.
> 3 두 편의 관계를 맺게 하다. ㉠흥정을 붙이다.
> 4 암컷과 수컷을 교합시키다. ㉠접을 붙이다.
> 5 불이 옮아서 타게 하다. ㉠불을 붙이다.
> 6 노름·싸움 따위를 어울리게 만들다. ㉠싸움을 붙이다.
> 7 딸려 붙게 하다. ㉠경호원을 붙이다.
> 8 습관이나 취미 등이 익숙해지게 하다. ㉠습관을 붙이다.
> 9 이름을 가지게 하다. ㉠별명을 붙이다.
> 10 뺨이나 볼기를 손으로 때리다. ㉠한 대 올려 붙이다.
>
> **부치다** 1 힘이 미치지 못하다. ㉠힘에 부치는 일.
> 2 부채 등을 흔들어 바람을 일으키다. ㉠부채로 부치다.
> 3 편지나 물건을 보내다. ㉠편지를 부치다.
> 4 논밭을 다루어서 농사를 짓다. ㉠남의 논을 부치다.
> 5 번철에 기름을 바르고 누름적 따위를 익혀 만들다. ㉠저냐를 부치다.
> 6 어떤 문제를 의논 대상으로 내놓다. ㉠토의에 부치다.
> 7 원고를 인쇄에 넘기다. ㉠인쇄에 부치다.
> 8 몸이나 식사 등을 의탁하다. ㉠삼촌댁에 몸을 부치고 있다.

이다. →[학습마당] 12(533쪽)

붙임성 (—性) [부침썽] 남과 잘 사귀는 성질. ㉠붙임성이 좋은 학생.

붙임줄 [부침쭐] 악보에서, 높이가 같은 두 음을 이은 줄. 한 음으로 여겨 끊지 않고 이어서 연주하라는 뜻임. '⌒'로 나타냄. 타이.

*__붙잡다__ [붇짭따] **1** 붙들어 쥐다. ㉠소매를 붙잡다. **2** 달아나지 못하게 잡다. ㉠꼭 붙잡고 놓지 않다. **3** 가지 못하게 말리다. ㉠붙잡는 친구를 뿌리치고 왔다. 비 붙들다. 준 잡다.

붙잡히다 [붇짜피다] 붙들려서 잡히다. ㉠도둑질을 하다가 경찰에 붙잡혔다. 준 잡히다.

뷔페 (프 buffet) 여러 가지 음식을 큰 식탁에 차려 놓고 손님이 원하는 대로 덜어 먹게 된 식당. 또는 그렇게 차려진 음식.

뷰렛 (burette) 눈금이 그려진 유리관으로, 액체의 부피를 측정하는 데 쓰는 실험 기구.

브라보 (이 bravo) '잘한다, 좋다, 신난다' 등의 뜻으로 외치는 소리.

브라스 밴드 (brass band) 금속으로 된 관악기를 중심으로 이루어진 악대. 취주 악단. 관악대.

브라우저 (browser) 인터넷을 검색할 때, 문서나 영상 또는 음성 따위의 정보를 얻기 위해 사용하는 프로그램.

브라운관 (Braun管) 진공관의 한 가지. 전류의 강약의 변화를 빛의 강약으로 바꾸는 작용을 하며, 레이더·텔레비전 따위에 이용됨.

브라질 (Brazil) 〖국명〗 남아메리카에 있는 연방 공화국. 남아메리카에서 가장 넓은 나라로, 농업과 축산업이 발달했고 커피의 생산은 세계의 반 이상을 차지함. 수도는 브라질리아.

브람스 (Brahms, Johannes) 〖인명〗 독일의 작곡가. 교향곡·바이올린 협주곡·첼로 소나타·피아노곡 등의 많은 곡을 작곡했는데, 주로 서정적인 실내악이 특색임. [1833–1897]

브래지어 (brassiere) 가슴을 가리거나 가슴 모양을 예쁘게 하기 위해 입는 여성용 속옷.

브랜드 (brand) 생산 회사나 제품의 이름. 상표. ㉠유명 브랜드.

브러시 (brush) 솔 모양의 빗.

브레이크 (brake) 달리는 차나 움직이는 기계를 멈추게 하는 장치. 제동기. ㉠브레이크를 걸다.

브로마이드 (bromide) 배우·운동 선수 등의 초상 사진. ㉠잡지에 브로마이드를 끼워 팔다.

브로치 (brooch) 옷의 깃이나 앞가슴에 다는 장신구.

브리핑 (briefing) 요점을 간추린 간단한 보고서. 또는 그런 보고. ㉠새로운 상품에 대한 브리핑을 하다.

브이아이피 (VIP) 아주 중요한 인물. 귀빈.

블라우스 (blouse) 여자나 아이들이 겉에 입는 셔츠 모양의 낙낙한 웃옷.

블라인드 (blind) 창에 달아 볕을 가리는 물건.

블랙박스 (black box) 비행 자료 기록 장치. 사고가 났을 때 그 원인을 밝히는 데 중요한 구실을 함. ㉠블랙박스를 찾았으니 사고의 의문이 풀릴 것이다.

블랙홀 (black hole) 빛이나 물체 따위가 거기에 들어가면 탈출할 수 없다는 우주 구멍.

블로킹 (blocking) **1** 농구에서, 공을 갖지 않은 상대의 진행을 방해하는 일. ㉠블로킹에 막히다. **2** 권투에서, 상대의 공격을 방어하는 일. **3** 배구에서, 네트 앞에서 상대편의 스파이크를 막는 일. **—하다.**

블록 (block) **1** 길에 깔거나 벽 따

위를 쌓는 데 쓰는, 벽돌 모양의 콘크리트 덩어리. **2** 시가지의 한 구획. ㉖두 블록을 지나면 소방서가 나옵니다.

블루스 (blues) 2박자 또는 4박자의 슬픈 가락을 띤 무용 가곡. 또는 그에 맞춰 추는 춤.

블루진 (blue jeans) 푸른 빛깔의 질기고 두터운 무명으로 만든 옷. 청바지.

*__비__[1] 대기 중의 수증기가 높은 곳에서 찬 공기를 만나 엉겨 맺혀서 땅으로 떨어지는 물방울. ㉖**비**가 그치다 / 하루 종일 **비**가 내린다. → [학습마당] 13(아래) ➲ rain

*__비__[2] 먼지나 쓰레기를 쓸어 내는 도구. ㉖**비**로 마당을 쓸다. 비 빗자루.

비ː[3] (比) 두 개 이상의 수량을 서로 비교해 몇 배인가를 나타내는 관계. 흔히 ': '를 써서 그 관계를 나타냄. 참고 3:2, 5:3 따위.

비[4] (碑) 사건이나 업적 따위를 기념하기 위하여 돌·쇠붙이·나무 따위에 글을 새기어 세워 놓은 물건. ㉖**비**를 세워 공덕을 기리다.

비ː- (非) 어떤 말의 앞에 붙어, '그렇지 않다'의 뜻을 나타내는 말. ㉖**비**과학적 / **비**논리적 / **비**능률적 / **비**생산적.

-비 (費) '무엇을 하는 데 드는 돈'의 뜻. ㉖교통**비** / 생활**비**.

비ː겁하다 (卑怯―) [비거파다] 하는 짓이 당당하지 못하고 겁이 많다. ㉖**비겁**한 행동. 비 비굴하다. 비열하다. 반 용감하다.

비격진천뢰 (飛擊震天雷) [비격찐철뢰] 조선 선조 때 이장손이 발명한 폭탄. 임진왜란 때 사용되어 큰 성과를 올림.

비ː결 (祕訣) 남이 알지 못하는 자기만의 뛰어난 방법. ㉖성공의 **비결**. 비 비법.

비ː경 (祕境) **1** 신비스러운 곳. ㉖설악산의 **비경**. **2** 남이 모르는 장소. ㉖**비경**을 찾아 나서다.

비계 [―/비게] 짐승, 특히 돼지의 가죽 안쪽에 붙은 허연 기름 조각.

비ː고 (備考) 문서 따위에서, 그 내용에 참고가 될 만한 사항을 보충하여 적는 것. 또는 그 사항.

비ː공개 (非公開) 공개하지 않음. 드러내지 않음. ㉖**비공개** 회의 / 일이 **비공개**로 진행되다.

비ː공식 (非公式) 공적이 아니고 사사로운 방식. ㉖**비공식** 방문 / **비공식** 회담.

비ː관 (悲觀) **1** 인생을 슬프게만 생각하고 실망함. ㉖세상을 **비관**하다. **2** 앞으로의 일이 잘 안될 것이라고 봄. ㉖**비관**만 하지 말고 용기를 내라. 반 낙관[2]. **―하다.**

*__비ː교__ (比較) 둘이나 그 이상의 것을 견주어 살펴보는 일. ㉖다른 것과 **비교**해 보다. **―하다.**

[학습마당] 13

비의 종류

장대비 굵은 빗발의 비가 쉴 새 없이 세차게 내리는 비.
소나기 갑자기 세차게 쏟아지다가 곧 그치는 비.
가랑비 가늘지만 빗줄기가 보이는 비.
보슬비 바람 없이 조용히 내리는 가랑비.
이슬비 는개보다 굵고 가랑비보다 가는 비.
는개 안개비보다 굵고 이슬비보다 가는 비.
안개비 빗줄기가 안 보이고 안개처럼 가늘게 내리는 비.

주의 비교와 대조

비교 둘 또는 그 이상의 사물을 서로 견주어서 공통점이나 유사점을 밝혀내는 방식.
㉥소나무나 잣나무는 다 같이 상록 침엽수이며 생김새도 비슷하다.

대조 두 사물의 차이점을 밝혀내는 방식.
㉥소나무는 잎이 두 가닥이며 노란꽃이 피는데, 잣나무의 잎은 다섯 가닥이며 담녹색 꽃이 핀다.

***비:교적** (比較的) 보통 정도보다는 꽤. ㉥오늘 시험은 비교적 쉬웠다.

비:구 (比丘) 절로 들어가 머리를 깎은 남자 승려. ㉤비구니.

비:구니 (比丘尼) 절로 들어가 머리를 깎은 여자 승려. ㉥여승. ㉤비구.

비구름 비를 머금은 검은 구름.

비:굴하다 (卑屈—) 용기가 없고 당당하지 않다. ㉥비굴한 태도. ㉥비겁하다.

비:극 (悲劇) **1** 매우 비참한 사건. ㉥전쟁은 인류의 비극이다. ㉥참극. **2** 슬픔으로 끝맺는 극. ㉥비극 영화. ㉤희극.

비:극적 (悲劇的) [비극쩍] 비극의 상태를 나타내는 (것). 비극의 성질을 지닌 (것). ㉥사건은 비극적으로 끝을 맺었다.

비:근하다 (卑近—) 우리 주변에 흔하게 있고 손쉽게 대할 정도로 가깝다. ㉥비근한 예를 들다.

비:금속 (非金屬) 금속의 성질을 가지지 않은 물질.

비:금속 원소 (非金屬元素) [비금소권소] 산소·질소·염소·탄소 따위와 같이 금속의 성질이 없는 원소를 통틀어 일컫는 말.

비기다[1] 내기나 경기에서 지고 이김을 가려내지 못하다. ㉥일 대 일로 비기다. ㉦빅다.

비기다[2] 서로 견주어 보다. ㉥어버이의 사랑은 무엇과도 비길 수 없다.

비:꼬다 **1** 노끈 따위를 비틀어 꼬다. ㉥짚으로 새끼를 비꼬다. **2** 바로 말하지 않고 돌려서 말하다. 빈정대다. ㉥비꼬아 말하다.

비끄러매다 서로 떨어지지 않도록 붙잡아 매다. ㉥고삐를 기둥에 비끄러매다.

비끼다 **1** 비스듬히 놓이거나 늘어지다. ㉥칼을 비껴 차다. **2** 비스듬히 비치다. ㉥저녁노을 비낀 하늘이 아름답다.

비:난 (非難) 남의 잘못이나 흠 따위를 나무람. ㉥비난을 받다 / 비난을 퍼붓다. **—하다.**

비너스 (Venus) **1** 로마 신화에서, 아름다움과 사랑의 여신. 그리스 신화의 아프로디테에 해당함. **2** '금성'을 다르게 이르는 말.

비녀 여자의 쪽 찐 머리가 풀어지지 않도록 꽂는 물건. ㉥금비녀.

비:뇨기과 (泌尿器科) [비뇨기꽈] 오줌을 만들고 내보내는 몸의 기관에 관한 질병을 연구하고 치료하는 의학의 한 분야.

***비누** 때를 씻어 내는 물건. 물을 묻히어 문지르면 거품이 일. 화장 비누·세탁 비누 따위가 있음. ➡ soap

비누질 때를 씻기 위하여 비누로 문지름. **—하다.**

비눗물 [비눈물] 비누를 푼 물.

비늘 물고기나 뱀 따위의 몸을 덮고 있는 얇고 단단한 작은 조각. ㉥생선의 비늘을 벗기다.

비:능률적 (非能率的) [비능뉼쩍] 능률적이 아닌 (것). ㉥비능률적인 작업. ㉤능률적.

***비닐** (vinyl) 비닐 수지·비닐 섬유를 이용하여 만든 제품. 유리·가죽·천 따위의 대용품으로 씀. ㉥비닐 우산 / 비닐 장판.

비닐하우스 (vinyl house) 꽃이나 채소를 추위로부터 보호하고 제철이 아닌 때에 가꾸기 위하여 비닐로 만든 온상. 비닐 온상.

〈비닐하우스〉

*__비:다__ **1** 일정한 공간에 사람·사물 따위가 없게 되다. ㉠빈 병 / 텅 빈 교실. **2** 자리를 차지하고 있던 것이 없어지다. ㉠부회장 자리가 **비다**. **3** 할 일이 없거나 일이 끝나 시간이 남다. ㉠오후에는 시간이 **빈다**. **4** 어떤 수량에 얼마가 모자라게 되다. ㉠10만 원에서 천 원이 **빈다**.

비단[1] (非但) '아니다, 못하다' 따위 부정하는 말 앞에서 '다만', '오직'의 뜻으로 쓰는 말. ㉠이 일은 **비단** 학생들만의 잘못이 아니다.

*__비:단__[2] (緋緞) 명주실로 광택이 나게 짠 보드랍고 고운 옷감을 통틀어 일컫는 말. ➡ silk

비:단결 (緋緞—) [비단껼] **1** 비단의 거죽에 나타나는 올의 짜임새. **2** 매우 곱고 부드러운 상태. ㉠살결이 **비단결**이다.

비:단길 (緋緞—) [비단낄] ⇨실크로드.

비:단실 (緋緞—) 누에고치에서 뽑은 실.

비:단옷 (緋緞—) [비다녿] 비단으로 지은 옷.

비:대 (肥大) 살이 쪄서 몸집이 크고 뚱뚱함. ㉠운동을 하니 **비대**한 몸이 어느새 홀쭉해졌다. **—하다.**

*__비둘기__ 비둘깃과에 속하는 새. 날개가 발달하여 멀리까지 날 수 있고 성질이 온순하여 길들이기 쉬우며, 집을 잘 찾아와 통신에 이용함. 평화를 상징하는 새임. ➡ pigeon

〈비둘기〉

비듬 머리의 살가죽에 생겨 떨어지는 흰 비늘.

비:등 (沸騰) **1** 액체가 끓어오름. **2** 물이 끓듯 떠들썩하게 일어남. ㉠여론의 **비등**. **—하다.**

비:등점 (沸騰點) [비등쩜] ⇨끓는점. 반 빙점.

비:등하다 (比等—) 비교해 보았을 때 서로 비슷하다. ㉠두 사람의 체격이 **비등하다**.

비디오 (video) **1** 시각에 관계가 있는 것. 특히, 텔레비전에서 화면이 나오는 부분을 말함. 반 오디오. **2** 전자식 녹음의 원리에 따라 소리와 영상을 테이프에 기록 재생하는 장치. 비 브이티아르. 본 비디오테이프리코더.

비디오 게임 (video game) 텔레비전 화면이나 컴퓨터 화면 등의 스크린을 사용해서 하는 게임. 전자오락.

비디오테이프 (video tape) 영상이나 소리를 기록하고 재생하는 자기테이프.

비디오테이프리코더 (video tape recorder) ⇨비디오.

비딱하다 [비따카다] 한쪽으로 비스듬히 기울어져 있다. ㉠자세가 **비딱하다** / **비딱하게** 쳐다보다. 작 배딱하다. 센 삐딱하다.

비뚜로 바르지 않게. 비뚤어지게. 반 바로. 작 배뚜로. 센 삐뚜로.

비뚜름하다 한쪽으로 조금 비뚤어져 있다. 작 배뚜름하다. 센 삐뚜름하다.

비뚤거리다 **1** 이리저리 자꾸 기울며 흔들거리다. 또는 그렇게 하다. **2** 곧지 못하고 이리저리 자꾸 구부러지다. 작 배뚤거리다. 센 삐뚤거리다.

비뚤다 **1** 바르지 않고 한쪽으로 기울어져 있다. **2** 마음이 바르지 못하고 꼬여 있다. 작 배뚤다. 센 삐뚤다. 활용 비뚤어 / 비뚜니 / 비뚠.
비뚤대다 ⇨비뚤거리다.
비뚤비뚤 비뚤거리는 모양. 예 글씨가 비뚤비뚤 엉망이다. **—하다.**
비뚤어지다 [비뚜러지다] **1** 반듯하지 않고 한쪽으로 기울어지다. 예 액자가 비뚤어지다. **2** 마음·성격 등이 바르지 않다. 예 비뚤어진 성격. 작 배뚤어지다. 센 삐뚤어지다.
비렁뱅이 '거지'의 낮춤말.
비:련 (悲戀) 이루어지지 못하고 비극으로 끝나는 사랑. 예 비련의 여주인공 / 비련에 울다.
비:례 (比例) **1** 예를 들어 견주어 봄. **2** 두 개의 수나 양의 비율이 다른 두 개의 수나 양의 비율과 같은 일. **3** 두 개의 수나 양이 한쪽이 2배, 3배 따위로 변함에 따라 다른 쪽도 그렇게 변하는 일. **—하다.**
비:례 배:분 (比例配分) 일정한 수량을 일정한 비율에 따라 나누는 셈법.
비:례 상수 (比例常數) 변화하는 두 수나 양이 비례할 때의 그 비의 값. 또는 반비례할 때의 그 곱의 값.
비:례식 (比例式) 두 개의 비가 같음을 나타내는 식. 즉 $a:b=c:d$와 같은 식.
비:로봉 (毘盧峰) 금강산에서 가장 높고 아름다운 산봉우리로 내금강에 속함. 높이는 1,638 m.
*__비로소__ 처음으로. 예 이제야 비로소 네 마음을 알았다.
*__비록__ 아무리 그렇다 할지라도. 예 비록 나이는 어리지만 속은 어른 못지않다.
비롯되다 [비롣뙤다] 처음으로 시작되다. 예 오해는 나의 작은 실수에서 비롯되었다.
*__비롯하다__ [비로타다] **1** 처음으로 시작하다. 예 이 풍속은 신라 초에 비롯하였다. **2** 여럿을 차례로 말할 때 그중 어느 것을 처음으로 삼다. 예 선생님을 비롯하여 많은 친구들이 왔었다.
*__비:료__ (肥料) 농작물 따위가 잘 자라도록 흙에 뿌려 주는 영양 물질. 화학 비료와 퇴비 등이 있음. 예 밭에 비료를 뿌리다. 비 거름.
비:리 (非理) 도리나 이치에 어그러짐. 예 비리를 저지르다.
비리다 **1** 물고기·날콩·동물의 피에서 나는 냄새나 맛과 같다. 예 비린 생선. **2** 너무 적어서 마음에 차지 않다. **3** 하는 짓이 좀스러워 아니꼽다. 작 배리다.
비리비리 비틀어지도록 몸이 약하고 여윈 모양. 작 배리배리. **—하다.**
비린내 비린 냄새. 예 바닷바람이 비린내를 풍겼다.
비릿하다 [비리타다] 조금 비린 듯하다. 예 비릿한 생선 냄새가 온 집안에 진동한다. 작 배릿하다.
비:만 (肥滿) 몸에 살이 많이 쪄서 뚱뚱함. 예 비만 아동. **—하다.**
비:만증 (肥滿症) [비만쯩] 지방질이 많아 몸이 뚱뚱해지고 동작이 둔해지는 병.
비:망록 (備忘錄) [비망녹] 잊어버리지 않으려고 적어 두는 책자.
비:매품 (非賣品) 팔지 않는 물품. 돈으로 거래되지 않는 물건. 반 판매품.
비:명[1] (悲鳴) 몹시 위험하거나 무서울 때에 지르는 외마디 소리. 예 비명에 놀라다 / 비명을 지르다.
비:명[2] (非命) 제명대로 다 살지 못하고 죽음. 예 그는 교통사고로 비명에 갔다. 반 천명.
비:몽사몽 (非夢似夢) 깊이 잠들지도 깨지도 않은 어렴풋한 상태. 예 비몽사몽 속을 헤매다.
비:무장 지대 (非武裝地帶) **1** 무장을 하지 아니한 지대. **2** 우리나라에서, 155 마일의 휴전선을 중심으

로 남북 각각 2 km 안쪽의 지역.

비문 (碑文) 비석에 새긴 글.

*__비:밀__ (祕密) 남이 알지 못하도록 숨김. 또는 숨기고 있는 일. ㉠비밀이 새다. 비 기밀. 반 공개. **—하다. —히. —스럽다.** ➲ secret

비:밀리 (祕密裡) 남에게 비밀로 하는 가운데. ㉠**비밀리**에 만나다.

비:밀 선:거 (祕密選擧) 자기가 누구에게 투표하였는지 남이 알 수 없게 비밀히 하는 선거. 투표용지에 투표자의 성명을 쓰지 않음. 반 공개 선거.

비바람 **1** 비와 바람. **2** 비가 내리면서 부는 바람.

비방[1] (誹謗) 남을 헐뜯어 말함. ㉠친구를 **비방**하다. **—하다.**

비:방[2] (祕方) **1** 비밀한 방법. ㉠**비방**을 쓰다. 비 비법. **2** 세상에 알려지지 않은 약의 처방. ㉠**비방**약.

비:범하다 (非凡—) 보통이 아니고 매우 뛰어나다. ㉠**비범**한 솜씨를 발휘하다. 반 평범하다.

비:법 (祕法) [비뻡] ⇨비방²1. ㉠**비법**을 전수하다.

비:보 (悲報) 슬픈 소식. ㉠할머니께서 돌아가셨다는 **비보**를 듣다.

비:분 (悲憤) 슬프고 분함. ㉠**비분**에 찬 목소리. **—하다.**

비비 여러 번 꼬이거나 뒤틀린 모양. ㉠몸을 **비비** 틀다 / 일이 자꾸 **비비** 꼬인다. 작 배배.

*__비비다__ **1** 두 개의 물건을 맞대어 문지르다. ㉠두 손을 **비비다**. **2** 어떤 재료에 다른 재료를 넣고 섞이도록 버무리다. ㉠나물을 넣고 밥을 **비비다**. ×부비다

비빔밥 [비빔빱] 고기·채소 따위를 섞고 갖은 양념을 하여 비빈 밥.

비:상 (非常) **1** 뜻밖의 긴급 사태. 또는 이에 대응하기 위하여 신속히 내려지는 명령. ㉠**비상**이 걸리다. **2** 평범하지 않음. ㉠**비상**한 머리 / 재주가 **비상**하다. **—하다. —히.**

비:상구 (非常口) 위급한 일이 생겼을 때 급히 피하기 위해 마련한 출입구.

비:상금 (非常金) 뜻밖의 일이 생겼을 때 쓰기 위하여 마련하여 둔 돈. ㉠만일에 대비해 **비상금**을 챙겨 두어라.

비:상사태 (非常事態) 대규모의 재해나 소요처럼 긴급한 사태.

비:상시 (非常時) 뜻밖의 긴급한 사태가 일어난 때. ㉠**비상시**에 대비해 안전 훈련을 하다. 반 평상시.

비:색 (翡色) 고려청자의 빛깔과 같은 푸른 빛깔.

비:서 (祕書) 중요한 직위에 있는 사람에게 딸리어 기밀문서나 용무 따위를 맡아보는 직무. 또는 그 직위에 있는 사람.

*__비석__ (碑石) 돌로 만든 비. 죽은 사람의 공적이나 내력 따위를 적어 무덤 앞에 세움. 비 빗돌.

비선대 (飛仙臺) 설악산의 외설악에 있는 큰 바위. 경치가 아름답기로 유명함.

비:속 (卑屬) 혈연관계에서 자기보다 항렬이 아래인 친족.

비:수 (匕首) 날이 예리하고 짧은 칼. ㉠**비수**를 던지다 / **비수**를 꽂다.

비:수기 (非需期) 어떤 물건이 잘 팔리지 않는 때. 반 성수기.

비스듬하다 조금 기울어져 있다. 작 배스듬하다.

비스듬히 비스듬하게.

비스킷 (biscuit) 양과자의 한 가지. 밀가루에 설탕·버터·우유 따위를 섞어 구움.

비슷비슷하다 [비슫삐스타다] 여럿이 다 비슷하다.

비슷이 [비스시] 비슷하게.

*__비슷하다__[1] [비스타다] 거의 같다. ㉠생김새가 **비슷하다**.

비슷하다[2] [비스타다] 한쪽으로 조

금 기울어져 있다. 작 배슷하다.
비시 (BC) 서력 기원전. 반 에이디(AD).
비실비실 힘이 없어 비틀거리는 모양. 예비실비실 걷다. **—하다.**
***비싸다** 상품의 값이 정도에 지나치게 높다. 반 싸다. ➲ expensive
비아냥거리다 얄밉게 빈정거리다. 예그의 얼굴에 **비아냥거리**는 듯한 미소가 살짝 어리었다.
비아냥대다 ⇨비아냥거리다.
비ː애 (悲哀) 슬프고 서러움.
비약 (飛躍) **1** 높이 뛰어오름. **2** 빠른 속도로 발전하거나 나아짐. 예경제가 **비약**적으로 발전하다. **3** 일의 단계나 순서를 밟지 않고 나아감. 예논리의 **비약**. **—하다.**
비엔날레 (이 biennale) 2년마다 열리는 국제적 미술 전람회.
비ː열하다 (卑〔鄙〕劣—) 성품과 행실이 못나고 어리석으며 지저분하다. 예**비열**한 근성.
비ː염 (鼻炎) 코의 점막에 생기는 염증.
비ː옥하다 (肥沃—) [비오카다] 땅이 걸고 기름지다.
비올라 (이 viola) 바이올린보다 조금 큰, 줄이 4개 있는 현악기. 바이올린과 첼로의 중간 악기로, 차분한 소리를 냄.

〈비올라〉

비옷 [비옫] 비에 젖지 않도록 옷 위에 덧입는 옷. 레인코트.
***비ː용** (費用) 물건을 사거나 어떤 일을 하는 데 드는 돈. 예**비용**이 들다 / **비용**을 절약하다.
비우다 **1** 안의 것을 치우거나 쏟거나 먹어서 없애다. 예밥그릇을 **비우**다. **2** 밖으로 나가서 집이나 방에 아무도 없게 하다. 예집을 **비우**다. **3** 욕심을 버리다. 예마음을 **비우**다.
비ː운 (悲運) 슬픈 운명.
비ː웃다 [비욷따] 업신여기는 태도로 웃다. 빈정거리며 웃다.
비ː웃음 [비우슴] 비웃는 일. 또는 그렇게 웃는 웃음. 예**비웃음**을 사다. 비 조소.
비ː원 (祕苑) 서울 창덕궁 안에 있는 정원.
비ː위¹ (非違) 법에 어긋남. 또는 그 일. 예**비위**를 저지르다 / **비위** 사실이 드러나다.
비ː위² (脾胃) **1** 음식의 맛이나 사물에 대해 좋고 나쁨을 분간하는 기분. 예음식이 **비위**에 안 맞는다. **2** 아니꼽고 싫은 일을 잘 견디는 힘. 예**비위** 좋은 사람.
비위(가) 상하다 ㉠비위가 뒤집혀 금시 게울 듯하여지다. ㉡마음에 맞지 아니하여 아니꼽고 속이 상하다.
비위(를) 거스르다 비위가 상하게 하다.
비위(를) 맞추다 남의 마음에 맞도록 하여 주다.
비위(에) 거슬리다 남의 하는 짓이 마음에 언짢다.
비ː위생적 (非衛生的) 위생에 좋지 않은 (것). 반 위생적.
비ː유 (比喩) 사물을 설명할 때 그와 비슷한 다른 사물을 빌려 표현하는 일. 예**비유**를 들다. **—하다.**
비ː유법 (比喩法) [비유뻡] 어떤 것을 알기 쉬운 다른 것에 빗대어서 표현하는 방법의 하나. 직유법·은유법 등이 있음.
비ː유적 (比喩的) 어떤 현상이나 사물을 빗대어 나타내는 (것). 예**비유적**인 표현.
***비ː율** (比率) 어떤 수나 양에 대한 다른 수나 양의 비. 예대학 합격자 **비율**이 높다. 준 율.
비ː음 (鼻音) 입 안의 통로를 막고 코로 공기를 내보내면서 내는 소리.

ㄴ·ㅁ·ㅇ 따위.
비읍 한글의 자모 'ㅂ'의 이름.
비:인간적 (非人間的) 사람답지 못한 (것). ㉢비인간적 행위.
비:인도적 (非人道的) 사람이 지켜야 할 도리에 어긋나는 (것). ㉢비인도적 범죄.
비:일비:재 (非一非再) 같은 일이 한두 번이나 한둘이 아니고 많음. ㉢내 짝이 결석하는 일은 **비일비재**하다 / 세상에 그런 일은 **비일비재**로 있다. **—하다.**
비자 (visa) 외국인이 입국하는 것을 허락하는 증명서. 입국 사증.
비:장[1] (祕藏) 남이 모르게 숨겨서 소중히 간직함. ㉢**비장**의 무기 / **비장**의 솜씨를 발휘하다.
비:장[2] (脾臟) 내장의 하나. 위의 뒤쪽에 있으며 백혈구를 만들거나 쓸모없는 적혈구를 없애는 일을 함. 비 지라.
비:장하다 (悲壯—) 슬프면서도 엄숙하고 씩씩하다. ㉢**비장한** 결심 / **비장한** 각오를 하다.
비:정 (非情) 사람으로서 따뜻한 정이 없음. ㉢**비정한** 사람. **—하다.**
비:정상 (非正常) 정상이 아님.
비제 (Bizet, Georges) 〖인명〗 프랑스의 작곡가. 이국적인 배경의 오페라 '카르멘'을 작곡하였으나 인정받지 못하다가, 그가 죽은 뒤에야 대성공을 거둠. [1838-1875]
비:좁다 [비좁따] 자리가 몹시 좁다. ㉢**비좁은** 골목길.
비죽[1] 물체의 끝이 조금 길게 내밀려 있는 모양. ㉢못이 **비죽** 튀어나오다.
비죽[2] **1** 남을 비웃거나 못마땅할 때 입을 쏙 내미는 모양. **2** 모습을 잠깐 슬쩍 나타내거나 내미는 모양.
비죽거리다 [비죽꺼리다] 비웃거나 울려고 할 때 소리 없이 입을 실룩거리다.

비:준 (批准) 외국과 맺은 조약을 국가 원수가 마지막으로 확인·동의하는 일. **—하다.**
비:중 (比重) **1** 어떤 물건의 무게를 그와 같은 부피의 4℃의 물의 무게와 비교한 비. **2** 다른 것과 비교하는 경우에 그것이 가지는 중요성. ㉢**비중**이 높다 / **비중**이 크다 / 면접에 **비중**을 두다.
비:중계 (比重計) [— / 비중게] 액체나 고체 등의 비중을 재는 기구.
비즈니스 (business) 사업.
비지 물에 불린 콩을 갈아 두부가 될 물을 짜내고 남은 찌꺼기.
비지땀 매우 힘든 일을 할 때에 쏟아지는 땀. ㉢**비지땀**을 흘리다.
비질 비로 바닥을 쓰는 일. ㉢**비질**을 끝내다. **—하다.**
비:집다 [비집따] **1** 붙은 곳을 벌려 틈을 내다. ㉢문을 **비집고** 들어오다. **2** 좁은 틈을 헤쳐서 넓히다. ㉢군중 속을 **비집고** 들어가다. **3** 눈을 비벼서 뜨다. ㉢아무리 눈을 **비집고** 찾아도 찾을 수 없다.
비쩍 몹시 마르고 여윈 모양.
비쭉거리다 [비쭉꺼리다] 불만이 있거나 울려고 할 때 소리 없이 입을 내밀고 실룩거리다.
비쭉비쭉 [비쭉삐쭉] 불만을 드러내거나 막 울려고 입술을 내밀고 소리 없이 실룩거리는 모양.
비:참 (悲慘) 더할 수 없이 슬프고 끔찍함. ㉢**비참한** 모습 / **비참한** 생활. **—하다. —히.**
비:천하다 (卑賤—) 지위나 신분이 낮고 천하다. ㉢**비천한** 집안 출신. 반 존귀하다.
***비추다** **1** 빛을 보내어 밝게 하다. ㉢손전등으로 얼굴을 **비추다**. **2** 거울이나 물 따위에 모습이 나타나게 하다. ㉢거울에 몸을 **비추다**. **3** 견주어 보다. ㉢양심에 **비추어** 보아 거리낌이 없다.

> 주의 **비추다**와 **비치다**
> **비추다** 목적어가 있는 문장에서 쓰인다.
> ㉠빛을 비추다(○)
> 빛을 비치다(×)
> **비치다** 목적어를 취하지 않는다.
> ㉠빛이 비치다(○)
> 빛이 비추다(×)

비:축 (備蓄) 만약의 경우를 위하여 미리 저축해 둠. ㉠군량미를 비축하다. **—하다.**

비:취 (翡翠) 짙은 푸른색의 윤이 나는 보석 구슬. 장신구나 장식품 등에 씀.

비:취색 (翡翠色) 비취의 빛깔과 같이 곱고 짙은 푸른색.

비:치 (備置) 마련하여 갖추어 둠. ㉠비치 도서 / 집에 구급약을 비치하다. **—하다.**

*__비치다__[1] **1** 환하게 되다. ㉠달빛이 환하게 비치다. **2** 빛이 반사하여 거울이나 수면에 모양이 나타나 보이다. ㉠거울 속에 비친 내 얼굴 / 강물에 달그림자가 비쳐 있다. **3** 가리운 물건이 투명하거나 얇아 속의 것이 드러나 보이다. ㉠살이 비치는 양말. →비추다 주의

비치다[2] 넌지시 조금 말하다. ㉠그만둘 뜻을 비치다.

비커 (beaker) 물을 따르기 편리하게 만든, 입이 달린 원통 모양의 실험용 유리그릇.

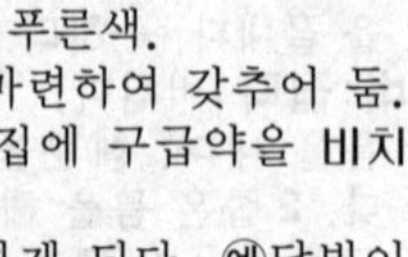

〈비커〉

비:켜나다 몸을 옮겨 다른 곳으로 물러나다. ㉠사이렌 소리에 차들이 옆으로 비켜났다.

비키니 (bikini) 아래위가 분리되어 브래지어와 팬티로 이루어진 수영복. ㉠올해는 비키니가 유행한다.

*__비:키다__ 무엇을 피하려고 있던 곳에서 약간 물러나다. ㉠차를 피해 길 한쪽으로 비키다.

*__비타민__ (vitamin) 동물이 살아가는 데에 필요한 영양소의 하나. 몸 안에서는 만들어지지 않고 음식물에서 얻음. 비타민 에이·비·시·디·이·케이 등 10여 종이 넘음.

비:탄 (悲嘆) 슬프게 탄식함. ㉠비탄에 빠지다 / 비탄에 잠기다 / 비탄에 젖다. **—하다.**

*__비탈__ 산이나 언덕의 비스듬하게 기울어진 곳. ㉠가파른 비탈.

비탈길 [비탈낄] 비탈진 언덕의 길. ㉠비탈길을 오르다.

비탈지다 땅이 매우 가파르게 기울어져 있다. ㉠비탈진 언덕길.

비:통 (悲痛) 몹시 슬퍼서 마음이 아픔. ㉠비통한 표정. **—하다. —히.**

비트 (bit) 정보량을 나타내는 최소 기본 단위. 0과 1 두 개의 값을 가지며, 이 비트가 모여서 숫자나 문자 등을 비롯한 모든 정보를 나타냄. *바이트.

비틀 힘이 없거나 어지러워 이리저리 쓰러질 듯한 모양. ㉠이리 비틀 저리 비틀. 작 배틀. **—하다.**

비틀거리다 이리저리 쓰러질 듯이 걷다. ㉠술에 취해 비틀거리다.

비틀걸음 [비틀거름] 비틀거리면서 걷는 걸음.

비:틀다 힘 있게 꼬면서 바싹 틀다. ㉠팔을 비틀다 / 철사를 비틀어 끊다. 작 배틀다. 활용 비틀어 / 비트니 / 비트는.

비틀대다 ⇨비틀거리다.

비:틀리다 비틂을 당하다. ㉠심하게 비틀린 철사. 작 배틀리다.

비파 (琵琶) 동양 현악기의 하나. 몸통이 길고 둥글며, 자루는 곧고 짧음. 4줄의 당비파와 5줄의 향비파가 있음. 중국을 거쳐 우리나라에 들어옴.

비ː판 (批判) 잘하고 잘못함을 따져 가리어 밝힘. ㉠**비판**적인 태도를 보이다. 비 비평. **—하다.**

비ː평 (批評) 사물의 좋음과 나쁨, 옳고 그름 등을 평가하여 논하는 일. ㉠신랄한 **비평**. 비 비판. **—하다.**

비ː평가 (批評家) 학설이나 작품 따위를 전문적으로 평가하는 사람. 비 평론가.

비ː포장도로 (非鋪裝道路) 포장되지 않은 도로.

비ː표준어 (非標準語) [비표주너] 표준어가 아닌 말. 사투리 따위.

비ː품 (備品) 건물이나 시설 따위에 갖추어 두는 물품. ㉠학교 **비품**.

비프스테이크 (beefsteak) 쇠고기를 적당한 두께로 썰어 소금과 후춧가루를 뿌려 구운 음식.

*__비ː하다__ (比—) 견주다. 비교하다. ㉠**비**할 데 없는 재능.

비ː합리 (非合理) [비함니] 이론이나 이치에 맞지 아니함. 비 불합리.

비ː합법 (非合法) [비합뻡] 법률이 정한 바에 맞지 아니한 일. ㉠**비합법**적 활동. 반 합법.

비ː행[1] (非行) 그릇된 행위. ㉠**비행** 청소년 / **비행**을 저지르다.

비ː행[2] (飛行) 공중으로 날아가거나 공중을 날아다님. ㉠야간 **비행**. **—하다.**

*__비행기__ (飛行機) 항공기의 하나. 프로펠러를 돌리거나 연소 가스를 내뿜는 추진력으로 하늘을 나는 탈것. 비 항공기. ➡ airplane, plane

비행기(를) 태우다 남을 높이 추어올리다.

비행사 (飛行士) 일정한 자격을 가지고 비행기를 조정하는 사람.

비행선 (飛行船) 공기보다 가벼운 수소·헬륨 등을 유선형의 공기 주머니 속에 넣고 추진기로 조종하는 비행기.

비행장 (飛行場) 비행기가 뜨고 내릴 수 있는 시설을 갖춘 곳.

비행접시 (飛行—) [비행접씨] ⇨ 유에프오.

비호 (飛虎) 나는 듯이 빠르게 달리는 범.

비호같다 (飛虎—) [비호갇따] 매우 용맹스럽고 날쌔다. ㉠**비호같은** 동작.

비ː화 (祕話) 세상에 드러나지 않은 이야기. ㉠**비화**를 공개하다.

빈곤 (貧困) **1** 가난해서 살림이 어려움. ㉠**빈곤**한 가정 / **빈곤**에서 벗어나다. 비 가난. 반 부유. **2** 필요한 것이 없거나 부족함. ㉠사상의 **빈곤**. **—하다. —히.**

빈궁 (貧窮) 가난하고 궁함. ㉠**빈궁**한 살림. 비 빈곤. 빈한. 반 부유. **—하다. —히.**

빈농 (貧農) 가난한 농민. 반 부농.

빈대 빈댓과의 곤충. 몸의 길이는 5mm 정도, 납작하고 둥글며 갈색임. 심한 악취를 풍김. 밤에 활동하여 사람의 피를 빨아 먹음.

빈대떡 녹두를 갈아서 나물·고기 따위를 넣어 얇고 넓적하게 부쳐 만든 음식.

빈도 (頻度) 어떤 일이 되풀이하여 자주 일어나는 정도. ㉠발생 **빈도**가 높다.

빈둥거리다 아무것도 하는 일 없이 게으름만 부리다.

빈둥빈둥 하는 일 없이 게으름을 부리는 모양. ㉠**빈둥빈둥** 놀고만 있다. 작 밴둥밴둥. 센 삔둥삔둥. 거 핀둥핀둥. **—하다.**

빈ː말 실속이 없는 말. ㉠**빈말**로 약속하다. **—하다.**

빈민 (貧民) 가난하게 사는 사람. ㉠**빈민**을 구제하다. 반 부자.

빈민굴 (貧民窟) 아주 가난한 사람들이 모여 사는 곳. 비 빈민촌.

빈ː방 (—房) **1** 아무도 살지 않고 비어 있는 방. **2** 사람이 없는 방.

빈번하다(頻繁─) 횟수가 잦아서 번거롭다. ㉥왕래가 빈번하다.
빈번히(頻繁─) 빈번하게.
빈부(貧富) 부유함과 가난함을 함께 이르는 말. ㉥빈부의 차가 심하다 / 빈부의 차를 좁히다.
빈사(瀕死) 거의 죽게 된 지경에 이름. ㉥빈사 상태에 빠지다.
빈소(殯所) 상여가 나갈 때까지 관을 놓아 두는 방. ㉥빈소를 차리다 / 고인의 빈소를 지키다.
빈ː속 먹은 지가 오래되어 시장한 배 속. ㉥빈속에 약을 먹어서 어지럽다.
빈ː손 1 아무것도 가지지 않은 손. 2 재산이나 돈이 없는 상태. ㉥빈손으로 돌아오다.
빈약(貧弱) [비냑] 1 가난하고 힘이 없음. 2 내용이 충실하지 못해 보잘것없음. **—하다**.
빈정거리다 은근히 비웃으며 놀리다. ㉥빈정거리며 말하다.
빈정대다 ⇨빈정거리다.
빈ː집 1 사람이 살지 않는 집. 2 식구들이 모두 밖에 나가 비어 있는 집. ㉥빈집에 도둑이 들다.
빈천(貧賤) 가난하고 천함. 반 부귀(富貴). **—하다**.
빈축(嚬〔顰〕蹙) 눈살을 찌푸리고 얼굴을 찡그림. ㉥빈축을 사다 / 남의 빈축을 받다. **—하다**.
빈ː칸 비어 있는 칸.
빈ː털터리 있던 재산을 다 없애고 가난뱅이가 된 사람. 준 털터리.
빈ː틈 1 비어 있는 사이. ㉥빈틈이 생기다 / 빈틈을 비집고 들어가다. 2 허술하거나 부족한 점. ㉥빈틈이 많은 사람.
빈ː틈없다 [빈트멉따] 1 비어 있는 부분이 없다. 2 사람이 허술한 데가 없이 야무지고 철저하다. ㉥빈틈없는 성격.
빈ː틈없이 [빈트멉씨] 빈틈없게. ㉥빈틈없이 꽉 들어차다.
빈한하다(貧寒─) 살림이 몹시 가난하여 집안이 쓸쓸하다. ㉥빈한한 살림살이.
빈혈(貧血) 혈액 속의 적혈구나 헤모글로빈이 줄어드는 현상. 얼굴이 파래지고 현기증이 남. ㉥빈혈을 일으키다 / 빈혈이 생기다.
*__빌ː다__ 1 남의 물건을 거저 달라고 하다. ㉥밥을 빌다. 2 자기 소원대로 되기를 바라며 기도하다. ㉥복을 빌다. 3 잘못을 용서해 달라고 호소하다. ㉥용서를 빌다. 활용 빌어 / 비니 / 비는.
빌딩(building) 내부에 많은 사무실을 가지고 있으면서 여러 층으로 된 높은 건물.
빌라(villa) 여러 세대가 모여 사는 고급 연립 주택.
*__빌리다__ 남의 물건이나 돈을 나중에 돌려주거나 갚기로 하고 갖다가 쓰다. ㉥은행에서 돈을 빌리다 / 도서관에서 책을 빌려 왔다. ➲ borrow
빌미 재앙이나 병 같은 불행이 생기는 원인. ㉥빌미가 되다 / 빌미로 삼다 / 빌미를 잡히다. →조짐 주의
빌ː붙다 [빌붇따] 남에게 들러붙어 서 아첨하고 알랑거리다.
빌빌거리다 자꾸 빌빌하다. ㉥빌빌거리지 말고 기운 좀 내라.
빌빌하다 1 느리게 움직이다. ㉥기계가 오래되어서 빌빌하다. 2 기운 없이 느리게 행동하다. ㉥감기에 걸리더니 빌빌한다.
빌어먹다 [비러먹따] 남에게 구걸하여 얻어먹다. 작 배라먹다.
빔ː 명절이나 잔치 때에 새 옷으로 차려입는 일. 또는 그 옷. ㉥설빔을 마련하다. ×비음.
*__빗__ [빋] 머리털을 빗는 데 쓰는 도구. ㉥빗 한 개. ➲ comb
빗- [빋] '바로 곧지 않게, 옆으로 비스듬하게'의 뜻을 나타내는 말.

예빗나가다 / 빗맞다.

빗금 [빋끔] **1** ⇨사선². **2** 대응·대립되는 것을 함께 보이거나 분수를 나타낼 때 쓰는 문장 부호의 하나(/).

빗기다 [빋끼다] 남의 머리털을 빗어 주다. 예딸의 머리를 **빗기다**.

빗나가다 [빈나가다] **1** 움직임이 비뚜로 나가다. 예과녁에서 **빗나가다**. **2** 행동이나 태도가 잘못된 방향으로 나가다. 예**빗나가**는 아이들이 점점 늘고 있다. **3** 기대나 예상과 다르다. 예예측이 **빗나가다**.

빗다 [빋따] 빗으로 엉클어진 머리카락을 가지런히 하다.

> **주의** **빗다**와 **빚다**
> **빗다** 머리카락을 가지런히 하다. 예머리를 **빗다**.
> **빚다** 1 가루를 반죽하여 만두 따위를 만들다. 예만두를 **빚다**. 2 만들어 내다. 예물의를 **빚다**.

빗대다 [빋때다] **1** 바로 대지 아니하고 엇비슷하게 빙 둘러서 말하다. **2** 사실과 다르게 고백하다.

빗맞다 [빈맏따] **1** 목표에 어긋나서 딴 곳에 맞다. 예**빗맞**은 화살. **2** 뜻한 일이 잘못되어 달리 이루어지다. 예예상이 **빗맞다**.

빗면 (–面) [빈면] 비스듬하게 기운 면. 비 사면.

*__빗물__ [빈물] 비가 와서 괸 물.

빗발 [비빨 / 빋빨] 줄이 죽죽 진 것처럼 내리는 빗줄기. 예**빗발**이 세차다 / **빗발**이 굵어지다.

빗발치다 [비빨치다 / 빋빨치다] **1** 빗줄기가 세차게 마구 쏟아지다. 예화살이 **빗발치**듯 날아오다. **2** 독촉이 몹시 심하고 급하다. 예비난과 질책이 **빗발치다**.

*__빗방울__ [비빵울 / 빋빵울] 비로 떨어지는 물방울.

빗변 (–邊) [빋뺀] 직각 삼각형의 직각에 대한 가장 긴 변.

빗살 [빋쌀] 빗의 잘게 갈라진 낱낱의 살. 예**빗살**이 촘촘하다.

빗살무늬 토기 (–土器) [빋쌀무니–] 신석기 시대의 토기. 밑이 둥근 것 또는 뾰족한 것이 있고, 여기에 빗살 모양의 무늬가 있음. 강가나 바닷가에서 많이 발견됨. 비 즐문토기.

빗소리 [비쏘리 / 빋쏘리] 비가 내리는 소리.

빗속 [비쏙 / 빋쏙] 비가 내리는 가운데. 예우산도 없이 **빗속**을 걷다.

빗자루 [빋짜루] ⇨비².

빗장 [빋짱] 문을 닫고 가로질러 잠그는 나무때기나 쇠장대.

빗줄기 [비쭐기 / 빋쭐기] 줄이 진 것처럼 보이게 굵고 세차게 내리치는 빗발.

빗질 [빋찔] 빗으로 머리카락이나 털 따위를 빗는 일. 예헝클어진 머리를 **빗질**하다. **—하다**.

빙 **1** 한 바퀴 도는 모양. 예한 바퀴 빙 돌다. **2** 정신이 아찔해지는 모양. 예한 대 맞았더니 정신이 빙 돌더군. **3** 둘레를 둘러싼 모양. 예빙 둘러앉다. **4** 갑자기 눈물이 글썽해지는 모양. 예눈물이 빙 돌다. 작 뱅. 센 뺑. 거 핑.

*__빙그레__ 입을 조금 벌리고 소리 없이 부드럽게 웃는 모양. 작 뱅그레. 센 뺑그레. **—하다**.

빙그르르 원을 그리며 가볍게 한 바퀴 도는 모양.

*__빙글빙글__ 미끄럽게 자꾸 도는 모양. 예회전목마가 **빙글빙글** 돌다. 작 뱅글뱅글. 센 뺑글뺑글. 거 핑글핑글.

빙긋이 [빙그시] 입만 벌리고 소리 없이 웃는 모양. 예**빙긋이** 미소를 띠다. 작 뱅긋이. 센 뺑긋이.

빙빙 **1** 자꾸 도는 모양. 또는 돌리는 모양. 작 뱅뱅. 센 뺑뺑. 거 핑핑.

2 하는 일 없이 이리저리 돌아다니는 모양.

빙산 (氷山) 남극이나 북극의 바다에 산처럼 떠 있는 얼음 덩어리.

빙상 (氷上) 얼음판의 위. ㉎전국 빙상 선수권 대회.

빙상 경ː기 (氷上競技) 얼음판 위에서 하는 여러 가지 경기. 스케이팅·아이스하키 따위.

빙설 (氷雪) 얼음과 눈.

빙수 (氷水) 얼음을 눈처럼 갈아 거기에 설탕·과일즙 등을 섞은 음료.

빙자 (憑藉) 말막음으로 내세워 핑계를 댐. ㉎병을 빙자하여 불참하다. **—하다.**

빙점 (氷點) [빙쩜] 물이 얼기 시작할 때의 온도. 곧, 섭씨 0도. 비 결빙점. 반 비등점.

빙ː충맞다 [빙충맏따] 똘똘하지 못하고 어리석다.

빙판 (氷板) 얼어붙은 길바닥.

빙하 (氷河) **1** 얼어붙은 큰 강. **2** 높은 산의 저온 지대에 내린 눈이 점점 큰 얼음덩이가 되어 천천히 낮은 곳으로 흘러내리는 것.

빙하 시대 (氷河時代) 지구 상의 기후가 몹시 차가워 북반구 대부분이 대규모의 빙하로 덮여 있던, 지금으로부터 70-80만 년 전으로 짐작되는 시기.

*__빚__ [빋] 남에게 갚아야 할 돈. ㉎빚을 지다. 비 부채. ➡ debt

*__빚다__ [빋따] **1** 가루를 반죽하여 경단·만두·송편 등을 만들다. ㉎송편을 빚다. **2** 술을 담그다. **3** 어떤 결과나 현상을 만들다. ㉎가난이 빚은 비극. →빗다 주의

빚더미 [빋떠미] 빚을 많이 진 상태. ㉎빚더미에 올라앉다.

빚쟁이 [빋쨍이] **1** 남에게 돈을 빌려 준 사람을 낮잡아 이르는 말. ㉎빚쟁이에게 시달리다. **2** 빚을 많이 진 사람. ㉎부도가 나서 하루아침에 빚쟁이가 되었다.

*__빛__ [빋] **1** 사물을 비추어 밝게 보이게 하는 것. ㉎빛을 비추다. ➡ light **2** 색. ㉎빛이 곱다. **3** 기색이나 태도. ㉎피로한 빛을 나타내다. **4** 반짝이는 광택. ㉎구두가 반짝반짝 빛이 난다.

*__빛깔__ [빋깔] 빛을 받아 물체의 거죽에 나타나는 빛. 비 색채.

*__빛나다__ [빈나다] **1** 빛이 환하게 비치다. ㉎하늘에 별이 빛난다. **2** 영광스럽고 훌륭하다. ㉎빛나는 업적 / 영원히 빛날 작품.

빛바래다 [빋빠래다] 본디의 빛깔이 엷어지거나 윤기가 없어지다. ㉎빛바랜 사진 / 빛바랜 추억.

빛살 [빋쌀] 빛의 줄기.

빛 에너지 (—energy) [빋—] 빛이 물질에 흡수되면 열에너지로 변하고, 물건의 색깔을 변하게 하는 등의 일을 할 수 있는 힘.

ㅃ (쌍비읍) 'ㅂ'의 된소리.

빠끔히 문 여는 것을 소리 없이. 또는 눈에 띄게 조금.

빠듯하다 [빠드타다] **1** 어떤 한도에 겨우 미치다. ㉎예산이 빠듯하다. **2** 가득 차서 빈틈이 없거나 꼭 맞아서 헐렁하지 않다.

빠ː뜨리다 **1** 물이나 웅덩이에 빠지게 하다. ㉎강물에 빠뜨리다. **2** 어려운 지경에 놓이게 하다. ㉎친구를 함정에 빠뜨리다. **3** 빼어 놓아 버리다. ㉎명단에서 빠뜨리다. **4** 부주의로 물건을 흘려 잃어버리다. ㉎지갑을 빠뜨리다.

빠르기표 (—標) 악곡의 빠르기를 나타내는 기호.

*__빠르다__ **1** 어떤 동작을 하는 데 걸리는 시간이 보통보다 짧다. 속도가 높다. ㉎기차가 빠르다 / 말이 빠르다. **2** 동안이 짧다. ㉎회복이 빠르다. **3** 어떤 기준보다 이르다. ㉎시계가 5분 빠르다. 반 늦다. 활용 빨

라 / 빠르니. ➡ fast, quick

빠른우편 (一郵便) [빠르누편] 접수한 날의 다음 날까지 배달되는 우편. 전의 속달 우편이 바뀐 것임.

*__빠:지다__ **1** 물·구덩이 따위로 떨어져 들어가다. ㉥물에 **빠지다**. **2** 지니거나 박힌 것이 떨어지거나 뽑히다. ㉥사랑니가 **빠지다**. **3** 기운이 없어지다. ㉥맥이 **빠지다**. **4** 살이 여위다. ㉥살이 **빠지다**. **5** 어떤 것에 마음을 빼앗기다. ㉥오락에 **빠져** 있는 아이. **6** 김·때·빛깔 따위가 없어지다. ㉥얼룩이 **빠지다**.

빠:짐없이 [빠지멉씨] 하나도 빼놓지 않고 모조리 다. ㉥나는 하루도 **빠짐없이** 운동을 한다.

빡빡 **1** 힘들여 세게 긁거나 문지를 때 나는 소리. **2** 머리나 수염 따위를 아주 짧게 깎은 모양. ㉥머리를 **빡빡** 깎다. ㉳박박.

빡빡하다 [빡빠카다] **1** 물기가 적어서 부드러운 맛이 없다. ㉥찌개가 너무 **빡빡하다**. **2** 꼭 끼어서 헐렁하지 아니하다. ㉥바지가 **빡빡하게** 낀다. **3** 이해심이 별로 없다. ㉥**빡빡**하지 않은 사람. ㉪빽빽하다.

빤:하다 내용이 환하게 들여다 보이듯이 분명하다. ㉥**빤한** 거짓말을 하지 마라. ㉪뻔하다[1].

빤:히 빤하게. ㉪뻔히.

빨가벗다 [빨가벋따] 옷을 모두 벗다. ㉥아이들이 **빨가벗고** 강물로 뛰어들었다.

빨간색 (一色) ⇨빨강.

*__빨강__ 빨간 빛깔이나 물감. ➡ red

*__빨:갛다__ [빨가타] 진하고도 곱게 붉다. ㉪뻘겋다. [활용] 빨가니 / 빨개서.

*__빨다__[1] **1** 입술과 혀에 힘을 주어 입 속으로 당겨 들어오게 하다. ㉥아기가 젖을 **빨다**. **2** 입 안에 넣어 녹이거나 혀로 핥다. ㉥사탕을 **빨아** 먹다. [활용] 빨아 / 빠니 / 빠는.

*__빨다__[2] 더러운 물건을 물 속에 넣어 때를 빼다. ㉥양말을 **빨다**. [활용] 빨아 / 빠니 / 빠는. ➡ wash

빨대 [빨때] 물 따위를 빨아 먹는 데 쓰는 가는 대. 스트로.

*__빨래__ **1** 더러운 옷·피륙 등을 물에 넣어 빠는 일. **2** ⇨빨랫감. **—하다.**

빨래터 냇가 같은 곳에 빨래를 할 수 있게 만들어 놓은 자리.

빨래판 빨래할 때 빨래를 올려놓고 빠는, 가로로 족족 골이 진 판.

빨랫감 [빨래깜 / 빨랟깜] 빨래할 옷이나 피륙 따위. ㉥빨래.

빨랫방망이 [빨래빵망이 / 빨랟빵망이] 빨래를 두드려서 빨 때 쓰는 방망이.

빨랫비누 [빨래삐누 / 빨랟삐누] 빨래할 때 쓰는 비누. 세탁비누.

빨랫줄 [빨래쭐 / 빨랟쭐] 빨래를 널어 말리는 줄.

*__빨리__ 걸리는 시간이 짧게. ㉥**빨리** 걷다 / 숙제를 **빨리** 끝내다 / 결정을 **빨리**하다. **—하다.**

빨빨거리다 이리저리 바쁘게 쏘다니다. ㉥하루종일 **빨빨거리며** 돌아다녔다.

빨아내다 [빠라내다] 속에 있는 것을 빨아서 밖으로 나오게 하다. ㉥독을 입으로 **빨아내다**.

빨아들이다 [빠라드리다] 빨아서 속으로 들어오게 하다. ㉥솜이 물을 **빨아들이다**.

빨아먹다 [빠라먹따] 남의 것을 우려내어 제 것으로 만들다. ㉥백성의 피를 **빨아먹다**.

빨판 낙지·문어·거머리 따위가 다른 물체에 달라붙는 데 쓰는 기관.

빳빳이 [빧빠시] 빳빳하게. ㉥고개를 **빳빳이** 들다.

빳빳하다 [빧빠타다] **1** 단단하고 꼿꼿하다. ㉥고개를 **빳빳하게** 세우고 다니다. **2** 풀기가 세다. ㉥**빳빳**한 만 원권 / 모시에 풀을 먹여 **빳빳**

하다. **3** 태도나 성격이 고분고분하지 않고 억세다. ㉪ 뻣뻣하다.

*__빵¹__ 밀가루를 반죽하여 불에 굽거나 찐 음식. ㉬빵을 굽다. ➲ bread

빵² 어떤 물건이 갑자기 터지는 소리. ㉪ 뻥. ㉭ 팡.

빵꾸 '펑크'의 잘못.

빵빵 자동차의 경적을 잇달아 울리는 소리.

빵빵거리다 자동차의 경적을 자꾸 울리다.

빵점 (—點) [빵쩜] '영점'을 속되게 이르는 말.

빵집 [빵찝] 빵을 만들어 파는 집.

빻:다 [빠타] 찧어서 가루를 만들다. ㉬고추를 곱게 **빻다**.

빼곡하다 [빼고카다] 사람이나 물건이 어떤 공간에 빈틈없이 들어차 있다.

빼곡히 [빼고키] 빼곡하게.

빼:기 빼는 일. ㉶ 더하기.

-빼기 **1** 어떤 특성이 있는 사물이나 사람임을 나타내는 말. ㉬곱**빼기**/억척**빼기**. **2** 앞말을 속되게 이르는 말. ㉬코**빼기**/이마**빼기**. →-배기 주의

빼:내다 **1** 박힌 것을 뽑다. **2** 여럿 중에서 필요한 것만을 골라내다. **3** 얽매인 사람을 자유롭게 해 주다.

빼:놓다 [빼노타] **1** 여럿 중에서 어떤 것을 골라 놓다. ㉬쓸 만한 것은 따로 **빼놓다**. **2** 한 무리에 들어야 할 것을 못 들게 하다. ㉬나만 **빼놓고** 가다니.

*__빼:다__ **1** 속에 들어 있는 것을 밖으로 나오게 하다. ㉬풍선의 바람을 **빼다**. **2** 덜어 내다. ㉬둘에서 하나를 **빼다**. ㉶ 더하다. **3** 필요 없는 것을 없애다. **4** 일부러 행동이나 태도를 꾸미다. ㉬점잔을 **빼다**. **5** 살·힘 따위를 줄이거나 없애다. ㉬운동으로 살을 **빼다**.

빼:닮다 [빼담따] 생김새나 성품 따위를 그대로 닮다. ㉬동생은 아버지를 그대로 **빼닮았다**.

빼:돌리다 사람이나 물건을 슬쩍 빼내어 다른 곳으로 보내다. ㉬유능한 선수를 **빼돌리다**.

빼:먹다 [빼먹따] **1** 남의 물건을 몰래 빼내서 가지다. **2** 빠뜨리다. ㉬무심코 한 자 **빼먹고** 쓰다. **3** 규칙적으로 하던 일을 하지 않다. ㉬수업을 **빼먹다**.

*__빼앗기다__ [빼앋끼다] 빼앗음을 당하다. ㉬돈을 **빼앗기다**. ㉾ 뺏기다.

*__빼앗다__ [빼앋따] **1** 남의 것을 강제로 제 것으로 만들다. ㉬지갑을 **빼앗다**. **2** 남의 마음이나 생각을 이쪽으로 쏠리게 하여 사로잡다. ㉬여자의 마음을 **빼앗다**.

빼어나다 여럿 중에서 특히 뛰어나다. ㉬**빼어난** 인물.

빽빽이 [빽빼기] 빽빽하게. ㉬**빽빽이** 늘어선 자동차 행렬/나무들이 집 주위에 **빽빽이** 둘러서 있다.

빽빽하다 [빽빼카다] **1** 사이가 촘촘하다. **2** 구멍이 막힐 듯이 좁아서 갑갑하다.

*__뺄:셈__ [뺄쎔] 빼기로 계산하는 셈. ㉥ 감산. ㉶ 덧셈. **—하다**.

뺏:다 [뺃따] '빼앗다'의 준말.

뺑뺑 빠르게 자꾸 도는 모양. ㉧ 뱅뱅.

뺑소니 위급한 상황을 벗어나려고 급히 달아나는 짓.

*__뺨__ 얼굴의 양쪽에 살이 많이 붙은 부분. ㉥ 볼. ➲ cheek

뺨치다 비교의 대상을 능가하다. ㉬전문가 **뺨치는** 솜씨.

뻐근하다 힘들거나 지쳐서 몸이 아프고 움직이기에 거북하다. ㉬어깨가 **뻐근하다**.

뻐기다 잘난 체하며 으스대다. ㉬부자라고 너무 **뻐기지** 마라.

뻐꾸기 두견과에 속하는 철새. 비둘기보다 조금 작음. 지빠귀·할미

새 등의 둥지에 알을 낳아 기르며 주로 곤충을 잡아먹고 삶. 초여름에 남쪽에서 날아오며 '뻐꾹뻐꾹' 하며 구슬피 욺.

〈뻐꾸기〉

뻐꾹 뻐꾸기가 우는 소리.

뻐꾹새 [뻐꾹쌔] ⇨뻐꾸기.

빠끔거리다 **1** 담배를 힘 있게 빨아 피우다. **2** 물고기 따위가 입을 벌려 물이나 공기를 마시다. 예잉어가 입을 **빠끔거리다**. 작 빠끔거리다.

뻐드렁니 밖으로 뻗은 앞니. 벋니.

뻑뻑하다 [뻑뻐카다] **1** 물기가 너무 적어서 부드러운 맛이 없다. **2** 여유가 없어 빠듯하다. **3** 기계·바퀴 따위가 잘 돌아가지 않다. 작 빡빡하다.

뻑적지근하다 [뻑쩍찌근하다] 몸의 한 부분이 뻐근하게 아프다.

뻔뻔스럽다 [뻔뻔스럽따] 보기에 뻔뻔하다.

뻔뻔하다 잘못이 있어도 부끄러운 줄을 모르다. 작 빤빤하다.

뻔뻔히 뻔뻔하게.

뻔질나다 [뻔질라다] 드나드는 것이 매우 잦다. 예**뻔질나게** 매점을 드나들다.

뻔ː하다[1] 그렇게 될 것이 분명하다. 예어차피 우리가 이길 것이 **뻔하다**. 작 빤하다.

뻔하다[2] '-ㄹ·-을'과 어울려 '까딱하면 그렇게 될 형편이었으나 결국 그렇게 되지 않았다'는 뜻을 나타내는 말. 예혼날 **뻔하다**.

***뻗다** [뻗따] **1** 덩굴 따위가 바깥쪽으로 길게 자라 나가다. **2** 꼬부렸던 것을 펴서 길게 내밀다. 예다리를 **뻗다**. **3** 어떤 것에 미치게 손 따위를 내밀다. 예구원의 손길을 **뻗다**.

뻗대다 [뻗때다] 남의 말이나 의사를 무시하고 계속 고집을 부리다.

뻗치다 **1** '뻗다'의 힘줌말. 예세력을 **뻗치다** / 힘이 온몸에 **뻗치다** / 분수대의 물줄기가 위로 **뻗치다**. **2** 이 끝에서 저 끝까지 닿다. 예찻길이 멀리 **뻗쳐** 있다.

-뻘 친족 간의 촌수와 항렬을 나타내는 말. 예손자뻘 / 아저씨뻘.

뻘ː겋다 [뻘거타] 진하고도 곱게 붉다. 작 빨갛다. 활용 뻘거니 / 뻘게서.

뻘뻘 땀이 많이 흐르는 모양. 예땀을 **뻘뻘** 흘리다.

뻣뻣하다 [뻗뻐타다] **1** 물체가 부드럽지 않고 꿋꿋하다. 예목이 **뻣뻣하다**. **2** 태도나 성질이 고분고분하지 않고 억세다. 예손님을 **뻣뻣하게** 대하다.

뻥튀기 쌀이나 옥수수 따위를 밀폐된 용기에 넣고 열을 가하여 튀김. 또는 그 튀긴 과자. **—하다**.

***뼈** 척추동물의 살 속에 싸여 몸집을 구성하고 지탱하는 단단한 물질. 예**뼈**가 부러지다. bone

뼈다귀 뼈의 낱개.

뼈대 **1** 몸을 이룬 뼈의 크고 작은 생김새. 예**뼈대**가 굵다. **2** 사물의 핵심이나 중심. 비 골간. 골격.

뼈마디 뼈와 뼈가 이어진 부분. 골격의 관절.

뼈아프다 감정이 마음속 깊이 사무치는 느낌이 있다. 예**뼈아픈** 시련을 겪다. 활용 뼈아파 / 뼈아프니.

뼈저리다 뼛속이 저릴 정도로 마음속 깊이 사무치다. 예건강의 소중함을 **뼈저리게** 느끼다.

***뼘ː** 엄지손가락과 다른 손가락을 잔뜩 벌린 거리. 예**뼘**을 재다.

뼛가루 [뼈까루 / 뼏까루] 지방을 뽑은 동물의 뼈로 만든 가루.

뼛골 [뼈꼴 / 뼏꼴] 뼈 속에 차 있는 누런 조직. 비 골수. 뼛속.

뼛속 [뼈쏙 / 뼏쏙] ⇨뼛골.

뽀드득 단단하고 매끄러운 물건을

비빌 때 나는 소리. 큰 뿌드득. 여 보드득. —하다.
뽀뽀 '입맞춤'을 귀엽게 일컫는 말. 예볼에 뽀뽀하다. —하다.
뽀:얗다 [뽀야타] **1** 연기나 안개 따위가 낀 것처럼 선명하지 않고 희끄무레하다. 예뽀얀 먼지가 앉다. **2** 살갗이나 얼굴 따위가 하얗고 말갛다. 예뽀얀 피부. 큰 뿌옇다. 여 보얗다. 활용 뽀야니 / 뽀애서.
뽐내다 **1** 기를 펴고 잘난 체하다. **2** 보라는 듯이 자랑하다. 예승리를 뽐내다.
*__뽑다__ [뽑따] **1** 박힌 것을 빼내다. 예잡초를 뽑다. **2** 여럿 중에서 가려내다. 예우수 선수를 뽑다. **3** 도로 거두어들이다. 예밑천을 뽑다.
뽑히다 [뽀피다] **1** 뽑아지다. 빠지다. 예못이 절로 뽑히다. **2** 여럿 중에서 가려내어지다. 예반장으로 뽑히다.
뽕[1] **1** 뽕나무의 잎. **2** '뽕나무'의 준말.
뽕[2] 막혀 있던 공기 따위가 좁은 구멍으로 갑자기 터져 빠지는 소리.
뽕나무 뽕나뭇과의 낙엽 활엽 교목 또는 관목. 밭에서 재배하는 것은 높이 2-3m임. 검붉은 열매 '오디'는 먹으며, 잎은 누에의 먹이임. 나무는 가구재로 쓰고, 껍질은 종이의 원료로 씀. 준 뽕.
뾰로통하다 얼굴에 화가 난 빛이 나타나 있다. 예입을 뾰로통하게 내밀다.
뾰루지 뾰족하게 부어오른 작은 부스럼. 비 뾰두라지.
뾰족구두 [뾰족꾸두] 뒷굽이 높고 뾰족한 여자 구두. 하이힐.
뾰족뾰족 여럿이 모두 뾰족한 모양. 예뾰족뾰족 돋아 나온 보리 이삭. —하다.
뾰족이 [뾰조기] 뾰족하게.
뾰족하다 [뾰조카다] 끝이 차차 가늘어져서 날카롭다. 큰 쀼죽하다. 센 뾰쪽하다.
뿌다구니 물건의 삐죽하게 내민 부분. 예뿌다구니에 옷이 걸리다. 준 뿌다귀.
뿌다귀 '뿌다구니'의 준말.
뿌듯하다 [뿌드타다] 기쁨이나 감격이 마음에 가득 차서 벅차다. 예가슴 뿌듯한 이야기. 작 빠듯하다. 여 부듯하다.
*__뿌리__ **1** 식물의 줄기 밑에 달려 수분과 양분을 빨아올리는 기관. **2** 깊숙이 박힌 물건의 밑동. 예이가 썩어 뿌리만 남았다. **3** 깊숙이 자리 잡아 굳어진 일의 근본. 예병의 뿌리.
뿌리(를) 뽑다 원인을 완전히 없애다. 예부정부패를 뿌리 뽑다.
뿌리내리다 옮긴 곳에 자리를 잡다. 예해외에서 뿌리내리고 살다.
*__뿌리다__ **1** 눈이나 비 따위가 흩날려 떨어지다. 예빗방울이 뿌리다. **2** 작은 물건이나 물 따위를 흩어지도록 끼얹거나 던지다. 예씨를 뿌리다.
뿌리채소 (—菜蔬) 뿌리를 먹는 여러 가지 채소. 무·당근·우엉·토란·생강 등인데, 수분·녹말 따위가 많음. 비 근채.
뿌리치다 **1** 붙잡은 것을 놓치게 하다. 예손목을 뿌리치다. **2** 권고를 물리치다. 예유혹을 뿌리치다.
뿌리털 식물의 뿌리 끝에 가늘고 빽빽하게 난 털. 땅속에서 양분과 물을 흡수함.
뿌리혹박테리아 (—bacteria) 주로 콩과 식물의 뿌리에 붙어살면서 뿌리혹이 생기게 하는 박테리아.
뿌옇다 [뿌여타] 뚜렷하지 않고 희끄무레하다. 예뿌연 연기 / 뿌옇게 김이 서리다. 작 뽀얗다. 활용 뿌여니 / 뿌예서.
*__뿐__[1] '다만 어떠하거나 어찌할 따름'이라는 뜻을 나타내는 말. 예들었을 뿐 보지는 못했다.

뿐² '그것만이고 더는 없다'는 뜻을 나타내는 말. ㉠이것뿐이다 / 공부뿐만 아니라 운동도 잘한다.

뿔 소·염소 등의 머리에 불쑥 나온, 뾰족하고 단단하게 생긴 부분.

뿔뿔이 [뿔뿌리] 서로 따로따로 흩어지는 모양. ㉠뿔뿔이 헤어지다.

뿜ː다 [뿜따] 속에 있는 것을 밖으로 세차게 밀어내다. ㉠분수가 물을 뿜다.

뿜어내다 [뿌머내다] 속의 것을 뿜어 밖으로 나오게 하다. ㉠입김을 밖으로 뿜어내다.

삐걱 딱딱한 물건이 서로 닿을 때 나는 소리. **―하다.**

삐끗하다 [삐끄타다] **1** 맞추어 끼일 물건이 어긋나서 맞지 않다. **2** 잘못해 일이 어긋나기만 하고 되지 아니하다. **3** 팔이나 다리 따위가 비틀려 뼈마디가 어긋나다. ㉠발목을 삐끗하다. 작 빼끗하다. 여 비끗하다.

삐ː다 몸의 어느 부분이 비틀리거나 접질려서 뼈마디가 어긋나다.

삐뚤삐뚤 바르지 못하고 이리저리 기울어지거나 구부러져 있는 모양. 작 빼뚤빼뚤. **―하다.**

삐뚤어지다 [삐뚜러지다] **1** 중심을 잃고 한쪽으로 기울어지다. **2** 마음이 바르지 못하고 비꼬이다. 작 빼뚤어지다. 여 비뚤어지다.

삐라 '전단'의 잘못.

삐악삐악 병아리가 계속 약하게 우는 소리.

삐죽 **1** 비웃거나 마음에 들지 않을 때 입을 쑥 내미는 모양. **2** 물체의 끝이 조금 내밀려 있는 모양. **3** 잠깐 나타났다가 없어지는 모양. ㉠얼굴만 삐죽 내밀다. 작 빼죽. 센 삐쭉. **―하다.**

삐죽이 [삐주기] 삐죽하게.

삐ː치다 마음이 비틀어져 토라지다. ㉠조그마한 일에도 잘 삐친다.

삥 **1** 일정한 범위의 둘레를 둘러싼 모양. **2** 한 바퀴 도는 모양. **3** 정신이 아찔해지는 모양. 여 빙. 거 핑.

삥긋 [삥귿] 소리 없이 입만 살짝 벌리며 웃는 모양. ㉠삥긋 웃다. 작 빵긋. 여 빙긋.

ㅅ

ㅅ (시옷[시옫]) 한글 닿소리의 일곱째 글자.

사[1] 서양 음계의 칠음 중 제5음인 '솔'의 우리말 음이름.

*** 사ː**[2] (四) 넷. 넷째. (예)사 개월 / 사 권 / 사 년. ➲ four

사ː[3] (死) 죽음. (예)생과 사의 갈림길에 서다. (반)생.

사[4] (私) 여러 사람과 관련된 것이 아니고 개인에 관한 것. (예)공과 사를 뚜렷하게 구별하다. (반)공[4].

사ː각 (四角) **1** 네 개의 각. **2** 네 개의 각이 있는 모양. (예)사각 탁자. **3** '사각형'의 준말.

사각거리다 [사각꺼리다] **1** 연한 사과나 과자 따위를 씹는 소리가 자꾸 나다. **2** 갈대 따위의 얇고 빳빳한 물체가 스치는 소리가 자꾸 나다. (큰)서걱거리다. (센)싸각거리다.

사각사각 [사각싸각] 사각거리는 소리. (예)사과를 사각사각 씹어 먹다. **—하다.**

*** 사ː각형** (四角形) [사가켱] 네 개의 선분으로 둘러싸인 평면 도형. (비)네모꼴. 사변형. (준)사각.

사감 (舍監) 기숙사에서 기숙생들의 생활을 지도하고 감독하는 사람. (예)사감 선생.

사ː거리 (四—) ⇨네거리.

*** 사ː건** (事件) [사껀] 사회적으로 문제가 되거나 관심을 끌 만한 일. (예)살인 사건 / 사건이 터지다 / 사건을 해결하다.

사격 (射擊) 대포나 총 따위를 쏨. (예)사격 경기. **—하다.**

사ː경 (死境) 죽을 지경. 죽음에 이른 지경. (예)사경을 헤매다.

사ː계 (四季) [— / 사게] ⇨사철1.

사ː계절 (四季節) [— / 사게절] ⇨사철1. (예)우리나라는 사계절이 뚜렷하다.

*** 사ː고**[1] (事故) 뜻밖에 일어난 좋지 않은 일. (예)자동차 사고 / 사고가 나다 / 사고를 당하다. ➲ accident

사고[2] (思考) 생각하고 궁리함. (예)건전한 사고. **—하다.**

사ː고[3] (史庫) 조선 때 역사에 관한 중요한 기록이나 책 따위를 보관하던 나라의 서고. 강화 마니산·무주 적상산·봉화 태백산·강릉 오대산에 있었음.

사고력 (思考力) 생각하고 궁리하는 힘. (예)논리적인 사고력을 기르다.

사고방식 (思考方式) 어떠한 문제를 생각하고 판단하는 방법이나 태도. (예)보수적인 사고방식 / 사고방식이 건전하다.

사공 (沙工) 배를 저어 부리는 일을 직업으로 삼는 사람. (본)뱃사공.

*** 사과**[1] (沙果) 사과나무의 열매. (예)빨갛게 익은 사과. ➲ apple

*** 사ː과**[2] (謝過) 잘못에 대하여 용서를 빎. (예)잘못을 사과하다. (비)사죄. **—하다.** ➲ apology

사과나무 (沙果—) 장미과의 낙엽 교목. 봄에 흰 꽃이 피며, 열매인 사과는 둥근데, 시면서도 단맛이 있음. 홍옥·국광·부사 등 품종이 많음.

사ː관[1] (史官) 예전에, 나라의 중요한 일을 기록하던 관리.

사ː관[2] (士官) 장교를 이르는 말. 보통 소위·중위·대위를 가리킴. (예)사관 후보생.

사:관학교 (士官學校) [사관학꾜] 육군·해군·공군의 정규 장교를 길러 내는 군사 학교.
사교 (社交) 사회생활에서 사람들이 서로 사귀는 일.
사교적 (社交的) 여러 사람과 잘 사귀고 어울리는 (것). ㉥**사교적**인 성격.
사구 (砂丘) 바람이 휘몰아쳐 저절로 만들어진 모래 언덕. 해안·강변·사막 등에 생김.
사:군이충 (事君以忠)[사구니충] 세속 오계의 하나. 충성을 다하여 임금을 섬긴다는 뜻.
사:군자 (四君子) 동양화에서, 품성이 고결하여 군자와 같다는 뜻으로, 매화·난초·국화·대나무를 일컫는 말.
***사귀다** 서로 가까이하여 얼굴을 익히고 사이좋게 지내다. ㉥친구를 **사귀다**.
사귐성 (—性) [사귐썽] 사람들과 어울려 잘 사귀는 성품. ㉥**사귐성**이 좋다.
사규 (社規) 회사의 규칙.
사그라뜨리다 사그라지게 하다. ㉥분노를 **사그라뜨리다**.
사그라지다 삭아서 없어지다. ㉥불길이 **사그라지다** / 분한 마음이 **사그라지다**. ×삭으러지다.
사:극 (史劇) 역사상의 인물이나 사건을 소재로 한 연극이나 영화. 본 역사극.
사근사근하다 성질이 부드럽고 친절하여 붙임성이 있다. ㉥**사근사근**한 성격. 큰 서근서근하다.
사글세 (—貰) [사글쎄] 남의 집이나 방을 빌려 살면서 다달이 내는 돈. ㉥**사글세**로 방을 얻다. 비 월세. ×삭월세.
사금 (砂金) 강가나 바닷가의 모래·자갈에 섞인 작은 알갱이 또는 비늘 모양의 금. ㉥**사금**을 캐다.
사금파리 사기그릇의 깨어진 작은 조각.
사:기[1] (士氣) 의욕이나 자신감 등으로 가득 차서 굽힐 줄 모르는 씩씩한 기세. ㉥병사들의 **사기**가 하늘을 찌를 듯하다 / **사기**를 꺾다 / **사기**를 북돋아 주다.
사:기[2] (史記) 역사적 사실을 적은 책. 비 사서.
사기[3] (沙〔砂〕器) ⇨사기그릇.
사기[4] (詐欺) 못된 꾀로 남을 속임. ㉥**사기**를 당하다 / **사기**를 치다가 걸리다. **—하다**.
사기그릇 (沙器—) [사기그륻] 흙을 원료로 하여서 구워 만든 그릇. 비 사기.
사기꾼 (詐欺—) 사기를 일삼는 사람. ㉥**사기꾼**에게 속다.
***사나이** 한창 혈기가 왕성할 때의 남자. 준 사내.
***사:납다** [사납따] **1** 성질이나 생김새가 독하고 험악하다. ㉥**사나운** 성미. **2** 상황이나 사정 따위가 몹시 나쁘다. ㉥동네 인심이 **사납다** / 운수가 **사납다**. **3** 비·바람 따위가 거칠고 세차다. ㉥비바람이 **사납게** 몰아치다. 활용 사나워 / 사나우니.
***사내**[1] **1** '사나이'의 준말. **2** 남자. ㉥낯선 **사내**가 찾아오다. 반 계집.
사내[2] (社內) 회사의 안.
사내답다 [사내답따] 남자로서의 기질과 성품을 가지고 있다. ㉥**사내답게** 행동해라. 비 남자답다. 본 사나이답다. 활용 사내다워 / 사내다우니.
사내아이 나이 어린 남자 아이. 반 계집아이. 준 사내애.
***사냥** 산이나 들에서 짐승을 총 따위로 잡는 일. ㉥**사냥**을 나가다. 비 수렵. **—하다**.
사냥개 [사냥깨] 사냥할 때 쓰는 길들인 개.
***사냥꾼** 사냥하는 사람. 또는 사냥

이 직업인 사람.

사냥터 사냥을 하는 곳. ㉥수렵장. 엽장.

사:농공상 (士農工商) 예전에, 선비·농부·장인·상인의 네 가지 계급을 일컫던 말.

***사다** **1** 남의 것을 돈을 주고 자기 것으로 만들다. ㉠서점에서 책을 사다. ㉡팔다. ➲ buy **2** 자기의 잘못으로 고생이나 욕, 병 따위를 얻다. ㉠고생을 사서 하다 / 남의 비웃음을 사다. **3** 가치를 인정하다. ㉠노력을 높이 사다. **4** 다른 사람에게 어떤 감정을 갖게 하다. ㉠호감을 사다. **5** 대가를 치르고 사람을 부리다. ㉠짐꾼을 사다.

사다리 '사닥다리'의 준말. ㉠사다리를 타고 지붕에 올라가다.

***사다리꼴** 사각형 중에서, 한 쌍의 마주 보는 변이 평행인 것.

사닥다리 [사닥따리] 높은 곳에 오르내릴 때 디딜 수 있도록 나무나 쇠 따위로 만든 기구. ㉢사다리.

사:단[1] (事端) 일의 실마리. 또는 사건의 단서.

사단[2] (師團) 군대 조직 단위의 하나. 군단의 아래, 연대의 위임. ㉠사단 사령부.

사단장 (師團長) 사단을 지휘·통솔하는 최고 지휘관.

사단조 (一短調) [사단쪼] '사' 음을 으뜸음으로 하는 단조.

사:담[1] (史談) 역사에 실제로 있었던 이야기.

사담[2] (私談) 개인적으로 하는 이야기. ㉠사담을 나누다 / 사담을 엿듣다.

사:당[1] 조선 시대에, 무리를 지어 여러 지방을 떠돌아다니며 노래와 춤을 팔던 여자. 또는 그 무리. ㉠사당패.

사당[2] (祠堂) 죽은 사람의 이름을 적은 패를 모셔 놓은 집. ㉠사당에 위패를 모셔 놓다.

사:대문 (四大門) 조선 때, 서울에 있던 네 대문. 곧, 동쪽의 흥인지문, 서쪽의 돈의문, 남쪽의 숭례문, 북쪽의 숙정문.

사:대부 (士大夫) 예전에, 벼슬이나 문벌이 높은 사람. ㉠사대부 집안의 자손.

사:도 (使徒) **1** 예수가 복음을 널리 전하려고 특별히 뽑은 열두 제자. ㉠사도 바울. ㉥십이 사도. **2** 보람 있고 훌륭한 일을 위해 자신을 돌보지 않고 힘쓰는 사람. ㉠평화의 사도.

사돈 (査頓) **1** 혼인으로 맺어진 관계. ㉠사돈을 맺다. **2** 결혼한 사람의 양쪽 부모들끼리 또는 그 두 집의 항렬이 같은 사람끼리 서로 부르는 말. ㉠사돈어른. ×사둔.

사들이다 [사드리다] 물건 따위를 사서 들여오다. ㉠수입품을 마구 사들이다.

사:또 예전에, 고을의 우두머리가 되는 벼슬아치를 백성이 높여 부르던 말.

***사라지다** **1** 모습이나 자취가 없어지다. ㉠어둠 속으로 사라지다. ㉡나타나다. **2** 어떤 생각·감정 따위가 없어지다. ㉠슬픔이 사라지다. ㉣스러지다. **3** '죽다'를 달리 이르는 말. ㉠단두대의 이슬로 사라지다.

***사:람** **1** 생각과 말을 할 줄 아는, 지구 상에서 가장 지능이 발달한 동물. 도구를 사용하며 문화를 가짐. ㉥인간. 인류. **2** 일정한 자격이나 품격을 갖춘 이. ㉠선생님께서는 부족한 나를 사람으로 만들어 주셨다. **3** 사람의 됨됨이나 성질. ㉠그는 사람이 무던해서 좋다. **4** 어떤 사회나 단체의 구성원. ㉠그는 이 회사에 다니는 사람이다. ➲ man, person

사람(을) 잡다 ㉠사람을 죽이다. ㉡남을 어려운 상황에 빠지게 하다.

예사람 잡는 소리 하지 마라.

사:람답다 [사람답따] 됨됨이나 하는 짓이 사람의 도리에 어그러짐이 없다. 예사람다운 행동. 활용 사람다워 / 사람다우니.

사:람됨 사람의 됨됨이나 인품. 예사람됨이 본받을 만하다.

***사랑**[1] **1** 아끼고 위하는 따뜻한 마음. 예어머니의 **사랑**. **2** 남녀가 애틋이 그리는 일. 예사랑에 빠지다. **3** 남을 돕고 이해하려는 마음. 예사랑의 손길을 뻗치다. 반 미움. 증오. **—하다.** ➲ love

사랑[2] (舍廊) 집의 안채와 따로 떨어져, 바깥주인이 머물며 손님을 대접하는 곳.

사랑니 어금니가 다 난 뒤, 맨 뒤쪽에 새로 나는 작은 어금니. 예사랑니가 나다. ×사랑이.

사랑방 (舍廊房) 안채와 따로 떨어져, 사랑으로 쓰는 방.

사랑스럽다 [사랑스럽따] 사랑을 느낄 만큼 귀여운 데가 있다. 예사랑스러운 어린이. 활용 사랑스러워 / 사랑스러우니.

사랑채 (舍廊—) 사랑으로 사용하는 집채.

사래 '이랑'의 옛말.

사:레 음식을 잘못 삼키어 숨구멍으로 들어갈 때 재채기처럼 뿜어 나오는 기운.

사:레들리다 사레에 걸리다. 예물을 급히 마시다가 **사레들렸다**.

사려 (思慮) 여러 가지 일에 대하여 깊게 생각함. 또는 그런 생각. 예사려 깊은 사람. 비 사념. **—하다.**

사:력 (死力) 목숨을 아끼지 않고 쓰는 힘. 예사력을 다하여 싸우다. 비 죽을힘.

사:령 (使令) 예전에, 관아에서 심부름하던 사람.

사령관 (司令官) 군대·함대의 지휘·통솔을 맡아보는 우두머리.

사령부 (司令部) 사단급 이상의 부대에서, 소속 부대를 통솔하고 지휘하는 본부.

사:례[1] (事例) 어떤 일이 전에 실제로 일어난 예. 예성공 **사례** / **사례**를 들어 설명하다.

사:례[2] (謝禮) 말·행동 또는 물품으로 상대편에게 고마운 뜻을 나타내는 일. 예**사례**의 편지 / 후히 **사례**하다. **—하다.**

사:례[3] (四禮) 관례·혼례·상례·제례의 네 가지 의례. 곧 성년식·결혼식·초상·제사의 네 가지 의식을 말함. 비 관혼상제.

사:례금 (謝禮金) 고마움의 뜻으로 주는 돈.

사로잡다 [사로잡따] **1** 사람이나 짐승 따위를 산 채로 붙잡다. 예산토끼를 **사로잡다**. **2** 생각이나 마음을 한곳으로 쏠리게 하다. 예마음을 **사로잡다**.

사로잡히다 [사로자피다] **1** 사람이나 짐승 따위가 산 채로 붙잡히다. 예적에게 **사로잡히다**. **2** 얽매이어 꼼짝달싹 못하게 되다. 예공포에 **사로잡히다**.

사뢰다 웃어른에게 말씀을 드리다. 예선생님께 삼가 **사뢰겠습니다**.

사:료[1] (史料) 역사를 연구하는 데 필요한 문헌이나 유물 등의 자료.

사료[2] (飼料) 가축에게 주는 먹이. 예사료를 먹이다. 비 먹이.

사르다 **1** 불에 태워 없애다. 예묵은 서류를 불에 **사르다**. **2** 불을 붙여 때다. 예아궁이에 불을 **사르다**. 활용 살라 / 사르니.

사르르 **1** 저절로 힘없이 풀어지거나 떨어지는 모양. 예보자기가 **사르르** 풀리다. **2** 졸음이 살며시 오거나 또는 살며시 눈을 감거나 뜨는 모양. 예졸음을 못 이겨 눈을 **사르르** 감다. **3** 눈이나 얼음이 저절로 녹는 모양. 예아이스크림이 입에서 **사르**

르 녹는다. **4** 몸 또는 몸의 일부가 살살 아픈 모양. (예)배가 사르르 아프다. [큰]스르르.

사리[1] 국수·새끼·실 따위를 동그랗게 포개어 감은 뭉치. 또는 그것을 세는 단위. (예)국수 **사리**.

사리[2] 매달 음력 보름과 그믐날에 밀물이 가장 높이 들어오는 때. [비]만조. [반]조금. [본]한사리.

사리[3] (私利) 개인의 사사로운 이익. [반]공리.

사:리[4] (事理) 일의 이치. 일의 도리. (예)**사리**에 맞는 말 / **사리**를 분별할 줄 아는 사람. [비]도리. 이치.

사리[5] (舍利) 부처나 성자의 유골. 오늘날에는 화장한 뒤에 나오는 작은 구슬 모양의 것을 일컬음.

사리다 **1** 국수·새끼·실 따위를 헝클어지지 않도록 동그랗게 여러 겹으로 포개어 감다. (예)국수를 **사리다**. **2** 어떤 일에 적극적으로 나서지 않고 몸을 아끼다. (예)몸을 **사리다**. **3** 정신을 차리거나 가다듬다. (예)마음을 굳게 **사려** 먹다. **4** 뱀 따위가 몸을 똬리처럼 감다.

사리사욕 (私利私慾) 개인의 사사로운 이익과 욕심. (예)**사리사욕**을 꾀하다 / **사리사욕**에 눈이 멀다.

사리탑 (舍利塔) 부처의 사리를 모셔 둔 탑.

사립 (私立) 개인이나 민간 단체가 세워서 이끌어 감. (예)**사립**학교. [반]공립. 국립.

사립문 (—門) [사림문] 잡목·싸리 따위의 나뭇가지로 엮어 만든 문. [준]사립. ×싸리문.

사:마귀[1] 살갗에 낟알만 하게 돋은 군살. (예)**사마귀**가 나다.

사:마귀[2] 사마귓과의 곤충. 몸은 가늘고 길며, 머리는 삼각형임. 몸빛은 녹색 또는 황갈색임. 앞다리 끝의 돌기가 낫처럼 구부러져 벌레를 잡아먹기에 편리함. [비]버마재비.

〈사마귀[2]〉

***사막** (沙〔砂〕漠) 식물이 거의 자라지 않고, 대부분 모래와 자갈로 뒤덮인 넓은 벌판. (예)사하라 **사막**.

사:망 (死亡) 사람이 죽음. (예)교통사고로 **사망**하다. [비]죽음. [반]출생. [높]서거. 작고. **—하다**.

사:망률 (死亡率) [사망뉼] 일 년 동안 사망한 사람 수의 총인구에 대한 비율.

사:망자 (死亡者) 죽은 사람.

사:면[1] (四面) **1** 동·서·남·북의 네 방향. (예)**사면**이 바다인 섬. [비]사방. **2** 네 개의 면.

사:면[2] (赦免) 죄를 용서하여 형벌을 줄이거나 없애 줌. (예)특별 **사면**. **—하다**.

사:면체 (四面體) 네 개의 삼각형으로 둘러싸인 입체. [비]삼각뿔.

사:면초가 (四面楚歌) 아무에게도 도움을 받지 못하는, 외롭고 곤란한 지경에 빠진 형편을 이르는 말.

***사:명** (使命) 맡겨진 임무. (예)맡은 바 **사명**을 다하다. [비]임무. 책임.

사:명당 (四溟堂) 〘인명〙 조선 선조 때의 유명한 승려. 법명은 유정이며, 임진왜란·정유재란 때 승병을 이끌고 왜적과 싸워 큰 공을 세웠음. [1544–1610]

사:모 (紗帽) 예전에, 벼슬아치가 관복을 입을 때 쓰던, 실로 짠 모자. 지금은 흔히 전통 혼례식 때 신랑이 씀.

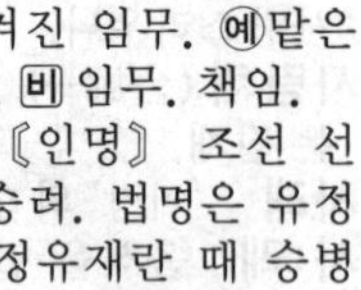

〈사모〉

사:모관대 (紗帽冠帶) 사모와 관대를 갖춘 차림. 곧, 정식으로 차린 옷차림을 일컫는 말.

사모님 (師母—) **1** 스승의 부인을 높여 부르는 말. **2** 윗사람의 부인을 높여 부르는 말.

사모하다 (思慕—) 1 애틋하게 생각하고 그리워하다. ㉮사모하는 사람. 2 우러러 받들고 마음으로 따르다. ㉮스승을 사모하다.

사ː무 (事務) 자신이 맡은 직책에 관련된 여러 가지 일을 처리하는 일. 주로, 책상에서 문서 따위를 처리하는 일을 이름. ㉮사무 처리 / 사무를 보다.

사ː무국 (事務局) 조직·단체에서, 주로 일반 행정 사무를 맡아보는 곳. ㉮유엔 사무국.

사ː무소 (事務所) 어떤 단체나 회사 따위의 사무를 보는 곳. ㉮아파트관리 사무소.

사ː무실 (事務室) 사무를 보는 방. ㉮사무실을 넓히다. ➲ office

사ː무원 (事務員) 사무를 맡아보는 사람. 본 사무직원.

사ː무직 (事務職) 관청이나 회사 따위에서 사무를 맡아보는 직책.

사무치다 마음속 깊이 느껴지다. ㉮그리움이 가슴에 사무치다.

사물¹ (私物) 개인이 가지고 있는 물건. 반 공물. 관물.

사ː물² (事物) 일과 물건. ㉮사물을 보는 눈이 날카롭다.

사ː물놀이 (四物—) [사물로리] 네 사람이 각기 꽹과리·징·북·장구를 가지고 어우러져 치는 놀이.

사물함 (私物函) 공공시설에서 개인 물건을 넣어 두는 상자. ㉮사물함을 정리하다.

사뭇 [사묻] 1 거리낌 없이 마구. ㉮사뭇 우기다. 2 아주 딴판으로. ㉮생각한 것과는 사뭇 다르다. 3 줄곧. ㉮사뭇 떠들어 대기만 한다.

사바 (娑婆) 불교에서, 참고 견뎌야 할 고통과 괴로움이 많은 인간 세계.

사발 (沙鉢) 아래는 좁고 위는 넓은 모양의 사기그릇. 주로 밥이나 국을 담는 데 씀. ➲ bowl

***사ː방¹** (四方) 1 네 방위. 곧, 동·서·남·북의 네 방향. ㉮사방이 산으로 둘러싸이다. 비 사방위. 2 둘레의 모든 방향. 여러 곳. ㉮사방을 살피다. 비 주변. 주위.

사방² (沙〔砂〕防) 산·강가 따위에서 모래나 흙이 바람·비에 씻겨 무너지는 것을 막기 위해 나무를 심거나 돌을 쌓는 일. ㉮사방 공사.

사ː방치기 (四方—) 어린이들의 놀이의 한 가지. 땅바닥에 네모나 동그라미 따위의 여러 공간을 구분해 놓고, 그 안에서 납작한 돌을 한 발로 차서 차례로 다음 공간으로 옮기다가 정해진 공간에 가서는 돌을 공중으로 띄워 받아 돌아오는 놀이.

사ː방팔방 (四方八方) 여기저기 모든 방향이나 방면. ㉮사방팔방에서 사람들이 모여들다.

사범 (師範) 1 남의 스승이 될 만한 모범이나 본보기. 2 학술 및 권투·바둑·유도 따위의 기술을 가르치는 사람. ㉮태권도 사범.

사범 대ː학 (師範大學) 중학교와 고등학교의 교사를 길러 내는 대학. 준 사대.

사법 (司法) 삼권의 하나. 어떤 문제에 대하여 법률에 따라 재판을 하는 일. *입법. 행정.

사법부 (司法府) [사법뿌] 대법원과 그에 딸린 모든 기관.

사ː변 (事變) 나라의 큰 사건. 전쟁에 비길 만한 큰 일. ㉮육이오 사변 / 만주 사변. 비 난리.

사ː변형 (四邊形) 네 개의 선분으로 둘러싸인 평면 도형. 비 사각형.

사ː별 (死別) 죽어서 이별함. ㉮남편과 사별하다. 반 생별. **—하다.**

사ː병 (士兵) 장교가 아닌 모든 병사. 반 장교.

사복¹ (私服) 교복이나 군복 따위가 아닌 보통 옷. ㉮사복을 입다.

사복² (私腹) 자기만의 이익이나

욕심. ㉥사복을 채우다.
사본 (寫本) 원본을 복사하거나 옮기어 베낌. 또는 그렇게 베낀 책이나 서류. ㉥계약서 사본. **—하다.**
사부 (師父) **1** 스승과 아버지. **2** 스승을 높여 일컫는 말.
사:분음표 (四分音標) [사부늠표] 온음표의 4분의 1의 길이를 나타내는 음표(《기호는 ♩》).
사비 (私費) 개인이 부담하거나 들이는 비용. ㉥사비로 유학하다. 비 자비. 반 공비.
사:비성 (泗沘城) 백제의 마지막 수도. 충청남도 부여의 옛 이름. 비 부소산성.
사뿐 소리가 나지 않게 발을 살짝 내디디는 모양. ㉥계단을 사뿐히 내려오다. 큰 서뿐. 거 사푼. **—히.**
사뿐사뿐 소리가 나지 않을 정도로 가볍게 발걸음을 계속 내디디는 모양. ㉥복도에서는 사뿐사뿐 걸어다녀야 한다.
사뿐하다 걸음걸이나 움직임이 매우 가볍고 시원하다.
사사[1] (私事) 개인적인 일. 비 사삿일. 반 공사.
사:사[2] (事事) 이 일 저 일. 곧, 모든 일.
사사[3] (師事) 스승으로 섬김. 또는 스승으로 삼고 가르침을 받음. ㉥김 선생에게서 그림을 사사하였다 / 3년간 사사를 받다. **—하다.**
사:사건건 (事事件件) [사사껀껀] **1** 모든 일. 온갖 사건. ㉥사사건건에 시비를 걸다. **2** 일마다. 매사에. ㉥사사건건 간섭하다.
사사로이 (私私—) 사사롭게. ㉥그것은 사사로이 한 일로 공무와는 상관없다.
사사롭다 (私私—) [사사롭따] 공적이 아닌 개인적인 성질을 띠고 있다. ㉥사사로운 일에 참견 마라. 활용 사사로워 / 사사로우니.
사살 (射殺) 총이나 활 따위로 쏘아 죽임. ㉥적을 사살하다. **—하다.**
*__사:상__[1] (史上) '역사상'의 준말. ㉥대회 사상 첫 우승을 차지하다.
*__사:상__[2] (思想) **1** 어떤 사물에 대한 구체적인 사고나 생각. ㉥건전한 사상. **2** 사회·인생 따위에 관한 일정한 견해. ㉥진보적 사상.
사:상[3] (死傷) 죽거나 다침. ㉥이번 사고로 많은 사람이 사상했다. **—하다.**
사:상가 (思想家) 사회·인생 등에 대한 사상이 풍부하여 여러 사람에게 영향을 주는 사람.
사:상자 (死傷者) 죽은 사람과 다친 사람. ㉥화재로 많은 사상자가 발생하였다 / 수십 명의 사상자가 났다.
사:색[1] (死色) 심한 걱정이나 겁 때문에 창백하게 된 얼굴빛. ㉥얼굴이 사색이 되다.
사색[2] (思索) 사물의 이치를 따져 깊이 생각함. ㉥가을은 사색의 계절 / 사색에 잠기다. **—하다.**
사생 (寫生) 실제의 물건이나 자연의 경치 따위를 그대로 그림. ㉥사생 대회. **—하다.**
사:생결단 (死生決斷) [사생결딴] 죽고 사는 것을 돌보지 않고 끝장을 내려고 함. ㉥사생결단을 낼 각오로 덤비다. **—하다.**
사생아 (私生兒) 법률상 부부가 아닌 남녀 사이에서 태어난 아이. 비 사생자.
사생활 (私生活) 개인의 사사로운 일상생활. ㉥사생활 침해 / 남의 사생활에 간섭하다.
사:서[1] (史書) 역사에 관한 책. 비 역사책.
사서[2] (司書) 도서관에서 책의 정리·보존 및 열람에 관한 일을 맡아 보는 사람.
사:서[3] (四書) 유교의 경전인 논어·

맹자·중용·대학의 네 책.

사:서삼경 (四書三經) 유교의 기본 경전을 이르는 말. 사서인 논어·맹자·중용·대학과, 삼경인 시경·서경·주역을 일컬음.

사:서오경 (四書五經) 유교의 기본 경전을 이르는 말. 사서인 논어·맹자·중용·대학과, 오경인 역경·서경·시경·춘추·예기를 일컬음.

사서함 (私書函) '우편 사서함'을 줄인 말로, 우체국에 설치하여 승인을 받은 개인이나 기관만이 사용하는 우편함.

사석 (私席) 개인적으로 만나는 자리. ㉠사석에서는 흉허물 없이 지낸다. 반공석.

사:선¹ (死線) 죽을 고비. ㉠사선을 넘다.

사선² (斜線) **1** 비스듬하게 그은 줄. **2** 한 평면이나 직선에 수직이 아닌 선. 비빗금.

사설¹ (社說) 신문이나 잡지 따위에서, 글쓴이의 의견이나 주장을 내세워 싣는 글. ㉠신문 사설.

사설² (私設) 개인이 세움. 또는 그 시설. ㉠사설 도서관 / 사설 유치원. 반공설. 관설.

사설³ (辭說) 잔소리나 푸념을 길게 늘어놓음. 또는 그 잔소리나 푸념. ㉠사설이 길다 / 웬 사설이 그리 많으냐.

사설시조 (辭說時調) 시조 형식의 하나. 종장 첫 구를 제외한 초장·중장·종장 가운데 두 구 이상이 길어진 시조. 비장시조.

사:세 (事勢) 일이 되어 가는 형편. ㉠사세가 심상치 않다.

사소하다 (些少—) 보잘것없이 작거나 적다. ㉠사소한 일로 다투다.

사:수¹ (死守) 목숨을 걸고 지킴. ㉠진지를 사수하다. **—하다.**

사수² (射手) 총포나 활 따위를 쏘는 사람. ㉠기관총 사수.

사슬 쇠로 된 고리를 여러 개 이어서 만든 줄. ㉠사슬에 꽁꽁 묶이다. 본쇠사슬. ▶chain

***사슴** 사슴과의 짐승. 다리가 가늘고 길며 몸빛은 밤색에 흰 점이 있음. 성질이 온순하며 이끼나 풀 따위를 먹고 되새김질함. 수컷의 갓 나온 뿔은 '녹용'이라 하여 귀한 약재로 씀. ▶deer

〈사슴〉

사:시 (四時) ⇨사철1.

사시나무 버드나뭇과의 낙엽 활엽 교목. 산 중턱에 많이 나며, 봄에 잎보다 꽃이 먼저 핌. 상자·성냥개비 따위의 재료로 쓰임.

사시나무 떨듯 몸을 몹시 떠는 모양을 이르는 말.

사:시사:철 (四時四—) 일 년 내내. 어느 철이나 늘. ㉠사시사철 눈에 덮여 있는 산꼭대기.

사:신 (使臣) 예전에, 임금이나 나라의 명령으로 외국에 심부름을 가던 신하. ㉠사신을 보내다 / 외국의 사신을 맞다.

사:신도 (四神圖) 동의 청룡, 서의 백호, 남의 주작, 북의 현무 따위 네 방위를 맡은 신을 그린 그림. 돌방 무덤의 네 벽면에 그려졌음.

사:실¹ (史實) 역사에 실제로 있었던 일. ㉠사실에 근거를 두다.

***사:실²** (事實) **1** 실제로 있었던 일. 또는 현재에 있는 일. ㉠사실과 전혀 다르다 / 사실대로 말하다. ▶fact **2** 진실로. 정말로. ㉠사실 난 아무 잘못도 없다.

사심 (私心) 자기 욕심을 채우려는 마음. ㉠사심을 버리다 / 사심 없이 일하다. 비이기심. 반공심.

사:씨남정기 (謝氏南征記) 〘책〙

조선 숙종 때, 김만중이 지은 한글 소설. 숙종이 인현 왕후를 내쫓고 장희빈을 왕비로 맞아들인 사실을 비꼰 내용임.

사악하다 (邪惡—) [사아카다] 마음이나 생각이 간사하고 악독하다. ㉠사악한 생각을 품다.

사암 (沙〔砂〕岩) 차돌 따위의 여러 가지 돌이 부스러져 생긴 모래가 물 속에 가라앉아 단단하게 된 바위. ㊓사암석.

사:약 (賜藥) 예전에, 임금이 큰 죄를 지은 신하에게 내리던 독약. ㉠죄인에게 사약을 내리다.

사양 (辭讓) 겸손하게 거절하거나 남에게 양보함. ㉠저녁 초대를 사양하다. **—하다.**

*__사:업__ (事業) **1** 어떤 목적을 위해 조직적으로 하는 사회 활동. ㉠자선 사업. **2** 이익을 얻기 위해 벌이는 지속적인 경제 활동. ㉠사업에 성공하다. ㊓기업. 실업. **—하다.**

*__사:업가__ (事業家) [사업까] 사업을 하는 사람. 또는 사업에 능한 사람. ㊓사업자.

사:연 (事緣) 일의 앞뒤 사정과 까닭. ㉠슬픈 사연을 말하다 / 사연이 많다 / 사연이 복잡하다.

사욕 (私慾) 자기 한 개인의 이익만을 꾀하는 욕심. ㉠사욕에 눈이 어둡다.

*__사:용__ (使用) 일정한 목적이나 기능에 맞게 물건을 씀. ㉠사용 기간 / 마이크를 사용하여 말하다. ㊓이용. **—하다.** ➡use

사:용료 (使用料) [사용뇨] 물건이나 시설 따위를 사용하는 대가로 내는 요금. ㉠사용료를 물다.

사:용법 (使用法) [사용뻡] 물건이나 시설 따위를 사용하는 방법. ㉠원고지 사용법.

사:용자 (使用者) **1** 물건이나 시설을 쓰는 사람. ㉠핸드폰 사용자. **2** 노동자에게 일을 시키고 그 대가로 보수를 주는 사람.

사우나 (sauna) 핀란드식의 증기 목욕. 뜨겁게 달군 돌에 물을 뿌려 증기를 일으켜 그 열로 땀을 내고 자작나무 가지로 가볍게 몸을 두들겨 마사지를 함.

사우디아라비아 (Saudi Arabia) 〖국명〗 아라비아 반도의 대부분을 차지하고 있는 왕국. 석유가 매우 많이 남. 수도는 리야드.

사원[1] (寺院) 절. 사찰.

사원[2] (社員) 회사에 근무하는 사람. ㉠신입 사원 / 사원을 모집하다. ㊓회사원.

사:월 (四月) 한 해 열두 달 가운데 넷째 달. ➡April

*__사위__ 딸의 남편. ㉠사위로 삼다 / 사위를 보다. ㊀며느리.

사윗감 [사위깜 / 사윋깜] 사위로 삼을 만한 사람. ㉠사윗감을 고르다 / 사윗감으로 점찍다.

사유[1] (私有) 개인의 소유. ㉠사유물. ㊀공유. 국유. **—하다.**

사:유[2] (事由) 일의 까닭. ㉠참석하지 못한 사유. ㊓연고.

사유 재산 제:도 (私有財産制度) 재산을 개인이 소유할 수 있도록 법률로 보호하며, 소유자의 자유로운 관리·운영에 맡기는 사회 제도.

사유지 (私有地) 개인이 소유한 토지. ㊀공유지. 국유지.

사육 (飼育) 짐승을 먹여 기름. ㉠가축을 사육하다. **—하다.**

사:육신 (死六臣) [사육씬] 조선 세조 때 단종의 복위를 꾀하다 실패하여 처형된 여섯 명의 충신. 성삼문·박팽년·하위지·이개·유응부·유성원. *생육신.

사:은회 (謝恩會) 졸업생들이 스승의 은혜에 감사하는 뜻으로 베푸는 모임.

사:의 (謝意) [— / 사이] 감사하게

여기는 뜻. ㉠협조에 대해 심심한 사의를 표하다.

***사이** 1 한 곳에서 다른 곳까지의 거리. ㉠학교와 집 사이. 2 어떤 때에서 다른 때까지의 동안. ㉠눈 깜짝할 사이. 3 시간적 여유나 겨를. ㉠편지 쓸 사이도 없이 바쁘다. 4 사귀는 정분. ㉠사이가 나쁘다. 5 서로 맺은 관계. ㉠친구 사이. ㉣새.

사이(가) 뜨다 사람 사이의 관계가 친밀하지 않거나 벌어지다.

사이다 (cider) 탄산수에 당분과 향료를 섞어 만든 청량음료.

사이렌 (siren) 시간이나 급한 일을 널리 소리 내어 알리는 신호 기계. ㉠사이렌이 울리다.

사이버 (cyber) 어떤 일이 컴퓨터 통신이나 인터넷으로 이루어지는 것. ㉠사이버 강의.

사:이비 (似而非) 겉은 비슷하게 보이지만 속은 완전히 다름. ㉠사이비 기자 / 사이비 종교.

사이시옷 [사이시옫] 합성어에서 뒷말의 첫소리가 된소리로 나거나 'ㄴ' 소리로 나는 앞말에 받쳐 적는 'ㅅ' 받침. '바닷가'·'나뭇잎'·'아랫방' 따위에서 'ㅅ'. → [학습마당] 14(아래)

[학습마당] 14

사이시옷을 받치어 적는 경우

1. 순 우리말로 된 합성어로서 앞말이 홀소리로 끝난 경우

(1) 뒷말의 첫소리가 된소리로 나는 것

귓밥	나룻배	나뭇가지	냇가
머릿기름	모깃불	못자리	바닷가
뱃길	볏가리	부싯돌	선짓국
쇳조각	아랫집	잿더미	조갯살
찻집	쳇바퀴	햇볕	혓바늘

(2) 뒷말의 첫소리 'ㄴ, ㅁ' 앞에서 'ㄴ' 소리가 덧나는 것

아랫니	텃마당	아랫마을	뒷머리
잇몸	깻묵	냇물	빗물

(3) 뒷말의 첫소리 홀소리 앞에서 'ㄴㄴ' 소리가 덧나는 것

도리깻열	뒷윷	뒷일	베갯잇
욧잇	깻잎	나뭇잎	댓잎

2. 순 우리말과 한자에서 온 말로 된 합성어로서 앞말이 홀소리로 끝난 경우

(1) 뒷말의 첫소리가 된소리로 나는 것

귓병	샛강	아랫방	자릿세
전셋집	찻잔	콧병	텃세
핏기	햇수	횟가루	횟배

(2) 뒷말의 첫소리 'ㄴ, ㅁ' 앞에서 'ㄴ' 소리가 덧나는 것

곗날	제삿날	훗날	툇마루

(3) 뒷말의 첫소리 홀소리 앞에서 'ㄴㄴ' 소리가 덧나는 것

가욋일	사삿일	예삿일	훗일

3. 두 음절로 된 다음 한자말

곳간(庫間)	셋방(貰房)	숫자(數字)	찻간(車間)
툇간(退間)	횟수(回數)		

*사이좋다 [사이조타] 서로 다정하거나 친하다. ㉠친구와 사이좋게 지내다.

사이즈 (size) 신발이나 옷 따위의 크기. 치수. ㉠사이즈가 크다 / 사이즈를 재다 / 사이즈가 맞지 않는다.

사이클 (cycle) 1 사물이 일정한 주기로 되풀이하여 순환하는 일. 2 ⇨ 자전거.

사이트 (site) '웹 사이트'를 줄인 말로, 컴퓨터에서 인터넷을 통하여 정보를 찾아볼 수 있는 데.

사이펀 (siphon) 한쪽은 길고 다른 한쪽은 짧은 'U' 자 모양의 굽은 관. 압력의 차이를 이용하여, 그릇을 기울이지 않고 그 속의 물을 다른 곳에 옮기는 데 씀.

사인[1] (sign) 1 서류 따위에 서명함. 또는 그 서명. ㉠서류에 사인을 하다 / 인기 가수의 사인을 받다. 2 몸짓·눈짓 등으로 의사를 전달함. 또는 그 동작. ㉠사인을 보내다 / 사인을 주고받다. **―하다.**

사:인[2] (死因) 죽게 된 원인. 사망의 원인. ㉠사인을 밝히다.

사인펜 (sign+pen) 섬유를 굳혀 만든 심에 수성 잉크를 넣어 만든 필기도구.

사일로 (silo) 겨울철에 가축의 먹이인 풀이나 곡물 따위를 마르지 않게 저장하는 둥근 탑 모양의 창고.

사임 (辭任) 맡아보던 일자리를 스스로 그만두고 물러남. ㉠회장직을 사임하다. **―하다.**

*사자 (獅子) 고양잇과의 맹수. 수컷은 머리에서 목까지 갈기가 있음. 몸길이 2 m, 어깨 높이 1 m 정도. 머리에 비하여 몸은 작은 편임. 인도·아프리카의 초원에 무리 지어 사는데, 밤에 활동하며 사냥은 주로 암컷이 함. ➲ lion

〈사자〉

사자놀이 (獅子―) [사자노리] 음력 정월 보름날, 사자탈을 쓰고 하는 민속놀이. ㉥ 사자놀음.

사자탈 (獅子―) 사자의 모습을 본떠 만든 탈.

사장 (社長) 회사의 대표자. ㉠출판사 사장.

사장조 (―長調) [사장쪼] '사' 음을 으뜸음으로 하는 장조.

사재 (私財) 개인의 재산. ㉠사재를 들여 장학 재단을 만들다.

사재기 앞으로 물건이 귀해지거나 값이 오를 것을 예상하고 많이 사 두는 일. **―하다.**

사적[1] (私的) [사쩍] 개인에 관계되는 (것). ㉠그것은 사적인 일이다. ㉤ 공적.

*사:적[2] (史跡〔蹟〕) 역사적으로 중요한 사건이나 시설의 자취. ㉠사적 답사.

사:적지 (史跡地) [사적찌] 역사적으로 중요한 사건이나 시설의 자취가 남아 있는 곳. ㉠사적지를 보호하다.

사:전[1] (事典) 여러 가지 사항을 모아 일정한 순서로 배열하고 그 하나하나에 풀이를 붙인 책. ㉠백과사전 / 인명 사전.

사:전[2] (事前) 일이 있기 전. 일을 시작하기 전. ㉠사전에 알리다 / 사전 준비를 철저히 하다. ㉤ 사후.

*사전[3] (辭典) 낱말을 모아서 일정한 차례대로 벌여 싣고 낱낱이 그 발음·뜻·용법·어원 따위를 풀이한 책. ㉠국어사전 / 사전을 편찬하다. ㉥ 사서. ➲ dictionary

사:절[1] (使節) 나라를 대표하여 일정한 임무를 띠고 외국에 가는 사람. ㉠외교 사절.

사:절[2] (謝絕) 요구나 제의를 받아

들이지 않고 거절함. ㉠면회 사절 / 외상 사절. —하다.

사:절단 (使節團) [사절딴] 나라를 대표하여 일정한 임무를 띠고 외국에 파견되는 사람들의 무리.

*__사:정__¹ (事情) **1** 일의 형편이나 까닭. ㉠사정을 모르다 / 사정이 딱하다. ㉥ 형편. **2** 딱한 처지를 하소연하여 용서나 도움을 비는 일. ㉠아무리 사정해도 소용이 없다. —하다.

사정² (査定) 조사하거나 심사하여 결정함. ㉠표준어를 사정하다. —하다.

사정³ (射精) 남성의 생식기에서 정액을 내보내는 일. —하다.

사:정없다 (事情—) [사정업따] 남의 사정을 헤아려 돌봄이 없이 매몰차다.

사:정없이 (事情—) [사정업씨] 남의 사정을 조금도 헤아리지 않고. ㉠사정없이 내쫓아 버리다.

사제¹ (師弟) 스승과 제자.

사제² (司祭) 가톨릭에서 주교와 신부의 총칭.

사제³ (私製) 개인이 만듦. 또는 그 물건. ㉠사제 엽총 / 사제 폭탄.

사조 (思潮) 한 시대에 나타나는 사상의 일반적인 경향. ㉠문예 사조.

사:족 (四足) **1** 짐승의 네 발. 또는 네 발 가진 짐승. **2** '사지¹'를 낮추어 이르는 말.

사족(을) 못 쓰다 무엇에 반하거나 혹하여 꼼짝 못하다. ㉠오락이라면 사족을 못 쓴다.

사:죄 (謝罪) 지은 죄나 잘못에 대해 용서를 빎. ㉠무릎을 꿇고 사죄하다. ㉥ 사과. —하다.

사:주¹ (四柱) 태어난 해·달·날·시의 네 가지. ㉠사주가 좋다 / 사주를 풀다.

사:주² (使嗾) 남을 부추기어 나쁜 일을 시킴. ㉠사주를 받아 도둑질을 하다. —하다.

사:주단자 (四柱單子) [사주딴자] 신랑 집에서 신부 집으로 신랑의 사주를 적어 보내는 종이.

사:주팔자 (四柱八字) [사주팔짜] **1** 사주의 간지가 되는 여덟 글자. **2** 타고난 운수. ㉠사주팔자가 사납다 / 사주팔자를 잘 타고나다.

사:중주 (四重奏) 실내악의 한 가지. 바이올린 둘과 비올라·첼로로 구성되는 현악 사중주와 피아노·바이올린·비올라·첼로로 구성되는 피아노 사중주 등이 있음.

사:중창 (四重唱) 네 사람이 각각 다른 높이의 목소리로 하는 합창.

사:지¹ (四肢) 두 팔과 두 다리. ㉠사지가 멀쩡한 사람.

사:지² (死地) **1** 죽을 곳. **2** 도저히 살아 나올 수 없는 위험한 곳. ㉠사지로 몰아넣다.

사직 (辭職) 맡은 직무를 내놓고 물러남. ㉠사직서 / 회사를 사직하다. —하다.

*__사진__ (寫眞) 카메라로 사람이나 물건 또는 어떤 광경 등을 찍어 인화한 것. ㉠졸업 사진 / 사진을 찍다 / 사진을 확대하다.

사진관 (寫眞館) 일정한 시설을 갖추어 놓고 사진 찍는 일을 영업으로 하는 집. ㉠사진관에서 아기 돌 사진을 찍다.

*__사진기__ (寫眞機) ⇨카메라.

사진사 (寫眞師) 사진 찍는 일을 직업으로 하는 사람.

사진첩 (寫眞帖) 사진을 붙이거나 끼워 두는 책. 앨범. ➡ album

사:차원 (四次元) 공간의 3 차원과 시간의 1 차원을 합하여 일컫는 말.

사찰¹ (寺刹) ⇨절².

사찰² (査察) 조사하여 살핌. ㉠핵 사찰을 실시하다. —하다.

사채¹ (私債) 개인이 사사로이 진 빚. ㉠사채 이자.

사채² (社債) 주식회사가 사업에

필요한 자금을 구하려고 일반인에게서 모집하는 채권. ⓔ사채를 발행하다. 비 회사채.

사:철 (四—) **1** 봄·여름·가을·겨울의 네 계절. ⓔ사철의 변화. 비 사계. 사계절. 사시. **2** 늘. 항상. ⓔ사철 푸른 나무.

사:철나무 (四—) [사철라무] 노박덩굴과의 상록 관목. 해안에 나는데 높이는 2-3 m, 잎은 두껍고 반들반들함. 나무껍질은 약으로 쓰고 정원수로 많이 심음.

사:체 (死體) 사람이나 동물의 죽은 몸뚱이. 비 시체. 주검.

사:초 (史草) 조선 때, 사관이 기록하여 둔 역사 기록의 초고. 실록의 원고가 되었음.

*****사:촌** (四寸) 아버지의 친형제의 아들딸. 또는 그 촌수. 비 사촌 형제. ×사춘. ➲ cousin

사춘기 (思春期) 이성에 관심을 가지게 되는 시기. 신체적인 성숙이 거의 완성되는 시기로 15-20 세에 해당함. ⓔ**사춘기**에 들어서다.

사치 (奢侈) 분수에 넘치도록 지나치게 돈이나 물건을 쓰거나 호화롭게 지냄. ⓔ**사치** 풍조 / **사치**를 부리다 / **사치**와 허영에 빠지다. 비 호사. 호화. 반 검소. **—하다.**

사치스럽다 (奢侈—) [사치스럽따] 사치한 데가 있다. ⓔ**사치스러운** 옷차림 / 수입에 비해 생활이 **사치스럽다**. 활용 사치스러워 / 사치스러우니.

사치품 (奢侈品) 분수에 지나친 사치스러운 물품. ⓔ**사치품** 소비를 줄이자. 비 호사품.

사:칙 (四則) 덧셈·뺄셈·곱셈·나눗셈의 네 가지 계산 방법. ⓔ**사칙** 연산.

사:친이효 (事親以孝) [사치니효] 세속 오계의 하나. 부모를 효도로써 섬긴다는 뜻.

사칭 (詐稱) 이름이나 직업 따위를 거짓으로 속여 말함. ⓔ사장이라고 사칭하다. **—하다.**

사타구니 두 다리의 사이. 비 샅. 준 사타귀.

사탄 (Satan) 하나님과 대립하는 악을 인격화한 것. 마귀.

*****사탕** (沙〔砂〕糖) **1** 눈깔사탕·드롭스 따위처럼 설탕을 끓여서 여러 가지 모양으로 만든 과자. ⓔ**사탕**을 빨아 먹다. **2** ⇨설탕. ➲ candy

사탕무 (沙糖—) 명아줏과의 두해살이풀. 열대·아열대에서 많이 재배함. 줄기는 곧고 높이 약 1 m, 잎은 좀 두껍고 긴 달걀 모양으로 자줏빛을 띰. 원뿔 모양의 뿌리는 맛이 달아 사탕의 원료로 씀.

사탕발림 (沙糖—) 달콤한 말로 남의 비위를 맞추어 살살 달램. 또는 그런 말. ⓔ**사탕발림**에 넘어가다. 비 겉발림. **—하다.**

사탕수수 (沙糖—) 볏과의 여러해살이풀. 열대·아열대에서 많이 재배함. 높이는 2-4 m. 거의 수수와 비슷한데, 마디 사이가 짧음. 설탕의 원료로 씀.

사태[1] 소의 무릎 뒤쪽에 붙은 고깃덩어리. 국거리로 씀.

사태[2] (沙汰) **1** 언덕이나 산비탈이 비바람이나 충격 따위로 무너져 내리는 일. ⓔ**사태**가 나다. **2** 사람이나 물건이 한꺼번에 많이 쏟아져 나오는 일. ⓔ작황이 좋아 참외 **사태**가 나다.

사:태[3] (事態) 일의 상태나 되어 가는 형편. ⓔ**사태**가 심각하다. 비 상황. 형세.

사택 (舍宅) 단체나 기관에서 직원을 위해 지은 살림집. ⓔ목사 **사택**.

사퇴 (辭退) 어떤 지위에서 물러남. ⓔ책임자의 **사퇴**를 요구하다 / 반장 후보에서 **사퇴**하다. **—하다.**

사:투 (死鬪) 죽을힘을 다해 싸움.

또는 그런 싸움. 예사투를 거듭하다 / 사투를 벌이다.
*사ː투리 어느 지방에서만 쓰는, 표준어가 아닌 말. 예강원도 사투리. 비방언. 반표준어.
사파이어 (sapphire) 투명하고 아름다운 청색을 띤 보석. 탄생석의 하나임.
사ː팔뜨기 양쪽 눈의 시선이 평행하지 않은 사람. 또는 그런 눈.
사포 (沙布) 모래·규석 따위의 고운 가루를 발라 붙인 헝겊이나 종이. 녹을 닦거나 가구 등의 거죽을 반드럽게 하는 데 쓰임. 샌드페이퍼. 예사포로 문지르다.
사표[1] (師表) 학식과 덕행이 높아 모범이 될 만한 사람.
사표[2] (辭表) 일자리에서 물러나겠다는 뜻을 적어 내는 문서. 예사표를 내다. 비사직서.
사ː필귀정 (事必歸正) 모든 일은 반드시 잘잘못이 가려져 바른길로 돌아감.
사ː하다 (赦—) 지은 죄를 용서하다. 예죄를 사하다.
사하라 사막 (Sahara沙漠) 〖지명〗 아프리카 북부의 대부분을 차지한, 세계에서 가장 넓은 사막.
사ː학[1] (史學) 역사를 연구하는 학문. 또는 역사의 본바탕을 깊이 연구하여 밝히는 학문. 본역사학.
사학[2] (私學) 개인이 세운 교육 기관. 예사학의 명문.
사할린 (Sakhalin) 〖지명〗 시베리아 동쪽, 일본의 북쪽에 있는 러시아의 섬. 일제 때 끌려갔던 우리 동포들이 많이 살고 있음.
*사ː항 (事項) 일의 항목이나 내용. 예주의 사항을 잘 볼 것.
사ː해[1] (四海) 온 세상.
사ː해[2] (死海) 요르단과 이스라엘 국경에 남북으로 좁고 길게 뻗은, 소금기가 많은 호수. 세계에서 가장 수면이 낮음. 비염해.
사행심 (射倖心) 뜻밖의 행운을 노리는 마음. 예사행심을 조장하다.
사ː형 (死刑) 죄인의 목숨을 끊는 형벌. 예사형 선고 / 사형에 처하다. 비극형. —하다.
사ː형수 (死刑囚) 사형 선고를 받은 죄수.
사ː형장 (死刑場) 사형을 집행하는 장소.
사ː화 (士禍) 조선 때, 반대파에게 몰리어 많은 선비들이 참혹한 화를 입은 사건. 예기묘사화.
사ː화산 (死火山) 꽤 오래전에 화산 활동이 멈춘 화산. 백두산·한라산 따위. 반활화산.
사ː환 (使喚) 잔심부름을 시키기 위해 관청이나 회사 등에서 부리는 사람.
사ː활 (死活) 죽느냐 사느냐의 갈림. 매우 중요한 문제. 예사활이 걸린 문제이다.
사회[1] (司會) **1** 회의나 예식 따위의 진행을 맡아봄. 예사회를 보다. **2** '사회자'의 준말. —하다.
*사회[2] (社會) **1** 같은 무리끼리 모여 사는 집단. 예상류 사회. **2** 학생·군인·죄수 들이 자기가 속한 영역 이외의 영역을 이르는 말. 예사회에 진출하다 / 사회에 적응하다. **3** 조직을 만들고 공동생활을 하는 인간의 집단. 예산업이 발달하면서 사회의 모습이 바뀌었다. ➲ society
사회과 (社會科) [사회꽈] 지리·역사·윤리·정치·경제·민주 생활 등의 분야에 걸친, 초등학교·중고등학교의 교과.
사회과 부ː도 (社會科附圖) [사회꽈—] 초등학교 및 중고등학교의 교과인 사회 교과서에 딸린 지도나 도표 혹은 도면 따위를 보여 주는 책.
사회면 (社會面) 신문에서 사회의

일상생활 속의 사건 기사를 싣는 지면.
사회 문ː제 (社會問題) 사회 제도의 모순이나 결함에서 오는 여러 가지 문제. 실업자·노동·주택·교통·공해·범죄 문제 따위.
사회 보ː장 제ː도 (社會保障制度) 국민이 겪는 질병·상해·실업 등을 해결하고 최소한의 문화생활을 보장하기 위한 제도. 연금이나 보험 등의 제도와 국가 보조 따위로 도움을 줌.
사회 복지 (社會福祉) [—복찌] 국민의 최저 한도의 생활을 보장하기 위해 빈곤자의 생활 보호·공중위생·공동 모금 따위의 사업을 조직적으로 행하는 일. ㉠사회 복지 사업.
사회부 (社會部) 신문사 등에서, 사회의 여러 가지 사건·사고에 대한 기사를 맡아보는 부서. ㉠사회부 기자.
사회사업 (社會事業) 사회 복지를 목적으로 하는 사업. 가난하거나 재해를 입은 사람 등을 돕는 일, 아동 보호 사업, 의료 보호 사업 따위를 말함.
사회생활 (社會生活) 여러 사람들이 집단적으로 모여 질서를 지키면서 살아가는 공동생활.
사회성 (社會性) [사회썽] 사회생활을 하려고 하는 인간의 근본 성질.
사회인 (社會人) **1** 사회를 구성하는 한 사람으로서 생활해 나가는 개인. **2** 학교나 군대 등의 단체에서 제한된 생활을 하는 사람들이 일반 사회 사람들을 일컫는 말.
사회자 (司會者) 모임이나 예식, 방송 프로그램 등의 진행을 맡아보는 사람. ㊟사회.
사회적 (社會的) 사회에 영향을 미치는 (것). 사회에 관계되는 (것). ㉠사회적 관심사.
사회주의 (社會主義) [— / 사회주이] 공동 생산과 공동 분배를 통해 경제적으로 평등한 사회를 실현하려는 사상. ㊥자본주의.
사ː후[1] (死後) 죽은 후. ㉠사후 세계. ㊥생전.
사ː후[2] (事後) 일이 끝난 뒤. 또는 일을 끝낸 뒤. ㉠사후 처리 / 사후 대책을 마련하다. ㊥사전.
사흗날 [사흔날] 그달의 셋째 날. ㊝초사흗날. ×사흘날.
***사흘** 세 날. 삼 일. ㉠사흘이 지나도 소식이 없다.
삭감 (削減) [삭깜] 비용 따위를 깎아서 줄임. ㉠임금 삭감 / 예산 삭감 / 경비를 삭감하다. **—하다.**
삭다 [삭따] **1** 오래되어서 본바탕이 변해 썩은 것처럼 되다. ㉠옷이 삭아서 해지다 / 수도꼭지 고무가 삭았다. **2** 먹은 음식이 소화되다. ㉠먹은 밥이 속에서 잘 삭질 않아 거북하다. **3** 긴장이나 화가 풀려 마음이 가라앉다. ㉠그때의 분노가 아직도 삭지 않았다.
삭막하다 (索莫〔漠〕—) [상마카다] 황폐하고 쓸쓸하다. ㉠삭막한 겨울 풍경.
삭발 (削髮) [삭빨] **1** 머리털을 깎음. **2** 절에 들어가 승려가 됨을 비유한 말. **—하다.**
삭삭 [삭싹] **1** 종이나 헝겊 따위를 칼이나 가위로 거침없이 계속 베는 소리. 또는 그 모양. **2** 잇달아 거침없이 밀거나 쓸거나 비비는 모양. 또는 그 소리. **3** 조금도 남김없이 죄다. ㉠삭삭 긁어 모으다. ㊌석석. ㊍싹싹.
삭신 [삭씬] 몸의 근육과 뼈마디. ㉠몸살로 삭신이 쑤신다.
삭이다 [사기다] **1** 먹은 음식을 소화시키다. ㉠음식을 잘 씹어서 삭여라. **2** 분한 마음을 가라앉히다. ㉠억지로 분을 삭이다.

주의 **삭이다**와 **새기다**
삭이다 1 소화시키다. ㉠음식을 잘 삭이다. 2 마음을 진정시키다. ㉠분한 마음을 잘 삭이지 못해서 펄펄 뛴다.
새기다 1 조각하다. ㉠도장을 새기다. 2 명심하다. ㉠마음에 새기다. 3 번역하다. ㉠영어를 우리말로 새기다.

삭정이 [삭쩡이] 살아 있는 나무에 붙은 채 말라 죽은 가지. ㉠삭정이로 불을 피우다.
삭제 (削除) [삭쩨] 깎아 없애거나 지워 버림. ㉠명단에서 삭제하다. 반 첨가. **—하다.**
삭풍 (朔風) 겨울철에 북쪽에서 불어오는 찬바람. 비 북풍.
삭히다 [사키다] 삭게 하다. ㉠새우젓을 삭히다.
***삯** [삭] **1** 일한 대가로 주는 돈이나 물건. ㉠삯으로[삭쓰로] 쌀을 받았다. **2** 어떤 물건이나 시설을 이용하는 대가로 주는 돈. ㉠배를 빌린 삯을 치르다.
삯바느질 [삭빠느질] 삯을 받고 해 주는 바느질. ㉠삯바느질로 자식을 공부시키다. **—하다.**
***산**[1] (山) 평지보다 썩 높이 솟아 있는 땅덩이. ㉠산이 높다 / 산에 올라가 소리를 지르다. ➲ mountain
산[2] (酸) 신맛이 있고 푸른 리트머스 종이를 붉은색으로 변하게 하는 성질을 가진 화합물. 염산·질산·황산 따위.
산- (山) 어떤 말 앞에 붙어, 그것이 산이나 들에 저절로 나서 자라는 것을 뜻하는 말. ㉠산나물 / 산새 / 산누에. →메- 주의
-산 (産) 물건이 그곳에서 나거나 생산되었음을 나타내는 말. ㉠국내산 / 중국산 한약재.
산간 (山間) 산과 산 사이. 산골짜기가 많은 땅. ㉠산간 마을 / 산간 지대. 비 산골.
산간벽지 (山間僻地) [산간벽찌] 산속에 있는 외진 곳.
산:개 (散開) 여럿으로 흩어져 벌림. **—하다.**
산:고 (産苦) 아이를 낳을 때 느끼는 고통. ㉠산고를 겪다.
***산골** (山—) [산꼴] 산속의 외지고 으슥한 곳. ㉠산골 마을. 비 산간.
산골짜기 (山—) [산꼴짜기] 산과 산 사이의 움푹 들어간 곳. 비 계곡. 준 산골짝.
산골짝 (山—) [산꼴짝] '산골짜기'의 준말.
산국 (山菊) 국화과에 속하는 여러해살이풀. 줄기에 잔털이 있고 높이 60-90 cm이며, 잎은 어긋나게 남. 산과 들에 나는데, 우리나라 각지에 분포함. 꽃은 약용 또는 식용함. 비 산국화.
산그늘 (山—) [산끄늘] 산에 가려서 생긴 그늘. ㉠산그늘이 내리다 / 산그늘이 지다.
산기슭 (山—) [산끼슥] 산의 아랫부분. 산 밑. 비 산록.
***산길** (山—) [산낄] 산에 나 있는 길. ㉠가파른 산길 / 산길을 따라 오르다.
산꼭대기 (山—) [산꼭때기] 산의 맨 위. 비 산머리. 산정[1].
산나물 (山—) 산에서 나는 나물. ㉠산나물을 듬뿍 넣은 비빔밥. 비 멧나물. 산채.
산대놀음 (山臺—) [산대노름] 고려·조선 때에 유행하던 우리나라 가면극. 탈을 쓰고 큰길가나 빈터에서 춤을 추며 우스운 말과 몸짓으로 구경꾼들을 웃겼음. 비 산대극. 산대도감극. 산대잡극.
산더미 (山—) [산떠미] 물건이나 일이 썩 많이 있음을 산에 비유하여

일컫는 말. ㉠할 일이 산더미 같다.
산돼지 (山—) [산뙈지] ⇨멧돼지.
산들바람 시원하고 가볍게 부는 바람. ㉡ 선들바람. → [학습마당] 24(1145쪽)
산들산들 시원한 바람이 잇달아 가볍게 부는 모양. ㉠바람이 산들산들 분다. ㉡ 선들선들. **—하다.**
산등성이 (山—) [산뜽성이] 산의 등줄기. ㉢ 등성이. 산등.
산딸기 (山—) 산딸기나무의 열매.

〈산딸기〉

산딸기나무 (山—) 장미과의 낙엽 활엽 관목. 높이 1-2 m, 온몸에 가시가 남. 초여름에 흰 꽃이 피며, 한여름에 익는 붉은 열매는 약으로 쓰거나 먹음.
산뜻하다 [산뜨타다] **1** 기분이나 느낌이 깨끗하고 시원하다. ㉠산뜻한 산속 공기 / 기분이 산뜻하다. **2** 보기에 시원스럽고 말쑥하다. ㉠옷을 산뜻하게 입었다. ㉡ 선뜻하다.
산:란 (産卵) [살란] 알을 낳음. ㉠산란 시기. **—하다.**
산:란하다 (散亂—) [살란하다] **1** 물건들이 흩어져 어지럽다. **2** 어수선하고 뒤숭숭하다. ㉠마음이 산란하여 일이 손에 잡히지 않는다.
***산림** (山林) [살림] 산과 숲. 또는 산에 있는 수풀. ㉠산림 보호.
산림녹화 (山林綠化) [살림노콰] 헐벗은 산에 나무심기·산림 보호·사방 공사 등을 하여 나무와 풀이 우거지게 하는 일.
산림욕 (山林浴) [살림뇩] ⇨삼림욕.
산림 자원 (山林資源) [살림—] 산림에서 얻는 목재·나물·약초 따위의 경제적 가치가 있는 자원. ㉠산림 자원이 풍부하다.
산림청 (山林廳) [살림청] 농림부에 속한 중앙 행정 기관. 산림에 관한 사무를 맡아봄.
***산마루** (山—) 산등성이의 가장 높은 곳. ㉣ 산등성마루.
산:만하다 (散漫—) 어수선하게 흩어져 혼란하다. ㉠주의가 산만한 학생 / 문장이 산만하다.
***산맥** (山脈) 여러 산이 한 줄 또는 여러 줄로 이어져 일정한 방향으로 길게 뻗어 이룬 지대. *산줄기.
산:모 (産母) 아이를 낳은 지 며칠 안 되는 여자. ㉤ 산부. 해산어미.
산모롱이 (山—) 산모퉁이의 휘어져 돌아간 곳. ㉠산모롱이를 돌아가는 시골 버스.
산모퉁이 (山—) 산기슭의 쑥 내민 귀퉁이.
산:문 (散文) 글자의 수나 운율 따위에 제한 없이 자유롭게 쓴 보통의 글. 수필·기행문·소설·희곡 따위. ㉤ 줄글. ㉥ 운문.
산:문시 (散文詩) 일정한 운율 없이 자유로운 형식으로 쓰는 시.
산:물 (産物) **1** 어떤 지방에서 생산되는 물건. ㉠대구의 대표적 산물은 사과다. ㉤ 산출물. 산품. **2** 어떤 일의 결과로 생겨나거나 얻어지는 것. ㉠예술품은 감수성과 상상력의 산물이다.
산바람 (山—) [산빠람] 산에서 부는 바람. ㉤ 산풍. ㉥ 골바람.
산:발 (散髮) 머리를 풀어 헤침. 또는 그 머리. ㉠다 해진 옷에 산발한 여자. **—하다.**
산:발적 (散發的) [산발쩍] 때때로 여기저기 흩어져 발생하는 (것). ㉠산발적 시위.
산:보 (散步) [산뽀] ⇨산책. ㉠공원에서 산보하다. **—하다.**
산봉우리 (山—) [산뽕우리] 산꼭대기의 뾰족하게 솟은 부분. ㉤ 멧부리. 산봉. ㉢ 봉우리.
산:부인과 (産婦人科) [산부인꽈]

임신·해산·신생아 및 부인병을 다루는 의술의 한 분과. 또는 그러한 것을 진료하는 곳.

산불 (山—) [산뿔] 산에 난 불. ㊉ 산불 조심. 비 산화.

산비둘기 (山—) [산삐둘기] 비둘깃과의 새. 마을 부근의 숲 속이나 대나무 숲에 삶. 몸빛은 회갈색이며 목에 검은 띠무늬가 있음. 밭의 곡류·곤충 따위를 먹음. 비 멧비둘기.

산비탈 (山—) [산삐탈] 산기슭의 몹시 기울어진 곳. ㊉산비탈이 가파르다.

산사 (山寺) 산속에 있는 절. ㊉고요한 산사.

산사태 (山沙汰) 큰비나 지진 등으로 산 중턱의 돌이나 흙이 갑자기 무너져 내리는 현상. ㊉산사태가 나다. 비 산붕괴.

산:산이 (散散—) [산사니] 남김없이 깨어지거나 흩어지는 모양. ㊉거울이 산산이 부서지다.

산:산조각 (散散—) 아주 잘게 깨어진 여러 조각. ㊉산산조각으로 부서진 거울 / 찻잔이 산산조각이 나다.

산삼 (山蔘) 깊은 산속에 저절로 나서 자란 삼. 약효가 재배종보다 좋음. 반 가삼.

산새 (山—) [산쌔] 산에서 사는 새. 뻐꾸기·꾀꼬리·딱따구리 따위.

산성[1] (山城) 산 위에 쌓은 성. ㊉ 산성을 쌓다.

산성[2] (酸性) 신맛이 있는 물질의 성질. 푸른색 리트머스 종이를 붉은색으로 변하게 함. ㊉산성 식품 / 산성 토양. 반 염기성.

산성비 (酸性—) 산성이 강한 비. 공장이나 자동차에서 나오는 오염 물질 때문에 생김. 흙이 산성으로 변하므로 농작물·산림 등에 직접 피해를 줌. ㊉공기가 오염되어 산성비가 내리다.

산성화 (酸性化) 산성으로 변함. 또는 산성으로 변화시킴. ㊉화학 비료를 써서 농토가 산성화되어 간다. **—하다.**

산세 (山勢) 산이 생긴 모양. ㊉산세가 몹시 험하다.

산소[1] (山所) '무덤'을 높여 일컫는 말. ㊉산소에 벌초하러 가다. 높 묘소.

***산소**[2] (酸素) 색·맛·냄새가 없는 기체. 물질을 태우는 성질이 있으며 동식물의 생활에 꼭 필요한 물질임. ㊉산소는 수소와 화합하여 물을 만든다.

산속 (山—) [산쏙] 산의 속. ㊉길을 잃고 산속을 헤매다. 비 산내. 산중.

산수[1] (山水) **1** 자연의 경치. ㊉산수가 아름답다. **2** '산수화'의 준말.

산:수[2] (算數) **1** ⇨산술. **2** 수의 성질, 셈의 기초 따위를 가르치는 학과목. ㊉산수 시간.

산수유나무 (山茱萸—) 층층나뭇과의 낙엽 활엽 교목. 산과 들에 나는데 높이는 3m가량이고, 봄에 노란 네잎꽃이 잎보다 먼저 피며, 핵과는 길이 1.5cm 정도의 긴 타원형을 이룸. 과실·씨는 말려 한방에서 약재로 씀.

산수화 (山水畫) 동양화에서, 자연의 풍경을 그린 그림. 비 산수도. 준 산수.

산:술 (算術) 일상생활에 쓰이는 수와 양의 셈을 다루는 수학적 계산 방법. 비 산수.

산신령 (山神靈) [산실령] 산을 지키고 다스리는 신령. 비 산신.

산:실 (散室) **1** 아이를 낳는 방. 비 산방. **2** 어떤 일을 꾸미거나 이루어 내는 곳. ㊉교육의 산실.

산:아 제:한 (産兒制限) [사나—] 인공적 방법으로 아이를 배거나 낳는 것을 제한하는 일. 준 산제.

산악 (山岳) [사낙] 높고 험한 산들. ㊉산악 훈련.

산악인 (山岳人) [사나긴] 등산을 즐기거나 잘하는 사람. ㉠산악인들이 원정 등반에 나서다.
산악 지대 (山岳地帶) [사낙찌대] 높고 험한 산들로 이루어진 땅의 지역.
산악회 (山岳會) [사나쾨] 산에 오르는 것을 취미로 하고, 산에 대해 연구하는 사람들로 이루어진 모임.
산야 (山野) [사냐] 산과 들. ㉠흰 눈이 덮인 산야.
산양 (山羊) [사냥] 솟과에 속하는 짐승. 험한 산악 지대에 살며 나뭇잎이나 열매 따위를 먹음. 천연기념물 제217호임. 비 영양.
*__산:업__ (產業) [사넙] 일상생활에 필요한 여러 가지 물건 따위를 생산하는 사업. 농업·수산업·공업·상업·임업·목축업 따위. ㉠산업을 육성하다.
산:업 사회 (產業社會) [사넙싸회] 산업화와 경제 성장을 기본으로 하는 오늘날의 사회.
산:업용 (產業用) [사넘뇽] 산업 활동에 씀. ㉠산업용 로봇 / 산업용 자재를 구입하다.
산:업 자원부 (產業資源部) [사넙짜원부] 중앙 행정 기관의 하나. 상업·공업·에너지 등에 관한 일을 맡아봄.
산:업 재해 (產業災害) [사넙째해] 작업장에서 생긴 사고·직업병 또는 공해 따위로 근로자가 받는 신체적 장애. 준 산재.
산:업 혁명 (產業革命) [사너평명] 18세기 영국에서 일어난 생산 기술과 사회 조직의 큰 변혁. 기계와 증기 기관의 발명으로 기술 향상과 사회의 발전을 가져옴.
산:업화 (產業化) [사너퐈] 산업의 형태가 됨. 또는 그렇게 되게 함. ㉠산업화를 이루다 / 산업화가 급속하게 진행되다. **—하다.**

산울림 (山—) [사눌림] 골짜기나 산에서 소리를 지르면 잠시 후에 되울리는 소리. 비 메아리.
산:유국 (產油國) [사뉴국] 원유를 생산하는 나라.
산자락 (山—) 밋밋하게 경사진 산의 밑 부분. ㉠안개가 산자락을 휘감다 / 산자락에 아담한 건물이 자리잡고 있었다.
산장 (山莊) **1** 산에 있는 별장. **2** 등산하는 사람의 휴식·숙박을 위해 산에 세운 집. ㉠해가 저물어 산장에서 묵다.
산:재하다 (散在—) 여기저기 흩어져 있다. ㉠문화재가 여기저기 산재해 있다.
산적[1] (山賊) 예전에, 산속에 숨어 살면서 남의 재물을 빼앗던 도둑. ㉠산적을 만나다. 반 해적.
산:적[2] (散炙) 쇠고기 따위를 길쭉하게 썰어 양념하여 꼬챙이에 꿰어 구운 음식.
산적하다 (山積—) [산저카다] 일이나 물건이 산더미같이 많이 쌓이다. ㉠할 일이 산적해 있다.
산전수전 (山戰水戰) 세상을 살면서 온갖 고생과 어려움을 다 겪었음을 이르는 말. ㉠산전수전 다 겪은 사람.
산정[1] (山頂) ⇨산꼭대기.
산:정[2] (算定) 셈하여 정함. ㉠높은 산정 가격 / 피해액을 산정하다. **—하다.**
산:조 (散調) 전통 음악에서, 가야금·거문고·대금 따위를 장구의 반주로 연주하는 기악 독주 악곡. 느린 가락으로 시작하여 차츰 빠른 가락으로 바꾸어 연주함. ㉠가야금 산조 / 해금 산조.
산줄기 (山—) [산쭐기] 큰 산에서 뻗어 나간 산의 줄기. *산맥.
산중 (山中) ⇨산속. ㉠첩첩한 산중 / 깊은 산중에서 길을 잃다.

산 중턱 (山中—) 산 둘레의 중간 부분. (예)산 중턱에서 쉬어 가다.

*__산지__[1] (山地) 들이 적고 산이 많은 지대. (예)**산지**는 기온이 낮다.

산ː지[2] (產地) 물건이 생산되어 나오는 곳. (예)쌀의 **산지**. [본]산출지.

산지기 (山—) 남의 산이나 뫼를 맡아서 돌보는 사람.

산ː지사방 (散之四方) 여기저기 사방으로 흩어짐. 또는 흩어져 있는 각 방향. (예)낙엽이 **산지사방**으로 흩어지다.

산ː지식 (—知識) 현실 생활에서 직접 활용할 수 있는 지식. (예)**산지식**을 얻다.

산짐승 (山—) [산찜승] 산속에서 사는 짐승.

산ː책 (散策) 바람도 쐬고 구경도 하며 천천히 거닒. (예)공원으로 **산책**을 나가다 / 거리를 **산책**하다. [비]산보. **—하다.**

산ː책길 (散策—) [산책낄] ⇨산책로.

산ː책로 (散策路) [산챙노] 산책할 수 있게 만든 길. (예)**산책로**를 거닐다. [비]산책길.

산천 (山川) **1** 산과 내. **2** 자연. (예)고향 **산천**. [비]강산. 산수. 산하.

산천초목 (山川草木) 산과 내와 풀과 나무라는 뜻으로, '자연'을 이르는 말. (예)**산천초목**도 나를 반기는 듯하다.

산촌 (山村) 산속에 있는 마을. (예)**산촌** 마을. [비]두메.

산ː출[1] (產出) 물건이 천연적 또는 인공적으로 생산되어 나옴. 또는 물건을 생산해 냄. (예)광산에서 철을 **산출**하다. [비]생산. **—하다.**

산ː출[2] (算出) 계산하여 냄. (예)원가를 **산출**하다. **—하다.**

산타클로스 (Santa Claus) 크리스마스 전날 밤에 흰 수염에 빨간 옷을 입고 굴뚝으로 몰래 들어와 어린이의 양말에 선물을 넣고 간다는 할아버지. [준]산타.

산토끼 (山—) 산·숲 속에 사는 토낏과의 짐승. 풀·나무껍질을 먹고 삶. 등은 갈색인데 겨울에는 온몸이 하얗게 변함.

산ː통[1] (產痛) 아기를 낳을 때가 되어서 주기적으로 반복되는 복통. [비]진통.

산ː통[2] (算筒) 장님이 점을 칠 때 쓰는, 점괘가 되는 나뭇가지를 넣는 조그만 통.

산통(을) 깨다 다 되어 가는 일을 이루지 못하게 하다.

산ː파 (產婆) '조산사'의 옛 이름. 아이를 낳을 때 아이를 받고 산모를 도와주는 일을 직업으로 하는 여자. [비]조산원.

산하 (山河) 산과 강을 포함한 모든 자연. (예)조국의 **산하**. [비]산천.

산해진미 (山海珍味) 산과 바다에서 나는 온갖 귀한 것들을 가지고 잘 차린 맛이 좋은 음식.

산행 (山行) 산길을 걸어감. (예)**산행**을 다녀오다. **—하다.**

산허리 (山—) **1** 산의 중턱. **2** 산등성이의 잘록하게 들어간 곳. (예)**산허리**에 길이 나 있다.

산호 (珊瑚) 많은 산호충이 한데 엉기어 나뭇가지 모양을 이룬 것. 석회질로 매우 단단하여 장식품으로 이용됨.

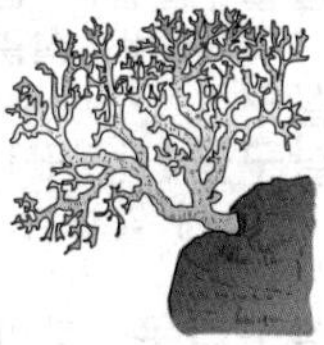
〈산호〉

산호초 (珊瑚礁) 산호충의 분비물이나 뼈 따위가 쌓여서 이루어진 암초 또는 섬.

산호충 (珊瑚蟲) 남쪽의 따뜻한 바다 밑에 사는 원시 동물. 산호를 이루는 작은 벌레로, 여럿이 모여 붙어 삶.

산화 (酸化) 어떤 물질이 산소와 화

합하는 일. 무엇이 타거나 녹스는 것은 이 현상 때문임. ㉰산화 작용 / 쇠가 산화해서 녹이 슬었다. 반환원. **—하다.**

산:후 (産後) 아이를 낳은 뒤. ㉰산후 조리.

*__살__[1] **1** 사람이나 동물의 뼈를 싸고 있는 부드러운 물질. ㉰살이 빠지다. **2** 과일의 껍질과 씨 사이에 있는 부드러운 부분. **3** 조개·게 등의 껍데기 속에 든 연한 물질. ➡ flesh

살[2] **1** 창문·부채·우산·연 따위의 뼈대가 되는, 가늘고 길게 쪼갠 나무나 대오리. ㉰부채의 살이 부러지다. **2** 해나 빛, 흐르는 물 등의 내뻗치는 기운. ㉰빛살 / 햇살 / 물살.

*__살__[3] 나이를 세는 말. ㉰한 살 / 서른 살. 비세.

살가죽 [살까죽] 사람이나 짐승의 몸 거죽을 싸고 있는 껍질. 비피부.

살갑다 [살갑따] 마음씨가 너그럽고 다정스럽다. ㉰살갑게 대하다. 활용 살가워 / 살가우니.

*__살갗__ [살깓] 살가죽의 겉면. ㉰살갗이[살까치] 희다. 비피부.

살같이 [살가치] 쏜살같이. 화살같이. ㉰살같이 흐르는 세월.

살결 [살껼] 살갗의 결. ㉰살결이 고운 사람 / 살결이 희다.

살구 살구나무의 열매.

살구꽃 [살구꼳] 살구나무의 꽃. 4월경에 잎보다 먼저 연분홍색의 꽃이 핌.

살구나무 장미과의 낙엽 활엽 교목. 높이는 5-7m이고, 초봄에 연분홍 다섯잎꽃이 피고, 누런 붉은색의 둥근 핵과가 여름에 익음.

살균 (殺菌) 약품이나 열 따위로 세균 등의 미생물을 죽여 없애는 일. ㉰살균 작용 / 살균된 우유. 비멸균. 소독. **—하다.**

살균제 (殺菌劑) 세균을 죽이는 약. 알코올·크레졸 따위.

살그머니 남이 모르게 넌지시. ㉰살그머니 문을 열고 들어가다. 준살그미. 큰슬그머니.

살금살금 남이 모르도록 눈치를 보며 가만가만 하는 모양. ㉰살금살금 등 뒤로 다가서다. 준살살. 큰슬금슬금.

살기 (殺氣) 남을 죽이거나 해치려는 무서운 낯빛이나 분위기. ㉰살기가 돌다.

살기등등하다 (殺氣騰騰—) 살기가 표정이나 행동 따위에 잔뜩 나타나 있다. ㉰표정이 살기등등하다 / 살기등등하게 노려보다.

살:길 [살낄] 살아가기 위한 방도. ㉰살길을 찾다 / 살길이 막막하다.

살:날 [살랄] **1** 앞으로 세상에 살아 있을 날. ㉰살날이 얼마 남지 않았다. **2** 잘살게 될 날. ㉰우리에게도 살날이 올 것이다.

*__살:다__ **1** 목숨을 이어 가다. ㉰살아 있는 짐승 / 죽느냐 사느냐의 문제. 반죽다. **2** 어떤 곳에 자리를 잡고 지내다. ㉰서울에 살고 있다. **3** 살림이나 생활을 하다. ㉰장사를 하고 살다. **4** 소용·효력·쓸모 따위가 있다. ㉰산 교훈을 얻다. **5** 성질이나 기세가 뚜렷이 나타나다. ㉰기가 살다. 활용 살아 / 사니 / 사는. ➡ live

살뜰하다 **1** 일이나 살림을 정성스럽고 규모 있게 하여 빈틈이 없다. ㉰살뜰하게 살림을 꾸려 가다. **2** 사랑하는 사람을 위하는 마음이 자상하고 지극하다. ㉰아내를 살뜰하게 아껴 주다.

살랑 바람이 가벼이 부는 모양. ㉰살랑 불어오는 봄바람.

살랑살랑 바람이 잇달아 살랑 부는 모양. 큰설렁설렁. 센쌀랑쌀랑. **—하다.**

살래살래 몸의 한 부분을 가볍게 잇달아 가로흔드는 모양. ㉰고개를 살래살래 흔들다. 준살살. 큰설레설레. ㉤쌀래쌀래.

*살리다 1 죽게 된 목숨을 살게 하다. ㉠물에 빠진 사람을 살려 내다. 2 어떤 부분을 덜어 내지 않고 본바탕대로 두거나 좀 보태거나 하다. ㉠중국 본토의 요리 맛을 살리다. 3 활용하다. ㉠경험을 살리다.

*살림 1 한집안을 이루어 살아가는 일. ㉠오랜 처가살이 끝에 살림을 나다. 2 살아가는 형편이나 정도. ㉠살림이 넉넉하다 / 살림에 쪼들리다. 3 집 안에서 쓰는 세간. ㉠신혼 살림을 장만하다. —하다.

살림꾼 1 살림을 맡아 일하는 사람. 2 살림을 알뜰하게 꾸려 가는 사람. ㉠누나는 알뜰한 살림꾼이다.

*살림살이 [살림사리] 1 살림을 차려서 사는 일. ㉠살림살이하는 솜씨가 제법이다. 2 살림에 쓰는 온갖 물건. ㉠부엌 살림살이 / 살림살이가 많이 늘었다. —하다.

살림집 [살림찝] 살림하는 집.

살:맛 [살맏] 세상을 살아가는 재미나 보람. ㉠살맛 나는 세상.

살며시 드러나지 않게 넌지시. ㉠방문을 살며시 열다. ㉤슬며시.

살무사 살무삿과의 뱀. 길이는 70 cm가량, 머리는 납작한 삼각형이고 목이 가늘며 회색 바탕에 어두운 갈색 무늬가 있음. 이빨에서 독이 나옴. ㉥살모사.

살벌하다 (殺伐—) 행동이나 분위기가 거칠고 무시무시하다. ㉠살벌한 분위기가 감돌다.

살붙이 [살부치] 혈육으로 볼 때 가까운 사람. 보통 부모와 자식 관계를 일컬음. ㉥피붙이.

살살[1] 1 물이 천천히 고루 끓는 모양. 2 온돌방이 뭉근하게 고루 더운 모양. ㉠방바닥이 살살 더워지다. 3 작은 벌레 따위가 가볍게 기어가는 모양. ㉠벌레가 살살 기어가다. ㉤설설.

살살[2] 1 소리 나지 않게 가만히 다니는 모양. ㉠살살 피해 다니다. 2 눈·설탕 따위가 모르는 사이에 녹아 버리는 모양. ㉠사탕이 입 안에서 살살 녹다. 3 달래거나 꾀는 모양. ㉠우는 애를 살살 구슬리다. 4 가볍게 만지거나 문지르는 모양. ㉠배를 살살 문지르다. 5 눈치를 보거나 눈웃음치는 모양. ㉠살살 눈웃음을 치다. ㉤슬슬.

살살[3] 배가 조금씩 아픈 모양. ㉠배가 살살 아프기 시작했다. ㉤쌀쌀[2].

살상 (殺傷) [살쌍] 사람을 죽이거나 상처를 입힘. ㉠적을 살상하다. —하다.

살생 (殺生) [살쌩] 짐승이나 사람을 죽임.

살생유택 (殺生有擇) [살쌩유택] 세속 오계의 하나. 생명이 있는 것을 함부로 죽이지 말라는 뜻.

살수 (薩水) [살쑤] '청천강'의 옛 이름.

살수 대:첩 (薩水大捷) [살쑤—] 고구려 영양왕(612) 때 을지문덕 장군이 중국 수나라의 양제가 이끌고 쳐들어온 대군을 살수에서 크게 무찌른 싸움.

살신성인 (殺身成仁) [살씬성인] 옳은 일을 위해 자기 목숨을 버림. —하다.

*살아가다 [사라가다] 1 목숨을 이어 가다. ㉠대대로 한 고장에서 살아가다. 2 생활을 해 나가다. ㉠살아가는 재미 / 네 식구가 오순도순 살아가다.

살아나다 [사라나다] 1 거의 죽게 된 생명이 다시 살게 되다. ㉠죽어 가던 친구가 다시 살아났다. 2 꺼져 가던 불이 다시 일어나다. ㉠불씨가 살아나다. 3 몹시 어려운 고비에서 벗어나다. ㉠부도 직전에 살아난 회사. 4 잊었던 기억·감정·정서 등이 다시 떠오르다. ㉠학창 시절의 기억들이 살아나기 시작했다.

살아남다 [사라남따] **1** 여럿 가운데 일부가 죽음을 피하고 살아서 남아 있게 되다. ㉠가족 중에 혼자만 살아남았다. **2** 어떤 일이나 효력 따위가 계속되다. ㉠감동이 오래오래 가슴속에 살아남다. **3** 어떤 분야에서 밀려나지 않고 남아 있다. ㉠생존 경쟁에서 살아남다.

살아생전 (-生前) [사라생전] 이 세상에 살아 있는 동안. ㉠부모님 살아생전에 효도해라.

살아오다 [사라오다] **1** 목숨을 이어 오거나 생활해 오다. ㉠정직하게 살아왔다. **2** 죽지 않고 돌아오다. ㉠전장에서 구사일생으로 살아왔다. **3** 일정한 신분으로 근무하거나 어떤 일을 계속하여 겪어 오다. ㉠교사로 긴 세월을 살아오다.

살얼음 [사러름] 얇게 살짝 언 얼음. ㉠살얼음이 얼다 / 살얼음이 끼다. ㉥박빙.

살얼음을 밟듯이 겁이 나서 매우 조심스럽게.

살얼음판 (-板) [사러름판] **1** 얇게 언 얼음판. ㉠살얼음판에서 썰매를 타지 마라. **2** 아슬아슬하고 위태로운 고비의 비유. ㉠살얼음판 같은 분위기.

살육 (殺戮) [사륙] 많은 사람을 마구 죽임. ㉠살육의 현장 / 살육을 저지르다. **—하다.**

-살이 [사리] 무엇에 종사하거나 기거하여 살아감을 나타내는 말. ㉠셋방살이 / 시집살이.

살인 (殺人) [사린] 사람을 죽임. ㉠살인 사건. **—하다.**

살인범 (殺人犯) [사린범] 사람을 죽인 범인. ㉠살인범이 붙잡히다.

살인자 (殺人者) [사린자] 사람을 죽인 사람. ㉠살인자를 쫓다.

살인적 (殺人的) [사린적] 사람의 목숨을 빼앗을 정도로 몹시 심한 (것). ㉠살인적인 더위.

살점 (-點) [살쩜] 큰 고깃덩어리에서 떼어 낸 살의 조각. ㉠살점을 베어 내다.

살지다 **1** 몸에 살이 많다. ㉠살진 생선. **2** 땅이 기름지다.

> 주의 **살지다와 살찌다**
> **살지다** 1 몸에 살이 많다. ㉠살진 젖소. 2 땅이 기름지다. ㉠흙이 살지다.
> **살찌다** 몸에 살이 많아지다. ㉠살찌는 계절이다.

살집 [살찝] 살이 붙어 있는 정도나 부피. ㉠살집이 좋다 / 살집이 적당하다.

***살짝** **1** 남모르는 사이에 재빠르게. ㉠살짝 빠져나가다. **2** 힘들이지 않고 가볍게. ㉠살짝 뛰어내리다. **3** 심하지 않게 약간. ㉠살짝 때리다. ㉡슬쩍.

살찌다 몸에 살이 많아지다. ㉠살쪄서 작년에 입던 옷이 작다. →살지다 주의

살찌우다 몸에 살이 많아지게 하다. ㉠가축을 살찌우다.

살충 (殺蟲) 벌레나 해충을 죽임. ㉠살충 효과. ㉥제충. **—하다.**

살충제 (殺蟲劑) 사람이나 농작물, 가축 등에 해가 되는 벌레를 죽이거나 없애는 데 쓰는 약품을 통틀어 일컫는 말. ㉥구충제. 살충약.

살코기 쇠고기나 돼지고기 따위의 기름기·힘줄·뼈 따위를 발라낸, 살로만 된 고기. ㉥정육. ×살고기.

살쾡이 고양잇과의 산짐승. 고양이와 비슷하게 생겼으나 몸집이 좀 크며, 갈색 바탕에 짙은 갈색 줄무늬가 있음.

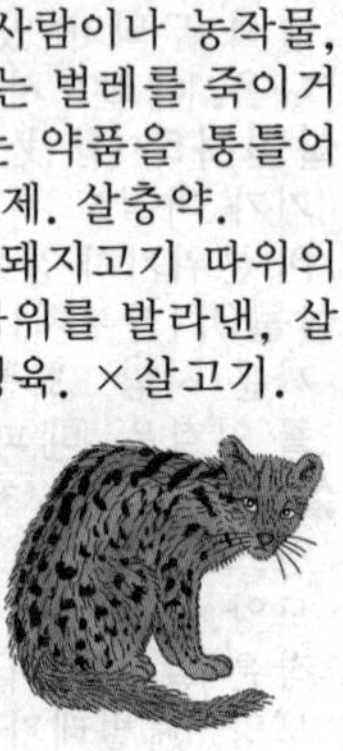
〈살쾡이〉

산과 들에 살며 성질이 몹시 사납고 꿩·다람쥐·닭 등을 잡아먹음. 비 삵. ×삵괭이.

살:판나다 1 돈이나 좋은 일이 생겨 살기가 좋아지다. 2 기를 펴고 살 수 있게 되다. 예어른들의 간섭을 받지 않아 살판나다.

***살펴보다** 하나하나 주의해서 자세히 보다. 예주위를 살펴보다.

살포(撒布) 가루나 액체 따위를 흩어서 뿌림. 예소독약을 살포하다. **—하다.**

살포시 매우 보드랍고 가볍게. 예 살포시 눈을 감고 음악을 감상하다.

살풀이(煞—) [살푸리] 좋지 않은 일을 미리 피하거나 물리치려고 벌이는 굿. 또는 그 굿의 장단과 노래. **—하다.**

살풍경(殺風景) 1 자연 풍경 따위가 멋이 없고 메마름. 2 매몰차고 흥취가 없음. 예거리가 살풍경하다. 3 살기를 띤 광경. 예살풍경한 현장 검증. **—하다.**

***살피다** 1 주의하여 두루두루 자세하게 보다. 예눈치를 살피다 / 주위를 살피다. 2 잘 미루어서 헤아리거나 생각하다. 예형세를 살피다.

살해(殺害) 사람을 죽임. 남의 생명을 해침. 예살해 사건 / 유괴범은 아이를 살해하였다. **—하다.**

***삶:** [삼] 1 사는 일. 예인간다운 삶을 살다. 반 죽음. 2 목숨. 생명. 예 삶을 소중히 여기다. 발음 삶이[살미] / 삶을[살믈].

***삶:다** [삼따] 1 물에 넣고 끓이다. 예국수를 삶아 먹다 / 빨래를 삶다. 2 남을 달래거나 으르거나 꾀어서 고분고분하게 만들다. 예친구를 잘 삶아서 내 편을 만들다. 비 구워삶다. 발음 삶고[삼꼬] / 삶아서[살마서] / 삶으면[살므면].

삼[1] 뽕나뭇과의 한해살이풀. 줄기 높이 1–3 m, 유라시아의 온대·열대에서 재배함. 줄기의 껍질은 섬유의 원료로 삼베·어망 따위를 짜는 데 씀. 비 대마. 마.

삼[2](蔘) 인삼과 산삼을 통틀어 이르는 말. 예삼을 캐다.

***삼**[3](三) 1 셋. 2 '세'·'셋째'의 뜻. 예삼 년 / 삼 학년. ➡ three

삼가 조심하는 마음으로 정중히. 예삼가 고인의 명복을 빕니다.

삼가다 1 몸가짐이나 언행을 조심하다. 예말을 삼가다. 2 양이나 횟수 따위를 지나치지 않도록 하다. 예군것질을 삼가다 / 건강을 위해 술과 담배를 삼가다. ×삼가하다.

삼각기둥(三角—) [삼각끼둥] 밑면이 삼각형으로 된 각기둥. 비 세모기둥.

삼각뿔(三角—) 밑면이 삼각형인 각뿔. 비 세모뿔.

삼각산(三角山) [삼각싼] '북한산'의 다른 이름.

삼각자(三角—) [삼각짜] 삼각형 모양의 자. 비 세모자.

삼각주(三角洲) [삼각쭈] 강물이 운반해 온 흙·모래 따위가 강어귀에 쌓여서 된 모래벌판. 대개 삼각형을 이루며 땅이 기름짐. 델타.

삼각 플라스크(三角flask) 밑이 넓고 목이 좁은 원뿔 모양의 실험용 유리 기구.

***삼각형**(三角形) [삼가켱] 세 개의 변으로 이루어진 평면 도형. 비 세모꼴. 준 삼각. ➡ triangle

삼강(三綱) 임금과 신하, 부모와 자식, 남편과 아내 사이에 마땅히 지켜야 할 도리.

삼강오륜(三綱五倫) 유교의 도덕에서, 기본이 되는 세 가지 강령과 다섯 가지 도리. 삼강과 오륜.

삼거리(三—) 세 갈래로 갈라진 길. 예천안 삼거리.

삼겹살(三—) [삼겹쌀] 돼지의 갈비에 붙은 살로, 비계와 살이 세 겹으로 되어 있는 것처럼 보이는 고기. ㉡삼겹살을 구워 먹다.

삼경(三更) 하룻밤을 다섯으로 나눈 셋째 때. 곧, 밤 11시부터 새벽 1시까지의 동안.

삼계탕(蔘鷄湯)[—/삼계탕] 어린 닭의 내장을 빼내고 인삼·찹쌀·대추 따위를 넣고 푹 삶은 음식. 비 계삼탕.

삼국사기(三國史記)[삼국싸기] 〖책〗 고려 인종 23년(1145), 김부식이 왕의 명령을 받아 지은 역사책. 신라·백제·고구려 세 나라의 역사를 기록하였음. '삼국유사'와 함께 지금까지 남아 있는 가장 오래된 우리나라 역사책임. 50권 10책.

삼국 시대(三國時代)[—씨대] 우리나라 역사에서, 고구려·백제·신라의 세 나라로 갈라져 있던 시대. 후에 신라가 통일하였음.

삼국유사(三國遺事)[삼궁뉴사] 〖책〗 고려 충렬왕 11년(1285)에 승려 일연이 지은 역사책. 고구려·백제·신라의 역사를 기록하였음.

삼국지(三國志)[삼국찌]〖책〗 나관중이 지은 중국 삼국 시대의 역사 소설. 촉나라의 유비·관우·장비와 제갈량 등의 활약을 소설로 씀. 본 삼국지연의.

삼군(三軍) **1** 전체의 군대. **2** 육군·해군·공군을 통틀어 일컫는 말.

삼권(三權)[삼꿘] 통치권의 세 가지 권리. 곧, 입법권·사법권·행정권을 말함.

삼권 분립 제:도(三權分立制度) [삼꿘불립쩨도] 국가의 권력을 입법·사법·행정의 삼권으로 나누어 힘의 균형을 유지하려는 정치 제도.

삼남(三南) 경상도·전라도·충청도 지방을 합쳐서 부르는 말.

삼년상(三年喪) 부모가 돌아가셔서 세 해 동안 기리는 일. ㉡삼년상을 치르다. 비 삼년초토. 준 삼상.

***삼:다**[1] [삼따] **1** 남을 자기와 관계있는 사람이 되게 하다. ㉡며느리로 삼다. **2** 어떤 것을 무엇이 되게 하거나 여기다. ㉡문제 삼다. **3** 무엇을 무엇으로 가정하다. ㉡운동 삼아 집까지 걸어가다.

삼:다[2] [삼따] **1** 짚신·미투리 따위를 만들다. ㉡짚신을 삼다. **2** 삼이나 모시풀 등의 섬유를 비벼 꼬아 잇다. ㉡삼을 삼다.

삼다도(三多島) 여자·돌·바람의 세 가지가 많은 섬이라는 뜻에서, '제주도'를 일컫는 말.

삼대(三代) 아버지·아들·손자의 세 대. ㉡삼대가 함께 살다.

삼라만상(森羅萬象)[삼나만상] 우주 안의 모든 사물과 현상.

삼류(三流)[삼뉴] 어떤 부류에서 수준이 가장 낮은 층. ㉡삼류 가수.

삼림(森林)[삼님] 나무가 많이 우거진 숲. ㉡삼림 보호/삼림 지대.

삼림욕(森林浴)[삼님뇩] 병의 치료나 건강을 위해 숲을 거닐며 숲의 공기와 기운을 쐬는 일. 비 산림욕.

삼매경(三昧境) 한 가지 일에만 정신을 집중한 상태. ㉡독서 삼매경에 빠지다.

삼면(三面) 세 방면. ㉡우리나라는 삼면이 바다로 둘러싸여 있다.

삼발이(三—)[삼바리] **1** 둥근 쇠테두리에 발이 세 개 달린 실험 기구. **2** 사진기·망원경 따위를 올려놓는, 발이 세 개 달린 받침대.

삼베 여름옷·상복 따위를 만드는데 쓰는, 삼의 올실로 짠 누런 천. 비 마포. 준 베.

삼별초(三別抄) 고려 고종 때 최우가 설치한 특별 군사 조직. 좌별초·우별초·신의군으로 구성됨. 몽고가 쳐들어오자, 제주도까지 옮겨 가면서 끝까지 싸움.

삼복(三伏) **1** 초복·중복·말복을 통틀어 일컫는 말. **2** 여름철의 가장 더운 기간. ㉡삼복을 잘 넘기다.

삼복더위 (三伏—) [삼복떠위] 한 여름철의 몹시 심한 더위. ㉡삼복더위가 기승을 부리다. ㊟복더위.

삼부 (三府) 행정부·사법부·입법부의 총칭.

삼부 합창 (三部合唱) 세 성부로 이루어지는 합창. 소프라노·메조소프라노·알토의 삼부 합창이 대표적임.

삼삼오오 (三三五五) [삼사모오] 서넛 또는 대여섯 사람이 떼를 지어 다니거나 무슨 일을 하는 모양. ㉡삼삼오오 떼 지어 가다.

삼삼하다 **1** 음식이 조금 싱거운 듯하면서 맛이 있다. ㉡찌개 맛이 삼삼하다. ㊔심심하다. **2** 잊혀지지 않고 눈앞에 보이는 듯하다. ㉡그때 일이 아직도 눈에 삼삼하다.

삼수 (三修) 주로 대학 입학시험에 두 번 실패하고 다시 이듬해의 시험을 준비하는 일. ㉡삼수해서 대학에 들어가다. **—하다.**

삼수갑산 (三水甲山) [삼수갑싼] 함경남도에 있는 삼수와 갑산이 험하고 멀어서 가기 힘든 곳이라는 뜻에서 나온 말로, '매우 어려운 지경'을 이르는 말. ㉡나중에야 삼수갑산을 갈지언정….

삼시 (三時) 아침·점심·저녁의 세 끼니. 또는 그 끼니때. ㉡삼시를 꼭꼭 챙겨 먹다.

삼신[1] (三辰) 해·달·별(특히 북두칠성)의 세 가지.

삼신[2] (三神) 아기를 갖게 해 주고, 아기 엄마와 아기의 건강을 맡아 보호해 주는 세 신령. ㊑삼신령. 삼신할머니.

삼십 (三十) **1** 서른. ㉡삼십 명. **2** 서른 살. ㉡나이 삼십에 장가가다.

삼십육계 (三十六計) [삼심뉵꼐 / 삼심뉵께] 일이 불리하거나 곤란할 때에 달아나 버리는 일. ㉡삼십육계 줄행랑을 놓다.

삼십팔도선 (三十八度線) [삼십팔또선] 한반도 중부를 가로지르는 북위 38도선. 8·15 광복 후의 남과 북의 정치적 경계선을 이루었음. ㊟삼팔선.

삼엄하다 (森嚴—) [사멈하다] 분위기가 무서울 만큼 빈틈이 없고 엄숙하다. ㉡삼엄한 경계.

삼엽충 (三葉蟲) [사몁충] 고생대 지층에서 발견된 삼엽충류 화석 동물. 얕은 바다에 살던 것으로 몸은 50 cm 정도로 납작하고 타원형이며 머리·가슴·꼬리로 구분됨.

삼원색 (三原色) [사뭔색] 바탕이 되는 세 가지 색이나 빛. 색의 삼원색은 빨강·노랑·파랑이며, 빛의 삼원색은 빨강·녹색·파랑임.

삼월 (三月) [사뭘] 한 해 가운데 셋째 달. ➡ March

삼위일체 (三位一體) [사뮈일체] **1** 세 가지가 서로 다르면서도 떨어지지 않고 하나를 이룸. ㉡교사·학부모·학생이 삼위일체가 되다. **2** 기독교에서, 성부·성자·성령이 셋이면서 하나가 됨.

삼일 운ː동 (三一運動) [사미룬동] 1919년 3월 1일, 우리나라를 강제로 점령한 일본을 몰아내기 위해 손병희 등 33 인이 중심이 되어 '독립 선언문'을 낭독하고, 이후 전국에서 독립 만세를 부르며 일으켰던 민족운동. ㊑기미독립운동.

삼일장 (三日葬) [사밀장] 사람이 죽은 지 사흘 만에 지내는 장사. ㉡삼일장을 치르다.

삼일절 (三一節) [사밀쩔] 국경일의 하나. 삼일 운동을 온 국민이 기념하는 날. 매년 3월 1일.

삼일정신 (三一精神) [사밀정신] 3·1 운동을 일으킨 우리 민족의 정신. 전 국민이 단결하여 조국의 독립과 자유와 평화를 얻으려는 정신.

삼자 (三者) **1** 어떤 일에 직접 관계가 없는 사람. (예)삼자가 참견하다. [비]제삼자. **2** 어떤 일에 관계가 있는 세 사람. (예)삼자 회담.

삼정승 (三政丞) 조선 때, 영의정·우의정·좌의정을 통틀어 일컫던 말. [비]삼공.

삼족 (三族) **1** 부모와 형제와 처자. **2** 부계·모계·처계의 겨레붙이. (예)삼족을 멸하다.

삼중주 (三重奏) 서로 다른 세 개의 악기로 같이 하는 연주. 트리오.

삼중창 (三重唱) 소리의 높낮이가 서로 다른 세 부분의 목소리로 부르는 중창. 트리오.

삼진 (三振) 야구에서, 타자가 스트라이크를 세 번 당하여 아웃이 됨. 스트라이크 아웃. (예)투수가 삼진을 잡다.

삼짇날 (三—) [삼진날] 음력 삼월 초사흗날. 겨우내 집 안에 갇혔다가 이날 꽃놀이를 하고 새 풀을 밟으며 봄을 즐김. [비]삼월 삼질. 중삼. [준]삼질.

삼차원 (三次元) 공간처럼 가로·세로·높이의 세 차원을 사용하여 표현되는 입체적인 공간. (예)삼차원의 세계.

삼척동자 (三尺童子) [삼척똥자] 키가 1m 정도 되는 아이. 곧, 어린아이. (예)그 정도는 삼척동자라도 알 수 있다.

삼천리 (三千里) [삼철리] 함경북도의 북쪽 끝에서 제주도의 남쪽 끝까지 삼천 리가량 된다고 하여, 우리나라 전체를 일컫는 말. (예)삼천리 방방곡곡.

***삼촌** (三寸) 아버지의 형제. 특히 결혼하지 않은 남자 형제의 일컬음. (예)삼촌이 두 명 있다. ➡ uncle

삼층밥 (三層—) [삼층빱] 밥을 서툴게 지어서 삼 층이 되게 지은 밥. 맨 위는 설거나 질고, 중간은 제대로 되고, 맨 밑은 탄 밥을 장난삼아 이르는 말.

삼치 고등엇과의 바닷물고기. 몸길이는 1m가량. 몸은 가늘고 길며 작은 비늘로 덮여 있음. 옆구리에는 회색 얼룩점이 흩어져 있으며, 배는 흼.

***삼키다** **1** 무엇을 입에 넣어 목구멍으로 넘기다. (예)알약을 삼키다. **2** 눈물이나 웃음 따위를 억지로 참다. (예)눈물을 삼키다.

삼태기 대오리·짚·싸리 따위로 엮어 흙·쓰레기·거름 따위를 담아 나르는 그릇. (예)삼태기로 흙을 담아 나르다.

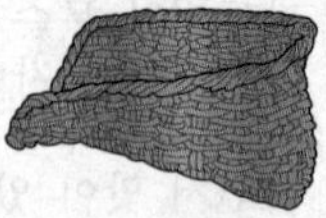

〈삼태기〉

삼판양승 (三—兩勝) [삼판냥승] 지고 이김을 결정할 때에, 세 판 중에서 두 판을 먼저 이기는 편이 승리하는 일.

삼팔선 (三八線) [삼팔썬] '삼십팔도선'의 준말.

삼한 (三韓) 삼국 시대 이전에 지금의 전라도와 경상도에 있던 마한·진한·변한의 세 나라.

삼한 사ː온 (三寒四溫) 겨울철에 3일가량 추웠다가, 다음 4일가량 따뜻한 날씨가 되풀이되는 현상.

***삽** 땅을 파고 흙을 뜨는 데 쓰는 기구. 얇은 철판에 긴 나무 자루가 달려 있음. (예)삽으로 흙을 떠내다.

삽날 [삼날] 삽의 얇고 날카로운 가장자리 부분.

삽사리 [삽싸리] 털이 복슬복슬하게 많이 난 개. 천연기념물 제368호. [비]삽살개.

삽살개 [삽쌀개] ⇨삽사리.

삽시간 (霎時間) [삽씨간] 아주 짧은 시간. (예)소문이 삽시간에 퍼지다. [비]일순간. [준]삽시.

삽입 (揷入) [사빕] 틈이나 구멍 사이에 꽂아 넣거나 끼워 넣음. (예)삽화를 삽입하다. **—하다.**

삽질 [삽찔] 삽으로 땅을 파거나 흙을 떠내는 일. **—하다.**

삽화 (揷畫) [사퐈] 책·신문·잡지 따위에서, 글의 내용을 보충하거나 쉽게 이해할 수 있도록 그려 넣은 그림. (예)삽화가.

삿갓 [삳깓] 볕이나 비 따위를 가리려고 대오리나 갈대로 거칠게 엮어서 만든 갓.

〈삿갓〉

삿ː대 [삳때] 얕은 물에서 배에 타고 물 밑의 땅바닥을 밀어 배를 움직이게 하는 긴 막대. [본]상앗대.

삿ː대질 [삳때질] **1** 삿대로 배를 움직이게 하는 일. **2** 말다툼할 때 주먹이나 손가락 따위를 상대의 얼굴을 향하여 내지르는 짓. (예)삿대질을 해 가며 싸우다. [본]상앗대질. **—하다.**

상ː[1] (上) **1** 차례나 등급을 '상·하'나 '상·중·하'로 나누었을 때의 맨 첫째. (예)이 제품의 품질 등급은 상이다. **2** 물체의 위나 위쪽을 이르는 말. (예)지구 상 / 도로 상. [반]하.

*__상__[2] (賞) 잘한 일을 칭찬하기 위하여 주는 물건이나 돈. (예)그림을 잘 그려서 상을 타다. ➲ prize

상[3] (像) **1** 사람이나 물건의 모양을 본떠서 그리거나 만든 형상. (예)성모 마리아상. **2** 빛의 반사 또는 굴절로 생기는 물체의 형상. 실상과 허상이 있음.

상[4] (喪) 가족의 어른이 죽는 일. (예)상을 당하다.

*__상__[5] (床) 소반·책상·평상 따위를 통틀어 일컫는 말. (예)상을 차리다.

상[6] (相) 얼굴의 생김새. (예)부자가 될 상이다.

상[7] (想) 작품을 제작하는 작자의 생각. (예)좋은 상이 떠오르다.

상가[1] (商街) 가게가 죽 늘어서 있는 거리. (예)상가에서 쇼핑을 하다.

상가[2] (喪家) 사람이 죽은 집. 초상난 집. [비]상갓집. 초상집.

상ː감[1] (上監) '임금[1]'의 높임말.

상감[2] (象嵌) 금속이나 도자기 따위의 겉에 무늬를 새기고, 그 새긴 자리에 금이나 은 따위의 재료를 채워 넣는 기술. 또는 그 작품.

상감 청자 (象嵌靑瓷) 도자기의 겉면에 새·과일·꽃 등의 무늬를 새겨 그 속에 자개 따위의 장식을 박아 넣고, 청자유를 발라 구워 낸 자기.

상거래 (商去來) 상품을 팔고 사는 일. (예)상거래를 트다.

상ː경 (上京) 지방에서 서울로 올라옴. (예)무작정 상경하다. **—하다.**

상ː고[1] (上古) 아주 오랜 옛날. (예)상고 시대의 역사.

상ː고[2] (上告) 제이심 판결에 불만이 있을 때, 상급 법원에 그 변경을 요구하는 일. **—하다.**

상ː공 (上空) **1** 높은 하늘. (예)상공에 연을 띄우다. **2** 어떤 지역의 위에 있는 공중. (예)수도권 상공.

상공업 (商工業) 상업과 공업.

상ː관[1] (上官) 군대나 직장에서 자기보다 계급이 높은 사람. (예)상관의 지시에 따르다. [반]부하.

상관[2] (相關) **1** 서로 관련을 가짐. (예)그 두 사건은 밀접하게 상관되어 있다. **2** 남의 일에 간섭함. (예)남의 일에 상관하지 마시오. **—하다.**

상관없다 (相關—) [상과넙따] **1** 서로 관련이 없다. (예)그것과는 상관없는 일이다. **2** 염려할 것이 없다. (예)좀 늦어도 상관없다.

상궁 (尙宮) 조선 때, 왕궁에서 시중하던 지위가 높은 궁녀.

상ː권 (上卷) 두 권 또는 세 권으로 가른 책의 첫째 권.

상극 (相剋) 둘 사이의 마음이 맞지 못하고 서로 맞섬. (예)둘은 상극이라 만나기만 하면 싸운다.

상금 (賞金) 상으로 주는 돈. (예)상

금을 타다.
상:급 (上級) 높은 등급이나 계급. ㉠상급 학교. 반 하급.
상:급생 (上級生) [상급쌩] 학년이 높은 학생. 반 하급생.
상:기[1] (上氣) 부끄러움이나 흥분으로 얼굴이 붉어짐. ㉠붉게 상기된 얼굴. **—하다.**
상:기[2] (想起) 지난 일을 다시 생각해 냄. ㉠상기하자 6·25. **—하다.**
상냥하다 성질이 싹싹하고 부드럽다. ㉠상냥한 마음씨.
상:념 (想念) 마음속에 품은 여러 가지 생각. ㉠상념에 잠기다.
상다리 (床—) [상따리] 상에 붙어서 상을 받치는 다리.
상다리가 부러지다〔**휘어지다**〕 상에 여러 가지 많은 음식을 차려 놓다. ㉠상다리가 부러지게 생일상을 차리다.
상담 (相談) 개인의 어려운 문제를 전문가나 경험이 많은 사람과 의논함. ㉠선생님과 진로 문제를 상담하다. 비 상의. **—하다.**
상담소 (相談所) 어떤 일에 관해 묻고 의논할 수 있는 시설. ㉠법률 상담소 / 결혼 상담소.
상당 (相當) 일정한 액수나 수치 따위에 해당함. ㉠5 만 원 상당의 상품을 받다.
상당수 (相當數) 어지간히 많은 수. ㉠학부모의 상당수가 학교 급식을 찬성하다.
상당하다 (相當—) **1** 어느 정도에 가깝다. ㉠백만 원 상당하는 시계. **2** 어지간하게 많다. ㉠상당한 노력이 필요하다 / 상당한 비용이 들었다. **3** 꽤 대단하다. ㉠상당한 실력을 갖추고 있다.
*__상대__ (相對) **1** 서로 마주 대함. ㉠신랑과 신부가 상대하여 서다. **2** 실력 따위를 서로 겨룸. ㉠상대 선수. **3** '상대자' 의 준말. ㉠결혼 상대. **—하다.**
*__상대방__ (相對方) 상대가 되는 사람. ㉠상대방이 듣지 못하게 소곤거리다. 비 상대편.
상대성 이:론 (相對性理論) [상대썽—] 아인슈타인에 의해 확립된 물리학의 기본 이론.
상대자 (相對者) 말이나 일을 할 때 상대가 되는 사람. ㉠경쟁 상대자. 준 상대.
*__상대편__ (相對便) 말이나 일을 할 때 서로 마주 보게 되는 편. ㉠상대편 선수 / 상대편과 의논하다. 비 맞은편. 상대방.
상도덕 (商道德) 장사하면서 지켜야 할 도의. ㉠상도덕에 어긋나는 일을 저지르다.
상:등병 (上等兵) 군대 계급의 하나. 병장의 아래, 일등병의 위. 준 상병.
상례 (常例) [상녜] 흔히 있는 일. ㉠그런 일은 상례로 되어 있다. 비 통례.
상록수 (常綠樹) [상녹쑤] 나뭇잎이 사철 푸른 나무. 소나무·대나무 따위. 비 늘푸른나무. 반 낙엽수.
*__상:류__ (上流) [상뉴] **1** 강이나 내의 위쪽. ㉠한강 상류. **2** 사회적 지위·생활수준·교양 등이 높음. ㉠상류 계급 / 상류 사회. 반 하류.
상:류층 (上流層) [상뉴층] 상류 생활을 하고 있는 사회 계층.
상:륙 (上陸) [상뉵] 배에서 내려 육지로 오름. ㉠인천 상륙 작전. **—하다.**
상모 (象毛) 농악에서, 모자 꼭대기에 흰 새털이나 긴 종이를 달아 빙글빙글 돌리게 된 것.
상민 (常民) 예전에, 양반이 아닌 평민을 이르던 말. 비 상사람. 상인. 반 양반.
상반 (相反) 서로 어긋나거나 반대됨. ㉠상반된 의견이 나오다. 반 일치. **—하다.**

상:반기 (上半期) 한 해나 어느 기간을 둘로 나누었을 때, 그 앞쪽의 반. ⓑ반 하반기.

상:반신 (上半身) 사람 몸에서 허리 위의 부분. ⓔ예 여권용 상반신 사진. ⓑ비 상체. 윗몸. ⓑ반 하반신.

상벌 (賞罰) 상과 벌. ⓔ예 상벌을 내리다.

상법 (商法) [상뻡] 상업에 관한 사항을 규정한 법률.

상:병 (上兵) '상등병'의 준말.

상보 (床褓) [상뽀] 음식을 차려 놓은 상을 덮는 보자기.

상복 (喪服) 초상 중에 입는 예복. 삼베로 만듦.

상봉 (相逢) 서로 만남. ⓔ예 남북 이산가족의 상봉. **—하다.**

상:부 (上部) **1** 위쪽 부분. **2** 보다 높은 직위나 관청. ⓔ예 상부의 지시 / 상부에 보고하다. ⓑ반 하부.

상부상조 (相扶相助) 서로서로 도움. ⓔ예 상부상조의 정신. **—하다.**

상비약 (常備藥) 병원이나 가정 등에서 언제든지 쓸 수 있도록 늘 마련해 두는 약. ⓔ예 가정 상비약.

상:사 (上司) 직장이나 군대에서 지위나 계급이 자기보다 높은 사람.

상사병 (相思病) [상사뼝] 이성을 몹시 그리워해서 생기는 마음의 병. ⓔ예 상사병에 걸리다.

***상:상** (想像) 경험하지 못한 일을 마음속으로 그리며 생각함. ⓔ예 상상조차 못한 일 / 상상의 날개를 펴다. ⓑ비 추측. **—하다.**

상:상력 (想像力) [상상녁] 상상하는 능력. ⓔ예 상상력이 풍부하다.

상:상화 (想像畫) 실물을 보지 않고 상상하여 그린 그림. ⓑ반 사생화.

상:서 (上書) 웃어른에게 글을 올림. 또는 그 글. ⓔ예 아버님 전 상서. **—하다.**

상서롭다 (祥瑞—) [상서롭따] 복되고 좋은 일이 있을 듯하다. 활용 상서로워 / 상서로우니.

상:석¹ (上席) 일터나 계급 또는 모임 따위에서 지위가 가장 높은 사람이 앉는 자리. ⓔ예 상석에 앉다. ⓑ비 윗자리.

상석² (象石) 임금이나 왕후, 왕세자 등의 무덤에 사람이나 짐승의 모양을 돌로 만들어 세운 물건.

상선 (商船) 돈을 받고 사람이나 짐을 나르는 배. 화물선·무역선 따위. ⓔ예 항구에 상선이 들어오다.

상설 (常設) 언제나 이용할 수 있도록 설비와 시설을 갖추어 둠. ⓔ예 상설 시장.

상세하다 (詳細—) 매우 자세하다. ⓔ예 상세한 설명이 나와 있다. ⓑ비 소상하다.

상세히 (詳細—) 상세하게. ⓔ예 약도를 상세히 그리다.

상:소¹ (上疏) 임금에게 어떤 의견을 적은 글을 올림. 또는 그 글. ⓔ예 상소를 올리다. **—하다.**

상:소² (上訴) 하급 법원의 판결에 불만이 있을 때 따르지 않고 상급 법원이 다시 판결해 줄 것을 요구하는 일. **—하다.**

상소리 (常—) [상쏘리] 상스러운 말. 상스러운 소리. ⓔ예 상소리를 하며 싸운다. ⓢ센 쌍소리.

상:소문 (上疏文) 임금에게 올리던 글. 상소하는 글. ⓔ예 상소문을 올리다.

상속 (相續) 재산·권리 따위를 물려주거나 물려받음. ⓔ예 유산 상속 / 자식에게 재산을 상속하다. **—하다.**

상쇄 (相殺) 셈을 서로 비김. ⓔ예 수입과 지출을 상쇄하다. **—하다.**

상:쇠 (上—) 농악대 따위에서, 맨 앞에서 전체를 이끌며 꽹과리를 치는 사람.

상:수¹ (上水) 음료수 따위로 쓰기 위해 수도관을 통해 보내는 맑은

물. 반 하수.

상수² (常數) 수학에서, 변하지 않는 일정한 값을 가진 수 또는 양. 반 변수.

상:수도 (上水道) 먹는물이나 공업용 물을 관을 통해 보내 주는 설비. 반 하수도. 준 상수. 수도.

상:수리 상수리나무의 열매. 도토리와 비슷함.

상:수리나무 참나뭇과의 낙엽 교목. 높이 15–20 m로, 5월에 꽃이 핌. 열매는 먹을 수 있으며, 나무는 단단하여 가구 따위의 재료로 쓰임.

상:수원 (上水源) 상수도에 보내지는 물의 근원지. 강·호수 따위.

상수항 (常數項) 관계식에서 미지수를 갖지 않는 항. $y=3x+7$에서 7이 상수항임.

상:순 (上旬) 초하루부터 초열흘까지의 사이. 예 다음 달 상순. 비 초순. *중순. 하순.

상술 (商術) 장사하는 솜씨나 꾀. 예 상술이 뛰어나다.

상스럽다 (常—) [상쓰럽따] 말이나 행동이 교양이 없고 천하다. 예 상스러운 말을 마구 하다. 센 쌍스럽다. 활용 상스러워 / 상스러우니.

상습 (常習) 늘 하는 버릇. 예 상습 도박.

상습적 (常習的) [상습쩍] 좋지 않은 일이나 행동을 버릇처럼 하는 (것). 예 거짓말을 상습적으로 하다.

상:승 (上昇) 위로 올라감. 예 물가 상승 / 인기가 날로 상승하다. 반 하강. 하락. **—하다.**

상:식¹ (上食) 초상집에서 아침저녁으로 위패를 모셔 놓은 상에 올리는 음식. 예 상식을 올리다.

상식² (常識) 보통 사람이면 알 수 있는 일반적인 지식이나 판단력. 예 상식 밖의 행동 / 상식이 풍부하다.

상실 (喪失) 잃어버림. 없어지거나 사라짐. 예 기억 상실 / 응시 자격을 상실하다. **—하다.**

상심 (傷心) 슬픔이나 걱정 따위로 마음이 아픔. 예 너무 상심하지 말고 용기를 내어라. **—하다.**

상아 (象牙) 코끼리의 입에서 길게 뻗어 나온 앞니. 여러 가지 기구나 장식품에 쓰임. 예 상아색 / 상아로 도장을 새기다.

상아탑 (象牙塔) 속세를 떠나 오로지 학문이나 예술에만 몰두하는 생활 또는 대학을 비유하는 말.

상앗대 [상아때 / 상안때] '삿대'의 본딧말.

***상어** 고래상어·별상어·수염상어·철갑상어 따위를 통틀어 일컫는 말. 몸은 방추형이며, 골격은 연골임. 꼬리지느러미는 칼 모양임. 성질이 사납고 민첩함. 예 식인 상어.

〈상어〉

***상업** (商業) 물건을 사고팔아 이익을 얻는 일. 예 상업 분야 / 상업에 종사하다. 비 장사.

상여 (喪輿) 초상을 치를 때 시신을 싣고 묘지까지 나르는 데 쓰는, 가마 비슷한 도구.

상여금 (賞與金) 회사 등에서 직원들에게 급료 이외에 특별히 수고의 대가로 주는 돈. 보너스. 예 연말 상여금.

상:연 (上演) 연극 따위를 무대 위에서 관객에게 보이는 일. 예 심청전을 상연하다. **—하다.**

상:영 (上映) 영화관 따위에서 영화를 보여 줌. 예 만화 영화를 상영하고 있다. **—하다.**

상:오 (上午) 밤 0시부터 낮 12시까지의 동안. 비 오전. 반 하오.

상용 (常用) 늘 씀. 일상적으로 사용함. 예 영어를 상용하다 / 상용하고 있는 약. **—하다.**

상:원사 동종(上院寺銅鐘) 강원도 평창군 상원사에 있는 범종. 신라 성덕왕 24년(725)에 만듦. 우리나라에서 가장 오래되었음. 국보 제 36호.
상:위(上位) 높은 위치나 등급이나 지위. ㉮상위에 들다/상위에 속하다. 반 하위.
상:위권(上位圈)[상위꿘] 상위에 속하는 테두리 안. ㉮성적이 상위권에 들다. 반 하위권.
상:의[1](上衣)[—/상이] ⇨윗옷. ㉮상의를 벗다. 반 하의.
상의[2](相〔商〕議)[—/상이] 어떤 일이나 문제 따위를 서로 의논함. ㉮진학 문제를 담임선생님과 상의하다. **—하다.**
상이(傷痍) 부상을 당함. ㉮상이군인/상이용사.
*__상인__(商人) 장사를 하는 사람. 비 장수.
상임(常任) 일정한 일을 늘 계속하여 맡음. ㉮상임 위원.
상임 위원회(常任委員會)[상이뮈원회] 항상 일정한 업무를 담당하는 위원회.
*__상자__(箱子) 나무·대·종이 따위로 만든 네모난 그릇. ㉮선물 상자/상자를 열다. ➡ box, case
상장(賞狀)[상짱] 학업·행실·업적 따위에 대해 칭찬하는 글을 적은 증서. ㉮우등상장을 타다.
상:전(上典) 예전에, 종에 대하여 그 주인을 이르던 말. ㉮상전을 모시다. 반 종.
*__상점__(商店) 물건을 파는 가게. ㉮상점이 늘어서 있다. 비 가게.
상:정(上程) 의안을 회의에 내놓음. ㉮선거법 개정안을 상정하다. **—하다.**
상:제[1](上帝) 하느님.
상제[2](喪制) 부모나 조부모가 죽어서 상중에 있는 사람.
상조(相助) 서로 도움. ㉮이웃과 상조하며 지내다. **—하다.**
상종(相從) 서로 따르며 친하게 지냄. ㉮상종 못할 사람이다. **—하다.**
상:좌(上座) 가장 높은 사람이 앉는 자리. ㉮상좌에 앉다. 비 윗자리. 반 하좌.
상주[1](常住) 항상 살고 있음. 늘 있음. **—하다.**
상주[2](喪主) 죽은 사람의 맏아들이나 맏손자로 장례의 주인 노릇을 하는 사람. 비 맏상제.
상주인구(常住人口) 한 지역에 주소를 두고 살고 있는 인구. 잠시 머무르는 사람은 빼고, 일시적으로 떠나 있는 사람은 포함함. ㉮상주인구 조사.
상중(喪中) 초상이 나서 상제로 있는 동안.
상징(象徵) 어떤 사실이나 생각, 느낌을 떠오르게 하는 사물. 또는 그 사물을 가리키는 말이나 표시. 심볼. ㉮비둘기는 평화의 상징이다. **—하다.**
상차림(床—) 음식상을 차리는 일. 또는 그 상. ㉮상차림이 푸짐하다.
상:책(上策) 가장 좋은 꾀. ㉮도망치는 것이 상책이다. 반 하책.
*__상처__[1](傷處) 다친 자리. ㉮상처가 나다/상처가 아물다/상처에 약을 바르다.
상:처[2](喪妻) 아내의 죽음을 당함. ㉮그는 10년 전에 상처했다. 반 상부. **—하다.**
상:체(上體) 몸의 윗부분. ㉮상체를 뒤로 젖히다. 비 상반신. 윗몸. 반 하체.
상추 국화과의 한해살이 또는 두해살이풀. 줄기 높이 1 m가량, 잎은 크고 타원형임. 초여름에 엷은 황색 꽃이 피며, 잎은 쌈을 싸서 먹음. × 상치.
상:층(上層) 위의 층. 비 위층. 반

하층.

*상:쾌하다 (爽快—) 기분이 시원하고 산뜻하다. ㉵기분이 상쾌하다. ㊊유쾌하다.

상큼하다 냄새나 맛 따위가 향기롭고 시원하다. ㉵상큼한 레몬/과일 향기가 상큼하다.

*상태 (狀態) 사물이나 현상이 놓여 있는 형편이나 모양. ㉵건강 상태가 양호하다.

상통 (相通) **1** 서로 마음과 뜻이 통함. ㉵그와는 상통되는 점이 많다. **2** 공통되는 부분이 있음. ㉵영화를 좋아하는 점에서 서로 상통한다. —하다.

상투 예전에, 장가든 남자가 머리털을 끌어 올려서 정수리 위에 틀어 감아 맨 것. ㉵상투를 짜다/상투를 틀어 올리다.

상투적 (常套的) 늘 써서 버릇이 되다시피 한 (것). ㉵상투적 표현/상투적인 인사말.

상패 (賞牌) 상으로 주는 패.

상:편 (上篇) 두 편 또는 세 편으로 된 책의 첫째 편.

상평창 (常平倉) 고려 성종 12년(993)에 설치한 물가를 조절하던 기관. 곡물·면포 따위 생활필수품을 물가가 내릴 때 사들였다가, 오르게 되면 싼값으로 팔았음.

상평통보 (常平通寶) 조선 후기 인조 때 쓰던 엽전의 이름.

상표 (商標) 다른 생산자의 상품과 구별하기 위해서 상품에 붙이는 표나 표시. 브랜드. ㉵등록 상표/유명 상표.

상:품[1] (上品) 질이 좋은 물건. ㊊상치. ㊉하품.

*상품[2] (商品) 사고파는 물건. ㉵상품 광고/상품을 진열하다.

상품[3] (賞品) 상으로 주는 물건. ㉵상품을 타다/국어사전을 상품으로 받다.

상품권 (商品券) [상품꿘] 표시된 금액만큼의 상품과 바꿀 수 있는, 상점이나 백화점에서 발행하는 증서. ㉵도서 상품권/백화점 상품권.

상품화 (商品化) 팔 수 있는 물건으로 만듦. —하다.

상:하 (上下) **1** 위와 아래. ㉵상하로 흔들다. **2** 윗사람과 아랫사람. ㉵상하가 합심하여 일하다.

*상하다 (傷—) **1** 물건이 깨어지거나 헐다. ㉵유리그릇은 상하기 쉽다. **2** 음식이 썩거나 맛이 가다. ㉵더운 날씨에 생선이 상하다. **3** 몸이 다쳐 상처를 입다. ㉵눈이 상하다. **4** 근심·슬픔·노여움 따위로 마음이 언짢다. ㉵마음이 상하다. **5** 여위다. ㉵얼굴이 몹시 상하다.

상:하수도 (上下水道) 상수도와 하수도.

상하이 (중 上海) 〖지명〗 중국의 양쯔 강 어귀에 있는 중국 최대의 항구 도시. 상해.

상:한 (上限) 일정한 범위를 이루고 있을 때, 위쪽의 한계. ㉵상한 한도를 초과하다. ㊉하한.

상해[1] (傷害) 남의 몸에 상처를 내어 해를 입힘. ㉵전치 2주의 상해를 입히다.

상:해[2] (上海) 〖지명〗 ⇨상하이.

상:행 (上行) 지방에서 서울로 올라감. ㉵상행 열차를 타다. ㊊상경. ㊉하행. —하다.

상:향 (上向) **1** 위를 향함. **2** 수치나 기준 따위를 지금보다 더 높게 잡음. ㉵금리를 상향 조정하다.

상:현달 (上弦—) [상현딸] 매달 음력 7-8 일경에 나타나는 반원 모양의 달. 둥근 쪽이 아래로 향함. ㊉하현달.

상형 문자 (象形文字) [—문짜] 물체의 모양을 본떠서 만든 글자. 한자의 일부와 이집트 문자 따위.

상호[1] (相互) 서로서로. ㉵상호 작

용 / 상호 방위 조약. 비 호상.
상호[2] (商號) 가게·회사의 이름.
상환[1] (相換) 서로 맞바꿈. ㉠현금과 상환하다. **—하다.**
상환[2] (償還) 빚을 갚음. ㉠대출금을 상환하다. **—하다.**
*__상황__ (狀況) 일이 되어 가는 형편이나 모양. ㉠현재의 진행 상황을 파악하다.
상회 (商會) 작은 규모의 기업체나 상점. ㉠쌀 상회 / 전기 상회.
샅 [삳] 두 다리가 갈라지는 그 사이. 비 사타구니.
샅바 [삳빠] 씨름에서, 허리와 다리에 둘러 묶어 상대편의 손잡이로 쓰는, 천으로 만든 굵은 줄.
샅샅이 [삳싸치] 빈틈없이 모조리. ㉠방 안을 샅샅이 뒤지다.
*__새:__[1] '사이'의 준말. ㉠쉴 새가 없다 / 새가 벌어지다.
*__새:__[2] 몸이 깃털로 덮여 있고 날개가 있어 날 수 있으며 아름다운 소리를 내는 짐승. ㉠새가 날다 / 새가 지저귀다. ➲ bird
새 발의 피 아주 하찮은 일이나 극히 적은 양.
*__새__[3] 새로운. 새로 만든. ㉠새집 / 새옷 / 새 터전.
새- 빛깔이 매우 짙고 산뜻함을 나타냄. ㉠새빨갛다 / 새파랗다 / 새까맣다. → [학습마당] 15(아래)
-새 어떤 말의 뒤에 붙어, '됨됨이·모양·상태'의 뜻을 나타냄. ㉠모양새 / 짜임새 / 꾸밈새 / 생김새.
새겨듣다 [새겨듣따] **1** 잊지 않도록 주의해서 듣다. ㉠선생님 말씀을 새겨듣다. **2** 말하고자 하는 본뜻을 잘 헤아려 듣다. ㉠그의 말은 잘 새겨듣지 않으면 오해하기 쉽다. 활용 새겨들어 / 새겨들으니 / 새겨듣는.
새근거리다 **1** 고르지 않고 가쁘게 숨 쉬는 소리가 자꾸 나다. 큰 시근거리다. **2** 어린아이가 곤히 잠들어 조용히 숨 쉬는 소리가 자꾸 나다. 센 쌔근거리다.
새근새근 새근거리는 모양. ㉠아기가 새근새근 잠자다. 센 쌔근쌔근. **—하다.**
*__새기다__[1] **1** 글씨·그림 또는 어떤 모양을 나무나 돌 따위에 파다. ㉠도장을 새기다. **2** 마음속에 깊이 기억하다. ㉠선생님의 가르침을 마음에 깊이 새기다. →삭이다 주의
새기다[2] **1** 말이나 글의 뜻을 알기 쉽게 풀이하다. ㉠뜻을 새기다. **2** 번역하다. ㉠한문을 새기다. →삭이다 주의
새김질 ⇨반추. **—하다.**
새까맣다 [새까마타] **1** 아주 까맣다. ㉠새까만 피부. 큰 시꺼멓다. 거 새카맣다. **2** 거리나 시간 따위가 아득히 멀다. ㉠새까만 후배 / 새까맣게 먼 옛날의 기억. **3** 아는 바나 기억이 전혀 없다. ㉠약속을 새까맣

[학습마당] 15

'새까맣다'와 '시꺼멓다'에서 '새- / 시-'의 쓰임

(1) 빛깔의 진함과 옅음을 나타낼 때 된소리나 거센소리 앞에는 '새- / 시-'를 붙이되, 말의 줄기 첫 음절이 양성 모음일 때는 '새-', 음성 모음일 때는 '시-'로 적음.
〔보기〕 새까맣다, 시꺼멓다 　 새빨갛다, 시뻘겋다
새파랗다, 시퍼렇다 　 새하얗다, 시허옇다
(2) 특히, 울림소리 앞에서는 '샛- / 싯-'으로 적음.
〔보기〕 샛노랗다, 싯누렇다

게 잊다. **4** 대단히 많다. ㉠새까맣게 몰려든 구경꾼. [활용] 새까마니 / 새까매서. → [학습마당] 15(585쪽)

새까매지다 새까맣게 되다. ㉠햇볕에 타서 살갗이 **새까매지다**. [거] 새카매지다.

새끼[1] 짚으로 꼰 줄. ㉠새끼 한 타래 / 새끼 열 발 / 새끼를 꼬다.

***새끼**[2] **1** 낳은 지 얼마 안 되는 어린 짐승. ㉠새끼를 낳다 / 새끼에게 젖을 먹이다. **2** '자식'의 낮은말. ㉠제 새끼 귀한 줄은 아는군.

새끼(를) 치다 ㉠동물이 새끼를 낳거나 알을 까서 번식하다. ㉡무엇을 바탕으로 하여 그 수를 늘리다. ㉠돈이 새끼를 치다.

새끼손가락 [새끼손까락] 다섯 손가락 가운데서 맨 끝에 있는 가장 작은 손가락. ㉠새끼손가락을 걸고 약속하다.

새끼줄 새끼로 만든 줄. ㉠새끼줄을 치다.

새ː나다 비밀 따위가 밖으로 드러나다. ㉠회의 내용이 **새나다**.

새날 **1** 새로 밝아 오는 날. ㉠새날이 밝다. **2** 새로운 시대. 또는 다가올 앞날. ㉠새날이 오다 / 새날을 열어 갈 어린이들.

새납 국악기의 하나. 나무로 된 관에 여덟 개의 구멍이 있으며, 관 끝에는 깔때기 모양의 놋쇠를 달고 부리에는 갈대로 만든 겹혀를 끼웠음. [비] 태평소.

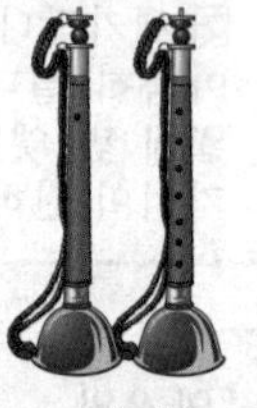
〈새납〉

새내기 학교나 회사 따위에 새로 들어온 사람. ㉠새내기 환영회.

***새ː다** **1** 날이 밝아 오다. ㉠날이 새다. **2** 틈이나 구멍으로 조금씩 흘러나오다. ㉠물이 **새다**. **3** 비밀 따위가 외부에 알려지다. ㉠비밀이 새다. **4** 가야 할 곳으로 가지 않고 도중에 딴 데로 가다. ㉠동생은 학원에 안 가고 오락실로 새 버렸다.

> [주의] **새다와 세다**
> **새다** 1 날이 밝아 오다. 2 틈이나 구멍으로 조금씩 흘러나오다. ㉠불빛이 **새다**.
> **세다** 1 사물의 수효를 계산하다. ㉠학생수를 **세다**. 2 힘이 많다. ㉠기운이 **세다**. 3 마음이 굳세다. ㉠각오가 **세다**. 4 머리카락이 하얗게 되다.

새달 새로 오는 달. 다음 달. ㉠새달 그믐께. [비] 내달.

새댁(—宅) '새색시'의 높임말.

***새로** **1** 전에 없이 처음으로. ㉠새로 들여온 컴퓨터. **2** 전과 달리 새롭게. ㉠기술을 **새로** 개발하다.

새로이 **1** 새롭게. ㉠기분을 **새로이** 하다. **2** 전에 없던 것이 처음으로. ㉠**새로이** 만들다.

새록새록 [새록쌔록] **1** 뜻밖의 일이 자꾸 새로 생기는 모양. ㉠새록새록 생기는 새 유행. **2** 생각이나 느낌이 새롭게 거듭 생기는 모양. ㉠부모님 은혜가 가슴에 **새록새록** 와 닿는다.

***새롭다** [새롭따] **1** 지금까지 있은 적이 없다. ㉠새로운 기술. **2** 지금까지와는 새삼스럽게 다르다. ㉠추억이 **새롭다**. **3** 절실하게 필요하다. ㉠단돈 만 원이 **새롭다**. [활용] 새로워 / 새로우니. new

새마을 운ː동(—運動) [새마으룬동] 근면·자조·협동 정신을 바탕으로 한 범국민적인 지역 사회 개발 운동. 1970년에 시작됨.

새말 새로 생기거나 만든 말. [비] 신어. 신조어.

***새벽** 날이 밝을 무렵. 먼동이 트기 시작할 무렵. ㉠이른 새벽부터 부지런을 떨다.

새벽같이 [새벽까치] 아침에 아주 일찍이. ⓔ매일 **새벽같이** 일어나 산에 오르다.
새벽녘 [새병녁] 새벽이 될 무렵. ⓔ**새벽녘**에야 잠이 들다.
새벽잠 [새벽짬] 새벽에 깊이 드는 잠. ⓔ**새벽잠**을 설치다.
새봄 겨울을 보내고 맞이하는 첫 봄. 비 신춘.
새빨갛다 [새빨가타] 색깔이 아주 짙게 빨갛다. ⓔ**새빨간** 장미. 큰 시뻘겋다. 활용 새빨가니 / 새빨개서. → [학습마당] 15(585쪽)
새빨간 거짓말 매우 터무니없는 거짓말. ⓔ**새빨간 거짓말**에 속아 넘어가다.
새빨개지다 새빨갛게 되다. ⓔ부끄러워서 얼굴이 **새빨개지다**.
새사람 **1** 새로 시집온 사람을 손윗사람이 일컫는 말. ⓔ**새사람**이 들어오다. **2** 이전의 나쁜 마음을 고쳐서 새로운 마음을 가진 사람. ⓔ**새사람**이 되다.
새살 상처나 헌데가 아물고 새로 돋아나는 살. ⓔ상처에 **새살**이 돋다. 비 생살.
새삼 이전의 느낌이나 감정이 다시금 새롭게. ⓔ**새삼** 놀라다 / 지난날들이 **새삼** 그립다.
새삼스럽다 [새삼스럽따] **1** 지난 일이 다시 생각되어 마치 새로운 일 같다. ⓔ그날의 감격이 **새삼스럽다**. **2** 지난 일을 공연히 다시 들추는 느낌이 있다. ⓔ**새삼스럽게** 말할 필요도 없다. 활용 새삼스러워 / 새삼스러우니.
새삼스레 새삼스럽게. ⓔ**새삼스레** 무슨 얘기냐. 준 새삼.
새색시 [새색씨] 갓 결혼한 여자. 비 새댁. 신부. 준 색시.
새:소리 새가 우는 소리.
새순 (一筍) 새로 나온 어린싹. ⓔ**새순**이 돋아나다.
새시 (sash) 철·스테인리스강·알루미늄 따위로 된 창틀이나 문틀. ⓔ알루미늄 **새시**.
새신랑 (一新郞) [새실랑] 갓 결혼한 남자.
***새싹** **1** 새로 돋은 싹. ⓔ**새싹**이 돋아나다 / **새싹**이 움트는 계절. **2** 사물의 근원이 되는 새로운 시초. ⓔ어린이는 나라의 **새싹**이다.
새:알 새의 알.
새앙쥐 '생쥐'의 잘못.
새옹지마 (塞翁之馬) 인생에서 좋고 나쁜 일은 항상 바뀌어 예측하기가 어렵다는 말. ⓔ인간 만사 **새옹지마**.
새우 절지동물의 하나. 몸은 굳은 껍질로 덮여 있고 자유로이 구부릴 수 있으며, 4 개의 더듬이와 10 개의 다리가 있음. 아가미로 호흡함.

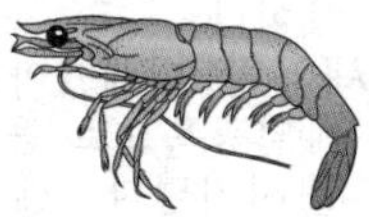
〈새우〉

새우다 한숨도 자지 않고 밤을 지내다. ⓔ밤을 **새워** 책을 읽다 / 뜬눈으로 밤을 **새우다**.

> 주의 **새우다**와 **세우다**
> **새우다** 잠을 자지 않고 밤을 지내다. ⓔ꼬박 밤을 **새웠다**.
> **세우다** 1 곧추서도록 일으키다. ⓔ장대를 **세우다**. 2 멈추게 하다. ⓔ차를 **세우다**. 3 뜻을 정하다. ⓔ큰 뜻을 **세우다**.

새우등 새우의 등처럼 구부러진 등. ⓔ**새우등**을 하고 자다.
새우잠 새우같이 옆으로 몸을 꼬부리고 자는 잠. ⓔ이불도 덮지 않고 **새우잠**을 잤더니 감기에 걸렸다.
새우젓 [새우젇] 빛이 흰 작은 새우로 담근 젓.
***새:장** (一欌) 새를 넣어 기르는 장. 비 조롱.

새집¹ 새로 지은 집. 새로 이사하여 든 집. ㉠새집을 짓다.
새:집² 새가 깃들이는 집.
새:참 일을 하다가 잠깐 쉬면서 먹는 음식. 본사이참.
새:총(-銃) 'Y' 자 모양의 쇠붙이나 나뭇가지에 고무줄을 매고 돌멩이를 끼워 튕기는 장난감.
새:치 젊은 사람의 검은 머리에 섞여서 난 흰 머리카락.
새:치기 순서를 어기고 남의 자리에 끼어드는 짓. ㉠새치기하지 마시오. **—하다.**
새침데기 [새침떼기] 새침한 태도가 있는 사람. ㉠새침데기 아가씨.
새침하다 쌀쌀맞게 시치미를 떼는 태도가 있다. ㉠새침한 표정을 지어 보이다.
새카맣다 [새카마타] 아주 까맣다. ㉠일광욕으로 몸이 새카맣게 탔다. 큰 시커멓다. 센 새까맣다. 활용 새카마니 / 새카매서.
새콤하다 조금 신맛이 있다. ㉠새콤한 오렌지 주스. 큰 시쿰하다. 여 새곰하다.
새큼하다 맛이나 냄새 따위가 맛깔스럽게 조금 시다. ㉠김치가 새큼하다. 큰 시큼하다. 여 새금하다.
새:털 새의 털. ㉠새털이 날리다.
새:털구름 높이 떠 있는 새털 모양의 흰 구름. 비 털구름.
새파랗다 [새파라타] **1** 매우 파랗다. ㉠새파란 가을 하늘. 큰 시퍼렇다. **2** 춥거나 겁에 질려 얼굴이나 입술이 아주 푸르께하다. ㉠입술이 새파랗게 질리다. **3** 썩 젊다. ㉠새파란 젊은이. 활용 새파라니 / 새파래서. → [학습마당] 15(585쪽)
새파래지다 새파랗게 되다. ㉠겁에 질려 얼굴이 새파래지다. 큰 시퍼레지다.
새하얗다 [새하야타] 매우 하얗다. ㉠새하얀 눈 / 얼굴이 새하얗게 질리다. 큰 시허옇다. 활용 새하야니 / 새하얘서. → [학습마당] 15(585쪽)
***새해** 새로 시작하는 해. ㉠새해 복 많이 받으세요. 비 신년.
***색**(色) 물건의 빛깔. ㉠색이 곱다 / 색을 칠하다 / 밝은 색 벽지를 고르다. 비 빛. ➲ color
***색깔**(色—) ⇨빛깔. ㉠짙은 색깔.
색다르다(色—) [색따르다] 종류가 다르다. 보통 것과는 좀 다르다. ㉠색다른 분위기 / 색다른 맛이 있다. 활용 색달라 / 색다르니.
색 도화지(色圖畫紙) [—또화지] 그림을 그리거나 만들기를 하는 데 쓰는, 색깔이 있는 종이.
색동(色—) [색똥] 여러 가지 빛깔의 헝겊을 층이 지게 차례로 잇대어 만든, 아이들의 저고리나 두루마기의 소맷감.
색동옷(色—) [색똥옫] 색동을 대서 만든 옷.
색동저고리(色—) [색똥저고리] 색동으로 소매를 대어 만든 어린아이의 저고리.
색맹(色盲) [생맹] 빛깔을 구별하지 못하는 상태. 또는 그런 사람. 비 색소경.
색상(色相) [색쌍] 빨강·파랑 등 사람의 눈으로 볼 수 있는 색의 종류. 유채색에만 있음. ㉠밝은 색상의 옷이 잘 어울린다.
색상 대:비(色相對比) [색쌍—] 색상이 다른 두 가지 이상의 색을 이웃에 놓았을 때에 일어나는 효과.
색상지(色相紙) [색쌍지] 하나의 색깔이 있는 큰 종이.
색상환(色相環) [색쌍환] 여러 가지 색깔을 밝기의 차례대로 둥그렇게 벌여 놓아 만든 표. 비 색환.
색색¹ [색쌕] 숨을 고르고 가늘게 쉬는 소리. ㉠아기가 색색 잘도 잔다. 큰 식식. 센 쌕쌕.
색색²(色色) [색쌕] 여러 가지의

빛깔. ㉠색색으로 꾸민 방 / 색색의 종이로 비행기를 접다.

색소 (色素) [색쏘] 물체가 빛깔을 띠는 데 바탕이 되는 물질. ㉠식용 색소.

색소폰 (saxophone) 놋쇠로 만든 관악기의 하나. 1846년에 벨기에의 색스가 발명함. 소리가 부드럽고 감미로워 재즈에 많이 연주됨. ×색스폰.

〈색소폰〉

색:시 [색씨] **1** 아직 시집가지 않은 여자. **2** '새색시'의 준말.

색실 (色—) [색씰] 물감을 들인 실. ㉠색실로 수를 놓다. 비색사.

색안경 (色眼鏡) [새간경] 눈을 보호하기 위하여 색깔이 있는 렌즈를 낀 안경. 선글라스.

색안경을 쓰고 보다 어떠한 사물이나 현상을 제대로 보지 않고 선입견을 가지고 비뚤게 보다.

*__색연필__ (色鉛筆) [생년필] 연필의 심에 물감을 섞어서 빛깔이 나게 만든 연필.

색유리 (色琉璃) [생뉴리] 빛깔이 들어 있는 유리.

색인 (索引) [새긴] 책의 내용이나 낱말 따위를 찾아보기 쉽게 차례로 벌여 놓은 것. 인덱스. ㉠인명 색인. 비찾아보기.

색조 (色調) [색쪼] 색깔이 강하거나 약한 정도나 상태. 또는 짙거나 옅은 정도나 상태.

*__색종이__ (色—) [색쫑이] 여러 가지 빛깔로 물들인 종이. ㉠색종이로 팔랑개비를 만들다. 비색지.

색지 (色紙) [색찌] ⇨색종이.

색채 (色彩) ⇨빛깔. ㉠짙은 색채 / 색채가 곱다.

색출 (索出) 사람이나 숨긴 물건을 뒤져서 찾아냄. ㉠범인을 색출하다. **—하다.**

*__색칠__ (色漆) 색을 칠함. 또는 그 칠. ㉠도화지에 그림을 그리고 색칠하다. 비채색. **—하다.**

색환 (色環) [새관] ⇨색상환.

샌:님 보수적이고 융통성이 없는 얌전한 사람을 놀리는 뜻으로 이르는 말.

샌드백 (sandbag) 모래를 넣어 만든 자루. 권투 연습을 할 때 치는 힘을 기르기 위하여 매달아 놓고 침.

샌드위치 (sandwich) 얇게 썬 두 조각의 빵 안쪽에 버터를 바르고, 사이에 고기·야채·치즈 등을 끼워 넣은 음식.

샌들 (sandal) 가죽 따위로 바닥을 대고 이를 가느다란 끈으로 발등에 매어 신는 신. 주로 여름에 신음. ×샌달.

샌프란시스코 (San Francisco) 〖지명〗 미국 캘리포니아 주 태평양 연안에 있는 항구 도시.

샐:녘 [샐력] 날이 샐 무렵.

샐러드 (salad) 생야채나 과일을 주재료로 하여 기름·마요네즈·식초 등의 소스로 버무린 서양 음식.

샐러리맨 (←salaried man) 회사나 기관에서 주로 사무를 보며 일정한 봉급을 받아 사는 사람.

샐비어 (salvia) 꿀풀과의 여러해살이풀. 꽃이 아름답고 향기가 좋음. 잎은 약으로 씀.

샐쭉 **1** 어떤 감정의 표현으로서 입이나 눈이 한쪽으로 기울어지는 모양. ㉠샐쭉 웃다. **2** 마음에 차지 않아서 약간 고까워하는 태도를 드러내는 모양. ㉠왜 또 샐쭉 돌아서니. **—하다. —거리다.**

샘:¹ **1** 땅에서 물이 솟아 나오는 곳. ㉠샘을 파다 / 샘이 솟다. **2** '샘터'의 준말. →우물 주의

샘:² 남의 것을 탐내거나 자기보다 나은 사람을 미워함. 또는 그 마음. ㉠샘이 많다 / 샘이 나다. 비시기.

질투. ×새암. —하다.

> 주의 샘과 셈
> 샘 1 샘물이 나오는 자리. 2 시기. 질투. ㉠샘이 불 같다 / 샘을 부리다.
> 셈 1 수효를 세는 일. ㉠셈이 틀렸다. 2 사물을 분별하는 슬기. ㉠그 사람이면 셈이 빨라서 일을 맡길 만하다.

샘:내다 샘하는 마음을 먹다. 샘을 부리다. ㉠동생은 언제나 언니를 샘냈다.

샘:물 샘에서 나오는 물. ㉠샘물을 긷다.

샘:솟다 [샘솓따] 힘이나 용기, 눈물 따위가 줄기차게 솟아나다. ㉠희망이 샘솟다.

샘:터 샘이 있는 곳. 준 샘.

샘플 (sample) 상품의 견본. ㉠샘플을 써 보다.

샛- [샏] 빛깔이 선명하고 짙음을 나타냄. ㉠샛노랗다. 큰 싯-. → [학습마당] 15(585쪽)

샛:강 (—江) [새깡 / 샏깡] 큰 강에서 줄기가 갈려 나가 중간에서 섬을 이루고, 하류에서 다시 본디의 큰 강에 합쳐지는 작은 강.

샛:길 [새낄 / 샏낄] 큰길로 통하는 작은 길. ㉠샛길로 질러가다.

샛노랗다 [샌노라타] 빛깔이 더할 수 없이 노랗다. ㉠샛노란 개나리꽃. 큰 싯누렇다. 활용 샛노라니 / 샛노래서. → [학습마당] 15(585쪽)

샛:눈 [샌눈] 감은 듯하면서 살짝 뜨고 보는 눈. ㉠샛눈으로 보다 / 샛눈을 뜨다.

샛:문 (—門) [샌문] **1** 정문 외에 따로 만든 작은 문. **2** 방과 방 사이를 드나드는 작은 문. ㉠옆방으로 통하는 샛문으로 드나들다.

샛바람 [새빠람 / 샏빠람] '동풍'을 뱃사람이 일컫는 말. 준 새.

샛:별 [새뻘 / 샏뻘] **1** 새벽에 동쪽 하늘에서 반짝이는 별. 비 금성. 명성. **2** 어떤 분야에서 특별한 능력을 나타내는 사람. ㉠가요계의 샛별로 떠오르다.

생 (生) 사람이 살아 있는 것. 살아 있는 동안. ㉠생을 마감하다. 비 삶. 반 사.

생- (生) **1** 과실 따위가 아직 익지 않았음을 나타내는 말. ㉠생쌀 / 생감. **2** 가공하지 않았거나 날것 그대로임을 뜻하는 말. ㉠생고기 / 생굴. **3** 무리하거나 애매하거나 공연함을 이르는 말. ㉠생사람 / 생트집 / 생걱정. **4** '직접 낳은'의 뜻. ㉠생부모 / 생어머니.

-생 (生) 그때에 태어났음을 나타내는 말. ㉠1995년생.

생가 (生家) 그 사람이 태어난 집.

생가슴 (生—) 공연한 걱정으로 상하는 마음. ㉠생가슴을 앓다.

***생각** **1** 어떤 일에 대한 의견이나 느낌. ㉠내 생각은 이렇다. **2** 바라는 마음. ㉠술 생각이 간절하다. **3** 머리에 떠오름. 깨달음. ㉠겨우 생각이 나다. **4** 어떤 사람이나 일 따위에 대한 기억. ㉠옛 생각. **5** 사리를 분별함. ㉠생각 없이 말을 내뱉다. —하다. ➲ think ➲ idea

***생각나다** [생강나다] **1** 의견이나 느낌이 떠오르다. ㉠좋은 방안이 생각나다. **2** 어떤 일이나 사람에 관한 기억이 떠오르다. ㉠가끔 어릴 때 친구가 생각난다. **3** 어떤 일이 그리워지거나 하고 싶어지다. ㉠술이 생각나다.

생강 (生薑) 생강과의 여러해살이풀. 높이는 30-60 cm이며, 뿌리는 맵고 향기가 좋아 양념으로 쓰고 한방에서는 약으로 씀. 비 새앙.

***생겨나다** 없던 것이 있게 되다. ㉠여기저기 공장이 생겨나다.

생계 (生計) [— / 생게] 살아 나갈

방도. 또는 현재 살아가는 형편. ㉠생계를 꾸려 나가다.
생계비 (生計費) [-/생계비] 생활하는 데 드는 돈.
생고생 (生苦生) 하지 않아도 좋을 공연한 고생. ㉠생고생을 사서 하다/생고생을 시키다.
생고집 (生固執) 터무니없이 부리는 공연한 고집. ㉠학교에 가지 않겠다고 생고집을 부리다.
생글거리다 소리 없이 부드럽고 정답게 자꾸 눈으로 웃다. 큰싱글거리다.
생글생글 생글거리는 모양. ㉠아기가 생글생글 웃는다. **—하다.**
생긋 [생귿] 소리 없이 얼핏 눈과 입만 조금 움직여 정답게 웃는 모양. 비생긋이. 큰싱긋. 센쌩긋.
생긋이 [생그시] ⇨생긋.
생기 (生氣) 활발하고 씩씩한 기운. ㉠생기가 돌다/생기가 넘치다. 비활기.
***생기다** **1** 없던 것이 있게 되다. ㉠고민이 생기다. **2** 어떤 일이 일어나다. 발생하다. ㉠중대한 일이 생기다. **3** 생김새가 어떠한 모양으로 되어 있다. ㉠예쁘게 생기다. **4** 자기의 소유가 되다. ㉠돈이 생기다.
생기발랄하다 (生氣潑剌—) 기운이 넘치고 활발하다. ㉠생기발랄한 학생들.
***생김새** 생긴 모양새. ㉠사람마다 얼굴 생김새가 다르다.
생나무 (生—) **1** 살아 있는 나무. **2** 베어 낸 지 얼마 안 되어 물기가 아직 마르지 않은 나무.
생난리 (生亂離) [생날리] 아무 까닭 없이 몹시 시끄러운 판. ㉠생난리가 나다/생난리를 겪다.
생년월일 (生年月日) [생녀눠릴] 태어난 해와 달과 날.
생니 (生—) 병들거나 아프지 아니한 성한 이. ㉠생니를 뽑다.
생도 (生徒) 사관학교에서 교육을 받는 학생. ㉠육군 사관 생도.
생동 (生動) 생기 있게 살아 움직임. ㉠만물이 생동하는 봄. **—하다.**
생동감 (生動感) 살아 움직이는 것 같은 느낌. ㉠생동감이 넘치다.
생때같다 (生—) [생때갇따] 몸이 튼튼하고 병이 없다. ㉠생때같은 사람이 죽다니.
생떼 (生—) 당치 않은 일을 억지로 하려는 고집. ㉠생떼를 쓰다.
생략 (省略) [생냑] 전체에서 일부를 줄이거나 뺌. ㉠이하 생략/긴 설명을 생략하다. **—하다.**
생략표 (省略標) [생냑표] ⇨줄임표.
생로병사 (生老病死) [생노병사] 인간이 반드시 겪어야만 하는 네 가지 고통. 곧, 태어나고 늙고 병들고 죽는 일.
생리 (生理) [생니] **1** 생물체의 여러 현상이나 그 원리. ㉠생리 현상. **2** 생활하는 습성이나 본능. ㉠생리에 맞지 않다. **3** ⇨월경.
생리대 (生理帶) [생니대] 여자의 월경이 밖으로 흘러나오지 않도록 막고 흡수하는 천이나 종이 제품.
생리 작용 (生理作用) [생니자굥] 생물의 생활하는 작용. 곧, 혈액 순환·호흡·소화·배설·생식 등에 관한 작용을 통틀어 일컫는 말.
생매장 (生埋葬) **1** 사람을 산 채로 땅에 묻음. **2** 아무 잘못도 없는 사람을 사회에서 몰아냄. ㉠사회에서 생매장을 당하다. **—하다.**
생맥주 (生麥酒) [생맥쭈] 살균을 하기 위한 열을 가하지 않은 맥주.
생머리 (生—) 파마를 하지 않은 자연 그대로의 머리. ㉠생머리를 길게 늘어뜨리다.
생면부지 (生面不知) 서로 한 번도 만나 본 일이 없어 전혀 모르는 상태. 또는 그런 사람. ㉠생면부지의 사람을 도와주다.

*생명 (生命) 1 목숨. 수명. ㉨모든 생명은 귀중하다. 2 사물의 중요한 점. ㉨장사는 신용이 생명이다. 3 여자의 자궁 안에 있는 생명체. ㉨배 속에서 새 생명이 자라다. ➲ life

생명력 (生命力) [생명녁] 생명의 힘. 목숨을 이어 가려는 힘. ㉨생명력이 강하다.

생명체 (生命體) 생명이 있는 물체. ㉨달에는 생명체가 없다.

생모 (生母) 자기를 낳은 어머니. ㊥친어머니. ㊦양모.

생목 (生―) 먹은 지 얼마 되지 않아 입으로 다시 올라오는, 삭지 아니한 음식물. ㉨생목이 오르다.

생목숨 (生―) [생목쑴] 1 살아 있는 목숨. ㉨생목숨을 끊다. 2 죄가 없는 사람의 목숨. ㉨생목숨을 앗아 가다.

생무지 (生―) 어떤 일에 익숙하지 못하고 서툰 사람.

*생물 (生物) 생명이 있는 동물과 식물. ㉨생물의 진화. ㊦무생물.

생물체 (生物體) 동물이나 식물처럼 살아 있는 물체.

생물학 (生物學) 생물과 그에 관한 생명 현상을 연구하는 자연 과학의 한 분과.

생방송 (生放送) 미리 녹화나 녹음한 것이 아니고 스튜디오나 현장에서 직접 하는 방송. ㉨생방송으로 중계하다.

생병 (生病) 힘에 겨운 무리한 일을 하여 생긴 병. ㉨무리해서 일을 한 탓에 생병이 났다.

생부 (生父) 자기를 낳은 아버지. ㊥친아버지. ㊦양부.

생사[1] (生死) 사는 일과 죽는 일. 삶과 죽음. ㉨가족들의 생사를 확인하다. ㊥사생.

생사[2] (生絲) 삶아서 익히지 않은 명주실.

생사람 (生―) 아무 잘못이나 관계가 없는 사람.

생사람(을) 잡다 아무 잘못이나 관계가 없는 사람에게 누명을 씌워 고생시키다. ㉨모르는 일이니까 괜히 생사람 잡지 마.

*생산 (生産) 인간이 생활하는 데 필요한 물건을 만들어 냄. ㉨식량 생산을 늘리다. ㊦소비. —하다.

생산량 (生産量) [생산냥] 일정한 기간에 만들어 낸 물건의 수량. ㊦소비량.

생산력 (生産力) [생산녁] 생산할 수 있는 능력.

생산물 (生産物) 생산된 물건. ㊥생산품.

생산비 (生産費) 생산하는 데 드는 돈. ㊥원가.

생산성 (生産性) [생산썽] 생산의 효율성. ㉨생산성 향상 / 생산성을 높이다.

생산액 (生産額) [생사낵] 일정한 기간에 만들어 내는 물건의 양이나 값어치. ㊥생산고. ㊟산액.

생산 요소 (生産要素) [―뇨소] 생산에 반드시 필요한 요소. 토지·노동·자본 따위.

생산자 (生産者) 생활에 필요한 물건을 만드는 사람. ㊦소비자.

생산적 (生産的) 1 생산에 관계되는 (것). ㉨생산적 활동. 2 그것이 바탕이 되어 새로운 것이 생겨나는 (것). ㉨생산적 사고. ㊦비생산적.

생산지 (生産地) 어떤 물품이 생산되는 곳. ㉨생산지 표시의 의무화. ㊦소비지.

생산품 (生産品) 생산된 물품. ㊥생산물.

생살 (生―) 1 상처가 난 자리에 새로 돋아나는 살. ㉨생살이 돋아나다. ㊥새살. 2 아프지 않은 성한 살. ㉨생살을 째다.

생상스 (Saint-Saëns, Charles Camille) 〖인명〗 프랑스의 작곡가. 작품에 '삼손과 델릴라', '죽음의 무도', '동물의 사육제' 등이 있음. [1835-1921]

생색 (生色) 다른 사람 앞에 당당히 나설 수 있거나 자랑할 수 있는 체면. ㉠생색이 날 일만 골라서 한다.

생색내다 (生色—) [생생내다] 자기가 한 일을 지나치게 내세우다.

생생하다 (生生—) **1** 생기가 왕성하다. ㉠생생하게 자라나는 풀. ㉢싱싱하다. ㉥쌩쌩하다. **2** 눈앞에 보이듯이 명백하고 또렷하다. ㉠생생한 증언.

생생히 (生生—) 생생하게. ㉠생생히 기억하다.

***생선** (生鮮) 말리거나 소금에 절이지 아니한, 잡은 그대로의 물고기. ㉠싱싱한 생선. ㉥선어.

생선회 (生鮮膾) 생선을 얇게 저며서 간장이나 초고추장에 찍어 먹는 음식. ㉠생선회를 뜨다.

생성 (生成) 사물이 생겨남. 또는 생겨 이루어지게 함. ㉠우주의 생성 과정. **—하다.**

생소하다 (生疏—) 낯이 설다. 처음 보거나 듣는 것이어서 친숙하지 않다. ㉠생소한 이름 / 이 길은 생소하다.

생수 (生水) 샘에서 솟아 나오는 맑은 물.

생시 (生時) **1** 태어난 시간. **2** 잠을 자지 않고 깨어 있을 때. ㉠꿈이냐 생시냐. **3** 살아 있는 동안. ㉠부모님 생시에 잘 모셔라.

생식[1] (生食) 음식을 익히지 아니하고 날로 먹음. ㉡화식. **—하다.**

생식[2] (生殖) 생물이 같은 종류의 생물을 새로이 태어나게 하는 일. **—하다.**

생식기 (生殖器) [생식끼] 성의 구별이 있는 생물체가 생식을 하는 데 쓰는 몸의 기관. ㉥생식 기관.

***생신** (生辰) '생일'의 높임말. ㉠부모님 생신.

생애 (生涯) 살아 있는 동안. 일생 동안. ㉠생애 최고의 날.

생약 (生藥) 한약에서 천연 그대로 사용하는 식물성의 약. 풀뿌리·나무껍질·열매 따위.

생업 (生業) 살아가기 위하여 하는 일. ㉠생업에 종사하다. ㉥직업.

생우유 (生牛乳) 소에서 짜낸 그대로의, 살균이나 가공하지 않은 우유. ㉣생유.

생원 (生員) **1** 조선 때, 과거 시험에 합격한 사람. **2** 예전에, 나이 많은 선비를 대접하여 이르는 말. ㉠김 생원.

생육 (生育) 낳아서 기름. 또는 나서 자람. ㉠생육 기간 / 자식을 생육하다. **—하다.**

생육신 (生六臣) [생육씬] 조선 때, 단종을 몰아내고 왕위를 차지한 세조에게 불만을 품고 절개를 지키어 벼슬을 하지 않은 여섯 사람. 곧, 이맹전·조여·원호·김시습·성담수·남효온을 이름. ∗사육신.

생으로 (生—) **1** 익거나 마르거나 삶지 아니한 날것 그대로. ㉠생으로 먹다. **2** 저절로 되지 아니하고 무리하게. 억지로. ㉠고생을 생으로 사서 하다.

생이가래 생이가랫과의 한해살이풀. 논·연못·도랑 따위의 물 위에 떠서 자라는데, 줄기는 가늘고 길며 잔털이 촘촘히 남. 잎은 세 개씩 돌려나며 두 잎은 물 위에 뜨고, 한 잎은 물속에 잠겨 뿌리 구실을 함.

생이별 (生離別) [생니별] 어려운 일을 당하여 어쩔 수 없이 부부, 부모와 자식, 형제끼리 서로 헤어짐. ㉠전쟁 중에 가족들과 생이별했다. ㉡사별. ㉣생별. **—하다.**

***생일** (生日) 세상에 태어난 날. ㉠생일잔치 / 생일을 맞다. ㉥탄생일.

동 생신. ➡ birthday

생일날 (生日—) [생일랄] 생일이 되는 날. 예생일날에 친구를 초대하다.

생장 (生長) 나서 자람. 예생장 과정 / 그늘에 사는 식물은 생장이 느리다. **—하다.**

생전 (生前) 살아 있는 동안. 죽기 전. 예생전에 하시던 말씀. 비 평생. 반 사후.

생존 (生存) 살아 있음. 끝까지 살아서 남음. 예실종자의 생존 여부를 확인하다. **—하다.**

생존 경:쟁 (生存競爭) **1** 모든 생물이 살아남기 위하여 벌이는 경쟁. **2** 사람들이 서로 악착같이 잘 살려고 다투는 일. 예생존 경쟁이 심한 시대.

생존권 (生存權) [생존꿘] 사람의 기본적인 자연권의 하나. 각 개인이 완전한 사람으로서의 생존을 누릴 권리.

생존자 (生存者) 살아남은 사람. 예수색 결과 생존자는 없었다.

생중계 (生中繼) [— / 생중게] 녹음이나 녹화나 편집한 것이 아니고 현장에서 직접 방송하는 일. 예올림픽 개막식 생중계.

생:쥐 쥐의 일종. 몸길이 6–10 cm, 꼬리 5–10 cm로 쥐 종류 중에서 가장 작음. 집 안이나 집 근처에 살며 야채·곡물 등을 먹어 피해를 줌. ➡ mouse

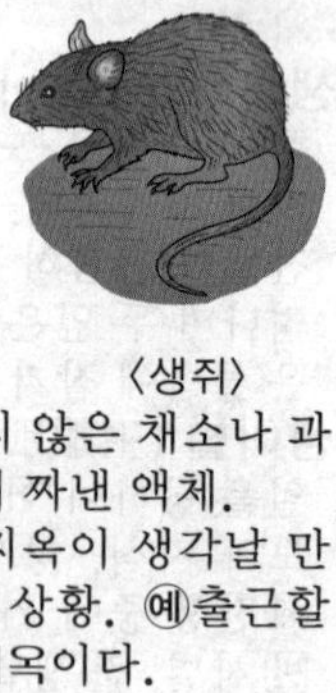
〈생쥐〉

생즙 (生汁) 익히지 않은 채소나 과일 따위를 짓찧어서 짜낸 액체.

생지옥 (生地獄) 지옥이 생각날 만큼 힘들고 괴로운 상황. 예출근할 때의 지하철은 생지옥이다.

생채 (生菜) 날로 무친 나물. 예신선하게 생채를 해서 먹다.

생채기 손톱 따위로 할퀴거나 긁혀 생긴 작은 상처. 예손톱에 긁혀 얼굴에 생채기가 나다.

생체 (生體) 생물의 몸. 살아 있는 몸. 예생체를 해부하다.

생크림 (生cream) 우유에서 뽑아낸 희고 부드러운 기름. 서양 요리·과자·커피 따위에 씀.

생태[1] (生太) 말리거나 얼리지 않은, 잡은 그대로의 명태.

생태[2] (生態) 생물이 자연적으로 살아가는 생활의 모습. 예식물의 생태를 조사하다.

생태계 (生態系) [— / 생태게] 어느 지역에 사는 모든 생물과, 이들의 생활에 필요한 환경이 균형과 조화를 이루는 자연의 체계.

생트집 (生—) 아무 까닭도 없이 트집을 잡음. 또는 그 트집. 예생트집을 쓰다 / 생트집을 잡다.

생판 (生—) **1** 매우 낯설게. 예생판 처음 듣는 이야기 / 생판 모르는 사람. **2** 터무니없이 무리하게. 예생판 떼를 쓰다.

생포 (生捕) 산 채로 잡음. 예멧돼지를 생포하다. **—하다.**

생필품 (生必品) '생활필수품'의 준말. 예생필품 가격이 오르다.

생화 (生花) 살아 있는 나무나 화초에서 꺾은 꽃. 반 조화.

***생활** (生活) **1** 살아서 활동함. 예동물의 생활 형태. **2** 생계를 유지하여 살아 나감. 예풍족한 생활. **3** 어느 조직에 속하여 구성원으로 활동함. 예단체 생활을 하다 / 학교 생활. **4** 어떤 행위를 하며 살아감. 예취미 생활. **—하다.**

생활 계:획표 (生活計劃表) [— / —게획표] 어떤 행동이나 활동을 규칙적으로 하기 위해 계획을 적어 놓은 표.

생활고 (生活苦) 살림을 꾸리는 데 돈이 부족해 겪는 생활의 괴로움.

㉮생활고에 시달리다.
*생활권 (生活圈) [생활꿘] 사람이 일상생활을 하기 위해 활동하는 범위. ㉮교통의 발달로 생활권이 넓어졌다.
생활력 (生活力) 사회생활을 해 나가는 데 필요한 능력. 특히, 경제적인 능력을 말함. ㉮생활력이 강하다.
생활비 (生活費) 생활하는 데 드는 모든비용.
생활상 (生活相) [생활쌍] 생활해 나가는 모습. ㉮선조들의 지혜로운 생활상을 엿보다.
생활수준 (生活水準) 일반적으로 누리고 있는 생활의 정도. ㉮생활수준이 높다 / 생활수준이 향상되다.
생활용수 (生活用水) [생활룡수] 일상생활에 쓰이는 물.
생활 용ː품 (生活用品) [—룡품] 일상생활에 사용되는 물품.
생활 정보 (生活情報) 일상생활에 관련된 정보.
생활 지도 (生活指導) 학생들이 좋은 습관이나 태도를 기르도록 일상생활 활동을 지도하는 일.
생활 통지표 (生活通知表) 학교에서 각 학생의 품행·학업 성적·건강 상태·출석 상황 등을 적어 학부모에게 보내는 표.
생활필수품 (生活必需品) [생활필쑤품] 일상생활에 꼭 필요한 물품. 준 생필품.
생활화 (生活化) 일상생활에서 습관이 됨. 생활의 한 부분으로 됨. ㉮절약을 생활화하다. **—하다.**
생황 (笙簧〔篁〕) 아악에 쓰는 관악기. 둥근 나무통 위의 둘레에 17 개의 가는 대를 돌려 세우고 주전자 귀때 비슷한 부리로 붊.
생후 (生後) 태어난 뒤. ㉮생후 10 개월 된 아기.
샤머니즘 (shmanism) 원시적 종교의 한 형태. 신령·악령 등의 세계와의 교류는 오로지 무당에 의한 주술·기도로만 가능하다고 하는 신앙이나 행사.
샤워 (shower) 찬물이나 더운물을 비처럼 뿌리는 물뿌리개 모양의 장치로 몸을 씻는 일. ㉮매일 아침에 샤워를 하다. **—하다.**
샤프 (sharp) **1** 가는 심을 조금씩 밀어내면서 쓰게 만든 필기도구. 본 샤프펜슬. **2** 음악에서 반음을 높이는 기호. 악보에 '#'로 표시함. 올림표.
샬레 (독 Schale) 과학 실험을 하는 데 쓰이는 둥글고 높이가 낮은 유리 그릇. ㉮샬레에 콩을 넣고 싹을 틔우는 실험을 했다.
샴페인 (프 champagne) 이산화탄소가 들어 있는 백포도주. 프랑스의 샹파뉴 지방에서 처음 만든 술로, 거품이 많고 상쾌한 맛이 있음. ㉮샴페인을 터뜨리다.
샴푸 (shampoo) **1** 머리를 감을 때 쓰는 액체 비누. **2** 머리를 감는 일. **—하다.**
샹들리에 (프 chandelier) 천장에 매다는, 여러 개의 화려한 장식과 등이 달린 장식등. ㉮호화찬란한 샹들리에.

〈샹들리에〉

샹송 (프 chanson) 대중의 소박하고 자유로운 감정을 담은 프랑스의 대중가요.
*서[1] (西) 서쪽. 반 동. ➡ west
서ː[2] (序) 책머리 따위에 글을 쓴 동기 등을 적은 문장. 본 서문.
서ː[3] '돈', '말', '푼' 따위의 앞에 써서, 그 수량이 셋임을 나타내는 말. ㉮금 서 돈 / 쌀 서 말.
서가 (書架) 책을 꽂아 두거나 얹어 두는, 여러 층으로 된 선반. ㉮서가에 책이 많다. 비 책장.

서간 (書簡) ⇨편지.
서:거 (逝去) 사회적으로 지위가 높거나 유명한 사람의 죽음을 높여 이르는 말. **―하다.**
서걱거리다 [서걱꺼리다] **1** 사과나 과자 따위를 씹는 소리가 자꾸 나다. **2** 갈대나 풀 먹인 천 따위가 스치는 소리가 자꾸 나다. 작 사각거리다. 센 써걱거리다.
서경[1] (西經) 영국의 그리니치 천문대를 0도로 하여 지구의 서쪽으로 180도까지의 사이의 경도. 반 동경.
서경[2] (書經) 〖책〗 고대 중국의 삼경 또는 오경의 하나. 공자가 요순 때부터 주나라 때까지의 정치상의 일을 적은 글들을 모아 엮은 책.
서:경[3] (敍景) 자연의 경치를 글로 적음.
서경덕 (徐敬德) 〖인명〗 조선 중종 때의 학자. 호는 화담. 벼슬을 마다하고 평생 유학을 연구함. 황진이·박연 폭포와 함께 '송도삼절'로 불림. [1489-1546]
서:경시 (敍景詩) 자연의 경치를 읊은 시.
서고 (書庫) 책을 보관하는 건물이나 방. 비 문고.
서:곡 (序曲) 가극이나 성극 따위에서, 막을 올리기 전에 연주하는 기악곡.
서:광 (曙光) **1** 해가 떠오를 무렵의 환한 빛. **2** 좋은 일이 생길 징조. 예 통일의 서광이 비치다.
서구 (西歐) ⇨서유럽. 반 동구.
서글서글하다 마음이 너그럽고 성질이 부드럽다. 예 서글서글한 성격. 작 사글사글하다.
서글프다 **1** 슬프고 허전하다. 예 서글픈 신세. **2** 섭섭하고 언짢다. 예 서글픈 마음을 달래다. 활용 서글퍼/서글프니.
서기[1] (書記) **1** 기록을 맡아보는 사람. 예 서기를 뽑다. **2** 관공서에서 사무를 처리하는 8급 공무원.
서기[2] (西紀) 예수가 탄생한 해(사실은 탄생 후 4년째)를 기원 1년으로 하는 서양의 기원. 예 21 세기는 서기 2001년부터 100년간이다. 본 서력기원.
서까래 도리에서 처마 끝까지 건너지른 나무.
서남 (西南) **1** 서쪽과 남쪽. **2** 서쪽과 남쪽 사이의 방위.
서남아시아 (西南Asia) 아시아의 남서부 지역. 이란·이라크·사우디아라비아·터키 등의 나라가 있음.
서낭 **1** 서낭신이 붙어 있다는 나무. **2** '서낭신'의 준말.
서낭당 (―堂) 서낭신을 모신 집.
서낭신 (―神) 토지와 마을을 지켜 준다는 신. 준 서낭.
서너 셋이나 넷 정도. 예 서너 시간/서너 집.
서녘 (西―) [서녁] 서쪽 방면. 반 동녘.
***서늘하다** **1** 조금 추운 느낌이 있다. 예 서늘한 가을 날씨. **2** 갑자기 놀라서 마음에 찬 기운이 느껴지다. 예 간담이 서늘해지다. 작 사늘하다. 센 써늘하다.
***서다** **1** 발바닥을 땅에 대고 몸을 곧게 하다. 예 차려 자세로 서다. **2** 계속하던 동작을 멈추다. 예 시계가 서다. **3** 어떤 자리나 입장에 있다. 예 교단에 서다. **4** 끝이 날카롭게 되다. 예 칼날이 서다. **5** 확실한 것이 되다. 예 계획이 서다. **6** 건물이 만들어지다. 예 공장이 서다/동상이 서다. **7** 장이나 씨름판 따위가 열리다. 예 오일장이 서다. ➲ stand
서당 (書堂) 예전에, 어린이에게 한문을 가르치던 마을의 글방.
서대문 (西大門) 사대문의 하나. 서울 서쪽의 정문이었던 돈의문을 말함. 지금은 헐리어 없어졌음.

서도[1] (西道) 황해도와 평안도를 통틀어 일컫는 말. ㉠서도 민요.

서도[2] (書道) 글씨 쓰는 법을 배우는 일. 주로 붓으로 쓰는 것을 이름.

서독 (西獨) 독일이 통일되기 전의 '독일 연방 공화국'을 이르는 말. 비 서부 독일.

서동요 (薯童謠) 향가의 하나. 백제 무왕이 신라 진평왕의 딸 선화 공주를 사모하여, 신라의 수도인 경주에 가 이 노래를 지어 아이들에게 부르게 하였다고 함. '삼국유사'에 전함.

서ː두 (序頭) 일이나 말의 첫머리. ㉠서두가 너무 길다.

***서두르다** 일을 빨리 끝내려고 바쁘게 움직이다. 또는 급하게 처리하려고 하다. ㉠조급하게 서두르다 / 출발을 서두르다. 준 서둘다. 활용 서둘러 / 서두르니. ➲ hurry

서둘다 '서두르다'의 준말. 활용 서둘러 / 서두니 / 서두는.

서라벌 (徐羅伐) **1** '신라'의 옛 이름. **2** '경주'의 옛 이름.

서랍 책상·화장대·장롱 등에 붙어 끼웠다 빼었다 하게 만든 뚜껑 없는 상자. ㉠서랍을 열다.

서ː러움 원통하고 슬프게 느껴지는 마음. 비 설움.

서ː럽다 [서럽따] 분하고 억울하여 슬프다. ㉠서럽게 울다. 활용 서러워 / 서러우니.

서력기원 (西曆紀元) [서력끼원] '서기[2]'의 본딧말.

***서로** **1** 함께. 다 같이. ㉠서로 도우며 살자. **2** 짝을 이루거나 관계를 맺고 있는 상대. ㉠서로가 힘을 합치다 / 서로를 바라보다.

서로서로 많은 사람들의 하나하나가 함께. ㉠서로서로 돕다.

서ː론 (序〔緖〕論) 본론에 들어가기 전의 글. 비 머리말. *본론.

서류 (書類) 어떤 내용을 적은 문서. 특히 사무에 관한 문서. ㉠서류를 정리하다.

서류철 (書類綴) 여러 가지 서류를 한데 모아 매어 두게 만든 도구. 또는 그렇게 매어 둔 묶음. 파일.

***서른** 열의 세 배. ㉠서른 명 / 서른 살. 비 삼십.

***서리**[1] 맑고 바람 없는 밤 기온이 영하로 내려갈 때, 공기 중의 수증기가 땅 위나 물체의 표면에 닿아서 얼어붙은 흰 가루 모양의 얼음. ㉠서리 맞은 배추 / 서리가 내렸다.

서리[2] 떼를 지어서 남의 과일·곡식·가축 따위를 훔쳐 먹는 장난. ㉠참외 서리 / 서리를 맞다. **—하다.**

서리다[1] **1** 수증기가 찬 기운을 받아 물방울을 지어 엉기다. ㉠창문에 김이 서리다. **2** 어떤 기운이 얼굴에 나타나다. ㉠그리움이 서린 눈동자.

서리다[2] 길고 잘 감기는 물건을 동그랗게 포개어 감다. ㉠뱀이 몸을 서리다 / 새끼줄을 서리다.

서릿발 [서리빨 / 서릳빨] 서리가 땅바닥이나 풀포기 등의 위에 엉기어 성에처럼 된 모양.

서릿발 같다 권위·형벌 따위가 매우 모질고 엄함을 비유하는 말. ㉠아버지의 서릿발 같은 호령.

서ː막 (序幕) **1** 연극 등에서, 처음 여는 막. ㉠오페라의 서막. **2** 일의 시작. ㉠통일의 서막을 열다.

서먹서먹하다 [서먹써머카다] 낯익지 아니하여 매우 어색하다. ㉠사촌을 오랜만에 만났더니 서먹서먹하여 할 말이 없다.

서면 (書面) 일정한 내용을 적은 문서. ㉠서면으로 제출하다.

서ː명 (署名) 자기의 이름을 써넣음. 또는 써넣은 것. 사인. ㉠서명 운동 / 영수증에 서명하다. **—하다.**

서ː무실 (庶務室) 학교 등에서 일반 사무를 맡아보는 곳.

서ː문 (序文) ⇨머리말.

서ː민 (庶民) **1** 벼슬이 없는 일반 사람. 보통 사람. ㉠평범한 서민. **2** 경제적으로 중류 이하의 넉넉지 못한 생활을 하는 사람. ㉠서민 생활.

서ː민층 (庶民層) 서민에 속하는 계층.

서반구 (西半球) 지구를 경도 0° 및 180° 선에서 동서 두 쪽으로 나누었을 때의 서쪽 부분. ㊥동반구.

서방[1] (西方) **1** 서쪽. **2** 서쪽 지방. ㊥동방.

서방[2] (書房) **1** '남편'의 속된 말. ㉠서방을 얻다. **2** 예전에, 벼슬이 없는 사람의 성 뒤에 써서 부르던 말. **3** 성 다음에 써서, 사위를 가리키거나 부를 때 쓰는 말. ㉠김 서방.

서방님 (書房─) **1** '남편'의 높임말. **2** 결혼한 시동생을 이르는 말. **3** 예전에, 벼슬 없는 젊은 선비를 부르던 말.

*__서부__ (西部) 어떤 지역의 서쪽 부분. ㉠서부 영화 / 서부 개척 시대. ㊥동부.

서북쪽 (西北─) 서쪽과 북쪽의 사이가 되는 쪽.

서브 (serve) 테니스·탁구·배구 등에서, 공격하는 쪽이 먼저 공을 상대편 코트에 쳐 넣는 일. 또는 그 공. **─하다.**

서비스 (service) **1** 손님을 접대함. 또는 장사로 손님에게 편의를 줌. ㉠서비스 좋은 가게. **2** 개인적으로 남을 위해 여러 가지로 봉사함. ㉠서비스 정신을 발휘하다. **3** 장사에서 값을 에누리하거나 덤을 줌. ㉠필름 한 통을 서비스하다. **─하다.**

서비스업 (service業) 남을 위해 봉사하는 사업. 자동차 수리업·미용업·광고업, 여관·호텔 등의 숙박업, 영화·연극 등의 흥행업 따위.

서ː사시 (敍事詩) 신화나 전설, 역사적 사건, 영웅의 일생 같은 것을 객관적으로 읊은 시. *서정시.

서산 (西山) 서쪽에 있는 산. ㉠해가 서산으로 넘어가다.

서산 대ː사 (西山大師) 〖인명〗 조선 선조 때의 승려. 임진왜란 때 승병을 지휘하여 한양을 다시 찾을 때 사명당 등과 함께 큰 공을 세움. 승명은 휴정. [1520-1604]

서ː서히 (徐徐─) 천천히. ㉠부서진 배가 서서히 물속으로 가라앉다.

서성거리다 자꾸 서성이다. ㉠버스를 기다리며 서성거리다.

서성이다 한곳에 서 있지 않고 주위를 왔다 갔다 하다. ㉠복도를 서성이다.

서ː수 (序數) 순서를 나타내는 수. 첫째·둘째 따위.

서ː술 (敍述) 사건이나 생각을 순서에 따라 말하거나 적음. ㉠사건을 있는 그대로 서술하다. **─하다.**

서ː술문 (敍述文) 사실이나 자기의 생각을 그대로 나타내는 글. 보통 '이다'로 끝맺음.

서ː술어 (敍述語) [서수러] 한 문장 안에서 주어의 움직임·상태·성질을 나타내는 말.

서스펜스 (suspense) 영화·소설 따위에서, 줄거리의 전개가 독자·관객에게 주는 불안감과 긴박감. ㉠스릴과 서스펜스가 넘치는 영화.

서슬 **1** 강하고 날카로운 기세. **2** 칼 따위의 날카로운 부분.

서슬이 시퍼렇다 ㉠칼날 등이 날카롭게 빛나다. ㉡권세나 기세 따위가 대단하다. ㉠서슬이 시퍼레서 대들다.

서슴다 [서슴따] 어떤 말이나 행동을 해야 할지 정하지 못해 머뭇거리며 망설이다. ㉠서슴지 말고 대답해라.

서슴없다 [서스멉따] 말이나 행동을 하는 데에 망설임이나 거침이 없다. ㉠서슴없는 태도.

서슴없이 [서스멉씨] 서슴없게. 서

습지 않고. ㉡서슴없이 말하다.
서:시 (序詩) **1** 책의 첫머리에 머리말 대신 쓴 시. **2** 긴 시에서 머리말 구실을 하는 부분.
서식[1] (書式) 증서·원서·신고서 등의 서류를 쓰는 일정한 방식. ㉡서식에 맞추어 원서를 쓰다.
서:식[2] (棲息) 동물이 어떠한 곳에서 살아감. ㉡낙동강에서 서식하는 철새. **—하다.**
서:식지 (棲息地) [서식찌] 동물이 깃들여 사는 곳. ㉡철새 서식지.
서신 (書信) ⇨편지. ㉡서신 왕래 / 서신을 전하다.
서:약 (誓約) 맹세하고 약속함. ㉡혼인 서약 / 국민 앞에 엄숙히 서약하다. **—하다.**
서:약서 (誓約書) [서약써] 서약하는 글. 또는 그런 문서. ㉡서약서를 쓰다 / 서약서를 작성하다.
***서양** (西洋) 유럽과 아메리카 대륙의 여러 나라를 일컫는 말. ㉡서양 문학. 비서구. 반동양.
서양사 (西洋史) 서양의 역사. 반동양사.
서양식 (西洋式) 서양의 양식이나 격식. ㉡서양식 건물.
서양 음악 (西洋音樂) [—으막] 서양에서 생겨 발달한 음악. 반동양 음악. 준양악.
서양인 (西洋人) 서양 여러 나라의 사람. 반동양인.
서양화 (西洋畫) 서양에서 발달한 그림. 수채화·유화·파스텔화 따위. 반동양화. 준양화.
서역 (西域) 예전에, 중국의 서쪽에 있던 여러 나라들과 그 지방을 일컫는 말.
서:열 (序列) 순서를 좇아 늘어섬. 또는 그 순서. ㉡서열이 높다.
***서예** (書藝) 붓으로 글씨를 맵시 있게 쓰는 기술.
서예가 (書藝家) 붓글씨를 직업적으로 쓰는 예술가. 비서도가.
***서운하다** 기대에 미치지 못해 아쉽거나 섭섭한 느낌이 있다. ㉡내 마음을 몰라주니 서운하다.
***서울** **1** 한 나라의 중앙 정부가 있는 곳. ㉡영국의 서울은 런던이다. 비수도. **2** 우리나라 수도의 이름.
서울내기 [서울래기] 서울에서 태어나고 자란 사람을 이르는 말. × 서울나기.
서울말 서울 사람이 쓰는 말.
서원 (書院) 조선 때 선비들이 학문을 연구하고, 훌륭한 학자나 충신들의 제사를 지내던 곳. 조선 중기부터 각 지방에 세워졌으며, 경북 영풍군 백운동 서원이 시초임.
서유견문 (西遊見聞) 〘책〙 조선 고종 32년(1895)에 유길준이 미국과 유럽을 다녀와서 보고 느낀 것을 쓴 책. 한글과 한문을 섞어서 쓴 최초의 기행문임.
서유기 (西遊記) 〘책〙 중국 명나라 때 오승은이 지은 소설. 당나라의 삼장 법사가 손오공·저팔계·사오정을 거느리고 갖은 어려움을 극복하면서 인도에서 불경을 구해 온다는 내용임.
서유럽 (西Europe) 서부 유럽. 독일·프랑스·영국 등이 속해 있는 유럽의 지역을 이르는 말. 비서구. 반동유럽.
서:자 (庶子) 첩에게서 태어난 아들. 비얼자. 반적자.
서:장 (署長) 경찰서·세무서·소방서 따위 관서의 책임자.
서재 (書齋) 책을 갖추어 두고 책을 읽거나 글을 쓰는 방.
서재필 (徐載弼) 〘인명〙 독립 운동가·개화 정치가. 갑신정변을 일으켰으며, 독립 협회를 조직하고 독립신문을 발간하였음. [1864–1951]
서적 (書籍) ⇨책.
서:전 (緖戰) **1** 전쟁 초기의 첫 번

째 싸움. **2** 운동 경기의 첫 번째 경기. ㉑서전을 승리로 장식하다.
*__서점__ (書店) 책을 파는 가게. ㉑서점에서 참고서를 사다. 비책방.
서:정 (抒〔敍〕情) 주로 예술 작품에서, 자기의 감정이나 정서를 시나 글 따위에 나타내는 일.
서:정시 (抒情詩) 개인의 감정이나 정서를 읊은 시. *서사시.
서진 (書鎭) ⇨문진[1].
*__서쪽__ (西—) 해가 지는 쪽. 비서편. 반동쪽. 비서. ➲west
서쪽에서 해가 뜨다 절대로 있을 수 없는 일이나 가능성이 거의 없는 일을 비유한 말.
서찰 (書札) ⇨편지.
서체 (書體) ⇨글씨체.
서커스 (circus) 줄타기·동물의 재주·말 타기 따위의 다양한 재주를 많은 사람들에게 돈을 받고 보여 주는 단체. 곡마단. 곡예단.
서클 (circle) 같은 취미 또는 직업 등에 따라 모인 사람들의 단체. 동아리. ㉑독서 서클.
서:투르다 익숙하지 못하다. ㉑영어가 서투르다. 반익숙하다. 준서툴다. 활용서툴러 / 서투르니.
서:툴다 '서투르다'의 준말. 활용서투니 / 서툰.
서편 (西便) 서쪽 편. 반동편.
서편제 (西便制) 판소리의 한 갈래. 음이 곱고 애절함. 보성·광주·나주 등 섬진강 서쪽에서 발달하였음.
서:푼 한 푼짜리 엽전 세 개라는 뜻으로, 아주 보잘것없는 값을 이르는 말. ㉑서푼어치도 안 되는 물건.
서풍 (西風) 서쪽에서 불어오는 바람. 비갈바람. 하늬바람. 반동풍.
서핑 (surfing) ⇨파도타기.
서학 (西學) **1** 서양의 학문. **2** 조선 때, 천주교를 이르던 말.
서한 (書翰) ⇨편지.
서해 (西海) **1** 서쪽의 바다. **2** 우리나라 서쪽에 있는 바다. 비황해.
서해안 (西海岸) **1** 서쪽에 있는 바닷가. **2** 우리나라의 서쪽 바다의 해안. 반동해안.
서:행 (徐行) 사람이나 자동차가 천천히 감. ㉑서행 운전. **—하다.**
서화 (書畫) 글씨와 그림.
서화가 (書畫家) 글씨를 잘 쓰고 그림을 잘 그리는 사람. 또는 그 일이 직업인 사람.
서화첩 (書畫帖) 글씨와 그림을 모아 만든 책.
서희 (徐熙)〘인명〙 고려 초기 성종 때의 장군. 거란이 침입했을 때 적장 소손녕과 담판을 벌여 그들을 물러가게 하였음. [942-998]
석[1] (石) ⇨섬[1]2.
석:[2] 셋(3). ㉑종이 석 장. *넉.
석가모니 (釋迦牟尼)〘인명〙 불교를 세운 사람. 세계 4대 성인의 하나. 이름은 싯다르타. 생로병사의 4가지 고통에서 중생을 구하기 위하여 고행을 쌓다가 깨달음을 얻어 부처가 됨. 준석가.
석가 탄:신일 (釋迦誕辰日) [석까탄시닐] 석가모니가 탄생한 날. 음력 4월 8일. 비불탄일. 초파일.
석가탑 (釋迦塔) [석까탑] 불국사에 있는 삼층 석탑. 통일 신라 시대(8세기경)에 세워졌는데, '무영탑'이라고도 함. 국보 제21호.

〈석가탑〉

석간신문 (夕刊新聞) [석깐신문] 저녁때 발행하는 신문. 반조간신문. 준석간.
석고 (石膏) [석꼬] 흰색의 석회질 광물. 공예 재료나 물감·시멘트 따위의 원료로 씀.

석고 붕대 (石膏繃帶) [석꼬—] 상처에 붕대를 감고 그 위에 석고를 발라 굳힌 것. 골절·관절염 등의 환부를 고정하는 데 씀. 깁스붕대.

석고상 (石膏像) [석꼬상] 석고로 만든 조각이나 인물상.

석공 (石工) [석꽁] ⇨석수[1].

석굴암 (石窟庵) [석꾸람] 경주 토함산 동쪽에 있는, 우리나라의 대표적인 석굴 사원. 신라 경덕왕 때 김대성이 세움. 정면 중앙에 석가여래상을 앉히고, 벽에는 관세음보살상 등을 새김. 국보 제 24호.

석권 (席卷) [석꿘] 돗자리를 만다는 뜻으로, 무서운 기세로 영토나 세력 범위를 넓힘. ㉠수영 경기에서 전 종목을 석권하다. **—하다.**

〈석등〉

석기 시대 (石器時代) [석끼—] 돌로 도구를 만들어 쓰던 인류 초기의 시대. 구석기 시대·신석기 시대로 나뉨.

석등 (石燈) [석뜽] 돌로 만든 등. 비 석등롱. 장명등.

석류 (石榴) [성뉴] 석류나무의 열매. 연분홍 빛깔의 투명한 씨는 시고 닮. 껍질은 한방에서 설사·복통 따위에 씀.

석류나무 (石榴—) [성뉴나무] 석류나뭇과의 낙엽 활엽 교목. 높이 3m가량, 초여름에 짙은 주홍색 여섯잎꽃이 피고 가을에 과실인 석류가 둥글게 익음. 나무껍질과 뿌리, 열매의 껍질은 말려 약으로 씀.

석면 (石綿) [성면] 광물질 섬유로 만든 물질. 불에 타지 않아서 소방수의 옷을 만들며 전기의 절연용이나 보온용으로 씀.

석방 (釋放) [석빵] 법에 따라 가두었던 사람을 풀어 자유롭게 함. ㉠포로 석방. 비 방면. **—하다.**

석별 (惜別) [석뼐] 헤어지는 것을 섭섭하게 여김. ㉠석별의 정을 나누다. **—하다.**

석불 (石佛) [석뿔] 돌로 만든 부처. 비 돌부처.

석빙고 (石氷庫) [석삥고] 경주시에 있는 고적의 하나. 신라 지증왕 때 세운, 돌로 만든 얼음 보관소. 보물 제66호.

석사 (碩士) [석싸] 대학원 과정을 마치고 논문이 통과된 사람에게 주는 학위. 또는 그 학위를 받은 사람.

석산 (石山) [석싼] 돌로 이루어진 산. 비 돌산.

석:삼년 (—三年) [석쌈년] 세 번 거듭되는 삼 년 곧 아홉 해라는 뜻으로, 오랜 세월을 이름.

석상[1] (石像) [석쌍] 돌로 만든 사람이나 동물의 모양.

석상[2] (席上) [석쌍] 여러 사람이 모인 자리. ㉠회의 석상.

석쇠 [석쐬] 고기나 생선 따위를 굽는 기구. 굵은 쇠테에 철사로 그물처럼 엮어 만듦.

석수[1] (石手) [석쑤] 돌을 다루어 여러 가지 물건을 만드는 사람. 비 석공.

석수[2] (石獸) [석쑤] 무덤 앞에 세우는 돌로 만든 짐승.

석수장이 (石手—) [석쑤장이] '석수[1]'를 낮추어 일컫는 말.

석순 (石筍) [석쑨] 석회 동굴의 천장에서 바닥으로 떨어진 물이 오랫동안 굳어 죽순 모양으로 된 돌.

석양 (夕陽) [서걍] 저녁 해. 또는 그 햇빛. ㉠석양에 붉게 물든 하늘. 비 낙조.

석연하다 (釋然—) [서견하다] 의심스러운 일이 시원하게 풀려 마음이 개운하다. ㉠석연치 않은 대답 / 석연하지 않은 표정.

석영 (石英) [서경] 화강암을 이루

고 있는 광물 중 유리 같은 광택이 있는 것. 순수한 것은 수정이라고 함. 비 차돌.

*석유 (石油) [서규] 천연으로 땅속에서 나오며 특수한 냄새가 나는 끈적끈적하고 검은 액체. 물보다 가볍고 불에 잘 탐. 공업 및 연료의 원료로 씀.

석유 화ː학 공업 (石油化學工業) [서규—꽁업] 석유나 천연가스 따위를 원료로 하여 화학 제품을 만드는 공업.

석재 (石材) [석째] 토목·건축 및 그 밖의 여러 가지 물건을 만드는 데 재료로 쓰는 돌.

석전 (石戰) [석쩐] 민속놀이의 하나. 편을 갈라 돌팔매질로 승부를 겨룸. 비 석전놀이.

석주 (石柱) [석쭈] 돌로 만든 기둥. 비 돌기둥.

석차 (席次) 성적의 차례. 예 석차를 매기다 / 석차가 떨어지다.

석총 (石塚) ⇨돌무덤.

*석탄 (石炭) 광물질의 하나. 옛날 식물이 땅속 깊이 묻혀서 생긴 타기 쉬운 검정 고체. 연료와 화학 공업에 쓰임.

석탑 (石塔) 돌로 쌓은 탑. 비 돌탑.

석판화 (石版畫) 돌로 만든 판에 그림을 그려서 찍어 낸 그림.

석학 (碩學) [서칵] 학식이 많고 깊은 사람.

석호 (潟湖) [서코] 사주·사취 따위의 발달로 바다의 일부분이 떨어져 나와서 생긴 호수.

석회 (石灰) [서쾨] 석회암을 태워 만든 흰 가루로, 비료·공업용 따위에 쓰임.

석회석 (石灰石) [서쾨석] ⇨석회암.

석회수 (石灰水) [서쾨수] 석회를 녹인 빛깔이 없는 투명한 액체. 소독·살균제로 쓰임.

석회암 (石灰岩) [서쾨암] 석회를 주요 성분으로 한 수성암. 건축 재료·석회·시멘트의 원료로 쓰임. 비 석회석. 횟돌.

섞갈리다 [석깔리다] 갈피를 잡지 못하게 여러 가지가 한데 뒤섞이다. 예 이야기가 섞갈리다.

*섞다 [석따] **1** 두 가지 이상의 것을 한데 합치다. 예 쌀에 콩을 섞어 밥을 짓다. **2** 어떤 말이나 행동에 다른 말이나 행동을 함께 나타내다. 예 거짓말을 섞어 이야기하다.

*섞이다 [서끼다] 서로 섞어지다. 예 물과 기름은 섞이지 않는다.

*선ː[1] 다른 사람의 소개로 사람을 만나는 일. 예 선을 보다.

*선ː[2] (善) 착하고 올바름. 어질고 좋음. 또는 그런 일. 예 선과 악의 구별. 반 악. **—하다.**

*선[3] (線) **1** 그어 놓은 줄이나 금. 예 선을 긋다. **2** 경계가 되는 줄. 예 선을 넘다. **3** 물체의 윤곽을 이루는 부분. 예 얼굴 선이 부드럽다.

선[4] (禪) 불교에서, 정신을 가다듬어 진리를 깨닫는 경지에 드는 일.

선ː- '익숙하지 못한'·'격에 맞지 않아 서투른'·'덜된'의 뜻. 예 선잠 / 선무당 / 선웃음.

-선[1] (線) **1** 가늘고 길게 뻗쳐 있는 전선이나 선로 따위를 뜻하는 말. 예 경부선 / 국내선 / 전화선. **2** '경계'의 뜻을 나타내는 말. 예 국경선 / 휴전선.

-선[2] (船) '배'의 뜻을 나타내는 말. 예 유조선 / 유람선.

선각 (先覺) **1** 남보다 먼저 깨달음. **2** '선각자'의 준말. **—하다.**

선각자 (先覺者) [선각짜] 사물의 이치나 도리를 남보다 먼저 깨달은 사람. 준 선각.

*선ː거 (選擧) 여러 사람 가운데서 적당한 사람을 대표로 뽑는 일. 예 회장 선거 / 선거를 치르다. 비 선출.

—하다.

선:거 관리 위원회 (選擧管理委員會) [—괄리—] 선거에 관한 일을 맡아 하는 기관. 준 선관위.

선:거구 (選擧區) 의원을 선출하는 단위로 구분한 구역.

선:거권 (選擧權) [선거꿘] 선거에 참가하여 투표할 수 있는 권리.

선:거인 (選擧人) 선거권을 가진 사람. 비 유권자.

선걸음 [선거름] 지금 걷고 있는 그대로의 걸음. 예 선걸음에 얼른 다녀오너라.

선견지명 (先見之明) 닥쳐올 일을 미리 짐작하는 지혜. 예 선견지명이 있는 사람.

선결 (先決) 다른 문제보다 앞서 해결하거나 결정함. 예 선결 과제 / 선결조건. **—하다.**

선경 (仙境) **1** 신선이 산다는 곳. **2** 경치가 좋고 세상살이의 근심이 없는 곳.

선고 (宣告) **1** 결정이나 사실을 상대에게 분명하게 알림. 예 암이라는 선고를 받다. **2** 재판장이 법정에서 재판의 결과를 말함. 예 선고를 내리다 / 무죄를 선고하다. **—하다.**

선교 (宣教) 종교를 알려 널리 폄. 예 선교 활동. **—하다.**

선교사 (宣教師) 종교를 널리 알리고 전도하는 사람.

선구 (先驅) **1** '선구자'의 준말. **2** 말을 탄 행렬에서 앞장을 서는 일.

선구자 (先驅者) 어떤 사상이나 일에 있어 남보다 일찍 깨닫고 실천에 옮긴 사람. 준 선구.

선글라스 (sunglass) 강렬한 햇빛으로부터 눈을 보호하기 위하여 쓰는, 색깔 있는 안경.

선금 (先金) 물건 값이나 삯 따위의 전부나 일부를 미리 치르는 돈. 예 선금을 받다.

선:남선:녀 (善男善女) 착한 남자와 여자. 곧, 착하고 어진 사람들을 말함.

*__선녀__ (仙女) 선경에 산다고 하는 여자 신선.

선단 (船團) 어떤 일을 같이하는 배의 무리. 예 수송 선단.

선달 (先達) 예전에, 직급이 낮은 군대 지휘관, 또는 나이가 든 평민 남자.

*__선대칭__ (線對稱) 도형 가운데 서로 맞서는 두 점을 잇는 직선이, 주어진 직선에 같은 거리에 있는 관계.

선대칭 도형 (線對稱圖形) 어떤 직선을 기준으로 포갤 때, 완전히 겹쳐지는 도형. *대칭축.

선도[1] (先導) 여러 사람을 앞장서서 인도함. 예 선도 차량을 따라가다.

선:도[2] (善導) 올바르고 좋은 길로 잘 가르쳐 이끎. 예 불량 청소년을 선도하다. **—하다.**

선돌 선사 시대의 건조물로 땅 위에 세운 큰 돌기둥.

선동 (煽動) 남을 부추겨 어떤 일을 일으키게 함. 예 수업을 거부하자고 학생들을 선동하다. **—하다.**

선두 (先頭) 행동이나 활동 따위에서 맨 앞. 예 선두 주자 / 선두에 서다. 비 첫머리. 반 후미.

선뜻 [선뜯] 행동이 빠르고 시원스러운 모양. 예 선뜻 나서다 / 선뜻 내키지 않다. 작 산뜻.

선:량[1] (善良) [설량] 착하고 어짊. 예 선량한 사람. 반 불량. **—하다.**

선:량[2] (選良) [설량] **1** 뛰어난 인물을 뽑음. 또는 그 인재. **2** '국회의원'의 다른 이름.

선례 (先例) [설례] 이전부터 있던 사례. 비 전례.

선로[1] (船路) [설로] ⇨뱃길.

선로[2] (線路) [설로] 열차나 전차의 바퀴가 굴러 가는 길. 예 선로 보수 공사. 비 궤도.

선:망 (羨望) 남을 부러워하고 자

기도 그렇게 되기를 바람. ㉥선망의 대상이 되다. **—하다.**

선:머슴 장난이 심하고 몹시 덜렁거리는 사내아이.

선명 (鮮明) 산뜻하고 밝음. ㉥선명한 색채 / 어린 시절의 기억이 선명하다. **—하다. —히.**

선:무당 서투르고 미숙한 무당.

*__선:물__ (膳物) 보답이나 축하의 뜻으로 주거나 받는 물건. ㉥생일 선물 / 졸업 선물 / 친구에게 책을 선물하다. **—하다.** ➲ gift, present

선박 (船舶) ⇨배[2].

선반[1] 물건을 얹어 두기 위하여 벽에 달아 놓은 긴 널빤지. ㉥선반을 매달다.

선반[2] (旋盤) 쇠붙이를 자르거나 깎는 데 쓰는 공작 기계. ㉥선반공.

선발[1] (先發) **1** 남보다 먼저 일을 시작하거나 길을 떠남. ㊥후발. **2** 야구에서, 1회부터 출전함. ㉥선발 투수.

선:발[2] (選拔) 많은 가운데서 골라 뽑음. ㉥미스 코리아 선발 대회 / 대표를 선발하다. **—하다.**

선발대 (先發隊) [선발때] 먼저 출발한 대원이나 부대. ㊥후발대.

*__선배__ (先輩) **1** 학문·경험·나이 따위가 자기보다 많거나 나은 사람. ㉥직장 선배. **2** 같은 학교를 자기보다 먼저 졸업한 사람. ㉥대학 선배. ㊥후배.

선:별 (選別) 가려서 골라냄. ㉥품질 좋은 사과를 선별하다. **—하다.**

선:보다 며느리·사위·남편·아내가 될 사람의 용모와 행실을 보다.

선:보이다 **1** 선을 보게 하다. **2** 사물을 처음으로 공개하여 여러 사람에게 보이다. ㉥신형 자동차를 선보이다.

선봉 (先鋒) 무리의 맨 앞장. ㉥선봉으로 나서다.

*__선분__ (線分) 두 점 사이를 가장 가까이 잇는 직선.

선불 (先拂) 일이 끝나기 전이나 물건을 받기 전에 돈을 미리 냄. ㉥운임 선불 / 선불을 얻어 쓰다. ㊥후불. **—하다.**

*__선비__ **1** 예전에, 학식은 있으나 벼슬하지 아니한 사람. **2** '학문을 닦은 사람'을 예스럽게 일컫는 말. ㊐학자. **3** 어질고 순한 사람.

선:사 (膳賜) 사랑·감사·존경의 뜻으로 선물을 줌. ㉥장미를 한아름 선사하다. **—하다.**

선사 시대 (先史時代) 기록이 전혀 없는 시대. 석기 시대와 청동기 시대를 이름. ㊥역사 시대.

선산 (先山) 조상의 무덤. 또는 조상의 무덤이 있는 산.

선상[1] (船上) 배의 갑판 위.

선상[2] (線上) **1** 선의 위. **2** 어떤 일정한 상태에 있음. ㉥방학은 수업의 연장 선상에 있다.

*__선생__ (先生) **1** 교사를 높여 부르는 말. ㊐스승. ㊥제자. ➲ teacher **2** 남을 존대하여 부르는 말. ㉥김 선생 / 의사 선생. **3** '학예가 뛰어난 사람'의 존칭. ㉥퇴계 선생.

*__선생님__ (先生—) '선생'의 높임말. ㉥담임 선생님.

선서 (宣誓) 여러 사람 앞에서 맹세함. ㉥증인 선서. **—하다.**

선선하다 **1** 날씨가 알맞게 서늘하다. ㉥아침 공기가 선선하다. **2** 성질이 시원스럽고 쾌활하다. ㉥대답이 선선하다. ㊈산산하다.

선선히 선선하게. ㉥부탁을 선선히 들어주다.

선수[1] (先手) **1** 남이 하기 전에 먼저 하는 행동. **2** 바둑·장기 따위에서, 상대편이 어떤 수를 쓰기 전에 먼저 놓는 일. ㊥후수.

선수(를) 치다 어떤 일을 남보다 먼저 앞질러서 하다.

*__선:수__[2] (選手) 운동 기량이나 기술

따위가 뛰어나 많은 사람 중에서 대표로 뽑힌 사람. ㉎육상 선수.

선:수권 (選手權) [선수꿘] 경기 대회에서, 우승한 개인 또는 단체에게 주는 지위나 자격. ㉎선수권 보유자 / 선수권 쟁탈전.

선:수단 (選手團) 어떤 경기를 하는 선수들로 만들어진 단체.

선:수촌 (選手村) 선수들을 위해 숙박 시설을 갖추어 놓은 지역.

선심[1] (線審) 야구·축구·테니스 따위에서, 경기장의 선에 관한 규칙을 맡아보는 보조 심판원. 본 선심판.

선:심[2] (善心) **1** 착한 마음. **2** 남을 도와주는 마음. ㉎선심을 쓰다. 반 악심.

선:악 (善惡) [서낙] 착함과 악함. ㉎선악을 분별하다.

선약 (先約) [서냑] 먼저 약속함. 또는 그 약속. ㉎선약이 있어 먼저 일어나다. **—하다.**

선양 (宣揚) [서냥] 드러내어 널리 떨치게 함. ㉎국위 선양. **—하다.**

선언 (宣言) [서넌] **1** 의견이나 주장을 널리 펴서 말함. **2** 국가나 단체가 자기의 주장과 방침을 외부에 정식으로 공표함. ㉎독립을 선언하다. 비 선포. **—하다.**

선언문 (宣言文) [서넌문] ⇨선언서.

선언서 (宣言書) [서넌서] 어떤 일을 선언하는 내용을 적은 문서. ㉎독립 선언서. 비 선언문.

선열 (先烈) [서녈] 나라를 위하여 싸우다 목숨을 바친 열사. ㉎순국 선열에 대한 묵념.

선왕 (先王) [서낭] 지금 임금의 바로 전의 임금. 또는 지금 이전의 여러 임금.

선:용 (善用) [서뇽] 알맞게 쓰거나 좋은 일에 씀. ㉎여가 선용. 반 악용. **—하다.**

선:웃음 [서누슴] 우습지 않은 일에 꾸미어 웃는 거짓 웃음.

선원 (船員) [서눤] 배에서 일하는 사람. 비 뱃사람.

선율 (旋律) [서뉼] 소리의 길이와 높낮이의 어울림. 멜로디. ㉎아름다운 선율. 비 가락.

선:의 (善意) [서늬 / 서니] **1** 좋은 뜻. ㉎선의의 거짓말 / 단짝 친구와 선의의 경쟁을 하다. **2** 남을 생각하는 착한 마음. ㉎선의로 해석하다. 비 호의. 반 악의.

선인[1] (先人) [서닌] 예전 시대의 사람. 옛날 사람.

선:인[2] (善人) [서닌] 착한 사람. 반 악인.

선인장 (仙人掌) [서닌장] 사막 지대에 많이 나는 상록 식물. 줄기는 녹색으로, 즙이 많고 공 모양 또는 원기둥 모양임. 보통, 잎은 가시로 변함. 여러 가지 빛깔의 꽃이 피며 품종이 많음.

〈선인장〉

선임[1] (先任) [서님] 어떤 일을 먼저 맡음. 또는 그 일을 먼저 맡은 사람. ㉎선임 연구원. 반 후임.

선:임[2] (選任) [서님] 사람을 뽑아서 임무를 맡김. ㉎장관을 선임하다. **—하다.**

선입관 (先入觀) [서닙꽌] 미리 머릿속에 가지고 있는 고정적인 생각. 비 선입감. 선입견.

선:잠 깊이 들지 못한 잠. ㉎선잠이 들다 / 선잠을 깨다.

***선장** (船長) 배의 항해와 배 안의 사무를 책임지고 선원들을 지휘하는 최고 책임자. 비 함장.

선적 (船積) 배에 짐을 실음. ㉎화물을 선적하다. **—하다.**

***선전**[1] (宣傳) 어떤 일이나 생각, 주장 등을 널리 알리고 이해를 구하는

일. ⑩신상품을 선전하다. ⑪광고. —하다.

선:전² (善戰) 있는 힘을 다하여 잘 싸움. ⑩강팀을 만나 선전하였으나 아깝게 지고 말았다. **—하다.**

선전 포:고 (宣戰布告) 상대국과 전쟁을 시작한다는 뜻을 나라 안팎에 널리 알림.

선점 (先占) 남보다 앞서서 차지함. **—하다.**

선:정¹ (善政) 바르게 잘 다스리는 정치. ⑩선정을 베풀다. ⑫악정.

선:정² (選定) 여럿 가운데서 가려 뽑음. ⑩당선작을 선정하다 / 새로 선정한 교재. ⑪선발. **—하다.**

선제공격 (先制攻擊) 상대편을 누르기 위하여 먼저 공격하는 일. ⑩선제공격을 가하다.

선조¹ (先祖) 먼 윗대의 조상. ⑩선조의 뜻을 받들다. ⑫후손.

선조² (宣祖) 〖인명〗 조선 제14대 임금. 선정을 폈으나 임진왜란과 당쟁 등으로 큰 시련을 겪음. [1552-1608 ; 재위 1567-1608]

선:죽교 (善竹橋) [선죽꾜] 경기도 개성에 있는 돌다리. 고려 말의 충신 정몽주가 이방원 일파에게 죽임을 당한 곳임.

선지 소나 돼지의 피가 식어서 엉긴 덩어리. 국이나 찌개 따위의 재료로 씀. ⑩선지 해장국.

선진 (先進) 발전의 단계나 진보의 정도가 다른 것보다 앞섬. ⑩선진 문화. ⑫후진.

선진국 (先進國) 문화나 산업 기술, 경제 등이 앞선 나라. ⑩선진국의 대열에 들어서다. ⑫후진국.

선:집 (選集) 한 사람 또는 여러 사람의 작품 중 몇 가지를 추려 엮은 책. ⑩문학 선집.

선착순 (先着順) [선착쑨] 어떤 곳에 먼저 와 닿는 차례. ⑩선착순으로 입장권을 나누어 주다.

선착장 (船着場) [선착짱] 배가 와 닿는 곳.

선창¹ (先唱) 노래나 구호 따위를 맨 먼저 부름. ⑩만세를 선창하다. **—하다.**

선창² (船艙) 물가에 다리처럼 만들어 배를 대고 짐을 풀거나 싣게 한 곳.

선처 (善處) 형편에 따라 알맞게 처리함. ⑩선처를 부탁하다 / 선처를 바랍니다. **—하다.**

선천적 (先天的) 태어날 때부터 가지고 있는 (것). ⑩선천적 소질. ⑫후천적.

선체 (船體) 배의 몸체.

선:출 (選出) 여럿 가운데서 가려 뽑음. ⑩회장 선출. ⑪선발. **—하다.**

선취 (先取) 남보다 먼저 얻거나 차지함. ⑩선취 득점 / 한 점을 선취하다. **—하다.**

선친 (先親) 남에게 돌아가신 자기 아버지를 일컫는 말. ⑪선인.

***선:택** (選擇) 여럿 가운데서 필요한 것을 골라 뽑음. ⑩선택 과목 / 선택 사항. **—하다.** ➡ choice

선택권 (選擇權) [선택꿘] 선택할 수 있는 권리.

선포 (宣布) 세상에 널리 알림. ⑩독립을 선포하다. ⑪공포. **—하다.**

선풍 (旋風) **1** ⇨회오리바람. **2** 갑자기 사회에 영향을 미치는 일. ⑩선풍을 일으키다.

***선풍기** (扇風機) 작은 전동기에 날개를 달아 회전시킴으로써 바람을 일으키는 장치.

선풍적 (旋風的) 갑자기 생겨나 사회에 큰 영향을 끼치거나 관심의 대상이 될 만한 (것). ⑩선풍적인 인기를 끌다.

선:하다¹ 마음에 사무치어 눈앞에 보이는 듯하다. ⑩고향 마을이 눈에 선하다.

선:하다² (善—) 착하다. ⑩선하게

살다. 반 악하다.
선:하품 몸에 이상이 있거나 흥미 없는 일을 할 때 나오는 하품.
선행[1] (先行) 다른 일보다 앞서 행하는 것. 또는 앞서 이루어지는 것. **—하다.**
선:행[2] (善行) 착하고 어진 행실. 예선행을 베풀다. 반 악행.
선혈 (鮮血) 갓 흘러나온 붉은 피. 예선혈이 낭자한 사고 현장.
선:호 (選好) 여럿 중에서 특별히 좋아함. 예남아 선호 사상. **—하다.**
선홍색 (鮮紅色) 산뜻하고 밝은 붉은색. 예선홍색의 동백꽃.
선회 (旋回) 빙빙 돎. 예선회 비행. **—하다.**
선후 (先後) 먼저와 나중. 앞뒤.
선후배 (先後輩) 선배와 후배. 예선후배 관계 / 중학교 선후배 사이로 가깝게 지내다.
섣:달 [섣딸] 음력으로 한 해의 마지막 달. 음력 12월. →달 참고
섣:달그믐 [섣딸그믐] 음력으로 한 해의 마지막 날.
섣:부르다 [섣뿌르다] 솜씨가 서툴고 어설프다. 예괜히 섣부른 짓 하지 마라. 활용 섣불러 / 섣부르니.
섣:불리 [섣뿔리] 어설프게. 서투르게. 예섣불리 건드리다간 큰코다친다.
*__설:__[1] '설날'의 준말.
설[2] (說) 견해나 학설. 예학자마다 설을 달리하다.
설거지 음식을 먹고 난 뒤에 음식을 담았던 그릇을 씻어 정리하는 일. ×설겆이. **—하다.**
설경 (雪景) 눈이 내리거나 눈이 쌓인 경치.
설계 (設計) [— / 설게] **1** 제작이나 공사 따위에 앞서 그 목적에 맞도록 계획을 세우고 도면에 드러내 보이는 일. **2** 계획을 세움. 또는 그 계획. 예미래를 설계하다. **—하다.**
설계도 (設計圖) [— / 설게도] 건물이나 기계 등을 만들 때 그 내용을 나타낸 그림. 비 마련그림.
설교 (說敎) **1** 종교의 가르침을 설명함. 비 설법. **2** 단단히 타일러 가르침. **—하다.**
*__설:날__ [설랄] 우리나라 명절의 하나. 정월 초하룻날. 예설날에 세배를 드리다. 준 설.
설:다 **1** 덜 익다. 예선 밥. **2** 잠이 모자라거나 깊이 들지 않다. **3** 서투르다. 익숙하지 못하다. 예귀에 선 목소리. 활용 설어 / 서니 / 선.
설득 (說得) [설뜩] 설명하거나 타일러 알아듣도록 이해시킴. 예유괴범을 설득하여 자수시키다. 비 설복. **—하다.**
설득력 (說得力) [설뜽녁] 설득하는 힘. 예설득력 있는 연설.
설렁탕 (—湯) 소의 머리·내장·발·도가니 등을 푹 삶아서 만든 국.
설레다 마음이 가라앉지 아니하고 들떠서 두근거리다. 예여행 갈 생각에 가슴이 설레다.
설레설레 머리 따위를 가볍게 좌우로 잇따라 흔드는 모양. 예고개를 설레설레 흔들다. 준 설설. 작 살래살래. 센 썰레썰레.
설레이다 '설레다'의 잘못.
설령 (設令) '그렇다고 하더라도'의 뜻. 예설령 내가 조금 늦더라도 기다려라. 비 설사. 설혹.
설립 (設立) 기관이나 조직체 따위를 만들어 세움. 예회사를 설립하다. **—하다.**
설마 아무리 그러하기로. 예설마 지금 가려는 것은 아니겠지.
설맞다 [설맏따] **1** 총알 따위가 급소에 바로 맞지 않고 빗맞다. 예설맞은 총알. **2** 매 따위를 덜 맞다.
*__설명__ (說明) 알기 쉽게 풀어서 밝힘. 예컴퓨터에 대해 자세히 설명하다. 비 해설. **—하다.**

설명문 (說明文) 일이나 사물의 내용 따위를 알기 쉽게 자세히 일러 주는 글.

설명서 (說明書) 내용이나 이유, 사용하는 방법 따위를 설명한 글.

설문 (設問) 어떤 사실을 조사하기 위하여 문제를 내어 물음. 또는 그 문제. ㊀장래 희망에 관한 설문 조사를 하다. **—하다.**

설문지 (設問紙) 조사를 할 목적으로 어떤 사항에 대한 문제나 질문을 적어 놓은 종이.

설법 (說法) [설뻡] 불교의 교리를 풀어 가르침. 비 설교. **—하다.**

설복 (說伏〔服〕) 알아듣도록 말하여 수긍하게 함. ㊀선생님의 말씀에 설복되다. 비 설득. **—하다.**

설비 (設備) 어떤 목적에 필요한 기계·기구·건물 등을 갖춤. 또는 그런 시설. ㊀생산 설비 / 설비를 갖추다. 비 시설. **—하다.**

설:빔 설에 새로 장만하여 입는 옷이나 신발 따위.

> 참고 설빔은 설과 빔이 이어진 말이다. '설'은 새해의 첫머리 또는 설날의 뜻이며 '빔'은 명절 또는 잔치 때에 새 옷을 갈아입는 일 또는 그 옷을 말한다.

설사[1] (泄瀉) [설싸] 배탈이 났을 때 누는 묽은 똥. **—하다.**

설사[2] (設使) [설싸] ⇨설령.

설상가상 (雪上加霜) [설쌍가상] 눈 위에 서리가 덮인다는 뜻으로, 불행이 거듭 일어남을 이르는 말. ㊀아버지가 교통사고로 입원하시고 설상가상으로 어머니마저 몸져누우셨다.

설설 **1** 물이 고루 천천히 끓는 모양. **2** 온돌이 고루 뜨거운 모양. ㊀아랫목이 설설 끓는다. **3** 기를 펴지 못하는 모양. **4** '설레설레'의 준말. **5** 벌레 따위가 가볍게 기는 모양. 작 살살. 센 썰썰.

설설 기다 남 앞에서 기가 죽어 행동을 자유로이 못하고 순종만 하다.

설악산 (雪嶽山) [서락싼] 강원도 양양군과 인제군 사이에 있는 산. 주봉은 대청봉이고 경치가 매우 아름다우며, 비선대·울산 바위·비룡 폭포 등이 있음. 1970년 3월에 국립 공원으로 지정됨. 높이 1,708 m.

설왕설래 (說往說來) [서랑설래] 서로 말을 주고받으며 옥신각신함. **—하다.**

설욕 (雪辱) [서룍] 승부 따위에서 이겨 전에 패배했던 부끄러움을 씻고 명예를 되찾음. ㊀지난번의 패배를 설욕하다. **—하다.**

설욕전 (雪辱戰) [서룍쩐] 경기·오락 따위에서, 앞서 진 것을 복수하기 위한 싸움. 비 복수전.

설:움 [서룸] 서럽게 느껴지는 마음. ㊀설움이 복받치다. 비 서러움.

설익다 [설릭따] 덜 익다. ㊀설익은 과일 / 밥이 설익었다. 반 농익다.

설전 (舌戰) [설쩐] 말다툼. ㊀설전을 벌이다 / 설전이 오가다.

설정 (設定) [설쩡] 새로 만들어 정해 둠. ㊀방향 설정 / 목표를 설정하다. **—하다.**

설총 (薛聰) 〖인명〗 신라 경덕왕 때의 학자. 원효 대사의 아들로, 강수·최치원과 더불어 신라의 3 대 문장가임. 이두를 만듦.

***설치** (設置) 어떤 목적에 필요한 기관이나 시설을 갖추어 놓음. ㊀학교에 도서관을 설치하다. **—하다.**

설치다[1] 행동을 거칠게 하면서 날뛰다. ㊀거리를 설치고 다니다.

설치다[2] 필요한 정도에 미치지 못한 채로 그만두다. ㊀잠을 설쳤다.

***설탕** (雪糖) 사탕수수·사탕무 등을 원료로 하여 만든, 달고 물에 잘 녹는 가루. 비 사탕. ➲ sugar

설피 (雪皮) 눈이 많이 오는 산간 지대에서 눈에 빠지지 않도록 신바닥에 대는, 칡·노(실·삼·종이 따위의 섬유로 가늘게 꼰 줄)·새끼 따위로 얽어서 만든 넓적한 덧신.

설형 문자 (楔形文字) [—문짜] 옛날 바빌로니아와 아시리아 등지에서 쓰던 쐐기 모양의 글자. 비 쐐기 문자.

설혹 (設或) ⇨설령.

설화 (說話) 신화·전설·민담 등을 줄거리로 사실처럼 꾸민 옛이야기.

섧다 [설따] 원통하고 슬프다. 예섧게 울다. 활용 설워 / 설우니.

섬[1] **1** 곡식을 담기 위하여 짚으로 엮어 만든 가마니. **2** 곡식 등의 양을 세는 단위. 한 섬은 한 말의 열 배임. 예벼 열 섬. 비 석.

*__섬ː__[2] 사방이 바다로 둘러싸인 땅. 예섬 마을 / 섬과 육지가 다리로 연결되다. ➔ island

섬광 (閃光) 아주 잠깐 동안 강렬하게 번쩍이는 빛.

섬기다 윗사람을 잘 모시어 받들다. 예부모님을 섬기다.

섬ː나라 사방이 바다로 둘러싸인 나라. 일본·뉴질랜드 따위.

섬돌 [섬똘] 집채의 앞뒤에 오르내릴 수 있게 놓은 돌층계. 준 섬.

섬뜩하다 [섬뜨카다] 소름이 끼치도록 무섭고 끔찍하다. 예섬뜩한 장면이 많은 영화 / 등골이 섬뜩하다.

섬멸 (殲滅) 적을 모조리 무찔러 멸망시킴. 예적을 섬멸하다. **—하다.**

섬세하다 (纖細—) **1** 곱고 가늘다. 예섬세한 공예품. **2** 감정 또는 행동이 매우 찬찬하고 세밀하다. 예선생님은 모든 학생들에게 섬세하게 마음을 쓰신다.

*__섬유__ (纖維) [서뮤] **1** 생물체의 몸을 이루는 가늘고 긴 실 모양의 물질. **2** 직물이나 종이의 원료가 되는 실 모양의 물질. 예섬유 공업이 발달하다.

섬유질 (纖維質) [서뮤질] 섬유로 된 물질. 예채소에는 섬유질이 많이 들어 있다.

섬진강 (蟾津江) 전라북도 진안군에서 시작하여 전라남도와 경상남도를 지나 남해로 흘러 들어가는 강. 길이 212 km.

섭렵 (涉獵) [섬녑] 책을 많이 읽거나 여기저기 찾아다니며 경험함을 이르는 말. 예한국 고전을 섭렵하다. **—하다.**

섭리 (攝理) [섬니] **1** 우주를 지배하면서 인간을 구제하려는 하느님의 의지와 은혜. 예신의 섭리를 따르다. **2** 자연계를 지배하고 있는 원리와 법칙. 예자연의 섭리.

섭생 (攝生) [섭쌩] **1** 몸과 마음을 건강하게 해서 오래 살기를 꾀함. **2** 병을 치료하며 조리함. 비 양생. **—하다.**

섭섭하다 [섭써파다] **1** 정에 끌려 서로 헤어지기가 마음에 서운하고 아쉽다. 예헤어지기가 무척 섭섭하다. **2** 없어지는 것이 아깝다. **3** 남이 자기에게 대하는 태도가 서운하고 흡족하지 아니하다. 비 서운하다.

섭섭히 [섭써피] 섭섭하게. 예이별을 섭섭히 여기다.

섭씨 (攝氏) 섭씨온도계의 눈금의 이름. 'C' 로 표시함.

섭씨온도계 (攝氏溫度計) [— / 섭씨온도게] 물의 어는점을 0도로 하고 끓는점을 100 도로 하는 온도계. *화씨온도계.

섭외 (涉外) [서뵈] 외부와 연락하고 교섭하는 일. 예섭외 활동 / 배우를 섭외하다. **—하다.**

섭정 (攝政) [섭쩡] 임금을 대신하여 나라를 다스림. 또는 그런 사람. 예나이 어린 왕을 대신하여 대비가 섭정하였다. **—하다.**

섭취 (攝取) 영양이 되는 물질을 몸

속에 빨아들임. ㉥영양 섭취 / 단백질을 섭취하다. **―하다.**

섭취량 (攝取量) 몸속에 흡수되는 영양분의 양.

성:[1] 노엽거나 언짢게 여기어 일어나는 불쾌한 감정. ㉥성을 왈칵 내다. 높 역정.

*__성:__[2] (姓) 한 혈통을 잇는 겨레붙이의 칭호. 대대로 이어 내려 다른 겨레붙이와 구별됨. 김·이·박·최 따위. 비 성씨.

성:[3] (性) **1** 사람·사물의 본바탕. 사람이 나면서부터 갖고 있는 소질. **2** 남녀·암수의 구별.

*__성__[4] (城) 적을 막기 위하여 쌓아 올린 높은 담. ㉥성을 쌓다. ➲ castle

-성 (性) 어떤 말 뒤에 붙어, 그러한 성질이나 경향을 나타내는 말. ㉥인간성 / 적극성.

성:가[1] (聖歌) 기독교에서, 찬송하는 노래. ㉥성가 합창. 비 찬송가.

성가[2] (聲價) [성까] 세상에 드러난 좋은 평판이나 가치. ㉥성가를 드높이다.

성가시다 자꾸 들볶거나 귀찮게 굴어서 괴롭고 싫다. ㉥바쁜데 성가시게 굴지 마라.

*__성:격__ (性格) [성껵] 말이나 행동을 통하여 나타나는 개인의 특별한 성질. ㉥조급한 성격. 비 성품.

성:경 (聖經) 종교의 최고 법전이 되는 책. 기독교의 신약·구약 성서, 불교의 팔만대장경, 이슬람교의 코란 따위. 비 성서. 성전.

성:골 (聖骨) 신라 때의 계급 제도인 골품의 첫째 등급. 부모가 다 왕족임. *진골.

*__성공__ (成功) **1** 목적·뜻을 이룸. ㉥실패는 성공의 어머니. 반 실패. **2** 부자가 되거나 사회적 지위를 얻음. ㉥역경을 딛고 성공하다. **―하다.**

성공률 (成功率) [성공뉼] 어떤 일이 성공하는 비율. ㉥수술의 성공률이 높다.

성공적 (成功的) 성공했다고 할 만한 (것). ㉥이번 행사는 성공적으로 끝마쳤다.

성과 (成果) [성꽈] 일이 이루어진 결과. ㉥뜻밖의 성과를 올리다.

성곽 (城郭) 성 둘레의 벽.

성:관계 (性關係) [― / 성관게] ⇨ 성교.

성:교 (性交) 남자와 여자가 성기를 통하여 육체적으로 관계를 맺음. 비 성관계. **―하다.**

성:교육 (性教育) 청소년에게 성에 관한 올바른 지식을 알려 주기 위해 하는 교육.

성:군 (聖君) 매우 존경하고 받들 만큼 훌륭한 임금. ㉥세종 대왕은 성군이다.

성균관 (成均館) 조선 때 서울에 설치한 최고의 국립 교육 기관. 유교를 가르쳤으며 문묘가 있음.

성금 (誠金) 어려운 사람이나 사회적인 사업을 돕기 위해 내는 돈. ㉥불우 이웃 돕기 성금. 비 헌금.

성:급하다 (性急―) [성그파다] 성질이 팔팔하고 몹시 급하다. ㉥성급한 판단을 내리다.

성:급히 (性急―) [성그피] 성급하게. ㉥성급히 굴면 실패한다.

성:기 (性器) 자지와 보지. 비 생식기.

성기다 물건의 사이가 촘촘하지 않고 넓다. 반 배다. 작 상기다.

성:깔 (性―) 성질을 거칠게 부리는 태도나 버릇. ㉥성깔을 부리다.

성:나다 **1** 화가 나다. ㉥성난 얼굴. **2** 격한 기운이 일다. ㉥성난 파도. **3** 종기 따위가 덧나다.

성내 (城內) 성의 안.

성:내다 화를 내다. ㉥친구에게 성내다.

*__성냥__ 작은 나뭇개비 끝에 황을 발라서 마찰하여 불을 일으키는 물건.

㉠성냥을 긋다 / 성냥을 켜다.

성냥갑 (—匣) [성냥깝] 성냥개비를 담은 작은 상자.

성냥개비 [성냥깨비] 성냥의 낱개.

성냥불 [성냥뿔] 성냥으로 켠 불.

성년 (成年) 신체나 지능이 충분히 발달하여 법적인 권리를 행사할 수 있는 나이. 만 20세 이상. 비 성인. 반 미성년.

성년식 (成年式) 일정한 나이를 먹은 젊은이가 어른이 되었음을 알리는 의식.

성ː능 (性能) 기계 따위가 일을 해내는 능력. ㉠성능이 뛰어난 자동차. 비 기능.

***성ː당** (聖堂) 천주교의 종교의식이 행해지는 건물.

성대 (聲帶) 목구멍에 있는, 소리를 내는 기관. 비 목청.

성대모사 (聲帶模寫) 다른 사람의 목소리나 동물·사물의 소리를 흉내 내는 일.

성ː대하다 (盛大—) 행사의 규모 따위가 풍성하고 크다. ㉠성대한 결혼식을 올리다.

성ː대히 (盛大—) 성대하게. ㉠장례식을 성대히 치르다.

성량 (聲量) [성냥] 목소리의 크기. ㉠성량이 풍부한 가수.

성령 (聖靈) [성녕] 기독교에서, 하나님의 영혼.

성ː리학 (性理學) [성니학] 중국 송나라·명나라 때에 일어난 유학의 한 계통. 주자가 완성하여 '주자학'이라고도 불림. 준 이학. *유교. 유학.

성립 (成立) [성닙] 일이 이루어짐. ㉠계약이 성립되다. **—하다.**

성ː명[1] (姓名) 성과 이름. 높 성함.

성명[2] (聲明) 어떤 사항에 관한 견해나 의견을 여러 사람에게 발표하는 일. 또는 그 의견. ㉠반대하는 성명을 내다. **—하다.**

성명서 (聲明書) 사회적·정치적으로 중요한 일에 대한 입장이나 생각을 발표하는 글.

성ː모 (聖母) 예수의 어머니인 마리아를 일컫는 말.

***성묘** (省墓) 조상의 산소를 찾아가서 돌봄. **—하다.**

성문 (城門) 성을 드나드는 문.

성문법 (成文法) [성문뻡] 문서로 만든 법률. 반 불문법.

성ː미 (性味) 본디 가지고 있는 마음의 바탕. ㉠까다로운 성미 / 성미가 급하다.

성벽 (城壁) 성의 벽.

성ː별 (性別) 남녀나 암수의 구별. ㉠병아리는 성별을 구분하기가 쉽지 않다.

성부 (聲部) 목소리의 높낮이에 따라 나눈 구분. 소프라노·알토·테너·베이스 따위.

성분 (成分) 어떤 물체를 이루는 바탕이 되는 물질. ㉠멸치에는 칼슘 성분이 많다.

성불사 (成佛寺) [성불싸] 황해도 황주군 정방산에 있는 절. 신라 말에 도선이 세웠음.

성사 (成事) 일을 뜻한 대로 이룸. ㉠일이 성사되다. **—하다.**

성삼문 (成三問) 〖인명〗 조선 세종 때의 충신. 호는 매죽헌. 집현전 학사로 정인지·신숙주 등과 함께 세종 대왕을 도와 한글을 만드는 데에 공을 세웠음. 사육신의 한 사람으로 단종의 복위를 꾀하다가 발각되어 처형되었음. [1418–1456]

성ː서 (聖書) 하나님의 말씀을 기록한 기독교의 경전. 구약 성서 39권과 신약 성서 27권으로 되어 있음. 바이블. 비 성경.

성ː선설 (性善說) 중국의 맹자가 주장한 학설. 인간의 본래의 성품은 태어날 때부터 착하다는 설. 반 성악설.

성성하다 (星星—) 머리털이 희끗희끗하다. ㉠백발이 성성한 노인.

성:쇠 (盛衰) 성함과 쇠퇴함.

성:수기 (盛需期) 어떤 물건이 한창 잘 팔리는 시기. ㉠에어컨은 여름철이 성수기이다. 반 비수기.

성숙 (成熟) **1** 몸과 마음이 자라서 어른스럽게 되는 일. ㉠성숙한 모습. **2** 곡식·과일 따위가 무르익음. ㉠오곡이 성숙하는 계절. 비 숙성. **—하다.**

성:스럽다 (聖—) [성스럽따] 거룩하고 고결하다. ㉠분위기가 성스럽고 엄숙하다. 활용 성스러워 / 성스러우니.

*__성실__ (誠實) 태도나 말과 행동 따위가 정성스럽고 참됨. ㉠성실한 학생. 반 불성실. **—하다. —히.**

성심껏 (誠心—) [성심껃] 정성스러운 마음을 다하여. ㉠시부모를 성심껏 모시다. 비 정성껏.

성:씨 (姓氏) '성²'을 높여서 이르는 말.

성악 (聲樂) 사람의 목소리로 나타내는 음악. 반 기악.

성악가 (聲樂家) [성악까] 성악을 전문적으로 하는 사람. 반 기악가.

성:악설 (性惡說) [성악썰] 중국의 순자가 주장한 학설. 인간은 본래 태어날 때부터 악하다는 설. 반 성선설.

성에 추운 겨울에 유리창이나 벽 따위에 수증기가 허옇게 얼어붙은 것. ㉠창에 성에가 끼다. ×성애.

성:역 (聖域) 신성하게 여겨 아무나 함부로 들어가지 못하는 장소.

성:왕 (聖王) 〖인명〗 백제의 제26대 임금. 도읍을 사비(지금의 부여)로 옮기고, 잃었던 한강 유역의 옛 땅을 되찾음. [재위 523-553]

성:욕 (性慾) 성적 행위에 대한 욕망. ㉠성욕을 느끼다.

*__성우__ (聲優) 라디오 드라마나 영화에서 직접 연기하지 않고 등장인물의 목소리만 내는 배우.

성운 (星雲) 하늘에 엷은 구름같이 보이는 많은 별들의 무리.

성원¹ (成員) **1** 모임이나 단체를 이루고 있는 인원. 멤버. 비 구성원. **2** 회의 성립에 필요한 인원. ㉠성원 미달.

성원² (聲援) 하는 일이 잘되도록 격려하거나 도와줌. ㉠아낌없는 성원을 보내다. **—하다.**

성:은 (聖恩) 임금의 큰 은혜. ㉠성은을 입다.

성의 (誠意) [— / 성이] 정성이 담긴 마음. ㉠성의를 보이다. 비 성심.

성의껏 (誠意—) [성의껃 / 성이껃] 있는 성의를 다하여. ㉠환자를 성의껏 돌보다. 비 정성껏.

성인¹ (成人) 자라서 어른이 된 사람. 보통, 만 20세 이상의 남녀를 이름. ㉠성인 영화. 비 어른.

성:인² (聖人) 슬기와 덕이 뛰어나 우러러 본받을 만한 사람. ㉠세계 4대 성인. 비 성자.

성인병 (成人病) [성인뼝] 주로 중년 이후에 나타나는 병을 통틀어 이르는 말. 동맥 경화·고혈압·암·심장병·당뇨병 따위.

성:자 (聖者) **1** ⇨성인². **2** 불교에서, 온갖 욕심을 버리고 올바른 도리를 깨달은 사람.

*__성장¹__ (成長) 사람이나 생물이 자라서 점점 커짐. ㉠성장 과정 / 성장 산업. 비 성숙. 반 쇠퇴. **—하다.**

성:장² (盛裝) 잘 차려입음. 또는 그런 차림. **—하다.**

성장기 (成長期) 성장하는 시기. ㉠성장기의 어린이. 비 발육기.

성장률 (成長率) [성장뉼] '경제 성장률'의 준말.

성적¹ (成績) **1** 어떤 일을 다 마친 뒤의 결과. ㉠근무 성적이 좋다. **2** 공부한 내용·기능·태도 등을 평가

한 결과. ㉥성적이 오르다 / 성적이 떨어지다.

성:적² (性的) [성쩍] 성에 관계되는(것). ㉥성적 차별.

성적순 (成績順) [성적쑨] 시험의 성적에 따라 매긴 순서. ㉥성적순으로 반을 가르다.

성적표 (成績表) 성적을 적은 표.

성조기 (星條旗) 미국의 국기. 독립 당시의 주를 상징하는 13개의 흰색·붉은색의 가로줄과, 파란 사각형에 현재의 주를 상징하는 50개의 흰 별이 그려져 있음.

성종¹ (成宗) 〖인명〗 고려 제6대 임금. 여러 제도를 정비·개선하고, 국경에 성을 쌓아 외적 침입에 대비함. [960-997 ; 재위 982-997]

성종² (成宗) 〖인명〗 조선 제9대 임금. 유학을 장려하고, 법률 및 제도의 기초가 되는 '경국대전'을 펴냄. [1457-1494 ; 재위 1469-1494]

성좌 (星座) ⇨별자리.

성주 (城主) 성의 우두머리.

성:지 (聖地) 종교와 관계가 깊어 신성하게 여기는 땅. ㉥성지 순례.

*__성:직자__ (聖職者) [성직짜] 종교적 직분을 맡은 사람. 목사·선교사·승려·신부 등.

*__성:질__ (性質) **1** 마음의 본바탕. ㉥성질이 급하다. **2** 사물이 본디부터 가지고 있는 고유한 특성. ㉥화학적 성질. 비 성격. 성미.

성:질내다 (性質—) [성질래다] 분노나 불만 따위를 이기지 못하고 화를 내다.

성:징 (性徵) 남녀·암수에 따라 몸에 나타나는 성적인 특징.

성:찬 (盛饌) 풍성하게 잘 차린 음식. ㉥성찬을 베풀다.

성:찬식 (聖餐式) 기독교에서, 예수의 최후를 기념하여 그의 살과 피를 상징하는 빵과 포도주를 나누어 먹는 의식.

성찰 (省察) 자기의 마음을 반성하여 살핌. **—하다.**

성채 (城砦) 성과 진지. ㉥성채를 쌓다.

성충 (成蟲) ⇨어른벌레. 반 유충.

성취 (成就) 일을 목적했던 대로 다 이룸. ㉥소원을 성취하다. **—하다.**

성취감 (成就感) 목적했던 것을 이루었을 때 느끼는 흐뭇한 감정.

성큼 **1** 다리를 높이 들어 크게 떼어 놓는 모양. ㉥마루로 성큼 올라서다. **2** 동작이 망설임 없이 빠르고 시원스러운 모양. ㉥차가운 물에 손을 성큼 집어넣다. **3** 어떤 때나 대상이 갑자기 가까워진 모양. ㉥봄이 성큼 다가왔다. 작 상큼.

성큼성큼 다리를 자꾸 높이 들어 크게 떼어 놓는 모양. ㉥성큼성큼 걷다. 작 상큼상큼.

성:탄 (聖誕) **1** 성인이나 임금의 탄생. **2** '성탄절'의 준말.

성:탄절 (聖誕節) 예수가 탄생한 날. 12월 25일. 크리스마스. 준 성탄.

성터 (城—) 성이 있었던 자리. 비 성지.

성패 (成敗) 성공과 실패. ㉥일의 성패를 좌우하다.

성:품 (性品) 성질이나 됨됨이. ㉥강직한 성품의 소유자. 비 성격.

성하다¹ **1** 본디대로 온전하다. ㉥성한 그릇. **2** 병이나 상처가 없다. ㉥성한 다리.

성:하다² (盛—) **1** 기운이나 세력이 한창 왕성하다. ㉥나라가 크게 성하다. **2** 나무나 풀이 무성하다. ㉥잡풀이 성하다.

성:함 (姓銜) '성명¹'의 높임말.

성:행 (盛行) 매우 많이 유행함. ㉥밀수가 성행하다. **—하다.**

성:행위 (性行爲) 남자와 여자가 성기를 통하여 육체적으로 관계를 맺는 일. 비 성관계. 성교.

성ː향 (性向) 성질에 따른 경향. ㉠정치적 성향. 비 기질.
성ː현 (聖賢) 덕망이 높고 어진 사람. ㉠성현의 가르침을 따르다.
성형 수술 (成形手術) 보기에 흉하거나 장애가 되는 신체 부분을 고치는 수술. 신체를 아름답게 가꾸려고 하는 수술도 이에 속함.
성호사설 (星湖僿說) 〔책〕 조선 영조 때 실학자 이익이 지은 책. 천지·만물·인사·경사·시문 등의 부문으로 나뉨. 30 권 30 책.
성화[1] (成火) **1** 뜻대로 되지 않아 답답하고 애가 탐. 또는 그러한 상태. ㉠여행을 못 가서 성화가 나다. **2** 몹시 귀찮게 구는 일. ㉠성화를 부리다 / 부모님은 공부하라고 성화하셨다. **—하다**.
성화(를) 대다 몹시 성가시게 굴다. ㉠장난감을 사 달라고 성화를 대다.
성ː화[2] (聖火) 올림픽처럼 규모가 큰 체육 대회장에 켜 놓는 횃불. ㉠성화 봉송.
성화같다 (星火—) [성화간따] 몹시 심하고 급하다. ㉠성화같은 독촉.
성화같이 (星火—) [성화가치] 몹시 심하고 급하게. ㉠성화같이 재촉하다.
성ː황 (盛況) 모임이나 행사 따위에 사람이 많이 모여 활기에 찬 상태. ㉠공연이 성황을 이루다.
성황당 (城隍堂) '서낭당'의 원말.
성ː황리 (盛況裡) [성황니] 성황을 이룬 가운데. ㉠대회를 성황리에 마치다.
성히 성하게. ㉠몸 성히 잘 있다.
섶[1] [섭] 누에가 고치를 짓도록 마련한 짚이나 잎나무.
섶[2] [섭] 두루마기나 저고리의 깃 아래에 이어서 댄 헝겊 조각. 겉섶과 안섶이 있음. 본 옷섶.
세ː[1] (貰) 남의 것을 빌려 쓰기로 하고 내는 돈. ㉠세를 받다.
세ː[2] (稅) '조세'의 준말. ㉠국민의 세 부담을 줄이다.
세[3] (歲) 숫자 뒤에 쓰여 나이를 나타내는 말. ㉠십팔 세. 비 살.
*__세ː__[4] '셋'의 뜻. ㉠세 사람.
세ː간[1] 집안 살림에 쓰는 온갖 물건. ㉠세간을 장만하다. 비 세간살이. 가재도구. 살림살이.
세간(을) 나다 함께 살던 사람이 따로 살림을 차리다. 비 분가하다.
세ː간[2] (世間) ⇨세상1. ㉠세간의 비난을 받다.
세ː간살이 [세간사리] ⇨세간.
*__세ː계__ (世界) [— / 세게] **1** 지구에 있는 모든 국가. ㉠세계 10대 문화유적. 비 세상. **2** 같은 종류의 한 집단. ㉠동물의 세계. world
세ː계 대ː전 (世界大戰) [— / 세게—] 세계적인 규모로 일어난 큰 전쟁. 흔히, 제1차 및 제2차 세계 대전을 이름.
세ː계 무ː역 기구 (世界貿易機構) [—끼구 / 세게—끼구] 세계 여러 나라 사이에 무역이 공평하고 자유롭게 이루어질 수 있도록 1995년에 만든 국제 무역의 규정을 통괄하는 기관. 더블유티오(WTO).
세ː계 보ː건 기구 (世界保健機構) [— / 세게—] 국제 연합 전문 기구의 하나. 1948년에 설립되었으며, 공중 보건 위생 향상을 위한 국제 협력이 목적임. 본부는 제네바에 있음. 더블유에이치오(WHO).
세ː계사 (世界史) [— / 세게사] 세계의 역사.
세ː계 인권 선언 (世界人權宣言) [—인꿘서넌 / 세게인꿘서넌] 1948년 12월 10일 파리에서 열린 국제 연합 총회에서 채택된, 인권을 보호하고 존중할 것을 국제 사회의 의무로 규정한 선언.
세ː계적 (世界的) [— / 세게적] 온

세계에 알려지거나 관계되는 (것). ㉮세계적인 음악가 / 세계적인 발명. ㊁국제적.

세:계주의 (世界主義) [-/세게주이] 국가와 민족을 초월하여 전 인류의 행복과 세계 평화를 이루려는 주의.

세:계 지도 (世界地圖) [-/세게-] 세계를 그린 지도. ㊁만국 지도.

세:계화 (世界化) [-/세게화] 국가나 민족에 매이지 않고 세계적으로 되게 하는 것. **-하다.**

세:공 (細工) 손으로 섬세하게 물건을 만드는 작업. ㉮보석 세공.

세:공품 (細工品) 세공한 물건. ㉮금은 세공품. ㊁세공물.

세:관 (稅關) 비행장·항구 등에서 여행자의 짐이나 수출입 화물을 검사하고 세금을 매기는 따위의 일을 맡아보는 관청.

세:균 (細菌) 눈으로 볼 수 없을 만큼 작고, 병을 일으키거나 부패 작용을 하는 생물. 박테리아. ㊈균.

*__세:금__ (稅金) 나라에서 쓰는 비용을 마련하기 위해 국민으로부터 거두어들이는 돈. ㉮세금 납부 / 세금을 물다. ㊁조세.

*__세:기__ (世紀) **1** 시대 또는 연대. ㉮혁명과 전쟁의 세기. **2** 100년 동안을 세는 단위. ㉮21세기의 국가적 과업을 이루다. ➲ century

세:뇌 (洗腦) 본디 품었던 생각을 잊게 하고 특정한 사상을 주입시켜 그 내용을 따르게 하는 일. ㉮세뇌 교육 / 세뇌 공작을 벌이다. **-하다.**

세:다[1] 머리카락이나 수염 따위가 희어지다. ㉮머리가 허옇게 세다. →새다 주의

*__세:다__[2] 수를 헤아리다. ㉮돈을 세다. →새다 주의 ➲ count

*__세:다__[3] **1** 힘이 많다. ㉮기운이 세다. **2** 기세 따위가 강하다. ㉮고집이 세다. **3** 물·불·바람 따위가 강하거나 빠르다. ㉮화력이 세다 / 물살이 세다. →새다 주의 ➲ strong

세:대[1] (世代) **1** 부모·자식·손자로 이어지는 대. **2** 한 대. 약 30년. ㉮한 세대나 뒤진 생각. **3** 같은 시대 사람들. ㉮젊은 세대.

세:대[2] (世帶) ⇨가구[1].

세:대주 (世帶主) 한 세대의 중심이 되는 사람.

세:대 차 (世代差) 서로 다른 세대들의 생각의 차이. ㉮세대 차가 나다 / 세대 차가 심하다.

세:도막 형식 (-形式) [세도마켱식] 음악에서, 큰악절 다음에 작은악절이 뒤따르고, 다시 처음의 큰악절로 되돌아가는 형식.

세:도 정치 (勢道政治) 왕의 신임을 받는 사람이 나랏일을 자기 마음대로 하던 정치.

세레나데 (serenade) 밤에 애인의 집 창가에서 부르거나 연주하던 사랑의 노래.

*__세:력__ (勢力) 권력이나 기세의 힘. ㉮세력 다툼 / 세력을 떨치다. ㊈세.

세:력가 (勢力家) [세력까] 세력이 있는 사람.

세:력권 (勢力圈) [세력꿘] 세력이 미치는 범위.

세:련 (洗練〔鍊〕) 글이나 교양, 인품 따위를 잘 다듬고 가꾸어 고상하고 우아하게 함. ㉮세련된 문장 / 세련된 몸가짐. **-되다.**

세:례 (洗禮) **1** 기독교에서, 신자가 되려는 사람에게 죄악을 씻는 표시로 행하는 의식. ㉮세례를 받다. **2** 쏟아지는 공격·비난·제재 따위. ㉮주먹 세례를 받다.

세:례명 (洗禮名) 가톨릭 신자가 세례 때 받는 이름.

*__세:로__ 위에서 아래로 곧게 내려오는 모양. 또는 그 길이. ㊉가로.

세:로글씨 위에서 아래로 내리쓰는 글씨. ㊉가로글씨.

세:로 좌:표 (—座標) 좌표에서, 세로 방향의 위치를 나타내는 좌표. 비 와이 좌표. 반 가로 좌표.
세:로줄 **1** 세로로 그은 줄. 반 가로줄. **2** 악보에서, 마디를 구분하기 위하여 그은 수직선.
세:로축 (—軸) 좌표에서 세로로 놓인 축. 비 와이축. 반 가로축.
세:로획 (—畫) 글자에서, 위에서 아래로 내리긋는 선. 반 가로획.
세:마치 대장간에서 쇠를 불릴 때에 세 사람이 돌려 가며 치는 마치.
세:마치장단 국악에서, 세마치를 치는 것같이 빠른 장단. 아리랑·양산도 등에 사용됨.
세:면 (洗面) 얼굴을 씻음. 예 세면도구. 비 세수. **—하다**.
세:면기 (洗面器) 얼굴을 씻기 위한 물을 담는 그릇.
세:면대 (洗面臺) 세면 시설을 해 놓은 대.
세:모[1] 삼각형의 세 개의 모. 예 종이를 세모로 접다. 비 삼각.
세:모[2] (歲暮) ⇨세밑.
세:모꼴 ⇨삼각형.
세:모나다 세모 모양으로 생기다. 모가 세 개 있다.
세:무 (稅務) 세금을 매기고 거두어들이는 일에 관한 사무. 예 세무 관리.
세:무서 (稅務署) 국세청에 딸려 지방 세무를 맡아보는 관서.
세미나 (seminar) **1** 대학 등에서 교수의 지도 아래 학생들이 모여 발표나 토론 따위를 통해서 공부하는 교육 방법. **2** 전문인 등이 특정한 주제를 가지고 여는 연수회나 강습회. 예 경영 **세미나**를 열다.
세:밀하다 (細密—) 자세하고 꼼꼼하다. 예 세밀한 관찰.
세:밀히 (細密—) 세밀하게. 예 세밀히 분석하다.
세:밑 (歲—) [세믿] 한 해의 마지막 때. 비 세모. 연말.
세:발자전거 (—自轉車) 어린애들이 타는, 바퀴가 셋 달린 자전거.
***세:배** (歲拜) 섣달그믐이나 정초에 웃어른께 인사로 하는 절. 예 **세배**를 다니다 / **세배**를 올리다. **—하다**.
세:뱃돈 (歲拜—) [세배똔 / 세밷똔] 세배하러 오는 아이들에게 주는 돈.
세:법 (稅法) [세뻡] 조세의 부과·징수·처벌 등에 관한 법률.
세:부 (細部) 자세한 부분. 예 세부 계획을 보고하다.
세:분 (細分) 여럿으로 잘게 나누거나 자세히 분류함. 예 교과 과정을 세분하다. **—하다**.
세:분화 (細分化) 여럿으로 잘게 나누거나 세밀히 분류하는 일. 예 업무를 세분화하다. **—하다**.
***세:상** (世上) **1** 사람들이 모여서 살고 있는 사회. 예 세상 물정을 모르다 / 온 세상이 떠들썩하다. 비 세간. 천하. **2** 한 사람이 살아 있는 동안. 예 그는 가난 속에서 한 세상을 보냈다. 비 평생. **3** 마음대로 할 수 있는 곳. 예 제 세상인 양 마구 날뛰다.
세상(을) 떠나다 죽다. 예 할머니는 작년에 **세상을 떠나셨다**.
세:상만사 (世上萬事) 세상에서 일어나는 온갖 일.
세:상모르다 (世上—) 잠에 깊이 빠져 아무것도 알지 못하다. 예 세상 모르고 곤히 자다. 활용 세상몰라 / 세상모르니.
세:상살이 (世上—) [세상사리] 세상을 살아 나가는 일. 예 **세상살이**가 이렇게 힘들어서야.
세:상없어도 (世上—) [세상업써도] 무슨 일이 있더라도 꼭. 어떠한 경우에 부닥칠지라도 반드시. 예 **세상없어도** 하고야 말겠다.
세:상없이 (世上—) [세상업씨] 더할 나위 없이. 천하없이. 예 **세상없이** 좋은 사람.

세:상에 (世上—) 너무나 뜻밖의 일이 생겨서, 크게 놀라는 뜻으로 쓰는 말. ㉥세상에 그런 끔찍한 일이 생기다니.
세:세하다 (細細—) **1** 아주 자세하다. ㉥세세하게 설명하다. **2** 자디잘아 보잘것없다. ㉥세세한 일들은 무시해 버린다.
세:세히 (細細—) 세세하게. ㉥세세히 일러두다 / 세세히 기록하다.
세:속 (世俗) **1** 이 세상. ㉥세속을 등지고 살다. 비 속세. **2** 세상의 풍속. ㉥세속을 따르다.
세:속 오:계 (世俗五戒) [세소고계 / 세소고게] 신라 진평왕 때 원광 법사가 지은, 화랑들이 지켜야 할 다섯 가지 계율. 곧, 사군이충·사친이효·교우이신·임전무퇴·살생유택.
*__세:수__ (洗手) 손이나 얼굴을 씻음. ㉥세수수건. 비 세면. **—하다**.
세:숫대야 (洗手—) [세수때야 / 세순때야] 세숫물을 담는 그릇.
세:숫물 (洗手—) [세순물] 세수를 하는 데 쓰는 물. ㉥세숫물을 뜨다.
세:숫비누 (洗手—)[세수삐누 / 세순삐누] 세수할 때에 쓰는 비누. 비 화장비누.
세:습[1] (世習) 세상의 풍습. ㉥세습에 따르다.
세:습[2] (世襲) 한 집안의 재산·신분·직업 등을 대대로 물려받는 일. ㉥왕위를 세습하다. **—하다**.
세:시 (歲時) 한 해의 여러 철. ㉥세시 풍속.
세:심하다 (細心—) 작은 일에도 꼼꼼하게 주의를 기울여 빈틈이 없다. ㉥세심한 배려 / 세심하게 살피다 / 성격이 세심하다.
세:심히 (細心—) 세심하게. ㉥세심히 관찰하다.
-세요 ⇨-셔요. ㉥많이 잡수세요 / 어서 오세요.
*__세우다__ **1** 곧게 일으키다. ㉥기둥을 세우다. **2** 움직이는 것을 멈추게 하다. ㉥차를 세우다. **3** 칼 따위의 날을 날카롭게 하다. ㉥톱날을 세우다. **4** 뜻을 정하다. ㉥큰 뜻을 세우다. **5** 이바지하다. ㉥공을 세우다. **6** 계획 따위를 짜다. ㉥계획을 세우다. →새우다 주의
*__세:월__ (歲月) **1** 흘러가는 시간. ㉥세월이 흐르다 / 세월 가는 줄 모르다. 비 광음. **2** 지내는 형편이나 사정. ㉥요즘 세월이 좋아졌다.
세월을 만나다 좋은 때를 만나 활개를 치다.
세월이 좀먹다 세월이 가지 않는다는 뜻.
세:율 (稅率) 세금을 매기는 비율. ㉥세율이 높다. 비 과세율.
세이프 (safe) **1** 야구에서, 주자가 베이스까지 안전하게 나가는 일. **2** 테니스에서, 공이 경기장의 규정선 안에 떨어지는 일. 반 아웃.
세:인 (世人) 세상 사람. ㉥세인을 놀라게 하다.
세일 (sale) 정해진 가격보다 싸게 파는 것. ㉥바겐세일 / 백화점 세일 기간. **—하다**.
세일즈맨 (salesman) 주로 고객을 찾아다니며 상품을 판매하는 사람. 외판원.
세:자 (世子) 왕위를 이어받을 왕자. ㉥세자를 책봉하다. 비 태자. 본 왕세자.
세:자빈 (世子嬪) 왕세자의 아내.
*__세:제__ (洗劑) 세수·빨래·청소 따위를 할 때에 때나 표면에 붙은 이물질을 씻어 내는 데 쓰는 약제. 비누 따위.
세:제곱미터 (—meter) 가로·세로·높이가 각각 1m인 정육면체의 부피《기호는 m^3》.
세:조 (世祖) 〖인명〗 조선 제7대 임금. 세종의 둘째 아들로, 조카인 단종을 몰아내고 왕이 됨. 제도를

고치는 등 초기의 왕권 확립에 크게 공헌함. 수양 대군. [1417-1468 ; 재위 1456-1468]

세:종 (世宗) 〖인명〗 조선 제4대 임금. 훈민정음을 창제하고, 측우기를 발명하게 하는 등 민족 문화를 크게 일으킴. 외적의 침입을 막기 위해 북쪽에 6진을 두고, 남쪽에 3포를 두는 등 여러 면에 큰 업적을 남김. [1397-1450 ; 재위 1419-1450]

세:주다 (貰—) 돈을 받고 집이나 물건을 빌려 주다. ㉮집을 세주다.

세:차 (洗車) 자동차에 묻은 먼지나 흙 따위를 씻음. **—하다.**

세:차다 힘차고 억세다. ㉮세찬 바람 / 비가 세차게 쏟아지다.

세:차장 (洗車場) 돈을 받고 차를 씻어 주는 곳.

세:척 (洗滌) 깨끗이 씻음. ㉮세척 효과가 뛰어나다. **—하다.**

세:척제 (洗滌劑) [세척쩨] 때나 더러운 것을 씻어 내는 데에 쓰는 약품. 합성 세제 따위.

세컨드 (second) **1** 야구에서, 2루. **2** 권투에서, 경기하는 선수를 돌보고 작전 지시를 하는 사람.

세:탁 (洗濯) ⇨빨래. **—하다.**

***세:탁기** (洗濯機) [세탁끼] 전기를 이용하여 빨래하는 기계.

세:탁물 (洗濯物) [세탕물] ⇨빨랫감. ㉮세탁물을 세탁소에 맡기다.

세:탁소 (洗濯所) [세탁쏘] 세탁하는 기계를 갖춰 놓고 돈을 받고 남의 빨래와 다림질을 해 주는 곳.

세:태 (世態) 세상의 형편이나 상태. ㉮세태가 어지럽다.

세트 (set) **1** 그릇이나 가구 따위의 한 벌. ㉮커피 세트. **2** 영화 촬영이나 연극 공연을 위한 장치. **3** 테니스·배구 등에서, 한 경기 중의 한 판.

세:파 (世波) 모질고 거센 세상살이의 어려움. ㉮세파에 시달리다.

세:포 (細胞) 생물체를 이루고 있는 가장 기본 단위. ㉮신경 세포 / 세포 조직.

세:포 분열 (細胞分裂) [—부녈] 한 개의 세포가 두 개 이상의 세포로 나누어지는 현상.

세:피리 (細—) 전통 음악에 쓰이는, 가늘고 작은 피리.

센:내기 센박으로부터 시작하여 그 곡에 지정된 박자의 셈여림이 일정하게 되풀이되는 곡.

센:말 뜻은 같지만, 어감이 강한 말. '방긋'에 대한 '빵끗' 따위의 말. 반 여린말.

센:머리 털이 희어진 머리. 비 백발.

센:물 칼슘 이온이나 마그네슘 이온 따위가 많이 들어 있어서 비누 거품이 잘 일지 않는 물. 반 단물.

센:박 (—拍) 한 마디 안에서 세게 연주하는 박자. 반 여린박.

센서 (sensor) 소리·빛·온도·압력 따위의 변화나 정도를 알아내는 기계 장치.

센서스 (census) ⇨국세 조사.

센세이션 (sensation) 많은 사람을 갑자기 흥분시키거나 많은 사람의 관심을 모음. ㉮센세이션을 불러일으키다.

센스 (sense) 사물이나 사실에 대한 감각이나 판단력. ㉮센스가 빠른 사람 / 센스가 있다.

***센터** (center) **1** 어떤 설비나 기능이 집중되어 있는 곳. ㉮문화 센터 / 암 센터. **2** 축구·배구·농구 따위에서, 중앙의 위치 또는 그 위치에 선 선수.

센트 (cent) 미국의 화폐 단위. 1달러의 100분의 1《기호는 ¢》.

센티미터 (centimeter) 길이의 단위. 1 m의 100분의 1《기호는 cm》. 준 센티.

셀로판 (cellophane) 비스코스라는 물질로 만든 종이 같은 물건. 유리처럼 환히 비치며 반짝거림. 담뱃갑·캐러멜 갑 따위를 싸는 데 많이 쓰임. 비 셀로판지.

***셈**ː 1 수를 세는 일. 예셈이 빠르다. 2 주고받을 액수를 따져 밝히는 일. 예셈이 흐리다 / 셈이 분명하다. 비 계산. 3 사실의 형편 또는 까닭. 예어찌된 셈인지 모르겠다. 본 셈판. **—하다.** →샘 주의

셈ː여림 [셈녀림] 음악에서, 강하게 또는 약하게 소리 내는 것.

셈ː여림표 (—標) [셈녀림표] 악곡의 셈여림의 정도를 나타내는 표. 비 강약 부호.

***셋**ː [섿] 둘에 하나를 더한 수. 예셋을 세다. 비 삼. ➲ three

셋ː방 (貰房) [세빵 / 섿빵] 세를 내고 빌려 쓰는 방. 예셋방 신세를 면하다.

셋ː집 (貰—) [세찝 / 섿찝] 세를 내고 빌려 사는 집. 예셋집을 놓다 / 셋집을 얻어 살다.

***셋ː째** [섿째] 1 세 개째. 2 세 번째. 예셋째 아들.

-셔요 '-시어요'의 준말. 예어서 가셔요 / 빨리 오셔요. 비 -세요.

셔츠 (shirts) 대개 칼라가 있고 앞쪽에 작은 단추가 달린, 긴팔이나 반팔로 된 가벼운 서양식 윗옷.

셔터 (shutter) 1 카메라에서, 빛이 들어가는 구멍을 순간적으로 여닫는 장치. 예셔터를 누르다. 2 위로 감아올리고 풀어 내리게 된, 쇠로 만든 덧문. 예가게 셔터를 내리다.

셔틀콕 (shuttlecock) 배드민턴 경기에 쓰이는 깃털이 달린 공.

셰익스피어 (Shakespeare) 영국의 극작가이며 시인. 작품으로는 '햄릿', '리어 왕', '맥베스', '로미오와 줄리엣' 따위가 있음. [1564-1616]

셰일 (shale) 진흙이 오랫동안 물속에서 뭉쳐서 굳어진 암석. 대개 층을 이루고 있어 널빤지처럼 쪼개짐. 이판암.

셰퍼드 (shepherd) 개의 한 품종. 귀가 쫑긋하고 등은 짙은 회색이나 갈색임. 영리하고 냄새를 잘 맡아 경찰견이나 군용견 따위로 씀.

〈셰퍼드〉

***소**[1] 가축의 하나. 머리에 뿔이 둘 있고 눈이 크며, 발굽은 둘로 갈라져 있음. 풀을 먹으며 밭을 갈고 짐을 나르는 데 씀. 가죽·뿔 따위로 여러 가지 물건을 만들고 젖과 고기는 먹음. →수소[1] 주의 ➲ cow

소[2] 떡이나 만두 또는 통김치·오이소박이 따위의 속에 넣어, 맛을 내기 위한 여러 가지 재료.

소ː- (小) 작다는 뜻. 예소규모 / 소강당 / 소사전.

-소 (所) 어떤 말 뒤에 붙어 그러한 곳임을 나타냄. 예연구소 / 발전소.

소ː가족 (小家族) 부부와 결혼하지 않은 자녀로 이루어진 가족. 비 핵가족. 반 대가족.

소ː가족 제ː도 (小家族制度) [—쩨도] 소가족으로 이루어진 오늘날의 가족 제도. 비 핵가족 제도. 반 대가족 제도.

소가죽 ⇨쇠가죽.

소각 (燒却) 불에 태워 버림. 예쓰레기를 소각하다. **—하다.**

소각로 (燒却爐) [소강노] 쓰레기 따위를 태워 없애는 큰 장치.

소각장 (燒却場) [소각짱] 쓰레기 따위를 불에 태워 없애는 곳. 예쓰레기 소각장.

소ː갈머리 '심지[2]'의 낮춤말. 예소갈머리 없는 짓. 비 소갈딱지.

소ː감 (所感) 마음에 느끼고 생각한 것. 예당선 소감을 밝히다.

*소개 (紹介) **1** 서로 모르는 두 사람을 알고 지내도록 관계를 맺어 줌. ㉠친구를 소개하다. **2** 모르는 내용이나 사실을 알리는 일. ㉠신간 서적을 소개하다. **—하다.**
소개소 (紹介所) 사람이나 직업 등을 소개하는 영업을 하는 곳.
소개업 (紹介業) 직업·집·토지 등의 매매나 임대·전세 등을 소개하고 돈을 받는 업.
소개장 (紹介狀) [소개짱] 사람을 소개하는 내용의 편지나 문서.
소거 (消去) 글자나 그림 따위를 지워 없앰. ㉠벽에 있는 낙서를 소거하다. **—하다.**
소:견 (所見) 일이나 사물을 살펴보고 가지는 생각. ㉠소견이 좁다 / 각자의 소견. 비 의견.
소:경 눈이 멀어 앞을 보지 못하는 사람. 비 맹인. 봉사. 장님.
소:계 (小計) [— / 소게] 전체가 아닌 어느 한 부분만의 합계. ㉠소계를 내다. 반 총계.
소:고 (小鼓) 농악기의 하나. 높이가 낮고 얇은 가죽으로 메운 작은 북. 자루가 달렸고, 나무 채로 침.

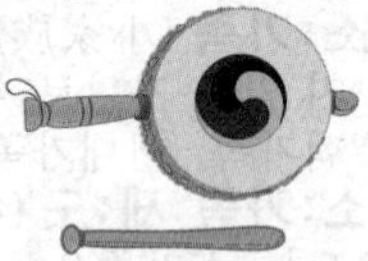
〈소고〉

소고기 ⇨쇠고기.
소곤거리다 남이 알아듣지 못하게 작은 목소리로 자꾸 가만가만 말하다. ㉠친구들이 무언가를 소곤거리다. 큰 수군거리다. 센 쏘곤거리다.
소곤소곤 소곤거리는 모양. ㉠귓속말을 소곤소곤하다. 큰 수군수군. 센 쏘곤쏘곤. **—하다.**
소:관¹ (所管) 어떤 일을 맡아 관리함. ㉠노동부 소관 업무. **—하다.**
소:관² (所關) 관계되는 일. ㉠그것은 내 소관이 아니다.
소:괄호 (小括弧) 묶음표의 하나. 문장 부호 '( )'의 이름.
소:국 (小國) 국력이 약하거나 국토가 작은 나라. 반 대국.
소굴 (巢窟) 도둑이나 나쁜 짓을 하는 무리들이 모이는 곳.
소:규모 (小規模) 일의 범위가 좁고 작은 규모. 반 대규모.
소극적 (消極的) [소극쩍] 무슨 일에 대하여 스스로 나서지 않는 (것). ㉠소극적인 태도. 반 적극적.
*소금 음식을 절이거나 짠맛을 내는 데 쓰이는 결정체. 나트륨과 염소의 화합물로 바닷물을 증발시켜서 얻음. ㉠소금을 치다. ➲ salt
소금기 (—氣) [소금끼] 소금 성분. 짭짤한 맛이나 냄새.
소금물 소금을 녹인 물. 또는 짜디짠 물. 비 염수.
소금쟁이 소금쟁잇과의 곤충. 길이 1.5 cm, 몸빛은 흑색임. 털이 있는 긴 다리로 물 위를 달림.
소급 (遡及) 지나간 일에까지 거슬러 올라가서 영향을 미침. ㉠소급 적용. **—하다.**
소기 (所期) 기대한 바. ㉠소기의 성과 / 소기의 목적을 달성하다.
소꿉놀이 [소꿈노리] 아이들이 자질구레한 장난감 그릇 따위를 가지고 살림살이하는 흉내를 내며 노는 놀이. **—하다.**
소꿉장난 [소꿉짱난] 소꿉놀이를 하며 노는 장난. **—하다.**
*소나기 갑자기 세차게 쏟아지다가 곧 그치는 비. ㉠여름에는 소나기가 자주 내린다. 비 소낙비. → [학습마당] 13(535쪽)
*소나무 소나뭇과의 상록 침엽 교목. 껍질은 검붉고 비늘 모양임. 꽃은 늦봄에 피고 다음 해 가을에 열매를 맺음. 건축 재료·땔감 등으로 쓰임. 비 솔¹. ➲ pine
소나타 (이 sonata) 기악곡의 한 형식으로, 4 개의 악장으로 되어 있는

악곡. 주명곡.
소낙비 [소낙삐] ⇨소나기.
*__소:녀__ (少女) 아주 어리지도 않고 성숙하지도 않은 여자 아이. ㉠소녀 시절. 반 소년. ➲ girl
소:녀단 (少女團) ⇨걸 스카우트. 반 소년단.
*__소:년__ (少年) 아주 어리지도 않고 성숙하지도 않은 남자 아이. ㉠소년 합창단. 반 소녀. ➲ boy
소:년단 (少年團) ⇨보이 스카우트. 반 소녀단.
소:뇌 (小腦) 대뇌의 아래, 연수의 뒤에 있는 타원형의 뇌의 한 부분. 몸의 평형감각과 근육 운동을 조절함. 비 작은골.
소다 (soda) 반죽에 넣어 부풀게 하거나, 빨래에 표백제로 쓰거나, 살갗 소독에 쓰는 흰 가루 물질.
소달구지 소가 끄는 수레. ㉠소달구지 위에 걸터앉다. 비 우차.
소담스럽다 [소담스럽따] 보기에 소담하다. ㉠소담스러운 함박꽃. 활용 소담스러워/소담스러우니.
소담하다 **1** 음식이 넉넉하여 보기에도 먹음직하다. ㉠나물을 무쳐 소담하게 담다. **2** 생김새가 탐스럽다. ㉠소담한 꽃송이.
소:대 (小隊) 군대를 편성하는 단위의 하나. 보통, 분대의 위, 중대의 아래인 육군의 정규 부대.
소:대원 (小隊員) 소대를 이루는 구성원.
소:대장 (小隊長) 소대를 거느리는 장교. 보통 소위나 중위가 맡음.
소댕 솥을 덮는 뚜껑. 비 솥뚜껑.
소:도시 (小都市) 작은 도시. 반 대도시.
소독 (消毒) 약품·열 따위를 이용하여 병균을 죽이는 일. ㉠일광 소독. **—하다.**
소독약 (消毒藥) [소동냑] 소독하는 데 쓰는 약. 알코올·요오드·포르말린 따위. 비 소독제.
소동 (騷動) 시끄럽게 떠들고 마구 행동함. ㉠소동을 일으키다 / 소동을 피우다. 비 소란. **—하다.**
*__소:득__ (所得) 어떤 일 따위를 한 결과로 얻는 이익·수입. ㉠근로 소득 / 사업 소득. 비 수입.
소:득세 (所得稅) [소득쎄] 개인의 소득에 나라가 매기는 세금.
소등 (消燈) 등불을 끔. ㉠소등 시간. 반 점등. **—하다.**
소:라 소랏과에 속하는 고둥. 껍데기의 겉은 흑갈색, 안쪽은 희고 광택이 남. 살은 먹고, 껍데기는 바둑돌·자개·단추 따위를 만듦.

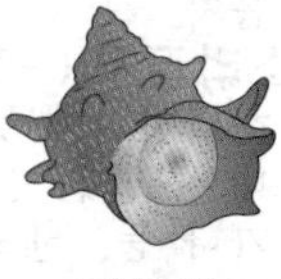
〈소라〉

소란 (騷亂) 어수선하고 시끄러움. ㉠소란을 떨다 / 소란을 피우다. 비 소동. **—하다. —스럽다.**
소:량 (少量) 적은 분량. ㉠소량의 소금. 반 다량. 대량.
소련 (蘇聯) 〖국명〗 전에, 러시아에 있었던 세계 최초의 사회주의 국가. 1922년 성립되어 1991년 해체됨. 본 소비에트 사회주의 공화국 연방.
소:령 (少領) 군대 계급의 하나. 중령의 아래, 대위의 위임.
소:로 (小路) 좁은 길. 반 대로.
소록소록 [소록쏘록] **1** 아기가 곱게 자는 모양. ㉠아기가 소록소록 잠들다. **2** 비나 눈 따위가 보슬보슬 내리는 모양.
소르르 **1** 얽힌 물건이 잘 풀어지는 모양. ㉠옷고름이 소르르 풀어지다. **2** 부드러운 바람이 천천히 부는 모양. ㉠바람이 소르르 불다. **3** 졸음이 오거나 잠이 드는 모양. ㉠소르르 잠이 들다.
*__소:름__ 춥거나 무섭거나 징그러울 때 피부에 좁쌀같이 도톨도톨하게 돋는 것. ㉠소름이 오싹 끼치다.

*__소리__ **1** 물체의 떨림으로 일어나는 음파가 귀에 울리어 들리는 것. ㉠비바람 소리 / 소리를 줄이다. ➡ sound **2** 사람의 목소리. ㉠소리를 지르다 / 소리를 치다 / 떠드는 소리가 나다. **3** 말. ㉠무슨 소리를 하는 거지. **4** 판소리·민요 등 우리나라의 전통적인 노래. ㉠소리를 잘하다. → [학습마당] 16(623쪽)

소리굽쇠 [소리굽쐬] 소리의 성질을 연구하는 데 쓰는 'U' 자 모양의 기구. 두드리면 맑은 소리를 냄. 비 음차.

소리글자 (一字) [소리글짜] 글자 하나하나에 뜻이 없이 소리만 나타내는 글자. 한글·로마 글자·일본의 가나 등. 비 표음 문자. 반 뜻글자. 준 소리글.

소리꾼 우리나라의 전통적인 창이나 노래를 잘 부르는 사람. ㉠그는 소문난 소리꾼이다.

소리마디 닿소리와 홀소리가 어울려 내는 소리의 단위. 비 음절. 보기 감 : 1 개의 소리마디. 교실 : 2 개의 소리마디.

소리소리 감정이 몹시 격하여 잇달아 크게 소리를 지르는 모양. ㉠화가 나서 소리소리 지르다.

*__소리치다__ 소리를 크게 지르다. ㉠빨리 오라고 목청껏 소리쳐 부르다. 비 외치다.

소:만 (小滿) 이십사절기의 하나. 입하와 망종 사이로 양력 5월 21일 경임. → [학습마당] 22(863쪽)

소말리아 (Somalia) 〖국명〗 아프리카 대륙의 동쪽 끝에 있는 민주 공화국. 바나나 재배, 목축업이 성함. 그러나 오랜 가뭄과 내전으로 질병과 식량난이 극심함. 수도는 모가디슈.

소:망 (所望) 바라는 것. 기대하는 것. ㉠소망을 이루다 / 소망을 품다. 비 소원. 희망. **—하다.**

소매[1] 윗옷의 좌우에 있는 두 팔을 꿰는 부분. ㉠짧은 소매 / 소매 끝이 해어지다. 비 옷소매.

소매를 걷다 모든 일을 제쳐 놓고 일을 적극적으로 시작하다.

소:매[2] (小賣) 물건을 도매상에서 사들여 직접 소비자에게 팖. ㉠소매 가격. 반 도매. **—하다.**

소:매상 (小賣商) 소매하는 장사. 또는 그 장수. 반 도매상.

소매치기 길거리나 차 안 등 복잡한 곳에서 남의 몸이나 가방에 있는 돈이나 보석을 슬쩍 빼어 훔치는 짓. 또는 그런 짓을 하는 사람. ㉠지갑을 소매치기당하다.

소맷부리 [소매뿌리 / 소맫뿌리] 옷소매의 아가리.

소맷자락 [소매짜락 / 소맫짜락] 소매의 아래쪽에 늘어지는 부분.

소멸 (消滅) 사라져 없어짐. ㉠자연 소멸. **—하다.**

소모 (消耗) 써서 없앰. ㉠시간 소모가 많다 / 여름에는 전력 소모가 많다. 비 소비. **—하다.**

소모전 (消耗戰) 인원·무기·물자 따위를 자꾸 투입하여 쉽게 승부가 나지 않는 전쟁.

소모품 (消耗品) 쓰는 대로 닳아서 점점 못 쓰게 되거나 없어지는 물품. 잉크·연필·종이 따위. 반 비품.

소:묘 (素描) 어떤 한 가지 색, 특히 검은색으로 대상물의 형태와 명암을 나타낸 그림. 데생.

*__소:문__ (所聞) 여러 사람의 입에 오르내리며 전하여 들리는 말. ㉠소문이 돌다 / 소문이 자자하다. 비 풍문.

소:문나다 (所聞—) 소문이 퍼지다. ㉠병을 잘 고친다고 소문난 의원 / 구두쇠로 소문나다.

소:문자 (小文字) [소문짜] 서양 문자의 작은 체의 문자. 반 대문자.

소박 (疏薄) 아내를 인정 없이 모질게 대하거나 멀리함. **—하다.**

[학습마당] 16

소리의 동화

(1) 받침 'ㄷ, ㅌ(ㄾ)'이 홀소리 'ㅣ'와 만날 경우에는, [ㅈ, ㅊ]으로 바꾸어 서 뒤의 음절 첫소리로 옮겨 발음한다.

곧이듣다[고지듣따] 굳이[구지] 미닫이[미다지] 땀받이[땀바지] 밭이[바치] 벼훑이[벼훌치]

〔붙임〕 'ㄷ' 뒤에 '히'가 와서 '티'가 된 것은 [치]로 발음한다.

굳히다[구치다] 닫히다[다치다] 묻히다[무치다]

(2) 받침 'ㄱ(ㄲ, ㅋ, ㄳ, ㄺ), ㄷ(ㅅ, ㅆ, ㅈ, ㅊ, ㅌ, ㅎ), ㅂ(ㅍ, ㄼ, ㄿ, ㅄ)'은 'ㄴ, ㅁ' 앞에서 [ㅇ, ㄴ, ㅁ]으로 발음한다.

국물[궁물] 깎는[깡는] 흙만[흥만]
닫는[단는] 옷맵시[온맵씨] 맞는[만는]
젖멍울[전멍울] 쫓는[쫀는] 꽃망울[꼰망울]
놓는[논는] 잡는[잠는] 앞마당[암마당]
밟는[밤:는] 읊는[음는] 값나가다[감나가다]

〔붙임〕 두 낱말을 이어서 발음하는 경우에도 이와 같다.

책 넣는다[챙넌는다] 흙 말리다[흥말리다] 옷 맞추다[온맏추다] 밥 먹는다[밤멍는다] 값 매기다[감매기다]

(3) 받침 'ㅁ, ㅇ' 뒤에 연결되는 'ㄹ'은 [ㄴ]으로 발음한다.

담력[담:녁] 침략[침냑] 강릉[강능] 항로[항:노]

〔붙임〕 받침 'ㄱ, ㅂ' 뒤에 연결되는 'ㄹ'도 [ㄴ]으로 발음한다.

막론[막논 → 망논] 백리[백니 → 뱅니] 협력[협녁 → 혐녁] 십리[십니 → 심니]

(4) 'ㄴ'은 'ㄹ'의 앞이나 뒤에서 [ㄹ]로 발음한다.

난로[날:로] 신라[실라] 천리[철리] 광한루[광:할루] 대관령[대:괄령] 칼날[칼랄] 물난리[물랄리] 줄넘기[줄럼끼] 할는지[할른지]

〔붙임〕 첫소리 'ㄴ'이 'ㅀ, ㄾ' 뒤에 올 때에도 이에 준한다.

닳는[달른] 뚫는[뚤른] 핥네[할레]

다만, 다음과 같은 단어들은 'ㄹ'을 [ㄴ]으로 발음한다.

의견란[의:견난] 임진란[임:진난] 생산량[생산냥] 결단력[결딴녁] 공권력[공꿘녁] 동원령[동:원녕] 상견례[상견녜] 횡단로[횡단노] 이원론[이:원논] 입원료[이붠뇨] 구근류[구근뉴]

(5) 위에서 말한 항목 이외의 닿소리 발음의 동화는 표준 발음으로 인정하지 않는다.

감기[감:기](×[강:기]) 옷감[옫깜](×[옥깜]) 있고[읻꼬](×[익꼬]) 꽃길[꼳낄](×[꼭낄]) 문법[문뻡](×[뭄뻡]) 꽃밭[꼳빧](×[꼽빧]) 젖먹이[전머기](×[점머기])

(6) 다음의 어미는 [어]로 발음함을 원칙으로 하되, [여]로 발음함도 허용한다.

되어[되어 / 되여] 피어[피어 / 피여]

〔붙임〕 '이오, 아니오'도 이에 준하여 [이요, 아니요]로 발음함을 허용한다.

소박맞다 (疏薄—) [소방맏따] 남편에게 소박을 당하다. ⓔ소박맞고 친정으로 쫓겨 오다.

소박하다 (素朴—) [소바카다] 꾸밈이나 거짓이 없고 수수하다. ⓔ소박한 인심.

소:반 (小盤) 밥·반찬과 그 밖의 음식을 벌여 놓고 먹는 작은 밥상.

소방 (消防) 불이 나지 않도록 예방하고 불이 난 것을 끄는 일.

소방관 (消防官) 불이 나지 않도록 미리 막거나 불이 난 것을 끄는 일을 맡은 공무원.

소방대원 (消防隊員) 소방 일을 하는 사람들의 집단에 속한 사람.

***소방서** (消防署) 불이 나지 않도록 예방하고 불이 난 것을 끄는 일을 맡아보는 기관.

소방차 (消防車) 불을 끄는 데 쓰는 자동차. ⓑ불자동차.

〈소방차〉

소:백산맥 (小白山脈) [소백싼맥] 태백산맥에서 갈려 서쪽으로 달리다가 남서쪽으로 뻗어 내려 영남 지방과 호남 지방과의 경계를 이루는 산맥.

소:변 (小便) ⇨오줌. ⓔ소변이 마렵다 / 소변을 누다. ⓑ대변.

소:복 (素服) 하얗게 차려입은 옷. 흔히 상복으로 입음. ⓔ소복 차림. **—하다.**

소복소복 [소복쏘복] 물건이 많이 담겨 있거나 쌓여 있는 모양. ⓔ소복소복 눈이 쌓이다. ⓚ수북수북. **—하다.**

소복이 [소보기] 소복하게. ⓔ쟁반에 과일을 소복이 담다. ⓚ수북이. ×소복히.

소복하다 [소보카다] **1** 물건이 도드라지게 많이 담겨 있거나 쌓여 있다. ⓔ밥을 소복하게 담다. **2** 식물이나 털 따위가 촘촘하고 길게 나 있다. ⓔ잡초가 소복하게 자랐다. ⓚ수북하다.

***소비** (消費) 돈·물건·시간·노력 따위를 써서 없앰. ⓔ소비 절약 운동 / 3년이라는 시간을 소비하다. ⓑ생산. **—하다.**

소비량 (消費量) 일정 기간 동안 써서 없앤 양. ⓔ석유 소비량이 줄다. ⓑ생산량.

***소비자** (消費者) 생산된 물건을 돈을 주고 사서 쓰는 사람. ⓔ소비자 보호 운동. ⓑ생산자.

소비자 가격 (消費者價格) [—까격] 소비자가 물건을 사는 값. 또는 정부가 소비자에게 파는 값.

소비자 단체 (消費者團體) 소비자가 자신들의 권리와 이익을 보호하기 위하여 만든 기구.

소비재 (消費財) 자신의 욕망을 채우기 위해 일상생활에서 소비하는 모든 물품. 일용품·식료품 따위.

소상하다 (昭詳—) 분명하고 자세하다. ⓔ이유를 소상하게 밝히다.

소상히 (昭詳—) 분명하고 자세하게. ⓔ어제 본 일을 소상히 말해라.

소생 (蘇生) 거의 죽어 가다가 다시 살아남. ⓔ만물이 소생하는 봄이 돌아오다. ⓑ회생. **—하다.**

소:설¹ (小雪) 이십사절기의 스무째. 양력 11월 22·23일경. 이 무렵부터 눈이 내리기 시작함. → [학습마당] 22(863쪽)

***소:설²** (小說) 있었던 일이나 있음 직한 일을 이야기로 꾸며, 지은이가 말하고 싶은 생각이나 느낌을 나타낸 글. ⓔ탐정 소설.

소:설가 (小說家) 소설을 전문적으로 쓰는 사람.

소:설책 (小說冊) 소설이 실린 책.

소:소하다 (小小—) 대수롭지 않고 자질구레하다. ⓔ소소한 일까지 간

섭한다.

소ː속 (所屬) 어떤 기관이나 단체에 딸림. 또는 그 딸린 사람이나 물건. ㉠소속을 밝히다 / 대학에 소속된 초등학교. **—하다.**

소ː속감 (所屬感) [소속깜] 자신이 어떤 집단에 속해 있다는 느낌. ㉠소속감을 가지다.

소송 (訴訟) 법원에 재판을 걺. 또는 그 절차. ㉠소송을 걸다. **—하다.** 참고 민사 소송·형사 소송 등의 구별이 있음.

*__소ː수__[1] (小數) 1보다 작고 0보다 큰 실수. 0.1, 0.9 따위.

소ː수[2] (少數) 적은 수효. ㉠소수의 의견을 존중하다. 반 다수.

소수[3] (素數) [소쑤] 1과 그 수 자신 이외의 정수로는 나누어지지 않는 정수. 2·3·5·7·11·13 따위.

소ː수림왕 (小獸林王) 〘인명〙 고구려 제17대 임금. 재위 2 년(372)에 중국 전진으로부터 최초로 불교를 받아들임. [재위 371–384]

소ː수 민족 (少數民族) 한 나라를 이루는 여러 민족 가운데 인구가 적고 인종·언어·풍습 따위를 달리하는 민족.

소ː수점 (小數點) [소수쩜] 소수 부분과 정수 부분을 구분 짓는 점.

소ː수파 (少數派) 속해 있는 사람 수가 적은 쪽의 파.

소스 (sauce) 서양 요리에서, 맛과 빛깔을 돋우기 위해 음식에 치는 액체 조미료. ㉠소스를 치다.

소스라치다 깜짝 놀라 몸을 갑자기 떠는 듯이 움직이다. ㉠쾅 소리에 소스라치게 놀랐다.

소슬바람 (蕭瑟—) [소슬빠람] 으스스하고 쓸쓸하게 부는 가을바람.

소시지 (sausage) 소·돼지 따위의 창자에, 양념하여 곱게 다진 고기를 채우고 삶은 서양식 순대. ×소세지.

소ː식[1] (小食) 음식을 적게 먹음. ㉠소식가. 반 과식. **—하다.**

*__소식__[2] (消息) 안부나 어떤 형편 따위를 알리는 말이나 글. ㉠소식을 전하다 / 고향 소식. 비 기별. 안부.

소식불통 (消息不通) [소식뿔통] 소식이 전혀 없는 일. 소식을 전혀 알지 못하는 일. ㉠그는 삼 년째 소식불통이다.

소식통 (消息通) 어떤 일의 내용이나 사정을 잘 아는 사람.

소ː신 (所信) 굳게 믿거나 생각하는 것. ㉠소신을 굽히지 않다.

소ː신껏 (所信—) [소신껃] 자기가 믿고 주장하는 대로. ㉠소신껏 밀고 나가다.

소실[1] (消失) 사라져 없어짐. 잃어버림. ㉠권리가 소실되다. **—하다.**

소실[2] (燒失) 불에 타서 없어짐. ㉠창고가 소실되다.

소ː심하다 (小心—) 대담하지 못하고 지나치게 조심스럽다. ㉠소심한 성격 / 소심하게 굴다.

소ː싯적 (少時—) [소시쩍 / 소싣쩍] 젊었을 때. ㉠소싯적에 꿈꿨던 일 / 그건 소싯적의 일일세.

소ː아 (小兒) 어린아이.

소ː아과 (小兒科) [소아꽈] 어린아이에게 생기는 병을 전문으로 보는 의학의 한 분야.

소ː아마비 (小兒痲痹) 어린아이에게 많이 발생하는, 운동 기능의 마비성 질병.

소ː액 (少額) 적은 액수. ㉠소액 대출을 받다.

소양 (素養) 평소에 닦아 놓은 교양. ㉠음악적 소양이 뛰어나다.

소양강 댐 (昭陽江dam) 강원도 춘천시 소양강에 있는 댐. 한강 유역의 홍수 조절과 농업용·공업용 물 공급과 수력 발전 따위의 구실을 함. 1973년 10월에 완공됨.

소외 (疏外) 따돌리거나 멀리 함.

㉮동네 친구들에게 소외를 당하다. **—되다.**

소외감 (疏外感) 남에게 따돌림을 당한 것 같은 느낌. ㉮친구들 사이에서 소외감을 느끼다.

소:요 (所要) 요구되는 것. 또는 필요한 것. ㉮많은 시간과 노력이 소요되는 일이다. **—하다.**

*__소:용__ (所用) 쓸 곳. 또는 쓰이는 일. ㉮아무 소용이 없는 물건을 갖다 버리다. 비 필요.

소용돌이 [소용도리] 바닥이 패어 물이 세차게 빙빙 돌며 흐르는 현상. 또는 그런 곳.

소용돌이치다 [소용도리치다] 물이 빙빙 돌면서 세차게 흐르다.

소:용없다 (所用—) [소용업따] 아무런 쓸모나 도움이 될 것이 없다. ㉮아무리 다짐을 해도 소용없다.

소:우주 (小宇宙) 우주 속에 포함되어 있는 작은 우주.

*__소:원__ (所願) 원하고 바람. 하고 싶어함. ㉮소원을 빌다 / 소원이 이루어지다. 비 소망. **—하다.**

소:위[1] (少尉) 군인 계급의 하나. 중위의 아래, 준위의 위임.

*__소:위__[2] (所謂) 이른바. ㉮소위 교수란 사람이 책을 멀리하다니.

소:유 (所有) 가지고 있음. 또는 그 물건. ㉮공동 소유 / 땅을 소유하다. **—하다.**

소:유권 (所有權) [소유꿘] 법률적으로 어떤 물건을 지배할 수 있는 권리.

소:유물 (所有物) 자기 것으로 가지고 있는 물건.

소:유욕 (所有慾) 무엇을 바라고 가지려는 간절한 마음. ㉮소유욕이 강한 사람.

소:유자 (所有者) ⇨소유주.

소:유주 (所有主) 소유권을 가진 사람. ㉮이 땅의 소유주를 찾습니다. 비 소유자.

소음 (騷音) 불쾌하고 시끄러운 소리. ㉮소음 공해.

소:인[1] (小人) **1** 나이가 어린 사람. ㉮소인은 입장료가 반액이다. 반 대인. **2** 마음이 좁고 행동이 바르지 않은 사람. 반 군자. **3** 윗사람에게 자기를 낮추어 하는 말. **4** 키가 작은 사람. 반 거인.

소인[2] (消印) 우체국에서 우표 따위에 찍는, 접수 날짜 등이 새겨진 도장. ㉮소인이 찍힌 엽서. **—하다.**

소인수 (素因數) 어떤 정수를 소수만의 곱으로 나타낸 때의 각 인수. 곧, 30의 소인수는 $30=2\times3\times5$에서 2·3·5임.

소인수 분해 (素因數分解) 어떤 정수를 소인수만의 곱으로 나타내는것. 곧, $600=2^2\times3\times5^2$ 따위.

소일 (消日) **1** 하는 일 없이 세월을 보냄. ㉮할아버지는 매일 노인정에서 소일하신다. **2** 어떤 일에 재미를 붙여 세월을 보냄. ㉮소일로 삼다 / 독서로 소일하다. **—하다.**

소일거리 (消日—) [소일꺼리] 세월을 보내기 위해 심심풀이로 하는 일. ㉮소일거리로 그림을 그리다.

소:임 (所任) 맡은 바 책임. ㉮소임으로 여기다 / 소임을 완수하다.

소:자 (小子) 부모에 대한 자기의 낮춤말. ㉮소자 문안드립니다.

소:작 (小作) 남의 땅을 빌려 농사를 지음. ㉮소작농. **—하다.**

소:장[1] (小腸) 위와 대장 사이에 있는 창자. 음식물을 소화하고 영양을 빨아들임. 길이 6–7m. 비 작은창자.

소:장[2] (所長) 연구소·출장소 등과 같이 '소' 자가 붙은 기관의 책임자. ㉮연구소 소장.

소:장[3] (所藏) 간직하여 둠. 또는 그 물건. ㉮소장품 / 박물관에 소장되어 있는 문화재. **—하다.**

소:장[4] (少將) 군인 계급의 하나. 중장의 아래, 준장의 위임.

소:재[1] (所在) 있는 곳. ㉠책임의 소재 / 소재가 분명하지 않다.

***소재**[2] (素材) **1** 예술 작품의 바탕이 되는 재료. ㉠광산촌 이야기를 소설의 소재로 삼다. **2** 어떤 것을 만드는 데 바탕이 되는 재료. ㉠종이를 소재로 인형을 만들다.

소:재지 (所在地) 주요 건물이나 기관 따위가 자리 잡고 있는 곳. ㉠시청 소재지. ㉢소재.

소:절 (小節) 악보에서, 박자의 가장 작은 단위. 또는 긴 노래나 악곡의 짧은 부분. ㉠노래를 한 소절씩 따라 부르다.

소:정 (所定) 미리 정해져 있는 것. ㉠소정의 절차를 밟다.

소:조 (塑造) 찰흙·석고 따위로 조각의 원형을 만드는 일. ㉥조소.

소주 (燒酒) 곡식을 쪄서 누룩과 물을 섞어 발효시켜 증류하거나 알코올에 물을 섞어 만든 맑은 술.

***소:중하다** (所重—) 매우 귀중하다. ㉠소중한 물건. ㉥귀중하다.

소:중히 (所重—) 소중하게. ㉠시간을 소중히 여기다.

소:지[1] (所持) 가지고 있음. 또는 그런 물건. ㉠불법 무기를 소지하다. **—하다.**

소지[2] (素地) 나중에 어떤 일을 일으킬 가능성. ㉠애초부터 말썽의 소지가 있었다.

소:지품 (所持品) 가지고 있는 물건. ㉠소지품 검사.

***소질** (素質) 본디부터 가지고 있는 성질. 또는 타고난 능력이나 기질. ㉠노래에 소질이 있다.

소집 (召集) 불러서 모음. ㉠회의를 소집하다. **—하다.**

소쩍새 [소쩍쌔] 올빼밋과의 새. 깊은 숲 속에 살며, 회색 바탕에 갈색의 줄무늬가 있음. 부리는 짧고 끝이 안으로 휘어져 있음. 낮에 자고 밤에 활동하여 벌레를 잡아먹음. '소쩍소쩍' 하고 욺.

소철 (蘇鐵) 소철과의 상록 교목. 열대성 식물로, 높이는 3m가량. 잎은 가늘고 길며 줄기 끝에 돌려나고, 수꽃은 긴 원통형의 솔방울 모양임. 씨는 약으로 씀.

소:총 (小銃) 개인이 어깨에 메거나 손에 들고 다니는 전투용 총.

소:출 (所出) 논밭에서 나는 곡식. 또는 그 곡식의 양.

소켓 (socket) 전구 따위를 꽂아 쓰는 전기 접속 기구.

소쿠리 대나 싸리로 엮은, 테가 있는 둥근 그릇.

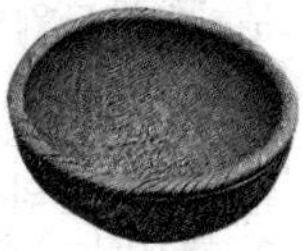

〈소쿠리〉

소크라테스 (Socrates) 〖인명〗 고대 그리스의 철학자. 세계 사대 성인의 한 사람. [기원전 470?-기원전 399]

소탈하다 (疏脫—) 예절이나 형식에 얽매이지 않고 수수하고 털털하다. ㉠소탈한 성격.

소탕 (掃蕩) 휩쓸어 모두 없애 버림. ㉠폭력배를 소탕하다. **—하다.**

소통 (疏通) **1** 막히지 않고 잘 통함. ㉠차량 소통이 원활하다. **2** 생각하는 바가 서로 통함. ㉠친구끼리는 서로 뜻이 소통된다. **—하다.**

소파 (sofa) 등받이와 팔걸이가 있는 긴 안락의자.

***소:포** (小包) 우편으로 보낼 수 있는 물건. ㉡소포 우편물.

소:폭 (小幅) **1** 폭이 좁음. **2** 시세 등의 차가 적음. ㉠주가가 소폭 상승하다. ㉤대폭.

소:품 (小品) **1** 그림·조각·문학·음악 따위의 크기가 작은 작품. **2** 연극의 무대 장치에 쓰이는 자잘한 물건. ㉠소품을 준비하다.

***소풍** (逍風) 학교에서, 자연 관찰이나 역사 유적 따위의 견학을 겸해 야외로 갔다 오는 일. ➲ picnic

소프라노 (이 soprano) 여성이나 어린아이의 목소리에서 가장 높은 소리. 또는 그 가수.

소프트볼 (softball) 가죽으로 만든 부드럽고 큰 공. 또는 그 공으로 하는 야구 비슷한 경기. 주로 어린이나 여자들이 함.

소프트웨어 (software) 컴퓨터를 작동시키기 위한 프로그램을 짜거나 그 이용법을 연구하는 기술 부문. 반 하드웨어.

소ː학 (小學) 〔책〕 중국 송나라 때 유자징이 주자의 가르침을 받아 엮은 책. 양반의 자제들은 8살이 되면 이 책으로 유학의 기초를 배웠음.

소ː학교 (小學校) [소학꾜] '초등학교'를 예전에 일컫던 말.

소ː한 (小寒) 이십사절기의 스물셋째. 동지와 대한 사이로, 양력 1월 6일경. 이 때부터 추위가 시작된다고 함. → [학습마당] 22(863쪽)

소ː행 (所行) 이미 행한 일이나 짓. 예 소행이 괘씸하다.

소ː행성 (小行星) 화성과 목성 사이의 궤도에서 태양의 둘레를 도는 작은 행성. 무수히 많은 수가 있음.

소ː형 (小型) 같은 종류의 물건 중에서 규모가 작은 것. 예 소형 자동차. 반 대형.

소홀하다 (疏忽—) 예사롭게 여겨서 정성이나 조심이 부족하다. 예 행사 준비가 소홀하다 / 감독이 소홀하여 대형 사고가 일어났다.

소홀히 (疏忽—) 소홀하게. 예 손님 대접을 소홀히 하다.

*__소화__[1] (消化) **1** 먹은 음식물을 몸속에서 삭임. 예 과식을 했더니 소화가 잘 안된다. **2** 읽거나 들은 것을 충분히 익혀 자기 것으로 만듦. 예 수업 내용이 어려워 쉽게 소화하지 못한다. **—하다.**

소화[2] (消火) 불을 끔. 예 소화 작업. 비 진화. 반 방화. **—하다.**

소화기 (消火器) 불을 끄는 데에 쓰는 기구.

〈소화기〉

소화 기관 (消化器官) 먹은 음식을 소화·흡수하는 기관.

소화 불량 (消化不良) 먹은 음식을 위나 장에서 잘 받아들이지 못하여 영양분을 흡수하지 못하는 증상.

소화액 (消化液) 먹은 음식물을 소화시키기 위해 소화샘에서 분비되는 액체. 위액·담즙·침 따위.

소화제 (消化劑) 소화가 잘되게 하기 위해 먹는 약.

소환 (召喚) 법원이 피고인·증인 등에 대해 법원 또는 법원이 지정한 장소에 나올 것을 명령하는 일. 예 소환장 / 소환에 응하다. **—하다.**

*__속ː__[1] **1** 물체의 안쪽 부분. 예 굴 속 / 바다 속. 반 겉. **2** 사람 몸의 배 안 또는 위장. 예 속이 편치 않다. **3** 품고 있는 마음이나 생각. 예 속을 털어놓다. **4** 사람이나 사물을 대하는 자세나 태도. 예 속이 좁다.

속(을) 끓이다 마음을 태우다. 예 시집 일로 속을 끓이다.

속(을) 차리다 ㉠철이 난 것처럼 처신하다. ㉡자기 실속을 차리다.

속(을) 태우다 ㉠걱정되어 마음을 졸이다. ㉡남의 마음을 달게 하다. 예 속 태우지 말고 말 좀 들어라.

속(이) 깊다 생각하는 폭이 넓고 이해심이 많다.

속이 끓다 ㉠소화가 잘 안되어 배 속이 편안하지 않다. ㉡몹시 화가 나다. 걱정이 되어 애가 타다.

속(이) 시원하다 바라던 대로 되어서 마음이 상쾌하다. 기분이 후련하다. 예 복잡한 일이 해결되어 속이 시원하다.

속[2] (屬) 생물의 분류 단위. 과와 종의 중간.

속개 (續開) [속깨] 일단 멈추었던 회의 따위를 다시 계속하여 엶. ㉠경기의 속개를 선언하다 / 재판이 속개되다. **―하다.**

속결 (速決) [속껼] 빨리 끝맺거나 결정함. ㉠속결을 요하다. **―하다.**

속공 (速攻) [속꽁] 재빠른 동작으로 공격함. ㉠속공 작전. **―하다.**

속구 (速球) [속꾸] 야구에서, 투수가 빠르게 던지는 공. ㉠속구로 승부하다.

속국 (屬國) [속꾹] 다른 나라의 지배를 받고 있는 나라. ㉥종속국.

속기 (速記) [속끼] **1** 빨리 적음. **2** 말을 속기 부호로 적음. 또는 그 기록. ㉠속기사. **―하다.**

속:눈 [송눈] 눈을 감은 체하면서 조금 뜬 눈. ㉠속눈을 뜨다.

속:눈썹 [송눈썹] 눈시울에 난 털. ㉡겉눈썹.

eyelash

*__속다__ [속따] **1** 남의 거짓이나 꾀에 넘어가다. ㉠사기꾼에게 속다. **2** 어떤 것을 다른 것으로 잘못 알다. ㉠마네킹을 산 사람으로 속을 정도로 잘 만들었다.

속닥거리다 [속딱꺼리다] 남이 알아듣지 못하도록 작은 목소리로 계속 가만가만 이야기하다. ㉠귓속말로 속닥거리다. ㉢숙덕거리다. ㉣쏙닥거리다.

속닥속닥 [속딱쏙딱] 작은 목소리로 계속 말하는 소리나 모양. ㉠두 사람은 계속 속닥속닥 떠들어 댔다.

속단 (速斷) [속딴] 신중하게 생각해 보지 않고 판단함. ㉠속단하지 말고 좀 더 지켜보자. **―하다.**

속달 (速達) [속딸] '속달 우편'의 준말.

속달 우편 (速達郵便) [속따루편] 전에, 요금을 더 받고 보통 우편보다 빨리 배달하던 우편. 지금은 '빠른우편'으로 바뀜. ㉤속달.

*__속담__ (俗談) [속땀] 예로부터 내려오는 교훈·풍자 등의 뜻이 담긴 짧은 말. '등잔 밑이 어둡다' 따위.

*__속도__ (速度) [속또] 빠른 정도. 빠르기. 스피드. ㉠속도 제한 지역 / 일정한 속도로 달리다.

속독 (速讀) [속똑] 책 따위를 빨리 읽음. ㉠속독법. **―하다.**

속되다 (俗―) [속뙤다] **1** 고상하지 못하고 천하다. ㉠속된 말씨. **2** 세속적이다. ㉠속된 인간.

속:뜻 [속뜯] **1** 마음속에 품고 있는 깊은 뜻. ㉠그의 속뜻을 모르겠다. **2** 글의 바탕에 흐르고 있는 뜻. ㉠글의 속뜻을 파악하다.

*__속력__ (速力) [송녁] 빠른 힘. 속도를 내는 힘. ㉠최대 속력을 내다.

속리산 (俗離山) [송니산] 충청북도 보은군과 경상북도 상주시 사이에 있는 산. 경치가 좋아 국립공원으로 지정되어 있음. 법주사와 정이품 소나무가 있음. 높이 1,057 m.

속:마음 [송마음] 겉으로 드러나지 않은 참마음. ㉠속마음을 친구에게 털어놓다. ㉤속맘.

속:말 [송말] 속마음에서 우러나오는 참된 말. ㉡겉말.

속물 (俗物) [송물] 자신의 이익만 쫓는 야비한 사람. ㉠보기와는 달리 속물이다.

속박 (束縛) [속빡] 얽어매어 자유를 빼앗음. ㉠속박을 당하다. ㉥구속. ㉡해방. **―하다.**

속보[1] (速報) [속뽀] 빨리 알림. 또는 그 보도. ㉠뉴스 속보. **―하다.**

속보[2] (速步) [속뽀] 빨리 걸음. 또는 빠른 걸음.

속:불꽃 [속뿔꼳] 불꽃의 안쪽에 있는 가장 밝게 빛나는 부분. ㉡겉불꽃.

속:사정 (―事情) [속싸정] 겉으로 드러나지 않은 일의 형편이나 까닭. ㉠속사정을 털어놓다.

*__속삭이다__ [속싸기다] 나지막한 목

소리로 가만가만 이야기하다. ㉠친구의 귓속에 대고 속삭이다.

속삭임 [속싸김] 나지막한 목소리로 가만가만히 하는 말. ㉠다정한 속삭임.

속:살 [속쌀] **1** 옷에 가리어진 부분의 피부. ㉠옷이 얇아 속살이 보이다. **2** 식물의 겉껍질 안에 있는 부분. ㉠사과의 속살을 숟가락으로 긁어 아이에게 먹이다.

속살(이) 찌다 ㉠속살이 올라서 퉁퉁해지다. ㉡겉으로는 나타나지 아니하나 속으로 실속이 있다.

속살거리다 [속쌀거리다] 남이 알아듣지 못하도록 작은 목소리로 계속 말하다.

속:상하다 (一傷一) [속쌍하다] 화가 나거나 걱정이 되어 마음이 불편하고 괴롭다. ㉠일이 제대로 되지 않아 속상하다.

속설 (俗說) [속썰] 민간에 전하여 내려오는 설명이나 의견.

속성[1] (速成) [속썽] 빨리 이룸. 속히 됨. ㉠속성으로 배우다 / 속성 사진을 찍다. ㉥만성. **—하다.**

속성[2] (屬性) [속썽] 사물의 특징이나 성질.

속세 (俗世) [속쎄] 속된 세상. 이 세상을 일컫는 말. ㉠속세를 떠나 산으로 들어가다. ㉥속세간.

속:셈 [속쎔] **1** 마음속으로 하는 궁리. ㉠그의 속셈을 알 수가 없다. **2** 연필이나 계산기 따위를 쓰지 않고 머릿속으로 하는 계산. ㉠속셈 학원. ㉥암산. **—하다.**

속:속들이 [속쏙뜨리] 깊은 속까지 샅샅이. ㉠사건을 속속들이 파헤치다.

속수무책 (束手無策) [속쑤무책] 손을 묶은 것처럼 어찌할 도리가 없어 꼼짝 못함.

속:씨식물 (一植物)[속씨싱물] 종자식물 가운데 밑씨가 씨방 안에 싸여 있는 식물. 감나무·벚나무·벼 따위. ㉥겉씨식물.

속어 (俗語) [소거] **1** 통속적으로 쓰는 저속한 말. **2** 예절에 맞지 않는 상스러운 말.

속:없다 [소겁따] **1** 생각에 줏대가 없다. **2** 나쁜 마음이 없다.

속:없이 [소겁씨] 속없게. ㉠속없이 착하기만 하다.

***속:옷** [소곧] 겉옷의 안쪽에 받쳐 입는 옷. ㉥내의. ㉥겉옷.

***속이다** [소기다] **1** 거짓을 참으로 곧이듣게 하다. ㉠좋은 물건처럼 속이다. **2** 거짓말로 남을 꾀다.

속임수 (一數) [소김쑤] 남을 속이는 짓. 또는 그 수단. ㉠속임수를 쓰다 / 속임수에 넘어가다.

속장경 (續藏經) [속짱경] 고려 때 송나라·요나라·일본 등지에서 모아 온 불교에 관한 책을 정리하여 의천이 만든 불교의 경전.

속절없다 [속쩌럽따] 어찌할 도리가 없다. ㉠속절없는 세월은 유수같이 흘러간다.

속절없이 [속쩌럽씨] 속절없게. ㉠속절없이 애만 태우다.

속죄 (贖罪) [속쬐] **1** 지은 죄를 물건이나 공로로 대신하여 씻음. ㉠죽음으로써 속죄하다. **2** 예수가 인간의 죄를 대신하여 십자가에 못박힌 일. **—하다.**

속초 (束草) 〖지명〗 강원도 동해안에 있는 항구 도시. 설악산·해수욕장·비행장이 있으며, 어획량이 많아 동해의 어업 기지 구실을 함.

속출 (續出) 잇달아 나옴. ㉠유괴 사건이 속출하다. **—하다.**

속:치마 치마를 입을 때, 속에 받쳐 입는 치마.

속칭 (俗稱) 세상에서 보통 쓰는 이름. ㉠시인 김병연은 속칭 김삿갓으로 알려져 있다. **—하다.**

속편 (續篇) 이미 만들어진 책이나

영화 따위의 뒤를 이어서 다시 만들어진 것.

*속하다 (屬—) [소카다] 무엇에 딸리거나 매이다. ㉠우리 반에 속한 사람. ➡ belong

속히 (速—) [소키] 빨리. 서둘러서. ㉠속히 돌아오너라. 비 급히. 반 천천히.

솎다 [속따] 촘촘히 있는 것을 군데군데 골라 뽑아내서 성기게 하다. ㉠배추를 솎다.

솎음질 [소끔질] 촘촘히 나 있는 채소 따위를 솎아 내는 일. —하다.

*손¹ 1 손가락과 손바닥이 있는 부분. ㉠손을 씻다 / 두 손 모아 기도하다. 2 손과 팔을 통틀어 이르는 말. ㉠손을 들어 맹세하다. 3 손가락. ㉠손을 꼽아 기다리다. 4 일을 하는 힘이나 기술. ㉠농사철에는 손이 늘 부족하다. ➡ hand

손에 넣다 자기 것으로 만들다.

손에 땀을 쥐다 몹시 아슬아슬하여 마음이 졸아들고 애달다.

손(을) 떼다 하던 일을 멈추다. 중간에서 그만두다.

손² 1 다른 곳에서 찾아온 사람. 2 주인을 찾아온 사람. 비 객. 나그네. 높 손님.

손:³ (孫) '후손'의 준말. ㉠손이 귀한 집 / 손이 끊기다.

*손가락 [손까락] 손끝에 달려 있는 다섯 개의 갈라진 가락. ㉠다섯 손가락. 보기 엄지손가락 : 무지, 집게손가락 : 인지, 가운뎃손가락 : 중지, 약손가락 : 무명지, 새끼손가락 : 소지. ➡ finger

> 참고 '손가락'은 '손'과 '가락'이 이어진 말이다. '가락'은 가늘고 긴 물건을 이르는 말로 나누다란 뜻의 가르다에서 생겨난 말이다. 엿가락, 젓가락의 가락이 그 예이다.

손가락질 [손까락찔] 1 손가락으로 가리키는 짓. 2 남을 얕보거나 흉보는 짓. ㉠손가락질을 받을 만한 짓. —하다.

손가마 [손까마] 두 사람이 손을 '井' 자처럼 엮어서 사람을 태우는 놀이.

손가방 [손까방] 손에 들고 다니는 작은 가방. 핸드백.

손거울 [손꺼울] 손에 들고 보는 작은 거울.

손금 [손끔] 손바닥에 여러 갈래로 잘게 나 있는 금. ㉠손금이 좋다.

손금(을) 보듯 하다 낱낱이 알다.

손기정 (孫基禎) 〖인명〗 마라톤 선수. 1936년 베를린 올림픽에서 우리나라 처음으로 마라톤에서 금메달을 땄음. [1912-2002]

손길 [손낄] 1 손바닥을 펴 내민 손. ㉠손길이 닿는 가까운 거리. 2 돌보아 주거나 도와주는 일. ㉠사랑의 손길을 뻗다. 3 무엇을 하는 손의 움직임. 또는 가꾸고 다듬는 솜씨. ㉠벼를 베는 농부의 손길이 바쁘다.

손꼽다 [손꼽따] 1 손가락을 꼽아 수를 세다. ㉠소풍 갈 날을 손꼽아 기다리다. 2 많은 가운데에서 특히 손가락을 꼽아 셀 정도로 뛰어나다. ㉠손꼽을 만한 부자.

손꼽히다 [손꼬피다] 많은 가운데서 손가락을 꼽아 셀 정도로 뛰어난 축에 속하다. ㉠한국 제일의 관광지로 손꼽히다.

손끝 [손끋] 손가락의 끝. ㉠손끝 하나 까딱하기 싫다.

손날 태권도에서, 엄지손가락을 구부리고 손가락을 편 공격 자세 때, 새끼손가락에서 손목까지의 부분을 이르는 말. ㉠손날로 기왓장을 깨뜨리다.

*손녀 (孫女) 자식의 딸. 반 손자.

손놀림 손을 움직이는 일. 또는 손의 동작. ㉠손놀림이 빠르다.

*손님 '손²' 의 높임말. ㉠손님을 초대하다.
손대다 1 손으로 만지거나 건드리다. ㉠그림에 손대지 마라. 2 일을 시작하다. ㉠사업에 손대다. 3 고치다. ㉠작품에 다시 손대다. 4 남을 때리다.
손도장 (—圖章) [손또장] 도장 대신 엄지손가락에 인주 따위를 묻혀 지문을 찍은 것. 비 지장.
손독 (—毒) [손똑] 헌데나 가려운 자리에 손을 대어서 생긴 독기. ㉠상처에 손독이 오르다.
손들다 1 자기의 힘 이상의 것을 만나 항복하다. ㉠저 고집쟁이에겐 정말 손들었다. 비 포기하다. 2 어떤 제안이나 의견에 찬성하다. ㉠반장의 제안에 모두 손들었다. 활용 손들어 / 손드니 / 손드는.
손등 [손뜽] 손의 바깥쪽. 손바닥의 뒤. ㉠소매가 손등을 덮다.
손때 1 오랜 세월을 두고 손으로 만지고 길들여서 묻은 때. ㉠손때 묻은 사전. 2 손을 대어 건드리거나 매만져서 생긴 때.
손마디 손가락의 마디. ㉠손마디가 굵다.
손맛 [손맏] 1 손으로 만져 보고 느끼는 느낌. 2 낚싯대를 잡고 있을 때, 고기가 입질하거나 물고 당기는 힘이 손에 전해 오는 느낌. ㉠손맛을 보다. 3 음식을 만들 때의 솜씨에서 우러나오는 맛. ㉠어머니의 손맛이 밴 음식.
*손목 손과 팔이 이어진 부분으로, 손에 가까운 곳. ㉠손목에 시계를 차다 / 손목을 꽉 붙들다. 비 팔목.
손목시계 (—時計) [손목씨계 / 손목씨게] 손목에 차는 작은 시계.
*손바닥 [손빠닥] 손의 안쪽. 손금이 있는 쪽. ㉠손바닥만 한 땅 / 손바닥을 비비다. ➲palm
손발 손과 발. ㉠손발을 깨끗이 씻다. 비 수족.
손발(이) 맞다 함께 일하는 사람끼리 서로 협조가 잘되다. ㉠손발이 맞아야 일을 하지.
손버릇 [손뻐른] 1 손에 익은 버릇. 2 남의 것을 훔치는 버릇. ㉠손버릇이 나쁘다.
손병희 (孫秉熙) 〖인명〗 3·1 운동 때 민족 대표 33 인의 한 사람. 동학의 3 대 교조. 동학의 이름을 천도교로 바꿈. [1861-1922]
손보다 1 흠이나 탈이 없도록 손질을 잘하거나 고치다. ㉠고장이 난 시계를 손보다. 2 혼이 나도록 몹시 때리다. ㉠까부는 놈은 내가 손봐 주겠다.
*손뼉 손가락과 손바닥을 합친 전체의 바닥. ㉠손뼉을 치다.
손:상 (損傷) 1 물체가 깨지거나 상함. ㉠건물이 오래되어 손상되다. 2 명예나 체면, 가치 따위가 떨어짐. ㉠품위를 손상하다. —하다.
손:색 (遜色) 서로 견주어 보아서 못한 점. ㉠외제에 비하여 조금도 손색이 없는 국산 제품.
손수 남의 힘을 빌리지 않고 직접 자기 손으로. ㉠할머님이 손수 심으신 나무. 비 몸소. 친히.
*손수건 (—手巾) [손쑤건] 몸에 지니고 다니는 작은 수건.
손수레 사람이 손으로 끌거나 미는 작은 수레. ㉠많은 짐을 싣고 가는 손수레를 뒤에서 밀어 주었다.
손쉽다 [손쉽따] 일을 하기에 어렵지 않다. ㉠손쉽게 해결하다. 활용 손쉬워 / 손쉬우니.
손:실 (損失) 잃어버리거나 줄어들어서 손해를 봄. 또는 그 손해. ㉠경제적 손실 / 재산에 손실을 입다. 비 손해. 반 이득. 이익. —하다.
손쓰다 어떤 일에 필요한 조치를 취하다. ㉠손쓸 겨를 없이 불이 번졌다. 활용 손써 / 손쓰니.

손아귀 [소나귀] **1** 엄지손가락과 다른 네 손가락과의 사이. ㉨손아귀 힘이 세다. **2** 세력이 미치는 범위. ㉨적의 손아귀에서 벗어나다.

손아래 [소나래] 나이·항렬·지위 따위가 자기보다 아래인 관계. 비수하. 반손위.

손아랫사람 [소나래싸람 / 소나랟싸람] 손아래가 되는 사람. 비아랫사람. 반손윗사람.

손안 [소난] 권력이나 세력을 부릴 수 있는 범위. ㉨그의 손안에서 꼼짝 못하다. 비수중.

손오공 (孫悟空) [소노공] 중국 소설 '서유기'의 주인공으로 요술을 부린다고 하는 가상의 원숭이를 이르는 말.

손위 [소뉘] 나이·항렬·지위 따위가 자기보다 위인 관계. 반손아래.

손윗사람 [소뉘싸람 / 소뉟싸람] 손위가 되는 사람. 반손아랫사람.

손:익 (損益) [소닉] 손해와 이익. ㉨손익 계산서.

***손자** (孫子) 아들의 아들. 또는 딸의아들. 반손녀.

손자국 [손짜국] 손이 닿았던 흔적. ㉨거울에 손자국이 났다.

손잡다 [손잡따] **1** 손과 손을 마주 잡다. ㉨손잡고 해변을 거닐다. **2** 서로 힘을 합하여 함께 일하다. ㉨앞으로 손잡고 잘해 보자.

***손잡이** [손자비] 어떤 물건에 달려 있는, 손으로 잡게 된 부분. ㉨가방 손잡이 / 손잡이를 돌려 문을 열다.

손장난 [손짱난] 쓸데없이 손을 놀려서 하는 장난. ㉨손장난이 심한 아이.

손재주 [손째주] 손으로 무엇을 만들거나 다루는 재주. ㉨손재주가 뛰어나다. 비손재간.

손전등 (-電燈) [손쩐등] 가지고 다닐 수 있게 만든 작은 전등. 비회중전등.

손주 (孫—) 손자와 손녀를 아울러 이르는 말.

손지갑 (-紙匣) [손찌갑] 손에 가지고 다니는 작은 지갑.

***손질** 손을 대어 잘 매만지는 일. ㉨구두를 손질하다. **—하다.**

손짓 [손찓] 손을 놀려서 어떤 뜻을 나타내는 짓. ㉨손짓해서 부르다. **—하다.**

손찌검 손으로 남을 때리는 일. ㉨툭하면 손찌검이다. **—하다.**

손톱 손가락 끝에 있어 그 부분을 보호하는 딱딱하고 얇은 부분.

손톱만큼도 아주 조금도. ㉨인정이라곤 손톱만큼도 없다.

손톱깎이 [손톱까끼] 손톱을 깎는 기구.

손풍금 (-風琴) ⇨아코디언.

***손:해** (損害) 돈이나 재산을 잃거나 해를 입음. ㉨막대한 손해를 보다. 비손실. 반이익. 준손.

손:해 배상 (損害賠償) 법의 규정에 따라 남에게 끼친 손해를 물어 줌. 또는 그런 돈이나 물품. ㉨손해 배상을 청구하다.

***솔**[1] ⇨소나무.

***솔:**[2] 먼지를 쓸어 떨어뜨리거나 풀칠할 때 쓰는 도구. ➲brush

솔[3] (이 sol) 장음계의 다섯째 음, 단음계의 일곱째 음의 계이름. '사' 음의 이탈리아 음이름.

솔가지 [솔까지] 땔감으로 쓰려고 꺾어서 말린 소나무 가지.

솔개 수릿과의 새. 몸빛은 어두운 갈색이며, 가슴에 검은색 세로무늬가 있음. 날개 길이는 48 cm가량, 공중을 맴돌며 먹이를 노림.

〈솔개〉

솔기 옷 따위를 지을 때 두 폭을 맞대고 꿰맨 줄. ㉨옷의 터진 솔기를 꿰매다. 준솔.

솔깃하다 [솔기타다] 그럴듯해 보여 마음이 쏠리다. ㉠그의 말에 모두 귀가 솔깃했다.
솔로 (이 solo) 독창이나 독주. ㉠피아노 솔로.
솔로몬 (Solomon) 〖인명〗 고대 이스라엘 왕국의 제3대 임금. 다윗왕의 아들. 지혜의 왕으로 유명하여, 뛰어난 지혜를 '솔로몬의 지혜'라고도 함. [재위 기원전 971?-기원전 932?]
***솔바람** 소나무 사이를 스치며 부는 바람.
솔방울 [솔빵울] 소나무의 열매. 비늘 같은 조각이 겹겹이 달려 있고, 그 사이에 씨가 들어 있음.
솔밭 [솔반] 소나무가 많이 들어서 있는 땅.
솔선 (率先) [솔썬] 남보다 앞장서서 먼저 함. **—하다.**
솔선수범 (率先垂範) [솔썬수범] 남보다 앞장서서 몸소 모범을 보임. ㉠솔선수범하여 교실 청소를 하다. **—하다.**
솔솔 **1** 물·가루 따위가 계속 가볍게 새어 나오거나 흐르는 모양. **2** 냄새나 가는 연기 따위가 가볍게 풍기거나 피어오르는 모양. ㉠그녀에게서 향수 냄새가 솔솔 난다. **3** 바람이 부드럽고 가볍게 부는 모양. ㉠봄바람이 솔솔 분다. ㉡술술.
솔숲 [솔숩] 소나무가 우거진 숲. ㉢송림.
솔이끼 [솔리끼] 이끼의 한 가지. 줄기 높이 10 cm가량으로 가지 없이 곧게 섬. 산속의 축축하고 그늘진 곳에서 무리지어 자람.
솔잎 [솔립] 소나무의 잎.
***솔직하다** (率直—) [솔찌카다] 거짓이나 꾸밈이 없이 바르고 곧다. ㉠솔직한 대답.
솔직히 (率直—) [솔찌키] 솔직하게. ㉠솔직히 말해라. ×솔직이.
솔:질 솔로 먼지 등을 털거나 닦는 일. **—하다.**
***솜:** 목화씨에 달라붙은 털 모양의 부드럽고 가벼운 흰 섬유질. 이불에 넣거나 실을 자아 옷감을 짜기도 하는 등 널리 쓰임.
솜:사탕 (—砂糖) 빙빙 도는 기계에 설탕을 넣어 솜같이 부풀려 만든 과자.
***솜씨** **1** 손을 놀려서 물건을 만드는 재주. ㉠음식 솜씨가 좋다. **2** 일을 처리하는 수단이나 수완. ㉠익숙한 솜씨로 사건을 해결하다.
솜:옷 [소몯] 안에 솜을 넣고 지은 옷. ㉠두툼한 솜옷.
솜:이불 [솜니불] 안에 솜을 넣어 만든 이불. ㉠솜이불을 덮다.
솜:털 썩 잘고 보드랍고 고운 털.
솜:틀 솜을 뜯어 부풀려 펴는 기계. ㉠솜틀집.
솟구다 [솓꾸다] 빠르고 세게 날듯이 높이 뛰어오르다.
솟구치다 [솓꾸치다] 빠르고 세게 솟구다. ㉠불길이 솟구치다.
***솟다** [솓따] **1** 아래에서 위로, 또는 속에서 겉으로 세차게 나오다. ㉠분수가 힘차게 솟다. **2** 느낌이나 기운이 생기다. ㉠기운이 솟다. **3** 건물이나 산 따위가 우뚝 서다. ㉠산이 우뚝 솟아 있다.
솟:대 [솓때] **1** 농가에서 섣달 무렵에 새해의 풍년을 바라는 뜻으로 볍씨를 주머니에 넣어 높이 달아 매는 장대. **2** 꼭대기에 나무로 만든 새를 달아 마을 입구에 세운 높은 장대.
솟아나다 [소사나다] **1** 안에서 밖으로 나오다. ㉠눈물이 솟아나다. **2** 힘이나 감정 따위가 생기다. ㉠힘이 솟아나다.
***솟아오르다** [소사오르다] **1** 불쑥 나타나다. ㉠불길이 솟아오르다. **2** 힘이나 감정 따위가 힘차게 일어나다. ㉠솟아오르는 슬픔. [활용] 솟아

올라 / 솟아오르니.

〈솟을대문〉

솟을대문 (—大門) [소슬때문] 행랑채의 지붕보다 높이 솟게 만든 큰 대문.

송:가 (頌歌) 공덕을 기리는 노래. ⓔ크리스마스 송가.

송골매 (松鶻—) ⇨매².

송골송골 땀이나 소름 따위가 자디잘게 많이 돋아나 있는 모양. ⓔ이마에 땀방울이 송골송골 맺히다.

*__송:곳__ [송곧] 작은 구멍을 뚫는 데 쓰는 뾰족한 쇠붙이 연장.

> 참고 '송곳'은 '손곳'이 변한 말로, '손'은 좁다의 뜻을 나타내는 '솔다'에서 나온 말이며, '곳'은 꼬챙이란 뜻이다.

송:곳니 [송곤니] 앞니와 어금니 사이에 있는 뾰족한 이.

송:구스럽다 (悚懼—) [송구스럽따] 미안한 마음과 거북한 느낌이 있다. ⓔ폐를 끼쳐 송구스럽습니다. 활용 송구스러워 / 송구스러우니.

송:구영신 (送舊迎新) 묵은해를 보내고 새해를 맞음.

송:구하다 (悚懼—) 매우 고맙고도 미안하다. ⓔ이런 말씀을 드리게 되어 대단히 송구합니다.

송글송글 '송골송골'의 잘못.

송:금 (送金) 돈을 부쳐 보냄. ⓔ등록금을 송금하다. **—하다.**

송:나라 (宋—) 중국 통일 왕조의 하나. 도읍은 변경, 후에는 임안. 우리나라와는 학문과 예술 등에서 활발한 교섭을 함. 1127년 이전을 북송, 그 이후를 남송이라 하며 원나라 세조에게 망함. [960-1279]

송:년 (送年) 묵은 한 해를 보냄. ⓔ송년의 밤.

송:년사 (送年辭) 묵은해를 보내면서 하는 인사말이나 이야기. ⓔ사장님의 송년사. 반 신년사.

송:덕 (頌德) 공덕을 기림. **—하다.**

송:덕비 (頌德碑) [송덕삐] 공덕을 기리기 위하여 세운 비.

송도 (松都) 〖지명〗 '개성²'의 옛 이름. 고려 때의 도읍지.

송두리째 있는 것은 죄다. 모조리. ⓔ송두리째 빼앗겼다. ×송두리채.

송림 (松林) [송님] 소나무가 우거진 숲. 비 솔숲.

송:별 (送別) 사람을 떠나보냄. ⓔ송별사 / 전학 가는 친구를 송별하다. 반 유별. **—하다.**

송:별회 (送別會) 송별의 섭섭함을 달래고 앞날의 행운을 바라는 뜻으로 베푸는 모임. ⓔ직장을 그만두는 동료를 위한 송별회가 열렸다.

송:사 (送辭) 떠나는 사람에게 남아 있는 사람이 하는 인사말. 본 송별사.

〈송사리〉

송:사리 송사릿과의 민물고기. 몸길이는 3-4 cm이며, 옆구리에 작고 검은 점이 많이 있고 특히 눈이 큼.

송송 **1** 작은 구멍이나 자국이 많이 나 있는 모양. ⓔ스펀지에 구멍이 송송 나 있다. **2** 연한 물건을 아주 잘게 빨리 써는 모양. ⓔ파를 송송 썰다. **3** 살갗에 잔 땀방울이나 소름 따위가 많이 돋아난 모양. ⓔ콧등에 땀이 송송 맺혔다. 큰 숭숭.

송:수관 (送水管) 상수도의 물을 보내는 관.

송:수화기 (送受話器) 전화기의 말을 보내고 받는 장치. ⓔ통화를 끝내고 송수화기를 내려놓다.

송:신 (送信) 전화·전보·라디오 따위의 신호를 보냄. 또는 그런 일. ㉰송신 장치. ㉯수신. **—하다.**
송:신기 (送信機) 전기 통신을 위해 신호를 전류로 바꿔 수신하는 곳까지 보내는 장치. ㉯수신기.
***송아지** 소의 새끼. 어린 소.
송알송알 땀방울·물방울·열매 따위가 잘게 많이 맺힌 모양. ㉰풀잎에 송알송알 맺힌 이슬.
송어 (松魚) 연어과의 바닷물고기. 연어와 비슷한데 몸길이는 60 cm 정도이며 등은 짙은 남색, 배는 은백색임. 여름철에 알을 낳을 때는 강이나 개울로 거슬러 올라옴.
송:영 (送迎) 떠나는 사람을 보내고 오는 사람을 맞음. ㉰공항에는 송영하는 사람들로 항상 붐빈다. **—하다.**
송:유관 (送油管) 석유나 원유 따위를 다른 곳으로 보내기 위하여 시설한 관.
***송이**[1] **1** 꽃이나 눈, 열매 따위가 따로 된 한 덩이. ㉰포도 **송이**가 굵다. **2** 꼭지에 달린 꽃이나 열매 따위를 세는 단위. ㉰장미꽃 열 **송이** / 포도 한 **송이**.
송이[2] (松栮) 송이과의 버섯. 솔밭의 축축한 곳에 뭉쳐나며, 줄기는 원통 모양, 겉에 섬유와도 같은 비늘이 있으며 살은 흼. 특유의 향기가 있는 식용 버섯임. ㉥송이버섯.
송이송이 송이마다 모두. ㉰목련이 **송이송이** 탐스럽다.
송:장 죽은 사람의 몸. ㉥시신. 시체. 주검.
송:전 (送電) 발전소에서 생산된 전력을 변전소로 보내는 일. ㉰송전이 중단되다. **—하다.**
송진 (松津) 소나무나 잣나무에서 나오는 끈끈한 액체. 종이·비누 공업 등에 쓰임.
송:축 (頌祝) 경사를 기리고 축하함. **—하다.**
송:출 (送出) 전기·전파·정보 따위를 기계적으로 전달함. ㉰전파를 송출하다. **—하다.**
송충나방 (松蟲—) 솔나방과의 곤충. 편 날개의 길이가 7 cm 정도로, 불규칙한 흰 줄 또는 검은 줄이 있음. 애벌레는 송충이. ㉥솔나방.
송충이 (松蟲—) 송충나방의 애벌레. 소나무 잎을 갉아 먹는 해충으로 모양은 누에와 비슷하고 몸빛은 흑갈색임. ㉥송충.
송판 (松板) 소나무를 켜서 만든 널빤지. ㉥판자.
송편 (松—) 멥쌀가루를 반죽하여 깨·밤·콩 따위의 소를 넣고 빚어 솔잎을 깔고 찐 떡. ㉰송편을 빚다.
송화 (松花) 소나무의 꽃. 또는 소나무의 꽃가루.
송:화기 (送話器) 전화기에서 말을 보내는 장치. 음성 진동을 전류 진동으로 바꾸는 데 씀. ㉯수화기.
송:환 (送還) 전쟁 포로나 불법으로 입국한 사람을 본국으로 도로 돌려보냄. ㉰포로 송환. **—하다.**
***솥** [솓] 쇠나 양은 따위로 만들어, 밥을 짓거나 국 따위를 끓이는 그릇. ㉰솥에 밥을 안치다.
솥뚜껑 [솓뚜껑] 솥을 덮는 뚜껑.
쏴 **1** 나뭇가지나 물건 틈 사이로 스쳐 부는 바람 소리. ㉰솔바람이 쏴 불어온다. **2** 비바람이 치는 소리. ㉰갑자기 소나기가 쏴 쏟아진다. **3** 물·액체가 세차게 흐르는 소리. ㉰수돗물이 쏴 쏟아진다. ㉦쏴.
쏼쏼 물 따위가 거침없이 흐르는 모양이나 소리.
쇄:국 (鎖國) 다른 나라와의 교통이나 무역을 금함. ㉯개국.
쇄:국 정책 (鎖國政策) [—정책] 다른 나라와 통상이나 무역을 하지 않고 내왕도 하지 않으려는 정책. ㉯개방 정책.

쇄ː국주의 (鎖國主義) [쇄국쭈의/쇄국쭈이] 다른 나라와 통상·무역·내왕을 하지 않으려는 주의. 반 개국주의.

쇄ː도 (殺到) 전화나 주문 따위가 한꺼번에 세차게 몰려듦. 예주문이 쇄도하다. **—하다.**

쇄ː신 (刷新) 묵은 것이나 나쁜 관습을 버리고 새롭게 함. 예국정을 쇄신하다. **—하다.**

*__쇠__ **1** ⇨철². 예쇠를 녹이다 / 쇠를 달구다. **2** 쇠붙이를 통틀어 일컫는 말. **3** '열쇠·자물쇠'의 준말. 예쇠를 채우다.

쇠ː- '소의·소와 같은'의 뜻을 나타냄. 예쇠고기 / 쇠고집.

쇠ː가죽 소의 가죽. 예쇠가죽으로 만든 허리띠. 비 소가죽. 우피.

쇠ː고기 소의 고기. 예쇠고기를 굽다. 비 소고기. 우육. ➡ beef

쇠고랑 '수갑'의 속된 말. 예쇠고랑을 차다. 준 고랑. ×고랑쇠.

쇠고리 쇠로 만든 고리.

쇠ː고집 (—固執) 몹시 센 고집. 또는 그런 고집이 있는 사람. 예쇠고집을 부리다. 비 소고집.

쇠ː귀 소의 귀. 비 소귀. 우이.

쇠ː다 명절이나 생일 따위를 맞이하여 지내다. 예설을 쇠다.

쇠ː똥 소의 똥. 비 소똥.

쇠ː똥구리 풍뎅잇과의 곤충. 몸빛은 검고 윤이 남. 여름철에 쇠똥·말똥 등을 굴려 흙 속에 묻어 두었다가 그것을 먹으며 그 속에 알을 낳음. 비 말똥구리.

쇠뜨기 속샛과의 여러해살이풀. 들에 나며 땅속줄기로 뻗는데 마디에서 줄기가 나옴. 이뇨제로 씀.

쇠망 (衰亡) 세력이 약해져 망함. **—하다.**

쇠망치 쇠로 만든 망치.

쇠몽둥이 쇠로 만든 몽둥이.

쇠붙이 [쇠부치] 금·은·구리·철이나 그런 것들이 섞여서 된 물질. 예쇠붙이를 녹이다. 비 금속.

쇠ː비름 쇠비름과의 한해살이풀. 밭이나 길가에 나는데, 굵고 연한 줄기가 땅 위로 뻗고 전체가 붉은빛을 띠며, 여름에 노란 꽃이 핌. 사료나 약재로 씀.

쇠ː뿔 소의 뿔. 비 소뿔. 우각.

쇠사슬 쇠로 만든 고리를 여러 개 이어서 만든 줄. 예쇠사슬에 묶인 죄수. 준 사슬.

쇠스랑 쇠로 서너 개의 발을 만들고 자루를 박은 갈퀴 모양의 농기구. 땅을 파 일구거나 고르는 데 씀.

쇠약하다 (衰弱—) [쇠야카다] 몸이 튼튼하지 못하고 힘이 약하다. 예잦은 병치레로 몸이 쇠약해지다.

쇠ː죽 (—粥) 소의 먹이로 짚과 콩 등을 섞어서 끓인 죽.

쇠진하다 (衰盡—) 힘이나 기운이 점점 약해져 없어지다. 예온몸의 기력이 쇠진하다.

쇠창살 (—窓—) [쇠창쌀] 쇠로 만든 창살.

쇠퇴 (衰退〔頹〕) 세력이나 기운이 약해져 전보다 못하여짐. 예국력이 쇠퇴하다. 반 발전. **—하다.**

쇠하다 (衰—) 힘이나 세력 따위가 점차로 약해지다. 예기력이 쇠하다.

쇳가루 [쇠까루/쉗까루] 쇠붙이의 부스러진 가루.

쇳덩어리 [쇠떵어리/쉗떵어리] 쇠붙이가 뭉쳐져서 된 덩어리. 예커다란 쇳덩어리를 녹이다.

쇳덩이 [쇠떵이/쉗떵이] 쇠붙이가 뭉쳐져서 된 덩이. 예불에 달군 쇳덩이를 망치로 두들기다.

쇳물 [쉰물] **1** 쇠의 녹이 우러나 검붉은 물. 예옷에 쇳물이 들다. **2** 높은 열에 녹아 액체 상태로 된 쇠. 예용광로에서 흘러나오는 쇳물.

쇳소리 [쇠쏘리/쉗쏘리] **1** 쇠붙이가 부딪쳐 나는 소리. 예기차가 쇳소리를 몇 번 내더니 멈추었다. **2** 쨍쨍 울리는 날카로운 목소리. (예)목이 쉬어 쇳소리가 나다.

쇼 (show) **1** 구경거리. (예)한바탕 쇼가 벌어지다. **2** 노래와 춤 따위로 엮어진 가벼운 오락. (예)뮤지컬 쇼. **3** 남을 속이기 위해 일부러 꾸미는 일의 비유. (예)쇼를 부리다.

쇼크 (shock) 예상치 못하고 갑자기 당하는 큰일 때문에 생기는 놀라움과 동요. 충격. (예)갑작스러운 그의 죽음에 쇼크를 받았다.

쇼팽 (Chopin, Frédéric François) 〖인명〗 폴란드의 낭만파 음악가. 섬세하고 세련된 작곡 및 피아노 연주로 피아노의 시인이라 일컬어짐. [1810–1849]

쇼핑 (shopping) 구경하고 돌아다니면서 물건을 사는 일. 물건 사기. 장보기. (예)쇼핑을 가다. **—하다.**

쇼핑백 (shopping bag) 산 물건을 넣는 자루나 가방. 종이나 비닐 따위로 만들어 손잡이를 닮.

숄 (shawl) 여자들이 멋을 내거나 몸을 따뜻하게 하기 위하여 어깨에 걸치는 넓고 긴 천. 어깨걸이.

수[1] 생물에서, 새끼나 알을 배지 못하거나 열매를 맺지 못하는 쪽의 성. (예)암과 수를 구별하다. (반)암.

*__수__[2] **1** 어떤 일을 처리하거나 해결하는 수단이나 방법. (예)약을 쓸 수밖에 없다 / 문제를 해결할 좋은 수가 있다. **2** 어떤 일을 할 만한 힘이나 가능성. (예)있을 수 없는 일 / 어쩌면 빨리 올 수도 있다.

수[3] (手) 바둑·장기 등에서 번갈아 두는 일. 또는 그 솜씨. (예)그보다 한 수 위다.

*__수__[4] (水) '수요일'의 준말.

수[5] (秀) 성적이나 등급을 '수·우·미·양·가'의 다섯 단계로 나눌 때의 가장 높은 단계.

*__수__[6] (數) **1** 셀 수 있는 물건의 많고 적음. (예)모인 사람 수가 많다. **2** ⇨숫자2. (예)수에 밝다. **3** 자연수·정수·유리수·분수 등을 통틀어 일컫는 말.

수:[7] (繡) 헝겊에 여러 가지 빛깔의 실로 그림이나 글자를 바늘로 떠서 놓는 일. 또는 그 그림이나 글자. (예)수를 놓다.

수[8] (首) **1** 시나 노래를 세는 단위. (예)시조 한 수를 읊다. **2** 마리. (예)오리 한 수.

수- 어떤 말의 앞에 붙어, 생물의 수컷 또는 수컷과 같은 사물을 나타내는 말. (예)수개미 / 수키와. (반)암-. →숫- 주의

수감 (收監) 죄인을 감방에 가둠. (예)수감 생활. (반)석방. **—하다.**

수갑 (手匣) 죄인이나 피의자의 양쪽 손목에 채우는 쇠로 만든 고리. (예)수갑을 채우다.

〈수갑〉

수강 (受講) 강습이나 강의를 받음. (예)수강 신청 / 영어 회화 과목을 수강하다. **—하다.**

수거 (收去) 거두어 감. (예)쓰레기를 분리 수거하다. **—하다.**

*__수:건__ (手巾) 얼굴이나 몸 등을 닦는 헝겊 조각. 타월. ➲ towel

수경 (水鏡) ⇨물안경.

수:고 일을 하느라고 애를 쓰고 힘을 들임. (예)수고 많이 하셨습니다. (비)노고. **—하다. —스럽다.**

수고양이 고양이의 수컷. (반)암고양이. ×수코양이.

수공 (手工) 손으로 하는 공예. (예)정교한 수공.

수공업 (手工業) 기계를 사용하지 않고 손과 간단한 도구를 사용하여 생산하는 작은 규모의 공업. (예)수공업자. (반)기계 공업.

수공예 (手工藝) 손과 간단한 도구

로 하는 공예.

수교(修交) 나라와 나라 사이에 외교 관계를 맺음. ㊞동유럽 나라들과 수교하다. **—하다.**

수구(水球) 수상 경기의 하나. 물속에서 7명씩 짠 두 편이 헤엄을 치며 공을 서로 상대편의 골에 던져 넣어 득점을 겨루는 경기.

수구(守舊) 옛 제도나 관습을 그대로 지키고 따름. ㊞수구 세력 / 수구 사상이 박히다. **—하다.**

수구초심(首丘初心) 여우가 죽을 때 머리를 자기가 살던 굴 쪽으로 둔다는 뜻으로, 고향을 그리워하는 마음을 일컫는 말.

수국(水菊) 수국과의 낙엽 활엽 관목. 높이는 약 1 m, 잎은 넓은 타원형이며 톱니가 있음. 가을에 꽃이 피며 열매를 맺지 못함. 꽃은 말려 약재로 씀.

수군(水軍) 예전에, 바다를 지키던 군대. 지금의 해군.

수군거리다 남이 알아듣지 못하도록 낮은 소리로 자꾸 이야기하다. ㊞두 사람이 무언가 수군거리다. 작 소곤거리다. 센 쑤군거리다.

수군대다 ⇨수군거리다.

수궁(水宮) 물속에 있다고 하는 상상의 궁전. 비 용궁.

수그러들다 **1** 안으로 굽어 들거나 기울어져 들어가다. ㊞머리가 수그러들다. **2** 형세나 기세가 점점 약해지다. ㊞밤이 되자 더위가 한풀 수그러들었다. 활용 수그러들어 / 수그러드니 / 수그러드는.

수그러지다 **1** 안으로 굽어 들거나 기울어지다. ㊞고개가 수그러지다. **2** 사납던 기세가 줄어지다. ㊞불길이 수그러지다.

수그리다 **1** 깊이 숙이다. ㊞머리를 수그리다. **2** 기세 따위를 줄이다.

수금(收金) 받아야 할 돈을 거두어들임. ㊞수금을 나가다. **—하다.**

수급(需給) 수요와 공급. ㊞수급을 조절하다.

수긍(首肯) 옳다고 인정함. ㊞수긍이 가다 / 네 말에 수긍하기 어렵다. **—하다.**

수기[1](手旗) 신호할 때 쓰는, 손에 쥐는 작은 기.

수기[2](手記) 자신이 겪은 일을 직접 적은 글. ㊞생활 수기.

수꿩 꿩의 수컷. 반 암꿩. ×수퀑. 숫꿩.

수나라(隋—)〔국명〕 양견이 장안에 도읍하여 세운 중국의 왕조. 고구려를 몇 차례 침공하였으나 도리어 크게 패함. 뒤에 당나라 고조 이연에게 망함. [581–618]

수나사(—螺絲) 표면에 나선형의 홈이 있어 암나사에 끼우게 된 나사. 반 암나사.

수난(受難) 견디기 어려운 일을 당함. ㊞수난 시대 / 수난을 겪다.

수납[1](收納) 돈이나 물품 따위를 받아 거두어들임. ㊞수납 창구 / 세금을 수납하다. **—하다.**

수납[2](受納) 살림집에서 일상생활에 쓰이는 여러 물건을 넣어 둠. ㊞수납공간. **—하다.**

수납장(受納欌) [수납짱] 일상생활에 쓰이는 물건들을 넣어 두는 장. ㊞수납장이 널찍하다.

수녀(修女) 수녀원에서 수도하는 여자.

수녀원(修女院) 수녀들이 일정한 규율 밑에서 공동생활을 하며 수행을 쌓는 곳.

수ː년(數年) 여러 해. 몇 해. ㊞수년에 걸쳐 연구에 전념하다.

수놈 짐승의 수컷을 이르는 말. 반 암놈. ×숫놈.

수ː놓다(繡—) [수노타] **1** 여러 가지 색실로 헝겊 따위에 그림·글씨·무늬 따위를 떠서 놓다. ㊞꽃을 수놓은 치마. **2** 비유적으로, 색실로 수를 놓은 것처럼 아름다운 경치를 이루다. (예)별들이 밤하늘을 수놓다.

수뇌 (首腦) 어떤 조직이나 단체에서 가장 중요한 자리에 있는 사람. (예)수뇌 회의.

수ː다 쓸데없이 말을 많이 지껄이는 일. 또는 그 말. (예)수다를 늘어놓다 / 수다를 떨다.

수ː다스럽다 [수다스럽따] 쓸데없이 하는 말이 많은 데가 있다. (예)수다스러운 장사꾼. [활용] 수다스러워 / 수다스러우니.

수ː다쟁이 수다스러운 사람을 얕잡아 일컫는 말.

*** 수단** (手段) **1** 목적을 이루기 위한 방법. 또는 그 도구. (예)생계 수단 / 수단과 방법을 가리지 않고 싸우다. **2** 일을 처리해 나가는 솜씨와 꾀. (예)수단이 좋다.

수달 (水獺〔獺〕) 족제빗과의 짐승. 강기슭·늪가에 굴을 파고 삶. 몸길이는 60–80 cm, 꼬리는 40–50 cm. 네발이 짧으며 발가락 사이에 물갈퀴가 있어 헤엄을 잘 치며, 물고기·게·조개 따위를 잡아먹음. 천연기념물 제330호.

〈수달〉

수당 (手當) 일정한 급료 이외에 따로 주는 보수. (예)야근 수당.

수더분하다 성질이 까다롭지 않고 순하고 소박하다. (예)그는 성격이 수더분하여 친해지기가 쉽다.

*** 수도[1]** (首都) 한 나라의 중앙 정부가 있는 도시. [비] 서울.

*** 수도[2]** (水道) **1** '상수도'의 준말. **2** 상수도·하수도를 통틀어 일컫는 말. (예)수도관. **3** 뱃길 또는 물길. **4** 수돗물을 받아 쓸 수 있게 만든 시설. (예)수도에서 물을 받다.

수도[3] (修道) 도를 닦으며 수양을 쌓는 일. (예)수도자. **—하다.**

수도권 (首都圈) [수도꿘] 서울을 중심으로 한 경기도 일원을 말함. (예)수도권 전철망 / 수도권으로 인구가 집중되다.

수도꼭지 (水道—) [수도꼭찌] 수돗물이 나오게 하거나 그치게 하기 위해 손으로 열고 잠그는 부분. (예)수도꼭지를 잠그다.

수도원 (修道院) 가톨릭에서 수도자들이 일정한 규칙을 지키며 공동생활을 하는 집.

수돗가 (水道—) [수도까 / 수돋까] 수돗물이 나오는 곳의 가장자리.

*** 수돗물** (水道—) [수돈물] 상수도에서 나오는 물.

수동 (手動) 손으로 움직임. (예)수동 재봉틀. [반] 자동.

수동적 (受動的) 스스로 움직이지 않고 다른 것의 작용을 받아 움직이는 (것). (예)수동적인 태도를 보이다. [반] 능동적.

수두 (水痘) 어린이의 피부에 붉고 둥근 좁쌀만 한 종기가 생겼다가 얼마 뒤에 물집으로 변하는 전염병. [비] 작은마마.

수두룩이 [수두루기] 수두룩하게. (예)빨간 사과가 과일 가게 앞 바구니에 수두룩이 쌓여 있다.

수두룩하다 [수두루카다] 매우 흔하고 많다. (예)그런 것쯤 어디 가나 수두룩하다.

수라상 (水剌床) [수라쌍] 궁중에서, 임금에게 올리는 밥상을 높여 이르던 말.

수라장 (修羅場) 전쟁이나 싸움 또는 그 밖의 일로 큰 혼란에 빠진 곳. 또는 그런 상태. (예)회의장은 수라장이 되었다. [비] 난장판. 아수라장.

수락 (受諾) 요구를 받아들여 승낙함. (예)수락의 뜻을 표하다 / 제시한 조건을 수락하다. **—하다.**

*** 수ː량** (數量) 수효와 분량. (예)수량을 채우다.

> **참고** **수량의 단위**
> •그림 한 폭 •고등어 한 손(2 마리) •꽃 한 송이 •김 한 톳(100 장) •나무 한 그루 •밤 한 톨, 한 말, 한 되 •대추 한 줌 •북어 한 쾌(20 마리) •배추 한 통 •사과 한 접(100 개) •신 한 켤레 •갈비 한 대, 한 짝 •두부 한 모 •수저 한 매(숟가락·젓가락 한 쌍) •굴비 한 갓(10 마리), 한 두름(20 마리) •달걀 한 줄, 한 꾸러미(10 개), 한 판(30 개) •오이 한 거리(50 개), 한 접(100 개).

수런거리다 여러 사람이 모여 수선스럽게 자꾸 떠들다.

수렁 **1** 진흙과 고운 흙이 물과 섞여 무르게 풀려서 괸 웅덩이. **2** 헤어나기 힘든 처지를 비유하는 말. ㊀악의 수렁에 빠지다.

***수레** 사람이 타거나 짐을 싣는, 바퀴를 달아서 굴러 가게 만든 기구. ㊀수레를 끌다.

수레바퀴 수레 밑에 댄 바퀴.

수려하다(秀麗—) 경치나 용모 따위가 빼어나게 아름답다. ㊀이목구비가 수려하다.

수력(水力) 흐르는 물의 힘. 또는 그것을 이용하여 얻은 동력.

수력 발전(水力發電) [—빨쩐] 물의 힘으로 발전기를 돌려서 전기를 일으키는 일. 반 화력 발전.

수련¹(修鍊〔練〕) 정신이나 학문, 기술 따위를 닦아 단련함. ㊀심신을 수련하다. 비 연수. **—하다.**

수련²(睡蓮) 수련과의 여러해살이 물풀. 연못·늪에 남. 뿌리줄기는 물 밑바닥으로 뻗고 수염뿌리가 많음. 잎은 물 위에 뜨며 말굽 모양임. 가을에 흰 꽃이 피며 달걀 모양의 열매를 맺음.

수렴¹(垂簾) **1** 발을 드리움. 또는 그 발. **2** 임금이 어린 나이로 즉위하였을 때 왕대비나 대왕대비가 이를 도와 나랏일을 돌보던 일. 본 수렴청정. **—하다.**

수렴²(收斂) **1** 돈이나 물건 따위를 모아 거둠. **2** 의견·주장 따위를 한데 모음. ㊀전교생의 의견을 수렴하다. **—하다.**

수렵(狩獵) ⇨사냥. **—하다.**

수렵도(狩獵圖) [수렵또] 예전에, 사냥하는 모습을 그린 그림. ㊀무용총 수렵도.

수령¹(首領) 한 당파나 무리의 우두머리. 비 두목.

수령²(守令) 고려·조선 때, 각 고을을 맡아 다스리던 지방관. 관찰사·목사·부사·군수·현감 등. 비 원.

수령³(受領) 돈이나 물품을 받음. ㊀보상금을 수령하다. **—하다.**

수로(水路) **1** ⇨물길 2. ㊀수로를 내다. **2** ⇨뱃길. 반 육로.

수로왕(首露王) 〖인명〗 가야의 시조. 신라 유리왕 때에 하늘로부터 김해의 구지봉으로 내려와서 육 가야를 세웠다는 여섯 형제의 맏이. 김수로왕. [재위 42-199]

수록(收錄) **1** 글이나 자료 따위를 모아서 기록함. 또는 그렇게 한 기록. **2** 책이나 잡지에 실음. ㊀그림이 많이 수록된 사전. **—하다.**

수뢰(水雷) 물속에서 폭발시켜 적의 배를 파괴하는 무기.

수료(修了) 일정한 학업이나 과정을 다 배워 마침. ㊀수료식 / 박사 과정을 수료하다. **—하다.**

수류탄(手榴彈) 가까운 거리에서 손으로 던져 폭발시키는 작은 폭탄.

수륙(水陸) **1** 물과 뭍. 바다와 육지. **2** 수로와 육로.

수리¹ 수릿과의 독수리. 부리가 크고 발톱은 날카로워 들쥐·토끼 따위를 잡아먹음.

수리²(修理) 고장 나거나 허름한

데를 손보아 고침. ㉠낡은 집을 수리하다. ㉥수선. —하다.

수리3 (受理) 사표 등의 서류를 받아서 처리함. ㉠사표를 수리하다. —하다.

수리4 (水利) 물을 이용하는 일. ㉠수리 시설.

수:리5 (數理) **1** 수학의 이론이나 이치. ㉠수리에 밝다. **2** 수학과 자연 과학. ㉠이번 시험은 수리 영역이 어려웠다.

수리비 (修理費) 수리하는 데 드는 비용. ㉠자동차 수리비.

수리취 국화과의 여러해살이풀. 높이는 80-100 cm, 산이나 들에 나며 9-10월에 흰색·자주색 꽃이 핌. 잎은 어긋나고 타원형인데 어린잎은 먹음.

수립 (樹立) 국가나 정부, 제도, 계획 따위를 이룩하여 세움. ㉠정책을 수립하다. —하다.

수마 (水魔) 몹시 심하여 피해가 큰 수해. ㉠수마가 할퀴고 간 자리.

수:만 (數萬) 만의 두서너 배가 되는 수. ㉠수만 명의 군중.

*__수:많다__ (數—) [수만타] 수효가 매우 많다. ㉠수많은[수마는] 관객.

수:많이 (數—) [수마니] 수효가 한없이 많게. ㉠수많이 모인 사람들.

수면1 (水面) 물의 표면.

수면2 (睡眠) 잠자는 일. ㉠충분한 수면을 취하다. —하다.

수면제 (睡眠劑) 잠이 들게 하는 약. ㉥최면제.

수명 (壽命) **1** 생물이 살아 있는 기간. ㉠수명이 길다. **2** 물품을 사용할 수 있는 기간. ㉠이 기계의 수명은 5년이다.

수모 (受侮) 남에게 모욕을 당함. 창피를 당함. ㉠갖은 수모를 받다.

수목 (樹木) 살아 있는 나무. ㉠수목이 우거지다.

수목원 (樹木園) [수모권] 갖가지 나무와 풀을 연구하고 여러 사람에게 보이기 위하여 모아 기르는 곳.

수몰 (水沒) 물속에 잠김. ㉠수몰 지구.

수묵 (水墨) 엷은 빛의 먹물.

수묵화 (水墨畫) [수무콰] 색은 칠하지 않고 주로 먹물의 짙고 옅은 효과를 내어 그린 그림.

수문 (水門) 저수지나 수로에 설치하여 물의 양을 조절하는 문. ㉠수문을 열다.

수문장 (守門將) 예전에, 궁궐이나 성의 문을 지키던 장수.

*__수:박__ 박과의 한해살이 덩굴풀. 밭에서 나는데 여름에 연한 노란빛 꽃이 핌. 둥글고 큰 열매의 속은 붉고 맛이 달며 물이 많음. ➡ watermelon

수반1 (水盤) 물을 담아 꽃을 꽂거나 수석 등을 넣는 데 쓰는, 바닥이 평평한 넓은 그릇.

수반2 (首班) 행정부의 우두머리. ㉠내각 수반.

수반3 (隨伴) 어떤 일과 함께 일어남. ㉠성공에는 노력이 수반된다. —하다.

수발 몸이 불편하거나 아픈 사람 가까이에서 시중을 들며 보살핌. ㉠환자 곁에서 수발을 들다. ㉥시중. —하다.

수배 (手配) 범인을 잡으려고 필요한 지시나 조치를 함. ㉠지명 수배 / 수배를 받다. —하다.

수:백 (數百) 백의 두서너 배가 되는 수. ㉠수백 명의 인원.

수:백만 (數百萬) [수뱅만] 백만의 두서너 배가 되는 수. ㉠수백만 개의 별들.

수벌 벌의 수컷. ㉦암벌. ×수펄.

수범 범의 수컷. ㉦암범. ×수펌.

수법 (手法) [수뻡] **1** 수단과 방법. ㉠교묘한 수법. **2** 작품을 만드는 솜씨. ㉠글의 전개 수법.

수복 (收復) 잃었던 땅을 도로 찾

음. ㉠수복 지구. 비 탈환. —하다.
수북이 [수부기] 수북하게. ㉠밥을 수북이 담다. ×수북히.
수북하다 [수부카다] **1** 물건이 많이 담겨 있거나 쌓여 있다. ㉠책상 위에 먼지가 수북하다. **2** 식물이나 털 따위가 촘촘하고 길게 나 있다. ㉠마당에 잡초가 수북하다. 작 소복하다.
***수분**[1] (水分) ⇨물기.
수분[2] (受粉) 꽃식물에서, 수술의 꽃가루가 암술머리에 붙어 열매를 맺는 현상. 비 가루받이.
***수비** (守備) 전쟁이나 경기 따위에서 침략이나 공격을 막아 자기편을 지킴. ㉠수비가 허술하다. 비 방비. 반 공격. —하다.
수비대 (守備隊) 특정 지역의 경계와 수비를 맡은 군대. ㉠국경 수비대. 비 수비군.
수비수 (守備手) 운동 경기에서, 수비를 맡은 선수. 반 공격수.
수사[1] (搜査) 범인의 행방을 찾거나 증거를 모음. ㉠공개 수사 / 수사를 벌이다 / 어린이 유괴 사건을 수사하다. —하다.
수:사[2] (數詞) 수량이나 순서를 나타내는 말.
수사[3] (修辭) 말이나 글을 아름답고 짜임새 있게 꾸미고 다듬는 일. 또는 그런 기술.
수사관 (搜査官) 범죄 수사를 하는 관리.
수산 (水産) 바다나 강 따위의 물에서 남. 또는 그런 산물. ㉠수산 시장 / 수산 식품.
수산물 (水産物) 바다·강·호수 등 물에서 나는 산물. 물고기·조개·미역·다시마·김 따위.
수산업 (水産業) [수사넙] 수산물을 잡거나 기르고 가공하는 일에 관한 사업.
수산업 협동조합 (水産業協同組合) [수사너편똥조합] 수산업을 하는 사람들의 공동 이익을 위하여 설립한 협동조합. 준 수협.
수산 자원 (水産資源) 강이나 바다 등 물에서 생산되는 어류·조개류 따위의 자원.
수산화나트륨 (水酸化Natrium) 소금물을 전기 분해 해서 얻는 흰색의 무른 결정체. 수용액은 강한 알칼리성을 나타냄. 비누의 제조·펄프 공업 등에 쓰임. 비 가성소다.
수산화칼슘 (水酸化calcium) 산화칼슘에 물을 부어 만든 흰색의 가루. 표백분·회반죽·모르타르 등의 재료로 쓰임. 비 가성석회. 소석회.
수삼 (水蔘) 땅에서 캐내어 말리지 않은 인삼. 비 무삼. 생삼. 반 건삼.
수상[1] (水上) 물의 위.
수상[2] (受賞) 상을 받음. ㉠대통령상 수상 작품. —하다.
수상[3] (首相) 내각의 우두머리. 비 국무총리.
수상기 (受像機) 방송된 텔레비전 전파를 받아서 영상을 만드는 장치. ㉠텔레비전 수상기.
수상 스키 (水上ski) 모터보트에 맨 밧줄을 잡고 보트에 끌려 가면서 스키로 물 위를 미끄러져 달리는 스포츠.
수상자 (受賞者) 상을 받는 사람. ㉠수상자 후보에 오르다.
수상쩍다 (殊常—) [수상쩍따] 수상한 데가 있다. ㉠거동이 수상쩍다.
수상하다 (殊常—) 보통과 다르게 이상해서 의심스럽다. ㉠행동이 수상하다.
수색 (搜索) 사람·물건 등이 어디에 있는가를 찾음. ㉠수색 작전 / 실종자를 수색하다. —하다.
수색대 (搜索隊) [수색때] 적의 위치·병력·규모 등을 살피거나 사람을 구출하기 위해 수색하는 부대. ㉠수색대가 출동하다.

수석[1] (水石) 흐르는 물가에서 주운 보기 좋은 자연석. (예)수석을 수집하다.

수석[2] (首席) 등급이나 직위 따위에서 맨 윗자리. (예)수석 연구원 / 수석으로 졸업하다. (반)말석.

수선[1] 남의 정신을 어지럽히는 시끄러운 말이나 행동. (예)수선을 피우다. **—스럽다.**

수선(을) 떨다 수선스러운 말이나 행동을 자꾸 하다. (예)별일 아닌 일로 수선 떨지 마라.

수선[2] (修繕) 낡거나 허름한 물건을 고침. (예)구두를 수선하다. (비)수리. **—하다.**

수선[3] (垂線) 직선이나 평면과 직각을 이루는 직선. (비)수직선.

수선공 (修繕工) 수선하는 일을 맡아서 하는 직공. (예)구두 수선공.

수선화 (水仙花) 수선화과의 여러해살이풀. 따뜻한 지방의 해변에 나는데, 열매가 없는 알뿌리 식물임. 잎은 가늘고 길며 모여나고 이른 봄에 흰색·노란색 등의 꽃이 핌.

〈수선화〉

수성 (水星) 행성 가운데서 가장 작고 태양에 제일 가까운 별.

수성암 (水成岩) 암석의 조각이나 생물의 유해, 화학적 침전물 따위가 물속에 많이 쌓여 된 암석.

수세 (守勢) 적을 맞아 지키는 형세. 또는 힘이 부쳐 밀리는 형세. (예)수세에 몰리다. (반)공세.

수세미 설거지할 때 그릇을 씻는 물건.

수세식 (水洗式) 화장실의 오물이 물에 씻겨 내려가도록 처리하는 방식. (예)수세식 변소.

수소[1] 소의 수컷. (비)황소. (반)암소. ×숫소.

> 주의 **'소'의 수컷을 '숫소'로 쓰지 않고 '수소'로 쓰는 까닭**
>
> '표준어 규정'에서 수컷을 이르는 접두사는 '수-'로 통일하여 쓴다고 정하였다.
>
> (예)수꿩, 수나사, 수놈, 수사돈, 수소, 수은행나무
>
> 다만 다음 낱말에 한해서만 '숫-'으로 쓴다.
>
> (예)숫양, 숫염소, 숫쥐

***수소**[2] (水素) 불에 타기 쉬우며, 색·맛·냄새가 없는 기체로, 가장 가벼운 원소.

수소문 (搜所聞) 세상에 떠도는 소문을 찾아 살핌. (예)여기저기 수소문해서 친구를 찾다. **—하다.**

수속 (手續) 어떤 일 따위를 처리하기 위해 거쳐야 하는 과정이나 단계. (예)입국 수속 / 입원 수속을 밟다. (비)절차. **—하다.**

수송 (輸送) 차·배·비행기 등으로 사람이나 물건을 실어 보냄. (예)수송 차량 / 화물 수송. (비)운송. **—하다.**

수송선 (輸送船) 사람이나 물건 따위를 실어 나르는 배.

수수 볏과의 한해살이풀. 줄기에는 곧게 뻗은 10-13 개의 마디가 있음. 가을에 열매가 익으며, 줄기는 건축재·비 등을 만듦. 열매는 주요 곡식의 하나임.

수수깡 수수의 줄기. (비)수숫대.

***수수께끼** **1** 어떤 사물을 빗대어 말하여 그 사물의 뜻이나 이름을 알아맞히는 놀이. (예)수수께끼를 내다. **2** 진상이나 실체를 알 수 없는 이상한 일. (예)수수께끼의 인물 / 우주의 수수께끼.

수수료 (手數料) 어떤 일을 맡아서 처리해 준 대가로 받는 요금. (예)수수료가 붙다.

수수방관 (袖手傍觀) 팔짱을 끼고

보고만 있다는 뜻으로, 남이 하는 일에 간섭하거나 거들지 않고 그대로 버려둠. **—하다.**

수수하다 옷차림새나 성질, 태도 따위가 무던하다. (예)항상 수수한 차림새를 하다.

수술[1] 수술대와 꽃밥의 두 부분으로 된 식물의 생식 기관. [반]암술.

수술[2] (手術) 몸의 일부를 째거나 자르거나 하여 병을 고치는 일. (예)맹장 수술을 하다. **—하다.**

수습[1] (收拾) 어지러운 마음이나 사태를 거두어 바로잡음. (예)민심 수습 / 사고를 수습하다. **—하다.**

수습[2] (修習) 정식으로 일을 맡기 전에 배워 익힘. (예)수습사원 / 수습 기간.

수시로 (隨時—) 아무 때나 늘. (예)수시로 질문하다. [비]수시.

수식[1] (修飾) **1** 겉모양을 꾸밈. **2** 문장에서 어떤 말의 앞에서 그 말의 뜻을 꾸미거나 한정하는 일. [비]꾸밈. **—하다.**

수ː식[2] (數式) 수나 양을 나타내는 숫자나 문자를 계산 기호로 연결한 식. 등식·부등식 따위.

수식어 (修飾語) [수시거] ⇨꾸밈말.

수신[1] (受信) **1** 우편물·전보 따위의 통신을 받음. **2** 전화·라디오·텔레비전 방송 따위의 신호를 받음. (예)수신 안테나 / 수신 상태가 나쁘다. [반]발신. 송신. **—하다.**

수신[2] (修身) 행실을 바르게 하기 위해 몸과 마음을 가다듬는 일.

수신기 (受信機) 유선·무선의 전기 통신에서, 신호나 정보 등의 통신을 받는 장치. [반]송신기.

수신사 (修信使) 조선 고종 때 일본에 보내던 외교 사신. *통신사.

수신인 (受信人) [수시닌] 전화·전보·우편물 따위를 받는 사람. [비]수신자. [반]발신인.

수신제가 (修身齊家) 마음과 몸을 가다듬어 수양하고 집안을 다스림. **—하다.**

수심[1] (愁心) 매우 근심함. 또는 그런 마음. (예)수심이 가득한 얼굴.

수심[2] (水深) 물의 깊이. (예)수심이 깊다.

수ː십 (數十) 열의 두서너 배가 되는 수. (예)수십 권의 책.

수압 (水壓) 물의 압력. (예)수압이 낮다 / 수압이 약하다.

수액 (樹液) 땅속에서 나무줄기를 통하여 잎으로 올라가는, 양분이 되는 액. (예)고로쇠나무의 수액.

수양 (修養) 몸과 마음을 단련하여 지식과 덕성을 깨우침. (예)정신 수양 / 수양을 쌓다. **—하다.**

수양 대ː군 (首陽大君) 〖인명〗 ⇨세조.

수양딸 (收養—) 남의 자식을 데려다 친자식처럼 기른 딸. (예)수양딸을 삼다. [비]수양녀. 양녀.

수양버들 (垂楊—) 버드나뭇과의 낙엽 활엽 교목. 높이 10 m 정도, 가지가 가늘고 길게 늘어지며, 봄에 노란 수꽃과 원기둥꼴 이삭 모양을 한 암꽃이 핌. 집 근처나 들에 남. [준]수양.

수ː억 (數億) 억의 두서너 배가 되는 수. (예)수억의 인구.

***수업[1]** (受業) 학문이나 예능의 가르침을 받음. **—하다.** class

수업[2] (修業) 기술이나 학업을 익히고 닦음. (예)작가 수업.

***수업[3]** (授業) 교사가 학생에게 지식이나 기능을 가르쳐 줌. (예)수업 시간 / 수업을 받다. **—하다.**

수업료 (授業料) [수엄뇨] 학생들이 수업을 받는 대가로 내는 돈. (예)수업료를 내다.

수ː없다 (數—) [수업따] 헤아릴 수 없이 많다. (예)수없는 사람들이 몰려들다.

수ː없이 (數—) [수업씨] 헤아릴 수 없이 많이. ㊣수없이 많은 별.
수에즈 운ː하 (Suez運河) 아프리카 북동부, 지중해와 홍해 사이를 연결하는 운하. 1869년에 개통됨. 길이 168 km. 너비 200 m.
수여 (授與) 증서·상장·상품·훈장 따위를 줌. ㊣무궁화 훈장을 수여하다. **—하다.**
수염 (鬚髥) **1** 성숙한 남자의 입가·턱·뺨에 나는 털. ㊣수염을 깎다/턱에 수염이 나다. 㕥나룻. **2** 벼·옥수수 등의 낟알 끝 또는 사이에 난 까끄라기나 털 모양의 것. **3** 동물의 입 근처에 난 뻣뻣한 털.
수염뿌리 (鬚髥—) 뿌리줄기의 밑동에서 수염처럼 많이 뻗어 나온 뿌리. 벼나 보리 따위의 뿌리.
***수영** (水泳) 물속에서 헤엄치는 일. ㊣수영 선수/수영을 배우다. 㕥헤엄. **—하다.** ➡ swim
수영복 (水泳服) 수영할 때 입는 옷. ㊣수영복 차림.
수영장 (水泳場) 수영하면서 놀거나 수영 경기를 할 수 있도록 만들어 놓은 곳. 㕥풀장.
수예 (手藝) 자수·뜨개질 따위의 손으로 하는 재주. ㊣수예품.
수온 (水溫) 물의 온도.
수완 (手腕) 일을 꾸미거나 처리해 나가는 솜씨. ㊣수완을 발휘하다/수완이 좋다.
수요 (需要) 상품을 사들이려고 하는 욕망. 또는 그 총량. ㊣수요가 늘다. 㕯공급.
수요일 (水曜日) 일요일로부터 넷째 날. 㕸수. ➡ Wednesday
수요자 (需要者) 필요해서 얻고자 하는 사람. 㕯공급자.
수용¹ (收容) 일정한 곳에 사람이나 물건을 모아 넣음. ㊣피난민을 수용하다. **—하다.**
수용² (受容) 받아들임. ㊣요구 조건을 수용하다.
수용성 (水溶性) [수용썽] 어떤 물질이 물에 녹는 성질. ㊣수용성 비타민.
수용소 (收容所) 많은 사람을 한곳에 가두거나 모아 두는 곳. ㊣포로수용소.
수용액 (水溶液) 어떤 물질을 물에 녹인 액체. 식염수 따위.
수운 (水運) 강이나 바다를 이용해 물건이나 사람을 배로 실어 나름.
수원¹ (水原) 〖지명〗 경기도의 도청 소재지. 농업 연구의 중심지임.
수원² (水源) 물이 흘러나오는 근원. ㊣이 물은 한강이 수원이다.
수원성 (水原城) 경기도 수원시에 있는 성. 조선 정조 때 세워졌으며 우리나라에서 가장 대표적인 성임. 㕥화성.
수원지 (水源池) 상수도에 보낼 물을 모아 두는 곳.
수월찮다 [수월찬타] **1** 수월하지 아니하다. ㊣여행비 마련이 수월찮다. **2** 꽤 많다. ㊣학원비가 수월찮게 든다.
수월하다 힘이 들지 않고 하기가 쉽다. ㊣수월한 문제.
수월히 수월하게. ㊣시험을 수월히 통과하다.
수위¹ (水位) 강·바다·호수 등의 수면의 높이. ㊣수위가 경계선을 넘었다.
수위² (守衛) 학교·회사·관청 등에서 경비를 맡아봄. 또는 맡아보는 사람. ㊣수위실.
수위³ (首位) 첫째가는 지위. ㊣수위를 차지하다. 㕥일위.
수유 (授乳) 젖먹이에게 젖을 먹임. ㊣모유 수유. **—하다.**
수육 (—肉) 삶아 익힌 쇠고기.
수은 (水銀) 보통 온도에서 은백색의 액체로 되어 있는 금속 원소. 질산에 쉽게 용해되며, 어느 금속과도 합금을 만들기 쉬움. 온도계·물감 제조 등에 쓰임.

수은등 (水銀燈) 전극을 넣은 진공 유리관 속에 수은 증기를 넣고 전압을 걸면 밝은 빛을 내는 등.

수은주 (水銀柱) 수은 기압계나 온도계 따위의 유리관에 채운 수은의 부분. ㉢수은주가 영하로 내려가다.

수의[1] (囚衣) [ㅡ/수이] 죄수가 입는 옷. ㉥죄수옷. 죄수복.

수의[2] (壽衣) [ㅡ/수이] 시체에 입히는 옷.

수의사 (獸醫師) [ㅡ/수이사] 가축의 병을 진찰하고 치료하는 의사. ㉨수의.

수익 (收益) 이익을 거두어들임. 또는 그 이익. ㉢수익을 올리다.

수일 (數日) 이삼 일. 또는 사오 일. 며칠. ㉢작업은 수일 내로 끝날 것이다.

수임 (受任) 임명이나 임무를 받음. **―하다.**

*__수입__[1] (收入) 돈이나 물품 등을 거두어들임. 또는 그 돈이나 물품. ㉢수입의 반을 저축하다. ㉥소득. ㉦지출.

*__수입__[2] (輸入) 외국에서 나는 물건을 사들여 옴. ㉢수입 제한. ㉦수출. **―하다.**

수입품 (輸入品) 외국에서 수입한 물품. ㉢수입품에 관세를 부과하다. ㉦수출품.

수자원 (水資源) 농업·공업·발전용 따위의 자원이 되는 물. ㉢수자원을 개발하다.

수작 (酬酌) **1** 서로 말을 주고받음. ㉢수작을 걸다 / 수작을 부리다. **2** 남의 말이나 행동 따위를 업신여겨 하는 말. ㉢허튼 수작 마라. **―하다.**

수장[1] (水葬) 시체를 물속에 넣어 장사 지냄. **―하다.**

수장[2] (首長) 집단·단체를 지배·통솔하는 사람. ㉢국회의 수장. ㉥우두머리.

수재[1] (秀才) 뛰어난 재주. 또는 머리가 좋고 재주가 뛰어난 사람. ㉢촉망 받는 수재. ㉥영재.

수재[2] (水災) 홍수나 장마 때문에 생긴 재해. ㉢수재 의연금. ㉥수해.

수재민 (水災民) 홍수나 장마 때문에 피해를 입은 사람.

수저 **1** '숟가락'의 높임말. **2** 숟가락과 젓가락.

수ː적 (數的) [수쩍] 숫자상으로 보는 (것). ㉢수적으로 보면 우리 팀이 훨씬 우세하다.

수전노 (守錢奴) 돈을 모을 줄만 알고, 쓸 줄을 모르는 인색한 사람을 얕잡아 이르는 말. ㉥구두쇠.

수절 (守節) 과부가 다시 결혼하지 않고 정절을 지킴. ㉢젊은 나이에 혼자되어 평생을 수절하다. **―하다.**

수정[1] (修正) 바로잡아서 고침. ㉢계획을 수정하다. **―하다.**

수정[2] (修訂) 글이나 글자 등의 잘못을 고침. ㉢원고 수정.

수정[3] (水晶) 육각기둥 모양을 한 석영의 한 가지. 보통은 무색투명하며, 불순물이 섞인 정도에 따라 자줏빛·검은빛 등이 됨. 장식품·광학 재료 등에 쓰임. 크리스털.

수정[4] (受精) 암수의 생식 세포가 서로 하나로 합쳐 새 개체를 이루는 일. **―하다.**

수정과 (水正果) 생강·계피를 달인 물에 설탕이나 꿀을 탄 다음, 곶감을 넣고 잣을 띄운 우리나라 전통 음료.

수정란 (受精卵) [수정난] 정자를 받아들여 수정을 한 난자.

수정체 (水晶體) 빛을 꺾어서 물체의 상이 선명하게 망막 위에 생기도록 하는 눈의 한 부분.

수제비 밀가루를 반죽하여 맑은장국 따위에 적당한 크기로 떼어 넣어 익힌 음식.

수제자 (首弟子) 여러 제자 가운데 배움이 가장 뛰어난 제자.
수조 (水槽) 물을 담아 두는 큰 통. ㉥물탱크.
수족 (手足) **1** 손과 발. ㉠수족이 차다. ㉥팔다리. **2** 손발과 같이 마음대로 부리는 사람. ㉠수족이 되어 일하다.
수족관 (水族館) [수족꽌] 물속에 사는 생물을 기르며, 그 생태·습성 따위를 사람들에게 구경시키거나 연구할 수 있도록 만든 시설.
***수준** (水準) 사물의 가치나 질에서 기준이 되는 일정한 표준이나 정도. ㉠문화 수준의 차이 / 수준이 높다.
수준급 (水準級) [수준끕] 어떤 분야의 실력을 평가해 볼 때 상당히 높은 수준에 있는 등급. ㉠수준급에 이른 선수 / 피아노 솜씨가 수준급이다.
수줍다 [수줍따] 부끄러워하는 태도가 있다. ㉠많은 사람 앞에 서니 수줍어서 얼굴이 붉어졌다.
수줍어하다 [수주버하다] 부끄러워하다. ㉠너무 수줍어하여 말 한 마디를 제대로 못한다.
수줍음 [수주븜] 수줍어하는 일. ㉠수줍음을 타다.
수중¹ (水中) 물속. 물 가운데. ㉠수중 촬영.
수중² (手中) **1** 손의 안. ㉠수중에 넣다 / 수중에 돈이 없다. **2** 자기의 힘이 영향을 미칠 수 있는 범위. ㉠그는 내 수중에 있다. ㉥손아귀.
***수증기** (水蒸氣) 물이 증발하여 된 기체. ㉾증기.
수지¹ (收支) 수입과 지출.
수지² (樹脂) **1** 나무의 진. **2** 천연수지·합성수지를 통틀어 이르는 말.
수지맞다 [수지맏따] **1** 사업이나 장사 따위에서 이익이 남다. ㉠수지맞는 장사. **2** 뜻하지 않게 좋은 일이 생기다. ㉠이렇게 좋은 선물을 받다니 정말 수지맞았네.
***수직** (垂直) 직선과 직선, 직선과 평면, 평면과 평면이 직각을 이루고 있는 상태. ㉯수평.
***수직선** (垂直線) [수직썬] ⇨수선³.
수직 이:등분선 (垂直二等分線) [수지기등분선] 평면 상에서 어느 선분을 수직으로 이등분하는 직선.
수질 (水質) 물의 성질. ㉠수질이 좋다.
수질 오:염 (水質汚染) [수지로염] 어떤 장소의 물이 하수나 산업 폐수로 인하여 사람의 건강을 해치거나 생태계를 파괴할 정도로 더러워진 상태.
수집¹ (收集) 거두어 모음. ㉠폐품 수집. **—하다.**
수집² (蒐集) 취미나 연구를 위하여 여러 가지 재료나 물건을 찾아 모음. 또는 그 재료나 물건. ㉠우표 수집 / 정보 수집. **—하다.**
수차¹ (水車) 낮은 데의 물을 길어 올리는 기계. 조선 세종 때부터 이용하였음. ㉥물레방아.
수:차² (數次) 두서너 차례. 여러 차례. ㉠수차에 걸친 회담.
수채 집 안에서 버린 허드렛물이나 빗물 따위를 흘러 나가게 한 시설. ㉠수채가 막히다. ㉥하수구.
수채화 (水彩畫) 서양화에서, 물감을 물에 풀어서 그린 그림.
수척하다 (瘦瘠—) [수처카다] 몸이 몹시 마르고 야위다. ㉠병으로 얼굴이 수척해지다.
수:천 (數千) 천의 여러 배 되는 수효. ㉠수천 명의 관객.
***수첩** (手帖) 몸에 지니고 다니며 간단한 기록을 하는 작은 공책. ㉠수첩에 기록하다. ㉥필첩.
수초 (水草) 물속이나 물가에서 자라는 풀. ㉥물풀.
수축¹ (收縮) 물체의 부피나 규모가 줄어들거나 오그라듦. ㉠근육이 수축하다. 반 팽창. **—하다.**

수축[2] (修築) 집·축대 따위의 헐어 진 데를 고쳐 쌓음. 예건물을 수축하다. 비 개축. **—하다.**

*__수출__ (輸出) 국내 상품이나 기술을 외국으로 팔아 내보냄. 예자동차를 수출하다. 반 수입. **—하다.**

수출량 (輸出量) 국내 상품이나 기술을 외국으로 팔아 내보낸 양.

수출 산:업 (輸出産業) [—사넙] 수출품을 주로 생산하는 산업.

수출액 (輸出額) [수추랙] 수출로 벌어들인 돈의 액수.

수출입 (輸出入) [수추립] 수출과 수입.

수출품 (輸出品) 외국으로 수출되는 물품. 반 수입품.

수취인 (受取人) 서류나 물건을 받는 사람.

수치[1] (羞恥) 부끄러움. 예수치로 여기다.

수:치[2] (數値) 계산하여 얻은 수. 예수치를 구하다.

수치스럽다 (羞恥—) [수치스럽따] 창피하고 부끄러운 데가 있다. 예그런 일은 입에 올리기도 수치스럽다. 활용 수치스러워 / 수치스러우니.

수치심 (羞恥心) 부끄러움을 느끼는 마음. 예수치심을 느끼다.

수칙 (守則) 행동·절차에 관하여 지켜야 할 사항을 정한 규칙. 예안전 수칙을 지키다.

수캉아지 강아지의 수컷. 반 암캉아지.

수캐 개의 수컷. 반 암캐.

수컷 [수컫] 동물에서 새끼를 배지 아니하는 쪽. 반 암컷.

수키와 두 암키와 사이에 엎어 놓는 기와. 반 암키와.

수탈 (收奪) 강제로 빼앗음. 예수탈을 일삼다 / 일제의 식민지 수탈 정책. **—하다.**

*__수탉__ [수탁] 닭의 수컷. 반 암탉.

수탕나귀 당나귀의 수컷. 반 암탕나귀.

수톨쩌귀 암톨쩌귀에 꽂는, 뾰족한 촉이 달린 돌쩌귀. 반 암톨쩌귀.

수통 (水桶) 물을 넣는 통.

수퇘지 돼지의 수컷. 반 암퇘지.

수:판 (數板) 셈을 하는 데 쓰는 기구. 예수판을 놓다. 비 주판.

*__수평__ (水平) 기울지 않고 평평한 상태. 예수평 거리 / 수평을 이루다. 반 수직.

수평면 (水平面) 정지해 있는 물의 표면.

수평선 (水平線) 바다와 하늘이 맞닿아 보이는 선. 예수평선 너머로 해가 지다.

수평아리 병아리의 수컷. 반 암평아리.

수포[1] (水泡) **1** 물 위에 떠 있는 거품. 예강에 수포가 일다. **2** 헛된 결과. 예모든 일이 수포로 돌아가다. 비 물거품.

수포[2] (水疱) 살가죽이 부풀어 올라 속에 물이 잡힌 것. 예수포가 생기다. 비 물집.

수표 (手票) 은행에 예금이 있는 사람이 일정한 금액을 그 지참인에게 지불해 줄 것을 은행에 위탁한 증서. 예자기앞 수표.

수표교 (水標橋) 조선 세종 때, 서울의 청계천에 놓은 다리. 다리 기둥에 눈금을 새겨 물의 깊이를 재어 홍수에 대비하였음.

*__수풀__ 나무가 꽉 들어찬 곳. 예수풀이 우거지다. 비 삼림. 준 숲.

수프 (soup) 서양 요리에서, 고기나 채소 따위를 삶아 낸 국물에 맛을 낸 음식. 예쇠고기 수프 / 야채 수프.

*__수필__ (隨筆) 일상생활을 하면서 보고 느낀 것을 형식에 얽매이지 않고 생각나는 대로 자유롭게 써 나간 글. 에세이. 예수필집.

수하물 (手荷物) 여행하는 사람이 손수 나를 수 있는 작은 짐.

수학[1] (修學) 학업을 닦음. ㉠외국에서 경영학을 수학하고 돌아오다. **—하다.**

*__수:학__[2] (數學) 수량이나 도형의 성질에 대하여 연구하는 학문. ㉠수학 문제. ㊉산수. ➡ mathematics

수학여행 (修學旅行) [수항녀행] 학생들이 실지로 보고 들어서 지식을 넓힐 수 있도록 교사의 인솔로 실시하는 여행.

수:학 익힘책 (數學—冊) [수하기킴책] 초등학교에서, 수학에서 배운 것을 연습할 수 있도록 문제를 많이 풀게 만든 교과서.

수:학자 (數學者) [수학짜] 수학을 전문적으로 연구하는 학자.

수해 (水害) 홍수로 인하여 집이나 논밭이 떠내려가고 살림살이가 물에 잠기는 재해. ㉠수해 복구 작업 / 수해를 입다. ㊉수재.

수행[1] (遂行) 생각하거나 계획한 대로 해냄. ㉠지시대로 임무를 수행하다. **—하다.**

수행[2] (隨行) 높은 지위에 있는 사람이나 일정한 임무를 띠고 가는 사람을 따라감. ㉠대통령을 수행하다. **—하다.**

수행[3] (修行) **1** 행실·학문·기예 따위를 닦음. ㉠수행을 쌓다. **2** 불도에 힘씀. **—하다.**

수행원 (隨行員) 높은 지위에 있는 사람을 따라다니며 그 사람을 돕거나 보호하는 사람. ㉠수행원을 동반하다.

수험 (受驗) 시험을 치름. ㉠수험표 / 수험 준비를 하다.

수험생 (受驗生) 입학 시험 따위를 치르는 사람.

수혈 (輸血) 중환자나 출혈이 심한 사람에게 그 혈액형과 같은 건강한 사람의 피를 혈관에 넣는 일. ㉠수혈을 받다. **—하다.**

수협 (水協) '수산업 협동조합'의 준말.

수혜 (受惠) 은혜를 입음. 혜택을 받음. 덕을 봄.

수호 (守護) 중요한 사람이나 대상을 지키고 보호함. ㉠조국을 수호하다. **—하다.**

수호신 (守護神) 국가나 민족 또는 개인 등을 지키고 보호해 주는 신.

수화 (手話) 농아들이 말 대신에 손짓으로 서로 주고받는 말.

수화기 (受話器) 전화기에서, 전화가 오면 귀에 대고 듣는 부분. ㊥송화기.

수확 (收穫) **1** 농작물 따위를 거두어들임. 또는 그 거둔 농작물. ㉠쌀 수확이 작년보다 줄었다. **2** 어떤 일을 하고 나서 얻은 성과. ㉠이번 여행에서 얻은 수확이 크다. **—하다.**

수확량 (收穫量) [수황냥] 농작물을 거두어들인 양. ㉠벼의 수확량이 늘다.

수:회 (數回) 두서너 번. 여러 번. ㉠수회에 걸친 회담.

*__수:효__ (數爻) 사물의 수. ㉠수효를 세다. ㊉수량.

수훈 (殊勳) 뛰어난 공훈. ㉠결승전에서 수훈을 세우다.

숙고 (熟考) [숙꼬] 잘 생각함. 깊이 생각함. ㉠숙고하여 일을 처리하다. **—하다.**

*__숙녀__ (淑女) [숭녀] **1** 교양과 예의와 품격을 고루 갖춘 여자. **2** 다 자란 여자를 아름답게 이르는 말. ㉠숙녀 티가 나다. ㊥신사. ➡ lady

숙다 [숙따] **1** 앞으로 또는 한쪽으로 기울어지다. ㉠연의 머리가 숙었다. **2** 기운이 줄다. ㉠기세가 숙어들다.

숙달 (熟達) [숙딸] 어떤 일에 익숙하고 통달함. ㉠영어에 숙달하다. ㊥미숙. **—하다.**

숙덕거리다 [숙떡꺼리다] 여럿이 모여서 은밀히 수군거리다. ㉥큰일이나 난 듯이 숙덕거리다. 작 속닥거리다. 센 쑥덕거리다.

숙련 (熟練) [숭년] 어떠한 일에 아주 익숙함. ㉥숙련공 / 숙련된 솜씨. **—하다.**

숙맥 (菽麥) [숭맥] **1** 콩과 보리. **2** 콩과 보리를 구별하지 못한다는 뜻에서, 어리석고 못난 사람을 비유하는 말. ㉥숙맥 같은 사람.

숙면 (熟眠) [숭면] 잠이 깊이 듦. 또는 그 잠. ㉥숙면에 빠지다 / 숙면을 취하다. **—하다.**

숙명 (宿命) [숭명] 날 때부터 정해진 운명. ㉥숙명의 대결.

숙모 (叔母) [숭모] 숙부의 아내. 비 작은어머니. 반 숙부.

숙박 (宿泊) [숙빡] 여관이나 호텔 따위에 머물러 묵음. ㉥숙박 시설 / 여관에서 숙박하다. **—하다.**

숙부 (叔父) [숙뿌] 아버지의 동생. 비 작은아버지. 삼촌. 반 숙모.

숙성 (熟成) [숙썽] 충분히 발효가 됨. 잘 익음. ㉥김치는 숙성 기간을 잘 조절해야 제맛이 난다. **—하다.**

숙성하다 (夙成—) [숙썽하다] 나이에 비하여 육체적·정신적 발육이 빠르다. ㉥말하는 걸 보면 여간 숙성한 게 아니다. 비 조숙하다.

숙소 (宿所) [숙쏘] 집을 떠나 임시로 묵는 곳. ㉥숙소를 정하다.

숙식 (宿食) [숙씩] 자고 먹음. ㉥숙식을 제공하다. **—하다.**

숙어 (熟語) [수거] 두 개 이상의 낱말이 합쳐져 하나의 뜻을 이루어, 하나의 낱말과 같은 구실을 하는 말.

숙어지다 [수거지다] **1** 고개나 머리 따위가 앞으로 기울어지다. ㉥고개가 저절로 숙어지다. **2** 기운이 줄어지다. ㉥더위가 숙어지다.

숙연하다 (肅然—) [수견하다] 고요하고 엄숙하다. ㉥숙연한 분위기 / 숙연하게 묵념하다.

숙원 (宿願) [수권] 오래전부터 가지고 있는 소원. ㉥숙원을 이루다.

***숙이다** [수기다] 고개나 몸을 앞으로 구부리다. ㉥머리를 숙이다.

숙적 (宿敵) [숙쩍] 오래전부터의 원수 또는 적수. ㉥숙적을 물리치다.

숙정 (肅正) [숙쩡] 엄하게 다스려 바로잡음. ㉥부조리를 숙정하다. **—하다.**

***숙제** (宿題) [숙쩨] **1** 집에서 해 오도록 학교에서 내주는 과제. ㉥숙제가 많다. ➲ homework **2** 두고 생각하여 볼 문제. ㉥남북통일은 우리 민족의 숙제이다. 비 과제.

숙종[1] (肅宗) 〖인명〗 고려 제15대 임금. 화폐 제도를 시작함. 고려의 전성기를 이룸. [1054–1105 ; 재위 1095–1105]

숙종[2] (肅宗) 〖인명〗 조선 제19대 임금. 주전도감을 두고 상평통보를 만들어 통용시킴. [1661–1720 ; 재위 1674–1720]

숙주 (宿主) [숙쭈] 기생 생물이 기생하는 대상으로 삼는 생물. ㉥중간 숙주.

숙주나물 [숙쭈나물] **1** 녹두를 물에 불리어 싹을 낸 나물. **2** 숙주를 데쳐서 양념에 무친 반찬.

숙지 (熟知) [숙찌] 익숙하게 또는 충분히 앎. ㉥숙지해야 할 사항. **—하다.**

숙직 (宿直) [숙찍] 관청·회사 따위의 직장에서 밤에 잠을 자며 건물이나 시설물을 지키는 일. 또는 그 사람. ㉥숙직을 서다. **—하다.**

숙직실 (宿直室) [숙찍씰] 숙직하는 사람이 자는 방.

숙질간 (叔姪間) [숙찔간] 아저씨와 조카 사이.

숙청 (肅淸) 독재 국가 등에서 권력에 반대하거거나 방해하는 사람이나 집단을 힘을 못쓰게 하거나 없애는 일. **—하다.**

순¹ (筍) 식물의 싹. ㉡대나무 순 / 순을 치다 / 순이 돋다.

순² (純) 다른 것이 섞이지 않은. 순수한. 순전한. ㉡순 살코기.

-순 (順) 어떤 말 뒤에 붙어 차례를 나타내는 말. ㉡가나다순 / 나이순 / 선착순.

***순간** (瞬間) **1** 아주 짧은 시간. 눈 깜짝할 사이. 잠깐 동안. ㉡한눈판 순간에 일어난 사고. **2** 어떤 일이 일어난 바로 그때. ㉡골을 넣는 순간 환호성이 터졌다.

순간적 (瞬間的) 아주 짧은 시간인 (것). ㉡순간적인 실수.

순결 (純潔) 몸과 마음이 아주 깨끗함. ㉡순결한 사랑. **—하다.**

순경 (巡警) 경찰 공무원 계급의 하나. 경장의 아래로 맨 아래 계급임.

순교 (殉敎) 자기가 믿는 종교를 위하여 목숨을 바치는 일. ㉡순교자. **—하다.**

순국 (殉國) 나라를 위하여 목숨을 바침. **—하다.**

순국선열 (殉國先烈) [순국써녈] 나라를 위하여 목숨을 바친 열사. ㉡순국선열에 대하여 묵념.

순금 (純金) 다른 금속이 섞이지 않은 순수한 황금. ㉡순금 목걸이.

순대 돼지 창자 속에 쌀·두부·숙주나물·선지·당면 따위를 양념하여 넣고 삶은 음식.

순도 (純度) 품질의 순수한 정도. ㉡순도가 높다.

순두부 (—豆腐) 눌러서 굳히지 않은 두부.

순례 (巡禮) [술례] 종교의 발생지, 절의 소재지, 성인의 무덤이나 거주지 따위를 차례로 찾아다니며 참배함. ㉡성지 순례. **—하다.**

순:리 (順理) [술리] 도리나 이치에 순종함. ㉡순리대로 살다 / 순리적으로 해결하다.

순면 (純綿) 다른 것이 섞이지 않은 무명실만으로 짠 직물.

순모 (純毛) 아무것도 섞이지 않은 순수한 털실이나 모직물. ㉡순모 바지 / 순모 양복.

순박하다 (淳朴—) [순바카다] 성질이 순하고 진실하며 아무런 꾸밈이 없다. ㉡순박한 사람들. 비 소박하다.

순발력 (瞬發力) 외부의 자극에 반응하여 몸을 빨리 움직일 수 있는 능력. ㉡순발력이 뛰어난 선수.

순방 (巡訪) 여러 곳을 차례로 방문함. ㉡유럽 순방에 나서다. **—하다.**

순:번 (順番) 차례대로 돌아오는 순서. ㉡순번을 정하다.

순사 (巡査) 일제 강점기 때, 경찰관의 가장 낮은 계급.

순:산 (順産) 아이를 아무 탈 없이 순조롭게 낳음. ㉡순산을 기원하다. **—하다.**

***순:서** (順序) 정해진 차례. ㉡순서를 지키다. 비 차례.

순:서도 (順序圖) 컴퓨터에서 프로그램을 작성할 때 일의 처리 순서를 도표로 나타낸 것.

순:서쌍 (順序雙) 수학에서, 두 원소를 짝으로 하여 하나의 새로운 원소를 만든 것.

순수 (純粹) **1** 다른 것이 조금도 섞이지 않음. ㉡순수한 금. **2** 사사로운 욕심이나 못된 생각이 없음. ㉡순수한 우정. 반 불순. **—하다.**

순:순하다 (順順—) 성질이 온순하고 고분고분하다. 비 순하다.

순:순히 (順順—) 순순하게. ㉡순순히 자백하다.

순시 (巡視) 경계·감독하기 위하여 돌아다니며 사정을 살펴봄. 또는 그런 사람. ㉡지방 관청을 순시하다. **—하다.**

순시선 (巡視船) 해상의 안전과 치안의 확보와 같은 임무를 띠고 바다를 돌아다니며 감독하는 배.

순식간 (瞬息間) [순식깐] 눈 깜짝할 사이. 극히 짧은 동안. ㉾바람이 불어 불길이 순식간에 사방으로 번지다. ㉥순간.

순ː위 (順位) [수뉘] 순서를 나타내는 위치나 지위. ㉾순위를 정하다.

순은 (純銀) [수는] 다른 것이 섞이지 않은 순수한 은.

순ː응 (順應) [수능] 환경이나 변화에 적응하여 익숙해지거나 순순히 잘 따름. ㉾현실에 순응하다 / 자연에 순응하다. **—하다.**

순이익 (純利益) [순니익] 총이익에서 총비용을 뺀 순전한 이익.

순전하다 (純全—) 순수하고 완전하다.

순전히 (純全—) 순전하게. ㉾이번 사고는 순전히 네 탓이다.

순정 (純情) 순수한 감정이나 애정. ㉾순정을 바치다.

순ː조로이 (順調—) 순조롭게. ㉾문제가 순조로이 해결되다.

순ː조롭다 (順調—) [순조롭따] 아무 탈 없이 예정대로 잘되어 가다. ㉾첫출발이 순조롭다. [활용] 순조로워 / 순조로우니.

순ː종¹ (順從) 순순히 복종함. ㉾부모님 말씀에 순종하다. **—하다.**

순종² (純種) 다른 계통과 섞이지 않은 순수한 종. ㉾순종의 진돗개.

순지르기 (筍—) 풀·나무·농작물 따위의 길게 돋은 싹을 잘라 내는 일. ㉥순지름.

순직 (殉職) 직무를 다하다가 목숨을 잃음. ㉾과로로 교단에서 순직하다. **—하다.**

순진하다 (純眞—) 마음이 꾸밈이 없고 참되다. ㉾순진한 아이.

순ː차 (順次) 돌아오는 차례. ㉾순차로 들어가다.

순찰 (巡察) 범죄나 사고를 예방하기 위하여 여러 곳을 돌아다니며 사정을 살핌. ㉾순찰을 돌다. **—하다.**

순찰사 (巡察使) [순찰싸] 조선 때, 병란이 있을 때 지방의 군무를 순찰하던 임시 벼슬.

순찰차 (巡察車) 범죄나 사고의 예방을 위하여 순찰하는 자동차.

순ː탄하다 (順坦—) **1** 아무 탈 없이 순조롭다. ㉾순탄한 생활 / 일이 순탄하게 진행되다. **2** 길이 험하지 않고 평탄하다. ㉾길이 순탄하다.

순ː풍 (順風) **1** 순하게 부는 바람. **2** 배가 가는 쪽으로 부는 바람. ㉾순풍에 돛을 달다. ㉤역풍.

*__순ː하다__ (順—) **1** 성질이 부드럽다. ㉾순한 아이. **2** 맛이 독하지 않다. ㉾순한 담배.

순행 (巡行) 공부나 여행을 위해 여러 곳으로 돌아다님. ㉾유럽의 여러 나라를 순행하다. **—하다.**

순화¹ (純化) 불순한 것을 없애 버리고 순수하게 함. **—하다.**

순화² (醇化) **1** 덕으로 정성스럽게 가르쳐서 그 마음을 바르고 아름답게 함. ㉾불량 학생을 순화하다. **2** 잡스러운 것을 없애고 순수하게 함. ㉾국어의 순화. **—하다.**

순환 (循環) 주기적으로 자꾸 되풀이하여 돎. ㉾혈액 순환. **—하다.**

순환계 (循環系) [— / 순환게] 몸 전체에 피를 돌게 하여 영양을 공급하고 쓸데없는 물질을 내보내는 계통의 조직.

순환기 (循環器) 피를 돌게 하여 몸의 각 조직에 영양분을 나르고 쓸데없는 물질을 배설하는 기관. 심장·혈관·림프관 따위.

순환 도ː로 (循環道路) 일정한 지역을 순환할 수 있도록 닦아 놓은 도로. ㉾남부 순환 도로.

순회 (巡廻) 여러 곳을 차례로 돌아다님. ㉾전국을 순회하며 공연을 갖다. **—하다.**

*__숟가락__ [숟까락] 밥이나 국 따위를

떠먹는 기구. ㉠숟가락으로 국물을 떠먹다. ㉥숟갈. ㉢수저. ➡spoon

숟갈 [숟깔] '숟가락'의 준말.

*__술__[1] 알코올 성분이 있어 마시면 취하는 음료를 통틀어 일컫는 말. 막걸리·소주·맥주 따위. ㉠술을 마시다 / 술에 취하다.

술:[2] 가마·기·띠·끈 따위에 장식으로 다는 여러 가닥의 실.

술[3] 한 숟가락의 분량. ㉠밥 한 술을 뜨다.

-술 (術) '재주·기술'의 뜻. ㉠분장술 / 최면술 / 사교술.

술김 [술낌] 술에 취한 김. ㉠술김에 용기를 내어 말하다.

*__술래__ 술래잡기 놀이에서, 숨은 아이들을 찾아내는 아이.

술래잡기 [술래잡끼] 여럿 가운데 한 아이가 술래가 되어 숨은 아이들을 찾아내는 놀이. **—하다.**

술렁거리다 자꾸 어수선하게 소란이 일다. ㉠소풍 갈 때가 되면 괜히 술렁거린다.

술렁이다 어수선하게 소란이 일다. ㉠연말이 되면 공연히 술렁인다.

술밥 [술빱] 술을 담글 때 쓰는, 찹쌀·멥쌀 따위를 시루에 쪄서 만든 밥. ㉠술밥을 찌다.

술병 (—甁) [술뼝] 술을 담는 병.

술상 (—床) [술쌍] 술과 안주를 차려 놓은 상. ㉠술상을 차리다. ㉡주안상.

술수 (術數) [술쑤] ⇨술책. ㉠술수를 쓰다 / 술수에 능한 사람.

술술 **1** 물·가루 등이 조금씩 가볍게 새어 나오는 모양. **2** 문제나 얽힌 실 따위가 수월하게 잘 풀리는 모양. ㉠어려운 시험 문제가 술술 풀리다. **3** 말이 막힘없이 잘 나오는 모양. ㉠거짓말이 거침없이 술술 나왔다. ㉣솔솔.

술잔 (—盞) [술짠] 술을 따라 마시는 그릇. ㉠술잔을 채우다.

술집 [술찝] 술을 파는 집. ㉡주점.

술책 (術策) 어떤 일을 꾸미는 꾀나 방법. ㉠술책을 부리다. ㉡술수.

술회 (述懷) 마음속에 품은 여러 가지 생각을 말함. 또는 그 말. **—하다.**

*__숨:__ **1** 사람이나 동물이 코나 입으로 공기를 들이마시고 내쉬는 일. ㉠숨을 쉬다. ㉡호흡. ➡breath **2** 채소 따위의 빳빳하고 생생한 기운. ㉠배추에 소금을 쳐 숨을 죽이다.

숨(을) 거두다 죽다. ㉠그는 갑작스러운 사고로 숨을 거두었다.

숨(을) 돌리다 ㉠가쁜 숨을 가라앉히다. ㉡바쁜 중에 잠시 휴식을 취하다. ㉠숨 돌릴 틈도 없다.

숨(이) 가쁘다 어떤 일이나 사태가 몹시 힘에 겹거나 급박하다.

숨(이) 막히다 숨이 막힐 정도로 긴장하거나 답답함을 느끼다. ㉠숨 막히는 순간.

숨이 턱에 닿다 몹시 숨이 차다.

숨:결 [숨껼] 숨을 쉬는 속도나 높낮이. ㉠숨결이 거칠다.

숨:골 [숨꼴] ⇨연수[1].

숨:구멍 [숨꾸멍] **1** ⇨숫구멍. **2** 답답한 상황에서 조금 벗어나게 됨의 비유. ㉠자금난에 숨구멍이 트이다.

*__숨기다__ 남이 모르게 보이지 않는 곳에 감추다. 드러나지 않게 하다. ㉠범인을 집에 숨겨 주다.

숨김없이 [숨기멉씨] 숨기는 일이 없이. 있는 그대로 모두. ㉠지난 과거를 숨김없이 털어놓다.

숨:넘어가다 [숨너머가다] 숨이 끊어져 죽다. ㉠숨넘어가는 소리를 하다.

*__숨:다__ [숨따] **1** 남에게 보이지 않으려고 몸을 감추다. ㉠문 뒤에 숨다. **2** 어떤 사실이 드러나지 않다. ㉠숨은 노력.

*__숨바꼭질__ [숨바꼭찔] 술래가 숨어 있는 사람을 찾아내는 아이들 놀이의 하나. **—하다.**

숨:소리 [숨쏘리] 숨을 쉬는 소리. ㉠숨소리가 거칠다 / 모두들 숨소리를 죽이고 선생님 말씀에 귀를 기울였다.

숨:쉬기 ⇨호흡.

숨:죽이다 [숨주기다] **1** 숨을 멈추다. **2** 숨소리가 들리지 않게 조용히 하다. ㉠숨죽이고 엿듣다.

숨:지다 숨이 끊어져 죽다. ㉠젊은 나이에 교통사고로 숨지다. ㉥죽다. 운명하다.

숨:차다 숨이 가빠서 숨을 쉬기가 어렵다. ㉠숨차서 헐떡거리다.

숨:통 (―筒) ⇨기관[3].

숨:표 (―標) 악보에서, 쉼표 없는 곳에서 숨을 쉬라는 표. 기호는 ‘,’ 또는 ‘∨’.

숫- [숟] ‘양’·‘염소’·‘쥐’ 앞에 붙어 수컷임을 나타내는 말. ㉠숫양 / 숫염소 / 숫쥐.

> **주의** **수컷을 나타내는 숫과 수**
> 숫양·숫염소·숫쥐만 ‘숫’으로 하고 그 밖에는 ‘수’로 통일한다.
> ㉠수꿩, 수나사, 수소, 수놈.
> 다만, 아래에 나오는 낱말들은 ‘수’ 다음에 나는 거센소리를 인정한다.
> ㉠수캉아지, 수캐, 수컷, 수키와, 수탉, 수탕나귀, 수톨쩌귀, 수퇘지, 수평아리.

숫구멍 [숟꾸멍] 갓난아이의 정수리가 채 굳지 않아서 숨 쉴 때마다 뛰는 곳. ㉥숨구멍.

숫기 (―氣) [숟끼] 활발하여 부끄럼이 없는 기운. ㉠숫기가 좋은 아이 / 숫기가 없는 사람.

숫돌 [숟똘] 칼 따위를 갈아서 날을 세우는 데 쓰는 돌. ㉠숫돌에 칼을 갈다.

숫되다 [숟뙤다] 순진하고 어수룩하다. ㉠숫된 시골 처녀.

숫양 (―羊) [순냥] 양의 수컷. ㉤암양.

숫염소 [순념소] 염소의 수컷. ㉤암염소.

***숫:자** (數字) [수짜 / 숟짜] **1** 수를 나타내는 글자. 一, 二, 三… 또는 1, 2, 3… 따위. ㉠숫자를 세다 / 숫자를 적다. **2** 숫자로 나타나는 수량적인 일이나 지식. ㉠숫자에 밝다. ㉥수.
▶ number

> **참고** (1) 수를 적을 적에는 ‘만(萬)’ 단위로 띄어 씀.
> ㉠ 십오억 육천구백칠십오만 일천구백구십일…15억 6975만 1991.
> (2) 숫자의 종류에는, 보통 쓰는 1, 2, 3…의 아라비아 숫자, 一, 二, 三…의 한자 숫자, Ⅰ, Ⅱ, Ⅲ…의 로마 숫자 따위가 있음.

숫제 [숟쩨] **1** 하기 전에 차라리. 아예. ㉠하기 싫거든 숫제 오지도 마라. **2** 거짓이 아니고 참말로. ㉠숫제 굶겠다지 뭐야.

숫쥐 [숟쮜] 쥐의 수컷. ㉤암쥐.

숭고하다 (崇高―) 뜻이 높고 고상하다. ㉠숭고한 희생정신.

숭늉 밥을 푼 솥에 물을 부어 데운 물. 구수한 맛이 나며 흔히 식사 후에 마심. ㉠숭늉이 구수하다.

숭례문 (崇禮門) [숭녜문] 서울 사대문의 하나로, 남대문의 본래 이름. 서울 남쪽에 있는 성문. 국보 제1호.

숭배 (崇拜) 마음속으로 우러러 공경함. ㉠조상을 숭배하다. **―하다.**

숭상 (崇尙) 높여 소중히 여김. ㉠불교를 숭상하다. **―하다.**

숭숭 **1** 조금 큰 구멍이 많이 뚫린 모양. ㉠구멍이 숭숭 뚫린 벽. **2** 물건을 듬성듬성 빨리 써는 모양. ㉠배추를 숭숭 썰다. ㉦송송.

숭:어 숭엇과의 바닷물고기. 몸길

이 70 cm 정도. 머리는 작은 편이며 두께가 얇고 폭이 넓음. 몸빛은 등이 회청색, 배가 은백색이고 온몸에 빳빳한 비늘이 있음. 어릴 때는 민물에서 살다가 크면 바다로 내려감.

*숯 [숟] 나무를 숯가마에 넣어서 구워 낸 검은 덩어리. 연료로 씀. ㉠숯을 피우다. 비 목탄.

숯가마 [숟까마] 숯을 구워 내는 구덩이.

숯불 [숟뿔] 숯이 타는 불. ㉠숯불에 고기를 굽다.

숱 [숟] 머리털 따위의 부피나 분량. ㉠머리의 숱이 많다.

숱하다 [수타다] 1 아주 많다. ㉠돈을 숱하게 벌다. 2 흔하다. ㉠숱하게 볼 수 있는 물건.

*숲 [숩] 나무가 무성하게 들어찬 곳. ㉠숲 속 / 소나무 숲 / 숲이 울창하다. 본 수풀.

숲길 [숩낄] 숲 속에 있는 길.

쉬[1] 파리의 알. ㉠파리가 쉬를 슬었다.

쉬:[2] '쉬이'의 준말.

쉬:[3] 1 떠들거나 큰 소리 내지 말라는 뜻으로 하는 소리. ㉠쉬, 조용히 해라. 비 쉿. 2 어린아이에게 오줌을 누일 때 하는 소리. 비 쉬야.

쉬:다[1] 입이나 코로 공기를 들이마셨다 내보냈다 하다. ㉠크게 숨을 쉬다. ➲ breathe

*쉬:다[2] 1 피로를 풀려고 몸을 편안히 두다. ㉠주말엔 집에서 쉰다. 2 하던 일을 잠시 그만두다. ㉠개교기념일이라 학교가 쉽니다 / 남은 일은 좀 쉬었다 하자. 3 잠을 자다. ㉠밤새 편히 쉬게. ➲ rest

쉬:다[3] 목청에 탈이 생겨 목소리가 흐려지다. ㉠감기로 목이 쉬다.

쉬:다[4] 음식이 상하여 맛이 시금하게 되다. ㉠쉰 밥 / 여름엔 음식이 금방 쉰다.

쉬:쉬하다 남이 알까 걱정하여 숨기다. ㉠쉬쉬한다고 누가 모르나.

쉬엄쉬엄 쉬어 가면서 일하는 모양. ㉠시간은 넉넉하니 서두르지 말고 쉬엄쉬엄 해라.

쉬이 1 쉽게. 쉽사리. ㉠쉬이 여길 일이 아니다. 2 오래지 않아. ㉠쉬이 한번 찾아뵙겠습니다. 준 쉬.

쉭 공기나 입김 따위가 좁은 구멍으로 새어 나오는 소리.

*쉰: 열의 다섯 배. ㉠쉰 살. 비 오십. ×쉬흔.

쉰:내 음식 따위가 쉬어서 나는 시금한 냄새. ㉠쉰내 나는 음식.

쉼:터 쉬는 장소.

쉼:표 (一標) 1 반점·모점·가운뎃점·쌍점·빗금 따위의 문장에서 짧게 쉬는 부분을 나타내는 부호. 2 악보에서, 음이 멈추는 동안의 길이를 나타내는 기호. ㉠사분쉼표.

*쉽:다 [쉽따] 1 어렵지 않다. ㉠쉬운 문제 / 수학 문제를 쉽게 풀다. 반 어렵다. 2 흔하거나 예사롭다. ㉠이번 일은 쉽게 포기하지 않겠다. 3 가능성이 많다. ㉠깨지기 쉬운 그릇 / 칼을 갖고 놀면 다치기 쉽다. 활용 쉬워 / 쉬우니. ➲ easy

쉽:사리 [쉽싸리] 아주 쉽게. 순조롭게. ㉠일이 쉽사리 풀리다 / 누구하고든지 쉽사리 친해진다.

쉿 [쉳] 소리를 내지 말라는 뜻으로 급하게 내는 소리. ㉠쉿, 누가 엿듣는 것 같다. 비 쉬[3].

슈바이처 (Schweitzer, Albert) 〖인명〗 독일의 의사·철학자·목사 및 음악가로서 아프리카의 가봉에 병원을 세워 원주민의 치료에 힘쓰고, 핵 실험 금지를 주장해 세계 평화에 공헌함. 1952년 노벨 평화상을 받음. 저서에 '문화 철학' 등이 있음. [1875–1965]

슈베르트 (Schubert, Franz Peter) 〖인명〗 오스트리아의 작곡가. 독일 낭만주의 음악 및 근대 독일 가곡의 창시자. '교향곡 제 8 번(미완성 교향곡)', '겨울 나그네', '아름다운 물방앗간 아가씨' 등이 유명함. [1797–1828]

슈크림 (프 chou+cream) 반죽한 밀가루를 구워 내어 그 속에 크림을 넣어 만든 서양 과자.

슈트라우스 (Strauss, Johann) 《인명》 오스트리아의 작곡가. 비엔나 왈츠를 예술의 경지에까지 끌어올려, '왈츠의 왕'으로 불림. [1825–1899]

슈팅 (shooting) 축구·농구 등에서, 골이나 바스켓을 향해 공을 차거나 던져서 넣는 일. **—하다.**

슈퍼 (super) '슈퍼마켓'의 준말.

슈퍼마켓 (supermarket) 물건을 살 사람이 필요한 물건을 마음대로 직접 골라 계산대에서 물건 값을 치르게 되어 있는 규모가 큰 가게. 준 슈퍼.

> **참고** 원어인 supermarket의 철자 t에 영향을 받아서 '슈퍼마켇'으로 잘못 쓰는 경우가 많은데, '외래어 표기법'에서 ㅌ은 받침으로 쓰지 않는다.

슈퍼맨 (superman) 보통 사람과는 달리 놀랍고 엄청난 힘을 가진 사람. 초인.

슛 (shoot) 축구·핸드볼·농구 따위에서 바스켓이나 골을 향해 공을 던지거나 차는 일. 예 슛을 날리다.

스낵 (snack) 가벼운 식사나 간식. 예 스낵 코너.

스냅 (snap) ⇨똑딱단추.

스노보드 (snowboard) 널빤지 위에 몸을 싣고 눈이 쌓인 비탈을 미끄러지듯 내려오는 운동. 또는 그런 운동 기구로 쓰는 널빤지. 스키와는 달리 옆으로 선 자세로 탐.

스님 **1** 승려가 자신의 스승을 부르는 말. **2** 승려를 높여 부르는 말.

스러지다 **1** 나타난 형태가 차츰 희미하여지면서 없어지다. **2** 불기운이 약해져서 꺼지다.

-스럽다 [스럽따] 어떤 말 뒤에 붙어 '그런 느낌이 있다'는 뜻을 나타내는 말을 만드는 말. 예 사랑스럽다 / 사치스럽다 / 영광스럽다. 활용 -스러워 / -스러우니.

-스레하다 ⇨-스름하다.

스르르 **1** 얽히거나 묶인 것이 저절로 풀리는 모양. 예 옷고름이 스르르 풀리다. **2** 졸린 눈이 힘없이 감기는 모양. 예 눈이 스르르 감기다. **3** 얼음이나 눈이 저절로 녹는 모양. 예 입 안의 사탕이 스르르 녹다. **4** 미끄러지듯 슬며시 움직이는 모양. 예 바람이 불어 문이 스르르 열리다. 작 사르르.

-스름하다 빛깔이나 어떤 모양을 나타내는 말에 붙어 '빛이 아주 옅거나 그 모양과 비슷하다'는 뜻을 나타냄. 예 거무스름하다 / 둥그스름하다. 비 -스레하다.

스리랑카 (Sri Lanka) 《국명》 인도 반도 남동쪽의 인도양에 있는, 섬으로 된 공화국. 수도는 스리자야와르데네푸라.

스릴 (thrill) 간담을 서늘하게 하거나 아슬아슬한 느낌. 전율. 예 스릴이 넘치는 추리 소설.

스마일 (smile) 미소. 웃음. 예 스마일 운동을 펴다.

스마트하다 (smart—) 몸가짐이 단정하고 말쑥하다. 예 스마트한 학생 / 옷차림이 스마트하다.

스멀거리다 살갗에 작은 벌레가 기는 것처럼 근질거리다. 예 몸이 스멀거리다.

스며나오다 액체·기체·빛 따위가 틈 사이로 조금씩 나오다. 예 식당에서 스며나오는 음식 냄새.

스며들다 속으로 배어들다. 예 뼛속까지 스며드는 추위. 활용 스며들어 / 스며드니 / 스며드는.

스모그 (smog) 자동차에서 나오는 배기가스나 공장에서 내뿜는 연기가 하늘에 안개처럼 끼어 있는 것. ㉥스모그 현상이 나타나다.

스무 스물을 나타내는 말. ㉥스무 마리 / 스무 장.

스무고개 스무 번까지 질문을 하여 어떤 문제를 알아맞히는 놀이.

*__스물__ 열의 두 배. ㉥나이는 갓 스물이다. ㊐이십.

스미다 **1** 물·기름 따위의 액체가 배어들다. ㉥땅에 빗물이 스미다. **2** 기체·바람 따위가 안으로 흘러들다. ㉥찬바람이 옷깃에 스미다. **3** 마음속 깊이 느껴지다. ㉥뼛속까지 스미는 외로움.

스산하다 **1** 날씨가 흐리고 차다. ㉥날씨가 스산하다. **2** 쓸쓸하고 어수선하다. ㉥스산한 거리. **3** 마음이 안정되지 않고 어수선하다. ㉥마음이 스산하다.

스스럼없다 [스스러멉따] 부끄럽거나 조심스러운 마음이 없다. ㉥스스럼없는 친구.

스스럼없이 [스스러멉씨] 스스럼없게. ㉥스스럼없이 지내는 사이.

*__스스로__ **1** 저절로. ㉥꽃은 스스로 핀다. **2** 자진하여. ㉥스스로 공부하다. **3** 자기 힘으로. ㉥자기 일은 스스로 해야 한다. **4** 자기 자신. ㉥스스로를 높이다.

*__스승__ 자기를 가르쳐 주는 사람. ㉥스승의 은혜. ㊐선생. ㊊제자.

스승의 날 [—/스승에—] 선생님의 은혜에 감사하고 존경심을 되새기기 위해 정한 날. 매년 5월 15일임.

스웨덴 (Sweden) 〖국명〗 북유럽 스칸디나비아 반도의 동부에 있는 입헌 군주국. 수도는 스톡홀름.

스웨터 (sweater) 털실로 두툼하게 짠 윗옷.

스위스 (Swiss) 〖국명〗 유럽 중부에 있는 연방 공화국. 영세 중립국이며, 경치가 아름다워 관광국으로 유명하고, 시계와 같은 정밀 기계 공업이 성함. 수도는 베른.

*__스위치__ (switch) 전기의 흐름을 이었다 끊었다 하는 장치. 전기 개폐기. ㉥전원 스위치 / 스위치를 내리다 / 스위치를 켜다.

스윙 (swing) **1** 권투에서, 팔을 옆으로 크게 휘둘러 상대편을 치는 일. **2** 야구에서, 타자가 방망이를 휘두르는 일. ㉥스윙 아웃.

스치다 **1** 서로 살짝 닿으면서 지나가다. ㉥바람이 옷깃을 스치다 / 향기가 코끝을 스치다. **2** 어떤 생각 따위가 문득 떠올랐다가 사라지다. ㉥불길한 예감이 스치고 지나갔다.

스카우트 (scout) **1** 우수한 운동선수나 연예인 같은 재능 있는 사람을 찾아내어 뽑는 일. ㉥스카우트 제의를 받다. **2** '보이 스카우트'·'걸 스카우트'의 준말. **—하다.**

스카이다이빙 (skydiving) 비행 중인 비행기에서 뛰어내려, 공중을 활공하다가 낙하산을 펴고 내려와 목표 지점에 내리는 정확도나 공중에서의 연기를 겨루는 스포츠.

스카프 (scarf) 여성이 쓰는 목도리·머릿수건 따위. 방한용으로 목에 두르거나 장식용으로 씀. ㉥스카프를 목에 두르다.

스칸디나비아 반:도 (Scandinavia 半島) 〖지명〗 유럽 북서부에 있는 반도. 노르웨이·스웨덴·핀란드가 속해 있음.

스캐너 (scanner) 그림이나 사진 또는 문자 따위를 복사하듯 읽어서 컴퓨터의 그래픽 정보로 바꾸는 입력 장치.

스캔들 (scandal) 충격적이고 부도덕한 사건. 좋지 못한 소문. ㉥정치적 스캔들에 휘말리다.

스커트 (skirt) 서양식 치마.

스컹크 (skunk) 족제빗과의 동물. 땅속 구멍에 살며 밤에 활동함. 온몸이 긴 털로 덮였으며 꼬리의 털은 특히 길고, 항문으로 독한 냄새를 내뿜어 적을 물리침.

***스케이트** (skate) 구두 바닥에 쇠날을 붙이고 얼음판 위를 지치는 운동 기구. ㉠스케이트를 타다.

스케이트보드 (skateboard) 길쭉한 두꺼운 판자 밑에 2개의 바퀴를 단 놀이 기구. 두 발을 올려놓고 선 자세로 탐.

스케이트장 (skate場) 스케이트를 타는 데 필요한 시설을 갖춘 곳.

스케일 (scale) **1** 일이나 계획의 규모. ㉠스케일이 큰 사업을 구상하다. **2** 사람의 됨됨이나 도량. ㉠스케일이 큰 사람.

스케줄 (schedule) 시간에 따라 구체적으로 세운 계획. 또는 그 계획표. ㉠스케줄을 짜다.

스케치 (sketch) 그릴 대상을 직접 보고 그 특징을 잡아 간단히 그리는 일. 밑그림. 사생. 사생화. **—하다.**

스케치북 (sketchbook) 그림을 그릴 수 있도록 여러 장의 도화지를 한데 묶은 책.

스코어 (score) 경기할 때 얻는 점수. 득점. ㉠스코어 차가 크게 벌어지다.

스코틀랜드 (Scotland) 〖지명〗 영국의 그레이트브리튼 북부에 있는 지방. 모직물 공업이 세계적으로 유명하며 중심 도시는 에든버러임.

스쿠버 다이빙 (scuba diving) 수중 호흡 장치인 스쿠버를 등에 지고 잠수하여 체력을 단련하는 수중 스포츠.

스쿨버스 (school bus) 학생들의 통학 편의를 위하여 운영하는 학교 버스. ㉠스쿨버스로 통학하다.

스크래치 (scratch) 크레파스를 색칠한 위에 다른 색을 덧칠한 다음 송곳·칼 따위로 긁어서 바탕색이 나타나게 하는 일.

스크랩 (scrap) 신문·잡지 등에서 필요한 부분을 오려 내는 일. 또는 그 오려 낸 조각. ㉠신문에 난 기사를 스크랩하다. **—하다.**

스크랩북 (scrapbook) 신문·잡지 따위에 난 기사 중에서 필요한 부분을 오려 내어 붙이는 책.

스크린 (screen) 영화나 환등 따위를 비추기 위한 백색 또는 은색의 막. 영사막.

스키 (ski) 눈 위를 지치는 데 쓰는 좁고 긴 판 모양의 기구. 또는 이를 가지고 하는 눈 위의 운동. ㉠스키를 타다.

스키장 (ski場) 스키를 탈 수 있도록 시설을 갖춘 곳.

스타 (star) 인기 있는 연예인이나 운동선수. ㉠인기 스타.

스타디움 (라 stadium) 관람석이 있는 규모가 큰 운동 경기장. ㉠올림픽 스타디움.

스타일 (style) 모양. 자태. 형. ㉠최신 스타일.

스타카토 (이 staccato) 악보에서, 한 음표씩 끊어서 연주하는 일. 또는 그 기호. 기호는 '·'. 끊음표.

스타킹 (stocking) 목이 긴 여자용 양말. 나일론 따위로 만들어 얇고 신축성이 있음.

스타트 (start) 시작. 출발. ㉠스타트가 좋지 않다. **—하다.**

스태프 (staff) 연극·영화·방송에서, 연기자 이외의 제작에 참여하는 사람.

스탠드 (stand) **1** 운동장 따위의 관람석. ㉠스탠드를 꽉 메운 관중. **2** 물건을 올려놓는 대. ㉠잉크스탠드. **3** ⇨전기스탠드.

스탬프 (stamp) 주로 고무로 만든 도장.

스테레오 (stereo) 2개 이상의 스

피커를 사용하여 입체감을 낼 수 있게 한 음향 방식. 또는 그 장치.

스테이크 (steak) 서양 요리의 하나로, 두툼하고 넓적하게 썰어 구운 고기.

스테인리스강 (stainless鋼) 녹이 슬지 않고 약품에도 변하지 않는 강철. 비 스테인리스 스틸. 준 스테인리스.

스텝 (step) 춤에서, 동작의 기본이 되는 몸과 발의 움직임. 예 스텝을 밟다.

스토리 (story) 소설이나 희곡, 영화 따위의 내용이나 줄거리.

스톡홀름 (Stockholm) 〖지명〗 스웨덴의 수도. 발트 해안에 있는 항구 도시로 상업·교통의 중심지임. 매년 노벨상 수여식이 열림.

스톱 (stop) 정지. 멈춤. **—하다**.

스튜디오 (studio) **1** 사진사·미술가·공예가 따위의 작업실. **2** 영화의 촬영소. **3** 방송국의 방송실.

스튜어디스 (stewardess) 비행기 안에서 승객에게 봉사하는 여자 승무원.

스트라이크 (strike) **1** 야구에서, 투수가 던진 공이 타자의 겨드랑이와 무릎 사이를 통과하거나 타자가 헛치는 일. 반 볼. **2** 볼링에서, 공을 한 번 굴려서 열 개의 핀 모두를 넘어뜨리는 일.

스트레스 (stress) 육체적·정신적으로 받는 자극이나 긴장. 또는 이 때 몸에 일어나는 갖가지 반응. 예 스트레스를 받다 / 스트레스가 쌓이다 / 스트레스를 풀다.

스트레칭 (streching) 몸과 팔다리를 쭉 펴는 일. 예 스트레칭 체조.

스트렙토마이신 (streptomycin) 미국의 왁스먼이 1944년 박테리아에서 얻은 항생 물질. 특히, 폐결핵의 치료약으로 쓰임. 준 마이신.

스트로 (straw) ⇨빨대.

스티로폼 (styrofoam) 열·습기 따위를 막거나 포장 재료로 쓰는 합성수지. 상표 이름임.

스티커 (sticker) **1** 선전 광고 또는 어떤 표시를 나타내기 위하여 붙이는, 풀칠이 되어 있는 작은 종이. **2** 교통경찰이 교통 법규 위반자에게 떼어 주는 처벌의 서류. 예 주차 위반 스티커.

스틸[1] (steel) ⇨강철.

스틸[2] (still) 영화의 한 장면을 크게 인화한 선전용 사진.

스팀 (steam) 증기를 통하여 열을 내는 난방 장치. 예 스팀이 들어오다.

스파게티 (이 spaghetti) 이탈리아식 국수 요리. 가늘고 구멍이 없는 국수로 만듦.

스파이 (spy) ⇨간첩. 예 산업 스파이 / 스파이를 파견하다.

스파이크 (spike) 배구에서, 공을 상대방 쪽으로 세게 내리치는 공격.

스파크 (spark) 전기의 방전 때 일어나는 불꽃.

스패너 (spanner) 너트·볼트 따위를 죄거나 푸는 공구.

스펀지 (sponge) 고무나 합성수지를 부풀려서 만든 물질. 수분을 잘 빨아들여 물건을 닦는 재료로 많이 씀. ×스폰지.

스페이스 (space) 신문·잡지 따위의 지면의 여백.

스페인 (Spain) ⇨에스파냐.

스펙트럼 (spectrum) 빛을 프리즘 따위 분광기로 분해했을 때 생기는 무지개와 같은 빛깔의 띠.

스펠링 (spelling) 주로 유럽 어의 바른 철자(법).

스포이트 (네 spuit) 고무주머니가 끝에 달린 유리관. 잉크·물약 따위를 다른 용기에 옮기는 데 씀.

스포츠 (sports) 육상 경기·수영·스케이팅·스키·야구·테니스 등에서 등산·사냥·사격 등에 이르기까지 여가 활동·경쟁·육체 단련 등을 위한 모든 신체 운동.

스폰서 (sponsor) **1** 어떤 행사나 자선 사업 따위에 기부금을 내어 돕는 사람. ㉠스폰서를 찾다. **2** 상업 방송에서 프로그램을 제공하는 광고주. ㉠스폰서가 없는 프로그램.

스폰지 '스펀지'의 잘못.

스푼 (spoon) 주로 양식에 쓰는 숟가락. ㉠커피 스푼.

스프레이 (spray) ⇨분무기.

스프링 (spring) ⇨용수철.

스프링클러 (sprinkler) **1** 천장에 설치해 불이 나면 자동으로 물을 뿌려 불을 끄는 장치. **2** 작물이나 잔디에 자동적으로 물을 뿌리는 장치.

스피드 (speed) 물체가 움직이거나 어떤 일이 진행되는 빠르기. 속도. ㉠스피드를 내다.

스피커 (speaker) 소리를 크게 하여 멀리까지 들리게 하는 장치. 확성기.

스핑크스 (Sphinx) **1** 그리스 신화에 나오는 괴물. 상반신은 여자 모습, 하반신은 날개 돋친 사자 모습임. 행인에게 수수께끼를 내서 이를 풀지 못하면 죽였다 함. **2** 옛날 이집트에서, 왕의 권력을 나타내어 신전·피라미드 따위의 어귀에 세웠던 돌. 머리는 사람, 몸은 사자의 모습을 함.

슬그머니 **1** 남이 모르게 넌지시. ㉠슬그머니 자리를 뜨다. **2** 혼자 마음속으로 은근히. ㉠슬그머니 화가 났다. 준 슬그미. 작 살그머니.

슬근슬근 물건과 물건이 서로 맞닿아 가볍게 자꾸 비벼지는 모양. ㉠슬근슬근 톱질하다. 작 살근살근. **—하다.**

슬금슬금 아무도 모르게 남의 눈치를 살펴 가면서 슬며시 행동하는 모양. ㉠감시가 소홀한 틈을 타서 슬금슬금 도망치다. 작 살금살금.

*__슬기__ 사리를 밝히고 잘 처리해 가는 능력. ㉠슬기 있게 해결하다. 비 지혜.

*__슬기롭다__ [슬기롭따] 슬기가 있다. ㉠어려운 고비를 슬기롭게 넘기다. 비 지혜롭다. 활용 슬기로워 / 슬기로우니.

슬다 **1** 물고기·벌레 따위가 알을 깔기어 놓다. ㉠나방이 나뭇잎에 알을 슬다. **2** 쇠붙이에 녹이 생기다. ㉠칼에 녹이 슬다. 활용 슬어 / 스니 / 스는.

슬라이드 (slide) 환등기에 넣어 화면에 비추어 볼 수 있게 만든 필름.

슬라이드 글라스 (slide glass) 현미경에서, 조사하려는 것을 올려놓는 투명한 유리. 깔유리.

슬라이딩 (sliding) **1** 야구에서, 미끄러지면서 베이스를 밟는 일. **2** 배구에서, 상대가 공격한 공을 몸을 날리듯 미끄러지면서 받아치는 일. **—하다.**

슬럼프 (slump) **1** 경기의 침체. **2** 어떤 일이나 몸이 일시적으로 좋지 않거나 나아지지 않는 일.

슬레이트 (slate) 지붕을 덮는 데 쓰는 얇은 석판. 시멘트에 석면을 섞고 물을 부은 후, 압력을 가하여 판의 모양을 만듦.

슬로건 (slogan) 주장이나 주의 따위를 짧은 글로 나타낸 것. 표어.

슬로바키아 (Slovakia) 〘국명〙 동유럽에 있는 공화국. 주민은 슬로바키아 인으로 슬로바키아 어를 사용함. 농업을 주로 하며 철·구리·암염을 산출함. 1918년 체코와 합치어 '체코슬로바키아공화국'을 이루었다가, 1993년 독립함. 수도는 브라티슬라바.

슬로프 (slope) 스키장 따위의 비탈.

슬리퍼 (slipper) 발끝만 꿰게 되어 있고 뒤축이 없는 실내용 신발.

슬립 (slip) 여성의 양장용 속옷의 하나. 소매 없는 원피스 모양으로, 어깨에 가는 끈으로 걸어 입음.

슬며시 **1** 드러나지 않게 넌지시. ㉠슬며시 다가가다 / 슬며시 주의를 주다. **2** 마음속으로 은근히. ㉠슬며시 겁이 나다. 작 살며시.

슬슬 **1** 천천히 슬그머니 움직이는 모양. ㉠슬슬 피하다. **2** 눈이나 설탕 따위가 모르는 사이에 녹는 모양. **3** 남을 슬그머니 속이거나 꾀거나 달래는 모양. ㉠우는 동생을 슬슬 달래다. **4** 바람이 부드럽게 부는 모양. **5** 가볍게 문지르거나 긁는 모양. ㉠아픈 배를 슬슬 문질러 주다. **6** 서두르지 않고 천천히 행동하는 모양. ㉠슬슬 출발하자. 작 살살.

슬쩍 **1** 남이 모르는 사이에 재빠르게. ㉠슬쩍 감추다 / 슬쩍 훔쳐보다. **2** 힘들이지 않고 가볍게. ㉠슬쩍 건드려도 넘어간다. 작 살짝.

슬쩍슬쩍 [슬쩍쓸쩍] **1** 남의 눈을 피해 가면서 잇따라 재빠르게. ㉠슬쩍슬쩍 집어 가다. **2** 힘들이지 않고 잇따라 가볍게.

슬퍼하다 슬픈 마음이 되다. ㉠이별을 슬퍼하다. 반 기뻐하다.

*__슬프다__ 원통하고 서럽다. ㉠슬픈 이야기 / 슬프게 울다. 비 서럽다. 반 기쁘다. 활용 슬퍼 / 슬프니.

*__슬픔__ 슬픈 마음이나 느낌. ㉠슬픔을 달래다. 비 설움. 반 기쁨.

슬피 슬프게. ㉠슬피 울다.

슬하 (膝下) 무릎의 아래라는 뜻으로, 부모의 곁. ㉠부모님의 슬하를 떠나다.

습격 (襲擊) [습껵] 갑자기 적을 덮쳐 공격함. ㉠불시에 적진을 습격하다. **—하다.**

습곡 (褶曲) [습꼭] 지층이 옆으로부터 압력을 받아 구불구불하게 굴곡을 이루어 산이나 골짜기가 되는 일.

*__습관__ (習慣) [습꽌] 생활 속에서 되풀이되고 있는 버릇. ㉠나쁜 습관을 고치다 / 일찍 일어나는 습관을 기르자. 비 습성.

습관성 (習慣性) [습꽌썽] 습관이 되어 버린 성질. ㉠습관성 구토증 / 습관성 의약품.

습관적 (習慣的) [습꽌적] 습관이 된 (것). ㉠습관적인 행동.

*__습기__ (濕氣) [습끼] 축축한 기운. ㉠습기 찬 방 / 습기가 많다.

*__-습니까__ [슴니까] 받침 있는 말에 붙어 물음의 뜻을 나타내는 말. ㉠이 답이 맞습니까.

*__-습니다__ [슴니다] 받침 있는 말에

[학습마당] 17

'-습니다' 와 '-읍니다' 를 모두 '-습니다' 로 적는 까닭

전에는, 받침 있는 말에 붙어 현재의 상태나 동작을 나타낼 때에 '-읍니다' 를 쓰고, '-읍니다' 보다 공손한 말로서 '-습니다' 를 썼으나, 1989년 3월부터 개정된 한글 맞춤법에서는 이 둘을 모두 '-습니다' 로 통일하여 적기로 하였음.

받다 :	받습니다(○)	받음(○)
	받읍니다(×)	받슴(×)
없다 :	없습니다(○)	없음(○)
	없읍니다(×)	없슴(×)
있다 :	있습니다(○)	있음(○)
	있읍니다(×)	있슴(×)

붙어 현재의 동작이나 상태를 나타내는 말. ㊀많습니다 / 먹습니다. *-ㅂ니다. → [학습마당] 17(662쪽)

습도 (濕度) [습또] 공기의 습한 정도. 공기 중에 포함된 수증기의 양. 퍼센트로 나타냄. ㊀습도가 높다 / 방 안의 습도를 조절하다.

습도계 (濕度計) [습또계 / 습또게] 공기 중의 습도를 재는 계기.

습득[1] (拾得) [습뜩] 남이 잃은 물건을 우연히 주워서 얻음. ㊀길에서 지갑을 습득하다. 반 분실. **—하다.**

습득[2] (習得) [습뜩] 학문이나 기술 따위를 배워 익혀서 얻음. ㊀기술 습득이 빠르다. **—하다.**

습성 (習性) [습썽] **1** 버릇이 되어 버린 성질. ㊀돌아다니는 습성이 생겼다. **2** 동물의 한 종류에 공통되는 고유한 성질. ㊀야생 동물의 습성을 연구하다.

습윤 기후 (濕潤氣候) [스뷴—] 강우량이 증발량보다 많은 지방의 기후. 반 건조 기후.

습자 (習字) [습짜] 글씨 쓰기를 배워 익힘. ㊀습자지. **—하다.**

습작 (習作) [습짝] 예술가가 시·소설·그림 따위를 연습 삼아 짓거나 그려 봄. 또는 그 작품. ㊀습작을 출품하다. **—하다.**

습지 (濕地) [습찌] 습기가 많아 축축한 땅.

습진 (濕疹) [습찐] 피부의 표면에 생기는 염증. 좁쌀알 같은 알갱이가 수없이 돋아나며 벌겋게 붓고 가려운 증상이 나타남.

습하다 (濕—) [스파다] 물기가 많아 축축하다. ㊀습한 방.

승강구 (乘降口) 기차·비행기 따위를 타고 내릴 때 드나드는 문.

승강기 (昇降機) ⇨엘리베이터.

승강이 (昇降—) 서로 자기의 주장을 고집하여 옥신각신함. ㊀사소한 일로 승강이를 벌이다. **—하다.**

> 주의 **승강이**와 **실랑이**
> **승강이** 서로 자기 주장을 고집하며 옥신각신하는 것. ㊀서로 좋은 자리를 차지하려고 승강이를 벌이다.
> **실랑이** 옳으니 그르니 하며, 남을 못 견디게 굴어 시달리게 하는 것. ㊀들어가면 안 된다고 하는 경비원과 실랑이를 벌이다.

승강장 (乘降場) 정거장이나 정류소에서 차를 타고 내리는 곳.

승객 (乘客) 배·차·비행기 등에 타는 손님. ㊀버스 승객.

승격 (昇格) [승껵] 지위나 등급 따위가 오름. ㊀종합 대학으로 승격하다. **—하다.**

승계 (承繼) [— / 승게] **1** 뒤를 이어 받음. 비 계승. **2** 남의 권리나 의무를 이어받음. **—하다.**

승낙 (承諾) 청하는 것을 들어줌. ㊀승낙을 얻다 / 결혼을 승낙하다. 비 허락. 반 거절. **—하다.**

승냥이 갯과의 산짐승. 이리와 비슷한데 주둥이와 다리는 짧고 귀는 곧으며 꼬리가 김. 온몸이 황갈색임. 성질이 사납고 초식성 동물을 잡아먹음.

승단 (昇段) 태권도·유도·바둑 따위의 단수가 오름. ㊀승단 대회.

승려 (僧侶) [승녀] 절에서 불경을 공부하고 불교의 도리를 닦는 사람. 비 승. 중. 높 스님.

승률 (勝率) [승뉼] 경기 따위에서 이긴 비율. 이긴 경기의 수를 전체 경기의 수로 나눈 백분율. ㊀승률을 올리다.

***승리** (勝利) [승니] 싸움이나 경기 등에서 실력을 겨루어 상대에게 이김. ㊀축구에서 우리 팀이 승리하다. 비 승전. 반 패배. **—하다.**

승리감 (勝利感) [승니감] 승리한 데서 오는 우월감 또는 기쁨. ㊀승리감에 젖다. ⓑ반 패배감.
승리자 (勝利者) [승니자] 승리한 사람. ⓔ최후의 승리자. ⓑ비 승자.
승마 (乘馬) **1** 말을 탐. **2** 말을 타고 경주를 하거나 장애물을 넘는 재주를 겨루는 운동. **—하다.**
승무 (僧舞) 민속춤의 하나. 고깔을 쓰고 장삼을 입고 승려처럼 차린 다음 혼자서 추는 불교적 색채가 짙은 춤.
승무원 (乘務員) 차·배·비행기 따위에 타고 조종·운전하는 사람과 승객에 관한 일을 맡아 하는 사람. ⓔ열차 승무원.
승병 (僧兵) 예전에, 승려들로 조직된 군대. ⓑ비 승군.
승복[1] (承服) 납득하여 따름. ⓔ판정에 승복하다. **—하다.**
승복[2] (僧服) 승려가 입는 옷.
승부 (勝負) 이김과 짐. ⓔ승부를 겨루다. ⓑ비 승패.
승부차기 (勝負—) 축구에서 무승부일 때, 양 팀 선수들이 공을 차서 골대에 들어간 골의 수로 승패를 결정하는 일.
승산 (勝算) 이길 가능성. ⓔ승산이 높다 / 승산이 있다.
승선 (乘船) 배를 탐. ⓔ유람선에 승선하다. ⓑ반 하선. **—하다.**
승세 (勝勢) 이길 기세. ⓔ승세를 굳히다.
승소 (勝訴) 소송에서 이김. ⓔ원고의 승소로 재판이 끝나다. ⓑ반 패소. **—하다.**
승승장구 (乘勝長驅) 싸움에 이긴 기세를 타서 냅다 몰아침. ⓔ승승장구로 이기다. **—하다.**
*__승용차__ (乘用車) 사람이 타고 다니는 데 쓰는 자동차.
승인 (承認) 정당하다고 인정하여 받아들임. ⓑ비 승낙. **—하다.**
승자 (勝者) 싸움이나 경기에서 이긴 사람. ⓑ비 승리자. ⓑ반 패자.
승전 (勝戰) 싸움에서 이김. ⓑ비 승리. ⓑ반 패전. **—하다.**
승점 (勝點) [승쩜] 경기나 내기 따위에서 이긴 점수.
승진 (昇進) 직위가 오름. ⓔ다른 사람보다 승진이 빠르다 / 부장으로 승진하다. **—하다.**
승차 (乘車) 차를 탐. ⓔ승차 질서. ⓑ반 하차. **—하다.**
승차권 (乘車券) [승차꿘] ⇨차표.
승천 (昇天) 하늘로 올라감. ⓔ이 연못에는 용이 여의주를 물고 승천했다는 얘기가 전해진다. **—하다.**
승패 (勝敗) 운동 경기·게임·놀이·싸움 따위에서 이김과 짐. ⓔ홈런 한 방으로 승패를 가르다. ⓑ비 승부.
승하 (昇遐) 임금이 세상을 떠남. ⓑ비 붕어. **—하다.**
승합차 (乘合車) 7명 이상의 사람이 앉아서 탈 수 있는 자동차.
승화 (昇華) 고체가 액체 상태를 거치지 않고 바로 기체로 되는 현상. 나프탈렌·드라이아이스 따위에서 볼 수 있음. **—하다.**
*__시__[1] (詩) 문학의 한 부문. 자연이나 인생에 대한 생각이나 느낌을 리듬이 있는 짧은 글로 나타낸 글. ⓔ시를 짓다 / 시를 낭송하다. ➡ poem
*__시ː__[2] (市) 도시를 중심으로 하는 지방 행정 구역의 하나. 특별시·광역시·시로 나뉨. ⓔ수원시.
*__시__[3] (時) 시간의 단위. 하루의 24분의 1. ⓔ세 시. ➡ hour
*__시__[4] (이 si) 장음계의 일곱째 음, 단음계의 둘째 음의 계이름. '나' 음의 이탈리아 음이름.
시- 색의 짙고 선명함을 나타내는 말. ⓔ시뻘겋다 / 시커멓다. ⓩ작 새-. *싯-. → [학습마당] 15(585쪽)
*__-시-__ 받침 없는 말에 붙어 존경하는 뜻을 나타내는 말. ⓔ아버님께서 오시었다.
*__시ː가__[1] (市街) 도시의 큰 길거리.

시가² (時價) [시까] 일정한 시기의 물건 값. ㉠**시가**보다 싸게 사다.

시가³ (詩歌) 시와 노래.

시:가전 (市街戰) 도시의 큰 길거리에서 벌어지는 전투. ㉠한바탕 **시가전**이 벌어졌다.

시:가지 (市街地) 도시의 큰 길거리를 이루는 지역. ㉠**시가지**가 한산하다.

시:가행진 (市街行進) 도시의 큰 거리를 따라 여러 사람이 함께 걸음. ㉠집회 후 **시가행진**을 벌이다.

***시각¹** (時刻) **1** 시간 중의 한 때. ㉠도착 **시각**. **2** 짧은 시간. ㉠**시각**을 다투다.

> 주의 **시각과 시간**
> **시각** 1 시간의 흐름에서 어느 한 순간의 시점. ㉠출발 **시각**은 열 시다. 2 짧은 시간. ㉠**시각**을 지체하지 말 것.
> **시간** 어떤 시각과 시각의 사이. ㉠세 **시간** 걸려 끝마쳤다 / 생각할 **시간**이 없다.

시:각² (視角) 사물을 보는 각도. 생각하는 방향. ㉠사람마다 **시각**이 다르다.

시:각³ (視覺) 빛이 망막을 자극하여 물체의 모양이나 움직임, 빛깔 따위를 알아보는 눈의 감각. ㉠**시각**을 잃다.

***시간** (時間) **1** 어떤 시각과 시각과의 사이. ㉠**시간**은 돈이다. **2** 과거·현재·미래와 연결하여 끊임없이 흐르는 것. ㉠**시간**을 초월하다 / **시간**은 사람을 기다려 주지 않는다. **3** 무엇을 하는 때. ㉠식사 **시간**. **4** 어떤 일을 하기로 정해진 동안. ㉠약속한 **시간**을 정확히 지켜라. 반 공간. → 시각 주의 ➲ time

시간적 (時間的) 시간에 관계되는 (것). ㉠**시간적** 여유. 반 공간적.

시간제 (時間制) 일정한 시간에만 일을 하는 것. ㉠**시간제** 근무.

***시간표** (時間表) **1** 할 일을 시간대별로 계획해 나눈 표. ㉠수업 **시간표**. **2** 기차·버스 등의 출발과 도착 시간을 적은 표. ㉠버스 **시간표**.

시건방지다 매우 건방지다. ㉠주제넘게 **시건방진** 소리 하지 마라.

시경 (詩經) 〖책〗 오경의 하나. 중국 고대의 시집. 311편의 시가 실려 있으며, 공자가 편찬했다고 함.

***시계¹** (時計) [-/시게] 시각을 나타내거나 시간을 재는 데 쓰는 기계. ㉠손목**시계** / 벽**시계** / **시계**를 보니 3시다. ➲ watch, clock

시:계² (視界) [-/시게] 어떤 일정한 자리에서 바라볼 수 있는 범위. ㉠**시계**가 탁 트이다. 비 시야.

시계추 (時計錘) [-/시게추] 괘종시계에 매달린 추. 좌우로 흔들림에 따라 일정한 속도로 태엽이 풀리면서 시곗바늘이 움직이게 됨.

시계탑 (時計塔) [-/시게탑] 시계가 달려 있는 높은 탑.

***시골** **1** 도시에서 떨어져 있는 지방. ㉠**시골** 사람 / **시골**로 전학을 가다. 비 촌. 반 서울. 도회지. **2** 고향. ㉠여름휴가는 **시골**에 계신 부모님을 찾아뵙기로 했다.

시골뜨기 시골 사람을 낮추어 일컫는 말. 비 촌뜨기.

시골집 [시골찝] **1** 시골에 있는 집. 비 촌가. **2** 고향에 있는 자기 집.

시골티 시골 사람의 촌스러운 모양이나 태도. ㉠**시골티** 나는 신사. 비 촌티.

시:공¹ (施工) 공사를 시행함. ㉠아파트를 **시공**하다. **-하다**.

시공² (時空) 시간과 공간. ㉠**시공**을 초월하다.

시구 (詩句) [시꾸] 시의 구절.

시국 (時局) 현재 나라 안팎의 형편. ㉠**시국**이 어수선하다.

시궁창 구정물이나 빗물이 잘 빠지지 않아 질척질척하게 된 곳.

시그널 (signal) **1** ⇨신호. **2** 건널목에 세운 신호기 따위.

시:금석 (試金石) **1** 금의 품질을 알아보는 데 쓰이는 돌. 규산을 주성분으로 함. **2** 가치·능력 등을 평가하는 데 기준이 될 만한 것.

시금치 명아줏과의 한해살이 또는 두해살이풀. 뿌리는 붉고, 줄기는 속이 비었음. 추위에 강하며 잎에는 비타민과 철분이 많아 데쳐서 무쳐 먹거나 국으로 끓여 먹음.

시금털털하다 맛이 조금 시면서 떫다. 센 시금떨떨하다.

시금하다 조금 신맛이 있다. 예**시**금한 김치. 거 시큼하다.

시급하다 (時急—) [시그파다] 빨리 해결해야 할 만큼 몹시 급하다. 예**시급**한 문제가 생기다.

시급히 (時急—) [시그피] 시급하게. 예**시급히** 해결되어야 할 과제.

*__시기__[1] (時期) 어떤 일이 이루어지는 때. 예입학 **시기**. 비 시절.

시기[2] (時機) 어떤 일을 하기에 적당한 때나 기회. 예**시기**가 적절하다 / **시기**를 놓치다.

시기[3] (猜忌) 남이 잘하거나 잘되는 것을 시샘하여 미워함. 예상 탄 것을 **시기**하다. 비 샘. **—하다.**

시기상조 (時機尙早) 어떤 일을 하기에 때가 아직 이름. 예아버지의 사업을 이어받기에는 **시기상조**다.

시기심 (猜忌心) 남이 잘되는 것을 샘하고 미워하는 마음. 예**시기심**이 발동하다.

시꺼멓다 [시꺼머타] 아주 짙게 꺼멓다. 예**시꺼**먼 눈썹. 작 새까맣다. 거 시커멓다. 활용 시꺼머니 / 시꺼메서. → [학습마당] 15(585쪽)

*__시끄럽다__ [시끄럽따] 듣기 싫을 만큼 떠들썩하다. 예**시끄러워** 잠을 이룰 수가 없다. 활용 시끄러워 / 시끄러우니.

시끌벅적하다 [시끌벅쩌카다] 몹시 어수선하고 시끄럽다. 예**시끌벅**적한 시골 장터.

시끌시끌하다 **1** 매우 시끄럽다. 예**시끌시끌**한 시장. **2** 일이 마구 얽혀 정신이 어지럽다. 예테러로 세상이 **시끌시끌하다.**

시나리오 (scenario) 영화나 텔레비전 등에서, 장면의 순서 및 배우의 대사·동작 등을 적은 글. 각본. 대본. 예**시나리오** 작가.

> 참고 **시나리오의 종류**
> (1) 오리지널 시나리오…영화 촬영을 위하여 창작한 각색하지 않은 시나리오
> (2) 각색 시나리오…소설·희곡·다큐멘터리 따위를 영화 촬영에 적합하게 각색한 시나리오
> (3) 레제 시나리오…단순히 읽게 하기 위하여 만든 시나리오

시나브로 모르는 사이에 조금씩 조금씩. 예알뜰하게 모아 둔 돈을 **시나브로** 다 쓰다.

시나위 기악의 하나. 향피리·대금·해금·장구 따위로 이루어진 합주 음악.

*__시:내__[1] 산골짜기나 평지에 흐르는 자그마한 내. 비 하천.

> 참고 이 말은 어원적으로 골짜기를 의미하는 '실'과 작은 물줄기를 뜻하는 '내'가 합쳐진 말로 골짜기에 흐르는 내를 의미했던 말이다.

시:내[2] (市內) 도시의 중심을 이루는 곳. 반 시외.

시:내버스 (市內bus) 시내에서 일정한 구간을 운행하는 버스. 예**시내**버스 요금을 올리다. *시외버스.

시:냇가 [시내까 / 시낸까] 시냇물

의 가의 땅.

*시:냇물 [시낸물] 시내에서 흐르는 물. ㉎시냇물이 졸졸 흐르다.

시너 (thinner) 페인트 따위에 섞어 묽어지게 하는 액체.

시네라리아 (cineraria) 국화과의 한해살이풀 또는 두해살이풀. 온실에서 관상용으로 재배하며, 빨강·자주·남색·흰색 등의 꽃이 핌.

시:녀 (侍女) 예전에, 지위가 높은 사람의 가까이에 있으면서 시중을 들던 여자.

시누이 (媤—) 남편의 누이. 준 시누. 시뉘.

시늉 어떤 모양이나 움직임 따위를 흉내 내는 짓. ㉎우는 시늉을 내다. —하다.

*시다 1 맛이 식초의 맛과 같다. ㉎포도가 시다. ➡ sour 2 뼈마디가 삐어서 움직일 때마다 짜릿하게 아프다. ㉎무릎이 시다. 3 하는 짓이 비위에 거슬리다. ㉎눈꼴이 시어 못 보겠다. 4 눈이 강한 빛을 받아 찔리는 듯하다. ㉎눈이 시어 앞을 볼 수 없다.

시달리다 괴로움을 당하다. ㉎더위에 시달리다.

시답잖다 [시답짠타] 마음에 차지 아니하다. 마음에 들지 않다. ㉎이번 일을 시답잖게 여기다.

*시대 (時代) 1 시간을 역사적으로 구분한 기간. ㉎조선 시대. 2 그 당시. 당대. ㉎시대의 흐름을 따르다.

시대상 (時代相) 어떤 시대의 되어 가는 모든 형편. 한 시대의 사회상. ㉎시대상을 반영한 작품.

시대적 (時代的) 그 시대의 특징적인 (것). ㉎소설의 시대적 배경.

시대착오 (時代錯誤) [시대차고] 시대에 맞지 않거나 뒤떨어지는 일.

시댁 (媤宅) 시집 곧, 남편의 집을 높여서 하는 말. 비 시가. 반 친정.

시:도 (試圖) 어떤 일을 이루어 보려고 시험 삼아 하여 봄. —하다.

시:동 (始動) 발전기·전동기·증기 기관·내연 기관 등의 운전을 개시함. ㉎자동차의 시동을 걸다.

시동생 (媤同生) 남편의 남동생.

*시들다 꽃·풀 등이 물기가 말라 생기가 없어지다. ㉎정원의 꽃이 시들었다. 활용 시들어 / 시드니 / 시드는.

시들시들 약간 시들어 힘이 없는 모양. ㉎야채가 시들시들해지다. —하다.

시들하다 1 꽃·풀 따위가 시들어 생기가 없다. 2 마음에 차지 않아 내키지 않다. ㉎시들한 표정을 하고 있다. 3 대수롭지 않다. ㉎시들한 문제를 가지고 고민을 하는구나.

시디 (CD) ⇨콤팩트디스크.

시디롬 (CD-ROM) 콤팩트디스크에 데이터를 기록해 둔 읽기 전용의 기억 장치.

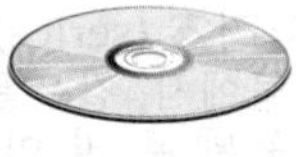
〈시디롬〉

시래기 말린 무청이나 배추 잎.

시럽 (syrup) 1 설탕물에 과즙·향료·색소 따위를 넣어 만든 음료. 2 달게 만든 물약.

시렁 물건을 얹기 위해 방이나 마루 벽에 가로지른 두 개의 긴 나무. ㉎그릇을 시렁에 얹다.

시:력 (視力) 물체의 형상을 알아보는 눈의 능력. ㉎시력을 재다.

시:력 검:사 (視力檢査) [—껌사] 시력의 정도를 검사하는 일.

시:련 (試鍊) 겪기 어려운 상황이나 고난. ㉎혼자서 시련을 헤쳐 나가다.

시루 떡이나 쌀 등을 찌는 데 쓰는 둥근 질그릇. 바닥에 구멍이 여러 개 뚫렸음. ㉎시루에 떡을 안치다.

〈시루〉

시루떡 떡가루에 콩·팥 따위를 섞어 시루에 넣고 쪄서 만든 떡.

*__시름__ 늘 마음에 걸리는 근심과 걱정. ㉥시름을 잊다.

시름시름 병세가 더하거나 낫지도 않으면서 오래 끄는 모양. ㉥시름시름 앓다.

시름없이 [시르멉씨] **1** 근심·걱정으로 맥없이. ㉥언덕 위에 시름없이 앉아 있다. **2** 아무 생각이 없이.

시리다 **1** 몸 한 부분에 찬 기운을 느끼다. ㉥발이 시리다. **2** 찬 것이 닿아 통증을 느끼다. ㉥얼음물을 마셨더니 이가 시리다.

시리아 (Syria) 〖국명〗 서아시아에 있는 공화국. 기후가 온화하여 농업·목축 등이 발달함. 공용어는 아랍어. 수도는 다마스쿠스.

시리즈 (series) **1** 영화·방송·출판물에서, 같은 주인공이나 주제가 공통된 두 편 이상 연속되는 기획물. ㉥007 시리즈. **2** 특별 기획에 따라 차례대로 계속하는 운동 경기. ㉥한국 시리즈.

시:립 (市立) 시에서 설립·유지하는 일. ㉥시립 도서관 / 시립 병원.

*__시멘트__ (cement) 찰흙을 포함한 석회석이나 석고를 구워 만든 가루. 토목·건축 재료의 접합제로 씀. 비 양회.

시무룩하다 [시무루카다] 마음에 불만스러운 듯이 말이 없다. ㉥시무룩한 표정. 작 새무룩하다. 센 씨무룩하다.

시문 (詩文) 시가와 산문.

*__시:민__ (市民) **1** 시에서 사는 사람. 시의 주민. ㉥서울 시민. **2** 국정에 참여할 수 있는 권리를 가진 사람. ㉥시민의 권리와 의무.

시:민권 (市民權) [시민꿘] 국민 또는 시민으로서의 행동·재산·사상·신앙 등의 자유가 보장되며, 정치에도 참여할 수 있는 권리.

시:발 (始發) 맨 처음의 출발이나 발차. ㉥시발점. **—하다.**

시방 (時方) 바로. 지금. ㉥시방 한 말은 농담이다.

시:범 (示範) 모범을 보임. ㉥태권도 시범을 보이다.

시베리아 (Siberia) 〖지명〗 우랄 산맥에서 베링 해에 이르는 북아시아 지역. 러시아 땅으로 몹시 추우며 지하자원이 풍부함.

시보 (時報) 라디오나 텔레비전 따위에서 표준 시간을 알리는 일.

시부렁거리다 주책없이 실없는 말을 자꾸 지껄이다. ㉥낮은 목소리로 뭐라고 시부렁거리다. 작 시부랑거리다. 센 씨부렁거리다.

시부모 (媤父母) 남편의 부모.

시:비 (是非) **1** 옳음과 그름. ㉥시비를 가리다. 비 잘잘못. **2** 옳으니 그르니 하는 말다툼. ㉥시비를 걸다.

시뻘겋다 [시뻘거타] 몹시 뻘겋다. ㉥시뻘건 얼굴. 작 새빨갛다. 활용 시뻘거니 / 시뻘게서. → [학습마당] 15(585쪽)

시쁘다 마음에 차지 않다. 대수롭지 않다. ㉥시쁜 표정으로 돈을 주다. 활용 시뻐 / 시쁘니.

시:사[1] (示唆) 어떤 것을 미리 간접적으로 일러 줌. ㉥시사하는 바가 크다. **—하다.**

시사[2] (時事) 그 당시에 생긴 여러 가지 세상일. ㉥시사에 밝다.

시:사회 (試寫會) 영화를 개봉하기에 앞서 시험적으로 특정인에게 보여 주기 위한 모임. ㉥시사회에 초대하다.

시:상[1] (施賞) 상장이나 상품 또는 상금을 줌. **—하다.**

시상[2] (詩想) 시를 지을 때 시인에게 떠오르는 생각이나 구상. ㉥시상을 그때그때 적어 두다.

시:상식 (施賞式) 상을 주는 의식 또는 행사. ㉥시상식에 참석하다 /

시상식을 거행하다.

시새다 '시새우다'의 준말.

시새우다 **1** 자기보다 나은 사람을 미워하고 싫어하다. **2** 남보다 낫게 하려고 서로 다투다. ㉥**시새워** 공부하다. ㊟시새다.

시새움 자기보다 나은 사람을 미워하고 싫어함. ㉥친구를 **시새움**하다. ㊟시샘. **—하다.**

시샘 '시새움'의 준말. ㉥**시샘**을 내다. **—하다.**

*__시:선__[1] (視線) 눈의 방향. 쳐다보는 곳. ㉥**시선**을 돌리다 / **시선**이 마주치다.

시선[2] (詩選) 시를 뽑아 모은 책. ㉥한국 현대 **시선**.

*__시:설__ (施設) 어떤 목적을 위해 기계·기구·건물 따위를 설비함. 또는 그 설비. ㉥오락 **시설** / 편의 **시설**. **—하다.**

시성 (詩聖) 역사상 뛰어난 위대한 시인.

시세 (時勢) **1** 그 당시의 형세. 세상의 형편. **2** 그때의 물건 값. ㉥**시세**가 오르다. ㊔시가.

시소 (seesaw) 긴 널빤지의 한가운데를 괴어 그 양쪽 끝에 사람이 타고 서로 오르락내리락 하는 놀이. 또는 그 놀이 기구.

〈시소〉

시속 (時速) 1시간을 단위로 하여 잰 평균 속도. ㉥**시속** 80 km로 차를 몰다.

시숙 (媤叔) 남편의 형제.

시스템 (system) **1** 어떤 목적을 위한 질서 있는 조직 체계. ㉥관리 **시스템**. **2** 컴퓨터에서, 필요한 기능을 실현하기 위하여 관련 요소를 일정한 법칙에 따라 조합한 집합체.

시시 (CC, cc) 세제곱센티미터. 곧, 1 cc는 1 cm^3, 1,000 분의 1 리터.

시시각각 (時時刻刻) [시시각깍] 시각마다. ㉥**시시각각**으로 변하다.

시시껄렁하다 시시하고 재미가 없다. ㉥그의 이야기가 하도 **시시껄렁**해서 하품이 나왔다.

시시덕거리다 [시시덕꺼리다] 실없이 잘 웃으며 몹시 지껄이다. ㉥틈만 나면 전화로 친구와 **시시덕거리다**. ㊟시시거리다.

시시때때로 (時時—) '때때로'의 힘줌말. ㉥**시시때때**로 의견이 달라 친구와 다투다.

시:시비비 (是是非非) 옳은 것은 옳다고 하고 그른 것은 그르다고 함. ㉥**시시비비**를 가리다.

시시콜콜 자질구레한 것까지 낱낱이 따지거나 다루는 모양. ㉥**시시콜콜** 간섭하다. **—하다. —히.**

시시하다 보잘것없다. 변변하지 못하다. ㉥**시시**한 얘기 / 영화의 결말이 **시시**하게 끝나다.

시:식 (試食) 음식의 맛이나 요리 솜씨를 보려고 시험 삼아 먹어 봄. ㉥**시식** 자리를 마련하다. **—하다.**

시:신 (屍身) '죽은 사람의 몸'을 높여 이르는 말. ㊔송장. 시체.

시:신경 (視神經) 망막에서 받은 자극을 뇌로 전달하는 신경.

시아버지 (媤—) 남편의 아버지.

시아주버니 (媤—) 남편의 형.

시:안 (試案) 시험적으로 미리 만든 계획이나 의견. ㉥**시안**을 제출하다.

시:야 (視野) **1** 눈으로 볼 수 있는 범위. ㉥**시야**를 가리다. **2** 지식이나 생각이 미치는 범위. ㉥**시야**가 넓은 사람.

시:약 (試藥) 화학 분석에서 물질의 성분을 조사할 때 쓰이는 약품.

시어 (詩語) 시에 있는 말. 시에 쓰는 말.

시어른 (媤—) 시댁의 어른.

시어머니 (媤—) 남편의 어머니.

시에프 (CF) 광고 선전용 텔레비전 필름. ㉠시에프 촬영.
시옷 [시옫] 한글의 자모 'ㅅ'의 이름.
시:외 (市外) 도시에서 벗어난 곳. 비교외. 반시내.
시:외버스 (市外bus) 도시와 그 도시의 주변 지역까지 운행하는 버스. *시내버스.
시원섭섭하다 [시원섭써파다] 한편으로는 시원하면서도 다른 한편으로는 섭섭하다. ㉠딸을 시집보내고 나니 시원섭섭하다.
시원스럽다 [시원스럽따] 시원한 태도나 느낌이 있다. ㉠대답이 매우 시원스러워 마음에 든다. 활용 시원스러워/시원스러우니.
시원시원하다 말이나 행동이 모두 막힘없이 매우 시원스럽다. ㉠일을 시원시원하게 처리하다.
시원찮다 [시원찬타] 만족스럽지 않다. ㉠시원찮은 솜씨.
*__시원하다__ **1** 알맞게 선선하다. ㉠시원한 새벽 공기. **2** 마음이 가볍고 상쾌하다. ㉠어쨌든 시험이 끝나 속이 시원하다. **3** 음식의 국물 맛이 텁텁하지 않고 개운하다. ㉠시원한 조갯국. **4** 막힌 것이 없이 확 트여서 답답하지 않다. ㉠고속도로가 시원하게 뚫렸다. ➲ cool
시원히 시원하게. ㉠걱정을 시원히 떨쳐 버리다.
시월 (←十月) 한 해 가운데 열 번째 달. ➲ October
시위[1] '활시위'의 준말. ㉠시위를 당기다.
시:위[2] (示威) '시위운동'의 준말. **—하다.**
시:위운동 (示威運動) 많은 사람이 자기들의 의견이나 주장을 나타내기 위해서 하는 행진이나 모임. 데모. 데먼스트레이션. 준시위.
시:인[1] (是認) 어떤 내용이나 사실이 옳다고 또는 그렇다고 인정함. ㉠자기 잘못을 시인하다. 반부인. **—하다.**
시인[2] (詩人) 시를 전문적으로 짓는 사람. ㉠여류 시인.
시일 (時日) **1** 때와 날. 비날짜. **2** 어떤 일에 걸리는 기간. ㉠오랜 시일이 걸리다.
*__시:작__ (始作) 어떤 일이나 행동을 처음으로 함. ㉠수업을 시작하다/공사를 시작하다. 비개시. 시초. 반완료. 종료. **—하다.** ➲ begin
*__시장__[1] 배가 고픔. ㉠한 끼 굶었더니 몹시 시장하구나. **—하다.**
시:장[2] (市長) 시의 행정을 맡은 우두머리. ㉠시장을 선출하다.
*__시:장__[3] (市場) 사람이 모여 여러 가지 상품을 사고파는 장소. ㉠농수산물 시장. 비장. ➲ market
시장기 (—氣) [시장끼] 배고픈 느낌. ㉠시장기가 돌다. 비허기.
시:장바구니 (市場—) [시장빠구니] 장 보러 갈 때 들고 가는 바구니. 준장바구니.
시:장 조사 (市場調査) 상품의 판매 촉진이나 신제품 개발 따위를 목적으로 상품의 수요와 공급, 소비자 동향, 판매 경로, 경쟁 상품 따위에 대해 알아보는 일.
시재 (時在) 현재 가지고 있는 돈이나 곡식.
시적 (詩的) [시쩍] 시의 정취가 있는(것). ㉠시적 풍경.
*__시절__ (時節) **1** 계절. 철. ㉠꽃 피는 시절. **2** 일정한 시기나 때. ㉠소년 시절/학창 시절.
시점[1] (時點) [시쩜] 시간의 흐름 위의 어느 한때. ㉠현재의 시점에서 바라보다.
시:점[2] (視點) [시쩜] 소설에서, 작가가 이야기를 서술하는 방식이나 관점. ㉠1인칭 시점.
시:접 속으로 접혀 들어간 옷 솔기

의 한 부분. ㉨시접을 충분히 두다.
시:정¹ (市政) 시의 행정.
시:정² (是正) 잘못된 것을 바로잡음. ㉨시정을 요구하다. **—하다.**
시제 (時制) 동사·형용사가 나타내는 동작이나 상태의 과거·현재·미래를 표시하는 것.
시:조¹ (始祖) **1** 한 겨레의 맨 처음 되는 조상. ㉨우리 겨레의 **시조**는 단군이다. **2** 학문·기술 등을 처음 연 사람. ㉨천문학의 **시조**.
***시조²** (時調) 고려 말부터 발달하여 온 우리나라 고유의 정형시. 초장·중장·종장의 3장으로 이루어지며, 그 형식에 따라 평시조·엇시조·사설시조로 나뉨.
시:종¹ (始終) **1** 처음과 끝. ㉥시말. **2** 처음부터 끝까지. ㉨**시종** 침묵을 지키다.
시:종² (侍從) 임금을 가까이에서 받들어 모시며 여러 가지 시중을 들던 신하.
시:종일관 (始終一貫) 처음부터 끝까지 한결같이 함. ㉨**시종일관** 웃음을 잃지 않았다.
시:주 (施主) 승려나 절에 돈이나 물건을 베풀어 주는 사람. 또는 그 일. ㉥화주. **—하다.**
시중¹ 옆에서 여러 가지 심부름을 하는 일. ㉨**시중**을 받다 / 환자를 **시중**하다. **—하다.**
시:중² (市中) 사람들이 생활하는 공개된 공간을 비유적으로 일컫는 말. ㉨위조지폐가 **시중**에 유통되고 있다.
시중들다 사람 옆에서 심부름을 하거나 보살펴 주다. ㉨**시중들어** 줄 자식이 없다. [활용] 시중들어 / 시중드니 / 시중드는.
시즌 (season) 어떤 활동이 활발히 이루어지는 시기. 또는 어떤 활동을 하기에 좋은 시기. ㉨프로 야구 **시즌** / 등산 **시즌**.
시집¹ (媤—) 남편의 집안. 시부모가 사는 집. ㉨**시집** 식구. ㉥시가. ㉦친정.
시집² (詩集) 여러 편의 시를 모아 엮은 책. ㉨**시집**을 내다.
시집가다 (媤—) [시집까다] 여자가 결혼하다. ㉨**시집갈** 나이가 되다. ㉥출가하다.
시집보내다 (媤—) [시집뽀내다] 여자를 결혼시키다. ㉨외동딸을 **시집보내다**. ㉥출가시키다.
시집살이 (媤—) [시집싸리] 여자가 시집에서 하는 살림살이. ㉨**시집살이**가 고되다. **—하다.**
시집오다 (媤—) [시지보다] 여자가 결혼하여 아내가 되다. ㉨갓 **시집온** 새색시.
시차 (時差) **1** 지구 상의 각 지방에서 쓰는 표준시가 가리키는 시각의 차. 경도 15° 마다 1 시간의 차가 생김. ㉨**시차**를 조절하다. **2** 시간의 간격. ㉨**시차**를 두고 출근시키다.
시:찰 (視察) 살피고자 하는 곳을 돌아다니며 실제의 사정을 살펴봄. ㉨산업 **시찰**. ㉥순찰. **—하다.**
시:책 (施策) 국가나 행정 기관이 실행하는 계획. ㉨정부 **시책**을 발표하다.
시:청¹ (市廳) 시의 행정 사무를 맡아보는 곳.
시:청² (視聽) 눈으로 보고 귀로 들음. ㉨텔레비전 방송을 **시청하다**. **—하다.**
시:청각 (視聽覺) 시각과 청각.
시:청각 교:육 (視聽覺教育) [—교육] 학습 효과를 높이기 위하여 영화·텔레비전·비디오·슬라이드·모형 따위를 이용하여 행하는 교육.
시:청료 (視聽料) [시청뇨] 텔레비전을 시청하는 값으로 내는 요금. ㉨**시청료**를 내다.
시:청률 (視聽率) [시청뉼] 텔레비전에서, 특정한 프로그램이 시청되

고 있는 정도. ㉠높은 시청률을 기록하다.

시:청자 (視聽者) 텔레비전을 시청하는 사람. ㉠시청자가 직접 참여할 수 있는 프로그램.

*__시:체__ (屍體) 사람의 죽은 몸뚱이. 비 사체. 송장. 주검.

시쳇말 (時體—) [시첸말] 그 시대에 유행하는 말. 비 유행어.

시:초 (始初) 맨 처음. ㉠이 일은 시초부터 잘못되었다. 비 시작. 최초. 반 종말.

시:추 (試錐) 석유 따위의 지하자원을 탐사하거나 지질을 조사하기 위하여 땅속 깊이 구멍을 뚫어 보는 일. ㉠시추 장비. **—하다.**

시치다 바느질에서 여러 겹의 천을 맞대어 임시로 드문드문 꿰매다. ㉠홑이불을 시치다.

시치미 알면서도 모르는 체하거나 하고도하지 않은 체하는 태도.

시치미(를) 떼다 알면서도 모르는 체하거나 하고도 하지 않은 체하다.

시침 (時針) 시계에서, 시를 가리키는 짧은 바늘.

시침질 바느질을 할 때, 여러 겹의 천을 맞대어 임시로 듬성듬성 꿰매는 일. **—하다.**

시커멓다 [시커머타] 매우 꺼멓다. ㉠시커먼 연기가 자욱하다. 작 새카맣다. 활용 시커머니 / 시커메서. → [학습마당] 15(585쪽)

시큰거리다 뼈마디가 저리고 신느낌이 자꾸 들다. 작 새큰거리다.

시큰대다 ⇨시큰거리다.

시큰둥하다 못마땅하여 마음에 들지 않다. ㉠시큰둥한 표정.

시큼하다 맛이나 냄새 따위가 꽤 시다. ㉠시큼한 김치. 작 새큼하다.

*__시키다__ **1** 어떤 일이나 행동 따위를 하게 하다. ㉠떠든학생에게 청소를 시키다. **2** 식당에서 음식을 주문하다. ㉠자장면을 시키다.

> **주의** **시키다**와 **식히다**
> **시키다** 하게 하다. ㉠청소를 시키다.
> **식히다** 식게 하다. ㉠뜨거운 물을 식히다.

시트 (sheet) 침대의 아래위로 덧씌우는 천. ㉠시트를 깔다.

시:판 (市販) 시장에서 물건을 판매함. ㉠시판 가격. 본 시중 판매. **—하다.**

시퍼렇다 [시퍼러타] **1** 매우 퍼렇다. ㉠눈이 시퍼렇게 멍들다. **2** 춥거나 겁이 나 몹시 질려 퍼렇다. ㉠시퍼렇게 질리다. 작 새파랗다. **3** 칼의 날 따위가 몹시 날카롭다. ㉠시퍼런 칼날. 활용 시퍼러니 / 시퍼레서. → [학습마당] 15(585쪽)

시피유 (CPU) 컴퓨터에서, 중앙 처리 장치.

시한 (時限) 어떤 일을 끝내기로 정한 날짜나 시각. ㉠시한 내에 일을 끝내다.

시한부 (時限附) 시간의 한계를 둠. ㉠시한부 조건 / 시한부 인생.

시한폭탄 (時限爆彈) 일정한 시간이 지나면 저절로 폭발하게 되어 있는 폭탄.

시할머니 (媤—) 남편의 할머니.

시할아버지 (媤—) [시하라버지] 남편의 할아버지.

시합 (試合) 운동이나 그 밖의 경기 따위에서, 서로 실력을 겨룸. ㉠달리기 시합. 비 경기. **—하다.**

시:해 (弑害) 부모나 임금을 죽임. 비 시살. **—하다.**

시:행 (施行) 실지로 행함. ㉠시행 규칙. 반 폐지. **—하다.**

시:행착오 (施行錯誤) [시행차고] 학습 원리의 하나. 학습자가 어떤 과제를 풀 때 알고 있는 여러 방법을 시도하다가 우연히 성공하여 답을 알게 되는 일. ㉠시행착오를 거

듭한 끝에 성공했다.

*시험 (試驗) 1 사물의 성질 또는 능력 등을 실지로 경험해 알아봄. ㉡새 컴퓨터의 성능을 시험하다. 2 문제를 내어 해답을 맞춘 결과로 학력이나 능력을 평가함. ㉡대학 수학 능력 시험을 치르다 / 시험에 합격하다. —하다. ➡ test, examination

시험관[1] (試驗官) 시험 볼 때 감독하거나 그 성적을 채점하는 사람.

*시험관[2] (試驗管) 실험에 쓰이는, 한쪽이 막힌 기다란 유리관.

시험장 (試驗場) 1 시험을 치르는 장소. ㉡운전면허 시험장. 2 어떤 계획이나 방법을 실제로 시험해 볼 수 있는 장소. ㉡임업 시험장.

시험지 (試驗紙) 1 시험 문제가 적힌 종이나 답안을 쓰는 종이. ㉡시험지를 채점하다. 2 화학 실험에 쓰는 시약을 바른 특수 종이. ㉡리트머스 시험지.

시ː혜 (施惠) [—/시헤] 은혜를 베푸는 것. ㉡시혜를 받다.

시화 (詩畫) 1 시와 그림. ㉡시화전. 2 시가 적혀 있는 그림.

시효 (時效) 어떤 효력이 지속되는 일정한 기간. ㉡시효 기간 / 시효가 지났다.

*식 (式) 1 일정한 방식이나 투. ㉡공부를 이런 식으로 할 테냐. 2 예식을 갖춘 행사. ㉡기념식. 3 특수한 기호를 연결하여 어떤 뜻이나 관계를 나타내는 데 쓰이는 것. ㉡x를 구하는 식을 써라.

-식 (式) 1 방식을 나타내는 말. ㉡자동식 / 현대식 / 서양식. 2 기념 행사를 나타내는 말. ㉡입학식 / 졸업식 / 결혼식.

식견 (識見) [식껸] 사물을 올바르게 판단할 수 있는 능력. ㉡식견을 기르다 / 식견이 높다.

식곤증 (食困症) [식꼰쯩] 음식을 먹은 후 몸이 나른하고 자꾸 졸음이 오는 증세.

*식구 (食口) [식꾸] 한집안에서 같이 살며 끼니를 함께하는 사람. 비 식솔.

식권 (食券) [식꿘] 식당 등에서 돈 대신내고 음식을 먹을 수 있는표.

식기 (食器) [식끼] 음식을 담는 그릇. ㉡식기를 씻다.

*식다 [식따] 1 더운 기운이 없어지다. ㉡밥이 식다. 2 열성이 줄다. 감정이 누그러지다. ㉡교육열이 식다 / 애정이 식다.

식은 죽 먹듯 아무렇지도 않은 듯 아주 쉽게 하는 모양. ㉡거짓말을 식은 죽 먹듯 하다.

식단 (食單) [식딴] 1 식당이나 음식점 따위에서 파는 음식의 종류와 값을 적은 표. 2 일정 기간 동안 먹을 음식의 종류 및 순서를 계획하여 짠 표. ㉡식단을 짜다. 비 차림표. 메뉴.

*식당 (食堂) [식땅] 1 건물 안에 음식을 먹을 수 있도록 시설을 갖춘 방. 2 음식을 만들어 손님에게 파는 가게. ㉡식당을 차리다.

식당차 (食堂車) [식땅차] 음식을 먹을 수 있도록 설비를 갖춘 기찻간.

식도 (食道) [식또] 목구멍에서 위에 이르는 가느다란 관. 음식물이 위로 들어가는 길. 비 밥줄.

식도락 (食道樂) [식또락] 여러 가지 음식을 맛보며 먹는 일을 즐거움으로 삼는 일. ㉡식도락가.

*식량 (食糧) [싱냥] 사람이 살아가는 데 필요한 먹을거리. ㉡비상식량 / 식량을 구하다. 비 양식.

식량난 (食糧難) [싱냥난] 식량이 모자라서 겪는 어려움.

식료품 (食料品) [싱뇨품] 음식의 재료가 되는 물품. ㉡식료품을 구입하다. ＊식품.

식목 (植木) [싱목] 나무를 심음. 비 식수. 반 벌목. —하다.

식목일 (植木日) [싱모길] 산을 푸르게 하기 위하여 나무를 심고 가꾸기를 권장할 목적으로 나라에서 제정한 날. 매년 4월 5일.

***식물** (植物) [싱물] 생물계를 둘로 나눈 것의 하나. 나무나 풀 등과 같이 한곳에 고정하여 살며, 공기·흙·물에서 영양분을 섭취하여 살아가는 생물. ㉥동물. ➲plant

식물성 (植物性) [싱물썽] **1** 식물에서만 볼 수 있는 성질. **2** 식물에서 얻어지는 것. ㉠식물성 단백질.

식물원 (植物園) [싱무뤈] 식물을 연구하고 식물에 대한 지식을 보급하기 위하여 여러 가지 풀과 나무를 모아 기르는 곳. ㉥동물원.

식물 채:집 (植物採集) [싱물—] 들이나 산의 식물을 그대로 따 모음. **—하다**.

식민 (植〔殖〕民) [싱민] 빼앗은 남의 나라 땅에 자기 국민을 이주시켜 경제적 발전을 꾀하는 일. 또는 그 이주민.

식민지 (植民地) [싱민지] 국가로서의 주권을 갖지 못하고 다른 나라의 지배를 받는 지역.

식별 (識別) [식뼐] 알아서 구별함. ㉠가짜를 식별해 내다. ㉥판별. **—하다**.

식비 (食費) [식삐] 먹는 데 드는 돈. ㉠식비가 많이 든다. ㉥식대.

식빵 (食—) 밀가루에 효모·설탕·소금·우유 등을 넣어 반죽하여 구운 주식용 빵.

식사¹ (式辭) [식싸] 식장에서 그 식에 대해 인사로 말함. 또는 그 말. **—하다**.

***식사²** (食事) [식싸] 음식을 먹는 일. 또는 그 음식. ㉠식사 시간 / 저녁 식사 초대를 받다 / 가족들이 모여 식사하다. **—하다**. ➲meal

***식생활** (食生活) [식쌩활] 먹고 사는 생활. ㉠식생활을 개선하다 / 식생활 수준이 향상되다.

식성 (食性) [식썽] 음식에 대하여 좋아하거나 싫어하는 성미. ㉠식성이 까다롭다.

식솔 (食率) [식쏠] ⇨식구.

식수¹ (食水) [식쑤] 마실 수 있는 물. ㉠식수가 부족하다 / 식수를 공급하다. ㉥음료수.

식수² (植樹) [식쑤] 나무를 심음. ㉠어린이날 기념 식수를 하다. ㉥식목. **—하다**.

식수난 (食水難) [식쑤난] 마실 물이 모자라서 겪는 어려움. ㉠식수난을 겪다.

식순 (式順) [식쑨] 의식을 진행하는 순서. ㉠입학식은 식순에 따라 진행되었다.

식습관 (食習慣) [식씁꽌] 음식을 먹을 때 흔히 나타나는 버릇.

식식거리다 [식씩꺼리다] 숨을 가쁘고 거칠게 쉬며 식식 소리를 자꾸 내다. ㉠숨이 차서 식식거리다.

식식대다 [식씩때다] ⇨식식거리다.

식염 (食塩) [시겸] ⇨소금.

식염수 (食塩水) [시겸수] 소금을 탄 물. ㉥소금물.

식욕 (食慾) [시곡] 음식을 먹고 싶어하는 마음. ㉠식욕을 잃다 / 식욕이 왕성하다. ㉥밥맛.

식용 (食用) [시공] 먹을 것으로 씀. 먹는 데에 씀. ㉠식용 버섯을 골라 내다. **—하다**.

식용 색소 (食用色素) [시공색쏘] 음식물에 빛깔을 내기 위해 쓰는, 향기가 있고 몸에 해롭지 않은 색소.

식용유 (食用油) [시공뉴] 음식에 사용하는 기름. 참기름·들기름·옥수수 기름 따위.

식용 작물 (食用作物) [시공장물] 먹을 목적으로 기르는 농작물. 곡식·채소 따위.

식은땀 [시근땀] **1** 몸이 약해져서

병적으로 나는 땀. ㉠감기로 밤새 식은땀을 흘리다. **2** 긴장하거나 놀랐을 때 나는 땀. ㉠식은땀이 나다. *진땀.

식이 요법 (食餌療法) [시기요뻡] 음식물의 품질·성분·분량 따위를 조절하여 병을 치료하거나 예방하는 방법.

식인종 (食人種) [시긴종] 사람을 잡아먹는 풍습이 있는 인종.

식장 (式場) [식짱] 식을 올리는 장소. ㉠졸업 식장.

식전 (食前) [식쩐] **1** 아침밥을 먹기 전. ㉠식전에 길을 떠났다. **2** 밥을 먹기 전. ㉠식전에 약을 먹다. 반 식후.

식중독 (食中毒) [식쭝독] 음식물에 섞인 세균·독물·화학 물질 등으로 말미암아 일어나는 병. 복통·구토 등의 증세가 생김.

***식초** (食醋) 음식물에 신맛을 낼 때 쓰는 조미료. 투명한 액체임. ㉠식초를 치다.

식칼 (食—) 부엌에서 음식을 만드는 데 쓰는 칼. 비 식도.

식탁 (食卓) 음식을 차려 놓고 식사를 할 때 쓰는 큰 탁자.

식탁보 (食卓褓) [식탁뽀] 식탁에 까는 널따란 보자기.

***식품** (食品) 사람이 날마다 먹는 음식물. ㉠여러 가지 식품을 골고루 섭취하다.

식품점 (食品店) 여러 가지 먹을거리를 파는 가게.

식혜 (食醯) [시켸 / 시케] 찹쌀이나 멥쌀로 밥을 고슬고슬하게 지어, 엿기름 가루를 우린 물을 부어 삭힌 음료.

식후 (食後) [시쿠] 밥을 먹은 뒤. ㉠식후 30분 후에 약을 챙겨 먹다. 반 식전.

***식히다** [시키다] 더운 기운을 없어지게 하다. ㉠땀을 식히다. 반 데우다. →시키다 주의

***신**[1] 발에 신고 걷는 데 쓰는 물건을 통틀어 이르는 말. ㉠신을 신다 / 신을 벗다. ➲ shoes

***신**[2] 좋은 일이 있거나 흥미 따위가 생겨 매우 좋아진 기분. ㉠신이 나서 춤을 추다.

신[3] (神) 종교의 대상으로 우주를 다스린다고 믿어지는, 초인간적 또는 초자연적 존재. ㉠신의 조화. 비 하느님. ➲ god

신- (新) 어떤 말 앞에 붙어 '새로운'의 뜻을 나타냄. ㉠신기록 / 신세대 / 신제품.

신간 (新刊) 책을 새로 펴냄. 또는 그 책. ㉠신간 서적 / 신간이 나오다. 반 구간. **—하다.**

신간회 (新幹會) 일제 강점기인 1927년 이상재·안창호·양기탁 등이 나라를 되찾기 위해 만든 독립운동 단체. 1931년 해산됨.

신갈나무 [신갈라무] 참나뭇과의 낙엽 활엽 교목. 높이 30m 정도로 잎은 달걀 모양이며, 생김새가 떡갈나무와 비슷하고 가을에 '도토리'가 열림. 재목은 농기구·차량·선로 따위에 씀.

***신경** (神經) **1** 외부의 자극을 두뇌와 몸의 각 부분에 전하고 반응을 일으키게 하는 실 모양의 기관. **2** 사물을 느끼거나 생각하는 감각 작용. ㉠신경이 날카로워지다.

신경전 (神經戰) 경쟁이나 싸움을 할 때, 거슬리는 말과 행동으로 상대편의 신경을 자극하는 일. ㉠신경전을 벌이다.

신경질 (神經質) 신경이 너무 예민하여 사소한 일에까지 곧잘 흥분하는 성질. ㉠신경질을 내다 / 신경질을 부리다.

신경질적 (神經質的) [신경질쩍] 사소한 일에까지 신경을 쓰고 화를 잘 내는 (것). ㉠신경질적인 성격.

신경통 (神經痛) 신경이 자극을 받아 일어나는 심한 통증. ㉥어머니는 신경통으로 고생하신다.

신고[1] (申告) 국민이 관청에 어떠한 사실을 보고하는 일. ㉥출생 신고 / 수상한 사람을 경찰서에 신고하다. **—하다.**

신고[2] (辛苦) 어려운 일을 당하여 몹시 애씀. 또는 그 고생. ㉥온갖 신고를 겪다.

신곡 (新曲) 새로 지은 노래. ㉥신곡을 발표하다.

신구 (新舊) 새것과 헌것.

신규 (新規) **1** 새로운 규정 또는 규칙. **2** 완전히 새롭게 어떤 일을 하는 것. ㉥신규 등록 / 신규 채용.

신기 (神技) 매우 뛰어난 기술이나 재주. ㉥신기에 가까운 솜씨.

신기다 신이나 양말 따위를 신게 하다. ㉥아기에게 신을 신기다.

신기록 (新記錄) 지금까지의 기록보다 뛰어난 새로운 기록. ㉥신기록을 세우다.

신:기루 (蜃氣樓) 사막이나 바다에서 햇빛의 굴절로 실제로는 없는 데 어떤 사물이 있는 것처럼 보이는 현상.

신기하다[1] (神奇—) 신비롭고 기이하다. ㉥신기한 일이 벌어지다.

*__신기하다__[2] (新奇—) 새롭고 기이하다. ㉥신기한 물건.

*__신 나다__ 흥이 일어나 기분이 좋아지다. ㉥신 나는 놀이.

신년 (新年) ⇨새해. ㉥신년 인사.

*__신:념__ (信念) 굳게 믿는 마음. ㉥신념을 가지고 살다 / 신념을 지키다.

*__신다__ [신따] 신이나 양말 따위에 발을 넣다. ㉥실내화를 신다.

신단수 (神壇樹) 단군 신화에서, 환웅이 처음 하늘에서 그 밑에 내려왔다는 신령한 나무.

신대륙 (新大陸) **1** 새로 발견한 대륙. **2** 남북아메리카와 오스트레일리아를 가리킴. ㉤구대륙.

신데렐라 (Cinderella) **1** 유럽 동화 속의 여주인공. 계모와 그의 딸에게 학대를 받다가 친어머니의 영혼의 도움으로 왕자와 결혼하게 됨. **2** 하루 아침에 세상에 널리 알려지거나 스타가 된 여자를 이르는 말. ㉥영화계의 신데렐라로 떠오르다.

신:도 (信徒) 종교를 믿는 사람. ㉥독실한 기독교 신도.

신도시 (新都市) 대도시 주변에 계획적으로 새로 건설된 주거 지역. ㉥신도시가 들어서다.

신돌석 (申乭石) 〖인명〗 조선 후기의 의병장. 을사조약이 맺어진 이듬해 경상북도 울진군에서 의병을 일으켜 활약함. [1878-1908]

신동 (神童) 재주와 슬기가 남달리 썩 뛰어난 아이.

신라 (新羅) [실라] 삼국 시대의 한 나라. 박혁거세가 지금의 영남 지방을 중심으로 세움. 제2대 무열왕이 삼국을 통일한 후, 제56대 경순왕 때 고려에 망함. 도읍은 경주. [기원전 57-기원후 935]

신라관 (新羅館) [실라관] 신라 때 당나라에 설치한 숙박소. 중국에 간 신라의 유학승과 사신이 묵던 곳임.

신라방 (新羅坊) [실라방] 통일 신라 시대 때 당나라 산둥 반도 등에 있던, 신라인이 살던 곳.

신라소 (新羅所) [실라소] 통일 신라 시대 때 당나라의 신라방에 살던 신라인들을 다스리기 위하여 설치한 기관.

신라원 (新羅院) [실라원] 통일 신라 시대 때 당나라의 신라방에 세운 신라인의 절.

신랄하다 (辛辣—) [실랄하다] 공격이나 비판 따위가 매우 날카롭고 예리하다. ㉥신랄하게 비판하다.

신랄히 (辛辣—) [실랄히] 신랄하게.

신랑 (新郎) [실랑] 곧 결혼할 남자

나 갓 결혼한 남자. (반)신부.

*신령 (神靈) [실령] 신기하고 묘한 힘을 가지고 있다는 신. (준)영.

신록 (新綠) [실록] 늦봄이나 초여름에 새로 돋은 잎의 연한 푸른빛. (예)신록의 계절.

신ː뢰 (信賴) [실뢰] 굳게 믿고 의지함. (예)신뢰감 / 친구를 신뢰하다. —하다.

신맛 [신맏] 식초와 같은 시큼한 맛. (예)신맛이 나다.

> **참고 여러 가지 신맛**
>
> (1) 단순한 신맛
> 새곰하다. 새콤하다. 새금하다. 새큼하다. 시굼하다. 시쿰하다. 시금하다. 시큼하다. 새그무레하다. 새크무레하다. 시그무레하다. 시크무레하다. 시디시다.
>
> (2) 신맛과 단맛
> 새콤달콤하다. 새큼달큼하다.
>
> (3) 신맛과 쓴맛
> 시금씁쓸하다. 시큼씁쓸하다.
>
> (4) 신맛과 떫은맛
> 시금떨떨하다. 시금털털하다.

신ː망 (信望) 믿고 바람. 믿음과 덕망. (예)신망이 두터운 사람.

*신명¹ 흥겨운 신과 멋. (예)신명이 나게 놀다.

신명² (神明) 하늘과 땅의 모든 신. (예)신명께 비나이다. (준)신.

*신문¹ (新聞) 새로운 뉴스나 화제 등을 알려 주는 정기 간행물. 조간·석간·주간 따위가 있음. (예)신문에 광고를 내다. newspaper

신ː문² (訊問) 어떤 사건에 대해서 증인이나 피고인 등에게 말로 물어 조사하는 일. —하다.

신문고 (申聞鼓) 조선 태종 때, 백성이 억울한 일을 임금에게 하소연할 때 치게 하던 북.

신문 기자 (新聞記者) 신문에 실을 기사의 자료를 취재해서 쓰는 사람.

신문명 (新文明) 새 시대의 새로운 문명. (비)신문화.

신문사 (新聞社) 신문을 발행하는 회사.

신문왕 (神文王) 〖인명〗 신라 제31대 임금. 국학을 세워 중국 당나라의 학문을 배우게 하고, 관제를 다시 정리하는 등 신라의 황금시대를 이룩하였음. [?-692 ; 재위 681-692]

신문지 (新聞紙) 신문 기사를 실은 종이. (예)신문지로 덮다 / 신문지를 깔고 앉다. (준)신문.

신문학 (新文學) 우리나라 19세기 말, 특히 갑오개혁 이후 개화사상의 영향을 받아 일어난 새로운 형식과 내용의 문학을 일컫는 말.

신물 1 먹은 것이 체하여 트림할 때 목으로 넘어오는 시척지근한 물. (예)신물이 올라오다. 2 지긋지긋하고 진절머리가 나는 일.

신물(이) 나다 싫증이 나고 지긋지긋하다. (예)이제 시험이라면 생각만 해도 신물이 난다.

신미양요 (辛未洋擾) 조선 고종 8년(1871), 미국 군함이 강화도에 침입한 사건.

신민회 (新民會) 1907년 안창호·양기탁·이동녕 등이 조직한 비밀 항일 단체. 1910년에 일본 총독 암살 모의 사건으로 많은 회원이 일본 경찰에 잡히면서 해체됨.

신바람 [신빠람] 흥겹고 신이 나서 우쭐해지는 기분. (예)신바람이 나다. (비)어깻바람.

*신발 '신¹'을 똑똑하게 일컫는 말. (예)신발 한 켤레 / 신발을 신다.

신발장 (—欌) [신발짱] ⇨신장¹. (예)구두를 신발장에 넣다 / 신발장을 정리하다.

신발주머니 [신발쭈머니] ⇨신주머니.

신방 (新房) 신랑·신부가 첫날밤을 지내는 방. ㉠신방에 들다.

신변 (身邊) 몸과 몸의 주위. ㉠신변 보호 / 신변에 위험을 느끼다.

신변잡기 (身邊雜記) [신변잡끼] 자기 주위에서 일어나는 여러 가지 일들을 적은 수필체의 글.

신병 (新兵) 새로 입대한 병사. ㉠신병 훈련소.

신:봉 (信奉) 사상이나 학설, 종교 따위를 옳다고 믿고 받듦. ㉠신봉자. **—하다.**

신부[1] (神父) 천주교에서, 사제로 임명을 받은 성직자.

신부[2] (新婦) 곧 결혼할 여자나 갓 결혼한 여자. 비 새색시. 반 신랑.

신분 (身分) 개인의 사회적 지위나 계급. ㉠신분을 확인하다 / 학생 신분에 맞지 않는 곳에 가다.

신분증 (身分證) [신분쯩] 어떤 사람의 신분을 확인해 주는 문서. ㉠신분증을 제시하다.

신붓감 (新婦—) [신부깜 / 신붇깜] 신부가 될 만한 사람. 또는 신부가 될 사람. 반 신랑감.

신비 (神祕) 사람의 생각으로는 설명 또는 이해할 수 없을 만큼 매우 놀랍고 신기한 일. ㉠자연의 신비. **—하다.**

신비롭다 (神祕—) [신비롭따] 신비한 느낌이 있다. ㉠모나리자의 신비로운 미소. 활용 신비로워 / 신비로우니.

신비스럽다 (神祕—) [신비스럽따] 신비한 데가 있다. ㉠신비스럽고 경건한 일출과 일몰. 활용 신비스러워 / 신비스러우니.

*__신:사__ (紳士) **1** 태도나 행동이 점잖고 예의 바르며 교양 있는 남자. ㉠신사다운 행동. **2** '성인 남자'를 높여 일컫는 말. ㉠신사 숙녀 여러분. 반 숙녀. ➲ gentleman

신:사복 (紳士服) 성인 남자들이 입는 양복.

신:사 유람단 (紳士遊覽團) 조선 고종 18년(1881), 새로운 문물을 살펴보게 하려고 일본에 보낸 시찰단.

신사임당 (申師任堂) 〖인명〗 조선의 유학자 율곡의 어머니. 자수·서화에 뛰어남. 어진 어머니로 이름남. [1504-1551]

신:사적 (紳士的) 신사다운 (것). ㉠신사적인 태도.

신상 (身上) 개인에 관한 일이나 형편. ㉠신상 조사.

신생 (新生) 새로 생기거나 태어남. ㉠신생 농구팀. **—하다.**

신생대 (新生代) 지질 시대 가운데 가장 최근의 시대로 약 6500만 년 전부터 지금까지의 시기.

신생아 (新生兒) 갓난아이.

신석기 시대 (新石器時代) [신석끼—] 고고학에서 구석기 시대와 청동기 시대의 사이에 있으며, 석기 문화의 최고 전성기를 이룬 시대. *구석기 시대.

신선 (神仙) 인간 세상을 떠나 자연과 벗하며 도를 닦아 신통한 능력이 있어 늙지 않고 오래 산다는 상상의 사람. 비 선인.

신선도 (新鮮度) 먹을거리의 싱싱한 정도. ㉠신선도가 뛰어나다 / 신선도를 유지하다.

신선하다 (新鮮—) **1** 새롭고 산뜻하다. ㉠신선한 공기. **2** 채소나 생선 따위가 싱싱하다. ㉠신선한 채소.

신설 (新設) 새로 설치하거나 마련함. ㉠신설 초등학교. **—하다.**

신성 (神聖) 매우 거룩하고 성스러움. ㉠신성 모독 / 선생님을 신성한 존재로 여기다. **—하다.**

*__신세__ (身世) **1** 자기가 처해 있는 처지나 형편. ㉠가련한 신세 / 신세를 망치다. **2** 남에게 도움을 받거나 폐를 끼치는 일. ㉠신세를 입다 / 신세를 지다 / 신세 갚을 길이 없다.

신세계 (新世界) [—/신세계] **1** 새로운 세상. **2**⇨신대륙2. 반 구세계.

신세대 (新世代) 새로운 세대. 20세 이하의 젊은 사람들. 예신세대 감각. 반 구세대.

신세타령 (身世—) 자신의 불행한 처지를 넋두리하듯이 늘어놓는 일. 또는 그런 이야기. 예신세타령이 절로 난다. **—하다.**

신소설 (新小說) 갑오개혁 이후부터 현대 소설이 지어지기 전까지 나온 소설. 계급 타파·개화·계몽·자유 연애 따위를 주제로 다룸. 이인직의 '혈의 누' 따위. *구소설.

신ː속 (迅速) 날쌔고 빠름. 예신속 배달/신속한 회답/사건을 신속히 처리하다. **—하다. —히.**

신ː속성 (迅速性) [신속썽] 매우 빠른 성질. 예보도의 신속성.

신수¹ (身手) 사람 얼굴에 나타난 건강한 기운. 예신수가 훤하다.

신수² (身數) 그 사람의 운수. 예신수가 사납다/신수를 보다.

신숙주 (申叔舟) 〖인명〗 조선 세조 때의 학자·정치가. 호는 보한재. 세종의 훈민정음 창제 때 성삼문과 함께 크게 공헌함. [1417-1475]

신시가지 (新市街地) 본디의 도시에서 새로 뻗어 나가 새롭게 형성된 시가지.

신시대 (新時代) 새로운 시대. 예신시대가 열리다. 반 구시대.

신식 (新式) 새로운 방식이나 형식. 예신식 결혼. 반 구식.

신신당부 (申申當付) ⇨신신부탁. 예비밀을 꼭 지키라고 신신당부하다. **—하다.**

신신부탁 (申申付託) 되풀이하여 간절히 하는 부탁. 예담배를 끊을 것을 신신부탁하다. **—하다.**

신ː앙 (信仰) [시낭] 한 종교의 신을 믿고 받드는 일. 예신앙의 자유/신앙을 가지다.

신ː앙심 (信仰心) [시낭심] 종교를 믿고 그 가르침을 따르는 마음. 예신앙심이 깊다.

신약 성ː서 (新約聖書) [시냑썽서] 기독교의 성서의 하나. 예수 탄생 후의 신의 계시를 기록한 책. *구약 성서.

신여성 (新女性) [신녀성] 개화기 때 신식 교육을 받은 여성.

신열 (身熱) [시녈] 병 때문에 오르는 몸의 열. 예신열에 시달리다/신열이 나다.

신예 (新銳) [시녜] 어떤 분야에 새로 나타나서 뛰어난 실력이나 기세를 보임. 또는 그런 사람이나 물건. 예신예 작가.

신ː용 (信用) [시뇽] 사람이나 사물이 틀림없다고 믿어 의심하지 아니함. 또는 그 믿음성의 정도. 예신용이 좋은 사람/신용을 잃다. **—하다.**

신ː용 카드 (信用card) [시뇽—] 현금 없이 물건이나 서비스를 받고 비용을 일정 기간 뒤에 낼 수 있도록 고객의 신분과 예금 계좌를 확인해 주는 카드. 크레디트 카드.

신원 (身元) [시눤] 어떤 사람의 주소·본적·신분·직업 따위에 관한 일. 예신원을 알 수 없는 사람/신원을 조회하다.

신원 보증 (身元保證) [시눤—] 사람의 신상·재력 따위가 확실함을 책임지는 일. 예신원 보증인.

신윤복 (申潤福) 〖인명〗 조선 후기의 풍속화가. 호는 혜원. 기생·무속·술집 따위에 관한 풍속도를 많이 그렸음. 작품에 '미인도' 따위가 있음. [1758-?]

신음 (呻吟) [시늠] 병이나 고통으로 괴로워 앓는 소리를 냄. 예밤새 신음하면서 끙끙 앓다. **—하다.**

***신ː의** (信義) [시늬/시니] 믿음과 의리. 예신의를 지키다.

신의주 (新義州) [시늬주/시니주]

〖지명〗 평안북도 서쪽에 있는 시. 목재 집산지로, 제재·펄프 따위의 공업이 발달됨. 압록강 철교에 의하여 중국·유럽에 이르는 교통의 요지임.

신인 (新人) [시닌] 예술계·체육계 따위의 분야에 새로 등장한 사람. ㉠**신인** 선수 / **신인** 가수.

신:임[1] (信任) [시님] 믿고 일을 맡김. ㉠**신임**을 받다 / 선생님의 **신임**이 두텁다. **—하다.**

신임[2] (新任) [시님] 새로 임명되거나 취임함. 또는 그 사람. ㉠**신임** 감독 / **신임** 교사.

신:임장 (信任狀) [시님짱] 외교관을 다른 나라로 보내는 나라의 원수가 외교관의 신분과 파견 목적을 알리는 문서.

신입 (新入) [시닙] 어떤 모임이나 단체에 새로 들어옴. ㉠**신입** 사원. **—하다.**

신입생 (新入生) [시닙쌩] 새로 입학한 학생. ㉠**신입생** 모집.

신:자 (信者) 종교를 믿는 사람. ㉠기독교 **신자** / 불교 **신자.**

신작 (新作) 작품 따위를 새로 지어 만듦. 또는 그 작품. ㉠**신작**을 발표하다. **—하다.**

신작로 (新作路) [신장노] 자동차가 다닐 수 있게 새로 낸 넓은 길.

신장[1] (—欌) [신짱] 신을 넣어 두는 장. ㉠**신장**에서 구두를 꺼내어 신다. ㊍신발장.

신장[2] (身長) 사람의 키. ㉠**신장**을 재다 / **신장**이 크다.

신장[3] (伸張) 세력 따위를 널리 펴거나 뻗침. ㉠국력 **신장. —하다.**

신:장[4] (腎臟) 동물의 몸 안에서 오줌을 걸러 내는 기관. 사람에게는 강낭콩 모양으로 좌우 한 쌍이 있음. ㊍콩팥.

신장[5] (新粧) 건물 따위를 새로 단장함. 또는 그 단장. ㉠**신장** 개업. **—하다.**

신전 (神殿) 신을 모신 큰 건물. ㉠파르테논 **신전.**

신접살림 (新接—) [신접쌀림] 처음으로 차린 살림살이. ㊍신접살이. **—하다.**

신정 (新正) **1** 새해의 첫머리. **2** 양력 설. ㊊구정.

신제품 (新製品) 새로운 제품. 새로 만든 물건. ㉠**신제품** 개발.

신:조 (信條) 굳게 믿어 지키고 있는 생각. ㉠정직을 **신조**로 삼다.

신종 (新種) **1** 새로운 종류. ㉠**신종** 개발. **2** 새로 발견하였거나 새롭게 개량한 생물의 품종.

신주 (神主) 죽은 사람의 위패.

신주 모시듯 조심스럽고 정성스럽게 다루는 모양. ㉠가보로 내려오는 도자기를 **신주 모시듯** 하다.

신주머니 [신쭈머니] 신을 넣어 들고 다니는 주머니. ㊍신발주머니.

신:중 (愼重) 매우 생각이 깊고 조심스러움. ㉠**신중**한 몸가짐 / **신중**히 생각하다. **—하다. —히.**

신진 (新進) 어떤 분야에 새로 나아감. 또는 그 사람. ㉠**신진** 작가.

신진대사 (新陳代謝) 생물이 영양물질을 빨아들이고 노폐물은 내보내는 작용. ㊍물질대사.

신참 (新參) 어떤 부서·단체 따위에 새로 들어옴. 또는 그 사람. ㉠**신참** 사원. ㊊고참.

신채호 (申采浩) 〖인명〗 일제 강점기의 독립 운동가·역사가·언론인. 호는 단재. 황성신문·대한매일신보 등에 글을 실어 독립 정신을 북돋움. 저서에 '조선 상고사'·'조선사 연구초' 따위가 있음. [1880~1936]

신천지 (新天地) 새로운 세상. ㉠**신천지**가 펼쳐지다.

신청 (申請) 어떤 기관에 어떤 일을 해 줄 것을 정식으로 요구하는 일. ㉠**신청**서 / **신청**자 / 소년단 가입을 신청하다. **—하다.**

*__신체__ (身體) 사람의 몸. ㉢신체를 단련하다 / 건강한 신체에 건전한 정신이 깃든다. 비 몸. 육체. 반 영혼.

신체검사 (身體檢查) **1** 건강 상태를 알려고 몸의 각 부분을 검사함. 준 신검. **2** 학교에서 학생들의 소지품이나 복장을 검사하는 일.

신체적 (身體的) 몸에 관한 (것). ㉢신체적 변화.

신축[1] (新築) 건물 따위를 새로 지음. ㉢아파트 신축 현장 / 신축한 집으로 이사를 하다. **—하다.**

신축[2] (伸縮) 늘어남과 줄어듦. ㉢신축이 잘되는고무줄. **—하다.**

신축성 (伸縮性) [신축썽] 늘어나고 줄어드는 성질. ㉢신축성이 좋은 운동복.

신출 (新出) 새로 나온 인물이나 물건. ㉢신출 한자. **—하다.**

신출귀몰 (神出鬼沒) 마음대로 나타났다 사라졌다 하여 그 변화를 헤아릴 수 없음. **—하다.**

신출내기 (新出—) [신출래기] 어떤 일에 처음 나서서 아직 익숙지 못한 사람. ㉢신출내기라고 깔보다.

신:탁 (信託) 돈이나 그 밖의 재산을 믿을 만한 사람에게 관리시켜서 이익을 얻는 일. ㉢금전 신탁 / 신탁은행. **—하다.**

신:탁 통:치 (信託統治) 유엔의 위임을 받은 나라가 어떤 특정한 지역을 다스리는 제도.

신:탁 통:치 이:사회 (信託統治理事會) 유엔 주요 기관의 하나. 신탁 통치에 관한 문제를 처리함.

신토불이 (身土不二) [신토부리] 몸과 땅은 하나라는 뜻으로, 자기가 사는 땅에서 생산된 농작물이 자신의 몸에 가장 잘 맞는다는 말.

신통력 (神通力) [신통녁] 무슨 일이든지 해낼 수 있는 영묘하고 불가사의한 힘. ㉢신통력을 지니다.

신통스럽다 (神通—) [신통스럽따] 보기에 신통한 데가 있다. ㉢신통스러운 솜씨. 활용 신통스러워 / 신통스러우니.

신통하다 (神通—) **1** 놀랍고 신기하다. ㉢신통하게 잘 맞히다. **2** 대견하고 훌륭하다. ㉢어린것이 신통하기도 하지. 비 신기하다.

신트림 신물이나 시큼한 냄새가 목구멍으로 넘어오면서 나는 트림. **—하다.**

신판 (新版) 책의 내용이나 체재를 새롭게 꾸민 것. 또는 그렇게 하여 만든 책. 반 구판.

신품 (新品) 새로운 물품. ㉢신품이나 다름없는 중고품.

*__신하__ (臣下) 임금을 섬기어 벼슬하는 사람.

신학 (神學) 기독교의 교리 및 신앙에 대해서 연구하는 학문.

신학교 (神學校) [신학꾜] 신학을 가르치어 종교 사업을 맡아할 사람을 길러 내는 학교.

신학기 (新學期)[신학끼] 새로 시작되는 학기. ㉢신학기를 맞이하다.

신학문 (新學問) [신항문] 개화기에 서양에서 들어온 새로운 학문. 반 구학문.

신형 (新型) 기계나 장치 따위의 새로운 형태. ㉢신형 차. 반 구형.

*__신:호__ (信號) 서로 떨어져 있는 곳에서 손짓이나 부호 따위를 써서 뜻을 통하는 방법. ㉢교통 신호 / 신호를 보내다. **—하다.**

신:호기 (信號機) 철도나 도로 따위에서, 진행·주의·정지 따위의 신호를 표시하는 기계.

신:호등 (信號燈) 철도나 도로 따위에서, 사람이나 자동차에서 진행·정지·방향 전환·주의 따위의 신호를 알리기 위해 켜는 등.

신:호탄 (信號彈) 군대에서 신호를 하기 위해 쏘는 탄환.

신혼 (新婚) 갓 결혼함. 또는 새로 결혼함. ㉞신혼 생활 / 신혼의 단꿈에 젖어 있다. **—하다.**

신혼여행 (新婚旅行) [신혼녀행] 결혼식을 마치고 신혼부부가 함께 가는 여행. ㉥밀월여행.

신화 (神話) 신이나 신 같은 존재에 대한 신비롭고 환상적인 이야기. ㉞단군 신화.

신흥 (新興) 어떤 사회적 사실이나 현상이 새로 일어남. ㉞신흥 공업국 / 신흥 종교.

***싣:다** [싣따] **1** 물건을 나르려고 배나 차 등에 얹다. ㉞짐을 싣다. **2** 사람이 탈것에 오르다. ㉞택시에 몸을 싣다. **3** 책이나 신문 따위에 글·그림 등을 내다. ㉞신문에 특종 기사를 싣다. [활용] 실어 / 실으니 / 싣는.

> [주의] **'싣다' 의 활용**
> 'Ⓢ싣다'는 '싣' 뒤에 모음 어미가 올 때에는 '실-'로 활용하며, 자음 어미가 올 때에는 '싣-'으로 어간이 바뀌지 않는다. 싣다-싣고-싣지-실으니-실어서.
> ㉞많이 실지 마라(×)
> 많이 싣지 마라(○)
> 자동차가 짐을 실고 떠났다(×)
> 자동차가 짐을 싣고 떠났다(○)

***실:**[1] 고치·털·솜 따위를 가늘고 길게 뽑아 꼰 것. ㉞실로 꿰매다 / 실을 바늘에 꿰다.

실[2] (失) 손실. 잃음. ㉞득보다 실이 많다.

실:-[1] '가는'·'작은'·'엷은'의 뜻을 나타내는 말. ㉞실눈 / 실가지 / 실개천 / 실바람.

실-[2] (實) '실제의'·'착실한'·'옹골찬'의 뜻을 나타내는 말. ㉞실수입 / 실생활.

-실 (室) '방'의 뜻. ㉞비서실 / 장관실 / 회의실.

실감 (實感) 실제인 것처럼 느껴지는 것. ㉞실감 나게 연기하다 / 어려움을 실감하다. **—하다.**

실:개울 골짜기나 들에 흐르는, 폭이 좁은 물줄기.

실:개천 좁다랗고 작은 개천. ㉞실개천을 건너다.

실격 (失格) [실껵] 기준에 미치지 못하거나 규칙을 어겨서 자격을 잃음. ㉞실격 선언 / 실기 시험에서 실격하다. **—하다.**

실:고추 실처럼 가늘게 썬 고추. 음식의 고명으로 씀.

실과[1] (實果) 먹을 수 있는 열매를 통틀어 이르는 말. ㉥과실.

실과[2] (實科) [실꽈] 재봉·요리·목공·전기 다루기처럼 일상생활에 필요한 지식과 기능을 다루는 초등학교 과목. ㉞실과 수업.

실권 (實權) [실꿘] 실제로 행사할 수 있는 권리나 권세. ㉞실권을 장악하다.

실기 (實技) 실지의 기술이나 기능. ㉞실기 시험/ 실기 위주의 교육.

실:낱 [실랃] 실의 올.

실:낱같다 [실란깓따] **1** 아주 가늘고 작다. ㉞실낱같은 눈썹. **2** 목숨이나 희망 따위가 끊어질 것 같다. ㉞실낱같은 희망.

***실내** (室內) [실래] 방이나 건물 따위의 안. ㉞실내 온도. ㉦실외.

실내악 (室內樂) [실래악] 방 안이나 작은 모임에서 적은 인원으로 연주하기에 알맞은 기악 합주곡. 현악 사중주가 잘 알려져 있음. ㉤실내 음악.

실내 장식 (室內裝飾) [실래—] 건축물의 내부를 그 쓰임에 따라 아름답게 꾸미는 일.

실:눈 [실룬] **1** 가늘고 작은 눈. **2** 가늘게 뜬 눈. ㉞실눈을 뜨고 바라보다.

실:뜨기 실의 두 끝을 마주 매어

두 손에 건 다음에 양쪽 손가락에 얼기설기 얽어 가지고 두 사람이 주고받으면서 여러 가지 모양을 만드는 놀이.

실랑이 말로 옳으니 그르니 하며 서로 옥신각신 다투는 짓. 본 실랑이질. **—하다.** →승강이 주의

***실력** (實力) 실제로 어떤 일을 해낼 수 있는 능력. 예실력을 쌓다 / 실력이 뛰어나다.

실례1 (實例) 실제의 예. 실제로 있는 보기. 예실례를 들어 설명하다.

실례2 (失禮) 말이나 행동이 예의에 벗어남. 또는 그런 말이나 행동. 예실례가 많습니다 / 잠깐 실례합니다. 비 실수. **—하다.**

실로 (實—) 참으로. 예세종 대왕은 실로 위대한 인물이다.

***실로폰** (xylophone) 타악기의 하나. 순서대로 늘어놓은 나무토막을 두 개의 채로 쳐서 소리를 냄.

실록 (實錄) **1** 역사적인 사실을 있는 그대로 적은 기록. 예제2차 세계 대전 실록. **2** 한 임금이 임금의 자리에 있는 동안에 있었던 사실을 적은 기록. 예세종 실록.

실루엣 (silhouette) **1** 윤곽의 안을 검게 칠한 얼굴 그림. **2** 그림자 그림만으로 표현한 영화 장면. **3** 옷의 전체적인 윤곽. 예우아한 실루엣의 웨딩드레스.

실룩 근육의 일부분이 갑자기 움직이는 모양. 또는 일부분을 갑자기 움직이는 모양. 작 샐룩. 센 씰룩. **—하다. —거리다.**

실리 (實利) 실지로 얻은 이익. 예실리를 챙기다.

***실리다** **1** 차·배 따위에 올려놓이다. 예들것에 실려 병원으로 옮겨지다. **2** 출판물에 글·그림 등이 인쇄되어 나오다. 예잡지에 글이 실리다.

실리콘 (silicon) 화학에서, 수정·차돌 등의 주성분이 되는 원소. 반도체를 만드는 데 씀. 규소.

실린더 (cylinder) 가스를 폭발시키는 기관이나 증기 기관 따위에서 피스톤이 왔다 갔다 하는, 속이 빈 둥글고 긴 통 모양의 장치.

실:마리 **1** 감겨 있거나 헝클어진 실의 첫머리. **2** 일이나 사건을 풀어 나갈 수 있는 첫머리. 예실마리가 풀리다 / 해결의 실마리를 찾다.

실망 (失望) 희망을 잃음. 또는 바라던 일이 뜻대로 되지 않아 마음이 몹시 상함. 예기대에 어긋나 실망하다. 비 낙망. 낙심. 실의. 반 희망. **—하다.**

실망스럽다 (失望—) [실망스럽따] 바라던 일이 뜻대로 되지 않아 마음이 몹시 상한 데가 있다. 예일이 잘 풀리지 않아 실망스럽다. 활용 실망스러워 / 실망스러우니.

실명1 (失明) 시력을 잃어 눈이 보이지 않게 됨. 예한쪽 눈을 실명하다. **—하다.**

실명2 (實名) 실제의 이름. 예실명을 확인하다. 비 본명. 반 가명.

실무 (實務) 맡은 일을 실제로 다루는 일. 예실무에 경험이 많다.

실무자 (實務者) **1** 실지로 일을 직접 맡아 하는 사람. **2** 실제의 업무에 능숙한 사람.

실물 (實物) 실제로 있는 물건이나 사람. 예실물 크기의 사진 / 사진보다 실물이 더 낫다.

실:바람 아주 약하게 부는 바람. → [학습마당] 24(1145쪽)

실:밥 [실빱] **1** 꿰맨 실이 밖으로 드러난 부분. 예실밥이 드러나다. **2** 옷을 뜯을 때 뽑아내는 실의 부스러기. 예실밥이 풀어지다.

실:버들 가늘고 길게 늘어진 버들. 예실버들이 늘어선 거리.

실:비1 실처럼 가늘게 내리는 비.

실비2 (實費) 실지로 드는 돈. 예실비로 음식을 제공하다.

실상 (實狀) [실쌍] 실제의 상태나 내용. ㉠실상을 조사하다. 비 실지.
실생활 (實生活) [실쌩활] 이론이나 공상이 아닌 실제의 생활. ㉠실생활에 응용하다.
실선 (實線) [실썬] 끊어진 곳이 없이 이어진 선.
실성 (失性) [실썽] 정신에 이상이 생겨 제정신을 잃음. ㉠실성한 사람. **—하다.**
실세 (實勢) [실쎄] **1** 실제의 세력이나 기운. 또는 그것을 가진 사람. ㉠강력한 실세. **2** 실제의 시세. ㉠실세 가격.
실소 (失笑) [실쏘] 어처구니가 없어 자기도 모르게 나오는 웃음. ㉠실소를 금할 수가 없다. **—하다.**
실속 (實—) [실쏙] **1** 실제의 알맹이가 되는 내용. ㉠실속 없는 이야기. **2** 겉에 나타나지 아니한 이익. ㉠실속만 차리다.
***실수** (失手) [실쑤] **1** 주의하지 않아서 잘못함. 또는 그런 행위. ㉠실수로 일어난 사고 / 실수를 저지르다. **2** ⇨실례². **—하다.**
실습 (實習) [실씁] 실제로 해 보고 익힘. ㉠현장 실습 / 운전을 실습하다. **—하다.**
***실시** (實施) [실씨] 실제로 시행함. ㉠기말 고사를 실시하다. 비 시행. **—하다.**
실신 (失神) [실씬] 병이나 충격 따위로 정신을 잃음. ㉠충격으로 실신하다. 비 기절. **—하다.**
실실 실없게 슬며시 웃는 모양. ㉠괜히 실실 웃다. 작 샐샐. **—하다.**
실언 (失言) [시런] 하지 않아야 될 말을 실수로 말함. 또는 그 말. ㉠실언을 사과하다. **—하다.**
실업¹ (失業) [시럽] 일할 의사와 노동력을 가진 사람이 일자리를 잃거나 일할 기회를 갖지 못하는 상태. 비 실직. 반 취업. **—하다.**
실업² (實業) [시럽] 농업·상업·공업 따위의 생산·제작·판매 따위에 관련된 사업.
실업가 (實業家) [시럽까] 상공업·금융업 따위의 사업을 하는 사람.
실업률 (實業率) [시럼뉼] 일을 할 수 있는 인구 가운데서 실업자가 차지하는 비율. ㉠실업률이 점점 낮아지다.
실업자 (失業者) [시럽짜] 일자리를 잃거나 일자리가 없는 사람.
실업학교 (實業學校) [시러팍꾜] 실업에 관한 교육을 하는 학교.
실없다 [시럽따] 말이나 행동이 참되지 않아 미덥지 못하다. ㉠실없는 소리 그만 해라.
실없이 [시럽씨] 실없게. ㉠실없이 지껄이는 말.
실연¹ (失戀) [시련] 사랑이 이루어지지 않음. 연애에 실패함. **—하다.**
실연² (實演) [시련] **1** 실제로 해 보임. ㉠마술을 실연하다. **2** 배우나 가수 등이 무대에서 실제로 연기함. **—하다.**
실:오라기 [시로라기] 한 가닥의 실. ㉠실오라기 같은 희망 / 실오라기 하나 걸치지 않다. 비 실오리.
실온 (室溫) [시론] 방 안의 온도. ㉠실온에 보관하다.
실외 (室外) [시뢰] 방이나 건물 따위의 밖. ㉠실외 운동. 반 실내.
실용 (實用) [시룡] 실제로 이용 또는 사용함. ㉠실용 영어. **—하다.**
실용성 (實用性) [시룡썽] 실제로 쓰는 데 알맞은 성질. ㉠실용성이 없는 물건 / 실용성을 강조하다.
실용적 (實用的) [시룡적] 실제로 이용되는 (것). 실제로 쓰는 데 알맞은 (것). ㉠실용적 학문 / 실용적이지 못한 그릇.
실용화 (實用化) [시룡화] 실제로 쓰거나 쓰게 함. ㉠실용화 가능성. **—하다.**

실은 (實—) [시른] 사실은. 실제로는. ㉮실은 거짓말이다.
실의 (失意) [시릐 / 시리] 기대가 어긋나 뜻이나 의욕을 잃음. ㉮실의에 잠기다. 비 실망. **—하다.**
실재 (實在) [실째] 실제로 존재함. ㉮실재의 인물. **—하다.**
실적 (實績) [실쩍] 실제의 업적이나 성적. ㉮수출 실적을 올리다.
실전 (實戰) [실쩐] 실제의 싸움. ㉮실전에 강하다 / 실전을 방불케 하는 훈련.
실점 (失點) [실쩜] 경기나 승부 따위에서 점수를 잃음. 또는 그 점수. 반 득점. **—하다.**
실정 (實情) [실쩡] 실제의 사정이나 형편. ㉮실정에 맞다 / 실정을 잘 알다. 비 실태.
*__실제__ (實際) [실쩨] 있는 그대로의 경우나 형편. ㉮실제 상황 / 실제 나이보다 젊게 보인다. 비 사실. 실지.
*__실제로__ (實際—) [실쩨로] 사실 그대로. ㉮실제로 경험한 일이다. 비 실지로.
실조 (失調) [실쪼] 조화나 균형을 잃음. ㉮영양 실조.
실족 (失足) [실쪽] 발을 잘못 디딤. ㉮실족해서 추락하다. **—하다.**
실존 (實存) [실쫀] 실제로 존재하는 것. ㉮실존 인물. **—하다.**
실종 (失踪) [실쫑] 간 곳이나 죽었는지 살았는지를 알 수 없음. ㉮실종자 / 실종 신고. **—하다.**
실증 (實證) [실쯩] **1** 확실한 증거. **2** 실물이나 사실에 따라 증명함. ㉮실증주의. **—하다.**
실지 (實地) [실찌] **1** 실제의 처지나 경우. ㉮실지 경험을 쌓다. 비 실제. **2** 실제의 땅이나 장소. ㉮실지의 답사. 비 현장.
실ː지렁이 집 근처의 하수도나 더러운 개천에 무리 지어 사는 붉은 실오라기 모양의 지렁이. 물고기의 먹이 등으로 씀.
실직 (失職) [실찍] 일자리를 잃음. ㉮실직을 당하다 / 실직한 후 새로운 일자리를 찾아 나서다. 비 실업. 반 취직. **—하다.**
*__실질__ (實質) [실찔] 꾸밈이나 거짓이 없는 실제의 본바탕. ㉮겉모양보다 실질을 택하다. 반 형식.
실쭉 **1** 어떤 감정의 표현으로서 입·눈이 한쪽으로 실그러지게 움직이는 모양. ㉮실쭉 웃다. **2** 마음에 차지 않아 약간 고까워하는 태도를 드러내는 모양. 작 샐쭉. **—하다.**
실책 (失策) 잘못된 계획이나 잘못된 처리. ㉮실책을 범하다.
*__실천__ (實踐) 생각한 바를 실제 행동으로 옮김. ㉮계획을 실천에 옮기다. 비 실행. 반 이론. **—하다.**
실천력 (實踐力) [실천녁] 실천하는 힘이나 능력. ㉮말만 번지르르할 뿐 실천력이 없다.
실체 (實體) **1** 모양과 부피가 있는 물건. **2** 본디의 모습. ㉮사건의 실체를 파악하다.
실추 (失墜) 명예나 권위 따위를 떨어뜨리거나 잃음. ㉮교사의 위신을 실추하다. **—하다.**
실컷 [실컫] **1** 마음에 원하는 대로 한껏. ㉮실컷 자다 / 실컷 뛰어놀다 / 실컷 먹다. 비 마음껏. **2** 아주 심하게. ㉮실컷 얻어맞다.
실크 (silk) ⇨견직물.
실크 로드 (Silk Road) 아시아 내륙을 가로지르는 고대의 교통로. 고대 중국 특산물인 비단을 옮기던 길인 데서 유래한 말. 비단길.
실ː타래 긴 실을 쉽게 풀어 쓸 수 있도록 뭉쳐 놓은 것. ㉮실타래를 짓다 / 실타래를 풀다.
실탄 (實彈) 총이나 대포 따위에 넣어 쏘는 실제 탄알. ㉮실탄을 장전하다.
실태 (實態) 있는 그대로의 상태.

실제의 형편. ㉠인구 분포의 실태를 조사하다.

실토 (實吐) 사실대로 말함. ㉠속마음을 실토하다 / 잘못을 실토하고 용서를 빌다. **—하다.**

실:톱 실같이 가늘고 작은 톱. 얇은 널빤지를 여러 가지 모양으로 도려내는 데 쓰임.

실:패[1] 실을 감아 두는 작은 나무쪽. ㉠실패에 실을 감다.

*__실패__[2] (失敗) 일을 잘못하여 그르침. ㉠실패는 성공의 어머니. 반 성공. **—하다.**

실:핏줄 [실피쭐 / 실핀쭐] ⇨모세혈관.

실하다 (實—) **1** 튼튼하다. ㉠실하게 생긴 어린아이. **2** 속이 옹골지다. ㉠배추 속이 실하게 차다.

실학 (實學) 조선 영조·정조 때 생겨난 학문. 전통적 유학에서 벗어나, 실생활의 향상과 사회 제도의 개선을 이루고자 함. ㉠실학사상.

실행 (實行) 생각이나 계획을 실제로 행함. ㉠약속대로 실행하다. 비 실시. 실천. **—하다.**

실향 (失鄕) 고향을 잃거나 빼앗김. ㉠실향의 아픔을 달래다.

실향민 (失鄕民) 고향을 잃고 타향살이를 하는 사람. ㉠북녘에 고향을 둔 실향민.

*__실험__ (實驗) **1** 실제로 시험함. ㉠실험 실습. **2** 과학에서, 이론이나 현상을 관찰하고 측정함. ㉠약의 효능 실험. 비 시험. **—하다.**

실험실 (實驗室) 실험을 하기 위해 필요한 장치와 설비를 갖춘 방. ㉠과학 실험실.

*__실현__ (實現) 꿈이나 기대 따위를 실제로 이룸. ㉠실현 단계 / 꿈을 실현하다. **—하다.**

실형 (實刑) 실제로 받는 형벌. 징역·사형 따위. ㉠실형을 선고하다.

실화 (實話) 실지로 있었던 사실의 이야기. ㉠그 영화는 실화이다 / 실화를 바탕으로 만들어지다.

실황 (實況) 실제의 상황. ㉠실황 중계 방송.

실효 (實效) 실제의 효과. ㉠실효를 거두다.

*__싫다__ [실타] **1** 마음에 들지 않다. ㉠싫은 사람. **2** 하고 싶지 않다. ㉠공부하기 싫다. 반 좋다.

*__싫어하다__ [시러하다] **1** 마음에 들지 않아 언짢게 여기다. ㉠싫어하는 반찬. **2** 하기를 꺼려하다. ㉠수학을 싫어하다. ➡ dislike, hate

싫증 (—症) [실쯩] 싫은 생각이나 느낌. ㉠싫증이 나다. 비 염증.

심 (心) **1** 죽에 곡식 가루를 잘게 뭉쳐 넣은 덩이. 팥죽에 넣는 새알심 따위. **2** 양복저고리의 어깨나 깃 따위에 빳빳하게 하려고 넣는 헝겊. ㉠양복 깃에 심을 넣다. **3** 연필이나 볼펜 속에 들어 있는, 글씨를 쓸 수 있는 부분. ㉠연필의 심이 가늘다.

-심 (心) '마음'을 뜻함. ㉠애국심 / 자존심 / 동정심.

*__심:각하다__ (深刻—) [심가카다] 상태나 정도가 매우 중대하고 절박하다. ㉠심각한 문제 / 교통 체증이 심각하다.

심경 (心境) 마음의 상태. ㉠심경의 변화를 일으키다.

심금 (心琴) 외부의 자극을 받아 미묘하게 움직이는 마음.

심금(을) 울리다 자극을 받아 감동을 일으키다. ㉠심금을 울리는 마지막 장면.

심기 (心氣) 마음으로 느끼는 기분. ㉠심기가 불편하다.

심기일전 (心機一轉) [심기일쩐] 어떤 동기로 이제까지 품었던 마음을 완전히 바꿈. ㉠심기일전의 기회 / 심기일전하여 공부하다. **—하다.**

*__심:다__ [심따] 풀·나무의 씨앗이나 뿌리 따위를 땅속에 묻다. ㉠나무를

심다 / 텃밭에 고추를 심다. ➲ plant

심드렁하다 마음에 들지 않아서 관심이 없다. ㉠심드렁하게 대답하다 / 심드렁한 표정을 짓다.

심란하다 (心亂–) [심난하다] 마음이 뒤숭숭하고 어수선하다. ㉠입시 문제로 심란하다.

심려 (心慮) [심녀] 웃어른이 마음속으로 걱정함. ㉠심려가 크다 / 심려를 끼쳐 드려 죄송합니다. **—하다.**

심리 (心理) [심니] 마음의 움직임이나 상태. ㉠불안한 심리.

심리학 (心理學) [심니학] 심리를 연구하는 학문.

심마니 산삼을 캐는 것을 직업으로 하는 사람.

심문 (審問) 자세히 따져서 물음. ㉠죄인을 심문하다. **—하다.**

심벌즈 (cymbals) 타악기의 하나. 둥글고 얇게 만든 두 개의 쇠붙이를 마주쳐서 소리를 냄.

심보 (心–) [심뽀] 주로 좋지 못한 마음씨. ㉠심보가 고약하다. 비 마음보.

심복 (心腹) 마음 놓고 부리거나 일을 맡길 수 있는 사람. ㉠심복을 두다 / 심복을 만들다.

***심ː부름** 남이 시키는 일이나 부탁을 받아 해 주는 일. ㉠심부름을 보내다 / 선생님 심부름으로 교무실에 다녀오다. **—하다.**

심ː부름꾼 심부름을 하는 사람.

심ː사¹ (審査) 자세히 살펴 조사하여 등급을 나누거나 합격 여부를 결정함. ㉠심사 기준 / 자격을 심사하여 선발하다. **—하다.**

심사² (心思) **1** 마음. ㉠심사가 편치 못하다. **2** 남이 하는 일을 방해하거나 그르치려는 마음.

심사(가) 나다 심사를 부리고 싶은 생각이 들다.

심사(가) 사납다 마음보가 나쁘고 심술궂다.

심사가 틀리다 마음이 비뚤어져 일을 방해하려는 마음이 나다.

심사(를) 부리다 일부러 남의 일을 방해하다.

심ː사숙고 (深思熟考) [심사숙꼬] 깊이 잘 생각함. ㉠심사숙고하여 결정하다. **—하다.**

심상하다 (尋常–) 대수롭지 않고 예사롭다. ㉠심상치 않은 분위기 / 사태가 심상치 않다. 비 범상하다.

심성 (心性) 타고난 마음씨. ㉠심성이 착하다.

심술 (心術) 남을 미워하고 괴롭히려는 마음. ㉠심술이 나다.

심술궂다 (心術–) [심술굳따] 심술이 몹시 많다. ㉠심술궂은 친구 / 심술궂게 생기다.

심술꾸러기 (心術–) 심술이 많은 사람. ㉠내 동생은 심술꾸러기이다. 비 심술쟁이.

심술보 (心術–) [심술뽀] 심술이 많은 못된 사람의 낮춤말.

심술쟁이 (心術–) ⇨심술꾸러기.

심신 (心身) 마음과 몸. ㉠심신을 단련하다 / 심신이 피곤하다.

심심찮다 [심심찬타] 드물지 않고 꽤 잦다. ㉠심심찮게 손님들이 찾아들었다.

심심풀이 [심심푸리] 심심함을 잊고 시간을 보내기 위하여 무엇을 함. ㉠심심풀이로 만화를 보다.

***심심하다¹** 할 일이나 재미있는 일이 없어 지루하고 따분하다. ㉠심심해서 못 견디겠다.

심심하다² 맛이 조금 싱겁다. ㉠심심하게 간을 하다.

심ː야 (深夜) [시먀] 깊은 밤. ㉠심야 방송 / 심야 영업.

심ː연 (深淵) [시면] **1** 물이 깊은 못. **2** 좀처럼 헤어나기 힘든 깊은 구렁을 비유한 말. ㉠절망의 심연에 빠지다.

심ː오하다 (深奧–) [시모하다] 이

론이나 생각 따위가 깊고 오묘하다. ㉠심오한 진리를 깨닫다.

심:의 (審議) [시믜 / 시미] 제출된 안건을 상세히 검토하고 논의함. ㉠심의를 통과하다 / 개정안을 심의하다. **—하다.**

*__심장__ (心臟) 피를 핏줄 속으로 밀어 내어 돌게 하는 작용을 하는 신체 기관. ㉠심장 박동 / 심장이 뛰다. 비 염통. ➲heart

심장 마비 (心臟痲痺) 심장의 기능이 갑자기 멈추는 일. ㉠심장 마비로 쓰러지다.

심장병 (心臟病) [심장뼝] 심장에 생기는 병을 통틀어 이르는 말. ㉠심장병으로 입원하다.

심:장하다 (深長—) 뜻이 깊고 함축성이 있다. ㉠의미가 심장한 말.

심적 (心的) [심쩍] 마음에 관한 (것). ㉠심적 부담 / 심적인 고통. 반 물적.

심전도 (心電圖) 심장의 수축에 따라 생기는 활동 전류를 곡선으로 나타낸 그림. ㉠심전도 검사.

심정 (心情) 마음에 품은 생각과 감정. ㉠답답한 심정. 비 마음.

심중 (心中) 마음의 속. ㉠심중을 헤아리다.

심증 (心證) 구체적인 증거는 없으나 마음으로 확실하다고 느끼는 것. ㉠심증이 가다 / 심증을 굳히다.

심지¹ (心—) 등잔·초·알코올램프 따위에 실이나 헝겊으로 꼬아서 꽂고 불을 붙이게 된 물건. ㉠심지에 불을 붙이다.

심지² (心志) 마음과 뜻. 마음에 품은 의지. ㉠심지가 강한 사람.

*__심:지어__ (甚至於) 심하다 못해 나중에는. ㉠심지어 세수조차 하지 않는구나.

심:청전 (沈淸傳) 〖책〗 조선 때 지은 고대 소설의 하나. 심청의 지극한 효성이 장님인 아버지의 눈을 뜨게 한다는 이야기. 지은이와 연대는 알 수 없음.

심취 (心醉) 어떤 일에 깊이 빠져 마음을 빼앗김. ㉠문학에 심취하다. **—하다.**

심:층 (深層) 사물이나 사건의 내부 깊숙한 곳. ㉠심층 취재.

심통 (心—) 마땅치 않게 여기는 나쁜 마음. ㉠심통을 부리다 / 심통이 사납다.

*__심:판__ (審判) **1** 법원에서, 사건에 대해 잘잘못을 법적으로 따져서 판결을 내리는 일. ㉠심판을 기다리다. **2** 운동 경기 따위에서, 규칙을 지키고 어기는 것을 가려내는 사람. 또는 그런 일. ㉠공정한 심판을 보다. **—하다.**

심포니 (symphony) ⇨교향곡.

심포니 오케스트라 (symphony orchestra) 교향곡의 연주를 목적으로 조직된 연주가의 집단. 교향악단.

*__심:하다__ (甚—) 정도가 지나치다. ㉠말이 너무 심하다.

심:해 (深海) 깊은 바다. 보통 깊이가 200 m 이상의 깊은 곳. ㉠심해 어업 / 심해를 탐사하다. 반 천해.

심혈 (心血) 온갖 정성과 힘. ㉠심혈을 기울여 만든 작품.

심:호흡 (深呼吸) 공기를 깊숙이 들이마셨다 내쉬었다 하며 크게 숨을 쉬는 일. ㉠산에 올라 심호흡을 하다. **—하다.**

심:화 (深化) 어떤 일의 정도가 점점 깊어짐. ㉠심화 학습.

심:훈 (沈熏) 〖인명〗 소설가. 농촌 계몽 소설인 '상록수'를 씀. 그 밖에 '영원의 미소', '직녀성' 등이 있음. [1901–1936]

*__십__ (十) '열'의 뜻. ㉠십 명 / 십의 3 배는 30이다. ➲ten

십계명 (十誡命) [십꼐명 / 십께명] 기독교에서, 하나님이 모세를 통하여 이스라엘 민족에게 내린 10가지 의 가르침.

십대 (十代) [십때] 10세에서 19세 까지의 나이. 또는 그런 나이의 사람들.

십분 (十分) [십뿐] 충분히. 넉넉하게. ㉠솜씨를 **십분** 발휘하다.

십상 [십쌍] **1** 꼭 알맞은 일이나 물건. ㉠신주머니로는 **십상**이다. **2** 꼭 맞게. 썩 잘 어울리게. ㉠책꽂이로 쓰기엔 **십상** 좋다.

> **참고** 이 말은 '십성(十成)'에서 변한 말이다. 십성은 황금의 품질을 십 등분한 것 중에 제일등을 이르는 말이었다.

십이월 (十二月) [시비월] **1** 한 해 열두 달 가운데 마지막 달. **2** ⇨섣달. ➡ December

십이지장 (十二指腸) [시비지장] 위와 작은창자 사이에서 음식물의 소화를 도와주는, 말굽 같이 생긴 기관. 비 샘창자.

십이지장충 (十二指腸蟲) [시비지장충] 기생충의 하나. 몸은 젖빛, 길이 약 1cm이고, 사람의 십이지장의 장벽에 들러붙어서 피를 빨아 먹음.

십일월 (十一月) [시비뤌] 한 해의 열한 번째 달. ➡ November

십자 (十字) [십짜] '十' 자와 같은 모양.

십자가 (十字架) [십짜가] 기독교도를 상징하는 '十' 자 모양의 표. ㉠**십자가**를 몸에 지니다. ➡ cross

십자가를 지다 큰 죄나 고난 따위를 떠맡다.

십자군 (十字軍) [십짜군] 중세 시대 유럽에서 기독교도가 이슬람 교인들이 점령한 팔레스타인과 예루살렘을 찾기 위해 일으킨 군대.

십자매 (十姉妹) [십짜매] 참새목의 새. 참새와 비슷한데 번식력이 강하며 길이 12cm 정도로 빛이 희고 가슴에 갈색 띠가 있음. 애완용으로 기름.

십자형 (十字形) [십짜형] '十' 자와 같은 모양. 비 십자꼴.

십장생 (十長生) [십짱생] 죽지 않고 오래 산다는 열 가지. 곧, 해·산·물·돌·구름·소나무·불로초·거북·학·사슴.

십종 경:기 (十種競技) [십쫑—] 육상 경기의 하나. 한 선수가 이틀 동안 열 가지 종목을 겨루어 얻은 점수의 합계로 승부를 가리는 경기.

십중팔구 (十中八九) [십쭝팔구] 열 가운데 여덟이나 아홉이 해당될 정도로 거의 다 그러함을 나타내는 말. ㉠급하게 먹으면 **십중팔구** 체한다. 비 십상팔구.

십진법 (十進法) [십찐뻡] 열을 기본 단위로 하여 수를 세는 단위.

십진수 (十進數) [십찐수] 십진법으로 나타낸 수.

싯- [싣] 빛깔이 짙고 선명함을 나타내는 말. ㉠**싯**멀겋다. 작 샛-. * 시-. → [학습마당] 15(585쪽)

싯누렇다 [신누러타] 매우 누렇다. ㉠벼가 **싯누렇게** 익다. 작 샛노랗다. 활용 싯누러니 / 싯누레서. → [학습마당] 15(585쪽)

싱가포르 (Singapore) 〖국명〗 말레이 반도의 남쪽 끝에 있는 섬나라. 세계적인 중계 무역항이며, 남양 어업의 근거지임. 수도는 싱가포르.

싱겁다 [싱겁따] **1** 짜지 않다. ㉠나물 무침이 **싱겁다**. 반 짜다. **2** 말이나 행동이 덩치에 어울리지 않고 멋쩍다. ㉠**싱겁게** 웃다. **3** 음료수 따위가 본래의 맛보다 약하다. ㉠차를 두 번 우렸더니 맛이 **싱겁다**. 활용 싱거워 / 싱거우니.

싱그럽다 [싱그럽따] 싱싱하고 향기롭다. ㉠**싱그러운** 5월의 신록. 활용 싱그러워 / 싱그러우니.

싱글 (single) **1** 한 개. 단일. ㉑싱글 침대. **2** 독신. 미혼. ㉑나이가 마흔이 넘었는데 아직 싱글이다. **3** 테니스나 탁구 따위의 단식 경기.

싱글거리다 눈과 입을 슬며시 움직이며 소리 없이 부드럽게 자꾸 웃다. ㉑혼자 좋아서 싱글거리다. 작 생글거리다. 센 씽글거리다.

싱글벙글 눈과 입을 슬며시 움직이며 소리 없이 정답고 환하게 웃는 모양. ㉑합격 소식을 듣고 좋아서 싱글벙글하다. **—하다.**

싱글싱글 눈과 입을 슬며시 움직이며 소리 없이 정답게 자꾸 웃는 모양. ㉑말없이 싱글싱글 웃다. 작 생글생글. 센 씽글씽글. **—하다.**

싱긋 [싱귿] 눈과 입을 슬며시 움직이며 소리 없이 가볍게 웃는 모양. ㉑눈이 마주치자 싱긋 웃는다. 작 생긋. 센 씽긋. **—하다.**

싱긋거리다 [싱귿꺼리다] 눈과 입을 슬며시 움직이며 소리 없이 정답게 자꾸 웃다. 작 생긋거리다.

싱숭생숭 마음이 들떠 어수선하고 갈팡질팡하는 모양. ㉑봄이 되니 마음이 괜히 싱숭생숭해진다. **—하다.**

***싱싱하다** **1** 본디 그대로의 생기가 있다. ㉑싱싱한 생선. **2** 빛깔이 맑고 산뜻하다. ㉑싱싱한 초록빛 산풍경. **3** 원기가 왕성하다. ㉑싱싱한 젊음. 작 생생하다. 센 씽씽하다.

싱크대 (sink臺) 조리 또는 설거지 할 때 쓰는 부엌 시설. 설거지대.

***싶다** [십따] **1** '-고'의 뒤에 쓰이어, 하고자 하는 마음이 있음을 나타내는 말. ㉑가고 싶다 / 먹고 싶다. **2** '-면' 뒤에 쓰이어, 그렇게 되었으면 좋겠다는 뜻을 나타내는 말. ㉑이겼으면 싶다.

-싶다 [십따] '듯'이나 '성'에 붙어서 '듯싶다'나 '성싶다'를 이루는 말. ㉑모레께나 갈 듯싶다 / 꼭 될 성싶다.

***싶어하다** [시퍼하다] 어떤 행동을 하고자 하는 마음이 있음을 나타내는 말. ㉑보고 싶어하다 / 고향에 가고 싶어하다.

ㅆ (쌍시옷) [쌍시옫] 'ㅅ'의 된소리.

싸구려 값이 싸거나 품질이 좋지 않은 물건. ㉑싸구려 옷.

***싸늘하다** **1** 매우 선선하고 좀 차가운 기운이 있다. ㉑싸늘한 가을 아침. **2** 성격이나 태도 따위가 차가운 듯하다. ㉑싸늘한 눈길. 큰 써늘하다. 여 사늘하다.

***싸다**[1] **1** 물건 값이 적당한 값보다 적다. ㉑철 지난 옷을 싸게 팔다. 반 비싸다. **2** 저지른 일에 비해 받는 벌이 마땅하다. ㉑하는 짓을 보면 욕먹어 싸다.

***싸다**[2] **1** 보자기나 종이 따위의 안쪽에 물건을 넣고 묶거나 둘러 보이지 않게 하다. ㉑선물을 포장지에 싸다. **2** 어디 가기 위하여 물건이나 음식을 꾸리다. ㉑도시락을 싸다.

> 주의 **싸다와 쌓다**
>
> **싸다** 1 보자기나 종이 따위로 물건을 묶거나 둘러 보이지 않게 하다. ㉑책 겉장을 싸다. 2 어디 가기 위하여 물건이나 음식을 꾸리다. ㉑도시락을 싸다.
>
> **쌓다** 1 여러 개의 물건을 겹겹이 포개어 놓다. ㉑벽돌을 쌓다. 2 덕이나 공적을 여러 번 세우다. ㉑공을 쌓다. 3 기술·경험 등을 거듭하여 기르다. ㉑훈련을 쌓다.

***싸다**[3] 똥·오줌 따위를 가리지 못하고 함부로 누다. ㉑잠을 자다가 이불에 오줌을 싸다.

싸다[4] 입이 가벼워 들은 말을 주변 사람에게 잘 떠벌리다. ㉑그 사람은 입이 싸다.

싸다니다 여기저기를 채신없이 바삐 돌아다니다. ㉑하루 종일 어디를 싸다니다가 이제 오느냐.

싸라기 1 부스러진 쌀알. 2 '싸라기눈'의 준말.

싸라기눈 빗방울이 내리다가 갑자기 찬 바람을 만나 얼어서 떨어지는 쌀알 같은 눈. 준 싸라기. 싸락눈.

싸리나무 콩과의 낙엽 활엽 관목. 산지에 남. 잎은 세 잎이 나오고 한 여름에 자주색 꽃이 핌. 나무껍질은 섬유의 원료로, 잎은 사료로 쓰임. 비 싸리.

싸리문 (─門) 싸리나무로 만든 문.

싸매다 헝겊 따위로 무엇을 싸서 풀어지지 않게 꼭 매다. 예 상처를 붕대로 싸매다.

*__싸우다__ 1 말이나 힘으로 서로 이기려고 다투다. 예 하찮은 일로 친구와 싸우다. 2 시련·어려움 따위를 이겨 내려고 애쓰다. 예 가난과 싸워 가며 공부하다. ➲ fight

*__싸움__ 싸우는 일. 예 싸움에서 이기다 / 싸움을 걸다 / 싸움이 벌어지다. 준 쌈. **─하다.**

싸움터 전쟁이나 싸움이 벌어진 곳. 예 싸움터로 나가다. 비 전장. 전쟁터.

싸이다 1 가운데에 들어서 둘러쌈을 당하다. 예 보자기에 싸인 패물. 2 헤어나지 못할 만큼 분위기나 상황에 뒤덮이다. 예 고민에 싸인 얼굴 / 건물이 불길에 싸이다.

싸잡다 [싸잡따] 그 가운데 함께 들게 하다. 예 몽땅 싸잡아서 팔아 치우다 / 싸잡아 비난하다.

싸전 (─廛) 쌀과 그 밖의 곡식을 파는 가게. 비 쌀가게.

싸ː하다 혀나 목구멍에 자극을 받아 아린 듯한 느낌이 있다. 예 매워서 입 안이 싸하다.

*__싹__[1] 1 씨앗·줄기 따위에서 처음 나오는 어린잎이나 줄기. 예 싹이 트다. 2 '싹수'의 준말.

싹이 노랗다 가능성이나 희망이 애초부터 보이지 않는다는 말. 예 그 아이 말하는 것을 보니 벌써 싹이 노랗다.

*__싹__[2] 1 조금도 남김없이 모두. 예 얼굴에서 핏기가 싹 가시다. 2 거침없이 밀거나 쓸거나 비비는 소리. 또는 그 모양. 예 하던 일을 옆으로 싹 밀어 놓고 밥상을 받다.

싹둑 [싹뚝] 연한 물건을 단번에 베거나 자르는 모양이나 소리. 예 긴 머리카락을 싹둑 자르다. 큰 썩둑. 여 삭둑.

싹수 [싹쑤] 앞으로 잘될 것 같은 낌새나 징조. 예 사업에 싹수가 보인다. 준 싹.

싹수가 노랗다 싹이 노랗다.

싹싹 1 손을 비비거나 비는 모양. 예 잘못했다고 싹싹 빌다. 큰 썩썩. 2 거침없이 밀거나 훑어 나가는 모양. 예 거리의 낙엽을 싹싹 쓸어 내다. 3 남김없이 모두. 예 밥그릇을 싹싹 비우다. 큰 썩썩. 여 삭삭.

싹싹하다 [싹싸카다] 성질이 상냥하고 눈치가 빠르다. 예 성격이 싹싹하다.

싹트다 어떤 생각·감정이나 현상 따위가 처음 생겨나다. 예 우정이 싹트다. 활용 싹터 / 싹트니.

*__쌀__ 다 자란 벼의 껍질을 벗긴 알맹이. 비 미곡. ➲ rice

쌀겨 [쌀껴] 쌀을 찧을 때 나오는 가장 고운 속겨.

쌀뜨물 쌀을 씻고 난 뿌연 물.

쌀밥 멥쌀로 지은 밥. 비 흰밥.

쌀쌀맞다 [쌀쌀맏따] 성격이나 행동이 따뜻한 정이나 붙임성이 없이 차갑다. 예 쌀쌀맞게 굴지 마라.

쌀쌀하다 1 날씨나 바람 따위가 으스스하게 차다. 예 쌀쌀한 초겨울 날씨. 큰 쓸쓸하다. 2 성질이나 태도가 정다운 맛이 없고 냉정하다. 예 쌀쌀하게 말하다.

쌀알 [싸랄] 쌀의 하나하나의 알.

㉠흩어진 쌀알을 줍다. 비 낟알.
쌀집 [쌀찝] 쌀을 파는 가게. ㉠쌀집에서 쌀을 팔다. 비 쌀가게.
쌈[1] 김·상추 따위로 밥과 반찬을 싸서 먹는 일. 또는 그런 음식.
쌈:[2] '싸움'의 준말. **—하다**.
쌈[3] 바늘 24개를 단위로 세는 말. ㉠바늘 한 쌈.
쌈지 담배·동전 따위를 넣어 두는, 종이·헝겊이나 가죽 따위로 만든 작은 주머니.
쌉쌀하다 조금 쓴맛이 있다. ㉠국이 좀 쌉쌀하다. 큰 씁쓸하다.
***쌍** (雙) 둘씩 짝을 이룬 것. ㉠남녀가 쌍을 짓다.
쌍기역 (雙—) 한글의 합성 자모인 'ㄲ'의 이름.
쌍꺼풀 (雙—) 겹으로 된 눈꺼풀. 또는 그런 눈. ㉠쌍꺼풀이 지다.
쌍둥이 (雙—) 한 번에 낳은 두 아이. 비 쌍생아. ×쌍동이.
쌍디귿 (雙—) 한글의 합성 자모 'ㄸ'의 이름.
쌍떡잎식물 (雙—植物) [쌍떵닙씽물] 밑씨에서 두 개의 떡잎이 마주 붙어 나는 식물. 감·밤·완두 따위. 반 외떡잎식물.
쌍무지개 (雙—) 두 개가 한꺼번에 뜬 무지개. ㉠쌍무지개가 뜨다.
쌍받침 (雙—) 같은 닿소리가 겹쳐서 된 된소리 받침. ㄲ·ㄸ·ㅃ·ㅆ·ㅉ이 있음. *겹받침.
쌍방 (雙方) 대립하거나 서로 관계되는 양쪽. ㉠쌍방의 의견을 듣다. 비 양방.
쌍벽 (雙璧) **1** 두 개의 구슬. **2** 여럿 가운데 우열을 가리기 어려울 정도로 능력이나 업적이 뛰어난 둘. ㉠문단의 쌍벽을 이루다.
쌍비읍 (雙—) 한글의 합성 자모 'ㅃ'의 이름.
쌍수 (雙手) 오른쪽과 왼쪽의 두 손. ㉠쌍수를 들어 반기다. 비 양손.
쌍수(를) 들다 기꺼이 지지하거나 환영하다. ㉠너의 제안을 쌍수를 들어 환영한다.
쌍시옷 (雙—) [쌍시옫] 한글의 합성 자모 'ㅆ'의 이름.
쌍쌍 (雙雙) 둘 이상의 쌍. ㉠쌍쌍의 젊은 남녀.
쌍쌍이 (雙雙—) 남녀 또는 암수가 둘씩 둘씩 짝을 이룬 모양. ㉠남녀가 쌍쌍이 걸어가다.
쌍안경 (雙眼鏡) 두 개의 망원경을 나란히 붙여, 두 눈으로 멀리까지 볼 수 있게 만든 기계. 반 단안경.
쌍점 (雙點) 문장 부호 ':'의 이름. 종류를 들 때, 간단한 설명을 덧붙일 때 쓰며, 시와 분, 장과 절 따위를 구분할 때에도 씀.
쌍지읒 (雙—) [쌍지읃] 한글의 합성 자모 'ㅉ'의 이름.
***쌓:다** [싸타] **1** 물건을 겹겹이 포개어 놓다. ㉠벽돌을 쌓다. **2** 물건을 차곡차곡 포개어 얹어 구조물을 이루다. ㉠담을 쌓다 / 탑을 쌓다. **3** 기술·경험·지식 따위를 많이 닦거나 이루다. ㉠경력을 쌓다 / 훈련을 쌓다. →싸다 주의
***쌓이다** [싸이다] **1** 여러 개의 물건이 겹치다. ㉠책상에 먼지가 쌓이다. **2** 할 일이 많이 밀리다. ㉠쌓인 일감 / 피로가 쌓이다.
쌔근거리다 **1** 가쁘고 고르지 않은 숨 쉬는 소리가 자꾸 나다. **2** 어린아이가 곤히 잠들어 조용히 숨 쉬는 소리가 자꾸 나다. 큰 씨근거리다.
쌔근쌔근 어린아이가 곤히 자는 모양. ㉠쌔근쌔근 잠자는 아기. 여 새근새근. **—하다**.
쌔:다 아주 흔하다. ㉠아이 방에는 장난감들이 쌔고 쌨다.
쌕쌕 숨을 가쁘고 세게 쉬는 소리. ㉠아이는 금세 쌕쌕하며 잠이 들었다. 큰 씩씩. 여 색색. **—하다**.
쌩 바람이나 속도가 빠른 물체가

세차게 지나갈 때 나는 소리. ㉠바람이 쌩 불다. 큰 씽.

쌩쌩 세찬 바람이 잇따라 불거나 물체가 바람을 세차게 일으키며 빠르게 움직일 때 나는 소리. ㉠비바람이 쌩쌩 불다 / 차들이 쌩쌩 달린다. 큰 씽씽.

써늘하다 **1** 온도나 기온이 낮아 찬 느낌이 있다. ㉠써늘한 방. **2** 성격이나 태도 따위가 차가운 데가 있다. **3** 갑자기 놀라거나 무서워 찬 기운이 느껴지다. ㉠갑자기 등골이 써늘하다. 작 싸늘하다. 여 서늘하다.

써:레 갈아 놓은 논의 바닥을 고르거나 흙덩이를 잘게 부수는 데 쓰는 농기구. 주로 소나 말이 끎.

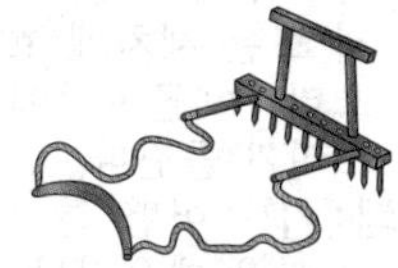
〈써레〉

써:레질 써레로 흙덩이를 부수고 고르게 펴는 일. 모심기 직전에 함. **—하다.**

썩 **1** 빨리. 급히. ㉠썩 나가거라. **2** 아주 뛰어나게. ㉠썩 좋은 성적은 아니다.

***썩다** [썩따] **1** 음식물 따위가 부패균의 작용으로 나쁜 냄새가 나며 쉽게 부스러지거나 뭉개지는 상태가 되다. ㉠이빨이 썩다 / 생선이 썩다. 비 부패하다. **2** 좋은 재주나 능력을 발휘하지 못하다. ㉠촌구석에서 썩기에는 아까운 사람이다. **3** 걱정이나 근심 따위로 마음이 몹시 상하다. ㉠속이 썩다.

썩둑 [썩뚝] 연한 것을 한 번 토막쳐 자르거나 베는 모양이나 소리. ㉠무를 썩둑 자르다. 작 싹둑.

썩썩 무엇을 비비거나 쓸거나 자르는 모양이나 소리. ㉠바닥을 썩썩 쓸다 / 밥에 고추장을 넣어 썩썩 비벼 먹다. 작 싹싹.

썩이다 [써기다] 걱정·근심 따위로 마음을 상하게 하다. ㉠부모 속을 썩이다.

썩히다 [써키다] 썩게 하다. ㉠쌀을 썩히다 / 일자리가 없어 재주를 썩히고 있다.

***썰:다** 칼로 물건을 잘게 토막 내다. ㉠무를 썰다 / 파를 숭숭 썰다. 활용 썰어 / 써니 / 써는.

썰렁하다 **1** 서늘한 기운이 있어 조금 추운 듯하다. ㉠방 안이 썰렁하다. **2** 갑자기 놀라 가슴속에 찬바람이 도는 느낌이 있다. **3** 분위기가 갑자기 어색하다. ㉠썰렁한 분위기. 작 쌀랑하다. 여 설렁하다.

***썰매** **1** 눈 위나 얼음판에서 사람이나 짐을 싣고 끄는 기구. **2** 아이들이 얼음 위에서 미끄럼을 타는 놀이 기구. ㉠썰매를 타다.

썰물 바닷물이 주기적으로 밀려 나가서 물 깊이가 얕아지는 현상. 또는 그 바닷물. ㉠썰물이 지다. 비 간조. 반 밀물.

쏘가리 농엇과의 민물고기. 길이는 40–50 cm. 머리가 길고 입이 크며 머리와 등에 보라색·회색 무늬가 많음. 우리나라 하천의 중·상류에 삶.

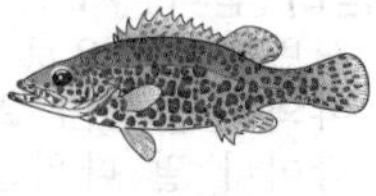
〈쏘가리〉

***쏘다** **1** 목표물을 향해 화살이나 총탄을 날아가게 하다. ㉠적을 향해 총을 쏘다. **2** 벌레가 침으로 살을 찌르다. ㉠벌이 팔을 쏘다. **3** 듣는 사람의 마음이 뜨끔하도록 말하다. ㉠한 마디 톡 쏘다. **4** 강한 냄새나 매운맛이 코나 입 안을 강하게 자극하다. ㉠톡 쏘는 맛.

쏘다니다 아무 데나 마구 돌아다니다. ㉠발이 붓도록 쏘다니다.

쏘아보다 날카롭게 노려보다. ㉠쏘아보는 눈초리가 매섭다.

쏘아붙이다 [쏘아부치다] 듣는 사람의 마음이 상할 정도로 날카롭게 말을 내뱉다. ㉠홧김에 한마디 쏘아 붙이다.

쏘이다 쏨을 당하다. ㉠벌에게 쏘이다 / 쐐기에 쏘인 곳이 종일 쓰렸다. ㊜쐬다.

쏙 **1** 약간 내밀거나 들어간 모양. ㉠양 볼에 보조개가 쏙 들어가다. **2** 쉽게 밀어 넣거나 뽑아내는 모양. ㉠밭에서 배추 한 포기를 쏙 뽑았다. **3** 제외되거나 참여하지 않는 모양. ㉠친구들이 나만 쏙 빼놓고 놀러 갔다. **4** 생김새나 차림새 따위가 꼭 닮은 모양. ㉠너는 아버지를 쏙 빼닮았구나. **5** 마음에 꼭 드는 모양. ㉠이 옷은 내 마음에 쏙 든다. ㊇쑥.

쏙쏙 머릿속에 기억이나 인상이 선명하게 새겨지는 모양. ㉠수학 시간에 선생님의 설명이 머리에 쏙쏙 들어왔다. ㊇쑥쑥.

쏜살같이 [쏜살가치] 쏜 화살과 같이 몹시 빠르게. ㉠쏜살같이 달아나다 / 물고기가 쏜살같이 헤엄치다. ㊜살같이.

***쏟다** [쏟따] **1** 그릇에 담긴 것을 한꺼번에 바깥으로 나오게 하다. ㉠대야의 물을 쏟다. **2** 마음속에 품은 생각이나 말 따위를 모두 드러내다. ㉠불평을 쏟아 놓다. **3** 마음이나 정신 따위를 어떤 대상이나 일에 기울여 열중하다. ㉠독서에 정신을 쏟다. **4** 피나 눈물 따위를 흘리다. ㉠코피를 쏟다.

***쏟아지다** [쏘다지다] **1** 그릇에 담긴 물질이 한꺼번에 바깥으로 나오다. ㉠물이 바닥에 쏟아지다. **2** 눈물이나 땀, 피 따위가 많이 흐르다. ㉠쏟아지는 눈물. **3** 어떤 일이나 대상, 현상이 한꺼번에 생기다. ㉠쏟아지는 박수갈채 / 금메달이 쏟아지다 / 질문이 쏟아지다. **4** 비나 눈, 햇빛 등이 많이 또는 강하게 내리거나 비치다. ㉠갑자기 비가 쏟아지다.

쏠:다 쥐나 좀 따위가 물건을 물어뜯다. ㉠누에가 뽕잎을 쏠아 먹다. 활용 쏠아 / 쏘니 / 쏘는.

쏠리다 **1** 한쪽으로 기울거나 몰리다. ㉠가방 속에 물건들이 한구석으로 쏠리다. **2** 마음이나 눈길이 어떤 것에 끌리다. ㉠만화 영화에 관심이 쏠리다.

쏠쏠하다 품질·정도·수준 등이 괜찮고 쓸 만하다. ㉠수입이 쏠쏠하다 / 음식 솜씨가 쏠쏠하다.

쏴 **1** 비바람이 치거나 물결이 밀려오는 소리. ㉠비바람이 쏴 몰아친다 / 파도가 쏴 밀려오다. **2** 물이 급히 또는 세차게 흐르거나 쏟아지는 소리. ㉠골짜기에서 쏴 물 흐르는 소리가 들린다.

쐐:기[1] 어떤 틈 사이에 박아 넣어 그 틈을 메우거나 벌어지게 하는 데 쓰이는, 위쪽보다 아랫부분이 얇거나 뾰족하게 만든 나뭇조각.

쐐기(를) 박다 뒤탈이 없도록 미리 단단히 다짐을 해 두다.

쐐:기[2] 쐐기나방의 애벌레. 몸은 엷은 녹색으로 짧고 굵으며 가시가 나 있어 살에 닿으면 몹시 아프고 부어오름. ㉠쐐기에 쏘이다.

쐬:다 바람이나 연기 따위를 직접 받다. ㉠바람을 쐬다.

쑤군거리다 남이 알아듣지 못하게 목소리를 낮추어 비밀스럽게 자꾸 말하다. ㉠쑤군거리는 말소리에 귀를 기울이다.

***쑤다** 곡식의 알이나 가루를 물에 끓여 걸쭉하게 익게 하다. ㉠죽을 쑤다 / 풀을 쑤다.

쑤시다[1] 바늘로 찌르는 것처럼 아프다. ㉠잇몸이 붓고 쑤신다.

쑤시다[2] **1** 구멍이나 틈 따위를 막대기나 꼬챙이로 찌르다. ㉠이를 쑤시다. **2** 여러 사람 사이로 비집고 들어갈 틈을 벌리거나 만들다. ㉠사람들을 쑤시고 만원 전철에 타다. **3** 사실을 알아내려고 이모저모 조사하다. ㉠신문 기자가 비리 사건을 쑤시고 다닌다.

쑥1 **1** 안으로 깊이 들어가거나 밖으로 불룩하게 내미는 모양. ㉠배를 쑥 내밀고 걷다. **2** 깊이 밀어 넣거나 길게 뽑아내는 모양. ㉠무를 쑥 뽑다. **3** 말이나 행동을 경솔하고 거리낌 없이 하는 모양. ㉠쑥 말을 꺼내다. **4** 기운이나 살이 줄어드는 모양. ㉠힘이 쑥 빠지다. **5** 제외되거나 참여하지 않는 모양. ㉠뒤로 쑥 빠지다. 작 쏙.

쑥2 국화과의 여러해살이풀. 들에 나며, 높이는 60-90 cm로, 잎의 뒷면에 흰색의 솜털이 있고 향기가 남. 연한 것은 먹고 줄기와 잎자루는 약으로 씀.

쑥갓 [쑥깓] 국화과의 한해살이풀 또는 두해살이풀. 높이는 30-70 cm이며, 늦봄에 노란색 꽃이 핌. 냄새가 향긋하여 쌈이나 나물로 먹음.

쑥대머리 [쑥때머리] 머리털이 마구 흐트러져 어지럽게 된 머리. 비 쑥대강이.

쑥대밭 [쑥때받] **1** 쑥이 무성하게 우거진 거친 땅. **2** 매우 어지럽거나 못 쓰게 된 모양. ㉠큰비로 마을 전체가 쑥대밭이 되었다. 준 쑥밭.

쑥덕거리다 [쑥떡꺼리다] 낮은 목소리로 은밀하게 자꾸 이야기하다. ㉠뒤에서 쑥덕거리지 마라. 작 쏙닥거리다. 여 숙덕거리다.

쑥덕이다 [쑥떠기다] 남이 듣지 못하도록 낮은 목소리로 은밀하게 이야기하다. ㉠한참을 쑥덕이더니 무언가 결정을 내린 듯했다. 작 쏙닥이다. 여 숙덕이다.

쑥떡 쑥을 넣어 만든 떡.

쑥스럽다 [쑥쓰럽따] 하는 짓이나 모양이 어울리지 않아 어색하고 멋쩍다. ㉠낯선 사람을 만나자니 쑥스럽다. 활용 쑥스러워 / 쑥스러우니.

쑥쑥 **1** 여러 군데가 밖으로 불룩하게 내밀거나 안으로 깊이 들어간 모양. **2** 자꾸 밀어 넣거나 뽑아내는 모양. ㉠잡초를 쑥쑥 뽑아 버리다. **3** 갑자기 많이 올라가거나 내려가는 모양. ㉠성적이 쑥쑥 오르다. **4** 갑자기 많이 커지거나 자라는 모양. ㉠키가 쑥쑥 자라다. 작 쏙쏙.

쓰개 머리에 쓰는 물건을 일컬음.

쓰개치마 예전에, 여자가 외출할 때 머리와 몸의 윗부분을 가리려고 머리에 쓰던 치마.

〈쓰개치마〉

쓰기 초등학교 등에서 가르치는, 국어 학습의 한 부분. 자기의 생각이나 느낌을 글로 표현하는 일. *말하기. 듣기. 읽기.

***쓰다**1 **1** 붓·펜 따위로 글씨를 적다. ㉠붓글씨를 쓰다 / 이름을 쓰다. **2** 글을 짓다. ㉠소설을 쓰다 / 편지를 쓰다. 활용 써 / 쓰니. ➲ write

***쓰다**2 **1** 모자 따위를 머리에 얹다. ㉠모자를 푹 눌러 쓰다. **2** 우산 따위를 받쳐 들다. ㉠양산을 쓰다. **3** 얼굴에 어떤 물건을 걸거나 덮어 쓰다. ㉠마스크를 쓰다. **4** 억울한 누명이나 죄를 입게 되다. ㉠누명을 쓰다. 활용 써 / 쓰니.

***쓰다**3 **1** 어떤 목적으로 사용하다. ㉠국산품을 쓰다. **2** 사람을 두어 부리다. ㉠파출부를 쓰다. **3** 온 정신을 기울이다. ㉠머리를 써서 일하다. **4** 힘이나 기술을 발휘하다. ㉠나도 힘을 써 보겠다. **5** 시간이나 돈을 들이다. ㉠돈을 많이 써서 걱정이다. 활용 써 / 쓰니.

***쓰다**4 **1** 맛이 약이나 씀바귀 따위의 맛과 같다. ㉠한약이 쓰다. **2** 입맛이 없다. ㉠감기 탓인지 입이 몹

시 쓰다. **3** 마음이 언짢다. ㉠쓰디 달다 말이 없다. 반 달다³. 활용 써 / 쓰니.

쓰다⁵ 묏자리를 정해 시체를 묻고 무덤을 만들다. ㉠양지바른 곳에 뫼를 쓰다. 활용 써 / 쓰니.

*__쓰다듬다__ [쓰다듬따] 귀엽거나 탐스러워 손으로 쓸어 주다. ㉠동생의 머리를 쓰다듬어 주다.

쓰라리다 **1** 다친 데가 쓰리고 아리다. ㉠상처가 쓰라리다. **2** 마음이 몹시 괴롭다. ㉠쓰라린 추억.

쓰러뜨리다 쓰러지게 하다. ㉠발을 걸어 쓰러뜨리다 / 독재 정권을 쓰러뜨리다.

*__쓰러지다__ **1** 서 있던 것이 한쪽으로 쏠려 넘어지다. ㉠나무가 쓰러지다. **2** 기업 등이 제 기능을 하지 못하고 망하다. ㉠자금난에 시달리다가 쓰러진 회사가 많다. **3** 병이나 과로 따위로 앓아눕거나 죽다. ㉠과로로 쓰러지다.

*__쓰레기__ 비로 쓸어 낸 먼지나 못 쓰게 되어 내버리는 물건을 통틀어 이르는 말. ㉠음식물 쓰레기.

쓰레기봉투 (一封套) 쓰레기를 담아서 버리는 봉투.

쓰레기 종량제 (一從量制) [一종냥제] 쓰레기를 내보내는 양에 따라서 치우는 값을 매기는 제도. 쓰레기의 양을 줄이는 효과가 있음.

*__쓰레기통__ (一桶) 쓰레기를 담거나 모아 두는 통.

쓰레받기 [쓰레받끼] 비로 쓸어 모은 쓰레기를 담아 내는 기구.

쓰레질 비로 쓸어 집 안을 청소하는 일. ㉠방을 쓰레질하다. **一하다.**

쓰르라미 매밋과의 곤충. 몸이 조금 작고 수컷은 '쓰르람쓰르람' 하고 욺.

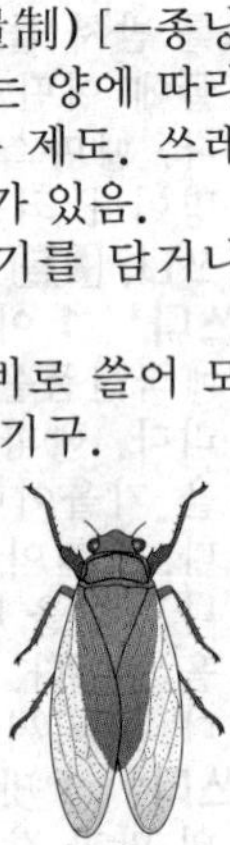
〈쓰르라미〉

쓰리다 **1** 날카로운 것으로 쑤시는 것같이 아프다. ㉠상처가 쓰리다. **2** 몹시 시장하여 허기가 지다. ㉠배가 고프다 못해 쓰리다. **3** 마음이 아프고 괴롭다. ㉠부모를 여읜 슬픔에 가슴이 쓰리다.

*__쓰이다¹__ 씀을 당하다. ㉠창고로 쓰이는 집. 비 사용되다.

*__쓰이다²__ **1** 글씨가 써지다. ㉠칠판에 쓰인 글씨를 옮겨 적다. **2** 글씨를 쓰게 하다. ㉠동생에게 쓰인 글씨.

*__쓰임새__ 쓰이는 일. 쓰이는 데. ㉠쓰임새가 많은 물건.

쓱 **1** 빨리 지나가는 모양. ㉠못본 척 빠른 걸음으로 쓱 지나쳐 가다. **2** 슬쩍 문지르거나 비비는 모양. ㉠코를 쓱 문지르다.

쓱쓱 **1** 자꾸 슬쩍 문지르거나 비비는 모양. ㉠흙 묻은 손을 바지에 쓱쓱 문지르다. **2** 일을 거침없이 손쉽게 해치우는 모양. ㉠그는 어려운 일도 쓱쓱 잘해 낸다.

쓴맛 [쓴맏] **1** 씀바귀 따위의 맛과 같은 맛. ㉠쓴맛이 나는 약. 반 단맛. **2** 달갑지 않은 경험. ㉠사업 실패라는 쓴맛을 보다.

쓴맛 단맛 다 보았다 세상의 괴로움과 즐거움을 다 겪었다는 말.

쓴웃음 [쓰누슴] 기가 막히거나 마지못해 짓는 웃음. ㉠쓴웃음을 짓다 / 쓴웃음을 띠다.

쓸개 간에서 만들어진 쓸개즙을 저장해 두었다가 십이지장으로 내보내는 내장. 비 담. 담낭.

쓸개(가) 빠지다 하는 짓이 줏대가 없음을 욕으로 하는 말.

쓸개즙 (一汁) 지방의 소화를 돕는 소화액. 간장의 간세포에서 만들어져 쓸개에 저장되었다가 음식물이 지날 때에 십이지장에서 나옴. 비 담즙.

*__쓸다¹__ **1** 비로 쓰레기 따위를 모아서 버리다. ㉠마당을 쓸다. **2** 손으

로 가볍게 쓰다듬거나 문지르다. ㉠ 노인이 긴 수염을 쓸다. **3** 유행병이 널리 퍼지거나 태풍이나 홍수 따위로 피해를 당하다. ㉠태풍이 전국을 쓸고 지나갔다. [활용] 쓸어 / 쓰니 / 쓰는.

쓸다² 줄 따위로 물건을 문질러 닳게 해서 날카롭게 하다. ㉠줄로 톱을 쓸다. [활용] 쓸어 / 쓰니 / 쓰는.

쓸데없다 [쓸떼업따] 소용없다. 필요 없다. 공연하다. ㉠쓸데없는 생각을 하다.

쓸데없이 [쓸떼업씨] 공연히. ㉠쓸데없이 돌아다니지 마라.

쓸리다 풀 먹인 옷 따위에 살이 문질려 살갗이 벗겨지다.

***쓸모** 쓸 만한 가치. 쓰이게 될 자리. ㉠아무 쓸모도 없는 물건.

***쓸쓸하다** **1** 날씨가 좀 차고 음산하다. [작] 쌀쌀하다. **2** 외롭고 적적하다. ㉠쓸쓸한 겨울 바다.

쓸쓸히 쓸쓸하게. ㉠명절을 쓸쓸히 보내다.

쓿다 [쓸타] 쌀·조·수수 따위의 곡식을 찧어 속꺼풀을 벗기고 깨끗하게 하다. ㉠쌀을 쓿다. [발음] 쓿고[쓸코] / 쓿어서[쓰러서] / 쓿는[쓸른] / 쓿지[쓸치].

씀바귀 국화과의 여러해살이 풀. 산과 들에 남. 높이 30 cm 정도, 초여름에 노란색 꽃이 핌. 뿌리·줄기 및 어린잎은 먹음.

〈씀바귀〉

씀씀이 [씀쓰미] **1** 돈이나 물건 따위를 쓰는 일. 또는 그 비용. ㉠씀씀이가 크다 / 씀씀이가 헤프다 / 씀씀이를 줄이다. **2** 어떤 일이나 사람에 대한 생각이나 관심의 정도. ㉠마음 씀씀이가 남다르다.

씁쓸하다 **1** 맛이 조금 쓰다. ㉠씁쓸한 맛이 나다. **2** 마음에 달갑지 않아 언짢거나 꺼림칙하다. ㉠씁쓸한 표정을 짓다.

씌다¹ [씨다] '쓰이다'의 준말.

씌다² [씨다] 귀신 따위에 홀리다. ㉠귀신이 씌다.

***씌우다** [씨우다] **1** 머리에 쓰게 하다. ㉠아기에게 모자를 씌우다. **2** 허물을 남의 탓으로 돌리다. ㉠남에게 누명을 씌우다.

***씨¹** **1** 식물의 싹이 나오는 근본. ㉠씨를 뿌리다 / 씨를 심다 / 씨 없는 수박. [비] 씨앗. 종자. [반] 열매. **2** 동물이 생겨나는 근본. ㉠씨가 좋은 말. **3** 아버지의 혈통. ㉠씨는 못 속인다. [비] 자손.

***씨²** (氏) **1** 같은 성의 계통을 표시하는 말. ㉠전주 이씨. **2** 성이나 이름 뒤에 쓰이어 존대하는 뜻을 나타내는 말. ㉠김 씨 / 홍길동 씨.

씨근거리다 고르지 않고 거칠고 가쁘게 숨 쉬는 소리가 자꾸 나다. ㉠씨근거리며 뛰어오다. [작] 쌔근거리다. [여] 시근거리다.

씨눈 식물의 씨 속에서 자라 싹이 되는 부분. 또는 동물의 알 속에서 자라 새끼가 되는 부분.

***씨름** **1** 우리나라 고유의 운동 경기. 두 사람이 샅바를 넓적다리에 걸어 서로 잡고 힘과 기술을 써서 상대를 먼저 넘어뜨리기를 겨룸. ㉠천하장사 씨름 대회. **2** 어떤 일을 이루기 위하여 온 힘을 쏟거나 끈기 있게 달라붙음. ㉠책과 며칠째 씨름하고 있다. **—하다.**

씨름판 씨름을 하는 곳. ㉠씨름판이 벌어지다.

씨방 (—房) 암술 밑에 있는 통통한 주머니 모양의 부분으로, 그 안에 밑씨가 들어 있음. [비] 자방.

씨부렁거리다 실없는 말을 주책없이 함부로 자꾸 지껄이다. [작] 싸부랑거리다. [여] 시부렁거리다.

씨실 옷감을 가로 건너 짜는 실. 비 북실. 반 날실.
씨아 목화의 씨를 빼는 기구.
씨알 **1** 곡식의 난알. **2** 생선 한 마리 한 마리의 크기. 예 씨알이 굵은 붕어.
씨암탉 [씨암탁] 씨를 받으려고 기르는 암탉. 예 씨암탉이 알을 품다.
*__씨앗__ [씨앋] **1** 곡식이나 채소 따위의 씨. 예 씨앗을 뿌리다 / 씨앗에서 싹이 트다. 비 종자. **2** 앞으로 커질 수 있는 근원. 예 희망의 씨앗.
씨족 (氏族) 같은 조상에서 나온 한 족속. 원시 사회의 공동생활 단위였던 가족 집단.
씨족 사회 (氏族社會) [—싸회] 핏줄이 같은 여러 가족들이 한데 모여 이루어진 원시 사회. *부족 사회.
씨줄 **1** 천을 짤 때 가로로 놓인 실. **2** ⇨ 위선[1]. 반 날줄.
씩 소리 없이 한 번 싱겁게 웃는 모양. 예 혼자서 씩 웃다.
-씩 각각 같은 개수로 나누는 뜻을 나타내는 말. 예 두 개씩 나누다.
씩씩 숨을 매우 가쁘고 거칠게 쉬는 소리. 예 씩씩 숨을 몰아쉬다. 작 쌕쌕. 여 식식.
씩씩거리다 [씩씩꺼리다] 가쁘고 거칠게 숨을 잇따라 쉬다. 또는 그런 소리를 자꾸 내다. 예 화를 못 참고 씩씩거리다. 작 쌕쌕거리다. 여 식식거리다.
*__씩씩하다__ [씩씨카다] 행동이나 태도가 굳세고 위엄이 있다. 예 씩씩한 군인 / 씩씩하게 걷다.
씰룩거리다 [씰룩꺼리다] 근육의 일부분이 갑자기 자꾸 움직이다. 또는 근육의 일부분을 갑자기 자꾸 움직이게 하다. 작 쌜룩거리다. 여 실룩거리다.
*__씹다__ [씹따] **1** 음식 따위를 입에 넣고 이로 자꾸 깨물다. 예 껌을 씹다. ➡ chew **2** 남을 나쁘게 말하다. 예 친구를 씹다.
씹히다 [씨피다] 무엇이 씹어지다. 예 김치가 사각사각 씹히다.
씻기다 [씯끼다] **1** 씻음을 당하다. 예 먼지투성이의 거리가 빗물에 씻기다. **2** 남의 몸 따위를 씻어 주다. 예 아기의 얼굴을 씻기다.
*__씻다__ [씯따] **1** 물이나 휴지 따위로 때나 더러운 것을 없애다. 예 손발을 깨끗이 씻다. **2** 누명이나 오해 등에서 벗어나 떳떳하게 되다. 예 누명을 씻다. **3** 좋지 않은 현상에서 벗어나다. 예 하루의 피로를 씻다 / 갈증을 시원하게 씻어 주다. ➡ wash
씻은 듯이 아주 깨끗하게. 예 병이 씻은 듯이 나았다.
씽긋 [씽귿] 눈과 입을 슬며시 움직이며 소리 없이 가볍게 웃는 모양. 작 쌩긋. 여 싱긋. **—하다.**
씽씽 **1** 나뭇가지나 전선 같은 데에 계속해서 세게 부딪치는 바람 소리. 예 바람이 씽씽 불어 댄다. **2** 사람이나 물체가 매우 빠르게 잇따라 지나가는 소리나 모양. 예 자동차들이 씽씽 달린다. 작 쌩쌩.
씽씽하다 **1** 힘이나 기운 따위가 왕성하다. **2** 시들거나 상하지 않고 생기가 있다. 예 씽씽한 과일. 작 쌩쌩하다. 여 싱싱하다.

ㅇ (이응) 한글 닿소리의 여덟째 글자.

***아**[1] **1** 놀람·당황·초조 등을 나타내거나 급할 때에 내는 소리. (예)아, 깜짝이야 / 아, 어쩌나. **2** 상대자의 주의를 끌기 위해 하는 말에 앞서 내는 소리. (예)아, 이 사람아 / 아, 자네 나 좀 보세. [큰]어.

아[2] 기쁨·슬픔·칭찬·뉘우침·귀찮음 또는 절실한 느낌을 나타낼 때 내는 소리. (예)아, 시원하다 / 아, 슬프도다 / 아, 도와주소서. [큰]어.

아[3] 받침 있는 말에 붙어서 사람이나 사물 따위를 부를 때에 쓰는 말. (예)복동아 / 달아 달아.

***아가** **1** '아기'를 귀엽게 부르는 말. (예)아가야, 이리 온. **2** 시부모가 시집온 지 얼마 안 되는 며느리를 친근하게 부르는 말. (예)아가, 전화 받아라.

아가리 **1** '입'을 속되게 이르는 말. (예)아가리 닥치고 있어. **2** 그릇·자루 따위의, 물건을 넣고 내고 하는 구멍의 어귀. (예)병 아가리 / 주머니 아가리를 벌리다.

아가리(를) 놀리다 '말을 하다'의 낮춤말.

아가리(를) 벌리다 ㉠ '울다'의 낮춤말. ㉡ '말을 하다'의 낮춤말.

***아가미** 물고기와 조개 등의 숨 쉬는 기관. 머리 속에 있으며, 붉은빛의 빗살 모양임.

***아가씨** **1** 아직 결혼하지 않은 여자나 젊은 여자를 높여 일컫는 말. **2** 손아래 시누이를 이르는 말.

아교 (阿膠) 짐승의 가죽이나 뼈 따위를 진하게 고아서 말린 끈끈한 풀. [비]갖풀.

아ː군 (我軍) 우리 편의 군대. (예)아군이 승리하다. [비]우군. [반]적군.

아궁이 가마·방·솥 따위를 데우려고 연료를 넣고 불을 지피는 구멍. (예)아궁이에 불을 지피다.

아귀 **1** 딱 맞는 수효. (예)수입과 지출의 아귀가 맞다. **2** 말의 조리. (예)말의 아귀가 맞지 않다. **3** 물건의 갈라진 곳. (예)책상 서랍의 아귀가 맞지 않다.

아귀(를) 맞추다 일정한 기준에 맞게 하다.

아귀다툼 서로 헐뜯고 악을 쓰며 다투는 일. (예)아귀다툼을 벌이다. **—하다.**

***아기** **1** 젖먹이 아이. (예)우는 아기를 달래다. ➲ baby **2** 나이가 어린 딸이나 며느리를 귀엽게 이르는 말.

아기씨 **1** 시집갈 나이의 처녀나 갓 시집온 색시를 높여 이르던 말. **2** 여자 아이를 높여 부르는 말.

아기자기 **1** 여러 가지가 오밀조밀 어울려 예쁜 모양. (예)방을 아기자기하게 꾸미다. **2** 잔재미가 있고 즐거운 모양. (예)아기자기한 신혼 생활. **—하다.**

***아까** 조금 전에. (예)아까 만난 그 사람 / 아까 내가 뭐라고 했지.

아까워하다 아깝게 여기다. 아까운 생각을 가지다. (예)버리는 음식을 아까워하다.

***아깝다** [아깝따] **1** 버리거나 내놓기가 싫다. (예)버리기는 너무나 아깝다. **2** 섭섭하거나 서운한 느낌이 있다. (예)놓치기 아까운 사람. **3** 소중하여 함부로 하기가 어렵다. (예)시간

이 아깝다. 활용 아까워 / 아까우니.

*아끼다 1 귀하게 여기어 함부로 쓰지 아니하다. 예 시간을 아끼다 / 학용품을 아껴 쓰다. 비 절약하다. 반 낭비하다. 2 소중히 여기거나 다루다. 예 동생을 아끼는 마음.

아낌없다 [아끼멉따] 아까워하거나 부족한 느낌이 없다. 예 아낌없는 박수를 보내다.

아낌없이 [아끼멉씨] 아낌없게. 예 아낌없이 돈을 쓰다.

아나운서 (announcer) 1 라디오나 텔레비전에서 사회나 보도, 중계 방송 따위의 일을 맡아보는 사람. 2 경기장·극장·역 따위에서 시간이나 기록 따위를 방송으로 알리는 사람.

아낙네 [아낭네] 남의 집 부녀자를 흔히 일컫는 말. 예 빨래하는 아낙네. 준 아낙.

아날로그 (analogue) 길이·각도 또는 전류 따위의 값을 연속적인 물리량으로 나타내는 일. *디지털.

*아내 결혼하여 남자의 짝이 된 여자. 비 처. 반 남편. ➡ wife

아냐 '아니야'의 준말. 예 이건 내 것이 아냐.

아네모네 (anemone) 미나리아재빗과의 여러해살이풀. 줄기 높이는 20 cm가량이며, 봄에 줄기 끝에 빨강·하양·노랑 따위의 꽃이 핌. 관상용으로 심음.

〈아네모네〉

아녀자 (兒女子) 1 여자를 낮추어 일컫는 말. 2 어린아이와 여자. 준 아녀.

아늑하다 [아느카다] 조용하고 편안하게 느껴지다. 예 아늑한 분위기. 큰 으늑하다.

*아니[1] 동사·형용사 앞에 쓰여 부정 또는 반대의 뜻을 나타내는 말. 예 아니 가다 / 공부도 아니 하고 놀기만 한다. 준 안.

아니[2] 1 '그렇지 않다'는 뜻으로 대답하는 말. 예 올 테냐. 아니, 못 가 / 아니, 그렇지 않소. ➡ no 2 놀라거나 감탄스러울 때 또는 의심스러울 때 쓰는 말. 예 아니, 이게 무슨 일이냐.

아니꼽다 [아니꼽따] 1 비위에 거슬리어 구역질이 날 듯하다. 2 말과 행동이 밉살스러워 불쾌하다. 예 아니꼬운 말투. 활용 아니꼬워 / 아니꼬우니.

*아니다 어떤 사실을 부정할 때에 '그렇지 않다'의 뜻으로 쓰는 말. 예 고래는 물고기가 아니다.

아니나 다를까 과연 예측한 바와 같다는 말. 예 아니나 다를까, 그는 또 늦었다.

아닌 게 아니라 과연 그러하다는 말. 예 아닌 게 아니라, 그게 사실이구나.

아닌 밤중에 ㉠ 뜻하지 않은 밤중에. ㉡ 뜻밖의 때에. 예 아니, 아닌 밤중에 무슨 뚱딴지 같은 소리냐.

아니리 판소리에서, 창을 하는 중간 중간에 장면의 변화나 경치 묘사를 위해 이야기하듯 엮어 나가는 말. 비 사설.

*아니야 부정의 뜻을 힘주어 나타내는 말. 예 아니야, 그것은 틀렸다. 준 아냐.

아니요 윗사람이 묻는 말에 '그렇지 않습니다'의 뜻으로 대답하는 말. 예 아니요, 배는 고프지 않아요.

*아니하다 '-지' 뒤에 쓰여 부정의 뜻을 나타내는 말. 예 밥을 먹지 아니하다. 준 않다.

아담 (Adam) 구약 성서에 나오는 인류의 조상인 남자. 이브의 남편. 예 아담과 이브.

아:담하다 (雅淡—) 1 깨끗하고 아름답다. 예 아담한 방. 2 보기 좋게 자그마하다. 예 아담한 몸매.

아동 (兒童) 1 어린아이. 어린이. 2

초등학교에 다니는 나이의 아이.

아동극 (兒童劇) **1** 어린이들이 하는 연극. **2** 아동을 대상으로 상연하는 연극.

아동기 (兒童期) 유년기와 청년기의 중간쯤에 해당되는 6–7세에서 12–13세까지의 시기.

아동 문학 (兒童文學) **1** 어린이에게 읽히기 위해 교육성과 흥미를 고려하여 지은 문학. **2** 어린이가 지은 문학 작품.

아동복 (兒童服) 어린아이들이 입도록 만든 옷. 어린이 옷.

아둔하다 영리하지 못하고 둔하다. ㉠아둔해서 말귀를 못 알아듣다.

아드님 남의 아들을 높이어 이르는 말. 반 따님.

아득바득 [아득빠득] 고집을 몹시 부리거나 애를 쓰는 모양. ㉠자기 주장이 옳다고 아득바득 우기다. **—하다.**

***아득하다** [아드카다] **1** 끝없이 멀다. ㉠아득한 수평선. **2** 까마득하게 오래다. ㉠아득한 옛날. **3** 어떻게 하면 좋을지 막막하다. ㉠살아갈 길이 아득하다.

아득히 [아드키] 아득하게. ㉠아득히 먼 옛날.

***아들** 남자로 태어난 자식. ㉠아들을 낳다. 반 딸. ➲ son

아들딸 아들과 딸. 비 자녀.

아들자 길이나 각도를 잴 때에 보다 자세하게 재기 위하여 덧붙여 쓰는 자.

아등바등 무엇을 이루려고 애를 쓰거나 우겨 대는 모양. ㉠아등바등 살아가다. **—하다.**

아따 무엇이 몹시 심하거나 못마땅할 때 내는 소리. ㉠아따, 춥기도 하다 / 아따, 말도 많네.

아뜩하다 [아뜨카다] 갑자기 어지러워 까무러칠 듯하다. ㉠정신이 아뜩하다. 비 아찔하다.

-아라 **1** 명령하는 뜻을 나타내는 말. ㉠내 손을 꼭 잡아라. **2** 감탄의 뜻을 나타내는 말. ㉠아이 좋아라. *-어라.

아라비아 (Arabia) 〖지명〗 서남아시아에 있는 세계에서 가장 큰 반도. 대부분이 사막이고 석유가 많이 묻혀 있음.

아라비아 숫ː자 (Arabia數字) [—수짜 / —숟짜] 0,1,2,3,4,5,6,7,8,9의 10개의 숫자. 이 숫자를 십진법으로 짜 맞추어 씀. 인도에서 시작되어 아라비아 사람들이 유럽으로 전하였음.

아라비안나이트 (Arabian Nights) 〖책〗 페르시아에서 생겨나 오랜 세월에 걸쳐서 이루어진 이야기를 모은 책. 이 중에서 '알라딘의 요술 램프', '신드바드의 모험', '알리바바와 40인의 도적' 따위는 널리 알려짐. 천일 야화.

아람 밤이나 도토리 따위가 충분히 익어 저절로 떨어질 정도가 된 상태. 또는 그런 열매. ㉠밤송이의 아람이 벌어지다.

아랍 (Arab) 이슬람교를 믿고 아라비아 어를 사용하는 여러 민족.

아랑곳없다 [아랑고덥따] 어떤 일을 알려고 들거나 참견하지 않다. ㉠친구들이 수군거리는데도 전혀 아랑곳없다.

아랑곳없이 [아랑고덥씨] 아랑곳없게.

아랑곳하다 [아랑고타다] 어떤 일에 나서서 알려고 들거나 참견하다. ㉠남의 일에는 아랑곳하지 않다.

***아래** **1** 일정한 기준보다 낮은 곳. ㉠다리 아래. **2** 지위나 신분, 수량 따위가 낮은 쪽. ㉠동생은 나보다 네 살 아래다. **3** 다른 것보다 못한 쪽. ㉠평균보다 아래다. **4** 글 따위에서, 뒤에 오는 내용. ㉠자세한 것은 아래와 같습니다. 반 위. ➲ down

아래옷 [아래옫] ⇨아랫도리옷. 반 윗옷.

아래위 아래와 위. 예병을 아래위로 흔들다. 비상하. 위아래.

아래쪽 아래가 되는 쪽. 반위쪽.

아래채 여러 채로 된 집의 아래쪽에 있는 집채. 반위채.

아래층 (—層) 이층 이상으로 된 건물이나 물건의 아래에 있는 층. 예 아래층에 사는 사람. 반위층.

아래턱 아래쪽의 턱. 예아래턱에 난 수염. 반위턱.

아랫니 [아랜니] 아래쪽 잇몸에 난 이. 반윗니.

아랫단 [아래딴 / 아랟딴] 옷 아래 가장자리를 안으로 접어 붙이거나 감친 부분.

아랫도리 [아래또리 / 아랟또리] **1** 허리 아래의 부분. 반윗도리. **2** '아랫도리옷'의 준말.

아랫도리옷 [아래또리옫 / 아랟또리옫] 아랫도리에 입는 옷. 비아래옷. 준아랫도리.

아랫동네 [아래똥네 / 아랟똥네] 아래쪽에 있는 동네. 반윗동네.

아랫마을 [아랜마을] 아래쪽에 있는 마을. 반윗마을.

아랫목 [아랜목] 구들을 놓은 방에서 아궁이 쪽에 가까운 방바닥. 예 아랫목에서 몸을 녹이다. 반윗목.

아랫물 [아랜물] 하류에서 흐르는 물. 반윗물.

아랫방 (—房) [아래빵 / 아랟빵] **1** 안뜰을 사이에 두고 몸채의 건너편에 있는 방. 본뜰아랫방. **2** 아궁이에 가까운 방. 반윗방.

아랫배 [아래빼 / 아랟빼] 배꼽 아래쪽의 배. 예아랫배에힘을 주다 / 아랫배가 볼록 나오다. 반윗배.

아랫변 (—邊) [아래뼌 / 아랟뼌] 사다리꼴에서 아래의 변. 비하변. 반 윗변.

아랫사람 [아래싸람 / 아랟싸람] **1** ⇨손아랫사람. **2** 자기보다 지위나 신분이 낮은 사람. 예아랫사람의 의견을 존중해 주다. 반윗사람.

아랫입술 [아랜닙쑬] 아래쪽의 입술. 예아랫입술을 깨물고 아픔을 참다. 반윗입술.

아랫자리 [아래짜리 / 아랟짜리] **1** 아랫사람이 앉는 자리. **2** 낮은 지위나 순위. 반윗자리.

아랫집 [아래찝 / 아랟찝] 바로 아래쪽에 이웃하여 있는 집. 반윗집.

아:량 (雅量) 속이 깊으면서 너그러운 마음씨. 예넓은 아량 / 아량을 베풀다.

아련하다 또렷하지 않고 분간하기 힘들게 어렴풋하다. 예기억이 아련하다 / 멀리서 종소리가 아련하게 들려온다.

아련히 아련하게. 예할아버지의 모습이 아련히 떠오르다.

아:령 (啞鈴) 쇠붙이나 플라스틱 따위로 만들며, 양쪽 끝에 공처럼 생긴 쇠뭉치를 단 운동 기구.

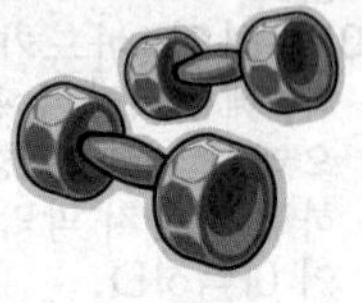

〈아령〉

아로새기다 **1** 무늬나 글자 따위를 또렷하고 정교하게 새기다. 예자개 무늬를 아로새긴 장롱. **2** 또렷이 기억해 두다. 예선생님의 말씀을 마음에 깊이 아로새기다.

아롱거리다 또렷하지 않고 흐리게 아른거리다. 예아롱거리는 아지랑이. 큰어룽거리다. 센알롱거리다.

아롱다롱 여러 가지 빛깔의 작은 점이나 줄 따위가 촘촘하게 뒤섞여 무늬를 이룬 모양. 예봄이 되니 꽃들이 아롱다롱 곱게 피었다. 큰어룽더룽. **—하다.**

아롱아롱 아롱거리는 모양. 큰어룽어룽. **—하다.**

아롱지다 동글동글하고 빛나는 여

러 작은 무늬가 생기다. ㉠눈물이 뺨에 아롱지다. ㉢어룽지다.

아뢰다 윗사람에게 말씀을 드려 알리다. ㉠웃어른께 아뢰다.

아ː류 (亞流) **1** 어떤 학설이나 주의 따위에 찬성하여 따르는 사람. **2** 어떤 것을 모방만 하고 독창성이 없는 것. 또는 그러한 사람.

아르 (프 are) 토지 등의 넓이를 나타내는 미터법의 한 단위. 1아르는 100 m^2임《기호는 a》.

아르메니아 (Armenia) 〖국명〗 독립 국가 연합을 구성하는 공화국의 하나. 터키 북동쪽에 위치하며, 수력·광업 자원이 풍부하고 식품·화학 공업이 활발함. 수도는 예레반.

아르바이트 (독 Arbeit) 학생이나 직업인이 본디 직업 외에 임시로 하는 일. 부업. ㉠아르바이트로 학비를 벌다. **—하다.**

아르헨티나 (Argentina) 〖국명〗 남아메리카 남부, 대서양 연안에 있는 공화국. 농업·목축업 따위가 발달함. 수도는 부에노스아이레스.

아른거리다 **1** 무엇이 조금 보이다 말다 하다. **2** 그림자가 희미하게 자꾸 움직이다. **3** 물이나 거울에 비친 그림자가 자꾸 흔들리다. ㉠강물에 아른거리는 달빛. ㉢어른거리다.

*__아름__ 두 팔로 껴안은 둘레의 길이나 물건의 양. 또는 그 길이나 양의 단위. ㉠세 아름 / 꽃다발 한 아름.

> **주의** **아름**과 **알음**과 **앎**
> **아름** 두 팔로 껴안은 둘레의 길이나 물건의 양. ㉠둘레가 한 아름 되는 나무.
> **알음** 아는 것. ㉠서로 알음이 있는 사이.
> **앎** 아는 일. 지식. '알다'의 명사꼴. ㉠바로 앎이 중요하다.

*__아름다움__ **1** 예쁘고 고움. ㉠한복의 아름다움. **2** 마음씨나 하는 일 따위가 착하고 훌륭함.

*__아름답다__ [아름답따] **1** 빛깔·소리·모양 따위가 마음에 즐겁고 기쁜 느낌을 줄 만큼 예쁘고 곱다. ㉠아름다운 목소리 / 경치가 아름답다. **2** 행동이나 마음씨 따위가 훌륭하고 갸륵하다. ㉠아름다운 우정. 활용 아름다워 / 아름다우니. ➡ beautiful

아름드리 둘레가 한 아름이 넘는 큰 나무나 물건. ㉠아름드리 기둥 / 아름드리 소나무.

아리다 **1** 혀끝이 알알한 느낌이 있다. ㉠혀가 아리다. **2** 다친 살이 찌르는 것같이 쓰리고 아프다. ㉠상처가 아리다.

아리땁다 [아리땁따] 마음이나 태도, 몸가짐 따위가 사랑스럽고 아름답다. ㉠아리따운 처녀. 활용 아리따워 / 아리따우니.

*__아리랑__ 우리나라에서 널리 불리는 민요의 한 가지. ㉡아리랑 타령.

아리송하다 비슷비슷한 것이 뒤섞여서 분간하기 어렵다. ㉠무슨 말인지 아리송하다. ㉣알쏭하다. ㉢어리숭하다.

아리아 (이 aria) 오페라에서, 아름다운 선율의 독창곡.

아리아리하다 **1** 여러 가지가 모두 아리송하다. ㉢어리어리하다. **2** 계속 아린 느낌이 있다. ㉠입 안이 아리아리하다.

아릿하다 [아리타다] 조금 아리다. ㉠고추가 매워서 혀끝이 아릿하다.

*__아마__ 확실히 말할 수 없는 말 앞에서 '거의·대개'의 뜻으로 쓰이는 말. ㉠아마 올 테지 / 아마 지금쯤 끝났겠지. ➡ maybe, perhaps

아마도 '아마'를 강조하는 말. ㉠아마도 괜찮을 것이다.

아마존 강 (Amazon江) 브라질에 있는 세계 제2의 강. 안데스 산맥에서 시작하여 브라질 북부를 거쳐

대서양으로 흐름.

아마추어 (amateur) 문학·예술·스포츠 등을 취미 삼아 즐기는 사람. ㉾아마추어 권투 선수. 반 프로페셔널. 준 아마.

아메리카 (America) 〖지명〗 북아메리카와 남아메리카를 두루 일컫는 말. 태평양·대서양·북극해로 둘러싸이고, 파나마 지협에 의하여 남북으로 갈라짐.

아메바 (amoeba) 단세포의 원생동물. 가장 원시적인 동물로, 큰 것이 0.2 mm 정도이며 형태가 일정하지 않음.

아몬드 (almond) 서양에서 나는 살구의, 고소한 맛이 나는 씨. ㉾아몬드 초콜릿.

***아:무** **1** 꼭 이름을 지정하지 않은 어떤 사람. ㉾아무나 오너라. **2** 어떤 사물 따위를 특별히 정하지 않고 이를 때 쓰는 말. ㉾아무 곳이라도 좋다. **3** '아무런·어떠한'의 뜻. ㉾아무 대꾸도 없다.

아:무개 이름 대신에 누구를 가리키는 말. ㉾내가 박 아무개요 / 김 아무개 집에 다녀왔지.

***아:무것** [아무걷] **1** 특별히 지정하지 않고 이르는 말. 어떤 것. ㉾아무것이든 좋다. **2** 중요하거나 특별한 어떤 것. ㉾아무것도 아닌 일로 다투다.

아:무래도 아무리 하여도. ㉾아무래도 한자 실력은 너를 못 따르겠다.

아:무러하다 **1** 특별히 정하지 않은 상태나 조건에 놓여 있다. ㉾아무러하든 그 일은 꼭 해야 한다. **2** '전혀 어떠한'의 뜻으로 쓰는 말. ㉾아무러한 대답도 듣지 못했다. 준 아무렇다.

***아:무런** '전혀 어떠한'의 뜻을 나타내는 말. ㉾그래봤자 아무런 소용도 없다 / 그 일과는 아무런 관계도 없다.

아:무렇게 [아무러케] 되는대로. 마구. ㉾아무렇게나 하지 마라. 본 아무러하게.

***아:무렇다** [아무러타] '아무러하다'의 준말. ㉾아무렇지도 않은 듯한 표정을 짓다. 활용 아무러니 / 아무래서.

아:무려면 말할 것도 없이 그렇다는 뜻. ㉾아무려면 그런 것도 못 풀라고. 준 아무렴.

***아:무리** **1** 최대한 노력하여. ㉾아무리 애를 써 봐도 소용없다. 비 암만. **2** 결코 그럴 리가 없다는 뜻으로 하는 말. ㉾아무리, 그가 그런 말을 했을라고.

아:무짝 아무 방면. ㉾아무짝에도 못 쓰겠다.

아:무쪼록 될 수 있는 대로. ㉾아무쪼록 건강하십시오.

아무튼 어쨌든. 하여튼. ㉾아무튼 나는 여길 떠나겠다. 본 아무러하든. ×아뭏든.

아문센 (Amundsen, Roald) 〖인명〗 노르웨이의 탐험가. 1911년에 최초로 남극에 도달하였으며, 1926년에는 비행선으로 북극 상공을 처음 횡단하였음. [1872–1928]

아물거리다 **1** 보일 듯 말 듯 조금씩 자꾸 움직이다. ㉾아지랑이가 아물거리다. **2** 정신이 자꾸 희미해지다. ㉾정신이 아물거리다.

아물다 부스럼이나 상처가 나아서 살갗이 맞붙다. ㉾상처가 아물다. 활용 아물어 / 아무니 / 아무는.

아물아물 [아무라물] 자꾸 아물거리는 모양. ㉾눈앞이 아물아물하다. **—하다.**

아미노산 (amino酸) 생물체의 단백질을 이루는 중요한 유기 물질.

***아버님** '아버지'의 높임말.

***아버지** 남자인 어버이. ㉾정류장에서 아버지를 기다리다. 비 부친. 반 어머니. 높 아버님. ➲ father

아범 **1** 자식을 둔 아들을 그 부모가 부르거나 가리키는 말. ㉥아범아, 바둑이나 한 판 두자꾸나. **2** 아내가 부모에게 자기 남편을 가리켜서 이르는 말. 반 어멈.

아베크 (프 avec) 한 쌍의 남녀가 같이 행동하는 일. 또는 그 남녀. ㉥아베크족.

아부 (阿附) 남의 비위를 맞추려고 알랑거림. ㉥아부 근성 / 상사에게 아부하다. 비 아첨. **—하다.**

아비 **1** '아버지'의 낮춤말. ㉥그 아비에 그 아들. **2** 결혼하여 자식을 둔 아들을 이르는 말. ㉥아비야, 이리 좀 오너라. **3** 자식을 낳은 뒤, 아내가 시부모에게 자기 남편을 이르는 말. ㉥아비는 오늘 좀 늦는답니다. 반 어미.

아비규환 (阿鼻叫喚) 참혹한 고통 속에서 살려 달라고 울부짖는 참상을 일컫는 말. ㉥사고 현장은 그야말로 아비규환이었다.

*__아빠__ '아버지'를 어린이가 부르는 말. 반 엄마. ◆dad(dy)

*__아뿔싸__ 미처 생각지 못했던 것을 깨닫고 뉘우칠 때 내는 소리. ㉥아뿔싸, 내가 사람을 잘못 보았구나. 큰 어뿔싸.

아:사 (餓死) 굶어 죽음. ㉥흉년이 드는 해에는 아사하는 사람이 많았다. 비 기사. **—하다.**

아사달 (阿斯達) 〖지명〗 단군이 고조선을 세울 때의 도읍. 대체로 황해도 구월산으로 전해지는데, 지금의 평양 부근의 백악산이라는 설도 있음.

아삭거리다 [아삭꺼리다] 싱싱하고 연한 과일이나 채소를 깨무는 소리가 자꾸 나다. 또는 그런 소리를 자꾸 내다. ㉥사과가 아삭거리다.

아삭아삭 [아사가삭] 아삭거리는 모양. ㉥오이를 아삭아삭 베어 먹다. **—하다.**

아서라 하지 말라는 뜻을 나타내는 말. ㉥아서라, 넘어지겠다. 준 아서.

아성 (牙城) **1** 예전에, 우두머리가 있던 성. ㉥적의 아성. 비 본거지. **2** 매우 중요한 근거지. ㉥아성이 무너지다 / 아성을 깨뜨리다.

아세톤 (acetone) 독특한 냄새가 있고 휘발성이 있는 무색투명한 액체. 의약품 원료와 용매제로 쓰임.

아수라장 (阿修羅場) ⇨수라장. ㉥순식간에 아수라장으로 변하다.

아쉬움 아쉬워하는 마음. ㉥아쉬움을 감추지 못하다.

아쉬워하다 **1** 필요할 때 모자라거나 없어서 안타깝고 만족스럽지 못하게 여기다. ㉥돈을 아쉬워하다. **2** 미련이 남아 서운하게 여기다. ㉥이별을 아쉬워하다.

아쉽다 [아쉽따] **1** 필요할 때 없거나 모자라서 안타깝고 만족스럽지 못하다. ㉥돈이 아쉽다 / 아쉬운 것 없이 살다. **2** 미련이 남아 서운하다. ㉥정든 학교를 떠나기가 아쉽다. 활용 아쉬워 / 아쉬우니.

아스라이 아스라하게. ㉥아스라이 떠오르는 어린 시절의 추억.

아스라하다 **1** 기억이 흐릿하고 아득하다. ㉥지난날의 아스라한 기억들을 되살리다. **2** 아슬아슬하게 높거나 까마득하게 멀다. ㉥아스라한 산꼭대기.

아스파라거스 (asparagus) 백합과의 여러해살이풀. 가는 가지가 잎의 작용을 함. 초여름에 엷은 황색 꽃이 피고 열매는 둥글고 붉게 익음. 어린줄기와 순은 먹음.

아스팔트 (asphalt) 도로포장·방수 따위에 쓰이는 검은 물질. ㉥아스팔트 길 / 차도에 아스팔트를 깔다.

아스피린 (aspirin) 몸의 열이나 아픔을 없애든가 낮추는 데에 쓰이는 흰 가루약.

아슬아슬하다 [아스라슬하다] 어

떤 일이나 상태가 잘못되거나 정도를 지나칠까 봐 두려워 조마조마하다. ㉥아슬아슬한 묘기.

아슴푸레하다 **1** 또렷이 보이거나 들리지 않고 희미하다. ㉥등대의 불빛이 아슴푸레하다. **2** 기억이 몹시 희미하다. ㉥아슴푸레한 기억. 큰 어슴푸레하다.

*__아시아__ (Asia) 6 대주의 하나. 우리나라·일본·중국·인도·시베리아 등이 포함된 세계에서 가장 큰 대륙. 아시아 주.

아시아 경:기 대:회 (Asia競技大會) 아시아 여러 나라의 국제 종합 운동 경기 대회. 4년에 한 번 국제 올림픽 대회의 중간 해에 열림. 우리나라는 1986년에 제10회를 개최했음. 아시안 게임.

아시아 태평양 경제 협력체 (Asia太平洋經濟協力體) [—협녁체] 1989년에 한국을 비롯한 태평양 주변의 여러 나라가 경제 협력과 무역 증진을 목적으로 만든 기구. 회원국은 18 개국임. 에이펙(APEC).

아:씨 예전에, 신분이 낮은 사람이나 하인이 어리거나 젊은 양반인 여자를 부르던 말.

아아 **1** 뜻밖의 일을 당했을 때 내는 소리. ㉥아아, 큰일 났군. **2** 모르던 것을 깨닫게 되었을 때 감탄하는 말. ㉥아아, 좋아라.

*__아:악__ (雅樂) 고려 때부터 내려오던 궁중 음악. 조선 세종이 박연을 시켜 완성하였음.

아야 갑자기 아플 때 내는 소리. ㉥아야, 왜 꼬집어.

-아야 **1** 어떤 조건이 꼭 필요함을 나타내는 말. ㉥맛이 좋아야 사지. **2** 영향이 없음을 나타내는 말. ㉥아무리 많아야 별수 없다. *-어야.

아양 귀염을 받으려고 알랑거리는 몸짓이나 말. ㉥아양을 떨다 / 아양을 부리다. **—스럽다.**

아역 (兒役) 연극이나 영화에서 어린이의 역. 또는 그 역을 맡은 연기자. ㉥아역 배우.

*__아연__ (亞鉛) 광택 있는 청백색의 무른 금속. 철판 등을 도금하거나 놋쇠·양은 따위를 합금하는 데 쓰임.

아연실색하다 (啞然失色—) [아연실쌔카다] 뜻밖의 일에 너무 놀라 얼굴빛이 변하다. ㉥뜻밖의 소식에 아연실색했다.

아:열대 (亞熱帶) [아열때] 열대와 온대의 중간이 되는 지대. 사막·반건조 지대가 많음. ㉥아열대 기후.

아예 **1** 애초부터. 처음부터. ㉥아예 기대도 하지 않았다. **2** 절대로. 조금도. ㉥아예 믿지 마라.

아옹다옹 서로 트집을 잡아 자꾸 다투는 모양. ㉥두 사람은 만나기만 하면 아옹다옹 다툰다. **—하다.**

*__아우__ **1** 형제자매 중에서 나이가 적은 사람. **2** 친한 남자나 여자 사이에서 자기보다 나이가 적은 사람. ㉥형님 아우 하며 지내는 사이. 비 동생. 반 언니. 형.

아우르다 여럿을 한 덩어리나 한 판이 되게 하다. ㉥몇 사람이 아울러 봉사회를 만들었다. 큰 어우르다. 활용 아울러 / 아우르니.

아우성 (—聲) 여럿이 저마다 외치거나 악을 쓰며 떠드는 소리. ㉥아우성을 치다.

아욱 아욱과의 한해살이풀. 밭에 재배함. 잎은 넓은 달걀꼴로 여름에 흰색 또는 연한 분홍색의 꽃이 핌. 연한 줄기와 잎은 죽이나 국을 끓여 먹음.

아울러 **1** 그것에 덧붙여. ㉥필기도구와 아울러 수험표를 반드시 지참할 것. **2** 여럿을 한데 합하여. ㉥재주와 실력을 아울러 갖추다.

아웃 (out) **1** 테니스·축구·탁구·배구 따위에서, 일정한 선 밖으로 공이 나가는 일. ㉥아웃을 선언하다.

2 야구에서, 타자나 주자가 공격할 자격을 잃는 일. ㉮타자가 삼진으로 아웃되다. 반 세이프.

아웅다웅 '아옹다옹'의 큰말.

아유 1 뜻밖의 일에 놀라는 소리. ㉮아유, 깜짝이야. 2 힘에 부치거나 피곤할 때 내는 소리. ㉮아유, 무거워라. 큰 어유.

*__아이[1]__ 1 나이가 어린 사람. 2 남에게 자기 자식을 낮추어 이르는 말. ㉮우리 집 아이가 이번에 졸업을 합니다. 3 아직 태어나지 않았거나 막 태어난 아기. ㉮아이를 낳다 / 둘째 아이가 태어나다. 준 애[2]. child

아이[2] 1 무엇을 조르거나 마음에 내키지 않을 때 내는 소리. ㉮아이, 빨리 줘 / 아이, 그것도 몰라. 2 '아이고'의 준말. ㉮아이, 깜짝이야.

아이고 1 아플 때, 힘들 때, 놀랄 때, 원통할 때, 기막힐 때 따위에 나오는 소리. ㉮아이고, 큰일 났구나. 준 아이. 큰 어이구. 2 반갑거나 좋을 때 내는 소리. ㉮아이고, 살아 있으니 이렇게 만나는구나. 3 우는 소리. 특히, 부모가 돌아가셨을 때 곡하는 소리.

아이고머니 '아이고'보다 느낌이 더 깊고 간절할 때 내는 소리. ㉮아이고머니, 이 일을 어쩌나. 준 애고머니. 큰 어이구머니.

아이디 (ID) 인터넷이나 컴퓨터 통신에서, 컴퓨터 이용자의 신분을 증명할 수 있는 고유의 문자나 부호.

아이디어 (idea) 어떤 일에 대한 생각이나 방법. 구상. ㉮참신한 아이디어를 내다.

아이러니 (irony) 1 풍자. 반어. 2 예상과 반대되는 결과가 빚은 모순이나 부조화. ㉮역사의 아이러니.

아이스크림 (ice-cream) 우유·달걀·향료·설탕 등을 섞어 얼린, 부드러운 과자.

아이스하키 (ice hockey) 얼음판에서 한 편에 6명씩의 경기자가 스케이트를 타고, 끝이 굽은 막대기로 공을 쳐서 상대 팀 골에 넣어 얻은 점수로 승패를 가리는 경기.

아이엠에프 (IMF) ⇨국제 통화 기금.

아이오시 (IOC) ⇨국제 올림픽 위원회.

아이참 못마땅하거나 초조하거나 수줍을 때 내는 소리. ㉮아이참, 속상해.

아이코 '아이고'의 뜻을 거세게 나타낼 때 쓰는 말. ㉮아이코, 이게 뭐지. 큰 어이쿠.

아이콘 (icon) 컴퓨터에서, 문자나 그림으로 실행할 수 있는 명령을 나타낸 것. 마우스로 그림을 선택하여 명령을 실행함.

아이큐 (IQ) ⇨지능 지수.

아인슈타인 (Einstein, Albert) 〖인명〗 독일 태생의 미국 물리학자. '특수 상대성 이론', '일반 상대성 이론', '통일장 이론' 등을 발표하였으며, 1921년에 노벨 물리학상을 받음. [1879-1955]

아작 조금 단단한 과일이나 무 따위를 단번에 씹을 때 나는 소리. 큰 어적. 센 아짝.

아작거리다 [아작꺼리다] 잇달아 아작 소리가 나다. 또는 그런 소리를 내다.

아작아작 [아자가작] 조금 단단한 과일이나 무 따위를 씹을 때 나는 소리. ㉮무를 아작아작 씹어 먹다.

아장걸음 [아장거름] 아장아장 걷는 걸음.

아장아장 어린아이가 뒤뚱뒤뚱 걷는 모양. ㉮아기가 아장아장 걸음마를 시작하다. 큰 어정어정.

아쟁 (牙箏) 가야금과 비슷하며, 대쟁보다 조금 작고 7개의 줄로 된 우리나라 고유의 현악기의 한 가지. 활을 앞뒤로 문질러 연주함.

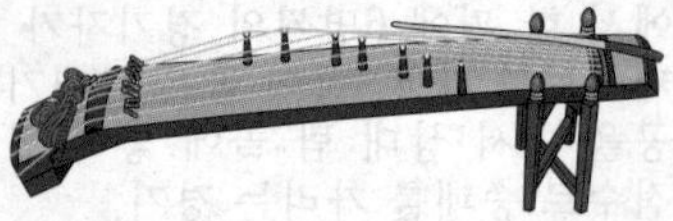
〈아쟁〉

*아저씨 1 부모와 같은 항렬의, 아버지의 친형제를 제외한 남자. 2 친척 관계가 아닌 남자 어른을 정답게 부르는 말. ㉠집배원 아저씨. 반아주머니. 낮아재. ➡ uncle

아전(衙前) 조선 시대에 고을의 관청에 딸린 낮은 벼슬아치.

아:전인수(我田引水) [아저닌수] 자기 논에 물을 끌어 댄다는 뜻으로, 자기에게만 이롭게 함을 비유하는 말.

*아주 1 정도·수준이 보통보다 훨씬. ㉠그 악기는 아주 비싸다. 2 영영. 영원히. ㉠아주 가 버렸다. 3 완전히. 전혀. ㉠약속을 아주 잊어버리다 / 내 생각과 아주 딴판이다.

*아주머니 1 부모와 같은 항렬의 여자. 2 친척이 아닌 여자 어른을 정답게 부르는 말. ㉠주인 아주머니. 반아저씨. ➡ aunt

아주버니 여자가 남편의 형뻘이 되는 남자를 부르는 말.

아줌마 아주머니를 친근하게 또는 낮추어 일컫는 말.

*아지랑이 봄날 햇빛이 강하게 쬘 때 공기가 공중에서 아른거리는 현상. ×아지랭이.

아지트(←러 agitpunkt) 1 활동의 본거지로 삼은 곳. 2 남의 눈에 띄지 않게 숨어 있는 곳

*아직 1 때가 덜 된. ㉠아직 안 왔다. 2 지금도 전과 같은 상태임을 나타내는 말. ㉠아직 비가 오고 있다.

아직기(阿直岐)〖인명〗 백제 근초고왕 때의 학자. 일본에 건너가 일본 태자의 스승이 되었으며, 왕인 박사를 일본 왕에게 추천하여 한학을 전하게 하였음.

아직껏 [아직껃] 아직까지. ㉠이런 물건은 아직껏 본 적이 없다.

아:집(我執) 자기 생각만 옳다고 내세우는 고집. ㉠아집에 빠지다 / 아집을 버리지 못하다.

아찔하다 갑자기 정신이 아득하고 어지럽다. ㉠옥상에서 밑을 내려다보니 눈앞이 아찔했다. 비아뜩하다. 큰어찔하다.

아차 잘못된 것을 갑자기 깨달았을 때 나오는 소리. ㉠아차, 또 틀렸다.

아첨(阿諂) 남의 환심을 사거나 잘 보이려고 알랑거림. ㉠아첨을 떨다. 비아부. —하다.

아치(arch) 1 건축 기술의 하나. 창이나 문의 위쪽을 둥글게 쌓아 올린 것. 2 축하나 환영의 뜻으로 만든 무지개 모양의 구조물.

*아침 1 날이 샐 때부터 아침밥을 먹을 때까지의 동안. ㉠아침 일찍 일어나다. ➡ morning 2 '아침밥'의 준말. ㉠아침을 먹다. 반저녁.

아침나절 아침밥을 먹은 뒤부터의 한나절. ㉠아침나절에 하루 일과를 끝내다.

아침밥 [아침빱] 아침에 끼니로 먹는 밥. 비조반. 준아침. ➡ breakfast

아침상(—床) [아침쌍] 아침밥을 차려 놓은 상. ㉠아침상을 받다.

아침저녁 아침과 저녁. ㉠아침저녁으로 날이 쌀쌀해졌다 / 아침저녁으로 부모님께 문안 인사를 드리다.

아카데미(academy) 학문·예술에 관한 지도적이고 권위 있는 단체. 한림원·예술원·학술원 따위.

아카시아(acacia) 콩과의 상록 교목. 높이는 12–15 m로, 가지에 가시가 있음. 초여름에 흰 꽃이 늘어져 피며 향기가 좋음.

〈아카시아〉

아코디언 (accordion) 주름상자를 늘였다 줄였다 하며 건반을 눌러 연주하는 악기. 손풍금.

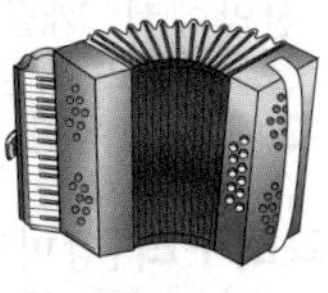
〈아코디언〉

아퀴 어수선한 일의 갈피를 잡아 마무르는 끝매듭.

아퀴(를) 짓다 일이나 말을 끝마무리하다.

아크릴 (←acrylic) **1** 합성수지의 하나. 안전유리나 전기의 절연 재료에 쓰임. 본 아크릴산 수지. **2** '아크릴 섬유'의 준말.

아크릴 섬유 (←acrylic纖維) [—서뮤] 가볍고 부드러우며 보온성이 뛰어난 합성 섬유를 통틀어 일컫는 말. 준 아크릴.

아테네 (Athine) 〖지명〗 그리스의 수도. 아티카 반도에 있음. 고대 그리스 문명의 중심지로, 파르테논 신전 등 많은 유적과 고대 건축물이 있음.

아토피성 피부염 (atopy性皮膚炎) 어린아이의 팔꿈치나 오금의 피부가 두꺼워지면서 까칠까칠해지고 몹시 가려운 증상을 나타내는 악성 피부염.

아틀리에 (프 atelier) 화가나 조각가가 일하는 작업실. 화실.

***아파트** (←apartment) 5층 이상의 건물 안에 여러 가구가 따로따로 살게 된 공동 주택. 예 아파트를 분양하다 / 아파트로 이사하다.

아파하다 아픔을 느끼어 괴로워하다. 예 그의 딱한 처지를 보고 마음 아파하다.

아편 (阿片) 덜 익은 양귀비 열매에 상처를 내어 흘러나오는 진을 모아 말린 갈색의 물질. 마취제·진통제 따위로 쓰임. 중독성이 있음.

아편 전ː쟁 (阿片戰爭) 청나라가 아편의 수입을 금지시킴으로써 일어난, 영국과 청나라 사이의 전쟁. 청나라가 패함. [1840–1842]

아폴론 (Apollon) 그리스 신화에서, 태양·궁술·의료·음악 및 시의 신. 로마 신화의 아폴로에 해당함.

아프가니스탄 (Afghanistan) 〖국명〗 아시아 남서부에 위치한 나라. 밀·목화·사탕수수 따위를 산출하며, 양가죽은 주요 수출품임. 수도는 카불.

***아프다** 몸이나 마음에 고통이 있다. 예 다리가 아프다. 활용 아파 / 아프니. ➲ sick

아프로디테 (Aphrodite) 그리스 신화에서, 미와 사랑의 여신. 로마 신화의 베누스. 영어로는 비너스.

아프리카 (Africa) 〖지명〗 6 대주의 하나. 유럽의 남쪽에 위치하며, 수에즈 지방에 의하여 아시아 주와 연결되어 있는 세계 제2의 대륙임. 아프리카 주.

아픔 몸이나 마음에 고통이 있는 일. 예 아픔을 참다 / 분단의 아픔을 겪다.

아하 미처 생각지 못한 일을 깨달았을 때 내는 소리. 예 아하, 깜빡 잊었구나. 큰 어허.

아ː호 (雅號) 문인·학자·화가 들이 본이름 외에 가지는 이름.

***아홉** 여덟에 하나를 더한 수. 예 아홉 살 / 아홉 개. 비 구. ➲ nine

아황산가스 (亞黃酸gas) 이산화황을 일반적으로 일컫는 말.

아흐레 아홉 날. 구 일.

***아흔** 열의 아홉 배. 예 아흔 살 / 아흔 번. 비 구십.

악¹ 있는 힘을 다하여 모질게 마구 쓰는 기운. 예 악을 바락바락 쓰며 대들다.

***악²** (惡) 착하지 않음. 올바르지 아니함. 예 악에 물들다. 반 선.

악³ **1** 남이 놀라도록 갑자기 지르는 소리. **2** 놀랐을 때 무의식적으로 지르는 소리. ㉠'악' 하는 비명 소리가 들려왔다.
*악곡 (樂曲) [악꼭] **1** 음악의 곡조. **2** 곡조를 나타낸 부호. ㉠악곡대로 연주하다.
악공 (樂工) [악꽁] **1** 음악을 연주하는 사람. **2** 조선 때, 궁정의 음악을 연주하던 사람.
*악기 (樂器) [악끼] 음악을 연주하기 위해 쓰이는 기구. 현악기·관악기·타악기·건반 악기 따위. ㉠악기를 다루다.
악녀 (惡女) [앙녀] 성질이 모질고 나쁜 여자. ㊥선녀.
악다구니 [악따구니] 서로 욕하며 성내어 싸우는 짓. ㉠악다구니를 치다. **—하다.**
악단 (樂團) [악딴] 음악 연주를 목적으로 조직된 단체. ㉠관현악단 / 악단을 지휘하다. ㊇악대.
악담 (惡談) [악땀] 남을 헐뜯거나 저주하는 말. ㉠악담을 퍼붓다. ㊥덕담. **—하다.**
악당 (惡黨) [악땅] 나쁜 짓을 일삼는 악한 사람이나 무리. ㉠악당의 소굴에서 발을 빼다.
악대 (樂隊) [악때] 여러 가지 악기로 음악을 연주하는 단체. ㊇악단.
악덕 (惡德) [악떡] 도리에 어긋나는 나쁜 마음이나 나쁜 짓. ㉠악덕 상인 / 악덕을 저지르다.
악독 (惡毒) [악똑] 마음이 악하고 독살스러움. ㉠악독한 흉계를 꾸미다. **—하다. —히. —스럽다.**
악동 (惡童) [악똥] **1** 행실이 나쁜 아이. ㉠그 애는 걸핏하면 아이들을 두들겨 패는 악동이었다. **2** 장난꾸러기.
악랄하다 (惡辣—) [앙날하다] 매우 사납고 모질다. ㉠악랄한 수단.
악력 (握力) [앙녁] 손아귀로 무엇을 쥐는 힘. ㉠악력이 세다.
악마 (惡魔) [앙마] **1** 종교나 민속 신앙에서, 까닭 없이 사람에게 재앙을 내리고 해를 끼치는 나쁜 귀신. **2** 매우 악독한 짓을 하는 사람의 비유. ㊥천사.
악머구리 [앙머구리] 잘 우는 개구리라는 뜻으로, '참개구리'를 일컫는 말. ×악마구리.

> **참고** '악'과 '머구리'가 이어진 말이다. 악은 있는 힘을 다하여 모질게 마구 쓰는 기운을 이르는 말로 악을 써서 우는 것을 뜻한다. 머구리는 개구리의 옛말로 사투리이다.

악명 (惡名) [앙명] 악하기로 소문난 이름. 좋지 않은 평판. ㉠악명이 높다 / 악명을 떨치다.
악몽 (惡夢) [앙몽] 불길하고 무서운 꿈. ㉠악몽에 시달리다. ㊇흉몽.
악물다 [앙물다] 매우 성이 나거나 아플 때, 또는 단단히 결심할 때 아래위의 이를 힘주어 물다. ㉠이를 악물고 울음을 참다. ㊤윽물다. **활용** 악물어 / 악무니.
악바리 [악빠리] **1** 성미가 깔깔하고 고집이 세며 모진 사람. **2** 지나치게 똑똑하고 영악한 사람.
악법 (惡法) [악뻡] **1** 사회에 해가 되는 나쁜 법률. ㉠악법도 법이다. **2** 나쁜 방법.
*악보 (樂譜) [악뽀] 음악의 곡조를 일정한 기호를 써서 나타낸 것.
악사 (樂士) [악싸] 악기로 음악을 연주하는 사람. ㉠거리의 악사.
악상 (樂想) [악쌍] **1** 음악의 주제·구성 등에 관한 작곡가의 생각. ㉠악상이 떠오르다. **2** 음악 속에 표현된 사상.
악성[1] (樂聖) [악썽] 역사적으로 매우 위대한 음악가. ㉠악성 베토벤.
악성[2] (惡性) [악썽] **1** 모질고 독한 성질. ㉠악성 유언비어. **2** 고치기 어려운 병의 종류나 상태. ㉠악성

종양 / 악성 빈혈에 시달리다.
악센트 (accent) 말의 어떤 음절이나 글의 어떤 말을 높이거나 힘주어 소리 내는 것. 또는그 부호.
악수 (握手) [악쑤] 인사·화해·감사 따위의 뜻으로 서로 손을 내밀어 마주 잡는 일. ㉺악수를 나누다. **—하다.**
악습 (惡習) [악씁] 나쁜 습관. 못된 버릇. ㉺악습을 타파하다.
악쓰다 악을 내어 소리 지르거나 행동하다. ㉺악쓰며 울어 대다. [활용] 악써 / 악쓰니.
악어 (鰐魚) [아거] 악어목의 파충류. 몸길이 2–10 m에 달하고 딱딱한 비늘로 덮였으며, 발가락 사이에는 물갈퀴가 있음. 물고기나 다른 짐승을 잡아먹음. 가죽은 널리 이용됨.

〈악어〉

악역 (惡役) [아격] 놀이·연극·영화 등에서 악인으로 분장하는 배역. ㉺악역 배우 / 악역을 맡다.
악연 (惡緣) [아견] **1** 좋지 못한 인연. **2** 헤어지고 싶어도 헤어질 수 없는 남녀간의 인연.
악영향 (惡影響) [아경향] 나쁜 영향. ㉺불량 식품은 아이들의 건강에 악영향을 미친다.
악용 (惡用) [아공] 잘못 쓰거나 나쁜 일에 씀. ㉺지위를 악용하다. [반] 선용. **—하다.**
악운 (惡運) [아군] 사나운 운수.
악음 (樂音) [아금] 소릿결이 일정하여 들으면 좋은 느낌을 주는 소리. [비] 고른음.
악의 (惡意) [아긔 / 아기] **1** 남에게 해를 끼치려는 나쁜 마음. ㉺악의가 있어 그런 것은 아니다. **2** 나쁜 뜻. ㉺악의로 해석하다. [반] 선의.
악인 (惡人) [아긴] 악한 사람.
악장[1] (樂章) [악짱] 소나타·교향곡 등과 같이 여러 개의 소곡이 모여서 큰 악곡이 되는 경우의 각각의 소곡. ㉺제 1 악장.
악장[2] (樂長) [악짱] 음악 연주 단체의 우두머리.
악전고투 (惡戰苦鬪) [악쩐고투] 죽을힘을 다하여 싸움. **—하다.**
악절 (樂節) [악쩔] 두 개의 악구로 이루어져 하나의 완전한 악상을 표현하는 구절. 대개 여덟 소절이 한 악절을 이룸.
악조건 (惡條件) [악쪼껀] 나쁜 조건. ㉺악조건을 무릅쓰고 산에 오르다. [반] 호조건.
악질 (惡質) [악찔] 성질이 모질고 나쁨. 또는 그런 사람. ㉺악질 상인.
악착 (齷齪) **1** 마음 씀씀이가 썩 좁음. **2** 사소한 일에 끈기 있고 모짊. ㉺악착을 떨며 대들다. **3** 잔인하고 끔찍스러움. **—하다.**
악착같다 (齷齪—) [악착깓따] 성질이 모질고 끈질기다. ㉺누굴 닮아 악착같은지 모르겠다. [비] 악착스럽다. [큰] 억척같다.
악착같이 (齷齪—) [악착까치] 모질고 끈질기게. ㉺악착같이 일을 하다 / 악착같이 돈을 모으다.
악착스럽다 (齷齪—) [악착쓰럽따] 매우 모질고 끈질기게 일을 해 나가는 태도가 있다. ㉺악착스럽게 덤벼들다. [활용] 악착스러워 / 악착스러우니.
악취 (惡臭) 불쾌하고 고약한 냄새. ㉺악취를 풍기다 / 악취가 코를 찌르다.
악취미 (惡趣味) **1** 좋지 못한 취미. **2** 괴벽스러운 취미.
악평 (惡評) 나쁘게 평함. 또는 그런 평판이나 평가. ㉺남을 이유 없이 악평하다. [반] 호평. **—하다.**
악필 (惡筆) 잘 쓰지 못한 글씨. 서

투른 글씨.

악하다 (惡—) [아카다] **1** 모질고 독하다. ㉮악한 사람. **2** 양심을 어기고 도덕에서 벗어나다. 반 선하다. 착하다.

악학궤범 (樂學軌範) [아칵꿰범] 〖책〗 조선 성종 24년(1493)에 성현·신말평·유자광 등이 임금의 명을 받아 펴낸, 음악에 관한 책.

악한 (惡漢) [아칸] 악독한 짓을 하는 사람. 비 악당.

악행 (惡行) [아캥] 악한 행위. 나쁜 짓. ㉮악행을 일삼다 / 갖은 악행을 저지르다. 반 선행.

악화 (惡化) [아콰] 어떤 상태나 관계 따위가 나쁘게 변함. ㉮병세가 악화되다 / 사태를 악화시키다. 반 호전. **—하다.**

*__안__[1] **1** 테두리에서 가운데를 향하는 쪽의 공간. ㉮추운데 안으로 들어오너라. 비 내. 속. 반 겉. 밖. **2** 어떤 범위에 들어 있는 것. ㉮성적이 3등 안에 든다. ➲ inside

*__안__[2] '아니[1]'의 준말. ㉮돈을 안 쓰다 / 비가 안 온다 / 나는 안 먹는다 / 그것은 만지면 안 된다.

> 주의 **안과 않다**
> **안** '아니'의 준말로 부정 또는 반대의 뜻을 나타내는 말. ㉮영희는 오늘 공부를 안 했다.
> **않다** '아니하다'의 준말로 '안하다'의 꼴로는 쓰이지 않는다. ㉮철수는 학교에 가지 않았다 / 날씨가 덥지 않다.

안간힘 [안깐힘] **1** 어떤 일을 이루기 위해서 몹시 애쓰는 힘. ㉮기우는 집안을 일으키려고 안간힘을 쏟다. **2** 불평이나 울분, 괴로움 따위를 참으려고 몹시 애쓰는 힘. ㉮안간힘을 다해 참다.

안간힘(을) 쓰다 불평이나 괴로움을 억지로 참다. ㉮울지 않으려고 안간힘을 쓰다.

> 참고 '안'과 '간힘'이 합쳐진 말이다. '안'은 속의 뜻이며 '간힘'은 내쉬는 숨을 억지로 참아 고통을 이기려고 애쓰는 힘의 뜻이다.

안감 [안깜] 옷이나 물건의 안에 받치는 감. ㉮안감을 대다. 비 안찝. 반 겉감.

안갖춘꽃 [안갇춘꼳] 꽃받침·꽃잎·수술·암술 따위를 완전히 갖추지 못한 꽃. 오이꽃·뽕나무꽃 따위. 반 갖춘꽃.

*__안:개__ 수증기가 찬 공기를 만나 아주 작은 물방울이 되어 공중에 부옇게 떠 있어 연기처럼 보이는 것. ㉮안개가 걷히다 / 안개가 자욱하다.

안:개꽃 [안개꼳] 석죽과에 속하는 한해살이풀. 높이 30-45 cm, 많은 가지가 갈라져 여름에서 가을에 걸쳐 잘고 하얀 꽃이 무리지어 핌. 꽃잎은 다섯 장이고 끝이 오목함.

안:개비 안개처럼 뿌옇게 내리는 가는 비. 비 가랑비. → [학습마당] 13(535쪽)

안:건 (案件) [안껀] 문제가 되어 서로 이야기하거나 토의해야 할 사항. ㉮토의할 안건이 많다.

안견 (安堅) 〖인명〗 조선 초기의 화가. 산수화를 잘 그렸으며, 작품에 '몽유도원도', '적벽도', '청산백운도' 따위가 있음. [1418-?]

*__안:경__ (眼鏡) 불완전한 시력을 조정하거나 강한 햇빛이나 먼지 따위를 막기 위해 눈에 쓰는 기구. ㉮안경을 맞추다. ➲ glasses

안:경점 (眼鏡店) 안경을 팔거나 고쳐 주는 가게.

안:과 (眼科) [안꽈] 눈의 병을 예방하고 치료하는 의학의 한 분과. 또는 그 병원. ㉮안과 의원.

안:광 (眼光) **1** 눈의 정기. ㉠안광이 번뜩이다. 비 눈빛. **2** 사물을 보는 힘. ㉠안광이 날카롭다.

안기다 **1** 남의 품속에 들다. ㉠어머니 품에 안기다. **2** 안도록 하다. ㉠남편에게 아기를 안기다 / 회사에 손해를 안기다. **3** 감정 등을 갖게 하다. ㉠희망을 안겨 주다.

*__안:내__ (案內) **1** 어떤 곳에 데려다 주거나 데리고 다니면서 어떤 내용 따위를 알려 줌. ㉠거실로 안내되다 / 학교 시설을 안내하다. **2** 어떤 내용이나 사정 등을 알림. ㉠안내 방송. **—하다.**

안:내문 (案內文) 안내하는 글.

안:내소 (案內所) 어떤 장소나 사물에 대해 안내를 맡아서 하는 곳. ㉠여행 안내소.

안:내원 (案內員) 안내하는 임무를 맡아보는 사람. ㉠관광 안내원의 도움을 받다.

안:내인 (案內人) 안내하는 일을 맡아 하는 사람. 비 안내자.

안:내판 (案內板) 안내의 내용을 써 놓은 게시판. ㉠공사 안내판. 비 알림판.

*__안녕__ (安寧) **1** 아무 탈 없이 편안함. ㉠선생님, 안녕하십니까. 비 평안. **2** 만나거나 헤어질 때에 쓰는 반말의 인사말. ㉠안녕, 내일 또 만나자. **—하다.** ➡ bye, hello, hi

*__안녕히__ (安寧—) 아무 탈 없이 편안하게. ㉠안녕히 가십시오.

*__안:다__ [안따] **1** 두 팔을 벌려 끌어당겨 가슴에 품다. ㉠아기를 품에 안다. **2** 남의 일을 책임지고 떠맡다. ㉠친구의 빚을 떠맡아 안다. **3** 안으로 들어오는 것을 몸으로 바로 받다. ㉠바람을 안고 가다. **4** 생각이나 감정 따위를 마음속에 지니다. ㉠꿈을 안고 열심히 공부하다.

안단테 (이 andante) 악보에서 빠르기를 지시하는 말. '천천히·느린 속도로'의 뜻.

안단티노 (이 andantino) 악보에서 빠르기를 지시하는 말. '안단테보다 조금 빠르게'의 뜻.

안달 조급하게 걱정하면서 속을 태우는 짓. ㉠안달을 떨다 / 집에 돌아가고 싶어 안달하다. **—하다.**

안달복달하다 [안달복딸하다] 조급하게 굴면서 몹시 속을태우다. ㉠애가 타서 안달복달하다.

안:대 (眼帶) 눈병에 걸린 눈을 가리는 거즈 따위의 천 조각.

안데르센 (Andersen, Hans Christian) 〖인명〗 덴마크의 동화 작가·시인. 가난하지만 아름다운 마음씨를 지닌 사람을 그린 동화를 많이 썼음. 작품에는 '인어 공주'·'미운 오리 새끼'·'성냥팔이 소녀' 따위가 있음. [1805–1875]

안데스 산맥 (Andes山脈) 남아메리카의 서쪽에 있는 세계에서 가장 긴 산맥. 은·구리·주석 따위의 광물이 많이 남.

안도 (安堵) 어떤 일이 잘 진행되어 마음을 놓음. ㉠안도의 한숨을 쉬다. **—하다.**

안도감 (安堵感) 편안한 느낌. 안심이 되는 마음. ㉠안도감을 느끼다 / 안도감이 들다.

안동 (安東) 〖지명〗 경상북도 북동쪽에 있는 시. 도산 서원·하회 마을 따위의 명승지가 있고 삼베와 소주가 유명함.

안되다 **1** 섭섭하거나 가엾고 애석한 느낌이 있다. ㉠돕지 못해 참 안됐다. **2** 걱정 따위로 얼굴이 해쓱하다. ㉠안색이 안되어 보인다.

안락 (安樂) [알락] 몸과 마음이 편안하고 걱정이 없어 즐거움. ㉠안락한 생활. **—하다.**

안락의자 (安樂椅子) [알라긔자 / 알라기자] 편히 기대앉아 쉴 수 있게 만든 팔걸이의자.

안:마¹ (按摩) 손으로 몸을 두드리거나 주물러서 피의 순환을 도와주는 일. 마사지. **—하다.**

안:마² (鞍馬) 체조 경기의 한 종목. 또는 그 기구. 말의 등 모양을 한 틀 위에 있는 두 개의 손잡이를 잡고 운동함.

안마당 집의 안채에 있는 마당. ㊁안뜰. ㊃바깥마당.

안면 (顔面) **1** ⇨얼굴. ㊀안면에 경련이 일다. **2** 서로 얼굴을 아는 친분. ㊀안면을 몰수하다 / 그와는 안면이 있다.

안:목 (眼目) 사물을 보고 분별하는 힘. ㊀안목이 높다.

안:무 (按舞) 음악에 맞추어 무용의 동작을 만듦. 또는 그것을 가르치는 일. ㊀안무가 / 뮤지컬의 안무를 담당하다. **—하다.**

*__안방__ (—房) [안빵] **1** 집주인이 거처하는 방. **2** 예전에, 안주인이 거처하던 방. ㊀안방마님. ㊃바깥방.

안:배 (按排〔配〕) 알맞게 잘 배치하거나 처리함. ㊀좌석을 안배하다. **—하다.**

안보 (安保) 외부의 침략으로부터 국가의 안전을 지키는 일. ㊀안보태세 확립. ㊄안전 보장.

안부 (安否) 편안함과 편안하지 않은 것. 또는 그에 대한 소식이나 인사. ㊀안부 전화 / 안부 편지 / 안부를 묻다. **—하다.**

안사람 [안싸람] '자기의 아내'를 낮추어 이르는 말.

안색 (顔色) 얼굴에 나타나는 기색. ㊀안색을 살피다 / 안색이 변하다. ㊁얼굴빛.

안성맞춤 (安城—) [안성맏춤] 경기도 안성에 주문하여 만든 놋그릇이 제일 좋다는 뜻에서 나온 말로, 생각한 대로 잘된 물건이나 때맞추어 잘된 일. ㊀공부방으로서는 안성맞춤이다. ×안성마춤.

안:수 (按手) 기독교에서, 성령이나 축복이 내리도록 기도를 받는 사람 또는 성직 후보자의 머리 위에 손을 얹는 일. **—하다.**

안시성 (安市城) 삼국 시대에 고구려와 당나라의 경계에 있던 성. 고구려가 지금의 만주 랴오허 강 부근에 설치하여 당나라의 침략을 막은 곳으로 유명함.

안시성 싸움 (安市城—) 고구려 제28대 보장왕 4년(645), 당나라 태종의 공격에 맞서 양만춘의 고구려 군대가 안시성에서 크게 이긴 싸움.

안식 (安息) 편하게 쉼. ㊀안식을 취하다. **—하다.**

안식처 (安息處) 편안히 쉴 수 있는 곳. ㊀가정은 가족들의 가장 편안한 안식처이다.

안심¹ 소의 갈비 안쪽에 붙은 부드럽고 연한 살.

안심² (安心) 근심·걱정이 없이 마음을 편안히 가짐. ㊀안심하고 일을 맡기다. **—하다.**

안쓰럽다 [안쓰럽따] 다른 사람의 처지나 형편이 가엾고 불쌍하다. ㊀시험 공부하느라 애쓰는 모습이 안쓰럽다. ㊅활용 안쓰러워 / 안쓰러우니. ×안스럽다.

안압지 (雁鴨池) [아납찌] 경상북도 경주시 북동쪽에 있는 연못. 신라 문무왕 때 신라의 지도 모양으로 만듦.

안:약 (眼藥) [아냑] 눈병이 났을 때 눈에 넣는 약. ㊀안약을 넣다. ㊁눈약.

안온 (安穩) [아논] 조용하고 편안함. ㊀안온한 분위기. **—하다.**

안울림소리 [아눌림소리] 목청을 울리지 않고 내는 소리. 곧, 자음의 ㄱ·ㄷ·ㅂ·ㅅ·ㅈ·ㅊ·ㅋ·ㅌ·ㅍ·ㅎ. ㊁무성음. ㊃울림소리.

안이하다 (安易—) [아니하다] **1** 너무 쉽게 여기는 태도가 있다. ㊀안이한 생각. **2** 근심이 없고 편안하다. ㉥안이한 생활을 하다.

안익태 (安益泰) 〘인명〙 작곡가·지휘자. 유럽 각국을 순례하며 교향악단을 지휘함. '애국가'의 작곡자로 이름남. 작품에 '한국 환상곡'·'강상의 의기 논개' 등이 있음. [1906-1965]

안일 (安逸) [아닐] 편안하고 한가로움. 또는 편안함만을 누리려는 태도. ㉥안일한 생활 / 안일한 근무 태도. **—하다. —히.**

안:장 (鞍裝) **1** 말의 등에 얹어서 사람이 탈 수 있게 만든, 가죽으로 된 물건. **2** 자전거 따위에서 사람이 앉는 자리.

***안전** (安全) 편안하고 아무 탈이 없음. 위험이 없음. ㉥교통안전 / 안전한 장소로 대피하다. ㉶불안전. 위험. **—하다. —히.** ➡safe

안전 개폐기 (安全開閉器) [—/—개폐기] 전기 기계의 회로에 일정량 이상의 전류가 흐를 때 기계의 파손과 화재를 막기 위해 퓨즈가 끊어지도록 장치한 기구. ㉯두꺼비집. 안전기.

안전띠 (安全—) 자동차나 비행기 따위에서, 사고 때 받는 충격에서 사람을 보호하려고 몸을 좌석에 고정하는 띠. ㉯안전벨트.

안전모 (安全帽) 공장·공사장·운동 경기 따위에서, 머리를 보호하기 위하여 쓰는 모자. 헬멧.

안전벨트 (安全belt) ⇨안전띠.

안전 보:장 이:사회 (安全保障理事會) '유엔 안전 보장 이사회'의 준말.

안전사고 (安全事故) 공장·공사장 따위에서, 안전 교육의 미비 또는 일상의 부주의 따위로 일어나는 사고. ㉥안전사고를 예방하다.

안전선 (安全線) 기차나 전철을 타고 내리는 곳에 승객의 안전을 위해 그어 놓은 선.

안전지대 (安全地帶) **1** 사람의 안전을 위해 교통이 복잡한 도로나 정류장 따위에 마련한 곳. **2** 피해를 당할 위험성이 없는 안전한 지대.

안절부절못하다 [안절부절모타다] 마음이 불안하고 초조하여 어쩔 줄 모르다. ㉥합격자 발표를 기다리며 안절부절못하다.

안정[1] (安定) 안전하게 자리 잡음. 큰 변화가 없이 일정한 상태를 유지함. ㉥물가 안정 / 안정된 생활. ㉶불안정. **—하다.**

안정[2] (安靜) **1** 편안하고 고요함. ㉥마음의 안정을 얻다. **2** 병을 치료하기 위하여 몸과 마음을 편안하게 하고 조용히 쉬는 일. ㉥안정을 취하다. **—하다.**

안정감 (安定感) 안정된 느낌. 편안한 느낌. ㉥안정감을 느끼다.

안정복 (安鼎福) 〘인명〙 조선 정조 때의 학자. 호는 순암. 우리나라의 역사·지리에 대해 연구하여 '동사강목' 따위의 저서를 남김. [1712-1791]

안주[1] (安住) **1** 한곳에 자리 잡고 편안하게 삶. ㉥부부는 늘그막에 고향에 안주했다. **2** 현재의 상황이나 처지에 만족하고 있음. ㉥현실에 안주하다. **—하다.**

안주[2] (按酒) 술을 마실 때에 곁들여 먹는 음식.

안주머니 [안쭈머니] 옷 따위의 안쪽에 달린 주머니. ㉥지갑을 안주머니에 넣다.

안주인 (—主人) [안쭈인] 집안의 여자 주인. ㉥그 집 안주인은 정성껏 상을 차려 내왔다. ㉶바깥주인.

안:중 (眼中) **1** 눈 속. **2** 생각하거나 관심을 가지는 범위의 안. ㉥시험은 안중에도 없이 놀기만 한다 / 출세 따위는 안중에도 두지 않는다.

안중근 (安重根) 〘인명〙 독립 운동

가. 1909년 만주 하얼빈 역에서 일본의 정치가 이토 히로부미를 쏘아 죽이고 체포되어 이듬해 순국함. [1879–1910]

안:질 (眼疾) ⇨눈병.

안짝 **1** 표준 거리나 수에 미치지 못하는 범위. ㉠만 원 안짝. **2** 두 짝으로 이루어지는 물건에서 안에 있는 짝. 반 바깥짝.

안짱다리 두 발끝을 안쪽으로 향하게 하고 걷는 사람. 또는 그렇게 휜 다리.

***안쪽** 안으로 향한 부분이나 안에 있는 부분. ㉠웃옷 안쪽에 속주머니를 달다. 반 바깥쪽.

안착 (安着) 무사히 도착함. ㉠목적지에 안착하다. **—하다.**

안창호 (安昌浩) 〖인명〗 독립 운동가·교육자. 호는 도산. 신민회, 청년 학우회, 흥사단 등을 조직하고, 평양에 대성 학교를 설립함. 3·1 운동 후에 상하이 임시 정부의 내무 총장이 되어 민족의 자주 독립 운동을 펼쳤음. [1878–1938]

안채 안팎 각 채로 된 집의 안에 있는 집. 반 바깥채.

안치 (安置) 위패나 시신 따위를 잘 모셔 둠. ㉠불상을 법당에 안치하다. **—하다.**

안치다 찌거나 끓일 음식을 솥이나 시루 따위에 넣다. ㉠밥을 안치다 / 떡을 시루에 안치다.

> **주의 안치다와 앉히다**
> **안치다** 끓이거나 찔 물건을 솥이나 시루에 넣다. ㉠떡을 안치다.
> **앉히다** 앉게 하다. ㉠키가 큰 아이를 뒷자리에 앉히다.

안치수 (—數) 안쪽으로 잰 길이의 치수. 반 바깥치수.

안타 (安打) 야구에서, 타자가 한 베이스 이상을 나아갈 수 있도록 친 공. 히트. ㉠5 타수 3 안타.

***안타깝다** [안타깝따] 뜻대로 되지 않거나 보기에 딱하여 속이 타고 답답하다. ㉠혼자 애쓰는 것을 보니 안타깝다 / 기회를 놓친 것이 안타깝다. 활용 안타까워 / 안타까우니.

안테나 (antenna) 무선 전신·라디오·텔레비전 따위의 전파를 보내거나 받기 위하여 공중에 세우는 장치. ㉠위성 안테나를 설치하다.

〈안테나〉

안팎 [안팍] **1** 안과 밖. ㉠집 안팎을 청소하다. **2** 어떤 수량에 조금 모자라거나 넘치는 정도. ㉠열 살 안팎의 아이. **3** 아내와 남편. ㉠안팎이 다 부지런하다. 비 내외.

안:하무인 (眼下無人) 눈 아래에 사람이 없다는 뜻으로, 남을 깔보고 업신여김을 이르는 말. ㉠안하무인으로 방자하게 굴다.

***앉다** [안따] **1** 엉덩이를 바닥에 붙이고 몸을 편하게 세우다. ㉠의자에 앉다. **2** 새나 벌레 또는 비행기 따위가 일정한 곳에 내리다. ㉠꽃에 나비가 앉다. **3** 가루·먼지 따위가 내려 쌓이다. ㉠책상에 먼지가 앉다. **4** 어떤 지위를 차지하다. ㉠형이 회장 자리에 앉았다. ⊙sit

앉은뱅이 [안즌뱅이] 앉기는 해도 서지 못하는 장애인.

앉은키 [안즌키] 허리를 똑바로 펴고 앉았을 때, 바닥에서 머리 끝까지의 높이. 반 선키.

앉히다 [안치다] **1** 앉게 하다. ㉠아이를 의자에 앉히다. **2** 무엇을 올려놓거나 자리를 차지하게 하다. ㉠안방 윗목에 장롱을 앉히다. **3** 어떤 지위를 차지하게하다. ㉠장관에 앉히다. →안치다 주의

***않다** [안타] **1** 어떤 행동을 아니 하

다. ㊎말은 않고 울기만 한다. **2** '아니하다'의 준말. ㊎먹지 않다 / 크지 않다. →안 주의

*__알__ **1** 새·물고기·벌레 따위의 새끼가 될 물질이 껍데기에 싸여 있는 것. ㊎암탉이 알을 품다 / 알을 까다. **2** 열매 따위의 낱개. ㊎알이 굵다. **3** 속에 들어 있거나 박혀 있는 작고 둥근 물건. ㊎알이 작은 안경. **4** 근육이 딴딴하게 뭉친 것. ㊎종아리에 알이 배다.

*__알갱이__ **1** 열매나 곡식 따위의 낟알. ㊎호두 알갱이. **2** 작고 단단하고 동그란 것. ㊎모래 알갱이.

알거지 몸에 지닌 것이 아무것도 없이 거지꼴이 된 사람. ㊎사업이 망하여 하루아침에 알거지가 되다.

알곡(—穀) 쭉정이나 잡것이 섞이지 않은곡식. 비 알곡식.

*__알:다__ **1** 모르던 것을 깨닫다. ㊎잘못을 알다. **2** 서로 낯이 익다. ㊎잘 아는 사이. **3** 생각하여 판단하고 분별하다. ㊎자신을 알다. **4** 관여하거나 관계하다. ㊎내 알 바 아니다. **5** 소중히 여기다. ㊎공부만 알다. **6** 기술이나 능력을 가지고 있다. ㊎운전을 할 줄 알다. 활용 알아 / 아니 / 아는. ➲ know

알뜰살뜰 **1** 일이나 살림을 정성껏 규모 있게 꾸려 나가는 모양. ㊎알뜰살뜰 모은 용돈을 학비에 보태다. **2** 다른 사람에게 정성을 쏟는 모양. **—하다. —히.**

알뜰하다 **1** 일이나 살림을 정성스럽고 규모 있게 하여 빈 구석이 없다. ㊎알뜰한 살림. **2** 아끼고 위하는 마음이 지극하다. ㊎환자를 알뜰하게 보살피다.

알뜰히 알뜰하게. ㊎알뜰히 돈을 모으다.

알라(Allah) 이슬람교에서 받드는 유일·절대의 신.

알랑거리다 교묘한 말을 꾸며 대고 간사하게 아첨하는 짓을 자꾸 하다. ㊎윗사람에게 알랑거리다.

알래스카(Alaska) 〖지명〗 북아메리카의 북서부에 있는 큰 반도. 베링 해협을 사이에 두고 시베리아와 마주 봄. 1959년 49번째로 미국의 주로 편입됨.

알량하다 시시하고 보잘것없다. ㊎알량한 수법으로 남을 속이다.

알레그로(이 allegro) 악보에서, 빠르기를 지시하는 말. '빠르고 경쾌하게'의 뜻.

알레르기(독 Allergie) 여러 가지 주사나 먹은 음식 따위로 말미암아 체질이 변화하여 그 물질에 대해 과민한 반응을 나타내는 일. 재채기·두드러기 따위의 증상이 일어남. ㊎알레르기를 일으키다.

알레르기성(Allergie性) 어떤 병의 증상이 알레르기 때문에 일어나는 성질. ㊎알레르기성 비염.

알렉산더 대:왕(Alexander大王) 〖인명〗 마케도니아의 왕. 그리스·페르시아·시리아·이집트 등을 점령하여 그리스 어를 공통어로 하는 헬레니즘 문화의 기초를 닦음. 이로 인하여 고대 그리스 문화는 동방에까지 퍼짐. [기원전 356-기원전 323]

알력(軋轢) 서로 의견이 맞지 않아 충돌함. ㊎간부들끼리 알력이 심하다. 비 불화.

알로에(라 aloe) 백합과 알로에속에 속하는 식물을 통틀어 일컫는 말. 줄기가 서는 종류와 서지 않는 종류가 있음. 잎은 칼 모양으로 길고 두터우며, 가장자리에는 가시가 있음. 열대 식물로서, 약용·관상용으로 재배하는데, 약 600 종이 알려져 있음.

알록달록 [알록딸록] 여러 빛깔의 점이나 줄이 고르지 않게 무늬를 이룬 모양. ㊎알록달록한 양산. 큰 얼

룩덜룩. **—하다.**

알루미늄 (aluminium) 은백색의 가볍고 연한 금속. 인체에 해가 없어 도시락·냄비·주전자 따위를 만드는 데 많이 쓰임.

알류샨 열도 (Aleutian列島) [—열또] 〔지명〕 미국 알래스카 반도에서 서쪽으로 뻗은 활 모양의 화산 열도. 군사상 요지임.

***알리다** **1** 알게 하다. 통지하다. ㉠소식을 알리다. **2** 어떤 사실을 소개하여 알게 하다. ㉠마감 시간을 알리다. **3** 어떤 사실을 나타내거나 표시하다. ㉠출발을 알리다.

***알리바이** (alibi) 어떤 사건이 일어난 시각에 그 장소에 없었다는 사실을 증명하는 것. ㉠알리바이가 성립되다.

알림글 [알림끌] 알리는 내용을 적은 글.

알림장 (—帳) [알림짱] 학교에서 숙제나 준비물, 학부모에게 알리는 내용 따위를 적는 공책.

알림판 (—板) 여러 사람에게 알리기 위한 내용을 걸거나 붙이는 판. 비 게시판.

***알:맞다** [알맏따] 일정한 기준이나 조건, 정도 따위에 넘치거나 모자라지 않다. ㉠소풍 가기에 알맞은 날씨. 비 적당하다.

> **참고 알맞은**
> '알맞은' 은 형용사 '알맞다' 의 말줄기에 어미 '-은' 이 붙은 말이다. 그런데 이 말을 '알맞는' 으로 잘못 쓰는 경우가 많다. '검는 꽃, 희는 눈' 으로 쓰지 않듯이 형용사에 어미 '-는' 은 붙여 쓸 수 없다.
> ㉠알맞은 답을 고르시오. (○)
> 알맞는 답을 고르시오. (×)

알맹이 **1** 물건의 껍데기나 껍질을 벗기고 남은 속 부분. ㉠알맹이가 실하다 / 옥수수 알맹이가 굵다. **2** 사물의 중심이 되는 중요한 부분. ㉠알맹이가 없는 이야기. 비 핵심.

알몸 **1** 아무것도 입지 않은 몸. ㉠알몸으로 물장구치며 노는 아이들. 비 나체. **2** 재산이 전혀 없는 사람의 비유. ㉠알몸으로 시작한 사업.

알밤 **1** 익은 밤송이에서 빼내거나 떨어진 밤톨. ㉠알밤을 줍다. 반 송이밤. **2** 주먹으로 머리를 쥐어박는 일. ㉠알밤을 한 대 먹이다.

알부자 (—富者) 겉보다는 실속이 있는 부자.

알뿌리 덩어리 모양으로 된 뿌리. 감자·양파·마늘 따위. 비 구근.

알사탕 (—砂糖) 알 모양의 잘고 동그란 사탕. 비 눈깔사탕.

알선 (斡旋) [알썬] 남의 일이 잘되도록 마련하여 줌. ㉠취직을 알선하다. 비 주선. **—하다.**

알쏭달쏭 생각이 자꾸 헛갈리어 얼른 분간이 안되는 모양. ㉠그가 누군지 알쏭달쏭하다. 큰 얼쏭덜쏭. **—하다.**

알아내다 [아라내다] **1** 모르던 것을 새로 깨닫다. ㉠속사정을 알아내다. **2** 찾거나 연구하여 내다. ㉠행방을 알아내다.

알아듣다 [아라듣따] **1** 남의 말을 듣고 그 뜻을 알다. ㉠알아듣도록 타이르다. **2** 소리를 분간하여 듣다. ㉠아이의 발자국 소리를 알아듣다. 활용 알아들어 / 알아들으니 / 알아듣는.

알아맞히다 [아라마치다] 계산이나 추측 따위를 사실과 꼭 맞게 하다. ㉠답을 알아맞히다.

***알아보다** [아라보다] **1** 조사하거나 살펴보다. ㉠소문이 사실인지 알아보다. **2** 다시 볼 때 잊지 않고 기억해 내다. ㉠개가 주인을 알아보다. **3** 눈으로 보고 분간하다. ㉠어두워서 누구인지 알아볼 수 없었다. **4** 능

력이나 가치 따위를 이해하다. ㉠사람됨을 알아보다.

알아주다 [아라주다] **1** 남의 좋은 점을 인정하거나 좋게 평가하여 주다. ㉠실력을 알아주다. **2** 남의 어려움을 이해하여 주다. ㉠사정을 알아주다. **3** 남의 특이한 성격을 인정하다. ㉠하여간 재 고집은 알아줘야 해. 반 몰라주다.

알아차리다 [아라차리다] **1** 상황이나 사실을 깨닫다. ㉠사태의 심각성을 알아차리다. **2** ⇨알아채다.

알아채다 [아라채다] 낌새를 미리 알다. ㉠친구의 속마음을 알아채다. 비 알아차리다.

알알이 [아라리] 한 알 한 알마다. 알마다. ㉠알알이 여문 곡식.

알알하다 [아랄하다] **1** 맛이 맵거나 독하여 혀끝이 매우 아리다. ㉠고추가 어찌나 매운지 혀가 알알하다. **2** 상처 따위가 매우 아리다. ㉠일광욕을 했더니 등이 알알하다. 큰 얼얼하다.

알약 (一藥) [알략] 작고 둥글게 만든 약. 비 환약. *가루약. 물약.

알은체 [아른체] **1** 남의 일에 대하여 관계하는 태도를 보임. ㉠남의 일에 알은체하지 말게. **2** 남을 보고 인사하는 듯한 표정을 지음. ㉠처음 본 사람에게 알은체를 한다. 비 알은척. **一하다.**

알음 [아름] **1** 사람끼리 서로 아는 일. **2** 알고 있음. ㉠알음이 많다. → 아름 주의

알음알음 [아르마름] 여러 사람을 통해 서로 알게 된 사이. ㉠알음알음으로 소식을 듣다.

알젓 [알젇] 생선의 알로 담근 젓.

알제리 (Algérie) 〖국명〗 아프리카 대륙 북서부에 있는 나라. 지중해성 기후로, 주로 포도·밀·오렌지 따위를 생산함. 국토의 대부분이 사하라 사막이며, 특히 석유가 많이 남. 수도는 알제.

알짜 여럿 중에서 가장 중요하거나 좋은 물건. ㉠알짜만 고르다.

알짱거리다 하는 일 없이 자꾸 돌아다니거나 뱅뱅 돌다. ㉠앞에서 알짱거리지 마라. 큰 얼쩡거리다.

알차다 속이 꽉 차다. 실속이 있거나 내용이 충실하다. ㉠방학을 알차고 보람 있게 보내다.

알칼리 (alkali) 물에 잘 녹으며, 붉은 리트머스 종이를 푸른색으로 변화시키는 성질의 물질. 염기. 반 산.

***알코올** (alcohol) 쌀·보리·감자 따위의 녹말을 원료로 하여 만든 화합물. 투명한 액체이며, 향기가 있고, 술에 들어 있음. 소독용으로 쓰이는 것도 있음. ×알콜.

알코올램프 (alcohol lamp) 알코올을 연료로 하는 램프. 그을음이 없고 화력이 강해서 실험에 쓰임.

알타미라 동굴 (Altamira洞窟) 에스파냐의 북부에 있는 선사 시대의 동굴 유적. 멧돼지·들소 따위가 그려진, 인류 역사상 가장 오래된 벽화가 있음.

알토 (이 alto) 여자 목소리에서 가장 낮은 소리. 또는 그 음역의 가수.

알토란 (一土卵) 털을 다듬어 깨끗하게 만든 토란.

알토란 같다 ㉠속이 차서 단단하다. ㉠알토란 같은 사위 / 알토란 같은 살림. ㉡살림이 오붓하여 아무것도 아쉬운 것이 없다.

알통 사람의 몸에서, 근육이 불룩 튀어나온 부분.

알파 (그 A, α) **1** 그리스 글자의 첫 자. **2** '첫째'·'처음'의 뜻. ㉠알파에서 오메가까지. 반 오메가. **3** '그 이상의 얼마쯤'의 뜻. ㉠기본 점수 플러스 알파.

알파벳 (alphabet) 유럽이나 미국에서 사용되고 있는 로마자. A,B,C … 등 26 자로 되어 있음. 참고 그리

스 문자의 첫째 글자 알파(α)와 둘째 글자 베타(β)가 합쳐 생긴 말.

알프스 산맥 (Alps山脈) 유럽 대륙의 중남부에 있는 산맥. 일년 내내 눈으로 덮인 산봉우리와 아름다운 호수가 유명함. 독일·프랑스·오스트리아·스위스·이탈리아 등의 나라와 국경을 이루고 있음.

앎ː [암] 아는 일. ㉨앎은[알믄] 힘이다. 비 지식. →아름 주의

***앓다** [알타] **1** 병에 걸려 고통을 당하다. ㉨몸살을 앓다. **2** 마음에 근심이 있어 속을 태우다. ㉨혼자서 끙끙 앓다. 발음 앓고[알코] / 앓아서[아라서] / 앓은[아른].

암ː¹ '말할 것 없이 그렇다'는 뜻을 나타내는 말. ㉨암, 그렇고 말고. 본 아무려면. 아무렴.

암ː² (癌) 피부·점막 따위에 생기는 병. 몸 세포에 종기 같은 것이 생겨 한없이 커지고 퍼져 조직을 파괴하므로 사망률이 매우 높음.

암- 생물의 암컷, 또는 암컷의 성질을 지닌 것임을 나타내는 말. ㉨암놈 / 암소 / 암캐 / 암퇘지. 반 수-.

암ː갈색 (暗褐色) [암갈쌕] 짙은 갈색. 검은색이 도는 갈색.

암ː거래 (暗去來) 법을 어기면서 물품을 몰래 사고팔고 함. ㉨밀수품이 암거래되다. **—하다.**

암고양이 고양이의 암컷. 반 수고양이. 준 암괭이. ×암코양이.

암글 **1** 배워서 알기는 하나 실제로는 쓸 줄 모르는 지식. **2** 예전에, 한글을 여자의 글이라고 낮추어 일컫던 말. 반 수글.

암ː기 (暗記) 외워 잊지 않음. ㉨암기 과목 / 문장을 암기하다. **—하다.**

암ː기력 (暗記力) 외워 잊지 아니하는 힘. ㉨암기력 테스트 / 암기력이 뛰어나다.

암꿩 꿩의 암컷. 비 까투리. 반 수꿩. ×암퀑.

암나사 (—螺絲) 수나사를 끼울 수 있도록 구멍 안에 나선형 홈이 나 있는 나사. 반 수나사.

암놈 짐승의 암컷. 반 수놈.

암ː담하다 (暗澹—) 희망이 없고 막연하다. 절망적이다. ㉨수해로 집을 잃고 나니 살길이 암담하다.

암ː만¹ 밝혀 말할 필요가 없는 값이나 수량 따위를 일컫는 말. ㉨암만을 주고 샀으면 어때.

암만² ⇨아무리1. ㉨암만 생각해도 모르겠다.

암만해도 아무리 생각하거나 힘써 보아도. ㉨암만해도 네 말이 맞는 것 같다.

암말 말의 암컷. 반 수말.

암ː매장 (暗埋葬) 남몰래 시체를 묻음. **—하다.**

암모니아 (ammonia) 냄새가 지독한 무색의 기체. 질소와 수소의 화합물로 물에 잘 녹으며, 화학 공업의 원료 및 비료 제조 따위에 쓰임.

암반 (岩盤) 다른 바위 속으로 뚫고 들어가서 굳어진, 모양이 일정하지 않은 큰 바위.

암벌 벌의 암컷. 반 수벌.

암범 범의 암컷. 반 수범.

암벽 (岩壁) 벽 모양으로 깎아지른 듯이 높이 솟은 바위. ㉨암벽 등반 / 암벽을 타다.

암ː산 (暗算) 계산기·수판 따위를 쓰지 않고 머릿속으로 계산함. 비 속셈. 반 필산. **—하다.**

암ː살 (暗殺) 몰래 사람을 죽임. ㉨암살 계획을 세우다. **—하다.**

암ː상 남을 미워하고 샘을 잘 내는 마음. 또는 그런 행동. ㉨암상이 나다 / 암상을 떨다.

***암석** (岩石) ⇨바위¹.

암ː세포 (癌細胞) 암을 일으키는 세포. 암으로 변한 세포.

암소 소의 암컷. 반 수소. 황소.

암ː송 (暗誦) 글을 보지 않고 소리

내어 욈. ㉔시를 암송하다. **—하다.**

암수 암컷과 수컷. ㉥자웅.

암술 수술로부터 꽃가루를 받는 꽃술. ㉦수술.

암:시(暗示) 넌지시 깨우쳐 줌. 또는 그 내용. 힌트. ㉔암시를 주다. ㉦명시. **—하다.**

암:시장(暗市場) 불법적인 거래가 이루어지는 시장.

암:실(暗室) 실험이나 사진 현상 따위를 위하여 빛이 들어오지 못하도록 어둡게 꾸민 방.

암:암리(暗暗裡) [아맘니] 남이 모르는 사이. ㉔암암리에 음모를 꾸미다 / 암암리에 일이 추진되다.

암염(岩塩) [아멈] 육지에서 천연으로 산출되는 소금 결정. 공업 원료나 식염 원료로 쓰임. ㉥돌소금.

암:울하다(暗鬱—) [아물하다] 어둡고 답답하고 침울하다. ㉔암울한 심정.

암자(庵子) **1** 큰 절에 딸린 작은 절. **2** 승려가 임시로 살면서 도를 닦는 작은 집.

암:죽(—粥) 어린아이에게 젖 대신 먹이는 묽은 죽. 곡식·밤 따위의 가루를 밥물에 타서 끓임. ㉔암죽을 쑤다.

암:초(暗礁) 물속에 잠겨 있어 보이지 않는 바위. ㉔배가 암초에 부딪치다.

암캉아지 강아지의 암컷. ㉦수캉아지.

암캐 개의 암컷. ㉦수캐.

암컷 [암컫] 동물에서 새끼를 배는 쪽. ㉦수컷.

암키와 지붕의 고랑이 되게 젖혀 놓는 기와. ㉦수키와.

*__암탉__ [암탁] 닭의 암컷. ㉔암탉이 알을 품다. ㉦수탉. ➲hen

암탕나귀 당나귀의 암컷. ㉦수탕나귀. ×암당나귀.

암톨쩌귀 문짝의 수톨쩌귀를 끼우도록 구멍이 뚫린 돌쩌귀. ㉦수톨쩌귀.

암퇘지 돼지의 암컷. ㉦수퇘지.

암:투(暗鬪) 겉으로 드러나지 않게 싸움. ㉔학생 회장 자리를 놓고 치열한 암투를 벌이다. **—하다.**

암팡지다 몸은 작아도 힘차고 다부지다. ㉔암팡진 목소리 / 암팡지게 대들다.

암페어(ampere) 전류의 세기를 나타내는 단위《기호는 A》.

암평아리 병아리의 암컷. ㉦수평아리. ×암병아리.

암:표(暗票) 불법으로 몰래 사고파는 차표나 입장권 따위의 표. ㉔암표를 팔다.

암:행(暗行) 정부의 관리가 특별한 임무를 띠고 자신의 신분을 숨기고 돌아다니는 일. **—하다.**

암:행어사(暗行御史) 조선 때, 지방관들의 잘잘못과 백성의 사정을 살피기 위하여 임금이 비밀히 임시로 파견하던 벼슬아치. ㉨어사.

암:호(暗號) 비밀을 유지하기 위하여 당사자끼리만 알 수 있도록 꾸민 약속 기호. ㉔암호를 풀다.

암:호문(暗號文) 암호로 쓴 글.

암:흑(暗黑) **1** 어둡고 캄캄함. ㉔전기가 나가자 주위는 암흑으로 변했다. **2** 암담하고 비참한 상태의 비유. ㉔암흑의 미래. ㉦광명.

암:흑가(暗黑街) [암흑까] 부도덕한 행위나 범죄 따위가 자주 발생하는 거리.

암:흑시대(暗黑時代) [암흑씨대] 도덕이나 문화가 쇠퇴하고 세상이 어지러운 시대. ㉥암흑기.

압권(壓卷) [압꿘] **1** 어떤 책 가운데서 가장 잘 지은 대목이나 시문. ㉔이 부분이 이 책의 압권이다. **2** 가장 뛰어난 부분. 또는 그런 물건.

압도(壓倒) [압또] 훨씬 나은 기세나 능력으로 상대를 눌러 꼼짝 못하게 함. ㉠기세에 압도되다 / 압도적으로 승리하다. **—하다.**

압력 (壓力) [암녁] **1** 어떤 물체가 다른 물체를 누르는 힘. ㉠공기의 압력. **2** 사람에게 심리적으로 압박을 가하는 힘. ㉠관계 기관에 압력을 넣다.

압력 단체 (壓力團體) [암녁딴체] 어떤 이익을 얻거나 주장을 관철시키기 위하여 의회나 정당 또는 행정 관청 따위에 압력을 가하는 단체나 조직. 노동조합·여성 단체 따위.

압력솥 (壓力—) [암녁쏟] 뚜껑을 밀폐하여 용기 안의 압력을 높일 수 있도록 장치한 솥. 온도가 100℃ 이상까지 오르므로 음식물이 짧은 시간에 조리됨.

압록강 (鴨綠江) [암녹깡] 우리나라와 만주 사이에 있는, 우리나라에서 제일 긴 강. 길이 790km.

압박 (壓迫) [압빡] **1** 강한 힘으로 내리누름. ㉠압박 붕대 / 가슴을 압박하다. **2** 기운을 펴지 못하게 세력으로 내리누름. ㉠압박을 가하다. **—하다.**

압사 (壓死) [압싸] 무거운 것에 눌려서 죽음. ㉠바위 밑에 깔려 압사하다. **—하다.**

압송 (押送) [압쏭] 피고인이나 죄인을 어느 곳에서 다른 곳으로 옮김. ㉠범인을 서울로 압송하다. **—하다.**

압수 (押收) [압쑤] **1** 법원이나 수사 기관 따위에서 증거물이나 몰수하여야 할 물건을 강제로 빼앗아 감. ㉠밀수품을 압수하다. **2** 물건 따위를 강제로 빼앗음. ㉠선생님은 소지품 검사를 해서 나온 담배를 압수해 가셨다. **—하다.**

압승 (壓勝) [압씅] 압도적으로 이김. ㉠선거에서 압승을 거두다. **—하다.**

압정[1] (押釘) [압쩡] 손가락으로 눌러 박는, 대가리가 크고 촉이 짧은 쇠못. ㉥압핀.

압정[2] (壓政) [압쩡] 권력이나 폭력으로 국민의 자유를 억압하는 정치. ㉠압정에 시달리다. ㉦압제 정치.

압제 (壓制) [압쩨] 권력이나 폭력 따위로 사람들을 억지로 복종시킴. ㉠압제에 시달리다 / 압제에서 벗어나다. **—하다.**

압축 (壓縮) **1** 물질 따위에 압력을 가하여 부피를 줄임. **2** 문장 따위를 줄여 짧게 함. **—하다.**

앗 [앋] 위급하거나 놀라서 내는 소리. ㉠앗, 위험하다 / 앗, 차가워.

앗:다[1] [앋따] **1** 빼앗거나 가로채다. ㉠대형 화재가 많은 목숨을 앗아 갔다. **2** 껍질을 벗기고 씨를 빼다. ㉠목화씨를 앗다. **3** 깎아 내다. ㉠모서리를 앗다.

앗:다[2] [앋따] 일을 거들어 주고 도로 일로써 갚게 하다. ㉠품을 앗다. *품앗이.

앙 어린아이가 우는 소리.

앙가슴 젖과 젖 사이의 가운데 부분. ㉠앙가슴을 치다.

앙감질 한 발은 들고 한 발로만 뛰는 짓. **—하다.**

앙갚음 [앙가픔] 자기에게 해를 끼친 사람에게 자기도 그에게 해를 주는 행동. ㉠앙갚음을 당하다. ㉥보복. 복수. **—하다.**

앙금 물에 가라앉은 녹말 따위의 부드러운 가루. ㉥침전물.

앙금앙금 [앙그망금] 작은 동작으로 느리게 걷거나 기는 모양. ㉠아기가 앙금앙금 기어 오다. ㉤엉금엉금.

앙:부일영 (仰釜日影) [앙부이령] 해시계의 한 가지. 솥 모양과 비슷한데 안쪽에 이십사 절기를 나타내는

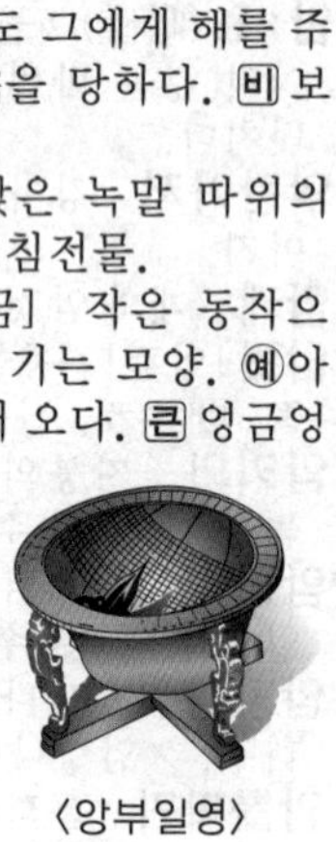
〈앙부일영〉

눈금을 새기고, 바늘을 꽂아 이 바늘의 그림자를 보고 시각을 알 수 있게 만듦. 비 앙부일구.

앙상하다 **1** 뼈만 남도록 바짝 마르다. 예뼈만 앙상하다. **2** 나무가 잎이 지고 가지만 남아 쓸쓸하다. 예앙상한 나뭇가지. 큰 엉성하다.

앙상히 앙상하게. 예가지만 앙상히 남다.

앙숙 (怏宿) 앙심을 품고 서로 미워하는 사이. 예두 사람은 앙숙이다.

앙심 (怏心) 원한을 품고 앙갚음하기를 벼르는 마음. 예앙심을 품다.

앙:양 (昂揚) 정신이나 사기 따위를 드높이고 북돋움. 예애국심 앙양 / 사기를 앙양하다. **—하다.**

앙증맞다 [앙증맏따] 작으면서도 갖출 것은 다 갖추어 귀엽고 깜찍하다. 예한복을 입은 아이의 모습이 앙증맞다.

앙증스럽다 [앙증스럽따] 보기에 앙증맞은 데가 있다. 예아기 신발이 앙증스럽다. 활용 앙증스러워 / 앙증스러우니.

앙증하다 **1** 모양이 체격에 어울리지 않게 작다. 예그녀는 덩치에 비해 손이 앙증하다. **2** 작으면서도 갖출 것은 다 갖추어 귀엽고 깜찍하다.

앙칼지다 **1** 제힘에 넘치는 일에 악을 쓰고 덤비는 태도가 있다. **2** 모질고 날카롭다. 예앙칼진 목소리.

앙케트 (프 enquête) 여러 사람에게 같은 내용을 질문하여 그에 대한 대답을 조사하는 일. 예앙케트 조사를 하다.

앙코르 (프 encore) **1** 연주 따위를 마친 출연자에게 박수 따위로 다시 출연을 청하는 일. **2** 호평을 받은 연극이나 영화 따위를 다시 보여 주는 일. 예앙코르 드라마.

앙큼하다 겉으로는 아닌 것 같이 행동하면서 속으로는 제 욕심을 채우려는 태도가 있다. 예앙큼한 속셈. 큰 엉큼하다.

앙탈 **1** 시키는 대로 말을 듣지 않고 생떼를 쓰거나 고집을 부림. 예앙탈을 부리다. **2** 마땅히 해야 할 것을 핑계를 대어 피하거나 꾀를 부림. **—하다.**

*__앞__ [압] **1** 얼굴이나 눈이 향한 쪽. 예앞으로 가. 반 뒤. **2** 차례에서 먼저 있는 편. 예앞에 서다. **3** 미래. 장래. 예앞을 내다보다. ➡ front

앞(을) 다투다 서로 먼저 하려고 경쟁하다.

앞가르마 [압까르마] 앞머리 한가운데로 반듯하게 탄 가르마.

앞가림 [압까림] 자기 앞에 닥친 일을 겨우 처리할 만한 능력이나 처지. 예제 앞가림도 못하면서 누굴 도울 수 있겠니. **—하다.**

앞길 [압낄] **1** 집이나 마을의 앞에 있는 길. 예마을 앞길을 넓히다. **2** 장차 나아갈 길. 예앞길을 가로막다. **3** 앞으로 살아갈 길. 예앞길이 막막하다. 비 전도.

*__앞날__ [암날] **1** 앞으로 올 날이나 때. 예앞날을 기약하다. **2** 죽을 때까지 남은 세월. 예앞날이 얼마 남지 않았다. 비 뒷날. 장래.

앞니 [암니] 앞쪽으로 아래위에 각각 네 개씩 나 있는 이. ×앞이.

앞다리 [압따리] 네발짐승의 앞쪽 두 다리. 반 뒷다리.

앞당기다 [압땅기다] 이미 정한 시간이나 약속을 당겨서 미리 하다. 예계획을 앞당기다.

앞두다 [압뚜다] 닥쳐올 때나 장소 따위를 가까이 두다. 예시험을 사흘 앞두다.

*__앞뒤__ [압뛰] **1** 앞과 뒤. 예앞뒤를 살피다. **2** 먼저와 나중. **3** 앞말과 뒷말. 비 전후.

앞뒤가 막히다 융통성이 없고 답답하다.

앞뒤가 맞다 이야기나 사건 따위

가 이치에 맞고 조리가 있다. ㉠말의 앞뒤가 맞다.

앞뒤를 재다 신중하게 따지고 계산하다.

앞뜰 [압뜰] 집 앞에 있는 뜰. ㉠앞뜰에 핀 목련. 비 앞마당. 반 뒤뜰.

앞마당 [암마당] 집 앞에 있는 마당. 반 뒷마당.

앞머리 [암머리] **1** 머리의 앞부분. ㉠앞머리가 쑤시다. **2** 머리의 앞쪽에 난 머리카락. ㉠앞머리를 자르다. 반 뒷머리.

앞면 (—面) [암면] 앞쪽을 향해 있는 면. 비 전면. 반 뒷면.

앞바다 [압빠다] **1** 육지와 가까운 바다. ㉠인천 앞바다. **2** 기상 예보에서, 한반도를 중심으로 육지로부터 동해는 20 km, 서해와 남해는 40 km 이내의 바다.

앞산 (—山) [압싼] 마을이나 집의 앞쪽에 있는 산. 반 뒷산.

*__앞서다__ [압써다] **1** 먼저 나아가다. 앞장을 서다. **2** 다른 것보다 먼저 작용하다. ㉠말이 앞서는 사람. **3** 앞에 있는 것을 지나쳐 가다. ㉠서로 앞서겠다고 다투다. **4** 남보다 뛰어나거나 높은 수준에 있다. ㉠세계적으로 앞선 기술. 반 뒤지다.

앞서거니 뒤서거니 서로 앞에 서기도 하고 뒤에 서기도하는 모양.

*__앞세우다__ [압쎄우다] **1** 앞에 서게 하다. ㉠악대를 앞세운 행렬. **2** 먼저 내어 놓다. ㉠경제 문제를 앞세우다.

앞일 [암닐] 앞으로 닥쳐올 일. ㉠앞일이 걱정이다.

앞잡이 [압짜비] **1** 앞에서 이끌어 주는 사람. **2** 남의 끄나풀이 되어 그 지시대로 움직이는 사람. ㉠경찰의 앞잡이 노릇을 하다.

*__앞장__ [압짱] 여럿이 나아가거나 일을 할 때에 맨 앞에 서는 사람.

앞장서다 [압짱서다] **1** 맨 앞에 서서 나아가다. ㉠앞장서서 싸우다. **2** 어떤 일을 할 때 가장 먼저 나서서 하다. ㉠그는 남을 돕는 일에 항상 앞장선다.

앞지르다 [압찌르다] 빨리 나아가서 남보다 먼저 앞을 차지하다. ㉠앞차를 앞지르다. 활용 앞질러 / 앞지르니.

앞집 [압찝] 앞에 있는 집. 반 뒷집.

앞쪽 [압쪽] 앞을 향한 쪽. ㉠앞쪽을 향해 소리치다. 반 뒤쪽.

앞치마 [압치마] 부엌일 등을 할 때 몸 앞을 가리는 치마. 에이프런. ㉠앞치마를 두르다. 비 행주치마.

*__애:__[1] **1** 걱정에 싸인 초조한 마음속. ㉠애가 타다. **2** 몸과 마음의 수고로움. ㉠애를 쓰다.

애:[2] '아이'의 준말. ㉠이 애는 장난이 심하다.

애- '어리거나 앳된' 또는 '첫'의 뜻. ㉠애벌레 / 애송이 / 애호박.

-애 (愛) 자애·사랑 따위의 뜻. ㉠모성애 / 인류애 / 조국애.

애가 (哀歌) 슬픈 심정을 읊은 노래. 엘레지.

애:간장 (—肝腸) '초조한 마음속'을 강조하여 이르는 말. ㉠애간장 다 녹인다.

애간장을 저미다 간장을 저미듯 몹시 고통을 주다.

애간장(을) 태우다 몹시 안타깝고 초조해서 마음이 편칠 않다.

애걸 (哀乞) 원하는 것을 들어 달라고 애처롭게 빎. ㉠아이를 찾아 달라고 애걸하다. **—하다.**

애걸복걸 (哀乞伏乞) [애걸복껄] 소원·요구 따위를 들어 달라고 애처롭게 빌면서 간절히 원함. ㉠애걸복걸 매달리다. **—하다.**

애:견 (愛犬) 개를 귀여워함. 또는 그 개.

애:교[1] (愛校) 학교를 사랑함. 또는 그 학교. ㉠애교심.

애ː교² (愛嬌) 남에게 귀엽게 보이려고 아양을 떠는 말씨나 행동. ㉮ 애교를 떨다 / 애교를 부리다.

애ː국 (愛國) 자기 나라를 사랑함. ㉮ 국산품 애용도 애국하는 마음에서 시작된다. 반 매국. **—하다.**

애ː국가 (愛國歌) [애국까] 우리나라의 국가. ㉮ 애국가를 부르다. *국가².

애ː국심 (愛國心) [애국씸] 자기 나라를 사랑하는 마음. ㉮ 애국심이 강한 민족 / 애국심이 투철하다.

애ː국자 (愛國者) [애국짜] 자기 나라를 사랑하는 사람. 반 매국노.

애ː국지사 (愛國志士) [애국찌사] 나라를 위하여 자기의 몸과 마음을 다 바쳐 이바지하는 사람.

애꾸눈 한쪽이 먼 눈. 준 애꾸.

애꿎다 [애꾿따] **1** 아무 잘못 없이 어떤 일을 당하여 억울하다. ㉮ 애꿎은 누명을 쓰다. **2** 그 일과는 아무런 상관이 없다. ㉮ 애꿎은 동생만 나무라지 마라. ×애꿋다.

애ː끊다 [애끈타] 창자가 끊어질 듯이 몹시 슬프다. ㉮ 애끊는 통곡.

애ː끓다 [애끌타] 마음이 몹시 답답하거나 안타깝다. ㉮ 애끓는 이별을 나누다.

애ː늙은이 [애늘그니] 말이나 행동 따위를 나이가 지긋한 어른같이 하는 아이. ㉮ 애늙은이 같은 말만 골라 한다.

애니메이션 (animation) 그림으로 그린 사람·동물 따위가 살아 있는 것처럼 보이게 하는 특수한 영화 기술. 만화 영화에 쓰임.

애ː달다 마음이 쓰이어 속이 달아오르는 듯하게 되다. 활용 애달아 / 애다니 / 애다는.

애달프다 **1** 마음이 안타깝거나 쓰라리다. ㉮ 애달픈 사랑. **2** 애처롭고 쓸쓸하다. ㉮ 애달픈 신세. 활용 애달파 / 애달프니.

애당초 (—當初) 일의 맨 처음. ㉮ 애당초 시작하지 말았어야지.

애도 (哀悼) 사람의 죽음을 슬퍼함. ㉮ 애도의 뜻을 표하다. **—하다.**

애ː독 (愛讀) 즐겨서 읽음. ㉮ 추리소설을 애독하다. **—하다.**

애ː독자 (愛讀者) [애독짜] 신문이나 잡지 등의 글을 즐겨 읽는 사람.

애드벌룬 (adballoon) 광고하는 글이나 그림 따위를 매달아 공중에 띄우는 풍선.

애련 (哀憐) 가엾고 애처롭게 여김. **—하다. —히.**

애로 (隘路) 어떤 일을 하는 데 방해가 되는 점. ㉮ 애로 사항 / 애로가 많다.

애ː마 (愛馬) 아끼고 사랑하는 말.

애ː매모호하다 (曖昧模糊—) 말이나 태도 따위가 분명하지 아니하고 희미하다. ㉮ 애매모호하게 대답을 얼버무리다.

애ː매하다¹ 아무 잘못이 없이 누명을 쓰거나 꾸중을 들어 억울하다. ㉮ 공연히 애매한 사람을 들볶다. 준 앰하다.

애ː매하다² (曖昧—) 뜻이 희미하여 분명하지 않다. ㉮ 애매한 대답.

애ː먹다 [애먹따] 애가 탈 정도로 어려움을 겪다. ㉮ 아이를 찾느라고 애먹었다.

애ː무 (愛撫) 이성을 사랑하여 어루만짐. **—하다.**

애ː물 (—物) 애를 태우는 물건이나 사람. 낮 애물단지.

애벌 같은 일을 되풀이할 때의 첫 번째 차례. ㉮ 애벌빨래. 비 초벌.

애벌갈이 [애벌가리] 논이나 밭을 첫 번째 가는 일. 비 애갈이. 초경. **—하다.**

애ː벌레 알에서 깨어 어른벌레가 되기 전의 벌레. ㉮ 나방의 애벌레. 비 유충. 반 어른벌레.

애비 '아비'의 잘못.

애석하다 (哀惜—) [애서카다] 슬프고 아깝다. ㉥그 나이에 죽다니 애석한 마음을 금할 수 없다.
애ː송 (愛誦) 글이나 노래를 즐겨 욈. ㉥애송하는 시. **—하다.**
애송이 애티가 남아 있어 어리게 보이는 사람.
애순 (—筍) 나무나 풀의 새로 돋아 나는 어린 싹. 비 어린순.
***애ː쓰다** 마음과 힘을 다해 어떤 일에 힘쓰다. ㉥애쓴 보람이 있다 / 날씬한 몸매를 유지하기 위해 애쓰다. 활용 애써 / 애쓰니.
애ː완 (愛玩) 좋아하여 가까이 두고 귀여워하거나 즐김. ㉥애완동물.
애ː완용 (愛玩用) [애완뇽] 좋아하여 가까이 두고 귀여워하거나 즐기기 위한 것. ㉥애완용 개.
애ː욕 (愛慾) **1** 애정과 욕심. ㉥애욕에 빠지다. **2** 이성에 대한 성적인 욕망.
애ː용 (愛用) 어떤 물건을 좋아하여 즐겨 사용함. ㉥국산품 애용 / 대중교통을 애용하다. **—하다.**
애원 (哀願) 소원이나 요구 따위를 들어 달라고 간절하게 바라고 원하는 일. ㉥살려 달라고 애원하다. 비 간청. 탄원. **—하다.**
애ː인 (愛人) 이성 사이의 사랑하는 사람. 비 연인.
애절하다 (哀切—) 몹시 애처롭고 슬프다. ㉥애절한 사연.
애ː정 (愛情) 사랑하는 마음. ㉥애정 어린 손길.
애조 (哀調) 슬픈 곡조. 애절한 가락. ㉥애조를 띤 민요.
애ː족 (愛族) 겨레를 사랑함. ㉥투철한 애족의 정신. **—하다.**
애ː주 (愛酒) 술을 매우 좋아함. ㉥애주가. **—하다.**
애ː증 (愛憎) 사랑과 미움. ㉥애증이 엇갈리다.
애ː지중지 (愛之重之) 매우 사랑하고 소중히 여김. ㉥애지중지하며 키운 딸. **—하다.**
애ː착 (愛着) 사랑하고 아껴서 단념할 수가 없음. 또는 그런 마음. ㉥애착을 느끼다 / 애착이 강하다 / 삶에 애착을 가지다. **—하다.**
애ː착심 (愛着心) [애착씸] 사랑하고 아껴서 단념을 못 하는 마음. ㉥자식에 대한 애착심이 강하다.
애ː창 (愛唱) 어떤 노래를 즐겨 부름. ㉥널리 애창되고 있는 가요. **—하다.**
애ː창곡 (愛唱曲) 즐겨 부르는 노래.
애ː처가 (愛妻家) 아내를 아끼고 사랑하는 남자.
애처롭다 [애처롭따] 가엾고 불쌍하여 마음이 슬프다. ㉥애처로운 모습 / 애처롭게 울다. 활용 애처로워 / 애처로우니.
애ː청 (愛聽) 노래나 방송 따위를 즐겨 들음. ㉥애청자 / 애청하는 곡. **—하다.**
애초 (—初) 맨 처음. ㉥애초에 잘못된 일. 비 당초. 애당초.
애ː칭 (愛稱) 본디의 이름 외에 친밀하게 부르는 이름.
애ː타다 너무 걱정이 되어 속이 타는 듯하다. ㉥합격 소식을 애타게 기다리다.
애ː태우다 애타게 하다. ㉥돌아오지 않는 사람을 기다리며 애태우다.
애통하다 (哀痛—) 몹시 슬프고 가슴 아프다. ㉥교통사고로 부모를 잃었으니 애통한 일이다.
애틋하다 [애트타다] **1** 애가 타는 듯하다. ㉥애틋한 사랑을 느끼다. **2** 좀 아깝고 서운한 느낌이 있다. ㉥애틋한 심정을 전하다.
애프터서비스 (after+service) 물건을 판 뒤에 그 물건의 설치·수리·점검·교환 따위를 보증하고 책임지는 일. 사후 봉사.

애ː향 (愛鄕) 자기의 고향을 아끼고 사랑함. ㉨애향심.
애ː호[1] (愛好) 사랑하고 즐김. ㉨음악을 애호하다. **—하다.**
애ː호[2] (愛護) 사랑하고 보호함. ㉨문화재를 애호하다. **—하다.**
애ː호가 (愛好家) 어떤 사물이나 일을 사랑하고 즐기는 사람. ㉨바둑 애호가 / 동물 애호가.
애호박 덜 여문 어린 호박.
애환 (哀歡) 슬픔과 기쁨. ㉨삶의 애환.
액[1] (厄) 모질고 사나운 운수. ㉨액을 물리치다.
액[2] (液) 물이나 기름처럼 흘러 움직이는 물질. 비 액체.
-액 (額) '액수'의 뜻. ㉨생산액 / 지출액.
액때우다 (厄—) 액때움을 하다.
액때움 (厄—) 앞으로 다가올 액을 다른 가벼운 어려움을 미리 겪음으로써 무사히 넘김. 준 액땜. **—하다.**
액면 (額面) [앵면] **1** 유가 증권이나 화폐 따위의 앞면에 적힌 금액. **2** 말이나 글로 표현된 그대로의 것. ㉨농담을 액면대로 받아들이다.
액세서리 (accessory) 옷과 어울려 멋을 내기 위한 장식품. 넥타이·핸드백·브로치·귀고리 따위.
액셀러레이터 (accelerator) 발로 밟게 된 자동차의 가속 장치. 이것을 밟으면 엔진이 빨리 돌아 속도가 빨라짐. 준 액셀.
액션 (action) **1** 배우의 연기. 특히 격렬한 동작의 연기. ㉨액션 배우. **2** 촬영을 시작한다는 뜻으로 감독이 외치는 말.
액수 (額數) [액쑤] 돈의 머릿수. ㉨상당한 액수의 돈. 비 금액.
액운 (厄運) [애군] 모질고 사나운 일을 당할 운수. ㉨액운이 들다.
액자 (額子) [액짜] 글·그림·사진 따위를 끼우는 틀. ㉨사진 액자를 벽에 걸다.
액정 (液晶) [액쩡] 디지털 시계나 텔레비전의 화면 따위에 이용되는 액체와 고체의 중간 상태에 있는 물질. ㉨액정 화면.
***액체** (液體) 물·알코올·기름 등과 같이 일정한 부피는 있으나 모양은 넣는 그릇에 따라 변하는 물질. * 고체. 기체.
액화 (液化) [애콰] 기체가 냉각 또는 압축되어 액체로 변하거나 고체가 녹아 액체로 되는 현상. 또는 그렇게 만드는 일. **—하다.**
앨범 (album) **1** ⇨사진첩. ㉨졸업 앨범을 꺼내 보다. **2** 음악을 모아 놓은 음반. ㉨앨범을 내다.
앰뷸런스 (ambulance) ⇨구급차.
앳되다 [앧뙤다] 애티가 있어 나이보다 어려 보이다. ㉨나이에 비해 앳돼 보이다. ×애띠다.
앵 모기나 벌 따위가 빨리 날 때 나는 소리.
앵돌아지다 [앵도라지다] 노여워서 토라지다. ㉨앵돌아져 말도 없이 가 버렸다.
앵두 앵두나무의 열매.
앵두나무 장미과의 낙엽 관목. 높이는 3 m가량임. 잎보다 먼저 흰 다섯잎꽃이 피고, 둥근 열매가 6월에 빨갛게 익음.

〈앵두나무〉

앵무새 (鸚鵡—) 앵무샛과의 새. 다리가 짧고 부리는 갈고리 모양임. 몸빛은 아름다우며 사람이나 다른 동물의 소리를 잘 흉내 냄.

〈앵무새〉

앵앵거리다 모기나 벌 따위가 날아다니면서 자꾸 소리를 내다. ㉨모기가 귓전에서 앵앵거리다.

앵커 (anchor) '앵커맨'의 준말.
앵커맨 (anchor man) 라디오나 텔레비전의 종합 뉴스를 진행하는 사람. 준 앵커. *캐스터.
*야: 1 매우 놀랍거나 반가울 때 내는 소리. 예 야, 참 좋구나. 2 어른이 아이를 부르거나 같은 또래끼리 서로 부르는 말. 예 야, 이리 와.
야:간 (夜間) 해가 져서 먼동이 틀 때까지. 밤 동안. 예 야간 근무. 비 밤사이. 반 주간.
야:경¹ (夜景) 밤의 경치. 예 야경이 아름다운 도시.
야:경² (夜警) 밤에 동네를 돌며 화재·범죄 따위가 없도록 살피고 지키는 일.
야:광 (夜光) 어두운 곳에서 빛을 냄. 또는 그런 물건. 예 야광 시계.
*야:구 (野球) 각각 9명으로 짜여진 두 팀이 교대로 공격과 수비의 위치에 서서, 배트로 공을 쳐 득점을 겨루는 경기. 베이스볼. ➡ baseball
야:구장 (野球場) 야구 경기를 하도록 만든 운동장.
야:근 (夜勤) 퇴근 시간 이후인 밤에 일함. 또는 그 일. 본 야간 근무. —하다.
야금야금 [야금냐금 / 야그먀금] 무엇을 조금씩 입 안에 넣고 먹거나, 축내거나 써 없애는 모양. 예 그 많은 사과를 야금야금 다 먹어 버렸다. —하다.
야누스 (Janus) 로마 신화에서, 앞뒤로 두 개의 얼굴을 가진 신. 성문과 집의 문을 지키며, 전쟁과 평화를 상징함.
*야:단 (惹端) 1 떠들썩하게 벌어진 일. 예 서로 먼저 차에 타려고 야단이다. 2 소리를 높여 마구 꾸짖는 일. 예 호되게 야단을 맞다. 3 난처하거나 딱한 일. 예 그거 참 야단인데. —하다. —스럽다.
야:단나다 (惹端—) 1 떠들썩한 일이 벌어지다. 2 매우 곤란한 일이 생기다. 예 숙제를 못해서 야단났다.
야:단맞다 (惹端—) [야단맏따] 크게 꾸지람을 듣다. 예 장난이 심해서 선생님께 야단맞았다.
야:단법석 (惹端—) [야단법썩] 여러 사람이 한데 모여 서로 떠들어 시끄러운 판. 예 야단법석을 떨다.
야:단치다 (惹端—) 소리를 높여 크게 꾸짖다. 예 떠드는 학생들을 야단치다.
야:당 (野黨) 현재 정권을 잡고 있지 않은 정당. 예 야당 의원. 반 여당. 준 야.
야들야들 [야들랴들 / 야드랴들] 부드럽고 연하며 윤이 나는 모양. 예 야들야들한 살결. 큰 이들이들. —하다.
야릇하다 [야르타다] 무엇이라고 표현할 수 없이 묘하고 이상하다. 예 야릇한 기분 / 야릇한 표정.
야:만 (野蠻) 1 문화가 발달하지 못하고 뒤떨어진 상태. 또는 그런 종족. 비 미개. 반 문명. 2 교양이 없고 예의를 모르며 사나움. 또는 그런 사람. 예 야만 행위. 반 문명. —스럽다.
야:만인 (野蠻人) [야마닌] 미개하여 문화 수준이 낮은 사람. 비 미개인. 반 문명인. 문화인.
야:만적 (野蠻的) 문명의 정도가 낮아 무식하거나 사나운 (것). 예 야만적 행위.
야말로 받침 없는 말에 붙어서 '그것이야 참말로'의 뜻을 나타내는 말. 예 너야말로 진정 훌륭한 학생이다 / 자네야말로 신사다.
야:망 (野望) 크게 무엇을 이루어 보겠다는 희망. 예 소년이여, 야망을 가져라. 비 야심.
야:맹증 (夜盲症) [야맹쯩] 밤에 시력이 크게 떨어져 잘 보이지 않게 되는 증세. 비타민 에이의 부족으로

일어남. 비 밤소경.
야멸차다 ⇨야멸치다.
야멸치다 **1** 남의 사정을 돌보지 않고 제 일만 생각하다. 예야멸치게 뿌리치고 떠나다. **2** 태도가 차고 야무지다. 예야멸치게 쏘아붙이다.
야무지다 생김새·성격·행동 따위가 빈틈이 없이 단단하다. 예솜씨가 야무지다 / 야무지게 생긴 사람.
야물다 **1** 과일이나 곡식 따위가 단단하게 잘 익다. **2** 사람됨이나 씀씀이가 헤프지 않고 알뜰하다. 큰 여물다. 활용 야물어 / 야무니 / 야문.
야:바위 **1** 그럴듯한 방법으로 남을 속여서 돈을 따는 노름. **2** 속임수로 그럴듯하게 꾸미는 일.
야바위(를) 치다 그럴듯하게 일을 꾸며서 남을 속이다.
야:박하다 (野薄—) [야바카다] 야멸치고 인정이 없다. 예야박한 세상 인심 / 야박하게 굴다.
야:반도주 (夜半逃走) 남의 눈을 피해 한밤중에 도망함. **—하다.**
야:밤 (夜—) 깊은 밤.
야:비하다 (野卑—) 성질이나 행동이 교활하고 천하다. 예야비한 말투 / 야비하게 웃다.
야:사 (野史) 민간에서 개인적으로 기록한 역사.
야:산 (野山) 들판 근처에 있는 나지막한 산.
야:생 (野生) 동식물이 산이나 들에서 저절로 나서 자람. 또는 그런 동식물. 예야생 동물. **—하다.**
야:생마 (野生馬) 야생 상태로 사는, 길들여지지 않은 말.
야:생화 (野生花) 산과 들에 저절로 피는 꽃. 비 들꽃.
야:성 (野性) 자연 또는 본능 그대로의 성질. 예야성을 드러내다.
야:성미 (野性美) 거친 성질이나 본능적인 모습에서 풍기는 멋. 예야성미가 넘치는 사나이.
야:속 (野俗) 섭섭하여 언짢음. 예내 마음을 몰라주는 친구가 정말 야속했다. **—하다. —히. —스럽다.**
야:수[1] (野手) 야구에서, 내야수와 외야수를 통틀어 일컫는 말.
야:수[2] (野獸) 야생의 짐승. 산이나 들에서 자라 길들지 않은 짐승.
야:시장 (夜市場) 밤에 벌이는 시장. 예야시장이 서다. 비 야시.
야:식 (夜食) 밤에 음식을 먹음. 또는 그 음식. **—하다.**
야:심 (野心) 마음속에 품은 욕망이나 소망. 예야심을 품다. 비 야망.
야:심만만하다 (野心滿滿—) 야심이 가득 차 있다. 예야심만만한 정치가.
야:심하다 (夜深—) 밤이 깊다. 예야심한 시각까지 공부하다.
야:영 (野營) 야외에 천막을 치고 생활함. 캠핑. 예산에서 야영하다. **—하다.**
야:영장 (野營場) 야영을 할 수 있도록 만들어 놓은 곳.
야옹 고양이가 우는 소리.
***야:외** (野外) **1** 시가지에서 조금 떨어진 들. 예야외로 소풍을 가다. 비 교외. **2** 집 밖. 예야외 수업.
야:욕 (野慾) 자기 잇속만 채우려는 더러운 욕심. 예식민지 확장의 야욕을 드러내다.
야위다 살이 빠져서 말라 보이다. 예얼굴이 몰라보게 야위었다. 반 살찌다. 큰 여위다.
야:유 (揶揄) 남을 빈정거리며 놀림. 또는 그런 말이나 행동. 예방청석에서 야유가 터져 나오다. **—하다.**
야:유회 (野遊會) 들이나 교외에 나가서 노는 모임. 예야유회를 다녀오다.
야:자나무 (椰子—) 야자과의 상록 교목. 열대 지방에서 자라며, 줄기는 가지를 내지 않고 곧추 자람. 높이는 20–30 m. 열매는 '야자'라 하

여 먹으며, 잎은 지붕을 이는 데 씀. 비 야자수.

〈야자나무〉

야:자수 (椰子樹) ⇨야자나무.
야:적 (野積) 물건을 임시로 한데에 쌓아 둠. 예볏단을 앞마당에 야적하다. 비 노적. **—하다.**
야:전 (野戰) 산이나 들판에서 하는 전투.
야:채 (野菜) ⇨채소.
야트막하다 [야트마카다] 약간 얕은 듯하다. 예야트막한 돌담. 큰 여트막하다.
야:하다 (冶—) 상스럽고 천하게 아리땁다. 예야한 차림새.
야:학 (夜學) **1** 밤에 공부함. **2** 밤에 배우는 학교. 예야학을 열다. 본 야간 학교. **—하다.**
야호 **1** 등산하는 사람들이 서로 부르거나 외치는 소리. **2** 즐거울 때 지르는 소리.
약[1] 화가 날 때의 언짢거나 분한 감정. 예약이 오르다.
***약**[2] (藥) **1** 병이나 상처를 고치거나 예방하기 위해 먹거나 바르거나 주사하는 물질. 예감기에 잘 듣는 약. **2** 해로운 동식물을 없애는 데 쓰는 물질. 농약·파리약·쥐약 따위. 예 약을 치다.
***약**[3] (約) 어떤 수량에 거의 가까운 정도를 나타내는 말. 예약 10미터의 높이.
***약간** (若干) [약깐] 얼마 되지 않음. 얼마쯤. 예약간의 돈.
약값 (藥—) [약깝] 약을 사는 데 드는 비용.
약골 (弱骨) [약꼴] 몸이 약한 사람. 예그 사람은 태어날 때부터 약골이었다. 비 약질.
약과 (藥果) [약꽈] **1** 우리나라 전통의 과자. 밀가루에 기름과 꿀을 반죽하여 모양을 내서 기름에 튀기거나 지짐. 비 과줄. **2** 감당할 만한 일. 예그 정도라면 약과다.
***약국** (藥局) [약꾹] 약사가 처방전에 따라 약을 조제하거나 판매하는 곳. 비 약방.
약다 [약따] 꾀가 많고 눈치가 빠르다. 예어린 녀석이 꽤 약구나. 비 영리하다.
약도 (略圖) [약또] 자세하지 않게 중요한 지점만 간단히 그린 지도. 예약도만 보고 찾아가다.
약동 (躍動) [약똥] 생기 있고 활발하게 움직임. 예만물이 약동하는 계절. **—하다.**
약력 (略歷) [양녁] 학력·경력 등을 간략하게 적은 것. 예약력 소개 / 지은이 약력.
약물 (藥物) [양물] **1** 약이 되는 물질. 예약물 요법. **2** 몸에 어떤 변화를 일으키게 하는 화학 물질. 예약물 중독.
약밥 (藥—) [약빱] 물에 불린 찹쌀을 시루에 쪄서 설탕·꿀·참기름·진간장·밤·대추·곶감·잣 따위를 넣고 버무려 다시 시루에 찐 음식. 비 약식.
약방 (藥房) [약빵] ⇨약국.
약병 (藥甁) [약뼝] 약을 담는 병.
약분 (約分) [약뿐] 분수의 분모와 분자를 공약수로 나누어 간단하게 하는 일. 비 맞줄임. **—하다.**
약빠르다 꾀가 있고 눈치가 빠르다. 예약빠른 사람. 활용 약빨라 / 약빠르니.
약사[1] (略史) [약싸] 내용을 간단히 줄여서 기록한 역사.
***약사**[2] (藥師) [약싸] 보건 복지부 장관의 면허를 받아, 의사의 처방에 따라 약을 조제하거나 의약품을 파는 사람. ×약제사.
약삭빠르다 [약싹빠르다] 꾀가 있

고 눈치가 빠르며 행동이 재빠르다. [예]약삭빠르게 도망치다. [비]꾀바르다. [활용]약삭빨라 / 약삭빠르니.

약세 (弱勢) [약쎄] **1** 기세나 세력이 약함. **2** 물가나 주식 따위의 값이 내려가는 기세. [예]주가가 약세로 돌아서다. [반]강세.

약소 (弱小) [약쏘] 힘이 약하고 작음. [반]강대. **—하다.**

약소국 (弱小國) [약쏘국] 경제력이나 군사력 따위가 약하고 작은 나라. [비]약소국가. [반]강대국.

약소민족 (弱小民族) [약쏘민족] 강한 나라에게 정치적·경제적으로 지배를 받는 민족.

약소하다 (略少—) [약쏘하다] 적고 변변하지 못하다. [예]약소하나마 받아 주십시오.

*****약속** (約束) [약쏙] 앞으로 할 일을 상대방과 서로 정하여 놓음. [예]두 시에 만나기로 약속하다. [비]약조. 언약. **—하다.** ➲ promise

약손 (藥—) [약쏜] **1** '약손가락'의 준말. **2** 아픈 곳을 만지면 낫는다고 하여 어루만져 주는 손을 이르는 말. [예]엄마 손은 약손이라며 아픈 내 배를 쓸어 주셨다.

약손가락 (藥—) [약쏜까락] 엄지손가락으로부터 넷째 손가락. [비]무명지. 약지. [준]약손.

*****약수**[1] (約數) [약쑤] 어떤 수나 식을 나누어 나머지가 없이 떨어지게 하는 수 또는 식. [예]8의 약수는 1·2·4·8이다.

약수[2] (藥水) [약쑤] 마시면 약효가 있는 샘물.

약수터 (藥水—) [약쑤터] 약수가 나는 곳.

약시 (弱視) [약씨] 약한 시력. 또는 그러한 시력을 가진 사람. 특히, 안경을 쓰고도 교정할 수 없는 경우를 말함.

약식[1] (略式) [약씩] 정식의 절차를 줄인 간단한 방식. [반]정식.

약식[2] (藥食) [약씩] ⇨약밥.

약어 (略語) [야거] 어떤 말을 간략하게 줄여서 쓰는 말. [비]준말.

약용 (藥用) [야공] 약으로 씀. [예]약용 식물. **—하다.**

약육강식 (弱肉強食) [야귝깡식] 약한 것이 강한 것에게 먹힘. [예]약육강식의 동물 세계.

약자[1] (弱者) [약짜] 힘이 약한 사람. 권력이나 재산이 없는 사람. [예]약자를 돕다. [반]강자.

약자[2] (略字) [약짜] 글자의 획수를 줄여 간단하게 쓴 글자.

약장수 (藥—) [약짱수] 장터나 길거리에서 사람들을 모아 놓고 약을 파는 사람.

약재 (藥材) [약째] '약재료'의 준말.

약재료 (藥材料) [약째료] 약을 짓는 데 쓰는 재료. [비]약종. [준]약재.

약점 (弱點) [약쩜] 떳떳하지 못하거나 모자라서 남에게 뒤떨어지는 점. [예]남의 약점을 이용하다. [비]결점. [반]강점.

약정 (約定) [약쩡] 어떤 일을 약속하여 정함. [예]약정 이자. **—하다.**

약제 (藥劑) [약쩨] 여러 가지 약을 섞어 지은 약.

약제실 (藥劑室) [약쩨실] 병원이나 약국에서 약사가 약을 조제하는 곳. [비]조제실.

약조 (約條) [약쪼] 조건을 정하여 약속함. 또는 그 약속한 조항. [예]다시는 말썽을 부리지 않기로 선생님과 약조했다. **—하다.**

약주 (藥酒) [약쭈] **1** '술[1]'의 높임말. **2** 막걸리보다 맑은 술. [비]약주술. 청주.

약지 (藥指) [약찌] ⇨약손가락.

약진 (躍進) [약찐] **1** 힘차게 앞으로 뛰어 나아감. **2** 매우 빠르게 발전함. [예]한국의 눈부신 약진. **—하다.**

약체 (弱體) **1** 약한 몸. **2** 실력이나 능력이 약한 조직이나 체제. ㉠상대 팀이 약체라고 얕보지 마라.
약초 (藥草) 약으로 쓰는 풀. ㉠약초를 캐다. 비 약풀.
약탈 (掠奪) 폭력을 써서 남의 것을 강제로 빼앗음. ㉠금품을 약탈하다. **—하다.**
약품 (藥品) **1** 만들어 놓은 약. **2** 화학적 변화를 일으키는 데 쓰는 고체나 액체의 물질. ㉠화공 약품.
***약하다** (弱—) [야카다] **1** 힘이 세지 않다. ㉠물살이 약하다 / 열에 약하다. **2** 튼튼하지 못하다. ㉠몸이 약해서 걱정이다. **3** 연하고 무르다. ㉠약한 나뭇가지. **4** 의지 따위가 굳세지 못하다. ㉠마음이 약하다. **5** 표준에 못 미치다. ㉠시력이 약하다. **6** 능력이 모자라다. ㉠영어에 약하다. 반 강하다. ➲weak
약혼 (約婚) [야콘] 결혼하기로 약속함. 또는 그 약속. ㉠약혼자 / 약혼을 발표하다. 비 혼약. 반 파혼. **—하다.**
약혼식 (約婚式) [야콘식] 약혼할 때 올리는 의식.
약화 (弱化) [야콰] 힘이나 세력이 약해짐. ㉠태풍의 힘이 약화되었다. 반 강화. **—하다.**
약효 (藥效) [야쿄] 약의 효험. ㉠약효가 떨어지다 / 약효가 없다.
얄궂다 [얄굳따] 이상야릇하고 짓궂다. ㉠얄궂은 질문 / 얄궂은 운명.
얄따랗다 [얄따라타] 생각보다 썩 얇다. ㉠얄따란 월급 봉투. 활용 얄따라니 / 얄따래서.
얄밉다 [얄밉따] 말이나 하는 짓이 매우 밉다. ㉠얄밉게 구는 동생. 활용 얄미워 / 얄미우니.
얄팍하다 [얄파카다] **1** 두께가 조금 얇다. ㉠쇠고기를 얄팍하게 썰다. **2** 생각이 깊이가 없고 속이 빤히 들여다보이다. ㉠얄팍한 생각.
***얇:다** [얄따] 두께가 두껍지 아니하다. ㉠얇은 옷 / 눈이 얇게 쌓였다. 반 두껍다. 큰 엷다. 발음 얇아서[얄바서] / 얇은[얄븐].
얌전 성품이 온순하고 행동이나 태도가 조용하고 차분함. ㉠얌전을 떨다 / 얌전을 빼다.
얌전하다 **1** 성질이 차분하고 말과 행동이 단정하다. ㉠얌전한 여학생. **2** 모양이 단정하고 점잖다. ㉠한복을 얌전하게 차려입다.
얌전히 얌전하게. ㉠떠들지 말고 얌전히 앉아 있어라.
얌체 부끄러움을 모르는 사람을 낮추어 이르는 말. ㉠얌체같이 새치기를 하다.
얏 [얃] 힘을 쓸 때나 정신을 집중할 때 내는 소리.
양[1] **1** '모양', '듯', '것처럼' 등의 뜻을 나타내는 말. ㉠학자인 양 행세하다 / 돈이 많은 양 으스대다. **2** '의도'·'생각' 등의 뜻을 나타내는 말. ㉠공부를 할 양으로 책상에 앉았다.
***양**[2] (羊) 솟과의 가축. 털이 부드럽고 곱슬곱슬하며, 약간 구부러진 뿔이 났음. 털과 가죽으로 옷 따위를 만들고, 고기와 젖은 먹음.

〈양[2]〉

양[3] (良) '수·우·미·양·가'의 등급으로 성적을 평가할 때의 네 번째 등급.
양[4] (陽) 수학에서 0보다 큰 것. 반 음.
***양**[5] (量) '수량·분량·무게' 등을 통틀어 이르는 말. ㉠양보다 질.
양[6] (孃) 여자의 성이나 성명, 이름 뒤에 쓰여, 결혼하지 않은 여성임을 나타내는 말. ㉠박 양 / 이춘희 양.
양:[7] (兩) '두', '두 쪽'의 뜻. ㉠딱

벌어진 양 어깨 / 머리를 양 갈래로 묶다.

양-[1] (洋) '서양의·서양식'의 뜻. ㉠양담배 / 양배추.

양:-[2] (養) 남의 자녀를 자기 자녀로 만들 때 서로의 관계를 나타내는 말. ㉠양아버지 / 양딸.

-양 (洋) 넓은 바다를 나타내는 말. ㉠태평양 / 대서양.

양:가 (兩家) 양쪽의 집.

양각 (陽刻) 조각에서, 글자나 그림 따위를 도드라지게 새김. 비 돋을새김. 반 음각. **—하다.**

양감 (量感) 그림을 볼 때 실물과 같은 부피나 무게의 느낌. ㉠양감이 있는 그림.

양:강도 (兩江道) 〖지명〗 북한의 한 도. 한반도 북쪽 중앙에 위치하며 개마고원과 백두산이 있음.

양:계 (養鷄) [— / 양게] 닭을 침. 또는 그 닭. **—하다.**

양:계장 (養鷄場) [— / 양게장] 여러 가지 필요한 설비를 갖추어 놓고 닭을 기르는 곳.

양곡 (糧穀) 양식으로 쓰는 곡식. 쌀·보리·밀 따위.

양:국 (兩國) 두 나라. ㉠양국 간의 무역을 자유화하다.

양궁 (洋弓) 서양식의 활을 쏘아 일정한 거리에 있는 표적을 맞추어 점수를 겨루는 경기.

양귀비 (楊貴妃) 양귀비과의 한해살이 풀 또는 두해살이 풀. 높이는 약 1m이며 잎은 어긋나고 긴 타원형임. 희거나 붉은 꽃이 핌. 과실에서 아편을 얻음.

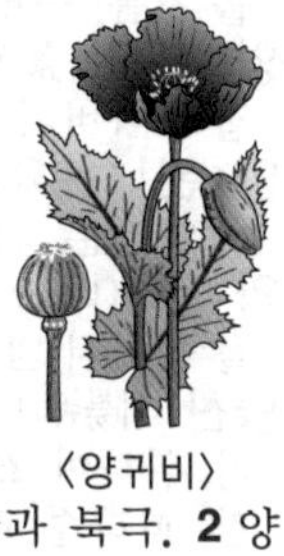
〈양귀비〉

양:극[1] (兩極) **1** 남극과 북극. **2** 양극(+)과 음극(—).

양극[2] (陽極) 전지 따위에서, 전기가 흘러나오는 쪽의 극. 비 양전극. 플러스극. 반 음극.

양금 (洋琴) 현악기의 하나. 사다리꼴 모양의 나무판에 열네 개의 쇠줄을 매고, 대나무로 만든 채로 쳐서 소리를 냄.

양껏 (量—) [양껃] 먹을 수 있거나 할 수 있는 양의 한도까지. 하고 싶은 만큼 다. ㉠양껏 먹다 / 양껏 자고 나니 몸이 개운해졌다.

양:날톱 (兩—) 양쪽에 날이 있는 톱. 한쪽은 켜는 톱니로, 다른 쪽은 자르는 톱니로 되어 있음.

양:녀 (養女) 데려다 기른 딸. 비 수양딸. 양딸.

***양념** 음식의 맛을 돋우기 위해 쓰는 재료를 통틀어 이르는 말. 간장·된장·마늘·파 따위. **—하다.**

> **참고 양념의 종류**
> (1) 소금…짠맛을 냄.
> (2) 간장…나물·조림·구이·포·약밥 등에 구수한 짠맛을 냄.
> (3) 된장…국·찌개의 간을 맞춤.
> (4) 젓국…찌개·나물·생채·김치 등에 짠맛을 냄.
> (5) 고추장…매운맛을 내게 하고 비린내 따위를 없앰. 찌개·조림·나물·구이 등에 씀.
> (6) 파·마늘…누린내·비린내·채소의 풋내를 없앰.
> (7) 기름…참기름 : 나물·국 등에 씀. / 콩기름 : 볶음·전을 부치는 데 씀.
> (8) 깨소금…고소한 맛을 냄. 나물·볶음·국 등에 씀.
> (9) 설탕…꿀·조청·엿 등과 같이 단맛을 냄.
> (10) 식초…신맛·감칠맛을 냄.
> (11) 고춧가루·후춧가루·겨자즙…비린내·누린내를 없앰.
> (12) 생강…고기의 누린내를 없앰.

양:다리 (兩—) 양쪽 다리.

양다리(를) 걸치다〔걸다〕 양쪽에서 이익을 보려고 두 편에 모두 관계를 가지다.

양단(洋緞) 명주실로 짜고 색실로 수를 놓은 고급 비단의 한 가지. ㉠양단 치마 저고리.

양:단간(兩端間) 어찌 되든지 간에. 두 가지 가운데. ㉠양단간에 결정을 내라. 비좌우간.

양달(陽—) 볕이 잘 드는 곳. 비양지. 반응달.

양:도(讓渡) 권리·재산이나 법률상의 지위 등을 남에게 넘겨줌. ㉠건물을 양도하다. **—하다.**

양도체(良導體) 전기나 열이 잘 전달되는 물체. 은·구리·알루미늄 따위.

양:돈(養豚) 돼지를 먹여 기름. ㉠양돈 농가. **—하다.**

양동이(洋—) 손잡이가 있어 물을 담아 들고 다닐 수 있는 원통형의 그릇. 함석 따위로 만듦.

양력(陽曆) [양녁] '태양력'의 준말. ㉠양력 생일. 반음력.

양:로원(養老院) [양노원] 의지할 데 없는 노인들을 수용하여 돌보아 주는 사회 복지 시설.

양만춘(楊萬春) 〖인명〗 고구려의 명장. 645년 중국 당나라 태종이 30만 대군을 이끌고 쳐들어왔을 때, 이를 안시성에서 물리침.

*__양말__(洋襪) 발을 보호하고 따뜻하게 하기 위해 신는, 실이나 섬유 따위로 짠 것. ➡socks

양:면(兩面) **1** 양쪽 면. 앞면과 뒷면. ㉠양면 복사 / 동전의 양면. **2** 두 가지 방면. ㉠물심양면. 반단면.

양모(羊毛) 양의 털. ㉠양모 제품. 비양털.

양:미간(兩眉間) 두 눈썹 사이. ㉠양미간을 찌푸리다. 준미간.

양민(良民) 선량한 백성. ㉠무고한 양민을 학살하다.

양:반(兩班) **1** 조선 때 지체나 신분이 높은 사람을 가리켜 부르던 말. 상류 계급의 사람. **2** 점잖고 예의 바른 사람. ㉠그 사람은 행실이 참 양반이다. **3** 자기 남편을 남에게 이르는 말. ㉠우리 집 양반. 반상민.

양:반집(兩班—) [양반찝] 신분이나 지체가 높은 집안.

양:발(兩—) 사람의 두 발.

양배추(洋—) 십자화과의 두해살이 풀. 잎이 넓고 두꺼우며, 속잎이 여러 겹으로 뭉쳐 큰 공처럼 생긴, 서양에서 들여온 채소.

〈양배추〉

양:변(兩邊) **1** 양쪽의 가장자리. **2** 등식에서, 좌변과 우변을 통틀어 일컫는 말.

양:보(讓步) **1** 길·자리·물건 따위를 사양하여 남에게 미루어 줌. ㉠노약자에게 자리를 양보하다. **2** 자기가 내세운 주장을 굽히고 남의 의견을 따름. ㉠양측이 조금씩 양보하다. **—하다.**

*__양복__(洋服) 남성의 서양식 정장. ㉠양복을 맞추다. 반한복.

양복점(洋服店) [양복쩜] 양복을 만들거나 파는 가게.

양:봉(養蜂) 꿀을 얻기 위하여 벌을 기름. **—하다.**

양:부모(養父母) 양자로 들어간 집의 아버지와 어머니.

양:분[1](養分) 영양이 되는 성분. 비영양분. 자양분.

양:분[2](兩分) 둘로 나눔. ㉠이익을 둘이서 양분하다. **—하다.**

양산[1](陽傘) 여자들이 볕을 가리기 위하여 쓰는 우산같이 만든 물건. 파라솔. ㉠양산을 받다.

양산[2](量產) 많이 만들어 냄. ㉠신조어가 양산되다 / 반도체를 양산하다. **—하다.**

양상 (樣相) 사물이나 현상이 나타나는 모양이나 상태. ⓔ경기의 양상이 달라지다.

양상추 (洋—) 국화과의 한해살이 또는 두해살이풀. 잎이 둥글고 넓으며, 서로 뭉쳐 있는 개량종 상추임. 먹을 수 있으며 사철 재배함.

양서 (良書) 내용이 좋은 책. 유익한 책. ⓔ양서 보급을 위해 애쓰다. 반 악서.

양:서류 (兩棲類) 어류와 파충류의 중간에 위치하는 척추동물의 한 무리. 개구리·도롱뇽 따위.

양성[1] (陽性) 어떤 병이 있거나 감염되었음을 알리는 성질. 반 음성.

양:성[2] (養成) 가르쳐서 유능한 사람을 길러 냄. ⓔ인재를 양성하다. 비 육성. **—하다.**

양성자 (陽性子) 원자를 이루고 있는 소립자의 하나. 중성자와 함께 원자핵을 구성함. 양전기(+)를 띠고 있음. 비 양자.

양속 (良俗) 아름답고 좋은 풍속. ⓔ미풍양속.

양:손 (兩—) 양쪽 손. ⓔ양손에 꽃을 들다 / 양손을 움켜쥐다.

양송이 (洋松栮) 주름버섯과의 하나. 갓의 지름은 5–12 cm, 살은 두껍고 흰색임. 여러 품종이 있으며, 재배하여 식용함.

〈양송이〉

양수 (陽數) 0보다 큰 수. 반 음수.

양수기 (揚水機) 모터 등을 이용하여 물을 퍼 올리는 기계.

양순하다 (良順—) 착하고 순하다. ⓔ양순한 사람.

양식[1] (洋食) 서양식 음식.

***양식**[2] (糧食) **1** 살아가는 데 필요한 먹을거리. ⓔ양식이 떨어지다. 비 식량. **2** 정신적인 활동에 중요한 구실을 하는 것. ⓔ책은 마음의 양식.

***양식**[3] (樣式) **1** 일정한 형식이나 방법. ⓔ보고서 양식이 바뀌다. **2** 예술 작품이나 건축물 따위에 나타나는 독특한 표현 형식. ⓔ건축 양식.

양식[4] (良識) 건전한 사고방식이나 판단력. ⓔ양식이 있다.

양:식[5] (養殖) 물고기·조개·김 따위를 기르고 번식시키는 일. ⓔ양식 진주 / 김을 양식하다. **—하다.**

양심 (良心) 자기의 행위에 대해 옳고 그름을 판단할 줄 알고 바른 행동을 하려는 마음. ⓔ양심의 가책을 느끼다 / 양심 있는 사람.

양심적 (良心的) 양심에 비추어 보아 부끄럽지 않은 (것). ⓔ양심적인 사람 / 양심적으로 행동하다.

양약 (洋藥) 서양 의술로 만든 약. 반 한약.

양양하다 (洋洋—) 사람의 앞길이 한없이 넓어 발전의 여지가 많다. ⓔ앞길이 양양하다.

양:어장 (養魚場) 물고기를 인공적으로 길러 번식시키는 곳.

양:여 (讓與) 자기의 소유를 남에게 넘겨줌. ⓔ양여세. **—하다.**

양:옆 (兩—) [양녑] 좌우 양쪽의 옆. ⓔ길 양옆으로 물이 흐른다.

양옥 (洋屋) 서양식으로 지은 집. 비 양옥집. 반 한옥.

양:원 (兩院) 이원제 국회를 구성하는 두 의원. 미국의 상원과 하원, 일본의 참의원과 중의원 따위. 반 단원.

양:위 (讓位) 임금의 자리를 물려줌. ⓔ왕위를 세자에게 양위하다. **—하다.**

양:육 (養育) 아이의 생활을 돌보아 주면서 기름. ⓔ부모 대신 동생을 양육하다. **—하다.**

양은 (洋銀) 구리·아연·니켈 등을 합금하여 만든 쇠. 빛이 희고 단단하며 녹이 나지 않음. 시계·식기·장식품 등에 쓰임. ㉠양은 냄비.

양:일(兩日) 두 날. 이틀. ㉠어제와 오늘 양일에 걸쳐 기말 고사를 치렀다.

양:자(養子) 아들이 없는 집에서 대를 잇기 위해 데려다 기르는 사내아이. 비 양아들.

양:자택일(兩者擇一) [양자태길] 둘 중에서 하나를 고름. **—하다.**

양:잠(養蠶) 누에를 침. 비 누에치기. **—하다.**

양장(洋裝) 여자가 옷을 서양식으로 입음. 또는 그 옷. ㉠양장 차림 / 양장이 잘 어울린다. **—하다.**

양장점(洋裝店) 양장을 만들거나 파는 가게.

양재(洋裁) 양복을 재단하고 재봉하는 일. ㉠양재 학원.

양재기(洋—) 양은이나 알루미늄으로 만든 그릇.

양잿물(洋—) [양잰물] 빨래할 때 쓰는 수산화나트륨. 준 잿물.

양적(量的) [양쩍] 양으로 많고 적음을 따지는 (것). ㉠양적으로 우세하다. 반 질적.

양전기(陽電氣) 유리 막대를 헝겊으로 문지를 때 그 유리 막대에 생기는 전기. '+' 부호로 나타냄. 비 플러스 전기. 반 음전기. 준 양전.

양:조(釀造) 술·간장·식초 따위를 담가서 만드는 일. ㉠술을 양조하다. **—하다.**

양주(洋酒) **1** 서양식 양조법으로 만든 술. 위스키·브랜디·진 따위. **2** 서양에서 들어온 술.

양지(陽地) 햇볕이 바로 드는 곳. 비 양달. 반 음지.

양지바르다(陽地—) 햇볕이 바로 잘 들다. ㉠양지바른 집. 활용 양지발라 / 양지바르니.

양질(良質) 좋은 바탕이나 품질. ㉠양질의 종이.

***양:쪽**(兩—) 상대되는 두 쪽. ㉠양쪽 뺨에 보조개가 있다. 비 양편.

양쯔 강(중 揚子江) 티베트 고원에서 시작하여 중국의 중앙부를 지나 동중국해로 흘러 들어가는, 아시아에서 제일 큰 강. 길이는 6,380 km. 창장 강.

양철(洋鐵) 안팎에 주석을 입힌 얇은 철판. 통조림통·기름통 따위를 만드는 데 쓰임. ㉠양철 지붕. 비 생철. 함석. 본 서양철.

양초(洋—) 동물의 지방이나 파라핀 등에 심지를 넣고 원기둥 모양으로 굳혀 만든 것. ➲ candle

양:측(兩側) **1** 두 편. ㉠양측의 대표자. **2** 양쪽의 측면. ㉠길 양측에 도랑을 파다.

양치 '양치질'의 준말. **—하다.**

양치기(羊—) 양을 치는 일. 또는 그 사람. ㉠양치기 소년.

양치식물(羊齒植物) [양치싱물] 꽃이 피지 않고 홀씨로 번식하는 식물. 고사리 따위.

양치질 소금이나 치약 등으로 이를 닦고, 물로 입 안을 가셔 내는 일. 준 양치. **—하다.**

양:친(兩親) 아버지와 어머니. 비 부모.

양탄자(洋—) 짐승의 털을 굵은 베실에 박아 짠 피륙. 흔히 방바닥이나 마룻바닥에 깖. 카펫.

양털(羊—) 양의 털. 비 양모.

***양파**(洋—) 백합과의 여러해살이 풀. 잎은 가늘고 길며, 줄기 끝에 꽃이 핌. 땅속의 비늘줄기는 매운맛과 특이한 향기가 있어서 널리 식용함. 페르시아가 원산지임.

양:팔(兩—) 양쪽 팔. ㉠양팔을 벌리다.

양:팔 저울(兩—) 가로 막대의 중심을 받치고 양쪽에 똑같은 접시가 달린 저울. 비 천칭.

양:편(兩便) 양쪽 편. 두 편. ㉠양편이 비기다.

양푼 음식을 담거나 데우는 데 쓰는 놋그릇.
양품 (洋品) 서양에서 수입했거나 서양식으로 만든 의류·장신구·일용품 따위의 잡화.
양품점 (洋品店) 양품을 전문적으로 파는 가게.
양해 (諒解) 남의 사정을 잘 헤아려 너그러이 받아들임. ㉮양해를 구하다 / 양해를 얻다. **—하다**.
양:호실 (養護室) 학교에서 학생들의 건강이나 위생 따위의 일을 맡아볼 수 있도록 마련한 곳.
양호하다 (良好—) 매우 좋다. ㉮성적이 양호하다.
양화 (洋畫) **1** '서양화'의 준말. **2** 미국이나 유럽에서 수입한 영화.
양화점 (洋靴店) 구두를 만들어 파는 가게. 비 구둣방.
*__얕다__ [얃따] **1** 깊지 않다. ㉮얕은 물. **2** 학문이나 지식이 적다. ㉮얕은 지식. **3** 생각이나 마음 쓰는 것이 너그럽지 않다. ㉮얕은 생각. 반 깊다. 큰 엷다.
얕보다 [얃뽀다] 업신여겨 깔보다. 실제보다 얕잡아 보다. ㉮얕볼 상대가 아니다. 비 깔보다. 넘보다.
얕잡다 [얃짭따] 남의 능력을 업신여겨 하찮게 대하다. ㉮어리다고 얕잡아 보지 마라.

> 주의 **얕잡다와 낮잡다**
> **얕잡다** (사람의 인품이나 능력 따위를) 실제 지닌 값어치보다 낮게 평가하여 아무렇게나 대접하다.
> **낮잡다** (사물의 질이나 가치 따위를) 실제 지닌 값어치보다 낮게 평가하여 아무렇게나 다루다.

*__얘:__ '이 아이'의 준말. 손아랫사람이나 친구를 부르는 말. ㉮얘야, 이리 오너라.
*__얘:기__ '이야기'의 준말. ㉮얘기를 나누다. **—하다**.
얘:깃거리 [얘기꺼리 / 얘긷꺼리] '이야깃거리'의 준말.
*__어__ 가벼운 놀람이나 당황한 느낌 따위를 나타내는 소리. ㉮어, 차에 우산을 두고 내렸네. 작 아.
어:간 (語幹) 말의 줄기. 곧 동사·형용사의 활용에서 변하지 않는 부분. '먹다, 먹고, 먹으면'에서 '먹-'과 같은 말. ＊어미.
어:감 (語感) 말소리나 말투의 차이에 따른 느낌. ㉮어감이 좋다 / 어감이 다르다.
어거지 '억지'의 잘못.
어:구 (語句) 말의 구절.
어귀 드나드는 목의 첫머리. ㉮마을 어귀. 비 입구.
어그러지다 **1** 맞물려 있는 물체가 틀어져서 맞지 아니하다. ㉮문짝이 어그러지다. **2** 사이가 좋지 못하게 되다. ㉮사소한 일로 친구와의 사이가 어그러졌다. **3** 생각과 달라지다. ㉮계획이 어그러지다.
어:근 (語根) 어떤 낱말에서 실질적인 뜻을 나타내며 더 이상 쪼갤 수 없는 가장 작은 뜻의 단위. '탐스럽다'의 '탐', '맨주먹'의 '주먹', '눈사람'의 '눈'과 '사람' 따위.
어금니 송곳니의 안쪽에 있는 큰 이. 이의 가운데가 오목하며 음식물을 잘게 부수는 역할을 함.
어긋나다 [어근나다] **1** 서로 엇갈리다. ㉮길이 어긋나다. **2** 서로 맞지 아니하다. ㉮뼈가 어긋나다. **3** 기대에 맞지 않거나 기준에서 벗어나다. ㉮기대에 어긋나다.
어기다 약속·시간·명령 등을 지키지 아니하다. ㉮약속을 어기다.
어기여차 여럿이 힘을 합할 때에 일제히 내는 소리. 비 어여차.
어기적거리다 [어기적꺼리다] 팔다리를 부자연스럽게 움직이며 천천히 걷다. 준 어깆거리다. 작 아기

작거리다.

어김없다 [어기멉따] 어기는 일이 없다. 틀림이 없다. ⓔ그는 어김없는 사람이다.

어김없이 [어기멉씨] 어기는 일 없이. ⓔ약속한 것은 어김없이 지킨다. 비 틀림없이.

어깃장 [어기짱 / 어긷짱] 짐짓 고분고분 따르지 않고 뻗대는 행동. ⓔ어깃장을 놓다.

*__어깨__ 사람의 몸에서, 목의 아래 끝에서 팔의 위 끝에 이르는 부분. ⓔ어깨가 벌어지다 / 어깨를 쫙 펴고 걷다. ➡ shoulder

어깨가 가볍다 무거운 책임이나 부담을 덜어 홀가분하다. ⓔ시험이 끝나서 어깨가 가볍다.

어깨가 무겁다 무거운 책임을 져서 마음의 부담이 크다.

어깨너머 남이 하는 것을 옆에서 보거나 듣거나 함. ⓔ어깨너머로 배운 기술. 참고 주로 '어깨너머로'의 꼴로 쓰임.

*__어깨동무__ **1** 서로 팔을 상대의 어깨 위에 얹어 끼고 나란히 서는 짓. **2** 같은 또래의 친구. **—하다.**

어깨띠 한쪽 어깨에서 다른 쪽 겨드랑이로 걸쳐 매는 띠. ⓔ어깨띠를 두르다.

어깨뼈 척추동물의 팔과 손을 이루는 뼈와 몸통을 연결하는 등 위쪽의 한 쌍의 뼈. 비 견갑골.

어깨춤 신이 나서 어깨를 으쓱거리는 짓. 또는 그렇게 추는 춤. ⓔ흥에 겨워 어깨춤이 절로 난다.

어깻죽지 [어깨쭉찌 / 어깯쭉찌] 팔이 어깨에 붙은 부분.

어깻짓 [어깨찓 / 어깯찓] 어깨를 흔들거나 으쓱거리는 짓. **—하다.**

어:눌하다 (語訥—) 말을 유창하게 하지 못하고 더듬는 데가 있다. ⓔ말투가 어눌해서 잘 알아듣지 못하겠다.

*__어느__ **1** 여럿 가운데의 어떤. ⓔ어느 것이 맞는 답이냐. **2** 확실하지 않은 사람·사물·때·곳 따위를 가리키는 말. ⓔ어느 봄날 / 눈이 내리던 어느 겨울 저녁이었다.

*__어느덧__ [어느덛] 어느 사이인지 모르는 동안에. ⓔ여름이 가고 어느덧 가을이 왔다.

어느새 어느 틈에 벌써. ⓔ어느새 중학생이 되었구나.

어:는점 (—點) 물이 얼기 시작할 때, 또는 얼음이 녹기 시작할 때의 온도. 곧, 0℃임. ⓔ어는점 이하로 내려가다. 비 빙점.

어두워지다 어둡게 되다.

어두컴컴하다 어둡고 컴컴하다. ⓔ어두컴컴한 골목길.

어둑어둑하다 [어두거두카다] 사물을 똑똑히 알아볼 수 없을 만큼 어둡다. ⓔ어둑어둑해서야 목적지에 겨우 도착했다.

*__어둠__ 어두운 상태. 또는 그런 때. ⓔ어둠이 깔리다 / 어둠에 싸이다.

어둠상자 (—箱子) **1** 빛의 성질을 알아보는 데 쓰기 위하여 안을 검게 칠한 상자. **2** 카메라에서, 밖에서 빛이 들어오지 않게 만든 상자.

어둠침침하다 어둡고 침침하다.

*__어둡다__ [어둡따] **1** 빛이 없어 환하지 않다. ⓔ어두운 골목길. **2** 시력이나 청력이 약하다. ⓔ귀가 어둡다. **3** 어떤 일에 대해 잘 모르다. ⓔ세상일에 어둡다. **4** 빛깔의 느낌이 무겁고 짙다. ⓔ어두운 보랏빛. **5** 분위기나 표정, 성격 따위가 침울하고 무겁다. ⓔ표정이 몹시 어둡다. **6** 예상이나 전망이 좋지 않다. ⓔ수출 전망이 어둡다. 반 밝다. 활용 어두워 / 어두우니. ➡ dark

*__어디__[1] **1** 잘 모르는 어느 곳. ⓔ어디로 가느냐. ➡ where **2** 정해져 있지 않거나 꼭 집어 댈 수 없는 곳. ⓔ어디를 가도 값은 비슷하다. **3** 수량·

장소·범위가 매우 중요함을 가리키는 말. ㉠여기가 감히 어디라고 큰 소리를 치느냐.

어디² **1** 벼르거나 다짐하는 뜻을 강조하는 말. ㉠어디, 변명이나 들어 보자. **2** 되물어 강조할 때 쓰는 말. ㉠그게 어디 말이나 되오.

어때 어떠하냐. 어떤 생각이나 느낌이 드느냐. ㉠어때 근사하지. 본 어떠해.

어떠어떠하다 성질이나 상태가 어떠하고 어떠하다. 구체적으로 밝혀 말하기 어렵거나 밝힐 필요가 없을 때 씀. ㉠어떠어떠한 물건들을 사 왔느냐.

***어떠하다** 일의 성질이나 상태가 어찌 되어 있다. ㉠요즈음 건강은 좀 어떠하냐. 준 어떻다.

어떡하다 [어떠카다] '어떻게 하다'의 준말. ㉠다 청소하는데 너만 놀면 어떡하니.

***어떤** '어떠한'의 준말. ㉠너는 어떤 생각을 하고 있니 / 어떤 것을 찾으세요. ➲ any, some

***어떻게** [어떠케] '어떠하게'의 준말. ㉠그 문제를 어떻게 풀었니 / 내가 어떻게 도와줄까. ➲ how

***어떻다** [어떠타] '어떠하다'의 준말. ㉠그 학생 성적은 어떻습니까. 활용 어떠니 / 어때서.

어라 가볍게 놀라거나 당황한 느낌 따위를 나타낼 때 쓰는 말. ㉠어라, 여기 있던 책이 어디 갔지.

-어라 **1** 명령의 뜻을 나타내는 말. ㉠밀어라 / 먹어라. **2** 감탄의 뜻을 나타내는 말. ㉠아이, 가엾어라. *-아라.

어레미 바닥의 구멍이 굵은 체. ㉠쌀가루를 어레미로 치다.

***어려움** 하기에 힘들거나 괴로운 것. ㉠어려움을 이겨 내다.

어려워하다 **1** 사람을 두려워하거나 조심스럽게 대하다. ㉠어려워하지 말고 편히 앉아라. **2** 힘겹게 여기다. ㉠수학을 제일 어려워하다.

어련하다 잘못할 리가 없다는 뜻으로 쓰이는 말. ㉠자네가 한 일인데 어련하겠나.

어련히 어련하게. ㉠그 사람이 어련히 알아서 할까.

어렴풋이 [어렴푸시] 어렴풋하게. ㉠어렴풋이 생각나다.

어렴풋하다 [어렴푸타다] **1** 기억이나 생각이 분명하지 않다. ㉠그의 모습이 어렴풋하게 떠올랐다. **2** 잘 보이거나 잘 들리지 않아 희미하다. ㉠어렴풋하게 들리는 목소리. 작 아렴풋하다.

어렵 (漁獵) **1** ⇨고기잡이. **2** 고기잡이와 사냥.

***어렵다** [어렵따] **1** 하기가 까다로워 힘에 겹다. ㉠문제가 어렵다. 반 쉽다. ➲ difficult, hard **2** 살림이 가난하다. ㉠어렵게 살다. **3** 상대방과 거리감이 있어 대하기가 조심스럽고 거북하다. ㉠선생님을 어렵게 여기다. **4** 이해하기에 까다롭다. ㉠한자가 많아서 읽기가 어렵다. **5** 가능성이 거의 없다. ㉠믿기 어렵다. 활용 어려워 / 어려우니.

어렵사리 [어렵싸리] 매우 어렵게. ㉠어렵사리 일을 끝내다.

어로 (漁撈) 물고기 따위의 수산물을 잡거나 거두어들이는 일.

어뢰 (魚雷) 물속에서 사용하는 무기. 물고기 모양이며, 목표물에 부딪쳐 폭발함. 비 어형 수뢰.

어루만지다 **1** 가볍게 쓰다듬으며 만지다. ㉠할머니께서는 늘 내 등을 어루만져 주셨다. **2** 달래거나 위로하여 마음이 편하도록 하여 주다. ㉠아픈 마음을 어루만지다.

어류 (魚類) 물고기를 통틀어 이르는 말. 지느러미가 있으며, 물속에서 아가미로 호흡함.

어ː르다 어린아이를 달래거나 기

뻐게 하여 주다. ㉑우는 아기를 어르다. 활용 얼러 / 어르니.

> **주의** 어르다와 으르다
>
> **어르다** 어린아이를 달래거나 기쁘게 하여 주다란 뜻으로, '어르고 / 어르니 / 어르는 / 얼러서 / 어른다 / 얼러라'로 쓰인다. 얼르다는 잘못된 말이다.
>
> **으르다** 상대방이 겁을 먹도록 말이나 행동으로 위협하는 것을 나타내는 뜻으로, '으르고 / 으르니 / 으르는 / 을러서 / 으른다 / 을러라'로 쓰인다. 을르다는 잘못된 말이다.

어:르신 ⇨어르신네. ㉑마을 어르신들을 모시고 잔치를 열었다.

어:르신네 남의 아버지나 나이 많은 사람을 높여 이르는 말. ㉑자네 어르신네 건강은 좀 어떠신가.

*__어:른__ **1** 다 자란 사람. ㉑어른같이 의젓하게 말하다. 비 성인. **2** 나이 많은 사람을 높여 부르는 말. ㉑집안의 어른. **3** 남의 아버지를 높여 이르는 말. ㉑자네 어른과는 잘 아는 사이일세.

어른거리다 **1** 무엇이 보였다 안 보였다 하다. ㉑아들의 모습이 눈앞에 어른거리다. **2** 큰 무늬나 희미하게 비치는 그림자가 자꾸 움직이거나 흔들리다. 작 아른거리다. 센 얼른거리다.

어:른벌레 곤충의 형태를 완전히 갖추고 알을 낳을 수 있게 된 벌레. 비 성충. 엄지벌레. 반 애벌레.

어:른스럽다 [어른스럽따] 어린아이의 말이나 행동이 의젓하고 어른 같은 데가 있다. ㉑나이에 비해 어른스럽다 / 어른스럽게 말하다. 활용 어른스러워 / 어른스러우니.

어:름 **1** 두 물건의 끝이 맞닿은 자리. **2** 물건과 물건의 한가운데. **3** 어떠한 시간이나 장소의 테두리 안. ㉑생일잔치는 오후 네 시 어름에야 끝났다.

> **주의** 어름과 얼음
>
> **어름** 두 물건의 끝이 닿은 데. ㉑바다와 하늘이 닿은 어름이 수평선이다.
>
> **얼음** 물이 얼어서 굳어진 것. ㉑얼음이 얼다.

어리광 어른에게 귀염을 받으려고 일부러 어리고 예쁘게 보이는 짓. ㉑어리광을 떨다 / 어리광을 부리다. —하다. —스럽다.

어리굴젓 [어리굴젇] 소금을 뿌린 굴에 고춧가루를 섞어 삭힌 것.

어리다[1] **1** 눈에 눈물이 괴다. ㉑눈물이 어리다. **2** 어떤 현상·기운·감정 따위가 배어 있거나 나타나다. ㉑정성이 어린 선물. **3** 빛이나 그림자 따위가 희미하게 비치다. ㉑물위에 어리는 그림자.

*__어리다__[2] **1** 나이가 적다. ㉑나이보다 어려 보이다 / 어린 시절을 시골에서 보냈다. **2** 생각이 모자라거나 경험이 적거나 수준이 낮다.

어리둥절하다 정신이 얼떨떨하다. ㉑어리둥절한 표정을 짓다.

어리벙벙하다 어리둥절하여 갈피를 잡을 수 없다.

*__어리석다__ [어리석따] 생각이 모자라다. 슬기롭지 못하고 둔하다. ㉑어리석은 행동. 반 똑똑하다.

어리숙하다 [어리수카다] ⇨어수룩하다.

어린것 [어린걷] 어린아이나 나이 어린 사람을 낮추어 이르는 말. ㉑어린것이 영리하기도 하지.

어린나무 나서 한두 해 정도 자란 나무. 비 묘목.

어린뿌리 아직 성장하지 못한 뿌리. 싹이 튼 후 자라서 뿌리가 됨.

어린아이 [어리나이] 나이가 적은 아이. ㉥어린아이가 의젓하다. 준 어린애.

***어린애** [어리내] '어린아이'의 준말.

***어린이** [어리니] 어린아이를 대접해서 부르는 말. 방정환 선생이 처음으로 쓴 말이라고 함. 반 어른.

어린이날 [어리니날] 어린이를 사랑하고 보호하자는 뜻에서 정한 날. 5월 5일.

어린이집 [어리니집] 6세 미만의 어린이를 돌보고 기르는 시설. *놀이방.

어린이 헌:장 (—憲章) [어리니—] 어린이의 권리와 복지를 보장해 줄 것을 어른 전체가 약속한 헌장. 1957년 5월 5일에 선포하였음.

어린이회 (—會) [어리니회] 초등학교 어린이들이 스스로 학교생활을 해 나가기 위하여 만든 모임.

어린잎 [어린닙] 새로 나온 연한 잎. ㉥차나무의 어린잎을 따다.

어림 대강 짐작으로 헤아림. ㉥어림으로 계산하다. **—하다.**

어림셈 대강 짐작으로 하는 셈. ㉥어림셈으로 따져 봐도 백만 원은 된다. **—하다.**

***어림수** (—數) [어림쑤] 대강 짐작으로 잡은 수.

어림없다 [어리멉따] **1** 도저히 될 가망이 없다. ㉥어림없는 소리 마라. **2** 너무 많거나 커서 대강 짐작도 할 수 없다.

어림잡다 [어림잡따] 대강 짐작으로 헤아려 보다. ㉥어림잡아 100명은 될 것 같다. 비 어림치다.

어림재기 길이·무게·면적 따위를 대강 짐작으로 재는 일.

어림짐작 어림으로 대강 헤아리는 짐작. ㉥말만 듣고 어림짐작으로 찾아가다. **—하다.**

어릿광대 [어릳꽝대] 공연이나 쇼가 시작되기 전에 먼저 나와서 우습고 재미있는 말과 행동으로 관객을 웃기는 사람. 피에로.

어릿어릿 [어리더릳] 말이나 행동이 활발하지 못하고 생기 없이 움직이는 모양. **—하다.**

어마마마 (—媽媽) 궁중에서, 임금이나 임금의 아들딸이 자신의 어머니를 부르던 말.

어마어마하다 규모가 엄청나고 굉장하다. 준 어마하다.

어망 (漁〔魚〕網) 물고기를 잡는 데 쓰는 그물.

어머 '어머나'의 준말. 작 어마.

어머나 몹시 놀랐을 때에 주로 여자들이 내는 소리. ㉥어머나, 벌써 꽃이 피었네. 준 어머.

***어머니** **1** 자기를 낳은 여자. ㉥어머니께선 주무신다. **2** 자녀를 가진 부인을 두루 일컫는 말. 비 모친. 반 아버지. 높 어머님. ➡mother

***어머님** '어머니'를 높여 이르는 말. ㉥어머님, 오래오래 사십시오.

어멈 **1** '어미[1]'를 조금 대접하여 이르는 말. **2** 윗사람이 자식 있는 여자를 친근히 일컫는 말. 반 아범.

어:명 (御命) 임금의 명령. ㉥어명을 내리다 / 어명을 받들다.

어묵 (魚—) 생선의 살을 으깨어 소금·설탕·녹말가루 등을 섞고, 여러 가지 모양으로 만들어 익힌 음식.

어물 (魚物) 생선 또는 생선을 가공하여 말린 것.

어물거리다 말이나 행동을 시원스럽게 하지 않고 꾸물거리다. ㉥어물거리다가 버스를 놓쳤다.

어물어물 [어무러물] 어물거리는 모양. ㉥어물어물 말꼬리를 흐리다. **—하다.**

어물전 (魚物廛) 생선·김·미역 따위의 어물을 파는 가게.

어물쩍 말이나 행동을 일부러 슬쩍 넘기는 모양. ㉥모르는 척 어물쩍

넘기다.

*어미¹ 1 '어머니'의 낮춤말. ㉠친정 어미. 2 자식 있는 남자가 부모나 장인, 장모에게 자기 아내를 일컫는 말. 반 아비. 3 새끼나 알을 낳은 동물의 암컷. ㉠어미 소.

어:미² (語尾) 동사·형용사의 말 줄기에 붙어 경우에 따라 여러 가지로 변하는 부분. '먹다, 먹고, 먹으면'에서 '다, 고, 으면' 따위. *어간.

어미자 수학에서, 고정되어 있는 자를 '아들자'에 상대하여 이르는 말. 큰 치수를 재는 데 씀.

어민 (漁民) 물고기를 잡거나 기르는 일을 하는 사람. 비 어부.

어버이 아버지와 어머니를 아울러 부르는 말. 비 부모.

어버이날 어머니와 아버지에 대한 감사와 존경심을 되새기기 위해 정한 날. 5월 8일.

어:법 (語法) [어뻡] 말의 일정한 법칙. ㉠어법에 맞다 / 어법에 어긋나다. 비 문법.

*어부 (漁夫〔父〕) 고기잡이를 직업으로 하는 사람. 비 어민.

어부바 어린아이가 업어 달라고 하는 소리. 또는 어린아이에게 업히라고 부르는 소리.

어부지리 (漁夫之利) 도요새와 조개가 다투고 있는 틈을 타서 어부가 둘 다 잡았다는 고사에서 온 말로, 서로 다투는 바람에 엉뚱한 사람이 애쓰지 않고 이득을 가로챔을 이르는 말.

어:불성설 (語不成說) 말이 사리에 맞지 않음. 말이 안 됨.

어:사 (御史) '암행어사'의 준말.

어:사화 (御賜花) 임금이 과거 시험에 급제한 사람에게 내리던, 종이로 만든 꽃.

어:색하다 (語塞—) [어새카다] 1 서먹서먹하여 멋쩍고 쑥스럽다. ㉠마주 보고 앉아 있기가 어색하다. 2 격식·규범·관습 따위에 맞지 않아 자연스럽지 아니하다. ㉠표현이 어색하다.

*어서 1 '빨리·곧'의 뜻으로 빨리 하기를 재촉하는 말. ㉠어서 가거라. 2 반갑게 맞아들이거나 간절히 권하는 말. ㉠어서 오십시오 / 어서 앉아라. 비 속히. 얼른.

어서어서 '어서'의 힘줌말.

어선 (漁船) 고기잡이를 하는 배. ㉠원양 어선. 비 고깃배.

어:설프다 1 하는 일이 몸에 익지 않아 엉성하고 거칠다. ㉠일솜씨가 어설프다. 2 짜임새가 없고 허술하다. ㉠어설픈 지식. 활용 어설퍼 / 어설프니.

어수룩하다 [어수루카다] 똑똑하지 아니하고 조금 어리석은 듯하다. ㉠어수룩한 사람. 비 어리숙하다.

어수선하다 1 가지런하지 않고 마구 헝클어져 있다. ㉠방 안이 몹시 어수선하다. 2 마음이 뒤숭숭하고 어지럽다. ㉠정신이 어수선하다.

어:순 (語順) 말이나 문장에서 그 구성 성분이 나타나는 일정한 순서.

어스레하다 조금 어둑하다. ㉠어스레한 달밤에 그를 만났다.

어스름 저녁이나 새벽의 약간 어둑한 빛. 또는 그런 때. —하다.

주의 **어스름과 으스름**

어스름 저녁이나 새벽의 어스레한 빛이나 그런 때를 나타내는 말. 뒤에 '-하다'가 붙을 수 있다. ㉠저녁의 어스름 / 어스름 새벽.

으스름 달빛이 으슴푸레한 상태를 나타내는 말. 뒤에 '-하다'를 붙여 쓸 수 있다. ㉠으스름달 / 으스름한 달빛.

* 달빛이 으슴푸레한 밤을 '어스름 달밤'이라고 하는 것은 '으스름 달밤'의 잘못이다.

어슬렁거리다 몸집이 큰 사람이나 짐승이 천천히 걸어가다.

어슬렁어슬렁 어슬렁거리며 걷는 모양. **—하다**.

어슴푸레 **1** 빛이 어둑하고 희미한 모양. ㉠어슴푸레 여명이 창문으로 비치다. **2** 기억이 희미한 모양. ㉠어릴 적 모습이 어슴푸레하게 떠오르다. **3** 희미하고 흐릿한 모양. ㉠어둠 속에 무엇인가 어슴푸레 보인다. [작]아슴푸레. **—하다**.

어슷비슷하다 [어슫삐스타다] 큰 차이 없이 서로 비슷하다. ㉠두 선수의 실력이 어슷비슷하다.

어슷하다 [어스타다] 물건의 모양이 한쪽으로 비뚤어져 있다. ㉠오이를 어슷하게 자르다.

어시스트 (assist) 축구·농구 따위에서, 득점할 수 있는 좋은 위치에 있는 선수에게 공을 보내는 일. 또는 그런 선수.

어시장 (魚市場) 생선 따위의 수산물을 파는 시장. [준]어시.

어:안 어이없어 말을 못하고 있는 혀 안.

어안이 벙벙하다 뜻밖에 놀라운 일을 당했거나 기가 막혀서 말이 안 나오다. 기가 막히는 일을 당해 어리둥절하다.

-어야 **1** 어떤 조건이 꼭 필요함을 나타내는 말. ㉠사람은 먹어야 산다. **2** 영향이 없음을 나타내는 말. ㉠길어야 사흘인걸. *-아야.

어어 뜻밖의 일을 당했을 때 내는 소리. [작]아아.

어언 (於焉) '어언간'의 준말. ㉠고향을 떠난 지도 어언 십여 년이 되었다.

어언간 (於焉間) 알지 못하는 동안에 어느덧. ㉠회사가 이곳으로 이사 온 지도 어언간 일 년이 지났다. [준]어언.

어업 (漁業) 물고기·조개·김·미역 따위를 잡거나 기르는 일.

어여쁘다 '예쁘다'의 예스러운 말. [활용]어여뻐 / 어여쁘니.

어여삐 보기에 사랑스럽고 귀엽게. ㉠어여삐 여기다.

어엿이 [어여시] 어엿하게.

어엿하다 [어여타다] 행동이 당당하고 떳떳하다. ㉠나는 어엿한 한국 사람이다.

어영부영 되는대로 아무렇게나 어물어물 넘겨서 행동하는 모양. ㉠어영부영 시간을 보내다.

어우러지다 여럿이 모여 한 덩어리나 한판을 이루게 되다. ㉠남북이 함께 어우러지다.

어우르다 여럿을 모아서 한 덩어리나 한판이 되게 하다. [작]아우르다. [활용]어울러 / 어우르니.

*__어울리다__ **1** 어우르게 되다. ㉠어울려 떼를 지어 다니다. **2** 한데 섞이어 편하고 자연스럽게 보이다. ㉠잘 어울리는 부부 / 사이좋게 어울려 지내다. [준]얼리다. [작]아울리다.

어:원 (語源) 낱말이 이루어진 본바탕.

어유 **1** 뜻밖에 벌어진 일에 놀랐을 때 내는 소리. ㉠어유, 큰일났군. **2** 피곤하고 힘에 부칠 때 내는 소리. ㉠어유, 무거워.

어육 (魚肉) **1** 생선의 고기. **2** 생선과 짐승의 고기.

어음 일정한 금액을 지정한 날짜와 장소에서 조건 없이 치를 것을 약속하는 증서.

어:의 (御醫) [— / 어이] 예전에, 궁중에서 임금이나 왕족의 병을 치료하던 의원.

어이 '어찌'의 예스러운 말. ㉠내 어이 잊으리오.

어이구 **1** 몹시 아프거나 힘들거나 놀라거나 원통하거나 기가 막힐 때 내는 소리. ㉠어이구, 깜짝이야. **2** 몹시 반갑거나 좋을 때 내는 소리.

㉠어이구, 이게 얼마 만이냐. 준어이. 에구. 작아이고.

어이없다 [어이업따] 일이 너무 뜻밖이어서 기가 막히다. 비어처구니없다.

어이없이 [어이업씨] 일이 너무 뜻밖이어서 기가 막히게. 비어처구니없이.

어이쿠 '어이구'를 강조한 말.

어인 '어찌 된'의 옛말.

***어장** (漁場) **1** 고기잡이를 하는 곳. **2** 풍부한 수산 자원이 있고, 고기가 잘 잡히는 수역. ㉠멸치 어장.

어저께 ⇨어제. ㉠그는 어저께 떠났다.

어:전 (御前) 임금의 앞. ㉠어전을 물러 나오다.

어:절 (語節) 문장을 구성하고 있는 각각의 마디. '철수가 그림책을 본다'에서 '철수가', '그림책을', '본다' 따위.

어정거리다 키가 큰 사람이나 짐승이 천천히 걷다. 작아장거리다.

어정쩡하다 **1** 분명하지 않고 흐릿하다. ㉠어정쩡하게 대답하다. **2** 얼떨떨하고 난처하다. ㉠어정쩡한 태도로 서 있다.

***어제** 오늘의 하루 전날. 비어저께. 작일. ➲ yesterday

어제오늘 **1** 어제와 오늘. **2** 아주 최근. ㉠환경오염은 어제오늘의 일이 아니다.

어젯밤 [어제빰 / 어젣빰] 어제의 밤. ㉠어젯밤에 겨우 도착했다.

어:조 (語調) 말의 가락. ㉠날카로운 어조로 꾸짖다.

어족[1] (魚族) 여러 가지 물고기들. ㉠어족 보호 대책이 시급하다. 비어류.

어:족[2] (語族) 각 언어의 구조나 어법, 그 계통이 같은 기원이라고 보는 말들의 한 묶음. 인도유럽 어족, 우랄 어족, 알타이 어족 따위.

어:줍다 [어줍따] **1** 말이나 동작이 자유롭지 못하고 둔하다. **2** 손에 익지 않아 서투르다.

어중간하다 (於中間—) **1** 거의 중간에 가깝다. ㉠어중간한 크기. **2** 이것에도 저것에도 알맞지 아니하다. ㉠시간이 어중간하다.

어중되다 (於中—) [어중뙤다] 정도에 넘거나 처져서 알맞지 않다.

어:중이떠중이 여러 방면에서 모인 보잘것없고 쓸모없는 사람들. ㉠어중이떠중이가 다 모였군.

어지간하다 **1** 어떤 기준에 거의 가깝다. ㉠성적이 어지간하게 좋아졌다. **2** 꽤 무던하다. ㉠참는 걸 보니 너도 참 어지간하다.

어지간히 어지간하게. ㉠성질도 어지간히 급하다.

어지러이 어지럽게.

***어지럽다** [어지럽따] **1** 현기증이 나고 정신이 얼떨떨하다. ㉠머리가 어지럽다. **2** 모든 것이 혼란하고 어수선하다. ㉠어지러운 세상을 바로잡다. 활용 어지러워 / 어지러우니.

어지럽히다 [어지러피다] 어지럽게 하다. ㉠아이들이 방을 어지럽히다 / 질서를 어지럽히다 / 민심을 어지럽히다.

어지르다 정돈되어 있는 것을 함부로 늘어놓아 어지럽게 하다. ㉠방 안을 제발 어지르지 마라. 활용 어질러 / 어지르니.

어질다 마음이 너그럽고 착하며 슬기롭고 덕이 많다. ㉠어진 임금. 활용 어질어 / 어지니 / 어진.

어질어질하다 [어지러질하다] 자꾸 어지럽다.

***어째** '어찌하여'의 준말. ㉠옷차림이 어째 그 모양이냐.

***어째서** 어떤 까닭으로.

어쨌든 [어짿뜬] '어찌하였든'의 준말. ㉠어쨌든 시키는 대로 해라.

***어쩌다**[1] **1** '어찌하다'의 준말. ㉠

미안해서 어쩌나. **2** 어떤 이유가 있거나 어떤 이유로 하다. ㉠이렇게 추운데 어쩐 일이오.

어쩌다[2] **1** '어쩌다가'의 준말. ㉠어쩌다 말이 잘못 나왔네. **2** 어찌하다. ㉠어쩌다 접시를 깨뜨렸니.

어쩌다가 **1** 뜻밖에 우연히. ㉠어쩌다가 만난 옛 친구. **2** 이따금 또는 가끔. ㉠어쩌다가 보는 영화. ㊜어쩌다.

***어쩌면** **1** 혹. 어떤 경우에는. ㉠어쩌면 갔을지도 모른다. ㊝어찌하면. **2** 뜻밖의 일에 감탄하는 소리. ㉠어쩌면 그리도 잘하느냐. ㊜어쩜.

***어쩐지** 어찌 된 까닭인지. ㉠어쩐지 좀 으스스하다.

어쩜 '어쩌면'의 준말. ㉠어쩜 저렇게 예쁠까.

어쭙잖다 [어쭙짠타] 말과 행동이 비웃음을 살 만큼 분수에 넘치는 데가 있다. ㉠어쭙잖은 행동.

***어찌** **1** 어떠한 이유로. ㉠어찌 걱정이 안 되겠습니까. **2** 어떠한 방법으로. ㉠그 문제를 어찌 풀었니. **3** '어떻게'의 뜻. ㉠책이 어찌 많은지.

어찌나 '어찌'를 강조한 말.

어찌하다 어떻게 하다.

어찔하다 갑자기 머리가 띵하며 어지럽다. ㉶아찔하다.

어차피 (於此彼) 이렇게 하든지 저렇게 하든지. ㉠어차피 알려질 일이다. ㊝어차어피에.

어처구니없다 [어처구니업따] 일이 너무 뜻밖이어서 기가 막히다. ㉠또 속다니 어처구니없구나.

어처구니없이 [어처구니업씨] 어처구니없게. ㊐어이없이.

***어촌** (漁村) 어업을 주로 하는 사람들이 사는 바닷가 지역이나 마을. ㉠어촌 생활. ㊐갯마을.

-어치 그 값에 맞는 분량이나 정도. ㉠만 원어치.

어ː투 (語套) 말버릇. 말투. ㉠화가 난 어투로 말을 하다.

어패류 (魚貝類) 생선과 조개 종류를 통틀어 일컫는 말. 단백질과 비타민 등이 많고 맛이 좋으며 살이 연함.

어ː폐 (語弊) [— / 어페] **1** 적절하지 않은 말을 사용하여 일어나는 폐단이나 결점. **2** 남의 오해를 받기 쉬운 말.

어필 (appeal) **1** 흥미를 불러일으키거나 매력을 느끼게 함. **2** 운동 경기에서, 심판의 판정에 대해 항의함. **—하다.**

어ː학 (語學) **1** 언어를 연구하는 학문. ㉠어학자. **2** 외국어를 배우는 일. ㉠어학 공부. ㊝언어학.

***어항** (魚缸) 물고기를 기르는 데 쓰는, 유리로 만든 항아리.

어허 **1** 미처 생각하지 못한 일을 깨달았을 때 내는 소리. ㉠어허, 참 그렇군. ㉶아하. **2** 못마땅하거나 불안할 때 내는 소리. ㉠어허, 그러지 말라니까.

어험 의젓함을 나타내거나 기척을 내려고 일부러 내는 헛기침 소리.

어획 (漁獲) 수산물을 잡거나 채취함. 또는 그 수산물. ㉠어획고 / 어획물. **—하다.**

어획량 (漁獲量) [어휑냥] 잡거나 채취한 수산물의 양. ㉠해양 오염으로 해마다 어획량이 준다.

어ː휘 (語彙) 낱말의 수효. ㉠어휘가 풍부한 사전.

어흥 **1** 호랑이가 우는 소리. **2** 아이를 겁내게 하기 위하여 호랑이의 우는 소리를 흉내 내는 소리.

억[1] 갑자기 놀라거나 쓰러질 때 내는 소리. ㉠억 소리를 지르며 고꾸라졌다.

***억**[2] (億) 만의 만 배. ㉠일억 원.

억누르다 [엉누르다] **1** 어떤 감정 따위가 일어나거나 나타나지 않도록 억지로 참다. ㉠부모를 잃은 슬픔을 억누르다. **2** 자유롭게 행동하지 못하도록 압력을 가하다. ㉥백성들을 억누르다 / 자유를 억누르다. [활용] 억눌러 / 억누르니.

억눌리다 [엉눌리다] 억누름을 당하다. ㉥억눌려 지내다.

억류 (抑留) [엉뉴] 억지로 머무르게 함. **—하다.**

억만장자 (億萬長者) [엉만장자] 헤아리기 어려울 만큼 재산이 아주 많은 사람.

억ː새 [억쌔] 볏과의 여러해살이풀. 7~9월에 자줏빛을 띤 노란색의 꽃이 핌. 잎은 가늘고 길며, 마소의 먹이로 쓰임.

〈억새〉

억설 (臆說) [억썰] 아무 근거 없이 추측을 하거나 억지를 부려 하는 말. **—하다.**

억세다 [억쎄다] **1** 식물의 잎이나 줄기가 뻣뻣하고 세다. ㉥억세고 질긴 줄기. **2** 힘이 몹시 세다. ㉥억센 손. **3** 뜻이나 성질이 굳고 세차다. ㉥기질이 억세다.

억수 [억쑤] 물을 퍼붓듯이 세차게 내리는 비. ㉥비가 억수로 쏟아지다. [작] 악수.

억압 (抑壓) [어갑] 힘으로 억누름. ㉥억압 정책. **—하다.**

억양 (抑揚) [어걍] **1** 음악에서 소리의 높낮이와 강약. **2** 말의 높낮이와 강약. 말하는 사람의 감정·의도에 따라 달라짐.

억울하다 (抑鬱—) [어굴하다] 분하고 가슴이 답답하다. ㉥억울한 누명을 뒤집어쓰다.

억장 [억짱] '가슴'의 속된 말.

억장이 무너지다 몹시 분하거나 슬픈 일이 있어 가슴이 무너지는 듯하다.

억제하다 (抑制—) [억쩨하다] **1** 억눌러서 일어나지 못하게 하다. ㉥울컥 솟구치는 감정을 억제하다. **2** 억지로 못하게 하다. ㉥물가가 오르는 것을 억제하다.

억지 [억찌] 자기의 생각이나 행동을 무리하게 내세우는 고집. ㉥억지를 부리다 / 억지를 쓰다. [작] 악지. **—스럽다.**

억지(가) 세다 무리한 고집을 부리는 힘이 세다.

억지(를) 세우다 무리하게 억지를 부리다.

***억지로** [억찌로] 강제로. 무리하게. ㉥억지로 밥을 먹이다.

억척 일을 하는 태도가 매우 모질고 끈덕짐. 또는 그런 사람. ㉥억척을 떨다 / 억척으로 공부하다. [작] 악착.

억척같다 [억척깓따] 아주 끈덕지고 모질다. [작] 악착같다.

억척같이 [억척까치] 억척같게. ㉥억척같이 일을 하다. [작] 악착같이.

억척스럽다 [억척쓰럽따] 일을 하는 태도가 매우 굳세고 끈덕지다. ㉥밤낮으로 억척스럽게 일하다. [작] 악착스럽다. [활용] 억척스러워 / 억척스러우니.

억측 (臆測) 이유와 근거가 없이 추측함. 또는 그런 추측. ㉥터무니없는 억측에 불과하다. **—하다.**

언감생심 (焉敢生心) 감히 그런 마음을 먹을 수도 없음. ㉥언감생심 내 앞에서 그런 말을 하느냐.

언급 (言及) 어떤 일에 대해서 말함. ㉥언급을 피하다. **—하다.**

***언니** **1** 여형제 사이에서, 나이가 위인 사람을 부르는 말. ㉥사촌 언니. **2** 오빠의 아내를 부르는 말. **3** 여자들 사이에서, 자기보다 나이가 많은 사람을 정답게 부르는 말.

***언덕** 땅이 좀 높고 비탈진 곳. ㉥언덕 위에 올라서면 마을을 한눈에 볼 수 있다. [비] 구릉. ➲ hill

언덕길 [언덕낄] 언덕에 나 있는

길. ㉡언덕길을 오르다.

언덕배기 [언덕빼기] 언덕의 꼭대기. 또는 언덕의 경사가 심한 곳. ㊥언덕바지.

언도 (言渡) 재판의 결과를 알림. '선고'의 옛 이름. **—하다.**

언동 (言動) 말하는 것과 행동하는 것. ㉡주제넘은 언동을 삼가다. ㊥언행. ㊢언어 행동.

언뜻 [언뜯] **1** 지나는 결에 잠깐 나타나는 모양. ㉡언뜻 눈에 띄다. ㊥얼핏. **2** 생각이나 기억이 문득 떠오르는 모양. ㉡언뜻 떠오른 생각 / 언뜻 기억이 나다.

언론 (言論) [얼론] 말이나 글로써 자기의 생각을 발표하는 일. 또는 그 말이나 글. ㉡언론 매체 / 언론의 자유가 보장되다.

언론 기관 (言論機關) [얼론—] 신문·방송·잡지 등을 통하여 언론을 담당하는 기관. 신문사·방송국·잡지사 따위.

언명 (言明) 자기 뜻을 말로 분명히 나타냄. **—하다.**

언:문 (諺文) 예전에, 한글을 낮잡아 일컫던 말.

언변 (言辯) 말솜씨. 말재주. 구변. ㉡언변이 좋다 / 대단한 언변이군.

언사 (言辭) 말이나 말씨. ㉡모욕적인 언사.

언성 (言聲) 말하는 목소리. ㉡언성을 높이지 말고 조용히 말해라.

언약 (言約) [어냑] 말로 약속함. 또는 그 약속. ㉡잊지 말자고 굳게 언약하다. ㊥약속. **—하다.**

***언어** (言語) [어너] **1** 사람의 생각·감정을 표현하는 소리나 글자 따위의 수단과 체계. ㊥말. **2** 어떤 개념을 나타내도록 조직된 기호의 체계. ㉡컴퓨터 언어.

언어생활 (言語生活) [어너생활] 인간의 생활 가운데 말하거나 듣거나 쓰거나 읽거나 하는 언어와 관련된 부분.

언쟁 (言爭) ⇨말다툼. **—하다.**

언저리 어떤 곳이나 사물의 둘레의 부근. ㉡입 언저리에 뾰루지가 나다.

***언:제** **1** 어느 때에. ㉡언제 올까 / 바다는 언제 보아도 푸르다. **2** 어느 때. ㉡신학기는 언제부터냐 / 언제는 좋다고 하더니. ➡ when

***언:제나** **1** 어느 때에나. 아무 때고. ㉡생각나면 언제나 와도 좋다. **2** 끊임없이. 계속해서. ㉡언제나 웃는 모습이다. **3** 어느 때가 되어야. ㉡방학은 언제나 오려나. ㊥항상.

언:제든지 어느 때든지. 아무 때나. ㉡언제든지 궁금한 것이 있으면 물어보렴.

언:젠가 **1** 어느 때에 가서는. ㉡언젠가는 다시 만나게 되겠지. **2** 이전 어느 때에. ㉡언젠가 그를 본 일이 있다. ㊢언제인가.

언중유골 (言中有骨) [언중뉴골] 예사로운 말 속에 단단한 뼈 같은 속뜻이 들어 있다는 말.

언질 (言質) 나중에 꼬투리나 증거가 될 말. ㉡결혼한다는 언질을 받았다 / 언질을 주다.

언짢다 [언짠타] 마음에 들지 않거나 불쾌하다. ㉡언짢은 기색.

언:해본 (諺解本) 한문으로 된 내용을 한글로 풀어서 쓴 책. ㉡훈민정음 언해본.

언행 (言行) 말과 행동. ㉡언행을 살피다. ㊥언동. ㊢언어 행동.

언행일치 (言行一致) 말과 행동이 서로 같음. 또는 말한 대로 실행함. **—하다.**

***얹다** [언따] **1** 물건을 다른 물건 위에 올려놓다. ㉡선반 위에 그릇을 얹다. **2** 일정한 분량이나 액수에 얼마 정도 더 덧붙이다. ㉡덤으로 몇 개를 얹어 주다. **3** 윷놀이에서, 한 말을 다른 말과 합치다.

얹히다 [언치다] **1** 다른 것 또는 높

은 곳에 올려놓이다. **2** 먹은 음식이 체하다. ㉥저녁 먹은 것이 얹히다. **3** 남에게 신세를 지다. ㉥한동안 선생님 댁에 얹혀 지냈다.

*__얻ː다__ [얻따] **1** 거저 주는 것을 받아 가지다. ㉥친구에게서 책을 얻다. **2** 구하거나 찾아 가지다. ㉥과반수의 찬성을 얻다. **3** 보고 들어 자기의 것으로 만들다. ㉥교훈을 얻다. **4** 꾸거나 빌리다. ㉥방을 얻다. **5** 힘 따위를 가지게 되다. ㉥힘을 얻다/자신을 얻다. ➲get

얻ː어듣다 [어더듣따] 남이 하는 말을 우연히 들어 알다. ㉥얻어들은 이야기.

얻ː어맞다 [어더맏따] 남에게 매를 맞다. ㉥따귀를 얻어맞다.

얻ː어먹다 [어더먹따] **1** 남의 음식을 거저 먹거나 빌어서 먹다. **2** 욕을 듣게 되다.

*__얼ː__ 정신. 넋. ㉥민족의 얼.

얼간이 [얼가니] 똑똑하지 못하고 모자라는 사람. ㉤얼간.

얼ː갈이 [얼가리] **1** 겨울에 논이나 밭을 대강 갈아엎는 일. **2** 푸성귀를 늦가을이나 초겨울에 심는 일. 또는 그 푸성귀. **―하다.**

얼개 짜임새나 구조. ㉥기계의 얼개. ㉥비구조.

*__얼굴__ **1** 눈·코·입이 있는 머리의 앞면. ㉥얼굴을 씻다. **2** 얼굴의 생긴 모양. ㉥잘생긴 얼굴. 비용모. **3** 체면. 명예. ㉥얼굴이 깎이다. **4** 마음속의 생각이나 느낌 따위가 겉으로 드러난 표정이나 모습. ㉥기쁜 얼굴을 하다. ➲face

얼굴에 먹칠을 하다 체면을 깎다. 창피를 당하게 하다.

얼굴을 내밀다〔내놓다, 비치다〕 모임 따위에 모습을 나타내다.

얼굴을 팔다 잘난 것을 이용하여 이득을 얻다. ㉥정치가가 얼굴을 팔고 다니다니.

얼굴을 하다 표정을 짓다. ㉥싫은 얼굴을 하다.

얼굴이 두껍다 뻔뻔스럽다. 낯가죽이 두껍다. ㉥아무리 얼굴이 두껍다지만 그런 말을 어떻게 할 수 있을까.

얼굴이 뜨겁다 부끄럽거나 창피해서 남을 볼 면목이 없다.

얼굴이 팔리다 세상에 널리 알려지게 되다. 유명해지다.

얼굴이 피다 얼굴에 살이 오르고 환한 빛이 돌아 예뻐지다.

얼굴빛 [얼굴삗] 얼굴에 나타나는 표정이나 빛깔. ㉥얼굴빛이 밝다/얼굴빛이 변하다. 비낯빛. 안색.

얼근하다 **1** 맛이 매워서 입 안이 얼얼하다. ㉥얼근한 매운탕. **2** 술이 거나하여 정신이 어렴풋하다. 작알근하다. 거얼큰하다.

얼근히 얼근하게. ㉥얼근히 술에 취하다.

얼기설기 이리저리 뒤섞여 얽힌 모양. ㉥실이 얼기설기 얽히다. 작알기살기. 거얼키설키.

*__얼ː다__ **1** 찬 기운을 만나 고체 상태로 굳어지다. ㉥물이 얼다. **2** 추위로 몸의 감각이 없어지다. ㉥손이 꽁꽁 얼다. **3** 지나치게 긴장하여 얼떨떨해지다. ㉥마이크 앞에 서자 얼어서 말이 안 나왔다. 활용 얼어/어니/어는.

얼떨결 [얼떨껼] 뜻밖의 일을 갑자기 당하거나 여러 가지가 복잡하여 정신을 가다듬지 못하는 사이. ㉥얼떨결에 말해 버렸다. ㉤얼결.

얼떨떨하다 매우 얼떨하다. ㉥느닷없는 일이라서 얼떨떨하다.

얼떨하다 뜻밖의 일을 갑자기 당하거나 복잡하여 정신이 없다.

얼ː뜨다 다부지지 못하고 어수룩하다. 활용 얼떠/얼뜨니.

얼렁뚱땅 슬쩍 속이면서 대충 넘기는 모양. ㉥얼렁뚱땅 넘어가다/

얼렁뚱땅 일을 해치우다. 비 엄벙뗑. 작 알랑똥땅. **—하다.**

얼레 실·연줄·낚싯줄 따위를 감는 기구. 예 얼레를 감다 / 얼레를 풀다.

〈얼레〉

얼레빗 [얼레빋] 빗살이 굵고 성긴 큰 빗. 반 참빗.

***얼룩** **1** 본바탕에 다른 빛이 뚜렷하게 섞인 자국. **2** 액체가 스며들어서 더러워진 자국. 예 얼룩을 빼다 / 얼룩이 생기다.

얼룩덜룩 [얼룩떨룩] 여러 가지 짙은 빛깔의 점이나 무늬 따위가 고르지 않게 나 있는 모양. 작 알록달록. **—하다.**

얼룩말 [얼룽말] 말과의 짐승. 말과 비슷한데 조금 작음. 희거나 좀 누런 바탕의 온몸에 검은색 줄무늬가 있음. 초원에 떼를 지어 사는데, 성질이 사나워 길들이기 어려움. ➡ zebra

〈얼룩말〉

얼룩무늬 [얼룽무니] 본바탕에 다른 빛깔의 점이나 줄 따위가 뚜렷하게 섞인 무늬.

얼룩소 [얼룩쏘] 털빛이 얼룩얼룩한 소.

얼룩얼룩 [얼루걸룩] 여러 가지 짙은 빛깔의 점이나 무늬가 고르게 나 있는 모양. 작 알록알록. **—하다.**

얼룩지다 [얼룩찌다] 얼룩이 생기다. 예 눈물로 얼룩진 얼굴. 본 어루러기지다.

***얼른** 시간을 끌지 않고 곧. 빨리. 어서. 예 늦기 전에 얼른 가거라.

얼리다 얼게 하다. 예 물을 얼리다.

***얼마** **1** 모르는 수량이나 정도. 예 모두 얼마인가. **2** 정하지 않은 수량이나 정도. 예 얼마 안 되지만 넣어 두렴. **3** 뚜렷하게 밝힐 필요가 없는 적은 수량이나 값 또는 정도. 예 재고가 얼마 남지 않았다.

얼마간 (一間) **1** 그리 많지 않은 수량이나 정도. 예 얼마간의 양의 차이. **2** 그리 길지 않은 시간 동안. 예 얼마간 묵었다가 오겠다.

***얼마나** **1** 얼마가량이나. 예 길이가 얼마나 되느냐. **2** 느낌이나 감탄의 정도가 매우 큼을 나타내는 말. 예 얼마나 아플까.

얼마만큼 얼마쯤 되게.

얼버무리다 **1** 분명하게 말하지 아니하다. 예 대답을 적당히 얼버무리다. **2** 음식을 잘 씹지 않고 삼키다.

얼ː빠지다 정신이 없어지다. 예 얼빠진 표정 / 얼빠진 사람.

얼싸안다 [얼싸안따] 두 팔을 벌려 껴안다. 예 얼싸안고 기뻐하다.

얼씨구 **1** 흥에 겨워서 떠들 때에 장단을 가볍게 맞추며 내는 소리. 예 얼씨구 좋다. **2** 보기에 눈꼴사나워 비꼬는 뜻으로 내는 소리. 예 얼씨구, 그걸 말이라고 하니.

얼씬 어떤 것이 눈앞에 잠깐 나타났다가 사라지는 모양. 예 이젠 내 앞에 얼씬도 하지 마라. 작 알씬.

얼씬거리다 눈앞에 자꾸 나타났다가 사라지다. 작 알씬거리다.

얼어붙다 [어러붇따] **1** 얼어서 꽉 들러붙다. 예 너무 추워서 수도가 얼어붙었다. **2** 긴장이나 무서움 등으로 몸 따위가 굳어지다. 예 많은 사람들 앞에 서니 입이 얼어붙어 말이 잘 나오지 않는다.

얼얼하다 [어럴하다] **1** 맛이 아주 맵거나 독하여 혀끝이 아리고 쓰라리다. **2** 상처 따위로 몹시 아리다. 작 알알하다.

***얼음** [어름] 물이 얼어 굳어진 것. 예 얼음 조각 / 얼음이 얼다 / 얼음이 녹다. →어름 주의 ➡ ice

얼음과자 (—菓子) [어름과자] 설탕물에 과실즙이나 향료 등을 섞어 얼려 만든 과자. ㉥얼음과자가 불티나게 팔린다. 비 빙과.

얼음물 [어름물] 얼음을 띄워 차게 한 물.

얼음장 [어름짱] 넓은 얼음 조각. ㉥방바닥이 얼음장 같다.

얼음주머니 [어름쭈머니] 얼음을 넣은 주머니. 열이 높은 환자의 머리에 얼음찜질을 할 때 씀.

얼음지치기 [어름지치기] 얼음 위를 미끄러져 달림. 또는 그런 운동이나 놀이. **—하다.**

얼음판 [어름판] 얼음이 마당처럼 넓게 언 곳. ㉥얼음판에서 미끄러져 넘어지다.

얼쩡거리다 하는 일도 없이 자꾸 돌아다니다. 작 알짱거리다.

얼쩡얼쩡 얼쩡거리는 모양. 작 알짱알짱. **—하다.**

얼추 **1** 대강. 대충. ㉥바쁜 일이 얼추 끝났다. **2** 거의 가깝게. ㉥얼추 다 왔다.

얼치기 **1** 이것도 저것도 아닌 중간의 것. **2** 탐탁하지 않은 사람. **3** 이것저것이 조금씩 섞인 것.

얼크러지다 일이나 물건이 서로 얽히다. ㉥털실이 얼크러지다.

얼큰하다 **1** 매워서 입 안이 얼얼하다. ㉥얼큰한 매운탕. **2** 술이 많이 취해 정신이 어렴풋하다. 작 알큰하다. 여 얼근하다.

얼키설키 이리저리 몹시 뒤얽혀 있는 모양. ㉥얼키설키 얽힌 밧줄. 작 알키살키. 여 얼기설기.

얼토당토아니하다 **1** 전혀 관계가 없다. 아주 가당찮다. ㉥얼토당토아니한 사람. **2** 전혀 합당하지 않다. ㉥얼토당토아니한 이야기. 준 얼토당토않다.

얼핏 ⇨언뜻1. ㉥얼핏 보기에도 가짜로 보인다.

얽다¹ [억따] **1** 노끈이나 줄 따위로 이리저리 걸어서 묶다. **2** 없는 일을 있는 것처럼 꾸미다. 발음 얽고[얼꼬] / 얽어서[얼거서] / 얽은[얼근].

얽다² [억따] **1** 얼굴에 마맛자국이 있다. **2** 물건의 거죽에 흠이 많이 나다. 발음 얽고[얼꼬] / 얽어서[얼거서] / 얽은[얼근].

얽매다 [엉매다] **1** 얽어서 매다. **2** 자유를 구속하다. ㉥먹고사는 일이 나를 얽매고 있다.

얽매이다 [엉매이다] **1** 얽혀서 매이다. ㉥밧줄에 손과 발이 얽매이다. **2** 어떤 일에 걸리어서 자유롭지 못하다. ㉥낡은 인습에 얽매이다.

얽어매다 [얼거매다] **1** 얽어서 매다. ㉥죄인을 밧줄로 얽어매다. **2** 사람을 마음대로 행동하지 못하게 몹시 구속하다.

얽히다 [얼키다] **1** 긴 가지나 줄 따위가 이리저리 엇걸리거나 감기다. ㉥밧줄이 얽히다. **2** 생각 등이 복잡하게 뒤섞이다. ㉥뒤숭숭하게 얽힌 생각들.

얽히고설키다 이리저리 얽히다.

엄격하다 (嚴格—) [엄껴카다] 말이나 행동이 엄하고 철저하다. ㉥엄격한 심사 / 엄격한 통제 / 엄격한 가정에서 자라다.

엄격히 (嚴格—) [엄껴키] 엄격하게. ㉥공과 사를 엄격히 구별하다.

엄금 (嚴禁) 엄하게 금지함. ㉥잡상인의 출입을 엄금하다 / 통행을 엄금하다. **—하다.**

엄동설한 (嚴冬雪寒) 눈이 오고 몹시 추운 겨울. 준 엄한.

엄두 무엇을 하려고 용감하게 나서는 마음. ㉥감히 엄두를 못 내다.

***엄마** 어린이가 '어머니'를 부르는 말. 반 아빠. ➡ mom(my)

엄명 (嚴命) 엄하게 명령함. 또는 그 명령. ㉥엄명을 내리다. **—하다.**

엄밀하다 (嚴密—) 엄격하고 세밀

하다. ㉥엄밀한 검토를 하다.
엄벌 (嚴罰) 엄하게 벌을 줌. 또는 그 벌. ㉥엄벌에 처하다. **—하다.**
엄벙덤벙 뚜렷한 생각 없이 함부로 덤벙이는 모양. **—하다.**
엄살 아픔·어려움을 거짓으로 꾸미거나 보태어서 나타내는 태도. ㉥엄살을 부리다 / 엄살이 심하다. ㉶암살. **—하다.**
엄살꾸러기 엄살을 잘 부리는 사람을 낮잡아 이르는 말.
엄선 (嚴選) 엄격하고 공정하게 가려 뽑음. ㉥엄선된 작품. **—하다.**
엄수 (嚴守) 명령이나 약속 따위를 어기지 않고 반드시 지킴. ㉥시간 엄수. **—하다.**
엄숙하다 (嚴肅—) [엄수카다] **1** 장엄하고 정숙하다. ㉥기념식을 엄숙하게 거행하다. **2** 위엄 있고 정중하다. ㉥엄숙한 태도.
엄숙히 (嚴肅—) [엄수키] 엄숙하게. ㉥엄숙히 선언하다.
엄:습 (掩襲) 갑자기 습격함. ㉥피로가 엄습해 오다 / 한파가 엄습하다. **—하다.**
엄연하다 (儼然—) [어면하다] **1** 사실이나 현상이 명백하다. ㉥누가 뭐라 해도 그건 엄연한 사실이다. **2** 겉모양이 의젓하고 점잖다. ㉥엄연한 태도.
엄정하다 (嚴正—) 엄격하고 바르다. ㉥엄정하게 다스리다 / 엄정한 심사를 거친 작품.
엄중하다 (嚴重—) 몹시 엄하다. ㉥엄중하게 처벌하다.
엄중히 (嚴重—) 엄중하게. ㉥엄중히 경계하다.
엄지 '엄지손가락'의 준말.
엄지발가락 [엄지발까락] 발가락 중에서 가장 크고 굵은 첫째 발가락. ㊟엄지발.
엄지벌레 ⇨어른벌레.
엄지손가락 [엄지손까락] 손가락 중에서 가장 굵고 짧은 첫째 손가락. ㊥무지. ㊟엄지. ➲ thumb
엄청 양이나 정도가 아주 지나치게. ㉥엄청 길다 / 엄청 무섭다.
***엄청나다** 생각보다 대단하다. ㉥값이 엄청나다 / 엄청나게 크다.
엄:포 남을 실속 없는 호령이나 위협으로 으르는 짓.
엄포(를) 놓다 남을 실속 없는 말로 으르다.
엄하다 (嚴—) **1** 잘못되지 않도록 단속이 심하다. ㉥엄한 가정교육 속에서 자라다. **2** 매우 심하다. ㉥엄한 처벌.
엄히 (嚴—) 엄하게. ㉥잘못을 엄히 꾸짖다.
업 (業) **1** '직업'의 준말. **2** 불교에서, 전생에 지은 선악으로 말미암아 현재에서 받는 모든 일.
-업 (業) '직업·업종'임을 뜻하는 말. ㉥생산업 / 운수업.
업계 (業界) [업계 / 업께] 같은 산업이나 상업을 직업으로 하는 사람들의 사회. ㉥자동차 업계.
***업다** [업따] **1** 사람이나 물건 따위를 등에 지다. ㉥동생을 업다. **2** 어떤 세력을 배경으로 삼다. ㉥할아버지의 지위를 등에 업고 출세하다. **3** 윷놀이에서, 한 말에 다른 말을 어우르다.
업어 가도 모르다 잠이 깊이 들어 웬만한 일에는 깨어나지 못하는 상태에 있다.
업무 (業務) [엄무] 직장 따위에서 맡아서 하는 일. ㉥업무 보고 / 업무가 너무 많다.
업보 (業報) [업뽀] 불교에서, 전생에 지은 선악으로 말미암아 현재에서 받는 불행이나 죗값.
업:신여기다 [업씬녀기다] 잘난 척하려는 마음에서 남을 낮추보거나 얕잡아보다. ㉥남을 업신여기지 마라.

업ː신여김 [업씬녀김] 남을 업신여기는 일. ㊟업심.

업적 (業績) [업쩍] 일을 해 놓은 성과. ㊎업적을 쌓다 / 많은 업적을 남기고 세상을 떠나다.

업히다 [어피다] **1** 업음을 당하다. ㊎엄마 등에 업힌 아기. **2** 남의 등에 업게 하다. ㊎딸아이에게 아기를 업히다.

*__없ː다__ [업따] **1** 남지 않다. ㊎다 쓰고 없다. **2** 가지지 않다. ㊎돈도 없고 집도 없다. **3** 가난하다. ㊎없는 살림. **4** 죽고 살아 있지 않다. ㊎부모가 없는 아이. **5** 있지 아니하다. ㊎구름 한 점 없는 하늘. ㊥있다. →있다 참고

*__없ː애다__ [업쌔다] 없어지게 하다. ㊎남녀 차별을 없애다.

*__없ː어지다__ [업써지다] 없게 되다. ㊎책상 위의 지우개가 없어지다.

*__없ː이__ [업씨] **1** 없게. 없는 상태로. ㊎생각이 없이 날뛰다. **2** 가리지 않고. ㊎어른 애 없이 반기다. **3** 가난하게. ㊎없이 사는 이 설움을 누가 알까.

엇- [얻] '비뚜로·어긋나게·조금' 따위의 뜻을 나타내는 말. ㊎엇각 / 엇나가다 / 엇비슷하다.

엇각 (-角) [얻깍] 한 직선이 다른 두 직선과 만날 때, 서로 반대쪽에서 마주 보는 각. 만난 두 직선이 평행일 때, 엇각의 크기는 같음.

엇갈리다 [얻깔리다] 서로 빗나가다. ㊎길이 엇갈리다.

엇걸리다 [얻껄리다] 서로 어긋나게 걸리다.

엇나가다 [언나가다] **1** 금이나 줄 따위가 비뚜로 나가다. **2** 말과 행동이 상대편을 어기어 나가다.

엇메다 [언메다] 이쪽 어깨에서 저쪽 겨드랑이 밑으로 걸어서 메다.

엇바꾸다 [얻빠꾸다] 서로 바꾸다.

엇비슷이 [얻삐스시] 엇비슷하게.

엇비슷하다 [얻삐스타다] **1** 거의 같다. ㊎엇비슷하여 구별이 잘 안 된다. **2** 약간 비스듬하다. ㊎오이를 엇비슷하게 썰다.

엇시조 (旕時調) [얻씨조] 초장·중장이 평시조보다 글자 수가 더 많은 시조. 종장은 변화가 없음.

엉거주춤 **1** 앉지도 서지도 않고 몸을 반쯤 굽힌 모양. ㊎엉거주춤 서 있다. **2** 이러지도 저러지도 못하고 망설이는 모양. ㊎엉거주춤하면서 눈치만 살피다. **—하다.**

엉겁결에 [엉겁껴레] 자기도 모르는 사이에 갑자기. ㊎엉겁결에 소리를 지르다.

엉겅퀴 국화과의 여러해살이풀. 높이는 1 m 정도, 잎에 센 가시털이 있고, 초여름에 자줏빛 꽃이 핌. 줄기와 잎은 약으로 쓰거나 먹음.

〈엉겅퀴〉

엉금엉금 [엉그멍금] 몸이 큰 사람이나 동물이 느리고 굼뜨게 기어가는 모양. ㊎거북이가 엉금엉금 기어가다. ㊔앙금앙금. ㊀엉큼엉큼.

엉기다 **1** 액체나 가루 따위가 한데 뭉쳐 굳어지다. ㊎기름이 엉기어 붙다. **2** 무엇이 한데 뒤얽히다.

엉ː덩방아 넘어져 털썩 주저앉으면서 엉덩이를 바닥에 부딪치는 일. ㊎빙판에서 미끄러져 엉덩방아를 찧었다.

*__엉ː덩이__ 볼기의 윗부분. ㊎엉덩이에 주사를 맞다. ㊇둔부. →궁둥이

주의

엉덩이가 근질근질하다 일어나거나 움직이고 싶어서 가만히 앉아 있을 수가 없다.

엉덩이가 무겁다〔질기다〕 한번 자리를 잡고 앉으면 좀처럼 일어나지 아니한다.

엉덩이를 붙이다 한군데에 자리 잡고 머무르다. 또는 한군데에 오래 앉아 있다.

엉뚱하다 **1** 격에 맞지 않는 말이나 행동을 하다. ⓔ엉뚱한 욕심을 부리다. **2** 짐작하거나 생각한 것과 전혀 다르다. ⓔ엉뚱한 대답을 하다.

엉망 일이나 물건이 손댈 수 없을 만큼 어수선한 모양. ⓔ일이 엉망이 되었다.

엉망진창 '엉망'의 힘줌말.

엉성하다 **1** 꼭 짜이지 않다. ⓔ짜임새가 엉성하다. **2** 형태나 내용이 부실하다. ⓔ엉성한 물건이 값만 비싸다. **3** 뼈만 남도록 버쩍 마르다. 작 앙상하다.

엉엉 목을 놓아 우는 모양. ⓔ땅을 치며 엉엉 울다. 작 앙앙. **—하다.**

엉클다 **1** 실·줄 따위가 서로 뒤얽혀서 풀리지 않게 하다. **2** 일을 서로 뒤섞어서 갈피를 잡을 수 없게 하다. 거 헝클다. 활용 엉클어 / 엉크니 / 엉크는.

엉클어뜨리다 [엉크러뜨리다] 엉클어지게 하다. 거 헝클어뜨리다.

엉클어지다 [엉크러지다] **1** 실이나 줄, 물건 따위가 뒤섞여 어지럽게 되다. ⓔ실이 엉클어지다. **2** 일이나 문제 따위가 뒤섞여 갈피를 잡을 수 없게 되다. 준 엉키다. 거 헝클어지다.

엉큼하다 엉뚱한 속셈으로 도에 넘치는 일을 하는 태도가 있다. ⓔ엉큼한 생각을 품다. 작 앙큼하다.

엉키다 '엉클어지다'의 준말. ⓔ머리카락이 엉키다.

엉터리 **1** 터무니없는 말이나 행동을 하는 사람. ⓔ그는 정말 엉터리야. **2** 보기와 다르게 실속이 없는 조잡한 물건. ⓔ엉터리 시계.

엊그저께 [얻끄저께] 이삼 일 전. 어제 그저께. 준 엊그제.

엊그제 [얻끄제] '엊그저께'의 준말. ⓔ엊그제 고향에 다녀왔다.

엎다 [업따] **1** 위아래가 반대가 되도록 뒤집다. ⓔ그릇을 씻어 엎어 놓다. **2** 일 따위를 망쳐 버리다. **3** 속에 든 것이 쏟아지게 하다. ⓔ대접을 엎어 국이 쏟아지다.

엎드러지다 [업뜨러지다] 잘못하여 앞으로 넘어지다. ⓔ돌부리에 걸려 앞으로 엎드러졌다.

*__엎드리다__ [업뜨리다] 몸의 앞부분을 길게 바닥에 붙이거나 가까이하다. ⓔ방바닥에 엎드려서 책을 읽다. 준 엎디다.

엎어지다 [어퍼지다] **1** 앞으로 넘어지다. ⓔ돌부리에 걸려 엎어지다. **2** 위아래가 뒤집히다. ⓔ재떨이가 폭삭 엎어지다.

엎지르다 [업찌르다] 물 따위의 액체가 그릇 밖으로 쏟아지게 하다. 활용 엎질러 / 엎지르니.

엎질러지다 [업찔러지다] 액체가 그릇 밖으로 쏟아져 나오게 되다. ⓔ물이 바닥에 엎질러지다.

엎치다 [업치다] '엎다'의 힘줌말.

엎친 데 덮치다 어렵거나 나쁜 일이 겹쳐 일어나다.

엎치락뒤치락 [업치락뛰치락] 자꾸 엎쳤다 뒤쳤다 하는 모양. ⓔ경기가 엎치락뒤치락하다가 결국 우리 편이 이겼다. **—하다.**

에[1] 말하는 중에 뒷말이 곧 나오지 않을 때 내는 군소리.

*__에__[2] **1** 어떤 말 뒤에 붙이어 뒤에 오는 말의 장소·진행 방향·원인 등을 나타내는 말. ⓔ산 위에 뜬 구름 / 학교에 가다. **2** 일정한 조건이나 기준 등을 나타냄. ⓔ규칙에 어긋난 발언 / 분위기에 알맞은 음악. **3** '에다가'의 준말. ➡ at

*__에게__ 사람이나 동물을 나타내는 말 뒤에 붙어, 행동이 미치는 상대편을 나타내는 말. ⓔ친구에게 주어라.

에나멜 (enamel) 쇠붙이나 도자기

그릇 따위에 윤이 나게 바르는 칠.

*에너지 (energy) **1** 인간이 활동하는 근원이 되는 힘. **2** 기계 따위를 움직이게 하는 동력.

에너지원 (energy源) 에너지의 근원이 되는 것.

에너지 자원 (energy資源) 생활에 필요한 에너지를 만들어 내는 물질. 곧, 석탄·석유·전기·풍력·수력·핵연료 따위.

에너지 전ː환 (energy轉換) 한 형태의 에너지가 다른 형태의 에너지로 바뀌는 것.

에누리 **1** 값을 더 얹어서 부르는 일. 또는 그 물건 값. ㉥에누리 없는 장사. **2** 값을 깎는 일. ㉥천 원만 에누리합시다. **—하다.**

에ː다 **1** 날카로운 연장으로 도려 내듯 베다. ㉥살을 에는 듯한 추위. **2** 마음을 몹시 아프게 하다. ㉥갑자기 가슴을 에는 듯한 슬픔이 몰아쳤다.

에다가 **1** 무엇이 더하여짐을 나타내는 말. ㉥국에다가 밥을 말다. **2** 두는 곳이나 놓는 위치를 나타내는 말. ㉥길모퉁이에다가 우체통을 세우다. **3** '에'를 강조하는 말. ㉥과자에다가 밥에다가 실컷 먹었다. [준] 에. 에다.

에덴 (Eden) 아담과 이브가 죄짓기 전에 살던 낙원. ㉥에덴동산.

에델바이스 (독 Edelweiss) 국화과에 속하는 여러해살이풀. 주로 높은 산에 나는데, 높이 10-20 cm이며 잎과 줄기는 흰 솜털로 덮이고 흰색 꽃이 핌.

에ː돌다 곧바로 가지 않고 멀리 돌다. [활용] 에돌아 / 에도니 / 에도는.

에디슨 (Edison, Thomas Alva) 『인명』 미국의 발명가. 축음기·백열 전구·영사기 등 1,000여 종을 발명하여 '발명왕'이라 불림. [1847-1931]

에라 실망하여 단념하거나 포기할 때 내는 소리. ㉥에라, 모르겠다.

에러 (error) **1** 과실. 실책. 잘못. **2** 컴퓨터에서, 어떤 원인에 의해 잘못된 결과가 나오는 일. 오류.

에메랄드 (emerald) 녹색의 빛이 있는 아름다운 보석. 5월의 탄생석으로 행복을 상징함.

에밀레종 (—鐘) 신라 혜공왕 7년(771) 완성되었으며 지름이 2.27 m, 높이가 3.33 m나 되는, 우리나라 최대의 종. 현재 경주 박물관에 보관되어 있음. 정식 명칭은 '성덕 대왕 신종'. '봉덕사종'이라고도 함. 국보 제29호.

에베레스트 산 (Everest山) 네팔과 티베트와의 국경에 있는 히말라야 산맥의 제일 높은 봉우리. 세계에서 제일 높은 산임. 높이 8,848 m.

에비 어린아이가 위험한 것이나 더러운 것을 만지려고 할 때 말리는 소리. ㉥에비, 만지지 마라.

*에서 어떤 말 뒤에 붙어, 행동이 일어나고 있는 곳 또는 움직임의 출발점을 나타내는 말. ㉥집에서 잔다 / 학교에서 집까지 걸어간다.

에세이 (essay) ⇨수필.

에스 극 (S極) 자석이 가리키는 남쪽 끝. [비] 남극. [반] 엔 극.

에스에프 (SF) 과학적인 공상을 자유롭게 묘사한 소설. 공상 과학 소설.

에스오에스 (SOS) **1** 무선 전신의 조난 신호. 항해 중에 있는 배가 폭풍우 따위를 만나 구조를 요청할 때의 신호. **2** 일반적으로, 도움을 요청하는 신호.

에스컬레이터 (escalator) 사람이 걷지 않아도 위층·아래층으로 오르내릴 수 있게 한 자동식 계단.

에스키모 (Eskimo) 북아메리카의 북극해 연안과 그린란드, 알래스카 등지에 살고 있는 몽고 및 아메리카

인디언 계통의 인종. 살갗은 황색, 머리칼은 검은색이며 '이글루'라는 얼음집에서 살며 고기잡이와 사냥으로 생활함.

에스파냐 (España) 〖국명〗 유럽의 남서부, 이베리아 반도의 대부분을 차지한 공화국. 전통적인 농업국으로, 올리브·포도주가 유명하며, 관광 수입이 특히 많음. 수도는 마드리드. 스페인.

에스페란토 (Esperanto) 폴란드의 안과 의사 자멘호프가 만든 국제어. 라틴계 언어를 중심으로 한 유럽어를 정리한 언어. 자음과 모음의 수는 28개.

에어로빅댄스 (aerobic dance) 에어로빅스 건강법을 춤에 이용한 일종의 미용 건강 체조. 비 에어로빅.

에어로빅스 (aerobics) 달리기·자전거 타기·줄넘기·등산 따위의 운동으로 많은 양의 산소를 흡입하여 심장과 폐의 활동을 돕는 운동법.

에어백 (air bag) 자동차가 충돌했을 때, 순간적으로 부풀어 나와 충격을 완화시켜 사람을 보호하는 공기 주머니.

에어컨 (←air conditioner) 실내의 온도와 습도를 자동으로 조절하는 기계. 우리나라에서는 주로 냉방 장치를 가리킴. 본 에어컨디셔너.

에워싸다 사방을 빙 둘러서 싸다. 예 성을 에워싸다. 비 둘러싸다.

에이 실망하여 단념의 뜻을 나타내는 말. 예 에이, 될 대로 되어라.

에이스 (ace) **1** 제일인자. 최우수 선수. **2** 테니스에서, 서브로 얻은 한 점. **3** 야구에서, 주전 투수. **4** 트럼프·주사위 따위의 한 끗.

에이즈 (AIDS) 주로 비정상적인 성 접촉이나 감염된 피를 통해 옮는, 사망률이 매우 높은 병. 후천성 면역 결핍증.

에이치비 (HB) 연필심의 단단한 정도를 나타내는 기호의 한 가지. 별로 단단하지도 무르지도 않은 중간치의 것. 예 에이치비 연필.

에잇 [에읻] 비위에 거슬려 마음이 언짢을 때 내는 소리. 예 에잇, 속상해 / 에잇, 듣기 싫다.

에취 재채기할 때 나는 소리.

에콰도르 (Ecuador) 〖국명〗 남아메리카 북서쪽 태평양 연안의 나라. 남아메리카 제2의 석유 수출국임. 수도는 키토.

에탄올 (ethanol) 알코올 음료의 주성분. 색이 없고 투명한 액체로 흥분·마취 작용이 있고 쓴맛이 있음. 비 에틸알코올.

에테르 (독 Äther) 탄소·수소·산소로 되어 있는 물질로, 주로 마취제로 쓰임.

에티오피아 (Ethiopia) 〖국명〗 아프리카 북동부에 있는 공화국. 고원 지대이며 기후는 따뜻함. 소·커피·곡물·면화 등의 농목업이 성함. 수도는 아디스아바바.

에티켓 (프 étiquette) 사람들과 어울려 살면서 지켜야 할 행동이나 태도. 예법. 예의. 예절. 예 에티켓을 지키다.

에펠 탑 (Eiffel塔) 프랑스 파리에 있는 철탑. 1889년 만국 박람회 때 프랑스의 건축가 에펠이 설계한 것으로 높이는 312m임.

에피소드 (episode) **1** 이야기·사건 등에서, 줄거리 사이에 끼워 넣은 짧은 이야기. **2** 알려지지 않은 이야기. 일화. 예 에피소드를 들려주다.

에헤 **1** 하찮거나 기막힐 때 내는 소리. **2** 노랫소리를 흥에 겨워 마음 내키는 대로 내는 소리. 예 에헤 금강산 일만 이천봉.

에헤야 노래에서 '에헤'를 멋있게 맺는 소리. 예 에헤야, 좋다.

에헴 점잔을 빼거나 인기척을 낼 때의 헛기침 소리.

엑스 (x) 수학에서 모르는 수, 곧 미지수를 나타내는 데 쓰는 부호. [보기] $5+x=8$.
엑스레이 (X-ray) **1** ⇨엑스선. **2** ⇨엑스선 사진. ⓔ엑스레이 촬영을 하다.
엑스선 (X線) 눈에는 보이지 않으나 물질을 꿰뚫는 힘이 강한 광선. 의학상·학술상 용도가 넓음. 1895년 독일의 뢴트겐이 발견함. [비] 뢴트겐선. 엑스 광선. 엑스레이.
엑스선 사진 (X線寫眞) 엑스선을 이용하여 눈으로 볼 수 없는 물체의 속을 촬영하는 사진. 특히, 폐결핵 진단과 공업 방면 등에 널리 쓰임. [비] 뢴트겐 사진. 엑스레이.
엑스 좌ː표 (x座標) ⇨가로 좌표.
엑스축 (x軸) ⇨가로축.
엑스트라 (extra) 연극이나 영화 촬영 때에 단역을 맡은 임시 고용 배우.
엔 (일 円) 일본의 화폐 단위. 기호는 ¥.
엔간하다 기준에 어지간히 가깝다. ⓔ엔간한 고생이 아니다.
엔간히 엔간하게. ⓔ이제 엔간히 살게 된 모양이다.
엔 극 (N極) 자석이 가리키는 북쪽 끝. [비] 북극. [반] 에스 극.
엔지 (NG) **1** 영화에서, 촬영이 제대로 되지 않음. 또는 그 필름. **2** 방송 따위에서, 녹화나 녹음이 제대로 되지 않음. [참고] 노굿(No good)의 약자임.
엔지니어 (engineer) 기계·전기·토목·건축 따위의 기술자. ⓔ반도체 분야의 엔지니어.
엔진 (engine) 연료를 태워 기계를 움직이는 힘을 내는 장치. 가솔린 엔진·디젤 엔진·제트 엔진 따위. 기관.
엔터 키 (enter key) 컴퓨터에서, 명령이 입력된 것을 알리거나 문장의 줄을 바꿀 때 사용하는 키.
엘리베이터 (elevator) 동력으로 사람이나 화물을 위아래로 운반하는 데 쓰이는 기계 장치. 승강기.
엘리트 (프 élite) 우수한 사람으로 인정되어 사회에서 지도적 위치에 있는 소수의 사람. ⓔ엘리트 사원.
엠브이피 (MVP) 스포츠에서, 최우수 선수.
엠시 (MC) 주로, 방송 프로나 연예 공연을 진행하는 사회자.
***여** (女) '여성'의 준말. [반] 남.
여- (女) 여성임을 나타내는 말. ⓔ여학생 / 여동생.
-여 (餘) 수효나 순서를 뜻하는 말 뒤에 붙어, '그 이상'이라는 뜻을 나타내는 말. ⓔ백여 명.
***여가** (餘暇) 일을하는 가운데 잠시 생기는 자유로운 시간. ⓔ일이 바빠서 여가가 없다.
***여간** (如干) 보통으로. 어지간하게. ⓔ여간 힘든 게 아니다 / 꽃이 여간 탐스럽지 않다.
여간(이) 아니다 보통이 아니고 대단하다. ⓔ고집이 여간 아니다.
여간내기 (如干—) ⇨보통내기.
여간하다 (如干—) 어지간하다. ⓔ여간한 성의가 아니다 / 여간해서 끝나지 않겠다.
여객 (旅客) 기차·배·비행기 따위로 여행하는 사람. ⓔ여객을 수송하다. [비] 길손. 나그네.
여객기 (旅客機) [여객끼] 여행하는 사람을 태워 나르는 비행기.
여객선 (旅客船) [여객썬] 여행하는 사람을 태워 나르는 배.
여ː건 (與件) [여껀] 주어진 조건. ⓔ주위 여건이 좋지 않다.
여고 (女高) '여자 고등학교'의 준말. ⓔ여고에 다니는 언니.
여ː과 (濾過) 거름종이나 여과기를 써서 액체에 섞여 있는 불순물을 걸러 내는 일. **—하다.**
여ː과기 (濾過器) 액체를 거르는

데 쓰는 기구. 비 거르개.

여관(旅館) 돈을 받고 방을 빌려 주어 여행하는 사람을 묵게 하는 집. 예여관에 묵다.

여군(女軍) 여자 군인. 또는 여자 군인으로 조직된 군대. 예여군 장교.

여권[1](旅券) [여꿘] 국가가 해외 여행자의 신분·국적을 증명하고, 상대국에 그 보호를 부탁하는 공문서. 패스포트. 예여권을 신청하다.

여권[2](女權) [여꿘] 사회·정치·법률에서 여자가 가지는 권리.

*여기 **1** 이곳. 예여기를 보세요 / 여기에 있었구나. **2** '이것·이 점'의 뜻으로 하는 말. 예이 문제는 여기가 어렵다. *거기. 저기. ➡here

*여기다 마음속으로 그렇다고 생각하다. 예자랑스럽게 여기다.

*여기저기 이곳저곳에. 예옷가지를 여기저기 늘어놓다.

여뀌 마디풀과의 한해살이풀. 여름에 흰 꽃이 핌. 잎과 줄기는 짓이겨 물에 풀어서 고기를 잡는 데 씀. 잎은 매운맛이 있어 조미료로도 씀.

여남은 [여나믄] 열이 조금 넘는 수. 예여남은 명이 왔다. 비 십여.

여념(餘念) 다른 생각. 예시험 공부에 여념이 없다.

여느 보통의. 예사로운. 예여느 때처럼 / 여느 사람과는 다르다.

여ː닫다 [여닫따] 문을 열고 닫고 하다. 예서랍을 여닫다.

여ː닫이 [여다지] **1** 문을 열고 닫는 일. **2** '미닫이·내리닫이'를 통틀어 이르는 말. → [학습마당] 25(1177쪽)

여담(餘談) 본 줄거리와 관계없는 딴 이야기. 예여담으로 하는 이야기. 비 잡담.

여ː당(與黨) 현재 정권을 잡고 있는 정당. 비 집권당. 반 야당.

여대생(女大生) '여자 대학생'을 줄인 말.

*여덟 [여덜] 일곱에 하나를 더한 수. 예여덟 개 / 여덟 명 / 여덟 살. 비 팔. 발음 여덟이[여덜비] / 여덟은[여덜븐]. ➡eight

여덟째 [여덜째] 순서가 여덟 번째가 되는 차례. 예공연장에 여덟째로 입장했다.

여독(旅毒) 여행으로 생긴 병이나 피로. 예여독이 덜 풀리다.

*여동생(女同生) 여자 동생. 비 누이동생. 반 남동생.

여드레 **1** 여덟 날. **2** '여드렛날'의 준말. 여덟째의 날.

여드름 주로 사춘기의 청소년 얼굴에 나는 검붉고 작은 종기.

*여든 열의 여덟 배. 예연세가 여든이 넘었다. 비 팔십.

여래(如來) '부처'의 높임말.

*여러 수효가 많은. 예여러 번 / 여러 사람.

여러모로 여러 가지 점으로. 여러 방면으로. 예여러모로 도움을 주다 / 여러모로 폐가 많군요.

*여러분 '당신들'의 뜻으로, 여러 사람을 높여서 부르는 말. 예여러분, 만나서 반갑습니다.

여러해살이 [여러해사리] 뿌리나 땅속줄기에서 해마다 줄기나 잎이 돋아나는 식물의 기능. 예여러해살이식물. 비 다년생. *한해살이.

*여럿 [여럳] **1** 많은 사람. 예여럿이 함께 가다. **2** 많은 수. 예그릇이 여럿이면 좋겠다.

여력(餘力) 어떤 일을 하고 남은 힘. 또는 다른 일을 할 수 있는 힘. 예건강을 돌볼 여력이 없다.

여로(旅路) 여행하는 길. 또는 나그네가 가는 길.

여ː론(輿論) 세상 사람의 공통된 의견. 세상 사람들의 의견. 예여론 조사 / 여론을 반영하다. 비 공론. 중론.

여류(女流) 어떤 전문적인 일에 능숙한 여자를 이르는 말. 예여류 시인 / 여류 소설가.

*여름 4 계절의 하나. 달로는 6·7·8월이며, 절기로는 입하부터 입추까지. 몹시 덥고 낮이 길고 밤이 짧음. ㉠여름휴가. ➡ summer

> 참고 여름을 생각나게 하는 것
> 자연 : 나무 그늘, 장마, 소나기, 이슬, 천둥, 뭉게구름, 무지개
> 동물 : 개구리, 매미, 잠자리, 뜸부기, 백로, 뻐꾸기
> 꽃 : 수국, 장미, 창포, 모란, 봉선화, 아카시아, 라일락
> 과일 : 딸기, 복숭아, 수박, 참외
> 채소 : 가지, 오이, 토마토
> 기타 : 모내기, 보리밭, 물놀이, 얼음과자, 맥고모자, 모시, 삼베, 부채, 씨름, 그네뛰기

여름내 온 여름 동안. ㉠여름내 개울에서 놀았다.

*여름 방학 (一放學) [一빵학] 여름에 더위를 피하기 위해 수업을 일정 기간 쉬는 일. 비 하기 방학.

여름새 봄에 우리나라에 와서 여름을 지내며 새끼를 낳은 뒤, 가을에 남쪽으로 가는 철새. 제비·뻐꾸기·두견새 따위. 반 겨울새.

*여름철 계절이 사철 중에서 여름인 때. 비 하절.

*여리다 1 단단하거나 질기지 않고 부드럽거나 연하다. ㉠여린 살코기. 2 의지나 감정 따위가 야물거나 모질지 못하고 무르다. ㉠마음이 여려 잘 운다.

여린내기 여린박으로 시작하는 악곡. 여린내기의 악곡일 때에는, 제일 첫마디와 맨 마지막 마디의 박자가 갖추어져 있지 않아 못갖춘마디가 됨.

여린말 어감이 거세거나 세지 않고 예사소리로 된 말. '쌔근쌔근'에 대한 '새근새근' 따위. 반 센말.

여린박 (一拍) 한 마디 안에서 여리게 연주하는 박자. 반 센박.

여린입천장 (一天障) [여린닙천장] 입천장의 한 부분. 센입천장의 뒤쪽에 있는 연한 곳으로, 코로 음식물이 들어가는 것을 막음. 뒤 끝 중앙에 목젖이 있음. 비 연구개. 반 센입천장.

여:망 (輿望) 여러 사람의 기대. ㉠통일은 온 국민의 여망이다.

여명 (黎明) 1 희미하게 밝아 오는 빛. 또는 그런 무렵. 2 희망의 빛.

여물 1 소나 말을 먹이려고 말려서 썬 짚이나 풀. ㉠여물을 쑤다. 2 흙을 이길 때, 바른 뒤에 갈라지지 않도록 섞는 짚.

여물다 1 일이 잘되어 뒤탈이 없다. ㉠일 처리를 여물게 하다. 2 씨가 익어서 단단해지다. ㉠잘 여문 옥수수. 비 영글다. 활용 여물어 / 여무니 / 여문.

여미다 벌어진 옷깃 따위를 바로잡아 합쳐 단정하게 하다. ㉠옷깃을 여미다.

여배우 (女俳優) 여자 배우. ㉠당대 최고의 여배우. 준 여우[2].

여백 (餘白) 글씨나 그림이 있는 이외의 남은 빈 자리. ㉠여백을 남기다. 비 공백.

여벌 (餘一) 당장 필요한 것 이외에 여분으로 가지고 있는 옷이나 물건. ㉠여벌로 준비해 둔 옷.

*여보 1 자기 아내 또는 남편을 부르는 말. 2 '여보시오'의 낮춤말.

여보세요 1 가까이 있는 사람을 부를 때 쓰는 말. ㉠여보세요, 길 좀 물읍시다. 2 전화를 할 때 상대편을 부르는 말.

여보시오 남을 부를 때 보통으로 높여서 부르는 말.

여봐라 '여기 보아라'의 준말. 손아랫사람을 부를 때 하는 소리. ㉠여봐라, 게 누구 없느냐.

여봐란듯이 [여봐란드시] 이것 좀 보아라 하는 것처럼 뽐내어 자랑함을 이르는 말. ㉎갖출 것 다 갖추고 여봐란듯이 산다.

여ː부 (與否) 그러함과 그렇지 아니함. ㉎그 일의 가능성 여부는 알 수가 없다.

여북 '얼마나·오죽'의 뜻으로 언짢거나 안타까운 경우에 쓰는 말. ㉎여북하면 도둑질을 할까. **—하다.**

여분 (餘分) ⇨나머지.

여비 (旅費) 여행하는 데 드는 돈. ㉎아르바이트를 해서 여비를 마련하다. 비 노비. 노자.

여사 (女史) **1** '결혼한 여자'의 높임말. **2** 사회적으로 이름이 있는 여성의 이름 뒤에 쓰는 말. ㉎김 여사.

여생 (餘生) 앞으로 남은 삶. 나머지의 인생. ㉎여생을 편안히 보내고 싶다. 비 여명.

*__여섯__ [여섣] 다섯보다 하나 많은 수. ㉎여섯 사람. 비 육. ➡ six

여섯째 [여섣째] 다섯째의 다음.

*__여성__ (女性) 여자. 보통 성년에 이른 여자를 이름. 준 여. 반 남성.

여세 (餘勢) 어떤 일이 끝난 뒤의 나머지 세력이나 기세. ㉎전반전의 여세를 몰아 경기를 승리로 이끌었다.

여수 (麗水) 〖지명〗 전라남도에 있는 시. 여수반도 끝에 있는 근대적 항구 도시임. 한려 수도·거문도 따위의 명승지가 있음.

여승 (女僧) 여자 승려. 비 비구니. 반 남승. 높 여스님.

여신 (女神) 여성의 신. 여자 신. ㉎행운의 여신.

여실히 (如實—) 사실과 꼭 같게. ㉎평소의 행동이 여실히 드러나다.

여아 (女兒) **1** 딸. ㉎건강한 여아를 출산하다. **2** 계집아이. 반 남아.

여염집 (閭閻—) [여염찝] 일반 백성의 살림집. ㉎여염집 여자.

여왕 (女王) **1** 여자 임금. ㉎선덕 여왕. ➡ queen **2** 어떤 분야에서 중심되는 위치에 있는 여성을 일컫는 말. ㉎탁구계의 여왕.

여왕개미 (女王—) 알을 낳을 수 있는 암개미. 보통 일개미보다 몸집이 크며 날개가 있고 우두머리임.

여왕벌 (女王—) 알을 낳을 수 있는 암벌. 몸이 크며 벌 사회의 우두머리임. 꿀벌에서는 한 무리에 단 한 마리뿐임. 비 여왕봉. 장수벌. *일벌.

*__여우__[1] **1** 갯과의 짐승. 꼬리가 길고 다리가 짧으며 털빛은 대개 엷은 적갈색임. 몸은 홀쭉하고 주둥이는 길고 뾰족하게 튀어나오고 귀는 뾰족함. 털가죽은 목도리로 많이 씀. ➡ fox **2** 매우 교활하고 변덕스러운 사람을 비유하여 일컫는 말.

〈여우¹1〉

여우[2] (女優) '여배우'의 준말. ㉎여우 주연상.

여운 (餘韻) 일이 끝난 다음에도 아직 가시지 않은 느낌이나 정취. ㉎여운이 남다.

여울 강이나 바다에서 물살이 빠르고 세게 흐르는 곳.

여울목 여울물이 턱진 곳.

여울물 여울을 흐르는 물.

여위다 **1** 몸의 살이 빠져서 얼굴이 파리하게 되다. 작 야위다. **2** 살림살이가 가난하고 구차하게 되다.

> **주의** **여위다**와 **여의다**
> **여위다** 1 몸의 살이 빠지다. ㉎여윈 몸. 2 가난하여 살림이 보잘것없다. ㉎여윈 살림.
> **여의다** 1 죽어서 이별하다. ㉎부모를 여읜 고아. 2 멀리 떠나보내다. **3** 시집보내다. ㉎막내딸을 여의다.

[학습마당] 18

'여자' 라는 낱말에서의 '여' 가 '남녀' 라는 낱말에서는 '녀' 가 되는 까닭

'여' 라는 말은 한자말에 대한 음을 적은 것이다. 그러나 이 한자말의 본래의 음은 '녀' 인데, 이를 우리말로 적을 때에는 말의 첫머리에 오는 닿소리가 특수한 제한을 받는다는 법칙에 따라 '여자' 로 적는 것이다. 이와 같이 특수한 제한을 받기 때문에 일어나는 현상을 '두음 법칙' 이라고 한다.

1. 한자음 '녀, 뇨, 뉴, 니' 가 낱말의 첫머리에 올 적에는 두음 법칙에 따라 '여, 요, 유, 이' 로 적는다.
   여자(×녀자) 요도(×뇨도) 유대(×뉴대) 익명(×닉명)
   (1) 다음과 같은 말에서는 '냐, 녀' 음을 인정한다.
   (엽전 열) 냥 (금 닷) 냥쭝 (몇) 년
   (2) 낱말의 첫머리 이외의 경우에는 본음대로 적는다.
   남녀(×남여) 당뇨(×당요) 은닉(×은익)
   (3) 두 말이 합쳐서 된 말에서 뒷말의 첫소리가 'ㄴ' 소리가 나더라도 두음 법칙에 따라 적는다.
   신여성(×신녀성) 공염불(×공념불) 남존여비(×남존녀비)
2. 한자음 '랴, 려, 례, 료, 류, 리' 가 낱말의 첫머리에 올 적에는 두음 법칙에 따라 '야, 여, 예, 요, 유, 이' 로 적는다.
   양심(×량심) 예의(×례의) 이발(×리발)
   (1) 다음과 같은 말은 본음대로 적는다.
   리(里): 몇 리나 되느냐?
   리(理): 그럴 리가 없다.
   (2) 낱말의 첫머리 이외의 경우에는 본음대로 적는다.
   개량 선량 수력 협력 사례
   혼례 쌍룡 급류 도리 진리
   (3) 홀소리나 'ㄴ' 받침 뒤의 '렬, 률' 은 '열, 율' 로 적는다.
   나열(×나렬) 비율(×비률) 진열(×진렬)
   선율(×선률) 전율(×전률) 백분율(×백분률)
   (4) 준말에서 본음으로 소리나는 것은 본음대로 적는다.
   국련(국제연합) 대한교련(대한교육연합회)
   (5) 두 말이 합쳐 된 말에서 뒷말의 첫소리가 'ㄴ' 또는 'ㄹ' 소리로 나더라도 두음 법칙에 따라 적는다.
   역이용(×역리용) 열역학(×열력학)
   (6) 둘 이상의 낱말로 이루어진 고유 명사나 숫자를 한글로 쓸 때에도 두음 법칙에 따라 적는다.
   서울여관(×서울려관) 육백육십육(×육백륙십륙)
3. 한자음 '라, 래, 로, 뢰, 루, 르' 가 낱말의 첫머리에 올 적에는 두음 법칙에 따라 '나, 내, 노, 뇌, 누, 느' 로 적는다.
   낙원(×락원) 내일(×래일) 노인(×로인)
   (1) 낱말의 첫머리 이외의 경우에는 본음대로 적는다.
   쾌락(×쾌낙) 왕래(×왕내) 연로(×연노)
   (2) 접두사 같은 한자가 붙은 말은 두음 법칙에 따라 적는다.
   중노동(×중로동) 비논리적(×비론리적)

*여유 (餘裕) 1 넉넉하고 남음이 있음. ㉧여유 있는 생활. 2 서두르지 않고 느긋하고 차분하게 판단하는 마음. ㉧여유 있는 태도.

여유롭다 (餘裕—) [여유롭따] 여유가 있다. ㉧여유로운 삶을 누리다. 활용 여유로워 / 여유로우니.

여유만만 (餘裕滿滿) 아주 여유가 있음. ㉧여유만만한 태도. —하다.

여의다 [— / 여이다] 1 죽어서 이별하다. ㉧부모를 여의다. 2 멀리 떠나보내다. 3 딸을 시집보내다. ㉧막내딸을 여의다. →여위다 주의

여의도 (汝矣島) [— / 여이도] 〖지명〗 서울 시내 한강 가운데에 있는 작은 섬. 국회 의사당·한국 방송 공사·63 빌딩 따위의 건물이 있음.

여의봉 (如意棒) [— / 여이봉] 자기 뜻대로 늘이고 줄여서 신통력을 발휘할 수 있다는 몽둥이.

여의사 (女醫師) [— / 여이사] 여자 의사.

여의주 (如意珠) [— / 여이주] 용의 턱 아래에 있다는 구슬. 이 구슬을 얻으면 무엇이든 마음대로 만들어 낼 수 있다 함.

여인 (女人) 어른이 된 여자. ㉧중년 여인.

여인숙 (旅人宿) 규모가 작고 숙박료가 싼 여관.

*여자 (女子) 여성인 사람. 반 남자. → [학습마당] 18(760쪽) woman

여장[1] (女裝) 남자가 여자처럼 차림. 또는 그런 차림새. ㉧여장 남자. 반 남장. —하다.

여장[2] (旅裝) 여행할 때의 차림. ㉧여장을 꾸리다 / 여장을 풀다.

여전하다 (如前—) 전과 다름이 없다. ㉧그 버릇이 여전하다.

여전히 (如前—) 전과 같이. ㉧그는 여전히 착하다.

여정 (旅程) 여행의 과정이나 일정. ㉧2박 3일의 여정.

여중 (女中) '여자 중학교'를 줄여 이르는 말.

여지없다 (餘地—) [여지업따] 더 할 나위가 없다.

여지없이 (餘地—) [여지업씨] 여지없게. ㉧내 희망은 여지없이 무너졌다.

여진 (餘震) 큰 지진 따위가 있은 다음에 잇달아 일어나는 작은 지진.

여진족 (女眞族) 동만주와 연해주 지역에 살던 퉁구스계 종족. 12세기 초에는 추장 아구다가 금나라를 세웠으며, 후에 청나라를 세워 중국을 통일함. 비 여진.

여집합 (餘集合) [여지팝] 집합 A와 그 부분 집합인 B가 있을 때, 집합 A에서 집합 B의 원소를 뺀 나머지 원소로 이루어진 집합.

*여ː쭈다 1 웃어른께 말씀을 올리다. ㉧모르는 것이 있으면 선생님께 여쭈어라. 2 웃어른에게 인사를 드리다. ㉧인사를 여쭈다.

> 참고 여쭈다와 여쭙다
> 두 단어 모두 표준어로 '여쭈다-여쭈니-여쭈어'와 '여쭙다-여쭈우니-여쭈워'는 모두 맞춤법에 맞는 표기이다.
> ㉧선생님께 여쭈어라. (○)
> 선생님께 여쭈워라. (○)

여ː쭙다 [여쭙따] '여쭈다'의 높임말. 본 여쭈옵다. 활용 여쭈워 / 여쭈우니. →여쭈다 참고

여차하면 (如此—) 일이 뜻대로 되지 않으면. ㉧여차하면 비밀을 말할 생각이다.

여ː치 여칫과의 곤충. 몸길이 약 3 cm, 메뚜기와 비슷한데 더듬이가 길며, 몸 옆면은

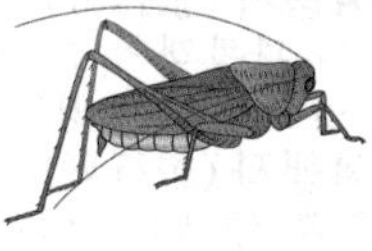
〈여치〉

갈색 반점이 많은 녹색임. 한여름에 들에 많음. 수컷은 크게 욺.
여타(餘他) 그 밖의 다른 것. 그 나머지. ㉥여타는 생략하다.
*__여태__ 지금까지. 아직까지. ㉥여태까지 그런 일이 없었다. 비 입때.
여태껏[여태껃] 여태까지. ㉥여태껏 들어본 적이 없는 이야기다. 비 이제껏. 입때껏.
여파(餘波) **1** 큰 물결이 지나간 뒤에 일어나는 잔물결. ㉥태풍의 여파로 물결이 높다. **2** 주위나 후세에 끼치는 영향. ㉥잦은 입시 제도 변경의 여파 / 사건의 여파가 크다.
여편네 **1** 결혼한 여자를 낮추어 이르는 말. **2** 자기 아내를 낮추어 이르는 말.
여하간(如何間) 어떻든 간에. 여하튼. 하여간. ㉥여하간 가고야 말겠다 / 여하간 네 잘못이다.
여하튼(如何―) 어떻든. 아무튼. 하여튼. 비 여하간.
*__여학생__(女學生)[여학쌩] 여학교의 학생. 여자 학생. 반 남학생.
여한(餘恨) 풀지 못하고 남은 원망스럽고 한이 되는 생각. ㉥이제 여한이 없다.
*__여행__(旅行) 볼일이나 구경할 목적으로 다른 고장이나 다른 나라에 가서 두루 둘러보는 일. ㉥수학여행 / 해외여행 / 주말에 여행을 다녀왔다. **―하다.** ➲ journey, trip, travel
여행객(旅行客) 여행 중인 사람. ㉥고속버스 터미널이 여행객들로 북적인다.
여행기(旅行記) 여행을 하며 보고, 듣고, 겪은 일들을 쓴 글.
여행사(旅行社) 일반 여행 손님이나 관광객의 편의를 돌봐 주는 일을 업으로 하는 영업 기관.
여행자(旅行者) 여행하는 사람.
여흥(餘興) 어떤 모임 끝에 흥을 돋우려고 하는 오락. ㉥여흥으로 노래를 부르다.
역[1](役) 연극·영화에서, 배우가 맡아서 하는 구실. ㉥두 사람 역을 맡아 하다. 비 역할2.
*__역__[2](驛) **1** 기차가 멎고 떠나는 곳. ㉥역 대합실에서 언니와 상봉하다. 비 정거장. ➲ station **2** 예전에 문서를 전달하고, 공무로 다니던 관리들에게 말을 제공하던 곳.
역겹다(逆―)[역껍따] 감각이나 느낌이 몹시 불쾌하다. ㉥역겨운 냄새가 코를 찌른다. 활용 역겨워 / 역겨우니.
역경(逆境)[역꼉] 일이 순조롭지 않아 어렵게 된 형편. ㉥역경을 딛고 일어서다.
역군(役軍)[역꾼] **1** 공사장에서 삯일을 하는 사람. **2** ⇨일꾼2. ㉥산업 역군.
역기(力器)[역끼] 근육 운동을 할 때에 쓰는 기구. 바벨. ㉥역기를 들어 올리다.
역대(歷代)[역때] 이어 내려온 여러 대. ㉥역대 대통령.
역도(力道)[역또] 무거운 역기를 들어 올려 그 무게를 겨루는 경기. ㉥역도 선수.
역량(力量)[영냥] 어떤 일을 해낼 수 있는 힘. 또는 그 힘의 정도. ㉥역량을 기르다 / 역량을 발휘하다.
역력하다(歷歷―)[영녀카다] 또렷하다. 분명하다. ㉥증거가 역력하다 / 피로의 빛이 역력하다.
역력히(歷歷―)[영녀키] 역력하게. ㉥머릿속에 역력히 남아 있다.
역류(逆流)[영뉴] 거꾸로 흐름. 또는 거꾸로 흐르는 물. ㉥피가 역류하다. **―하다.**
역마살(驛馬煞)[영마쌀] 늘 이리저리 떠돌아다니도록 된 운명. ㉥역마살이 끼다.
역모(逆謀)[영모] 반역을 꾀함. 또는 그런 일. ㉥역모를 꾸미다.

역무원 (驛務員) [영무원] 역에서 일하는 사람.

역법 (曆法) [역뻡] 천체의 움직임을 계산하여 절기와 날짜를 정하는 방법.

역병 (疫病) [역뼝] 치료가 힘든 악성 전염병. ㉳역병이 돌다.

역부족 (力不足) [역뿌족] 힘·재능 따위가 모자람. ㉳그를 상대하기에는 역부족이다. **—하다.**

*__역사__[1] (歷史) [역싸] **1** 인간 사회의 변천과 흥망의 과정. 또는 그 기록. ㉳역사에 길이 남다. **2** 어떤 사물이나 사실이 오늘에 이르기까지 변화한 자취. ㉳책의 역사. ➲ history

역사[2] (役事) [역싸] 토목이나 건축 따위의 공사. ㉳둑을 쌓는 역사. **—하다.**

역사가 (歷史家) [역싸가] 역사를 전문으로 연구하는 사람.

역사관 (歷史觀) [역싸관] 역사의 발전에 대한 체계적인 생각.

역사상 (歷史上) [역싸상] 역사에 나타나 있는 바. 역사적으로 본 바. ㉳역사상 유례가 없는 큰 사건. 비 사상.

역사적 (歷史的) [역싸적] **1** 역사에 오래 남을 만하게 중요한 (것). ㉳역사적인 사건. **2** 역사에 관계된 (것).

역사책 (歷史冊) [역싸책] 역사를 기록한 책. 비 사서.

역설[1] (力說) [역썰] 자신의 뜻을 힘주어 주장함. ㉳운동의 중요성을 역설하다. **—하다.**

역설[2] (逆說) [역썰] 겉으로는 앞뒤가 안 맞고 불합리하여 진리에 반대되는 듯하나, 잘 생각해 따져 보면 진리인 말. '소문 난 잔치에 먹을 것 없다·작은 거인·사랑의 매' 따위가 그 예임. 패러독스.

역성 [역썽] 옳고 그름에는 상관없이 한쪽만 편들어 줌. ㉳동생 역성만 드시는 아버지.

역수 (逆數) [역쑤] 1을 어떤 수로 나누어 얻은 몫을 그 나눈 수에 대하여 일컫는 말. 예컨대 5의 역수는 $\frac{1}{5}$, $\frac{2}{3}$의 역수는 $\frac{3}{2}$.

역수입 (逆輸入) [역쑤입] 일단 수출했던 물품을 그 나라에서 다시 수입함. **—하다.**

역수출 (逆輸出) [역쑤출] 일단 수입했던 물품을 그 나라로 다시 수출함. **—하다.**

역순 (逆順) [역쑨] 거꾸로 된 순서. ㉳역순 사전.

역습 (逆襲) [역씁] 적의 공격을 받고 있던 편이 거꾸로 적을 공격함. ㉳기회를 보아 역습하다. **—하다.**

*__역시__ (亦是) [역씨] **1** 또한. ㉳나 역시 몰랐다. **2** 전과 마찬가지로. ㉳역시 이상하다. **3** 전에 생각했던 대로. ㉳역시 네가 제일이다.

역암 (礫岩) [여감] 퇴적암의 하나. 자갈이 물속에 쌓이어, 진흙이나 모래 따위와 섞여 굳어진 암석. 비 자갈돌.

역연하다 (歷然—) [여견하다] 분명하고 뚜렷하다. ㉳어릴 적 기억이 역연하다.

역임하다 (歷任—) [여김하다] 두루 여러 벼슬을 지내다. ㉳정부 요직을 역임하다.

역작 (力作) [역짝] 힘들여 만듦. 또는 그 작품. ㉳이 책은 10년 걸려서 이룬 역작이다.

역장 (驛長) [역짱] 역의 우두머리.

역적 (逆賊) [역쩍] 나라나 임금에게 배반하는 사람. ㉳역적으로 몰리다 / 역적의 누명을 쓰다.

역전[1] (逆轉) [역쩐] 형세가 뒤집혀짐. ㉳역전의 기회 / 역전에 성공하다. **—하다.**

역전[2] (驛前) [역쩐] 역의 앞쪽. ㉳역전 광장.

역전승 (逆轉勝) [역쩐승] 경기 따위에서, 처음에는 지다가 나중에는 이김. (예)역전승을 거두다. (반)역전패. —하다.

역전패 (逆轉敗) [역쩐패] 경기 따위에서, 처음에는 이기다가 나중에는 짐. (반)역전승. —하다.

역점 (力點) [역쩜] **1** ⇨힘점. **2** 특히 중요시하여 힘을 들이는 점. (예)글의 첫머리에 역점을 두다.

역정 (逆情) [역쩡] '화[1]·성[1]'의 높임말. (예)역정을 내다 / 역정을 부리다 / 윗사람의 역정을 사다.

역주 (力走) [역쭈] 힘껏 달림. (예)마라톤 최종 구간에서 역주하다. —하다.

역투 (力投) 야구에서, 투수가 힘을 다하여 공을 던지는 일. —하다.

역풍 (逆風) **1** 거슬러 부는 바람. (예)역풍을 만나다 / 역풍이 일다. **2** 바람이 부는 쪽을 향하여 바람을 안고 감. (반)순풍. —하다.

역하다 (逆—) [여카다] **1** 구역질이 날 듯 속이 메슥메슥하다. (예)역한 냄새. **2** 마음에 거슬려 못마땅하다. (예)그의 말이 역하다.

역학 (力學) [여칵] 물체 사이에 작용하는 힘과 이것으로 생기는 운동과의 관계를 연구하는 물리학의 한 부문.

*__역할__ (役割) [여칼] **1** 각자 맡아서 해야 할 일. (예)각자 맡은 바 역할을 다하다. (비)구실. **2** 드라마·영화·연극 따위에서 맡은 배역. (예)할아버지 역할을 맡다. (비)역[1]. ×역활.

역행 (逆行) [여캥] **1** 순서를 바꾸어 행함. **2** 거슬러서 나아감. (예)시대에 역행하다. (반)순행. —하다.

*__역효과__ (逆效果) [여쿄과] 얻고자 하는 것과는 반대되는 결과. (예)오히려 역효과를 내다.

*__엮다__ [역따] **1** 노끈이나 새끼로 이리저리 여러 가닥으로 어긋매껴 묶다. (예)복조리를 엮다. **2** 책을 만들다. (예)자서전을 엮다. **3** 물건을 끈이나 줄로 어긋매껴 묶다. (예)새끼로 굴비를 엮다.

연[1] (年) 일 개년. 한 해. (예)연 강수량 / 연 500 %의 상여금을 받다.

*__연__[2] (鳶) 가는 댓가지를 뼈대로 하여 종이를 붙여, 실에 달아 공중에 날리는 장난감.

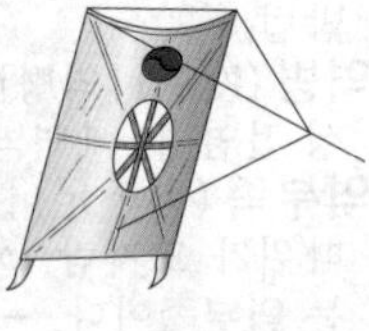
〈연[2]〉

연[3] (蓮) 수련꽃과의 여러해살이 물풀. 연못에서 자라거나 논밭에서 재배함. 뿌리줄기는 끝으로 갈수록 굵고, 잎은 물 위에 뜸. 여름에 붉은색 또는 흰색의 꽃이 피며 열매는 연밥, 뿌리는 연근이라고 함.

연[4] (聯) 시에서, 몇 개의 행을 묶어 하나의 단위로 삼은 부분.

연:-[1] (軟) '부드러운·연한·엷은'의 뜻. (예)연보라 / 연분홍.

연-[2] (連) '계속하여·잇대어'의 뜻. (예)연거푸 / 연잇다.

연간 (年間) 한 해 동안. (예)연간 생산량 / 연간 소득.

연감 (年鑑) 어떤 사항에 관한 1년간의 사건·통계 등을 실어 1년에 한 번씩 간행하는 정기 간행물.

연개소문 (淵蓋蘇文) 〘인명〙 고구려 말기의 장군·정치가. 645년 당나라 태종의 17만 대군을 안시성에서 크게 무찌름. [?–666]

연거푸 (連—) 잇달아 여러 번. (예)물을 연거푸 들이켜다.

*__연결__ (連結) 물건·사실 따위가 서로 이어지거나 관계를 맺음. (예)육지와 섬을 연결하는 다리. (반)분리. —하다.

연계 (連繫) [— / 연게] **1** 이어서 맴. **2** 서로 밀접한 관련을 가짐. 또는 그러한 관계. (예)다른 사건과 연계되어 있다. —하다.

연:고[1] (軟膏) 고약의 하나. 지방·

바셀린 등에 의약품을 섞어 만든, 피부에 바르는 약. ㉒연고를 바르다.

연고[2] (緣故) **1** ⇨사유. ㉒찾아온 연고를 말하다. **2** 혈통·정분 또는 법률상으로 맺어진 사이. ㉒연고 없는 환자.

연고자 (緣故者) 혈통 또는 법률상의 관계나 인연을 맺고 있는 사람.

연고지 (緣故地) 혈통 또는 법률상의 인연이나 관계가 맺어진 곳. 곧, 출생지·거주지 따위.

연ː골 (軟骨) 척추동물의 뼈 중 부드럽고 탄력 있는 뼈. 비 물렁뼈.

연관 (聯關) 서로 관계를 맺음. ㉒연관 있는 낱말을 고르시오. 비 관련. **—하다.**

연관성 (聯關性) [연관썽] 서로 걸리어 얽힌 성질. 서로 관계되는 성질. ㉒연관성 있는 사건. 비 관련성.

연교차 (年較差) 일 년 동안 측정한 가장 높은 기온과 가장 낮은 기온의 차이. ㉒연교차가 크다.

*__연ː구__ (硏究) 어떤 일이나 사물에 대하여 조사하고 생각하여 진리를 밝히는 일. ㉒발해 역사를 연구하다. 비 궁리. 탐구. **—하다.**

연ː구가 (硏究家) 연구를 전문으로 하는 사람. ㉒요리 연구가.

연ː구소 (硏究所) 여러 가지 시설을 갖추어 놓고, 연구를 전문으로 하는 곳. ㉒화학 연구소.

연ː구실 (硏究室) 학교나 기관에 설치하여, 연구를 전문으로 하기 위하여 사용하는 방.

연ː구원 (硏究院) 전문 분야별로 연구를 하기 위해 설립한 기관.

*__연ː극__ (演劇) 배우가 음악·무대 장치 등의 도움을 받아, 각본에 따라 연기를 하는 예술. **—하다.**

연근 (蓮根) 연꽃의 뿌리. 구멍이 많으며 조리하여 먹음. 비 연뿌리.

연금[1] (年金) 국가나 사회에 특별한 공로가 있거나 일정 기간 동안 국가 기관이나 회사, 단체 따위에서 일한 사람에게 해마다 정기적으로 주는 돈. ㉒국민 연금.

연ː금[2] (軟禁) 외부와의 연락이나 외출을 금하는, 정도가 가벼운 감금. ㉒연금 상태에 놓이다. **—하다.**

연기[1] (延期) 미리 정한 날짜를 뒤로 미룸. ㉒비가 와서 운동회를 연기하다. **—하다.**

*__연기__[2] (煙氣) 물건이 탈 때에 나는 검거나 뿌연 기체. ㉒산에서 검은 연기가 피어오르다.

연ː기[3] (演技) 관객 앞에서 연극·곡예·춤과 노래 등을 말이나 행동으로 보이는 일. ㉒연기자 / 능숙한 연기. **—하다.**

연꽃 (蓮—) [연꼳] 연못·늪 등지에 나는 물풀인 연의 꽃. 여름에 분홍색 또는 흰색으로 피며, 잎은 물 위에 뜨는데 둥글넓적함. 비 연화.

〈연꽃〉

*__연날리기__ (鳶—) 바람을 이용해 연을 공중에 띄우는 놀이. ㉒연날리기 대회.

연내 (年內) 올해 안. ㉒그 공사는 연내에 완성하기 어렵다.

연년생 (年年生) 한 살 터울로 아이를 낳음. 또는 그 아이. ㉒연년생을 키우다.

연ː단 (演壇) 강연·연설 등을 하는 사람이 올라서는 단. ㉒연단에 오르다. 비 연대.

연달다 (連—) 연하여 잇달다. ㉒유괴 사건이 연달아 일어났다 / 연달아 총소리가 나다. 참고 주로 '연달아'의 꼴로 쓰임.

연대[1] (年代) 지나간 시간을 일정한 햇수로 나눈 것. ㉒생존 연대.

연대[2] (聯隊) 군대 편성의 하나. 사단의 아래, 대대의 위로, 흔히 3 개 대대로 편성됨. (예)연대장.

연대³ (連帶) **1** 두 사람 이상이 함께 책임을 지는 일. (예)연대하여 보증을 서다. **2** 서로 연결함. (예)연대 의식. **—하다.**

연대순 (年代順) 연대를 따라 벌여 놓은 순서. (예)기록을 연대순으로 분류하다.

연대표 (年代表) 역사상 발생한 사건을 연대순으로 배열하여 적은 표. (예)역사 연대표. [준] 연표.

연도¹ (沿道) 도로에 연해 있는 곳. (예)연도에 늘어선 수많은 환영 인파.

연도² (年度) 회계 처리 등을 위해 편의상 구분한 일 년 동안의 기간. (예)졸업 연도.

연:두¹ (軟豆) '연둣빛'의 준말. (예)연두저고리.

연두² (年頭) 새해의 첫머리. (예)대통령 연두 기자 회견.

연:두색 (軟豆色) ⇨연둣빛.

연:둣빛 (軟豆—) [연두삗 / 연둗삗] 연한 초록빛. (예)연둣빛 저고리. [비] 연두색. [준] 연두.

연등 (燃燈) 주로 부처님 오신 날에 축하하는 뜻으로 밝히는 등불.

〈연등〉

연등회 (燃燈會) 석가모니의 탄생일에 집집마다 등불을 켜고 복을 비는 불교 행사.

***연락** (連絡) [열락] **1** 서로 이어지는 것. (예)연락선. **2** 서로 관계를 가짐. (예)연락을 끊다. **3** 사정을 알림. (예)친구에게 연락하다. **—하다.**

연락망 (連絡網) [열랑망] 연락을 정확하고 빠르게 하기 위한 유선·무선 또는 사람에 의한 통신망. (예)비상 연락망.

연락처 (連絡處) [열락처] 연락을 주고받을 수 있는 곳. (예)연락처를 남기다. [비] 연락소.

연령 (年齡) [열령] ⇨나이. (예)취학 연령에 다다른 아동.

연령별 (年齡別) [열령별] 나이에 따라 구별함. (예)연령별 인구.

연령층 (年齡層) [열령층] 같은 나이 또는 가까운 나이의 사람들의 층. (예)이 팀은 연령층이 다양하다.

연례 (年例) [열례] 해마다 하게 되어 있는 관례. (예)연례행사.

연로하다 (年老—) [열로하다] 나이가 들어서 늙다. (예)연로하신 부모님. [반] 연소하다.

***연료** (燃料) [열료] 열·동력 등을 얻기 위해 때는 재료. 석탄·가스·석유·숯 따위. (예)연료비 / 연료를 공급하다 / 연료를 절약하다. [비] 땔감.

연루 (連累) [열루] 남이 저지른 범죄에 관련됨. (예)연루자 / 살인 사건에 연루되다.

연륜 (年輪) [열륜] 노력이나 경험에 따른 숙련의 정도. (예)오랜 연륜을 쌓다 / 연륜이 부족하다.

연립 (聯立) [열립] 여럿이 어울려 서 이룸. (예)연립 내각. **—하다.**

연립 주:택 (聯立住宅) [열립쭈택] 보통 3층 이하의 공동 주택. 각 세대가 하나의 건축물 안에서 각각 독립된 주거 생활을 할 수 있는 주택.

연:마 (硏〔練〕磨) 학문이나 기술 등을 연구하고 닦음. (예)기술을 연마하다. [비] 단련. 수련. **—하다.**

연막 (煙幕) **1** 군사 행동 따위가 적군의 눈에 띄지 않게 공중에 퍼뜨리는 짙은 연기. (예)연막탄 / 연막을 치다. **2** 사실을 숨기기 위해 능청을 떠는 행동을 비유적으로 이르는 말. (예)연막작전 / 연막을 치다.

연말 (年末) 한 해의 마지막 무렵. (예)연말 결산. [비] 세밑. [반] 연초.

연말연시 (年末年始) [연말련시] 한 해의 마지막 때와 새해의 첫머리를 아울러 이르는 말. (예)연말연시를 가족과 함께 보내다.
연맹 (聯盟) 공동 목적을 가지고 함께 행동할 것을 맹세하고 약속하는 일. 또는 그런 조직체. ㉺육상 연맹. ㉥동맹. **—하다.**
연명 (延命) 목숨을 겨우 이어 살아감. ㉺풀죽으로 겨우 연명하다. **—하다.**
연모1 물건을 만들거나 일을 할 때에 쓰는 기구와 재료. ㉥연장.
연:모2 (戀慕) 이성을 사랑하여 간절히 그리워함. ㉺연모의 정을 품다. **—하다.**
*__연못__ (蓮—) [연몯] **1** 연꽃을 심은 못. **2** ⇨못1. ㉺연못가.
연무 (煙霧) **1** 연기와 안개. ㉺연무가 짙게 끼다. **2** 고운 먼지와 그을음이 공중에 떠서 뿌옇게 흐려 보이는 현상. ㉺연무 현상.
연민 (憐憫〔愍〕) 불쌍하고 가련하게 여김. ㉺연민의 정을 느끼다.
연발 (連發) **1** 연속하여 일어남. ㉺실수 연발 / 교통사고가 연발하다. **2** 총 따위를 연달아 쏨. ㉺기관총을 연발하다. **—하다.**
연방1 (聯邦) 자치권을 가진 여러 나라가 공통의 정치 이념 아래 결합하여 구성하는 국가. 미국·캐나다·러시아 따위.
연방2 (連方) 잇달아 자꾸. ㉺연방 꾸벅이며 졸다. ㉥연신.
연배 (年輩) 서로 비슷한 나이. 또는 그런 사람. ㉺아버지와 같은 연배의 어른.
연변1 (沿邊) 강이나 철도, 큰길 등을 따라 길게 이어진 양쪽 가장자리 지역. ㉺도로 연변의 가로수.
연변2 (延邊)〘지명〙 ⇨옌볜.
연:병장 (練兵場) 군인을 훈련시키기 위해 부대 안에 마련한 운동장. ㉺연병장에 집합하다.
연보1 (年報) 어떤 사실·사업에 대하여 해마다 한 번씩 내는 보고. 또는 그 간행물. ㉺학회 연보.
연보2 (年譜) 개인의 일생을 연대순으로 간단히 적은 글. ㉺작가의 연보.
연:보랏빛 (軟—) [연보라삗 / 연보랃삗] 연한 보랏빛. ㉺연보랏빛 하늘. ㉥연보라색.
연봉 (年俸) 일 년을 단위로 하여 정한 봉급. ㉺야구 선수들은 봉급을 연봉으로 받는다.
연분 (緣分) **1** 서로 관계를 가지게 되는 인연. ㉺연분이 닿다. **2** 부부가 되는 인연. ㉺좋은 연분을 맺다. ㉾연.
연:분홍 (軟粉紅) 엷은 빛의 분홍. ㉺연분홍 치마.
연비1 (連比) 세 개 이상의 수나 양의 비. 10 : 20 : 30 따위.
연비2 (燃費) 자동차 등이 1리터의 연료로 달릴 수 있는 거리. ㉺연비가 낮다. ㉥연료 소비율.
연:사 (演士) 연설하는 사람.
연:산 (演算) 식이 나타낸 일정한 규칙에 따라 계산하는 일. **—하다.**
연:산군 (燕山君)〘인명〙 조선 제10대 임금. 무오사화·갑자사화를 일으켜 많은 학자와 대신을 죽여 폭군으로 지탄받아 중종반정으로 폐위되었음. [1476–1506 ; 재위 1495–1506]
연:산 기호 (演算記號) 연산에서 쓰는 여러 가지 기호. +·−·×·÷ 따위.
연상1 (聯想) 한 가지 생각이나 사물로 말미암아 이와 관련되는 다른 생각이 떠오르는 일. ㉺가을 하면 낙엽이 연상된다. **—하다.**
연상2 (年上) 자기보다 나이가 많음. 또는 그런 사람. ㉸연하.
연:설 (演說) 여러 사람 앞에서 자기의 의견이나 주장을 말함. ㉺선거 연설 / 일장 연설하다. **—하다.**
연:설문 (演說文) 연설할 내용을

적은 글. ㉠연설문을 낭독하다.

연세 (年歲) '나이'의 높임말. ㉠연세가 많다. ㉡춘추.

연소 (燃燒) 물건이 탐. ㉠완전 연소. **—하다.**

연소자 (年少者) 나이가 어린 사람. ㉠연소자 관람 불가.

연소하다 (年少—) 나이가 어리다. ㉥연로하다.

연속 (連續) 끊이지 않고 죽 이음. ㉠연속 매진 / 연속해서 우승하다. **—하다.**

연속극 (連續劇) [연속끅] 한 편의 드라마를 정기적으로 일부분씩 나누어서 연속하여 방송하는 극. ㉠일일 연속극 / 주말 연속극.

연쇄 (連鎖) 서로 연이어 맺음. ㉠연쇄 반응 / 연쇄 충돌. **—하다.**

연쇄점 (連鎖店) 상품을 공동으로 관리·보관하고, 둘 이상의 판매 단위를 연결하여 경영하는 소매점. 체인 스토어. 체인점.

연수[1] (延髓) 뇌와 척수를 연결하는 부분으로, 뇌의 명령을 전달하며 호흡·심장·혈관 등의 운동을 조절함. ㉡숨골.

연:수[2] (硏修) 학문을 연구하고 닦음. ㉠연수생 / 해외 연수. **—하다.**

*__연:습__ (練〔鍊〕習) 여러 번 반복하여 익힘. ㉠연습 문제 / 피아노를 연습하다. ㉡연마. **—하다.** ➡ practice

연:습장 (練習帳) [연습짱] 연습하는 데 쓰는 공책. ㉠영어 단어를 연습장에 반복해서 써 가며 외웠다.

연승 (連勝) 잇달아 이김. ㉠연승을 거두다. ㉥연패. **—하다.**

연:시 (軟柹) 말랑말랑하게 무르익은 감. ㉡홍시.

연시조 (聯時調) 두 개 이상의 평시조가 엮어져 있는 시조 형식.

연:식 야:구 (軟式野球) [연싱냐구] 보통 야구공보다 크고 말랑말랑한 공을 사용하여 하는 야구. ㉥경식야구.

연신 잇따라 자꾸.

연싸움 (鳶—) 연을 날리면서 서로의 연실을 마주 걸어 상대편의 연실을 끊어 버리는 싸움.

연안 (沿岸) [여난] 육지와 맞닿은 강·호수·바다 등의 물가. ㉠연안 도시 / 연안 부두.

연안 어업 (沿岸漁業) [여나너업] 해안에서 멀지 않은 바다에서 하는 어업.

연:애 (戀愛) [여내] 남녀 사이에 서로 그리워하고 생각하는 애틋한 정. ㉠연애결혼. ㉡사랑. **—하다.**

연:약하다 (軟弱—) [여냐카다] 무르고 약하다. ㉠연약한 피부 / 연약한 태도를 보이다.

연어 (鰱魚) [여너] 연어과의 바닷물고기. 몸은 원통 모양으로 누런빛을 띤 적색임. 가을에 강을 거슬러 올라와 모랫바닥에 알을 낳고 죽음.

연:연하다 (戀戀—) [여년하다] **1** 미련을 가지다. ㉠지난 일에 너무 연연하지 마라. **2** 애틋하게 그립다. ㉠연연한 정.

연:예 (演藝) [여녜] 여러 사람 앞에서 무용·연극·쇼 따위를 보임. 또는 그 재주. ㉠연예 활동.

연:예인 (演藝人) [여녜인] 연예에 종사하는 배우·가수 등을 통틀어 일컫는 말.

연월일 (年月日) [여눠릴] 해와 달과 날. ㉠제조 연월일.

연유 (緣由) [여뉴] 까닭. 이유. ㉠사건의 연유를 캐다.

연이율 (年利率) [연니율] 일 년을 단위로 하여 정한 이율.

연:인 (戀人) [여닌] 서로 사랑하는 남녀. ㉠영원한 나의 연인. ㉡애인.

연일 (連日) [여닐] 여러 날을 계속함. ㉠연일 대만원이다.

연잇다 (連—) [연닏따] 연속하여

잇다. ㉮자동차가 연이어 달리다. [활용] 연이어 / 연이으니 / 연잇는.

연잎 (蓮—) [연닙] 연꽃의 잎. [비] 연엽.

연:자매 (硏子—) 소·말로 하여금 끌어 돌리게 하여 곡식을 찧는 맷돌. [비] 연자방아.

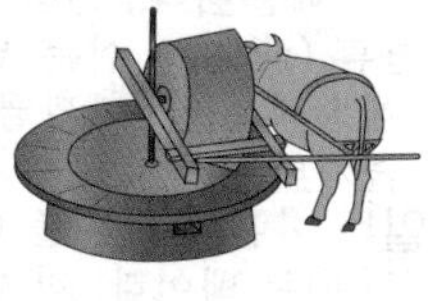

〈연자매〉

연장¹ 어떤 일을 하는 데 쓰는 도구. ㉮연장을 챙기다. [비] 도구.

연장² (延長) **1** 시간이나 길이 따위를 길게 늘임. ㉮연장 공연 / 버스의 연장 운행. [반] 단축. **2** 어떤 일이 계속하여 이어지는 것. ㉮체험 학습은 수업의 연장이다. **—하다.**

연장자 (年長者) 자기보다 나이가 많은 사람. ㉮연장자에 대한 예의를 갖추다.

연장전 (延長戰) 운동 경기에서, 정한 시간 안에 동점이거나 득점이 없어 승부가 나지 않을 경우 다시 시간을 늘여서 계속하는 경기.

연재 (連載) 신문·잡지 등에 긴 원고 따위를 여러 회로 나누어 계속 싣는 일. ㉮연재소설. **—하다.**

연:적 (硯滴) 벼룻물을 담는 그릇.

연:정 (戀情) 사랑하여 그리는 마음. ㉮연정을 품다.

*__연:주__ (演奏) 여러 사람 앞에서 악기로 음악을 들려줌. ㉮피아노 연주. **—하다.**

연:주가 (演奏家) 음악을 연주하는 사람. 또는 그것을 직업으로 하는 사람.

연:주자 (演奏者) 연주하는 사람.

연:주회 (演奏會) 음악을 연주하여 여러 사람에게 들려주는 모임. 콘서트. ㉮정기 연주회.

연줄 (鳶—) [연쭐] 연을 매어서 날리는 데 쓰는 실. ㉮연줄을 감다.

연중 (年中) 한 해 동안. ㉮연중 강우량.

연중무휴 (年中無休) 한 해에 하루도 쉬는 날이 없음.

연중행사 (年中行事) 해마다 일정한 시기에 행하는 행사.

연지 (臙脂) 여자가 화장할 때 입술이나 볼에 바르는 붉은 빛깔의 물감. ㉮연지를 찍다.

연착 (延着) 정한 시간보다 늦게 도착함. ㉮기차가 연착하는 바람에 늦었다. **—하다.**

연체 (延滯) 내야 할 돈을 기한이 지나도록 내지 않음. ㉮자동차세 납부를 연체하다. **—하다.**

연:체동물 (軟體動物) 몸에 뼈가 없고 부드러우며 근육이 풍부한 동물. 조개·문어·낙지 따위.

연초 (年初) 새해의 처음 무렵. ㉮연초의 계획대로 시행하다. [비] 연시. [반] 연말.

연:출 (演出) 각본을 기초로 하여, 배우의 연기·무대 장치·음악 등을 종합하여 연극이나 영화의 제작을 지도하는 일. **—하다.**

연:출가 (演出家) 각본 또는 시나리오를 연출하는 것을 업으로 삼는 사람.

*__연:탄__ (煉炭) 석탄·목탄 등의 가루에 석회·진흙 등을 섞어서 구멍을 여러 개 뚫은 원통형으로 만든 연료. 구공탄·십구공탄 따위. ㉮연탄 난로 / 연탄을 때다. [준] 탄.

연:탄가스 (煉炭gas) 연탄이 탈 때 생기는 일산화탄소 따위의 가스.

연통 (煙筒) 양철·슬레이트 등으로 둥글게 만든 굴뚝.

연패¹ (連敗) 싸움이나 경기에서 잇달아 짐. ㉮연패를 당하다. [반] 연승. **—하다.**

연패² (連霸) 운동 경기 따위에서 잇달아 우승함. ㉮3년 연패를 기록하다. **—하다.**

연평균 (年平均) 1년을 단위로 하여 내는 평균. ㉮연평균 강수량.

연평도 (延坪島) 〖지명〗 인천광역시 옹진군에 있는 섬. 조기잡이가 유명함.

연표 (年表) '연대표'의 준말.

*__연필__ (鉛筆) 점토에 흑연 가루를 섞어 높은 열로 구워 심을 만들어 나무 속에 박은 필기도구. ㉮연필심 / 연필을 깎다. ➲ pencil

연하 (年下) 자기보다 나이가 적음. 또는 그런 사람. ㉮4 년 연하의 동생. 반 연상².

연하다¹ (連—) 잇닿다. 또는 잇대어 있다. ㉮우리나라는 삼면이 바다에 연해 있다.

*__연:하다²__ (軟—) **1** 무르고 부드럽다. ㉮고기가 연하다. 반 질기다. **2** 빛이 옅고 산뜻하다. ㉮연한 색깔.

연하장 (年賀狀) [연하짱] 새해를 축하하는 그림이나 글을 담은 간단한 내용의 편지.

*__연합__ (聯合) 둘 이상의 것이 하나로 뭉침. ㉮국제 연합 / 연합 함대 사령관. **—하다.**

연합국 (聯合國) [연합꾹] 같은 목적을 위하여 함께 행동을 하기로 약속한 나라들.

연합군 (聯合軍) [연합꾼] **1** 두 나라 이상의 군대가 뭉친 군대. **2** 연합국의 군대.

연해 (沿海) **1** 바다에 잇닿은 근처 지방. 비 연해변. **2** 육지 가까이 있는 얕은 바다.

연해주 (沿海州) 〖지명〗 러시아 극동 방면의 한 지방. 남동쪽은 동해에, 남단은 우리나라와 접해 있음.

연행 (連行) 경찰관이 범인이나 용의자 등을 경찰서로 강제로 데리고 가는 일. ㉮살인 사건의 범인을 연행하다. **—하다.**

연:혁 (沿革) 변천하여 온 과정. ㉮우리 학교의 연혁을 소개하다.

연호 (年號) 예전에, 임금이 즉위한 해에 붙이던 칭호.

연:회 (宴會) 여러 사람이 모여 음식을 함께 먹고 노래와 춤을 벌이는 일. ㉮연회석 / 연회에 참석하다.

연휴 (連休) 쉬는 날이 이틀 이상 계속되는 일. ㉮황금의 추석 연휴를 즐기다.

*__열¹__ 아홉에 하나를 더한 수. ㉮열의 열 배는 백이다. 비 십. ➲ ten

열에 아홉 거의 다 또는 거의 틀림없음을 이르는 말. 비 십중팔구.

열 일 제치다 한 가지 중요한 일 때문에 다른 모든 일은 뒤로 미루거나 그만두다.

*__열²__ (列) **1** 사람·물건이 죽 벌여 선 줄. ㉮열을 지어 행군하다. **2** 줄을 세는 단위. ㉮이 열로 늘어서다.

*__열³__ (熱) **1** 물질의 온도를 높이는 원인이 되는 에너지. ㉮열을 가하다. **2** 흥분한 상태. ㉮열을 받다 / 열을 올리다. **3** 병 때문에 높아진 체온. ㉮몸에 열이 높다. **4** 열성. 열의. ㉮야구에 열을 올리다.

열(을) 올리다〔내다〕 ㉠흥분하여 성을 내다. ㉡열중하거나 열성을 보이다. ㉢기염을 토하다.

열(이) 오르다 ㉠기세가 오르다. ㉡격분하거나 흥분하다.

열강 (列強) 여러 강한 나라. ㉮세계의 열강과 겨루다.

열거 (列擧) 여러 가지 예나 사실을 하나씩 들어 말함. ㉮일일이 잘못을 열거하다. **—하다.**

열광 (熱狂) 너무 좋아서 미친 듯이 날뜀. ㉮열광하는 관중 / 열광적인 환영. **—하다.**

열기 (熱氣) 뜨거운 기운. ㉮응원의 열기가 더해 가는 경기장.

열기구¹ (熱氣球) 기구 속의 공기를 버너로 가열하여 팽창시켜, 바깥 공기와의 비중의 차이로 공중에 떠오르게 만든 기구. ㉮열기구를 타고 하늘을 날다.

열기구[2] (熱器具) 전기·가스·석유 등을 연료로 하는 난로·가스레인지 따위의 기구. 난방이나 조리할 때 이용함.

열나다 (熱—) [열라다] **1** 몸에서 열이 나다. **2** 화가 나다. **3** 열성이 나다. ㉠열나게 토론하다.

열녀 (烈女) [열려] 절개가 굳은 여자. 비 열부.

열:다[1] 열매 등이 맺히다. ㉠감이 주렁주렁 열었다. 활용 열어 / 여니 / 여는.

*__열:다__[2] **1** 닫히거나 가리어진 것 따위를 터놓다. ㉠대문을 열다. **2** 사업 따위를 시작하다. ㉠신발 가게를 열다. **3** 모임이나 회의를 개최하다. ㉠고등학교 동창회를 열다. **4** 새로운 기틀을 마련하다. ㉠새 시대의 막을 열다. **5** 자신의 마음을 터놓거나 다른 사람의 마음을 받아들이다. ㉠마음의 문을 열다. **6** 다른 사람에게 어떤 일에 대하여 이야기를 시작하다. ㉠용의자가 입을 열다. 활용 열어 / 여니 / 여는. ➲ open

열대 (熱帶) [열때] 적도를 중심으로 남북 회귀선 사이에 있는 더운 지대. 일 년간의 평균 기온이 20℃ 이상이며, 계절의 변화가 거의 없음. ㉠열대 지방 / 열대 식물. 반 한대.

열대 기후 (熱帶氣候) [열때—] 사계절의 구별이 없이 일 년 내내 매우 덥고 밤낮의 기온 차가 크며 비가 많이 오는 열대 지방의 기후.

열대림 (熱帶林) [열때림] 열대 지방에 있는 무성한 수풀.

열대병 (熱帶病) [열때뼝] 열대 지방에서 흔히 발생하는 병. 수면병·콜레라·말라리아·재귀열·일사병 따위.

열대야 (熱帶夜) [열때야] 여름철에 온도가 25℃ 이상인 무더운 밤.

열대어 (熱帶魚) [열때어] 열대 지방에서 사는 물고기. 생김새가 다양하고 고운 빛깔을 띤 것이 많아 관상용으로 기름.

〈열대어〉

열도 (列島) [열또] 바다 위에 줄을 지은 모양으로 죽 늘어선 여러 개의 섬. ㉠일본 열도.

열등 (劣等) [열뜽] 수준이 보통보다 낮음. 또는 낮은 등급. ㉠품질이 열등하다. 반 우등. **—하다.**

열등감 (劣等感) [열뜽감] 용모·능력 따위에서 자신이 남보다 떨어진다는 느낌. 콤플렉스. ㉠열등감을 느끼다. 반 우월감.

열등의식 (劣等意識) [열뜽의식 / 열뜽이식] 자신이 다른 사람보다 못하다고 느끼는 의식. ㉠열등의식에서 벗어나다.

열띠다 (熱—) 열성적이다. 뜨거운 기운을 품다. ㉠열띤 응원.

열람 (閱覽) 책 따위를 죽 훑어봄. ㉠도서를 열람하다. **—하다.**

열람실 (閱覽室) 도서관 등에서 책을 보는 방.

열량 (熱量) 온도를 높이는 데 필요한 열의 양. 칼로리로 나타냄. ㉠열량이 높은 식품.

열렬하다 (熱〔烈〕烈—) 어떤 것에 대한 애정이나 태도가 매우 맹렬하다. ㉠열렬한 지지를 보내다.

열렬히 (熱烈—) 열렬하게. ㉠우리는 한국 팀을 열렬히 응원했다.

*__열리다__[1] **1** 닫히거나 가리어진 것이 트이다. ㉠문이 열리다. **2** 새로운 기틀이 마련되다. ㉠정보화 시대가 열리다. **3** 사업 따위가 시작되다. ㉠수출의 길이 열리다.

*__열리다__[2] 열매가 맺혀서 달리다. ㉠사과가 주렁주렁 열렸다.

열망 (熱望) 열렬하게 바람. ㉠통일을 열망하다. **—하다.**

*__열매__ **1** ⇨과실[1]. **2** ⇨결과. ㉠알찬

열매를 맺다.

열목어 (熱目魚) [열모거] 연어과의 물고기. 하천 상류의 차고 깨끗한 물에서만 삶. 몸빛은 은빛이고, 옆구리와 등지느러미 등에 무늬가 있음.

열무 어린 무.

열무김치 열무로 담근 김치.

열반 (涅槃) **1** 불교에서, 도를 완전히 이루어 모든 번뇌와 고통에서 벗어나는 최고의 정신적인 상태. **2** 덕망 있는 승려가 죽음. ㉥열반에 들다. 비 입적. **—하다.**

열변 (熱辯) 열렬하게 사리를 밝혀 옳고 그름을 따지는 말. ㉥열변을 토하다 / 열변을 늘어놓다.

열병 (熱病) 열이 심하게 나는 병.

열사 (烈士) [열싸] 옳은 일을 지키려는 뜻이 굳은 사람. ㉥순국 열사.

> 참고 **열사와 의사**
> **열사** 직접 행동은 하지 않으나 죽음으로 자신의 지조를 나타내어 정신적인 저항의 위대성을 보인 분. ㉥이준 열사.
> **의사** 무력이나 행동으로 항거하여 큰 공적을 세우고 의롭게 죽은 분. ㉥안중근 의사 / 윤봉길 의사.

열사병 (熱射病) [열싸뼝] 온도가 높고 습기가 많은 곳에서, 몸의 열을 밖으로 내보내지 못할 때 일어나는 병. 일사병과 비슷함.

열성 (熱誠) [열썽] 열렬한 정성. ㉥봉사 활동에 열성을 다하다.

열성껏 (熱誠—) [열썽껃] 열성을 다하여. ㉥열성껏 도와주다.

열성적 (熱誠的) [열썽적] 열성을 다하는 (것). ㉥열성적 태도 / 열성적인 사람.

열세 (劣勢) [열쎄] 상대방보다 힘이나 세력이 약함. 또는 그 힘이나 세력. ㉥열세에 몰리다. 반 우세. **—하다.**

***열:쇠** [열쐬] **1** 자물쇠를 잠그거나 여는 쇠붙이. ㉥열쇠를 꽂다. **2** 문제를 푸는 데 필요한 요소. ㉥문제 해결의 열쇠. 반 자물쇠. key

***열심** (熱心) [열씸] 어떤 일에 깊이 마음을 기울임. 또는 그런 마음. ㉥그는 요즘 영어 공부에 열심이다. 비 열중.

열심히 (熱心—) [열씸히] 온 정성을 다하여 골똘하게. ㉥열심히 공부하다 / 열심히 일하다.

열악하다 (劣惡—) [여라카다] 품질·능력·형편 따위가 몹시 떨어지고 나쁘다. ㉥열악한 환경.

열애 (熱愛) [여래] 열렬히 사랑함. 또는 그런 사랑. ㉥열애에 빠지다. **—하다.**

열어젖뜨리다 [여러젇뜨리다] 문이나 창문 따위를 갑자기 활짝 열다. ㉥방문을 열어젖뜨리다.

열어젖히다 [여러저치다] 문이나 창문 따위를 갑자기 벌컥 열다.

열:없다 [여럽따] **1** 조금 부끄럽다. ㉥열없는 웃음. **2** 담이 크지 못하고 겁이 많다. ㉥아이가 열없다.

열:없이 [여럽씨] 열없게.

열에너지 (熱energy) 열을 에너지의 하나로 보고 이르는 말.

열연 (熱演) [여련] 열심히 정열적으로 연기함. 또는 그런 연기. ㉥주인공을 맡아 열연을 펼치다. **—하다.**

열외 (列外) [여뢰] 늘어선 줄의 밖. 대열의 바깥.

열의 (熱意) [여릐 / 여리] 어떤 일을 이루기 위하여 정성을 다하는 마음. ㉥일에 대한 열의가 대단하다 / 열의를 보이다.

열전 (熱戰) [열쩐] **1** 운동 경기에서의 맹렬한 싸움. ㉥열전을 벌이다. **2** 총·포 따위의 무력을 사용하는 치열한 싸움. 반 냉전.

열전도 (熱傳導) 열이 온도가 높은

쪽에서 낮은 쪽으로 옮겨지는 현상. 물체 중에서 열전도가 잘되는 것을 양도체라고 하고, 그렇지 못한 것을 절연체라고 함.

열정 (熱情) [열쩡] 어떤 일에 애정을 갖고 열중하는 마음. ㉠연구에 열정을 쏟다.

열정적 (熱情的) [열쩡적] 열정이 있는 (것). ㉠열정적인 사람.

열중 (熱中) [열쭝] 한 가지 일에 정신을 쏟음. ㉠수학 문제 풀이에 열중하다. **—하다.**

열중쉬어 (列中—) [열쭝쉬어] 줄지어 선 채로 약간 편하게 왼발을 약간 옆으로 벌리고 양손을 등허리에서 맞잡으라는 구령.

*__열차__ (列車) 기관차에 객차·화차 등을 연결하여 짐이나 사람을 실어 나르는 차량. ㉠귀성 열차. 비 기차.

열창 (熱唱) 노래 따위를 열심히 부름. 또는 그 노래. ㉠무대에서 열창하다. **—하다.**

열풍[1] (烈風) **1** 사납고 거세게 부는 바람. **2** 세차게 일어나는 기운이나 기세. ㉠축구 열풍이 일다.

열풍[2] (熱風) 뜨거운 바람.

열하일기 (熱河日記) 〖책〗 조선 정조 때 박지원이 사신을 따라 청나라의 열하에 다녀와서 그곳의 풍속과 경제 사정 따위를 적은 기행문.

열혈 (熱血) 더운 피. 열정으로 끓는 피. ㉠열혈 청년.

열화[1] (烈火) 맹렬하게 타는 불. ㉠열화 같은 성을 내다.

열화[2] (熱火) 뜨거운 불길이라는 뜻으로, 매우 격렬한 열정의 비유. ㉠열화 같은 성원에 보답하다.

열흘 **1** 열 날. ㉠열흘이 걸리다. **2** 그달의 열째 날. →날[1] 참고

*__엷:다__ [열따] **1** 두께가 두껍지 않다. ㉠엷은 널빤지. 반 두껍다. 작 얇다. **2** 빛깔이 진하지 않다. ㉠엷은 빛깔. 반 진하다. 발음 엷고[열꼬] / 엷어서[열버서] / 엷은[열븐].

염가 (廉價) [염까] 매우 싼 값. ㉠염가로 팔다. 반 고가.

염기 (塩基) 붉은 리트머스 종이를 푸른색으로 변화시키는 성질이 있는 화합물. 물에 녹는 것을 '알칼리'라고 함.

염기성 (塩基性) [염기썽] 염기가 나타내는 성질.

염:두 (念頭) **1** 생각의 시초. ㉠그런 일은 염두도 못 낸다. **2** 마음속. ㉠염두에 두다.

염라대왕 (閻羅大王) [염나대왕] 죽은 사람이 살아 있을 때 한 일을 심판한다는 저승의 임금.

*__염:려__ (念慮) [염녀] 앞일에 대하여 여러 가지로 마음을 써서 걱정함. ㉠부모님의 건강이 염려스럽다. 비 걱정. 근심. **—하다. —스럽다.**

염:료 (染料) [염뇨] 염색에 쓰이는 재료. 비 물감.

*__염분__ (塩分) 물질 속에 들어 있는 소금 성분. 또는 그 양. ㉠염분이 많은 음식.

염:불 (念佛) 부처의 모습이나 공덕을 생각하면서 아미타불을 부르는 일. **—하다.**

염산 (塩酸) 염소와 수소의 화합물. 약간 녹색을 띤 액체로 강한 산성이며, 공업이나 의학 등의 분야에서 다양하게 쓰임.

염:색 (染色) 실·천·머리카락 따위에 여러 가지 색깔로 물을 들임. ㉠머리카락을 염색하다. 반 탈색. **—하다.**

염:세 (厭世) 세상을 괴롭고 귀찮은 것으로 여겨 싫어함. ㉠염세 문학. 반 낙천.

*__염소[1]__ 솟과의 집짐승. 양과 비슷하며 되새김질을 함. 흔히 뿔이 있고 꼬리가 짧음. 수컷은 턱 밑에 긴 수염이 있음. 성질이 활발하고 민첩함. 고기와 젖은 식용함. ➡ goat

염소² (塩素) 기체 원소의 하나. 황록색으로 나쁜 냄새가 나며, 다른 원소와 잘 화합함. 표백제의 원료 및 살균제·독가스 등에 쓰임.

염:원 (念願) [여뭔] 마음속으로 간절히 생각하고 바람. (예)통일을 염원하다 / 염원이 이루어지다. **—하다.**

염장 (塩藏) 소금에 절여 저장함. (예)염장법. **—하다.**

염전 (塩田) 바닷물을 햇볕에 증발시켜서 소금을 만들기 위해 논처럼 만든 곳. [비] 염밭.

염:주 (念珠) 염불할 때에 손가락 끝으로 한 알씩 넘겨 수를 세는 기구. 보리수나무·모감주나무·염주나무 등의 열매로 만듦.

염증¹ (炎症) [염쯩] 몸의 어느 부분이 붉게 부어 오르고 아프거나 열이 나는 증세. (예)상처에 염증이 생기다. [준] 염.

염:증² (厭症) [염쯩] ⇨싫증. (예)일에 염증을 느끼다.

염치 (廉恥) 체면을 차릴 줄 알며 부끄러움을 아는 마음. (예)염치를 모르다.

염치(를) 차리다 염치를 알아 부끄럽지 않게 행동하다.

염치없다 (廉恥—) [염치업따] 염치를 아는 마음이 없다.

염치없이 (廉恥—) [염치업씨] 염치없게. (예)염치없이 굴다.

염탐 (廉探) 몰래 남의 사정을 살피고 조사함. (예)적의 움직임을 염탐하다. [비] 염알이. 염찰. **—하다.**

염탐꾼 (廉探—) 비밀히 염탐하는 사람. (예)적의 염탐꾼이 숨어들다. [비] 염알이꾼.

염통 ⇨심장.

염화나트륨 (塩化Natrium) '소금'의 화학적 이름.

염화칼슘 (塩化calcium) 염소와 칼슘의 화합물. 백색의 결정이거나 가루임. 습기를 잘 빨아들이므로 건조제로 사용함.

엽기 (獵奇) [엽끼] 괴이한 것에 흥미가 끌려 쫓아다니는 일. (예)엽기 소설 / 엽기 행각. **—하다.**

엽록소 (葉綠素) [염녹쏘] 엽록체 속에 있는 녹색 색소. 빛 에너지를 흡수하여 광합성을 함. [비] 잎파랑이.

엽록체 (葉綠體) [염녹체] 녹색 식물의 잎이나 줄기 등의 세포 속에 있는 녹색의 작은 알갱이. 엽록소를 갖고 있으며 광합성을 함.

***엽서** (葉書) [엽써] 짤막한 소식 따위를 적어 보내는 카드. (예)엽서를 띄우다. [본] 그림엽서. 우편엽서.

엽전 (葉錢) [엽쩐] 놋쇠로 만든 옛날 돈. 동글납작하며 가운데에 네모진 구멍이 있음. (예)엽전 꾸러미 / 엽전 한 냥.

〈엽전〉

엽차 (葉茶) 차나무의 잎을 달여서 만든 차.

엽총 (獵銃) 사냥할 때 쓰는 총. [비] 사냥총.

엿 [엳] 쌀·수수 따위를 엿기름으로 삭히고 고아서 만든 달고 끈끈한 식품. (예)엿 한 가락 / 엿을 고다.

엿:- [엳] '몰래·가만히'의 뜻을 나타내는 말. (예)엿보다 / 엿듣다.

엿기름 [엳끼름] 보리에 물을 부어 싹이 나게 한 다음 말린 것. 엿과 식혜를 만드는 데 쓰임.

엿:듣다 [엳뜯따] 남이 하는 말을 몰래 가만히 듣다. (예)남의 이야기를 엿듣다. [활용] 엿들어 / 엿들으니 / 엿듣는.

엿:보다 [엳뽀다] **1** 남몰래 가만히 보다. **2** 때를 노리다. (예)기회를 엿보다. **3** 미루어 짐작으로 알다. (예)선인의 슬기를 엿보다.

엿새 [엳쌔] 여섯 날. 6일.

엿장수 [엳짱수] 엿을 파는 사람.

엿장수 마음대로 엿장수가 엿을 마음대로 늘이듯, 무슨 일을 자기 마음대로 이랬다저랬다 하는 모양.

엿치기 [엳치기] 엿가락을 부러뜨려서 구멍의 크고 작음을 비교하여 승부를 겨루는 내기. **—하다.**

*__영__[1] (零) 수가 없는 것. 아무것도 없는 것《기호는 0》. ➲ zero

영[2] (靈) 죽은 사람의 넋. 본 영혼.

영ː[3] (永) '영영'의 준말. 예 영 소식이 없다.

영[4] **1** 도무지. 전혀. 예 영 가망이 없다 / 영 입맛이 없다. **2** 아주 또는 대단히. 예 영 딴판이다. 참고 뒤에 부정하는 말이 옴.

*__영ː감__[1] (令監) **1** 나이 많은 남자를 일컫는 말. **2** 예전에, '대감' 다음의 벼슬아치를 부르던 말. **3** 나이 많은 남편을 부르거나 일컫는 말.

영감[2] (靈感) 어떤 일의 동기가 되는 자극이나 생각. 예 영감을 얻다 / 영감이 떠오르다. ➲ inspiration

영ː겁 (永劫) 아주 긴 세월. 영원한 세월.

영ː결 (永訣) 죽은 사람과 산 사람의 영원한 이별. 예 영결식. **—하다.**

영계 (—鷄) [— / 영게] 병아리보다 조금 큰 어린 닭.

영공 (領空) 영토와 영해의 위에 있는 하늘로서, 그 나라의 주권이 미치는 범위. 예 영공 침범 / 영공을 지키다.

*__영광__ (榮光) 빛나는 영예. 예 승리의 영광 / 최우수상의 영광을 차지하다. 비 영예.

영광스럽다 (榮光—) [영광스럽따] 영광을 느낄 만하다. 예 대표로 뽑힌 것이 영광스럽다. 활용 영광스러워 / 영광스러우니.

영ː구 (永久) 길고 오램. 예 영구 보존 / 영구불변 / 영구히 계속되다. **—하다. —히.**

영ː구적 (永久的) 오래도록 변하지 않는 (것). 비 항구적. 반 일시적.

영구차 (靈柩車) 시체를 넣은 관을 실어 나르는 자동차.

영ː구치 (永久齒) 젖니가 빠진 뒤에 나는, 다시 갈지 않는 이. 비 간니. 반 유치.

영국 (英國) 〖국명〗 유럽의 서부 대서양에 있는 입헌 군주국. 의회 제도가 잘 발달한 나라로 유명함. 수도는 런던. ➲ England

영글다 ⇨여물다. 활용 영글어 / 영그니 / 영그는.

영남 (嶺南) 소백산맥의 동남쪽 지방. 곧, 경상 남북도.

영내 (營內) 부대 안. 병영의 안.

영농 (營農) 농업을 경영함. 예 영농 자금 / 영농 후계자. **—하다.**

영달 (榮達) 지위가 높고 귀하게 됨. 예 한 몸의 영달을 위해서 지조를 버리다. 비 출세. **—하다.**

영도 (領導) 많은 사람을 거느려 이끎. 앞장서서 지도함. 예 영도자. **—하다.**

영도력 (領導力) 많은 사람을 앞장서서 이끌고 지도하는 능력. 예 뛰어난 영도력을 발휘하다.

영동 (嶺東) 강원도의 대관령 동쪽 지역. 반 영서.

영동 고속도로 (嶺東高速道路) [— 고속또로] 서울과 강원도 강릉 사이를 잇는 고속도로. 1975년에 개통됨. 길이 201 km.

영동선 (嶺東線) 경북 영주에서 강원도 동해시를 거쳐 강릉 경포대에 이르는 산업 철도. 길이 199.1 km.

영락없다 (零落—) [영나겁따] 조금도 틀리지 않고 들어맞다. 예 아이의 모습이 영락없는 제 아버지다.

영락없이 (零落—) [영나겁씨] 영락없게. 예 이번 시험에는 영락없이 합격할 것이다.

영령 (英靈) [영녕] 죽은 사람의 영혼을 높여 이르는 말. 예 호국 영령.

영롱하다 (玲瓏—) [영농하다] **1** 눈부시게 빛나다. ㊞영롱한 아침 이슬 / 햇빛이 영롱하다. **2** 구슬 따위의 울리는 소리가 맑고 아름답다. ㊞영롱한 목소리.

영리 (營利) [영니] 돈을 벌어 이익을 남기려고 함. ㊞영리사업.

영:리하다 (怜悧〔伶俐〕—) [영니하다] 똑똑하고 눈치가 빠르다. ㊞영리한 아이 / 머리가 영리하다.

영문[1] 까닭이나 형편. ㊞영문을 몰라 어리둥절하다.

영문[2] (英文) 영어로 쓴 글.

영물 (靈物) 신령스러운 물건이나 짐승.

영민하다 (英敏—) 똑똑하고 재빠르다. ㊞영민하기로 소문난 수재.

영봉 (靈峰) 신령한 봉우리. ㊞백두산 영봉.

영부인 (令夫人) 남의 부인을 높여 부르는 말. 비 귀부인.

영사 (領事) 외국에 있으면서 자기 나라의 무역에 대한 이익과 국민 보호에 관한 일을 맡아보는 공무원.

영사기 (映寫機) 영화 필름을 스크린에 확대하여 비추는 기계.

영사막 (映寫幕) 영화의 상을 비추는 흰색의 막. 비 은막.

영산강 (榮山江) 전라남도의 담양에서 시작하여 나주평야를 지나 서해로 흐르는 강. 길이 122km.

영상[1] (映像) **1** 빛으로 비추어져 나타나는 물체의 모양. ㊞거울에 비친 영상. **2** 영화나 텔레비전 따위의 화면에 비추어진 모습. **3** 머릿속에서 그리는 모습이나 광경. 이미지.

영상[2] (零上) 기온이 0℃ 이상일 때를 이르는 말. 반 영하.

영상 매체 (映像媒體) 영화·비디오·텔레비전 따위처럼 정보를 영상으로 전달하는 도구.

영:생 (永生) 오래 사는 것. 영원히 삶. **—하다.**

영서 (嶺西) 강원도의 대관령 서쪽 지역. 반 영동.

영선사 (領選使) 조선 고종 18년 (1881) 신문화를 받아들이기 위하여 청나라에 파견한 사절. 청의 신식 무기의 제조와 사용법을 익히고자 김윤식을 대표로 하여 69 명의 청년들을 파견하였음.

영세 (領洗) 천주교에서, 신자가 될 때 받는 의식. ㊞영세를 받다. 비 세례.

영세민 (零細民) 수입이 적어 몹시 가난한 사람.

영:속 (永續) 오래 계속함. ㊞남북 분단이 영속되어서는 안 된다. 비 지속. **—하다.**

영수증 (領收證) 돈이나 물건을 확실히 받았다는 표로 내주는 증서. ㊞영수증을 끊다 / 영수증을 받다.

영식 (令息) 윗사람의 아들을 높여 이르는 말. 반 영애.

영아 (嬰兒) ⇨젖먹이.

영악하다 (靈惡—) [영아카다] 자신에게 이로운 것을 빠르게 찾고 똑똑하다. ㊞어린아이답지 않게 영악한 녀석이다.

영안실 (靈安室) 병원 따위에서 임시로 시신과 위패를 모셔 두는 방.

영애 (令愛) 윗사람의 딸을 높여 이르는 말. 비 영양. 반 영식.

영약 (靈藥) 신비한 효과가 있는 약. ㊞불로장생의 영약.

*__영양__ (營養) 생물이 생명을 유지하고 몸을 성장시키기 위하여 필요한 성분을 섭취하는 작용. 또는 그 성분. ㊞영양 보충 / 영양 섭취.

영양가 (營養價) [영양까] 음식물에 있는 영양소의 양·질·칼로리 따위로 정해지는 영양 가치. ㊞우유는 영양가가 높은 식품이다.

영양분 (營養分) 영양이 되는 성분. 또는 영양소의 분량. ㊞영양분을 고루 섭취하다. 비 자양분.

영양사(營養士) 단체 급식을 하는 곳에서 음식의 영양을 따져 식단을 짜고 급식을 지도하는 사람.

*__영양소__(營養素) 생물의 영양이 되는 물질. 사람에게 필요한 영양소로는 단백질·지방·탄수화물·무기질·비타민 따위가 있음.

*__영양식__(營養食) 영양가가 높은 음식. 또는 그 식사.

영양실조(營養失調) [영양실쪼] 영양 섭취가 모자라거나 고르지 않은 상태. ㉠영양실조에 걸리다.

영양제(營養劑) 영양을 보충해 주는 약.

영어(英語) 영국의 언어. 영국 외에 미국·캐나다·뉴질랜드 따위에서 쓰이는 말. 세계에서 가장 널리 쓰이고 있음. ➲English

영업(營業) 이익을 얻기 위하여 하는 사업. ㉠영업 사원 / 오늘은 영업을 쉽니다. **—하다.**

영업부(營業部) [영업뿌] 영업에 관한 일을 맡아보는 부서.

영역(領域) 영향이나 세력 따위가 미치는 범위. ㉠활동 영역 / 남의 영역을 침범하다.

영:영(永永) 영원히. 언제까지나. ㉠영영 소식이 없다. 준 영.

영예(榮譽) 영광스러운 명예. ㉠영예의 최우수상 수상 / 우승의 영예를 차지하다. **—스럽다.**

영예롭다(榮譽—) [영예롭따] 영예로 여길 만하다. ㉠영예롭게 은퇴하다. 활용 영예로워 / 영예로우니.

영웅(英雄) 지혜와 재능이 뛰어나고 용맹하여 위대한 일을 해내는 사람. ㉠영웅호걸. ➲hero

영웅심(英雄心) 용맹과 지혜와 담력이 뛰어남을 나타내려는 마음.

*__영:원__(永遠) **1** 한없이 오래 계속되는 일. ㉠영원한 사랑 / 영원한 작별 / 영원히 빛날 우리의 전통. **2** 시간이 흘러도 변함없이 존재하는 일. ㉠진리는 영원하다. 비 영구. 반 순간. **—하다. —히.**

영월(寧越) 〖지명〗 강원도 영월군에 있는 읍. 군청 소재지임. 무연탄이 많이 나고 우리나라 최대의 화력 발전소가 있음.

영위(營爲) 일을 꾸려 나감. ㉠알찬 생활을 영위하다. **—하다.**

영의정(領議政) [— / 영이정] 조선 시대 의정부의 최고의 관직. 비 영상. *우의정. 좌의정.

영:인(影印) 책 따위를 사진으로 복사하여 인쇄함. **—하다.**

영입(迎入) 환영하여 맞아들임. ㉠신입 회원을 영입하다. **—하다.**

영자(英字) [영짜] 영어를 표기하는 데 쓰는 글자. ㉠영자 신문을 읽다. 비 영문자.

영장[1](令狀) [영짱] 법원이나 관청에서 보내는, 명령의 뜻을 적은 명령서. ㉠소집 영장 / 압수 수색 영장 / 영장을 받고 입대하다.

영장[2](靈長) 뛰어난 능력을 가진 우두머리. 곧, 사람을 가리키는 말. ㉠인간은 만물의 영장이다.

영재(英才) 뛰어난 재주. 또는 그런 재주를 가진 사람. ㉠영재 교육. 비 수재.

영적(靈的) [영쩍] 신령스러운 (것). 정신이나 영혼에 관한 (것). ㉠영적 세계 / 영적 체험.

영점(零點) [영쩜] **1** 득점이 없음. ㉠수학 점수가 영점이다. **2** 능력이나 성과가 전혀 없음을 일컫는 말. ㉠네가 한 일은 영점이다.

영접(迎接) 손님을 맞아 대접함. ㉠영접을 받다. **—하다.**

영:정(影幀) 사람의 모습을 그린 족자. ㉠세종 대왕 영정. 비 영상.

영조(英祖) 〖인명〗 조선 제21대 임금. 탕평책으로 인재를 고루 등용하고, 균역법을 시행하였음. 모진 형벌을 폐지하였으며, 신문고를 부활

시켰음. [1694-1776 ; 재위 1724-1776]

영:주¹ (永住) 한곳에 오래 삶. ㉠외국에 영주하다. **—하다.**

영주² (領主) 봉건 제도에서, 왕이 내린 영토나 장원의 소유주.

영:주권 (永住權) [영주꿘] 일정한 자격을 갖춘 외국인에게 주는, 그 나라에 영주할 수 있는 권리.

영지버섯 (靈芝—) [영지버섣] 죽은 활엽수의 그루에 나는 버섯. 갓은 잎사귀 모양 또는 둥근 모양으로, 칠을 한 것처럼 윤이 나고 딱딱함. 말려서 약으로 씀. 비 영지.

영:차 여럿이 힘을 합쳐 한 가지 일을 할 때 기운을 돋우려고 함께 지르는 소리. ㉠영차, 영차 외치며 줄을 잡아당겼다. 본 이영차.

영:창¹ (映窓) 방을 밝게 하기 위하여 방과 마루 사이에 낸 두 쪽의 미닫이.

영창² (營倉) 군법을 어긴 군인을 가두기 위하여 부대 안에 설치한 감옥. ㉠영창에 가다.

영:탄법 (詠嘆法) [영탄뻡] 수사법의 하나. 느낌을 나타내는 말을 써서 놀라움·기쁨·슬픔 따위의 감정을 강조하여 나타냄.

영토 (領土) 한 나라의 주권을 행사할 수 있는 지역. ㉠영토 분쟁 / 독도는 우리나라의 영토이다. 비 영지. *영공. 영해.

영특하다 (英特—) [영트카다] 남달리 재주가 뛰어나고 똑똑하다. ㉠영특한 아이.

영패 (零敗) 경기 따위에서, 점수를 전혀 얻지 못하고 짐. ㉠간신히 영패를 면하다.

영하 (零下) 눈금이 0℃ 아래로 내려간 온도. ㉠기온이 영하로 떨어지다. 반 영상.

영합 (迎合) 남의 마음에 들도록 뜻을 맞춤. 아첨하여 좇음. ㉠여론에 영합하다. **—하다.**

영해 (領海) 연안해·항만·내해·해협 따위 한 나라의 주권을 행사할 수 있는 바다. 우리나라에서는 12해리 이내임.

***영:향** (影響) 한 가지 사물로 말미암아 다른 사물에 미치는 결과. ㉠태풍의 영향.

영:향력 (影響力) [영향녁] 영향을 미치는 힘. ㉠영향력을 행사하다.

영혼 (靈魂) 죽은 사람의 넋. 반 육체. 준 영.

영화¹ (榮華) 몸이 귀하게 되어 이름이 세상에 빛남. ㉠부귀와 영화를 누리다. **—롭다.**

***영화²** (映畫) 어떤 내용을 가지고 움직이는 대상을 촬영하여 영사기로 영사막에 비추어 보이게 하는 것. 시네마. ㉠국산 영화 / 영화를 찍다. *활동사진. ➡ movie

영화계 (映畫界) [— / 영화게] 영화에 관련된 사회. 비 은막.

영화관 (映畫館) 영화를 상영하는 시설을 갖춘 건물.

영화배우 (映畫俳優) 영화에 출연하는 배우.

영화제 (映畫祭) 일정한 기간 동안에 제작된 영화 작품 중에서 그 우열을 겨루어 시상하고, 제작자나 감독, 출연자 등이 교류하기 위한 행사. ㉠부산 국제 영화제.

영화화 (映畫化) 소설·전기 따위를 영화로 만듦. 또는 그것들이 영화로 만들어짐. **—하다.**

옅다 [엳따] **1** 바닥까지의 깊이가 깊지 않다. ㉠개울이 옅다. **2** 빛깔이 연하다. ㉠옅은 하늘색. 반 짙다. **3** 생각이나 지식 따위가 깊지 아니하다. **4** 안개나 연기가 약간 끼어 있다. ㉠옅은 안개.

***옆** [엽] 왼쪽이나 오른쪽의 곁. ㉠옆 자리 / 옆을 보다. ➡ side

옆구리 [엽꾸리] 몸의 양쪽 갈빗대

가 있는 부분. ㉠옆구리를 쿡쿡 찌르다.

옆길 [엽낄] **1** 큰길 옆으로 난 작은 길. ㉠옆길로 접어들다. **2** 본디 해야 할 일을 하지 않고 다른 일을 하는 경우. ㉠이야기가 옆길로 새다.

***옆면** (—面) [염면] 앞뒤에 대한 왼쪽이나 오른쪽의 면. 비 측면.

옆모습 [염모습] 옆에서 본 모습.

옆집 [엽찝] 바로 옆에 있는 집.

옆쪽 [엽쪽] 옆이 되는 곳이나 방향. ㉠건물의 옆쪽에 금이 갔다.

***예ː**[1] (例) **1** 본보기. 보기. ㉠예를 들어 설명하다. **2** 이전부터 있던 사례. ㉠이런 예도 있다. ➲ example

***예ː**[2] 옛날. 오래전.

> **주의** 예와 옛
> **예** '오랜 세월이 지난 옛날'·'오래전'의 뜻.
> ㉠예나 지금이나 변함없는 우정.
> **옛** '지나간 때의'·'예전의'의 뜻.
> ㉠옛추억 / 옛날 / 옛말 / 옛이야기 / 옛사랑 / 옛정.

예[3] (禮) **1** 사람이 마땅히 지켜야 할 도리. ㉠예를 갖추어 대하다. **2** '예법'의 준말. ㉠예를 지키다. **3** '경례'의 준말.

***예ː**[4] **1** 어른이 묻는 말에 그렇다는 뜻으로 대답하는 말. ㉠예, 알겠습니다. **2** 어른이 한 말을 못 알아듣거나 놀라서 다시 묻는 뜻으로 하는 말. ㉠예, 무슨 뜻입니까. ➲ yes

예ː각 (銳角) 직각보다 작은 각. 반 둔각.

예ː감 (豫感) 무슨 일이 있기 전에 암시적으로 또는 육감으로 미리 느낌. ㉠불길한 예감이 들다 / 예감이 이상하다. **—하다.**

예ː견 (豫見) 어떤 일이 있기 전에 미리 앎. ㉠앞날을 예견하다 / 예견이 적중하다. 비 선견. **—하다.**

예ː고 (豫告) 미리 알림. 일에 앞서 알림. ㉠예고도 없이 시험을 보다. **—하다.**

***예ː금** (預金) 은행이나 우체국 따위의 금융 기관에 돈을 맡기는 일. ㉠예금을 찾다. 비 저금. **—하다.**

***예ː금액** (預金額) [예그맥] 예금한 액수.

예ː금 통장 (預金通帳) 은행이나 우체국 따위의 금융 기관에서 예금자에게 만들어 주며 예금과 지급의 내용을 적는 통장. 비 저금 통장.

예ː기하다 (豫期—) 앞으로 닥쳐올 일을 미리 기대하거나 예상하다. ㉠예기치 못했던 일이 생기다.

예ː끼 때릴 듯이 또는 심하게 혼낼 때 내는 소리. ㉠예끼 고얀 놈.

예ː년 (例年) 보통으로 지나온 해. 평상시의 해. ㉠예년에 없던 추위가 닥치다.

예ː능 (藝能) **1** 재주와 기능. **2** 음악·무용·연극·영화 따위를 통틀어 이르는 말. ㉠예능에 소질이 있다.

예닐곱 여섯이나 일곱. ㉠예닐곱 명이 둘러앉아 있다.

예ː로부터 오래전부터. 옛날부터. ㉠예로부터 우리나라는 흰옷을 즐겨 입었다.

예ː리하다 (銳利—) **1** 연장 따위가 날카롭다. ㉠칼날이 예리하다. **2** 관찰력이나 판단력이 빠르고 정확하다. ㉠예리한 판단.

예ː매[1] (豫買) 정해진 때가 되기 전에 미리 삼. ㉠입장권을 예매하다. **—하다.**

예ː매[2] (豫賣) 정해진 때가 되기 전에 미리 팖. ㉠승차권 예매를 시작하다. 비 선매. **—하다.**

예ː명 (藝名) 연예인이 본명 외에 따로 지어 부르는 이름.

예ː문 (例文) 예로써 드는 문장. ㉠예문을 들어 설명하다.

예물 (禮物) **1** 고마운 뜻에서 주는

물건. **2** 결혼할 때, 신랑과 신부가 주고받는 기념품. ㉔예물 반지.

예:민하다 (銳敏—) 감각·판단 따위가 빠르고 뛰어나다. ㉔신경이 예민하다 / 예민한 반응을 보이다.

예방[1] (禮訪) 인사차 방문함. ㉔대통령을 예방하다. **—하다.**

*__예:방__[2] (豫防) 무슨 일이나 탈이 있기 전에 미리 막음. ㉔전염병을 예방하다. **—하다.**

예:방 접종 (豫防接種) [—접쫑] 전염병의 발생 및 유행을 미리 막기 위하여 예방액을 몸속에 넣음.

예:방 주:사 (豫防注射) 몸 안에 면역이 생기어 전염병에 걸리지 않도록 예방액을 놓아 주는 주사.

예배 (禮拜) 신이나 부처 앞에 존경하는 마음으로 공손히 절을 하는 의식. ㉔주일 예배 / 예배를 드리다. 비 참배. **—하다.**

예배당 (禮拜堂) 기독교 신자들이 모여서 예배를 보는 건물. 비 교회.

예법 (禮法) [예뻡] 예절의 형식. ㉔예법에 어긋나는 행동. 준 예.

예:보 (豫報) 앞으로 다가올 일을 미리 알림. ㉔일기 예보가 맞는다면 내일은 비가 올 것이다. **—하다.**

예복 (禮服) 예식 때 입는 옷. 예절을 특별히 차릴 때 입는 옷. ㉔결혼 예복 / 예복을 갖추어 입다.

예불 (禮佛) 부처 앞에 예배함. ㉔예불을 드리다. **—하다.**

예:비 (豫備) 미리 준비함. ㉔예비 지식 / 예비로 우산을 가지고 가다. **—하다.**

예:비군 (豫備軍) 예비역 군인으로 짜여진 군대.

예:비역 (豫備役) 현역를 마친 군인이 일정 기간 복무하는 병역. 평상시에는 일반인으로 생활하다가 필요한 경우에 소집됨. ㉔예비역 군인. 반 현역.

*__예:쁘다__ 생긴 모양이나 하는 짓이 사랑스럽고 귀엽다. ㉔예쁜 아기의 재롱 / 얼굴이 예쁘다. 반 밉다. 활용 예뻐 / 예쁘니. ×이쁘다.

예:쁘장하다 제법 예쁘다. ㉔예쁘장하게 생기다.

예:사 (例事) 보통 있는 일. 흔히 있는 일. ㉔아이들이 서로 다투는 일은 예사다. 비 보통. 반 특별. 본 예상사.

예:사로 (例事—) 보통 있는 일로. 흔히 있는 일로. ㉔거짓말을 예사로 한다.

예:사롭다 (例事—) [예사롭따] 예사로 있을 만하다. 흔한 일이다. ㉔그냥 넘어갈 예사로운 일이 아니다. 활용 예사로워 / 예사로우니.

예:사말 (例事—) **1** 보통으로 흔히 하는 말. ㉔예사말로 듣지 마라. **2** 높이거나 공손한 뜻이 없는 보통의 말. 반 겸사말. 공대말.

예:사소리 (例事—) ㄱ·ㄷ·ㅂ·ㅅ·ㅈ 등과 같이 된소리나 거센소리가 아닌 보통의 소리. 비 평음.

예:산 (豫算) **1** 미리 필요한 돈을 계산함. 또는 그 금액. ㉔예산을 세우다. **2** 국가 또는 지방 자치 단체가 한 회계 연도의 수입과 지출을 미리 계산하는 일. 또는 그 금액. **—하다.**

예:산서 (豫算書) 돈이 들어오고 나가는 내용을 미리 짐작하여 셈한 것을 적은 서류.

예:산액 (豫算額) [예사낵] 예산으로 정한 액수.

예:삿일 (例事—) [예산닐] 보통으로 있는 일. 흔히 있는 일. ㉔예삿일로 여기다 / 이 사건은 예삿일이 아니다.

*__예:상__ (豫想) 어떤 일이 일어나기 전에 미리 생각함. 또는 그 내용. ㉔예상이 빗나가다. 비 예측. **—하다.**

예:상외 (豫想外) 생각 밖. 뜻밖. ㉔예상외로 키가 크다 / 예상외의 일이 일어나다.

예ː선 (豫選) 본선이나 결선에 나갈 선수나 팀을 뽑음. ㉥예선 경기 / 예선을 거치다 / 예선을 통과하다. 반 결선.

예성강 (禮成江) 황해도 언진산에서 시작하여 신계·남천을 지나 황해로 흘러가는 강. 길이 174 km.

예ː속 (隷屬) 남의 지배를 받으며 매임. ㉥예속에서 벗어나다 / 강대국에 예속되다. **—하다.**

예수 (←Jesus) 〖인명〗 ⇨그리스도.

예수교 (←Jesus教) ⇨기독교.

***예순** 열의 여섯 배. 60. ㉥예순 개 / 올해 나이가 예순이다 / 예순 명이 참가했다.

***예ː술** (藝術) 특별한 재료나 형식, 기교 따위를 써서 아름다움을 표현하는 활동. 또는 그 작품. 미술·음악·문학·연극 따위. ㉥예술 작품 / 예술은 길고 인생은 짧다. ➡ art

예ː술가 (藝術家) 예술 작품을 만들어 내거나 표현하는 사람. 음악가·소설가·시인·건축가 등.

예ː술단 (藝術團) [예술딴] 예술 활동을 목적으로 예술인들로 조직된 단체.

예ː술성 (藝術性) [예술썽] 예술적인 특성. ㉥예술성이 뛰어난 작품.

예ː술적 (藝術的) [예술쩍] 예술다운 (것). 예술의 특성을 지니고 있는 (것). ㉥예술적 가치가 있는 그림 / 예술적으로 표현하다.

예ː술품 (藝術品) 예술적 가치가 있는 작품.

예ː스럽다 [예스럽따] 옛것 같은 느낌이 있다. 활용 예스러워 / 예스러우니.

예ː습 (豫習) 앞으로 배울 것을 미리 공부함. 미리 익힘. ㉥예습을 철저히 하다. 반 복습. **—하다.**

예ː시[1] (例示) 예를 들어 보임. ㉥몇 가지 방법을 예시하다. **—하다.**

예ː시[2] (豫示) 미리 보이거나 알림. ㉥합격을 예시하다. **—하다.**

예식 (禮式) 결혼식·약혼식·장례식 따위를 예법에 따라 행하는 식. ㉥예식을 거행하다.

예식장 (禮式場) [예식짱] 예식을 치를 수 있도록 필요한 시설을 갖춘 곳. 주로 결혼식장을 말함.

예ː심 (豫審) 본심사에 앞서 미리 하는 심사. ㉥예심을 통과하다.

예ː약 (豫約) 미리 약속함. 또는 그 약속. ㉥좌석을 예약해 놓다 / 예약을 취소하다. **—하다.**

예ː언 (豫言) 앞으로 일어날 일을 미리 말함. 또는 그 말. ㉥예언이 빗나가다. **—하다.**

예ː언자 (豫言者) **1** 앞으로 닥칠 일을 미리 짐작하여 말하는 사람. **2** 하나님의 계시를 받아, 하나님의 말씀을 사람들에게 알리는 사람. 비 선지자.

예ː외 (例外) 일반적 규칙이나 통상적인 예에서 벗어나는 일. ㉥어떤 법칙에도 예외는 있다.

-예요 '-이에요'의 준말. ㉥저것이 저희 학교예요 / 착한 일을 한 어린이예요.

예우 (禮遇) 예의를 다하여 정중히 대우함. ㉥예우를 갖추다. **—하다.**

예ː의[1] (銳意) [— / 예이] 일을 잘하려고 단단히 차리는 마음. ㉥예의 연구에 힘쓰다 / 사태를 예의 주시하다.

***예의**[2] (禮儀) [— / 예이] 사람이 지켜야 할 올바른 예절과 몸가짐. ㉥예의를 지키다 / 예의를 차리다.

예의(가) 바르다 남에게 공손하고 삼가는 태도가 있다. ㉥예의 바른 학생.

예의범절 (禮儀凡節) [— / 예이범절] 일상생활을 하면서 지켜야 할 모든 예의와 절차. ㉥예의범절에 맞다 / 예의범절에 어긋나다.

*예:전 퍽 오래된 지난날. ㉮예전처럼 사이좋게 지내자. 비 옛적.

*예절 (禮節) 바르고 공손한 말씨와 몸가짐. ㉮어른에게 예절을 배우다 / 예절을 지키다 / 예절을 갖추다 / 예절이 바르다.

*예:정 (豫定) 미리 정함. 미리 내다보고 하는 작정. ㉮예정표 / 일이 예정보다 빨리 끝났다 / 예정했던 시간에 도착하다. 비 계획. —하다.

예:제 (例題) 내용의 이해를 돕기 위하여 보기로 내는 연습 문제.

예찬 (禮讚) 훌륭하거나 좋은 것, 아름다운 것 따위를 칭찬하고 우러러봄. ㉮청춘 예찬 / 선조의 업적을 예찬하다. —하다.

예:측 (豫測) 앞으로 일어날 일을 미리 헤아려 짐작함. ㉮우승 팀을 예측할 수 없다 / 기상 상태를 예측하다. 비 예상. —하다.

예:치 (預置) 맡기어 둠. ㉮은행에 돈을 예치하다. —하다.

예:컨대 (例—) 예를 들자면. 이를테면.

예:행 (豫行) 미리 행함. 연습으로서 행함. ㉮강당에서 졸업식 예행 연습을 하다. —하다.

예:화 (例話) 예로 들어 하는 이야기. ㉮예화를 들려주다.

옌볜 (중 延邊) 〖지명〗 중국 지린 성에 있는 조선족 자치주. 우리 민족이 많이 삶. 연변².

옌지 (중 延吉) 〖지명〗 중국 지린 성 동부 조선족 자치주의 주도. 우리나라 사람이 많이 삶. 연길.

*옛: [옏] 지나간 때의. 옛날의. ㉮옛 기억들을 떠올려 보다. →예 주의

옛:것 [옏껃] 오래된 옛날의 것.

*옛:날 [옌날] 아주 오래된 지난날. 옛 시대. 비 옛적. 반 지금.

옛:날이야기 [옌날리야기] **1** 옛날부터 전해 내려오는 이야기. **2** 지나간 과거의 이야기. 비 옛이야기. 준 옛날얘기.

옛:말 [옌말] 예로부터 전해 오는 말이나 이야기. ㉮옛말을 다시 살려 쓰다 / 옛말 그른 데 없다.

옛:일 [옌닐] 옛날의 일. ㉮이젠 모두 다 옛일이다.

옛:적 [옏쩍] ⇨옛날.

옛:집 [옏찝] **1** 옛날의 집. 오래된 집. **2** 예전에 살던 집.

*오:¹ (五) 다섯. ㉮오 년 / 오 개월 / 오 학년. ➡ five

오:² 놀람·칭찬·감탄 따위 느낌을 나타낼 때 내는 소리. ㉮오, 세상에 이럴 수가. ➡ oh

-오 받침 없는 말에 붙어 '물음·명령·설명'의 뜻을 나타내는 말. ㉮어디로 가오 / 저리 가시오 / 그것은 내 것이오.

> **참고** -오와 -요
> (1) 말이 끝날 때는 '-오'
> ㉮이것은 책이오 / 이리로 오시오.
> (2) 말이 이어질 때는 '요'
> ㉮이것은 책이요, 저것은 붓이요, 또 저것은 먹이다.
> (3) 말끝 뒤에 덧붙는 '-요'는 '-요'로 적음.
> ㉮읽어+요→읽어요.
> 참으리+요→참으리요.

오가다 오고 가고 하다. 왕래하다. ㉮오가다 만난 사람.

오:각기둥 (五角—) [오각끼둥] 밑면이 오각형인 기둥. 비 오각주.

오:각형 (五角形) [오가켱] 다섯 개의 선분으로 둘러싸인 평면 도형.

오:감 (五感) 눈으로 보고, 귀로 듣고, 코로 냄새 맡고, 혀로 맛보고, 피부로 느끼는 다섯 가지 감각. ㉮오감이 발달하다.

오:경 (五經) 유학의 다섯 가지 경전. 시경·서경·주역·예기·춘추.

오:곡 (五穀) **1** 쌀·보리·조·콩·기

장의 다섯 가지 곡식. **2** 곡식을 통틀어 일컫는 말.

오:곡밥 (五穀—) [오곡빱] 오곡으로 지은 밥. ㉥오곡반.

오:곡백과 (五穀百果) [오곡빽꽈] 온갖 곡식과 여러 가지 과일. ㉤오곡백과가 풍성한 가을.

오골계 (烏骨鷄) [— / 오골게] 살·가죽·뼈가 모두 검은 빛깔인 아시아 원산의 닭. 체질이 약하고 알을 적게 낳음. 풍병·허약증에 약으로 삶아 먹음.

〈오골계〉

오:관 (五官) 오감을 일으키는 다섯 가지 감각 기관. 곧, 눈(시각)·귀(청각)·코(후각)·혀(미각)·피부(촉각)를 이름.

오:광대놀이 (五廣大—) [오광대노리] 경상남도 해안 지방에서 음력 정월 보름에 탈을 쓰고 노는 민속 연극의 한 가지.

오그라들다 물체가 안쪽으로 점점 오그라져서 작아지다. ㉦우그러들다. 활용 오그라들어 / 오그라드니 / 오그라드는.

오그라지다 **1** 물체의 가장자리가 안쪽으로 오목하게 휘어지다. **2** 작아지다. 졸아들다. **3** 주름이 잡히며 줄어들다.

오그리다 오그라지게 하다. ㉤몸을 오그리고 자다. ㉦우그리다.

오글거리다 **1** 물이 자꾸 요란스럽게 끓어오르다. **2** 작은 벌레·사람 따위가 한곳에 빽빽이 많이 모여 자꾸 움직이다. ㉤개미 떼가 오글거리다. ㉦우글거리다.

오글오글 [오그로글] 벌레나 짐승, 사람 등이 한곳에 많이 모여 움직이는 모양. ㉦우글우글. **—하다.**

오금 무릎이 구부러지는 오목한 안쪽 부분. ㉤너무 오래 앉아 있었더니 오금을 못 펴겠다.

오금(을) 못 쓰다 몹시 마음이 끌리거나 두려워 꼼짝을 못하다. ㉥오금(을) 못 펴다.

오금(을) 박다 큰소리치던 사람이 그와 반대되는 말이나 행동을 할 때에 그 큰소리치던 말을 들어 몹시 꾸짖다.

오금이 쑤시다 무엇이 하고 싶어서 잠자코 있을 수가 없다.

오금이 저리다 자기 잘못이 들통이 나거나 그 때문에 나쁜 결과가 생길까 마음을 졸이다.

오:기[1] (傲氣) 남에게 지기 싫어하는 마음. ㉤오기가 나다 / 오기로 버티다 / 오기를 부리다.

오:기[2] (誤記) 잘못 적음. 또는 그 기록. ㉤이 책은 오기투성이다. **—하다.**

오나가나 오는 경우나 가는 경우나 모두. 가는 곳마다. ㉤오나가나 말썽이다.

***오:냐** 아랫사람에 대해 또는 혼잣말로 긍정이나 결심을 나타내는 말. ㉤오냐, 어서 들어오너라 / 오냐, 두고 보자.

오누이 오라비와 누이. ㉤오누이 사이 / 오누이처럼 가깝게 지내다. ㉥남매. ㉨오뉘.

오:뉴월 (五六月) 오월과 유월. 음력으로 가장 덥고 해가 긴 철.

***오늘** **1** 지금 지내고 있는 이날. ㉤오늘은 토요일이라 학교에서 일찍 집으로 돌아온다. ㉥금일. **2** '오늘날'의 준말. ➡ today

***오늘날** [오늘랄] 지금의 시대. ㉤오늘날의 세계. ㉨오늘.

오늘내일 (—來日) [오늘래일] 오늘이나 내일 사이에. 가까운 시일에. 당장에. ㉤오늘내일 끝날 일이 아니다.

오늘내일하다 (—來日—) [오늘래일하다] **1** 죽을 때·해산 때 따위가 가까이 다가오다. **2** 그날이 오기를 고대하다.

*__오다¹__ **1** 다른 곳에서 이곳으로 움직이다. ㉠미국에서 온 손님. 반가다. **2** 비·눈·서리 따위가 내리다. ㉠첫눈이 오다. **3** 잠·아픔 따위의 증상이 몸에 나타나다. ㉠잠이 오다. **4** 소식 따위가 전해지다. ㉠편지가 오다. **5** 계절 따위가 되다. ㉠봄이 오다. **6** 어떤 일이 닥치다. ㉠올 것이 왔구나. **7** 어떤 경우나 시기에 이르다. ㉠이제 와서 딴소리냐. 활용 오너라. ➲ come

오다² 움직임이나 상태를 나타내는 말의 뒤에 쓰여 그 동작이나 상태가 계속하여 진행됨을 나타내는 말. ㉠날이 밝아 오다.

오다가다 가끔 어쩌다가. 지나는 길에 혹시. 우연히. ㉠오다가다 만난 사람.

오달지다 허술한 데가 없이 야무지고 실속이 있다. ㉠나이에 비해 행동이 오달지다. 준 오지다.

오ː대산 (五臺山) 강원도 평창군과 홍천군 경계에 있는 산. 태백산맥에 속하며 한강의 발원지임. 설악산과 함께 금강산 다음가는 명승지로 월정사·상원사가 있으며, 고산 식물과 약초가 풍부함. 국립공원으로 지정되어 있음. 높이 1,563 m.

오ː대양 (五大洋) 지구를 둘러싸고 있는 규모가 큰 다섯 바다. 태평양·대서양·인도양·남빙양·북빙양을 이름.

오ː대주 (五大洲) 지구 상에 있는 다섯 대륙. 아시아 주·유럽 주·아프리카 주·아메리카 주·오세아니아 주를 이름.

오ː대호 (五大湖) 북아메리카 중부에 있는 다섯 호수. 곧, 슈피리어 호·미시간 호·휴런 호·이리 호·온타리오 호를 이름.

오뎅 (일 おでん) 어묵·무·유부 따위를 여러 개씩 꼬챙이에 꿰어, 끓는 장국에 넣어 익힌 일본식 음식. 꼬치.

오도독 **1** 작고 단단한 물건을 야무지게 깨무는 소리. ㉠사탕을 오도독 깨물다. **2** 작고 단단한 물건이 부러지는 소리. 큰 우두둑. **—하다.**

오도카니 걱정이나 생각할 것이 있어 맥없이 멀거니 서 있거나 앉아 있는 모양. 큰 우두커니.

오돌오돌 [오도로돌] **1** 작고 여린 뼈나 말린 날밤처럼 깨물기에 좀 단단한 모양. **2** 작은 것이 잘 삶아지지 않은 모양. ㉠콩이 설익어서 오돌오돌하다. **3** 오동통하고 보드라운 모양. 큰 우들우들. **—하다.**

오돌토돌 거죽이나 바닥이 고르지 않게 여러 곳이 도드라져 있는 모양. ㉠손등에 사마귀가 오돌토돌 나 있다. 큰 우둘투둘. **—하다.**

오동나무 (梧桐—) 현삼과에 속하는 낙엽 활엽 교목. 높이 10 m 정도, 봄에 보라색 꽃이 핌. 재목이 가볍고 부드러우며 잘 휘거나 트지 않아 가구·악기를 만드는 데 많이 씀.

오동통하다 몸이 작고 통통하다. ㉠오동통한 아가씨.

오동포동 몸이나 얼굴이 살져 통통하고 보드라운 모양. ㉠오동포동한 아기 손. **—하다.**

오두막 (—幕) ⇨오두막집.

오두막집 (—幕—) [오두막찝] 조그맣게 지어 사람이 겨우 살 만한 집. 비 오막살이.

오들오들 [오드로들] 춥거나 무서워서 몸을 잇따라 심하게 떠는 모양. ㉠오들오들 떨며 서 있다.

오디 뽕나무의 열매.

오디션 (audition) 가수·배우 등을 뽑기 위한 실기 시험. ㉠오디션을 받다.

오디오 (audio) 라디오·텔레비전·전축 따위의 소리 부분. ㉠오디오기기. 반 비디오.

오뚝이[1] [오뚜기] 아무렇게나 굴려도 쓰러지지 않고 오뚝오뚝 서는 아이들의 장난감. ×오뚜기.

오뚝이[2] [오뚜기] 오뚝하게. 큰 우뚝이. ×오똑이. 오뚝히.

오뚝하다 [오뚜카다] 물건이 높게 솟아 있다. 예콧날이 오뚝하다. 반 옴폭하다. 큰 우뚝하다.

오:라 예전에 도둑이나 죄인을 묶던 붉고 굵은 줄. 예오라를 지우다. 비 오랏줄.

오:라기 1 종이·헝겊·실 따위의 길고 가느다란 조각. 예실오라기. 2 종이·헝겊·실 따위를 세는 단위. 예 지푸라기 한 오라기.

오라버니 '오빠'의 높임말.

오라비 '오라버니'의 약간 낮춤말.

*__오:락__ (娛樂) 쉬는 시간에 재미있게 놀아서 기분을 즐겁게 하는 일. 예오락 시간 / 오락 프로. **—하다.**

오락가락 [오락까락] 1 자꾸 왔다 갔다 하는 모양. 예골목길에서 오락가락하다. 2 비나 눈이 내리다 말다 하는 모양. 예비가 오락가락한다. 3 생각이 떠오를 듯 말 듯 하는 모양. 4 정신이 얼떨떨하여 아뜩아뜩한 모양. 예사람을 못 알아볼 정도로 정신이 오락가락하다. **—하다.**

오:락실 (娛樂室) [오락씰] 오락에 필요한 시설이 마련되어 있는 방. 오락을 하는 방. 예전자오락실 / 오락실에서 게임을 하다.

오랑우탄 (orangutan) 성성잇과의 짐승. 키는 1.4 m가량, 황갈색의 긴 털이 온몸에 나 있으며, 팔이 길어 서 있어도 손끝이 땅에 닿음. 보르네오·수마트라 밀림에 살며 나무 위에서 생활함. 성성이.

오랑캐 우리나라를 침략한 다른 민족을 낮추어 이르는 말.

오랑캐꽃 [오랑캐꼳] ⇨제비꽃.

*__오래__ 시간이 길게. 긴 시간 동안. 예한곳에 오래 살다.

오래가다 어떤 상태나 현상 따위가 긴 시간 계속되거나 유지되다. 예그 유행은 오래가지 않았다.

오래간만 시간이 오래 지난 뒤. 예 오래간만에 만난 친구 / 오래간만에 햇빛이 났다. 준 오랜만.

오래다 시간이 지나간 동안이 길다. 예고향을 떠난 지 오래다.

오래도록 시간이 오래 지나도록. 예친구의 편지를 오래도록 소중히 간직하다.

오래되다 지난 동안이 오래다. 예 벌써 오래된 이야기다. old

오래오래 아주 오래 지나도록. 예 오래오래 건강하십시오.

*__오랜__ '아주 오래된'의 뜻. 예오랜 역사 / 오랜 세월.

오랜만 '오래간만'의 준말.

*__오랫동안__ [오래똥안 / 오랟똥안] 시간적으로 썩 긴 동안. 예오랫동안 꿈꾸어 오던 여행을 떠나다.

오렌지 (orange) 감귤 종류의 한 가지. 열매는 감귤보다 더 크고 둥글며 껍질이 두껍고 단단함.

오:로지 다른 것이 없이 오직. 예 오로지 공부에만 힘쓰다. **—하다.**

오롯이 [오로시] 고요하고 쓸쓸하게. 호젓하게. 예창가에 오롯이 앉아 있다.

오롯하다 [오로타다] 남거나 모자람이 없이 온전하다. 예오롯한 살림살이.

오:류 (誤謬) 1 그릇되어 이치에 어긋남. 예오류를 범하다. 2 ⇨에러(error) 2. 예프로그램에 오류가 생겨 바로잡다.

오:륙 (五六) 다섯이나 여섯. 비 대여섯.

오:륜 (五倫) 유교에서 사람으로서 지켜야 할 다섯 가지의 도리. 임금과 신하 사이의 의리, 아버지와 아들 사이의 친애, 부부 사이의 분별,

어른과 아이 사이의 질서, 친구 사이의 신의를 말함.

오르간 (organ) ⇨풍금. ㉠오르간 반주.

오르내리다 **1** 올라갔다 내려갔다 하다. ㉠이삿짐을 옮기느라 계단을 오르내리다. **2** 사람들 사이에 자주 이야깃거리가 되다. ㉠많은 사람들 입에 오르내리다.

*__오르다__ **1** 낮은 데에서 높은 데로 가다. ㉠설악산에 오르다. **2** 높은 지위나 신분 따위를 얻게 되다. ㉠왕위에 오르다. **3** 값이 비싸지다. ㉠물가가 오르다. **4** 실적·효과가 나타나다. ㉠성적이 오르다. 반 내리다. **5** 남의 이야깃거리가 되다. ㉠화제에 오르다. 활용 올라 / 오르니.

오르락내리락 [오르랑내리락] 계속해서 오르내리는 모양. ㉠기온이 오르락내리락하다. **—하다.**

오르막 비탈이 져서 올라가도록 된 곳. ㉠오르막에서 잠시 쉬다. 반 내리막.

오르막길 [오르막낄] 오르막으로 된 길. 반 내리막길.

오른발 오른쪽 발. 반 왼발.

*__오른손__ 오른쪽의 손. 반 왼손.

오른씨름 샅바를 왼쪽 다리에 걸고 서로 상대방의 오른쪽 어깨를 맞대고 하는 씨름. 반 왼씨름.

*__오른쪽__ 앞을 향해 오른손의 쪽. 비 우측. 반 왼쪽. ➡ right

> 참고 '오른쪽'의 '오른'은 본래 '옳다'의 '옳은'이었다. 그러나 우측을 나타내는 '옳은'은 '옳다'의 뜻과는 멀어졌기에 어원을 밝히지 아니하고 소리 나는 대로 '오른'으로 쓰기로 하였다.

오른팔 오른쪽의 팔. 반 왼팔.

오른편 (—便) 오른쪽. 반 왼편.

*__오:리__ 오릿과의 새. 발가락 사이에 물갈퀴가 있어 헤엄을 잘 치며, 부리는 넓적하고 길. 검둥오리·청둥오리 따위가 있음. ➡ duck

〈오리〉

오:리걸음 [오리거름] 오리처럼 뒤뚱거리며 걷는 걸음.

오리나무 자작나뭇과의 낙엽 활엽 교목. 높이 약 20 m로 산이나 들에 저절로 나며 솔방울 모양의 열매는 가을에 익음.

*__오리다__ 칼이나 가위로 베어 내다. ㉠종이를 오리다.

오:리무중 (五里霧中) 짙은 안개 속에 있어 방향을 알 수 없는 것과 같이 무슨 일에 대해 알 길이 없음을 이르는 말. ㉠사건이 오리무중에 빠지다.

오:리발 **1** ⇨물갈퀴. **2** 손가락이나 발가락 사이의 살가죽이 달라붙은 손발을 놀려 일컫는 말. **3** 엉뚱하게 딴전을 부리는 태도.

오리발(을) 내밀다 자기 잘못을 숨기고 엉뚱하게 딴전을 부리다.

오리엔테이션 (orientation) 신입생 또는 신입 사원 등에게 새로운 환경에 잘 적응할 수 있도록 방향을 제시하고 지도하는 일.

오리온자리 (Orion—) 겨울철에 가장 똑똑하게 보이는 남쪽 하늘의 별자리. 중앙에 3개의 별이 나란히 있고, 그 둘레에 4개의 밝은 별이 사각형을 이루고 있음. 준 오리온.

오리지널 (original) 미술이나 문학 작품의 원작 또는 원본.

오막살이 [오막싸리] **1** 허술하고 초라한 작은 집. 비 오두막집. **2** 오두막집에서 사는 살림살이.

오막살이집 [오막싸리집] 오막살이로 사는 살림집. 아주 허술하고 초라한 집.

오:만 (傲慢) 태도나 행동이 건방지고 거만함. ㉑오만하게 굴다 / 태도가 오만하다. **—하다.**

오:매불망 (寤寐不忘) 자나 깨나 잊지 못함. ㉑북에 두고 온 가족을 오매불망 그리워하다. **—하다.**

오:명 (汚名) **1** 더러워진 이름이나 명예. ㉑오명을 남기다. **2** ⇨누명. ㉑오명을 씻다.

오목 거울 [—꺼울] 바닥이 오목한 반사면으로 된 거울. 탐조등이나 반사 망원경 따위에 씀. 반볼록 거울.

오목 렌즈 (—lens) 가운데가 얇고 가장자리로 갈수록 두꺼워지는 렌즈. 빛을 발산하는 작용을 하므로 근시의 교정에 씀. 반볼록 렌즈.

오목하다 [오모카다] 가운데가 둥글게 움푹 들어가다. ㉑보조개가 오목하게 지다.

오:묘하다 (奧妙—) 놀랍고 신기하다. ㉑자연의 오묘한 이치.

오:물 (汚物) 지저분하고 더러운 쓰레기나 배설물 따위. ㉑오물을 수거하다.

오물거리다 **1** 작은 벌레나 물고기 따위가 한군데에 모여 곰지락거리다. **2** 입 안에 든 음식을 이리저리 굴리면서 조금씩 자꾸 씹다. 큰우물거리다.

오물오물 [오무로물] **1** 음식물을 입 안에 넣고 조금씩 계속해서 씹는 모양. **2** 말을 속 시원히 하지 않고 입 안에서만 중얼거리는 모양.

오므라들다 한곳으로 점점 오므라져 들어가다. 활용 오므라들어 / 오므라드니 / 오므라드는.

오므라이스 (←omelet rice) 채소와 고기를 잘게 썰어 넣고 케첩을 섞어 볶은 밥을 넓게 지진 달걀로 싼 요리.

오므라지다 물건의 가장자리 끝이 한군데로 향하여 모이다. ㉑나팔꽃이 오므라지다. 큰우므러지다.

오므리다 가장자리의 끝이 한군데로 향하여 모이게 하다. ㉑다리를 오므리고 앉다. 큰우므리다.

오:미자 (五味子) 목련과에 속하는 오미자나무의 열매. 폐의 기능을 돕는 효능이 있어 기침·갈증에 약재로 씀.

오밀조밀 (奧密稠密) **1** 솜씨가 세밀하고 꼼꼼한 모양. **2** 마음 씀씀이가 세밀하고 자상한 모양. ㉑집 안을 오밀조밀하게 꾸미다. **—하다.**

오:발 (誤發) 총을 실수로 잘못 쏨. ㉑오발탄 / 사냥총 오발 사고가 일어나다. **—하다.**

오:밤중 (午—中) [오밤쭝] ⇨한밤중. ㉑시험 준비하느라 오밤중까지 열심히 공부하다.

오버코트 (overcoat) 주로 겨울에 겉에 입는 두꺼운 외투.

오:보 (誤報) 잘못 보도함. 또는 그 보도. ㉑오보를 정정하다. **—하다.**

오보에 (이 oboe) 관현악에서 높은 음을 내는 목관 악기. 소리가 부드럽고 섬세함.

〈오보에〉

오:복 (五福) 유교에서 말하는 다섯 가지 복. 곧, 오래 살고, 재산이 넉넉하고, 건강하고, 덕을 닦고, 편안히 죽는 일.

오붓이 [오부시] 오붓하게.

오붓하다 [오부타다] **1** 홀가분하면서 서로 가깝고 정답다. ㉑식구끼리의 오붓한 식사. **2** 살림이 넉넉하다. ㉑오붓한 살림.

오븐 (oven) 조리 기구의 하나. 기구 속에 재료를 넣고 꽉 닫은 뒤 그 안의 사방에서 열을 보내어 재료를 굽는 요리 기구.

*__오빠__ 여자가 자기보다 나이가 많은 남자 형제나 친한 남자를 이르는 말.

오:산 (誤算) **1** 잘못 셈함. 또는 그 셈. **2** 잘못된 추측이나 생각. (예)사업이 성공할 거라 기대했는데 그것은 나의 큰 오산이었다. **—하다.**

오:색(五色) **1** 파랑·노랑·빨강·하양·검정의 다섯 가지 빛깔. **2** 여러 가지 빛깔.

오:선지 (五線紙) 음악에서 악보를 그리기 위해 다섯 줄씩 가로로 그린 종이.

오성 (鰲城) ⇨이항복.

오세아니아 (Oceania) 〖지명〗 세계 육 대륙의 하나. 남태평양의 멜라네시아·폴리네시아·미크로네시아 및 오스트레일리아·뉴질랜드 따위의 섬과 대륙으로 이루어짐. 대양주.

오소리 족제빗과의 짐승. 너구리와 비슷하며, 다리는 짧고 굵음. 등은 갈색이며 털 끝에 잿빛을 띤 흰 털이 섞임. 땅에 굴을 파고 삶. 모피는 방한용, 털은 붓·솔 따위를 만드는 데 씀.

〈오소리〉

오손도손 다정하고 사이좋게 지내는 모양. (예)식구들이 모여 앉아 오손도손 이야기를 나누다.

오솔길 [오솔낄] 폭이 좁은 호젓한 길. (예)오솔길을 따라 산책하다.

> **참고** '오솔길'의 '오'는 '홀로, 외진'의 뜻을 나타내는 말이며, '솔'은 좁다의 뜻을 나타내는 '솔다'에서 온 말이다. 따라서 그 뜻은 '외진 좁은 길'을 의미하는 말이다.

오순도순 '오손도손'의 큰말.

오스트레일리아 (Australia) 〖국명〗 태평양의 남쪽에 있는 대륙으로, 영연방에 속한 공화국. 수도는 캔버라. 호주.

오스트리아 (Austria) 〖국명〗 유럽 대륙의 중부에 있는 영세 중립국. 수도는 빈.

오슬오슬 [오스로슬] 찬 기운이 몸에 돌면서 오싹 추위가 느껴지는 모양. (예)몸이 오슬오슬 떨리다. [비]오삭오삭. [큰]으슬으슬. **—하다.**

오:심 (誤審) 잘못 심판함. 또는 그 심판. [비]오판.

오:십 (五十) 십의 다섯 배가 되는 수. (예)오십 년 / 오십 그램. [비]쉰.

오:십보백보 (五十步百步) [오십뽀백뽀] 차이가 있기는 있으나, 대체로 비슷함. (예)잘잘못을 따져 봐야 오십보백보다.

오싹 매우 무섭거나 추워서 갑자기 몸이 움츠러들거나 소름이 끼치는 모양. (예)생각만 해도 등골이 오싹하다. **—하다.**

오아시스 (oasis) 사막 지역에서 샘이 솟고 식물이 자라는 곳.

*__오:염__ (汚染) 공기·물·흙 따위가 더러워지는 것. (예)자동차 매연으로 대기가 오염되다.

오:용 (誤用) 잘못 사용함. (예)단어의 오용 / 약물 오용. **—하다.**

오:월 (五月) 일 년 열두 달 가운데 다섯째의 달. ➡ May

*__오이__ 박과의 한해살이 덩굴풀. 줄기는 덩굴손으로 감아 벋으며, 과실은 가늘고 길쭉하며 녹색인데, 나중에 누렇게 익음. [준]외. ➡ cucumber

〈오이〉

오이냉국 (—冷—) [오이냉꾹] 오이를 잘게 썰어 소금·파·마늘·고춧가루 따위로 양념한 다음 냉국을 붓고 식초를 친 음식. [비]오이찬국.

오이소박이김치 [오이소바기김치] 꼭지를 뗀 오이를 두세 토막으로 자르고, 그 끝은 조금 남기고 '+' 자 모양으로 쪼개어, 갖은 양념을 한 소를 넣고 담근 김치. [준]소박이. 오이소박이.

오:인(誤認) 잘못 보거나 잘못 생각함. ㉥아우를 형으로 오인하다. **—하다.**

오일(oil) ⇨기름.

오:일장(五日場)[오일짱] 닷새마다 열리는 시골의 장. ㉥오일장이 서다.

오:자(誤字)[오짜] 잘못 쓰거나 틀린 글자. ㉥오자가 많다 / 오자를 수정하다.

오작교(烏鵲橋)[오작꾜] **1** 칠월 칠석에 견우와 직녀를 만나게 하기 위해 까마귀와 까치가 모여 은하수에 놓는다는 전설의 다리. **2** 전라북도 남원의 광한루에 있는 돌로 된 다리. '춘향전'으로 더욱 유명해진 다리임.

오:장(五臟) 몸 안의 다섯 가지 내장. 곧, 폐·심장·지라·간·콩팥.

오장(을) 긁다 남의 비위를 건드리다. ㉥오장 긁는 소리를 하다.

오장이 뒤집히다 분통이 터져서 견딜 수 없다.

오:장 육부(五臟六腑)[—뉵뿌] 몸속의 내장을 통틀어 일컫는 말. 즉, 오장과 육부. ㉥오장 육부가 뒤틀리다.

*__오:전__(午前) 밤 12시부터 낮 12시까지의 사이. 자정부터 오정까지. ㉥오전반 / 오전 열 시. ㉥상오. ㉥오후.
➲ a.m.

오:점(汚點)[오쩜] **1** 더러운 점. ㉥얼룩. **2** 불명예스러운 점. ㉥생애에 오점을 남기다. ㉥결점. 흠.

오:정(午正) 낮 12시. ㉥정오. ㉥자정.

오존(ozone) 독한 냄새가 나는 엷은 청색 기체. 산성이 강하며 살균·소독·표백 따위에 씀.

오존층(ozone層) 오존을 많이 포함하고 있는 공기층. 지상에서 20–30 km 위에 있으며, 태양의 자외선을 잘 흡수함.

오죽 여간. 얼마나. ㉥오죽하면 울겠니. ㉥여북. 작히나. **—하다.**

오죽헌(烏竹軒)[오주컨] 강원도 강릉시 죽헌동에 있는 이율곡이 태어난 집. 조선 초기에 지은 목조 건물로서 유물·필적·간판 등이 보존되어 있음. 보물 제 165 호.

*__오줌__ 혈액 속에 있는 노폐물이 콩팥에서 걸러져서 요도를 통해 몸 밖으로 나오는 액체. ㉥오줌을 누다 / 오줌을 싸다. ㉥소변.

오줌싸개 오줌을 잘 가리지 못하는 아이.

오:중주(五重奏) 다섯 개의 악기로 이루어지는 합주. ㉥현악 오중주를 감상하다.

오:지(奧地) 해안이나 도시에서 멀리 떨어진 곳. ㉥오지를 탐험하다 / 산간 오지에 살다.

오:지다 '오달지다'의 준말.

오지랖[오지랍] 웃옷이나 윗도리에 입는 겉옷의 앞자락.

오지랖(이) 넓다 쓸데없이 남의 일에 참견을 잘하다.

*__오직__ 다만. 단지. 오로지. ㉥오직 하라는 일만 한다.

오:진(誤診) 병을 잘못 진단함. 또는 잘못된 진단. **—하다.**

*__오징어__ 오징엇과의 연체동물. 몸은 원통형이고 10 개의 발이 입 둘레에 있음. 적을 만나면 먹물처럼 시커먼 액체를 뿜음.

오:차(誤差) **1** 수학에서, 참값과 근삿값의 차이. **2** 실지로 한 계산이나 측량한 값과 이론적으로 정확한 값과의 차이. ㉥오차를 줄이다. **3** 실수 또는 잘못. ㉥한 치의 오차도 없다.

오:찬(午餐) 평소보다 잘 차려 먹는 점심. ㉥오찬을 나누다.

오케스트라(orchestra) ⇨관현악단.

오케이 (OK) **1** '옳다·좋다·만사 해결'의 뜻. **2** 인쇄에서 교정이 끝났다는 뜻. ㉠오케이를 놓다.
오토바이 (←auto+bicycle) 발동기를 달아 그 힘으로 바퀴를 돌려 달리게 만든 자전거.
오톨도톨 물건의 거죽이나 바닥이 고르지 못하고 자잘하게 부풀어 오른 모양. ㉠오톨도톨한 피부 / 농구공의 표면은 오톨도톨하게 생겼다. ㉡우툴두툴. **—하다.**
오:판 (誤判) 잘못 판단함. 또는 잘못된 판정. **—하다.**
오페라 (opera) ⇨가극.
오픈 게임 (open game) **1** 정식 경기가 아닌 연습 경기나 비공식 경기. **2** 본 경기에 앞서 하는 경기.
오피스텔 (←office+hotel) 사무실 겸 주거 장소로 쓸 수 있도록 지어진 건물.
오한 (惡寒) 몸이 오슬오슬 춥고 떨리는 증세. ㉠오한이 가라앉다 / 오한이 나다.
오합지졸 (烏合之卒) [오합찌졸] 까마귀가 모인 것처럼 무질서한 병졸이라는 뜻으로, 규율과 질서가 없는 집단을 이르는 말.
오:해 (誤解) 사실과 다르게 잘못 아는 일. ㉠오해를 받다 / 오해가 풀리다 / 내 말을 오해하다. **—하다.**
*__오:후__ (午後) 낮 12시부터 밤 12시까지의 사이. 오정부터 자정까지. ㉥하오. ㉦오전. ➲ afternoon, p.m.
*__오히려__ 생각과는 달리 도리어. ㉠저것보다는 오히려 이것이 낫다.
옥[1] (獄) 죄인을 가두어 두는 곳. ㉥감옥. 교도소.
옥[2] (玉) 빛이 곱고 모양이 아름다운 보석의 한 가지. 또는 그것을 갈아서 만든 구슬.
옥에 티 아주 훌륭하거나 좋은 것에 있는 작은 흠.
옥고 (獄苦) [옥꼬] 옥살이하는 고생. ㉠옥고를 치르다.
옥내 (屋內) [옹내] 집 또는 건물의 안. ㉠옥내 행사.
옥돌 (玉—) [옥똘] 옥이 들어 있는 돌. 또는 가공하지 않은 옥.
옥돔 (玉—) [옥똠] 옥돔과의 바닷물고기. 몸은 30–60 cm로 길게 둥글고 납작하며 입은 무디고 작음. 몸빛은 밝은 분홍색이고 옆구리에 4–5줄의 누렇고 붉은 가로띠가 있음. 맛이 좋음.
옥동자 (玉童子) [옥똥자] 옥같이 예쁜 어린 아들. 소중한 아들. ㉠옥동자를 낳다.
옥바라지 (獄—) [옥빠라지] 감옥에 갇힌 죄수에게 옷과 음식 등을 대어 주며 보살피는 일. **—하다.**
옥사[1] (獄舍) [옥싸] 죄인을 가두어 두는 건물.
옥사[2] (獄死) [옥싸] 감옥살이를 하다 감옥에서 죽음. **—하다.**
옥살이 (獄—) [옥싸리] '감옥살이'의 준말. ㉠옥살이를 마치다.
옥상 (屋上) [옥쌍] 건물에서 지붕 부분을 평평하게 만들어 놓은 곳.
옥새 (玉璽) [옥쌔] 임금의 도장. ㉥국새.
옥석 (玉石) [옥썩] **1** ⇨옥돌. **2** 옥과 돌. 좋은 것과 나쁜 것.
옥석을 가리다 진짜와 가짜, 또는 좋은 것과 나쁜 것을 가려 구분하다. ㉠옥석을 가리기가 힘들다.
*__옥수수__ [옥쑤수] 벼과의 한해살이풀. 높이는 약 2–3 m로, 줄기는 곧으며 잎은 크고 길. 열매는 식용하거나 가축의 사료로 씀. ㉥강냉이.

〈옥수수〉

옥수숫대 [옥쑤수때 / 옥쑤숟때] 옥수수의 줄기.
옥신각신 [옥씬각씬] 옳으니 그르

니 하고 서로 다투는 모양. ㉲요즘 둘은 만나기만 하면 옥신각신한다. **—하다.**

옥양목 (玉洋木) [오갱목] 희고 얇으며 발이 고운 무명의 하나.

옥외 (屋外) [오괴] 건물의 밖.

옥잠화 (玉簪花) [옥짬화] 백합과의 여러해살이풀. 잎은 크고 넓으며 길게 둥긂. 여름에 자줏빛이나 흰빛의 꽃이 피는데, 피기 전 봉오리 모양이 옥비녀와 비슷함. 어린잎은 식용하며 관상용으로 재배함.

옥저 (沃沮) [옥쩌] 함경도 일대에 있던 고조선의 한 부족. 또는 그 부족이 세운 나라.

옥좌 (玉座) [옥쫘] 임금이 앉는 자리. 또는 임금의 지위. ㉥왕좌.

옥중 (獄中) [옥쭝] 감옥의 안.

옥체 (玉體) **1** 임금의 몸. **2** 편지 따위에서, 남의 몸의 존칭.

옥타브 (octave) 음계의 어떤 음에서 시작하여 위나 아래로 여덟째 거리에 있는 음. 또는 그 거리. 8도 음정.

옥탑 (屋塔) 건물 옥상에 지은 탑 모양의 작은 건물.

옥토 (沃土) 농작물이 잘 자라는 기름진 땅. ㉲황무지를 옥토로 일구다. ㉥옥답. ㉤박토.

옥토끼 (玉—) **1** 달 속에 산다는 전설상의 토끼. ㉥옥토. **2** 털빛이 흰 토끼.

옥편 (玉篇) 한자를 차례로 배열하고 그 글자의 음과 뜻을 풀어 엮은 책. ㉲옥편에서 모르는 한자를 찾아보다. ㉥자전.

옥황상제 (玉皇上帝) [오쾅상제] 도교에서 말하는 하느님. ㉾옥제.

***온ː** 전부의. 모두의. ㉲온 힘을 다하다 / 온 집안 식구가 다 모이다 / 온 국민이 한마음으로 응원하다.

***온ː갖** [온갇] 모든 종류의. 여러 가지의. ㉲온갖 정성을 기울이다. ㉥갖은.

온ː건하다 (穩健—) 생각이나 행동 따위가 사리에 맞고 건전하다. ㉲말과 행동이 온건하다.

온ː건히 (穩健—) 온건하게.

온고지신 (溫故知新) 옛것을 익혀서 새로운 지식이나 도리를 알아냄. **—하다.**

온기 (溫氣) 따뜻한 기운. ㉲방 안에 온기가 남아 있다. ㉤냉기.

온난 (溫暖) 날씨가 따뜻함. ㉲기후가 온난한 지방. **—하다.**

온난 전선 (溫暖前線) 따뜻한 공기가 찬 공기를 밀치고 지나가는 곳에 생기는 전선. 이 전선에 가까운 지역은 비가 많이 내리고, 지나가면 기온이 높아짐. ㉤한랭 전선.

온난화 (溫暖化) 지구의 기온이 높아짐. 또는 그런 현상. ㉲지구의 온난화 현상.

온달 (溫達) 〖인명〗 고구려 평원왕 때의 장수. 집이 가난하고 생김새가 초라해 '바보 온달'이라 불렸으나, 평원왕의 딸 평강 공주와 결혼하고, 공주의 도움으로 무술을 익혀 훌륭한 장수가 됨. [?-590]

온ː당하다 (穩當—) 생각이나 행동 따위가 사리에 어그러지지 않고 마땅하다. ㉲온당한 의견.

온대 (溫帶) 열대와 한대 사이에 있는 지역. 기후가 온화하고 네 철의 구분이 뚜렷함.

온대 기후 (溫帶氣候) 네 철이 뚜렷하게 구별되며, 추위와 더위의 차가 심한 기후. 연평균 기온은 섭씨 10도 안팎임.

온데간데없다 [온데간데업따] 이제까지 있던 것이 감쪽같이 없어져 찾을 수가 없다. ㉲가방 속의 수첩이 온데간데없다.

***온도** (溫度) 덥고 찬 정도. 온도계가 나타내는 도수. ㉲온도가 높다 / 온도를 재다. ➲ temperature

*온도계 (溫度計) [—/온도계] 차고 더운 정도를 재는 기구. ㉠실내 온도계.
온돌 (溫突〔堗〕) 아궁이에서 불을 때면 불기운이 방바닥 밑을 통하여 방을 덥게 하는 장치. 비 방구들.
온돌방 (溫突房) [온돌빵] 온돌 장치가 된 방.
온라인 (on-line) 컴퓨터의 입출력 장치가 중앙 연산 처리 장치와 직접 연결되어 있어 바로바로 처리되는 방법.
*온:몸 몸의 전체. ㉠추워서 온몸이 떨린다. 비 전신.
온:밤 온 하룻밤. ㉠간호하느라 온 밤을 뜬눈으로 새우다.
*온상 (溫床) 인공적으로 따뜻한 온도를 유지하여 꽃이나 채소를 빨리 자라게 하는 장치. ㉠온상 재배.
온수 (溫水) 따뜻한 물. 반 냉수.
온순하다 (溫順—) 성질이나 마음씨가 부드럽고 순하다. ㉠온순한 성격. 비 유순하다.
온:쉼표 (—標) 음악에서 한 마디 전부를 쉴 때 쓰이는, 온음표와 같은 길이의 쉼표《기호는 ▬》.
온실 (溫室) 추울 때 식물을 기르거나, 열매를 빨리 맺게 하려고 온도와 습도를 조절할 수 있게 만든 건물. ㉠온실에서 재배한 과일.
온유 (溫柔) [오뉴] 성질이 부드럽고 조용하며 순함. **—하다.**
온:음 (—音) [오늠] 반음의 두 배 음정. 장음계에서 미·파·시·도 이외의 음정. 비 전음. 반 반음.
온:음표 (—音標) [오늠표] 음표 가운데 가장 긴 음표. '♩'의 4 배 되는 음표《기호는 𝅝》.
온:전하다 (穩全—) **1** 본바탕 그대로 남아 있다. ㉠온전한 몸/물건을 온전하게 보관하다. **2** 잘못된 것이 없이 바르거나 옳다. ㉠정신이 온전하게 박힌 사람.
온:전히 (穩全—) 온전하게. ㉠하루를 온전히 쉬다.
온점[1] (溫點) [온쩜] 체온보다 높은 온도를 느끼는 점. 주로 살갗에 퍼져 있음. 반 냉점.
온:점[2] (—點) [온쩜] 한 문장이 끝났음을 나타낼 때 찍는 부호《.》. 비 마침표.
온정 (溫情) 따뜻한 인정. ㉠불우이웃에게 온정을 베풀다. 반 냉정.
온조 (溫祚) 〖인명〗 백제의 시조. 고구려를 세운 동명 성왕의 둘째 아들로 위례성에 도읍을 정하고 나라를 세움. [?-28 ; 재위 기원전 18-기원후 28]
온:종일 (—終日) 하루가 다 지나가도록. 아침부터 저녁때까지. ㉠온종일 기다리다/온종일 비가 내린다. 비 종일. 진종일.
온천 (溫泉) 땅 속의 열로 물이 평균 기온 이상으로 데워져 솟아나는 샘. ㉠온천 목욕. 반 냉천.
온탕 (溫湯) 따뜻한 물이 들어 있는 탕. 반 냉탕.
*온:통 통째로 전부. 모두. 모조리. ㉠하늘이 온통 새파랗다. 준 통.
온풍기 (溫風器) 실내의 공기를 따뜻하게 하는 난방 기기.
온혈 동:물 (溫血動物) 바깥 온도에 관계없이 항상 일정한 체온을 유지하는 동물. 조류·포유류 따위. 비 항온 동물. 반 냉혈 동물.
온화하다 (溫和—) **1** 날씨가 따뜻하고 맑다. ㉠온화한 날씨. **2** 성질·태도 등이 부드럽고 인자하다. ㉠온화한 성품/얼굴빛이 온화하다.
올[1] '올해'의 준말. ㉠올 농사는 풍년이다/올 안으로 완공할 계획이다/올 가을에 이사할 예정이다.
올:[2] 실이나 줄의 가닥. ㉠한 올 한 올 엮다/스웨터의 올이 풀리다.
올:- 열매가 자라거나 익는 정도가 빠름을 나타내는 말. ㉠올밤/올벼.

반 늦-.

올:가꾸기 농작물을 제철에 앞서 일찍 가꾸는 일.

올가미 **1** 새끼·노끈 따위로 고리를 엮어서 짐승을 잡는 장치. 예올가미를 걸다 / 올가미를 놓아 토끼를 잡다. **2** 사람이 걸려들게 꾸민 꾀. 예그의 올가미에 걸리다.

올가미(를) 씌우다 남을 자기 꾀에 걸려들게 하다.

올:곧다 [올곧따] **1** 마음이 바르고 곧다. 예올곧게 자라다. **2** 줄이 반듯하다.

***올라가다** **1** 낮은 데서 높은 데로 향하여 가다. 예언덕을 올라가다. **2** 값이 비싸지다. 예땅값이 올라가다. **3** 지위가 높아지다. 예부장으로 올라가다. **4** 수준이나 정도가 높아지다. 예성적이 올라가다. 반 내려가다. 활용 올라가거라.

올라서다 **1** 꼭대기에 다다르다. 예정상에 올라서다. **2** 무엇을 디디고 그 위에 서다. 예의자 위에 올라서다. **3** 낮은 지위에서 높은 지위로 가다. 예사장으로 올라서다. 반 내려서다.

올라앉다 [올라안따] **1** 위에 올라가서 그 위에 앉다. 예책상 위에 올라앉다 / 그네에 올라앉다. **2** 높은 지위를 차지하다. 예회장 자리에 올라앉다.

***올라오다** **1** 낮은 데서 높은 데로, 아래에서 위로 옮아오다. 예배 위로 올라오다. **2** 흐름을 거슬러 위쪽으로 오다. 예연어는 가을에 강물을 거슬러 올라온다. **3** 지방에서 서울로 오다. 예시골에서 갓 올라온 처녀. 비 상경하다. 활용 올라오너라.

올라타다 **1** 탈것에 몸을 올려놓다. 예말에 올라타다 / 자동차에 올라타다. **2** 몸 위에 오르다. 예등에 올라타고 상대를 누르다.

***올려놓다** [올려노타] **1** 물건을 무엇의 위에 옮겨 놓다. 예책상 위에 가방을 올려놓다. **2** 정도나 수준을 높이 끌어올리다. 예사기를 올려놓다. **3** 이름 따위를 적어 넣다. 예회원 명단에 이름을 올려놓다.

올려다보다 **1** 아래쪽에서 위쪽을 바라보다. 예산을 올려다보다. **2** 존경하는 마음으로 상대를 높이 받들며 우러르다. 반 내려다보다.

올려본각 (─角) 나무의 높이나 건물의 높이를 잴 때, 올려다보는 방향이 수평과 이루는 각. 반 내려본각.

〈올려본각〉

올록볼록 [올록뽈록] 물체의 거죽이나 면이 고르지 않게 여기저기 불거져 나와 있는 모양. 예화장지가 올록볼록하다. 큰 울룩불룩. **─하다**.

***올리다** **1** 웃어른에게 바치다. 예진짓상을 올리다 / 웃어른께 절을 올리다. **2** 오르게 하다. 예이 층으로 올리다. 반 내리다. **3** 의식을 치르다. 예결혼식을 올리다 / 기도를 올리다. **4** 문서나 신문 등에 드러내다. 예명단에 이름을 올리다.

올리브 (olive) 물푸레나뭇과의 상록 교목. 높이는 6–10 m로 잎은 바늘 모양임. 길고 둥근, 검은 자줏빛 열매에서 기름을 짜는데, 약으로 쓰거나 먹기도 하며 비누·머릿기름의 재료로도 씀. 소아시아 원산. 감람나무.

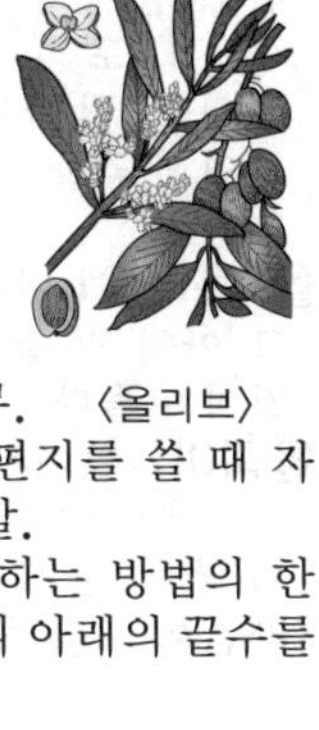

〈올리브〉

올림¹ 윗사람에게 편지를 쓸 때 자기 이름 뒤에 쓰는 말.

올림² 근삿값을 구하는 방법의 한 가지. 구하려는 자리 아래의 끝수를 버리고 구하려는 자리에 1을 더하는 일. [반] 버림.

올림말 사전 따위에서 풀이가 달려 있는 하나하나의 낱말. [비] 표제어.

올림표 (一標) 음의 높이를 본디 음보다 반음 올리라는 기호. 악보에 '#'로 표시함. 샤프.

*__올림픽__ (Olympic) '올림픽 경기'의 준말. (예) 올림픽 선수촌.

올림픽 경:기 (Olympic競技) 1896년부터 4년마다 세계 각국이 참가하여 벌이는 운동 경기. [본] 국제 올림픽 경기 대회.

올망졸망 작고 귀여운 것들이 고르지 않게 많이 벌여 있는 모양. (예) 아이들이 올망졸망 모여 놀고 있다. **—하다.**

올무 새나 짐승을 잡는 올가미.

올바로 곧고 바르게. (예) 마음을 올바로 가져라.

*__올바르다__ 말이나 생각, 행동 따위가 옳고 바르다. (예) 올바른 태도 / 올바르게 살다. [활용] 올발라 / 올바르니. ×옳바르다.

올:벼 제철보다 이르게 익는 벼. [반] 늦벼.

올봄 [올뽐] 올해의 봄.

올빼미 올빼밋과의 새. 부엉이와 비슷한데, 몸은 갈색이고 머리와 눈이 큼. 낮에는 숲에서 쉬고 밤에 활동함. 새·쥐·토끼·벌레 따위를 잡아먹음. 천연기념물 제324호임.

〈올빼미〉

올:차다 **1** 야무지고 기운차다. (예) 그 아이 참 올차다. **2** 곡식의 알이 일찍 여물다. (예) 올찬 벼이삭.

*__올챙이__ 알에서 갓 깬 개구리 새끼. 물속에서 아가미로 숨을 쉬며, 머리에 달린 긴 꼬리로 헤엄쳐 다님. 자라면서 꼬리가 없어지고 네 다리가 생겨 개구리가 됨.

올케 오빠나 남동생의 아내.

*__올해__ 이 해. (예) 올해 몇 살이지. [비] 금년. [준] 올.

옭다 [옥따] **1** 실이나 끈 따위로 단단히 감아서 잡아매다. (예) 끈으로 짐을 옭아서 묶다. **2** 올가미를 씌우다. (예) 개를 옭다. **3** 꾀를 써서 남을 함정에 빠뜨리다. (예) 남을 옭아 넣다. [발음] 옭고[올꼬] / 옭아서[올가서] / 옭은[올근].

옭아매다 [올가매다] **1** 올가미를 씌워서 잡아매다. (예) 미친 개를 옭아매다. **2** 없는 죄를 이리저리 꾸미어 씌우다. (예) 무고한 사람을 살인죄로 옭아매다.

옮겨심기 [옴겨심끼] 식물 따위를 원래의 자리에서 다른 자리로 바꾸어 심음. [비] 이식. **—하다.**

*__옮기다__ [옴기다] **1** 사물의 자리를 바꾸어 놓다. (예) 짐을 옮기다. **2** 주거 따위를 바꾸다. (예) 셋집을 옮기다. **3** 병 따위를 전염시키다. (예) 뇌염을 옮기는 모기. **4** 들은 말을 딴 데에 전하다. (예) 말을 함부로 옮기지 마라.

*__옮:다__ [옴따] **1** 사물이 자리를 바꾸다. **2** 주거 따위를 바꾸다. **3** 말·소문이 퍼져 가다. **4** 불이 다른 곳으로 번지다. (예) 불길이 옆 건물로 옮아 붙다. **5** 병·버릇·사상 따위가 남에게 번지다. (예) 눈병이 옮았다.

*__옳다__[1] [올타] 틀리지 않다. 사리에 맞다. (예) 네 말이 옳다 / 옳은 판단을 내리다. right

옳다[2] [올타] 무엇이 마음에 맞을 때 내는 소리. (예) 옳다, 네 말이 맞다 / 옳다, 너 마침 잘 만났다.

옴:[1] 옴벌레가 붙어서 생기는 전염성 피부병. 손가락·발가락 사이나 겨드랑이 따위가 짓무르면서 차차 온몸에 퍼짐. 몹시 가려움.

옴[2] (ohm) 전기 저항의 단위. 1 볼

트의 전압으로 1 암페어의 전류가 흐를 때 그 도선이 이루는 저항(기호는Ω).

옴:벌레 옴진드깃과의 동물. 몸길이 0.4 mm 가량으로 매우 작으며 사람의 살갗을 파고 들어가 옴을 옮김.

옴짝달싹 [옴짝딸싹] 몸을 아주 조금 움직이는 모양. ㉵옴짝달싹 못하게 묶다. ㊅움쩍달싹. [참고] 주로 '못하다'와 함께 쓰임.

옴츠리다 몸이나 몸의 일부를 오그려 작아지게 하다. ㉵자라가 목을 옴츠리다 / 놀라서 몸을 옴츠리고 앉다. ㊇옴치다. ㊅움츠리다.

옴폭 속으로 폭 들어가 오목한 모양. ㉵옴폭한 눈 / 땅이 옴폭 패다. ㊅움푹. **—하다.**

-옵- 공손하게 말할 때 붙여 쓰는 말. ㉵가시옵소서.

*__옷__ [옫] 몸을 가리거나 보호하기 위해 천으로 만들어 입는 물건. ㉵옷을 고르다 / 옷을 만들어 입다. ㊉의복. 피복. ➡ clothes

옷을 벗다 어떤 직업·직장·직위를 그만두거나 잃다. ㉵그는 결국 그 사건 때문에 옷을 벗었다.

옷이 날개라 옷이 좋으면 인물이 한층 더 훌륭하게 보인다는 말.

> **[참고] 전래하는 옷의 종류**
> **윗도리로 입는 것** — 저고리, 적삼, 배자, 조끼, 마고자, 등거리, 동옷
> **아랫도리로 입는 것** — 바지, 치마, 고의, 잠방이, 두렁이
> **겉에 입는 것** — 두루마기, 도포, 중치막, 두르풍, 장옷, 쓰개치마
> **안에 입는 것** — 속곳, 고쟁이, 무지기

옷가지 [옫까지] 몇 가지의 옷. ㉵옷가지를 장만하다 / 헌 옷가지를 정리하다.

*__옷감__ [옫깜] 옷을 지을 천. ㉵옷감을 짜다 / 옷감이 곱다.

옷거리 [옫꺼리] 옷을 입은 맵시. ㉵옷거리가 좋아서 아무 옷이나 입어도 잘 어울린다. ㊉옷매무시.

옷걸이 [옫꺼리] 옷을 걸어 두는 도구. ㉵양복을 옷걸이에 걸다.

옷고름 [옫꼬름] 저고리나 두루마기의 앞에 달아 옷자락을 여미어 매는 끈. ㉵옷고름을 매다. ㊇고름.

옷깃 [옫낃] 저고리나 두루마기의 목에 둘러 대어 앞으로 여미는 부분. ㉵옷깃을 세우다. ㊇깃[2].

옷깃을 여미다 조심스러운 마음으로 자세를 단정히 하다.

옷단 [옫딴] 옷자락 끝의 가장자리를 안으로 접어 붙이거나 감친 부분. ㊇단.

옷매무새 [온매무새] ⇨매무새.

옷맵시 [온맵씨] 옷을 입은 맵시. ㉵옷맵시가 난다.

옷소매 [옫쏘매] 윗옷의 두 팔을 꿰는 부분. ㊉소매.

옷자락 [옫짜락] 저고리 또는 치마 따위의 앞이나 뒤의 늘어진 부분. ㉵옷자락을 잡고 늘어지다.

옷장 (—欌) [옫짱] 옷을 넣어 두는 장. ㊉의장.

*__옷차림__ [옫차림] 옷을 입은 모양. ㉵단정하고 깔끔한 옷차림을 하다.

옷치레 [옫치레] 좋은 옷을 입고 몸을 꾸미는 일. ㉵옷치레보다 속이 알차야지. **—하다.**

옷핀 (—pin) [옫—] 옷을 여밀 때 꽂아 쓰는 핀.

옹 (翁) 노인을 존경하는 뜻으로 성이나 이름 뒤에 쓰이는 말. ㉵김 옹.

옹:고집 (壅固執) 억지가 매우 심한 고집. ㉵옹고집쟁이 / 옹고집을 부리다.

옹골차다 실속 있게 꽉 차고 기운차다. ㉵그놈 참 옹골차게 생겼다.

옹:기그릇 (甕器—) [옹기그륻] 질그릇과 오지그릇을 통틀어 일컫는

말. ⓑ옹기.

옹기종기 크기나 모양이 다른 것들이 많이 모여 있는 모양. ⓔ옹기종기 모여 앉다.

옹달샘 [옹달쌤] 작고 오목한 샘.

옹:립 (擁立) [옹닙] 지도자나 임금의 자리에 모시어 세움. **—하다.**

옹:색하다 (壅塞—) [옹새카다] **1** 생활이 매우 어렵다. ⓔ옹색한 살림살이. **2** 집이나 방 따위가 매우 비좁다. ⓔ옹색한 방. **3** 생각이 막혀서 답답하고 옹졸하다. ⓔ옹색한 변명을 늘어놓다.

옹알거리다 **1** 입속말로 똑똑하지 않게 자꾸 말하다. **2** 말을 잘 못하는 어린아이가 입속말로 소리를 내다. ⓚ웅얼거리다.

옹알옹알 [옹아롱알] 옹알거리는 모양. **—하다.**

옹알이 [옹아리] 아기가 사람을 알아보고 옹알거리는 짓. **—하다.**

옹이 나무의 몸에 박힌 가지의 그루터기.

옹:졸하다 (壅拙—) 성질이 너그럽지 못하고 생각이 좁다. ⓔ옹졸한 사람. ⓑ너그럽다. ⓙ옹하다.

옹크리다 몸을 오그려 작게 하다. ⓔ몸을 옹크리고 나무 뒤에 숨었다. ⓚ웅크리다.

옹:호 (擁護) 편을 듦. ⓔ옹호자 / 인권 옹호. **—하다.**

옻 [옫] 옻나무에서 나는 진. 살갗에 닿으면 가렵고 아픔. ⓔ옻을 칠하다 / 옻이 오르다.

옻나무 [온나무] 옻나뭇과의 낙엽 교목. 높이 6–9 m로 여름에 황록색의 작은 꽃이 피며, 껍질에서 뽑은 진은 옻칠의 원료로 씀. 어린순은 먹음.

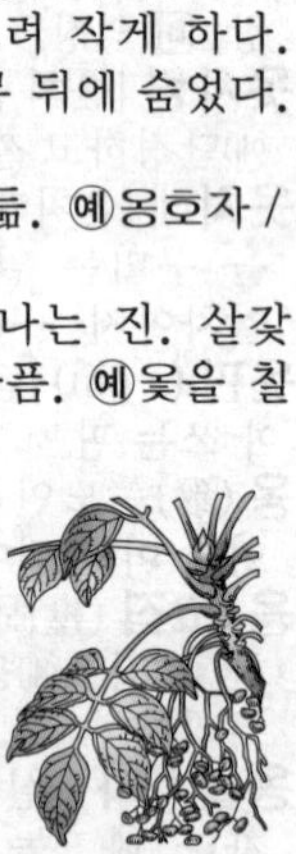
〈옻나무〉

옻칠 (—漆) [옫칠] 가구나 나무 그릇 따위에 윤을 내기 위하여 옻나무의 진을 바르는 일. **—하다.**

와[1] 여럿이 한꺼번에 움직이거나 떠드는 소리. ⓔ와 몰려 나가다 / 모두 와하고 웃다. **—하다.**

*__와__[2] 받침 없는 말에 붙어, 여러 가지를 열거하거나 비교함을 나타내는 말. ⓔ개와 소 / 참외와 비슷하다. *과[3].

와그르르 쌓였던 단단한 물건이 갑자기 한꺼번에 무너지는 소리나 모양. ⓔ벽돌이 와그르르 무너지다. **—하다.**

와글거리다 사람이 한곳에 많이 모여 시끄럽게 자꾸 떠들거나 움직이다. ⓔ회의장 안은 많은 사람들로 와글거렸다.

와글와글 [와그롸글] 많은 사람들이 모여 자꾸 떠들며 움직이는 모양이나 소리. ⓔ백화점에 사람들이 와글와글하다. **—하다.**

와당탕 잘 울리는 바닥에 물건이 떨어지거나 부딪쳐 요란하게 나는 소리. ⓔ마루 위에 와당탕 넘어지다. **—하다.**

와드득 단단한 물건을 깨물거나 마구 부러뜨릴 때 나는 소리. ⓔ돌이 와드득 씹히다. **—하다.**

와들와들 [와드롸들] 몹시 춥거나 무서워 야단스럽게 떠는 모양. ⓔ추워서 와들와들 떨다. **—하다.**

와락 급하게 대들거나 잡아당기거나 끌어안는 모양. ⓔ와락 껴안다 / 개가 와락 덤벼들다.

와르르 쌓였던 것이 야단스럽게 무너지는 소리나 모양. ⓔ돌담이 와르르 무너졌다. **—하다.**

와:병 (臥病) 병으로 자리에 누움. ⓔ와병 중인 할아버지.

와삭 바싹 마른 얇고 가벼운 물건이 서로 스치거나 부서질 때 나는 소리. ⓔ와삭하고 낙엽 밟는 소리가 나다. ⓢ와싹. **—하다.**

와이셔츠 (←white shirts) 양복저고리 속에 입는 소매가 달린 셔츠.
와이 좌:표 (Y座標) ⇨세로 좌표.
와이축 (Y軸) ⇨세로축.
와이퍼 (wiper) 자동차 앞 유리에 들이치는 빗방울 따위를 좌우로 움직여서 닦아 내는 장치.
와인 (wine) ⇨포도주.
와장창 갑자기 한꺼번에 무너지거나 부서지는 소리나 모양. ㊞유리창이 와장창 깨지다.
와:전 (訛傳) 사실과 다르게 잘못 전함. ㊞사실이 와전되다 / 말이 와전되어 오해가 생겼다.
와중 (渦中) 일 따위가 시끄럽고 어지럽게 벌어진 가운데. ㊞어수선한 와중에 지갑을 잃어버렸다. [참고] 주로 '와중에'의 꼴로 쓰임.
와지끈 단단한 물건이 부러지거나 부서지는 소리. ㊞나무가 와지끈 부러지다.
와트 (watt) 전력의 크기를 재는 단위. 1 와트는 1 볼트의 전압으로 1 암페어의 전류가 흐를 때임《기호는 W》.
와해 (瓦解) 어떤 조직이나 계획 따위가 깨어져 흩어짐. ㊞조직이 와해되다.
왁스 (wax) 가구·자동차 따위에 발라 윤을 내거나 미끄럽게 하는 데 쓰이는 물질. ㊞왁스를 바르다.
왁자지껄 [왁짜지껄] 여러 사람이 모여 정신이 어지럽도록 시끄럽게 떠들고 지껄이는 소리나 모양. ㊞조용하던 교실이 갑자기 왁자지껄하다. **—하다.**
왁자하다 [왁짜하다] 정신이 어지럽도록 떠들썩하다. ㊞골목에서 아이들이 왁자하게 떠드는 소리가 들린다.
완강하다 (頑強—) 태도가 완고하고 의지가 굳세다. ㊞완강한 저항을 받다 / 부탁을 완강하게 거절하다.
완강히 (頑強—) 완강하게. ㊞손을 완강히 뿌리치다.
완결 (完結) 어떤 일을 완전하게 끝마침. ㊞사건을 완결하다. **—하다.**
완고하다 (頑固—) 융통성이 없고 고집이 세다. ㊞완고한 성격.
완:곡하다 (婉曲—) [완고카다] 말하는 투가 듣는 사람의 감정이 상하지 않도록 모나지 않고 부드럽다. ㊞완곡한 표현을 하다.
완공 (完工) 공사를 모두 끝마침. ㊞완공식 / 도서관 건물을 완공하다. ㊍준공. **—하다.**
완:구 (玩具) ⇨장난감. ㊞완구점.
완:급 (緩急) 느림과 빠름. ㊞일의 완급을 조절하다.
완납 (完納) 남김없이 완전히 납부함. ㊞세금을 기일 내에 완납하다. ㊖미납. **—하다.**
완도 (莞島) 〖지명〗 전라남도 남해에 있는 큰 섬. 김·미역의 특산지로 알려짐. 유적이 많고 경치가 아름다워 관광지로 유명함.
완두 (豌豆) 콩과의 두해살이 덩굴풀. 5월경에 나비 모양의 흰빛이나 자줏빛 꽃이 핌. 열매인 완두콩은 꼬투리 속에 열림. 콩은 먹고, 잎과 줄기는 가축의 먹이로 쓰임.

〈완두〉

완:력 (腕力) [왈력] **1** 팔의 힘. ㊞완력이 세다. **2** 육체적으로 억누르는 힘. ㊞완력으로 문제를 해결하려 하다. ㊍폭력.
완료 (完了) [왈료] 완전히 끝을 냄. ㊞작업을 완료하다 / 실험 준비를 완료하다. **—하다.**
완:만하다¹ (緩晩—) 일 따위의 되어 가는 속도가 늦다.
완:만하다² (緩慢—) **1** 움직임이 느리다. ㊞완만한 속도. **2** 기울기가

급하지 않다. ㉥완만한 비탈길.
완벽 (完璧) 결점이 없이 훌륭함. ㉥완벽한 솜씨. **—하다.**
완봉 (完封) **1** 완전히 막음. **2** 야구에서, 투수가 상대 팀에게 점수를 전혀 주지 않음. ㉥완봉승을 거두다. **—하다.**
완불 (完拂) 남김없이 완전히 지불함. ㉥전액 완불. **—하다.**
완비 (完備) 시설이나 제도 따위를 빠짐없이 완전히 갖춤. ㉥냉방 완비 / 주차장 완비. **—하다.**
완ː상하다 (玩賞—) 취미로 즐기며 감상하다. ㉥화초를 완상하다.
***완성** (完成) 완전히 다 이룸. ㉥완성품 / 작품을 완성하다. ㉦미완성. **—하다.**
완수 (完遂) 목적을 완전히 이루거나 다 해냄. ㉥임무를 완수하다 / 책임을 완수하다. **—하다.**
완숙 (完熟) **1** 열매 따위가 완전히 익음. 무르익음. ㉥완숙한 배. **2** 음식 따위를 완전히 익힘. ㉥달걀을 완숙하다. **3** 매우 능숙함. ㉥완숙한 솜씨. **4** 사람이나 동물이 완전히 성숙함. ㉥완숙한 여인. **—하다.**
완승 (完勝) 완전히 승리함. ㉥완승을 거두다. ㉦완패. **—하다.**
완ː연하다 (宛然—) [와년하다] 뚜렷하게 나타나다. ㉥가을빛이 완연하다 / 병색이 완연하다.
완ː자 쇠고기를 잘게 다져 달걀·두부 같은 양념 등을 섞고 둥글게 빚어서 기름에 지진 음식.
완ː장 (腕章) 지위를 나타내기 위해 옷의 팔 부분에 두르는 띠. ㉥주번 완장을 차다.
***완전** (完全) 결점이나 모자람이 없이 모든 것이 다 갖추어짐. ㉥완전무장 / 공사를 완전히 마치다. ㉥완벽. ㉦불완전. **—하다. —히.**
완전무결 (完全無缺) 충분히 갖추어서 부족함이나 결점이 없음. ㉥완전무결한 상태. **—하다.**
완제품 (完製品) 일정한 규격과 조건에 맞추어 완전하게 만들어진 물품. ㉥완제품을 수출하다.
완주 (完走) 목표로 정한 지점까지 다 달림. ㉥마라톤 전 구간을 완주하다. **—하다.**
완치 (完治) 병을 완전히 고침. ㉥간염이 완치되다. **—하다.**
완쾌 (完快) 병이 완전히 나음. ㉥속히 완쾌하시길 빕니다. ㉥쾌유. **—하다.**
완투 (完投) 야구 경기에서, 한 투수가 교대하지 않고 한 경기의 처음부터 끝까지 던짐. **—하다.**
완패 (完敗) 완전하게 짐. ㉥3:0으로 완패하다. ㉦완승. **—하다.**
완ː행 (緩行) **1** 느리게 다님. **2** '완행열차'의 준말. ㉦급행.
완ː행열차 (緩行列車) [완행녈차] 각 역마다 멎는 빠르지 않은 열차. ㉦급행열차. ㉰완행.
완ː화 (緩和) 급하거나 긴장된 상태를 느슨하게 함. ㉥긴장을 완화시키다. **—하다.**
왈가닥 말이나 행동이 침착하지 못하고 덜렁덜렁하며 수선스러운 여자. ㉥왈패.
왈가왈부 (曰可曰否) 어떤 일에 대하여 옳다거니 그르다거니 하고 말함. ㉥서로의 주장을 내세워 왈가왈부하다. **—하다.**
왈츠 (waltz) 4분의3 박자로 약간 빠르고 경쾌한 춤곡. 또는 그에 맞춰 남녀가 한 쌍이 되어 원을 그리면서 추는 춤. 원무곡.
왈칵 **1** 갑자기 많이 쏟아 내는 모양. ㉥눈물이 왈칵 쏟아지다. **2** 갑자기 화가 치밀거나 몹시 흥분하는 모양. ㉥화를 왈칵 내다. **3** 갑자기 힘껏 밀치거나 잡아당기는 모양. ㉥왈칵 떼밀다. ㉫월컥.
***왕** (王) **1** ⇨임금[1]. **2** 으뜸. ㉥발명

왕 에디슨 / 동물의 왕 / 왕 노릇을 하다. ➡ king

왕- (王) **1** 아주 큼을 나타내는 말. 예 왕새우 / 왕만두 / 왕방울. **2** 할아버지뻘 되는 사람을 높여 부르는 말. 예 왕고모.

왕건 (王建) 〖인명〗 고려 태조의 이름. 원래 궁예(태봉의 왕)의 부하였으나, 다른 장수들의 추대를 받아 송도에 도읍하고 왕위에 올라 고려를 세움. [877–943 ; 재위 918–943]

왕겨 (王—) 벼의 겉껍질. 비 매조밋겨.

왕골 사초과의 한해살이풀. 높이는 1–2 m 정도. 줄기는 껍질을 벗겨 방석·돗자리 따위를 만드는 데 쓰고, 줄기 속은 끈·종이 등의 원료로 씀.

〈왕골〉

왕관 (王冠) 임금의 머리에 쓰는 관. 예 왕관을 쓰다. ➡ crown

왕국 (王國) 임금이 다스리는 나라. 예 고대 왕국 / 왕국을 세우다. 비 군주국. ➡ kingdom

왕궁 (王宮) 임금이 사는 집. 비 궁궐. 궁전.

왕권 (王權) [왕꿘] 임금의 권력. 비 군권.

왕녀 (王女) 임금의 딸. 비 공주. 반 왕자. ➡ princess

왕ː년 (往年) 지나간 해. 옛날. 예 왕년에는 나도 인기가 좋았다.

왕눈이 (王—) [왕누니] 눈이 큰 사람의 별명.

왕ː래 (往來) [왕내] 오고 감. 예 편지 왕래 / 사람의 왕래가 잦다. 비 내왕. **—하다.**

왕릉 (王陵) [왕능] 임금의 무덤.

왕ː림 (枉臨) [왕님] 남이 찾아옴을 높이어 이르는 말. 예 이렇게 왕림해 주셔서 고맙습니다. **—하다.**

왕명 (王命) 임금의 명령. 예 왕명을 받들다. 비 어명.

왕방울 (王—) 큰 방울. 예 왕방울만 한 눈.

왕ː복 (往復) 갔다가 돌아옴. 예 왕복 차표를 끊다. **—하다.**

왕비 (王妃) 임금의 아내. 비 비. 왕후. 높 중전. ➡ queen

왕산악 (王山嶽) 〖인명〗 고구려의 음악가. 우리나라 3 대 악성 중의 한 사람. 중국의 진나라에서 보낸 칠현금을 개조하여 100여 악곡을 지었으며 지금의 거문고인 현금을 만들었음.

왕새우 (王—) 왕새웃과의 새우. 몸길이 약 20 cm. 온몸이 빨갛고 더듬이는 매우 긺. 비 대하.

왕ː성 (旺盛) 한창 성함. 예 왕성한 식욕 / 호기심이 왕성하다 / 원기가 왕성하다. **—하다. —히.**

왕세자 (王世子) 왕위를 이을 왕자. 준 세자.

왕소금 (王—) 굵은 소금.

왕실 (王室) 임금의 집안. 비 왕가.

왕ː오천축국전 (往五天竺國傳) [왕오천축꾹쩐] 〖책〗 신라의 승려 혜초가 인도와 그 근처의 여러 나라를 순례하고 당나라로 돌아와서 적은 기행문.

왕왕¹ 귀가 멍멍하게 울릴 정도로 큰 소리로 시끄럽게 떠드는 소리. **—하다. —거리다.**

왕ː왕² (往往) 이따금. 때때로. 예 왕왕 실수를 한다.

왕위 (王位) 임금의 자리. 예 왕위를 계승하다 / 왕위에 오르다 / 왕위에 앉히다. 비 왕좌.

왕인 (王仁) 〖인명〗 백제의 학자. 일본에 건너가 '논어', '천자문' 등을 가르치고 태자의 스승이 됨.

***왕자¹** (王子) 임금의 아들. 반 공주. 왕녀. ➡ prince

왕자² (王者) 어떤 분야에서 힘이나 실력이 으뜸인 사람. 예 밀림의 왕자.

왕정 (王政) 임금이 나라를 다스리는 정치. (비) 군주 정치.

왕조 (王朝) **1** 왕이 직접 다스리는 나라. (예)왕조를 세우다. **2** 한 왕가가 다스리는 동안. (예)조선 왕조.

왕족 (王族) 임금의 일가.

왕좌 (王座) **1** 임금이 앉는 자리. (예)왕좌를 이어받다. (비) 왕위. **2** 으뜸가는 자리. (예)씨름계의 왕좌.

왕:진 (往診) 의사가 병원 밖의 환자가 있는 곳에 가서 진찰함. (예)왕진을 가다. **—하다.**

왕창 '엄청나게 큰 규모로' 의 뜻으로 속되게 쓰는 말. (예)돈을 왕창 벌다 / 자동차가 왕창 부서졌다.

왕초 (王—) 거지·넝마주이 등의 우두머리를 속되게 일컫는 말.

왕후 (王后) ⇨왕비.

왕희지 (王羲之) 〖인명〗 중국 진나라의 서예가. 글씨체가 힘차고 아름다우며 귀족적이어서 서예의 성인이라 불림. [307–365]

***왜:** 무슨 까닭으로. 어째서. (예)불렀는데 왜 오지 않았니. ➡ why

왜:가리 백로과의 새. 등은 회색이고 목·가슴·배는 흰색인데, 목덜미에는 회색 세로줄 무늬가 있음. 물고기·조개·개구리 따위를 잡아먹음.

〈왜가리〉

왜곡 (歪曲) 사실과 다르게 해석함. (예)남의 말을 왜곡해서 듣다. **—하다.** ×의곡. 외곡.

왜구 (倭寇) 13–16 세기에 우리나라와 중국 해안을 항해하며 노략질하던 일본의 해적. (비) 왜적[1].

왜국 (倭國) '일본' 을 낮추어 이르는 말. (준) 왜.

왜군 (倭軍) '일본 군대' 를 낮추어 이르는 말.

왜냐하면 '왜 그런가 하면' 의 뜻. (예)그는 성공할 줄 알았다. 왜냐하면 꾸준히 노력했기 때문이다.

왜병 (倭兵) 일본의 군인을 낮추어 이르는 말. (비) 왜군.

왜소하다 (矮小—) 몸집과 키가 작다. (예)왜소한 체격.

왜인 (倭人) 일본 사람을 낮추어 이르는 말.

왜적[1] (倭賊) ⇨왜구.

왜적[2] (倭敵) '적국으로서의 일본' 을 이르는 말.

왠지 왜 그런지. (예)그를 보니 왠지 쓸쓸하다.

> 주의 **왠지**와 **웬**
>
> **왠지** 의문을 나타내는 말. '왜' 에 '–ㄴ지' 가 붙은 형태로 '누군지, 무엇인지, 어딘지' 와 같은 모양이다. '무슨 까닭인지, 어째서인지, 왜 그런지' 의 뜻을 나타냄. (예)왠지 가슴이 두근거린다.
>
> **웬** '어떠한, 어찌 된' 의 뜻을 나타내는 말. (예)웬 말이 이렇게 많은지 모르겠다.
>
> ＊ 웬지는 잘못된 표기이다.

왱왱 **1** 날벌레나 돌팔매 같은 것이 빠르게 날아갈 때 나는 소리. (예)모기가 귓전에서 왱왱 날아다닌다. **2** 가는 나뭇가지 등에 바람이 스칠 때 나는 소리. (큰) 윙윙. **—거리다.**

***외:** (外) 일정한 범위나 한도에 들지 않는 것. (예)그 외에 / 예상 외로. (비) 밖.

외– 명사 앞에 붙어 하나만으로 됨을 뜻하는 말. (예)외아들.

외:가 (外家) 어머니의 친정. (비) 외갓집.

외:갓집 (外家—) [외가찝 / 외갇찝] ⇨외가.

외:계 (外界) [– / 외게] 지구 밖의 세계. (예)외계의 생명체.

외:계인 (外界人) [– / 외게인] 지

구 밖의 다른 별에서 온 사람. ㉥우주인.

외고집 (-固執) 융통성이 조금도 없는 고집. ㉦외고집을 세우다 / 외고집을 피우다.

외곬 [외골] 한 가지 일에만 파고드는 것. ㉦외곬으로[외골쓰로] 생각하다.

외ː과 (外科) [외꽈] 주로 몸의 외부에 난 상처나 내장 기관에 생긴 병을 처치하거나 수술하여 치료하는 의학의 한 분과. ㉤내과.

외ː곽 (外廓〔郭〕) 바깥 테두리.

외ː관 (外觀) 겉으로 드러난 모양. ㉦외관이 아름답다. ㉥겉보기. 겉모양. 외견.

외ː교 (外交) **1** 외국과의 교섭. ㉦외교 문서 / 외교 관계. ㉥내치. **2** 다른 사람과의 교제.

외ː교관 (外交官) 외국에 머물면서 자기 나라를 대표하여 외교에 대한 일을 맡아보는 공무원.

외ː교권 (外交權) [외교꿘] 다른 나라의 간섭을 받지 않고 외국과 교섭을 할 수 있는 권리.

외ː교 정책 (外交政策) 한 나라가 정치적 목적이나 국가의 이익 따위를 달성하기 위하여 다른 나라에 대하여 취하는 정책.

외ː교 통상부 (外交通商部) 중앙 행정 기관의 하나. 외국과의 통상, 조약, 협정 등에 관한 일을 맡아봄.

*__외ː국__ (外國) 다른 나라. ㉦외국 여행. ㉥타국. ㉤내국.

외ː국산 (外國產) [외국싼] 외국에서 나는 물건. ㉦외국산 자동차. ㉤국산.

외ː국어 (外國語) [외구거] 다른 나라의 말. ㉤모국어. *외래어.

외ː국 영화 (外國映畫) [외궁녕화] 다른 나라에서 만든 영화. ㉤국산 영화. ㉨외화.

외ː국인 (外國人) [외구긴] 다른 나라 사람. ㉦외국인 가수 / 외국인에게 길을 안내하다. ㉥타국인. ㉤내국인. ㉨외인.

외길 한 군데로만 난 길.

외나무다리 좁은 개울 따위에 한 개의 통나무로 놓은 다리. ㉦외나무다리를 건너다.

*__외ː다__ '외우다'의 준말. ㉦구구단을 외다. →외우다 참고

외돌토리 ⇨외톨이.

외동딸 하나뿐인 딸을 귀엽게 이르는 말. ㉤외동아들.

외ː등 (外燈) 집 밖에 켜 놓은 등불. ㉧옥외등.

외따로 외로이. 오직 홀로. 따로. ㉦외따로 떨어진 집.

외딴 외따로 떨어져 있는. ㉦외딴 마을.

외딴곳 [외딴곧] 외따로 떨어진 곳. ㉦인적이 드문 외딴곳에 살다.

외딴길 외따로 떨어져 있는 작은 길. ㉦밤에는 외딴길로 가지 마라.

외딴섬 외따로 떨어져 있는 섬.

외딴집 외따로 떨어져 있는 집.

외떡잎식물 (-植物) [외떵닙씽물] 떡잎이 하나인 식물. 벼·보리·옥수수 따위. ㉤쌍떡잎식물.

외ː람되다 (猥濫-) 하는 짓이 분수에 지나치다. ㉦외람되오나 그 의견에는 반대입니다.

외ː래 (外來) **1** 밖에서 또는 외국에서 옴. ㉦외래 문물. ㉤재래. **2** 환자가 입원하지 않고 병원에 다니면서 치료를 받는 일. 또는 그 환자. ㉦외래 환자.

외ː래문화 (外來文化) 외국에서 들어온 다른 나라의 문화. ㉤고유문화.

외ː래어 (外來語) 외국에서 들어와 우리말처럼 쓰이는 말. 곧, 국어화된 외국어. ㉤고유어.

외ː래종 (外來種) 다른 나라에서 들어온 동물이나 식물. 황소개구리

따위. 반 재래종.
외로움 홀로 있어 쓸쓸한 마음이나 느낌. 예외로움을 타다.
외로이 외롭게. 홀로 쓸쓸히. 예외로이 길을 가다.
*__외롭다__ [외롭따] 혼자 있거나 의지할 곳이 없어서 매우 쓸쓸하다. 예친구가 없어서 외롭다. 비 고독하다. 활용 외로워 / 외로우니.
외마디 '악, 앗' 따위와 같이 한 음절로 된 짧은 소리. 예떨어지면서 외마디 소리를 지르다.
외:면[1] (外面) **1** 겉의 면. **2** 겉으로 나타난 모양. 비 겉모양. 반 내면.
외:면[2] (外面) 마주 보기를 꺼려 얼굴을 돌려 버림. 예보자마자 외면하다. **—하다.**
외:모 (外貌) 겉모양. 겉모습. 예외모가 반듯하다.
외:박 (外泊) 자기 집이나 일정한 숙소가 아닌 다른 곳에서 잠. 예외박을 나가다 / 외박이 잦다. **—하다.**
외:벽 (外壁) 건물의 바깥쪽의 벽. 예외벽에 페인트칠을 하다.
외:부 (外部) **1** 바깥 부분. 예외부 공사. 비 바깥. **2** 조직이나 단체의 밖. 예외부 사람 / 정보가 외부로 새나가다. 반 내부.
외:부인 (外部人) 같은 조직이나 단체에 속해 있지 않은 사람. 예외부인 출입 금지.
외:빈 (外賓) 외부나 외국에서 온 귀한 손님. 예외빈을 맞다.
외:사촌 (外四寸) 외삼촌의 아들이나 딸. 본 외종 사촌.
*__외:삼촌__ (外三寸) 어머니의 남자 형제. 비 외숙. 외숙부.
외:상[1] 값은 나중에 치르기로 하고 물건을 먼저 가져가는 일. 예외상으로 사다. 반 맞돈.
외:상[2] (外傷) 몸의 겉에 난 상처.
외:상값 [외상깝] 외상으로 거래한 물건의 값. 예외상값을 갚다.
외:세 (外勢) 외국의 세력. 예외세의 침략.
외:손 (外孫) **1** 딸이 낳은 자식. **2** 딸의 자손.
외:손녀 (外孫女) 딸이 낳은 딸. 반 친손녀.
외:손자 (外孫子) 딸이 낳은 아들. 반 친손자.
외:숙 (外叔) ⇨외삼촌.
외:숙모 (外叔母) [외숭모] 외삼촌의 아내.
외:식 (外食) 집에서 해 먹지 않고 음식점에 가서 사서 먹음. 또는 그 식사. 예오랜만에 가족들과 외식하다. **—하다.**
외:신 (外信) 외국으로부터 온 통신. 예외신 기사. 비 해외 통신. 반 내신.
외아들 형제가 없이 오직 하나뿐인 아들. 비 독자. 반 외딸.
외:야 (外野) 야구에서, 내야의 뒤쪽 지역. 아웃필드. 반 내야.
외:야수 (外野手) 야구에서 외야를 지키는 선수. 반 내야수. 준 외야.
*__외양간__ (—間) [외양깐] 말이나 소를 기르는 곳. 비 마구간.
*__외우다__ **1** 기억하고 있는 말이나 글을 틀리지 않게 그대로 말하다. 예주문을 외우다. **2** 머릿속에 기억하다. 암기하다. 예친구 전화번호를 전부 외우고 있다. 준 외다.

> 참고 **외우다와 외다**
> 이전에는 '외다'가 표준어이고 '외우다'는 비표준어였다. 그러나 표준어 규정에서 '준말과 본말이 다 같이 널리 쓰이는 것은 두 가지를 다 표준어로 삼는다'라고 함에 따라 '외우다'도 '외다'의 본말로 표준어가 되었다. '외우며, 외워' 또는 '외며, 외어'로 활용한다.

외:인 (外人) **1** 어떤 일과 관계없

는 사람. ㉠외인 출입 금지. **2** '외국인'의 준말. ㉠외인 학교.

외:자 (外資) 외국에서 들여오는 돈이나 물자. ㉠외자를 유치하다. 반 내자. 본 외국 자본.

외:적 (外敵) 외부에서 쳐들어오는 적. ㉠외적을 물리치다.

외:제 (外製) 외국에서 만든 물건. ㉠외제 상품. 본 외국제.

외:족 (外族) **1** 어머니 쪽의 일가. 반 친족. **2** 자기 겨레가 아닌 다른 겨레.

외줄 한 가닥의 줄.

외:지 (外地) 자기 고장 밖의 다른 고장. ㉠외지로 이사 가다.

외지다 사람이 잘 다니지 않아서 으슥하고 후미지다. ㉠외진 산골.

외짝 짝을 이루지 못하고 단 하나로 된 것.

외:채 (外債) 한 나라가 다른 나라에 진 빚. 본 외국채.

외:척 (外戚) **1** 같은 본 이외의 친척. **2** 외가 쪽 친척.

외:출 (外出) 집 밖으로 나감. 딴 곳에 잠시 감. ㉠외출하려는데 손님이 찾아왔다. 비 나들이. **—하다.**

외:출복 (外出服) 외출할 때 입는 옷. 비 나들이옷.

***외치다** **1** 매우 큰 소리로 부르짖다. 큰 소리를 지르다. ㉠구호를 외치다. **2** 의견이나 요구 따위를 강하게 주장하다. ㉠독립을 외치다. 비 소리치다. ➲ shout

외:탁 (外—) 생김새나 성격 따위가 외가 쪽을 닮음. ㉠외탁한 아이. 반 친탁. **—하다.**

외톨이 [외토리] 의지할 데도 없고 매인 데도 없는 홀몸. ㉠외톨이로 지내다. 비 외돌토리.

외:투 (外套) 추위를 막기 위하여 겉옷 위에 입는 옷. 오버코트. ㉠외투를 걸치다. ➲ overcoat

외:판 (外販) 판매원이 돌아다니면서 고객에게 직접 상품을 팖. 또는 그 일. **—하다.**

외:판원 (外販員) [외파눤] 외판 일을 하는 사람. 세일즈맨.

외:풍 (外風) **1** 밖에서 방 안으로 들어오는 바람. ㉠외풍이 세다. **2** 외국에서 들어온 풍속.

***외:할머니** (外—) 어머니의 친정어머니. 비 외조모.

***외:할아버지** (外—) [외하라버지] 어머니의 친정아버지. 비 외조부.

외:항[1] (外港) 배가 항구에 들어가기 전에 잠깐 머무르는 바깥쪽의 항구. 반 내항.

외:항[2] (外項) 수학에서, 한 비례식의 양쪽 바깥에 있는 두 개의 항. 즉, $a:b=c:d$에서 a와 d. 반 내항.

외:항선 (外航船) 많은 물자를 싣고 외국을 드나드는 배.

외:해 (外海) 육지에서 멀리 떨어진 넓은 바다. 반 내해.

외:형 (外形) 겉으로 드러난 모양. 겉에서 본 모양. ㉠사람은 외형보다 마음이 중요하다. 비 외모.

***외:화**[1] (外貨) 다른 나라의 돈. ㉠수출로 외화를 벌다.

외:화[2] (外畫) 외국 영화. ㉠외화 개봉 극장 / 외화 수입. 반 방화.

외:환[1] (外患) 외적의 침범에 대한 근심. 반 내우. 내환.

외:환[2] (外換) 한 나라가 가지고 있는 외국의 돈. ㉠외환 위기가 닥치다. 본 외국환.

***왼:발** 왼쪽의 발. ㉠왼발로 공을 차다. 반 오른발.

왼:손 왼쪽의 손. ㉠왼손으로 숟가락질을 하다. 반 오른손.

왼:손잡이 [왼손자비] 왼손을 오른손보다 잘 쓰는 사람. ㉠왼손잡이 투수.

왼:씨름 샅바를 오른쪽 다리에 걸고 서로 상대방의 왼쪽 어깨를 마주 대고 하는 씨름. 반 오른씨름.

*왼ː쪽 서쪽을 향했을 때, 남쪽에 해당하는 방향. 반 오른쪽. ➡ left
왼ː팔 왼쪽 팔. 반 오른팔.
왼ː편 (—便) 왼쪽. 왼쪽 방향.
요[1] 사람이 눕거나 앉을 때 방바닥에 까는 이부자리. 속에 솜·털 등을 넣음. 예 요를 깔다.
*요[2] 존대나 주의를 끌게 하는 말. 예 첫눈이 와요. → -오 참고
요[3] **1** 눈앞의 일이나 물건을 얕잡아 일컫는 말. 예 요 며칠 전 / 요 녀석 저리 가거라 / 요 일을 하여라. **2** 시간이나 거리가 가까움을 일컫는 말. 예 요 근처에 살아요. 큰 이.
요-(要) 일부 명사 앞에 붙어, '필요가 있음'을 뜻함. 예 요주의.
요가 (범 yoga) 예로부터 전해오는 인도의 심신 단련법의하나. 자세를 바르게 하여 호흡을 고르고, 감정을 억제하여 마음과 몸을 단련함.
요강 방에 두고 오줌을 누는 그릇.
요건 (要件) [요껀] **1** 중요한 용건. **2** 필요한 조건. 예 자격 요건을 모두 갖추다.
요것 [요걷] **1** 자기에게 가까이 있는 일이나 물건을 가리키는 말. 예 요것부터 치워라. **2** 사람을 얕잡거나 귀엽게 이르는 말. 예 요것들이 까부네. 큰 이것.
요괴 (妖怪) **1** 요망스러운 마귀. 예 밤마다 요괴가 나타나다. **2** 요사스럽고 괴상함.
요구 (要求) 필요하여 달라고 청함. 예 요구 조건 / 돈을 요구하다. 비 요청. **—하다.**
요구르트 (yog(h)urt) 우유·양젖 따위를 발효시켜 만든 영양 식품.
요ː금 (料金) 시설·물건을 이용하거나 수고를 끼친 값으로 치르는 돈. 예 요금표 / 전기 요금을 내다.
요기 (療飢) 음식을 조금 먹어서 배고픔을 면함. 예 우선 라면으로 요기나 하고 가자. **—하다.**
요긴하다 (要緊—) 중요하고도 꼭 필요하다. 예 적은 돈이지만 요긴하게 써라. 비 긴요하다.
요나라 (遼—) 거란족이 세운 나라. 세 차례나 고려에 침입하였으나, 고려의 서희와 강감찬의 활약으로 물러났음. 금나라와 송나라의 공격을 받고 망함. [916-1125]
요도 (尿道) 방광 안의 오줌이 몸 밖으로 나오는 길. 비 오줌길.
요동 (搖動) 흔들림. 흔들려 움직임. 예 파도가 높아 배가 요동을 쳤다. **—하다.**
요란 (搖〔擾〕亂) **1** 시끄럽고 떠들썩함. 예 요란한 기계 소리. **2** 정도가 지나치게 야단스러움. 예 옷차림이 요란하다. **—하다. —히.**
요란스럽다 (搖〔擾〕亂—) [요란스럽따] **1** 시끄럽고 떠들썩한 데가 있다. 예 요란스러운 웃음소리. **2** 정도가 지나치게 어지럽고 화려한 데가 있다. 예 요란스럽게 춤을 추다. 활용 요란스러워 / 요란스러우니.
요람 (搖籃) **1** 아기를 눕히거나 앉혀서 흔들어 즐겁게 해 주거나 잠재우게 만든 물건. 예 아기가 요람 속에서 잠이 들다. **2** 사물이 발생하는 처음. 예 고대 문명의 요람.
요러하다 **1** 요와 같다. **2** 요런 모양으로 되어 있다. 예 요러한 물건을 봤니. 준 요렇다. 큰 이러하다.
요렇다 [요러타] '요러하다'의 준말. 큰 이렇다. 활용 요러니 / 요래서.
요령 (要領) **1** 일을 하는 데 필요한 좋은 방법. 예 요령을 터득하다. **2** 적당히 부리는 꾀. 예 요령을 피우다가 야단맞다 / 요령이 생기다.
요령껏 (要領—) [요령껃] 있는 요령을 다하여. 예 맡은 일을 요령껏 알아서 해라.
요르단 (Jordan) 〖국명〗 아시아의 남서쪽에 있는 왕국. 농업과 광업이 주요 산업임. 수도는 암만.

*요리 (料理) 1 음식을 만드는 일. 또는 그 음식. ㉲요리 솜씨 / 한국 요리. 2 어떤 대상을 능숙하게 다루어 처리함. ㉲그 사람 하나쯤 요리하기는 어렵지 않다. —하다. ➡ cook

요리사 (料理師) 요리하는 일이 직업인 사람.

요리조리 방향이 일정하지 않고 요쪽 조쪽으로. ㉲잡히지 않으려고 요리조리 피해 다니다. ㊔이리저리.

요만하다 요 정도만 하다. ㉲요만한 일로 낙담하지 마라.

요망[1] (妖妄) 말과 행동이 가볍고 바르지 못함. ㉲요망을 떨다 / 요망스러운 언행을 일삼다. ㊐요사. —하다. —스럽다.

요망[2] (要望) 바라는 일이 꼭 이루어지기를 바람. ㉲요망 사항 / 전화 요망. —하다.

요모조모 요런 면 조런 면. 여러 방면. ㉲요모조모로 자세히 살펴보다. ㊔이모저모.

요물 (妖物) 1 요사스러운 물건. 2 악하고 간사한 사람.

요번 (—番) 이제 막 돌아온 차례. ㉲요번만은 결코 물러서지 않겠다.

요법 (療法) [요뻡] 병을 고치는 방법. ㉲민간요법.

요사이 이제까지의 아주 가까운 동안. ㉲요사이 부쩍 살이 쪘다. ㊕요새. ㊔이사이.

*요새[1] '요사이'의 준말. ㉲요새 어떻게 지내니 / 요새 젊은이들은 개성이 강하다. ㊐요즘.

요새[2] (要塞) 적의 침입을 막기 위하여 국방상 중요한 지점에 설치한 방어 시설.

요소[1] (要所) 중요한 장소나 시설. ㉲요소에 보초를 세우다.

*요소[2] (要素) 어떠한 사물에 꼭 필요한 성분 또는 조건. ㉲음악의 3 대 요소. ㊐요건.

*요술 (妖術) 재빠른 손놀림·장치 따위를 써서 사람의 눈을 속여 여러 가지 신기한 일을 보여 주는 기술. 또는 그 구경거리. ㉲요술을 부리다. ㊐마술. —하다.

요술쟁이 (妖術—) 요술하는 재주가 있는 사람. ㊐마법사. 마술사.

요약 (要約) 말이나 글의 요점을 잡아서 간추림. ㉲내용을 간단히 요약하다. —하다.

요양 (療養) 병을 치료하거나 건강을 돌보는 일. ㉲요양하러 고향으로 내려간다. —하다.

요양소 (療養所) ⇨요양원.

요양원 (療養院) 요양에 필요한 시설이 갖추어진 곳. ㊐요양소.

요업 (窯業) 흙을 빚어 가마에 넣고 불에 구워 도자기·유리·기와·벽돌 등을 만드는 공업. ㉲요업 공업.

요염하다 (妖艶—) 사람을 홀릴 만큼 아름답다. ㉲요염한 자태.

요오드 (독 Jod, 영 iodine) 금속광택이 있는 검붉은 색의 고체 물질. 각종 물감·소독약·의약 등에 널리 쓰임. 옥도.

요오드팅크 (독 Jodtinktur) 요오드와 요오드화칼륨(무색 결정)을 에탄올에 녹인 용액. 검붉은 갈색이며, 소독약으로 쓰임. 옥도정기.

요원 (要員) 1 필요한 인원. ㉲판매 요원을 모집하다. 2 중요한 지위에 있는 사람. ㉲정부 요원.

요원하다 (遙〔遼〕遠—) 아득히 멀다. ㉲세계 평화가 이루어질 날은 요원하다.

요인[1] (要因) 사물이나 사건의 성립에 필요한 원인. ㉲성공 요인.

요인[2] (要人) 중요한 자리에 있는 사람. 또는 높은 자리에 있는 사람. ㉲정부 요인.

*요일 (曜日) 일·월·화·수·목·금·토에 붙여 일주일의 각 날을 나타내는 말. ㉲오늘은 무슨 요일이지.

요전 (—前) 요새의 며칠 전. ㉲요

전에 본 그 영화. 큰이전.
요:절 (夭折) 젊은 나이에 죽음. 예20대에 요절한 시인. **—하다.**
요점 (要點) [요쩜] 가장 중요하고 중심이 되는 사실. 예요점만 말해라 / 요점을 파악하다. 비중점.
요정 (妖精) 서양의 전설이나 이야기에 많이 나오는 정령(갖가지 물건에 붙어 있다는 혼령)으로, 여러 가지 신기한 일을 함. 님프. 예숲 속의 요정들.
***요즈음** 오늘을 중심으로 한 며칠 사이. 예요즈음의 젊은이. 비요사이. 준요즘. 큰이즈음.
***요즘** '요즈음'의 준말. 예요즘 유행하는 만화.
요지[1] (要旨) 말이나 글 따위에서 중요한 뜻이나 대강의 내용. 예글의 요지 / 요지를 파악하다.
요지[2] (要地) 정치·문화·교통·군사 등의 핵심이 되는 중요한 곳. 예교통의 요지.
요지경 (搖池鏡) **1** 여러 가지 재미있는 그림을 통에 넣고 돋보기로 들여다보게 만든 장난감. **2** 내용이 알쏭달쏭하고 복잡하여 이해할 수 없음을 비유하는 말. 예세상은 요지경 속 같다.
요지부동 (搖之不動) 흔들어도 꼼짝하지 않음. 예그의 결심은 요지부동이다. **—하다.**
요직 (要職) 중요한 직위·직업. 예요직에 앉다.
요청 (要請) 필요한 일을 해 달라고 간곡하게 부탁함. 예수해 복구를 요청하다. **—하다.**
요충 (蟯蟲) 기생충의 하나. 몸빛은 희고 몸길이는 수컷이 3–5 mm, 암컷이 1 cm 내외이고 가늚. 손이나 음식을 통해 사람의 몸 안으로 들어감. 밤에 항문으로 기어 나와 알을 낳음. 비실거위.
요컨대 (要—) **1** 중요한 점을 말하자면. 결국은. **2** 여러 말 할 것 없이. 예요컨대 이번엔 꼭 합격해야 한다는 것이다.

〈요트〉

요통 (腰痛) 허리가 아픈 병.
요트 (yacht) 놀이나 경기에 쓰이는, 속도가 빠른 서양식의 돛단배.
요한 슈트라우스 (Strauss, Johann) 〚인명〛 ⇨슈트라우스.
요행 (僥倖) **1** 뜻밖에 얻는 행복. 예요행을 바라다 / 요행히 당첨되다. **2** 행복을 바람. **—하다. —히.**
***욕** (辱) **1** 남을 욕되게 하는 말. 예욕을 먹다 / 함부로 욕하지 마라. 본욕설. **2** 명예스럽지 못한 일. 예욕을 보다. **3** '수고'를 속되게 이르는 말. **—하다.**
욕구 (欲〔慾〕求) [욕꾸] 무엇을 얻거나 무슨 일을 하고자 바라는 일. 예욕구를 느끼다. **—하다.**
욕되다 (辱—) [욕뙤다] 불명예스럽게 되다. 예욕된 일을 당하다.
욕망 (欲〔慾〕望) [용망] 무엇을 하거나 가지고 싶어 간절히 바람. 또는 그 마음. 예헛된 욕망을 버려라. 비욕심. **—하다.**
욕먹다 (辱—) [용먹따] 남에게서 나쁘게 말하는 것을 듣다. 예욕먹을 짓을 저지르다.
욕보다 (辱—) [욕뽀다] **1** 부끄러운 일을 당하다. 예네가 잘못하면 부모가 욕본다. **2** 곤란을 겪다. 몹시 고생하다. 예고된 일을 하느라고 욕보았네.
욕설 (辱說) [욕썰] '욕1'의 본딧말. 예욕설을 퍼붓다.
욕실 (浴室) [욕씰] 목욕하는 방.
***욕심** (慾〔欲〕心) [욕씸] 무엇을 탐내거나 분수에 넘치게 하고자 하는 마음. 예욕심을 내다 / 욕심이 나다 /

욕심을 부리다.

욕심꾸러기 (慾心—) [욕씸꾸러기] 욕심이 많은 사람. 비 욕심쟁이.

*__욕심쟁이__ (慾心—) [욕씸쟁이] ⇨ 욕심꾸러기.

욕조 (浴槽)[욕쪼] 목욕물을 담는 통. 예 욕조에 물을 받다.

욕지기 [욕찌기] 토할 듯 메슥메슥한 느낌.

욕지기(가) 나다 ㉠욕지기가 나오다. ㉡아니꼬운 생각이 나다.

*__용__ (龍) 상상의 동물. 몸은 큰 뱀과 비슷하며, 뿔·귀·수염과 네 개의 발이 있음. 깊은 연못·호수·바다 등에 살다가 때로 하늘로 날아올라 조화를 부린다고도 함. 복되고 좋은 동물로 믿음. ➲ dragon

-용 (用) 어떤 말에 붙어 '쓰임'의 뜻을 나타내는 말. 예 자가용 / 사무용 / 아동용.

용ː감무쌍하다 (勇敢無雙—) 매우 용감하다. 예 용감무쌍한 군인.

*__용ː감하다__ (勇敢—) 용기가 있어 씩씩하고 기운차다. 예 용감한 행동. 반 비겁하다. ➲ brave

용ː감히 (勇敢—) 용감하게. 예 용감히 싸우다.

용ː건 (用件) [용껀] 볼일. 해야 할 일. 예 전화로는 용건만 간단히 말합시다. 비 용무.

용광로 (鎔鑛爐) [용광노] 높은 온도로 광석을 녹여 쇠붙이를 뽑아내는 가마.

*__용ː구__ (用具) 무엇을 하거나 만드는 데 쓰는 도구. 예 청소 용구 / 필기 용구.

용궁 (龍宮) 바다 속에 있다고 하는 용왕의 궁전.

*__용ː기__[1] (勇氣) 씩씩하고 굳센 기운. 예 용기가 나다 / 용기를 내다 / 용기를 얻다. 비 용맹.

용기[2] (容器) 물건을 담는 그릇.

용납 (容納) 남의 말이나 행동을 너그러운 마음으로 받아들임. 예 거짓말은 용납할 수 없는 일이다. 비 용인. **—하다.**

용ː도 (用途) 쓰이는 곳. 예 이 수첩은 용도가 다양하다.

*__용ː돈__ (用—) [용똔] 개인의 자질구레한 일에 쓰이는 돈. 예 부모님께 용돈을 타서 쓴다 / 용돈을 아껴 쓰다.

용두레 낮은 곳에 있는 물을 높은 곳에 퍼 올리는 농기구.

용두사미 (龍頭蛇尾) 머리는 용이고 꼬리는 뱀이라는 뜻으로, 처음은 좋으나 끝이 좋지 않음을 비유한 말.

용량[1] (容量) [용냥] 용기 안에 들어갈 수 있는 분량. 예 용량이 큰 냉장고.

용ː량[2] (用量) [용냥] **1** 쓰이는 분량. **2** 한 번이나 하루에 사용하는 약의 분량. 예 용량을 꼭 지킬 것.

용렬하다 (庸劣—) [용녈하다] 어리석고 수준이 보통보다 못하다. 예 용렬한 남자.

용ː례 (用例) [용녜] 쓰고 있는 예. 쓰이는 본보기. 예 용례가 많은 사전.

용마루 지붕 위의 마루.

용매 (溶媒) 용액을 만들 때, 용질곧 고체·기체를 녹이는 액체. 액체에 액체를 녹일 때는 많은 쪽의 액체를 말함. 반 용질.

용ː맹 (勇猛) 용감하고 사나움. 예 용맹심 / 용맹한 장수. 비 용감. 반 비겁. **—하다.**

용ː맹스럽다 (勇猛—) [용맹스럽따] 용감하고 사나운 데가 있다. 예 적에 대항하여 용맹스럽게 싸우다. 활용 용맹스러워 / 용맹스러우니.

용모 (容貌) 사람의 얼굴 모양. 예 단정한 용모 / 용모가 뛰어나다.

용ː무 (用務) ⇨볼일. 예 용무를 마치다 / 급한 용무를 보러 나가다. 비 용건.

용ː법 (用法) [용뻡] 사용하는 방법. 예 동사의 용법.

[학습마당] 19

용언의 활용

다음과 같은 용언들은 어미가 바뀔 경우, 그 어간이나 어미가 원칙을 벗어나면 벗어나는 대로 적는다.

1. 어간의 끝 'ㄹ'이 줄어질 때
   갈다 : 가니 간 갑니다 가오
   둥글다 : 둥그니 둥근 둥급니다 둥그오
   〔붙임〕 다음과 같은 말에서도 'ㄹ'이 준 대로 적는다.
   마지못하다 마지않다 (하)자마자 (하)지 마라
2. 어간의 끝 'ㅅ'이 줄어질 때
   긋다 : 그어 그으니 그었다
   짓다 : 지어 지으니 지었다
3. 어간의 끝 'ㅎ'이 줄어질 때
   그렇다 : 그러니 그럴 그러면 그러오
   까맣다 : 까마니 까말 까마면 까마오
   동그랗다 : 동그라니 동그랄 동그라면 동그라오
   퍼렇다 : 퍼러니 퍼럴 퍼러면 퍼러오
   하얗다 : 하야니 하얄 하야면 하야오
4. 어간의 끝 'ㅜ, ㅡ'가 줄어질 때
   푸다 : 퍼 펐다 | 담그다 : 담가 담갔다
   크다 : 커 컸다 | 따르다 : 따라 따랐다
5. 어간의 끝 'ㄷ'이 'ㄹ'로 바뀔 때
   걷다 : 걸어 걸으니 걸었다 걸으오
   듣다 : 들어 들으니 들었다 들으오
   묻다 : 물어 물으니 물었다 물으오
6. 어간의 끝 'ㅂ'이 'ㅜ'로 바뀔 때
   깁다 : 기워 기우니 기웠다 기웠소
   가깝다 : 가까워 가까우니 가까웠다 가까웠소
   괴롭다 : 괴로워 괴로우니 괴로웠다 괴로웠소
   밉다 : 미워 미우니 미웠다 미웠소
   〔다만〕 '돕-, 곱-'과 같은 어간에 어미 '-아'가 붙어 '와'로 소리 나는 것은 '-와'로 적는다.
   돕다 : 도와 도와서 도와도 도왔다
   곱다 : 고와 고와서 고와도 고왔다
7. '하다'의 활용에서 어미 '-아'가 '-여'로 바뀔 때
   하다 : 하여 하여서 하여도 하여라
8. 어간의 끝음절 '르' 뒤에 오는 어미 '-어'가 '-러'로 바뀔 때
   이르다 : 이르러 이르러서 이르렀다
   푸르다 : 푸르러 푸르러서 푸르렀다
9. 어간의 끝음절 '르'의 'ㅡ'가 줄고, 그 뒤에 오는 어미 '-아/-어'가 '-라/-러'로 바뀔 때
   거르다 : 걸러 걸렀다 | 구르다 : 굴러 굴렀다
   벼르다 : 별러 별렀다 | 부르다 : 불러 불렀다
   오르다 : 올라 올랐다 | 이르다 : 일러 일렀다

용:변 (用便) 똥이나 오줌을 눔. ㉠용변을 보다. **—하다.**

용병 (傭兵) 봉급을 주고 병사를 고용하는 일. 또는 그 병사. **—하다.**

용비어천가 (龍飛御天歌) 〖책〗 조선 세종 29년(1447)에 왕명에 따라 정인지·권제 등이 한글로 처음 지은 책. 조선의 건국을 찬양한 노래를 모음.

*__용:사__ (勇士) **1** 용맹스러운 사람. **2** 용맹스러운 병사. ㉠국군 용사.

*__용서__ (容恕) 잘못이나 죄를 꾸짖거나 벌하지 않고 너그럽게 덮어 줌. ㉠용서를 빌다 / 잘못을 용서하다. 반 처벌. **—하다.**

용솟음치다 (湧—) [용소슴치다] **1** 물 따위가 매우 세찬 기세로 끓거나 솟아오르다. **2** 힘이나 기세 따위가 힘차게 솟아오르다. ㉠애국심이 용솟음치다.

용:수 (用水) **1** 먹을 수 있는 물에 대하여 허드렛물을 이르는 말. **2** 음료·세탁·공업·발전·농사 등에 쓰기 위한 물. ㉠농업용수 / 생활용수.

*__용수철__ (龍鬚鐵) 강한 철사를 나사 모양으로 감아 만든 쇠. 탄력이 있어 늘었다 줄었다 함. 스프링. ㉠용수철이 튀다.

용수철저울 (龍鬚鐵—) 용수철이 늘어난 길이를 보고 물체의 무게를 재는 저울.

용:쓰다 **1** 기운을 몰아 쓰다. ㉠하찮은 일에 용쓰지 마라. **2** 힘을 들여 괴로움을 억지로 참다. 활용 용써 / 용쓰니.

용안 (龍顔) 임금의 얼굴.

용암 (熔岩) 화산이 폭발할 때 분화구에서 솟아나온 마그마. 또는 그것이 식어 굳어진 바위.

*__용액__ (溶液) 두 가지 이상의 물질이 녹아 있는 액체. 설탕물·소금물 따위. *용매. 용질.

용:어 (用語) 사용하는 말. 특히, 어떤 분야에서 전문적으로 쓰는 말. ㉠과학 용어 사전 / 컴퓨터 용어.

용:언 (用言) '무엇이 어찌한다' 또는 '무엇이 어떠하다'에서 '어찌한다'와 '어떠하다'에 해당하는 말. '물이 흐른다'와 '꽃이 아름답다'에서 '흐른다, 아름답다'를 이름. 용언은 '흐르고, 흐르니', '아름다운, 아름다워' 처럼 어미가 활용할 수 있는 것이 특징임. → [학습마당] 19(808쪽)

용:역 (用役) 생산과 소비에 필요한 노동력을 제공하는 일. ㉠용역회사 / 용역을 맡기다.

용왕 (龍王) 바다 속에 있다고 상상하는 용궁의 임금.

용용 [용뇽] 양쪽 엄지손가락 끝을 자기 볼에 대고 나머지 네 손가락을 흔들며 남을 약 올리는 짓. 또는 그러면서 내는 소리.

용용 죽겠지 '약이 올라 죽겠지'의 뜻으로 남을 약 올리는 말.

용:의 (用意) [— / 용이] 어떤 일을 하려는 마음을 먹음. 또는 그 마음. ㉠너를 도와줄 용의가 있다.

용의자 (容疑者) [— / 용이자] 범행을 했으리라는 의심을 받고 있는 사람. ㉠강력한 용의자 / 살인 사건의 용의자를 체포하다. 비 피의자. 반 피해자.

용:의주도하다 (用意周到—) [— / 용이주도하다] 꼼꼼하게 살펴 일에 빈틈이 없다. ㉠용의주도한 성격 / 일을 용의주도하게 처리하다.

용이하다 (容易—) 어렵지 않고 매우 쉽다. ㉠모든 학생에게 급식하는 것은 용이한 일이 아니다.

용:장 (勇將) 용감한 장수. ㉠용장 밑에 약졸 없다.

용적 (容積) 물건을 가득 담을 수 있는 부피. ㉠용적이 큰 그릇. 비 들이. 용량.

용접 (鎔接) 두 금속에 높은 온도의

열을 가해 붙여 잇는 일. ㉠철판을 용접하다. **—하다.**

용:지[1] (用地) 어떤 일에 쓰기 위한 토지. ㉠산림 용지.

용:지[2] (用紙) 어떤 일에 쓰이는 종이. ㉠신문 용지 / 프린트 용지.

용질 (溶質) 용액 속에 녹아 있는 물질. 소금물의 소금 따위. 반 용매.

***용:품** (用品) 일상생활에 쓰이는 온갖 물품. ㉠유아용품 / 생활 용품 / 주방 용품.

용:하다 **1** 재주가 뛰어나다. ㉠용한 의사에게 보이다. **2** 기특하고 장하다. ㉠일등을 하다니 용하구나.

용해 (溶解) **1** 녹음. 또는 녹임. **2** 물질이 액체 속에서 골고루 녹는 현상. **—하다.**

우:[1] (右) 오른쪽. ㉠우로 돌앗.

우[2] (優) 성적이나 등급을 수·우·미·양·가의 다섯 등급으로 나눌 때의 둘째 등급.

우[3] 떼를 지어 한꺼번에 몰려다니는 모양. ㉠학생들이 교문 밖으로 우 몰려나오다.

우간다 (Uganda) 〖국명〗 아프리카 동부의 내륙에 있는 공화국. 농업을 주로 하며, 면화·커피를 수출함. 수도는 캄팔라.

우거지 무나 배추 따위를 다듬을 때 골라낸 잎 또는 줄기. ㉠우거지로 국을 끓이다.

***우거지다** 나무나 풀이 자라서 빽빽하게 들어차고 가지나 잎이 많이 나다. ㉠숲이 울창하게 우거지다. 비 무성하다.

우거지상 (—相) 잔뜩 찌푸린 얼굴의 모양.

우격다짐 [우격따짐] 억지로 우겨서 남을 굴복시킴. ㉠우격다짐으로 공부를 시키다. **—하다.**

우군 (友軍) 자기편의 군대. 비 아군. 반 적군.

우그러뜨리다 물체에 힘을 주어 우그러지도록 만들다.

우그러지다 **1** 물건이 안쪽으로 우묵하게 휘어지다. **2** 물건의 거죽에 주름이 잡히며 줄어들다. 작 오그라지다.

우그리다 우그러지게 하다. 작 오그리다.

우글거리다 한곳에 많이 모여 움직이며 들끓다. ㉠쓰레기장에 파리가 우글거리다. 작 오글거리다.

우글대다 ⇨우글거리다.

우글쭈글 주름 따위가 많이 잡힌 모양. 작 오글쪼글. **—하다.**

우:기 (雨期) 일 년 중 비가 가장 많이 오는 시기. ㉠우기로 접어들다. 비 장마철. 반 건기.

우기다 억지를 쓰다. 고집을 부리다. ㉠무조건 우기지 마라.

우당탕 물건이 요란하게 바닥에 떨어지거나 부딪힐 때 나는 소리. ㉠우당탕 소리가 들리다. **—하다.**

우대 (優待) 특별히 잘 대우함. ㉠경력자 우대. **—하다.**

우동 (일 うどん) ⇨가락국수.

우두 (牛痘) 천연두를 예방하기 위해 사람의 몸에 주사하는 약. 소에서 뽑은 면역 물질임.

우두둑 **1** 단단한 물건을 깨물 때 나는 소리. ㉠돌을 우두둑 씹다. **2** 뼈마디를 세게 꺾을 때 나는 소리. **3** 갑자기 세게 부러지는 소리. **4** 굵은 빗방울이 세차게 떨어지는 소리. 작 오도독. **—하다.**

우두머리 어떤 조직이나 단체에서 가장 높은 사람.

우두커니 정신없이 멀거니 있는 모양. ㉠버스 정류장에 우두커니 서 있다. 비 멍하니. 작 오도카니.

우둔하다 (愚鈍—) 어리석고 둔하다. ㉠하는 짓은 우둔하지만 정직한 사람이다.

우등 (優等) **1** 훌륭하게 빼어난 등급. **2** 성적이 높음. 또는 그 등급.

㉮학교를 우등으로 졸업하다. 반 열등. **—하다.**

우등상 (優等賞) 학업 성적이 우수한 사람에게 주는 상. ㉮우등상을 받다 / 우등상을 타다.

우등생 (優等生) 성적이 우수하고 품행이 단정하여 모범이 되는 학생. 반 열등생.

우뚝 높이 솟은 모양. ㉮우뚝 솟은 산. 작 오뚝. **—하다.**

우뚝우뚝 [우뚜구뚝] 군데군데 우뚝하게 솟은 모양. ㉮우뚝우뚝 솟은 봉우리들. 작 오뚝오뚝. **—하다.**

우라늄 (uranium) 방사성 원소의 하나. 방사능이 강하여 원자력 발전에 이용됨.

우락부락하다 [우락뿌라카다] **1** 몸집이 크고 얼굴이 험상궂다. ㉮우락부락하게 생기다. **2** 행동이나 말이 거칠고 난폭하다. ㉮성품이 우락부락하다.

우랄 산맥 (Ural山脈) 러시아에 있는 산맥. 유럽과 아시아를 가르며 남북으로 뻗음. 금·은·동·석탄·철 등의 광물 자원이 풍부함.

우람하다 크고 웅장하여 위엄이 있다. ㉮우람한 체격.

우량[1] (優良) 뛰어나게 좋음. ㉮청소년 우량 도서. **—하다.**

우:량[2] (雨量) 비가 내린 양. 비 강우량.

우:량계 (雨量計) [—/ 우량게] 일정한 시간 동안 비가 내린 양을 재는 기구.

우러나다 액체 속에 잠긴 물건의 빛이나 맛이 액체 속으로 배어들다. ㉮쓴맛이 우러나다.

우러나오다 마음속에서 생각이나 감정이 저절로 생겨나다. ㉮마음에서 우러나온 친절.

우러러보다 **1** 높은 데를 쳐다보다. ㉮푸른 하늘을 우러러보다. **2** 마음속으로 공경하는 마음을 가지다. ㉮우러러볼 만한 사람.

우러르다 공경하는 마음을 가지다. 활용 우러러 / 우러르니.

우렁쉥이 ⇨멍게.

우렁이 우렁잇과에 속하는 고둥. 논·웅덩이 등에 사는데, 껍데기는 원뿔처럼 생기고, 거죽은 짙은 녹색임. 알맹이는 먹음.

우렁차다 소리가 크고 힘차다. ㉮우렁찬 목소리.

우레 ⇨천둥. ㉮우레와 같은 박수. ×우뢰. →천둥 주의

> 참고 이 말은 한자어 '우뢰(雨雷)'에서 변한 말이 아니라 본래 고유어이다. '울다'의 '울-'에 '에'가 붙은 것으로 '우는 것'이란 뜻이다. 이 울에가 우레로 변한 것이다.

우려 (憂慮) 근심하거나 걱정함. ㉮우려할 만한 일. **—하다.**

우려내다 **1** 달래거나 청해서 금품을 억지로 얻어 내다. ㉮돈을 우려내다. **2** 물건을 액체에 담가 그것의 성분·맛·빛깔 따위를 우러나게 하다. ㉮쓴맛을 우려내다.

> 주의 **우려내다와 울거내다**
> 우려내다는 '우리다'와 '내다'가 합쳐진 말이고 이와 비슷한 말로 흔히 쓰는 울거내다는 '울그다·울구다'와 '내다'가 합쳐진 말이다. 그런데 '우리다'는 표준어이지만 '울그다·울구다'는 비표준어이므로, '울거내다'도 비표준어이다.
> 우려먹다(○) 울거먹다(×)
> 우려내다(○) 울거내다(×)

우려먹다 [우려먹따] **1** 음식 따위를 여러 번 우려내어 먹다. ㉮한약을 여러 번 우려먹다. **2** 위협하거나 달래거나 하여 남의 물건을 억지로 빼앗아 먹다. ㉮못된 관리가 백성의

재산을 우려먹다.
우롱(愚弄) 사람을 어리석게 보고 함부로 대하는 것. ㊀소비자를 우롱하는 처사 / 우롱을 당하다. 비 놀림. **—하다.**
우루과이(Uruguay)〖국명〗 남아메리카 남동부의 공화국. 말·소·돼지 따위를 많이 기르며, 도로와 하천 교통이 발달되었음. 수도는 몬테비데오.
우르르 **1** 여럿이 한 번에 바쁘게 내닫거나 쫓아오는 모양. ㊀여러 사람이 우르르 몰려들었다. **2** 쌓였던 물건이 무너지는 소리. ㊀쌓아 놓은 재목들이 우르르 무너져 내리다. **3** 천둥 치는 소리.
우르릉 **1** 천둥 따위가 둔하게 울리는 소리. **2** 무엇이 무너지면서 요란하게 울리는 소리.
우륵(于勒)〖인명〗 신라 진흥왕 때의 음악가. 우리나라 3대 악성의 한 사람. 본래 가야국 사람으로 가야금을 만들고, 악곡 12곡을 지음.
***우리**[1] 말하는 사람이 자기나 자기 무리를 대표하여 스스로 일컫는 말. ㊀우리 아기 / 우리 학교 / 우리 가족. 준 울. ➡ we
***우리**[2] 짐승을 가두어 기르는 곳. ㊀돼지를 우리에 가두다.
우리글 우리나라의 글. 곧, 한글.
우리나라 우리가 사는 나라를 이르는 말.
우리다 어떤 물건을 물에 담가서 맛·색을 빼다. ㊀떫은맛을 우리다.
***우리말** 우리나라 사람이 쓰는 말. 곧, 한국어.
우마(牛馬) 소와 말.
우매(愚昧) 어리석고 사리에 어두움. ㊀우매한 사람. **—하다.**
우묵하다[우무카다] 가운데가 조금 둥글게 깊숙하다. ㊀우묵한 그릇. 작 오목하다.
우문현답(愚問賢答) 어리석은 질문에 대한 현명한 대답.
***우물** 땅을 파서 맑은 지하수를 괴게 한 설비. ㊀우물을 파다.

> 주의 **우물과 샘**
> '물이 땅에서 솟아나오는 곳'을 샘이라 하므로 파서 만든 우물과 샘은 엄연히 구별되는 말이다. 속담으로 '목마른 놈이 샘 판다'라고 말하는 사람이 많은데, 샘은 팔 필요도 없으므로 잘못된 말이다. '목마른 놈이 우물 판다'라고 해야 한다.

우물가[우물까] 우물의 주변. ㊀아낙네들이 우물가에 빙 둘러앉다.
우물거리다 **1** 음식을 입에 넣고 입을 다문 채 시원스럽지 않게 자꾸 씹다. ㊀껌을 우물거리다가 뱉다. **2** 어떤 일을 시원스럽게 하지 않고 머뭇거리다. ㊀우물거리지 말고 속 시원히 대답해라. 작 오물거리다.
우물물 **1** 우물에서 나는 물. **2** 우물에서 길어 올린 물.
우물우물[우무루물] 우물거리는 모양. ㊀우물우물 씹다. **—하다.**
우물쭈물 말이나 행동을 망설이며 흐리멍덩하게 하는 모양. ㊀우물쭈물하면서 할 말을 못하고 서 있다. **—하다.**
우뭇가사리[우무까사리 / 우묻까사리] 바다 속 모래나 돌에 붙어 사는 바다풀의 하나. 줄기에 잔가지가 많이 나 있고, 빛깔은 검붉은 색임. 한천의 원료임.

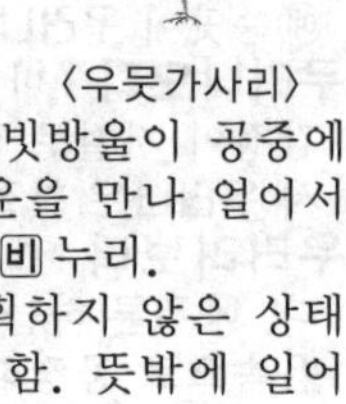
〈우뭇가사리〉

우:박(雨雹) 큰 빗방울이 공중에서 갑자기 찬 기운을 만나 얼어서 떨어지는 덩어리. 비 누리.
우:발(偶發) 계획하지 않은 상태에서 우연히 발생함. 뜻밖에 일어

남. ㉠우발 범죄 / 우발 행위.

우:발적 (偶發的) [우발쩍] 어떤 일이 뜻밖에 일어나는 (것). ㉠우발적 사고 / 화가 난 상태에서 우발적으로 일을 저지르다.

우방 (友邦) 서로 가까이 지내는 나라. 비 우방국.

우:변 (右邊) 등식이나 부등식에서 등호 또는 부등호의 오른쪽에 있는 수나 식. 반 좌변.

우:비 (雨備) 비를 맞지 않게 몸을 가리는 기구. 우산·비옷·삿갓·도롱이 따위.

*__우:산__ (雨傘) 비가 올 때 머리 위에 받쳐서 비를 가리는, 펴고 접을 수 있는 물건. ㉠우산을 받다 / 우산을 접다 / 우산을 펴다 / 친구랑 우산을 같이 쓰고 걷다. ➲ umbrella

우산국 (于山國) '울릉도'의 옛 이름.

우:산이끼 (雨傘—) [우사니끼] 이끼의 한 종류. 집 부근의 축축하고 그늘진 땅이나 돌담 따위에서 자람. 전체가 녹색을 띠며 헛뿌리가 있어 몸을 땅에 고정시킴.

우:상 (偶像) **1** 나무·돌 또는 쇠붙이 따위로 만든, 신·부처나 사람의 형상. **2** 대중적인 인기가 있어 맹목적으로 존경하는 대상. ㉠그 가수는 10대들의 우상이다. ➲ idol

*__우선__[1] (于先) 먼저. ㉠우선 인사부터 드려라. 반 나중.

우선[2] (優先) 다른 것보다 먼저 특별하게 대우함. ㉠우선순위 / 무엇보다 건강이 우선이다. **—하다.**

우선권 (優先權) [우선꿘] 남보다 먼저 할 수 있는 권리.

우세 (優勢) 세력·형세 등이 남보다 나음. 반 열세. **—하다.**

우송 (郵送) 물건이나 편지를 우편으로 보냄. ㉠항공 우송/ 책을 우송하다. **—하다.**

*__우수__[1] (優秀) 여럿 가운데 아주 뛰어남. ㉠우수한 학생 / 성적이 우수하다. 비 우월. 반 열등. **—하다.**

우수[2] (憂愁) 근심과 걱정. ㉠우수에 젖은 눈 / 우수에 잠기다.

우:수[3] (雨水) 이십사절기의 하나. 입춘과 경칩의 사이로 2월 18일경. 봄비가 내려 초목의 싹이 나기 시작한다고 함.

우수성 (優秀性) [우수썽] 여럿 가운데 가장 뛰어난 성품이나 성질. ㉠한글의 우수성.

우수수 **1** 물건이 많이 쏟아지는 모양. **2** 바람에 나뭇잎이 떨어져 흩어지는 모양. 또는 그 소리. ㉠나뭇잎이 우수수 떨어지다.

우스개 남을 웃기려고 하는 짓이나 말. ㉠우스개 얘기를 하다.

우스갯소리 [우스개쏘리 / 우스갠쏘리] 남을 웃기려고 하는 말. ㉠우스갯소리를 잘도 한다.

우스꽝스럽다 [우스꽝스럽따] **1** 말이나 모습, 행동 따위가 특이해 보기에 우습다. ㉠차림새가 우스꽝스럽다. **2** 매우 가소롭다. ㉠거드름을 피우는 게 우스꽝스럽다. 활용 우스꽝스러워 / 우스꽝스러우니.

*__우:습다__ [우습따] **1** 웃음이 날 만하다. ㉠우스운 이야기. **2** 하찮다. 가소롭다. ㉠잘난 체하는 꼴이 우습다. 활용 우스워 / 우스우니.

우습게 보다 ㉠남을 업신여기다. 얕보다. ㉡간단한 것으로 알다.

우습게 여기다 ㉠대수롭지 않게 여기다. ㉡쉽게 여기다. 쉽게 알다.

우습지도 않다 너무 어이가 없어서 기가 막히다.

우승 (優勝) 경기·경주 따위에서 경쟁 상대를 모두 이겨 1등을 차지함. ㉠우승배 / 축구 대회에서 우승하다. 비 승리. 반 참패. **—하다.**

우승기 (優勝旗) 경기에서 우승한 사람이나 단체에 주는 기.

우승자 (優勝者) 경기에서 이긴 사

람. 챔피언.

우아하다 (優雅—) 점잖고 부드러우며 아름답다. ㉠우아한 미소.

우악스럽다 (愚惡—) [우악쓰럽따] 미련하고 거친 데가 있다. ㉠우악스러운 행동 / 우악스럽게 손을 잡다. 활용 우악스러워 / 우악스러우니.

우:애 (友愛) 형제 또는 친구 사이의 사랑이나 정. ㉠동기간의 우애 / 우애가 깊다. 비 우의.

우:애롭다 (友愛—) [우애롭따] 우애가 있다. ㉠우애로운 형제. 활용 우애로워 / 우애로우니.

우엉 국화과의 두해살이풀. 높이는 약 1.5 m로 뿌리와 어린잎은 먹고, 씨는 약으로 씀.

우여곡절 (迂餘曲折) [우여곡쩔] 뒤얽힌 복잡한 사정. ㉠우여곡절을 겪은 끝에 해결을 보다.

우연 (偶然) 뜻하지 않게 일어난 일. ㉠우연의 일치 / 우연하게 길에서 만나다. 반 필연. **—하다**.

우연히 (偶然—) 뜻하지 않게. 뜻밖에. ㉠우연히 만난 사람.

우열 (優劣) 나음과 못함. ㉠우열을 가리다 / 우열을 다투다.

우:왕좌왕 (右往左往) 이리저리 왔다 갔다 하며 종잡지 못함. 이랬다저랬다 갈팡질팡함. ㉠길을 잃고 우왕좌왕하다. **—하다**.

우우[1] 한꺼번에 많은 것이 한곳으로 몰려드는 모양. ㉠야구장에 사람들이 우우 몰려들다.

우:우[2] 야유하거나 상대를 위협할 때 잇따라 내는 소리. ㉠우우 야유를 보내다.

*__우울__ (憂鬱) 근심이 있어 마음이 답답하고 기분이 가라앉음. ㉠우울증 / 우울한 기분. **—하다**.

우월 (優越) 다른 것보다 뛰어나게 나음. 비 우세. 반 열등. **—하다**.

우월감 (優越感) 자기가 남보다 뛰어나다고 여기는 생각. ㉠우월감을 갖다. 반 열등감.

우위 (優位) 남보다 나은 위치나 수준. ㉠우위에 서다. 비 상위.

*__우유__ (牛乳) 암소의 젖. 지방·단백질·비타민·칼슘 등이 많고, 버터·치즈·음료의 원료가 됨. ➡ milk

우유병 (牛乳瓶) [우유뼝] 우유를 담는 병.

우유부단하다 (優柔不斷—) 우물쭈물하며 딱 잘라 결단을 내리지 못하다. ㉠우유부단한 성격.

우:의[1] (友誼) [—/우이] 친구 사이의 정. ㉠우의가 두텁다 / 우의를 맺다. 비 우애. 우정.

우:의[2] (雨衣) [—/우이] 비에 젖지 않게 덧입는 옷. 비 비옷. *우비.

우:의정 (右議政) [—/우이정] 조선 시대에, 의정부에 속한 정일품 벼슬. *영의정. 좌의정.

우이독경 (牛耳讀經) [우이독꼉] '쇠귀에 경 읽기'의 뜻으로, 아무리 가르치고 일러 주어도 알아듣지 못함을 이르는 말. ㉠그에게 훈계하는 것은 우이독경이다.

우장춘 (禹長春) 〘인명〙 농학자. 육종학의 세계적인 권위자로서, 기존 식물의 합성을 제시하여 육종학을 크게 발전시킴. 씨 없는 수박의 개발로 유명함. [1898-1959]

우:정 (友情) 친구 사이의 정. ㉠우정을 나누다 / 영원한 우정을 약속하다. 비 우의.

우정국 (郵政局) 조선 고종 때 우편 사무를 맡아보았던 관청.

*__우:주__ (宇宙) 지구·태양·별·달 따위가 있는 끝없이 넓은 세계. ㉠우주 탐험 / 우주 왕복선 / 우주의 신비를 밝히다.

우:주 개발 (宇宙開發) 로켓이나 인공위성 따위를 이용하여, 천체·지구 또는 기상을 조사하고 연구하여 인류의 활동 범위를 우주 공간으로 넓히려는 작업.

우ː주복 (宇宙服) 우주를 여행할 때 입도록 만든 특수한 옷.

우ː주 비행사 (宇宙飛行士) 우주선을 조정하는 사람. 또는 우주선의 승무원. ⓑ 우주인2.

〈우주복〉

우ː주선 (宇宙船) 우주 공간을 날 수 있도록 만든 물체.

우ː주여행 (宇宙旅行) 우주선을 타고 지구 밖에 있는 달 또는 다른 행성으로 가는 여행.

우ː주인 (宇宙人) **1** 지구 이외의 다른 행성에서 살고 있을지도 모를 생물을 일컫는 말. ⓑ 외계인. **2** ⇨ 우주 비행사.

우중충하다 **1** 날씨나 분위기 따위가 어둡고 침침하다. ㉺우중충한 방. **2** 색이 오래되어 바래서 색깔이 선명하지 못하다. ㉺바지가 낡아서 우중충해 보인다.

우지끈 단단한 물건이 부서지거나 부러지는 소리. ㉺나뭇가지가 우지끈 부러지다. **—하다.**

우지직 **1** 단단한 물건이 부서지거나 부러지는 소리. **2** 덜 마른 나뭇가지 따위가 불에 타는 소리. **—하다.**

우직하다 (愚直—) [우지카다] 어리석고 고지식하다. ㉺우직한 사람.

우짖다 [우짇따] 새가 울며 지저귀다. ㉺까마귀 떼가 시끄럽게 우짖다.

우쭐거리다 자신을 자랑하며 남 앞에서 자꾸 뽐내다. ⓑ 우쭐대다.

우쭐하다 자기가 잘난 듯이 우쭐거리고 싶은 느낌이 들다.

***우체국** (郵遞局) 우편물의 접수·배달 등의 우편 업무와 예금·보험 등의 사무를 맡아보는 정보 통신부에 딸린 관청. ➲ post office

***우체부** (郵遞夫) '우편집배원'의 옛 이름.

우체통 (郵遞筒) 편지 등의 우편물을 넣는 통.

우ː측 (右側) 오른쪽. ⓑ반 좌측.

우ː측통행 (右側通行) 교통질서를 유지하기 위하여 길의 오른쪽으로 통행하는 일. ⓑ반 좌측통행.

우크라이나 (Ukraina) 〖국명〗 동유럽의 흑해 북쪽에 있는 공화국. 밀의 세계적인 산지이며, 중공업이 발달하였음. 수도는 키예프.

우툴두툴 물건의 거죽이나 바닥이 고르지 못하여 들어가기도 하고 솟기도 한 모양. ㉺등이 우툴두툴한 두꺼비. **—하다.**

우편 (郵便) 편지나 소포 따위를 받거나 보내는 통신 제도. ㉺우편으로 보내다.

우편물 (郵便物) 우편으로 전달되는 편지나 소포 따위. ㉺우편물을 발송하다 / 우편물을 배달하다. ➲ mail

우편 번호 (郵便番號) 우편물을 분류하기 위해 지역별로 매긴 번호.

우편집배원 (郵便集配員) [우편집빼원] 편지·소포 따위를 우체통으로부터 모으고, 또 그것을 받을 사람에게 배달하는 사람. ⓒ준 집배원.

우편환 (郵便換) 서로 멀리 떨어져 있는 사람에게 돈을 보낼 경우 현금 대신에 우체국에서 발행하는 환증서로 보내는 방법.

***우표** (郵票) 우편 요금을 낸 표시로 우편물에 붙이는 증표. ㉺우표 수집 / 우표를 붙이다.

우ː호 (友好) 개인이나 나라 사이가 서로 좋음. ㉺우호 조약을 맺다. ⓑ반 적대.

우ː화 (寓話) 교훈적인 내용을 인격화한 동식물이나 다른 사물에 비겨서 나타낸 이야기. ㉺이솝 우화.

우환 (憂患) 근심이나 걱정거리. ㉺우환이 생기다.

우회 (迂廻〔回〕) 바로 가지 않고 멀리 돌아서 감. ㉠우회 작전 / 비포장도로를 우회하여 가다. **—하다.**

우:후죽순 (雨後竹筍) [우후죽쑨] 비가 온 뒤에 여기저기 솟는 죽순이라는 뜻으로, 어떤 일이 한때에 많이 일어남을 비유하는 말.

욱신거리다 [욱씬거리다] 머리나 상처 따위가 쑤시는 듯이 아프다. ㉠축구를 했더니 다리가 욱신거린다.

욱신욱신 [욱씨눅씬] 욱신거리는 모양. ㉠잠을 못 이룰 정도로 허리가 욱신욱신하다. **—하다.**

욱하다 [우카다] 앞뒤를 헤아림이 없이 격한 마음이 불끈 일어나는 성질이 있다. ㉠욱하는 성질.

운:[1] (運) '운수[1]'의 준말. ㉠운이 좋아 시험을 통과했다.

운:[2] (韻) 소리의 효과를 내기 위해 시의 행에 놓인 소리들이 같거나 비슷하게 나도록 꾸민 것. ㉠운을 맞추다.

****운:동** (運動) **1** 사람이 몸을 단련하거나 건강을 위해 몸을 움직임. ㉠준비 운동 / 규칙적으로 꾸준히 운동하다. **2** 어떤 목적을 이루기 위해 바삐 돌아다니며 힘씀. ㉠선거 운동. **3** 물체가 시간이 지남에 따라 위치를 바꾸는 일. ㉠지구의 자전 운동. **—하다.**

운:동가 (運動家) 정치적·사회적 개혁이나 개선을 위하여 활동하는 사람. ㉠독립 운동가.

운:동 경:기 (運動競技) 일정한 규칙에 따라 속력·지구력·기능 따위를 겨루는 일. 스포츠.

운:동량 (運動量) [운동냥] 운동하는 데 들인 힘의 양.

운:동복 (運動服) 운동할 때 입는 간편한 옷. ㉥체육복.

운:동부 (運動部) 학교·회사 같은 데서 운동 경기를 함께하는 단체.

운:동선수 (運動選手) 운동 경기에 특수한 재주가 있는 사람.

운:동 에너지 (運動energy) 운동하는 물체가 갖는 에너지.

***운:동장** (運動場) 운동 경기나 놀이를 하기 위하여 여러 가지 기구나 설비를 갖춘 넓은 마당. 그라운드.

***운:동화** (運動靴) 운동할 때 신는 신발.

***운:동회** (運動會) 많은 사람이 모여 여러 가지 운동 경기를 하는 모임. ㉠가을 운동회. ㉥체육회.

***운:명**[1] (運命) 타고난 운수. ㉠운명에 맡기다. ㉥숙명. 운수.

운:명[2] (殞命) 사람의 목숨이 끊어짐. ㉥죽음. **—하다.**

운모 (雲母) 비늘처럼 얇게 벗겨지는 광물. 흔히, 화강암에서 나며 열·전기 절연체에 이용함. ㉥돌비늘.

운:문 (韻文) 시와 같이 일정한 운율이 있는 글. ㉦산문.

***운:반** (運搬) 물건 따위를 옮겨 나름. ㉠이삿짐을 운반하다. ㉥수송. 운송. **—하다.**

운:석 (隕石) 지구에 떨어진 별똥. 유성이 다 타지 않고 땅 위에 떨어진 것임.

운:송 (運送) 짐이나 여객을 나르는 일. ㉠화물 운송 / 배로 자동차를 운송하다. **—하다.**

운:수[1] (運數) 사람의 힘으로는 어찌할 수 없는 선악이나 행복, 불행 따위. ㉠운수가 좋다. ㉥재수. ㉤운.

운:수[2] (運輸) 운반이나 운송보다 규모가 크게 화물이나 여객을 나름. ㉠운수 회사. ㉥운송.

운:수업 (運輸業) 규모가 크게 화물이나 여객을 운반하는 영업.

운:신 (運身) 몸을 움직임. ㉠몸이 몹시 아파 운신도 못하다. **—하다.**

운:영 (運營) [우녕] 조직·기구·사업체 따위를 목적에 맞게 다스리고 이끌어 감. ㉠운영 위원회 / 회사를 운영하다. **—하다.**

> 주의 **운영과 운용**
> **운영** '학교·기업·당·학회' 등과 어울려 조직이나 기구를 관리하면서 움직여 갈 때 주로 쓰인다.
> **운용** '기금·예산·물품' 등과 어울려 대상을 움직여 가면서 쓸 때 주로 쓰인다.

운:용 (運用) [우농] 물건이나 제도 따위를 알맞게 사용함. ㉠자금을 운용하다. **—하다.** →운영 주의

운:율 (韻律) [우뉼] 시에서 음의 장단·강약·높낮이 또는 같은 음·비슷한 음을 규칙적으로 반복 배열하여 음악적인 느낌을 주는 말의 가락. 리듬. ㉠3·4조 운율.

운:임 (運賃) [우님] 운반이나 운송에 대한 값으로 주거나 받는 돈. ㉠비싼 운임을 치르다. 비 운송비.

운:전 (運轉) 큰 기계나 자동차 따위를 움직여 부림. ㉠자동차 운전면허. **—하다.** ➡ drive

운:전기사 (運轉技士) 자동차 따위를 직업적으로 운전하는 사람. ㉠버스 운전기사.

운:전대[1] (運轉—) [운전때] 자동차 따위에서 운전을 하기 위한 손잡이. ㉠운전대를 잡다.

운:전대[2] (運轉臺) 운전을 하는 자리. ㉠운전대에 앉다. 비 운전석.

운:전사 (運轉士) ⇨운전기사.

운:전수 (運轉手) ⇨운전기사.

운:치 (韻致) 고상하고 우아한 멋. ㉠운치가 있는 경치.

운:하 (運河) 육지를 파서 배가 다닐 수 있게 만든 물길. ㉠파나마 운하 / 운하를 파다.

운:항 (運航) 배나 항공기가 항로를 따라 움직임. ㉠유럽 항로를 운항하다. **—하다.**

운:행 (運行) 자동차·기계 따위를 운전하여 다님. ㉠버스 운행 노선 / 임시 열차를 운행하다. **—하다.**

울[1] '울타리'의 준말.

울[2] '우리[1]'의 준말.

울[3] (wool) **1** 양모. 털실. 모직물. **2** 짧은 양털로 짠 모직물의 일종.

울:고불고 소리 내어 야단스레 울기도 하고 부르짖기도 하는 모양. ㉠울고불고 야단이다. **—하다.**

울긋불긋 [울귿뿔귿] 여러 가지 짙고 옅은 빛깔이 다른 빛깔과 화려하게 뒤섞인 모양. ㉠가을 산이 단풍으로 울긋불긋하다. **—하다.**

*__울:다__ **1** 아픔·슬픔 따위를 견디다 못해 소리를 내면서 눈물을 흘리다. ㉠울면서 이야기하다 / 목메어 울다. **2** 새·벌레 따위가 소리를 내다. ㉠암탉이 울다. ➡ cry, weep **3** 도배·바느질 자리 따위가 반반하지 못하고 우글쭈글하여지다. 활용 울어 / 우니 / 우는.

울렁거리다 **1** 너무 놀라거나 두려워 가슴이 두근거리다. ㉠가슴이 울렁거리다. **2** 속이 토할 것같이 메슥메슥해지다.

울렁이다 **1** 흥분되어 가슴이 설레며 두근거리다. ㉠무대에 처음 올라서니 가슴이 울렁인다. **2** 먹은 것이 토할 것같이 메슥거리다. ㉠배가 출렁거리자 속이 울렁였다.

울릉도 (鬱陵島) 〖지명〗 경상북도 울릉군에 속하는 화산섬. 오징어·고등어·김 따위가 많이 나며, 겨울에 눈이 많이 내림.

*__울리다__ **1** 누구를 울게 하다. ㉠동생을 울리다. **2** 종 따위를 쳐서 소리를 내다. ㉠종을 울리다. **3** 소리가 나거나 퍼지다. ㉠목소리가 크게 울리다.

울림소리 [울림쏘리] 목청을 울려 내는 소리. 모든 모음과 ㄴ·ㄹ·ㅁ·ㅇ이 이에 속함. 비 유성음. 반 안울림소리.

울먹이다 [울머기다] 울상이 되어

복받치는 울음이 터져 나올 듯하다. ㉮울먹이는 소리로 이야기하다.

울:며불며 야단스레 울부짖으며 우는 모양.

울:보 걸핏하면 잘 우는 아이. ㊉우지.

울부짖다 [울부짇따] 크게 울며 부르짖다. ㉮불길 속에서 살려 달라고 울부짖는 소리가 들리다.

울분 (鬱憤) 분한 마음이 가슴속에 가득 쌓임. ㉮울분을 터뜨리다.

울산 (蔚山) [울싼] 〖지명〗 우리나라의 대표적인 공업 도시. 섬유·자동차·선박 따위를 생산하며, 수산업도 성함. 1997년 광역시로 됨.

울:상 (—相) [울쌍] 울려고 하는 얼굴 모양. ㉮꾸중을 듣고 울상을 짓다 / 울상이 되다.

울안 [우란] 울타리로 둘러싼 안쪽. ㉮울안에 꽃밭을 만들다.

***울음** [우름] 우는 일. 또는 그 소리. ㉮울음을 뚝 그치다.

울음바다 [우름빠다] 한자리에 있는 많은 사람이 한꺼번에 울음을 터뜨리어 온통 울음소리로 뒤덮임을 일컫는 말. ㉮울음바다를 이루다.

울음보 [우름뽀] 참다못해 터뜨린 울음을 일컫는 말. ㉮울음보가 터지다 / 울음보를 터뜨리다. 참고 주로 '터지다·터뜨리다'와 함께 쓰임.

울음소리 [우름쏘리] 우는 소리. ㉮고요한 밤에 귀뚜라미 울음소리가 들려온다.

> **참고 여러 가지 울음소리**
> (1) 어른들의 울음소리
> 꺼이꺼이, 어이어이, 엉엉, 훌쩍훌쩍, 흑흑
> (2) 초상 때의 울음소리
> 아이고, 애고대고, 애고애고, 에구데구, 에구에구
> (3) 아이의 울음소리
> 앙앙, 잉잉
> (4) 젖먹이의 울음소리
> 까르륵, 빼, 빼빼, 삐, 삐삐, 삐삐, 으아, 으앙, 응애응애

울음주머니 [우름쭈머니] 개구리나 맹꽁이 따위의 수컷의 귀 뒤나 목 밑에 있는 주머니 모양으로 생긴, 소리를 내는 기관. ㊉명낭.

울적하다 (鬱寂—) [울쩌카다] 마음이 답답하고 쓸쓸하다. ㉮울적한 마음을 달래다.

울창하다 (鬱蒼—) 큰 나무들이 빽빽하고 푸르게 우거져 있다. ㉮울창한 숲. ㊗울울창창하다.

울컥 **1** 먹은 것을 급히 토하려는 모양. **2** 분한 생각이 한꺼번에 콱 치미는 모양. ㉮상대방의 말에 서운한 생각이 들어 울컥하다. ㊌울꺽. **—하다**.

***울타리** 담 대신에 풀·나무 따위를 얽어서 집 주변을 둘러 막는 물건. ㉮울타리를 세우다. ㊉울짱. ㊟울.

울퉁불퉁 물체의 거죽이나 면이 고르지 않고 여기저기 나오고 들어간 모양. ㉮도로가 울퉁불퉁하다. **—하다**.

울화 (鬱火) 속이 답답하여 일어나는 화. ㉮울화가 치밀다.

움:¹ 땅을 파서 위에 거적 따위를 얹고 흙을 덮어 추위나 비바람 등을 막아 겨울에 화초나 채소 등을 넣어 두는 곳.

움:² **1** 풀·나무의 어린 싹. ㉮움이 돋다 / 움이 트다. **2** 나무를 베어 낸 그루의 뿌리에서 나는 싹.

움:막 (—幕) 비바람이나 추위를 막으려고 땅을 파고 짚이나 풀 따위로 지붕을 덮어 임시로 지은 허술한 집. ㊉움집.

움직도르래 [움직또르래] 바퀴가 도는 것에 따라 축의 위치가 자유롭게 바뀌는 도르래. 무거운 것을 적은 힘으로 끌어 올릴 수 있음. ㊇고

정 도르래.

*움직이다 [움지기다] 1 위치를 바꾸다. 자리를 옮기다. ㉵책상을 움직이다. 2 정지하지 않다. 동작을 계속하다. ㉵몸을 움직일 수 없다. 3 마음이 흔들리거나 생각이 바뀌다. 또는 그리 되게 하다. ㉵나도 모르게 마음이 움직였다.

움직임 [움지김] 1 움직이는 일. ㉵몸의 움직임이 둔하다. 2 어떤 일이 벌어지려는 낌새. ㉵적의 움직임이 심상치 않다.

움:집 [움찝] ⇨움막.

움찔 깜짝 놀라 갑자기 몸을 움츠리는 모양. ㉵움찔 놀라다. ―하다.

움츠러들다 춥거나 무서워서 몸이 움츠러져 들어가다. ㉵두려움에 목덜미가 움츠러들다. ㉶옴츠러들다. [활용] 움츠러들어 / 움츠러드니 / 움츠러드는.

움츠러지다 무섭거나 추워서 몸이 작게 오그라지다. ㉶옴츠러지다.

움츠리다 몸을 오그려 작게 하다. ㉵추워서 몸을 움츠리다. ㉷움치다. ㉶옴츠리다.

움켜잡다 [움켜잡따] 손가락을 오므려 힘 있게 꽉 잡다. ㉶옴켜잡다.

움켜쥐다 손가락을 오므려 물건을 놓치지 않도록 힘 있게 쥐다. ㉵장난감을 잔뜩 움켜쥐다. ㉶옴켜쥐다.

움큼 손으로 한 줌 쥔 분량. ㉵사탕을 한 움큼 집다. ㉶옴큼.

움키다 손가락을 오므려 물건을 힘 있게 잡다. ㉶옴키다.

움:트다 1 나무나 풀에서 싹이 나기 시작하다. 2 어떤 조짐이 보이다. ㉵사랑이 움트다. [활용] 움터 / 움트니.

움푹 가운데가 푹 들어가 우묵한 모양. ㉵움푹 들어간 눈. ㉶옴폭. ―하다.

움푹움푹 [움푸굼푹] 군데군데 깊이 움푹한 모양. ㉵강바닥이 움푹움푹 패다. ―하다.

웃- [욷] '위'의 뜻을 나타내는 말. ㉵웃어른.

웃기다 [욷끼다] 1 웃게 하다. ㉵익살로 청중을 웃기다. 2 어떤 일이나 행동이 한심하거나 어이가 없다. ㉵별 웃기는 소리 다 듣겠네.

*웃:다 [욷따] 기쁜 표정을 얼굴에 나타내다. ㉵활짝 웃다 / 웃는 얼굴로 대하다. ➲smile, laugh

웃돈 [욷똔] 본디 줘야 하는 돈 이외에 더 주는 돈. ㉵웃돈을 얹어 주다. ×윗돈.

웃돌다 [욷똘다] 어떤 정도나 기준을 넘어서다. ㉥상회하다. ㉸밑돌다. [활용] 웃돌아 / 웃도니 / 웃도는.

*웃어른 [우더른] 나이나 항렬, 지위 등이 높아 받들어 모셔야 할 사람. ㉵웃어른을 공경하다 / 웃어른께 큰절을 올리다. ×윗어른.

> **주의 웃어른과 윗사람**
> **웃어른** 나이·항렬·지위 등이 높아 직접·간접으로 모셔야 할 어른.
> **윗사람** 나이·지위·신분이 자기보다 높은 사람.
> * 웃어른은 '아래·위'의 대립이 없으므로 '웃'으로 표기하고 윗사람은 대립되는 아랫사람이 있으므로 윗사람으로 표기한다.

웃옷 [우돋] 겉에 입는 옷. 두루마기 따위. ㉵웃옷을 걸치다. ㉥겉옷.

> **주의 웃옷과 윗옷**
> **웃옷** 맨 겉에 입는 옷. 두루마기·코트 따위의 외투.
> **윗옷** 위쪽에 입는 옷. ㉥상의. ㉸아래옷.

*웃음 [우슴] 웃는 일. 또는 웃는 모양과 소리. ㉵해맑은 웃음을 띠다 / 환한 웃음을 짓다.

웃음을 사다 웃음거리가 되다.
웃음거리 [우슴꺼리] 남의 비웃음이나 놀림을 받을 만한 일이나 사람. ㉮세상의 웃음거리가 되다.
웃음꽃 [우슴꼳] 아주 활짝 웃는 웃음을 비유하여 이르는 말. ㉮웃음꽃을 피우다.
웃음바다 [우슴빠다] 여러 사람이 한꺼번에 웃는 장면을 비유하여 이르는 말. ㉮교실 안은 갑자기 웃음바다가 되었다.
웃음보 [우슴뽀] 한꺼번에 크게 웃거나 자꾸 터져 나오려는 웃음. ㉮웃음보가 터지다. 참고 주로 '터지다·터뜨리다'와 함께 쓰임.
웃음소리 [우슴쏘리] 웃는 소리.

참고 여러 가지 웃음소리
(1) 크게 내는 웃음소리.
까르르, 깔깔, 껄껄, 아하하, 어허허, 와하하, 하하, 허허
(2) 참다못해 내는 웃음소리
깰깰, 낄낄, 우후후, 키득키득, 키들키들, 킥킥, 킬킬, 푸하하
(3) 경망스럽거나 간드러진 웃음소리
애해해, 에헤헤, 오호호, 해해, 헤헤, 호호
(4) 음흉한 웃음소리
으흐흐, 흐흐
(5) 기타
이히히, 픽픽, 흥흥, 히히, 희희

웃음판 [우슴판] 여러 사람이 한꺼번에 웃는 경우나 자리. ㉮웃음판이 벌어지다.
웃자라다 [욷짜라다] 식물의 줄기나 잎이 너무 자라 연약하게 되다.
웃통 [욷통] **1** 사람의 몸에서, 허리의 윗부분. ㉮웃통을 드러내다. **2** 몸의 윗도리에 입는 옷. ㉮웃통을 벗어부치다. 비 윗옷.
웅녀 (熊女) 단군 신화에 나오는 단군의 어머니. 본디는 곰이었으나 100일 동안 쑥과 마늘만 먹고 여자가 되어, 환웅과 결혼하여 단군을 낳았다고 함.
웅대하다 (雄大—) 웅장하고 크다. ㉮웅대한 건물.
웅덩이 움푹 패어 물이 괸 곳. ㉮웅덩이에 빠지다.
웅변 (雄辯) 조리가 있으면서 힘차고 거침없이 하는 연설이나 말솜씨. ㉮웅변대회. 반 눌변.
웅성거리다 많은 사람이 모여 소란스럽게 떠드는 소리가 자꾸 나다.
웅얼거리다 똑똑하게 들리지 않는 입속말로 자꾸 중얼거리다. ㉮걸으면서 노랫가락을 웅얼거리다.
웅얼대다 ⇨웅얼거리다.
웅장하다 (雄壯—) 규모가 으리으리하게 크다. ㉮웅장한 궁궐.
웅진 (熊津) 〖지명〗 충청남도 공주의 옛 이름. 비 곰나루.
웅크리다 춥거나 겁이 날 때 몸을 잔뜩 움츠리다. ㉮구석에 웅크리고 앉다. 작 옹크리다.
워낙 **1** 본디부터. ㉮워낙 급하다 / 워낙 바쁘다. **2** 아주. 두드러지게. ㉮워낙 길이 험하다.
워드 프로세서 (word processor) **1** 문서의 입력·기억·편집·출력 등의 기능을 갖춘 사무 기계. **2** 컴퓨터를 이용해서 문서의 입력·기억·편집·출력을 할 수 있는 프로그램.
워싱턴 (Washington) 〖지명〗 미국의 수도. 정치·문화·교육의 중심지임. 연방 의사당과 대통령의 관저인 백악관 등이 있음.
***원**[1] (圓) ⇨동그라미. ▶ circle
***원**[2] 우리나라 돈의 단위. ㉮천 원 / 백만 원.
원[3] (員) 조선 때 고을을 다스렸던 지방관. 비 수령. 높 원님.
원ː[4] (願) 마음속으로 바라는 일. ㉮원을 풀다 / 너의 원이 무엇이냐. 비 소망. 소원.

원[5] 놀랍거나 언짢거나 뜻밖의 일을 당할 때에 하는 말. ㉺원, 세상에 그럴 수가 있나.

원가 (原價) [원까] **1** 처음 사들일 때의 값. ㉺원가로 팔다. **2** 상품을 완성시킬 때까지 들어간 값. ㉺원가 계산. 비 생산비.

원고[1] (原稿) 인쇄하거나 연설하기 위해 쓴 처음의 글. ㉺원고를 작성하다 / 원고 청탁을 받다.

원고[2] (原告) 법원에 재판을 청구한 사람. 반 피고.

원고지 (原稿紙) 글을 쓰기 알맞게 가로세로 줄을 쳐서 칸을 만들어 놓은 종이. ㉺이백 자 원고지. 본 원고 용지.

원:군 (援軍) 전투를 벌이고 있는 자기편 군대를 돕기 위해 온 군대. ㉺원군을 청하다.

원그래프 (圓graph) 전체에 대한 부분들의 비율을 알아보기 편하도록 원을 반지름으로 갈라서 여러 부분을 나타낸 그래프.

원:근 (遠近) **1** 멀고 가까움. **2** 먼 곳과 가까운 곳.

원:근감 (遠近感) 그림 따위에서, 멀고 가까운 거리에 대한 느낌. ㉺원근감이 뛰어나다.

원:근법 (遠近法) [원근뻡] 그림 등에서, 눈에 보이는 것과 똑같은 거리감을 화면에 나타내는 법.

원금 (元金) **1** 밑천. 본전. **2** 빌려준 돈에 이자를 붙이지 않은 본래의 돈. ㉺이자 없이 원금만 갚으면 된다. 반 이자.

원기 (元氣) **1** 본디 타고난 기운. **2** 활동의 근본이 되는 힘. **3** 몸과 마음의 활동력. ㉺원기를 회복하다.

***원기둥** (圓—) 원으로 된 위아래 두 평면과 곡면으로 이루어진 도형.

원나라 (元—) 중국 왕조의 하나. 몽고 제국의 쿠빌라이(징기즈 칸의 손자)가 중국에 침입하여 베이징에 도읍하고 세운 나라. [1271-1368]

원내 (院內) '원' 자가 붙은 각종 기관의 내부. ㉺원내 투쟁. 반 원외.

원년 (元年) **1** 임금이 왕위에 오른 해. ㉺세종 원년. **2** 어떤 중요한 일이 시작된 해.

***원님** (員—) 옛날 고을을 맡아 다스리던 '원'을 높여 부르던 말.

원단 (原緞) 가공하지 않은, 짠 그대로의 옷감. ㉺고급 원단을 쓰다.

원:대하다 (遠大—) 생각이나 계획이 깊고 크다. ㉺원대한 계획을 세우다 / 꿈을 원대하게 가지다.

원동력 (原動力) [원동녁] 사물이 활동을 할 수 있게 만드는 힘. ㉺성공의 원동력은 꾸준한 노력이다.

원두막 (園頭幕) 참외·수박 따위를 심어 놓은 밭을 지키기 위해 높직하고 간단하게 지은 집. ㉺원두막에서 수박을 먹다.

원둘레 (圓—) 수학에서, 원의 둘레. 또는 그 길이. 비 원주.

***원래** (元來) [월래] 본디. 처음부터. ㉺원래부터 속일 생각은 아니었다. 비 본래.

원로 (元老) [월로] 어떤 일에 오래 종사하여 경험과 공로가 많은 사람. ㉺교육계의 원로.

***원료** (原料) [월료] 어떤 물건을 만드는 데 쓰이는 재료. ㉺빵의 원료는 밀가루이다. 비 원재료.

원류 (源流) [월류] **1** 물이 흐르는 원천. ㉺낙동강의 원류. **2** 사물이 일어나는 근원. ㉺문명의 원류를 알아보다.

***원리**[1] (原理) [월리] 사물이 이루어지는 근본 이치. ㉺아르키메데스의 원리. 비 원칙.

원리[2] (元利) [월리] 원금과 이자. ㉺원리를 갚다.

원리금 (元利金) [월리금] 원금과 이자를 합친 돈. ㉺원리금 합계.

원만하다 (圓滿—) **1** 일이 순조롭

게 되어 가다. 예원만한 해결 / 원만하게 처리하다. **2** 성격이 부드럽고 너그럽다. 예원만한 성격. **3** 사이가 좋다. 예원만한 관계.

원:망 (怨望) 못마땅히 여겨 탓하거나 분하게 여겨 미워함. 예친구를 원망하다. **—하다.**

원:망스럽다 (怨望—) [원망스럽따] 원망하는 마음이 있다. 예원망스러운 표정. 활용 원망스러워 / 원망스러우니.

원목 (原木) 베어 낸 그대로 아직 가공하지 않은 나무. 예원목 가구.

원반 (圓盤) 원반던지기에 쓰는 운동 기구. 나무에 놋쇠의 둥글넓적한 판을 박고 금속의 테를 둘렀음.

원반던지기 (圓盤—) 지름 2.5m의 원 안에서 원반을 던져 그 거리를 다투는 운동 경기. 비 투원반.

원본 (原本) **1** 개정하거나 번역을 하기 전의 본디의 책. 반 역본. **2** 등본이나 초본의 근본이 되는 문서.

원불교 (圓佛敎) 1916년 박중빈이 세운 종교의 한 파. 불교의 현대화와 생활화, 대중화를 주장하여 시주·동냥·불공 등을 폐지하고 각자 직업에 종사하면서 교화 사업을 함.

***원뿔** (圓—) 원으로 된 밑면과 곡면으로 이루어진 도형.

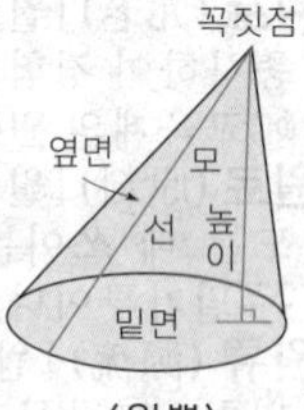

〈원뿔〉

원산[1] (原産) 어떤 고장에서 처음으로 생산됨. 또는 그런 물건.

원산[2] (元山) 〘지명〙 함경남도의 한 시. 동해안에 있는 항구 도시로 공업이 성하며 명사십리·석왕사 등 명승고적이 있음.

원산지 (原産地) **1** 물건이 생산 또는 제조된 곳. 예수입 농산물에 원산지를 표시하다. **2** 동식물이 맨 처음 자라난 곳. 예아카시아의 원산지는 북아메리카이다.

원상 (原狀) 본디대로의 상태. 예원상 복구 / 원상을 회복하다.

원색 (原色) **1** 본디의 제 빛깔. 예원색 식물 도감. **2** 모든 색의 기본이 되는 색. 빨강·노랑·파랑의 세 가지. 예삼원색.

원색적 (原色的) [원색쩍] 원색과 같이 강렬한 (것). 예원색적 작품 / 원색적인 옷차림.

원생동물 (原生動物) 하나의 세포로 된 최하등의 아주 작은 동물. 종류가 많고 온갖 곳에 살며 동물에 기생하는 것도 있음. 아메바 따위.

원:서 (願書) 회사나 학교 따위에 지원하는 내용을 적은 서류. 예입학원서 / 원서 접수.

원:성 (怨聲) 원망하는 소리. 예백성들의 원성이 높다.

***원소** (元素) **1** 더 이상 나눌 수 없는 기본적인 물질. 예금속 원소. **2** 수학에서, 집합을 이루는 낱낱의 요소. 예집합 원소.

원소 기호 (元素記號) 원소의 종류를 나타내는 기호. 수소는 H, 산소는 O, 나트륨은 Na 따위. 비 원자기호.

원수[1] (元首) 한 나라의 최고 통치권을 가진 사람. 본 국가 원수.

원수[2] (元帥) 군인의 가장 높은 계급. 대장의 위. 별이 다섯 개란 뜻에서 오성 장군이라고도 함.

원수[3] (怨讐) 원한이 맺힐 정도로 자기에게 해를 끼친 사람이나 집단. 예부모의 원수 / 은혜를 원수로 갚다 / 원수 사이가 되다.

원숙하다 (圓熟—) [원수카다] **1** 매우 숙련되어 있다. 예원숙한 솜씨. 비 능숙하다. **2** 인격·지식 따위가 깊고 원만하다. 예바둑 실력이 날로 원숙해지다.

***원:숭이** **1** 원숭잇과의 동물. 꼬리는 짧고 얼굴과 궁둥이에 털이 없고

붉으며, 입에 먹이를 모아 두는 주머니가 있음. 흉내를 잘 내며 나무에 잘 오름. 늘보원숭이·비비·침팬지 등 종류가 많음. **2** 남의 흉내를 잘 내는 사람의 별명. ➲ monkey

원시[1] (原始) 처음 생긴 그대로 있어 발달하지 않은 상태. 예 **원시** 종교 / **원시** 밀림 지대.

원ː시[2] (遠視) 먼 데의 것은 잘 보이나 가까운 것은 잘 보이지 않는 시력. 또는 그런 사람. 볼록 렌즈로 교정함. 반 근시.

원시림 (原始林) 사람 손이 닿지 않은 자연 그대로의 숲. 비 처녀림.

원시 사회 (原始社會) 인류 역사의 첫 단계로 볼 수 있는 문명이 발달하지 않은 사회. 비 미개 사회. 반 문명 사회.

원시산업 (原始産業) [원시사넙] **1** 원시 시대의 산업. 사냥·고기잡이·초보적인 농업·목축업 따위. **2** 농업·어업·광업 등 천연자원을 얻으려고 하는 산업. 비 제일차 산업.

원시생활 (原始生活) 문명이 발달하지 못한 원시 시대에, 나무 열매를 따 먹고 물고기나 야생 동물을 잡아먹으며 살던 생활.

원시 시대 (原始時代) 문명이 발달하지 않았던 미개한 시대.

원시인 (原始人) 원시 시대나 미개한 사회의 사람.

원시적 (原始的) 원시 상태와 같은 (것). 예 **원시적** 방법 / **원시적** 사회 / **원시적**인 생활.

원ː심력 (遠心力) [원심녁] 물체가 원을 그리면서 돌 때 중심에서 바깥쪽으로 향하는 힘. 반 구심력.

원아 (園兒) [워나] 유치원에 다니는 아이. 예 **원아** 모집.

원앙 (鴛鴦) [워낭] 오릿과의 물새. 몸길이 40–45 cm, 부리는 짧고 끝에는 손톱 같은 돌기가 있음. 수컷이 특히 아름다우며 높은 나무에 구멍을 뚫고 집을 만듦. 암수의 사이가 매우 좋아 정다운 부부에 비유함.

〈원앙〉

원ː양 (遠洋) [워냥] 육지에서 멀리 떨어진 바다. 예 **원양**에서 잡은 참치. 비 원해.

원ː양 어선 (遠洋漁船) [워냥—] 원양 어업을 하기에 알맞도록 설비를 갖춘 배.

원ː양 어업 (遠洋漁業) [워냥—] 잡은 물고기를 저장·가공하는 시설을 갖춘 어선으로 먼 바다에서 고기잡이를 하는 어업. 반 근해 어업. 연안 어업.

원예 (園藝) [워녜] 채소·화초·과수·정원수 따위를 심어 가꾸는 일이나 기술. 예 **원예** 농업.

원예 작물 (園藝作物) [워녜장물] 원예로 가꾸는 식물. 화초·채소·과수 따위. 비 원예 식물.

원운동 (圓運動) [워눈동] 물체가 원을 그리면서 도는 운동.

원유[1] (原油) [워뉴] 땅속에서 뽑아낸 상태 그대로의 석유. 예 **원유** 가격이 폭등하다.

원유[2] (原乳) [워뉴] 가공하지 않은 소의 젖.

원이름 (原—) [원니름] 본디의 이름. 비 원명.

***원인**[1] (原因) [워닌] 무슨 일이 일어나게 된 까닭. 예 **원인**과 결과 / 친구와 싸우게 된 원인. 비 동기. 이유. 반 결과. ➲ cause

원인[2] (猿人) [워닌] 가장 원시적이고 오래된 화석 인류.

원자 (原子) 각 원소가 특성을 잃지 않고 더 이상 나누어지지 않는 가장 작은 알갱이. ➲ atom

원자 기호 (原子記號) ⇨원소 기호.

원자력 (原子力) 원자핵이 분열하거나 핵반응할 때에 내보내는 에너지. 원자 에너지.

원자력 발전소 (原子力發電所) [—빨쩐소] 원자로 안에서, 원자핵 분열로 생긴 열로써 수증기를 만들고, 이것으로 터빈 발전기를 돌려 전기를 일으키는 곳.

원자로 (原子爐) 원자력을 이용하여 에너지를 생산하는 장치.

원자 에너지 (原子energy) ⇨원자력.

원자재 (原資材) 공업 생산의 원료가 되는 재료. ㉥원자재의 수입이 늘다.

원자탄 (原子彈) ⇨원자 폭탄.

원자 폭탄 (原子爆彈) 원자핵이 분열할 때 나오는 에너지를 이용한 폭탄. 비 원자탄. 준 원폭.

원자핵 (原子核) 원자의 중심부를 이루는 입자. 양자와 중성자로 이루어짐. 비 핵.

원작 (原作) 연극·영화에서, 그 소재가 된 본디의 소설·희곡 따위. ㉥원작 소설을 영화화하다.

원장 (院長) 병원·학원 등 '원' 자가 붙은 기관이나 시설의 대표자. ㉥병원 원장 / 유치원 원장.

원재료 (原材料) 어떤 물건을 만드는 데 바탕이 되는 재료.

원점 (原點) [원쩜] **1** 어떤 것이 시작되는 점. 근본이 되는 본디의 점. ㉥수사가 원점으로 돌아가다. 비 기점. **2** 수학에서, 좌표를 정할 때 기준이 되는 점. **3** 길이 따위를 잴 때의 기준이 되는 점.

원:정 (遠征) **1** 먼 곳에 가서 운동 경기 따위를 함. ㉥축구 팀의 브라질 원정. **2** 먼 곳으로 싸우러 나감. ㉥십자군 원정. **—하다.**

원조[1] (元祖) **1** 한 겨레의 맨 처음 조상. 비 시조. **2** 어떤 일을 처음 시작한 사람. ㉥삼계탕의 원조.

원:조[2] (援助) 물품이나 돈 따위로 도와줌. ㉥원조를 요청하다 / 식량 원조를 하다. **—하다.**

원주 (圓周) 한 점에서 같은 거리에 있는 점의 자취. 비 원둘레.

원주민 (原住民) 그 지역에 본디부터 살고 있던 사람. ㉥원주민 마을. 반 이주민.

원주율 (圓周率) 원의 둘레와 그 원의 지름과의 비율. 보통 3.14를 원주율로 사용함《기호는 π(파이)》.

원천 (源泉) 사물의 근원. ㉥기술 개발은 산업 발전의 원천이다.

원체 (元體) 본디부터. 워낙. ㉥원체 몸이 약하다.

원초 (原初) 사물의 맨 처음.

원초적 (原初的) 사물의 맨 처음에 관한 (것). ㉥원초적인 문제.

원칙 (原則) 여러 가지 경우에 공통되는 근본적인 법칙. ㉥원칙에서 벗어나다 / 원칙을 따르다.

원:컨대 (願—) 바라건대. ㉥원컨대 이번에는 꼭 합격하십시오.

원탁 (圓卓) 둥근 탁자. ㉥온 가족이 원탁에 빙 둘러앉다.

원통 (圓筒) **1** 둥근 통. **2** 수학에서의 원기둥.

원통하다 (冤痛—) 몹시 분하고 억울하다. ㉥누명을 쓰고 원통해 하다.

원판[1] (原板) 사진에서, 카메라로 직접 촬영한 필름. 밀착 또는 확대에 음화로 씀.

원판[2] (圓板) 판판하고 넓으며 둥근 모양의 판.

원폭 (原爆) '원자 폭탄'의 준말. ㉥원폭 피해자.

원피스 (one-piece) 주로 여성이 입는, 위아래가 붙어 하나로 된 옷.

*__원:하다__ (願—) 무엇을 바라거나 청하다. ㉥유명한 디자이너가 되기를 원하다. ➲ want

원:한 (怨恨) 원통하고 한이 되는 생각. ㉥원한이 사무치다. 준 원.

원형[1] (原形) **1** 본디의 모양. 이전의 상태. ㉢창경궁의 원형을 되찾다. **2**⇨으뜸꼴.

원형[2] (圓形) 둥근 모양. ㉢원형 무대 / 원형 경기장.

원:호 (援護) 도와주며 보살핌. ㉢원호 대상자. **—하다.**

원활 (圓滑) 일이 거침없이 잘되어 나감. ㉢교통이 원활하다 / 행사가 원활이 진행되다. **—하다. —히.**

원효 (元曉) 〖인명〗 신라의 고승. 해동종의 시조. 많은 저서를 냈으며, 그의 사상은 삼국 통일의 중요한 요소가 됨. 불교의 대중화에 힘씀. [617–686]

원흉 (元兇) 못된 짓을 한 무리의 우두머리. ㉢부정 선거의 원흉.

*__월__ (月) **1**한 달. ㉢월 생활비. **2**'월요일'의 준말. **3**달을 세는 단위. ㉢8월 보름.

월간 (月刊) 한 달에 한 번씩 책·잡지 따위를 펴냄. 또는 그 펴낸 것. ㉢월간 잡지.

월경 (月經) 성숙한 여자의 자궁에서 매월 정기적으로 출혈하는 생리 현상. 멘스. ㉥생리. **—하다.**

월계관 (月桂冠) [— / 월게관] **1** 고대 그리스에서, 월계수의 가지와 잎으로 만들어 경기의 우승자에게 씌워 주던 관. **2** 우승의 영예. ㉢승리의 월계관을 쓰다.

〈월계관1〉

월계수 (月桂樹) [— / 월게수] 녹나뭇과의 상록 교목. 지중해가 원산지이고 높이는 10–20 m, 잎은 녹색이며 긴 달걀꼴임. 이른 봄에 엷은 노란색 꽃이 핌. 잎은 향기가 좋아 향료로 씀.

월권 (越權) [월꿘] 자기 권한 밖의 일을 함. ㉢월권행위. **—하다.**

월급 (月給) 일한 대가로 다달이 받는 돈. ㉢월급을 타다. ㉥봉급.

월남 (越南) [월람] **1** 북쪽에서 삼팔선 또는 휴전선의 남쪽으로 넘어옴. ㉢월남 가족. ㉤월북. **2**⇨베트남. **—하다.**

월동 (越冬) [월똥] 겨울을 남. ㉢월동 준비. **—하다.**

월드 와이드 웹 (World Wide Web) 인터넷 정보를 동영상이나 문자, 그래픽, 음성 따위의 멀티미디어 환경으로 찾아볼 수 있게 해 주는 인터넷 정보 검색 서비스의 이름. ㉦웹.

월드컵 (World Cup) 스포츠 경기의 국제 선수권 대회. 또는 그 우승배. 축구·배구·스키·골프 따위가 있는데, 4년마다 개최되는 축구 대회가 유명함.

월등하다 (越等—) [월뜽하다] 다른 것에 비하여 훨씬 낫고 뛰어나다. ㉢성적이 너보다 월등하다.

월례 (月例) 매달 정기적으로 행해지는 일. ㉢월례 행사.

월말 (月末) 그달의 끝 무렵. ㉢월말 고사. ㉤월초.

월반 (越班) 학생의 학습 능력이 뛰어나 학년을 건너뛰어 상급반으로 오르는 일. ㉢성적이 뛰어나 월반하다. **—하다.**

월별 (月別) 달에 따라 나눈 구별. ㉢월별로 계획을 짜다.

월부 (月賦) 물건 값 따위를 다달이 얼마씩 갚아 나가는 일. ㉢월부금 / 월부 판매.

월북 (越北) 삼팔선 또는 휴전선의 북쪽으로 넘어감. ㉢월북 작가. ㉤월남. **—하다.**

월세 (月貰) [월쎄] ⇨사글세.

월식 (月蝕) [월씩] 지구가 태양과 달 사이에 들어가 달의 한쪽 또는 전체가 지구의 그림자에 가려져 안 보이게 되는 현상. ㉢부분 월식.

*__월요일__ (月曜日) [워료일] 칠요일의 하나. 일요일로부터 둘째 날.

준 월. ➡Monday

월인석보 (月印釋譜) [워린석뽀] 〖책〗 조선 세조 5년(1459)에 '월인천강지곡'과 '석보상절'을 합하여 간행한 책.

월인천강지곡 (月印千江之曲) [워린천강지곡] 〖책〗 조선 때 세종이 석가모니의 공덕을 찬양하여 지은 노래를 실은 책.

월정사 (月精寺) [월쩡사] 강원도 평창군의 오대산에 있는 절. 신라 선덕 여왕 때 자장 율사가 세움. 고려 때 세운 팔각 구층 석탑과 석조 보살 좌상 따위가 남아 있음.

월척 (越尺) 낚시에서, 낚은 물고기의 길이가 한 자가 넘음. 또는 그 물고기. ㉡월척을 낚다.

월초 (月初) 그달의 처음 무렵. 반 월말.

월평균 (月平均) 한 달을 단위로 하여 내는 평균. ㉡월평균 기온.

웨딩 (wedding) ⇨결혼식. ㉡웨딩 케이크.

웨딩드레스 (wedding dress) 결혼식 때 신부가 입는 서양식 혼례복.

웨이터 (waiter) 호텔·식당·술집 등에서 손님의 시중을 드는 남자 종업원.

***웬:** 어떠한. 어찌 된. ㉡웬 사람이 저리 많으냐. →왠지 주의

웬 떡이냐 뜻밖의 행운을 만났을 때 하는 말. ㉡아니, 이게 웬 떡이냐.

웬걸 '웬 것을'의 준말로, 의심 또는 의외·부정의 뜻을 나타내는 말. ㉡잘 사는 줄 알았더니 웬걸, 거지가 다 되었잖아.

웬:만큼 **1** 그저 그만하게. ㉡사업이 웬만큼 자리를 잡아가고 있다. **2** 보통은 넘는 정도로. ㉡영어를 웬만큼 한다.

웬:만하다 어지간하다. 그저 그만하다. ㉡웬만하면 참아라. 본 우연만하다.

***웬:일** [웬닐] 어떻게 된 일. ㉡네가 도서관에 웬일이니.

웹 (web) '월드 와이드 웹'의 준말.

웽웽 **1** 날벌레 등이 잇따라 빠르게 날아가는 소리. **2** 전선 따위에 바람이 잇따라 세차게 부딪쳐 울리는 소리. 작 왱왱. **—하다. —거리다.**

***위**[1] **1** 기준으로 삼는 사물이나 부분보다 높은 쪽. ㉡허리 위. **2** 꼭대기. ㉡맨 위. **3** 거죽. 표면. ㉡지구 위에 사는 생물. **4** 높은 지위나 촌수. ㉡항렬이 위다. 반 아래.

***위**[2] (位) 등급이나 등수. ㉡달리기에서 3위를 차지하다.

***위**[3] (胃) 식도와 장 사이에 있는 주머니 모양의 소화 기관. 위액을 분비함. 비 밥통. 위장. ➡stomach

위급 (危急) 매우 위태롭고 급함. ㉡위급한 사태. **—하다.**

***위기** (危機) 위험한 고비나 시기. ㉡위기 상황 / 위기를 극복하다 / 위기에 처하다.

위기감 (危機感) 위험에 처해 있다는 불안한 느낌이나 생각. ㉡위기감이 감돌다.

***위대하다** (偉大—) 크게 뛰어나고 훌륭하다. ㉡한글 창제는 세종 대왕의 위대한 업적이다.

위도 (緯度) 지구의 적도를 0°로 하고 북극과 남극을 90°로 하여, 남북으로 각각 평행되게 나타낸 좌표. 반 경도. 준 위.

위독하다 (危篤—) [위도카다] 병이 몹시 중하여 생명이 위태롭다. ㉡위독한 환자. 비 위급하다. 위태하다.

위력 (威力) 상대를 압도할 만큼 강력함. 또는 그런 힘. ㉡원자탄의 위력 / 위력이 있다.

위령탑 (慰靈塔) 죽은 사람의 영혼을 위로하기 위해 세우는 탑. ㉡전몰 장병 위령탑.

위례성 (慰禮城) 백제 초기의 수도. 시조 온조왕이 부여에 처음으로 도읍을 정한 곳. 지금의 서울특별시 강동구 지역으로 추정됨.

***위로** (慰勞) 따뜻한 말과 행동으로 수고나 괴로움을 덜어 주거나 슬픔을 달래 줌. ㊞국군 아저씨들을 위로하다. 비 위안. **—하다.**

위만 (衛滿) 〖인명〗 위만 조선의 창시자. 고조선의 준왕을 쫓아내고, 왕이 되어 위만 조선을 세움. [재위 기원전 194-?]

위문 (慰問) 어려움에 처한 사람이나 수고하는 사람을 찾아가 위로하고 격려함. ㊞위문 공연 / 상이용사를 위문하다. **—하다.**

위문편지 (慰問便紙) 위로하는 뜻으로 보내는 편지. ㊞국군 장병에게 위문편지를 보내다.

위문품 (慰問品) 군인이나 이재민 등을 위로하기 위해 보내는 여러 가지 물품.

위반 (違反) 법·규칙·계약 따위를 지키지 않고 어김. ㊞규칙을 위반하다. 비 위배. **—하다.**

위배 (違背) ⇨위반. ㊞계약에 위배되다. **—하다.**

위법 (違法) 법을 어김. ㊞위법 행위. 비 불법. 반 적법. 합법. **—하다.**

위상 (位相) 어떤 관계 속에서 가지는 위치나 상태. ㊞우리나라의 국제적 위상을 높이다.

위생 (衛生) 건강을 지키고, 병의 예방과 치료에 힘쓰는 일. ㊞위생 검사 / 위생 상태를 점검하다.

위생병 (衛生兵) 군인들의 위생과 병의 치료를 돕는 일을 맡아보는 병사. 비 간호병.

위생적 (衛生的) 위생에 알맞은 (것). ㊞위생적인 환경.

위선¹ (緯線) 위도를 나타낸 선. 비 씨줄. 위도. 반 경선.

위선² (僞善) 겉으로만 착한 체함. ㊞위선에 찬 행동.

위선자 (僞善者) 겉으로만 진실하고 착한 체하는 사람.

위성 (衛星) **1** 행성의 둘레를 도는 별. ㊞달은 지구의 위성이다. **2** '인공위성'의 준말. ㊞통신 위성.

위성 국가 (衛星國家) [—국까] 강대국에 가까이 있어 강대국의 지배나 보호를 받고 있는 힘이 약한 나라. 준 위성국.

위성 도시 (衛星都市) 대도시 가까이 있으면서 대도시와 깊은 관계를 맺고 있는 중소 도시. 의정부·과천·안양 등은 서울의 위성 도시임.

위성사진 (衛星寫眞) 인공위성에서 지구나 다른 천체를 찍어 지구에 보낸 사진.

위성 중계 (衛星中繼) [— / 위성중계] 통신 위성이나 방송 위성을 이용해 중계해서 방송하는 일.

위성 통신 (衛星通信) 인공위성을 중계소로 하는 장거리 무선 통신.

위세 (威勢) **1** 사람을 두렵게 하여 복종시키는 힘. ㊞위세에 눌리다. **2** 맹렬한 기세. ㊞위세가 당당하다.

위스키 (whiskey) 보리·밀·옥수수 등에 엿기름·효모를 섞어 발효시킨 뒤 증류하여 만든 서양 술. 알코올 함유량이 많음.

위시하다 (爲始—) 여럿 중에서 어떤 대상을 첫째 또는 대표로 삼다. ㊞선생님을 위시하여 반 전체가 게임에 참가하다.

위신 (威信) 남을 두렵게 하면서도 믿고 따르게 하는 힘. ㊞위신이 서다 / 위신이 떨어지는 행동을 하다.

위아래 **1** 위와 아래. ㊞위아래를 훑어보다. **2** 윗사람과 아랫사람. ㊞위아래도 모르고 까불다. 비 상하. 아래위.

위안 (慰安) 위로하여 마음을 편안하게 함. ㊞마음의 위안 / 위안이 되다. 비 위로. **—하다.**

위암(胃癌) 위에 생기는 암.
위압(威壓) 위엄이나 위력 따위로 압박하거나 정신적으로 억누름. 또는 그런 압력. ㉥위압적인 태도로 나오다. **—하다.**
위압감(威壓感) [위압깜] 위압을 받는 느낌. ㉥위압감을 느끼다.
위액(胃液) 위샘에서 위 속으로 분비되는 소화액. 빛깔과 냄새가 없는 강한 산성의 액체임.
위엄(威嚴) 점잖고 엄숙함. 또는 그런 태도나 기세. ㉥위엄 있는 태도. **—스럽다.**
위업(偉業) 위대한 사업이나 업적. ㉥평생의 위업을 이루다.
위염(胃炎) 위의 벽에 염증이 생기는 병. 급성과 만성이 있음.
위용(威容) 위엄 있는 모습이나 모양. ㉥위용을 떨치다.
*__위원__(委員) 선거나 임명으로 어떠한 일의 처리를 위임받은 사람. ㉥심사 위원 / 청소년 선도 위원.
위원장(委員長) 위원 가운데의 우두머리. 위원회의 책임자.
*__위원회__(委員會) 특정한 목적 아래 임명 또는 선거로 뽑힌 위원으로 짜여진 기관. ㉥국제 올림픽 위원회.
*__위인__(偉人) 뛰어나고 훌륭한 사람. ㉥위인의 일대기.
*__위인전__(偉人傳) 뛰어나고 훌륭한 일을 많이 한 사람의 업적이나 일화를 써 놓은 책. ㉥위인전을 읽고 감명을 받다.
위임(委任) 일의 처리를 남에게 맡김. 또는 그 맡은 책임. ㉥정부는 국민의 위임을 받아 그 권한을 행사한다. **—하다.**
위자료(慰藉料) 재산·생명·신체·명예·정조 따위를 침해하여 생긴 정신적 고통과 손해에 대하여 물어 주는 돈. ㉥위자료를 청구하다.
위장¹(胃腸) 위와 장. ㉥위장약.
위장²(胃臟) 위³.
위장³(僞裝) 본래의 속셈이나 모습이 드러나지 않도록 거짓으로 꾸밈. ㉥위장 간첩의 침투. **—하다.**
위조(僞造) 남을 속이려고 진짜와 비슷하게 물건을 만듦. ㉥여권을 위조하다. **—하다.**
위조지폐(僞造紙幣) [— / 위조지페] 진짜처럼 보이게 만든 가짜 지폐. ㉥위조지폐가 발견되다.
위주(爲主) 으뜸으로 삼음. ㉥실력 위주로 채용하다.
위중하다(危重—) 병의 증세가 매우 심각하고 위태롭다. ㉥할머님 병환이 위중하시다.
위증(僞證) **1** 거짓으로 증명함. **2** 법원에서 증인이 거짓으로 증언함. ㉥위증죄. **—하다.**
*__위쪽__ 위가 되는 쪽. ㉥벽 위쪽에 틈새가 있다. 반 아래쪽.
위채 한 집안의 위쪽에 있는 집채. 반 아래채. ×웃채.
위축(萎縮) 어떤 힘에 눌려 기력이 없어짐. ㉥생산 활동의 위축 / 그의 당당한 태도에 위축되다. **—하다.**
위층(—層) 이층 또는 여러 층 가운데 위쪽의 층. ㉥위층은 침실로 쓰고 있다. 비 상층. 반 아래층. ×웃층. 윗층.
*__위치__(位置) **1** 일정한 곳에 자리를 차지함. 또는 그 자리. ㉥이 가게는 위치가 좋다. **2** 사회적으로 담당하고 있는 지위나 역할. ㉥학생의 위치에 벗어나는 행동. **—하다.**
위치 에너지(位置energy) 높은 곳에 있는 물체가 낮은 위치로 떨어질 때의 에너지. 수력 발전은 이 위치 에너지를 이용하여 전기를 일으키는 것임.
위탁(委託) 맡기어 부탁함. ㉥위탁 판매. **—하다.**
위태롭다(危殆—) [위태롭따] 보기에 위태한 듯하다. ㉥병세가 악화되어 생명이 위태롭다. 활용 위태로워 / 위태로우니.

위태위태하다 (危殆危殆—) 매우 위태하다. ㉠위태위태한 암벽 등반 / 정세가 위태위태하다.

위태하다 (危殆—) 형세나 형편이 매우 위험하다. ㉠이번 장마로 담이 위태하다.

위턱 위쪽의 턱. 반 아래턱.

위통 (胃痛) 위가 아픈 증세. ㉠위통으로 고생하다.

위트 (wit) 말이나 글을 재치 있고 능란하게 구사하는 능력. 기지. 재치. ㉠위트가 넘치다.

위패 (位牌) 죽은 사람의 이름을 적은 나무패. ㉠위패를 모시다.

위풍당당하다 (威風堂堂—) 풍채가 위엄이 있고 씩씩하다. ㉠위풍당당한 군인의 모습.

***위하다** (爲—) **1** 어떤 목적을 이루려고 하다. ㉠건강을 위하여 등산을 한다. **2** 이롭게 하거나 돕다. ㉠너를 위해 하는 말이다 / 민족을 위하여 몸을 바치다. **3** 물건이나 사람을 소중하게 여기다. ㉠책을 제 몸처럼 위하다.

***위험** (危險) 위태로움. 안전하지 못함. ㉠위험 구역 / 위험한 곳에서 자전거를 타지 마라. 반 안전. **—하다. —스럽다.** ➡ danger

위험성 (危險性) [위험썽] 위험하거나 위험해질 가능성. ㉠물이 불어 다리가 무너질 위험성이 있다.

위험천만하다 (危險千萬—) 매우 위험하다. ㉠위험천만한 생각.

위협 (威脅) 힘으로 으르고 윽박지름. ㉠위협을 받다 / 가족의 안전을 위협하다. 비 협박. **—하다.**

위화감 (違和感) 다른 사람과 잘 어울리지 못해서 일어나는 어색한 느낌. ㉠위화감을 조성하다.

위화도 회군 (威化島回軍) 고려 말(1388), 명나라의 랴오둥을 치러 가던 이성계가 압록강의 위화도에서 군대를 돌려서 왕을 내쫓고 정권을 장악한 사건. 조선을 건국하는 기반이 됨.

윈도 (window) 컴퓨터에서, 여러 프로그램을 사용하는 데 쓰는, 그림이나 기호로 된 프로그램.

윌슨 (Wilson, Thomas Woodrow) 〖인명〗 미국의 제28대 대통령. 제1차 세계 대전 때 독일에 선전 포고를 하였고 국제 연맹의 조직을 제창함. 1919년에 노벨 평화상을 받음. [1856–1924]

윗니 [윈니] 윗잇몸에 난 이. 반 아랫니. ×웃니.

윗도리 [위또리 / 윈또리] **1** 허리의 윗부분. 비 상체. **2** ⇨윗옷. ㉠윗도리를 벗다. 반 아랫도리. ×웃도리.

윗동네 (—洞—) [위똥네 / 윈똥네] 위쪽에 있는 동네. 비 윗마을. 반 아랫동네.

윗목 [윈목] 온돌방에서, 아궁이로

[학습마당] 20

'윗-' 과 '웃-' 의 구별

'윗-' 과 '웃-' 은 명사 '위' 에 맞추어 '윗-' 으로 통일함.

〔보기〕 윗넓이, 윗니, 윗도리, 윗몸, 윗사람, 윗사랑, 윗입술, 윗자리

다만 1. 된소리나 거센소리 앞에서는 '위-' 로 함.

〔보기〕 위짝, 위쪽, 위채, 위층, 위턱

다만 2. '아래, 위' 의 대립이 없는 낱말은 '웃-' 으로 발음되는 형태를 표준어로 삼음.

〔보기〕 웃국, 웃기, 웃돈, 웃비, 웃어른, 웃옷(겉옷)

부터 먼 쪽. 곧, 굴뚝에 가까운 쪽의 방바닥. ㉯아랫목.

윗몸 [윈몸] 허리 윗부분의 몸. ㉡윗몸 운동 / 윗몸을 일으키다. ㉥상반신.

윗몸 일으키기 [윈모미르키기] 누운 상태에서 다리를 고정하고 몸의 허리 윗부분을 앞뒤로 굽혔다 젖혔다 하는 운동.

윗물 [윈물] 상류에서 흐르는 물. ㉯아랫물.

윗방 (─房) [위빵 / 윋빵] 잇닿아 있는 두 방에서 위쪽에 있는 방. ㉯아랫방.

윗변 (─邊) [위뼌 / 윋뼌] 사다리꼴에서 위에 있는 변. ㉯아랫변.

윗사람 [위싸람 / 윋싸람] 자기보다 나이나 항렬, 신분이 높은 사람. ㉡윗사람을 섬기다. ㉯아랫사람. ×웃사람. →웃어른 주의

윗옷 [위돋] 윗몸에 입는 옷. ㉡윗옷을 벗다. ㉥윗도리. 상의. →웃옷 주의

윗입술 [윈닙쑬] 위쪽의 입술. ㉡윗입술을 깨물다. ㉯아랫입술.

윗자리 [위짜리 / 윋짜리] **1** 윗사람이 앉는 자리. ㉡손님을 윗자리에 모시다. **2** 높은 지위나 순위. ㉯아랫자리. ×웃자리.

윗집 [위찝 / 윋찝] 위쪽으로 이웃해 있는 집. ㉯아랫집.

윙윙 **1** 조금 큰 벌레나 돌 따위가 매우 빠르고 세차게 날아가는 소리. ㉡말벌이 윙윙 날아다니다. **2** 큰 기계의 모터나 바퀴가 세차게 돌아가는 소리. ㉡기계 소리가 윙윙 들린다. **3** 거센 바람이 전선이나 철사 따위에 매우 빠르고 세차게 부딪치는 소리. **4** 귓속에서 울리어 나는 소리. ㉶웽웽. **─하다.**

윙윙거리다 계속해서 윙윙 소리가 나다. ㉡벌들이 윙윙거리며 날아다니다.

윙크 (wink) 상대에게 무엇을 표시하려고 한쪽 눈을 깜빡거리며 하는 눈짓. **─하다.**

유:[1] (有) 있거나 존재함. ㉡무에서 유를 창조하다. ㉯무[2].

유:[2] (類) **1** ⇨무리[1]. **2** '종류'의 준말. ㉡같은 유의 물건. **3** 생물을 분류하는 단위의 하나.

유:- (有) '있음'의 뜻. ㉡유자격자 / 유경력.

유가족 (遺家族) 죽은 사람의 뒤에 남은 가족. ㉡군경 유가족. ㉥유족.

유감 (遺憾) 마음에 차지 아니하여 섭섭하거나 불만스럽게 남아 있는 느낌. ㉡유감의 뜻을 표하다.

유감스럽다 (遺憾─) [유감스럽따] 마음에 차지 아니하여 섭섭하거나 불만스러운 데가 있다. ㉡유감스럽게도 초대에 응할 수가 없습니다. 활용 유감스러워 / 유감스러우니.

유감없다 (遺憾─) [유가멉따] 섭섭하거나 불만스러운 데가 없이 마음에 흡족하다. ㉡유감없는 경기를 펼치다.

유감없이 (遺憾─) [유가멉씨] 유감없게. ㉡실력을 유감없이 발휘하다.

유격수 (遊擊手) [유격쑤] 야구에서, 2루와 3루 사이를 지키는 내야수. ㉡유격수가 던진 볼이 주자 몸에 맞았다.

유고슬라비아 (Yugoslavia) 〖국명〗 유럽의 발칸 반도 중부에 있는 연방 공화국. 1991년에 크로아티아, 슬로베니아, 마케도니아가, 1992년에 보스니아헤르체고비나가 독립하고 남은 세르비아와 몬테네그로가 새로운 연방을 구성함. 수도는 베오그라드.

유골 (遺骨) 죽은 사람을 화장하고 남은 뼈. 또는 무덤 속에서 나온 뼈. ㉡유골을 발굴하다. ㉥유해.

유:공자 (有功者) 공로가 있는 사람. ㉡독립 유공자.

유관순 (柳寬順) 〖인명〗 여성 독립 운동가. 16세 때 이화 학당 학생으로 3·1 운동에 참가하여 만세를 부르다가, 일본 헌병에 붙잡혀 감옥에서 죽음. [1904-1920]

유괴 (誘拐) 사람을 속여서 꾀어 냄. ㉥어린이를 유괴하다. **—하다.**

유괴범 (誘拐犯) 유괴를 저지른 사람. 또는 그 범죄. ㉥어린이 유괴범으로 체포되다.

유교 (儒教) 중국의 공자가 주장한, 인의를 근본으로 정치와 도덕을 실천하려고 한 유학의 가르침. ＊성리학. 유학.

유ː구무언 (有口無言) 입은 있으나 할 말이 없다는 뜻으로, 변명할 말이 없음.

유구하다 (悠久—) 아득하게 오래다. ㉥유구한 역사. 비 유원하다.

유ː권자 (有權者) [유꿘자] 선거할 권리를 가진 사람.

유급 (留級) 등급·계급·학년 등이 오르지 못하고 그대로 남음. ㉥유급이 되다. 비 낙제. **—하다.**

유ː기 (有期) '유기한'의 준말. ㉥유기 정학. 반 무기.

유ː기 농업 (有機農業) 농약이나 화학 비료를 쓰지 않고 하는 농업.

유ː기물 (有機物) **1** 생활 기능을 가진 생물체를 조직·구성하는 물질. **2** '유기 화합물'의 준말. 반 무기물.

유ː기한 (有期限) 기간이 정해져 있음. 반 무기한. 준 유기.

유ː기 화ː합물 (有機化合物) [—화함물] 탄소를 주성분으로 하는 화합물. 반 무기 화합물. 준 유기물.

유ː난 말과 행동, 상태 따위가 두드러져 보통과 아주 다름. ㉥유난을 떨다 / 유난스러운 성질 / 눈이 유난히 큰 아이 / 달이 유난히 밝다. **—하다. —히. —스럽다.**

유네스코 (UNESCO) 교육·과학·문화를 통하여 나라 사이의 이해를 깊게 하며 세계 평화에 이바지함을 목적으로 1946년 설립한 국제 기구. 본부는 프랑스의 파리에 있음. 국제 연합 교육 과학 문화 기구.

유년 (幼年) 나이 어린 때. 또는 어린 나이의 아이. ㉥유년 시절.

유년기 (幼年期) 유아기와 소년기의 중간 시기로 유치원이나 초등학교 1·2 학년에 해당하는 시기.

유념하다 (留念—) 마음에 깊이 새기고 생각하다. ㉥다시는 이런 일이 없도록 내 말을 유념해 두게. 비 유의하다.

유ː능 (有能) 재능이나 능력이 있음. ㉥유능한 기술자 / 유능한 인재. 반 무능. **—하다.**

유니세프 (UNICEF) 개발도상국의 아동 복지 향상, 건강 개선을 목적으로 1946년 설립된 유엔 전문 기구의 하나. 본부는 미국의 뉴욕에 있음. 국제 연합 아동 기금.

유니폼 (uniform) **1** 제복. **2** 단체 경기를 하는 선수들이 똑같이 입는 운동복. ㉥붉은색 유니폼의 한국 선수들이 입장하다.

유ː다르다 (類—) 다른 것과 매우 다르다. ㉥유다른 복장을 하고 다니다. 비 특별나다. 활용 유달라 / 유다르니.

유ː단자 (有段者) 검도·유도·태권도·바둑 등에서, 초단 이상의 사람. ㉥태권도 유단자.

유ː달리 (類—) 여느 것과는 아주 다르게. 별나게. ㉥바다를 유달리 좋아하다.

유대 (紐帶) 둘 이상의 사이를 연결 또는 결합시키는 관계. ㉥이웃 나라와 유대를 강화하다.

유대감 (紐帶感) 여러 개인이나 한 집단에 속한 여러 개인들 사이에 연결되어 있는 공통된 느낌.

유대교 (Judea教) 모세의 가르침

을 기초로 기원전 4세기경부터 발달한 유대 인의 민족 종교. 유태교.

유대 인 (Judea人) 히브리 어를 사용하고 유대교를 믿는, 팔레스타인을 원주지로 하는 민족. 유태인. 비 이스라엘 인.

*__유도__[1] (柔道) 맨손으로 맞잡고 상대편이 공격해 오는 힘을 이용하여 상대를 내던지거나 조르거나 눌러 승부를 겨루는 운동.

유도[2] (誘導) 가고자 하는 장소나 방향으로 상대를 이끎. 예책을 읽도록 분위기를 유도하다. **—하다.**

유도탄 (誘導彈) ⇨미사일.

유:독[1] (有毒) 독성이 있음. 예유독 가스. 반 무독. **—하다.**

유:독[2] (惟獨) 많은 것 가운데 홀로. 예왜 유독 너만 싫다고 하니.

유동 (流動) **1** 흘러 움직임. **2** 이리 저리 자주 옮겨 다님. 예유동 인구. 반 고정. **—하다.**

유동성 (流動性) [유동썽] **1** 흘러 움직이는 성질. **2** 형편에 따라 이리 저리 변할 수 있는 성질.

유두[1] (乳頭) ⇨젖꼭지.

유두[2] (流頭) 우리나라 명절의 하나. 나쁜 일을 떨쳐 버리려고 동쪽으로 흐르는 물에 머리를 감는 풍속이 있음. 음력 유월 보름날임.

유들유들 [유들류들 / 유드류들] 부끄러운 줄 모르고 뻔뻔스럽게 구는 모양. 예유들유들한 성격 / 유들유들하게 굴다. **—하다.**

유라시아 (Eurasia) 유럽과 아시아 대륙을 함께 일컫는 말.

유람 (遊覽) 여러 곳을 두루 돌아다니며 구경함. 예전국을 유람하다. **—하다.**

유람객 (遊覽客) 여러 곳을 두루 돌아다니며 구경하는 사람.

유람선 (遊覽船) 유람객을 태우고 다니는 배. 예한강 유람선을 타다.

유랑 (流浪) 일정한 거처 없이 이리저리 떠돌아다님. 예유랑 극단. 반 정착. **—하다.**

유래 (由來) 어떤 사물이나 일이 생겨나 전해 내려옴. 예유래가 깊다 / 유래를 찾다. **—하다.**

*__유럽__ (Europe) 아시아의 서북쪽에 있는 6 대주의 하나. 영국·독일·프랑스 따위의 선진국들이 있고, 문화가 크게 발달한 지역임.

유:력 (有力) **1** 세력이나 재산이 있음. 예유력 인사. **2** 가능성이 많음. 예유력한 우승 후보. **—하다.**

유령 (幽靈) **1** 죽은 사람의 혼령. 비 망혼. **2** 이름뿐이고 실제는 없는 것. 예유령 회사.

유:례 (類例) 같거나 비슷한 예. 예 세계에 그런 유례가 없다.

유:료 (有料) 요금을 내게 되어 있음. 예유료 주차장. 반 무료.

*__유리__ (琉璃) 석영·탄산나트륨·석회암을 주원료로 해서 만든, 투명하고 단단하며 잘 깨지는 물건. 예유리 공업 / 유리 그릇. ➡ glass

유리관 (琉璃管) 유리로 만든 가느다란 관. 흔히 화학 실험에 씀.

유리그릇 (琉璃—) [유리그릇] 유리로 만든 그릇.

유리병 (琉璃瓶) 유리로 만든 병.

유:리수 (有理數) 정수 또는 분수로 나타낼 수 있는 수를 통틀어 일컫는 말. 반 무리수.

유리잔 (琉璃盞) 유리로 만든 잔.

*__유리창__ (琉璃窓) 유리를 끼운 창. 예유리창을 닦다 / 유리창에 김이 서리다 / 유리창이 깨지다.

유리컵 (琉璃cup) 물이나 술 등을 마실 때 쓰는, 유리로 만든 컵.

*__유:리하다__ (有利—) 이익이 있다. 이롭다. 예피고에게 유리한 증언을 하다. 반 불리하다.

유:망주 (有望株) 어떤 분야에서 발전될 가망이 많은 사람. 예유망주를 발굴하다 / 유망주를 키우다.

유ː망하다 (有望—) 희망이 있다. 앞으로 잘될 듯하다. ㉥유망한 사업 / 앞길이 유망한 청년.

유머 (humor) 남을 웃기는 말이나 행동. 해학. ㉥유머가 있는 사람 / 유머 감각이 뛰어나다.

*****유ː명** (有名) 세상에 이름이 알려져 있음. ㉥유명 상표 / 고갱과 고흐는 미술가로 유명하다. ㉥비 저명. ㉥반 무명. **—하다.**

유ː명무실하다 (有名無實—) 이름만 그럴듯하고 실속은 없다.

유모 (乳母) 남의 아이를 그 어머니를 대신하여 젖을 먹여 길러 주는 여자. ㉥비 젖어머니.

유모차 (乳母車) 어린아이를 태워서 밀고 다니는 자그마한 수레.

유목 (遊牧) 한곳에 머물지 않고 물과 풀밭을 따라 옮겨 다니며 소나 양 따위의 가축을 기르는 일. ㉥유목 민족. **—하다.**

유목민 (遊牧民) [유몽민] 유목을 하면서 이동 생활을 하는 사람들.

유ː무 (有無) 있음과 없음. ㉥잘못의 유무를 따지다.

유물 (遺物) **1** 죽은 사람이 남긴 물건. ㉥할아버지의 유물을 정리하다. ㉥비 유품. **2** 유적에서 출토·발굴된 물건. ㉥선사 시대의 유물을 발굴하다.

유민¹ (遺民) 망하여 없어진 나라의 백성. ㉥발해는 고구려의 유민들이 세운 나라다.

유민² (流民) 고향을 떠나 이리저리 떠도는 백성. ㉥유민의 설움.

유발 (誘發) 어떤 일이 원인이 되어 다른 일이 일어남. ㉥교통 체증 유발 / 국경 다툼이 전쟁을 유발했다. **—하다.**

유방 (乳房) 사람이나 동물의 가슴 또는 배의 좌우에 쌍을 이루고 있는, 젖을 분비하는 기관. ㉥비 젖.

유배 (流配) 예전에, 죄인을 귀양 보내던 일. ㉥외딴섬으로 유배 보내다. **—하다.**

유ː별 (有別) 구별이 있음. 다름이 있음. ㉥남녀가 유별하다. **—하다. —히. —스럽다.**

유ː별나다 (有別—) [유별라다] 보통의 것과 아주 다르다. ㉥유별난 사람 / 유별나게 굴다.

유보 (留保) 뒷날로 미루어 둠. ㉥회답을 유보하다. ㉥비 보류. **—하다.**

유복자 (遺腹子) [유복짜] 태어나기 전에 아버지를 여읜 자식. ㉥동생은 유복자로 태어났다.

유복하다 (裕福—) [유보카다] 살림이 넉넉하다. ㉥유복한 가정.

유부 (油腐) 두부를 얇게 썰어 기름에 튀긴 음식. ㉥유부국수.

유ː부남 (有婦男) 아내가 있는 남자. ㉥반 유부녀.

유ː부녀 (有夫女) 남편이 있는 여자. ㉥반 유부남.

유ː분수 (有分數) 마땅히 지켜야 할 분수가 있음. ㉥농담이 지나쳐도 유분수지.

유ː비무환 (有備無患) 준비가 되어 있으면 걱정할 것이 없음.

유ː사¹ (有史) 역사가 시작됨. 역사의 기록이 남아 있는 옛날. ㉥유사 이래 최고의 기록.

유ː사² (類似) 서로 비슷함. ㉥유사 상표 / 유사한 사건. **—하다.**

유ː사시 (有事時) 급하거나 특별한 일이 갑자기 일어난 때. ㉥유사시에 대비하여 식량을 비축해 놓다.

유ː사품 (類似品) 어떠한 물건과 비슷하게 만든 물품. ㉥유사품이 나돌다.

*****유산¹** (遺產) **1** 죽은 사람이 남겨 놓은 재산. ㉥유산을 물려받다. **2** 앞 세대가 물려준 사물이나 문화. ㉥찬란한 문화유산.

유산² (流產) 태아가 달이 차기 전에 죽어서 나옴. 자연 유산과 인공

유산이 있음. **—하다.**
유산균(乳酸菌) ⇨젖산균.
유생¹(儒生) 유학을 공부하는 선비. ㊍유가.
유생²(幼生) 변태 동물의 어린 새끼. 개구리에 대한 올챙이 따위.
유:생물(有生物) 생명이 있는 것. 곧, 동물과 식물. ㊗무생물.
유서¹(遺書) 유언을 적은 글. ㉥유서를 쓰다 / 유서를 남기다.
유서²(由緖) 예로부터 전해 오는 까닭과 내력. ㉥유서 있는 집안.
유:선(有線) 전선을 이용해서 통신하는 방식. ㉥유선 전신. ㊗무선.
유:선 방:송(有線放送) 전선을 사용해서 하는 방송. 교내 방송·케이블 TV 따위.
유:선 전:화(有線電話) 전화선이 연결되어 통화하는 전화. ㊗무선 전화.
유:선 통신(有線通信) 전선을 이용하여 행하는 통신. ㊗무선 통신.
유선형(流線型) 물이나 공기의 저항을 적게 하려고 앞부분을 곡선으로 만든 꼴. 자동차·비행기·배 따위에 응용함.
유성¹(油性) 기름의 성질. 기름과 같은 성질. ㉥유성 페인트.
유성²(流星) ⇨별똥별.
유성룡(柳成龍)〘인명〙 조선 선조 때의 정치가. 호는 서애. 임진왜란 때 이순신과 권율 같은 명장을 천거했음. 저서에 '서애집·징비록' 따위가 있음. [1542-1607]
유:세¹(有勢) 자랑삼아 세도를 부림. ㉥유세를 떨다 / 네가 대체 뭔데 유세냐. **—하다.**
유세²(遊說) 여러 곳을 돌아다니면서 자기 의견이나 소속 정당의 주장을 설명하거나 선전함. ㉥선거 유세. **—하다.**
유속(流速) 물이 흐르는 속도.
유:수¹(有數) 손꼽힐 만큼 두드러짐. ㉥국내 유수의 기업. **—하다.**
유수²(流水) 흐르는 물. ㉥세월은 유수와 같다.
유순하다(柔順—) 성질이 부드럽고 온순하다. ㉥말씨가 유순하다.
유:식(有識) 지식이 있음. 아는 것이 많음. ㉥유식한 체하는 젊은이. ㊗무식. **—하다.**
유:신론(有神論) [유신논] 일반적으로, 신이 있다고 믿는 입장. ㉥유신론자. ㊗무신론.
유실¹(流失) 물에 떠내려가서 없어짐. ㉥홍수로 집과 논밭이 유실되었다. **—하다.**
유실²(遺失) 가지고 있던 것을 잃어버림. ㉥소지품을 유실하다. ㊍분실. **—하다.**
유:실수(有實樹) [유실쑤] 열매가 열리는 나무. 밤나무·감나무·사과나무 따위.
유:심히(有心—) 주의 깊게. ㉥아이의 반응을 유심히 관찰하다.
유아¹(乳兒) ⇨젖먹이.
유아²(幼兒) 학교에 다니기 전의 어린아이.
유아기¹(幼兒期) 만 1세부터 6세까지의 어린 시기.
유아기²(乳兒期) 태어나서 약 1년간 모유 또는 우유를 먹으며 자라는 시기.
유아원(幼兒園) 유치원에 들어가기 전의 어린아이들을 맡아서 돌보고 가르치는 시설.
유:야무야(有耶無耶) 있는 듯 없는 듯 흐지부지함. ㉥유야무야로 끝나다. **—하다.**
유약(釉藥) 도자기를 구울 때, 그 겉에 덧씌우는 약. 윤이 나게 하고 기체나 액체의 침투를 막음. ㉥유약을 입히다. ㊍잿물.
유언(遺言) 죽기 전에 가족이나 가까운 사람들에게 남긴 말. ㉥유언을 남기다. **—하다.**

유언비어 (流言蜚語) 아무 근거 없이 널리 퍼진 소문. ㉠유언비어를 퍼뜨리다. ㉥뜬소문.

유언장 (遺言狀) [유언짱] 유언을 적은 문서. ㉠유언장을 작성하다.

유에프오 (UFO) 정체를 알 수 없는 비행 물체. 미확인 비행 물체. 비행접시.

유엔 (UN) 제 2 차 세계 대전 후, 국제 평화의 유지와 국가 간의 협력을 위해 1945년에 만들어진 국제 기구. 본부는 미국의 뉴욕에 있음. 국제 연합.

유엔군 (UN軍) 국제 평화를 지키기 위하여 유엔에 가입한 나라의 군인들로 이루어진 군대. 6·25 전쟁 때 미국 등 16 개국이 참전함. 국제 연합군.

유엔 안전 보:장 이:사회 (UN安全保障理事會) 세계 평화와 안전을 지키고 분쟁을 해결하기 위하여 둔 유엔의 중요 기관의 하나. ㉨안보리. 안전 보장 이사회.

유엔 총:회 (UN總會) 유엔의 최고 기관. 유엔에 가입한 전 회원국으로 구성되며, 매년 9월에 정기 총회가 열림. 국제 연합 총회.

***유역** (流域) 강물이 흐르는 언저리의 지역. ㉠한강 유역.

유연성 (柔軟性) [유연썽] 부드럽고 연한 성질. ㉠유연성을 기르다.

유:연탄 (有煙炭) 탈 때 연기가 나는 석탄. 갈탄·역청탄 따위.

유연하다 (柔軟—) 부드럽고 연하다. ㉠유연한 동작.

유예 (猶豫) **1** 우물쭈물하며 망설임. **2** 시일을 미루거나 늦춤. ㉠3일간의 유예를 주다. **—하다.**

유:용하다 (有用—) 쓸모가 있다. ㉠학생들에게 유용한 책.

유원지 (遊園地) 돌아다니며 구경하거나 놀기 위하여 여러 가지 시설을 갖추어 놓은 곳. ㉥놀이동산.

유월 (←六月) 한 해 중의 여섯 번째의 달. ➡ June

유:유상종 (類類相從) 같은 무리끼리 서로 사귐. **—하다.**

유유자적 (悠悠自適) 속세를 떠나 아무것에도 얽매이지 않고 자기 멋대로 마음 편히 삶. **—하다.**

유유히 (悠悠—) **1** 여유가 있으며 태연하게. ㉠범행을 저지르고 유유히 사라졌다. **2** 한가하고 느리게. ㉠유유히 흐르는 강.

유:의어 (類義語) [— / 유이어] 뜻이 서로 비슷한 말.

유의점 (留意點) [유의쩜 / 유이쩜] 주의할 사항이나 일. ㉠도시가스 사용시의 유의점.

***유의하다** (留意—) [— / 유이하다] 마음에 새겨 두어 조심하며 관심을 가지다. ㉠건강에 유의하다.

유:익하다 (有益—) [유이카다] 도움이 되고 이롭다. ㉠유익한 책.

유인 (誘引) 주의나 흥미를 일으켜 꾀어냄. ㉠미끼로 물고기를 유인하다. **—하다.**

유:인원 (類人猿) [유이눤] 원숭이류 중 가장 진화한 것. 다른 원숭이류보다 크고 사람과 비슷하며, 꼬리가 없고 앞다리의 발가락이 발달하여 거의 곧게 서서 걸을 수 있음.

유일 (唯一) 오직 그것 하나뿐임. ㉠유일한 친구 / 영화 감상은 나의 유일한 취미이다. **—하다.**

유일무이하다 (唯一無二—) 오직 하나뿐이고 둘도 없다. ㉠유일무이한 기회.

유임 (留任) 개편이나 임기 만료 때에 그 직위에 그대로 머물러 일을 맡아봄. **—하다.**

유입 (流入) 흘러 들어옴. ㉠무분별한 외래 문화의 유입으로 청소년이 퇴폐해지다. **—하다.**

유:자 (柚子) 유자나무의 열매.

유:자나무 (柚子—) 운향과의 상록

교목. 잎은 달걀 모양의 긴 타원형임. 동글납작한 열매가 겨울에 누렇게 익으며, 향내가 나고 맛이 심.

유작 (遺作) 죽은 사람이 살아 있을 때 남긴 작품. ㊉고인의 유작을 전시하다.

*__유적__ (遺跡〔蹟〕) 성·건물·고인돌·고분 따위처럼 남아 있는 역사의 자취. ㊉유적이 발견되다. 비 고적.

유적지 (遺跡地) [유적찌] 유물이나 유적이 있는 장소. ㊉유적지 견학 / 유적지 답사.

유전[1] (油田) 석유가 나는 곳. ㊉유전 지대 / 유전 탐사.

유전[2] (遺傳) 조상으로부터 자손에게 몸의 모양이나 성질이 전해지는 현상. ㊉유전 인자 / 나병은 유전되지 않는다. **—하다.**

유전 공학 (遺傳工學) 유전자의 합성·변형 따위를 연구하는 학문. 병의 치료나 유익한 산물의 대량 생산을 목적으로 함. 비 유전자 공학.

유전병 (遺傳病) [유전뼝] 유전으로 어버이로부터 자손에게 전해지는 병. 색맹·혈우병 따위.

유전자 (遺傳子) 생물체 개개의 유전 형질을 나타내는 원인이 되는 물질. 염색체 안에 있음.

유제품 (乳製品) 우유를 가공하여 만든 식품. 버터·치즈·연유·분유 따위.

유조선 (油槽船) 석유를 실어 나르는 배.

유족 (遺族) 죽은 사람의 뒤에 남아 있는 가족. 비 유가족.

유:종 (有終) 완전히 끝을 맺음.
유종의 미 일의 끝을 잘 마무리하는 것. ㊉유종의 미를 거두다.

유:죄 (有罪) 잘못이나 죄가 있음. ㊉유죄 판결을 받다. 반 무죄.

유:지[1] (有志) 마을이나 지역 등에서 이름이 나 있고 영향력을 가진 사람. ㊉마을 유지들이 지역 개발에 앞장섰다.

*__유지__[2] (維持) 어떤 상태나 현상을 그대로 보존하거나 변함없이 지탱함. ㊉질서 유지 / 규칙적인 운동으로 건강을 유지하다. **—하다.**

유지[3] (油脂) 동식물에서 얻은 기름. 비누·도료·의약품 따위를 만들 때 씀.

유창하다 (流暢—) 말을 하거나 글을 읽는 것이 물이 흐르듯 거침이 없다. ㊉영어를 유창하게 하다.

유채 (油菜) 십자화과의 두해살이풀. 봄에 노란 꽃이 피며, 잎과 줄기는 나물로 먹고 씨는 기름을 짬. ㊉유채꽃. 비 평지.

유:채색 (有彩色) 검정·하양·회색을 뺀 모든 색깔. 반 무채색.

유체 (流體) 기체와 액체를 통틀어 이르는 말. 비 유동체.

유:추 (類推) 서로 비슷한 점을 이용하여 같은 조건의 다른 사물을 미루어 헤아리는 일. **—하다.**

유출 (流出) **1** 밖으로 흘러 나감. 또는 흘려 내보냄. ㊉공장 폐수의 유출. **2** 귀중한 물품이나 정보 따위가 불법으로 흘러 나감. ㊉시험지가 수험생에게 유출되었다. **—하다.**

유충 (幼蟲) ⇨애벌레. 반 성충.

유치 (誘致) 시설 따위를 갖추어 놓고 사람을 오게 하거나 행사를 열게 함. ㊉관광객 유치 사업. **—하다.**

*__유치원__ (幼稚園) 초등학교에 들어가기 전의 어린이들을 교육하는 시설이나 기관.

유치장 (留置場) 경찰서에서 법을 어긴 사람들을 임시로 가두어 두는 곳. ㊉유치장 신세를 지다.

유치하다 (幼稚—) 수준이 낮거나 미숙하다. ㊉유치한 생각 / 행동이 유치하기 짝이 없다.

유쾌하다 (愉快—) 즐겁고 상쾌하다. ㊉유쾌한 기분 / 하루를 유쾌하게 보내다. 반 불쾌하다.

유턴 (U-turn) 자동차 따위가 'U' 자 모양으로 돌아 방향을 바꾸는 일. **—하다.**

유토피아 (utopia) 이 세상에는 없는 이상적인 사회. 이상향. ㊞유토피아를 꿈꾸다.

유통 (流通) **1** 공기나 액체 따위가 거침없이 흘러 통함. **2** 화폐나 수표 등이 세상에 널리 쓰임. ㊞새로 유통되는 화폐. **3** 상품이 생산자·상인·소비자 사이에 거래됨. ㊞수입 상품의 유통 과정. **—하다.**

유통 기한 (流通期限) 주로 식품 따위의 상품이 유통될 수 있는 정해진 기간. ㊞유통 기한을 확인하다.

유품 (遺品) 죽은 사람이 생전에 쓰다 남긴 물건. ㊞전사자의 유품 / 유품을 간직하다. 🄑유물.

유프라테스 강 (Euphrates江) 이라크의 메소포타미아 평야를 흐르는 큰 강. 고대 문명의 발상지임.

유하다[1] (留—) 어떤 곳에 머물러 묵다. ㊞친구 집에 유하다.

유하다[2] (柔—) 부드럽고 순하다. ㊞성격이 유하다. 🄑강하다.

유학[1] (留學) 외국에 가서 공부함. ㊞조기 유학 / 미국으로 유학을 가다. **—하다.**

유학[2] (儒學) 공자의 사상을 근본으로 하는 학문. 🄑공맹학. *성리학. 유교.

유학생 (留學生) [유학쌩] 외국에 머물면서 공부하는 학생.

유ː한 (有限) 수·양·공간 등에 일정한 한도나 한계가 있음. ㊞인간의 수명은 유한하다. 🄑무한. **—하다.**

유해[1] (遺骸) 죽은 사람의 몸이나 뼈. ㊞유해를 묻다. 🄑유골.

유ː해[2] (有害) 해로움이 있음. ㊞유해 식품 / 담배는 건강에 유해하다. 🄑무해. **—하다.**

유행 (流行) **1** 옷차림·말·생각 따위가 일시적으로 널리 퍼지는 현상. ㊞유행이 지난 옷차림. **2** 전염병 따위가 널리 퍼지는 일. ㊞독감이 유행하다. **—하다.**

유행가 (流行歌) 특정한 시기에 대중의 인기를 얻어서 많은 사람이 듣고 부르는 노래.

유행병 (流行病) [유행뼝] 전염하여 널리 퍼지는 병. 🄑돌림병.

유행성 (流行性) [유행썽] 일시적으로 널리 퍼지는 성질. ㊞유행성 감기 / 유행성 결막염.

유행어 (流行語) 어떤 기간에 많은 사람들에게 널리 쓰이는 말. 🄑시쳇말. 요샛말.

유ː형[1] (有形) 모양이나 형체가 있음. 🄑무형.

유ː형[2] (類型) 비슷한 것 사이의 공통된 형태. ㊞몇 개의 유형으로 나누다.

유ː형 문화재 (有形文化財) 건축물·조각·책·예술품 등 형체가 있어 눈으로 볼 수 있으며, 역사적·예술적 가치가 있는 문화재. 🄑무형 문화재. *인간 문화재.

유형원 (柳馨遠) 〖인명〗 조선 효종 때의 실학자. 호는 반계. 저술과 학문 연구에 힘썼으며, 토지 개혁, 상공업 장려 따위를 주장함. 저서에 '반계수록' 등이 있음. [1622–1673]

유혹 (誘惑) 남을 꾀어서 그릇된 마음을 품거나 그릇된 행동을 하게 함. ㊞유혹을 뿌리치다 / 유혹에 넘어가다. **—하다.**

유화 (油畫) 기름에 갠 물감으로 그린 서양식 그림. ㊞캔버스에 그린 유화. 🄑유채화.

유황 (硫黃) ⇨황.

유ː효 (有效) 효력이나 효과가 있음. ㊞유효 기간 / 건강에 유효한 식품 / 이 계약은 아직 유효하다. 🄑무효. **—하다.**

유흥 (遊興) 흥겹게 놂. ㊞유흥 시설 / 유흥에 빠지다. **—하다.**

유흥가 (遊興街) 술집 따위의 놀 수 있는 장소가 모여 있는 거리.

유희 (遊戲) [유히] 즐겁게 놀며 장난함. ㉠식구들과 유희를 즐기다. **—하다.**

***육** (六) 여섯. ㉠육 개월. ➡six

육각기둥 (六角—) [육깍끼둥] 밑면이 육각형이고 옆면이 여섯 개인 기둥.

육각형 (六角形) [육까켱] 여섯 개의 직선으로 둘러싸인 평면 도형.

육교 (陸橋) [육꾜] 교통이 번잡한 도로나 철로 위에 건너질러 놓은 다리. ㉠육교를 건너다.

육군 (陸軍) [육꾼] 육지에서의 전투를 임무로 하는 군대. ㉠육군 사관학교. *공군. 해군. ➡army

육대주 (六大洲) [육때주] 지구 위의 여섯 대륙. 아시아·아프리카·유럽·오세아니아·남아메리카·북아메리카를 이름. ㉠오대양 육대주.

육로 (陸路) [융노] 육지에 있는 길. ㉠육로를 이용하여 피난을 가다. 반 수로. 해로.

육류 (肉類) [융뉴] 먹을 수 있는 짐승의 고기 종류.

육면체 (六面體) [융면체] 여섯 개의 평면으로 둘러싸인 입체.

육박전 (肉薄戰) [육빡쩐] 적과 맞붙어 총검으로 싸우는 전투. ㉠치열한 육박전을 벌이다.

육박하다 (肉薄—) [육빠카다] 어떤 수준에 아주 가까이 다가가다. ㉠5만에 육박하는 군중 / 마감 시간이 육박하다.

육상 (陸上) [육쌍] **1** 육지의 위. 땅위. ㉠육상 교통. 비 육지. 반 해상. **2** '육상 경기'의 준말.

육상 경:기 (陸上競技) [육쌍—] 땅 위에서 하는 여러 가지 운동 경기. 달리기·멀리뛰기·높이뛰기·던지기 따위. 준 육상.

육성[1] (肉聲) [육썽] 사람의 입에서 직접 나오는 소리. ㉠유언을 육성으로 남기다.

육성[2] (育成) [육썽] 길러서 키움. ㉠인재를 육성하다. **—하다.**

육순 (六旬) [육쑨] **1** 예순 날. **2** 예순 살. ㉠육순의 어머니.

육식 (肉食) [육씩] **1** 음식으로 고기를 먹음. 반 채식. **2** 동물이 다른 동물의 고기를 먹이로 하는 일. 반 초식. **—하다.**

육식 동:물 (肉食動物) [육씩똥물] 사자나 호랑이 등과 같이 다른 동물의 고기를 먹이로 하는 동물. *초식 동물.

육신 (肉身) [육씬] 사람의 몸. ㉠육신이 멀쩡하다. 비 육체. 반 영혼.

육십 (六十) [육씹] ⇨예순. ㉠육십 명 / 육십 세.

육십갑자 (六十甲子) [육씹깝짜] 십간과 십이지를 차례로 배합하여 예순 가지로 늘어놓은 것.

참고 **육십갑자**

갑자	을축	병인	정묘	무진
기사	경오	신미	임신	계유
갑술	을해	병자	정축	무인
기묘	경진	신사	임오	계미
갑신	을유	병술	정해	무자
기축	경인	신묘	임진	계사
갑오	을미	병신	정유	무술
기해	경자	신축	임인	계묘
갑진	을사	병오	정미	무신
기유	경술	신해	임자	계축
갑인	을묘	병진	정사	무오
기미	경신	신유	임술	계해

육십 만:세 운:동 (六十萬歲運動) [육씹—] 조선의 마지막 임금인 순종의 장례식 날인 1926년 6월 10일에 청년·학생들이 일제에 항거하여 일으킨 만세 운동.

육아 (育兒) [유가] 어린아이를 기름. ㉠육아 일기 / 육아 문제.

육안 (肉眼) [유간] 안경을 쓰지 않고 직접 보는 눈. ㊞육안으로는 볼 수가 없다. 비 맨눈.

육영 (育英) [유경] 훌륭한 인재를 가르쳐 기름. 곧, 교육을 이르는 말. ㊞육영 사업.

육영 공원 (育英公院) [유경—] 조선 말 고종 23년(1886)에 나라에서 세웠던 최초의 현대식 학교.

육의전 (六矣廛) [유긔전 / 유기전] 조선 때 서울 종로에 있던, 선전·면포전·지전·면주전·저포전·내외 어물전 등의 여섯 가지 종류의 가게. 비 육주비전.

육이오 전:쟁 (六二五戰爭) [유기오—] 1950년 6월 25일 새벽, 북위 삼십팔도선을 넘어 북한군이 기습적으로 남침함으로써 일어난 전쟁. 1953년 7월 27일 휴전이 됨. 비 육이오 사변. 준 육이오.

육자배기 (六字—) [육짜배기] 남도 지방의, 곡조가 활발한 민요.

육조 (六曹) [육쪼] 고려·조선 시대에 나라의 일을 맡던 이조·호조·예조·병조·형조·공조의 여섯 관청. 지금의 행정부와 비슷한 기관임.

육중하다 (肉重—) [육쭝하다] 투박하고 무겁다. ㊞육중한 몸집 / 육중하고 둔탁한 소리.

***육지** (陸地) [육찌] **1** 물에 잠기지 않은 땅. ㊞배가 육지에 닿다. **2** 대륙과 연결되어 있는 땅. ㊞육지 사람들. 비 대륙. 뭍. 반 바다. 해양.

육체 (肉體) 사람의 몸. ㊞육체를 단련하다. 비 신체. 육신. 인체. 반 영혼. 정신.

육체노동 (肉體勞動) 몸을 움직여 그 힘으로 하는 노동. ㊞육체노동에 종사하다. 반 정신노동.

육체미 (肉體美) 몸이 발달하여 균형이 잡힌 몸매.

육체적 (肉體的) 육체에 관한 (것). ㊞육체적 고통. 반 정신적.

육촌 (六寸) 사촌의 자녀끼리의 촌수. ㊞육촌 동생.

육친 (肉親) 조부모·부모·형제 등과 같이 혈족 관계가 있는 사람. ㊞육친의 정을 느끼다.

육탄 (肉彈) 몸을 탄알 삼아 직접 적진에 뛰어들어 덤비는 일. 또는 그 몸. ㊞육탄 돌격.

육포 (肉脯) 쇠고기를 얇게 저며 양념하여 말린 포.

육풍 (陸風) 육지에서 바다로 부는 바람. 비 육연풍. 반 해풍.

육하원칙 (六何原則) [유카원칙] 보도 기사 등의 글을 쓸 때 반드시 지켜야 할 여섯 가지 기본적인 원칙. 곧, '누가, 언제, 어디서, 무엇을, 어떻게, 왜'를 일컫는 말.

육해공군 (陸海空軍) [유캐공군] 육군과 해군과 공군. 비 삼군.

육회 (肉膾) [유쾨] 소의 살코기·간·처녑·양 등을 잘게 썰어 갖은 양념을 하여 날로 먹는 음식.

윤: (潤) '윤기'의 준말. ㊞윤이 나는 마룻바닥.

윤곽 (輪廓) **1** 일이나 사건의 큰 줄거리. ㊞사건의 윤곽이 드러나다. **2** 사물의 테두리나 대강의 모습. ㊞윤곽이 뚜렷한 얼굴.

윤관 (尹瓘) 〖인명〗 고려 예종 때의 장군. 여진을 정벌하고 아홉 개의 성을 쌓았음. [?-1111]

윤:기 (潤氣) [윤끼] 매끈하고 빛이 나는 기운. ㊞윤기가 흐르는 머리 / 피부에 윤기가 흐르다. 준 윤.

윤:나다 (潤—) 윤기가 나타나다. ㊞바닥을 윤나게 닦다.

윤:년 (閏年) 윤달이나 윤일이 있는 해. 양력에서는 4년마다 한 번 2월이 29일까지 있고, 음력에서는 5년에 두 번의 비율로 1년을 13개월로 함. 반 평년.

윤:달 (閏—) 윤년에 드는 달. 양력에서는 2월이 평년보다 하루 많고,

음력에서는 평년보다 한 달을 더하여 만듦.

윤동주 (尹東柱) 〖인명〗 시인. 1943년에 독립 운동의 혐의로 일본 경찰에 붙잡혀 감옥에서 사망함. 작품집에 '하늘과 바람과 별과 시'가 있음. [1917-1945]

윤리 (倫理) [율리] 사람이 살아가는 데 지켜야 할 도리. ㉥인륜.

윤봉길 (尹奉吉) 〖인명〗 독립 운동가. 1932년 일본 천황의 생일을 기념하는 축하식장인 상하이 홍커우 공원에 폭탄을 던져 시라카와 대장 등 일본 고관들을 죽이고 붙잡혀 순국함. [1908-1932]

윤선도 (尹善道) 〖인명〗 조선 중기의 문신·시조 작가. 호는 고산·해옹. 시조 문학의 대가로 77 수가 전함. [1587-1671]

윤전기 (輪轉機) 원통 모양의 인쇄판 사이에 종이를 끼워 고속으로 인쇄하는 기계. 신문 인쇄 등에 씀. ㉥윤전 인쇄기.

윤:택 (潤澤) **1** 살림이 넉넉하고 여유가 있음. ㉦윤택한 살림. **2** 윤기 있는 광택. **—하다.**

윤:활유 (潤滑油) [윤활류] 기계가 맞닿는 부분의 마찰을 덜기 위하여 쓰는 기름. ㉦자동차 엔진 윤활유.

윤회 (輪廻) 불교에서, 삶과 죽음이 끝없이 되풀이하는 일. ㉦윤회 사상. **—하다.**

율 (率) '비율'의 준말. ㉦투표에 참여하는 율이 높다.

-율 (率) 받침이 없거나 ㄴ 받침이 있는 말 뒤에 붙어, 비율의 뜻을 나타내는 말. ㉦감소율 / 백분율 / 할인율. →률 주의

율곡 (栗谷) '이이²'의 호.

율동 (律動) [율똥] 가락에 맞추어 추는 춤.

율무 볏과에 속하는 한해살이풀. 높이는 1.5 m가량, 여름에 꽃이 피며 타원형의 열매를 맺는데 먹거나 약으로 씀.

율법 (律法) [율뻡] 인간이 지켜야 할 종교적·사회적·도덕적 생활에 대하여 신의 이름으로 만든 법. 모세의 십계명이 대표적임.

융 (絨) 감의 거죽이 부드러운 천의 한 가지.

융기 (隆起) **1** 높게 일어나 들뜸. 또는 그 부분. **2** 땅이 기준면보다 높아짐. **—하다.**

융단 (絨緞) 염색한 털로 그림이나 무늬를 놓아 짠 두꺼운 모직물의 하나. 마루에 깔거나 벽에 겖. 카펫.

융성 (隆盛) 기운차게 일어나거나 크게 번성함. ㉦불교가 크게 융성하다. **—하다.**

융숭하다 (隆崇—) 대하는 태도가 매우 정성스럽고 극진하다. ㉦융숭한 대접을 받다.

융자 (融資) 돈을 빌려 씀. 또는 그 돈. ㉦은행 융자를 받다. **—하다.**

융털 (絨—) **1** 작은창자의 안쪽 벽에 촘촘하게 나 있는 부드러운 털. 소화를 돕고 양분의 흡수를 쉽게 함. ㉥융모. **2** 융단 거죽에 난 보드라운 털.

융통 (融通) 필요한 물건이나 돈을 돌려씀. ㉦돈을 융통하다. **—하다.**

융통성 (融通性) [융통썽] 형편에 따라 일을 잘 처리하는 성질이나 능력. ㉦융통성이 없는 사람.

융합 (融合) 여러 종류의 것이 녹아서 하나로 합침. ㉦산소와 수소가 융합하면 물이 된다. **—하다.**

융해 (融解) 고체에 열을 가했을 때 액체로 되는 현상. ㉦융해 온도. **—하다.**

융화 (融和) 서로 어울려 화목하게 됨. ㉦세대간의 융화를 도모하다. **—하다.**

***윷:** [윧] **1** 작고 둥근 통나무 두 개를 반으로 쪼개어 네 쪽으로 만든

놀잇감. **2** 윷놀이에서, 윷짝 네 개가 모두 뒤집힌 경우. 윷말이 네 자리를 갈 수 있음. ㊀윷이 나오다. → 윷짝 참고

〈윷1〉

윷:가락 [윤까락] ⇨윷짝.

***윷:놀이** [윤노리] 편을 갈라 윷을 던져 승부를 겨루는 놀이. **—하다.**

윷:말 [윤말] 윷놀이에서 쓰는 말. 한 편에 네 개씩 있음.

윷:밭 [윤빧] **1** 윷놀이에서, 말을 놓는 자리. **2** 윷판의 말밭.

윷:짝 [윤짝] 윷의 낱개. 비 윷가락. **윷짝 가르듯** 판단이 분명함을 비유한 말.

> 참고 **윷짝**
> (1) **말뜻**
> 도(돼지) ← 돝
> 개(개)
> 걸(양) ← 결 ← 갈(큰 양의 뜻)
> 윷(소) ← ← 슛 ← 슈 ← 쇼
> 모(말) ← 몰 ←
> (2) **유래**
> 몸체의 크기로…개보다는 양이 크고 양보다는 소가 크다.
> 속도로…돼지가 가장 느리고 말이 가장 빠르다.

윷:판 [윤판] **1** 윷을 놀고 있는 그 자리. ㊀윷판을 벌이다. **2** 윷밭을 그린 판. 비 말판.

으깨다 굳은 물건이나 덩이로 된 물건을 눌러 부스러뜨리다. ㊀삶은 감자를 으깨다. 비 뭉개다.

으드득 **1** 매우 단단한 물건을 힘껏 깨물어 깨뜨리는 소리. **2** 이를 세게 가는 소리. 작 아드득. **—하다.**

으뜸 **1** 많은 것 가운데 뛰어난 것. 또는 첫째가는 것. ㊀으뜸이 되다 / 글은 간결함을 으뜸으로 한다. **2** 기본·근본의 뜻. ㊀효도는 윤리의 으뜸이다.

으뜸가다 많은 것 중에서 첫째가 되다. ㊀으뜸가는 맛 / 마을에서 으뜸가는 미인으로 뽑히다.

으뜸꼴 어떤 낱말의 기본이 되는 꼴. '-다'를 붙여 나타냄. 가다·보다·울다 따위. 비 기본형. 원형.

으뜸음 (—音) [으뜨믐] 음계의 첫째 음. 장음계에서는 '도', 단음계에서는 '라' 음임.

으뜸화음 (—和音) 음계의 으뜸음을 밑음으로 하여 이루어진 삼화음.

-으랴 받침 있는 말에 붙어, '어찌 그러할 것이냐'의 뜻을 나타내는 말. ㊀스승의 은혜를 어찌 잊으랴.

-으러 받침 있는 말에 붙어, 그 다음에 오는 동작의 직접 목적을 나타내는 말. ㊀점심을 먹으러 가다.

> 주의 **'-(으)러'** 와 **'-(으)려'**
> **-(으)러** '가다, 오다'와 같은 말 앞에 쓰여서, 그 동작의 직접 목적을 나타내는 말이다. ㊀공부하러 도서관에 간다.
> **-(으)려** '하다' 앞에 쓰여서, 그 동작의 의도를 나타내는 말이다. 뒤에 '-고'가 붙어서 '-(으)려고'로 쓰이는 것도 '-(으)러'와 다른 점이다. ㊀서울에 가려 한다.

으레 **1** 두말할 것 없이. 당연히. ㊀으레 우리가 할 일이다. **2** 틀림없이. 언제나. ㊀앉았다 하면 으레 책을 읽는다. ×으례.

-으려 '-으려고'의 준말. ㊀그 말을 믿으려 합니다. → -으러 주의

-으려고 받침 있는 동사의 어간에 붙어, 장차 하고자 하는 뜻 또는 그렇게 될 듯하다는 뜻을 나타내는 말. ㊀가로수에 싹이 돋으려고 한다. 준 -으려.

***으로** ㄹ 받침 이외의 받침 있는 말

에 붙어, 수단·방법·재료 따위와 이유·원인·지위·자격 또는 시간·방향 등을 나타내는 말. ㉥돈으로 약을 사다 / 동쪽으로 가다 / 병으로 결석하다 / 반장으로 뽑히다 / 아침저녁으로 문안하다.

으로서 ㄹ 받침 이외의 받침 있는 말에 붙어, '지위나 신분 또는 자격을 가지고'의 뜻을 나타내는 말. ㉥학생으로서 마땅히 해야 할 일. →로서 [주의]

으로써 ㄹ 받침 이외의 받침 있는 말에 붙어, '…을 가지고'의 뜻을 나타내는 말. ㉥용기와 신념으로써 경기에 임하라. →로서 [주의]

으르다 말이나 행동으로 상대방을 위협하다. ㉥아무리 으르고 달래도 소용이 없다. [활용] 을러 / 으르니. →어르다 [주의]

으르렁거리다 **1** 크고 사나운 짐승 따위가 자꾸 성내어 크고 세차게 울부짖다. **2** 아주 성이 나서 자꾸 거친 말로 서로 다투다. ㉥그들은 만나기만 하면 으르렁거린다.

으름장 [으름짱] 말이나 행동으로 남을 위협하는 짓.

으름장(을) 놓다 말이나 행동으로 단단히 으르다. ㉥지각하는 사람들은 혼내 주겠다고 으름장을 놓았다.

으리으리하다 기가 질릴 정도로 규모나 모양이 굉장하다. ㉥집이 으리으리하다.

-으므로 받침 있는 말의 줄기에 붙어, 까닭을 나타내는 말. ㉥돈이 없으므로 못 간다.

-으세요 ⇨-으셔요. ㉥새해 복 많이 받으세요.

-으셔요 '-으시어요'의 준말. ㉥받으셔요 / 앉으셔요. [비] -으세요.

으스대다 어울리지 않게 우쭐거리며 뽐내다. ㉥힘이 세다고 으스대다. ×으시대다.

으스러지다 덩어리가 깨어져 부스러지다. ㉥손이 으스러지도록 꼭 잡다. [작] 아스러지다.

으스름 빛 따위가 침침하고 흐릿한 상태. ㉥으스름한 달밤 / 으스름이 깔리다. **—하다.** →어스름 [주의]

으스스 차거나 싫은 것이 몸에 닿았을 때 소름이 끼치는 모양. ㉥찬바람에 온몸이 으스스 떨린다. ×으시시. **—하다.**

으슥하다 [으스카다] 무서운 느낌이 들 만큼 구석지고 고요하다. ㉥으슥한 골목길.

으슬으슬 [으스르슬] 소름이 끼칠 듯이 차가운 느낌이 자꾸 드는 모양. ㉥감기에 걸려 몸이 으슬으슬 춥다. [작] 오슬오슬. **—하다.**

으슴푸레 달빛이나 불빛 따위가 침침하고 흐릿한 모양. ㉥으슴푸레한 달빛. **—하다.**

*__-으시-__ 존경의 뜻을 나타내는 말. ㉥선생님은 내 손을 꼭 잡으시었다. *-시-.

-으시어요 존경의 뜻을 나타내는 '-으시-'에 '-어요'가 붙어 친근감 있게 설명·의문·명령 따위의 뜻을 나타내는 말. ㉥이 책을 읽으시어요 / 이제 앉으시어요 / 문을 꼭 닫으시어요. [준] -으셔요.

으쓱 **1** 갑자기 어깨를 한 번 들먹이는 모양. **2** 어깨를 들먹이며 우쭐하는 모양. ㉥합격 소식에 어깨가 으쓱 올라갔다. **—하다.**

으쓱거리다 [으쓱꺼리다] **1** 어깨를 자꾸 들먹이다. ㉥신이 나서 어깨가 저절로 으쓱거린다. **2** 어깨를 들먹이며 자꾸 우쭐거리다.

으악 **1** 갑자기 토하는 소리. **2** 놀라거나 남을 놀라게 하려고 크게 지르는 소리.

으앙 젖먹이가 우는 소리.

윽박지르다 [윽빡찌르다] 몹시 꾸짖거나 다그쳐서 기를 꺾다. ㉥잘못한 학생을 윽박지르다 / 윽박지르지 말고 잘 타일러라. [활용] 윽박질러 / 윽박지르니. ×욱박지르다.

*은[1] (銀) 귀금속의 하나. 금보다 조금 가볍고 단단하며 백색의 광택을 가짐. 화폐·장식품 따위에 쓰임. ㊀ 은수저. ➡ silver

*은[2] 받침 있는 말에 붙어, 사물을 구별하거나 강조하는 뜻을 나타내는 말. ㊀인생은 짧고 예술은 길다 / 오늘은 기분이 좋다 / 아직은 그곳에갈 수 없다.

은거 (隱居) 세상을 피해 숨어 삶. ㊀도시를 떠나 시골에 은거하다. **—하다.**

은공 (恩功) 은혜와 공로. ㊀부모의 은공에 보답하다.

은근슬쩍 (慇懃—) 드러나지 않게 슬그머니. ㊀아버지께서 은근슬쩍 오시더니 용돈을 주셨다.

은근하다 (慇懃—) 행동 따위가 드러나지 않고 은밀하다. ㊀은근한 태도 / 은근하게 말하다.

은근히 (慇懃—) 은근하게. ㊀은근히 자랑을 하다.

은닉 (隱匿) 남의 물건이나 범죄인을 몰래 숨기어 감춤. ㊀범인을 은닉하다. ×은익. **—하다.**

은덕 (恩德) 은혜와 덕. ㊀선생님의 은덕 / 은덕을 입다.

*-**은데** **1** 다음 말을 끌어내려고 관련될 만한 어떤 사실을 먼저 말할 때 쓰는 말. ㊀물건은 좋은데 값이 비싸다. **2** 스스로 감탄할 때 쓰는 말. ㊀경치가 참 좋은데.

은둔 (隱遁) 세상일을 피하여 숨음. ㊀은둔 생활. **—하다.**

은막 (銀幕) **1** 영사막. **2** 영화계. ㊀은막의 여왕.

은메달 (銀medal) 은으로 만든 메달. 경기 등에서 2위를 차지한 선수에게 줌. ㊀은메달을 따다 / 은메달을 목에 걸다.

은밀하다 (隱密—) 숨어 있어서 겉으로 드러나지 않다. ㊀이야기를 은밀하게 나누다.

은박 (銀箔) 은을 두드려서 얇은 종이처럼 만든 것. ㊀은박을 입히다.

은박지 (銀箔紙) [은박찌] 알루미늄을 종이처럼 얇고 넓게 만든 것으로, 주로 식품을 포장할 때 씀.

은반 (銀盤) **1** 은으로 만든 쟁반. **2** 달이나 얼음판 따위를 아름답게 일컫는 말. ㊀은반의 요정.

은방울 (銀—) 은으로 만든 방울.

은빛 (銀—) [은삗] 은과 같은 빛깔. ㊀은빛 날개 / 은빛 물결. [비] 은색.

은사 (恩師) 가르친 선생님을 높여 이르는 말. ㊀초등학교 시절의 은사를 찾아뵙다.

은상 (銀賞) 상의 등급을 금·은·동으로 나누었을 때의 2등 상.

은색 (銀色) ⇨은빛.

은신처 (隱身處) 몸을 숨기는 곳. ㊀은신처를 찾다.

은어 (隱語) [으너] 어떤 단체나 무리에서 자기네끼리만 알도록 특정한 뜻을 숨겨 쓰는 말.

은연중 (隱然中) [으년중] 겉으로 드러나지 아니하는 가운데. 남이 모르는 가운데. ㊀은연중에 속마음을 내보이다.

은유법 (隱喩法) [으뉴뻡] 본뜻은 숨기고 다른 것에 빗대어 본뜻을 표현하는 법. '내 마음은 호수요' 라고 하는 따위. [반] 직유법.

은은하다 (隱隱—) [으는하다] **1** 겉으로 드러나지 아니하고 어슴푸레하고 흐릿하다. ㊀달빛이 은은하게 비치다. **2** 소리가 아득하여 들릴 듯 말 듯 하다. ㊀목탁 소리가 은은하게 들려오다.

은은히 (隱隱—) [으는히] 은은하게. ㊀은은히 들려오는 종소리.

은인 (恩人) [으닌] 은혜를 베풀어 준 사람. ㊀생명의 은인. [반] 원수.

은장도 (銀粧刀) 노리개의 하나.

칼집 있는 작은 칼로, 칼자루와 칼집은 은으로 장식함. 〈은장도〉

은종이 (銀—) **1** 주석과 납의 합금을 종이처럼 얇게 늘인 것. **2** 은가루 또는 은박을 입힌 종이.

-은지 받침 있는 말에 붙어, 막연한 의문이나 감탄을 나타내는 말. ㉠얼마나 좋은지 몰라.

은진 미륵 (恩津彌勒) 충청남도 논산시 은진면 관촉사에 있는 석조 미륵보살의 입상. 고려 시대에 세운 것으로, 높이는 24.5 m.

은총 (恩寵) **1** 높은 사람에게서 받는 특별한 은혜와 사랑. ㉠은총을 입다. **2** 기독교에서, 인류에 대한 하나님의 사랑. ㉠하나님의 은총.

은커녕 '커녕'의 힘줌말. ㉠천 원은커녕 백 원도 없다.

은퇴 (隱退) 직책에서 물러남. 또는 물러나서 한가로이 삶. ㉠공직에서 은퇴하다. **—하다.**

은폐 (隱蔽) [—/은페] 덮어 감추거나 가리어 숨김. ㉠사건을 은폐하다. **—하다.**

은하 (銀河) 구름 띠 모양으로 길게 분포되어 있는 수많은 별의 무리. 비은하수. ➲galaxy

은하계 (銀河系) [—/은하게] 은하를 이루는 항성을 포함한 수많은 별의 집단.

은하수 (銀河水) '은하'를 강에 비유하여 일컫는 말.

*__은행__[1] (銀行) 여러 사람의 돈을 맡아 관리해 주고 돈을 필요로 하는 사람에게 빌려 주는 일 등을 업무로 하는 대표적인 금융 기관. ➲bank

은행[2] (銀杏) 은행나무의 열매.

은행나무 (銀杏—) 은행나뭇과의 낙엽 교목. 부채 모양의 잎이 한군데에서 여러 개가 나며 암수가 따로 되어 있음. 가로수나 정자나무로 심으며, 목재는 조각이나 가구용 재료로 쓰임.

은행원 (銀行員) 은행에서 은행 업무를 맡아보는 사람. 준행원.

*__은혜__ (恩惠) [—/은헤] 베풀어 주는 신세나 혜택. ㉠부모님의 은혜 / 은혜를 베풀다. 비자혜.

은혜롭다 (恩惠—) [은혜롭따 / 은헤롭따] 은혜를 입어 매우 고맙다. 활용 은혜로워 / 은혜로우니.

은화 (銀貨) 은으로 만든 돈. 은을 섞은 합금으로 만든 돈. 비은돈.

*__을__[1] 받침 있는 말에 붙어, 그 말을 목적어가 되게 하는 말. ㉠옷을 벗다 / 일을 하다 / 잠을 자다. *를.

을[2] (乙) 둘 이상의 사람이나 사물이 있을 때, 그중 하나를 가리키는 말. ㉠집주인을 갑, 세입자를 을로 한다.

-을게 [을께] 받침 있는 말의 줄기에 붙어, 상대방에게 약속하는 뜻을 나타내는 말. ㉠내가 알아서 먹을게. ×-을께.

-을까 받침 있는 말의 줄기에 붙어, 앞일을 짐작하거나 자기나 상대편의 의사를 묻는 뜻을 나타내는 말. ㉠어느 것이 좋을까.

을러대다 위협적인 말과 행동으로 남을 억누르다. ㉠주먹을 휘두르며 을러대다.

을미사변 (乙未事變) 1895년에 일본의 자객들이 경복궁을 침입하여 명성 황후를 죽인 사건. 일본 공사 미우라 등이 친러시아 세력을 제거하기 위하여 일으켰음.

-을뿐더러 받침 있는 말의 줄기에 붙어, 어떤 일에 다른 일이 더 있음을 나타내는 말. ㉠인물도 좋을뿐더러 재능도 뛰어나다.

을사조약 (乙巳條約) [을싸조약] 일본이 1905년에 우리나라의 외교권을 빼앗기 위하여 우리 정부와 강제로 맺은 조약.

-을수록 [을쑤록] 받침 있는 말의 줄기에 붙어, 어떤 일에 다른 일이 더하여짐을 나타내는 말. ㉥많을수록 좋다 / 씹을수록 맛이 난다.
-을쏘냐 받침 있는 말의 줄기에 붙어, 사실은 그렇지 않다는 뜻으로 강한 부정을 나타내는 말. ㉥강물이 바다보다 깊을쏘냐.
을씨년스럽다 [을씨년스럽따] 날씨나 분위기 따위가 스산하고 쓸쓸한 데가 있다. ㉥을씨년스러운 가을 날씨. 활용 을씨년스러워 / 을씨년스러우니.
-을지 [을찌] 받침 있는 말의 줄기에 붙어, 어떤 일을 추측하여 그 가능성을 묻거나 의문을 나타내는 말. ㉥막차가 있을지 모르겠다 / 지금쯤은 끝났을지 모르겠다.
을지문덕 (乙支文德) 〖인명〗 고구려 영양왕 때의 장군. 612년 고구려에 침입한 수나라 양제의 30만 대군을 살수(지금의 청천강)에서 크게 무찌름. [?-?]
-을지언정 [을찌언정] 받침 있는 말의 줄기에 붙어, '그렇다고 하더라도' 의 뜻을 나타내는 말. ㉥차라리 굶을지언정 구걸은 못하겠다.
을파소 (乙巴素) 〖인명〗 고구려의 이름난 재상. 빈민 구제책인 진대법을 실시함. [?-203]
읊다 [읍따] **1** 소리를 내어 운율에 맞추어 시를 읽거나 외다. ㉥시를 읊다. **2** 시를 짓다. ㉥낙엽을 보고 시를 읊다. 발음 읊고[읍꼬] / 읊으니[을프니] / 읊는다[음는다].
읊조리다 [읍쪼리다] 뜻을 음미하면서 낮은 목소리로 시를 읊다. ㉥그는 소월의 시를 읊조리며 숲을 거닐었다.
***음**[1] (音) **1** 말소리. **2** 한자를 읽을 때의 소리. ㉥한자에 음을 달다. **3** 음악을 이루는 소리. ㉥낮은 음.
음[2] (陰) 중국 철학에서, 태극이 나누인 두 기운 가운데의 하나. 어두움·땅·없음 따위의 소극적인 것을 상징함. 반 양.
음[3] 상대의 뜻을 따르거나 걱정이 있을 때, 입을 다물고 내는 소리. ㉥음, 듣고 보니 그럴듯하군 / 음, 큰일이군.
-음 받침 있는 말의 줄기에 붙어, 그 말을 명사로 만드는 말. ㉥걸음 / 믿음 / 얼음 / 울음.

> **참고** 받침 있는 말의 줄기에 붙어, 명사를 만드는 '-음'은 'ㅆ', 'ㅄ' 등 뒤에서 [씀]으로 발음되더라도 '-음'으로 적음.
> (○) (×)
> 있음 ← 있슴
> 없음 ← 없슴
> 갔음 ← 갔슴
> 던졌음 ← 던졌슴

음각 (陰刻) 평면에 그림이나 글씨 따위를 안으로 들어가게 새김. 또는 그런 조각. 반 양각. **—하다.**
음계 (音階) [— / 음게] 음을 높이에 따라 일정한 간격으로 차례로 늘어놓은 것. 동양 음악은 궁·상·각·치·우의 5음, 서양 음악은 도·레·미·파·솔·라·시의 7음 음계를 기초로 함.
음극 (陰極) 전지 등에서 전류가 흘러 들어가는 쪽의 극. 비 마이너스극. 음전극. 반 양극.
음넓이 (音—) [음널비] 사람의 목소리나 악기가 낼 수 있는 최저 음에서 최고 음까지의 폭. 비 음역.
음독[1] (音讀) **1** 문장이나 책을 소리 내어 읽음. 반 묵독. **2** 한자를 음으로 읽음. 반 훈독. **—하다.**
음독[2] (飮毒) 독약을 먹음.
음란 (淫亂) [음난] 행실이 바르지 못하고 난잡함. ㉥음란 비디오테이프 / 음란한 생활. **—하다.**

음란물 (淫亂物) [음난물] 음란한 내용을 담은 책이나 그림·사진·영화·비디오테이프 따위.
음량 (音量) [음냥] 악기나 사람의 목소리가 크거나 작게 울리는 정도. ㉠라디오의 음량을 조절하다.
음력 (陰曆) [음녁] 달의 주기를 기준으로 만든 달력. '태음력'의 준말. ㉠음력 생일. 반 양력.
음:료 (飮料) [음뇨] 갈증을 풀거나 맛을 즐기기 위하여 마시는 액체의 총칭. ㉠천연 과즙 음료.
***음:료수** (飮料水) [음뇨수] 갈증을 풀거나 맛을 즐기기 위하여 마시는 물. ㉠목이 말라 음료수를 마셨다.
음률 (音律) [음뉼] 소리와 음악의 가락. 준 율.
음매 소나 송아지의 울음소리.
음모 (陰謀) 몰래 나쁜 일을 꾸밈. 또는 그 꾸민 일. ㉠작당하여 음모를 꾸미다. **―하다.**
음미하다 (吟味―) **1** 사물의 내용이나 속뜻을 깊이 새기어 느끼거나 생각하다. ㉠옛 성현의 훌륭한 말씀을 음미하다. **2** 음식의 맛과 향을 즐기면서 맛보다. ㉠녹차의 향을 음미하며 마시다.
음반 (音盤) 음악이나 소리 따위를 녹음하여 다시 들을 수 있게 만든 둥그런 판. 디스크. 레코드판. ㉠가요 음반 / 음반을 제작하다.
음보 (音步) 시가를 읽을 때, 한 호흡 단위로 느껴지는 운율의 기본 단위. '동창이 / 밝았느냐 / 노고지리 / 우지진다'는 4음보의 운율임.
음:복 (飮福) 제사를 지내고 난 뒤에 제사에 쓴 술이나 음식을 나누어 먹음. **―하다.**
음산하다 (陰散―) 날씨가 흐리고 으스스하다. ㉠음산한 날씨.
음색 (音色) 어떤 음이 높낮이가 같아도 악기 또는 사람에 따라 달리 들리는 소리의 특성. ㉠그는 부드러운 음색을 가졌다.
음성[1] (音聲) 사람의 목소리나 말소리. ㉠귀에 익은 음성.
음성[2] (陰性) 밖으로 드러나지 않은 숨은 성질. ㉠음성 거래 / 음성 수입. 반 양성.
음속 (音速) 소리의 속도. 공기 중에서 속도는 15℃ 때 1초에 340 m, 시속 약 1200 km 임.
음수 (陰數) 0보다 작은 수. 마이너스의 수. −1, −2, −3, −4, …따위. 반 양수.
음수율 (音數律) 시에서 음절의 수를 규칙적으로 반복함으로써 이루는 운율. 3·4조, 4·4조가 대표적임. 비 음절률.
***음:식** (飮食) **1** 사람이 먹을 수 있도록 만든 것. 밥·국·반찬 따위. ㉠음식을 남기거나 버리지 마라. **2** '음식물'의 준말. ➲ food
***음:식물** (飮食物) [음싱물] 사람이 먹고 마시는 것. ㉠음식물이 상하다. 준 음식.
음:식상 (飮食床) [음식쌍] 음식을 차려 놓은 상. ㉠음식상을 차리다.
음:식점 (飮食店) [음식쩜] 음식을 파는 가게. ㉠음식점을 내다 / 음식점을 차리다. 비 식당.
***음악** (音樂) [으막] 목소리나 악기로 듣기 좋은 소리를 만드는 예술. 크게 성악과 기악으로 나눔. ㉠음악을 듣다. ➲ music
음악가 (音樂家) [으막까] 음악 활동에 종사하는 사람.
음악당 (音樂堂) [으막땅] 음악을 연주하고 감상할 수 있도록 특별히 지은 건물. 콘서트홀.
음악대 (音樂隊) [으막때] 주로 야외에서 관악기나 타악기를 연주하는 단체. 밴드.
음악실 (音樂室) [으막씰] 음악을 공부하거나 연주하거나 감상할 수 있게 만든 방.

음악회 (音樂會) [으마쾨] 음악을 연주하여 청중이 감상하게 하는 모임. 콘서트.

음양 (陰陽) [으먕] **1** 우주 만물을 만들어 내는 상반된 성질의 두 가지 기운. 곧, 음과 양. **2** 전기 또는 자기의 음극과 양극.

음역 (音域) [으멱] ⇨음넓이.

음영 (陰影) [으명] 빛이 불투명체에 가로막혀 생기는 어두운 부분. 비그림자. 그늘.

음이름 (音―) [음니름] 각 음의 높이를 나타내기 위해 붙이는 이름. 서양 음악에서는 'C·D·E·F·G·A·B', 우리나라에서는 '다·라·마·바·사·가·나'의 일곱 문자와 샤프(#), 플랫(♭) 따위로 나타냄.

음자리표 (音―標) 악보의 왼쪽 첫머리에 적어 음의 높낮이를 정하는 기호. 높은음자리표·낮은음자리표 따위가 있음.

음전기 (陰電氣) 비교적 적은 힘을 가진 전기의 한 형태. 유리 막대를 헝겊에 문질렀을 때 헝겊에 생기는 전기 따위. '−'로 나타냄. 비마이너스 전기. 반양전기.

음절 (音節) 단어 또는 단어의 일부를 이루는 발음의 최소 단위. '노래'에서 '노'와 '래' 따위. 비소리마디.

음정 (音程) 높이가 다른 두 음 사이의 간격. 예음정이 불안하다.

음조 (音調) 소리의 높낮이·강약·느리고 빠른 정도. 예음조가 높다.

음주 (飮酒) 술을 마심. 예음주 운전 단속. **―하다.**

음지 (陰地) 그늘진 곳. 비응달. 반양지. →응달 주의

-음직하다 [음지카다] 받침 있는 말의 줄기에 붙어, 그런 특성이나 가치가 있음을 나타내는 말. 예먹음직하다 / 믿음직하다.

음치 (音癡) 음에 대한 감각이 둔하고 가락이나 높낮이, 박자 따위를 분별하지 못하는 사람.

음침하다 (陰沈―) **1** 성질이 명랑하지 못하고 의뭉스럽다. 예음침한 표정 / 음침한 사람. **2** 날씨가 흐리고 컴컴하다. 예날씨가 음침하다. **3** 분위기가 어두컴컴하고 스산하다. 예음침한 골방.

음파 (音波) 소리가 퍼져 갈 때 생기는 공기 따위의 파동.

음표 (音標) 악보에서, 음의 높낮이와 길이를 나타내는 기호. 사분음표, 팔분음표 따위. 비음부.

음향 (音響) 소리의 울림. 예음향기기 / 음향 시설.

음향 효ː과 (音響效果) 연극·영화·라디오·텔레비전 따위에서 여러 가지 소리를 써서 장면을 실감 나게 하는 일.

음흉 (陰凶) 마음이 엉큼하고 흉악함. 예음흉을 떨다 / 음흉한 속셈을 드러내다. **―하다.**

***읍** (邑) **1** 지방 행정 구역의 하나. 인구 2만 이상 5만 이하인 곳. **2** '읍내'의 준말. ➲town

읍내 (邑內) [음내] 읍의 안. 준읍.

읍사무소 (邑事務所) [읍싸무소] 읍의 행정 사무를 맡아보는 기관.

읍장 (邑長) [읍짱] 읍의 행정 사무를 다스리는 책임자.

***응** **1** 친구 사이나 손아랫사람에게 대답하거나 부름에 응하는 소리. 예응, 빨리 갈게. **2** 상대편의 대답을 재촉하거나 다짐을 해 둘 때 쓰는 말. 예알았지, 응. **3** 남의 행동이 마땅치 않아 불평을 나타내는 소리. 예이것 누가 망가뜨렸니, 응.

응가 어린아이의 말로, 똥이나 똥을 누는 일을 이르는 말. **―하다.**

응ː결 (凝結) **1** 한데 엉겨 뭉침. **2** 작은 입자가 모여 큰 알갱이를 만드는 현상. **3** 기체가 액체로 변화하는 현상. 예수증기가 응결하여 물이 만

들어진다. **—하다.**

응:고(凝固) 액체 따위가 엉겨 뭉쳐 딱딱하게 됨. ㉥혈액이 응고하다. ㉤융해. **—하다.**

응:급(應急) 급한 대로 우선 처리함. ㉥응급 환자. **—하다.**

응:급실(應急室) [응급씰] 병원에서 환자의 응급 치료를 할 수 있도록 시설을 갖추어 놓은 방.

응:급 치료(應急治療) 다치거나 병이 났을 때, 위급한 고비를 넘기기 위하여 임시로 하는 치료. ㉡응급 처치.

응:낙(應諾) 남이 부탁하는 것을 들어줌. ㉥친구의 부탁을 쾌히 응낙하다. **—하다.**

응달 햇빛이 들지 않아 그늘진 곳. ㉥응달에서 땀을 식히다. ㉡음지. ㉤양달.

> 주의 **응달**과 **음지**
>
> **응달** 응달의 원말은 음달이지만 음달은 표준어가 아니다. 음지와 같은 뜻이며 반대말은 양달이다.
> ㉥양달을 피해 응달에 가서 쉬다.
>
> **음지** 응달의 동의어인 한자말인데, 반대말은 양지이다.
> ㉥양지가 음지되고 음지가 양지된다.

응:답(應答) 물음이나 부름에 응하여 대답함. ㉥질문에 응답하다. ㉤질의. **—하다.**

응:당(應當) 마땅히. 으레. 당연히. ㉥응당 네가 해야 할 일이다.

응:당하다(應當—) **1** 어떤 현상이나 사실이 지극히 마땅하다. ㉥학생이 공부하는 것은 응당한 일이다. **2** 상당하다. 알맞다. ㉥응당한 벌을 받아야 한다.

응:대(應對) 부름이나 물음 또는 요구 따위에 응하여 상대함. ㉥아무런 응대가 없다. **—하다.**

응:모(應募) 모집에 응함. ㉥이번에 응모한 작품들은 수준이 아주 높다. **—하다.**

응:보(應報) 자기가 지은 선악에 따라 받는 길흉화복의 갚음. 주로, 불교에서 말함. ㉥인과응보 / 나쁜 일을 한 당연한 응보.

응:분(應分) 제 신분에 맞음. 분수나 정도에 적당함. ㉥응분의 대가 / 응분의 보상을 하다.

응:석 어른의 사랑을 믿고 어려워하는 기색 없이 버릇없게 구는 말과 행동. ㉥응석을 받아 주다 / 응석을 부리다.

응:석꾸러기 응석을 잘 부리는 아이. ㉥막내라고 너무 감싸서 응석꾸러기가 되었다.

응:석받이 [응석빠지] **1** 응석을 받아 주는 일. **2** 응석을 부리며 자란 아이. ㉥응석받이가 되다 / 응석받이로 자라 버릇이 없다.

응:수(應酬) 상대편의 말이나 행동에 맞받아 응함. ㉥한마디도 지지 않고 응수하다. **—하다.**

응:시[1](凝視) 눈길을 한 곳에 두고 똑바로 바라봄. ㉥그는 멍하니 벽만 응시하고 있었다. **—하다.**

응:시[2](應試) 시험을 봄. 시험을 치름. ㉥응시 자격 / 검정고시에 응시하다. **—하다.**

응애응애 갓난아이가 자꾸 우는 소리.

응어리 **1** 근육이 뭉쳐서 단단해진 덩어리. ㉥종아리에 응어리가 생기다. **2** 한이나 불만 따위로 맺혀 있는 감정. ㉥가슴속의 응어리를 풀다.

응어리지다 한이나 불만 따위의 감정이 쌓여 가슴속에 뭉치다. ㉥응어리진 울분을 터뜨리다.

응:용(應用) 원리나 지식, 기술 따위를 다른 일을 하는 데 활용함. ㉥지식의 응용. **—하다.**

응:용 미:술(應用美術) 예술 작

품이 아니고 주로 실제의 생활에 쓰이는 물건을 보기 좋게 만들거나 꾸미는 미술.

*응:원 (應援) 운동 경기 따위에서, 선수들의 힘을 북돋우는 일. ㉠응원을 보내다 / 목이 터져라 응원하다. 비 성원. 후원. **—하다.**

응:원가 (應援歌) 운동 경기 따위에서, 자기편 선수를 응원할 때 여럿이 부르는 노래.

응:원단 (應援團) 운동 경기 따위에서, 자기편이 이기도록 응원하는 사람들의 무리.

응:접실 (應接室) [응접씰] 손님을 접대하려고 마련해 놓은 방. ㉠손님을 응접실로 안내하다.

응:집 (凝集) 한군데에 엉겨서 뭉침. ㉠응집력 / 온 국민이 응집하여 통일을 이룩하다. **—하다.**

응징 (膺懲) 잘못을 뉘우치도록 벌을 줌. ㉠응징을 받다 / 응징을 가하다 / 체벌로 응징하다. **—하다.**

응:하다 (應—) 어떤 물음이나 요구, 필요 따위에 맞추어 대답하거나 행동하다. ㉠질문에 응하다.

*의[1] [—/에] **1** 소유·소속을 나타냄. ㉠나의 가방 / 우리의 학교. **2** 과정이나 목표 따위의 대상임을 나타냄. ㉠성공으로의 길. **3** 행동의 대상임을 나타냄. ㉠우리의 각오.

의:[2] (義) 사람이 행하여야 할 바른 도리. ㉠의를 지키다.

*의:[3] (誼) ⇨정의[3]. ㉠의가 좋다.

의거[1] (依據) **1** 어떤 사실이나 원리에 근거함. ㉠법령에 의거한 판결. **2** 자연에 의지하여 자리 잡고 머무름. ㉠사찰에 의거하다. **3** 어떤 힘을 빌려 의지함. 비 의빙. **—하다.**

의:거[2] (義擧) 정의를 위하여 일으킨 의로운 일. ㉠4·19 의거. **—하다.**

*의:견 (意見) 어떤 대상이나 일에 대한 생각. ㉠소수의 의견도 존중하다. 비 의사. 의향. ➲ opinion

의결 (議決) 여러 사람이 의논하여 결정함. ㉠예산안을 의결하다. 비 결의. **—하다.**

의:경 (義警) 병역 의무 기간 동안 경찰 소속으로 치안 업무의 보조를 임무로 하는 경찰. 본 의무 경찰.

의과 (醫科) [의꽈] 의학을 연구하고 가르치는 대학의 한 분과. ㉠의과 대학.

의관 (衣冠) 예전에, 남자의 웃옷과 갓이라는 뜻으로, 남자가 정식으로 갖추어 입는 옷차림을 이르는 말. ㉠의관을 갖추다. **—하다.**

의구심 (疑懼心) 의심하고 두려워하는 마음. ㉠의구심이 들다 / 의구심이 생기다.

의:금부 (義禁府) 조선 시대에 임금의 명령을 받들어 죄인을 신문하는 일을 맡아보던 관청.

의:기 (意氣) 적극적으로 무엇을 하려는 마음. ㉠의기가 드높다.

의:기소침 (意氣銷沈) 기운을 잃고 풀이 죽음. ㉠벌을 받더니 의기소침해졌다. **—하다.**

의:기양양 (意氣揚揚) 바라는 대로 일이 되어 만족한 마음이 얼굴에 나타나는 모양. ㉠의기양양한 얼굴. **—하다.**

의:기투합 (意氣投合) 마음이나 뜻이 서로 맞음. ㉠우리는 의기투합하여 열띤 응원을 보냈다. 비 의기상투. **—하다.**

*의:논 (議論) 어떤 일에 대하여 서로 의견을 주고받음. ㉠다같이 의논하여 결정하다. 비 상의. **—하다.**

의당 (宜當) 마땅히. 으레. ㉠잘못은 의당 사과해야 한다 / 의당히 내가 해야 할 일이다. **—하다. —히.**

의:도 (意圖) 무엇을 하려고 하는 생각이나 계획. ㉠상대방의 의도를 전혀 모르겠다. **—하다.**

의례 (儀禮) 형식과 절차를 갖춘 행사. ㉠의례 준칙. 비 의식.

의:롭다 (義—) [의롭따] 떳떳하고 옳다. ㉠의로운 사람. [활용] 의로워 / 의로우니.

의뢰 (依賴) **1** 남에게 의지함. **2** 남에게 부탁함. ㉠변호사에게 소송을 의뢰하다. **—하다.**

***의료** (醫療) 의술로 병을 치료하는 일. ㉠의료 기술의 발달.

의료 기관 (醫療機關) 의술로 병을 고치기 위하여 세운 기관. 병원·의원 따위.

의료 보:험 (醫療保險) 사회 보험의 하나. 수입에 따라 보험료를 치르고, 질병이나 부상이 생기면 그 보험금으로 치료비의 일부를 혜택받는 제도.

의료비 (醫療費) 병을 치료하는 데에 드는 돈.

의료 시:설 (醫療施設) 병을 치료하기 위하여 만들어진 병원 따위의 설비.

의류 (衣類) 여러 가지 종류의 옷. ㉠아동 의류 전문점. [비] 의복.

의:리 (義理) **1** 사람으로서 마땅히 지켜야 할 바른 도리. ㉠의리가 있다 / 의리를 지키다. **2** 사람과의 관계에서 지켜야 할 바른 도리. ㉠의리의 사나이.

***의:무** (義務) **1** 마땅히 해야 할 일. ㉠학생의 의무. **2** 법률로 정하여 강제로 하거나 못하게 하는 일. ㉠병역의 의무. [비] 책임. [반] 권리.

의:무감 (義務感) 어떤 일을 반드시 해야 한다고 여기는 마음. ㉠의무감이 강하다.

의:무 교:육 (義務教育) 일정한 나이가 된 아동이 교육법에 따라 의무적으로 받아야 하는 보통 교육.

의:무적 (義務的) 마땅히 꼭 해야 하는 (것). ㉠의무적으로 참석하다.

의문 (疑問) 의심스럽게 생각함. ㉠맞을지 틀릴지 의문이다. [비] 의혹. **—스럽다.**

의문문 (疑問文) 질문을 하여 그 해답을 요구하는 문장. '너는 어느 학교에 다니니' 따위.

의문부 (疑問符) ⇨물음표.

의문점 (疑問點) [의문쩜] 의심이 나는 점. ㉠몇 가지 의문점을 지적하다.

의뭉 겉으로는 어리석은 것 같으나 속은 엉큼함. ㉠의뭉한 속셈 / 의뭉을 떨다. **—하다. —스럽다.**

***의:미** (意味) **1** 말·기호·몸짓 따위가 나타내는 뜻. ㉠낱말의 의미. **2** 어떤 사물이 지닌 가치·중요성. ㉠의미 있는 일을 하다. [비] 뜻. 의의. **—하다.** ➡ meaning

의:미심장하다 (意味深長—) 뜻이 매우 깊다. ㉠의미심장한 말 / 의미심장한 표정을 짓다.

***의:병** (義兵) 외적의 침입을 물리치기 위하여 백성들이 스스로 조직한 군대. 또는 그 군사. [비] 의군.

의:병장 (義兵將) 의병을 거느리는 장수.

***의복** (衣服) ⇨옷. [비] 의류.

의:분 (義憤) 불의를 보고 일어나는 노여움. ㉠의분을 참지 못하다.

의:붓아버지 [의부다버지] 어머니가 다시 결혼한 남편. [비] 의부.

의:붓어머니 [의부더머니] 아버지가 다시 결혼한 아내. [비] 의모.

***의사**[1] (醫師) 국가에서 주는 자격을 가지고 의술과 약으로 병을 고치는 일을 직업으로 하는 사람. ㉠치과 의사. ➡ doctor

***의:사**[2] (義士) **1** 의리와 지조를 굳게 지키는 사람. [비] 의인. **2** 나라와 민족을 위해 의로운 행동으로 목숨을 바친 사람. ㉠안중근 의사. →열사 [참고]

의:사[3] (意思) 무엇을 하고자 하는 생각. ㉠자유 의사 / 의사를 결정하다 / 의사를 전달하다 / 양보할 의사가 전혀 없다. [비] 뜻.

의사당 (議事堂) 의원들이 모여 회의하는 건물. 주로, 국회 의사당을 일컬음.

의:사소통 (意思疏通) 가지고 있는 생각이나 뜻이 서로 통함. ㉵의사소통이 원활하다. **—하다.**

의:사 표시 (意思表示) 어떤 일에 대한 자기의 생각을 나타내는 것. ㉵의사 표시를 분명히 해라.

의상[1] (衣裳) 겉에 입는 옷. ㉵민족 고유의 의상.

의:상[2] (義湘) 〖인명〗 통일 신라 때의 승려. 당나라에서 공부하고 돌아와 화엄종을 창시하고 왕의 명령으로 부석사를 세움. [625–702]

의상실 (衣裳室) **1** 옷을 보관하거나 갈아입는 방. **2** 여자들의 옷을 맞추어 파는 가게.

의생활 (衣生活) 일상생활에서 옷과 관련된 생활.

의석 (議席) **1** 회의하는 자리. ㉵의석을 뜨다. **2** 의회 따위에서 의원의 자리. ㉵야당이 다수 의석을 차지하다 / 의석이 텅텅 비다.

의성어 (擬聲語) 사물의 소리를 흉내 내어 만든 말. '뻐꾹뻐꾹'·'졸졸' 따위. ＊의태어.

의:수 (義手) 손이 없는 사람을 위하여 나무·고무·금속 따위로 만들어 붙인 손.

의술 (醫術) 병을 고치는 기술. ㉵의술이 발달하다.

의식[1] (衣食) 옷과 음식.

의식[2] (儀式) 일정한 격식을 갖추어 치르는 행사나 예식. ㉵전통 의식. 비 의례.

*__의:식__[3] (意識) **1** 정신이 든 상태에서 사물을 깨닫는 모든 작용. ㉵의식을 잃다. **2** 깨달음이나 생각. ㉵민족 의식. 반 무의식.

의:식적 (意識的) [의식쩍] 그런 줄 알면서 일부러 하는 (것). ㉵의식적으로 피하다. 반 무의식적.

의식주 (衣食住) [의식쭈] 사람이 생활해 가는 데 필요한 세 가지 요소. 곧, 옷과 음식과 집.

의:식하다 (意識—) [의시카다] **1** 무엇을 두드러지게 느끼거나 특별히 마음에 두다. ㉵남의 눈을 의식하다. **2** 생각이 미치어 깨닫거나 느끼다. ㉵분위기가 심상치 않음을 의식하다.

의심 (疑心) 믿지 못하여 이상히 여기는 마음. ㉵의심을 받다 / 의심을 품다 / 의심이 가다. 비 의문. 의혹. **—하다.** doubt

의심스럽다 (疑心—) [의심스럽따] 의심할 만한 데가 있다. ㉵의심스러운 눈초리 / 그 속셈이 의심스럽다. 활용 의심스러워 / 의심스러우니.

의심쩍다 (疑心—) [의심쩍따] 매우 의심스럽다. ㉵의심쩍은 눈으로 자꾸 쳐다보다.

의아스럽다 (疑訝—) [의아스럽따] 의아한 데가 있다. ㉵의아스러운 얼굴로 쳐다보다 / 그는 우리의 방문을 의아스럽게 생각하였다. 활용 의아스러워 / 의아스러우니.

의아하다 (疑訝—) 이상하고 의심스럽다. ㉵의아한 표정을 짓다.

의안 (議案) 회의에서 토의할 안건. ㉵의안을 심의하다.

의약 (醫藥) **1** 병을 예방하거나 고치는 데 쓰는 약. **2** 의술과 약. ㉵의약 분업.

의약품 (醫藥品) 병을 고치는 데 쓰는 약품.

의:연금 (義捐金) 자선이나 공익을 위해 내는 돈. ㉵수재 의연금. 준 연금.

의연하다 (毅然—) 의지가 굳세어 끄떡없다. ㉵의연한 태도.

의연히 (毅然—) 의연하게. ㉵온갖 비난 속에서도 의연히 대처하다.

의:외 (意外) 뜻밖. 생각 밖. ㉵의외의 방문 / 밖이 의외로 조용하다.

의ː욕 (意慾) 어떤 일을 하고자 하는 적극적인 의지. ㉮공부에 대한 의욕이 대단하다 / 배가 고파서 일할 의욕이 없다.
의ː욕적 (意慾的) [의욕쩍] 어떤 일을 적극적으로 하려고 하는 (것). ㉮의욕적으로 일하다.
의ː용군 (義勇軍) 전쟁이나 사변이 났을 때 뜻있는 사람끼리 모여 조직한 군대. 또는 그런 군대의 군인. ㉮의용군에 지원하다.
의원[1] (醫院) 환자를 치료하기 위한 시설을 갖춘 곳. 병원보다 규모가 작음. ㉮내과 의원.
*__의원__[2] (議員) 국회나 지방 의회의 의결권을 가진 사람. ㉮국회의원.
의원[3] (醫員) 예전에 의사를 이르던 말.
의원 내ː각제 (議院內閣制) [-내각쩨] 국무총리가 정부의 최고 책임자가 되고, 정부는 국회의 다수당으로 조직되며, 국회의 신임에 따라 존속할 수 있는 정치 제도. ㉥내각책임제.
의ː의 (意義) [-/의이] 어떤 사실이나 행위 따위가 갖는 중요성이나 가치. ㉮역사적 의의가 큰 사건. ㉥의미.
의ː인 (義人) 의로운 사람.
의인법 (擬人法) [의인뻡] 사람이 아닌 것을 사람인 것처럼 나타내는 표현 방법. '꽃이 웃는다', '슬피 우는 기적 소리' 따위.
의인화 (擬人化) 사람이 아닌 것을 사람인 것처럼 표현함. ㉮거북을 의인화한 동화. **—하다.**
*__의자__ (椅子) 사람이 걸터앉을 수 있도록 만든 물건. ㉮의자에 똑바로 앉거라. ㉥걸상. ➲chair
의ː자왕 (義慈王) 〖인명〗 백제의 제31대 마지막 왕. 국위의 선양에 힘썼으나, 만년에 사치와 방탕에 빠져 나라를 빼앗기고 당나라에 잡혀가 죽음. [?-660]
의장 (議長) **1** 의원을 통솔하고 의회를 대표하는 사람. ㉮의장을 선출하다. **2** 회의할 때, 회의를 진행시키는 사람.
의장대 (儀仗隊) 국가 경축 행사나 외국 사절을 맞이하는 따위의 의식을 위하여 특별히 조직하여 훈련시킨 군대.
의ː적 (義賊) 의롭지 못한 사람의 재물을 훔쳐다가 가난한 사람을 돕는 의로운 도둑.
의ː절 (義絕) **1** 서로 믿기로 굳게 약속하였던 관계를 끊음. **2** 친구나 가족, 친척 사이의 정을 끊음. ㉮친구와 의절하다. **—하다.**
의젓이 [의저시] 의젓하게.
의젓하다 [의저타다] 말과 행동이 점잖고 무게가 있다. ㉮나이는 어리지만 행동은 의젓하다.
의ː정부 (議政府) 조선 때, 중앙의 최고 관청. 영의정·좌의정·우의정이 임금과 의논하여 나라의 중요한 일을 결정하던 기관.
의제 (議題) 회의에서 의논할 문제. ㉮의제를 정하다.
의ː족 (義足) 다리가 없는 사람을 위해 나무나 고무, 금속 따위로 만든 인공의 다리.
의존 (依存) 다른 것에 의지하여 존재함. ㉮원료를 외국에 의존하다. **—하다.**
의ː좋다 (誼—) [의조타] 정이 두텁다. ㉮의좋은 형제. ㉥정답다.
의ː주 (義州) 〖지명〗 평안북도 압록강 하류에 있는 도시. 품질이 좋은 명주가 유명함.
의ː중 (意中) 마음속. ㉮의중을 헤아리다. ㉥심중.
의지[1] (依支) **1** 다른 것에 몸을 기댐. ㉮난간에 몸을 의지하고 일어서다. **2** 다른 것에 마음을 기대어 도움을 받음. ㉮의지할 곳 없는 몸. ㉥

의탁. **—하다.**

*__의ː지__[2] (意志) 어떤 목적을 이루려는 마음. ㉵굳은 의지를 보이다.

의ː지력 (意志力) 세운 뜻을 꿋꿋하게 지켜 나가는 힘. ㉵의지력이 강하다.

의ː천 (義天)〘인명〙 고려 때의 고승. 시호는 대각 국사. 천태종을 세우고 '속장경'을 간행함. [1055-1101]

의ː치 (義齒) 이가 빠진 자리에 만들어 박은 가짜 이. *틀니.

의타심 (依他心) 남에게 의지하려는 마음. ㉵의타심을 버리다.

의탁 (依託) 모든 것을 남에게 의지하여 맡김. ㉵모든 일을 형에게 의탁하다. **—하다.**

의태어 (擬態語) 어떤 사물의 모양이나 움직임 따위를 흉내 내어 만든 말. '꼬불꼬불'·'얼룩얼룩' 따위. *의성어.

의ː표 (意表) 생각 밖이나 예상 밖. ㉵의표를 찌르는 질문을 하다. 비 의외.

*__의하다__ (依—) **1** 말미암다. ㉵사정에 의하여 조퇴하다. **2** 근거하다. ㉵법에 의하여 처벌을 받다. 본 의거하다.

의학 (醫學) 병을 예방하거나 고치는 데 필요한 지식과 기술을 연구하는 학문.

의ː향 (意向) 무엇을 하려는 생각. ㉵친구의 의향을 묻다. 비 의사.

의ː협심 (義俠心) [의협씸] 남의 어려움이나 억울함을 풀어 주기 위해 자신을 희생하려는 의로운 마음. ㉵의협심이 강하다.

의ː형제 (義兄弟) 서로 남이지만 친형제처럼 지내기로 약속한 관계. ㉵친구와 의형제를 맺다.

의혹 (疑惑) 의심하여 수상히 여김. 또는 그런 생각. ㉵의혹을 품다 / 괜한 의혹을 사다. 비 의심. **—하다.**

의회 (議會) **1** 선거로 뽑힌 의원들로 구성되어, 국민의 의사를 대표하여 예산의 심의·입법 따위를 맡아보는 합의제 기관. ㉵의회 정치. **2** ⇨국회.

*__이__[1] **1** 사람이나 동물의 입 안에 있으며 무엇을 물거나 음식물을 씹는 구실을 하는 기관. 사람은 20개의 젖니가 빠진 뒤 32개의 간니가 남. 비 치아. ▶ tooth **2** 톱·톱니바퀴 따위의 뾰족뾰족 내민 부분. ㉵이가 나가다.

이(를) 갈다 분을 참지 못하여 독한 마음을 먹고 벼르다.

이를 악물다 고통이나 힘에 겨운 어려움을 꾹 참는 모양. 또는 단단히 결심하는 모양. ㉵이를 악물고 고통을 참다.

이[2] 잇과의 곤충. 몸빛은 회백색. 사람이나 가축에 붙어살며, 피를 빨아 먹고 발진티푸스·재귀열 따위를 옮김.

이ː[3] (利) 이익이나 이득. ㉵이가 남다.

*__이__[4] 다른 말 뒤에 써서, 사람을 뜻하는 말. ㉵저 이는 누구지.

*__이__[5] **1** '이이'의 준말. ㉵이가 왜 이래. **2** '이것'의 준말. ㉵이보다 좋은 것. **3** 이러한 형편. ㉵이에 만족하지 못하고. **4** 말하는 이에게 가까이 있거나 이야기한 대상을 가리킬 때 쓰는 말. ㉵이 물건 / 이 시간 / 이 일. 작 요.

*__이ː__[6] (二〔貳〕) 둘. 두. ㉵이 개월 / 이 층 집 / 이 학년. ▶ two

이[7] **1** 받침 있는 말에 붙어 그 말을 주어가 되게 하는 말. ㉵하늘이 맑다 / 달이 밝다. **2** 받침 있는 말에 붙어 그것이 아님을 나타내는 말. ㉵그것은 금이 아니다.

-이[1] **1** 어떤 말 뒤에 붙어 명사로 만드는 말. ㉵높이 / 깊이 / 넓이 / 먹이 / 미닫이. **2** 어떤 말 뒤에 붙어 사

람·동물·사물을 뜻하는 말. ㉥뚱뚱이 / 홀쭉이 / 꿀꿀이 / 쌕쌕이 / 목걸이 / 옷걸이 / 재떨이.

-이² 형용사의 말의 줄기에 붙어 부사로 만드는 말. ㉥가까이 / 깨끗이 / 산뜻이. *-히. → [학습마당] 21 (아래)

이:간(離間) 두 사람 사이를 헐뜯어 서로 멀어지게 함. ㉥친구들을 이간하다. **—하다.**

이:간질(離間—) 둘 사이를 갈라놓는 짓. ㉥이간질을 놓다 / 사람들을 이간질하지 마라. **—하다.**

이같이 [이가치] 이와 같이. 이렇게. ㉥이같이 기쁜 일이 또 있겠느냐. ㉧요같이.

이:개(李塏) 〖인명〗 사육신의 한 사람. 호는 백옥헌. 직제학을 지냈으며, 시와 글이 맑고 깨끗한 것으로 유명함. [1417-1456]

***이거** '이것'의 준말. ㉥이거면 충분하다 / 이거로 주세요. ㉧요거.

***이것** [이건] **1** 가까운 자리에 있는 사물을 가리키는 말. ㉥이것은 책이다. **2** 사람을 얕잡아 가리킬 때 이르는 말. ㉥이것이 감히 누구한테 대들어. ㉨이. 이거. ㉧요것. ➡this

이것저것 [이걷쩌걷] 여러 가지의 것. ㉥이것저것 꼬치꼬치 캐묻다.

이:견(異見) 다른 의견. ㉥이견을 좁히다 / 이견이 없다.

이:골 아주 길이 들어서 몸에 푹 밴 버릇.

이골(이) 나다 어떤 방면에 길이 들어서 아주 익숙해지다. ㉥운전이라면 이골이 난 지 오래다.

이곳저곳 [이곧쩌곧] 여기저기. ㉥온종일 이곳저곳을 돌아다니다.

이:과(理科) [이꽈] 자연계의 원리나 현상을 연구하는 학과. 물리학·화학·생물학·지질학·천문학 따위. ㉭문과.

이:광수(李光洙) 〖인명〗 우리나라의 소설가. 호는 춘원. 작품으로 '흙'·'무정' 따위가 있음. [1892-1950]

[학습마당] 21

'-이'와 '-히'

부사의 끝소리가 분명히 '이'로만 소리 나는 것은 '-이'로 적고, '히'로만 소리 나거나, '이'로도 소리 나고 '히'로도 소리 나는 것은 모두 '-히'로 적음.

(1) '이'로만 소리 나는 것

깨끗이	느긋이	따뜻이	반듯이
버젓이	산뜻이	의젓이	가까이
고이	날카로이	번거로이	많이
헛되이	겹겹이	번번이	틈틈이

(2) '히'로만 소리 나는 것

극히	급히	속히	족히
특히	엄격히	정확히	

(3) '이'로도 소리 나고 '히'로도 소리 나는 것

솔직히	가만히	나른히	무단히
각별히	소홀히	쓸쓸히	과감히
꼼꼼히	심히	열심히	섭섭히
당당히	분명히	상당히	도저히

이ː구동성 (異口同聲) 입은 다르나 목소리는 같다는 뜻으로, 여러 사람의 말이 한결같음을 이르는 말. ㉠이구동성으로 찬성을 외치다.

이ː국 (異國) 자기 나라가 아닌 다른 나라. 비 외국. 타국.

이ː국적 (異國的) [이국쩍] 풍물이나 분위기 따위가 자기 나라와는 다른 (것). ㉠이국적(인) 외모.

이ː권 (利權) [이꿘] 이익을 얻을 수 있는 권리. ㉠두 나라 간의 이권 다툼이 심하다.

이ː규보 (李奎報) 〖인명〗 고려 고종 때의 문장가. 호는 백운거사. 저서에는 '동국이상국집'·'백운소설' 따위가 있음. [1168-1241]

이글거리다 불꽃이 어른어른하며 타오르다. ㉠태양이 이글거리다.

이글이글 [이글리글 / 이그리글] **1** 불꽃이 어른어른하며 불이 타오르는 모양. ㉠이글이글 타오르는 모닥불. **2** 해가 뜨거운 볕을 내려 쪼이는 모양. **—하다.**

이ː기 (利器) 실제 생활에 쓰기에 편리한 기구나 기계. ㉠자동차는 문명의 이기이다.

*__이기다__[1] **1** 적을 쳐부수다. ㉠전쟁에 이기다. **2** 힘이나 재주를 겨루어 상대를 꺾다. ㉠청군을 이기다. **3** 감정이나 욕망 따위를 억누르다. ㉠슬픔을 이겨 내다. **4** 고통이나 고난을 참고 견디어 내다. ㉠병을 이기다 / 어려운 역경을 이기고 성공하다. 반 지다. ➲ win

이기다[2] **1** 흙·가루 따위에 물을 부어 반죽하다. ㉠시멘트를 이기다. **2** 칼로 잘게 썰어서 짓찧어 다지다. ㉠마늘을 이기다.

이ː기심 (利己心) 자기의 이익만을 생각하는 마음.

이ː기적 (利己的) 자기의 이익만 생각하는 (것). ㉠이기적인 행동.

이ː기주의 (利己主義) [— / 이기주이] 자기의 이익만을 챙기는 사고방식이나 태도. 비 개인주의.

이기죽거리다 [이기죽꺼리다] 자꾸 밉살스럽게 지껄이며 빈정거리다. ㉠이기죽거리며 약을 올리다. 준 이죽거리다. 작 야기죽거리다.

이까짓 [이까짇] 고작 이 정도밖에 안 되는. ㉠이까짓 상처쯤은 견딜 수 있다. 준 이깟. 작 요까짓.

*__이끌다__ **1** 목적하는 곳으로 따라오게 하다. ㉠조카들을 이끌고 동물원에 갔다. **2** 어떤 상태로 이르게 하다. ㉠아이를 사랑으로 이끌어 주다. **3** 힘들여 움직이다. ㉠지친 몸을 이끌고 가다. 활용 이끌어 / 이끄니 / 이끄는.

이끌리다 이끎을 당하다. ㉠동생 손에 이끌려 공원에 갔다.

*__이끼__ 고목이나 바위, 습기가 많은 곳에서 자라는 식물. 대체로 잎과 줄기의 구별이 분명하지 않음.

이나마 이것이나마. 이것이라도. ㉠이나마 없었더라면 큰일 날 뻔했다. 작 요나마.

이날 바로 앞에서 이야기한 날. 작 요날.

이날 이때까지 오늘에 이르기까지. ㉠이날 이때까지 1등을 놓친 적이 없다.

이ː남 (以南) **1** 기준으로 삼는 곳에서부터 그 남쪽. ㉠한강 이남 지역. **2** 우리나라에서, 흔히 '남한'을 가리키는 말. 반 이북.

이ː내[1] (以內) 일정한 범위의 안. ㉠한 시간 이내 / 3일 이내에 숙제를 제출할 것. 반 이외.

이내[2] **1** 그때에 곧. 지체함이 없이 바로. ㉠눕더니 이내 잠이 들었다 / 이내 와야 해. **2** 그때의 형편대로 계속. ㉠헤어진 뒤로 이내 소식이 끊겼다.

이ː념 (理念) 한 사회나 개인이 옳다고 생각하는 이상적인 생각이나 견해. (예)민주주의의 근본 이념.

이:농 (離農) 농사짓는 일을 그만두고 농촌을 떠남. (예)이농 현상. [반]귀농. **—하다.**

*__이다__[1] 물건을 머리 위에 얹다. (예)물동이를 머리에 이다.

이:다[2] 기와나 볏짚 따위로 지붕 위를 덮다. (예)지붕에 기와를 이다.

*__이다__[3] 어떤 말에 붙어서 사물을 지정하는 뜻을 나타내는 말. 받침 없는 말에서는 '이'가 생략되기도 함. (예)좋아하는 과목은 수학이다 / 네가 이야기할 차례다 / 이것은 책이다.

이다음 뒤미처 오는 때나 자리. 이번의 다음. (예)이다음에 다시 얘기하자. [준]이담. [작]요다음.

이다지 이러한 정도로. 또는 이렇게까지. (예)이다지 힘들 줄이야. [작]요다지.

이:단 (異端) 자기가 믿는 종교의 교리에 어긋나는 이론이나 행동. 또는 그런 종교.

이대로 **1** 이 모양으로. (예)이대로 놓아두었다가는 큰일 나겠다. **2** 이것과 똑같이. (예)이대로 만들어 보아라. [작]요대로.

이:덕무 (李德懋) 〔인명〕 조선 정조 때의 학자. 호는 형암·아정·청장관. 문장과 글씨, 그림에 모두 능했으며 청나라에서 고증학을 배워 옴. 저서에 '아정 유고'·'사소절' 따위가 있음. [1741-1793]

이:덕형 (李德馨) 〔인명〕 조선 선조·광해군 때의 문신. 호는 한음. 임진왜란 때 명나라에 사신으로 가서 원병을 요청하여 성공을 거두었음. 이항복과 더불어 '오성과 한음'으로 알려짐. [1561-1613]

*__이동__ (移動) 움직여 옮김. 또는 움직여 자리를 바꿈. (예)철새가 이동하다 / 병력을 이동시키다. [비]이전. **—하다.**

이동식 (移動式) 이동할 수 있게 된 방식. [반]고정식.

이:두 (吏讀〔頭〕) 신라 이후 한자의 음과 뜻을 빌려 우리말을 적던 글자. 설총이 만들었다고 함.

이:득 (利得) 이익을 얻음. 또는 그 이익. (예)이득을 보다 / 이득이 없다. [비]이익. [반]손실.

이듬해 바로 다음 해. (예)이듬해 중학교에 입학한다.

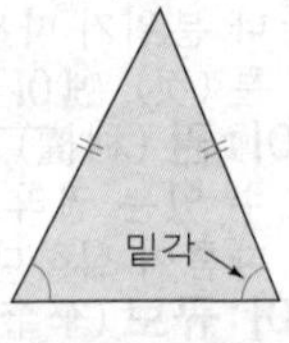

이:등변 삼각형 (二等邊三角形) [—삼가켱] 두 변의 길이가 같은 삼각형. 〈이등변 삼각형〉

이:등분 (二等分) 둘로 똑같이 나눔. (예)수박을 이등분하다. **—하다.**

이따가 조금 지난 뒤에. (예)이따가 다시 오마. [준]이따.

> **주의** **이따가와 있다가**
> **이따가** '시간이 조금 지난 뒤에'란 뜻을 나타내는 말.
> (예)이따가 오너라.
> **있다가** '있다'의 '있-'에 어떤 동작이나 상태가 끝나고 다른 동작이나 상태로 옮겨지는 뜻을 나타내는 '-다가'가 붙은 형태다.
> (예)돈은 있다가도 없다.
> 며칠 더 있다가 가마.

이따금 조금씩 있다가. (예)이따금 편지를 받는다. [비]가끔. 때때로.

이따위 '이런 것들'·'이러한 종류'를 얕잡아 하는 말. (예)무슨 일을 이따위로 해. [작]요따위.

이때 바로 지금의 때. (예)기회는 이때다.

이때껏 [이때껃] 지금까지. 아직까지도. (예)이때껏 어디 있었니.

이라크 (Iraq) 〔국명〕 서남아시아의 티그리스 강·유프라테스 강 유역의 공화국. 고대 메소포타미아 문명의 발상지. 석유는 이 나라 최대의 산업임. 수도는 바그다드.
이란 (Iran) 〖국명〗 서남아시아에 있는 나라. 대부분이 사막 지대임. 세계적인 석유 산출국이고, 농업과 목축업이 성함. 수도는 테헤란.
이랑 밭의 한 두둑과 한 고랑을 합하여 이르는 말. ㉠이랑이 길다.
이:래 (以來) 그 뒤로. 그때부터 지금까지. ㉠학교 설립 이래 첫 우승을 했다.
이래도 **1** '이리하여도'의 준말. ㉠이래도 아무 소용없다. **2** '이러하여도'의 준말. ㉠얼굴은 이래도 마음씨는 곱다. 작 요래도.
이래라저래라 '이리하여라 저리하여라'의 준말. ㉠이래라저래라 참견이 심하다. 작 요래라조래라.
이래저래 이렇게 저렇게. 이런저런 이유로. ㉠이래저래 고민이 많다. 작 요래조래.
이랬다저랬다 [이랟따저랟따] '이리하였다 저리하였다'의 준말. ㉠이랬다저랬다 변덕이 심하다. 작 요랬다조랬다.
이랴 말이나 소를 몰 때 내는 소리.
이러니저러니 '이러하다느니 저러하다느니'의 준말. ㉠이러니저러니 참견이 심하다 / 이러니저러니 해도 밥이 최고다. 작 요러니조러니.
이러다가 '이렇게 하다가'의 준말. ㉠이러다가 정말 큰일 나겠다. 작 요러다가.
이러쿵저러쿵 이러하다는 둥 저러하다는 둥 말을 늘어놓는 모양. ㉠이러쿵저러쿵 말이 많다. 작 요러쿵조러쿵. **—하다.**
***이러하다** **1** 이와 같다. ㉠단체 생활은 이러한 것이다. **2** 이런 모양으로 되어 있다. ㉠이러한 사람을 찾아다니다. 준 이렇다. 작 요러하다.
이럭저럭 [이럭쩌럭] **1** 정한 방법 없이 이렇게 저렇게 되어 가는 대로. ㉠이럭저럭 겨우 먹고산다. **2** 이렇게 저렇게 하는 사이에 어느덧. ㉠이럭저럭 10년의 세월이 지났다. 작 요럭조럭. **—하다.**
***이런¹** '이러한'의 준말. ㉠이런 종류의 사고는 흔하다. 작 요런.
이런² 뜻밖의 일이 일어났을 때 놀라서 내는 소리. ㉠이런, 내 정신 좀 봐. 작 요런.
이런저런 이러하고 저러한. ㉠이런저런 얘기를 듣다.
***이렇게** [이러케] '이러하게'의 준말. ㉠이렇게 해 보아라. 작 요렇게.
***이렇다** [이러타] '이러하다'의 준말. ㉠내용은 이렇다 / 보다시피 우리 형편은 이렇다. 작 요렇다. 활용 이러니 / 이래서.
이렇듯 [이러틋] '이러하듯'의 준말. ㉠어쩌면 이렇듯 고울까 / 이렇듯 반갑게 맞아 주니 고맙다.
이레 **1** '이렛날'의 준말. **2** 일곱 날. 칠 일.
이렛날 [이렌날] 일곱째의 날.
이:력 (履歷) 지금까지 거쳐 온 학업·직업 따위의 경력. ㉠이력을 쌓다 / 이력이 화려하다.
이:력서 (履歷書) [이력써] 이력을 적은 문서. ㉠이력서를 내다.
이:례 (異例) 보통의 예에서 벗어난 특이한 예. ㉠이례를 보여 주다.
이:론¹ (理論) 어떤 사실에 대한 이치에 들어맞는 설명. ㉠이론과 실제 / 이론을 전개하다.
이:론² (異論) 다른 의견. ㉠이론을 제기하다. 비 이의.
***이:롭다** (利—) [이롭따] 이익이 있다. ㉠이 일은 우리 모두에게 이롭다 / 담배는 몸에 이로울 것이 없다. 반 해롭다. 활용 이로워 / 이로우니.
이루¹ **1** 있는 대로 다. ㉠한없는 사랑 어찌 이루 말하랴. **2** 여간해서는 도저히. ㉠글로는 이루 다 표현할 수 없다.
이:루² (二壘) 야구에서, 투수의

뒤쪽에 있는, 일루와 삼루 사이의 베이스. ㉥이루수.

*이루다 1 어떤 상태나 결과가 되게 하다. ㉥행복한 가정을 이루다. 2 목적을 달성하다. ㉥목적을 이루다 / 소원을 이루다.

> 주의 이루다와 이르다
> 이루다 1 어떤 상태나 결과가 되게 하다. ㉥냇물이 모여 강물을 이루다. 2 일을 마무리 짓다. ㉥오늘 안으로 일을 이루어 놓아라. 3 성취하다. ㉥목적을 이루다.
> 이르다 1 (이르니, 이르러서) 도착하다. 일정한 시간에 미치다. ㉥목적지에 이르다 / 새벽녘에 이르러 비로소 잠이 들었다. 2 (이르니, 일러서) 알아듣도록 말하다. ㉥깨닫도록 일러 주다. 3 (이르니, 일러서) 시간이 어떤 때보다 빠르거나 앞서 있다. ㉥이른 새벽.

*이루어지다 1 어떠한 상태나 결과가 되다. ㉥어렵게 합의가 이루어지다. 2 뜻한 대로 되다. ㉥계획이 이루어지다. 3 구성되다. ㉥분자로 이루어지다.

이룩되다 [이룩뙤다] 바라거나 뜻하던 일이 이루어지다. ㉥통일이 이룩되기를 바라다.

*이룩하다 [이루카다] 1 목적하던 큰일이나 성과를 이루다. 달성하다. ㉥복지 사회를 이룩하다. 2 나라·도읍·건물 따위를 새로 세우다. ㉥통일 국가를 이룩하다.

이:류(二流) 질이나 정도 또는 지위 따위가 일류보다 약간 못함. 또는 그런 것. ㉥이류 극장.

*이:륙(離陸) 비행기 따위가 날기 위하여 땅에서 떠오름. 반 착륙. —하다.

*이르다[1] 1 어떤 장소나 시간에 닿다. ㉥제 시간에 이르다 / 목적지에 이르다. 반 떠나다. 2 어떤 정도나 범위에 미치다. ㉥결론에 이르다 / 마무리 단계에 이르다. 활용 이르러 / 이르니. →이루다 주의

*이르다[2] 1 무엇이라고 말하다. ㉥이것을 새우라고 이른다. 2 알아듣거나 깨닫게 말하다. ㉥잘 알아듣도록 이르다. 3 고자질하다. ㉥친구의 잘못을 선생님께 이르다. 활용 일러 / 이르니. →이루다 주의

이를 데 없다 이루 다 말할 수 없다. ㉥미안하기 이를 데 없다.

*이르다[3] 대중이나 기준을 잡은 때보다 앞서거나 빠르다. ㉥이른 아침부터 어디를 가니 / 생각보다 이르게 도착하였다. 반 늦다. 활용 일러 / 이르니. →이루다 주의

이른바 흔히 말하는 바. ㉥이것이 이른바 민주주의다. 비 소위.

이를테면 가령 말하자면. ㉥이를테면 소문이란 구르는 눈덩어리 같은 것이다. 본 이를터이면.

*이름 1 사람·생물·물건·장소 따위를 다른 것과 구별하기 위하여 부르는 말. ㉥이름을 부르다 / 이름을 붙이다. 2 세상에 널리 알려진 소문이나 명성. ㉥이름을 날리다 / 이름이 높은 명승고적. ➲ name

이름(을) 남기다 이름이 후세에 전하여질 만하게 공적을 세우다. ㉥역사에 이름을 남긴 사람들.

이름(을) 팔다 이름이나 명성을 이용하다. ㉥회사 이름을 팔아 사기를 치다.

이름(이) 없다 세상에 그 이름이 널리 알려져 있지 아니하다. ㉥이름 없는 선수에게 패하다.

이름(이) 있다 세상에 그 이름이 널리 알려져 있다. ㉥이름 있는 성악가.

이름나다 이름이 세상에 널리 알려지다. 유명해지다. ㉥이름난 화가 / 학자로 이름나다.

이름표 (―標) 이름·지위 따위를 적어 가슴에 다는 표. ㉺가슴에 이름표를 달다. ㉥ 명찰.

이리[1] 갯과의 짐승. 개와 비슷하며 늑대보다 큼. 털빛은 변화가 많으나 흔히 회갈색 바탕에 검은 털이 섞여 있음. 성질이 사납고 육식성임.

〈이리[1]〉

*__이리__[2] **1** 이곳으로. 이쪽으로. ㉺모두 이리 오너라. **2** 이러하게. ㉺이리 귀여울 수가 있을까. ㉶ 요리.

*__이리저리__ **1** 이러하고 저러하게. ㉺이리저리 기억을 더듬다. **2** 이쪽으로 저쪽으로. ㉺이리저리 찾아보다. ㉶ 요리조리.

*__이리하다__ 이와 같이 하다. ㉺이리하면 될 것이다. ㉶ 요리하다.

*__이마__ 얼굴의 눈썹 위로부터 머리털이 난 아래까지의 부분. ㉺이마에 땀방울이 맺히다. ➲ forehead

이마에 피도 안 마르다 아직 어리다. ㉺이마에 피도 안 마른 녀석이 어른한테 대드는 것 좀 보게.

이만 **1** 이만한. 이 정도의. ㉺이만 일로 화를 내다니. **2** 이 정도로 하고. ㉺이만 돌아가서 쉬게 / 이만 실례하겠습니다. ㉶ 요만.

이만저만 **1** 이만하고 저만함. ㉺어려움이 이만저만이 아니다. **2** 이만하고 저만한 정도로. ㉺문제가 이만저만 심각한 게 아니다. ㉶ 요만조만. **―하다.** 참고 주로 뒤에 '아니다, 않다' 따위와 함께 쓰임.

이만하다 상태·모양·성질 따위의 정도가 이러하다. ㉺이만하면 될 것 같다 / 이만하길 다행이다. ㉶ 요만하다.

이맘때 이만큼 된 때. ㉺작년 이맘때 가을 소풍을 갔었다. ㉶ 요맘때.

이맛살 [이마쌀 / 이맏쌀] 이마에 잡힌 주름살. ㉺이맛살을 찌푸리다.

이ː면 (裏面) **1** 안쪽. 속. **2** 겉으로 드러나지 않은 속사정. ㉺사건의 이면을 조사하다.

*__이모__ (姨母) 어머니의 여자 형제.

이모부 (姨母夫) 이모의 남편.

이ː모작 (二毛作) 한 해에 같은 땅에서 두 번 다른 종류의 작물을 거두어들이는 일. 흔히 여름에 벼, 가을에 보리·밀 따위를 심어 가꿈. ㉥ 그루갈이.

이모저모 사물의 이런 면 저런 면. 이쪽저쪽의 여러 방면. ㉺이모저모 따져 보고 결정하다. ㉶ 요모조모.

이ː목 (耳目) **1** 귀와 눈. ㉺이목이 밝다. **2** 남들의 주의나 관심. ㉺남의 이목이 두렵다.

이목을 끌다 남의 주의를 끌거나 눈에 띄다.

이ː목구비 (耳目口鼻) [이목꾸비] 귀·눈·입·코. 또는 얼굴의 생김새. ㉺이목구비가 뚜렷하다.

이ː문 (利文) 이익으로 남은 돈. ㉺이문이 남는 장사. ㉥ 이전.

이물 배의 앞부분. ㉥ 선두. 선수. ㉤ 고물.

이ː물질 (異物質) [이물찔] 어떤 물질과 다른 물질. ㉺눈에 이물질이 들어가다.

*__이ː미__ 다 끝나거나 지난 일을 말할 때, '벌써'의 뜻으로 쓰는 말. ㉺이미 끝난 일 / 이미 때가 늦었다.

이미지 (image) **1** 마음속에 떠오르는 사물에 대한 감각적 영상. **2** 어떤 사람이나 사물에 대해 남아 있는 인상이나 기억. ㉺이미지 관리 / 좋은 이미지를 남기다.

이민 (移民) 자기 나라를 떠나 다른 나라에서 삶. 또는 그 사람. ㉺외국으로 이민을 가다. **―하다.**

*__이바지하다__ 도움이 되게 하다. ㉺학문에 이바지하다. ㉥ 공헌하다.

이ː발 (理髮) 머리털을 깎고 다듬

는일. **―하다.**

***이:발사** (理髮師) [이발싸] 남의 머리털을 깎고 다듬는 일을 직업으로 하는 사람. 비 이용사.

***이:발소** (理髮所) [이발쏘] 일정한 시설이나 설비를 갖추고 이발을 해 주는 곳. 비 이발관.

이:방 (吏房) **1** 조선 때, 승정원 육방의 하나. 승지 아래 딸려 인사·비서 따위의 일을 맡아보았음. **2** 지방 관아에 딸린 이방의 아전.

이:방인 (異邦人) 다른 나라에서 온 사람. 비 외국인.

***이번** (一番) 이제 돌아온 바로 이 차례. 예 이번에는 꼭 이기고야 말겠다. 작 요번.

이벤트 (event) **1** 경기 따위의 종목·시합. 예 메인 이벤트. **2** 많은 사람들을 모아 놓고 여는 행사. 예 대규모 이벤트를 기획하다.

이:변 (異變) **1** 보통과는 다른 별난 일. 예 이변이 생기다. **2** 예상 밖의 사태. 예 이번 대회에서는 많은 이변이 일어났다.

이별 (離別) 서로 갈리어 떨어짐. 예 사랑하는 사람과 이별하다. 비 별리. 작별. 반 상봉. **―하다.**

이:병기 (李秉岐) 〖인명〗 시조 시인·국문학자. 호는 가람. 시조와 고전을 연구하였고, 시조 부흥 운동에 앞장섰음. 저서에 '가람 시조집' 따위가 있음. [1891-1968]

이:복 (異腹) 아버지는 같고 어머니가 다름. 예 이복형제.

이:봉창 (李奉昌) 〖인명〗 독립 운동가. 일본 천황에게 수류탄을 던졌으나 실패하고 체포되어 순국함. [1900-1932]

이부자리 이불과 요. 예 이부자리를 펴다. 비 침구.

이:북 (以北) **1** 어떤 지점을 기준으로 하여 그 북쪽. 예 한강 이북 지역. **2** 우리나라에서, 흔히 '북한'을 이르는 말. 반 이남.

이:분[1] (二分) **1** 둘로 나눔. 예 남북으로 이분된 국토. **2** 춘분과 추분. **―하다.**

이분[2] '이 사람'의 높임말. 예 이분이 우리 선생님이시다.

이:분쉼표 (二分―標) 음악에서 온쉼표의 2분의 1 길이의 쉼표《기호는 ▬》.

이:분음표 (二分音標) [이부늠표] 음악에서 온음표의 2분의 1 길이의 음표《기호는 ♩》.

***이불** 잘 때 몸을 덮기 위하여 피륙 따위로 만든 침구. 예 이불을 덮다 / 이불을 개다.

이:비인후과 (耳鼻咽喉科) [이비인후꽈] 귀·코·목구멍·기관·식도의 병을 전문적으로 치료하는 의학의 한 분과. 또는 그 병원.

이빨 짐승의 이. 또는 사람의 이를 속되게 이르는 말.

이:사[1] (理事) 어떤 기관의 사무를 처리하며, 그 기관을 대표하여 권리를 행사하는 사람.

***이사**[2] (移徙) 살던 곳에서 다른 곳으로 옮김. 예 새집으로 이사를 가다. **―하다.**

***이삭** **1** 꽃이 피고 열매가 달리는 부분. 벼·보리 따위에 있음. 예 이삭이 고개를 숙이다. **2** 농작물을 거두고 난 후에 땅에 떨어져 있는 나머지. 예 이삭을 줍다.

이삭(이) 패다 이삭이 나오다.

이:산가족 (離散家族) 헤어지거나 흩어진 가족. 특히, 국토가 분단되어 남북으로 헤어진 가족을 가리킴.

이:산화망간 (二酸化mangan) 흑갈색의 가루. 물에 녹지 않고 열을 가하면 분해하여 산소를 발생함. 물감·성냥·유리 따위를 만드는 데 씀.

이:산화탄소 (二酸化炭素) 탄소와 산소의 화합물. 무색의 기체로 공기보다 무거움. 대기 중에도 존재

하며, 식물의 탄소 동화 작용에 필요함. 음료수·소화제 따위를 만드는 데 씀. 비 탄산가스.

이ː산화황 (二酸化黃) 황과 산소의 화합물. 황을 태울 때 생기는 독이 있는 무색의 기체. 직물의 표백제로 씀. 비 아황산가스.

이삿짐 (移徙—) [이사찜 / 이삳찜] 이사할 때 이사 갈 집으로 옮기는 짐. 예 이삿짐을 꾸리다.

***이ː상**1 (以上) **1** 그것보다 더 많거나 나음. 예 세 사람 이상 타지 마시오. 반 이하. **2** '이미 그렇게 된 바에는'의 뜻. 예 맡은 이상 최선을 다해라. **3** 이제까지 앞에서 말한 내용. 예 이상이 내가 아는 전부다. **4** 서류나 강연 등의 마지막에 써서 '끝'의 뜻을 나타내는 말. 예 오늘 수업을 마친다. 이상.

***이ː상**2 (理想) 생각할 수 있는 범위 안에서 가장 좋다고 여겨지는 상태. 예 청소년이여, 이상을 높게 가져라. 반 현실.

***이ː상**3 (異常) **1** 보통과 다름. 보통이 아님. 예 이상 기온이 계속되다. **2** 몸·정신·기계 따위의 기능이나 활동이 정상적인 상태와 다름. 예 기분이 이상하다 / 컴퓨터에 이상이 생기다. **3** 의심스러움. 예 이상한 생각이 들다 / 이상한 사람이다. 반 정상. **—하다. —히.**

이ː상설 (李相卨) 〔인명〕 독립 운동가. 1910년 일본에게 주권을 빼앗기는 것을 반대하는 성명서를 세계 여러 나라에 보내는 등 독립 운동에 크게 이바지함. [1870–1917]

이ː상스럽다 (異常—) [이상스럽따] 보통과는 다른 듯하다. 예 이상스러운 행동. 활용 이상스러워 / 이상스러우니.

이ː상야릇하다 (異常—) [이상냐르타다] 매우 이상하다. 예 분위기가 이상야릇하다.

이ː상재 (李商在) 〔인명〕 정치가·종교가. 호는 월남. 서재필과 함께 독립 협회를 만들어 민중의 계몽에 힘씀. [1850–1927]

이ː상적 (理想的) 이상에 맞는 (것). 예 이상적인 가정.

이ː상향 (理想鄕) 이상적이며 완전하고 평화로운 상상의 세계. 유토피아. 예 이상향을 꿈꾸다.

이ː색적 (異色的) [이색쩍] 보통과 달리 특이한 (것). 예 이색적인 풍습 / 이색적인 제안을 하다.

이생 (—生) 이 세상에 살아 있는 동안. 예 이생에서 못다 이룬 사랑. 비 이승.

이ː성1 (異性) 자기와 성이 다른 사람. 남성이 여성을, 여성이 남성을 가리키는 말. 예 이성 친구 / 이성 간의 교제. 반 동성.

***이ː성**2 (理性) 사물의 이치를 생각하고 판단하는 능력. 예 이성을 잃다. 비 지성.

이ː성계 (李成桂) 〔인명〕 조선의 제1대 임금. 태조. 고려 말의 무신으로 장군이었으나, 위화도 회군(1388) 이후 삼군도총제사가 되었다가 1392년에 신하들의 추대로 왕위에 올라 조선을 세움. [1335–1408 ; 재위 1392–1398]

이ː세 (二世) **1** 다른 나라에 이민 간 사람의 자녀로서 그 나라의 시민인 사람. 예 재미 교포 이세. **2** 다음 세대를 이을 어린이들. 예 이세 교육. **3** 자녀. 예 아직 이세가 없다.

이솝 (Aesop) 〔인명〕 고대 그리스의 우화 작가. 작품에 우화집 '이솝 이야기'가 있음. [기원전 620–기원전 560]

이솝 이야기 (Aesop—) 이솝이 지은 우화들을 모아 엮은 책. 동물을 인간에 빗대어 인간 세계를 풍자적으로 나타냄.

이송 (移送) 다른 곳으로 옮겨 보

냄. ㉥환자를 이송하다. **—하다.**

이:수광 (李睟光) 〖인명〗 조선 중기의 학자·문신. 호는 지봉. 실학 발전의 선구자. 저서에 '지봉유설' 따위가 있음. [1563-1628]

이:순 (耳順) 나이 예순 살의 일컬음. ㉥나이가 이순에 이르다.

이:순신 (李舜臣) 〖인명〗 조선 선조 때의 장군. 시호는 충무. 전라 좌도 수군절도사가 되어 거북선을 만듦. 임진왜란이 일어나자 거북선을 앞세워 한산도 싸움에서 큰 승리를 거두고 삼도 수군통제사가 됨. 노량 해전에서 적의 유탄에 맞아 전사함. 저서에 '난중일기'가 있음. [1545-1598]

이스라엘 (Israel) 〖국명〗 지중해 동쪽 연안에 있는 유대 민족의 나라. 1948년에 영국의 통치에서 벗어나 독립함. 수도는 예루살렘.

이스트 (yeast) 효모의 한 가지. 보통, 빵을 부풀릴 때 씀.

이슥하다 [이스카다] 밤이 꽤 깊다. ㉥밤이 이슥하도록 책을 읽다.

*__이슬__ **1** 공기 중의 수증기가 기온이 내려가거나 찬 물체에 부딪힐 때 엉겨서 생기는 물방울. ㉥아침 이슬이 영롱하다. **2** 덧없는 생명을 비유하는 말. **3** '눈물'을 비유하는 말. ㉥눈에 이슬이 맺히다.

이슬로 사라지다 사형장이나 전쟁터에서 목숨을 잃다. ㉥형장의 이슬로 사라지다.

이슬람교 (Islam教) 세계 3대 종교의 하나로 7세기경 아라비아의 예언자 마호메트가 일으킨 종교. 코란을 경전으로 하고 유일신 알라를 섬김. 회교.

이슬방울 [이슬빵울] 이슬이 맺혀 생긴 방울. ㉥풀잎에 이슬방울이 송송 맺혀 있다.

이슬비 아주 가늘게 내리는 비. ㉥이슬비가 보슬보슬 내리다. → [학습마당] 13(535쪽)

이승 살고 있는 지금의 세상. ㉥이승을 뜨다. 비 이생. 반 저승.

이승을 떠나다 죽다.

이:승만 (李承晩) 〖인명〗 독립 운동가·정치가. 호는 우남. 국내외에서 독립 운동에 힘썼으며, 우리나라 초대 및 2대·3대 대통령을 지냄. 4·19 혁명으로 대통령 자리에서 물러남. [1875-1965]

이:승훈¹ (李承薰) 〖인명〗 우리나라 최초로 천주교 영세를 받은 사람. 교명은 베드로. 포교에 힘쓰다가 신유박해 때 순교함. [1756-1801]

이:승훈² (李昇薰) 〖인명〗 독립 운동가·교육자. 3·1 운동 때 민족 대표 33인의 한 사람. 호는 남강. 오산학교를 설립하고 신민회에 가입하여 민족 의식을 고취함. 동아일보 사장을 지냄. [1864-1930]

이:승휴 (李承休) 〖인명〗 고려 말의 학자. 글재주가 뛰어나고 문장이 아름다워 이름을 떨침. 저서에 '제왕운기' 따위가 있음. [1224-1300]

이식 (移植) **1** 농작물이나 나무 따위를 옮겨 심음. ㉥묘목을 정원에 이식하다. **2** 살아 있는 몸에서 조직이나 장기를 떼어 그 몸의 다른 곳 또는 다른 몸에 옮겨 붙이는 일. ㉥피부 이식 수술. **—하다.**

이:실직고 (以實直告) [이실직꼬] 사실 그대로 고함. **—하다.**

이:심전심 (以心傳心) 마음에서 마음으로 서로 뜻이 통함. ㉥이심전심으로 통하다.

이:십 (二十) 스물. ㉥이십 개 / 이십 세.

이:십사절기 (二十四節氣) [이십싸절기] 지구에서 태양이 보이는 위치에 따라 정한 1년의 절기. 준 이십사기. 이십사절. → [학습마당] 22(863쪽)

이쑤시개 잇새에 낀 것을 파내는 데 쓰는 물건.

이앓이 [이아리] ⇨치통.

이암 (泥岩) 진흙이 딱딱하게 굳어서 된 바위. 비 진흙바위.

이앙기 (移秧機) 모를 심는 기계.

***이야기** **1** 서로 주고받고 하는 말. 예언니와 이야기를 나누다. **2** 어떤 문제를 놓고 하는 이런저런 말. 예 혼사 이야기. **3** 어떤 사실이나 없는 일을 꾸며서 재미있게 늘어놓는 말. 예재미있는 이야기. **4** 소문이나 평판. 예이상한 이야기가 나돌다. 준 얘기. **—하다.** ➡ story

이야기꽃 [이야기꼳] 여럿이 한자리에서 주고받는 즐겁고 재미있는 이야기. 예온 가족이 모여 앉아 이야기꽃을 피웠다.

이야기책 (—冊) 이야기를 적어 놓은 책. 소설책 따위. 준 얘기책.

이야깃거리 [이야기꺼리 / 이야긷꺼리] 이야기가 될 만한 자료나 소재. 준 얘깃거리.

이양 (移讓) 권리나 권한 따위를 남에게 넘겨줌. 예정권 이양 / 소유권을 이양하다. **—하다.**

이:양선 (異樣船) 모양이 다른 배라는 뜻으로, 조선 때 외국의 선박

[학습마당] 22

이십사절기

봄	입춘 : 2월 4일경. 봄이 시작된다. 우수 : 2월 19일경. 대지의 물이 따뜻해지고 초목의 싹이 나기 시작한다. 경칩 : 3월 6일경. 겨울잠 자던 벌레들이 깨어 꿈틀거리기 시작한다. 춘분 : 3월 21일경. 봄이 무르익어 간다. 밤낮의 길이가 같다. 청명 : 4월 5일경. 하늘과 땅이 상쾌하게 맑은 공기로 가득 찬다. 곡우 : 4월 20일경. 봄비가 내려서 온갖 곡식을 기름지게 한다.
여름	입하 : 5월 6일경. 여름이 시작된다. 소만 : 5월 21일경. 풀과 나무가 무성하여 하늘과 땅에 가득 차기 시작한다. 망종 : 6월 6일경. 곡물의 씨를 뿌리는 시기이다. 하지 : 6월 21일경. 여름이 무르익어 간다. 낮이 가장 길다. 소서 : 7월 7일경. 몹시 더워진다. 대서 : 7월 23일경. 일년 중에 가장 더운 때이다.
가을	입추 : 8월 8일경. 가을이 시작된다. 처서 : 8월 23일경. 더위가 수그러지기 시작한다. 백로 : 9월 8일경. 가을 기분이 느껴진다. 추분 : 9월 23일경. 가을이 무르익어 간다. 밤낮의 길이가 같다. 한로 : 10월 8일경. 찬 이슬이 보인다. 상강 : 10월 23일경. 서리가 내리기 시작한다.
겨울	입동 : 11월 7일경. 겨울이 시작된다. 소설 : 11월 22일경. 추워지고 눈이 내리기 시작한다. 대설 : 12월 7일경. 많은 눈이 내린다. 동지 : 12월 22일경. 겨울이 깊어진다. 밤이 가장 길다. 소한 : 1월 6일경. 몹시 추워진다. 대한 : 1월 21일경. 일년 중 가장 춥다.

을 이르던 말.

이어 계속하여. 잇대어. ㉠어제 이어 오늘도 몹시 무덥다.

***이어달리기** ⇨릴레이.

***이어받다** [이어받따] **1** 앞의 것을 뒤이어 넘겨받다. ㉠앞 주자의 배턴을 이어받다. **2** 지위·권리·의무 등을 물려받다. ㉠전통을 이어받다. ㉡계승하다.

***이어지다** 끊어지지 않고 계속되다. ㉠차량 행렬이 끝없이 이어지다 / 흐린 날씨가 연일 이어지다.

이어짓기 [이어짇끼] 같은 땅에 같은 농작물을 해마다 심어 가꿈. ㉡연작. ㉢돌려짓기. 윤작. **—하다.**

이어폰 (earphone) 귀에 꽂거나 밀착하여 방송이나 녹음테이프 따위를 혼자서 들을 수 있는 장치.

이엉 지붕이나 담을 덮는 데 쓰기 위해 엮은 짚. ㉣영.

***이에** 그래서. 이리하여 곧. ㉠다른 학생의 모범이 되었으므로 이에 상장을 수여함.

이:역 (異域) **1** 다른 나라의 땅. ㉠이역 땅에 묻히다. **2** 제고장이나 고향이 아닌 딴 곳.

이:열치열 (以熱治熱) 열은 열로써 다스린다는 뜻으로, 힘은 힘으로, 강한 것은 강한 것으로 물리침을 이르는 말.

이온 (ion) 양 또는 음의 전기를 띤 원자나 원자단.

이완 (弛緩) 근육이나 긴장 따위가 풀려 느슨해짐. ㉠근육이 이완되다. ㉢긴축. **—하다.**

이:왕 (已往) 이미 그렇게 된 바에. ㉠이왕 그렇게 된 일을 후회해 봤자 소용없다. ㉡기왕. ㉤이왕에.

이:왕이면 (已往—) 어차피 그렇게 할 바에는. ㉠이왕이면 경치 좋은 곳으로 놀러 가자. ㉡기왕이면.

***이:외** (以外) 일정한 범위나 한도의 밖. ㉠이곳은 관계자 이외의 사람은 들어올 수 없다. ㉢이내.

***이:용** (利用) **1** 필요에 따라 이롭거나 쓸모 있게 씀. ㉠폐품 이용 / 대중교통을 이용하다. **2** 다른 사람이나 대상을 자신의 목적을 위한 수단으로 씀. ㉠출세를 위해 친구를 이용하다. **—하다.**

이:용도 (利用度) 이용하고 있는 정도. ㉠지하철은 시민의 이용도가 높은 대중교통 수단이다.

***이웃** [이욷] **1** 나란히 또는 가까이 있어서 경계가 닿아 있음. ㉠이웃 나라 / 이웃 마을. **2** 가까이 사는 집. 또는 그런 사람. ㉠이웃끼리 정답게 지내다. **—하다.**

이웃사촌 (—四寸) [이욷싸촌] 서로 이웃에 살며 정이 들어 친척처럼 가까운 이웃. ㉠어려울 때는 먼 친척보다 이웃사촌이 낫다.

이:원수 (李元壽) 〖인명〗 아동 문학가. 15세 때 동시 '고향의 봄'으로 등단하여 평생 아동 문학의 발전을 위해 힘씀. [1911-1981]

이:월 (二月) 한 해 열두 달 중의 둘째 달. ➲ February

***이:유** (理由) 어떤 행동을 하거나 결과에 이르게 된 까닭. ㉠이유를 묻다 / 결석할 만한 이유가 없다. ㉡사유. ➲ reason

이:유기 (離乳期) 젖먹이가 젖을 떼는 시기. 보통 태어난 지 6-7 개월쯤임.

이:유식 (離乳食) 이유기의 아기에게 먹이는 젖 이외의 음식.

이:육사 (李陸史) 〖인명〗 시인. 본명은 원록. 일제에 항거한 시인으로 '청포도', '교목' 따위의 시를 썼음. 독립 운동을 하다가 잡혀 감옥에서 죽음. 유고집 '육사 시집'이 있음. [1904-1944]

이:윤 (利潤) 장사하여 남은 돈. ㉠이윤을 남기다 / 이윤을 높이다 / 이윤이 없다. ㉡이익.

이:율 (利率) 원금에 대한 이자의 비율. ㉾이율이 높다. 비 이자율.
이:율곡 (李栗谷) ⇨이이².
*__이윽고__ [이윽꼬] 얼마쯤 시간이 흐른 뒤에 마침내. ㉾이윽고 작품이 완성되었다.
이:은상 (李殷相) 〖인명〗 시인. 호는 노산. '가고파', '성불사', '고향 생각', '봄처녀' 등의 시가 있고, 저서에 '이충무공 일대기'가 있음. [1903–1982]
이음매 두 물체를 이은 자리.

> **주의** 이음매와 이음새
> **이음매** 이은 자리.
> ㉾이음매가 튼튼하다.
> 이음매 공사(○)
> **이음새** 이은 모양.
> ㉾이음새가 보기 좋다.
> 이음새 공사(×)

이음새 두 물체의 이은 모양새. ㉾이음새가 매끈하다. →이음매 주의
이음줄 [이음쭐] 악보에서, 둘 이상의 음을 끊지 않고 연주할 것을 지시하는 기호.
이응 한글 자모 'ㅇ'의 이름.
이:의 (異議) [–/이이] 다른 주장이나 의견. ㉾이의를 제기하다.
이이¹ 이 사람. 준 이.
이:이² (李珥) 〖인명〗 조선 중종·선조 때의 대학자·정치가. 호는 율곡. 신사임당의 아들이며, 서경덕의 학설을 이어받아 성리학을 발전시킴. 저서에 '율곡전서' 등이 있음. [1536–1584]
*__이:익¹__ (利益) **1** 물질적·정신적으로 보탬이 되는 것. ㉾이익을 내다. **2** 기업에서 모든 비용을 빼고 남은 순수한 소득. 비 이득. 이윤. 반 손해. 손실.
이:익² (李瀷) 〖인명〗 조선 영조 때의 실학자. 호는 성호. 평생토록 학문을 익혀, 천문·지리·의약·역사 따위에 업적을 남김. 저서에 '성호사설' 등이 있음. [1681–1763]
이자¹ 위의 뒤쪽에 있는 가늘고 긴 삼각주 모양의, 소화액을 내는 소화 기관. 비 췌장.
*__이:자²__ (利子) 돈을 빌린 사람이나 예금 따위로 돈을 맡은 은행 등이 그 대가로 주는 돈. ㉾이자를 내다 / 싼 이자로 돈을 빌리다. 비 변리. 반 원금.
이:장¹ (里長) 지방 행정 구역인 '이(里)'의 사무를 맡아보는 사람.
이장² (移葬) 무덤을 옮김. 비 개장. **—하다.**
이:재 (理財) 재물을 잘 관리함. ㉾이재에 밝다.
이재민 (罹災民) 화재·홍수 등 뜻밖의 불행을 당한 사람. ㉾이재민을 돕다 / 이재민 구호 성금을 보내다.
*__이:전¹__ (以前) **1** 이제보다 전. ㉾이전에 살던 곳. **2** 기준이 되는 때를 포함해서 그 전. 반 이후. 작 요전.
이전² (移轉) **1** 장소·주소 따위를 다른 데로 옮김. ㉾주민등록 이전 / 가게를 이전하다. 비 이사. **2** 권리 따위를 남에게 넘겨주거나 또는 넘겨받음. ㉾소유권 이전. **—하다.**
이:점 (利點) [이쩜] 이로운 점. ㉾교통이 편리한 이점이 있다.
이:정표 (里程表) 길의 거리나 방향 따위를 표시하여 찾아가기 쉽게 해 놓은 표.
*__이제__ 바로 이때. ㉾영화가 이제 막 끝났다 / 추위가 이제부터 시작이다. 비 지금.
이제껏 [이제껃] 지금에 이르기까지. ㉾이제껏 무엇을 하였느냐. 비 여태껏. 입때껏.
이제나저제나 언제일지 알 수 없을 때, 또는 어떤 일을 몹시 안타깝게 기다릴 때 쓰는 말. ㉾이제나저제나 애타게 기다리던 비가 오기 시

작했다.

이제야 이제 비로소. 지금에 이르러서야 겨우. ㉳이제야 그 이유를 알았다.

이:제현 (李齊賢) 〖인명〗 고려 말의 문신·학자. 호는 익재. 당대의 명문장가로 이름을 떨쳤고 외교 문서를 도맡아 기초함. 저서에 '익재난고', '익재집' 등이 있음. [1287–1367]

이:조 (吏曹) 고려·조선 때 육조의 하나. 관리를 선발·평가하는 따위의 일을 맡았음.

이:조 판서 (吏曹判書) 조선 때 육조의 하나인 이조의 으뜸 벼슬. 정이품임. ㉫이판.

이종 (姨從) '이종 사촌'의 준말.

이종 사:촌 (姨從四寸) 이모의 아들과 딸.

이주 (移住) 다른 곳으로 옮겨 가서 삶. ㉳해외 이주. **—하다.**

이주민 (移住民) 다른 곳으로 옮겨 가서 사는 사람. ㉭원주민.

이죽거리다 [이죽꺼리다] '이기죽거리다'의 준말. ㉳이죽거리며 화를 돋우다.

이:준 (李儁) 〖인명〗 조선 고종 때의 열사. 고종의 밀서를 가지고 이상설·이위종 등과 함께 헤이그 만국 평화 회의에 참석하려다 일본의 방해로 실패하자, 스스로 목숨을 끊었음. [1859–1907]

이:중 (二重) **1** 두 겹. ㉳이중 창문. **2** 두 번 거듭되거나 겹침. ㉳요금을 이중으로 내다. ㉥중복.

이:중 모:음 (二重母音) ⇨겹홀소리. ㉭단모음.

이:중문 (二重門) 두 겹으로 된 문. ㉥겹문.

이:중섭 (李仲燮) 〖인명〗 서양화가. 야수파의 영향을 받았으며 향토적이고 개성적인 그림을 그림. 작품에 '소', '게' 따위가 있음. [1916–1956]

이:중성 (二重性) [이중썽] 하나의 사물에 겹쳐 있는 서로 다른 두 가지의 성질.

이:중주 (二重奏) 두 사람이 서로 다른 두 개의 악기로 합주하는 일. 듀엣. ㉥이부 합주.

이:중창[1] (二重唱) 두 사람이 서로 다른 성부로 노래를 부르는 일. 듀엣. ㉥이부 합창.

이:중창[2] (二重窓) 추위나 밖의 소음을 막기 위하여 두 겹으로 만든 창. ㉥갑창. 겹창.

이:중환 (李重煥) 〖인명〗 조선 영조 때의 실학자. 이익·유형원의 학문을 계승하고, 지리·사회·경제를 연구하여 실학 사상에 많은 업적을 남김. 저서에 '택리지'가 있음. [1690–1752]

이즈음 얼마 전부터 이제까지의 무렵. ㉫이즘. ㉶요즈음.

이:지 (理智) 본능이나 감정에 치우치지 않고 이성과 지식으로 사물을 분별하고 이해하는 슬기.

이지러지다 **1** 한 귀퉁이가 떨어지다. ㉳사기그릇이 이지러지다. ㉶야지러지다. **2** 달 따위가 한쪽이 차지 않다. ㉳달이 이지러지다. ×이즈러지다.

이:지적 (理智的) **1** 이지를 갖추고 판단·행동하는 (것). **2** 용모나 말, 행동에서 이지가 풍기는 (것). ㉳이지적인 용모 / 이지적인 여성.

이:진법 (二進法) [이진뻡] 0과 1의 두 개의 숫자만 가지고 나타내는 수. 컴퓨터 등에 이용됨.

이:질[1] (異質) 사물·사람 등의 성질이 다름. ㉭동질.

이:질[2] (痢疾) 똥이 자주 마렵고 똥에 피 따위가 섞여 나오는 전염병.

이:질적 (異質的) [이질쩍] 성질이 서로 다른 (것). ㉳동서양의 문화에는 이질적인 면이 많다. ㉭동질적.

이집트 (Egypt) 〖국명〗 아프리카의 북동부에 있는 공화국. 세계 문명 발상지의 하나로, 피라미드·스핑크스 따위의 고대 유적이 많음. 수도는 카이로. 애급.

이집트 문자 (Egypt文字) [—문짜] 고대 이집트 사람들이 쓰던 상형 문자. 오늘날 알파벳의 바탕이 됨.

이쪽 말하는 사람에게 가까운 쪽. ㉮이쪽으로 오너라. 반 저쪽.

이쯤 이만한 정도. ㉮오늘 일은 이쯤에서 마무리하자. 작 요쯤.

이:차 (二次) **1** 두 번째. ㉮이차 시험. **2** 어떤 사물이나 현상의 부수적인 것. ㉮이차 문제.

이:차돈 (異次頓) 〖인명〗 신라 법흥왕 때 불교를 일으키기 위해 순교한 승려. 그가 처형될 때 하얀 피가 나오는 기적이 일어나자 그때부터 불교를 공인하였다 함. [506–527]

이:착륙 (離着陸) [이창뉵] 이륙과 착륙. ㉮짙은 안개로 비행기 이착륙이 안된다. **—하다.**

이:채롭다 (異彩—) [이채롭따] 보기에 색다른 데가 있다. 활용 이채로워/이채로우니.

이체 (移替) 줄 돈이나 받을 돈을 금융 기관에서 주고받게 함. ㉮세금을 자동 이체하다. **—하다.**

이:층집 (二層—) [이층찝] 단층 위에 한 층 더 올려 지은 집.

*__이:치__ (理致) 사실이나 사물을 이해하고 설명할 수 있게 하는 진리나 원칙. ㉮이치에 어긋나다.

이키 몹시 놀라거나 뜻밖의 일을 당했을 때 갑자기 지르는 소리. ㉮이키 큰일 났다. ×이크.

이탈 (離脫) 어떤 범위나 무리 따위에서 떨어져 나감. ㉮궤도에서 이탈하다/대열에서 이탈하다. **—하다.**

이탈리아 (Italia) 〖국명〗 유럽 남부의 반도로 된 나라. 풍경이 아름답고 유적이 많아 관광국으로 유명함. 그리스와 더불어 서양 문명의 원천이었음. 수도는 로마. 이태리.

이태 두 해. ㉮이태 걸려 만들다.

이토록 이러한 정도로까지. 이렇게까지. ㉮증세가 이토록 심할 줄은 몰랐다.

이토 히로부미 (伊藤博文) 〖인명〗 일본의 정치가. 조선 고종 때 국권 피탈의 주동자로서 을사조약(1905)을 강제로 성립시킴. 중국 하얼빈에서 안중근 의사가 쏜 총에 맞아 죽음. [1841–1909]

이:퇴계 (李退溪) ⇨이황.

*__이튿날__ [이튼날] 그 다음 날. ㉮밤새 아팠던 아이가 이튿날 아침에는 말짱했다. 준 이틀.

*__이틀__ **1** '이튿날'의 준말. **2** 2일 동안. ㉮이틀을 굶다시피 했다.

이파리 나무나 풀의 살아 있는 낱잎. 비 잎사귀.

이판사판 막다른 데 이르러 어찌할 수 없게 된 지경. ㉮이판사판으로 덤벼들다.

*__이:하__ (以下) **1** 일정한 한도의 아래. ㉮18세 이하 관람 불가. 반 이상. **2** 거기에서 뒤거나 아래. ㉮이하 생략. 비 이후.

이합집산 (離合集散) [이합찝싼] 헤어졌다가 모였다가 하는 일. ㉮이합집산을 거듭하다.

이항 (移項) 등식의 한 변에 있는 항을 부호를 바꿔 다른 변으로 옮기는 일. **—하다.**

이:항복 (李恒福) 〖인명〗 조선 선조 때의 문신. 호는 백사. 임진왜란 때 다섯 번이나 병조 판서가 되어 난을 수습하는 데 큰 공을 세움. 이덕형과 더불어 '오성과 한음'으로 알려짐. [1556–1618]

*__이:해¹__ (利害) 이익과 손해. ㉮형제간에 이해를 따지지 마라.

*__이:해²__ (理解) **1** 사리를 분별하여 아는 것. ㉮이해가 깊다. **2** 말이나

글의 뜻을 깨달아 앎. ⓔ이해하기 쉬운 문제. **3** ⇨양해. ⓔ이해를 구하다 / 내 뜻을 이해해 주시기 바랍니다. **—하다.** ➲ understand

이:해관계 (利害關係) [— / 이해관계] 서로 이익이나 손해가 미치는 사이의 관계. ⓔ이 사건은 이해관계가 복잡하게 얽혀 있다.

이:해력 (理解力) 말이나 글의 뜻을 알고 깨치는 능력. ⓔ이해력이 부족하다.

이:해심 (理解心) 사정이나 형편을 잘 헤아리는 마음. ⓔ이해심이 많다.

이:해타산 (利害打算) 이로운가 해로운가를 이모저모 따져 셈함.

이:행 (履行) 실제로 행함. 말과 같이 함. ⓔ약속을 이행하다. **—하다.**

이혼 (離婚) 부부가 혼인 관계를 끊고 헤어지는 일. 반 결혼. **—하다.**

이화 학당 (梨花學堂) [—학땅] 조선 고종 때(1886), 미국 선교사 스크랜튼 여사가 지금의 서울 중구 정동에 창설한 사립 여자 교육 기관. 현재의 이화 여자 대학교.

이:황 (李滉) 〖인명〗 조선 중종·명종 때의 유학자·문신. 호는 퇴계. 예조 판서·대제학 따위를 지냈음. 성리학 체계를 집대성하여 이이와 성리학의 양대 학파를 이룸. 안동에 도산 서원을 세워 많은 인재를 기름. 작품에 시조 '도산십이곡'이 있음. [1501–1570]

*__이:후__ (以後) **1** 기준이 되는 때로부터 뒤. ⓔ지난달 이후 비가 오지 않는다. **2** 지금으로부터 뒤. ⓔ이후에 생기는 일은 책임지지 않겠다. 반 이전.

*__익다__[1] [익따] **1** 열매 따위가 충분히 여물다. ⓔ벼가 익다. **2** 날것이 열을 받아 날것의 기운이 없어지다. ⓔ군밤이 덜 익었다. **3** 맛이 들다. ⓔ김치가 알맞게 익다.

익다[2] [익따] **1** 자주 경험하여 서투르지 않다. ⓔ손에 익은 일. **2** 여러 번 겪어 낯설지 않다. ⓔ귀에 익은 목소리 / 낯이 익은 얼굴.

익명 (匿名) [잉명] 이름을 숨김. ⓔ익명의 편지가 배달되다.

익사 (溺死) [익싸] 물에 빠져 죽음. ⓔ익사 사고. **—하다.**

익살 [익쌀] 남을 웃기려고 일부러 하는 우스운 말이나 행동. ⓔ익살을 떨다 / 익살을 부리다.

익살꾼 [익쌀꾼] 익살을 잘 부리는 사람.

익살스럽다 [익쌀스럽따] 재미있고 우스운 데가 있다. ⓔ익살스러운 표정을 짓다. 활용 익살스러워 / 익살스러우니.

*__익숙하다__ [익쑤카다] **1** 여러 번 해 보아 능란하다. ⓔ아직 일에 익숙지 못하다. **2** 자주 만나 사귀어 사이가 가깝다. ⓔ그 사람과 익숙한 사이다. **3** 여러 번 보고 들어서 잘 알다. ⓔ외국 사정에 익숙하다. 비 능숙하다. 반 서투르다.

익조 (益鳥) [익쪼] 농사에 해를 끼치는 벌레를 잡아먹는, 사람에게 이로운 새. 제비·까치·딱따구리 따위. 비 이론새. 반 해조.

익충 (益蟲) 사람에게 이익을 주는 벌레. 꿀벌·누에나방·잠자리 따위. 비 이론벌레. 반 해충.

*__익히다__ [이키다] **1** 익게 하다. ⓔ감자를 익히다. **2** 익숙하게 하다. ⓔ글씨를 익히다 / 기술을 익히다 / 낯을 익히다.

인[1] 여러 번 되풀이하여 몸에 깊이 밴 버릇.

인(이) 박이다 여러 번 되풀이하여 버릇처럼 몸에 배다. ⓔ담배에 인이 박이다.

인[2] (人) 사람의 수효를 나타내는 말. ⓔ삼십삼 인.

인[3] (仁) 남을 사랑하고 어질게 행

동하는 일. ㉠인을 실천하다.

인[4] (印) ⇨도장[2].

인[5] (燐) 질소족 원소의 한 가지. 공기 중에서 불이 잘 붙어 성냥 따위를 만드는 데에 씀.

-인 (人) 명사 뒤에 붙어 그러한 사람을 나타내는 말. ㉠동양인 / 정치인 / 종교인.

인가[1] (人家) 사람이 사는 집. ㉠인가가 드문 산골.

인가[2] (認可) 인정하여 허락함. ㉠정부의 인가를 받다 / 학교 설립을 인가하다. **—하다.**

*__인간__ (人間) **1** ⇨사람. ㉠인간은 사회적 동물이다. 비 인류. **2** 사람의 됨됨이. ㉠인간이 왜 저 모양이냐.

인간관계 (人間關係) [— / 인간관계] 사회생활에서 사람들 사이의 관계. ㉠인간관계가 원만하다.

인간답다 (人間—) [인간답따] 인간으로서의 올바른 태도를 지니고 있다. ㉠인간다운 생활. 활용 인간다워 / 인간다우니.

인간문화재 (人間文化財) 전통적인 연극·음악·무용·공예 따위에서, 중요한 무형 문화재의 기능을 지니고 있는 사람.

인간미 (人間味) 따뜻하고 정겨운 느낌. ㉠인간미가 넘치다.

인간사 (人間事) 사람이 살아가면서 겪게 되는 온갖 일들.

인간상 (人間像) **1** 사람으로서 갖추어야 할 모습. ㉠바람직한 인간상. **2** 사람이 가진 인격의 모습. ㉠비뚤어진 인간상.

인간성 (人間性) [인간썽] 사람이 본디 지니고 있는 성질. ㉠인간성이 좋은 사람.

인간적 (人間的) 사람다운 성질이 있는 (것). ㉠인간적인 대우를 받다. 반 비인간적.

인감 (印鑑) 동사무소·은행 등에서 대조할 때 확인하려고 미리 찍어 놓은 도장의 흔적. ㉠인감도장 / 인감증명서.

인건비 (人件費) [인껀비] 사람을 부리는 데 드는 비용. ㉠인건비를 줄이다.

인걸 (人傑) 특히 뛰어난 인재.

*__인격__ (人格) [인껵] **1** 사람으로서의 품격. ㉠인격 수양 / 인격을 갖추다. 비 인품. **2** 스스로 책임을 질 수 있는 능력을 가진 개인.

인격자 (人格者) [인껵짜] 훌륭한 인격을 갖춘 사람.

인계 (引繼) [— / 인게] 사람이나 물건, 일 따위를 남에게 넘겨주거나 넘겨받음. ㉠인계를 받다 / 업무를 인계하다. **—하다.**

인고 (忍苦) 괴로움을 참음. ㉠인고의 나날을 보내다. **—하다.**

인공 (人工) 사람의 힘으로 만들어 내는 일. ㉠인공 폭포. 비 인위. 인조. 반 자연. 천연.

인공 수정 (人工受精) 인위적으로 채취한 수컷의 정액을 암컷의 생식기에 넣어 수정시키는 일. 가축·어류 따위의 번식이나 품종 개량에 쓰임. 불임인 사람에게도 실시함. 비 인공 정받이.

인공위성 (人工衛星) 지구에서 쏘아 올려 지구의 둘레를 도는 물체. 1957년에 세계 최초로 소련이 쏘아 올림. 과학 위성·통신 위성·기상 위성 따위. 준 위성.

인공적 (人工的) 사람의 힘으로 만든 (것). ㉠미생물을 인공적으로 배양하다. 비 인위적. 반 자연적.

인공 지능 (人工知能) 인간의 생각하고 이해하는 활동의 일부를 컴퓨터로 대신할 수 있게 하는 기능.

인공호흡 (人工呼吸) 호흡이 곤란한 사람에게 인위적으로 폐에 공기를 불어 넣어 호흡을 회복시키는 응급 처치.

인과 관계 (因果關係) [— / —관계]

두 가지 사항에서 하나는 원인이 되고, 다른 하나는 결과가 되는 관계.

인과응보 (因果應報) 불교에서, 전생에서 지은 선악에 따라 현세에서 그대로 갚음을 받는 일.

*__인구__ (人口) 일정한 지역 안에 사는 사람의 수. ㉓인구 문제 / 인구가 증가하다.

인구 밀도 (人口密度) [—밀또] 보통, 1 km^2 안에 사는 사람의 평균수. ㉓인구 밀도가 높다.

인구센서스 (人口census) 한 나라의 인구 상황을 총체적으로 파악하기 위해 일정한 시점을 기준으로 행하는 전국적인 인구 조사.

인권 (人權) [인꿘] 인간으로서 당연히 가지는 기본적 권리. ㉓인권을 존중하다.

인근 (隣近) 가까운 곳. ㉓인근 마을. 비 근처.

*__인기__ (人氣) [인끼] 어떤 대상에 쏠리는 사람들의 높은 관심이나 호감. ㉓인기 가수 / 인기를 끌다.

인기척 (人—) [인끼척] 사람이 있음을 느낄 수 있을 만한 소리나 짓. ㉓인기척이 없다.

인내 (忍耐) 괴로움이나 어려움 따위를 참고 견딤. ㉓고통을 인내하다. **—하다.**

인내력 (忍耐力) 괴로움이나 어려움 따위를 참고 견디는 힘. ㉓인내력을 발휘하다.

인내심 (忍耐心) 괴로움이나 어려움 따위를 참고 견디는 마음. ㉓인내심이 강하다. 비 끈기. 참을성.

인내천 (人乃天) 모든 사람이 하늘과 같다는 천도교의 기본 사상.

인당수 (印塘水) 고대 소설인 '심청전'에 나오는, 심청이 뛰어들었던 깊은 바닷물.

인대 (靭帶) 관절을 튼튼하게 하고 관절 운동을 억제하는 작용을 하는 조직. ㉓인대가 늘어나다.

인더스 강 (Indus江) 파키스탄의 중부를 흐르는 강. 하류 지방은 기원전 3천 년경 고대 문명의 발상지임. 길이 2,900 km.

인도[1] (人道) 넓은 도로에서 차도와 구별하여 사람만이 다니는 길. 비 보도. 반 차도.

인도[2] (引導) **1** 가르쳐 일깨움. ㉓바른길로 인도하다. **2** 길이나 장소를 안내함. ㉓손님들을 회의장으로 인도하다. **—하다.**

인도[3] (引渡) 사람이나 물건, 권리 따위를 넘겨 줌. ㉓적에게 포로를 인도하다. **—하다.**

인도[4] (印度) 〖국명〗 아시아 남부의 중앙에 있는 큰 나라. 고대 문명과 불교의 발상지이며, 쌀·보리·밀 따위가 많이 나고 지하자원이 풍부함. 수도는 뉴델리. 인디아.

인도네시아 (Indonesia) 〖국명〗 동남아시아의 많은 섬으로 된 나라. 석유·주석·고무·구리·나무 등의 자원이 풍부함. 수도는 자카르타.

인도양 (印度洋) 세계 오대양의 하나로 아시아·오스트레일리아·아프리카 대륙과 남극 대륙에 둘러싸인 바다.

인도주의 (人道主義) [— / 인도주이] 모든 사람이 인종·종교 따위의 차별 없이 행복하고 평화롭게 살자는 주의.

인도차이나 반:도 (Indo-China半島) 〖지명〗 동남아시아에 있는 반도. 베트남·라오스·캄보디아·타이 등의 나라가 있음.

인두 불에 달구어 천에 대고 눌러서 구김살을 펴거나 주름을 잡는 데 쓰는 기구.

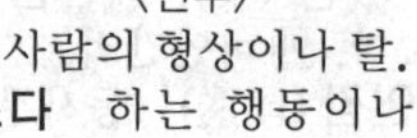

〈인두〉

인두겁 (人—) 사람의 형상이나 탈.

인두겁(을) 쓰다 하는 행동이나 성격이 사람답지 못할 때 욕으로 이르는 말. (예)인두겁을 쓰고 어찌 그런 짓을 하랴.

인디아 (India) 〖국명〗 ⇨인도[4].

인디언 (Indian) 아메리카 대륙에서 살고 있는 원주민. [본]아메리칸 인디언.

인력[1] (人力) [일력] **1** 사람의 힘. (예)인력으로 막을 수 없는 재해. **2** 사람의 노동력. (예)인력을 양성하다.

인력[2] (引力) [일력] 공간적으로 떨어져 있는 물체끼리 서로 끌어당기는 힘. (예)만유인력의 법칙. [반]척력.

인력거 (人力車) [일력꺼] 사람이 끄는, 바퀴가 두 개 달린 수레. 사람을 태움.

〈인력거〉

인력난 (人力難) [일령난] 노동력이 부족하여 겪는 어려움. (예)인력난을 겪다.

***인류** (人類) [일류] **1** 사람을 다른 동물과 구별해서 이르는 말. (예)최초의 인류. **2** 지구 위에 사는 모든 사람. [비]인간.

인류애 (人類愛) [일류애] 나라나 인종을 가리지 않고 모든 사람을 사랑하는 일.

인류 평화 (人類平和) [일류—] 온 세계의 모든 사람들이 전쟁이나 무력 충돌이 없이 평온하고 화목하게 지내는 상태.

인륜 (人倫) [일륜] 사람으로서 마땅히 지켜야 할 도리. (예)인륜에 벗어난 행동 / 인륜을 저버리다.

인명[1] (人命) 사람의 목숨. (예)인명을 구조하다 / 인명 피해를 줄이다.

인명[2] (人名) 사람의 이름.

인명재천 (人命在天) 사람의 목숨은 하늘에 달려 있다는 뜻으로, 목숨이 길고 짧은 것은 사람의 힘으로 어쩔 수 없음을 이르는 말.

인문 과학 (人文科學) 정치·경제·사회·역사·철학·문학 등 인류 문화에 관한 모든 학문. [반]자연 과학.

***인물** (人物) **1** 뛰어난 사람. (예)인물이 귀하다. [비]인걸. 인재. **2** 사람의 됨됨이. (예)훌륭한 인물. [비]인품. **3** 사람의 얼굴 모양. (예)인물이 훤하다. [비]용모.

인물화 (人物畫) 사람을 주제로 그린 그림. 초상화 따위.

인민 (人民) 국가나 사회를 구성하는 사람. [비]국민. 백성.

인복 (人福) [인뽁] 사람을 잘 사귀고 그 사람들에게 도움을 많이 받는 복. (예)인복이 많다. [비]인덕.

인부 (人夫) 품삯을 받고 막일을 하는 사람. (예)인부를 부리다 / 인부를 쓰다. [비]막벌이꾼.

인분 (人糞) 사람의 똥. (예)인분을 거름으로 쓰다.

***인사**[1] (人事) **1** 안부를 묻거나 공경하여 예의를 나타냄. (예)인사를 여쭙다 / 선생님께 인사를 드리다. **2** 처음 만나 서로 이름을 묻고 알려줌. (예)인사를 나누다. **—하다.**

인사[2] (人事) 공공 기관이나 회사에서, 일하는 사람의 승진이나 상벌, 부서 이동 따위와 관계되는 행정적인 일. (예)인사 관리 / 인사이동.

인사[3] (人士) 사회적 지위가 높거나 사회적 활동이 많은 사람. (예)저명한 인사.

인사말 (人事—) 인사로 하는 말. (예)인사말을 주고받다.

인사불성 (人事不省) [인사불썽] 정신을 잃고 의식이 없는 상태. (예)술에 취하여 인사불성이 되다.

인사성 (人事性) [인사썽] 예의 바르게 인사를 차리는 성질이나 품성. (예)인사성이 밝다.

인사치레 (人事—) 성의 없이 겉으로만 하는 인사. (예)인사치레로 고개만 끄덕였다.

인산인해 (人山人海) [인사닌해] 사람이 헤아릴 수 없이 많이 모인 상태. ㉠인산인해를 이루다.

인삼 (人蔘) 두릅나뭇과에 속하는 여러해살이풀. 높이는 60 cm가량. 줄기는 짧고 마디가 있으며, 희고 살진 뿌리가 도라지와 비슷함. 한약재로 쓰임. 준 삼.

인상¹ (引上) 물건 값·요금·봉급 등을 올림. ㉠가격 인상 / 공공요금이 인상되다. 반 인하. **—하다.**

*__인상²__ (印象) 보거나 듣거나 해서 마음에 강하게 받는 느낌. ㉠인상에 남다 / 좋은 인상을 주다.

인상(이) 깊다 어떤 느낌이 마음속에 뚜렷하게 남다.

인상³ (人相) 사람의 얼굴 생김새와 골격. ㉠인상을 찌푸리다.

인상(을) 쓰다 언짢거나 성이 나 험악한 표정이나 좋지 않은 표정을 짓다.

인상적 (印象的) 뚜렷이 마음속에 남아서 잊혀지지 않는 (것). ㉠영화의 마지막 장면이 인상적이었다.

인:색하다 (吝嗇―) [인새카다] 지나칠 정도로 재물을 아끼다. ㉠인색하게 굴다 / 돈에 인색하다.

인생 (人生) 사람이 세상을 살아가는 일. 또는 그 살아 있는 동안. ㉠행복한 인생 / 인생은 짧고 예술은 길다. 비 생애.

인생관 (人生觀) 어떻게 살아가는 것이 옳은지에 대한 기본적인 생각. ㉠인생관이 뚜렷하다.

인성 (人性) 사람의 성품. ㉠인성 교육 / 인성이 착하다.

인솔 (引率) 많은 사람을 이끌고 감. ㉠인솔 교사 / 학생들을 인솔하다. 비 인도. **—하다.**

인쇄 (印刷) 글자나 그림·사진 등을 종이 따위에 옮겨 찍는 일. ㉠인쇄가 선명하다. **—하다.**

인쇄기 (印刷機) 인쇄하는 데 쓰는 기계.

인쇄소 (印刷所) 인쇄 설비를 갖추고 전문적으로 인쇄를 하는 곳.

인쇄술 (印刷術) 인쇄하는 기술.

인수¹ (因數) 수나 식을 몇 개의 곱의 형태로 나타내었을 때 그 낱낱의 수나 식. 보기 12=1×12, 12=2×6, 12=3×4 에서 1, 2, 3, 4, 6, 12는 모두 12의 인수임.

인수² (引受) 물건이나 권리를 넘겨받음. ㉠부도가 난 회사를 인수하다. 반 인도. **—하다.**

인슐린 (insulin) 이자에서 나오는 호르몬. 체내의 혈당을 줄이므로 당뇨병의 치료에 씀.

인스턴트 (instant) 즉석에서 손쉽게 조리해 먹을 수 있도록 만들어진 상태. 또는 그 식품. ㉠인스턴트 라면 / 인스턴트 커피.

인스턴트식품 (instant食品) 조리가 간단하고 저장·휴대 등이 편리한 가공 식품. 라면·통조림 따위.

인습 (因習) 이전부터 전해 내려오는 습관. ㉠인습에 얽매이다.

인식 (認識) 어떤 일에 대하여 확실히 알고 그 뜻을 바로 깨닫는 일. ㉠사태를 올바로 인식하다. **—하다.**

인신 (人身) **1** 사람의 몸. ㉠인신 구속. **2** 개인의 신상이나 신분. ㉠인신공격을 퍼붓다.

인심 (人心) 남의 딱한 사정을 헤아리고 도와주는 마음. ㉠인심이 후하다. 비 인정.

인심(을) 사다 인심이 좋다는 평을 받다.

인심(을) 쓰다 필요 이상으로 남에게 후하게 대하다.

인심(을) 잃다 남에게 나쁘게 대하여 사람들에게 나쁜 평을 듣다.

인심(이) 사납다 남을 대하는 마음이 인정이 없고 야박하다.

인양 (引揚) [이냥] 끌어서 올림.

㉎인양 작업 / 사고 선박을 인양하다. **—하다.**

인어 (人魚) [이너] 몸의 윗부분은 여자의 몸이고, 아랫부분은 물고기인 상상의 동물.

인연 (因緣) [이년] **1** 사람들 사이에 맺어지는 관계. ㉎인연이 깊다. ㉥ 연분. **2** 어떤 사물과의 관계.

인연을 끊다 지금까지 있었던 관계를 끊다.

인연을 맺다 관계를 새로이 맺다.

인왕산 (仁王山) [이낭산] 서울의 서쪽에 있는 산. 전체가 화강암으로 되어 있는 것이 특징이며, 경치가 아름다움. 높이 338m.

인왕제색도 (仁王霽色圖) [이낭제색또] 조선 중기의 화가인 정선의 대표작. 1751년에 동쪽에서 본 서울 인왕산을 그린 그림임. 국보 제216호.

인용 (引用) [이뇽] 남의 말이나 글 가운데서 필요한 부분을 끌어다 씀. ㉎속담을 인용하다. **—하다.**

인원 (人員) [이눤] 단체를 이루고 있는 사람들. 또는 그 수효. ㉎인원 점검 / 인원을 파악하다. ㉥ 인원수.

인위적 (人爲的) [이뉘적] 사람의 힘으로 만든 (것). ㉎인위적으로 만들어진 폭포. ㉥ 인공적. ㉦ 자연적.

인자하다 (仁慈—) 마음이 어질고 너그럽다. ㉎인자하신 선생님.

인장 (印章) ⇨도장².

인재 (人材) 학식과 능력이 뛰어난 사람. ㉎인재를 양성하다. ㉥ 인물.

인적 (人跡) 사람의 발자취. 또는 사람의 왕래. ㉎인적이 드물다.

인절미 불린 찹쌀을 시루에 쪄서 떡메로 친 다음, 적당한 크기로 썰어 고물을 묻힌 떡.

인접 (隣接) 이웃하여 있음. 옆에 닿아 있음. ㉎우리 학교는 도로에 인접해 있다. **—하다.**

인정¹ (人情) **1** 사람이 본디 가지고 있는 감정이나 심정. **2** 남을 동정하는 마음씨. ㉎인정을 베풀다 / 인정이 많다. ㉥ 인심. **3** 세상 사람의 마음. ㉎인정이 각박하다 / 메마른 인정. **—스럽다.**

***인정²** (認定) 옳거나 분명하다고 여김. ㉎인정을 받다 / 자기의 잘못을 인정하다. ㉥ 승인. **—하다.**

인정미 (人情味) 인정이 깃든 따뜻한 느낌. ㉎인정미가 넘치다.

***인제¹** **1** 이제에 이르러. ㉎인제 다 끝났다. **2** 지금부터. ㉎인제 곧 가겠다.

인제² (麟蹄) 〘지명〙 강원도 인제군의 군청 소재지. 백담사·옥녀탕 따위의 명승지가 있고 꿀·약초·버섯 등의 특산물이 많이 남. 동쪽에 설악산이 있고 소양강이 남쪽으로 흐름.

인조 (人造) 사람이 만듦. 또는 그런 물건. ㉎인조 가죽 / 인조 잔디.

인조견 (人造絹) 펄프를 원료로 하여 만든 비단. ㉟ 인견.

인조반정 (仁祖反正) 조선 광해군 15년(1623)에 김류·이서·이귀·이괄 등이 광해군을 왕위에서 몰아내고 인조를 왕으로 세운 사건.

인종 (人種) 피부색·골격·용모 등으로 나눈 사람의 종류. 백인종·흑인종·황인종 등.

인종 차별 (人種差別) 인종이 다르다는 이유로 사회적인 여러 권리의 차별을 두는 일.

인주 (印朱) 도장을 찍을 때 쓰는 붉은빛의 재료.

인중 (人中) 코와 윗입술 사이에 오목하게 골이 진 곳.

인중이 길다 오래 살 것이라는 뜻.

인지¹ (印紙) 세금·수수료 등을 낸 것을 증명하기 위하여 서류에 붙이는, 정부에서 발행하는 증표. ㉎수입 인지.

인지² (認知) 어떠한 사실을 분명

히 아는 것. **—하다.**

인지상정 (人之常情) 사람이면 누구나 가지는 보통의 마음.

인질 (人質) 자신의 요구를 들어주지 않으면 해치겠다고 위협하며 강제로 붙잡아 둔 사람. ㉠인질로 잡다 / 인질을 풀어 주다. 비 볼모.

인척 (姻戚) 혼인으로 맺어진 친척. ㉠인척 관계.

인천 (仁川) 〖지명〗 우리나라 6개 광역시 중 하나. 제2의 항구 도시. 해산물·금속·기계류 따위를 수출하며, 기계 공업이 발달함. 월미도·송도 해수욕장 따위가 유명함.

인천 국제공항 (仁川國際空港) [—국쩨공항] 인천 중구에 위치한 공항. 2001년에 개항함.

인천 상:륙 작전 (仁川上陸作戰) [—상늑짝쩐] 6·25 전쟁 중 1950년 9월 15일, 인천에서 맥아더 장군이 지휘한 작전. 이 작전이 성공하여 우리 편이 유리해졌음.

인체 (人體) 사람의 몸. ㉠인체에 해로운 식품.

인출 (引出) 예금 따위를 찾음. ㉠현금을 인출하다. **—하다.**

인치 (inch) 영국식 도량형의 길이의 단위. 1인치는 약 2.54 cm.

인칭 대:명사 (人稱代名詞) 사람을 가리키는 대명사. '나·너·우리·그이·누구·아무' 따위.

인큐베이터 (incubator) 갓 태어난 아기가 너무 약하거나 병이 있을 때, 그 아기를 넣어 키우는 의료 기구. 온도·습도·산소 공급량 따위를 자동적으로 조절함. 보육기.

인터넷 (Internet) 전 세계에 걸쳐 연결된 컴퓨터 통신망. 전자 우편·전자 뉴스·데이터베이스·화상 전송 등이 국경을 넘어 교환되고 있음. ㉠인터넷 검색.

인터뷰 (interview) 만나서 이야기하는 일. 특히 기자가 기사를 얻기 위하여 사람을 만나 회견하는 일. 회견. 면담. ㉠장관을 단독으로 인터뷰하다. **—하다.**

인터체인지 (interchange) 교통이 혼잡한 곳이나 고속도로 등에서 사고를 방지하고 교통이 지체되지 않도록 도로가 교차하는 부분을 입체적으로 만든 것.

인터폰 (interphone) 건물이나 열차, 비행기 등의 안에서 내부 연락용으로 쓰는 유선 전화. 구내전화.

인턴 (intern) 의과 대학을 졸업하고 병원에서 1년 동안 실습을 받는 수련의. 실습 의학생.

인테리어 (interior) 실내를 아름답게 꾸미는 일. 실내 장식.

인파 (人波) 사람이 많이 모여 움직이는 모양을 물결에 비유한 말. ㉠광장이 수많은 인파로 뒤덮이다.

인편 (人便) 사람이 오고 가는 편. ㉠인편에 편지를 보내다.

인품 (人品) 사람의 됨됨이나 성품. ㉠인품이 훌륭하다. 비 인격.

인플레 '인플레이션'의 준말.

인플레이션 (inflation) 돈의 가치가 떨어지고 물건 값이 오르는 현상. 반 디플레이션. 준 인플레.

인하 (引下) 가격·요금·세금 따위를 내림. ㉠가격 인하 / 이율을 인하하다. 반 인상. **—하다.**

***인하다** (因—) 무엇이 원인이 되다. ㉠과속으로 인한 교통사고 / 폭우로 인하여 경기가 중단되다.

***인형** (人形) 사람이나 동물의 모양으로 만든 장난감. ➲ doll

인형극 (人形劇) 인형을 손이나 실로 조종하여 하는 연극. 우리나라에는 꼭두각시놀음이 일찍이 발달하였음.

인화[1] (人和) 여러 사람이 서로 마음이 통하여 화합함. ㉠인화 단결 / 인화를 도모하다. **—하다.**

인화[2] (引火) 불이 옮아 붙음. ㉠인

화가 잘되는 물질. **—하다.**

인화[3] (印畫) 사진기로 찍은 필름을 감광지에 비추어 사진이 나타나도록 하는 일. ㉥사진을 인화하다.

*__일:__[1] **1** 무엇을 만들거나 이루기 위해 몸을 움직이거나 머리를 쓰는 활동. ㉥일을 마치다 / 일에 파묻히다. **2** 생계나 벌이를 위한 노동이나 직업. ㉥경비 일을 맡기다 / 무슨 일을 하십니까. **3** ⇨볼일. ㉥만날 일이 있다. **4** 큰 난리나 변동. ㉥결국 일이 터졌다. **5** ⇨사고[1]. ㉥일만 저지르다. **6** 특별한 형편. ㉥가지 못할 일이 있다. ㊇사정. **7** 비용이 드는 행사. ㉥일을 치르다.

*__일__[2] (日) **1** '일요일'의 준말. **2** 날. 하루. ㉥일 3회 복용. **3** 날짜·날수를 세는 말. ㉥15일.

*__일__[3] (一) **1** 하나. **2** '한'·'첫째'의 뜻. ㉥일 리터 / 일 권. ➲ one

일가 (一家) **1** 성과 본이 같은 겨레붙이. ㉥일가가 되는 분. **2** 한집안. ㉥화목한 일가.

일가견 (一家見) 어떤 문제에 대하여 자기만이 가지는 독특한 생각. ㉥경제 문제에 일가견이 있다.

일가족 (一家族) 한집안의 가족. 온 가족. ㉥김 씨 일가족 / 일가족이 여행을 떠났다.

일가친척 (一家親戚) 한 조상에게서 태어난 친족과 외가의 모든 겨레붙이. ㉥일가친척 모두가 한자리에 모이다.

일간[1] (日刊) 신문 따위를 날마다 간행함. 또는 그 간행물.

일간[2] (日間) **1** 하루 동안. ㉥일간 작업 계획. **2** 가까운 며칠 안에. ㉥일간 또 올게.

일간 신문 (日刊新聞) 날마다 발행하는 신문. ㊇일간지.

일:감 [일깜] ⇨일거리. ㉥일감이 밀리다 / 일감이 떨어지다.

일:개미 집을 짓고 먹이를 날라 모으는 일을 하는 개미. 날개와 생식 기능이 없음. ㊇일꾼개미.

일:거리 [일꺼리] 하여야 할 일. ㉥일거리를 맡기다. ㊇일감.

일거수일투족 (一擧手一投足) 손 한 번 들고 발 한 번 옮긴다는 뜻으로, 사소한 행동이나 아주 작은 동작 하나하나를 이르는 말. ㉥일거수일투족을 살피다.

일거양득 (一擧兩得) 한 가지 일을 하여 두 가지 이익을 얻음. ㉥일거양득의 효과. ㊇일석이조.

일격 (一擊) 한 번 세게 침. ㉥일격을 가하다.

일고여덟 [일고여덜] 일곱이나 여덟. ㉥쌀이 일고여덟 말은 된다. ㊅일여덟.

*__일곱__ 여섯에 하나를 더한 수. ㉥내 동생은 일곱 살이다. ➲ seven

일과 (日課) 날마다 규칙적으로 하는 일. ㉥운동을 일과로 삼다.

일과표 (日課表) 날마다 해야 할 일을 적어 놓은 표.

일관 (一貫) 처음부터 끝까지 한 가지 방법이나 태도로 계속함. ㉥태도가 일관되다. **—하다.**

일관성 (一貫性) [일관썽] 처음부터 끝까지 변함없이 계속하는 성질. ㉥일관성 있는 행동.

일괄 (一括) 한데 묶음. ㉥일괄 처리하다. **—하다.**

일광 (日光) ⇨햇빛. ㉥일광이 내리쬐이다.

일광욕 (日光浴) [일광뇩] 병의 치료나 건강을 위해서 햇빛에 몸을 드러내 놓고 쬐는 일. ㉥일광욕을 즐기다. **—하다.**

일교차 (日較差) 기온·기압·습도 등이 하루 동안에 변화하는 차이. ㉥일교차가 심하다.

일구다 논이나 밭을 만들려고 땅을 파서 일으키다. ㉥밭을 일구다.

일구이언 (一口二言) 한 입으로 두

말을 한다는 뜻으로, 말을 이랬다저랬다 함. **—하다.**
일그러뜨리다 물건이나 얼굴의 한쪽을 비뚤어지게 또는 우글쭈글하게 하다. (예)얼굴을 일그러뜨리다.
일그러지다 물건이나 얼굴의 한쪽이 비뚤어지거나 우글쭈글해지다. (예)눈 언저리가 일그러져 있다.
일급 (一級) **1** 첫 번째 등급. (예)일급 자격증. **2** 최고의 수준. (예)일급 호텔.
***일기**[1] (日記) 하루 동안 자신이 겪은 일과 느낌을 적은 글. ➲ diary
***일기**[2] (日氣) 그날의 기상 상태. (예)일기가 고르지 못하다. [비] 날씨.
일기도 (日氣圖) 어떤 지역의 기압·날씨·바람 따위를 숫자·기호·그림 따위로 나타낸 지도. 일기 예보의 기본이 됨. [비] 기상도.
일기 예:보 (日氣豫報) 날씨의 변화를 미리 알리는 일. [비] 기상 통보.
일기장 (日記帳) [일기짱] 일기를 적는 공책. [준] 일기.
일깨우다 일러 주거나 가르쳐서 깨닫게 하다. (예)가족의 소중함을 일깨우다. [준] 일깨다.
일:껏 [일껃] 모처럼 애써서. (예)일껏 만들어 놓은 것을 망가뜨렸다.
일:꾼 **1** 삯을 받고 남의 일을 하는 사람. (예)일꾼이 부족하다. **2** 어떤 일이든지 잘 처리하거나 맡아 할 만한 사람. (예)나라의 일꾼. [비] 역군. ×일군.
일:내다 [일래다] 말썽을 일으키다. (예)이 사람 일낼 사람일세.
일년생 (一年生) ⇨한해살이.
일념 (一念) [일렴] 한결같은 마음. (예)자식을 생각하는 어머니의 일념.
***일:다**[1] **1** 어떤 현상이 생기다. (예)바람이 일다. **2** 약하거나 희미한 것이 왕성해지다. (예)불이 일다. **3** 솟아오르거나 부풀어 오르다. (예)거품이 일다. [활용] 일어 / 이니 / 이는.
일:다[2] 곡식을 물속에 넣어 모래·티를 가려내다. (예)쌀을 일다. [활용] 일어 / 이니 / 이는.
일단 (一旦) [일딴] **1** 우선 먼저. (예)일단 일을 끝내고 보자. **2** 잠깐. (예)일단 정지 / 일단 생각해 보자.
일단락 (一段落) [일딴락] 일의 한 단계가 끝남. (예)일단락을 짓다 / 사건이 일단락되다. **—되다.**
일당[1] (一黨) [일땅] **1** 행동이나 목적을 같이하는 무리. (예)도둑 일당을 잡아들이다. **2** 하나의 정당. (예)일당 독재.
일당[2] (日當) [일땅] 하루 동안 일한 값으로 주는 돈. (예)일당을 받다.
일대[1] (一帶) [일때] 어느 지역의 전부. (예)영동 일대에 큰 눈이 내렸다. [비] 일원.
일대[2] (一大) [일때] 어떤 말 앞에 붙어 '굉장한·중대한'의 뜻을 나타내는 말. (예)일대 성황을 이루다.
일대기 (一代記) [일때기] 한 사람의 일생 동안의 일을 쓴 기록. (예)안중근 의사의 일대기. [비] 전기.
일대일 대:응 (一對一對應) [일때일—] 집합 ㉠과 집합 ㉡의 원소가 하나도 빠짐없이 각각 짝을 지우는 관계.

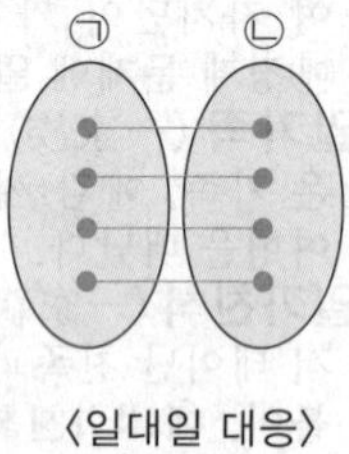

〈일대일 대응〉

일동 (一同) [일똥] 어떤 모임이나 단체에 속한 모든 사람. (예)사원 일동 / 전교생 일동을 대표하여 상을 받다.
일등 (一等) [일뜽] 첫째 등급. 또는 으뜸. (예)일등 상 / 전교 일등을 차지하다. [비] 제일.
일등품 (一等品) [일뜽품] 품질이 가장 좋은 물건.
일람표 (一覽表) 일의 내용을 한눈에 알아볼 수 있도록 간단하게 꾸며 놓은 표. ㉠성적 일람표 / 일람표를 작성하다.

일러두기 책의 첫머리에 그 책의 내용이나 사용법 등에 대하여 설명한 글. 비 범례.

일러두다 특별히 부탁하거나 지시해 두다. ㉠문단속을 잘 하라고 일러두었다.

일러바치다 어떤 비밀이나 나쁜 일을 윗사람에게 알리다. ㉠친구의 잘못을 선생님께 일러바치다.

일렁이다 물 위에 떠서 물결에 따라 이리저리 움직이다. ㉠파도에 일렁이는 쪽배. 비 일렁거리다.

일련(一連) 하나로 이어지는 것. ㉠일련번호 / 일련의 문제.

일렬(一列) 한 줄. ㉠일렬로 늘어서다.

일례(一例) 하나의 보기. ㉠일례를 들어 설명하다.

일루(一壘) 야구에서, 주자가 맨 처음 밟는 누.

일류(一流) 어떤 분야에서 첫째가는 지위나 부류. ㉠일류 극장 / 일류 대학 / 일류 기술자.

일률(一律) 한결같이 다룸. ㉠일률적으로 처리하다.

일리(一理) 옳은 데가 있어서 받아들일 만한 이치. ㉠네 말에 일리가 있다.

일말(一抹) 약간. 아주 조금. ㉠일말의 희망 / 일말의 가능성도 없다. 참고 주로 '일말의'의 꼴로 쓰임.

일망타진(一網打盡) 어떤 무리를 한꺼번에 모조리 다 잡음. ㉠폭력배를 일망타진하다. **—하다.**

일맥상통(一脈相通) [일맥쌍통] 처지나 생각, 성격 등이 서로 통하거나 비슷함. ㉠일맥상통한 이야기. **—하다.**

일면(一面) **1** 사람이나 물체, 일의 한 면. ㉠그의 새로운 일면을 보다. **2** 신문의 첫째 면.

일명(一名) 본명 이외에 따로 부르는 이름. ㉠서울을 일명 한양이라고도 불렀다.

일목요연하다(一目瞭然—) [일모교연하다] 한눈에 알아볼 수 있을 만큼 분명하다. ㉠서류를 일목요연하게 정리하다.

일몰(日沒) 해가 짐. ㉠일몰을 바라보다. 반 일출.

일문일답(一問一答) [일무닐땁] 한 번 물음에 대해 한 번 대답함.

일미(一味) 아주 뛰어나고 독특한 맛. ㉠과연 천하 일미로다.

일박(一泊) 하룻밤을 묵음. ㉠우리는 그 여관에 여장을 풀고 일박을 했다. **—하다.**

***일반**(一般) **1** 보통 사람들. ㉠일반에게 공개하다. **2** 전체에 두루 해당하는 것. ㉠일반 상식.

일반인(一般人) [일바닌] **1** 특별한 신분이나 지위가 없는 보통 사람. ㉠일반인의 관심. **2** 어떤 일과 특별한 관계가 없는 사람. ㉠일반인의 출입을 금하다. 반 특정인.

일반적(一般的) 일부에 한정되지 않고 전체에 걸친 (것). ㉠일반적인 의견. 반 국부적.

일방(一方) 한쪽. 한편. ㉠길이 일방으로 통하다.

일방적(一方的) **1** 한쪽으로 치우치는 (것). ㉠일방적인 승리. **2** 상대편은 생각지 않고 자신의 일만 생각하는 (것). ㉠일방적인 행동 / 약속을 일방적으로 어기다.

일방통행(一方通行) 일정한 구간을 지정하여 한 방향으로만 가도록 하는 일.

일:벌 집을 짓고 애벌레를 기르며 꿀 모으는 일을 맡아 하는 벌. 생식 기능이 없음. *여왕벌.

일보(一步) **1** 한 걸음. ㉠일보 전진하다. **2** 일의 시작이나 첫걸음. ㉠개혁의 일보를 내딛다.

일:복 (一福) [일뽁] 늘 일거리가 많음을 복으로 일컫는 말. ㉮일복을 타고나다 / 일복이 터지다.

일본 (日本) 〖국명〗 우리나라와 동해를 사이에 두고 있는 나라. 4개의 큰 섬과 많은 작은 섬들로 이루어짐. 화산이 많고 지진이 잦음. 수도는 도쿄.

일본어 (日本語) [일보너] 일본 사람의 국어. ㊟일어.

***일본인** (日本人) [일보닌] 일본 사람. ㉮일본인 관광객.

***일부** (一部) 전체에서 어느 한 부분. ㉮일부 지역 / 일부를 수정하다. 비 일부분. 반 전부.

***일부러** **1** 특히 일삼아. ㉮일부러 올 것까지는 없다. **2** 알면서 짐짓. ㉮일부러 모르는 체하다.

일부분 (一部分) 한 부분. 또는 전체를 여럿으로 나눈 얼마. ㉮수입의 일부분을 저축하다. 비 일부.

일부일처 (一夫一妻) 한 남편에게 한 아내가 있는 것.

일사병 (日射病) [일싸뼝] 한여름에 뙤약볕 밑에서 오랫동안 햇볕을 직접 받을 때에 일어나는 병. 심한 두통·현기증이 일어나고, 숨이 차며 정신을 잃음.

일사불란하다 (一絲不亂—) [일싸불란하다] 질서를 지켜 조금도 흐트러지거나 어지러움이 없다. ㉮일사불란하게 움직이다.

일사천리 (一瀉千里) [일싸철리] 강물이 거침없이 흘러 천 리를 간다는 뜻. **1** 사물이 거침없이 진행됨. ㉮안건이 일사천리로 처리되다. **2** 글이나 말이 거침이 없음. ㉮일사천리로 써 내려가다.

일산화탄소 (一酸化炭素) [일싼화탄소] 산소가 부족한 상태에서 물체가 탈 때 생기는 독한 기체. 맛·냄새·빛깔이 없으며, 연탄가스 중독의 원인이 됨.

일:삼다 [일삼따] **1** 일로 여기어 하다. ㉮채소밭을 일삼아 가꾸다. **2** 좋지 않은 일 따위를 계속하여 하다. ㉮불평을 일삼다.

***일상** (日常) [일쌍] 매일매일. 날마다. 늘. 항상. ㉮일상 하는 일.

일상생활 (日常生活) [일쌍생활] 날마다의 생활. 평소의 생활.

일상적 (日常的) [일쌍적] 날마다 늘 있는 (것). ㉮일상적인 행동.

일색 (一色) [일쌕] **1** 한 가지의 빛깔. ㉮교복이 푸른빛 일색이다. **2** 뛰어난 미인. ㉮인물이 일색이다. **3** 한 가지로만 이루어진 특색이나 정경. ㉮경기장이 온통 빨간색 티셔츠 일색이다.

***일생** (一生) [일쌩] 태어나서 죽을 때까지. 살아 있는 동안. ㉮여자의 일생 / 일생을 마치다. 비 평생.

일석이조 (一石二鳥) [일써기조] 돌 한 개를 던져 새 두 마리를 잡는다는 뜻으로, 동시에 두 가지 이득을 봄을 이르는 말. ㉮일석이조의 효과를 보다. 비 일거양득.

일선 (一線) [일썬] 전투가 벌어지거나 적과 가장 가깝게 맞서 있는 곳. ㉮일선 장병에게 위문편지를 보내다. 비 전선. 전방. 반 후방.

일설 (一說) [일썰] 어떤 주장이나 학설. ㉮일설에 따르면.

일소 (一掃) [일쏘] 남김없이 모조리 쓸어버림. ㉮부정부패를 일소하다. **—하다**.

일:손 [일쏜] **1** 일하는 손. ㉮일손을 돕다. **2** 일하는 솜씨. ㉮일손이 빠르다. **3** 일하는 사람. ㉮일손이 모자라다 / 일손을 구하다.

일손(을) 놓다 하던 일을 그만두다. 그만두고 쉬다. ㉮일손 놓지 말고 부지런히 해라.

일손(을) 떼다 ㉠하던 일에서 손을 떼다. 그만두다. ㉡하던 일을 끝내다. ㉮우선 일손을 뗀 다음에 이야기하자.

일손이 잡히다 일할 마음이 생기다. ㉠왠지 일손이 잡히지 않는다.

일:솜씨 일하는 솜씨. 또는 일을 해 놓은 솜씨. ㉠일솜씨가 거칠다.

일수[1] (日收) [일쑤] **1** 본전과 이자를 일정한 날짜로 나누어 날마다 거둬들이는 일. 또는 그 빚. ㉠일수를 쓰다. **2** 하루의 수입. ㉠일수 만 원.

일수[2] (日數) [일쑤] 날의 수. ㉠등교 일수 / 수업 일수를 채우다.

일순간 (一瞬間) [일쑨간] 눈 깜짝할 사이. ㉠일순간의 실수로 사고를 내다. ㉡삽시간.

일시[1] (一時) [일씨] **1** 한때. 한동안. ㉠일시 중단하다. **2** 같은 때. 한꺼번에. ㉠주문이 일시에 몰리다 / 일시에 쳐들어오다.

일시[2] (日時) [일씨] 날짜와 시간. 날과 때. ㉠약속 장소와 일시를 정해 알려 주다.

일시불 (一時拂) [일씨불] 치러야 할 돈을 한꺼번에 다 갚는 일.

일시적 (一時的) [일씨적] 한때나 한동안만 관계있는 (것). 오래가지 못하는 (것). ㉠일시적 현상. ㉥영구적. 항구적.

일식[1] (日蝕) [일씩] 지구와 태양 사이에 달이 들어와 태양의 전부 또는 일부가 달에 가려지는 현상. ㉠개기 일식.

일식[2] (日食) [일씩] 일본식 음식. ㉠일식 전문점.

일신[1] (一身) [일씬] **1** 자기 한 몸. ㉠일신의 이익만을 꾀하다. **2** 온몸. ㉠일신을 다 바쳐 일하다.

일신[2] (一新) [일씬] 아주 새로워짐. 또는 새롭게 함. ㉠분위기를 일신하다. **一하다.**

일심동체 (一心同體) [일씸동체] 한마음 한 몸. 곧, 서로 굳게 결합함을 일컫는 말. ㉠일심동체가 되어 일하다.

일쑤 흔히 또는 으레 그러는 일. ㉠그 애는 지각하기가 일쑤다.

일약 (一躍) [이략] 지위·등급·가격 따위가 단번에 높이 뛰어오르는 모양. ㉠일약 스타가 되다.

***일어나다** [이러나다] **1** 누웠다가 앉거나, 앉았다가 서다. ㉠의자에서 일어나다. **2** 잠에서 깨어나다. ㉠아침 일찍 일어나다. **3** 어떤 일이 생기다. ㉠싸움이 일어나다. **4** 어떤 마음이 생기다. ㉠식욕이 일어나다. **5** 한창 성해지다. ㉠집안이 불같이 일어나다.

***일어서다** [이러서다] **1** 앉았다가 서다. ㉠자리에서 일어서다. **2** 쇠하던 것이 기운이 생겨 다시 번창하여지다. ㉠사업이 일어서다. **3** 어떤 일에 나서다. ㉠민주화 운동에 학생들이 일어서다.

일언반구 (一言半句) [이런반구] 한 마디의 말과 반 구절이라는 뜻으로, 아주 짧은 말을 이르는 말. ㉠일언반구의 사과도 없었다.

일언지하 (一言之下) [이런지하] 한 마디로 잘라 말함. ㉠일언지하에 거절하다.

일:없다 [이럽따] **1** 필요가 없다. ㉠그런 건 일없다. **2** 괜찮다. ㉠일없으니 염려 마세요.

일연 (一然) 〘인명〙 고려 때의 승려. 저서에 '삼국유사' 따위가 있음. [1206-1289]

***일요일** (日曜日) [이료일] 일주일 중 첫째 날. ㉢일. ➲ Sunday

일용품 (日用品) [이룡품] 날마다 쓰는 물건. ㉠일용품을 아껴 쓰자.

일원 (一員) [이뤈] 어떤 단체를 구성하고 있는 사람 중의 하나. ㉠대표단의 일원.

일월[1] (一月) [이뤌] 한 해 중의 첫째 달. ㉡정월. ➲ January

일월[2] (日月) [이뤌] 해와 달.

***일으키다** [이르키다] **1** 일으켜 세

우다. ㉥넘어진 아이를 일으키다. ㉥ 넘어뜨리다. **2** 어떤 일을 벌이다. ㉥말썽을 일으키다. **3** 세우다. ㉥학교를 일으키다. **4** 생겨나게 하다. ㉥전기를 일으키다.

일익 (一翼) [이릭] 중요한 구실을 하는 한쪽 부분. ㉥국방의 일익을 담당하는 여군.

일인칭 (一人稱) [이린칭] **1** ⇨제일인칭. **2** 작품의 주인공으로 묘사되는 '나'. ㉥일인칭 소설.

일일 (日日) [이릴] 매일매일. 나날이. 날마다. ㉥일일 연속극.

일일생활권 (一日生活圈) [이릴생활꿘] 그날로 볼일을 끝내고 되돌아올 수 있는 거리 안에 있는 범위. 우리나라는 고속도로의 건설로 전국이 일일생활권이 됨.

*__일일이__ (一一一) [일리리] 하나하나 빠짐없이 다. ㉥행사장에 모인 모든 사람들과 일일이 악수하다.

일임 (一任) [이림] 모조리 맡김. ㉥일임을 받다 / 집안일을 큰며느리에게 일임하다. **—하다.**

일자 (日字) [일짜] 날짜. ㉥시험 일자가 내일이다.

일:자리 [일짜리] ⇨일터. ㉥일자리를 구하다.

일장 (一場) [일짱] ⇨한바탕. ㉥일장 연설 / 일장 훈계를 늘어놓다.

일장기 (日章旗) [일짱기] 일본의 국기. 흰 바탕에 붉은 원을 한가운데에 그렸음.

일장춘몽 (一場春夢) [일짱춘몽] 한바탕의 봄꿈이라는 뜻으로, 헛된 영화나 덧없는 일을 비유한 말.

일전 (日前) [일쩐] 지나간 날. 며칠 전. ㉥일전에 만난 사람.

일절 (一切) [일쩔] '아주·도무지·전연'의 뜻. 흔히, 사물을 부인하거나 행위를 금지할 때 씀. ㉥출입을 일절 금하다 / 앞으로 그런 짓은 일절 하지 마라. →일체 주의

*__일정__[1] (一定) [일쩡] 정해져 있는 것. ㉥일정한 규칙 / 수입이 일정하다. **—하다.**

일정[2] (日程) [일쩡] **1** 일정한 기간 동안 해야 할 일이나 그 일을 위해 날짜별로 짜 놓은 계획. ㉥일정을 짜다 / 일정을 앞당기다. **2** 그날에 할 일. 또는 그 분량이나 순서. ㉥경기 일정 / 행사 일정.

일정량 (一定量) [일쩡냥] 정해져 있는 분량. ㉥일정량을 초과하다.

일정표 (日程表) [일쩡표] 그날 해야 할 일을 적어 놓은 표. ㉥일정표대로 업무를 시작하다.

일제[1] (一齊) [일쩨] 여럿이 한꺼번에 함. ㉥일제 점검.

일제[2] (日帝) [일쩨] **1** 왕이 다스리던 일본 제국. ㉥일제의 침략. ㉥ 일본 제국. **2** 8·15 광복 전에 일본이 신봉한 제국주의. ㉥일제의 만행. ㉥ 일본 제국주의.

일제 강:점기 (日帝強占期) [일쩨—] 일본이 우리나라의 국권을 강제로 빼앗고 지배한 1910년부터 1945년까지 35년간의 기간. ㉥ 일정 시대.

일제히 (一齊—) [일쩨히] 여럿이 한꺼번에. ㉥일제히 일어나다 / 온 겨레가 일제히 만세를 외치다.

일조 (一助) [일쪼] 얼마간의 도움이 됨. 또는 그 도움. ㉥팀의 승리에 일조하다. **—하다.**

일조량 (日照量) [일쪼량] 햇볕이 내리쬐는 양.

일종 (一種) [일쫑] **1** 한 종류. ㉥식물의 일종. **2** 어떤 종류. ㉥일종의 만족감을 느끼다.

일주 (一周) [일쭈] 한 바퀴를 돎. ㉥세계 일주. **—하다.**

일주 운:동 (日周運動) [일쭈—] 별·태양·달 등이 하루에 한 바퀴씩 지구의 둘레를 도는 것처럼 보이는 운동. 실제로는 지구가 자전하기 때문임.

일주일 (一週日) [일쭈일] 일요일부터 토요일까지의 칠 일. ㉠일주일 후면 여름 방학이다. 비 일주간. 준 일주.
일지 (日誌) [일찌] 그날그날의 일에 대한 기록. 또는 그 책. ㉠학급 일지 / 일지를 쓰다.
일직선 (一直線) [일찍썬] 한 방향으로 쭉 곧은 줄. ㉠일직선을 긋다.
일진 (日辰) [일찐] 그날의 운수. ㉠오늘은 일진이 좋았다.
일찌감치 조금 더 일찍이. ㉠일찌감치 저녁을 먹다. 반 느지감치.
*__일찍__ 어떤 시간보다 늦지 않고 이르게. ㉠남보다 일찍 출발하다. 비 일찍이. ➲ early
*__일찍이__ [일찌기] **1** 일정한 시간보다 이르게. ㉠일찍이 서두르다. 비 일찍. 반 느직이. **2** 오래 전에. 예전에. ㉠일찍이 없었던 일. ×일찌기.
일차적 (一次的) 첫 번째가 되는 (것). ㉠일차적으로 할 일.
일체 (一切) 온갖 것. 모든 것. ㉠소지품 일체를 조사하다 / 내용은 일체 비밀임.

> 주의 **일체**와 **일절**
> **일체** 모두. 전부. 전체. ㉠모든 재산은 일체 네게 맡긴다.
> **일절** 아주. 도무지. 전연. 전혀《사물을 부인·부정·금지할 때 씀》. ㉠그런 일은 일절 하지 마라.

일체감 (一體感) 여럿이 어울려 하나가 된 느낌. ㉠일체감을 느끼다.
일출 (日出) 해가 뜸. ㉠일출이 시작되다. 비 해돋이. 반 일몰.
일치 (一致) 서로 들어맞음. ㉠의견이 일치하다. 비 합치. 반 상반. **—하다.**
일치단결 (一致團結) 여럿이 한 덩어리로 굳게 뭉침. **—하다.**
일침 (一針〔鍼〕) 침 한 대라는 뜻으로, 따끔한 충고나 경고를 이르는 말. ㉠일침을 가하다.
일침(을) 놓다 따끔하게 경고나 충고를 하다.
일컫다 [일컫따] 이름 지어 부르거나 가리켜 말하다. ㉠사자를 흔히 백수의 왕이라고 일컫는다. 활용 일컬어 / 일컬으니 / 일컫는.
일탈 (逸脫) 어떤 조직·사상 따위에서 벗어남. ㉠본래의 목적에서 일탈하다. **—하다.**
*__일ː터__ 일을 하는 곳. ㉠일터로 나가다. 비 일자리. 작업장. 직장.
일편단심 (一片丹心) 진심에서 우러나오는 변치 않는 마음.
일평생 (一平生) 살아 있는 동안. ㉠일평생을 예술 활동에 바치다. 비 한평생.
일품 (一品) **1** 품질이나 상태가 가장 나음. 또는 그런 물품. ㉠우리 고장 과일은 일품으로 평가된다. **2** 솜씨가 아주 좋음. 또는 그 솜씨. ㉠음식 솜씨가 일품이다.
*__일ː하다__ 맡은 바 일을 하다. ㉠하루 종일 쉬지 않고 일하다 / 열심히 일한 만큼 보람이 있다. ➲ work
*__일행__ (一行) **1** 길을 함께 가는 사람들의 무리. ㉠일행을 따라 걷다. **2** 길을 함께 가는 사람. ㉠그 학생은 우리 일행입니다.
일화 (逸話) 세상에 널리 알려지지 않은 흥미 있는 이야기. ㉠숨은 일화를 들려주다.
일확천금 (一攫千金) 힘들이지 않고 단번에 많은 재물을 얻음. ㉠일확천금을 꿈꾸다.
일회용 (一回用) 한 번 쓰고 버리도록 된 것. ㉠일회용 기저귀 / 일회용 반창고.
일흔 열의 일곱 배. 칠십.
읽기 [일끼] 국어 학습에서, 글을 바르게 읽고 이해하는 일. 또는 그 방법. *말하기. 듣기. 쓰기.

*읽다 [익따] **1** 소리를 내어 글을 보거나 눈으로 보아 뜻을 헤아리다. ㉠신문을 읽다 / 책을 읽다. **2** 표정이나 태도를 보고 뜻을 알아차리다. ㉠상대의 마음을 읽다. →겹받침 주의 ➡ read

읽을거리 [일글꺼리] 책·잡지·신문 따위의 읽을 것. 또는 그 내용. ㉠읽을거리가 다양하다.

*잃다 [일타] **1** 가졌던 물건이 자기도 모르게 없어지다. ㉠지갑을 잃다. **2** 사람과의 관계가 끊어지거나 헤어지다. ㉠돈 때문에 친구를 잃다. **3** 방향이나 길을 찾지 못하다. ㉠길을 잃고 헤매다. 발음 잃으니[이르니] / 잃어서[이러서] / 잃은[이른] / 잃었다[이럳따]. ➡ lose

> 주의 **잃다, 잇다, 잊다**
> **잃다** 가지고 있던 것이 자기도 모르게 없어지다. ㉠정신을 잃다 / 연필을 잃은 줄도 몰랐다.
> **잇다** 끝과 끝을 맞붙게 하다. ㉠끈을 잇다 / 왕위를 잇다.
> **잊다** 알던 것을 모르게 되다. ㉠이름을 잊다 / 수학 공식을 잊다.

*잃어버리다 [이러버리다] 아주 잃다. ㉠잃어버린 돈.

임 사모하는 사람. ㉠임을 그리워하다 / 임과 이별하다.

임경업 (林慶業)〔인명〕 조선 인조 때의 명장. 이괄의 난을 해결하는 데 공을 세웠으며, 병자호란 이후에 청나라를 치고자 했으나 김자점의 방해로 실패함. [1594-1646]

임:관 (任官) **1** 관직에 임명됨. **2** 사관후보생이나 사관생도가 장교로 임명됨. ㉠소위로 임관되다. **—하다.**

*임:금[1] 군주 국가에서 나라를 다스리는 가장 높은 사람. 비 군주. 왕.

임:금[2] (賃金) 근로자가 노동의 대가로 받는 돈. ㉠임금을 인상하다. 비 노임. 품삯.

임:기 (任期) 임무를 맡아보는 일정한 기간. ㉠국회의원 임기.

임기응변 (臨機應變) 그때그때의 형편에 따라 알맞게 일을 처리함. ㉠임기응변에 능하다. **—하다.**

임:대 (賃貸) 돈을 받고 자기의 물건을 남에게 빌려 줌. ㉠임대 아파트. 반 임차. **—하다.**

임:대료 (賃貸料) 무엇을 빌려 준 대가로 받는 돈. ㉠사무실 임대료. 반 임차료.

임:명 (任命) 관직을 줌. 어떤 일을 맡김. ㉠교장으로 임명되다. 반 파면. **—하다.**

임:명장 (任命狀) [임명짱] 어떤 사람에게 어떤 직위·직무·직책을 맡긴다는 사실을 밝힌 정식 문서.

*임:무 (任務) 맡은 일. ㉠임무에 충실하다. 비 책무.

임박하다 (臨迫—) [임바카다] 어떤 시기가 가까이 닥쳐오다. ㉠약속 날짜가 임박해 오다.

임산물 (林産物) 산림에서 나는 물건. 목재·나물·버섯 따위.

임:산부 (姙産婦) 아이를 밴 여자와 아이를 갓 낳은 여자. 임부와 산부. ㉠임산부에게 자리를 양보하다.

임산 자원 (林産資源) 산림에서 얻어지는 자원. 목재·펄프·약초 따위. ㉠임산 자원이 풍부하다.

임상 (臨床) 의학 연구나 환자 진료를 위해 병상에 임함. ㉠임상 실험. **—하다.**

임시 (臨時) 정하지 않은 일시적인 기간. ㉠임시 반장 / 귀성객을 위하여 임시 열차를 운행하다.

임시 국회 (臨時國會) [—구쾨] 국회의 임시 회의. 급하게 필요할 때에, 대통령 또는 국회 재적 의원 4분의 1 이상의 요구에 따라 소집됨. 반 정기 국회. 준 임시회.

임시 정부(臨時政府) **1** 아직 권력을 잡지 못했거나 국제적으로 인정받지 못한, 적법한 정부로 인정할 수 없는 정부. 비 가정부. **2** ⇨대한민국임시 정부. 준 임정.

임시표(臨時標) 악곡의 도중에 본디의 음을 임시로 변화시키기 위하여 쓰는 기호. 올림표(#)·내림표(♭)·제자리표(♮) 따위.

임ː신(妊〔姙〕娠) 아이를 뱀. 또는 그일. 비 잉태. 회임. **—하다.**

임야(林野) [이먀] 숲과 들. 예 드넓은 임야 / 임야를 훼손하다.

임업(林業) [이멉] 숲에서 얻을 수 있는 경제적인 이득을 목적으로 나무를 가꾸고 베어 내는 사업. 비 산림업.

임ː오군란(壬午軍亂) [이모굴란] 조선 고종 19년(1882)에 신식 군대인 별기군에 대한 특별 대우와 군대 제도 개혁 따위에 불만을 품은 구식 군인들이 일으킨 난리.

임ː용(任用) [이뵹] 어떤 일을 맡아 할 사람을 씀. 예 사무직에 임용하다 / 교사 임용 시험. **—하다.**

임ː원(任員) [이뭔] 어떤 단체를 운영하고 감독하는 일을 맡은 사람. 예 학생회 임원.

임ː의(任意) [이믜 / 이미] 자기 마음대로 하는 일. 예 임의 결정 / 임의대로 사용하다.

임ː의로(任意—) [이믜로 / 이미로] 거리낌 없이 마음대로. 예 임의로 해석하다.

임ː자[1] 물건을 차지하고 있는 사람. 예 이 책의 임자가 누구냐. 비 소유주. 주인.

임ː자[2] **1** 친한 사람끼리 '자네'라고 하기는 거북할 때 쓰는 말. 예 이번에는 임자가 해야겠소. **2** 나이가 좀 많은 부부 사이에서 남편이 아내를 부르는 말. 예 고생한 임자에게 선물을 하고 싶소.

임전무퇴(臨戰無退) 세속 오계의 하나. 싸움터에 나아가서 물러서지 않음.

임종(臨終) **1** 죽음을 맞이함. 예 할아버지는 편안하게 임종을 하셨다. **2** 부모가 돌아가실 때 그 자리에 같이 있음. 예 어머님의 임종을 지켜보다. **—하다.**

임ː직원(任職員) [임지권] 임원과 일반 직원을 다 합한 모든 직원. 예 임직원 일동 / 이번 행사에 모든 임직원이 참석했다.

임진강(臨津江) 함경남도에서 시작하여 경기 북부 지방을 거쳐 한강과 합하여 황해로 흘러 들어가는 강. 길이 254km.

임ː진왜란(壬辰倭亂) [임지놰란] 조선 선조 25년(1592) 4월에 일본의 도요토미 히데요시가 15만 대군으로 조선에 침입한 난리. 선조 30년에 다시 침입하여 전후 7년간이나 싸움. 준 왜란. 임진란.

임하다(臨—) **1** 윗사람이 아랫사람을 대하다. 예 부하 직원에 임하는 태도. **2** 어떤 사태나 일에 부닥치다. 예 시험에 임하다.

***입** **1** 입술에서 목구멍까지의 부분. 몸 안으로 음식을 넣으며, 소리를 내는 기관임. 예 입을 벌리다. **2** 말할 때 놀리는 입버릇. 예 입이 싸다. **3** 남의 말이나 소문. 예 남의 입에 오르내리다. **4** ⇨입술. 예 입을 삐죽 내밀다. **5** 물건의 주둥이. 예 입이 작은 병. ➡ mouth

입만 살다 ㉠행동은 하지 않고 말만 그럴듯하게 잘한다. ㉡격에 맞지 않게 음식을 가려 먹다.

입만 아프다 여러 번 일러도 받아들이지 않아 말한 보람이 없다.

입에 맞다 음식물이 좋아하는 식성과 일치하다.

입에 발린 소리 마음에도 없이 듣기 좋으라고 하는 말.

입(을) 놀리다 경솔하게 말을 함부로 하다. ㉨함부로 입을 놀리면 그냥 안 둘 테다.

입(을) 다물다 말을 하지 않거나 하던 말을 그치다.

입(을) 맞추다 서로의 말이 같도록 짜다.

입(을) 모으다 여러 사람이 같은 의견을 말하다. ㉨어른들이 입을 모아 칭찬하다.

입이 가볍다 신중하지 못하여 말을 참지 못하고 함부로 하다.

입이 걸다 말을 거리낌 없이 함부로하다.

입이 무겁다 말이 적거나 아는 일을 함부로 옮기지 않다.

입가 [입까] 입의 가장자리. 입의 언저리. ㉨입가에 미소를 띠다.

입가심 [입까심] 입 안을 가셔서 개운하게 하는 일. ㉨입가심으로 껌을 씹다. **—하다.**

입간판 (立看板) [입깐판] 벽에 기대어 놓거나 길가에 세워 둔 간판. ㉨입간판을 세우다.

입교[1] (入校) [입꾜] ⇨입학. **—하다.**

입교[2] (入教) [입꾜] 어떤 종교를 믿기 시작함. **—하다.**

***입구** (入口) [입꾸] 들어가는 어귀나 문. ㉨교문 입구/마을 입구에 장승을 세우다. 반 출구.

입국 (入國) [입꾹] 자기 나라나 남의 나라에 들어감. ㉨입국 절차를 밟다/입국 허가가 나오다. 반 출국. **—하다.**

입궐 (入闕) [입꿜] 대궐 안으로 들어감. 반 퇴궐. **—하다.**

입금 (入金) [입끔] 은행 따위에 예금하는 일. ㉨용돈의 일부를 은행에 입금하다. **—하다.**

입금표 (入金票) [입끔표] 은행·회사 등에서 들어오는 돈의 내용을 적은 쪽지. ㉨입금표를 확인하다. 반 출금표.

입김 [입낌] **1** 입에서 나오는 더운 김. ㉨언 손을 입김으로 녹이다. **2** 어떤 일에 미치는 영향력.

입김(을) 넣다 영향이나 압력을 넌지시 가하다.

입김(이) 세다 미치는 영향력이나 압력이 세다.

***입다** [입따] **1** 옷 따위를 몸에 꿰거나 두르다. ㉨바지를 입다. ➲ wear **2** 피해·손해를 보거나 당하다. ㉨큰 피해를 입다. **3** 은혜나 도움을 받다. ㉨은혜를 입다.

입단 (入團) [입딴] 어떤 단체에 가입함. ㉨입단 선서/보이 스카우트에 입단하다. **—하다.**

입담 [입땀] 말하는 솜씨나 힘. ㉨입담을 늘어놓다/입담이 세다/입담이 좋다. 비 언변.

입당 (入黨) [입땅] 어떤 정당에 가입함. ㉨입당을 권하다/여당에 입당하다. 반 탈당. **—하다.**

입대 (入隊) [입때] 군대에 들어가 군인이 됨. ㉨공군에 입대하다. 비 입영. 반 제대. **—하다.**

입덧 [입떧] 임신한 지 이삼 개월 되어 메스껍고 구역질이 나며 입맛이 떨어져 몸이 쇠약해지며 특별한 음식을 좋아하는 증세.

입덧(이) 나다 입덧의 증세가 생기다.

입동 (立冬) [입똥] 이십사절기의 열아홉째. 양력 11월 7일경. 상강과 소설 사이에 있음. 이때부터 겨울이 시작됨. → [학습마당] 22(863쪽)

입력 (入力) [임녁] 컴퓨터에서, 문자나 숫자를 기억시키는 일. ㉨컴퓨터에 자료를 입력하다. 반 출력. **—하다.**

입력 장치 (入力裝置) [임녁짱치] 컴퓨터의 중앙 처리 장치에 정보를 넣어 주는 장치. 키보드 따위.

입막음 [임마금] 불리한 말을 하지

못하게 함. ㉥입막음으로 돈을 주다. **—하다.**

입맛 [임맏] **1** 음식을 먹을 때 입에서 느끼는 맛. ㉥입맛이 떨어지다. 비 구미. **2** 무엇을 즐기거나 좋아하는 마음. ㉥관객의 **입맛**에 맞추다.

입맛(을) 다시다 ㉠일이 뜻대로 되지 않아 귀찮아하거나 난처해하다. ㉡무엇을 가지고 싶어하거나 하고 싶어하다.

입맛(이) 당기다 ㉠먹고 싶은 생각이 들다. ㉡무엇에 흥미가 생기거나 욕심이 나다.

입맛(이) 떨어지다 어떤 일에 흥미를 잃거나 흥이 나지 않다.

입맛(이) 쓰다 일이 뜻대로 되지 않아 기분이 좋지 않다.

입맞춤 [임맏춤] 입을 맞추는 일. 키스. **—하다.**

입문 (入門) [임문] 학문이나 특정 분야를 배우고자 첫 과정에 들어섬. ㉥바둑 입문. **—하다.**

입바르다 [입빠르다] 바른말을 거침없이 하다. ㉥입바른 소리. 활용 입발라 / 입바르니.

입방아 [입빵아] 쓸데없는 말을 방정맞게 자꾸 지껄이는 일.

입방아(를) 찧다 쓸데없는 말을 방정맞게 자꾸 하다. ㉥상관도 없는 남의 일에 **입방아**를 찧고 있다.

입버릇 [입뻐름] 자주 말해 버릇이 되어 버린 말이나 말투. ㉥**입버릇**처럼 늘 말하다.

입법 (立法) [입뻡] 법을 제정함. 또는 그 행위. ㉥**입법** 기관 / **입법** 정신. **—하다.** *사법. 행정.

입법부 (立法府) [입뻡뿌] 삼권 분립에 따라 법률을 제정하는 국가 기관으로, 국회를 이르는 말.

입사 (入社) [입싸] 회사 등에 일자리를 얻어 들어감. ㉥입사 동기 / 입사 시험. 반 퇴사. **—하다.**

입산 (入山) [입싼] 산속에 들어감. ㉥입산 금지. **—하다.**

입상[1] (入賞) [입쌍] 상을 타게 되는 등수 안에 듦. ㉥입상자 / 입상의 영예를 안다. **—하다.**

입상[2] (立像) [입쌍] 서 있는 모습으로 만든 상.

입선 (入選) [입썬] 응모하거나 출품한 작품이 심사에 뽑힘. ㉥입선 작품 / 백일장에서 **입선**하다. 비 당선. 반 낙선. **—하다.**

입센 (Ibsen, Henrik) 〖인명〗 노르웨이의 극작가. 여성 문제나 사회 문제를 주로 다루었음. 작품에 '인형의 집', '유령', '사랑의 희극' 따위가 있음. [1828–1906]

입속말 [입쏭말] 남이 알아듣지 못하게 입속에서 중얼거리는 말.

입수 (入手) [입쑤] 손에 들어옴. 또는 손에 넣음. ㉥정보를 **입수**하다. **—하다.**

***입술** [입쑬] 포유동물의 입의 아래위에 붙은 얇고 부드러운 살. ▶ lip

> **참고** 입술의 옛말은 입시울이었다. 시울은 시위 곧 활에 걸어서 켕기는 줄, 활시위를 나타내는 말이다. 입의 줄이란 뜻의 입시울이 입슐 → 입술로 변화된 것이 오늘의 표준어이다.

입시 (入試) [입씨] '입학시험'의 준말. ㉥**입시** 문제집 / **입시** 준비.

입신 (立身) [입씬] 사회에서 지위를 얻어 출세함. **—하다**

입신양명 (立身揚名) [입씬냥명] 출세하여 세상에 이름을 들날림.

입심 [입씸] 기운차게 거침없이 말하는 힘. ㉥**입심**이 좋다.

입씨름 **1** 어떤 일을 이루려고 말로 애를 쓰는 일. ㉥**입씨름**만 계속되다. **2** ⇨말다툼. ㉥결말 없는 **입씨름**을 벌이다. **—하다**

입양 (入養) [이뱡] **1** 양자를 들이거나 양자로 들어감. ㉥입양아 / 해외 입양. **2** 법에서, 부모와 양자의 관계를 맺는 것. **—하다.**

입영(入營)[이병] 군인이 되어 군대에 들어감. ㉠입영 열차 / 입영이 1주일 남았다. 비 입대. **—하다.**

입원(入院)[이뷘] 환자가 병을 고치기 위해 일정한 기간 동안 병원에 머물며 치료를 받는 일. ㉠입원 수속 / 교통사고로 입원하다. 반 퇴원. **—하다.**

입원비(入院費)[이뷘비] 병원에 입원해 치료를 받고 내는 돈. ㉠입원비를 청구하다.

입원실(入院室)[이뷘실] 환자가 입원하여 치료를 받을 수 있게 시설해 놓은 방.

입자(粒子)[입짜] 물질을 구성하는 아주 작은 알갱이. ㉠먼지 입자 / 입자가 곱다.

입장[1](入場)[입짱] 극장·식장·경기장 등에 들어감. ㉠연소자 입장 불가. 반 퇴장. **—하다.**

입장[2](立場)[입짱] 자기가 처해 있는 사정이나 형편. ㉠난처한 입장에 놓이다.

입장객(入場客)[입짱객] 극장·식장·경기장 따위에 들어가는 사람. ㉠입장객이 몰리다.

입장권(入場券)[입짱꿘] 극장·식장·경기장 따위의 일정한 장소에 들어가는 것을 허가하는 표. ㉠무료 입장권 / 입장권 예매 / 입장권이 매진되다.

입장료(入場料)[입짱뇨] 입장하기 위하여 내는 돈.

입주(入住)[입쭈] 새로 마련한 집이나 땅에 들어가 삶. ㉠새 아파트에 입주하다. **—하다.**

입주자(入住者)[입쭈자] 새로 지은 집 따위에 들어가 사는 사람. ㉠입주자 우선 주차.

입증(立證)[입쯩] 증거 따위를 내세워 증명함. ㉠결백을 입증하다 / 알리바이를 입증하다. **—하다.**

입지[1](立地)[입찌] **1** 동식물이 자라는 장소의 환경. **2** 인간이 경제 활동을 하기 위해 선택하는 장소. ㉠입지 조건이 열악하다.

입지[2](立志)[입찌] 뜻을 세움. **—하다.**

입천장(—天障) 입 안에서 목구멍으로부터 윗잇몸까지 입의 천장을 이루는 부분.

입체(立體) 길이·폭·두께가 있는 물체. ㉠입체 영화 / 입체 교차로. 반 평면.

입체감(立體感) 위치·넓이·길이·두께를 가진 물건의 느낌. 입체를 보는 것과 같은 느낌. ㉠입체감을 나타내다.

*__입체 도형__(立體圖形) 한 평면 위에 있지 않고 공간적인 넓이를 가진 여러 가지 도형. 비 공간 도형.

입체 음향(立體音響) 둘 이상의 스피커를 사용하여 원음의 방향감이나 거리감을 살려 입체감·현장감 등이 재생된 음향.

입체적(立體的) 물건에 깊이·두께 등이 있어 입체감을 주는 (것). ㉠입체적인 구도.

입추[1](立秋) 이십사절기의 열셋째. 대서와 처서 사이로, 양력 8월 8-9일경. 이때부터 가을이 시작됨. → [학습마당] 22(863쪽)

입추[2](立錐) 송곳을 세움. **—하다.**

입추의 여지가 없다 송곳의 끝도 세울 수 없을 정도라는 뜻으로, 많은 사람들이 꽉 들어찼다는 말.

입춘(立春) 이십사절기의 첫째. 대한과 우수 사이로, 양력 2월 4일경. 이때부터 봄이 시작됨. → [학습마당] 22(863쪽)

입하(立夏)[이파] 이십사절기의 일곱째. 곡우와 소만 사이로, 양력 5월 5-6일경. 이때부터 여름이 시작됨. → [학습마당] 22(863쪽)

*입학 (入學) [이팍] 공부하기 위해 학교에 들어가 학생이 됨. 예입학 원서 / 초등학교에 입학하다. 비 입교. 반 졸업. **—하다.**

입학금 (入學金) [이팍끔] 입학할 때에 학교에 내는 돈.

입학시험 (入學試驗) [이팍씨험] 입학하기 위하여 치르는 시험. 준 입시.

입학식 (入學式) [이팍씩] 입학할 때 신입생을 모아 놓고 행하는 의식. 예초등학교 입학식. 반 졸업식.

입항 (入港) [이팡] 배가 항구에 들어옴. 예풍랑 경보가 내려 배들이 입항하고 있다. 반 출항. **—하다.**

입헌 군주제 (立憲君主制) [이펀—] 왕이 있으나 실제의 정치는 의회가 헌법에 따라 행하는 정치 제도.

입회 (入會) [이푀] 어떤 모임에 들어가 회원이 됨. **—하다.**

입후보 (立候補) [이푸보] 선거에 후보자로 나섬. 예입후보자 / 무소속으로 입후보하다. **—하다.**

*입히다 [이피다] **1** 입게 하다. 당하게 하다. 예아기에게 옷을 입히다 / 손해를 입히다. **2** 물건의 거죽에 무엇을 덮어씌우거나 바르다. 예구리에 금을 입히다.

*잇:다 [읻따] **1** 끝과 끝을 맞대어 서로 붙게 하다. 예실을 잇다. **2** 앞뒤가 끊어지지 않게 하다. 예집안의 대를 잇다. 활용 이어 / 이으니 / 잇는. →잃다 주의

*잇:달다 [읻딸다] 끊이지 않게 뒤를 이어 달다. 예축하 행렬이 잇달다. 활용 잇달아 / 잇다니 / 잇다는.

> 주의 **잇달다와 잇따르다**
> 무엇이 뒤를 이어 계속된다는 뜻으로는 두 말 모두 쓸 수 있다. 그러나 뒤를 이어 무엇을 계속한다는 뜻으로는 '잇달다' 만 쓸 수 있다.
> 예잇달아 회의를 열다(○)
> 잇따라 회의를 열다(×)
> '잇따르다' 가 뒤에 오는 말을 꾸밀 때 '잇딴' 으로 잘못 쓰는 경우가 많다. 맞는 말은 '잇따른' 이다.
> 예잇따른 사고(○)
> 잇딴 사고(×)

잇:닿다 [읻따타] 서로 이어져 맞닿다. 예처마가 잇닿다.

잇:대다 [읻때다] 서로 잇닿게 하다. 예헝겊을 잇대어 꿰매다.

잇:따르다 [읻따르다] 뒤를 이어 따르다. 예잇따라 질문하다 / 잇따른 범죄 사건 / 비난이 잇따르다. 활용 잇따라 / 잇따르니.

잇몸 [인몸] 이뿌리를 싸고 있는 살. 예잇몸에서 피가 난다.

잇:속 (利—) [이쏙 / 읻쏙] 이익이 있는 실속. 예잇속을 차리다.

잇자국 [이짜국 / 읻짜국] 이로 문 자국. 예잇자국이 뚜렷하다.

*있다 [읻따] **1** 어떤 사실·현상·상태 등이 존재하다. 예산도 있고 물도 있다 / 몸에 열이 있다. **2** 어떤 지위·자리 따위를 차지하다. 예회사 부장으로 있는 분. **3** 몸에 지니거나 가지다. 예병이 있다. **4** 생기거나 발생하다. 예볼일이 있어 먼저 간다 / 그런 일이 있어서야 되겠나. **5** 물건이나 돈 따위를 가지다. 예내게 돈이 조금 있다. **6** '-고' 다음에 쓰여, 어떤 동작을 계속하다. 예밥을 먹고 있다 / 책을 읽고 있는 아이. **7** '-아' · '-어' 다음에 쓰여, 어떤 상태가 계속되다. 예멍하니 앉아 있다. 참고 현재의 동작을 나타내는 말 '-습니다' 와 연결될 때는 '있습니다' 로 쓰며, '있읍니다' 로 쓰지 않는다. 또, '-음' 이 뒤에 올 때는 '있음' 이라고 쓰고 '있슴' 이라고는 쓰지 않는다. '없다' 도 '있다' 의 경우처럼 '없습니다' · '없음' 이라고 쓴다.

잉글리시 호른 (English horn) 오보에 계통의 세로로 부는 목관 악기.

잉꼬 (일 いんこ) 앵무과에 속하는 새. 몸길이는 21 cm가량, 머리 위는 황색, 허리·가슴·배는 녹색임. 더운 지방에서 살고 사람을 잘 따르며 아름다워 많이 기름.

잉아 베틀의 날실을 끌어 올리도록 맨 굵은 줄.

*__잉ː어__ 잉엇과의 민물고기. 몸빛은 대개 주홍빛 섞인 갈색인데 힘이 세고 큰 비늘이 있으며, 입가에 한두 쌍의 수염이 있음. 큰 것은 1 m 이상인 것도 있음.

잉ː여 (剩餘) 쓰고 난 나머지. ㉳잉여 농산물.

잉잉 **1** 어린아이가 밉살스럽게 잇따라 우는 소리. **2** 날벌레 따위가 잇따라 나는 소리. **—거리다.**

잉카 문명 (Inca文明) 남아메리카의 페루 고원 지방을 중심으로 잉카족이 이룩한 고대 문명. 청동기를 사용하였고, 토목·직물 외에 의학도 발달하였으나 다른 문화와의 교류가 없어 더 발전되지 못함.

잉크 (ink) 필기 또는 인쇄에 사용하는 빛깔이 있는 액체. ㉳잉크가 번지다.

잉ː태 (孕胎) 아이를 뱀. 비 임신. **—하다.**

*__잊다__ [읻따] **1** 한번 알았던 것을 기억하지 못하다. ㉳약속을 깜빡 잊다. **2** 생각하지 않다. ㉳지난 일은 다 잊었다. **3** 마음에 오래 두지 않고 저버리다. ㉳은혜를 잊다. →잃다 주의 ➲ forget

잊어버리다 [이저버리다] 모두 잊다. 아주 잊다. ㉳약속을 까맣게 잊어버렸다.

잊히다 [이치다] 생각이 나지 않게 되다. ㉳잊혀진 추억.

*__잎__ [입] 식물의 영양 기관의 하나. 가지나 줄기의 마디에 나서 광합성·호흡 등의 작용을 함. ➲ leaf

잎눈 [임눈] 자라서 줄기나 잎이 될 식물의 눈. 꽃눈보다 작음. 비 엽아.

잎담배 [입땀배] 썰지 않고 잎사귀 그대로 말린 담배. 비 엽연초. 반 살담배.

잎맥 (—脈) [임맥] 수분과 양분이 이동하는 잎 속의 관. 그물맥과 나란히맥이 있음. 비 엽맥.

잎사귀 [입싸귀] 낱낱의 잎. 비 이파리.

잎새 '잎사귀'의 방언.

잎자루 [입짜루] 잎을 줄기나 가지에 붙게 하는 꼭지 부분. 잎을 햇빛 방향으로 향하게 함.

잎줄기 [입쭐기] 잎의 줄기.

잎지는나무 [입찌는나무] 가을에 잎이 떨어졌다가 이듬해 봄에 새 잎이 나는 나무. 비 낙엽수.

잎채소 (—菜蔬) [입채소] 잎을 먹는 채소. 배추·시금치·상추 따위.

ㅈ (지읒[지읃]) 한글 닿소리의 아홉째 글자.

***자**[1] **1** 길이를 재는 기구. 삼각자·대자 등. **2** 길이의 단위의 하나. 약 30.3 cm. 비 척.

자[2] (字) **1** 글자. 또는 글자의 수를 나타내는 말. 예이백 자 원고지 / 이 한자가 무슨 자냐. **2** 날짜. 예오늘 자 신문.

자[3] (者) 사람을 얕잡아 이르는 말. 예그 자는 소매치기야.

자[4] 남의 주의를 끌거나 행동을 재촉할 때 하는 말. 예자, 가자.

-자 (者) 어떤 말 뒤에 붙어 '어떠한 사람, 어느 방면에 능통한 사람'의 뜻을 나타내는 말. 예교육자 / 과학자 / 기술자.

자가 수정 (自家受精) 암수한몸인 동물에서, 몸 안에 생긴 정자와 난자가 하나로 합하는 일. 달팽이 따위에서 볼 수 있음.

자가용 (自家用) 개인이 사용하는 자동차. 반 영업용.

자각 (自覺) 스스로 깨달음. 예처지를 자각하다 / 잘못을 자각하고 용서를 빌다. **—하다.**

***자갈** 바다나 강의 바닥에서 오래 갈리어 반들반들하게 된 돌.

자갈길 [자갈낄] 자갈을 깐 길.

자갈밭 [자갈받] **1** 자갈이 많이 깔려 있는 땅. **2** 자갈이 많은 밭.

자강도 (慈江道) 〖지명〗 북한의 한 도. 한반도 북쪽 중앙에 위치. 임업과 공업이 발달함. 도청 소재지는 강계.

자개 금조개 껍데기를 잘게 썰어 낸 조각. 빛깔이 아름다워 가구 따위를 꾸미는 데 쓰임. 예자개 공예 / 자개장롱 / 자개함.

자:객 (刺客) 주로 정치적 목적으로 남이 시켜서 사람을 몰래 죽이는 사람.

자격 (資格) **1** 어떤 임무를 맡거나 일을 하는 데 필요한 조건. 예자격 시험. **2** 신분이나 지위. 예반장 자격으로 회의에 참석하다.

자격루 (自擊漏) [자경누] 조선 세종 16년(1434)에 장영실, 김빈 등이 만든 것으로, 물의 흐름을 이용하여 스스로 소리를 내게 해서 시간을 알리도록 만든 시계.

자격증 (資格證) [자격쯩] 일정한 자격을 인정하여 주는 증서. 예교사 자격증.

자격지심 (自激之心) [자격찌심] 자기가 한 일에 대하여 스스로 미흡하게 여기는 마음. 예자격지심을 가지다 / 자격지심이 들다.

자결 (自決) **1** 자기의 일을 스스로 해결함. 예민족 자결. **2** 스스로 목숨을 끊음. 비 자살. **—하다.**

자고로 (自古—) 예로부터. 예자고로 죄짓고는 못 사는 법이다.

자국[1] **1** 어떤 물건에 다른 물건이 닿아서 생긴 자리. 예손톱 자국이 생기다. **2** 상처·흠집 따위가 아문 자리. 예수술 자국. 비 흔적. ×자욱.
자국(을) 밟다 남기고 간 발자국을 따라 뒤쫓다.

자국[2] (自國) 자기 나라. 예자국의 이익 / 자국민. 반 타국.

자궁 (子宮) 여성 생식기의 하나. 태아가 자라는 곳으로 골반 내에 자리 잡고 있음. 비 아기집.

자귀 나무를 깎아 다듬는 연장.
자그마치 1 자그마하게. ⓔ입을 자그마치 벌리다. 2 훨씬 많이. 적지 않게. ⓔ자그마치 관중이 만 명이나 모였다. ×자그만치.
자그마하다 좀 작은 듯하다. ⓔ자그마한 키. 준자그맣다.
자그맣다 [자그마타] '자그마하다'의 준말. ⓔ몸집이 자그맣다. 활용 자그마니 / 자그매서.
자ː극[1] (刺戟) 1 기분을 흥분시킴. ⓔ새로운 자극. 2 눈·귀·코·살갗의 신경에 강한 느낌을 줌. ⓔ남의 신경을 자극하다. **—하다.**
자ː극[2] (磁極) ⇨자기극.
자ː극성 (刺戟性) [자극썽] 신경이나 감각 등을 자극하는 성질. ⓔ자극성이 강한 음식.
자ː극적 (刺戟的) [자극쩍] 자극하는 성질이 있는 (것). ⓔ자극적인 말 / 자극적인 빛깔.
자ː금 (資金) 어떤 목적에 쓰는 돈. ⓔ결혼 자금 / 정치 자금.
자ː금난 (資金難) 자금이 부족해서 생기는 어려움. ⓔ자금난에 허덕이다 / 자금난을 겪다.
자급 (自給) 자기에게 필요한 물건을 스스로 마련함. ⓔ식량을 자급하다. **—하다.**
자급자족 (自給自足) [자급짜족] 자기에게 필요한 물건을 스스로 생산하여 충당함. ⓔ원료를 자급자족하다. **—하다.**
자긍심 (自矜心) 제 스스로 떳떳하고 자랑스러워 하는 마음. ⓔ직업에 대한 자긍심을 갖다.
***자기**[1] (自己) 1 그 사람 자신. ⓔ자기 일은 자기가 해라. 2 어떤 사람을 말할 때, 그를 도로 가리키는 말. ⓔ자기가 무얼 안다고. 비자신. 반남. 타인.
자기[2] (瓷〔磁〕器) 사기그릇. ⓔ고려자기 / 자기로 만든 꽃병.
자ː기[3] (磁氣) 자석이 쇠를 끌어당기거나 같은 자기극끼리 서로 밀치는 작용이나 성질.
자ː기극 (磁氣極) 자석에서 가장 힘이 센 양쪽 끝 부분. 비자극.
자ː기력 (磁氣力) 자석의 서로 당기고 밀치는 힘. 비자력.
자ː기력선 (磁氣力線) [자기력썬] 자기장 안에서 자기력이 작용하는 방향을 나타내는 선. 비자력선.
자기반성 (自己反省) 자기가 한 일을 스스로 돌이켜 보는 일.
자기앞 수표 (自己—手票) [자기압쑤표] 발행인 곧 은행이 자기를 지급인으로 하여 발행하는 수표. 비보증 수표.
자ː기장 (磁氣場) 자기력의 영향이 미치는 장소와 공간. 비자장.
자기편 (自己便) 자기와 같은 입장에 선 쪽. 또는 그쪽의 사람.
***자꾸** 잇달아서 여러 번. 계속해서. ⓔ음식을 자꾸 권하다.
자꾸만 '자꾸'를 좀 강조하는 말. ⓔ집에 가자고 자꾸만 조르다.
자꾸자꾸 잇달아서 자꾸. ⓔ귀찮게 자꾸자꾸 묻다.
***자네** 친구나 손아랫사람을 높여 부르는 말. ⓔ자네는 좀 쉬게나.
자녀 (子女) 아들과 딸. ⓔ자녀 교육. 비아들딸. 자식.
***자다** 1 잠이 들다. ⓔ늘어지게 한잠 푹 자다. ⊃ sleep 2 움직이던 것이 멈추다. ⓔ시계가 자다. 3 바람이나 물결 따위가 잠잠해지다. ⓔ폭풍우가 지나가자 파도가 잔다.
자동 (自動) 기계 따위가 제 힘으로 움직임. ⓔ자동 응답기. 반수동.
자동문 (自動門) 사람이 드나들 때에 자동으로 열리고 닫히는 문.
자동식 (自動式) 사람의 힘이 필요 없이, 기계 장치가 스스로 움직이게 되어 있는 방식. 반수동식.
자동적 (自動的) 저절로 움직이고

일하는 (것). ㉑자동적으로 움직이는 기계.

*자동차 (自動車) 가스·휘발유 따위를 연료로 하는 발동기의 힘으로 바퀴를 돌려 달리게 만든 차. ➲ car

자동판매기 (自動販賣機) 돈을 넣고 단추를 누르면 선택한 상품이 저절로 나오게 되는 기계. ㉑커피 자동판매기. 준 자판기.

자동화 (自動化) 기계나 장치가 스스로 움직이게 함. ㉑사무 자동화 시대. **—하다.**

*자두 자두나무의 열매. 복숭아와 비슷하나 작고 신맛이 있음.

자두나무 장미과의 낙엽 활엽 교목. 높이 약 5 m, 봄에 잎보다 흰 꽃이 먼저 핌. 열매는 먹음.

자라 자랏과의 동물. 얕은 바다나 강에 살며 거북과 비슷함. 몸길이 30 cm가량이고, 목이 길며 꼬리는 짧고 발가락 사이에 물갈퀴가 있음.

*자라나다 자라서 크게 되다. ㉑새순이 자라나다.

*자라다¹ **1** 차차 커지다. ㉑발톱이 자라다 / 수염이 자라다. **2** 발전하다. ㉑선진국으로 자라다. ➲ grow

자라다² 힘이나 능력이 어떤 수준이나 정도에 미치거나 닿다. ㉑힘 자라는 데까지 돕겠다.

자락 **1** 옷·피륙 등의 아래로 드리운 넓은 조각. ㉑치맛자락 / 바지 자락을 걷어 올리다. **2** 논밭이나 산 따위의 넓은 부분. ㉑북한산 자락.

*자랑 자기 물건이나 일을 드러내어 칭찬함. ㉑자식 자랑 / 새 컴퓨터를 샀다고 자랑하다. **—하다.**

자랑거리 [자랑꺼리] 자랑할 만한 거리. ㉑그게 무슨 자랑거리냐.

자랑삼다 [자랑삼따] 어떤 일을 남에게 드러내어 뽐낼 만한 거리로 하다. ㉑금강산 관광을 자랑삼아 이야기했다.

*자랑스럽다 [자랑스럽따] 남에게 자랑할 만하여 마음이 흐뭇하다. ㉑자랑스러운 얼굴. 활용 자랑스러워 / 자랑스러우니.

자력¹ (自力) 자기 혼자의 힘. ㉑자력으로 학비를 벌다. 반 타력.

자:력² (磁力) ⇨자기력.

자:력선 (磁力線) [자력썬] ⇨자기력선.

*자료 (資料) 연구·조사 따위의 바탕이 되는 재료. ㉑자료 수집.

자료실 (資料室) 자료를 모아 둔 방.

자루¹ 속에 물건을 넣을 수 있게 헝겊 등으로 길고 크게 만든 주머니. ㉑쌀자루 / 곡식 자루.

자루² 연장이나 기구 따위의 손으로 잡는 부분. ㉑곡괭이 자루 / 부러진 호미 자루를 갈다.

*자루³ **1** 긴 물건을 세는 단위. ㉑연필 세 자루. **2** 자루에 든 것을 세는 단위. ㉑콩 두 자루.

*자르다 **1** 동강을 치다. 끊어 내다. ㉑사과를 둘로 자르다. **2** 말이나 일 따위의 단락을 짓다. ㉑딱 잘라 말하다. **3** 단체나 직장에서 내쫓다. 활용 잘라 / 자르니. ➲ cut

자르르 **1** 거죽에 물기나 기름기, 윤기 따위가 골고루 흐르는 모양. ㉑얼굴에 윤기가 자르르 흐른다. **2** 살이나 뼈마디에 저린 느낌이 일어나는 모양. ㉑다리가 자르르 저리다. 큰 지르르. 센 짜르르. **—하다.**

*자리¹ **1** 앉거나 서거나 누울 장소. ㉑자리에 앉다. ➲ seat **2** 물건을 두거나 놓을 장소. ㉑기계 놓을 자리. **3** 지위 또는 직위. ㉑장관 자리. **4** 십진법에 의한 숫자의 위치. ㉑소수점 아래 둘째 자리.

자리(가) 잡히다 ㉠서투르던 것이 익숙해지다. ㉡어수선함이 가라앉아 안정되다.

자리를 뜨다 일어나서 그 자리를 떠나다.

자리(를) 잡다 ㉠의지할 곳을 얻다. ㉾서울에 가서 자리를 잡거든 알려다오. ㉡자리를 정하여 머무르게 되다. ㉾나무 그늘에 자리 잡다. ㉢마음속에 깊이 뿌리박다. ㉾마음 한구석에 늘 어머니의 모습이 자리를 잡고 있다.

자리² **1** 앉거나 눕도록 바닥에 까는 직사각형의 물건. 왕골·부들·갈대 따위로 짬. ㉾잔디밭에 자리를 깔다. **2** 깔고 덮고 잘 이부자리. ㉾자리를 펴다.

자리(를) 보다 ㉠잠을 자려고 이부자리를 깔다. ㉡잠을 자려고 이부자리에 드러눕다.

자리에 눕다 누워서 앓다. ㉾어머니께서 무리를 하여 자리에 눕고 말았다.

자리끼 밤에 자다가 마시려고 잠자리의 머리맡에 두는 물.

자리다툼 좋은 지위나 자리를 차지하려고 다툼. ㉾자리다툼을 벌이다. **—하다.**

자리하다 일정한 곳을 차지하다. ㉾대도시 근교에 자리한 공원묘지.

자린고비 몹시 인색한 사람을 꼬집어 일컫는 말.

자립 (自立) 남의 도움을 받지 않고 스스로 섬. ㉾자립심 / 경제적으로 자립하다. **—하다.**

자립적 (自立的) [자립쩍] 남에게 기대지 않고 자기 스스로 하는 (것). ㉾자립적인 경영.

자립정신 (自立精神) [자립쩡신] 남의 도움을 받지 않고 스스로 서려는 정신. ㉾자립정신을 기르다.

자릿수 (—數) [자리쑤 / 자릳쑤] 십진법에 의한 자리의 숫자. ㉾일의 자릿수. 비 위수.

자릿점 (—點) [자리쩜 / 자릳쩜] 수판에 수의 자리를 나타내기 위해 표시한 점.

-자마자 '그 동작을 하자 곧'의 뜻을 나타내는 말. ㉾집에 도착하자마자 비가 쏟아졌다. →[학습마당] 10 (367쪽)

자막 (字幕) 영화·텔레비전에서, 제목·배역·설명 따위를 글자로 나타낸 것. ㉾한글 자막 영화.

자만 (自慢) 스스로 자랑하여 잘난 체하고 뽐냄. **—하다.**

자만심 (自慢心) 스스로 뻐기며 자랑하는 마음. ㉾자만심에 빠지다.

자매 (姉妹) **1** 여자 형제. 언니와 아우의 사이. ㉾쌍둥이 자매. **2** 계통이 같고 비슷한 점이 많은 관계. ㉾자매품 / 자매 학교. *형제. ➡ sister

자매결연 (姉妹結緣) [자매겨련] **1** 자매의 관계를 맺는 일. **2** 어떤 지역이나 단체가 다른 지역이나 단체와 서로 돕기 위해 친선 관계를 맺는 일. ㉾자매결연 학교.

자맥질 [자맥찔] '무자맥질'의 준말. ㉾청둥오리가 자맥질을 치다. **—하다.**

자멸 (自滅) 자기 스스로 자기 신세를 망침. ㉾핵전쟁이 난다면 인류는 자멸하고 말 것이다. **—하다.**

자명종 (自鳴鐘) 미리 정하여 놓은 시간이 되면 저절로 울려서 시간을 알려 주는 시계.

자명하다 (自明—) 설명이나 증명이 필요 없이 그 자체로 아주 분명하다. ㉾자명한 이치.

자모 (字母) 하나의 글자를 이루는 단위인 낱낱의 글자. ㄱ·ㄴ·ㄷ·ㅏ·ㅑ·ㅓ 따위.

자못 [자몯] 생각보다 매우. 퍽. ㉾기대가 자못 크다.

자문¹ (自問) 스스로 자신에게 물음. **—하다.**

자문² (諮問) 개인이나 특정 기관에 의견을 물음. ㉾전문가의 자문을 받다. **—하다.**

자문자답 (自問自答) 자기가 묻고 자기가 대답함. **—하다.**

자물쇠 [자물쐬] 여닫게 된 물건에 채워서 열지 못하게 잠그는 장치. [비] 자물통. [반] 열쇠. [준] 쇠. ➡ lock

자바라 (啫哱囉) 국악기 중에서, 놋쇠로 만든 타악기의 하나. 둥글넓적하고 배가 불룩하며 가운데에 끈을 꿰어 마주쳐서 소리를 냄.

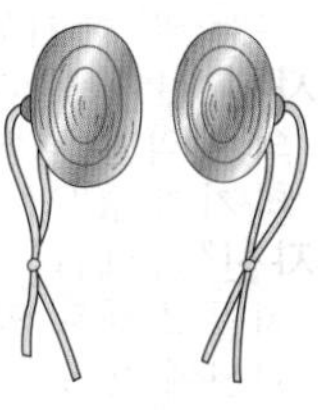
〈자바라〉

자박자박 [자박짜박] 가볍게 발소리를 내며 가만가만 걷는 소리. [큰] 저벅저벅. **—하다.**

자ː반 **1** 생선을 소금에 절인 반찬. (예)고등어 **자반**. **2** 조금 짭짤하게 졸이거나 무친 반찬. (예)콩**자반**.

자발적 (自發的) [자발쩍] 스스로 나서서 하는 (것). (예)**자발적**으로 봉사에 나서다.

자방 (子房) ⇨씨방.

자백 (自白) 자기의 허물이나 죄를 스스로 말함. (예)**자백**을 강요하다 / **자백**을 받다. **—하다.**

자벌레 자벌레나방의 애벌레. 가슴에 세 쌍, 배에 한 쌍의 발이 있음. 꽁무니를 머리 쪽에 갖다 대고 몸을 길게 늘이기를 반복하여 움직임.

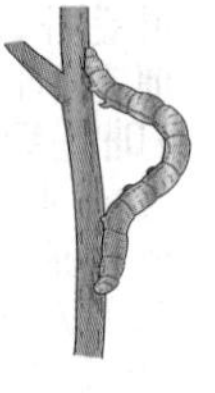
〈자벌레〉

자본 (資本) 사업을 하는 데 기본이 되는 돈. (예)사업 **자본**이 넉넉하다. [비] 밑천.

자본가 (資本家) 자본을 가지고 그것으로 노동자를 고용하여 기업을 이끌어 가는 사람.

자본금 (資本金) 이익을 목적으로 사업에 투자한 돈.

자본주의 (資本主義) [— / 자본주이] 자본을 가진 사람이 이익을 목적으로 일할 사람을 부려서 상품을 생산하는 경제 구조.

자부 (自負) 스스로 자기의 가치나 능력을 믿음. (예)훌륭한 학자임을 **자부**하다. **—하다.**

자부심 (自負心) 자기의 가치나 능력을 믿는 마음. (예)그는 **자부심**이 강한 사람이다.

자비[1] (自費) 스스로가 부담하는 비용. (예)**자비**로 유학을 떠나다.

자비[2] (慈悲) 사랑하고 가엾게 여김. (예)**자비**를 베풀다.

자비롭다 (慈悲—) [자비롭따] 사랑하고 가엾게 여기는 마음이 있다. [활용] 자비로워 / 자비로우니.

자비심 (慈悲心) 사랑하고 가엾게 여기는 마음.

자빠뜨리다 자빠지게 하다.

자빠지다 뒤로 또는 옆으로 넘어지다. (예)뒤로 벌렁 **자빠지다**.

자산 (資産) 개인 또는 법인이 가지고 있는 토지·건물·기구·금전 따위를 통틀어 이르는 말. [비] 재산.

자살 (自殺) 스스로 자기 목숨을 끊음. [반] 타살. **—하다.**

자상하다 (仔詳—) **1** 자세하고 찬찬하다. (예)**자상한** 성격. **2** 인정이 넘치고 마음 씀씀이가 넉넉하다. (예)**자상하신** 어머니 / **자상한** 눈길로 바라보다.

자상히 (仔詳—) 자상하게. (예)**자상히** 보살피다.

자생 (自生) 저절로 나서 자람. (예)**자생** 식물. **—하다.**

자생적 (自生的) 자연히 나거나 생기는 (것). (예)**자생적** 도시.

자생지 (自生地) 식물이 저절로 나서 자라는 땅. (예)희귀 식물의 **자생지**를 보전하다.

자서전 (自敍傳) 자기가 쓴 자신의 전기.

***자ː석** (磁石) 철을 끌어당기는 성질이 있는 물체. [비] 지남철.

자선 (慈善) 남을 불쌍히 여겨 도와줌. (예)**자선** 음악회.

자선가 (慈善家) 남에게 은혜를 베풀어 도와주는 사람.
자선냄비 (慈善—) 연말에 구세군에서 어려운 사람을 도우려고 길가에 놓고 성금을 걷는 그릇.
자선 단체 (慈善團體) 자선 사업을 하기 위하여 세운 단체.
자선 사:업 (慈善事業) 병자·노약자·빈민·고아 등을 도와주는 사회 사업.
자성 (磁性) 자기장 안에서, 자기를 띤 물체가 쇠붙이를 끌어당기거나 밀치는 성질. ㉒자성을 띠다.
***자:세** (姿勢) **1** 몸을 움직이는 모양이나 태도. ㉒자세가 바르다. **2** 사물을 대하는 마음가짐이나 정신적 태도. ㉒적극적인 자세.
***자세하다** (仔〔子〕細—) 아주 작고 하찮은 부분까지 구체적이고 분명하다. ㉒이 사전은 풀이가 매우 자세하다. 비 상세하다.
***자세히** (仔〔子〕細—) 자세하게. ㉒자세히 설명하다.
자손 (子孫) **1** 자식과 손자. **2** 후손. ㉒단군의 자손. 반 조상.
자:수[1] (刺繡) 수를 놓음. 또는 그 수. ㉒자수를 놓다.
자수[2] (自首) 죄를 지은 사람이 스스로 수사 기관에 잘못을 알림. ㉒경찰에 자수하다. **—하다.**
자수[3] (字數) [자쑤] 글자의 수.
자수성가 (自手成家) 물려받은 재산이 없는 사람이 스스로의 힘으로 재산을 모음. **—하다.**
자습 (自習) 스스로 배워 익힘. ㉒아침 자습 시간. **—하다.**
자습서 (自習書) [자습써] 스스로 배워 익힐 수 있게 만든 책. ㉒국어 자습서.
자승자박 (自繩自縛) 자기의 줄로 자기를 묶는다는 뜻으로, 자신이 한 말과 행동에 자신이 구속되어 괴로움을 당함.
***자식** (子息) **1** 아들이나 딸. 비 자녀. **2** 남자를 욕할 때 이르는 말. ㉒나쁜 자식. **3** 어린아이를 귀엽게 이르는 말. ㉒자식, 귀엽기도 하지.
***자신**[1] (自身) 자기 스스로. ㉒자신의 이익만 꾀한다 / 너 자신을 알라. 비 자기. 반 남. 타인.
***자신**[2] (自信) 자기의 능력이나 가치를 스스로 믿음. ㉒자신을 잃다 / 자신에 찬 모습. 비 자부. **—하다.**
자신감 (自信感) 자신이 있다는 느낌. ㉒자신감이 넘치다.
자신만만하다 (自信滿滿—) 아주 자신이 있다. ㉒자신만만한 태도.
자아 (自我) 나. 자기. ㉒자아실현 / 자아의식 / 자아가 강하다.
자아내다 **1** 기계로 실을 계속 뽑아내다. **2** 어떤 느낌 따위가 우러나게 하다. ㉒슬픔을 자아내다.
자아올리다 기계의 힘으로 물을 빨아올리다. ㉒펌프로 지하수를 자아올리다.
자애 (慈愛) 아랫사람에게 베푸는 따뜻하고 깊은 사랑. ㉒부모의 자애 / 자애를 베풀다.
자애롭다 (慈愛—) [자애롭따] 따뜻하게 베푸는 사랑과 정이 깊다. ㉒자애로운 미소를 띠다. 활용 자애로워 / 자애로우니.
자양분 (滋養分) 몸의 영양을 좋게 하는 성분. ㉒자양분이 많은 식품 / 자양분을 섭취하다. 비 영양분.
자업자득 (自業自得) [자업짜득] 자기가 저지른 일의 나쁜 결과가 자신에게 돌아옴. 비 자업자박.
***자연** (自然) **1** 사람이 만들지 않고 저절로 이루어진 세계. 특히, 산·강·나무·풀 따위. ㉒자연의 조화 / 자연의 혜택. 비 천연. 반 인공. ➡ nature **2** 손을 대지 않은 그 본디대로의 상태. ㉒자연식품. **3** '자연히'의 준말.
자연계[1] (自然界) [— / 자연게] 인

간 세계를 둘러싸고 있는 자연의 세계.

자연계² (自然系) [— / 자연게] 자연 과학을 연구하는 학문 계통.

자연 과학 (自然科學) 자연에 속하는 모든 대상을 다루는 학문. ㉶인문 과학.

자연림 (自然林) [자연님] 자연적으로 이루어진 수풀. ㉥원시림. ㉶인공림.

자연물 (自然物) 자연계에 있는, 저절로 생긴 물체.

자연미 (自然美) 꾸밈이 없는 자연 그대로의 아름다움. ㉾**자연미**가 넘치다. ㉥천연미. ㉶인공미.

자연법칙 (自然法則) 자연계의 모든 현상이나 성질 사이에 두루 성립하는 변함없는 법칙.

자연보호 (自然保護) 자연을 훼손하지 않고, 본디의 모습으로 보존하려 하는 일.

자연사 (自然死) 늙고 쇠약해져서 자연히 죽음. **—하다.**

자연석 (自然石) 사람의 힘을 가하지 않은 자연 그대로의 돌. ㉥천연석. ㉶인조석.

***자연수** (自然數) 1부터 시작하여 하나씩 더하여 얻을 수 있는 수. 1, 2, 3 따위를 말함.

***자연스럽다** (自然—) [자연스럽따] 보기에 꾸밈이 없어 어색하지 않다. ㉾**자연스럽게** 행동하다. [활용] 자연스러워 / 자연스러우니.

자연스레 (自然—) 자연스럽게. ㉾두 사람은 같이 공부하면서 **자연스레** 친해졌다.

자연재해 (自然災害) 홍수·가뭄 따위와 같이 자연현상에서 오는 재난으로 입는 피해.

자연적 (自然的) 자연 그대로의 (것). ㉾**자연적** 환경. ㉶인공적. 인위적.

자연 학습 (自然學習) [—학씁] 야외로 나가 산·강·곤충·초목·동물·비·바람 따위에 대해 관찰하고 조사하는 일.

자연현상 (自然現象) 인간과 관계없이 자연계에서 저절로 일어나는 현상.

자연환경 (自然環境) 우리가 살고 있는 주위의 지리·자원·기후 등의 형편.

자연히 (自然—) 저절로. ㉾상처가 **자연히** 아물다. ㉤자연.

자영 (自營) 자신의 힘으로 사업을 꾸려 나감. ㉾**자영**업 / **자영** 농민. **—하다.**

자오선 (子午線) 어떤 지점에서 남극과 북극을 이어 지구 표면에 그은 상상의 선. 자는 북쪽, 오는 남쪽을 뜻함.

자오선 고도 (子午線高度) 천체가 자오선을 지나갈 때의 고도. ㉥남중 고도.

자옥하다 [자오카다] 연기나 안개 따위가 잔뜩 끼어 흐릿하다. ㉾담배 연기가 **자옥하다**. ㉷자욱하다.

자ː외선 (紫外線) 눈에 보이지 않으나 태양 광선 속에 있어 살균·화학 작용을 하는 전자기파.

자욱이 [자우기] 자욱하게. ㉾안개가 **자욱이** 끼어 곳곳에서 교통사고가 일어났다.

자욱하다 [자우카다] 연기나 안개 따위가 잔뜩 끼어 몹시 흐릿하다. ㉾안개가 **자욱하게** 낀 호수. ㉸자옥하다.

자ː운영 (紫雲英) [자우녕] 콩과의 두해살이풀. 줄기가 땅 위로 뻗음. 봄에 자줏빛 꽃이 피고 열매가 맺음. 먹거나 사료로 씀.

자웅 (雌雄) **1** 암컷과 수컷. **2** 승부·우열·강약 따위를 비유하는 말. ㉾**자웅**을 겨루다.

자원¹ (自願) 어떤 일을 스스로 하고자 하여 나섬. ㉾**자원** 봉사 / 군대에 자원하다. **—하다.**

***자원²** (資源) 자연에서 얻어지는 것으로서 인간 생활 및 경제 생산에 이용되는 온갖 물질. ㉾식량 자원/자원이 풍부하다.

자원 봉:사자 (自願奉仕者) 돈을 받지 않고 스스로 어떤 일에 참여하는 사람.

자위¹ 눈알이나 새 따위의 알에서, 빛깔에 따라 구분된 부분. 눈알의 검은자위와 흰자위, 달걀의 노른자위와 흰자위 따위를 이름.

자위² (自衛) 자기 힘으로 자기를 막아 지킴. **—하다.**

자위³ (自慰) **1** 스스로 자신을 위로하거나 달래는 것. **2** 자기의 생식기를 자극하여 성적 쾌감을 얻는 것. ㉾자위행위. **—하다.**

***자유** (自由) 남의 억누름이나 간섭을 받지 않고 자기 마음대로 행동함. ㉾가든 말든 그것은 내 자유다. 반구속. **—스럽다.** ➜ freedom

자유 국가 (自由國家) [—국까] **1** 다른 나라의 지배나 영향을 받지 않는 독립 국가. **2** 모든 사람이 자유롭게 살 수 있는 권리가 보장된 나라.

자유권 (自由權) [자유꿘] 억누름이나 간섭을 받지 않고 자유롭게 살 수 있는 권리.

자유로이 (自由—) 자기 마음대로. 자유롭게. ㉾자유로이 행동하다.

***자유롭다** (自由—) [자유롭따] 아무런 구속을 받지 않고 자기 마음대로 할 수 있다. ㉾자유로운 몸이 되다. 활용 자유로워/자유로우니.

자유 무:역 (自由貿易) 국가가 아무런 간섭이나 보호를 하지 않고 각 개인이 수출입을 자유로이 하게 하는 무역. 반 보호 무역.

자유민 (自由民) 정당한 행위에 대하여 자기의 권리를 자유로이 행사할 수 있는 국민. 비 자유인.

자유 민주주의 (自由民主主義) [—/—민주주이] 자유주의를 기본으로 하는 민주주의 사상.

***자유세계** (自由世界) [—/자유세게] **1** 자유로운 세계. 또는 그런 사회. **2** 공산주의 국가에 대하여 민주주의 국가를 일컫는 말.

자유시 (自由詩) 형식에 제한을 받지 않고 자유롭게 표현된 시. 반 정형시.

자유의사 (自由意思) [—/자유이사] 남에게 얽매이거나 억눌리지 않는 자유로운 생각.

자유인 (自由人) 정당한 행위에 대하여 자기의 권리를 자유로이 행사할 수 있는 사람. 비 자유민.

자유자재 (自由自在) 거침없이 자기 마음대로 할 수 있음. ㉾영어를 자유자재로 구사하다.

자유주의 (自由主義) [—/자유주이] 사회의 발전을 위해 개인의 자유를 존중하려는 주의.

자유 진영 (自由陣營) [—지녕] 개인의 자유를 존중하는 민주주의의 나라들.

자유형 (自由型) **1** 수영에서, 헤엄치는 방법에 제한이 없는 경기 종목. **2** 레슬링에서, 몸 전체를 공격 대상으로 삼는 경기 종목.

자유화 (自由化) 자유롭게 함. 또는 그렇게 됨. ㉾두발 자유화/가격 자유화. **—하다.**

자율 (自律) 스스로의 의지로 자신을 통제함. ㉾아침 자습을 학생들의 자율에 맡겼다. 반 타율.

자율성 (自律性) [자율썽] 자기 스스로 자신의 행동을 조절하고 결정할 수 있는 성질.

자율 신경 (自律神經) 사람의 의지와는 관계없이 신체 내부의 기관이나 조직을 지배하며 조절하는 신경. 교감 신경과 부교감 신경이 있음.

자율적 (自律的) [자율쩍] 스스로의 의지로 자기 행동을 조절하는

(것). ㉕자율적 분위기 / 자율적인 행동.

자율 학습 (自律學習) [—학씁] 스스로 정하여 하는 공부. ㉕자율 학습 시간.

자음 (子音) ⇨닿소리. 반 모음.

자의 (自意) [— / 자이] 자기의 뜻. 스스로의 생각. 반 타의.

자의식 (自意識) [— / 자이식] 자기 자신을 남과 구별하여 깊이 느끼는 일. ㉕자의식이 강한 사람.

자인 (自認) 스스로 인정함. ㉕실수를 자인하다. 비 시인. **—하다.**

자일 (독 Seil) 등산용 밧줄. 비 로프.

자자손손 (子子孫孫) 자손의 여러 대. ㉕자자손손 물려줄 국토. 비 대대손손.

자ː자하다 (藉藉—) 여러 사람의 입에 오르내리다. ㉕명성이 자자하다 / 칭찬이 자자하다.

자작 (自作) **1** 스스로 만듦. 또는 그렇게 만든 물건. **2** 자기 땅에 직접 농사를 지음. ㉕농사를 자작으로 짓다. **—하다.**

자작곡 (自作曲) [자작꼭] 스스로 지은 곡.

자작나무 [자장나무] 자작나뭇과의 낙엽 활엽 교목. 높은 산의 양지에 남. 높이는 30 m 정도. 가을에 열매가 익으며, 목재는 가구에, 껍질은 약의 재료로 씀.

자작농 (自作農) [자장농] 자기 땅에 자기가 직접 짓는 농사. 또는 그런 농민. 반 소작농.

자잘하다 **1** 여러 개가 다 잘다. ㉕과일이 자잘하다. **2** 모두 보잘것없고 시시하다. ㉕자잘한 이야기를 늘어놓다.

자장1 (慈藏) 〖인명〗 신라의 고승. 선덕왕 때 당나라에 가서 율행을 배워 율사가 됨. 통도사를 세움. 자장율사.

자ː장2 (磁場) ⇨자기장.

자장가 (—歌) 어린아이를 재우기 위하여 부르는 노래.

자장면 (중 炸醬麵) ⇨짜장면.

자장자장 아기를 재울 때 조용히 노래 부르듯이 내는 소리. ㉕자장자장 우리 아기 잘도 자네.

자재 (資材) 무엇을 만드는 근본이 되는 재료. ㉕건축 자재.

자전1 (字典) 한자를 모아 그 뜻을 낱낱이 풀이한 책. ㉕자전에서 한자를 찾아보다. 비 옥편.

자전2 (自轉) 지구 따위가 축을 중심으로 일정한 속도로 도는 일. ㉕지구의 자전. 반 공전. **—하다.**

***자전거** (自轉車) 사람이 타고 앉아 두 발로 페달을 밟아 바퀴를 돌려서 앞으로 나아가게 만든 탈것. ㉕경주용 자전거. ➲ bicycle, bike

자전축 (自轉軸) 천체가 자전할 때 중심이 되는 축.

자정 (子正) 밤 열두 시. ㉕자정 무렵 / 자정이 넘어 귀가하다. 반 오정. 정오.

자제1 (子弟) **1** 남의 아들의 높임말. ㉕훌륭한 자제를 두셨군요. **2** 남을 높여 그 집안의 젊은이를 이르는 말.

자제2 (自制) 자기의 감정이나 욕망을 억누름. ㉕흥분을 자제하다. **—하다.**

자제력 (自制力) 자기의 감정이나 욕망을 스스로 억누르는 힘. ㉕자제력을 잃다 / 자제력이 강하다.

자조1 (自助) 스스로 자기를 도움. ㉕자조 정신. **—하다.**

자조2 (自嘲) 스스로 자기를 비웃음. **—하다.**

자족 (自足) 스스로 만족하게 여김. ㉕자족하는 생활. **—하다.**

자존심 (自尊心) 남에게 굽히지 않고 자기 몸이나 품위를 스스로 높이는 마음. ㉕자존심이 강한 사람.

***자주1** (自主) 남의 보호나 간섭을

받지 않고 자신의 일을 스스로 처리함.

*자주² 짧은 동안에 여러 번. 같은 일을 잇달아 잦게. ㉠자주 있는 일 / 차가 자주 고장 난다. ㊔곧잘. 종종. ㊏가끔. 이따금. ➡ often

자ː주³ (紫朱) ⇨자줏빛.

자주권 (自主權) [자주꿘] 한 국가가 외국의 간섭을 받지 않고 자기의 문제를 스스로 결정하고 처리할 수 있는 권리.

자주독립 (自主獨立) [자주동닙] 한 나라가 다른 나라의 간섭을 받지 않고 자주권을 행사하는 일. ㉠자주 독립을 이루다.

자ː주색 (紫朱色) ⇨자줏빛.

자주성 (自主性) [자주썽] 남에게 기대지 않고 자기 힘으로 일을 처리해 나가려는 성질. ㉠민족의 자주성을 지키다.

자주적 (自主的) 남의 간섭 없이 스스로 일을 처리해 가는 (것). ㉠자주적인 결정.

자주정신 (自主精神) 자기 스스로 일을 처리하려는 정신.

자ː줏빛 (紫朱—) [자주삗 / 자줃삗] 짙은 남빛을 띤 붉은색. ㉠자줏빛 저고리. ㊔자주. 자주색. ➡ purple

자중하다 (自重—) 말이나 행동, 몸가짐 따위를 조심하여 하다.

자지러지다 **1** 놀라서 몸이 움츠러지다. ㉠자지러지게 놀라다. **2** 소리가 듣기에 짜릿할 정도로 빠르거나 잦아지다. ㉠자지러지게 웃다.

자진 (自進) 남이 시키지 않아도 스스로 나섬. ㉠궂은일을 자진해서 하다. **—하다.**

자진모리 민속악에서, 판소리나 산조 장단의 한 가지. 휘모리보다 느리고 중중모리보다 빠른 장단으로, 섬세하면서 명랑하고 차분하면서 상쾌함.

자질 (資質) 타고난 성품이나 소질. ㉠음악에 뛰어난 자질이 있다. ㊔자성. 천성.

자질구레하다 여러 개가 다 잘고 시시하다. ㉠자질구레한 걱정.

자찬 (自讚) 자기가 한 일을 스스로 칭찬함. **—하다.**

자책 (自責) 자기 자신을 스스로 꾸짖음. ㉠자책을 느끼다 / 자신의 과오를 자책했다. **—하다.**

자처하다 (自處—) 자기 스스로 어떤 사람으로 여기어 그렇게 행동하다. ㉠학자로 자처하다.

자청 (自請) 어떤 일에 나서기를 스스로 청함. ㉠기자 회견을 자청하다. **—하다.**

자체 (自體) **1** 다른 것이 아닌 바로 그것. ㉠그 생각 자체가 어리석다. **2** 스스로 하는 것. ㉠자체 조사.

자초지종 (自初至終) 처음부터 끝까지 이르는 동안. ㉠일의 자초지종을 밝히다.

자초하다 (自招—) 스스로 어떤 결과를 끌어들이다. ㉠불행을 자초하다 / 화를 자초하다.

자축 (自祝) 자기 스스로 축하함. ㉠승리를 자축하다. **—하다.**

자축연 (自祝宴) [자추견] 스스로 축하하려고 베푸는 잔치.

*자취¹ 무엇이 남기고 간 흔적. ㉠옛 절터의 자취 / 자취를 남기다.

자취² (自炊) 손수 밥을 지어 먹으면서 생활함. ㉠자취생 / 자취 생활에 익숙하다. **—하다.**

자치 (自治) **1** 자기의 일을 스스로 다스림. ㉠학생 자치 기구. **2** 지방 자치 단체 등이 일정한 범위 안에서 스스로 그 행정·사무를 행함. ㉠지방 자치. **—하다.**

자치권 (自治權) [자치꿘] 지방 자치 단체나 공공 단체 등이 자치적으로 행정을 할 수 있는 권리.

자치기 한 뼘 정도의 짤막한 나무 토막을 다른 긴 막대기로 쳐서 날아간 거리를 재어 승부를 겨루는 아이들의 놀이.

자치 단체 (自治團體) 국가로부터 자치권이 부여된 공공 단체.

자치적 (自治的) 자기의 일을 스스로 결정하고 처리하는 (것). ㉡자치적으로 운영하는 학교.

자치제 (自治制) ⇨지방 자치 제도.

자치회 (自治會) **1** 학교 생활을 자치적으로 이끌어 나가기 위한 조직 및 모임. **2** 민간 단체 또는 지역 내 주민들의 지역 생활 향상을 위하여 만든 자치적 조직.

자칫 [자칟] 어쩌다가 조금이라도 어긋나면. ㉡자칫 흔들리기 쉬운 마음 / 자칫 잘못하면 실패하기 쉽다. **—하다.**

자칭 (自稱) 실제는 그렇지 않은데 남에게 자기를 무엇이라고 스스로 일컬음. ㉡자칭 천재. **—하다.**

자카르타 (Jakarta) 〖지명〗 인도네시아의 수도. 자바 섬의 북서 해안에 있는 항구 도시로 상업·공업이 발달하였고, 사적도 많음.

자켓 '재킷'의 잘못.

자타 (自他) 자기와 남. ㉡자타가 공인하는 세계적인 육상 선수.

자태 (姿態) 모습과 태도. ㉡곱고 우아한 자태 / 자태를 뽐내다.

자택 (自宅) 자기의 집. 비 자가.

자퇴 (自退) 스스로 물러남. 스스로 그만둠. ㉡자퇴 원서 / 학교를 자퇴하다. **—하다.**

자투리 **1** 팔거나 쓰다 남은 천 조각. ㉡자투리 천 / 자투리로 만든 걸레. **2** 주된 용도로 쓰고 남은 나머지. ㉡자투리 시간.

자판 (字板) 컴퓨터나 타자기에서, 자료를 입력하기 위하여 손가락으로 누르는 키를 배열해 놓은 판.

자판기 (自販機) '자동판매기'의 준말. ㉡음료수 자판기 / 자판기에서 커피를 뽑아 마시다.

자폐증 (自閉症) [자폐쯩 / 자페쯩] 정신병의 하나. 남과의 만남이나 대화를 싫어하며, 고민 따위를 마음속에 간직한 채 자기만의 세계에 틀어박히는 증세.

자포자기 (自暴自棄) 절망에 빠져 스스로 자신을 포기하고 돌보지 않음. ㉡그는 대학 입학에 실패하여 자포자기 상태이다. **—하다.**

자폭 (自爆) 자기가 지닌 폭발물을 폭발시켜 스스로 죽음. ㉡자폭 행위. **—하다.**

자필 (自筆) 자기가 직접 씀. 또는 그 글씨. ㉡자필 이력서. 반 대필. **—하다.**

자학 (自虐) 스스로 자기를 몹시 괴롭힘. ㉡자학 행위. **—하다.**

자해 (自害) 스스로 자기 몸을 다치게 함. ㉡자해 소동. **—하다.**

자형 (姊兄) 누나의 남편. 비 매형.

자혜롭다 (慈惠—) [자혜롭따 / 자헤롭따] 인자하고 은혜로운 데가 있다. 활용 자혜로워 / 자혜로우니.

자화상 (自畫像) 자기가 자신의 모습을 그린 그림. ㉡거울을 보면서 자화상을 그리다.

자화자찬 (自畫自讚) 자기가 그린 그림을 스스로 칭찬한다는 뜻으로, 자기가 한 일을 스스로 자랑함. ㉡자화자찬을 늘어놓다. **—하다.**

자활 (自活) 남의 도움을 받지 않고 자기 힘으로 살아감. ㉡자활의 길을 찾다. **—하다.**

작 (作) 제작·저작의 뜻을 나타내는 말. ㉡이광수 작.

-작 (作) 농작·경작의 뜻을 나타내는 말. ㉡평년작 / 이모작.

***작가** (作家) [작까] 시·노래·소설·그림 등 예술품을 만드는 사람. 특히, 소설가를 말함. ㉡동화 작가.

작고하다 (作故—) [작꼬하다] 사람의 죽음을 높여 이르는 말. ㉡선생님께서 작고하셨다.

*__작곡__ (作曲) [작꼭] 음악 작품을 창작함. 또는 시나 가사에 가락을 붙임. (예)교가를 작곡하다. **—하다.**

작곡가 (作曲家) [작꼭까] 작곡을 전문으로 하는 사람.

작곡자 (作曲者) [작꼭짜] 악곡을 창작한 사람.

*__작년__ (昨年) [장년] ⇨지난해. (예)올 여름은 작년 여름보다 덥다. [비]거년. [반]내년.

*__작:다__ [작따] **1** 크지 않다. 부피가 얼마 안 되다. (예)작은 방 / 몸집이 작다. **2** 정해진 크기에 모자라서 맞지 않다. (예)작은 아이 / 살이 쪄서 옷이 작다. **3** 도량이 좁다. (예)배포가 작다. **4** 음성이 낮다. (예)작은 목소리. **5** 사소하다. (예)작은 일에 화를 내다. **6** 돈의 액수가 적거나 단위가 낮다. (예)작은 돈. ➲ small, little

> **주의** **작다와 적다**
> **작다** 넓이 등이 일정한 수준에 미치지 못하다. 크지 않다. (예)작은 방에서 공부하다. [반]크다.
> **적다** 수량이 일정한 수준에 미치지 못하다. 많지 않다. (예)적은 인원으로 회사를 경영해 나가다. [반]많다.

작달막하다 [작딸마카다] 키가 몸집에 비해 꽤 작다. (예)작달막한 키 / 작달막한 체구.

작당 (作黨) [작땅] 떼를 지음. 무리를 이룸. (예)불량배들이 작당하여 행패를 부리다. **—하다.**

작대기 [작때기] 긴 막대기. (예)지게를 작대기로 버티다.

작도 (作圖) [작또] **1** 그림·지도·설계도 따위를 그림. **2** 어떠한 조건에 알맞은 도형을 그림. **—하다.**

작동 (作動) [작똥] 기계가 움직임. 또는 기계를 움직이게 함. (예)컴퓨터를 작동하다. **—하다.**

작두 (斫—) [작뚜] 소·말에게 먹일 풀·짚·콩깍지 등을 써는 연장. (예)작두로 풀을 썰다.

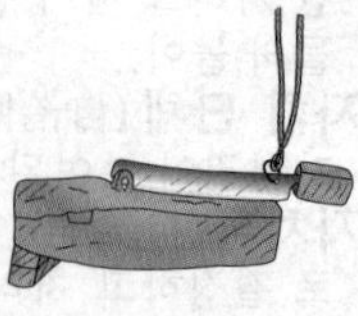
〈작두〉

작렬하다 (炸裂—) [장녈하다] 폭발물 따위가 터져서 산산이 흩어지다. (예)수류탄이 작렬하다.

작문 (作文) [장문] 글을 지음. 또는 그 글. (예)작문법 / 작문 시간. [비]글짓기. **—하다.**

작물 (作物) [장물] '농작물'의 준말. (예)원예 작물 / 작물을 수확하다.

작별 (作別) [작뼐] 인사를 나누고 헤어짐. 또는 그 인사. (예)작별을 고하다. [비]이별. [반]상봉. **—하다.**

*__작사__ (作詞) [작싸] 가사를 지음. (예)애국가 작사. **—하다.**

작살[1] [작쌀] 물고기를 찔러 잡는 기구. 작대기 끝에 뾰족한 쇠를 두세 개 박았음.

작살[2] [작쌀] 완전히 깨어지거나 부서짐. (예)도자기가 바닥에 떨어져 작살났다.

작성 (作成) [작썽] 서류·원고 따위를 만듦. (예)기사 작성 / 보고서를 작성하다. **—하다.**

작시 (作詩) [작씨] 시를 지음. **—하다.**

작심 (作心) [작씸] 마음을 단단히 먹음. 또는 그 마음. (예)공부를 열심히 하기로 작심하다. **—하다.**

작심삼일 (作心三日) [작씸사밀] 어떤 일을 아무리 결심해도 사흘을 가지 못한다는 뜻으로, 결심이 굳지 못함을 이르는 말. (예)담배를 끊겠다는 결심은 작심삼일로 끝났다.

작약 (芍藥) [자갹] 미나리아재빗과의 여러해살이풀. 초여름에 줄기와 잎 사이에 흰색이나 붉은색의 큰 꽃이 피는데, 꽃은 함박꽃이라고도

함. 꽃이 크고 아름다워 관상용으로 심음. 본 참작약.

*작업 (作業) [자겁] 일정한 목적을 가지고 정해진 계획에 따라 벌이는 일. 예작업 환경 / 야간 작업 / 작업 시간을 늘리다. —하다.

작업모 (作業帽) [자검모] 일을 할 때 쓰는 모자.

작업복 (作業服) [자겁뽁] 일을 할 때에 입는 옷. 예작업복으로 갈아입다.

작업장 (作業場) [자겁짱] 일을 하는 곳. 공장·공사장 따위. 비 일터.

작열하다 (灼熱—) [장녈하다] 불 따위가 뜨겁게 타오르다. 예작열하는 태양.

*작용 (作用) [자굥] 어떤 현상을 일으키거나 영향을 미침. 예동화 작용 / 반사 작용. 반 반작용. —하다.

작용점 (作用點) [자굥쩜] 물체에 대해 힘이 작용하는 점.

작은골 [자근골] ⇨소뇌.

작은곰자리 [자근곰자리] 북쪽 하늘에 있는 별자리. 북두칠성 옆에 있고, 북극성이 그 주된 별임.

작은달 [자근달] 양력으로 31일이 못 되는 달. 음력으로 28일이나 29일이 되는 달. 반 큰달.

작은댁 (—宅) [자근댁] '작은집'을 높여 이르는 말. 반 큰댁.

작은따옴표 (—標) [자근따옴표] 문장에서 따온 말 가운데 다시 따온 말이 들어 있을 때나 마음속으로 한 말을 적을 때 쓰는 부호(' ').

작은말 [자근말] 낱말의 뜻은 같으나 작고 가볍고 밝은 느낌을 주는 말. 살랑·콩콩·동동 따위. 반 큰말.

작은방 (—房) [자근방] 집 안의 큰방과 나란히 딸려 있는 방. 반 큰방.

작은북 [자근북] 타악기의 하나. 어깨에 걸어 메거나 대 위에 놓고 두 개의 가는 나무 막대기로 두드려 소리를 냄.

작은아버지 [자그나버지] 아버지의 결혼한 남동생. 비 삼촌. 숙부. 반 큰아버지.

작은악절 (—樂節) [자그낙쩔] 음악에서, 두 개의 동기가 모여 보통 넷 또는 여섯의 마디로 이루어진 악절. 비 소악절. 반 큰악절.

작은어머니 [자그너머니] 작은아버지의 아내. 비 숙모. 반 큰어머니.

작은집 [자근집] 작은아버지의 가족, 또는 작은아버지의 가족이 사는 집. 반 큰집.

작은창자 [자근창자] ⇨소장.

작자 (作者) [작짜] **1** 문예 작품을 지은 사람. 예작자 불명. 본 저작자. **2** 남을 업신여겨 낮추어 이르는 말. 예그 작자 염치도 좋군.

작작 [작짝] 대강. 어지간하게. 예바보 같은 소리 작작 해라.

작전 (作戰) [작쩐] **1** 일정 기간에 계획에 따라 집중적으로 벌이는 군사적 행동. 예군경 합동 작전. **2** 싸움이나 경기를 벌일 자세한 계획. 예작전을 짜다.

작전 타임 (作戰time) [작쩐—] 배구·농구 따위의 경기에서, 감독이나 주장이 선수들에게 작전을 지시하기 위해 심판에게 요구하는 시간.

작정 (作定) [작쩡] 일을 어떻게 하기로 결정함. 예내일부터 운동을 할 작정이다. 비 예정. —하다.

작중 인물 (作中人物) [작쭝—] 작품에 등장하는 인물. 예작중 인물의 심리를 묘사하다.

*작품 (作品) **1** 만든 물건. **2** 예술 활동으로 만든 창작물. 예문학 작품 / 미술 작품 / 작품을 발표하다.

작품성 (作品性) [작품썽] 작품이 가지는 예술적 가치. 예작품성이 높다 / 작품성을 인정하다.

작품집 (作品集) 문학·미술 등의 작품을 모아서 엮은 책.

작황 (作況) [자쾅] 농사의 잘되고

못된 상황. ㉥긴 장마로 벼 작황이 좋지 않다.

***잔** (盞) **1** 물·차 등을 따라 마시는 작은 그릇. ㉥잔에 우유를 따라 마시다. **2** 술이나 음료를 담은 잔의 수를 세는 말. ㉥녹차 한 잔.

잔- 잘거나 가늘다는 뜻을 나타내는 말. ㉥잔기침 / 잔심부름 / 잔돈.

잔가지 풀과 나무의 작은 가지. ㉥잔가지를 치다.

잔걸음 [잔거름] **1** 가까운 거리를 자주 왔다 갔다 하는 걸음. **2** 걸음의 폭을 좁게 하여 빠르게 걷는 걸음.

잔고 (殘高) 나머지 금액. ㉥예금 통장에 잔고가 없다.

잔금 (殘金) **1** 쓰고 남은 돈. 비 잔액. **2** 치르거나 갚을 돈. ㉥잔금을 치르다.

잔기침 작은 소리로 자주 하는 기침. ㉥할아버지의 잔기침 소리가 들려왔다. 반 큰기침. **—하다.**

잔꾀 당장의 어려움을 벗어나려고 깊이 생각하지 않고 내는 꾀. ㉥잔꾀를 부리다.

잔돈 **1** 얼마 안 되는 돈. ㉥잔돈을 모으다. **2** ⇨거스름돈. ㉥잔돈을 거슬러 주다.

잔등이 '등[1]'의 낮춤말.

***잔디** 볏과의 여러해살이풀. 들이나 길가에 남. 줄기가 땅바닥에 붙어 옆으로 길게 벋고, 마디마다 뿌리가 내려 재생력이 강함. 흙이 무너지는 것을 막거나, 정원을 꾸미는 데 쓰임.

잔디밭 [잔디받] 잔디가 많이 나 있는 곳.

잔뜩 **1** 한도에 이를 때까지 가득. 꽉 차게. ㉥잔뜩 찌푸린 날씨 / 서류가 잔뜩 쌓이다. **2** 자라는 데까지 힘껏. ㉥멋을 잔뜩 부리다. **3** 심하게. ㉥화가 잔뜩 나다.

잔루 (殘壘) [잘루] 야구에서, 그 회의 공격이 끝났을 때 베이스에 주자가 남아 있는 일. ㉥잔루 이루.

잔류 (殘留) [잘류] 뒤에 처져 남아 있음. ㉥잔류 부대 / 철수하지 않고 잔류하다. **—하다.**

잔말 쓸데없이 자질구레하게 늘어놓는 말. ㉥잔말 말고 네 공부나 해라. 비 잔소리. **—하다.**

잔모래 잘고 고운 모래.

잔물결 [잔물껼] 작고 잔잔한 물결. ㉥연못에 잔물결이 일다.

잔별 작은 별.

잔병 (—病) 자주 앓는 자질구레한 병. ㉥잔병을 달고 산다.

잔병치레 (—病—) 잔병을 자주 앓는 일. **—하다.**

잔뼈 나이가 어려서 아직 다 자라지 않은 작고 약한 뼈.

잔뼈가 굵어지다 어려서부터 어떤 일을 하면서 자라나다. ㉥먹는 장사로 잔뼈가 굵어졌다.

잔뿌리 굵은 뿌리에서 돋아나는 작은 뿌리.

잔상 (殘像) 보이던 대상물이 사라진 뒤에도 감각의 경험으로 눈에 잠시 남아 있는 상.

잔설 (殘雪) 봄이 되어도 녹지 않았거나 녹다 남은 눈. ㉥눈 녹은 물이 잔설 사이로 흐른다.

잔소리 **1** 쓸데없이 늘어놓는 자질구레한 말. ㉥잔소리가 많다. **2** 꾸중으로 하는 여러 말. ㉥잔소리를 듣다. **—하다.**

잔손 자질구레하게 여러 번 가는 손질. ㉥잔손이 많이 가는 일.

잔손질 자질구레하게 손을 많이 놀리어 매만지는 짓. **—하다.**

잔솔 어린 소나무. ㉥잔솔가지.

잔솔밭 [잔솔받] 어린 소나무가 많은 곳. 발음 잔솔밭이[잔솔바치] / 잔솔밭에[잔솔바테] / 잔솔밭을[잔솔바틀] / 잔솔밭도[잔솔받또].

잔시중 자질구레한 시중.

잔심부름 자질구레한 심부름. ㉥

잔심부름을 도맡다. **—하다.**

잔액 (殘額) [자낵] 나머지 액수. ㉠통장의 잔액을 확인하다. 비 잔고. 잔금.

잔업 (殘業) [자넙] 근무 시간이 끝나고 나서 더 하는 일. ㉠잔업 수당.

잔여 (殘餘) [자녀] 아직 남아 있는 것. ㉠잔여 세력 / 잔여 임기.

잔인하다 (殘忍—) [자닌하다] 인정이 없고 몹시 모질다. ㉠잔인한 장면 / 잔인하게 짓밟히다.

잔일 [잔닐] 자질구레하여 잔손이 많이 가는 일. 반 큰일.

잔잔하다 **1** 바람·물결 따위가 가라앉아 조용하다. ㉠파도가 잔잔하다. **2** 소리가 조용하고 나지막하다. ㉠잔잔한 목소리.

잔재 (殘滓) **1** 남은 찌꺼기. **2** 지난날의 낡은 생각이나 생활 방식. ㉠일제의 잔재.

잔재미 아기자기하고 감칠맛이 나는 재미. ㉠잔재미를 보다 / 잔재미를 느끼다.

잔재주 (—才—) **1** 남을 속이려고 하지만 금세 드러나는 못된 꾀. ㉠잔재주를 피우다. **2** 자질구레한 일을 잘하는 재주. ㉠잔재주가 많다.

잔정 (—情) 자상하고 다정한 정. ㉠잔정이 많다.

잔존 (殘存) 없어지지 않고 남아 있음. ㉠잔존 세력. **—하다.**

잔주름 잘게 잡힌 주름. ㉠잔주름이 가다 / 잔주름이 잡히다.

*__잔치__ 기쁜 일이 있을 때 음식을 차려 놓고 손님을 초청하여 즐기는 일. ㉠환갑잔치 / 생일잔치. 비 연회. 향연. **—하다.**

잔칫날 [잔친날] 잔치를 하는 날.

잔칫상 (—床) [잔치쌍 / 잔친쌍] 잔칫날 손님을 대접하기 위해 차려 놓은 음식상.

잔칫집 [잔치찝 / 잔친찝] 잔치를 하는 집. ㉠돌 잔칫집.

잔털 썩 가늘고 짧은 털. ㉠목덜미에 보송보송한 잔털이 있었다.

잔풀 작거나 어린 풀. ㉠뜰의 잔풀을 뽑다.

잔학하다 (殘虐—) [잔하카다] 잔인하고 포악하다. ㉠잔학한 고문 / 잔학한 독재자.

잔해 (殘骸) 부서지거나 못 쓰게 되어 남은 물건. ㉠건물의 잔해 / 추락한 비행기의 잔해.

잔혹하다 (殘酷—) [잔호카다] 잔인하고 가혹하다. ㉠잔혹한 장면.

*__잘__ **1** 옳고 바르게. ㉠마음을 잘 써라. **2** 훌륭하게. ㉠딸을 잘 키웠다. **3** 탈 없이. 편하게. ㉠잘 가시오. **4** 만족하게. ㉠잘 먹었다. **5** 적절하게. ㉠마침 잘 왔다. **6** 버릇으로늘. 곧잘. ㉠잘 웃는 사람. ➲ well

잘근잘근 질긴 것을 가볍게 자꾸 씹는 모양. ㉠오징어를 잘근잘근 씹다. 큰 질근질근.

잘나다 [잘라다] **1** 똑똑하고 뛰어나다. ㉠잘난 체하다. **2** 잘생기다. ㉠저렇게 잘난 얼굴은 본 적이 없다. 반 못나다. **3** 빈정거리는 뜻으로, 변변치 못하거나 대수롭지 않다. ㉠그 잘난 장난감 가지고 약 올리지 마라.

*__잘다__ **1** 형태가 작다. ㉠잘게 자르다. **2** 굵지 않다. ㉠무가 너무 잘다. 비 가늘다. 반 굵다. **3** 성질이 좀스럽다. ㉠잘게 굴다. 활용 잘아 / 자니 / 잔.

잘되다 **1** 일·현상·물건 등이 좋게 이루어지다. ㉠일이 생각보다 잘되었다. **2** 사람이 훌륭하게 되다. ㉠너 하나 잘되기만 바란다.

잘라먹다 [잘라먹따] **1** 남에게 갚거나 돌려주어야 할 것을 자기 것으로 하다. ㉠빚을 잘라먹다. **2** 중간에서 가로채다. ㉠회사의 공금을 잘라먹다.

잘래잘래 머리를 좌우로 자꾸 흔

드는 모양. ㉠머리를 잘래잘래 흔들며 거절하다. 큰 절레절레. 센 짤래짤래.

잘록하다 [잘로카다] 긴 물건의 한 군데가 패어 들어가 오목하다. ㉠허리가 잘록하다.

잘리다 **1** 끊어지게 되다. ㉠밑동이 잘린 나무. **2** 해고당하다. ㉠회사에서 잘리다. 센 짤리다. **3** 제 몫을 남에게 가로채이다. ㉠본전까지 잘렸다.

***잘못** [잘몯] **1** 제대로 잘하지 못한 일. ㉠잘못을 인정하다. 비 과실. 실수. ➲ error, fault, mistake **2** 틀리게. 그릇되게. ㉠뜻을 잘못 이해하다. **3** 좋지 않게. ㉠잘못 선택하다.

***잘못되다** [잘몯뙤다] **1** 틀리게 되거나 그릇되다. ㉠계산이 잘못되다. **2** 뜻밖의 사고나 병 따위로 불행하게 죽다. ㉠큰병에 걸렸다더니 잘못된 것이 아닐까.

잘못짚다 [잘몯찝따] 무엇에 대한 짐작이나 예상이 빗나가다. ㉠범인을 잘못짚다. 비 헛다리짚다.

***잘못하다** [잘모타다] **1** 일을 그릇되게 하다. ㉠수술을 잘못하다. **2** 실수하다. ㉠잘못해서 웅덩이에 빠지다. **3** 사리에 어그러진 일을 하다. ㉠잘못하면 뉘우칠 줄 알아야지. 반 잘하다.

잘살다 경제적으로 넉넉하게 살다. ㉠부러운 것 없이 잘살다. 활용 잘살아 / 잘사니 / 잘사는.

잘생기다 얼굴이나 풍채가 훤하여 훌륭하다. ㉠잘생긴 청년. 반 못생기다. ➲ handsome

잘잘못 [잘잘몯] 잘함과 잘못함. 옳음과 그름. ㉠잘잘못을 가리다. 비 시비. 흑백.

***잘하다** **1** 옳고 바르게 하다. ㉠누가 잘하고 잘못했는지 분명히 밝혀야 한다. **2** 남보다 낫고 훌륭하게 하다. ㉠공부를 잘하다 / 살림을 잘하다. **3** 익숙하고 능란하게 하다. ㉠영어를 잘하다. **4** 버릇으로 자주 하다. ㉠웃기를 잘한다.

잘해야 넉넉히 잡아야. 고작. 기껏해야. ㉠잘해야 열이 될까 말까 하다 / 잘해야 장려상이나 받겠지.

***잠** 생물이 휴식을 위해서 일정한 시간 동안 활동을 멈추고 쉬는 상태. ㉠깜박 잠이 들다. ➲ sleep

잠결 [잠껼] 자면서 정신이 흐릿한 겨를. 또는 잠이 막 깨려고 할 즈음. ㉠잠결에 이상한 소리를 들었다.

잠귀 [잠뀌] 잠결에 소리를 들을 수 있는 감각. ㉠잠귀가 밝다 / 잠귀가 어둡다.

***잠그다**[1] **1** 여닫는 물건을 열리지 않게 하다. ㉠서랍을 잠그다. **2** 물·가스 따위가 흘러나오지 않도록 차단하다. ㉠가스를 잠그다. **3** 옷의 단추를 끼우다. ㉠외투의 단추를 잠그다. 활용 잠가 / 잠그니.

잠그다[2] 물속에 물건을 넣거나 가라앉게 하다. ㉠수박을 물에 잠그다. 활용 잠가 / 잠그니.

잠금장치 (—裝置) 문·수도·가스 따위를 잠그는 장치. ㉠잠금장치를 설치하다.

***잠기다**[1] **1** 여닫게 된 물건이 열리지 않게 되다. ㉠문이 잠기다. 반 열리다. **2** 목이 쉬어 소리가 제대로 나오지 않다. ㉠소리를 하도 질렀더니 목이 잠겼다.

***잠기다**[2] **1** 액체 속에 가라앉다. ㉠논밭이 물에 잠기다. **2** 한 가지 일이나 생각에 열중하다. ㉠생각에 잠기다. **3** 어떤 기분 상태에 놓이게 되다. ㉠슬픔에 잠기다.

***잠깐** 매우 짧은 동안. 오래지 않은 사이. ㉠잠깐만 기다리세요. 비 잠시. 반 한참. 오래.

잠꼬대 **1** 잠을 자면서 자기도 모르게 중얼거리는 헛소리. **2** 사리에 맞지 않는 엉뚱한 말. ㉠무슨 잠꼬대

같은 소리냐. **—하다.**

잠꾸러기 잠이 아주 많은 사람. 잠을 많이 자는 사람. 비 잠보.

***잠들다** **1** 잠을 자게 되다. 예아이가 울다가 잠들다. **2** 죽다. 예고이 잠드소서. 활용 잠들어 / 잠드니 / 잠드는.

잠망경 (潛望鏡) 잠수 중인 잠수함에서 바다 위를 살피는 데 쓰는 망원경.

잠바 (←jamper) ⇨점퍼.

잠방이 가랑이가 무릎까지 내려오는 짧은 남자용 홑바지.

잠버릇 [잠뻐릇] 잘 때에 하는 버릇이나 짓. 예잠버릇이 사납다.

잠보 [잠뽀] ⇨잠꾸러기.

잠복 (潛伏) **1** 겉으로 드러나지 않게 몰래 숨어 있음. 예범인을 잡으려고 잠복하다. **2** 병에 걸렸으나 증상은 나타나지 않음. **—하다.**

잠복기 (潛伏期) [잠복끼] 병원체가 몸에 들어와 증상을 나타내기까지의 기간.

잠수 (潛水) 물속에 잠겨 들어감. 또는 그런 일. 예잠수를 해서 전복을 따 왔다. **—하다.**

잠수부 (潛水夫) 물속에 들어가 일하는 것을 직업으로 하는 사람. 비 잠수원.

잠수정 (潛水艇) 작은 잠수함.

잠수함 (潛水艦) 주로 물속으로 다니며 적의 배를 공격하거나 정찰 등을 하는 배.

***잠:시** (暫時) 짧은 시간. 오래지 않은 동안. 예잠시 정전이 되다. 비 잠깐. 반 오래.

잠식 (蠶食) 차츰차츰 조금씩 점령하거나 차지함. 예주위의 여러 나라를 잠식하다. **—하다.**

잠언 (箴言) [자먼] 사람이 살아가는 데 교훈이 되고 경계가 되는 짧은 말.

잠옷 [자몯] 잠잘 때 입는 옷. 비 자리옷.

잠입 (潛入) [자밉] 몰래 숨어 들어감. 예적진에 잠입하다. **—하다.**

***잠자다** **1** 자는 상태가 되다. 예아기가 새근새근 잠자고 있다. **2** 사물이 쓰이지 않거나 제 기능을 다하지 못하는 상태이다. 예잠자고 있는 천연자원. ➡ sleep

***잠자리[1]** 잠자릿과에 속하는 곤충. 몸이 가늘고 길며, 작은 더듬이와 턱이 있음. 가슴에 있는 다리는 세 쌍이고, 옆으로 두 쌍의 투명한 날개가 있음.

〈잠자리[1]〉

잠자리[2] [잠짜리] 누워서 잠을 자는 곳. 예잠자리에 들다.

잠자리채 잠자리 따위의 곤충을 잡기 위해 긴 막대기에 그물주머니를 매단 기구.

잠자코 아무 말 없이. 예잠자코 있어라.

잠잠하다 (潛潛—) **1** 소란스럽지 않고 조용하다. 예한동안 잠잠하던 바람이 다시 거세졌다. **2** 말이 없이 가만히 있다. 예교실 안이 갑자기 잠잠해졌다.

잠재 (潛在) 겉으로 드러나지 않고 속에 잠겨 있거나 숨어 있음. 예아이들의 잠재된 능력을 개발해 주어야 한다. **—하다.**

잠재력 (潛在力) 겉으로 나타나지 않고 속에 숨어 있는 힘. 예무한한 잠재력 / 잠재력이 크다.

잠재우다 **1** 잠자게 하다. 예아기를 잠재우다. **2** 부풀어 오른 것을 가라앉히다. 예솜을 잠재우다.

잠재의식 (潛在意識)[— / 잠재이식] 자기 자신은 모르지만, 그 사람의 행동이나 생각에 영향을 미치고 있는 마음의 작용.

잠적하다 (潛跡—) [잠저카다] 어

디로 갔는지 알 수 없게 되다. 자취를 감추다. ㊀죄를 짓고 잠적하다.

잠:정 (暫定) 우선 임시로 정함. ㊀잠정 결론을 내리다.

잠투정 어린아이가 잠들기 전이나 잠을 깬 후에 떼를 쓰며 우는 짓. ㊀잠투정을 부리다. **—하다**.

잡- (雜) **1** 여러 가지가 뒤섞여 순수하지 않음의 뜻. ㊀잡식 / 잡수입. **2** 아무렇게나 막됨의 뜻. ㊀잡놈.

잡곡 (雜穀) [잡꼭] 쌀 이외의 여러 가지 곡식. 보리·콩·팥·밀·조·옥수수·기장 따위.

잡곡밥 (雜穀—) [잡꼭빱] 쌀에 잡곡을 섞어 지은 밥.

잡귀 (雜鬼) [잡뀌] 정체 모를 자질구레한 여러 귀신. ㊀잡귀를 쫓다. ㊐잡신.

잡기 (雜技) [잡끼] 주로 어른이 재미로 하는 여러 가지 노름이나 놀이. ㊀그는 잡기에 능하다.

잡념 (雜念) [잠념] 여러 가지 쓸데없는 생각. ㊀잡념을 버리고 공부에 열중하다.

*__잡다__[1] [잡따] **1** 손 따위로 움켜쥐다. ㊀손을 잡고 걷다. **2** 권리·이익 따위를 가지다. ㊀정권을 잡다. **3** 집·직장·가질 물건·목표 등을 정하다. ㊀방향을 잡다. **4** 결점을 집어내다. ㊀트집을 잡다. **5** '붙잡다'의 준말. ㊀범인을 잡다. ➲ catch, hold

잡다[2] [잡따] **1** 동물을 죽이다. ㊀돼지를 잡다. **2** 불을 끄다. ㊀불길을 잡다. **3** 화났거나 들뜬 마음을 가라앉히다. ㊀마음을 잡고 공부하다.

잡다[3] [잡따] 주름 따위를 만들다. ㊀바지 주름을 잡다.

잡다하다 (雜多—) [잡따하다] 여러 가지가 뒤섞여 있다. ㊀잡다한 물건들이 널려 있다.

잡담 (雜談) [잡땀] 쓸데없이 지껄이는 말. ㊀잡담을 나누다 / 잡담을 늘어놓다. **—하다**.

잡동사니 (雜—) [잡똥사니] 쓸데없는 것이 한데 뒤섞인 모양. 또는 그런 물건. ㊀쓸 만한 건 두고 잡동사니는 모두 버려라.

잡목 (雜木) [잠목] 별로 쓸 데가 없는 여러 가지 나무. ㊀잡목이 우거진 숲길.

잡무 (雜務) [잠무] 여러 가지 자질구레한 일. ㊀잡무에 시달리다.

잡문 (雜文) [잠문] 일정한 형식이 없이 되는대로 쓴 글.

잡비 (雜費) [잡삐] 여러 가지 자질구레한 일에 드는 돈.

잡상인 (雜商人) [잡쌍인] 여기 저기 다니면서 자질구레한 물건을 파는 장사꾼. ㊀잡상인 출입 금지.

*__잡수시다__ [잡쑤시다] '먹다'의 높임말. ㊀아버지께서 진지를 잡수시고 계신다. ㊆잡숫다.

잡스럽다 (雜—) [잡쓰럽따] 잡되고 상스럽다. ㊀잡스러운 말. 활용 잡스러워 / 잡스러우니.

잡식 (雜食) [잡씩] **1** 여러 가지 음식을 가리지 않고 먹음. **2** 육류와 채소를 섞어 먹음. **—하다**.

잡식 동:물 (雜食動物) [잡씩똥물] 동물성 먹이나 식물성 먹이를 가리지 않고 다 먹는 동물. 고양이·쥐·닭·참새 따위가 있음.

잡아가다 [자바가다] 사람을 잡아 데려가다. ㊀경찰이 도둑을 잡아가다. 활용 잡아가거라.

잡아끌다 [자바끌다] 손으로 잡고 끌다. ㊀멱살을 잡아끌다. 활용 잡아끌어 / 잡아끄니 / 잡아끄는.

잡아내다 [자바내다] **1** 숨어 있는 것을 찾아내다. ㊀범인을 잡아내다. **2** 결점이나 틀린 곳을 찾아내다. ㊀흠을 잡아내다.

잡아넣다 [자바너타] **1** 붙잡아 가두다. ㊀강도를 감옥에 잡아넣다. **2** 억지로 들어가게 하다. ㊀돼지를 우리에 잡아넣다.

*잡아당기다 [자바당기다] 잡아서 자기 쪽으로 끌다. ㉠밧줄을 잡아당기다 / 방아쇠를 잡아당기다.

잡아들이다 [자바드리다] 잡아서 가두다. ㉠폭력배들을 잡아들이다.

잡아떼다 [자바떼다] 1 붙어 있는 것을 억지로 떨어지게 하다. ㉠벽보를 잡아떼다. 2 아는 것을 모른다고 하거나 한 짓을 하지 않았다고 하다. ㉠모른다고 딱 잡아떼다.

잡아매다 [자바매다] 1 흩어진 것을 모아 한데 매다. ㉠흘러내리는 머리를 잡아매다. 2 달아나지 못하게 잡아서 묶다. ㉠소를 말뚝에 잡아매다.

잡아먹다 [자바먹따] 1 어떤 동물을 죽여 그 고기를 먹다. ㉠소를 잡아먹다. 2 돈·물건·시간 따위가 들게 하다. ㉠하찮은 일에 시간만 잡아먹는다. 3 자리를 차지하다. ㉠침대가 방을 반이나 잡아먹었다.

잡아타다 [자바타다] 자동차 등을 세워서 타다. ㉠택시를 잡아타다.

잡음 (雜音) [자븜] 1 시끄러운 소리. ㉠거리의 잡음. ㊥소음. 2 전신·라디오 따위의 청취를 방해하는 소리. ㉠전화기가 잡음이 심하다. 3 어떤 일에 대한 언짢은 말이나 소문. ㉠잡음을 일으키다.

-잡이 [자비] 1 명사 뒤에 붙어 그것을 잡는 일을 나타냄. ㉠고기잡이. 2 명사 뒤에 붙어 어떤 일을 맡아 하거나 그 일에 능한 사람을 나타냄. ㉠칼잡이 / 총잡이.

잡일 (雜─) [잠닐] 여러 가지 자질구레한 일.

잡종 (雜種) [잡쫑] 1 온갖 것이 뒤섞인 종류. 2 다른 종류와 섞여 생긴 순수하지 못한 생물체. ㉠이 개는 잡종이다. ㊥순종.

*잡지 (雜誌) [잡찌] 여러 가지 종류의 글을 모아 일정한 때에 계속 펴내는 책. 주간지·월간지·계간지 따위. ㉠잡지를 구독하다 / 잡지에 기사가 실리다. ➲ magazine

잡채 (雜菜) 당근·양파·버섯·고기 따위를 잘게 썰어 양념하여 볶은 다음 삶은 당면과 함께 무친 음식.

잡초 (雜草) 저절로 나서 자라는 여러 가지 풀. ㊥잡풀. ㊥화초.

잡치다 1 일 따위를 그르치다. ㉠시험을 잡치다. 2 기분이나 분위기를 좋지 않게 하다. ㉠기분을 잡치다.

잡풀 (雜─) ⇨잡초.

잡혀가다 [자펴가다] 남에게 붙들려 가다. ㉠도둑이 경찰에 잡혀갔다.

잡화 (雜貨) [자퐈] 일상생활에서 쓰는 여러 가지 잡다한 물품.

잡화점 (雜貨店) [자퐈점] 일용품 등 여러 가지 상품을 파는 상점.

*잡히다[1] [자피다] 1 움키어 잡음을 당하다. 붙들리다. ㉠손에 잡히다. 2 '붙잡히다'의 준말. ㉠범인이 잡히다.

잡히다[2] [자피다] 1 동물이 잡음을 당하다. ㉠오징어가 많이 잡히다. 2 결점이나 흉잡음을 당하다. ㉠약점이 잡히다 / 트집을 잡히다. 3 어떤 일이나 마음이 안정되다. ㉠마음이 잡히다 / 자리가 잡히다.

잡히다[3] [자피다] 의복 따위에 주름이 서게 되다. ㉠주름이 잡힌 스커트.

잡히다[4] [자피다] 담보로 맡기다. ㉠시계를 잡히고 돈을 빌리다.

잣: [잗] 잣나무의 열매. 솔방울같이 생긴 단단한 송이에 들어 있으며, 맛이 고소함.

잣:나무 [잔나무] 소나뭇과에 속하는 상록 교목. 높이가 10 m 이상 자라고 잎은 바늘 모양이며, 목재는 건축용으로 쓰임. 씨는 먹음.

〈잣나무〉

잣:다 [잗따] 물레를 돌려 실을 뽑다. ⓔ실을 잣다. 활용 자아 / 자으니 / 잣는.

잣대 [자때 / 잗때] **1** 자로 쓰는 막대기. **2** 무엇을 판단하거나 평가하는 기준. ⓔ외모를 잣대로 삼아 사람을 판단해서는 안 된다.

잣:송이 [잗쏭이] 잣이 박혀 있는 잣나무의 열매 송이.

잣:죽 (―粥) [잗쭉] 잣과 쌀을 물에 불려 갈아서 쑨 죽.

장1 (場) 연극 구성의 한 단위. 한 막 중에서 한 장면한 장면으로 구분한 부분. ⓔ3 막 5 장.

*__장__2 (場) 많은 사람이 모여서 물건을 사고파는 곳. ⓔ장에 가다 / 장이 서다. 비 시장. 저자.

장:3 (長) 단체나 관청의 각 부처의 우두머리. ⓔ편집부 과장.

*__장__4 (章) 문장을 몇 부분으로 크게 나눈 단락. ⓔ제 2 장.

*__장__5 (張) 종이나 유리처럼 얇고 넓적하게 생긴 물건을 세는 말. ⓔ종이 두 장 / 기와 한 장.

*__장:__6 (醬) **1** '간장'의 준말. **2** 간장이나 된장, 고추장 따위를 통틀어 이르는 말. ⓔ장을 담그다.

장:7 (欌) 물건을 넣어 두는 가구. ⓔ옷장 / 책장 / 장을 짜다.

장8 (腸) 배 속에 있는 소화기의 일부. 길고 꼬불꼬불하며 음식물을 소화·흡수한 다음 배설함. 비 창자.

장- (長) '긴·오랜'의 뜻. ⓔ장시간 / 장거리 / 장모음.

-장1 (長) 기관·단체·부서명 따위의 뒤에 붙어서 '책임자'의 뜻을 나타내는 말. ⓔ조합장 / 후원회장.

-장2 (狀) [짱] 일부 명사 뒤에 붙어 '증서'의 뜻을 나타내는 말. ⓔ졸업장 / 감사장.

장:가 남자가 아내를 맞아들이는 일. ⓔ장가를 들다.

*__장:갑__ (掌匣〔甲〕) 추위를 막거나 장식하기 위하여 손에 끼는 물건. 털실·천·가죽 따위로 만듦. ⓔ장갑을 끼다. ➡ glove

장갑차 (裝甲車) 총탄을 막을 수 있게 강철판을 씌우고 무기로 무장한 전투용 자동차.

장거리 (長距離) **1** 멀고 긴 거리. ⓔ장거리 여행. 반 단거리. **2** '장거리 달리기'의 준말.

장거리 달리기 (長距離―) 육상 경기 종목의 한 가지. 주로 5,000 m·10,000 m·마라톤 경주 등을 통틀어 일컬음. 준 장거리. *단거리 달리기. 중거리 달리기.

장거리 전:화 (長距離電話) 보통의 가입 구역 밖인 먼 구역과 통화하는 전화.

장검 (長劍) 지난날, 허리에 차던 긴 칼.

장:관1 (壯觀) 굉장하여 볼 만한 광경. ⓔ붉게 물든 설악의 장관.

*__장:관__2 (長官) 나라의 행정을 맡아 보는 여러 부의 최고 책임자. ⓔ교육 인적 자원부 장관.

장:교 (將校) 육해공군에서 소위 계급 이상의 군인. 반 사병.

*__장구__ 국악 타악기의 하나. 통은 길고 허리가 잘록하며, 두 개의 테에다 가죽을 대어 붉은 줄로 얽어서 팽팽하게 했음. 왼쪽은 손, 오른쪽은 가느다란 채로 침.

〈장구〉

장구벌레 모기의 애벌레. 몸길이 4–7 mm. 여름에 물속에서 깨어 껍질을 벗고 번데기가 되었다가 모기가 됨.

장구애비 논이나 늪, 못 등에서 사는 곤충. 몸빛이 흑갈색이며, 몸길이는 3 cm 정도임. 배 부분에 한 쌍의 긴 숨구멍이 있음.

장구하다 (長久―) 매우 길고 오래

다. ㉥장구한 세월.
장ː국 (醬―) [장꾹] 간장이나 소금으로 간을 하여 맑게 끓인 국. ㉥장국밥. ㉥맑은장국.
*__장군__[1] (將軍) **1** 군을 통솔·지휘하는 우두머리. ㉥장수. **2** 대장·중장·소장·준장을 통틀어 일컫는 말. ㉥졸병. ➲ general
장군[2] (將軍) **1** 장기에서, 상대편의 장을 잡으려고 놓는 수. **2** 장기에서, 장을 잡으려고 말을 놓을 때에 하는 말. ㉥장.
장군총 (將軍塚) 중국 지안 현 퉁구에 있는 돌무덤. 고구려 때 화강암으로 쌓아 올린 것으로, 규모가 크고 독특한 무덤 양식을 띠고 있어 동방의 피라미드라고 불림. 산 아래에 광개토왕비가 있음.
장기[1] (長技) [장끼] 가장 잘하는 재주. ㉥장기 자랑. ㉥특기.
*__장ː기__[2] (將棋) 두 사람이 32짝의 말을 붉은 글자와 푸른 글자의 두 종류로 나누어 가지고, 그 말을 움직여 승부를 가리는 놀이의 하나. ㉥장기를 두다.
장기[3] (長期) 오랜 기간. ㉥장기 계획. ㉥단기.
장기[4] (臟器) 내장의 여러 기관. ㉥장기 기증.
장기간 (長期間) 오랜 동안. ㉥장기간 머물다 / 약을 장기간 복용하다. ㉥단기간.
장기화 (長期化) 일이 오래 끌게 됨. 또는 그렇게 되게 함. ㉥도로 공사가 장기화되다. **―하다.**
장꾼 (場―) 장에서 물건을 사고파는 사람들.
장끼 꿩의 수컷. ㉥까투리.
*__장난__ **1** 주로 어린아이들이 재미로 하는 짓. 또는 심심풀이 삼아 하는 짓. ㉥장난을 치다 / 장난이 심하다. **2** 짓궂게 하는 못된 짓. ㉥장난 전화. **―하다.**
*__장난감__ [장난깜] 아이들이 가지고 놀 수 있도록 만든 여러 가지 물건. ㉥장난감 로봇. ㉥완구. ➲ toy
장난감 교향곡 (―交響曲) [장난깜―] 하이든이 1788년에 작곡한 교향곡. 장난감 악기가 많이 사용된 데서 붙은 이름임.
장난기 (―氣) [장난끼] 장난하려는 마음. ㉥장난기가 발동하다.
장난꾸러기 장난이 심한 아이. 또는 그런 사람.
장난꾼 장난이 심한 사람.
장난삼다 [장난삼따] 목적이나 의도 따위가 없이 심심풀이로 실없게 행동하다. ㉥장난삼아 말하다.
장난질 장난으로 하는 짓. ㉥장난질이 심하다. **―하다.**
장난치다 장난을 심하게 하다. ㉥친구와 장난치고 놀다.
장날 (場―) 장이 서는 날. 보통 3일이나 5일마다 섬.
장ː남 (長男) ⇨맏아들.
장내 (場內) 어떤 장소의 안. 회의장의 안. ㉥장내가 소란하다. ㉥장외.
장ː녀 (長女) ⇨맏딸.
장ː년 (壯年) 서른 살에서 마흔 살 정도의 나이로, 한창 기운이 넘치는 시기. 또는 그 나이의 사람. ㉥장년의 신사 / 장년에 접어들다.
장ː님 눈이 먼 사람. ㉥맹인. 봉사. 소경.
장다리꽃 [장다리꼳] 무·배추 등의 꽃줄기에서 피는 꽃.
*__장단__ **1** 노래·춤·풍류 따위의 박자. ㉥장단을 치다. **2** 남의 행동을 뒤에서 꼬드기는 짓. ㉥남의 장단에 놀아나다.
장단(을) 맞추다 ㉠박자를 맞추다. ㉡남의 기분을 돋우어 주다.
장단(이) 맞다 ㉠가락이 잘 맞다. ㉡서로 잘 조화되고 짝이 맞다.
장단점 (長短點) [장단쩜] 좋은 점과 나쁜 점. ㉥장단점을 비교하다.

장닭 [장딱] ⇨수탉.

장:담 (壯談) 확신을 가지고 자신 있게 말함. 또는 그런 말. (예)승리를 장담하다. **—하다.**

장대 (長—) [장때] 대나 나무를 다듬어 만든 긴 막대기. (예)장대를 휘두르다.

장대높이뛰기 (長—) [장때노피뛰기] 육상 경기의 하나. 긴 장대를 짚고, 걸쳐 놓은 나무를 뛰어넘어 그 높이를 겨룸.

장대비 (長—) [장때비] 장대처럼 굵고 거세게 좍좍 내리는 비. →[학습마당] 13(535쪽)

장:대하다 (壯大—) 허우대가 크고 튼튼하다. (예)체격이 장대하다.

장:도리 못을 박거나 빼는 데 쓰는 연장.

〈장도리〉

장:독 (醬—) [장똑] 간장이나 된장 따위를 담아 두는 독.

장:독간 (醬—間) [장똑깐] 장독 따위를 놓아 두는 곳.

장:독대 (醬—臺) [장똑때] 장독 따위를 놓아 두는, 땅바닥보다 약간 높은 곳.

장:딴지 종아리 뒤쪽의 살이 불룩한 부분.

***장래** (將來) [장내] **1** 앞으로 닥쳐올 날. (예)장래 희망. [비]미래. 앞날. [반]과거. **2** 앞날에 대한 희망. (예)장래가 밝다. [비]전도.

장래성 (將來性) [장내썽] 앞으로 성공하거나 크게 될 수 있는 가능성. (예)장래성이 있는 사람.

장:려 (奬勵) [장녀] 바람직하고 좋은 일을 해 나가도록 권하여 북돋아 줌. (예)저축을 장려하다. [비]권장. **—하다.**

장:려상 (奬勵賞) [장녀상] **1** 어떤 일을 장려할 목적으로 주는 상. (예)독서 장려상. **2** 큰 상은 못 받지만 가능성 있는 참가자들에게 격려하는 뜻에서 주는 상. (예)장려상을 받다 / 장려상을 타다.

장력 (張力) [장녁] 물체의 한 면을 경계로 하여 한쪽 부분이 다른 쪽 부분을 면에 수직으로 서로 끌어당기는 힘. (예)표면 장력 / 장력을 시험하다.

장:렬하다 (壯烈—) [장녈하다] 의기가 씩씩하고 장하다. (예)장렬하게 전사하다.

***장:례** (葬禮) [장녜] 죽은 사람의 시체를 묻거나 화장하는 일을 하는 의식. (예)장례를 치르다 / 장례를 모시다. [비]장사. 장의.

장:례식 (葬禮式) [장녜식] 장사를 지내는 의식. (예)장례식을 치르다.

장:로 (長老) [장노] 기독교에서, 교회 운영에 대한 봉사와 지도를 맡아보는, 신도 가운데 최고 직분에 있는 사람.

장:로교 (長老敎) [장노교] 교회의 운영을 장로들의 합의제로 하는 개신교의 한 파.

장:롱 (欌籠) [장농] 옷·침구·패물 따위를 넣어 두는 가구. [준]농. 장.

장르 (프 genre) 예술의 종류나 양식. 특히, 문학 용어로서 문학 형태의 분류를 말함.

***장마** 여름철 비가 계속해서 많이 오는 현상. 또는 그 비. [반]가뭄.

장마(가) 지다 여러 날 계속해 비가 오다.

장마철 장마가 지는 계절. 우리나라에서는 6월 말부터 8월 초임.

장막 (帳幕) 사람이 볕이나 비를 피할 수 있도록 한데에 둘러치는 막. (예)장막을 치다. [비]천막.

장만 필요한 것을 만들거나 갖춤. (예)살림을 장만하다. [비]마련. 준비. **—하다.**

장맛비 [장마삐 / 장맏삐] 장마철에 내리는 많은 비.

*장면 (場面) **1** 어떤 사건이 벌어지고 있는 곳의 광경. ㉠극적인 장면. **2** 연극이나 영화 등의 한 정경. ㉠영화의 한 장면 같다.

*장:모 (丈母) 아내의 어머니. 비 빙모. 반 장인.

장물 (贓物) 범죄 행위로 옳지 못하게 얻은 남의 물건.

*장미 (薔薇) 장미과의 낙엽 관목. 높이 2–3 m, 가시가 많으며, 5–6월에 꽃이 핌. 개량 품종이 많으며 빛깔도 다양함. ➡ rose

장미꽃 (薔薇—) [장미꼳] 장미의 꽃. 비 장미화.

장밋빛 (薔薇—) [장미삗 / 장믿삗] **1** 장미꽃 빛깔과 같이 짙은 붉은색. 비 장미색. **2** 건강, 행복, 앞날의 광명 등의 상징으로 쓰는 말. ㉠장밋빛 인생.

장바구니 (場—) [장빠구니] '시장바구니'의 준말.

장발 (長髮) 길게 기른 머리털.

장 발장 (Jean Valjean) 프랑스 작가 빅토르 위고의 소설인 '레 미제라블'의 주인공.

장방형 (長方形) ⇨직사각형.

장백산 (長白山) [장백싼] ⇨백두산.

장백산맥 (長白山脈) [장백싼맥] 만주 남동부, 압록강 북쪽에 뻗어 있는 산맥. 중국과 경계를 이루며, 우리나라의 최고봉인 백두산이 솟아 있음. 압록강·두만강·쑹화강 등이 발원함.

장벽 (障壁) **1** 통행할 수 없도록 막은 벽. ㉠베를린 장벽. **2** 무엇을 하는 데 방해가 되는 것. ㉠우리 사이에는 어떤 장벽도 없다.

장:병 (將兵) 장교와 사병. 모든 군인. ㉠국군 장병에게 위문편지를 보내다. 비 장졸.

장보고 (張保皐) 〖인명〗 통일 신라 흥덕왕 때의 장수. 청해진 대사가 되어 황해와 남해의 해상권을 잡았으며, 신라와 당나라의 무역을 활발하게 하였음. [?–846]

장보기 (場—) 시장에 가서 물건을 사 오는 일.

장본인 (張本人) [장보닌] 어떤 일을 꾀하여 일으킨 바로 그 사람. ㉠사건의 장본인.

장부[1] (帳簿) 돈이나 물건이 들어오고 나감을 적는 책. ㉠장부에 기입하다.

장:부[2] (丈夫) **1** 사내답고 씩씩한 남자. 장성한 남자. **2** '대장부'의 준말.

장비 (裝備) 어떤 일을 하기 위해서 지니거나 갖추어야 하는 물건. ㉠등산 장비 / 촬영 장비.

*장사[1] 이익을 얻기 위하여 물건을 파는 일. ㉠옷 장사 / 장사 밑천을 대 주다. 비 상업. **—하다.**

> **주의 장사와 장수**
> **장사** 물건을 파는 일. ㉠옷 장사(옷을 파는 직업) / 학용품 장사(학용품을 파는 직업).
> **장수** 물건을 파는 사람. ㉠옷 장수(옷을 파는 사람) / 학용품 장수(학용품을 파는 사람. 즉, 문방구점 주인).

장:사[2] (葬事) 죽은 사람을 땅에 묻거나 화장하는 일. ㉠장사를 지내다. 비 장례. **—하다.**

장:사[3] (壯士) 힘이 매우 센 사람. ㉠힘이 장사다. 비 역사.

장사꾼 장사에 수단이 있는 사람. ㉠타고난 장사꾼. 비 장사치.

장사진 (長蛇陣) 많은 사람이 줄을 지어 길게 늘어선 모양. ㉠장사진을 치다 / 장사진을 이루다.

장사치 장사를 하는 사람을 낮추어 이르는 말. 비 장사꾼. ×장사아치.

장삼 (長衫) 검은 베로 만든 승려의 웃옷. 길이가 길고 품과 소매를 넓게 함.

장삿길 [장사낄 / 장삳낄] 장사하려고 나선 길. ㉮장삿길로 나서다 / 장삿길에 들어서다.

장삿속 [장사쏙 / 장삳쏙] 이익을 꾀하는 장사하는 사람의 속마음. ㉮장삿속이 밝다.

장생 (長生) 오래 삶. ㉮사람은 누구나 장생을 꿈꾼다. **—하다.**

장서 (藏書) 책을 간직하여 둠. 또는 그 책. ㉮개인 장서 / 장서를 대학에 기증하다.

장석 (長石) 화성암의 주요 성분. 광택이 있는 흰빛·잿빛이 나며, 질그릇·사기그릇 제조나 비료·화약·유리·성냥 따위의 제조에 쓰임.

장ː성 (長成) 자라서 어른이 됨. ㉮장성한 아들. **—하다.**

*__장소__ (場所) 무엇이 있거나 어떤 일이 벌어지는 곳이나 자리. ㉮약속 장소 / 장소가 좁다. ➲ place

장ː손 (長孫) ⇨맏손자.

장송 (長松) 잘 자란 큰 소나무.

장ː송곡 (葬送曲) 장례 때 연주하는 곡. ㉮장송곡이 구슬프다.

*__장수__[1] 장사하는 사람. ㉮생선 장수. 비 상인. →장사[1] 주의

장수[2] (長壽) 오래도록 삶. ㉮대대로 장수하는 집안. **—하다.**

*__장ː수__[3] (將帥) 군사를 거느리는 우두머리. 비 장군.

장수왕 (長壽王) 〖인명〗 고구려 제20대 임금. 남하 정책에 뜻을 두고 도읍을 국내성에서 평양으로 옮김. 백제와 신라를 공략하여 영토를 크게 넓힘. [394-490 ; 재위 413-490]

장ː수풍뎅이 (將帥—) 풍뎅잇과의 곤충. 몸길이는 4-5 cm이며 빛깔은 어두운 갈색임. 수컷의 머리에는 투구를 쓴 것같이 뿔 모양의 돌기가 있음.

장ː수하늘소 (將帥—) [장수하늘쏘] 하늘솟과의 곤충. 몸길이는 7-9 cm이며, 수컷은 큰 턱이 발달하였음. 천연기념물 제218호임.

장승 주로 통나무를 깎아서 마을 어귀나 길가에 세운 상. 보통 남녀 한 쌍을 세우는데, 위쪽에는 사람의 얼굴 모양을, 아래쪽에는 '천하대장군'·'지하여장군'이란 글씨를 쓰거나 새김. 마을을 지키는 신의 역할을 함.

〈장승〉

장시 (長詩) 여러 개의 시구로 이루어진 긴 시.

장시간 (長時間) 오랜 시간. ㉮장시간 기다리다. 반 단시간.

장식 (裝飾) **1** 보기 좋게 꾸미는 일. 또는 그 꾸밈새. ㉮방을 꽃으로 장식하다. 비 치장. **2** 그릇이나 가구, 옷 등에 쇠붙이·헝겊·뿔·돌 따위로 여러 모양을 만들어 다는 데 쓰는 물건. **—하다.**

장식품 (裝飾品) 장식에 쓰는 물품. 비 장식물.

장신 (長身) 키가 큰 몸. ㉮장신의 농구 선수. 반 단신.

장신구 (裝身具) 몸치장을 하는 데 쓰는 물건. 비녀·목걸이·반지·귀고리 따위. ㉮장신구를 달다.

장아찌 무·오이·마늘 따위를 썰어 말려서 간장 따위에 절였다가 양념을 하여 오래 두고 먹는 반찬. ㉮마늘장아찌.

장ː악 (掌握) 손안에 잡아 쥔다는 뜻으로, 무엇을 마음대로 할 수 있게 됨을 일컫는 말. ㉮실권을 장악하다. **—하다.**

장안 (長安) '서울'을 수도라는 뜻으로 일컫는 말. ㉮장안의 화제가 되다.

장애 (障礙) **1** 거치적거려 방해가 됨. ㉮공부하는 데 장애가 되다. **2** 신체상의 고장. ㉮시각 장애.

***장애물** (障礙物) 장애가 되는 물건. ㉖장애물을 뛰어넘다.

장애물 달리기 (障礙物—) 여러 개의 장애물을 뛰어넘어 달리는 육상 경기. 허들 레이스.

***장애인** (障礙人) 신체적·정신적으로 정상이 아니어서 일상생활이나 사회 생활을 하는 데 불편이 있는 사람. 🅑장애자.

***장어** (長魚) '뱀장어'의 준말. ㉖장어구이.

장엄 (莊嚴) 규모가 크고 엄숙하며 위엄이 있음. ㉖장엄한 의식. 🅑웅장. **—하다.**

장:염 (腸炎) [장념] 창자의 점막에 생기는 염증. ㉖급성 장염.

장영실 (蔣英實) 〖인명〗 조선 세종 때의 과학자. 간의·혼천의·측우기·해시계·물시계 따위를 만들었음.

장옷 [장옫] 지난날, 부녀자가 나들이할 때에 얼굴을 가리느라고 머리에서부터 길게 내려 쓰던 옷.

장외 (場外) 어떤 곳의 바깥. ㉖장외 홈런을 치다. 🅑장내.

장원[1] (莊園) 서양에서 중세의 귀족이나 교회가 소유하던 토지.

장:원[2] (壯元) **1** 예전에, 과거 시험에서 첫째로 뽑힘. 또는 그런 사람. **2** 글짓기 등에서 성적이 첫째임. 또는 그런 사람. **—하다.**

장:원 급제 (壯元及第) [—급쩨] 예전에, 과거에서 첫째로 뽑히던 일.

장:유유서 (長幼有序) 오륜의 하나. 어른과 어린이 사이에는 차례와 질서가 있어야 한다는 말.

장음 (長音) 길게 나는 소리. 🅑긴소리. 🅑단음.

장음계 (長音階) [— / 장음게] 셋째와 넷째, 일곱째와 여덟째 사이의 음은 반음이고, 그 밖의 음은 온음으로 이루어진 음계. 🅑단음계.

장:의사 (葬儀社) [— / 장이사] 장례에 필요한 물건을 팔거나 여러 가지 일을 맡아 하는 영업소.

-장이 직종·물건 이름 등에 붙어 그것을 만들거나 그 직종에 종사하는 기술자임을 나타내는 말. ㉖유기장이 / 미장이. *-쟁이.

> 주의 **-장이**와 **-쟁이**
>
> **-장이** 기술자를 이르는 말이다.
> ㉖대장장이 / 유기장이 / 미장이 / 땜장이 / 갓장이.
>
> **-쟁이** 사람의 직업, 성질, 습관 또는 행동, 모양 등을 나타내는 말에 붙어 그러한 사람을 낮게 이르는 말이다.
> ㉖직업—환쟁이, 사주쟁이
> 성질—고집쟁이, 겁쟁이
> 습관—심술쟁이, 거짓말쟁이
> 행동이나 모양—빚쟁이, 멋쟁이

장인[1] (匠人) 여러 가지 물건을 만드는 것을 직업으로 하는 사람. 🅑장색. ㉠장.

***장:인**[2] (丈人) 아내의 아버지. 🅑빙부. 악부. 🅑장모.

장:자 (長子) 맏아들. 큰아들.

장작 (長斫) 통나무를 길게 쪼개어 만든 땔나무. ㉖소나무 장작 / 장작을 패다.

장작더미 (長斫—) [장작떠미] 장작을 쌓아 올린 무더기.

장장 (長長) 기나긴. ㉖장장 세월 / 장장 열 시간에 걸친 회의.

장전 (裝塡) 총이나 대포에 탄알이나 화약을 잼. ㉖탄알을 장전하다. **—하다.**

장점 (長點) [장쩜] 좋은 점. 뛰어난 점. ㉖장점을 살리다 / 장점이 많다. 🅑단점.

장:정[1] (壯丁) **1** 젊고 기운이 좋은 남자. **2** 군에 입대할 나이가 된 젊은 남자.

장정[2] (長程) 매우 먼 길. ㉖장정에 오르다.

장정³ (裝幀) 책의 겉모양을 꾸밈. 또는 그 꾸밈새. ㉿가죽 장정 / 장정이 화려하다. **—하다.**

장제스 (蔣介石) 〔인명〕 중국의 군인·정치가. 국민당 정부를 거느리고 중국 공산당과 싸웠으나, 1949년 공산군에 쫓겨 국민당 정부를 타이완 섬으로 옮김. [1887-1975]

장조 (長調) [장쪼] 장음계로 된 곡조. ㉿라장조 / 사장조. 반단조.

장:조림 (醬—) 간장에 쇠고기를 넣고 조린 반찬.

장:조카 (長—) 맏형의 맏아들.

장족 (長足) 빠른 걸음이란 뜻으로, 진보나 발전이 매우 빠름을 이르는 말. ㉿장족의 발전을 하다.

장:졸 (將卒) 예전에, 장수와 병졸을 함께 이르던 말. 비장병.

장중하다 (莊重—) 장엄하고 무게가 있다. ㉿장중한 음악.

장지¹ (障—) 방에 칸을 막아 끼우는 문. 미닫이 비슷하나 높이가 높고 문지방이 낮음. ㉿장지를 열다.

장지² (長指) 가운뎃손가락.

장:지³ (葬地) 시체를 묻을 땅.

장지문 (障—門) 전통 한국식 주택에서, 마루나 부엌 같은 데서 방으로 드나드는 작은 미닫이문.

장차 (將次) 앞으로. 미래에. ㉿너는 장차 어떤 사람이 되고 싶니. 비미래. 장래.

장착 (裝着) 기구·장비 따위를 붙이거나 착용함. ㉿안전띠를 장착하다. **—하다.**

***장치** (裝置) **1** 차려서 꾸밈. 꾸며 둠. ㉿무대 장치. **2** 기계 따위를 설치함. 또는 그 기계. ㉿가스 안전 장치. **—하다.**

장:쾌하다 (壯快—) 움직임이나 소리 따위가 웅장하고 통쾌하다. 힘차고 장하다. ㉿장쾌한 홈런.

장타 (長打) 야구에서, 이루타 이상의 안타. ㉿장타를 날리다.

장터 (場—) 장이 서는 곳. 비시장.

장티푸스 (腸typhus) 장티푸스균이 장에 침범하여 생기는 급성 전염병. 설사 따위의 증세가 나타남. 장질부사.

장판지 (壯版紙) 방바닥을 바르는 데에 쓰는 기름 먹인 두꺼운 종이. 준장판.

장편 소:설 (長篇小說) 짜임이 복잡하고 다루는 세계가 넓으며 등장인물이 다양한 긴 소설. 반단편 소설. 준장편.

***장:하다** (壯—) 하는 일이 매우 훌륭하여 칭찬할 만하다. ㉿장한 어머니 / 장한 어린이상을 받다. 비훌륭하다.

장:학관 (獎學官) [장학꽌] 교육에 대한 지도·조사·감독 따위의 일을 맡아보는 교육 공무원.

장:학금 (獎學金) [장학끔] 성적은 우수하지만 가정 형편이 어려워 학업에 어려움을 겪는 학생에게 주는 학비 보조금.

장:학생 (獎學生) [장학쌩] 장학금을 받는 학생.

장해 (障害) 하고자 하는 일을 막아서 방해함. 비장애. **—하다.**

장화 (長靴) 비나 눈이 올 때 또는 말을 탈 때 신는, 가죽이나 고무로 된 목이 긴 신. 반단화. ➲boots

장화홍련전 (薔花紅蓮傳) [장화홍년전] 〔책〕 조선 시대의 소설. 계모와의 갈등을 나타낸 작품. 지은이와 연대는 알 수 없음.

장황하다 (張皇—) 번거롭고 길다. ㉿변명을 장황하게 늘어놓다.

잦다¹ [잗따] **1** 액체가 증발하거나 졸아들어 없어지다. **2** 거친 기운이 잠잠해지거나 가라앉다.

잦다² [잗따] 거듭되는 어떤 일이 짧은 동안에 자주 있다. ㉿횟수가 잦다 / 지각이 잦다. 반드물다.

잦아들다 [자자들다] **1** 괴었던 물

이 차차 말라 없어지다. ⓔ물이 끓어 잦아들다. **2** 거친 기운이 가라앉아 잠잠해져 가다. ⓔ바람이 잦아들다. **3** 속으로 깊이 스며들거나 배어들다. ⓔ찬 기운이 뼛속까지 잦아들다. 활용 잦아들어 / 잦아드니 / 잦아드는.

잦아지다[1] [자자지다] 점점 잦아들어 없어지게 되다. ⓔ빗줄기가 잦아지다.

잦아지다[2] [자자지다] 어떤 일이 자주 있게 되다. ⓔ만나는 횟수가 잦아지다.

잦혀지다 [자처지다] **1** 뒤로 기울어지다. ⓔ고개가 뒤로 잦혀지다. **2** 안쪽이 겉으로 드러나게 되다. ⓔ뚜껑이 잦혀지다.

재[1] 물건이 완전히 타고 난 뒤에 남은 가루. ⓔ종이를 태운 재.

재[2] 길이 나 있어 넘어 다닐 수 있는, 높은 산의 고개. ⓔ재를 넘다. 비 고개. 영.

재ː-[1] (再) '두 번째·다시'의 뜻. ⓔ재검토 / 재출발.

재ː-[2] (在) 어떤 곳에 살고 있음을 나타내는 말. ⓔ재미 / 재일.

재ː가 (再嫁) 한 번 결혼했던 여자가 다시 다른 곳으로 시집감. 비 개가[1]. **—하다.**

재간 (才幹) 일을 잘 처리하는 솜씨나 능력. ⓔ재간 있는 사람. 비 재능.

재갈 **1** 말의 입에 가로로 물리는 쇠로 만든 물건. **2** 소리를 내지 못하도록, 또는 혀를 깨물지 못하도록 사람의 입에 물리는 물건. ⓔ재갈을 물리다.

재ː개 (再開) 회의나 활동 따위를 한동안 쉬었다가 다시 시작함. ⓔ활동을 재개하다 / 협상을 재개하다. **—하다.**

재ː개발 (再開發) 이미 있는 것을 더 낫게 하기 위해 다시 개발함. ⓔ재개발 구역 / 재개발 사업. **—하다.**

재ː건 (再建) 허물어진 건물이나 조직 따위를 다시 일으켜 세움. ⓔ조직을 재건하다. **—하다.**

재ː고[1] (再考) 어떤 일이나 문제 따위를 다시 생각함. ⓔ이 문제는 재고의 여지가 없다. **—하다.**

재ː고[2] (在庫) '재고품'의 준말. ⓔ재고 정리 / 재고 조사.

재ː고품 (在庫品) 아직 상점에 내놓지 않았거나, 팔고 남아서 창고에 쌓아 둔 상품. ⓔ재고품을 싸게 팔다. 준 재고.

재ː구성 (再構成) 새롭게 다시 짬. ⓔ조직을 재구성하다. **—하다.**

재기[1] (才氣) 재주가 있는 기질. ⓔ재기 발랄 / 재기가 넘치다.

재ː기[2] (再起) 실패한 뒤에 능력이나 힘을 모아서 다시 일어남. ⓔ재기에 성공하다. **—하다.**

재깍[1] 시계 따위의 톱니바퀴가 한 번 돌아가는 소리. 큰 제꺽. 센 째깍.

재깍[2] 일을 시원스럽게 재빨리 해치우는 모양. ⓔ재깍 대답하다. 큰 제꺽.

재난 (災難) 뜻밖에 일어난 불행한 일. ⓔ재난을 막다 / 뜻밖의 재난을 당하다. 비 재앙.

재능 (才能) 재주와 능력. ⓔ재능을 발휘하다. 비 재간.

***재ː다**[1] **1** 길이·높이·깊이·크기·무게·온도 따위를 알아보다. ⓔ키를 재다 / 무게를 재다. **2** 여러모로 따져 보고 헤아리다. ⓔ일의 앞뒤를 잘 재어 보다.

재ː다[2] 총에 탄환이나 화약을 넣다. ⓔ탄약을 재다.

재ː다[3] **1** 동작이 날쌔고 재빠르다. ⓔ걸음이 재다. **2** 입을 가볍게 놀리다. ⓔ입이 재다.

***재ː다**[4] 잘난 체하며 으스대거나 뽐내다. ⓔ일등했다고 너무 재지 마라.

재ː다[5] '쟁이다'의 준말. ⓔ인삼을 꿀에 재다 / 쇠고기를 양념에 재어

놓다. 비 재우다².

재단¹(財團) 어떤 사회적 목적을 위하여 법적으로 등록된 재산을 관리하는 단체. 예 장학 재단.

재단²(裁斷) ⇨마름질. 예 양복을 재단하다. **—하다.**

재담(才談) 익살을 섞어 가며 재치 있게 하는 재미있는 이야기.

재두루미 두루밋과의 새. 논·연못·냇가에 떼를 지어 다니며, 몸은 잿빛이고 다리가 길고 붉음. 천연기념물 제203호.

재떨이[재떠리] 담뱃재를 떨어 놓는 그릇.

재:래(在來) 예전부터 전하여 내려온 것. 예 재래시장.

재:래식(在來式) 예전부터 전하여 내려오는 방식. 예 재래식 부엌. 반 개량식.

재:래종(在來種) 어떤 지방에서 오랜 세월 동안 기르거나 재배되어 그 지방의 풍토에 적응한 종자. 예 재래종 배추. 비 토종. 반 개량종.

재량(裁量) 자기 생각대로 헤아려서 처리함. 예 네 재량껏 해 보아라. **—하다.**

재력(財力) 재물의 힘. 또는 재산상의 능력.

재:론(再論) 이미 의논한 것을 다시 의논함. 예 재론할 여지가 없다. **—하다.**

재롱(才弄) 어린아이의 슬기로운 말과 귀여운 행동. 예 재롱을 떨다 / 재롱을 부리다.

***재료**(材料) **1** 물건을 만드는 데 드는 원료. 예 건축 재료 / 음식 재료. 비 자재. **2** 어떤 일을 하기 위한 거리. 예 개구리를 연구 재료로 삼다.

재료비(材料費) 물건의 재료를 구하는 데 드는 돈. 예 재료비가 너무 많이 든다.

재:림(再臨) 기독교에서, 세상의 마지막 날에 그리스도가 세상을 심판하기 위하여 다시 오는 것. 예 예수의 재림. **—하다.**

재목(材木) **1** 건축·기구 등을 만드는 데 재료로 쓰는 나무. 비 목재. **2** 어떤 일을 할 만한 능력이 있거나 어떤 직위에 합당한 사람. 예 큰일을 할 재목.

재무(財務) 돈이나 재산에 관한 일. 예 그는 재무에 밝다.

재물(財物) 돈이나 그 밖의 온갖 값나가는 물건. 비 재화.

***재미¹** **1** 아기자기하게 즐거운 기분이나 느낌. 예 낚시질의 재미에 빠지다. **2** 좋은 성과나 보람. 예 재미가 괜찮은 장사. **3** 안부를 묻는 인사말에서, 생활의 형편. 예 요즘 재미가 어떤가. ➡ fun

재미(를) 보다 즐겁거나 수지맞는 결과를 얻다. 예 주식 투자에서 재미를 보았다.

재미(를) 붙이다 재미가 있어서 그 일을 되풀이하게 되다. 예 수학 공부에 재미를 붙이다.

재:미²(在美) 미국에 살고 있음. 예 재미 교포.

재미나다 즐겁고 유쾌한 기분이 들다. 예 재미나는 놀이.

재미없다[재미업따] **1** 아기자기한 즐거움이 없다. 예 재미없는 영화. **2** 신상에 좋지 않거나 해롭다. 예 너 그러면 재미없다.

***재미있다**[재미읻따] 아기자기한 맛이나 즐거움이 있다. 예 재미있는 이야기.

재:발(再發) 병이나 사건이 다시 생김. 예 병이 재발하다. **—하다.**

재:방송(再放送) 전에 방송한 프로그램을 다시 방송함. 예 드라마를 재방송하다. **—하다.**

재:배¹(再拜) 두 번 절함. 또는 그 절. **—하다.**

***재:배²**(栽培) 풀·나무·곡식·채소 등을 심어 가꿈. 예 꽃을 재배하다.

—하다.

재벌(財閥) 주로 한 가족과 친척들로 구성된 자본가·기업가의 무리. ㉠재벌 기업.

재봉(裁縫) 옷감 따위를 말라서 바느질함. **—하다.**

재봉사(裁縫師) 양복 따위를 마르고 짓는 일을 전문으로 하는 사람.

재봉틀(裁縫—) 천이나 가죽 따위를 바느질하는 기계. ×자봉틀.

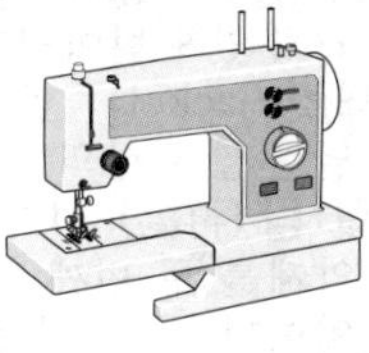

〈재봉틀〉

재빠르다 행동 따위가 재고 빠르다. ㉠**재빠른** 동작 / 눈치가 **재빠르다.** [활용] 재빨라 / 재빠르니.

*__재빨리__ 재빠르게. ㉠**재빨리** 숨다.

*__재산__(財産) 개인이나 단체가 가지고 있는 재물. ㉠**재산**을 늘리다 / **재산**을 탕진하다. [비] 재물.

재:상(宰相) 예전에, 임금을 돕고 모든 관원을 지휘·감독하는 지위에 있던 이품 이상의 벼슬.

재색(才色) 여자의 재주와 아름다운 용모. ㉠**재색**을 두루 갖춘 신부.

재:생(再生) **1** 죽게 되었다가 다시 살아남. ㉠**재생**의 희망. **2** 잘못이나 죄를 뉘우치고 새로운 생활을 시작함. ㉠**재생**의 길을 걷다. **3** 낡거나 못 쓰게 된 물건을 다시 살려서 쓰게 만듦. ㉠**재생**고무. **4** 녹음·녹화한 음성·영상 등을 다시 들려주거나 보여 주는 일. **—하다.**

재:생산(再生産) 생산된 상품을 시장에 팔아서 얻은 자본으로 다시 전과 똑같은 종류의 상품을 생산하는 일. **—하다.**

재:선(再選) 두 번째로 당선됨. ㉠의장에 **재선**되다. **—하다.**

재:수[1](再修) 한 번 배웠던 과정을 다시 배움. ㉠**재수**생. **—하다.**

재수[2](財數) 재물이나 좋은 일이 생길 운수. ㉠**재수**가 좋다.

재앙(災殃) 폭풍우·지진·홍수 따위로 말미암은 불행한 사고. ㉠**재앙**을 당하다 / **재앙**을 입다. [비] 재난.

재:연(再演) 한 번 했던 일을 다시 되풀이함. ㉠현장 **재연** / 범행을 **재연**하다. **—하다.**

재:외(在外) 외국에 있음. ㉠**재외** 동포.

재우다[1] 잠을 자게 하다. ㉠아기를 **재우다.**

재우다[2] 고기 등을 양념하여 한동안 놓아두다. ㉠양념을 하여 고기를 하룻밤 **재우다.**

재우치다 빨리 몰아치거나 재촉하다. ㉠**재우쳐** 묻다 / 일을 **재우치다.**

재원[1](才媛) 재주가 뛰어난 젊은 여자.

재원[2](財源) 자금이 나오는 원천. ㉠**재원**을 확보하다.

재:위(在位) 왕의 자리에 있음. 또는 그 동안. ㉠**재위** 10 년. **—하다.**

재:일(在日) 일본에서 살고 있음. ㉠**재일** 동포 / **재일** 교포.

재:임(在任) 직무에 있음. 또는 그 동안. ㉠**재임** 기간.

재:작년(再昨年) [재장년] 지난해의 바로 전 해. [비] 그러께.

재잘거리다 **1** 낮고 빠른 목소리로 자꾸 지껄이다. ㉠아이들이 **재잘거리며** 교문을 나서고 있다. **2** 작은 새들이 서로 어울려 자꾸 지저귀다. [큰] 지절거리다.

재잘재잘 재잘거리는 소리. 또는 그 모양. **—하다.**

재재거리다 수다스럽게 자꾸 재잘거리다. ㉠학생들이 **재재거리다.**

재:적(在籍) **1** 호적·학적 따위에 올라 있음. ㉠**재적** 학생 수. **2** 단체 따위에 등록되어 있음. ㉠국회 **재적** 의원. **—하다.**

재정(財政) **1** 개인이나 기업의 경

제 상태. **2** 국가 또는 공공 단체 따위가 돈을 관리하며 사용하는 일. ㉥지방 재정의 확립.

재정 경제부 (財政經濟部) 중앙 행정 기관의 하나. 국가 경제 발전을 위한 종합 계획의 수립, 예산 편성 및 그 집행과 결산 등에 관한 사무를 맡아봄. 준 재경부.

재:조명 (再照明) 일이나 사물의 가치를 다시 들추어 살펴봄. ㉥한일 관계를 재조명하다. **—하다.**

***재주** (才—) **1** 무엇을 잘할 수 있는 타고난 소질과 능력. ㉥그림에 재주가 있다. **2** 어떤 일에 대처하는 방도나 꾀. ㉥줄타기 재주 / 재주를 부리다. 비 재간. 재능.

재주껏 (才—) [재주껃] 있는 재주를 다하여. ㉥재주껏 해 보다.

재주꾼 (才—) 재주가 많거나 뛰어난 사람.

재주넘다 (才—) [재주넘따] 몸을 날려서 머리와 다리를 거꾸로 하여 뛰어넘다.

재즈 (jazz) 20세기 초 미국에서 흑인의 음악을 기본으로 하여 발달한 경쾌한 리듬의 대중음악.

재:직 (在職) 어떤 직장에서 근무하고 있음. ㉥재직 증명서 / 공무원으로 재직 중이다. **—하다.**

재질¹ (才質) 재주와 기질. ㉥연예인의 재질이 있다.

재질² (材質) 재료나 목재의 성질. ㉥재질이 단단한 나무.

재:차 (再次) 두 번째. 또다시. ㉥재차 묻다.

재:창 (再唱) 다시 노래를 부름. ㉥한 곡 더 재창하다. **—하다.**

***재채기** 코 안의 점막이 자극을 받아 간질간질하다가 갑자기 코로 숨을 터뜨리면서 큰 소리를 내는 일. **—하다.**

재:청 (再請) **1** 회의에서, 남의 동의에 찬성한다는 뜻을 알림. **2** 공연 따위에서, 출연자에게 한 번 더 출연해 달라고 요청함. **—하다.**

***재촉** **1** 빨리 하도록 독촉함. ㉥발걸음을 재촉하다. **2** 받을 것을 어서 달라고 조름. ㉥빚을 갚으라고 재촉하다. 비 독촉. **—하다.**

재치 (才致) 눈치 빠르게 판단하고 행동하는 능력. ㉥까다로운 질문을 재치 있게 받아넘기다.

재킷 (jacket) 앞이 터지고 소매가 달린 짧은 상의. ×자켓.

재:탕 (再湯) **1** 한 번 달여 먹은 한약재를 두 번째 달임. **2** 한 번 썼던 일이나 말 따위를 다시 되풀이함. **—하다.**

***재판¹** (裁判) 소송에 대하여 재판관이 법률에 따라 판결을 내리는 일. 민사·형사·행정 재판의 세 가지가 있음. ㉥재판을 받다. **—하다.**

재:판² (再版) **1** 이미 낸 책을 다시 찍어 냄. ㉥재판된 것도 이미 다 팔렸다. 비 중판. 반 초판. **2** 지난 일이 다시 되풀이되는 일. **—하다.**

재판관 (裁判官) 법원에서, 재판에 관한 사무를 담당하고 재판을 행하는 국가 공무원.

재판소 (裁判所) **1** 각종 분쟁에 대한 재판을 내리는 기관. ㉥국제 사법 재판소 / 헌법 재판소. **2** ⇨법원.

재판장 (裁判長) 여러 명의 판사가 같이 하는 재판에서 우두머리가 되는 판사.

재:평가 (再評價) [재평까] 고쳐 다시 평가함. ㉥인물을 재평가하다. **—하다.**

재:학 (在學) 학교에 다니고 있음. ㉥재학 증명서. **—하다.**

재:학생 (在學生) [재학쌩] 학교에 다니고 있는 학생. ㉥재학생 대표.

재해 (災害) 재앙으로 말미암은 피해. ㉥재해 복구.

재:현 (再現) 다시 나타남. 또는 다시 나타냄. ㉥사고 당시의 상황을

재현하다. **—하다.**

재:혼 (再婚) 두 번째로 혼인함. 또는 그 혼인. **—하다.**

재화 (財貨) ⇨재물.

재:활 (再活) 몸이나 정신의 장애를 이기고 다시 활동하는 일. ⓔ재활 치료. **—하다.**

***재:활용** (再活用) [재화룡] 못 쓰게 된 물건을 용도를 바꾸거나 가공하여 다시 이용하는 일. ⓔ폐지를 수거하여 재활용하다. **—하다.**

재:회 (再會) 다시 만남. ⓔ이산가족의 재회. **—하다.**

잭 (jack) **1** 기중기의 한 가지. 무겁고 큰 것을 들어 올릴 때 씀. **2** 전선 끝에 달려 전기 기기에 쉽게 연결하고 뗄 수 있게 한 장치.

잼 (jam) 과일에 설탕을 넣고 약한 불로 졸여 만든 식품. ⓔ사과잼 / 빵에 잼을 발라 먹다.

잼버리 (jamboree) 보이 스카우트의 야영 대회. 흔히 캠핑·작업·경기 따위를 함.

잽싸다 매우 재빠르고 날래다. ⓔ잽싸게 달아나다.

잿더미 [재떠미 / 잳떠미] **1** 재가 쌓인 더미. **2** 불에 타서 못 쓰게 된 자리. ⓔ온 도시가 잿더미로 변하다.

잿물 [잰물] **1** 재에 물을 부어 우려낸 물. 예전에 주로 빨래할 때 썼음. 본양잿물. **2** ⇨유약.

잿밥 (齋—) [재빱 / 잳빱] 불공을 드릴 때 부처 앞에 놓는 밥.

잿빛 [재삗 / 잳삗] 재와 같은 빛깔. ⓔ잿빛 하늘. 비회색.

쟁그랑 얇은 쇠붙이나 유리 따위가 떨어지거나 부딪쳐 울리는 소리. ⓔ동전이 쟁그랑하고 떨어졌다. 큰쟁그렁. 센쨍그랑. **—하다.**

쟁그랑거리다 쟁그랑 소리가 자꾸 나다. 또는 그런 소리를 자꾸 내다.

***쟁기** 소가 끌게 하여 논밭을 가는 데 쓰는 농기구. ⓔ쟁기로 밭을 갈다.

쟁기질 쟁기를 부리어 논밭을 가는 일. **—하다.**

쟁반 (錚盤) 사기·나무·플라스틱 따위로 만든, 깊이가 얕고 동글납작한 그릇. ⓔ과일 쟁반.

-쟁이 성질·습관 또는 행동·모양 등과 어떤 직업을 나타내는 말에 붙어 그런 사람을 낮추어 이르는 말. ⓔ멋쟁이 / 심술쟁이. →-장이 주의

쟁이다 물건을 여러 개 차곡차곡 포개어 쌓다. ⓔ옷을 장 속에 쟁여 넣다. 준재다.

쟁쟁하다[1] (琤琤—) 전에 들었던 소리가 잊혀지지 않고 귀에 울리는 듯하다. ⓔ선생님의 말씀이 아직도 귀에 쟁쟁하다.

쟁쟁하다[2] (錚錚—) 여럿 가운데서 매우 뛰어나다. ⓔ쟁쟁한 인사들이 한자리에 모이다.

쟁점 (爭點) [쟁쩜] 서로 다투는 중심이 되는 점. ⓔ정치적 쟁점.

쟁취 (爭取) 다투어 싸워서 얻음. ⓔ승리를 쟁취하다. **—하다.**

쟁탈 (爭奪) 서로 다투어서 빼앗음. ⓔ선수권을 쟁탈하다. **—하다.**

쟁탈전 (爭奪戰) 서로 다투어 빼앗는 싸움. ⓔ헤비급 선수권 쟁탈전.

쟤: '저 아이'의 준말. ⓔ쟤가 누구니. →제 주의

***저**[1] 말하는 사람이 윗사람 등을 상대하여 자신을 낮추어 가리키는 말. ⓔ저는 모릅니다.

저[2] 멀리 떨어져 있는 사람이나 사물을 가리키는 말. ⓔ저 사람 / 저 건물.

저[3] 입에 가로 대고 부는 관악기를 통틀어 일컫는 말.

저:[4] (著) 사람 이름 뒤에 쓰여 책을 지은 사람을 나타내는 말. ⓔ정약용 저 목민심서.

저:[5] **1** 미처 생각이 잘 나지 않을 때 내는 소리. ⓔ저, 누구시더라. **2** 말을 꺼내기가 거북하거나 어색할

때 머뭇거리면서 내는 소리. (예)저, 지금 뭐라고 말씀하셨죠.

저ː-(低) '낮음'의 뜻. (예)저기압 / 저자세 / 저학년.

저거 '저것'의 준말. (예)저거 좀 주세요.

***저것** [저걷] **1** 멀리 있는 사물을 가리키는 말. (예)저것이 새로 나온 차다. **2** '저 사람'을 얕잡아 이르는 말. (예)저것이 정신 나간 모양이군. **3** '저 아이'를 귀엽게 이르는 말. (예)저것이 벌써 학교에 들어간답니다. [준]저거. [작]조것. ➡ that

저ː격(狙擊) 특정 목표를 총으로 겨누어 쏨. (예)저격을 가하다 / 저격을 받아 쓰러지다. **—하다.**

***저고리** **1** 한복의 윗옷. 길·소매·섶·깃·동정·고름 따위가 갖춰져 있음. **2** 겉에 입는 윗옷을 통틀어 이르는 말. (예)양복저고리.

〈저고리1〉

저ː금(貯金) 은행·우체국 따위에 돈을 맡김. 또는 그 돈. (예)저금을 찾다. [비]저축. **—하다.**

저ː금통(貯金筒) 돈을 모아 둘 수 있게 만든 통.

저ː금통장(貯金通帳) ⇨예금 통장. (예)저금통장에 잔액이 없다.

저ː급(低級) 낮은 등급. (예)내용이 저급하다. [반]고급. **—하다.**

***저기** 말하는 이나 듣는 이로부터 멀리 떨어져 있는 곳을 가리키는 말. (예)저기가 우리 집이다. [비]저곳. [작]조기. ＊거기. 여기.

저ː기압(低氣壓) **1** 주위의 기압에 비하여 낮은 기압. [반]고기압. **2** 사람의 기분이 언짢은 상태.

저널리스트(journalist) 신문이나 잡지의 기자 또는 편집자·기고가를 두루 일컫는 말.

***저녁** **1** 해가 지고 밤이 되기까지의 동안. (예)저녁에는 제법 쌀쌀하다. **2** '저녁밥'의 준말. (예)저녁을 먹다. [반]아침. ➡ evening

저녁나절 [저녕나절] 저녁 무렵의 한동안.

저녁놀 [저녕놀] 해가 질 때의 하늘이 붉어 보이는 기운. [반]아침놀. [본]저녁노을.

***저녁때** **1** 해가 질 무렵. (예)아침에 나가더니 저녁때에야 돌아왔다. **2** 저녁밥을 먹을 때. (예)벌써 저녁때가 되었네.

저녁밥 [저녁빱] 저녁에 끼니로 먹는 밥. [준]저녁.

저녁상(—床) [저녁쌍] 저녁밥을 차려 놓은 밥상. (예)저녁상을 받다 / 저녁상을 차리다.

저ː능아(低能兒) 지능이 보통 수준보다 낮은 아이. [비]정신 지체아.

저다지 저러하도록. 저렇게까지. (예)어찌 저다지 속이 좁을까. [작]조다지.

저ː당(抵當) 부동산 또는 동산을 채무의 담보로 잡힘. (예)집을 저당 잡히고 돈을 꾸다.

저돌적(猪突的) [저돌쩍] 앞뒤를 헤아리지 않고 돌진하는 (것). 앞일을 생각지 않고 처리하는 (것). (예)저돌적인 행동.

저러다 저렇게 하다. (예)저러다가 넘어질라.

저러하다 상태·모양·성질 따위가 저와 같다. (예)저러한 모양으로 만들어라. [준]저렇다.

***저런** **1** 저와 같은. (예)저런 사람은 가까이 하지 마라. **2** 뜻밖에 놀라운 일이 있을 때 부르짖는 소리. (예)저런, 거참 큰일 났군. [작]조런.

***저렇다** [저러타] '저러하다'의 준말. (예)모두 저러니 할 말이 없다. [작]조렇다. [활용]저러니 / 저래서.

저ː력(底力) 속에 간직하고 있는

끈기 있는 힘. 숨은 힘. (예)민족의 저력을 과시하다.

저:렴하다 (低廉—) 물건 따위의 값이 싸다. (예)저렴한 가격.

*__저리__ **1** 저러하게. 저와 같이. (예)이리 할까 저리 할까 망설이다. **2** 저쪽으로. (예)저리 가시오. [작]조리.

저리다 살이나 뼈마디가 오래 눌려서 피가 잘 돌지 못하여 힘이 없고 감각이 둔하다.

> [주의] **저리다와 절이다**
> **저리다** 살이나 뼈마디가 힘이 없고 감각이 둔하다. (예)발이 저리다 / 손이 저리다.
> **절이다** 소금 따위를 뿌려서 절게 하다. (예)배추를 소금에 절이다 / 생선을 절이다.

*__저마다__ 사람마다. 각자. (예)저마다 한 마디씩 하다.

저만큼 저만한 정도로. (예)저만큼 해내기도 쉽지 않다. [작]조만큼.

저만하다 **1** 크기나 정도가 같거나 거의 비슷하다. (예)저만한 크기의 나무. **2** 별로 대단하지 않다. (예)상처가 저만하니 정말 다행이네요. [작]조만하다.

저맘때 저만큼 된 때. (예)아이들이 저맘때는 낯가림을 한다.

저:명 (著名) 세상에 이름이 널리 알려짐. (예)저명한 학자. [비]유명. **—하다.**

저:명인사 (著名人士) 세상에 이름이 널리 알려진 사람.

저물녘 [저물력] 해가 저무는 저녁 무렵. (예)저물녘에야 집에 닿았다.

저물다 **1** 해가 져서 어두워지다. (예)날이 저물다. **2** 계절이나 한 해가 다 지나가다. (예)한 해가 저물다. [활용]저물어 / 저무니 / 저무는.

저물도록 해가 져서 어두워질 때까지. (예)날이 저물도록 기다리다 / 저물도록 일하다.

저미다 여러 조각으로 얇게 베어 내다. (예)고기를 저미다.

저버리다 **1** 약속 따위를 어기다. (예)약속을 저버리다. **2** 은혜 따위를 모른 체하다. (예)신의를 저버리다.

저벅거리다 [저벅꺼리다] 발을 묵직하고 느리게 내디디며 계속 걷다.

저벅저벅 [저벅쩌벅] 저벅거리는 소리. [작]자박자박. **—하다.**

저:번 (這番) 요전의 그때. (예)저번에 만났던 사람. [비]지난번.

저:변 (底邊) 한 분야의 밑바탕을 이루는 부분. (예)사회의 저변.

저:서 (著書) 책을 지음. 또는 그 책. (예)많은 저서를 남기다.

저:소득 (低所得) 소득이 낮음. 또는 낮은 소득. (예)저소득 계층. [반]고소득.

저:속 (低速) '저속도'의 준말.

저:속도 (低速度) [저속또] 느린 속도. [반]고속도. [준]저속.

저:속하다 (低俗—) [저소카다] 품위가 낮고 속되다. (예)저속한 소설.

*__저:수지__ (貯水池) 상수도·수력 발전 또는 논밭에 물을 대기 위하여 강물이나 골짜기의 물을 모아 두는 큰 못.

저:술 (著述) 글을 지어 책을 만듦. 또는 그 책. (예)저술가 / 저술에 몰두하다 / 많은 저술을 남기다. [비]저작. **—하다.**

저승 사람이 죽은 뒤 그 혼령이 산다고 하는 세상. (예)저승사자 / 저승으로 가다. [비]황천. [반]이승.

저:온 (低溫) 낮은 온도. (예)저온 살균 / 저온 처리. [반]고온.

*__저울__ 물건의 무게를 다는 기구.

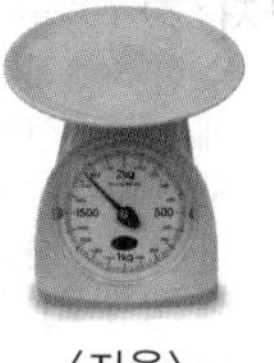

〈저울〉

저울대 [저울때] 대저울에서, 저울판과 저울추를 거는 막대기. 눈금이 새겨져 있음.

저울질 **1** 저울로 물건의 무게를 다는 일. **2** 속마음을 알아보거나 서로 비교하여 이리저리 헤아려 봄. ㉠양쪽을 저울질하다 / 사람을 저울질하다. **—하다.**

저:음(低音) 낮은 소리. ㉠저음 가수. 반 고음.

저:의(底意) [—/저이] 속에 품은 생각. ㉠저의를 드러내다 / 저의를 모르겠다. 비 속뜻. 속마음.

저자[1] **1** 시장에서 물건을 파는 가게. **2** 날마다 아침저녁으로 반찬거리를 파는 작은 규모의 시장.

저자(를) 보다 저자에 가서 물건을 팔거나 사다.

저:자[2](著者) 책을 지은 사람. 비 지은이.

저:자세(低姿勢) 상대방에게 눌려서 굽실거리는 낮은 자세. ㉠저자세 외교 / 저자세를 취하다.

저:작(著作) 책을 지음. ㉠오로지 저작에만 힘쓰다. **—하다.**

저:작권(著作權) [저작꿘] 저작자가 자기 저작물의 복제·번역·방송·상연 따위를 독점하는 권리.

저:작물(著作物) [저장물] 생각이나 느낌 따위를 창작적으로 표현한 것으로, 문학·학술·미술·음악의 범위에 드는 것.

저:작자(著作者) [저작짜] 책을 지은 사람. 비 지은이. 준 저자.

저잣거리 [저자꺼리 / 저잗꺼리] 가게가 죽 늘어서 있는 거리.

*__저:장__(貯藏) **1** 물건을 모아서 간수함. ㉠식품을 저장하다. **2** 컴퓨터에서, 생성된 데이터를 기억 장치에 보존하는 일. ㉠파일을 하드에 저장하다. **—하다.**

저:장뿌리(貯藏—) 양분을 저장하여 두는 식물의 뿌리. 무·고구마·당근 따위.

*__저절로__ 다른 힘을 빌리지 않고 제 스스로. ㉠웃음이 저절로 나오다 / 촛불이 저절로 꺼지다. 준 절로.

저:조(低調) 능률이나 성적이 낮음. ㉠시청률 저조 / 기록이 저조하다. **—하다.**

저:주(詛呪) 남에게 재앙이나 불행이 닥치기를 빌고 바람. 반 축복. **—하다. —스럽다.**

저지[1](沮止) 막아서 못하게 함. ㉠시위를 저지하다. **—하다.**

저:지[2](低地) 지대가 낮은 땅. 반 고지.

*__저지르다__ 잘못하여 그르치다. 탈을 내다. ㉠잘못을 저지르다. 활용 저질러 / 저지르니.

저지선(沮止線) 더 이상 넘지 못하도록 막는 경계선. ㉠경찰의 저지선을 뚫고 앞으로 나아갔다.

저:질(低質) 질이 낮고 좋지 않음. ㉠저질 만화.

저쪽 이곳에서 떨어져 있는 다른 쪽 편. ㉠강 저쪽. 반 이쪽.

저:촉(抵觸) 법률·규칙 따위에 위반되거나 거슬림. ㉠법에 저촉되는 행동은 삼가라. **—하다.**

*__저:축__(貯蓄) 절약하여 모아 둠. ㉠저축 생활 / 저축을 장려하다. 비 저금. 반 낭비. **—하다.**

저:택(邸宅) 규모가 큰 집. ㉠그는 으리으리한 저택에 산다.

저토록 저만큼이나. 저렇게까지. ㉠저토록 착한 사람은 처음이다.

저편(—便) **1** 저쪽. ㉠저편에 있는 집. **2** 저쪽의 사람들. ㉠저편에서 먼저 싸움을 걸어왔다. 반 이편.

저:하(低下) 기운·수준·능률·물가 따위가 떨어져 낮아짐. ㉠사기 저하 / 체력 저하. 반 향상. **—하다.**

저:학년(低學年) [저항년] 낮은 학년. 초등학교에서는 1, 2, 3학년을 가리킴. 반 고학년.

*__저:항__(抵抗) **1** 맞서서 버티어 겨룸. ㉠강압적인 식민 통치에 저항하

다. 비 대항. **2** 힘이 작용하는 방향과 반대의 방향으로 작용하는 힘. 예공기의 저항. **—하다.**

저:항력 (抵抗力) [저항녁] **1** 외부의 힘에 반항하는 힘. **2** 질병이나 병원균을 견디어 내는 힘. 예저항력이 강하다.

저:해 (沮害) 막아서 못하게 해침. 예저해 요인 / 발전을 저해하다. **—하다.**

저:혈압 (低血壓) [저혀랍] 혈압이 정상보다 낮은 상태. 성인의 최고 혈압이 90 mmHg 이하인 혈압. 반 고혈압.

***저희** [저히] **1** '우리'의 낮춤말. 예저희들이 하겠습니다. **2** 저 사람들. 예저희들끼리 하라고 해.

***적**[1] (敵) **1** 자기와 원수인 사람. 비 원수. **2** 싸움의 상대. 예적의 무리 / 적과 싸우다. ➡ enemy

적[2] (炙) 양념을 하고 대꼬챙이에 꿰어서 불에 구운 생선이나 고기.

***적**[3] 때를 나타내는 말. 예어릴 적에 놀던 곳.

-적 (的) 한자어 뒤에 붙어 '그러한 성질·경향을 띤' 또는 '그러한 상태에 있는' 따위의 뜻을 나타내는 말. 예세계적 / 문학적 / 추상적.

적개심 (敵愾心) [적깨심] 적을 미워하고 분하게 여기는 마음. 예적개심에 불타다 / 적개심을 품다.

적격 (適格) [적껵] 어떤 일에 알맞은 자격을 지님. 예그 배역에는 그가 적격이다. 반 결격.

적국 (敵國) [적꾹] 적대 관계에 있는 나라.

적군 (敵軍) [적꾼] 적의 군대나 군사. 비 적병. 반 아군. 우군.

적극 (積極) [적끅] 어떤 일에 긍정적이고 능동적으로 활동함. 예적극 방어 / 적극 지지하다. 반 소극.

적극적 (積極的) [적끅쩍] 사물에 대한 태도가 긍정적이고 능동적인 (것). 예적극적인 행동. 반 소극적.

적금 (積金) [적끔] 은행에 일정한 기간마다 일정한 금액을 적립하는 저금. 예적금을 들다 / 적금을 붓다 / 적금을 타다. **—하다.**

적기[1] (適期) [적끼] 알맞은 시기. 예적기에 씨를 뿌리다.

적기[2] (敵機) [적끼] 적의 비행기.

적나라하다 (赤裸裸—) [정나라하다] 숨김없이 있는 그대로 다 드러내다. 예적나라하게 폭로하다.

***적다**[1] [적따] 글로 쓰다. 예선생님의 말씀을 적다.

***적:다**[2] [적따] 많지 않다. 분량이나 수효가 어느 기준에 미치지 못하다. 예수입이 적다 / 경험이 적다. 반 많다. →작다 주의

***적당하다** (適當—) [적땅하다] **1** 정도에 알맞다. 예적당한 운동은 건강에 좋다. **2** 엇비슷하게 요령이 있다. 예적당한 말이 떠오르다.

적당히 (適當—) [적땅히] 적당하게. 예소금을 적당히 넣어 간을 맞추다 / 말을 적당히 얼버무리다.

적대 (敵對) [적때] 적으로 대함. 예적대 행위. 반 우호. **—하다.**

적대시 (敵對視) [적때시] 적으로 여김. 예적대시하는 태도. **—하다.**

적대적 (敵對的) [적때적] 서로 적으로 맞서는 (것). 예적대적 관계.

적도 (赤道) [적또] 위도의 기준이 되는 선. 남북 양극으로부터 90° 의 거리에 있음. 예적도 지방.

적령 (適齡) [정녕] 어떤 표준이나 규정에 알맞은 나이. 예결혼 적령에 이르다.

적립 (積立) [정닙] 돈 따위를 모아서 쌓아 둠. **—하다.**

적립금 (積立金) [정닙끔] 적립해 두는 돈.

적막 (寂寞) [정막] 고요하고 쓸쓸함. 예적막한 밤. 비 정적. **—하다.**

적반하장 (賊反荷杖) [적빤하장]

도둑이 도리어 매를 든다는 뜻으로, 잘못한 사람이 도리어 잘한 사람을 나무라는 경우를 이르는 말. ㉥적반하장도 유분수지.

적발(摘發)[적빨] 숨겨진 것을 들추어 냄. ㉥시험 시간에 부정행위를 하다가 적발되었다 / 밀수품을 적발하다. **—하다.**

적법(適法)[적뻡] 법의 규정에 맞음. ㉥적법한 절차를 거치다. ㉯불법. 위법. **—하다.**

적병(敵兵)[적뼝] 적의 병사. ㉥적병을 포로로 잡다. ㉡적군.

적삼[적쌈] 윗도리에 입는 홑옷. 모양은 저고리와 같음.

적색(赤色)[적쌕] 붉은 빛깔.

적선[1](敵船)[적썬] 적국의 배. ㉡적함.

적선[2](積善)[적썬] 착한 일을 많이 함. ㉥적선을 베풀다. **—하다.**

적설(積雪)[적썰] 쌓여 있는 눈. ㉥적설량.

적성(適性)[적썽] 어떤 일에 알맞은 성질이나 능력. ㉥적성에 맞는 일 / 적성을 살리다.

적성 검:사(適性檢査)[적썽—] 어떤 분야나 활동에 대한 개인의 적성을 알아보기 위한 검사.

적수(敵手)[적쑤] 재주나 힘이 서로 비슷한 상대. ㉥적수를 만나다 / 적수가 될 만하다.

적시(適時)[적씨] 알맞은 때. ㉥적시에 안타를 치다.

적시다[적씨다] 액체를 묻혀서 젖게 하다. ㉥옷을 적시다 / 물에 적신 수건.

적신호(赤信號)[적씬호] **1** 교통 신호에서 '멈춤'을 알리는 신호. **2** 위험한 상태임을 알리는 낌새. ㉥건강에 대한 적신호. ㉯청신호.

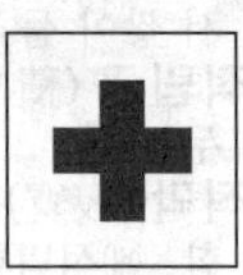
〈적십자1〉

적십자(赤十字)[적씹짜] **1** 흰 바탕에 붉은색으로 그린 십자형. 적십자사의 상징임. **2** '적십자사'의 준말.

적십자사(赤十字社)[적씹짜사] 전쟁 때에는 다친 사람을 돌보고, 보통 때에는 병들고 가난한 사람들을 돕기 위한 국제적인 민간 조직. ㉰적십자.

적:어도[저거도] **1** 아무리 적게 잡아도. ㉥적어도 열흘은 걸리겠다. **2** 마음에 부족하나마 그런대로. ㉥적어도 만 원은 있어야지. **3** 아무리 낮게 평가해도. ㉥나는 적어도 너처럼 거짓말은 하지 않는다.

적외선(赤外線)[저괴선] 눈에 보이는 광선의 한계인 붉은빛 바깥쪽에 나타나며, 눈에는 보이지 않지만 열작용과 투과력이 강한 광선. ㉥적외선 요법 / 적외선 필름.

적요(摘要)[저교] 요점을 뽑아 적음. 또는 그 기록. ㉥강의의 내용을 적요하다. **—하다.**

적용(適用)[저공] 무엇을 어디에 맞추어 씀. ㉥학교에서 배운 지식을 실생활에 적용하다. **—하다.**

적응(適應)[저긍] **1** 어떤 환경이나 조건에 잘 맞추어 어울림. ㉥새로운 환경에 적응하다. **2** 생물의 생김새나 기능이 주위의 사정에 알맞게 변화하는 일. **—하다.**

적응력(適應力)[저긍녁] 적응하는 힘. ㉥적응력이 뛰어나다.

적의(敵意)[저긔 / 저기] 적으로 여겨 미워하고 해치려는 마음. ㉥적의를 품다.

적:이[저기] 약간. 다소. ㉥그 소식에 적이 놀랐다.

적임자(適任者)[저김자] 어떤 일을 맡기기에 알맞은 사람. ㉥이 일에는 그가 적임자다.

적자(赤字)[적짜] 수입보다 지출이 많은 상태. 또는 그렇게 해서 생기는 손해. ㉥가계에 적자를 내다.

반흑자.

적:잖다 [적짠타] 적은 수나 양이 아니다. 예적잖은 사람들이 음악회에 모였다. 본적지 아니하다.

적:잖이 [적짜니] 적잖게. 예사고 소식에 적잖이 놀랐다.

적장 (敵將) [적짱] 적군의 장수. 예적장을 쓰러뜨리다.

적재 (積載) [적째] 차나 배 따위에 물건을 실음. 예트럭에 사과 상자를 적재하다. **—하다.**

적재적소 (適材適所) [적째적쏘] 마땅한 사람을 알맞은 자리에 씀. 예인재를 적재적소에 배치하다.

적적하다 (寂寂—) [적쩌카다] 외롭고 쓸쓸하다. 예노인 둘만 살자니 적적하기 그지없다. 비한적하다.

*__적절하다__ (適切—) [적쩔하다] 꼭 알맞다. 예적절한 예를 들다. 비적당하다.

적절히 (適切—) [적쩔히] 적절하게. 예적절히 대처하다.

적정[1] (適正) [적쩡] 알맞고 바름. 예적정 가격 / 적정 수준. **—하다.**

적정[2] (敵情) [적쩡] 적의 형편이나 사정. 예적정을 살피다.

적조 (赤潮) [적쪼] 플랑크톤이 너무 많이 번식되어 바닷물이 붉게 물들어 보이는 현상.

적중 (的中) [적쭝] **1** 화살 따위가 목표물에 맞음. 예화살이 과녁에 적중하다. **2** 예상이나 예감 따위가 정확히 들어맞음. 예이번에도 나의 예상이 적중했다. **—하다.**

적중률 (的中率) [적쭝뉼] **1** 화살 따위가 목표물에 맞는 비율. **2** 예상이나 추측 따위가 들어맞는 비율. 예높은 적중률을 자랑하다.

적지 (敵地) [적찌] 적이 차지하고 있는 곳. 예적지에 몰래 침입하다.

적진 (敵陣) [적찐] 적의 군대가 진을 치고 있는 곳. 예적진을 향해 포탄을 퍼붓다.

적체 (積滯) 쌓이거나 막혀서 잘 통하지 않음. 예인사 적체 / 교통 적체 현상. **—하다.**

적탄 (敵彈) 적군이 쏜 탄알.

적합하다 (適合—) [저카파다] 알맞게 들어맞다. 예벼농사에 적합한 기후 / 어린이에게 적합한 놀이.

적혈구 (赤血球) [저켤구] 피를 이루는 중요한 성분. 붉은빛을 띠며 몸의 각 부분으로 산소를 나르는 헤모글로빈을 지님. *백혈구.

적화 (赤化) [저콰] 공산주의에 물듦. 예적화 통일. **—하다.**

적히다 [저키다] 적음을 당하다. 예이름이 적히다.

*__전[1]__ (前) **1** 앞. 그전. 예늙기 전에 / 전에는 그도 성실했다. 비이전. 반나중. 후. **2** 자격·지위 따위를 나타내는 말 앞에 쓰여 과거의 경력을 나타내는 말. 예전 대통령.

전:[2] (煎) 재료를 얇게 썰어 밀가루나 달걀 따위를 묻혀 기름에 지진 음식을 통틀어 이르는 말. 예전을 부치다.

전[3] (全) '전체'·'모든'의 뜻. 예전 세계 / 전 대원 앞으로 / 삼국사기는 전 50권으로 되어 있다.

-전[1] (傳) '전기[1]'의 뜻을 나타냄. 예홍길동전 / 위인전.

-전[2] (展) '전시회'의 뜻을 나타냄. 예사진전 / 미술전.

-전[3] (殿) '신당'·'불당'·'궁궐' 따위의 뜻을 나타냄. 예교태전 / 대웅전 / 근정전.

-전[4] (戰) '전쟁'·'시합'·'경쟁'의 뜻을 나타냄. 예결승전 / 청백전 / 심리전 / 단체전.

전:가 (轉嫁) 죄나 책임 따위를 남에게 떠넘김. 예책임을 전가하다. **—하다.**

전:각 (篆刻) 나무나 돌, 옥 따위에 글자를 새긴 것. 또는 그 글자.

전갈[1] (傳喝) 사람을 시켜서 남의

말을 전하거나 안부를 물음. ㉡전갈을 보내다. **—하다.**

전갈² (全蠍) 전갈과의 절지동물. 사막 지대에 삶. 등은 푸른빛을 띤 갈색이고 꼬리 끝에 독침이 있음.

〈전갈²〉

전갈자리 (全蠍—) 7월 말경의 밤하늘에 보이는 별자리.

전:개 (展開) **1** 눈앞에 벌어짐. ㉡아름다운 경치가 눈앞에 전개되다. **2** 소설·영화 따위의 이야기가 펼쳐짐. ㉡이야기가 흥미진진하게 전개되다. **—하다.**

전:개도 (展開圖) 입체 도형을 펼친 모양을 그린 그림.

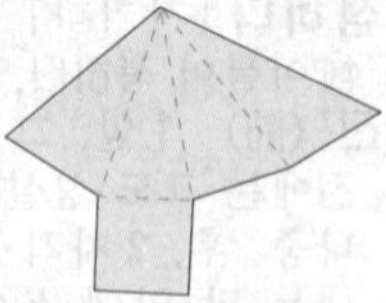
〈전개도〉

전:격 (電擊) 번개처럼 갑작스럽게 들이침. ㉡전격 작전.

전경¹ (全景) 한눈에 바라보이는 전체의 경치. ㉡서울의 전경이 한눈에 들어오다.

전경² (前景) 앞쪽에 보이는 경치.

전:골 고기·해물·버섯·채소 따위를 섞어서 국물을 조금 부어 끓인 음식. ㉡버섯 전골.

전:공¹ (戰功) 전쟁에서 세운 공로. ㉡전공탑 / 전공을 세우다.

전공² (專攻) 어느 분야를 전문적으로 연구함. ㉡수학 전공. **—하다.**

전과¹ (全科) [전꽈] 초등학교의 학년별 전 과목에 걸친 학습 참고서.

전:과² (戰果) [전꽈] 전쟁이나 시합에서 올린 성과. ㉡전과를 세우다 / 눈부신 전과를 올리다.

전과³ (前科) [전꽈] 이전에 형벌을 받은 사실. ㉡전과 3범.

전과자 (前科者) [전꽈자] 전에 죄나 잘못을 저질러서 형벌을 받은 일이 있는 사람.

전:광판 (電光板) 전구를 촘촘히 배열하고 그것을 켰다 껐다 하여 문자·그림 따위가 나타나게 만든 게시판. ㉯전광게시판.

*__전교__ (全校) 한 학교의 전체. ㉡전교 학생 회장.

전교생 (全校生) 한 학교의 모든 학생. ㉡전교생이 운동장에 모여 줄을 맞춰 섰다.

*__전:구__ (電球) 전기가 흐르면 밝은 빛을 내는 기구. ㉡전구를 갈다 / 전구를 켜다.

*__전국__ (全國) 한 나라 전체. 온 나라. ㉡전국 체육 대회 / 전국 각지에서 모여들다.

전국구 (全國區) [전국꾸] 전국을 한 단위로 하는 선거구. ㉡전국구 의원. *지역구.

전국적 (全國的) [전국쩍] 온 나라에 관계되는 (것). ㉡전염병이 전국적으로 퍼지다.

전국 체전 (全國體典) 해마다 각 시·도 및 해외 교포 선수단이 참가하여 열리는 전국적인 규모의 체육 대회. ㉥전국 체육 대회.

전군 (全軍) 전체의 군대. ㉡전군을 지휘하다.

전:극 (電極) 전기가 드나드는 곳. 전지에서 전류가 나가는 쪽이 양극, 전류가 들어가는 쪽이 음극임.

전:근 (轉勤) 근무하는 곳을 옮김. ㉡전근을 가다 / 지방으로 전근되다. ㉥전출. **—하다.**

*__전기¹__ (傳記) 어떤 사람의 태어나서 죽기까지의 일을 이야기식으로 적은 글. ㉡강감찬 장군의 전기를 읽고 감명을 받다. ㉥일대기.

*__전:기²__ (電氣) 빛과 열을 내며 기계를 움직이는 에너지.

전:기³ (轉機) 어떤 상태에서 다른 상태로 바뀌는 계기. ㉡학교 발전의 전기가 되다.

전기⁴ (前期) 한 기간을 몇 개로 나

눈치 시기. ㉠프로 야구 전기 리그. ㉡후기.

전:기 기구 (電氣器具) 전기를 열·빛·동력 따위의 에너지로 바꿔 이용한 기구. ㉥전기 제품.

전기문 (傳記文) 실제 살았던 사람의 삶을 적은 글. 대개 본받을 만한 일이나 가르침 따위를 내용으로 함.

전:기스탠드 (電氣stand) 책상 위에 놓게 된 이동식 전등. 스탠드.

전:기 에너지 (電氣energy) 전기를 이용하여 얻을 수 있는 에너지.

전:기장 (電氣場) 전기를 띤 물체, 곧 대전체의 주위에 전기적인 힘이 미치는 공간. ㉥전장.

전:기 회로 (電氣回路) 전류가 흐르는 통로. ㉨회로.

전:깃불 (電氣—) [전기뿔 / 전긷뿔] 전등에 켜진 불. ㉠전깃불을 켜다.

전:깃줄 (電氣—) [전기쭐 / 전긷쭐] ⇨전선[2].

전:나무 소나뭇과의 상록 침엽 교목. 산기슭이나 골짜기에 나며, 줄기 높이는 20-40 m나 되는데 나무는 건축·가구·제지용으로 씀.

전날 (前—) **1** 어떤 날의 바로 앞날. ㉠소풍 전날. **2** 지나간 날. ㉠전날의 잘못을 뉘우치다.

전념 (專念) 오로지 한 가지 일에만 마음을 씀. ㉠평생을 암 연구에 전념하다. **—하다.**

전능 (全能) 어떤 일이든 못하는 일이 없이 능함. ㉠전능하신 하느님. **—하다.**

전단 (傳單) 선전·광고의 내용을 적은 종이쪽. ㉠수배 전단 / 전단을 돌리다.

전달[1] (前—) [전딸] **1** 지난달. ㉠전달 월급. **2** 지나간 달.

전달[2] (傳達) 명령·지시·물건 따위를 전함. ㉠전달 사항. **—하다.**

전담[1] (全擔) 어떤 일이나 비용의 전부를 맡거나 부담함. ㉠여행 비용을 혼자서 전담하다. **—하다.**

전담[2] (專擔) 전문적으로 맡아서 함. ㉠국사 과목 전담 교사 / 집안일을 전담하다. **—하다.**

전답 (田畓) 논과 밭. ㉥논밭.

전:당 (殿堂) **1** 크고 화려한 집. **2** 어떤 분야의 중심이 되는 기관이나 시설. ㉠학문의 전당.

전:당포 (典當鋪) 물건을 맡아 두고 돈을 빌려 주어 이익을 얻는 곳.

전도[1] (全圖) 전체를 그린 그림이나 지도. ㉠대한민국 전도.

전도[2] (前途) **1** 앞으로 나아갈 길. ㉠전도가 양양하다. **2** 장래. 앞길. ㉠전도가 밝은 청년.

전도[3] (傳道) 주로 기독교에서 교리의 참뜻을 널리 알리어 신앙이 없는 사람들에게 신앙을 갖게 하는 일. **—하다.**

전도[4] (傳導) 열·전기 따위가 물체의 한 부분에서 다른 곳으로 옮아 감. 또는 그런 현상. ㉠철사는 열을 전도한다. **—하다.**

전도사 (傳道師) 기독교의 교리를 전하여 기독교를 믿지 않는 사람에게 신앙을 갖게 권하는 사람.

전:동기 (電動機) 전류가 흐르면 빠른 속도로 회전 운동을 하여 다른 기계를 움직이게 하는 기계. 모터.

전:동차 (電動車) 전기의 힘으로 레일 위를 달리는 차.

***전:등** (電燈) 전기의 힘으로 빛을 내는 등. ㉠전등을 갈다 / 전등을 끄다 / 전등을 켜다.

전:등갓 (電燈—) [전등갇] 전등 위에 씌우는 갓.

전등사 (傳燈寺) 인천광역시 강화군 길상면 정족산에 있는 절. 고구려 소수림왕 11년(381)에 아도 화상이 세웠다고 함.

전라남도 (全羅南道) [절라남도] 〖지명〗 우리나라의 한 도. 한반도의 남서부에 위치. 여름에 비가 많고 겨울은 따뜻함. 산맥이 적고 평야가 많아 농업이 발달함. 도청 소재지는 무안. ㊜전남.

전라도 (全羅道) [절라도] 전라남도와 전라북도를 함께 이르는 말. ㊥호남. ㊜전라.

전라북도 (全羅北道) [절라북또] 〚지명〛 우리나라의 한 도. 한반도의 남서부에 위치. 따뜻하고 비가 많음. 호남평야를 중심으로 쌀·보리 등의 농산물이 많이 남. 도청 소재지는 전주. ㊜전북.

전:락 (轉落) [절락] 나쁜 상태나 처지에 빠짐. ㊖천덕꾸러기로 전락하다. **—하다.**

전:란 (戰亂) [절란] 전쟁으로 생긴 난리. ㊖전란을 겪다 / 전란에 시달리다.

*__전:람회__ (展覽會) [절람회] 물품이나 예술 작품을 늘어놓고 여러 사람에게 보이는 모임. ㊖미술 전람회. ㊥전시회.

*__전래__ (傳來) [절래] **1** 예로부터 전하여 내려옴. ㊖전래 동요 / 전래 동화 / 조상 전래의 보물. **2** 외국에서 전해 들어옴. ㊖불교의 전래 / 한자의 전래. **—하다.**

전:략 (戰略) [절략] 전쟁에 이기기 위한 계획이나 방법. ㊖전략을 짜다 / 전략이 뛰어나다.

전력[1] (全力) [절력] 모든 힘. ㊖전력을 쏟다 / 전력을 다하여 뛰다.

전력[2] (專力) [절력] 오로지 한 가지 일에만 힘을 씀. ㊖학업에 전력하다. **—하다.**

전:력[3] (電力) [절력] 전기의 힘. ㊖전력 소모가 적은 청소기.

전:력[4] (戰力) [절력] 전투나 경기 따위를 할 수 있는 능력. ㊖전력을 기르다 / 전력이 약화되다.

전령 (傳令) [절령] 부대와 부대 사이에 명령을 전달함. 또는 그 병사. ㊖전령을 보내다. **—하다.**

*__전:류__ (電流) [절류] 전기의 흐름. ㊖고압 전류 / 전류가 흐르다.

전:립 (戰笠) [절립] 조선 때, 무관이 쓰던 모자. 붉은 털로 둘레에 끈을 꼬아서 두름.

전:말 (顚末) 어떤 일의 처음부터 마지막까지의 과정. ㊖사건의 전말을 밝히다.

전:망 (展望) **1** 멀리 바라봄. 또는 멀리 바라보이는 풍경. ㊖전망이 좋은 집. **2** 앞일을 미리 내다봄. ㊖전망이 밝은 사업. **—하다.**

전:망대 (展望臺) 먼 곳까지 볼 수 있게 높이 쌓은 대. ㊖전망대를 세우다. ㊥관망대. 망대.

전매 (專賣) **1** 어떤 물건을 혼자서 만 맡아 놓고 팖. **2** 국가가 어떤 물품의 생산·판매를 독차지함. 우리나라에서는 전에 담배와 인삼을 정부가 전매했으나 지금은 '한국 담배 인삼 공사'가 맡음. **—하다.**

전면[1] (全面) **1** 모든 면. ㊖전면 통제. **2** 신문·잡지 따위의 하나의 면 전체. ㊖전면 광고.

전면[2] (前面) 앞면. 앞쪽. ㊖건물의 전면 사진.

전면적 (全面的) 모든 면에 걸친 (것). ㊖전면적인 구조 개편.

전멸 (全滅) 모조리 죽거나 망해 없어짐. ㊖적군을 전멸하다. ㊥몰살. **—하다.**

전모 (全貌) 전체의 모양. ㊖사건의 전모 / 전모를 밝히다.

전무하다 (全無—) 전혀 없다. ㊖사고가 전무하다.

전무후무하다 (前無後無—) 전에도 없었고 앞으로도 없다. ㊖전무후무한 대사건.

전문[1] (全文) 문장의 전체. ㊖독립 선언서의 전문.

전문[2] (前文) 법령 따위에서, 첫째 조항 앞에 적어 그 법령의 목적이나 기본 원칙을 선언하는 글. ㊖헌법

전문.
*전문[3] (專門) 오로지 한 가지 일만 을 연구하거나 맡음. ㉑전문 지식 / 장난감만 전문으로 판매한다.
*전문가 (專門家) 어떤 분야에 많은 지식이나 기술, 경험을 가진 사람. ㉑컴퓨터 전문가.
전문의 (專門醫) [전무늬 / 전무니] 의학의 일정한 분과를 전문으로 하는 의사. ㉑외과 전문의 / 전문의 자격을 얻다.
전문적 (專門的) 어떤 한 가지 일에 대하여 깊이 알고 있는 (것). ㉑전문적인 교육. ㉺일반적.
전문점 (專門店) 일정한 종류의 물건만을 취급하고 파는 상점. ㉑속옷 전문점.
전문직 (專門職) 전문 지식이 있어야 하는 직업. 학자·과학 기술자·건축 기사·의사·변호사 따위의 직업.
전문화 (專門化) 전문적으로 됨. 또는 그렇게 함. ㉑업무를 전문화하다. **—하다.**
전반[1] (全般) 통틀어 모두. ㉑사회 전반에 걸쳐 공해 문제가 심각하다.
전반[2] (前半) 전체를 둘로 나누었을 때의 앞부분. ㉑20세기 전반. ㉺후반.
전반적 (全般的) 어떤 일이나 분야 전체에 걸친 (것). ㉑학생들의 학력 수준이 전반적으로 향상되었다.
전반전 (前半戰) 운동 경기에서, 전체 시간을 둘로 나누었을 때에 앞부분의 경기. ㉑전반전을 끝내다. ㉺후반전.
전방 (前方) **1** 앞쪽. ㉑100 m 전방. **2** 적을 바로 마주하고 있는 지역. ㉑전방에서 근무하다. ㉺후방.
전번 (前番) [전뻔] 지난번. ㉑전번에도 만났었다.
전:법 (戰法) [전뻡] 싸우는 방법. ㉑경기마다 전법을 바꾸다.
*전:보 (電報) 전신을 이용하여 전하는 소식. ㉑전보를 치다 / 축하 전보를 받다.

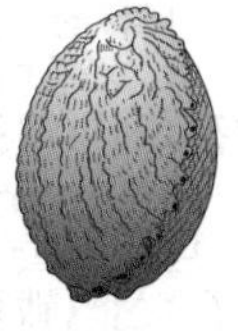
〈전복[1]〉

전복[1] (全鰒) 전복과의 조개. 몸은 귀 모양이며, 갈색 또는 푸른빛을 띤 갈색임. 살은 먹으며 껍데기는 장식의 재료 또는 약으로 씀.
전:복[2] (顚覆) 뒤집혀 엎어짐. 또는 뒤집어 엎음. ㉑열차가 전복하다. **—하다.**
전:봇대 (電報—) [전보때 / 전볻때] **1** ⇨전주[2]. **2** 키가 큰 사람의 별명.
전봉준 (全琫準) 〖인명〗 조선 고종 때 동학 농민 운동의 지도자. 녹두 장군. 농민을 구하고자 동학 농민 운동을 일으켰으나, 관군과 일본군의 대대적인 반격으로 실패함. [1855-1895]
*전부 (全部) 하나도 빠짐없이 온통. 모두. ㉑재산의 전부 / 동네 사람들이 전부 모이다. ㉥전체. ㉺일부.
전:분 (澱粉) 곡류나 감자류에 많이 들어 있는 흰 탄수화물. ㉥녹말.
전:사[1] (戰士) 싸움을 하는 병사.
전:사[2] (戰死) 전쟁터에서 싸우다가 죽음. ㉑아들의 전사 소식을 듣다. ㉥전몰. **—하다.**
전:산 (電算) **1** '전자계산기'의 준말. **2** ⇨컴퓨터. ㉑전산 처리.
전:산망 (電算網) 컴퓨터들이 서로 그물처럼 연결되어 있는 통신 조직망.
전:산화 (電算化) 컴퓨터를 이용하여 정보를 처리함. 또는 그런 시설을 갖춤. ㉑모든 업무를 전산화하다. **—하다.**
전생 (前生) 불교에서 말하는 삼생의 하나. 이 세상에 태어나기 이전의 세상. ㉺내생. 후생.
전선[1] (前線) **1** 적과 마주 대하고 있는 지역. ㉑서부 전선. ㉥일선. **2** 직접 뛰어든 일정한 활동 분야. ㉑

생활 전선/산업 전선. **3** 따뜻한 공기와 찬 공기가 서로 만나는 경계면. ㉠장마 전선이 북상하다.

***전:선²** (電線) 전기를 통하게 하는 금속선. 구리나 알루미늄으로 만듦. ㊊전깃줄.

전:선³ (戰線) 직접 전투가 벌어지는 지역.

전설 (傳說) 예로부터 전해 내려오는 이야기. ㊊민간 설화.

전성기 (全盛期) 활동이 가장 왕성한 시기. ㉠그때가 그의 **전성기**였다/제이의 **전성기**를 누리다.

전성시대 (全盛時代) 기운이 한창 왕성한 시대. ㉠그의 **전성시대**도 막을 내렸다.

전세¹ (專貰) 약속한 일정 기간 동안 그 사람에게만 빌려 주는 일. ㉠전세 버스. ㊊대절.

전세² (傳貰) 일정 금액을 주인에게 맡기고 부동산을 일정 기간 빌려 쓰는 일. 부동산을 돌려줄 때는 맡긴 돈을 되돌려 받음. ㉠**전세** 보증금/**전세**를 얻다.

전:세³ (戰勢) 전쟁·경기 따위의 형세나 형편. ㉠**전세**가 유리하다/**전세**를 뒤엎다. ㊊전황.

전세금 (傳貰金) 전세를 얻을 사람이 전세를 놓을 사람에게 맡기는 돈. ㊊전셋돈.

전세방 (傳貰房) [전세빵] 전세로 빌려 주는 방. 또는 전세로 빌려서 쓰는 방.

전셋집 (傳貰—) [전세찝/전셋찝] 전세로 빌려 쓰는 집. ㉠**전셋집**에 살다.

전속 (專屬) 오직 한 곳에만 속함. ㉠전속 합창단. **—하다.**

전속력 (全速力) [전송녁] 낼 수 있는 가장 빠른 속력. ㉠**전속력**으로 달리다.

전:송¹ (電送) 글이나 사진 따위를 전류나 전파를 이용하여 먼 곳으로 보냄. **—하다.**

전:송² (餞送) 떠나는 사람을 작별하여 보냄. ㉠공항까지 **전송**하다. ㊊배웅. ㊎마중. **—하다.**

전수¹ (傳受) 전하여 받음. ㉠스승에게서 무예를 **전수**하다. **—하다.**

전수² (傳授) 기술이나 지식 따위를 전하여 줌. ㉠제자에게 기술을 **전수**하다. **—하다.**

전:술 (戰術) 싸우는 기술과 방법. ㉠**전술**가/**전술**에 능하다.

전승¹ (傳承) 문화나 풍속, 제도 따위를 이어받아 후세에 전함. ㉠**전승** 공예/민간**전승**/조상의 훌륭한 문화유산을 **전승**하다. **—하다.**

전:승² (戰勝) 싸움에서 이김. ㉠**전승**국/**전승**의 기쁨. ㊊승전. 전첩. ㊎전패. **—하다.**

전승³ (全勝) 전쟁이나 경기 따위에서 한 번도 지지 않고 모조리 이김. ㉠5전 **전승**의 기록. **—하다.**

***전:시¹** (展示) 여러 가지 물건을 모아 벌여 놓고 보임. ㉠**전시**관/도서**전시**/**전시** 효과/이집트 유물을 **전시**하다. ㊊전람. **—하다.**

전:시² (戰時) 전쟁이 벌어진 때. ㉠**전시**에 대비하다.

전:시장 (展示場) 여러 가지 물품을 모아 한데 늘어놓고 보이는 곳. ㉠**전시장**에 들러 구경하다.

***전:시회** (展示會) 예술 작품이나 특정한 물건 따위를 전시하여 사람들에게 보이는 모임. ㉠**전시회**를 관람하다/**전시회**를 열다.

전신¹ (全身) 몸의 전체. ㉠**전신** 마취/**전신**을 부들부들 떨다. ㊊온몸.

전:신² (電信) 전류나 전파를 이용하여 주고받는 통신. ㉠무선 **전신**.

전신³ (前身) 단체·회사 등이 바뀌기 전의 본체. 바뀌기 전의 신분. ㉠이 대학의 **전신**은 전문학교이다.

전:신기 (電信機) 전류나 전파를 이용하여 통신하는 기계.

전신 운:동 (全身運動) [전시눈동] 온몸을 고루 움직이는 운동. ㉠전신 운동에는 수영이나 달리기가 좋다. 비 온몸 운동.

전:신주 (電信柱) ⇨전주(電柱).

전심전력 (全心全力) [전심절력] 온 마음과 온 힘을 다 기울임. ㉠목표 달성을 위해 전심전력을 다하다.

전:압 (電壓) [저납] 흐르는 전기의 세기. ㉠전압이 높다.

전액 (全額) [저낵] 어떤 돈의 전부. ㉠재산 전액을 장학금으로 기부하다 / 수업료를 전액 면제하다.

전야 (前夜) [저냐] 어떤 날의 전날 밤. ㉠크리스마스 전야.

전야제 (前夜祭) [저냐제] 어떤 큰 행사의 전날 밤에 행하는 축제. ㉠올림픽 전야제가 열리다.

전:업 (轉業) [저넙] 직업을 바꿈. ㉠상업으로 전업하다. **—하다.**

전역 (全域) [저녁] 어느 지역의 전체. ㉠중부 지방 전역에 호우 주의보가 내렸다.

전연 (全然) [저년] 아주. 도무지. 전혀. ㉠나는 전연 모르는 일이다.

전:열¹ (戰列) [저녈] 전쟁이나 경기에 참가하는 사람들의 대열. ㉠전열을 갖추다 / 전열을 가다듬다 / 전열이 흐트러지다.

전:열² (電熱) [저녈] 전류에서 생기는 열. ㉠전열 기구.

전:열기 (電熱器) [저녈기] 전류를 통하여 생기는 열을 이용하는 기구. 전기다리미·전기난로 따위.

전:열선 (電熱線) [저녈썬] 전류를 통하여 열을 발생시키는 도선.

전염 (傳染) [저념] **1** 병균이 남에게 옮음. ㉠눈병이 전염되다. **2** 나쁜 버릇이나 풍속 따위가 옮아 물이 듦. **—하다.**

***전염병** (傳染病) [저념뼝] 병균이 공기·음식 따위를 통해 다른 사람에게 옮는 병. 콜레라·장티푸스 따위. ㉠전염병이 돌다 / 전염병 예방 주사를 맞다.

전염성 (傳染性) [저념썽] 전염하는 성질. ㉠이번 감기는 전염성이 강하다.

전용 (專用) [저뇽] **1** 일정한 사람이나 특정한 목적으로만 씀. ㉠대통령 전용 비행기 / 버스 전용 차로. **2** 오로지 한 가지만을 씀. ㉠한글 전용. 반 공용. **—하다.**

전:우 (戰友) [저누] 같은 부대에 속하면서 생활과 전투를 같이하는 동료.

전원¹ (田園) [저눤] **1** 논밭과 동산. **2** 시골. 교외. ㉠전원생활 / 전원 경치를 바라보다.

전원² (全員) [저눤] 전체의 인원. ㉠우리 반 전원이 시험에 합격했다.

전:원³ (電源) [저눤] 전기 코드를 꽂아 전기를 끌어 들이는 곳. 전기 콘센트 따위. ㉠전원 스위치.

전원도시 (田園都市) [저눤도시] 도시 생활의 편리함과 전원생활의 정취를 갖추고 있는 도시.

전원주택 (田園住宅) [저눤주택] 시골 생활의 정취를 느낄 수 있게 도시 근처에 지은 주택.

전:율 (戰慄) [저뉼] 무섭거나 두려워서 몸이 벌벌 떨림. ㉠공포 영화를 보고 전율을 느끼다. **—하다.**

전:의 (戰意) [저늬 / 저니] 싸우고자 하는 마음. ㉠전의를 잃다.

전:이 (轉移) [저니] 암 등이 혈액이나 림프를 따라 딴 조직으로 옮아가는 일. **—하다.**

전인 교:육 (全人敎育) [저닌—] 지식이나 기능 따위의 교육에 치우치지 아니하고 성격 교육이나 정서 교육 등을 통해 인간이 지닌 모든 능력을 조화롭게 발달시키는 것을 목적으로 하는 교육.

전임¹ (前任) [저님] 전에 맡았던 일. 또는 그 일을 맡았던 사람. ㉠전임 대통령. 반 후임.

전임² (專任) [저님] 어떤 일을 전문적으로 맡거나 맡김. 또는 그런 사람. 예 전임 강사.

전:입 (轉入) [저닙] 살던 곳에서 새로 살 곳으로 주소를 옮기어 들어옴. 예 전입신고 / 전입 인구. 반 전출. **—하다.**

전자¹ (前者) 둘을 들어 말할 때에 먼저 말한 것. 예 전자에 비해 후자가 낫다. 반 후자.

*__전:자²__ (電子) 한 원자 속에서 음전기를 띠고 원자핵의 둘레를 도는 입자.

전:자계산기 (電子計算機) [—/전자게산기] **1** ⇨컴퓨터. 준 전산. 전산기. **2** 간단한 조작으로 각종 계산을 자동으로 할 수 있는 기계.

전:자레인지 (電子range) 고주파로 음식물을 가열하는 조리 기구.

전:자 메일 (電子mail) 통신망을 통해 컴퓨터로 주고받는 편지. 전자우편. 이메일. 준 메일.

전:자석 (電磁石) 철심에 코일을 여러 번 감아 이 코일에 전류를 통하면 자석의 성질을 띠고, 전류를 끊으면 자석의 성질을 잃도록 만든 자석. 본 전기 자석.

전:자오락 (電子娛樂) ⇨비디오 게임.

전:장 (戰場) 전쟁이 벌어지고 있는 곳. 예 전장에 나간 병사들이 돌아오다. 비 싸움터. 전쟁터.

*__전:쟁__ (戰爭) **1** 나라와 나라 사이에 무기를 사용해 싸움. 예 전쟁이 터지다. 비 전투. 반 평화. **2** 어떤 일을 위하여 심하게 경쟁을 함. 예 입시 전쟁 / 범죄와의 전쟁을 선포하다. **—하다.** ⊙ war

전:쟁놀이 (戰爭—) [전쟁노리] 아이들이 전쟁하는 흉내를 내며 노는 놀이. **—하다.**

전:쟁터 (戰爭—) 전쟁이 벌어지고 있는 곳. 비 싸움터. 전장.

전적¹ (全的) [전쩍] 전체에 걸친 (것). 예 전적으로 찬성하다.

전:적² (戰績) 경기나 시합에서 싸워서 얻은 성적. 예 3승 1패의 전적을 거두다.

전:적지 (戰跡地) [전적찌] 전쟁의 흔적이 남아 있는 곳. 예 6·25 때의 전적지를 답사하다.

전:전긍긍 (戰戰兢兢) 몹시 두려워 벌벌 떨며 조심함. 예 무슨 일이라도 일어날까 봐 전전긍긍하다. **—하다.**

전제 (前提) 어떤 사물·상황이 이루어지도록 먼저 내세우는 밑바탕이 되는 것. 예 전제 조건. **—하다.**

전제주의 (專制主義) [—/전제주이] 국민의 의사를 존중하지 아니하고 지배자 마음대로 권력을 행사하는 정치 체제. 반 민주주의. 입헌주의.

전조등 (前照燈) ⇨헤드라이트.

전주¹ (全州) 〖지명〗 전라북도의 도청 소재지로 시. 조선 왕조의 발상지임. 한지·부채 등이 유명함.

전:주² (電柱) 전선이나 통신선을 늘여 매기 위하여 세운 기둥. 비 전봇대. 전신주.

전주곡 (前奏曲) **1** 오페라에서 막이 오르기 전에 연주하는 곡. **2** 어떤 일이 벌어지기 전의 조짐이나 암시. 예 불행의 전주곡.

전지¹ (全紙) 펼쳐진 신문 두 장을 붙인 크기의 종이.

전:지² (電池) 화학적인 반응으로 전류를 일으키는 장치. 배터리. 예 건전지 / 축전지 / 전지를 새것으로 갈아 끼우다.

전지전능하다 (全知全能—) 무엇이나 다 알고 무엇이나 할 수 있다. 예 전지전능하신 하느님.

전직 (前職) 전에 가졌던 직업이나 직책. 예 전직 경찰관.

전진 (前進) 앞으로 나아감. ㉠일보 전진. ㉡후진. 후퇴. **—하다.**

전집 (全集) 한 사람 또는 같은 종류의 책이나 작품을 한데 모아 한 질로 펴낸 책. ㉠세계 문학 전집.

전:차[1] (電車) 전기의 힘으로 궤도 위를 달리며 손님을 나르는 차량.

*__전:차__[2] (戰車) ⇨탱크1.

전천후 (全天候) 어떠한 날씨에도 제 기능을 다할 수 있음. ㉠전천후 타이어.

전철[1] (前轍) 먼저 지나간 수레바퀴의 자국이라는 뜻으로, 이전 사람의 잘못된 일이나 행동의 자취.

전철을 밟다 이전의 잘못이나 실패를 되풀이하다.

전:철[2] (電鐵) 전기의 힘으로 궤도 위를 다리는 철도. ㉠전철을 타고 출퇴근하다. ㉢전기 철도.

전:철역 (電鐵驛) [전철력] 전철이 승객을 태우고 내리기 위해 잠시 멈추는 정거장.

*__전체__ (全體) 온통. 전부. ㉠전체 학생의 의견을 듣다. ㉣전부. ㉡부분.

전체 집합 (全體集合) [—지팝] 부분 집합에 대하여, 한 집합의 원소 전체로 이루어지는 집합.

전:축 (電蓄) 전기를 이용해 소리를 재생하는 장치. ㉠전축을 켜다 / 전축을 틀다.

전:출 (轉出) 주소를 다른 곳으로 옮겨 감. ㉠전출 신고를 하다. ㉡전입. **—하다.**

전치 (全治) 병이나 상처를 완전히 고침. ㉠전치 2주의 부상.

*__전통__ (傳統) 예전부터 이어 내려오는 관습이나 행동 따위의 양식. ㉠전통 혼례 / 전통을 계승하다.

전통문화 (傳統文化) 조상들로부터 전해져 내려오는 문화.

전통미 (傳統美) 전통적으로 내려오는 아름다움. ㉠전통미를 살린 개량 한복.

전통적 (傳統的) 전통에 관한 (것). 전통으로 되는 (것). ㉠전통적 가치관 / 전통적인 음식 문화.

전:투 (戰鬪) 전쟁터에서 군인들이 무기를 가지고 적과 싸우는 일. ㉣전쟁. **—하다.**

전:투기 (戰鬪機) 적을 상대로 하늘에서 싸우는 비행기.

전파[1] (傳播) 지식·사상·기술 따위를 전하여 널리 퍼뜨림. ㉠불교의 전파. **—하다.**

전:파[2] (電波) 전자파 중 전기 통신용으로 알맞은 파장. ㉠전파를 타다 / 전파를 수신하다.

전:파 망:원경 (電波望遠鏡) 천체에서 오는 전파를 수신하여 관측하는 장치.

전편 (前篇) 두세 편으로 나뉜 책이나 영화 따위의 앞 편. ㉡후편.

전폐 (全廢) [— / 전페] 아주 없애 버림. 완전히 그만둠. ㉠식음을 전폐하다. **—하다.**

전폭적 (全幅的) [전폭쩍] 있는 대로의 전부에 걸친 (것). ㉠전폭적인 신뢰 / 전폭적인 지지를 얻다.

전표 (傳票) 은행·회사·상점 등에서 돈이 들어오고 나가는 내용을 간단히 적은 쪽지. ㉠입금 전표.

전:하 (殿下) 왕이나 왕비 등 왕족을 높여 부르는 말. ㉠전하께 아뢰옵나이다. ㉣각하.

*__전하다__ (傳—) **1** 이어져 내려오다. 알려져 내려오다. ㉠예로부터 전하는 말. **2** 어떤 것을 상대에게 갖다주다. ㉠물건을 전하다. **3** 소식을 알리다. ㉠기쁜 소식을 전하다. **4** 남기어 물려주다. ㉠가보를 자손에게 전하다.

전:학 (轉學) 학생이 다니던 학교에서 다른 학교로 옮기는 것. ㉠전학을 가다. **—하다.**

전:함 (戰艦) 전쟁에 사용하는 배. ㉣군함. ㉢전투함.

전항 (前項) **1** 앞에 적혀 있는 사항. **2** 수학에서, 둘 이상의 항 중에서 앞에 있는 항. ⓑ후항.

전:해질 (電解質) 물이나 용매에 녹아 전기가 흐르게 하는 물질. 산·알칼리·염류 따위.

전:향 (轉向) 사상이나 방향 따위를 바꿈. ⓔ아마추어에서 프로로 전향하다. **—하다.**

***전혀** (全—) 도무지. 전연. 온전히. ⓔ전혀 모르는 일이다.

전:형 (銓衡) 어떤 일에 알맞은 사람을 시험하여 뽑음. ⓔ서류 전형. **—하다.**

전:형적 (典型的) 본보기가 될 만한 (것). ⓔ전형적 미인 / 전형적인 영국 신사.

***전:화** (電話) **1** '전화기'의 준말. ⓔ전화가 고장 나다. **2** 전화기로 상대와 말을 주고받음. ⓔ전화를 걸다 / 전화를 받다 / 집으로 전화하다. **—하다.** ➡ phone, telephone

전:화국 (電話局) 전화 가입 신청의 접수·가설·교환 따위의 일을 맡아보는 곳.

전:화기 (電話機) 말소리를 전파나 전류로 바꾸었다가 다시 말로 바꾸어 통화하는 장치. ⓒ전화.

전:화번호 (電話番號) 전화 가입자의 전화기마다 매겨져 있는 일정한 번호. ⓔ전화번호를 바꾸다.

전:화위복 (轉禍爲福) 불행한 일이 바뀌어 오히려 복이 됨. *새옹지마.

전:화통 (電話筒) '전화기'를 속되게 이르는 말. ⓔ하루 종일 전화통에 불이 나다.

전:환 (轉換) 방향이나 상태가 여태까지와 다르게 바뀜. ⓔ기분을 전환하려고 운동을 하다. **—하다.**

전:환점 (轉換點) [전환쩜] 방향이나 상태가 바뀌는 고비. ⓔ역사의 전환점.

전:황 (戰況) 전쟁의 상황. 싸움의 형편. ⓔ전황을 보고하다.

전후 (前後) **1** 앞과 뒤. **2** 시간·나이 따위의 말에 붙어, '경·쯤'의 뜻을 나타내는 말. ⓔ20세 전후 / 3시 전후에 수업이 끝난다.

전후좌우 (前後左右) 앞쪽과 뒤쪽과 왼쪽과 오른쪽. 곧, 사방. ⓔ전후좌우를 살피고 길을 건너다.

***절**[1] 남을 높이는 뜻으로 몸을 굽혀 하는 예. ⓔ절을 받다 / 넙죽 절하다. ⓑ인사. **—하다.**

***절**[2] 불상을 모셔 놓고 불도를 닦으며 승려들이 사는 집. ⓑ사찰[1].

절[3] (節) 시·노래 또는 문장 따위의 작은 단락. ⓔ애국가를 1절만 부르다.

절[4] '저를'의 준말. ⓔ절 도와주세요 / 절 부르셨습니까.

-절 (節) **1** '명절·국경일'의 뜻. ⓔ단오절 / 개천절. **2** '절기'의 뜻. ⓔ하지절 / 동지절.

절간 (—間) [절깐] '절[2]'을 속되게 이르는 말.

절감 (節減) 비용을 아끼고 씀씀이를 줄임. ⓔ생활비를 절감하다. **—하다.**

절감하다 (切感—) 마음속 깊이 절실하게 느끼다. ⓔ건강의 중요성을 절감하다.

절개[1] (切開) **1** 째거나 갈라서 벌림. **2** 치료하기 위해 피부나 기타 조직을 칼·가위 따위로 짼. ⓔ제왕 절개 / 피부를 절개하다. **—하다.**

절개[2] (節槪) 옳은 일을 지키어 뜻을 굽히지 않는 씩씩하고 꿋꿋한 마음. ⓔ절개를 지키다. ⓑ지조.

절경 (絶景) 더할 수 없이 훌륭한 경치. 뛰어난 경치. ⓔ천하의 절경. ⓑ가경.

절교 (絶交) 서로 사귀는 것을 끊음. ⓔ친구와 절교하다. ⓑ교제. **—하다.**

절구 곡식을 찧거나 빻는 데 쓰는 도구.

절구통 (—桶) 곡식 따위를 찧거나 빻기 위해, 통나무 또는 돌의 속을 우묵하게 파내어 만든 기구.

〈절구〉

절굿공이 [절구꽁이 / 절굳꽁이] 절구에 곡식을 넣고 찧거나 빻는 데 쓰는, 나무·돌·쇠 따위로 만든 공이.

절규 (絶叫) 있는 힘을 다하여 부르짖음. 예 자유를 달라고 절규하다. **—하다.**

절기 (節氣) 음력에서 한 해를 24 등분하여 계절을 나타낸 것. → [학습마당] 22(863쪽)

절:다[1] 걸음을 절뚝거리며 걷다. 예 다리를 절다. 활용 절어 / 저니 / 저는.

절:다[2] **1** 채소나 생선 따위에 소금기가 속속들이 배어들다. 예 김칫거리가 알맞게 절다. **2** 땀이나 때 따위가 더럽게 묻다. 예 옷이 땀에 절어 있다. 활용 절어 / 저니 / 저는.

절단 (切斷) [절딴] 자르거나 끊어 냄. 예 철판을 절단하다. **—하다.**

절대 (絶對) [절때] **1** 다른 어떤 것과도 대립되거나 비교할 것이 없는 상태. 예 절대 권력. **2** '절대로'의 준말. 예 절대 따라 하지 마시오.

***절대로** (絶對—) [절때로] 어떤 일이 있어도 반드시. 예 혼자 산에 가는 것은 절대로 안 된다. 준 절대.

절대자 (絶對者) [절때자] 어떠한 것에도 제약받지 않고 의존하지 않는 그 자체로서 완전한 존재. 신과 같은 존재.

절대적 (絶對的) [절때적] 다른 것과 비교하거나 상대될 만한 것이 없는 (것). 예 절대적 진리. 반 상대적.

절도[1] (竊盜) [절또] 남의 물건을 훔침. 또는 그런 사람. 예 절도범 / 상습 절도. **—하다.**

절도[2] (節度) [절또] 일이나 행동을 격식에 맞고 질서 있게 하는 것. 예 절도 있는 태도.

절뚝거리다 [절뚝꺼리다] 한쪽 다리가 짧거나 다쳐서 걸을 때 몸이 한쪽으로 기우뚱거리다. 예 절뚝거리면서 걷다. 센 쩔뚝거리다.

절뚝절뚝 [절뚝쩔뚝] 한쪽 다리가 짧거나 다쳐서 기우뚱거리며 걷는 모양. 센 쩔뚝쩔뚝. **—하다.**

절레절레 머리를 계속 옆으로 가볍게 흔드는 모양. 예 머리를 절레절레 흔들다.

절로 '저절로'의 준말. 예 절로 고개가 숙여지다 / 신이 나서 절로 콧노래가 나왔다.

절룩거리다 [절룩꺼리다] 다리 하나가 짧거나 다쳐서 약간 절다. 작 잘록거리다. 센 쩔룩거리다.

절름발이 [절름바리] 다리를 저는 사람.

절망 (絶望) 모든 희망이 사라짐. 예 절망에 빠지다 / 절망을 딛고 일어서다. 비 실망. 반 희망. **—하다.**

절망감 (絶望感) 모든 희망이 사라진 느낌. 예 절망감을 맛보다 / 절망감에 사로잡히다.

절망적 (絶望的) 희망을 가질 수 없게 된 (것). 예 절망적인 상태. 반 희망적.

절묘하다 (絶妙—) 더할 수 없이 교묘하다. 예 절묘한 패스.

절박하다 (切迫—) [절바카다] 어떤 일이나 상황이 매우 다급하다. 예 절박한 상황에 부닥치다.

절반 (折半) 하나를 반으로 나눈 것. 예 밥을 절반도 못 먹다.

절벽 (絶壁) 바위가 깎아 세운 것처럼 아주 높이 솟아 있는 험한 낭떠러지. 예 깎아지른 듯한 절벽.

절수 (節水) [절쑤] 물을 아껴 씀.

㉥절수 운동 / 가뭄 때에는 절수해야 한다. **—하다.**

절실하다 (切實—) [절씰하다] **1** 아주 중요하고 다급하다. ㉥매우 절실한 요청이오니 들어주시기 바랍니다. **2** 무엇을 바라는 마음이 간절하다. ㉥부모님의 사랑을 절실하게 그리워하다.

절실히 (切實—) [절씰히] 절실하게. ㉥외국어의 필요성을 절실히 느끼다.

***절약** (節約) [저략] 함부로 쓰지 않고 꼭 필요한 데에만 아껴 씀. ㉥에너지 절약 / 용돈을 절약해서 저축하다. 비 검약. 반 낭비. **—하다.**

절이다 [저리다] 소금을 뿌려서 절게 하다. ㉥배추를 소금에 **절이다.** →저리다 주의

절전 (節電) [절쩐] 전기를 아껴 씀. ㉥절전하는 습관을 생활화하다. **—하다.**

절절 매우 뜨겁게 끓거나 달아 있는 모양. ㉥물이 절절 끓는다 / 아랫목이 절절 끓는다. 작 잘잘. 센 쩔쩔.

절절하다 (切切—) 매우 간절하다. ㉥절절한 사연을 듣다.

절절히 (切切—) 절절하게.

절정 (絶頂) [절쩡] **1** 산의 꼭대기. **2** 어떤 일의 진행이나 상태가 최고에 이른 때. ㉥인기가 절정에 오르다 / 불만이 절정에 달하다. 비 정상.

절제 (節制) [절쩨] 정도를 넘지 않도록 스스로 알맞게 조절하여 제한함. ㉥절제된 표현 / 감정을 절제하다. **—하다.**

절지동물 (節肢動物) [절찌동물] 동물을 분류하는 구분의 하나. 몸에 마디가 있으며, 대개 머리·가슴·배로 나뉨. 지네·거미 따위.

***절차** (節次) 일의 순서와 방법. ㉥수속 절차 / 절차를 밟다. 비 수속.

절찬 (絶讚) 지극히 칭찬함. 또는 그 칭찬. ㉥절찬 상영 중 / 비평가들의 절찬을 받다. **—하다.**

절찬리 (絶讚裡) [절찬니] 대단한 칭찬을 받는 가운데. ㉥연주회는 절찬리에 끝났다.

절충 (折衷) 서로 다른 생각이나 주장들을 어느 편으로도 치우치지 않게 조절하여 알맞게 함. ㉥양쪽의 의견을 절충하다. **—하다.**

절친하다 (切親—) 아주 친하다. ㉥절친한 친구.

절터 절이 있던 터.

절판 (絶版) 출판하였던 책을 더 이상 찍지 않음. ㉥절판본. **—하다.**

절편 떡살을 눌러 둥글거나 모나게 만든 떡.

절필 (絶筆) **1** 죽기 전에 마지막으로 쓴 글이나 글씨. ㉥고인의 절필. **2** 붓을 놓고 다시는 글을 쓰지 아니함. ㉥절필을 선언하다. **—하다.**

절호 (絶好) 더할 수 없이 좋음. ㉥절호의 기회.

***젊:다** [점따] 나이가 적고 혈기가 왕성하다. ㉥젊은[절믄] 시절 / 젊은 사람들. 반 늙다. ➡ young

***젊은이** [절므니] 나이가 젊은 사람. 비 청년. 반 늙은이.

젊음 [절믐] 젊은 상태. 또는 젊은 기력. ㉥젊음을 과시하다.

점[1] (占) 앞으로 일어날 좋고 나쁜 일 등을 미리 알아보는 일. ㉥점을 치다.

***점**[2] (點) **1** 작고 둥글게 찍힌 표나 자리. ㉥까만 점. **2** 글의 구절을 구별하기 위하여 찍는 표. 비 구두점. **3** 여럿 가운데서 골라 결정할 때 쓰는 말. ㉥점을 찍어 놓다. **4** 어느 지적된 사항을 나타내는 부분. ㉥좋은 점. **5** 사람의 피부나 짐승의 털에 다른 빛깔로 박힌 얼룩.

-점 (店) '가게'의 뜻을 나타내는 말. ㉥음식점 / 백화점.

점거 (占據) 어떤 곳을 강제로 차지하여 자리 잡음. ㉥남의 집을 점거

하다. **―하다.**

점검 (點檢) 낱낱이 조사하거나 검사함. ㉲기계를 하나하나 점검하다. **―하다.**

점괘 (占卦) 점을 쳐서 나오는 괘. ㉲좋은 점괘가 나오다.

점그래프 (點graph) 그림 도표의 하나. 점의 개수로 양의 많고 적음을 나타내는 도표.

점대칭 도형 (點對稱圖形) 어떤 도형을 한 점을 중심으로 하여 180° 회전시켰을 때, 처음 도형과 꼭 맞아 포개지는 도형. 반 선대칭 도형.

점등 (點燈) 등에 불을 켬. ㉲가로등의 점등 시간. 반 소등. **―하다.**

점령 (占領) [점녕] 일정한 땅을 빼앗아 차지함. ㉲적의 진지를 점령하다. 비 점거. **―하다.**

점령군 (占領軍) [점녕군] 다른 나라의 땅을 무력으로 차지하여 그곳에 머무는 군대.

점막 (粘膜) 소화관·호흡기 등의 안쪽을 덮은 끈끈하고 부드러운 막을 통틀어 이르는 말. ㉲코의 점막.

점멸등 (點滅燈) [점멸뜽] 자동차 따위에 쓰이는 신호등의 한 가지. 일정한 시간 간격을 두고 켜졌다 꺼졌다 함. 비 깜박등.

점박이 (點―) [점바기] 얼굴이나 몸에 점이 있는 사람이나 짐승. 비 점둥이.

점선 (點線) 점을 줄지어 찍어서 이루어진 선. ㉲점선을 긋다.

점성 (粘性) 차지고 끈끈한 성질.

점성술 (占星術) 별의 자리나 모양을 보고 점을 치는 방법.

*__점수__ (點數) [점쑤] 성적을 나타내는 숫자. ㉲이번 시험에서 과학 점수가 많이 올랐다.

*__점:심__ (點心) 낮에 끼니로 먹는 음식. ㉲점심 급식 / 점심을 먹다 / 점심을 거르다. 비 중식. ➲ lunch

점:심때 (點心―) 점심을 먹을 때. ㉲점심때가 지나다 / 식당은 점심때가 가장 붐빈다.

점:심시간 (點心時間) [점심씨간] 점심을 먹는 낮 동안의 시간.

점액 (粘液) [저맥] 끈끈한 액체.

점:원 (店員) [저뭔] 상점에서 물건을 팔거나 그 밖의 일을 맡아 하는 사람.

점유 (占有) [저뮤] 토지·가옥·시설 따위를 차지하여 자기의 것으로 함. **―하다.**

점음표 (點音標) [저믐표] 음표 머리 오른쪽에 작은 점이 있는 음표. 본 음표 길이의 반을 나타내며 점온음표·점 이분음표 따위가 있음.

점자 (點字) [점짜] 두꺼운 종이에 도드라진 점을 일정한 방식으로 짜 모아 만든, 시각 장애인용 글자. 손가락으로 더듬어 읽음.

점:잔 말이나 행동이 가볍지 않고 무게 있는 태도. ㉲점잔을 부리다.

점잔(을) 빼다 일부러 점잖은 태도를 짓다.

점:잖다 [점잔타] **1** 말이나 행동이 무게가 있고 의젓하다. ㉲점잖은[점자는] 행동. **2** 야하지 않고 고상하다. ㉲점잖게 옷을 입다.

점쟁이 (占―) 점치는 일을 직업으로 하는 사람. 비 점술가.

*__점:점__ (漸漸) 조금씩 더하거나 덜해지는 모양. ㉲병세가 점점 좋아지다. 비 점차. 차차.

점점이 (點點―) [점저미] 여기저기 하나씩 흩어져 있는 모양. ㉲점점이 꽃이 피어 있다.

점:진 (漸進) 조금씩 앞으로 나아감. ㉲점진주의. 반 급진. **―하다.**

점:진적 (漸進的) 조금씩 앞으로 나아가는 (것). ㉲점진적 발전 / 점진적인 개선책. 반 급진적.

점찍다 (點―) [점찍따] 마음속에 작정하여 두다. ㉲결혼 상대자로 점찍다.

*점:차 (漸次) 차례를 따라 점점. 예생활이 점차 나아지다.
점치다 (占—) 운수·길흉 따위를 예측하거나 점으로 알아보다. 예신년 운수를 점치다.
점토 (粘土) 차지고 끈기가 있는 흙. 햇빛에 쬐거나 불에 구우면 단단해짐. 벽돌·기와·도자기 등의 원료가 됨. 비찰흙.
점판암 (粘板岩) [점파남] 점토가 굳어서 된 검은 빛깔의 암석. 얇게 잘 쪼개지며, 슬레이트·벼루 등의 재료로 씀.
점퍼 (jumper) 품이 넉넉하고 활동성이 좋은 웃옷. 놀이용이나 운동복, 작업복 등으로 씀. 비잠바.
점:포 (店鋪〔舖〕) 손님에게 물건을 팔거나 돈을 받고 편의를 보아주는 가게나 업소. 예점포를 내다. 비가게. 상점.
점프 (jump) **1** 한 번 힘껏 뛰어오르거나 뛰어넘는 짓. **2** 스키·다이빙·농구 등의 운동에서 뛰어오르든가 뛰어넘는 동작. **—하다.**
점호 (點呼) 한 사람씩 이름을 불러 인원이 맞는가를 알아봄. 예점호 시간을 알리다.
점화 (點火) 불을 켜거나 붙임. 예성화에 점화하다. 반소화. **—하다.**
접 과일·채소 따위를 100 개씩 세는 말. 예오이 한 접 / 마늘 두 접.
접견 (接見) [접껸] 신분이 높은 사람이 공식적으로 손님을 만남. 예외교 사절을 접견하다. **—하다.**
접골 (接骨) [접꼴] 삐거나 부러진 뼈를 이어 맞춤. **—하다.**
접근 (接近) [접끈] 가까이 다가감. 예접근 금지. 비근접. **—하다.**
접눈 (椄—) [점눈] 접붙이기할 때에 접가지에 같이 붙여서 자른 눈.
***접다** [접따] **1** 꺾어서 겹치다. 예색종이를 접어 학을 만들다. **2** 의견·주장 따위를 미루어 두다. 예그 문제는 일단 접어 두자. 반펴다.
접대 (接待) [접때] 손님을 맞아서 대접함. **—하다.**
접:때 지난 지 얼마 안 되는 때를 막연하게 이르는 말. 예접때 부탁한 일 잊지 마라.
접목 (椄木) [점목] 나무를 접붙임. 또는 그 나무. **—하다.**
접본 (椄本) [접뽄] 접붙일 때 그 바탕이 되는 나무.
접붙이기 (椄—) [접뿌치기] 한 나무에 다른 나무의 가지나 눈을 따다 붙이는 방법. **—하다.**
접속 (接續) [접쏙] **1** 서로 맞대어 이음. 예두 문장을 접속하다. **2** 컴퓨터 통신 등이 연결됨. 예인터넷에 접속하다. **—하다.**
접수 (接受) [접쑤] 공문서나 서류 따위를 받아들임. 예원서 접수 / 접수를 마감하다. **—하다.**
***접시** [접씨] 반찬이나 과일 등을 담는 데 쓰는, 운두가 낮고 납작한 그릇. 예반찬 접시. ➲ dish
접시꽃 [접씨꼳] 아욱과의 여러해살이풀. 중국 원산. 줄기는 높이가 2m 정도, 잎은 어긋나고 넓은 심장 모양임. 여름에 접시처럼 생긴 꽃이 핌.

〈접시꽃〉

접안렌즈 (接眼lens) [저반—] 현미경이나 망원경 따위에서 눈으로 보는 쪽의 렌즈. 비대안렌즈. 반대물렌즈.
접어들다 [저버들다] **1** 일정한 시기나 나이에 이르다. 예장마철로 접어들다 / 40대로 접어들다. **2** 어느 지점을 넘거나 갈림길로 들어서다. 예골목길로 접어들다. 활용 접어들어 / 접어드니 / 접어드는.
접영 (蝶泳) [저병] 수영법의 한 가지. 두 손을 동시에 앞으로 뻗쳐 물을 끌어당기면서 헤엄쳐 나아감. 버터플라이.

접전 (接戰) [접쩐] **1** 서로 어울려 싸움. 맞붙어 싸움. **2** 서로 힘이나 기량이 비슷하여 승부가 쉽게 나지 않는 싸움. ㉠치열한 접전을 벌이다. **―하다.**

접종 (接種) [접쫑] 병을 예방·치료하기 위해 병원균 따위를 몸에 집어넣는 일. ㉠예방 접종. **―하다.**

접지 (接地) [접찌] 전기 기기에 전선을 이어 땅과 연결함. 또는 그런 장치. **―하다.**

접질리다 [접찔리다] 근육과 관절이 생긴 방향대로 움직이지 않거나 너무 빨리 움직여서 삔 지경에 이르다. ㉠발목이 접질리다.

접착 (接着) 두 물체의 면이 끈기 있게 서로 달라붙음. ㉠접착테이프. **―하다.**

접착력 (接着力) [접창녁] 두 물체가 서로 달라붙는 힘. ㉠접착력이 강하다 / 접착력이 좋다.

접착제 (接着劑) [접착쩨] 두 물체를 서로 붙이는 데 쓰는 물질. 풀·아교·본드 따위.

접촉 (接觸) **1** 맞붙어서 닿음. ㉠접촉 사고. **2** 서로 사귀거나 관계를 가짐. ㉠외부와 접촉을 끊다. **―하다.**

접하다 (接―) [저파다] **1** 이어서 닿다. ㉠두 집이 서로 접하다. **2** 사귀거나 가까이 대하다. ㉠자연과 접하다. **3** 소식 따위를 듣게 되다. ㉠합격 소식을 접하다.

접합 (接合) [저팝] 한데 대어 붙임. ㉠접합 수술. **―하다.**

접히다 [저피다] 접음을 당하다. 접어지다. ㉠종이가 접히다.

젓 [젇] 새우·조기·멸치 따위의 생선이나 조개·생선의 알·창자 따위를 소금에 짜게 절여 삭힌 반찬. ㉠명란젓 / 젓을 담그다.

***젓가락** [저까락 / 젇까락] 음식이나 그 밖의 다른 물건을 끼워서 집는 기구. 준 저. 젓갈. ➡ chopstick

젓갈[1] [젇깔] 젓으로 담근 음식.

젓갈[2] [저깔 / 젇깔] '젓가락'의 준말. ㉠젓갈로 반찬을 집어 먹다.

***젓:다** [젇따] **1** 액체를 고르게 하려고 휘저어 섞다. ㉠홍차에 설탕을 넣고 스푼으로 젓다. **2** 배를 움직이려고 노를 이리저리 계속 움직이다. ㉠노를 젓다. **3** 싫거나 거절하는 뜻으로 손이나 머리를 흔들다. ㉠싫다고 머리를 젓다. 활용 저어 / 저으니 / 젓는.

> 주의 **젓다**와 **젖다**
> **젓다** 1 막대기 따위로 휘둘러 섞다. ㉠스푼으로 커피를 젓다. 2 노를 움직이다. ㉠보트를 젓다. 3 손·고개를 가로 흔들어 부정의 뜻을 나타내다. ㉠고개를 젓다.
> **젖다** 1 축축하게 되다. ㉠옷이 비에 젖다. 2 어떤 마음의 상태에 깊이 잠기거나, 몸에 배어 버릇이 되다. ㉠인습에 젖다 / 향수에 젖다.

정:[1] 돌에 구멍을 뚫거나 쪼아 다듬는 데에 쓰는, 쇠로 만든 연장.

***정**[2] (情) **1** 느끼어 일어나는 마음. ㉠연민의 정을 느끼다. **2** 사랑하는 마음. ㉠부부의 정 / 정이 들다.

정[3] (錠) 알약을 세는 단위.

정:[4] '정말로·참으로'의 뜻을 나타내는 말. ㉠정 달라면 주지.

정:가 (定價) [정까] 상품에 매긴 값. ㉠정가 판매.

정:각[1] (正刻) 틀림없는 바로 그 시각. ㉠정각 한 시에 출발하다.

정:각[2] (定刻) 정해진 시각. ㉠기차는 정각에 도착했다.

정간 (停刊) 신문·잡지 따위의 간행을 한때 중지함. ㉠정간 처분. **―하다.**

정갈하다 깨끗하고 말쑥하다. ㉠

정갈한 음식 / 몸가짐이 정갈하다.

정감 (情感) 마음에 호소해 오는 듯한 느낌. ㉠정감이 넘치는 말.

정강이 아랫다리 앞쪽의, 뼈가 있는 부분.

정거 (停車) ⇨정차. **—하다.**

***정거장** (停車場) 버스나 열차 등이 머물러 사람이 타고 내리거나 짐을 싣고 내리는 곳. ㉠정거장으로 마중 나가다.

정결 (淨潔) 맑고 깨끗함. ㉠정결한 환경. **—하다. —히.**

정겹다 (情—) [정겹따] 정이 넘치는 듯하다. 매우 다정하다. ㉠정겨운 모습 / 정겹게 이야기를 나누다. 활용 정겨워 / 정겨우니.

정경 (情景) **1** 마음에 감동을 불러일으킬 만한 경치나 장면. ㉠감격스러운 정경. **2** 가엾은 처지에 놓여 있는 딱한 모습. ㉠눈물겨운 정경.

정계 (政界) [— / 정게] 정치와 정치가의 사회. ㉠정계를 떠나다.

정:계비 (定界碑) [— / 정게비] 조선 숙종 때 청나라와의 국경을 정하기 위해 백두산에 세운 비.

정:곡 (正鵠) **1** 과녁의 한복판이 되는 점. ㉠정곡을 맞히다. **2** 가장 중요한 요점 또는 핵심. ㉠정곡을 찌르는 날카로운 질문.

정:과 (正果) 여러 가지 과일·생강·연뿌리·인삼 따위를 꿀이나 설탕물에 졸여 만든 음식.

정교하다 (精巧—) 솜씨나 기술 따위가 꼼꼼하고 자세하며 교묘하다. ㉠정교한 솜씨.

정구 (庭球) ⇨테니스.

정권 (政權) [정꿘] 정부를 구성하여 정치를 담당하는 권력. ㉠정권을 장악하다.

정:규 (正規) 정식으로 정해진 규정. ㉠정규 방송 / 정규 교육.

정글 (jungle) ⇨밀림.

정글짐 (jungle gym) 둥근 나무나 철봉을 가로세로로 짜 맞추어 어린이들이 오르내리고 건너며 놀게 만든 운동 기구.

정:기[1] (定期) 기한이나 기간이 일정하게 정하여져 있는 것. 또는 그 기한이나 기간. ㉠정기 총회 / 정기 휴일 / 정기 간행물. 반 부정기.

정기[2] (精氣) **1** 만물을 생성하는 원기. 생명의 원천이 되는 원기. ㉠산천의 정기를 타고나다. **2** 심신 활동의 근본이 되는 힘.

정:기 예:금 (定期預金) 은행 등에서, 일정 기한을 정하여 맡는 예금. 기한 전에는 돈을 찾지 못함.

정:기적 (定期的) 일정 기간을 두거나 기한이 정해진 (것). ㉠정기적인 동창회 모임.

정:기 적금 (定期積金) [—적끔] 미리 액수를 정해 놓고 일정한 기간에 매달 조금씩 저금을 하여, 만기가 되면 처음에 정한 액수를 한꺼번에 찾는 예금.

정나미 (情—) 사물에 대하여 애착을 느끼는 마음. ㉠정나미가 달아나다 / 정나미가 떨어지다.

정년 (停年) 공무원이나 회사 직원 등이 일정한 나이에 이르면 일하던 직장에서 물러나도록 정해진 나이. ㉠정년퇴직 / 정년을 맞다.

정녕 (丁寧) 정말로. 틀림없이. ㉠이것이 정녕 꿈은 아니겠지요.

정:다각형 (正多角形) [정다가켱] 변의 길이와 각의 크기가 모두 같은 다각형.

정담 (情談) 다정한 이야기. ㉠정담을 나누다 / 정담을 주고받다.

정:답 (正答) 옳은 답. 맞는 답. ㉠정답을 맞히다. 반 오답.

***정답다** (情—) [정답따] 정이 있어 따뜻하다. ㉠정다운 친구 / 정답게 노래하다. 활용 정다워 / 정다우니.

정당 (政黨) 정치에 대한 생각이나 주장 따위가 같은 사람들끼리 모인 단체. ⓔ정당에 가입하다. 비 당.

정:당하다 (正當—) 바르고 옳다. 이치에 알맞다. ⓔ정당한 이유.

정:당화 (正當化) 정당하게 됨. 또는 정당하게 되도록 함. **—하다.**

정:대하다 (正大—) 바르고 옳아서 말이나 행동이 당당하다. ⓔ정대한 성품.

정:도[1] (正道) 올바른 길. 정당한 도리. ⓔ정도를 걷다.

정:도[2] (定都) 나라의 도읍을 정함. **—하다.**

***정도**[3] (程度) **1** 무엇의 분량이나 수준. ⓔ중학생이 풀 정도의 문제. **2** 알맞은 한도. ⓔ정도에 지나치다. **3** 그만큼의 분량. ⓔ한 10분 정도 기다렸다.

정:도전 (鄭道傳) 〖인명〗 조선 건국의 공신. 호는 삼봉. 전략·외교·법·행정 따위에 밝음. 성리학을 지도 이념으로 세울 것을 주장함. 방원의 난 때 죽음. [1337-1398]

정독 (精讀) 자세히 살피어 읽음. ⓔ책을 정독하다. **—하다.** *통독.

정:돈 (整頓) 흐트러진 것을 가지런히 정리하여 바로잡음. ⓔ책상 위를 깨끗이 정돈하다. 비 정리. **—하다.**

***정들다** (情—) 정이 깊어지다. 정이 생기다. ⓔ정든 친구와 헤어지다. 활용 정들어 / 정드니 / 정드는.

정떨어지다 (情—) [정떠러지다] 사랑하고 아끼는 마음이 없어지다. 싫은 생각이 나다. ⓔ정떨어지는 말을 하다.

정력 (精力) [정녁] 활동할 수 있는 힘. ⓔ정력이 왕성하다. 비 원기.

정력적 (精力的) [정녁쩍] 기력·체력 따위가 넘치는 (것). ⓔ정력적인 사람.

정:렬 (整列) [정녈] 가지런히 줄지어 늘어섬. ⓔ운동장에 정렬하여 기다리다. **—하다.**

***정류장** (停留場) [정뉴장] 사람이 타고 내리도록 버스·택시 등이 잠시 머무르는 일정한 장소. ⓔ버스 정류장. 비 정류소.

***정:리**[1] (整理) [정니] 흐트러진 것을 가지런히 바로잡음. ⓔ사진첩을 정리하다. 비 정돈. **—하다.**

정:리[2] (定理) [정니] 수학이나 논리학에서 이미 진리라고 증명된 일반적인 명제. '직각 삼각형에서 빗변의 제곱은 다른 두 변의 제곱의 합과 같다.'라는 피타고라스의 정리가 유명함.

정:립 (定立) [정닙] 전체 중에서 하나의 뚜렷한 생각이나 판단을 세우는 일. **—하다.**

***정:말** (正—) **1** 거짓이 없는 바른 말. 비 사실. 반 거짓말. **2** '정말로'의 준말. ⓔ정말 뜻밖이다.

정:말로 (正—) 진실로. 참말로. ⓔ정말로 참을 수 없다. 준 정말.

정맥 (靜脈) 몸의 각 부분의 피를 심장으로 보내는 핏줄. 반 동맥.

정:면 (正面) 바로 마주 보이는 쪽. ⓔ집의 정면. 반 측면. 후면.

정:면도 (正面圖) 사물의 정면을 보고 그린 그림.

정:면충돌 (正面衝突) **1** 두 물체가 정면으로 부딪침. **2** 두 편이 정면으로 맞부딪쳐 싸움. ⓔ적군과 정면충돌하다. **—하다.**

정:몽주 (鄭夢周) 〖인명〗 고려 말의 충신·유학자. 호는 포은. 향교를 세우고 유학을 보급하였으며 성리학에 밝았음. 이성계를 반대하다가 선죽교에서 피살됨. [1337-1392]

정묘호란 (丁卯胡亂) 조선 인조 5년(1627)에 후금의 침입으로 일어난, 우리나라와 후금 사이의 싸움.

정:문 (正門) 건물의 정면에 있는 문. 반 후문.

정물 (靜物) **1** 멈추어 움직이지 않는 물건. **2** '정물화'의 준말.

정물화 (靜物畫) 꽃·과일·그릇 따

위의 정물을 그린 그림. 준 정물.
정미 (精米) **1** 깨끗하게 찧은 흰 쌀. 본 정백미. **2** 기계 장치로 벼를 찧어 쌀을 만듦. **—하다.**
정미소 (精米所) 기계를 이용하여 곡식을 찧거나 빻는 곳. 비 방앗간.
정밀 (精密) 아주 정교하고 치밀하여 빈틈이 없고 자세함. 예 정밀 검사 / 정밀 검진을 받다. **—하다.**
정밀도 (精密度) [정밀또] 측정의 정밀함을 나타내는 정도.
정박아 (精薄兒) [정바가] '정신 박약아'의 준말.
정박하다 (碇泊—) [정바카다] 배가 닻을 내리고 머무르다. 예 화물선이 부두에 정박하다.
정:반대 (正反對) 완전하게 반대되는 일. 예 낮과 밤은 정반대다.
정:반사 (正反射) 표면이 고른 거울에 들어온 빛이 일정한 방향으로 반사되는 일. **—하다.**
정벌 (征伐) 적이나 죄 있는 무리를 군대로 침. 예 오랑캐를 완전히 정벌하다. **—하다.**
정변 (政變) 반란·쿠데타·혁명 따위 정치상의 큰 변동. 예 정변을 겪다 / 정변이 일어나다.
정병 (精兵) 우수하고 강한 군사.
***정보** (情報) 어떤 사정이나 상황에 관한 소식. 또는 그 내용이나 자료. 예 교통 정보. ➲ information
정보 산:업 (情報産業) [—사넙] 정보의 생산·수집·유통·전달 따위를 다루는 산업.
정보지 (情報誌) 특정한 분야에 대한 정보를 제공하는 잡지. 예 생활 정보지.
정보 통신부 (情報通信部) 중앙 행정 기관의 하나. 정보 통신·전파 관리·우편 따위에 관한 사무를 맡아 처리함. 준 정통부.
정보화 사회 (情報化社會) 정보의 생산이 가치를 낳는 사회. 정보가 물품이나 에너지, 서비스보다 더 유력한 자원이 되어 사회·경제를 운영하고 발전시킴.
정복 (征服) **1** 남의 나라를 쳐서 땅을 빼앗음. 비 정벌. **2** 어려운 일을 겪어 이겨 냄. 예 에베레스트 정상을 정복하다. **—하다.**
***정부** (政府) **1** 나랏일을 맡아보는 기관. **2** 국가의 정책을 집행하는 행정부.
정부미 (政府米) 쌀값을 조절하고 군대용·구호용으로 쓰기 위하여 정부가 사들여 보관하고 있는 쌀.
정분 (情分) 정이 넘치는 따뜻한 마음. 사귀어 정이 든 정도. 예 정분이 두터운 사이.
정:비 (整備) **1** 뒤섞이거나 흐트러진 것을 가다듬어 바로 갖춤. 예 대열을 정비하다. **2** 기계나 시설 따위에 고장이 있는지 살피고 수리함. 예 자동차를 정비하다. **—하다.**
정:비례 (正比例) 한쪽의 양이 2배, 3배,…가 되면 다른 쪽의 양도 2배, 3배,…가 될 때의 두 양의 관계. 반 반비례. 역비례. **—하다.**
정:비사 (整備士) 자동차·비행기 따위의 기계를 정비하는 기술자.
정:비소 (整備所) 자동차·배·비행기 따위가 제대로 작동하도록 보살피고 손질하는 일을 전문으로 맡아 하는 곳. 예 자동차 정비소.
정사 (政事) 정치에 관계되는 일. 예 정사를 돌보다.
***정:사각형** (正四角形) [정사가켱] 네 각이 모두 직각이고 네 변의 길이가 모두 같은 사각형. 비 정방형. 정사변형. ➲ square
정:삼각형 (正三角形) [정삼가켱] 세 각과 세 변의 길이가 모두 같은 삼각형.
***정상**1 (頂上) **1** 산의 맨 위. 예 정상을 정복하다. 비 산꼭대기. **2** 그 위에 다시 없는 것. 예 인기 정상의 가

수. 비 절정. **3** 가장 높은 지위나 등급의 지도자. 예정상 회담.

*정:상[2] (正常) 특별한 변동이나 탈이 없이 제대로인 상태. 예정상 수업 / 혈압이 정상이다.

정상[3] (情狀) 어떤 사람이 처해 있는 사정과 형편. 예정상이 가엾다 / 정상을 참작하다.

정:상인 (正常人) 몸과 정신에 탈이 없는 사람.

정:상적 (正常的) 상태가 정상인 (것). 예일이 정상적으로 돌아가다.

정:상화 (正常化) 정상적이 아닌 것이 정상대로 됨. 또는 그렇게 되게 함. 예두 나라 국교가 정상화되다. **—하다.**

정:색 (正色) 얼굴에 엄한 빛을 나타냄. 또는 그 얼굴빛. 예정색을 하고 대들다. **—하다.**

*정서 (情緖) 어떤 일을 경험하거나 어떤 경우를 당하여 일어나는 온갖 감정. 예메마른 정서 / 정서가 풍부하다.

정:서법 (正書法) [정서뻡] 한 언어에서 글자를 적을 때, 맞춤법·띄어쓰기·문장 부호 등을 바르게 적는 방법.

정서적 (情緖的) 정서를 불러일으키는 (것). 예정서적 반응 / 정서적으로 안정되어 있는 학생.

정:석 (定石) **1** 바둑에서, 공격과 방어에 최선으로 여겨지는 방식으로 돌을 놓는 법. **2** 일을 처리하는 일정한 방식. 예정석을 따르다.

정선[1] (精選) 많은 것 중에서 특히 뛰어난 것을 골라 뽑음. 예정선한 물건. **—하다.**

정:선[2] (鄭敾) 〖인명〗 조선 중기의 화가. 호는 겸재. 전국을 여행하면서 사생화를 많이 그려 우리나라의 독특한 산수화풍을 세움. [1676-1759]

정:설 (定說) 이미 확정되거나 인정된 설. 예정설이 되다 / 정설을 뒤엎다 / 정설로 굳어지다.

*정성 (精誠) 거짓이 없고 성실한 마음. 예온갖 정성을 다하다 / 정성 어린 간호를 받다. 비 지성.

*정성껏 (精誠—) [정성껃] 정성을 다하여. 예정성껏 돌보다 / 부모님을 정성껏 모시다.

정성스럽다 (精誠—) [정성스럽따] 보기에 정성을 다하는 태도가 있다. 예정성스럽게 만든 음식 / 환자를 정성스럽게 돌보다. 활용 정성스러워 / 정성스러우니.

정세 (情勢) 일이 되어 가는 형편이나 사정. 예세계정세 / 주위의 정세를 살피다.

정수[1] (淨水) 물을 깨끗하고 맑게 함. 또는 그 물. 예수돗물을 정수해서 마시다. **—하다.**

*정:수[2] (整數) …-3, -2, -1, 0, 1, 2, 3… 따위의 수. 즉, 0과 자연수 및 자연수에 '-' 부호를 붙인 음수를 통틀어 이르는 말.

정수[3] (精髓) **1** 뼈 속에 있는 골. **2** 사물의 본질을 이루는 가장 뛰어나고 중요한 것. 예한국 문화의 정수.

정수기 (淨水器) 물을 깨끗하게 거르는 기구.

정수리 (頂—) 머리 위의 숫구멍이 있는 자리.

정숙 (靜肅) 고요하고 엄숙함. 예정숙한 분위기에서 공부하다. **—하다. —히.**

정숙하다 (貞淑—) [정수카다] 여자의 행실이 바르고 마음씨가 곱다. 예정숙한 아내.

*정승 (政丞) 조선 때, 의정부에서 으뜸가던 벼슬. 영의정·좌의정·우의정을 일컬음.

정:시 (定時) 정해진 시각. 예정시에 출발하다 / 정시에 퇴근하다.

정:식 (正式) 정당한 방법. 규정대로의 방식. 예정식으로 유엔에 가입

하다. 반 약식.

정ː식 종ː목 (正式種目) [—쫑목] 규정된 방식에 따라 치르는 정규의 경기 종목. 예 올림픽 정식 종목으로 채택되다.

***정신** (精神) **1** 마음이나 영혼. 예 건전한 정신. **2** 생각하고 판단하는 능력. 또는 그 작용. 예 정신을 빼앗기다. **3** 마음의 자세나 사상. 예 민족정신 / 희생정신. 비 영혼. 반 육체.

정신을 잃다 의식을 잃다.

정신(을) 차리다 ㉠정신을 가다듬다. ㉡어떤 일에 실패한 원인을 알아서 반성하다.

정신(이) 나가다 정신이 정상 상태에서 벗어나다. 예 정신 나간 소리.

정신(이) 팔리다 다른 데에 온통 정신이 쏠리다.

정신과 (精神科) [정신꽈] **1** 정신의 병을 연구하고 치료하는 의학의 한 분야. **2** 정신의 병을 치료하는 병원.

정신노동 (精神勞動) 주로 두뇌를 쓰는 노동. 반 육체노동.

정신력 (精神力) [정신녁] 정신을 받치고 있는 힘. 예 정신력이 강한 사람 / 정신력을 기르다.

정신박약아 (精神薄弱兒) [정신바갸가] 뇌에 이상이 생겨 지능의 발달이 늦은 아동. 준 정박아.

정신병 (精神病) [정신뼝] 정신의 장애나 이상으로 정상적인 생활을 하지 못하는 병적인 상태.

정신없다 (精神—) [정시넙따] **1** 제정신이 아니다. 예 술에 취하여 정신없는 행동을 하다. **2** 몹시 바쁘다. 예 밀린 방학 숙제를 하느라 정신없다.

정신없이 (精神—) [정시넙씨] 제정신이 아닌 상태로. 예 정신없이 여기저기 쏘다니다.

정신 연령 (精神年齡) [—녈령] 지능의 발달 정도를 나이로 나타낸 것.

정신적 (精神的) 정신에 관한 (것). 정신 활동을 중요하게 여기는 (것). 예 정신적으로 도움이 되다. 반 물질적. 육체적.

정액 (精液) 남자 생식기에서 분비되는 액체.

정약용 (丁若鏞) 〖인명〗 조선 말의 대학자. 호는 다산. 유형원과 이익 등을 통하여 내려온 실학사상을 모아 완성함. 저서에 '목민심서', '경세유표', '흠흠신서' 등이 있음. [1762–1836]

정어리 청어과의 바닷물고기. 몸길이 20–25 cm. 몸빛은 등이 검푸르고 옆구리와 배는 은백색임. 우리나라의 동해에서 많이 잡힘.

정ː연하다 (整然—) 질서 있고 가지런하다. 예 그의 이론은 조리가 정연하다.

정ː연히 (整然—) 정연하게. 예 정연히 대오를 지어 행진하다.

정열 (情熱) [정녈] 가슴속에서 맹렬하게 일어나는 적극적인 감정. 예 정열을 쏟다 / 정열을 불태우다. 비 열정.

정열적 (情熱的) [정녈쩍] 정열에 불타는 (것). 예 정열적 사랑 / 정열적으로 활동하다.

정ː오 (正午) 낮 열두 시. 예 정오 뉴스 / 정오를 알리는 종소리. 비 오정. 반 자정. ➲ noon

정ː원[1] (定員) 일정한 규정에 따라 정해진 인원. 예 정원을 초과하다.

***정원**[2] (庭園) 나무·꽃 따위를 가꾸어 놓은 집 안의 뜰. 예 정원을 가꾸다 / 정원을 거닐다. ➲ garden

정원사 (庭園師) 정원을 가꾸는 것을 직업으로 하는 사람.

정원수 (庭園樹) 정원에 심어 가꾸는 나무.

정월 (正月) 일 년 중의 첫째 달. 예 정월 초하루. 비 일월. →달 참고

정유 (精油) 원유에서 중유·경유·휘발유 따위의 기름을 만드는 일.

㉥정유 공장 / 정유 회사.
정유재란 (丁酉再亂) 임진왜란 뒤인 1597년에, 왜군이 우리나라를 다시 침략해 일으킨 난리.
정육 (精肉) 지방이나 뼈 따위를 발라낸 살코기.
정:육각형 (正六角形) [정뉵까켱] 여섯 개의 각과 변의 길이가 모두 같은 육각형.
정:육면체 (正六面體) [정늉면체] 여섯 개의 똑같은 정사각형으로 둘러싸인 육면체.
정육점 (精肉店) [정육쩜] 쇠고기·돼지고기 따위를 파는 가게. ㊕푸줏간.
정:음 (正音) '훈민정음'의 준말.
*__정:의__[1] (正義) [— / 정이] 올바른 도리. ㉥정의를 위해 싸우다. ㊖불의.
정:의[2] (定義) [— / 정이] 어떤 말이나 사물의 뜻을 뚜렷이 밝혀 정함. ㉥정의를 내리다. **—하다.**
정의[3] (情誼) [— / 정이] 서로 사귀어 친하여진 정. ㉥두터운 정의 / 정의가 깊다. ㊕의.
정:의감 (正義感) [— / 정이감] 올바른 도리를 지키려는 마음. ㉥정의감에 불타다.
정:의롭다 (正義—) [정의롭따 / 정이롭따] 정의에 어긋나지 않고 올바르다. ㉥정의로운 사회 실현 / 약한 친구를 돕는 정의로운 아이. [활용] 정의로워 / 정의로우니.
정:인보 (鄭寅普) 〖인명〗 한학자·교육가. 호는 위당·담원. 중국에서 동양학을 연구하며 동포 계몽 운동에 힘씀. 귀국 후 여러 학교에서 강의를 하며, 총독부 정책을 비판하는 논설을 씀. 6·25 전쟁 때 납북됨. 저서에 '조선사 연구', '담원 시조집' 등이 있음. [1892–?]
정:인지 (鄭麟趾) 〖인명〗 조선 초기의 문신·학자. 훈민정음 창제에 공이 큼. 천문·아악 등에 관한 많은 책과 '고려사'를 편찬하고 최항 등과 '용비어천가'를 지음. [1396–1478]
정:자[1] (正字) **1** 서체가 바르고 또박또박 쓴 글자. ㉥이름을 정자로 적어라. **2** 한자의 약자가 아닌 본래의 글자.
정자[2] (亭子) 경치가 좋은 곳에 놀거나 쉬기 위하여 지은 작은 집.
정자[3] (精子) 동물 수컷의 생식 세포. 난자와 결합하여 새로운 생명을 만듦.
정자나무 (亭子—) 집 근처나 길가에 있는 큰 나무. 그 그늘 아래 사람들이 모여 놀거나 쉼.
정:작 **1** 요긴하거나 진짜인 것. ㉥정작 할 말은 꺼내지도 못했다. **2** 어떤 일에 부닥쳐 실지로. ㉥정작 해보니 어렵구나. ㊕막상.
정:장 (正裝) 정식의 복장을 함. 또는 그 복장. ㉥정장을 차려입고 결혼식에 참석하다. **—하다.**
정적 (靜寂) 고요하고 잠잠함. ㉥정적을 깨트리다 / 정적이 감돌다. ㊕적막.
정전[1] (停電) 전기 공급이 한때 중지됨. 전기가 나감. ㉥정전 사고.
정전[2] (停戰) 전쟁 중 양편의 합의에 따라 일시적으로 싸움을 중지함. ㉥군사 정전 위원회 / 정전 회담을 열다. ㊕휴전. **—하다.**
정전기 (靜電氣) 물체가 마찰했을 때 생기는 흐르지 않는 전기. 화학 섬유로 된 스웨터 따위를 벗을 때 일어나는 전기 따위. ㊕마찰 전기.
정절 (貞節) 여자의 곧은 절개. ㉥정절을 지키다.
정정 (訂正) 잘못을 고쳐서 바로잡음. ㉥잘못된 기사를 정정하다. **—하다.**
정:정당당하다 (正正堂堂—) 태도나 수단이 바르고 떳떳하다. ㉥정정당당한 태도.

정:정당당히 (正正堂堂─) 정정당당하게. ㉠정정당당히 싸우다.
정정하다 (亭亭─) 노인의 몸이 굳세고 건강하다. ㉠정정한 노인.
정:조[1] (正祖) 〖인명〗 조선 제22대 임금. 영조의 탕평책을 이어받아 인재를 고루 등용하고, 규장각을 두어 학문과 실학을 크게 발전시키는 등 조선 후기 문화의 전성기를 이룸. [1752-1800 ; 재위 1777-1800]
정조[2] (貞操) 여자의 굳은 절개. ㉠정조를 지키다. 비정절.
정:족수 (定足數) [정족쑤] 회의에서 의결에 필요한 최소의 사람 수. ㉠정족수에 미달하여 회의를 미루다.
정:좌 (正坐) 몸을 바르게 하고 앉음. ㉠책상 앞에 정좌하다. **—하다.**
정:중 (正中) 한가운데. 복판.
정:중부 (鄭仲夫) 〖인명〗 고려 의종 때의 무신. 무신을 푸대접하는 데 반발하여 난을 일으키고 정권을 잡음. 1179년 무신 경대승에게 살해됨. [1106-1179]
정:중하다 (鄭重─) 태도가 점잖고 예의가 있다. ㉠정중한 인사 / 정중한 표현 / 정중하게 묻다.
정:중히 (鄭重─) 정중하게. ㉠정중히 거절하다 / 정중히 사과하다.
정지 (停止) **1** 움직이고 있던 것이 멈추거나 그침. ㉠열차가 정지하다. **2** 하고 있던 일을 그만둠. ㉠영업 정지. **—하다.**
정지선 (停止線) 횡단보도 앞 따위에서 자동차가 멈춰 서야 하는 위치를 나타내는 선.
***정:직** (正直) 거짓이나 꾸밈이 없이 마음이 바르고 곧음. ㉠정직한 사람. 비솔직. 반거짓. **—하다.**
정진 (精進) 온 힘을 다하여 나아감. 열심히 노력함. ㉠학업에 정진하다. **—하다.**
정차 (停車) 차가 멎음. 또는 차를 멈춤. ㉠정차 금지. 비정거. 반발차. **—하다.**
정:착 (定着) **1** 일정한 곳에 자리잡고 머물러 삶. ㉠정착 생활. 비정주. 반유랑. **2** 새로운 제도나 문화 등이 사회에 받아들여져 뿌리를 내림. **—하다.**
정:찰[1] (正札) 물건의 정당한 값을 적은 쪽지. ㉠정찰 판매.
정찰[2] (偵察) 몰래 적의 형편을 살핌. ㉠적진을 정찰하다. **—하다.**
정찰기 (偵察機) 정찰을 임무로 하는 군용 비행기.
정책 (政策) 나라를 다스리는 방침과 그것을 이루기 위한 수단. ㉠외교 정책 / 정책을 세우다.
정:처 (定處) 정한 곳. 일정한 곳. ㉠정처 없이 떠나다.
정:철 (鄭澈) 〖인명〗 조선 선조 때의 정치가·학자·시인. 호는 송강. 가사 문학의 대가로 국문학사상 중요한 작품을 많이 남김. 작품에 '송강가사', '관동별곡', '사미인곡' 등이 있음. [1536-1593]
정:체[1] (正體) 본디의 참된 모습. ㉠정체가 드러나다.
정체[2] (停滯) 사물이 움직이지 아니하고 한자리에 머물러 막힘. ㉠교통 정체 구간. **—하다.**
정초[1] (正初) **1** 정월의 처음 며칠. **2** 그해의 맨 처음.
정:초[2] (定礎) 집 짓는 데 기초가 되는 주춧돌을 놓음. 또는 그 주춧돌. ㉠정초식. 비머릿돌.
정취 (情趣) 깊은 정서를 자아내는 흥취. ㉠예술적 정취.
***정치** (政治) 나라의 주권자가 영토와 국민을 다스리는 일. ㉠민주 정치 / 정치 활동. **—하다.**
정치가 (政治家) 정치를 맡아서 하는 사람. 비정치인.
정치부 (政治部) 방송국·신문사 등에서 정치에 관한 기사를 맡아보는 부서. ㉠정치부 기자.

정치인 (政治人) 정치와 관련된 활동을 하는 사람. ㉥정치가.
정치적 (政治的) 정치에 관한 (것). ㉠정치적 사건.
정탐 (偵探) 몰래 남의 깊은 사정을 살핌. ㉠적진을 정탐하다. ㉥탐정. 염탐. **—하다.**
정태 (靜態) 움직이지 않고 조용하게 머물러 있는 상태. ㉯동태.
정토 (淨土) 부처가 사는, 속되지 않고 아주 깨끗한 곳. ㉠서방 정토. ㉯예토.
정:통 (正統) **1** 바른 계통. ㉠중국의 정통 요리. **2** 빗나가지 않고 정확히. ㉠과녁에 정통으로 맞다.
정:통성 (正統性) [정통썽] 바른 계통을 이어받은 자격.
정통하다 (精通—) 사물에 대하여 깊고 자세히 알다. ㉠국제 정세에 정통한 사람 / 정통한 소식.
정:평 (定評) 모든 사람이 다 같이 인정하는 평판. ㉠정평이 난 작품.
정표 (情表) 간곡한 정을 드러내 보이려고 주고받는 물건. ㉠우정의 정표로 받은 반지.
*__정:하다__ (定—) **1** 선택하거나 판단하여 결정하다. ㉠소풍 장소를 정하다. **2** 규칙 등의 적용 범위를 결정하다. ㉠법이 정한 범위 / 일정한 기준을 정하다. **3** 뜻을 세워 굳히다. ㉠떠나기로 마음을 정하다.
정학 (停學) 학생이 교칙을 어겼을 때, 일시적으로 등교를 정지시키는 학교의 처벌. ㉠정학 처분.
정:형 (定型) 일정한 형식이나 정해진 틀. ㉠전통적인 시의 정형을 깨뜨리다.
정:형시 (定型詩) 글자의 수와 배열 순서 따위가 일정한 시. 시조나 한시 따위. ㉯자유시.
정:형외과 (整形外科) [정형외꽈] 외과의 한 갈래. 뼈·관절 따위의 운동 기관에 생긴 장애를 치료함.
정:혼 (定婚) 혼인을 정함. ㉠그들은 정혼한 사이다. **—하다.**
정화 (淨化) 깨끗하게 함. ㉠거리를 정화하다. **—하다.**
정화수 (井華水) 이른 새벽에 길은 우물물. 정성을 들이는 데 씀.
정화조 (淨化槽) 똥과 오줌을 정화하여 하수도로 내보내는 시설.
*__정:확__ (正確) 틀림없이 바르고 확실함. ㉠시계를 정확하게 맞추다. ㉥확실. ㉯부정확. **—하다.**
정:확도 (正確度) [정확또] 바르고 확실한 정도.
*__정:확히__ (正確—) [정화키] 틀림없이 바르고 확실하게.
정황 (情況) 어떤 일에 관련된 사정과 상황. ㉠정황을 판단하다.
정회 (停會) **1** 회의를 일시 중지함. ㉠정회를 선언하다. **2** 국회의 개회 중에 한때 그 활동을 멈춤. **—하다.**
정:히 (正—) 틀림없이 바로. 확실히. ㉠정히 영수함.
*__젖__ [젇] **1** 자식이나 새끼를 먹이는 뿌연 액체. ㉠젖이 나오다. **2** ⇨유방. ㉠젖을 빨다.
젖가슴 [젇까슴] 젖이 있는 부위의 가슴.
젖꼭지 [젇꼭찌] **1** 젖의 한가운데에 쏙 내민 부분. ㉠젖꼭지를 물리다. **2** 아기가 우유를 빨아 먹을 수 있도록 젖 모양으로 만든 물건.
젖내 [전내] 젖의 냄새.
젖내(가) 나다 하는 짓이나 말이 유치하다.
젖니 [전니] 젖먹이 때 나서 갈기 전의 이. ㉥배냇니. 유치.

> **참고** '이'가 합성어 등에서 '니' 또는 '리'로 소리 날 때 '니'로 적음. ㉠간니, 금니, 덧니, 사랑니, 생니, 송곳니, 아랫니, 앞니, 어금니, 윗니, 톱니, 틀니

*젖다 [전따] 1 물이 배어 축축하게 되다. ㉠옷이 비에 젖다 / 비가 내려 메마른 땅이 축축하게 젖었다. 2 몸에 배어 버릇이 되다. ㉠낡은 관습에 젖다 / 인습에 젖다. 3 어떤 심정에 깊이 잠기다. ㉠슬픔에 젖다 / 향수에 젖다. →젓다 주의

젖먹이 [전머기] 젖을 먹는 어린 아기. 비 영아. 유아.

젖먹이 동:물 (—動物) [전머기—] ⇨포유류.

젖비린내 [전삐린내] 1 젖에서 풍기는 비린내. 2 유치한 느낌.

젖비린내가 나다 말과 행동이 몹시 유치하다.

젖빛 [전삗] 젖과 같이 뿌연 빛깔. ㉠젖빛 유리.

젖산균 (—酸菌) [전싼균] 물에 녹으면 단맛이 나는 탄수화물을 분해하여 젖산으로 만드는 균을 통틀어 일컫는 말. 비 유산균.

젖소 [전쏘] 우유를 얻기 위해 기르는 소.

젖줄 [전쭐] 1 젖이 나오는 줄기. 2 필요한 것을 가져다주는 중요한 수단을 비유적으로 이르는 말. ㉠한강은 서울의 젖줄이다.

젖혀지다 [저처지다] 1 물건의 밑 부분이 겉으로 드러나다. 2 속의 것이 드러나게 열리다. 작 잦혀지다.

젖히다 [저치다] 1 몸의 윗부분을 뒤로 기울어지게 하다. ㉠고개를 뒤로 젖히다. 2 속의 것이 겉으로 드러나게 하다. ㉠커튼을 걷어 젖히다. 작 잦히다.

*제[1] '나'·'자기'의 낮춤말인 '저'가 특별히 변한 말. 조사 '가' 앞에서만 쓰임. ㉠그 일은 제가 하겠습니다.

*제[2] '나의'·'자기의'의 낮춤말인 '저의'의 준말. ㉠제 생각을 말씀드리겠습니다 / 그 연필은 제 것입니다 / 제 욕심만 차리다.

> 주의 제와 재
> 제 1 '나'·'자기'의 낮춤말인 '저'가 변한 말로 조사 '가' 앞에서만 쓰인다. ㉠제가 하겠습니다 / 제가 제 뺨을 친다. 2 '나의'·'자기의'의 낮춤말인 '저의'의 준말. ㉠제 꾀에 넘어간다.
> 재 '저 아이'의 준말. ㉠재는 말을 잘 한다.

제[3] '적에'가 줄어든 말. ㉠해 돋을 제 왔다.

제:-(第) 순서나 차례의 뜻을 나타내는 말. ㉠제1과 / 제2차 세계 대전 / 국보 제1호.

-제[1](祭) 의식이나 제전, 축전의 뜻. ㉠기우제 / 예술제 / 위령제 / 국제 영화제.

-제[2](製) 만든 곳이나 원료를 나타내는 말. ㉠외국제 / 철제.

-제[3](劑) 약품임을 나타내는 말. ㉠소화제 / 살충제 / 영양제.

제가끔 ⇨제각기. ㉠제가끔 다른 주장을 펴다.

제각각 (—各各) [제각깍] 여럿이 모두 각각. ㉠들어 보니 제각각 의견이 다르다.

*제각기 (—各其) [제각끼] 모두 저마다. ㉠제각기 한 마디씩 하다. 비 각자. 제가끔.

제값 [제갑] 본디 지니고 있는 값어치나 가격. ㉠제값을 받다.

제:강 (製鋼) 시우쇠(무쇠를 불려 만든 쇠붙이)를 불려서 강철을 만듦. 또는 그 강철.

제거 (除去) 없애 버림. ㉠창틀의 먼지를 제거하다 / 장애물을 제거하다. —하다.

제격 (—格) 그 지닌 바의 정도나 신분에 어울리는 격식. ㉠제격에 맞다 / 제격에 어울리다 / 이 일에는 그 사람이 제격이다.

제곱 같은 수를 두 번 곱함. ㉠3의 제곱은 9다. **—하다.**

> 참고 '5 미터 제곱'이라 하면, 5 미터를 한 변으로 하는 정사각형을 말하며, 그 넓이는 25 제곱미터가 됨. 곧, $(5m)^2=25m^2$라는 말임.

제곱미터 (—meter) 넓이의 단위. 한 변의 길이가 1 m인 정사각형의 넓이를 1 제곱미터라고 하며 '1 m^2' 라고 씀.

제곱센티미터 (—centimeter) 넓이의 단위. 한 변의 길이가 1 cm인 정사각형의 넓이를 1 제곱센티미터라고 하며 '1 cm^2' 라고 씀.

제곱킬로미터 (—kilometer) 넓이의 단위. 한 변의 길이가 1 km인 정사각형의 넓이를 1 제곱킬로미터라고 하며 '1 km^2' 라고 씀.

***제공** (提供) 필요한 것을 내어 줌. 쓰라고 줌. ㉠자료 **제공** / 숙식을 **제공**하다. **—하다.**

제:과 (製菓) 과자나 빵을 만듦.

제:과점 (製菓店) 과자나 빵을 만들어 파는 가게.

제구실 제가 마땅히 해야 할 일. ㉠**제구실**을 못하다.

제국[1] (諸國) 여러 나라. ㉠아시아 **제국**.

제:국[2] (帝國) 황제가 다스리는 나라. ㉠대한 **제국**.

제:국주의 (帝國主義) [제국쭈의 / 제국쭈이] 군사적·경제적으로 다른 나라를 정복하여 더 큰 나라를 건설하려고 하는 주의.

제군 (諸君) '여러분·자네들' 의 뜻으로, 손아랫사람에게 쓰는 말. ㉠학생 **제군**.

***제기**[1] 엽전을 종이나 헝겊 따위로 싼 다음 나머지 부분을 먼지떨이처럼 여러 갈래로 만들어 발로 차고 노는 장난감. ㉠**제기**를 차다.

제:기[2] (祭器) 제사 때 쓰는 그릇.

제기[3] (提起) **1** 의견이나 문제를 내놓음. ㉠반론이 **제기**되다 / 의혹을 **제기**하다. **2** 소송을 일으킴. ㉠소송을 **제기**하다. **—하다.**

제기차기 제기를 차는 놀이. 제기를 땅에 떨어뜨리지 않고 발로 많이 차는 쪽이 이김. **—하다.**

제까짓 [제까짇] 겨우 저따위 정도의. ㉠**제까짓** 게 무엇이기에 그리 뽐내느냐. ㊟제깟.

제꺽[1] 무슨 일을 닥치는 대로 시원스럽게 해내는 모양. ㉠어려운 일을 **제꺽** 처리하다. ㉶재깍.

제꺽[2] **1** 단단한 물건이 부러지거나 맞부딪쳐 나는 소리. ㉠**제꺽**하고 총을 꺾어 총알을 재다. **2** 시계의 톱니바퀴가 돌아가는 소리. ㉶재깍. ㉺쩨꺽. **—하다.**

제날짜 정했거나 기한이 찬 날. ㉠**제날짜**를 지키다 / 월급이 **제날짜**에 나오다.

제네바 (Geneva) 〖지명〗 스위스 남서쪽 끝에 있는 관광 도시. 시계를 비롯한 정밀 공업이 발달함. 국제 적십자 본부·국제 노동 기구 본부 따위가 있음.

제:단 (祭壇) 예배나 제사를 지내게 만들어 놓은 단.

제달 정했거나 기한이 찬 달. ㉠**제달** 안에 일을 끝내다.

제:당 (製糖) 설탕을 만듦. ㉠**제당** 공장.

제대 (除隊) 군인이 복무 기간이 다 했거나 그 밖의 일로 군인의 신분에서 벗어나 사회로 돌아감. ㉠만기 **제대** / 대위로 군대를 **제대**하다. **—하다.**

***제대로** **1** 제 격식대로. ㉠**제대로** 지은 집. **2** 마음먹은 대로. ㉠이번에도 **제대로** 표현하지 못했다. **3** 알맞은 정도로. ㉠이가 아파 **제대로** 먹지 못하다.

제대로근(一筋) 의지와 관계없이 운동하는 척추동물의 근육. 심장근 따위. ㊊불수의근. ㊍맘대로근.

*__제:도__[1](制度) 관습·도덕·법률 등의 규범. 또는 국가·사회의 조직과 체계. ㉠입시 제도 / 토지 제도 / 제도를 개혁하다.

제:도[2](製圖) 기계·건물·공작물 등의 도면을 그림. **—하다.**

제도[3](諸島) 여러 섬. ㉠사모아 제도 / 필리핀 제도.

제:도기(製圖器) 도면을 그리는 데 쓰는 기구. 컴퍼스 따위.

제독(提督) 해군의 장군. 함대의 사령관.

제:동(制動) 기계나 자동차 따위의 운동을 멈추게 하거나 속력을 떨어지게 함. ㉠제동 장치 / 제동을 걸다. **—하다.**

제등(提燈) **1** 자루가 있어 들고 다닐 수 있는 등. **2** 등불을 들고 부처에게 축원하거나 부처의 탄생을 축하하는 일. ㉠제등 행렬.

제때 **1** 알맞은 때. ㉠제때에 오다 / 제때에 비가 내리다. **2** 정해 놓은 때. ㉠제때에 맞춰 약을 챙겨 먹다.

제:련(製鍊) 광석을 용광로에 넣고 녹여서 원하는 금속을 뽑아내는 일. **—하다.**

제:련소(製鍊所) 제련을 하는 곳.

제:례(祭禮) 제사의 절차나 예절.

제:례악(祭禮樂) 종묘나 문묘의 제사에 연주하는 음악.

제막식(除幕式) [제막씩] 동상·기념비 따위를 만든 다음 완공을 축하하는 의식.

제멋 [제먿] 제 나름대로 느끼고 생각하는 멋. ㉠제멋에 살다.

제멋대로 [제먿때로] 자기 마음대로. 자기가 하고 싶은 대로. ㉠제멋대로 지껄이다.

제명(除名) 구성원 명단에서 이름을 지우고 자격을 빼앗음. ㉠제명 처분 / 당에서 제명하다. **—하다.**

*__제목__(題目) 글·공연·작품 등에 붙여진 이름. ㉠소설의 제목 / 제목을 붙이다. ㊊표제.

제:문(祭文) 죽은 사람을 애도하는 글. ㉠제문을 읽다.

제:물(祭物) **1** 제사에 쓰는 음식. ㉠제물을 마련하다. ㊊제수. **2** 희생물. ㉠제물로 바치다.

제물로 제 스스로. 저절로. ㉠제물로 화가 풀어지다. ㊊제풀로.

제물에 [제무레] 저 혼자 스스로의 바람에. ㉠제물에 넘어지다. ㊊제풀에.

제:물포 조약(濟物浦條約) 조선 고종 19년(1882)에 임오군란으로 발생한 피해 보상 문제로 제물포(인천)에서 일본과 맺은 조약.

*__제:발__ 간절히 바라건대. 아무쪼록. ㉠제발 부탁이다 / 제발 공부 좀 해라 / 제발 용서해 주세요.

제방(堤防) 물 피해가 나지 않도록 하천이나 바닷가에 흙과 돌로 쌓은 둑. ㉠제방을 쌓다.

*__제법__ 수준이나 솜씨가 기대 이상인 어느 정도에 이른 모양. ㉠제법 일을 잘한다 / 날씨가 제법 춥다 / 음식 솜씨가 제법이다.

제보(提報) 수사 기관이나 언론 등에 정보를 제공함. ㉠제보가 들어오다. **—하다.**

제:복(制服) 어느 단체나 기관에서 정해진 규정에 따라 똑같이 입는 복장. 유니폼. ㉠군인의 제복.

제:본(製本) 인쇄물 등을 실로 매거나 풀로 붙이고 표지를 씌워 책을 만듦. ㉠제본소. ㊊제책. **—하다.**

제:분(製粉) 곡식을 빻아 가루로 만듦. 특히, 밀가루를 만드는 일. ㉠제분소.

*__제:비__[1] 제빗과의 새. 몸길이 18cm 정도. 날개와 꽁지가 길며 등은 검은색, 배는 흰색임. 매우 빠르게 날

며, 봄에 우리나라에 와서 처마 밑에 집을 짓고 살다가 가을에 남쪽으로 날아가는 철새임.

〈제비¹〉

제비² 기호나 글자가 적힌 종잇조각 등을 뽑아 그에 따라 차례나 승부 따위를 결정하는 방법. (예)**제비**를 뽑다. [비]추첨.

제:비꽃 [제비꼳] 제비꽃과의 여러해살이풀. 봄에 보랏빛의 꽃이 피며, 높이 12 cm 정도임. [비]오랑캐꽃.

〈제비꽃〉

제비뽑기 [제비뽑끼] 제비를 만들어 승부나 차례를 정하는 일. (예)**제비뽑기**로 순번을 정하다. **—하다.**

제:빙 (製氷) 물을 얼리어 얼음을 만듦. **—하다.**

*__제:사¹__ (祭祀) 신령 또는 죽은 사람의 넋에게 음식을 바치어 정성을 표하는 의식. (예)**제사**를 지내다. [준]제.

제:사² (製絲) 고치나 솜 따위로 실을 만듦.

제:사 공:화국 (第四共和國) 1972년 12월 유신 헌법이 공포된 이후 1981년 3월 1일 제오 공화국 출범 전까지의 우리나라 정부.

제:사상 (祭祀床) [제사쌍] 제사를 지내기 위하여 음식을 차려 놓는 상. [준]제상.

제:사장 (祭司長) 예전에, 신에게 드리는 제사를 주관하던 종교적인 지도자.

제:삼 공:화국 (第三共和國) 1963년 12월 헌법 개정으로 성립된 공화국으로, 1972년 유신이 시작되기 전까지의 우리나라 정부.

제:삼국 (第三國) 어떤 일과 직접 관계가 있는 당사국이 아닌 나라. (예)**제삼국**으로 망명하다.

제:삼 인칭 (第三人稱) [제사민칭] 대화자 이외의 사람을 그 이름 대신 가리키는 말. '그·그녀·저이·그이' 따위.

제:삼자 (第三者) 어떤 일에 직접 관계되지 않은 사람. (예)**제삼자**가 개입하다. [반]당사자.

제:삼차 산:업 (第三次產業) [—사넙] 상업·운수·통신·금융 따위의 각종 서비스 산업.

제:삿날 (祭祀—) [제산날] 제사 지내는 날. [비]기일. 제일. [준]젯날.

제:상 (祭床) [제쌍] '제사상'의 준말. (예)**제상**을 차리다.

제설 (除雪) 쌓인 눈을 치우는 일. (예)**제설**차 / **제설** 작업. **—하다.**

제소 (提訴) 소송을 냄. (예)법원에 **제소**하다. **—하다.**

제수¹ (除數) [제쑤] 나눗셈에서 어떤 수를 나누는 수. 6÷3에서 3이 제수임. [반]피제수.

제:수² (祭需) 제사에 쓰는 여러 가지 음식이나 재료. (예)**제수**를 준비하다. [비]제물.

제:수³ (弟嫂) 남자 형제 사이에서 동생의 아내.

제스처 (gesture) 말할 때 쓰는 손짓이나 몸짓, 표정 따위. (예)**제스처**가 요란하다 / **제스처**를 취하다.

*__제시__ (提示) **1** 어떠한 뜻을 글이나 말로 나타내어 보임. (예)해결책을 **제시**하다. **2** 증명하는 문서나 표 따위를 내어 보임. (예)증거를 **제시**하다. **—하다.**

제시간 (—時間) 정한 시간. (예)**제시간**에 도착하다.

제아무리 자기가 아무리. 남을 얕잡아 보는 뜻으로 쓰는 말. (예)**제아무리** 잘난 체해도 별수 없다. [준]아무리.

제안 (提案) 어떤 생각이나 의견을

내놓음. 또는 그 생각이나 의견. ㉠ 제안을 받아들이다 / 그에게 함께 가자고 제안했다. 비 제의. **—하다.**

제:압 (制壓) 힘이나 위엄으로 상대를 누르고 꼼짝 못하게 함. ㉠적을 제압하다. **—하다.**

제야 (除夜) 한 해의 마지막 날 밤. ㉠제야의 종소리. 비 제석.

제:약[1] (制約) **1** 사물의 성립에 필요한 조건이나 규정. ㉠시간의 제약을 받다. **2** 어떤 조건을 붙이어 제한함. ㉠제약을 가하다. **—하다.**

제:약[2] (製藥) 약을 만듦. 또는 그 약. ㉠제약 회사.

제:어 (制御) **1** 감정·충동·생각 따위를 막거나 누름. ㉠제어된 행동. **2** 기계·설비 따위를 상황에 알맞게 움직이도록 조절함. ㉠자동 제어 장치. **—하다.**

제언 (提言) 생각이나 의견을 내놓음. 또는 그 생각이나 의견. ㉠제언을 받아들이다. **—하다.**

제:염 (製塩) 소금을 만드는 일. **—하다.**

제:오 공:화국 (第五共和國) 1980년 10월 새 헌법에 따라 세워진 이후 1987년까지의 우리나라 정부.

제:왕 (帝王) 황제와 국왕.

제:왕운기 (帝王韻紀) 〖책〗 고려 고종 때 이승휴가 지은 역사책. 상권에는 중국 왕조의 이야기가, 하권에는 우리나라 왕조의 이야기가 7자씩의 한시로 씌어 있음.

제외 (除外) 어느 범위 밖에 둠. ㉠그 사람을 제외하고는 모두 모였다. **—하다.**

제우스 (Zeus) 그리스 신화에 나오는 최고의 신. 천지의 모든 현상을 지배한다 함. 아내는 헤라이며, 로마 신화의 유피테르에 해당함.

제:위 (帝位) 황제의 자리. 왕의 자리. ㉠제위에 오르다. 비 왕위.

제육 (—肉) 돼지고기. ㉠제육볶음/ 제육구이.

제:육감 (第六感) [제육깜] 오관 이외의 감각. 무엇을 직감적으로 느껴서 깨닫는 능력. 준 육감.

제의 (提議) [— / 제이] 어떤 의안이나 의견을 내놓음. ㉠사업을 같이 하자고 제의하다. **—하다.**

제:이 공:화국 (第二共和國) 4·19 혁명 이후 5·16 군사 정변 이전까지의 우리나라 정부.

제:이 인칭 (第二人稱) 대화하는 상대방의 이름 대신에 쓰는 말. '너·당신·자네' 따위.

제:이차 산:업 (第二次產業) [—사넙] 광업·건설업·제조업 따위 주로 원재료의 정제와 가공을 담당하는 산업.

제:이 차 세:계 대:전 (第二次世界大戰) [— / —세게—] 1939년에서 1945년 사이에 벌어졌던 세계적인 큰 전쟁. 미국·영국·프랑스·소련 등의 연합군이 독일·이탈리아·일본 등과 싸워 승리하였음.

***제:일** (第一) **1** 여럿 가운데 으뜸인 것. 또는 차례로 맨 처음. ㉠이 분야에선 내가 제일이다. 비 첫째. **2** 첫째로. ㉠내가 제일 좋아하는 꽃. 비 가장.

제:일 공:화국 (第一共和國) 1948년 8월 15일 정부 수립 후부터 1960년 4·19 혁명 이전까지의 우리나라 정부. 자유당 집권 시대.

제:일선 (第一線) [제일썬] **1** 맨 앞장. ㉠제일선에 나서서 솔선수범하다. **2** ⇨최전선.

제:일인자 (第一人者) [제이린자] 어떤 방면에서 그와 견줄 자가 없을 만큼 뛰어난 사람. 준 일인자.

제:일 인칭 (第一人稱) [제이린칭] 말하는 사람이 자기를 일컬을 때에 쓰는 말. '나·저·저희' 따위. 비 일인칭.

제:일차 산:업 (第一次產業) [—사

넙] 농업·임업·어업 따위 주로 원재료의 생산을 담당하는 산업. ㊇ 일차 산업.

제:일 차 세:계 대:전 (第一次世界大戰) [—/—세계—] 1914년부터 1918년 사이에 벌어졌던 세계적인 큰 전쟁. 영국·프랑스·러시아 등의 연합군과 독일·오스트리아·이탈리아 등이 싸웠는데, 독일의 항복으로 끝남.

*__제:자__ (弟子) 스승의 가르침을 받거나 받은 사람. ㊀**제자**로 삼다. ㊁ 생도. 문인. ㊃스승. 선생.

*__제자리__ **1** 본디 있던 자리. ㊀**제자리**에 갖다 놓다. **2** 마땅히 있어야 할 자리. ㊀**제자리**를 찾다 / 항상 **제자리**를 지키다.

제자리걸음 [제자리거름] **1** 한자리에서 걷는 동작. **2** 일의 진행이나 상태가 변화나 발전 없이 그대로 머물러 있음. ㊀성적이 **제자리걸음**이다. **—하다.**

제자리멀리뛰기 도움닫기 없이 구름판 위에 두 발을 놓고 멀리 뛰는 동작. 또는 그 경기.

제자리표 (—標) 악보에서 #나 ♭으로 높였거나 낮춘 음을 본래의 음으로 돌아가게 하는 표. '♮'로 나타냄.

제:작 (製作) **1** 재료를 가지고 새로운 물건을 만듦. ㊀도구를 **제작**하다. **2** 영화·방송 프로그램 따위를 여러 사람이 협력해 만듦. ㊀음반 **제작** / 다큐멘터리를 **제작**하다. ㊁ 제조. **—하다.**

제:작비 (製作費) [제작삐] 물건이나 예술 작품을 만드는 데 드는 비용. ㊀막대한 **제작비**가 들다.

제:작품 (製作品) 제작된 물건이나 작품. ㊀우수한 **제작품**.

제:재¹ (制裁) **1** 법이나 규정을 어긴 사람에게 벌을 내림. 또는 그 벌. ㊀법적 **제재**를 가하다. **2** 도덕·관습 또는 규칙에 어긋나는 행위를 제한하거나 금지함. 또는 그 조치. ㊀여론의 **제재**를 받다. **—하다.**

제재² (題材) 예술 작품·학술 연구 등의 주된 재료. ㊀동화의 **제재**.

제:재소 (製材所) 베어 낸 나무로 재목이나 판자를 만드는 곳.

제적 (除籍) 호적·학적 따위에서 이름을 빼어 구성원의 자격을 잃게 함. ㊀학교에서 **제적**당하다. **—하다.**

제:전 (祭典) **1** 제사를 지내는 의식. **2** 성대히 열리는 예술·문화·체육 따위의 행사. ㊀제 24 회 올림픽 **제전** / 음악의 **제전**.

제:정 (制定) 법률이나 제도 따위를 만들어서 정함. ㊀법률을 **제정**하다. **—하다.**

제정신 (—精神) 자기 본래의 똑바른 정신. ㊀**제정신**이 아니다. ㊁ 본정신.

제:조 (製造) 원료를 가공하여 물건을 만듦. ㊀부품을 **제조**하다. ㊁ 제작. **—하다.**

제:조업 (製造業) 원료나 재료를 가공하여 상품을 만들어 내는 공업.

제:주 (祭主) 제사를 맡아 진행하는, 그 제사의 중심이 되는 사람. 주로 죽은 사람의 맏아들이 됨.

제:주도 (濟州道) 〖지명〗 우리나라의 가장 남쪽 끝에 있는 큰 화산섬으로 가장 작은 도. 바람·돌·여자가 많아 '삼다도'라 불리며 경치가 빼어나고 교통도 편리하여 관광객이 많음. 귤이 많이 나고 한라산이 있음.

제:중원 (濟衆院) 우리나라 최초의 근대식 병원. 처음 이름은 광혜원이었는데 1886년에 고종이 백성의 치료에 공이 크다 하여 제중원으로 고쳤음.

제:지¹ (制止) 하려고 하는 일을 말려서 못하게 함. ㊀아이들의 장난을 **제지**하다. **—하다.**

제ː지² (製紙) 종이를 만듦. ㉠제지 공장.
제짝 한 벌이나 한 쌍을 이루는 그 짝. ㉠제짝을 찾다.
제창¹ (提唱) 어떤 일을 제시하여 주장함. ㉠언론의 자유를 제창하다. ㉥주창. **—하다.**
제창² (齊唱) 여러 사람이 다 같이 노래를 부름. ㉠애국가를 제창하다. **—하다.**
제ː천 (祭天) 하늘에 제사를 지냄.
제ː천 의식 (祭天儀式) 하늘을 숭배하고 제사를 지내는 원시적인 종교 의식. 고구려의 동맹, 부여의 영고, 동예의 무천 따위.
제철¹ 옷·음식 따위의 알맞은 때. ㉠제철 과일 / 제철이 지나다.
제ː철² (製鐵) 철광석을 녹이고 다듬어 쇠를 만듦. ㉠제철 공장.
제ː철소 (製鐵所) [제철쏘] 철광석을 녹여 무쇠나 강철을 만드는 곳.
제ː철업 (製鐵業) [제처럽] 무쇠와 강철을 생산하는 산업.
제초 (除草) 잡초를 뽑아 없앰. ㉠제초 작업. ㉥김매기. **—하다.**
제초기 (除草器) 잡초를 뽑아 없애는 기계. ㉥김매기틀.
제초제 (除草劑) 잡초를 없애는 약. ㉠제초제를 뿌리다.
제출 (提出) 의견이나 안건 등을 내어 놓음. ㉠제출 서류 / 보고서를 제출하다. **—하다.**
제치다 **1** 거치적거리지 않게 처리하다. ㉠앞 사람을 제지고 뛰어나가다. **2** 경쟁자보다 앞서 나가다. ㉠선두를 제치고 우승하다. **3** 하려던 일을 미루다. ㉠숙제를 제쳐 놓고 놀러 나가다.
제트기 (jet機) 연소 가스를 세게 내뿜어 그 반작용으로 움직이는 비행기.
제ː패 (制霸) 경기 따위에서 우승함. ㉠마라톤에서 세계를 제패하다. **—하다.**
제풀로 저 혼자 저절로. ㉠제풀로 자라다. ㉥제물로.
제풀에 [제푸레] 내버려 두어도 저 혼자 저절로. ㉠아이가 울다가 제풀에 지쳐 잠이 들었다. ㉥제물에.
***제ː품** (製品) 원료를 가지고 만든 상품. ㉠전자 제품 / 실용적인 제품을 만들다.
제하다 (除—) 어떤 몫에서 무엇을 빼다. ㉠물건 값을 제하고 거스름돈을 받다.
제ː한 (制限) 한도를 정하거나 그 한도를 넘지 못하게 막음. 또는 그 정한 한계. ㉠제한 속도를 지키다 / 나이 제한을 두다. **—하다.**
제ː해권 (制海權) [제해꿘] 바다를 지배하는 권력. ㉠제해권을 장악하다. ㉥해상권.
제ː헌 (制憲) 헌법을 만들어서 정함. ㉠제헌 국회. **—하다.**
제ː헌절 (制憲節) 국경일의 하나. 1948년 7월 17일 헌법이 제정 공포된 것을 기념하는 날.
제ː혁 (製革) 짐승의 생가죽을 다루어 가죽 제품으로 쓰기 좋게 만듦. ㉠제혁 공장. **—하다.**
제호 (題號) 신문·잡지·책 따위의 이름이나 제목. ㉠제호를 새롭게 바꾸다.
제ː화 (製靴) 구두를 만듦. ㉠제화 공장.
제후 (諸侯) 봉건 시대에 왕에게서 받은 영토와 그 안에 사는 백성을 다스리던 사람.
제휴 (提携) 공동의 목적을 위하여 서로 돕는 관계를 맺음. ㉠기술 제휴 / 제휴를 맺다. **—하다.**
젠체하다 잘난 체하다. ㉠조금 안다고 젠체하지 마라.
젤리 (jelly) 과일즙에 설탕을 넣고 졸인 뒤 식혀서 만든 반고체 모양의 과자. ×제리.

젱그렁 얇은 쇠붙이 따위가 맞부딪치거나 떨어질 때 울리어 나는 소리. 작 쟁그랑. 센 쩽그렁. **—하다.**

*__조__[1] 볏과의 한해살이풀. 곡식의 한 가지. 9월경에 노란색의 동그랗고 자디잔 열매가 맺음.

*__조__[2] (組) 적은 인원으로 짜여진 소규모의 집단. ㉠여러 조로 나누다.

*__조__[3] (兆) 수의 단위. 억의 만 배.

조[4] (條) 조목이나 항목을 나타냄. ㉠헌법 제1조.

조[5] (調) **1** 시가나 노래의 자수에 따른 리듬을 나타내는 말. ㉠삼사조. **2** '그런 말투나 행동'의 뜻. ㉠빈정대는 조로 말하다. **3** 어떤 말 뒤에 붙어 '말투·방식·태도' 등의 뜻. ㉠시비조 / 애원조.

조가비 조개의 껍데기.

*__조각__[1] 한 물건에서 떼어 내거나 떨어져 나온 작은 부분. ㉠헝겊 조각.

*__조각__[2] (彫刻) 나무·돌·금속 같은 것에 그림이나 글씨 또는 모양을 새김. ㉠조각상 / 조각 공원. **—하다.**

조각가 (彫刻家) [조각까] 조각을 전문으로 하는 미술가.

조각나다 [조강나다] 깨어지거나 갈라져서 여러 조각이 생기다. ㉠컵이 떨어져 조각나 버렸다.

조각달 [조각딸] 음력 초닷새 무렵과 스무닷새 무렵에 뜨는 달. 반달보다 더 이지러진 모양임.

조각배 [조각빼] 작은 배.

조각조각 [조각쪼각] 여러 조각으로 갈라지거나 깨진 모양.

조각칼 (彫刻—) 조각을 할 때 쓰는 칼. 창칼·끌칼·둥근칼·세모칼 등.

조각품 (彫刻品) 조각을 한 작품.

조간신문 (朝刊新聞) 날마다 아침에 발행하는 신문. 반 석간신문. 준 조간.

조감도 (鳥瞰圖) 높은 곳에서 내려다본 모양을 그린 그림이나 지도.

조강지처 (糟糠之妻) 가난할 때부터 고생을 함께해 온 아내.

*__조개__ 조가비를 가진 연체동물. 주로 바다 속에 사는데 속살은 연하여 먹음.

조개더미 옛날 원시인들이 먹고 버린 조개껍데기가 쌓여 무더기를 이루고 있는 유적. 주로 석기 시대의 것으로 웅기·김해의 조개더미가 유명함. 비 조개무지. 패총.

*__조건__ (條件) [조껀] 무엇이 이루어지는 데 필요한 사항. ㉠계약 조건 / 조건을 제시하다. 비 조항.

조건 반ː사 (條件反射) [조껀—] 사람이나 짐승이 훈련 등에 의해 일정한 환경만 주어지면 저절로 그 행동을 하게 되는 것.

조ː경 (造景) 경치를 아름답게 꾸밈. ㉠조경 공사 / 조경 사업.

조계종 (曹溪宗) [— / 조게종] 우리나라 불교를 대표하는 한 종파.

조ː광조 (趙光祖) 〖인명〗 조선 중종 때의 학자. 호는 정암. 급진적인 개혁을 통해 도덕적 이상 정치를 꾀하다가 기묘사화 때 죽임을 당함. [1482–1519]

조ː교 (助敎) **1** 대학에서 교수의 지시를 받아 교육·연구·사무를 도와주는 사람. 또는 그 직위. **2** 군대의 훈련에서 교관을 도와 시범을 보이고 훈련 받는 군인들의 인솔 따위를 맡아 하는 사병.

*__조국__ (祖國) **1** 조상 때부터 살아온 나라. ㉠조국을 위해 싸우다. **2** 자기의 국적이 속해 있는 나라. 비 고국. 모국. 반 타국. 외국.

*__조그마하다__ 조금 작거나 적다. ㉠조그마한 손. 준 조그맣다.

*__조그맣다__ [조그마타] '조그마하다'의 준말. ㉠조그만 목소리 / 몸을 조그맣게 웅크리다. 활용 조그마니 / 조그매서.

*__조금__ **1** 정도나 분량이 적게. ㉠국에 소금을 조금 넣다 / 조금이라도

다르면 안 된다. **2** 시간적으로 짧게. ㉲조금 후에 보자. 㽋좀.

***조금씩** 많지 않게 여러 번 계속하여. ㉲건강이 조금씩 회복되다.

조급하다 (躁急—) [조그파다] 참을성이 없이 매우 급하다. ㉲조급한 성격 / 조급하게 굴다.

조급히 (躁急—) [조그피] 조급하게. ㉲조급히 서두르다.

조기[1] 민어과의 수조기·참조기·보구치 따위를 통틀어 일컫는 말. 몸길이 30 cm 정도의 바닷물고기로, 붕어와 비슷한데 머리는 작고 살은 연함.

조ː기[2] (弔旗) **1** ⇨반기[2]. ㉲조기를 게양하다. **2** 조의를 표하는 검은 선을 두른 기.

조ː기[3] (早起) 아침 일찍 일어남. ㉲조기 청소 / 조기 축구회.

조ː기[4] (早期) 이른 시기. ㉲병을 조기에 발견하다.

조깅 (jogging) 건강을 유지하기 위해 천천히 달리는 운동.

조끼 (←jacket) 저고리·와이셔츠·블라우스 위에 덧입는 소매가 없는 옷. ㉲방탄조끼.

조난 (遭難) 항해나 산행을 하다 사고를 당하거나 위험한 지경에 놓이는 일. ㉲조난을 당한 등산객을 구조하다. **—하다.**

조달 (調達) 필요한 돈이나 물건 등을 갖추어서 대어 줌. ㉲물품 조달. **—하다.**

조달청 (調達廳) 재정 경제부에 딸린 중앙 행정 기관으로 정부 물자의 구매·공급·관리를 맡아봄.

조ː도 (照度) 일정한 넓이가 일정한 시간에 받는 빛의 양. 㽔조명도.

조랑말 몸집이 작은 종자의 말.

조ː력[1] (助力) 힘을 써 도와줌. 또는 그 힘. ㉲조력을 구하다 / 산림녹화 사업에 조력하다. **—하다.**

조력[2] (潮力) 밀물과 썰물의 차에서 생기는 힘.

조력 발전소 (潮力發電所) [—빨쩐소] 밀물과 썰물의 차를 이용하여 전기를 일으키는 발전소.

조련 (調鍊〔練〕) **1** 전투를 할 수 있게 병사를 훈련함. **2** 훈련을 거듭하여 쌓음. **—하다.**

조련사 (調鍊師) 동물에게 곡예 따위를 훈련시키는 사람.

조례 (朝禮) 학교에서 담임 선생님이 수업하기 전에 학생들과 하는 아침 인사. 㽔조회. 㽜종례.

조롱 (嘲弄) 비웃거나 깔보고 놀림. ㉲키가 작다고 조롱하지 마라. 㽔희롱. **—하다.**

조롱박 **1** ⇨호리병박. **2** 호리병박으로 만든 바가지.

조롱조롱 작은 열매나 물방울 따위가 많이 매달린 모양. 㽑주렁주렁.

조류[1] (潮流) **1** 밀물·썰물에 따라서 일어나는 바닷물의 흐름. **2** 세상의 흐름. ㉲시대의 조류를 타다.

조류[2] (鳥類) 온몸이 깃털로 덮이고 날개가 있는 짐승의 무리. 새의 종류. 㽔날짐승.

조류[3] (藻類) 물속에 살면서 엽록소로 탄소 동화 작용을 하는 식물. 갈조류·홍조류 등이 있음.

***조르다** **1** 다른 사람에게 끈덕지게 무엇을 요구하다. ㉲엄마에게 용돈을 달라고 조르다. **2** 끈 따위로 단단히 죄다. ㉲허리띠를 조르다. 활용 졸라 / 조르니.

조르르 **1** 가는 물줄기가 구멍이나 면을 끊임없이 흐르는 소리. ㉲물이 조르르 흐르다. **2** 경사진 곳에서 작은 물건이 빠르게 미끄러져 내리는 모양. **3** 어린아이나 작은 짐승이 잰걸음으로 따르는 모양. ㉲엄마 뒤를 조르르 따라가다. 㽑주르르. 㽗쪼르르.

조르륵 가는 물줄기가 좁은 구멍이나 면을 흐르다가 그치는 소리. 또는 그 모양. (큰)주르륵. (센)쪼르륵.

조리[1] (條理) 글이나 말 따위의 앞뒤가 들어맞고 체계가 서는 갈피. (예)말을 조리 있게 하다.

조ː리[2] (笊籬) 곡식을 이는 데 쓰는 도구.

〈조리[2]〉

조리[3] (調理) **1** 몸을 보살피고 병을 다스려 건강을 회복하게 함. (예)산후 조리 / 수술 후에는 조리를 잘해야 한다. **2** 음식을 잘 맞추어 요리함. (예)조리사 / 음식을 위생적으로 조리하다. **—하다.**

조리개 사진기에서, 렌즈를 통과하는 빛의 양을 조절하는 장치.

조리다 고기·채소 등을 양념하여 국물이 졸아들게 바짝 끓이다.

> 주의 **조리다**와 **졸이다**
>
> **조리다** 고기나 채소 따위를 양념하여 국물이 바특하게 바짝 끓이다. (예)통조림 / 장조림 / 생선을 조리다.
>
> **졸이다** 속을 태우다시피 마음을 초조하게 먹다. (예)마음을 졸이다.

조리대 (調理臺) 음식을 만드는 데 쓰는 받침.

조림[1] 고기나 채소 등을 조려서 만든 반찬. (예)생선조림.

조ː림[2] (造林) 나무를 심거나 씨를 뿌려 숲을 만드는 일. (예)조림 사업. **—하다.**

조립 (組立) 여러 부품들을 모아 하나의 구조물로 맞추어 짬. (예)장난감 자동차를 조립하다. **—하다.**

조립도 (組立圖) [조립또] 제작물 또는 구조물의 전체의 짜임을 나타낸 도면.

조립식 (組立式) [조립씩] 조립의 방법으로 꾸미는 방식. (예)조립식 가구 / 조립식 주택.

조마조마하다 닥쳐올 일에 대하여 염려가 되어 초조하고 불안하다. (예)마음이 조마조마하다.

조ː만간 (早晩間) 앞으로 곧. 머지않아. (예)조만간 해결될 것이다.

조만식 (曺晩植) 〖인명〗 독립 운동가·정치가. 호는 고당. 조선 물산 장려회를 조직해 국산품 애용 운동을 펼쳤으며, 광복 후 평양에서 조선 민주당을 조직해 민족 통일 운동에 힘씀. 6·25 전쟁 때 공산당에게 희생된 것으로 알려짐. [1882-1950]

조망 (眺望) 먼 곳을 바라봄. 또는 그 광경. (예)조망이 좋다. (비)전망. **—하다.**

조ː명 (照明) **1** 빛을 비추어 밝게 함. (예)실내 조명. **2** 무대 효과를 높이기 위하여 빛을 비추는 일. (예)무대의 조명이 꺼지다. **—하다.**

조ː명등 (照明燈) 어두운 데를 밝게 비추는 데 쓰는 등. 라이트.

조ː명탄 (照明彈) 공중에서 터지면서 밝은 빛을 내어 장소나 목표물을 밝히는 포탄.

조모 (祖母) ⇨할머니 1. (반)조부.

조목 (條目) 법규나 규정 따위를 이루는 낱낱의 조항이나 항목. (예)조목별로 검토하다. (비)조항. 항목.

조목조목 (條目條目) [조목쪼목] 조목마다. (예)조목조목 따지다.

조무래기 **1** 자질구레한 물건. **2** '어린아이'를 낮추어 이르는 말.

조ː문[1] (弔問) ⇨문상. **—하다.**

조문[2] (條文) 규정이나 법령 따위에서 조목으로 나누어 적은 글.

조ː문객 (弔問客) ⇨문상객. (예)조문객을 받다.

조ː물주 (造物主) [조물쭈] 우주 만물을 만들고 다스리는 신.

조미료 (調味料) 음식의 맛을 맞추는 데 쓰는 재료. (예)조미료를 치다.

조밀하다 (稠密—) 촘촘하고 빽빽하다. (예)인구가 조밀한 도시.

조바심 조마조마하여 마음을 졸임. 또는 그렇게 졸이는 마음. ㉠조바심이 나다 / 너무 조바심할 것 없다. **—하다.**

조바위 추울 때 여자가 머리에 쓰던 방한모의 한 가지. 귀와 뺨을 덮게 되어 있음.

조반 (朝飯) ⇨아침밥.

조부 (祖父) ⇨할아버지 1. 반 조모.

조부모 (祖父母) 할아버지와 할머니. ㉠조부모를 모시다.

조붓하다 [조부타다] 조금 좁은 듯하다. ㉠조붓한 길 / 할아버지의 조붓한 어깨.

*__조사__[1] (調査) 사물의 내용을 자세히 살펴보거나 찾아봄. ㉠인구 조사 / 조사를 받다 / 사고 원인을 조사하다 / 조사 결과를 발표하다. 비 검사. **—하다.**

조:사[2] (弔詞〔辭〕) 죽은 사람을 기리고 그의 죽음을 슬퍼하는 뜻을 나타낸 글이나 말.

조:사[3] (助詞) 주로 명사 뒤에 붙어 다른 말과의 관계를 나타내거나 그 말의 뜻을 도와주는 말. 이·가·는·에게·한테·부터·을·도·에 따위. 비 토씨.

조사단 (調査團) 어떤 사건이나 사실을 조사하기 위해 여러 사람으로 이루어진 단체. ㉠조사단을 현장으로 파견하다.

조:산 (早産) 해산달이 차기 전에 아이를 낳음. ㉠조산아. 반 만산. **—하다.**

*__조상__[1] (祖上) **1** 돌아간 어버이 위로 대대의 어른. ㉠조상 전래의 땅 / 조상을 섬기다. 비 선조. 반 자손. **2** 자기 세대 이전의 모든 세대. ㉠조상의 얼을 이어받다.

조:상[2] (弔喪) 사람의 죽음에 대하여 슬픈 뜻을 표함. 비 문상. 조문. **—하다.**

조상신 (祖上神) 고조할아버지 이상의 죽은 조상의 신. 자손의 보호를 맡아본다고 함.

조서 (調書) 조사한 사실을 적은 문서. ㉠피의자의 조서를 꾸미다.

조석 (朝夕) 아침과 저녁. ㉠조석으로 문안 인사를 드리다.

조:선[1] (造船) 배를 설계하여 만듦. ㉠조선 공업.

*__조선__[2] (朝鮮) 이성계가 고려를 무너뜨리고 세운, 우리나라의 마지막 왕조. [1392–1910]

조선말 (朝鮮—) ⇨조선어.

조:선소 (造船所) 배를 만들거나 고치는 곳.

조선어 (朝鮮語) [조서너] **1** 예전에, 우리말을 이르던 말. **2** 북한이나 해외 일부에서 쓰는 한국어. ㉠중국의 조선족은 조선어를 사용하고 있다. 비 조선말.

조선어 학회 사:건 (朝鮮語學會事件) [조서너하쾨사껀] 1942년 10월 일본이 일본어 사용과 국어 말살을 꾀하여 조선어 학회를 독립 운동 단체로 몰아 회원들을 옥에 가둔 사건. 이 사건으로 학회가 해산되었다가 광복 후에 '한글 학회'로 다시 태어남.

조선왕조실록 (朝鮮王朝實錄) [조서놩조실록] 〖책〗 조선 태조 때부터 철종 때까지 25 대 472 년 동안의 역사적 사실을 기록해 놓은 책. 국보 제 151 호.

조선족 (朝鮮族) 중국에 사는 우리 겨레. ㉠연변의 조선족 자치주.

조선 총:독부 (朝鮮總督府) [—총독뿌] 일본이 1910–1945년 광복 때까지 우리나라를 지배하기 위하여 설치하였던 최고 행정 관청.

조:성 (造成) **1** 무엇을 만들어 이룸. ㉠기금을 조성하다. **2** 분위기 따위가 생기게 함. ㉠학습 분위기를 조성하다. **—하다.**

조세 (租稅) 국가 또는 지방 자치

단체가 필요한 경비로 쓰기 위하여 국민으로부터 거두어들이는 돈. ㉨조세를 징수하다. 준세.

조소[1] (彫塑) 흙으로 빚거나 나무·돌 따위를 깎고 새겨서 어떤 형상을 만듦. 또는 그런 미술.

조소[2] (嘲笑) 조롱하여 비웃는 웃음. ㉨조소의 대상이 되다 / 야유와 조소를 보내다. 비 비웃음. **—하다.**

조:속하다 (早速—) [조소카다] 이르고도 빠르다. ㉨조속한 시일 안에 해결해라.

조수[1] (潮水) 일정한 시간을 두고 들어왔다 나갔다 하는 바닷물. 밀물과 썰물. ㉨조수가 밀려 들어오다 / 조수가 다 빠지다.

조:수[2] (助手) 어떤 사람의 일을 도와주는 사람. ㉨조수로 일하다.

조:숙하다 (早熟—) [조수카다] 나이에 비해 몸과 정신의 발달이 빠르다. ㉨조숙한 아이.

조식[1] (朝食) 아침밥.

조식[2] (曺植) 〖인명〗 조선 명종 때의 학자. 호는 남명. 평생 벼슬을 하지 않고 성리학의 연구와 후진 양성에만 힘씀. [1501–1572]

조신 (操身) 몸가짐이 조심스럽고 얌전함. ㉨조신한 처녀 / 몸가짐이 조신하다. **—하다.**

조:실부모하다 (早失父母—) 어려서 부모를 여의다.

*** 조:심** (操心) 말하거나 행동할 때 마음을 써서 잘못이나 실수가 없도록 함. ㉨산불 조심 / 어른 앞에서 말을 조심하다. 비 주의. 반 방심. **—하다. —히.**

조:심성 (操心性) [조심썽] 그릇되거나 잘못이 없도록 미리 조심하는 성질이나 태도. ㉨조심성 있게 행동하여라.

*** 조:심스럽다** (操心—) [조심스럽따] 조심하는 태도가 있다. 활용 조심스러워 / 조심스러우니.

조:심스레 (操心—) 조심스럽게.

조:심조심 (操心操心) 매우 조심스럽게. ㉨미끄러지지 않도록 조심조심 걷다. **—하다. —히.**

조아리다 이마를 땅에 닿을 만큼 자꾸 숙이다. ㉨머리를 조아리다.

조약 (條約) 문서로 약속한 국가 사이의 합의. ㉨조약을 맺다. 비 약조.

조약돌 [조약똘] 작고 매끈한 동글동글한 돌.

조:언 (助言) 옆에서 도움이 되는 말로 거듦. 또는 그 말. ㉨친구에게서 조언을 듣다. **—하다.**

조업 (操業) 공장에서, 기계 따위를 움직여 일을 함. ㉨조업 시간을 늘리다. **—하다.**

조여들다 **1** 바싹 조여서 안으로 오그라들다. **2** 범위를 좁혀 오다. ㉨경찰의 수사망이 조여들다. 활용 조여들어 / 조여드니 / 조여드는.

조:연 (助演) 연극·영화에서, 주연을 도와 연기하는 일. 또는 그 사람. ㉨조연상 / 조연을 맡다. **—하다.**

조:예 (造詣) 학문·예술·기술 등에 대한 지식이 높은 수준에 이른 정도. ㉨미술에 조예가 깊다.

조옮김 (調—) [조옴김] 악곡 전체를 높은 음정 또는 낮은 음정으로 옮겨 음역을 바꾸는 일.

*** 조용하다** **1** 아무런 소리도 나지 않고 고요하다. ㉨거리가 조용하다. **2** 말·행동이 얌전하다. ㉨조용하게 책을 읽다. **3** 번잡하지 않고 한가하다. ㉨조용한 곳으로 요양 가다.

*** 조용히** 조용하게. ㉨조용히 해라.

조우 (遭遇) 우연히 만남. ㉨전학 갔던 친구와 조우하다. **—하다.**

조원 (組員) 한조를 이루는 사람. 같은 조의 사람.

조:위 (弔慰) 죽은 사람에 대해 애도를 표하고 유족을 위로함. ㉨조위 사절을 보내다. **—하다.**

조:위금 (弔慰金) 조위의 뜻으로

내는 돈.

조율 (調律) 악기의 음을 표준음에 맞추어 고름. ㉠피아노를 조율하다. **―하다.**

조:의 (弔意) [―/조이] 죽은 이에 대하여 슬퍼하는 마음. ㉠삼가 조의를 표하다.

조인 (調印) 조약이나 계약 따위의 문서에 서명하는 일. ㉠조인식. **―하다.**

조:작[1] (造作) **1** 일부러 사실인 듯이 꾸며 만듦. ㉠사건을 조작하다. **2** 진짜를 본떠 가짜를 만듦. ㉠장부를 조작하다. **―하다.**

조작[2] (操作) 기계·장치 따위를 다루어 움직임. ㉠조작이 간단하다/리모컨으로 조작하다. **―하다.**

조잘거리다 **1** 좀 낮은 목소리로 계속해서 떠들다. ㉠수업 시간에 짝과 조잘거리다가 선생님께 혼났다. **2** 참새 따위의 작은 새가 자꾸 지저귀다. ㉢주절거리다.

조잘대다 ⇨조잘거리다.

조잘조잘 조잘거리는 모양. ㉠여럿이 모여 앉아 조잘조잘 떠드는 아이들. ㉢주절주절. **―하다.**

조잡하다 (粗雜―) [조자파다] 말·행동이나 솜씨 등이 거칠고 잡스러워 품위가 없다. ㉠조잡한 장난감.

조:장[1] (助長) 바람직하지 않은 일을 부추김. ㉠과소비를 조장하다. **―하다.**

조장[2] (組長) 조의 우두머리.

***조절** (調節) 어떤 사정이나 조건에 알맞게 바로잡음. ㉠방 안의 온도를 알맞게 조절하다. ㉥조정. **―하다.**

조정[1] (調整) 알맞고 고르게 정돈함. ㉠화면 조정. **―하다.**

조정[2] (調停) 다투는 중간에 나서서 화해시킴. ㉠분쟁을 조정하다. ㉥중재. **―하다.**

조정[3] (朝廷) 예전에, 임금이 신하들과 나라의 정치를 의논하거나 집행하던 곳.

조정[4] (漕艇) 보트를 저어 정해진 거리에서 그 속력으로 승부를 겨루는 운동 경기.

조제 (調劑) 여러 가지 약을 알맞게 섞어 약제를 만듦. ㉠처방전에 따라 약을 조제하다. **―하다.**

조제실 (調劑室) 병원이나 약국에서 약사가 약을 짓는 방.

조:조 (早朝) 이른 아침.

조:조할인 (早朝割引) [조조하린] 극장 등에서, 보통 오전에 입장 요금을 깎아 주는 일. **―하다.**

조종 (操縱) **1** 비행기·배 따위를 다루어 부림. ㉠비행기를 조종하다. **2** 남을 자기 뜻대로 부림. ㉠배후에서 조종하다. **―하다.**

조종사 (操縱士) 비행기를 조종하는 사람.

조종석 (操縱席) 비행기에서 조종사가 앉는 자리.

조:준 (照準) 탄알이나 폭탄 따위가 목표에 명중하도록 총이나 포 따위를 겨냥하는 일. ㉠과녁의 한가운데를 조준하여 총을 쏘다. **―하다.**

***조직** (組織) **1** 여러 사람이 모여 단체 따위를 만듦. ㉠조직을 강화하다. **2** 모양과 크기, 기능이 같은 세포의 집단. ㉠신경 조직. **―하다.**

조직체 (組織體) 조직을 이루는 체제나 단체.

조짐 (兆朕) 어떤 일이 일어날 낌새. ㉠심상치 않은 조짐/물가가 오를 조짐이 보이다.

> **주의 조짐과 빌미**
>
> **조짐** 좋거나 나쁜 일이 생길 낌새를 이르는 말이다.
>
> **빌미** 재앙이나 병 같은 불행이 생기는 원인, 또는 탈이 생기는 까닭을 뜻하는 말이다. 조짐과는 달리 좋지 않은 일의 원인에만 쓰인다.

조차[1] (租借) 다른 나라의 영토의 한 지역을 일정한 기간 동안 빌려 통치하는 일. **—하다.**

조차[2] '도, 까지도, 마저'의 뜻으로, 앞의 말을 강조할 때 쓰는 말. ㉠너조차 나를 원망하느냐.

조찬 (朝餐) 손님을 초대하여 함께 먹는 아침 식사. ㉠조찬 모임.

조창 (漕倉) 고려·조선 때, 배로 실어 나를 곡식이나 특산물을 보관하던 창고.

조처 (措處) 문제나 일을 잘 정돈하여 처리함. ㉠적절한 조처를 취하다. 비 조치. **—하다.**

조:청 (造淸) 묽게 곤 엿.

조촐하다 **1** 아주 아담하고 깨끗하다. ㉠조촐한 집. **2** 소박하고 단출하다. ㉠생일상을 조촐하게 차리다.

조총 (鳥銃) '화승총'의 옛 이름.

조치 (措置) 일을 잘 살펴서 필요한 대책을 세워 처리함. ㉠응급 조치 / 조치를 강구하다. 비 조처. **—하다.**

*__조카__ 형제자매의 아들과 딸.

조:퇴 (早退) 학교나 직장 같은 데서, 끝나는 시간이 되기 전에 일찍 나감. ㉠감기 때문에 오전에 조퇴했다. **—하다.**

조판 (組版) 원고에 따라 뽑은 활자를 원고의 지시대로 맞추어 판을 짜는 일. **—하다.**

조:폐 (造幣) [— / 조페] 화폐를 만듦. **—하다.**

조:폐 공사 (造幣公社) [— / 조페—] 화폐·은행권·국채 및 증권 등을 만들어 내는 기관. 본 한국 조폐 공사.

조표 (調標) 곡의 첫머리의 음자리표 다음에 붙이는 '#'(올림표)나 '♭'(내림표).

조합 (組合) **1** 여럿을 모아 합하여 한 덩이가 되게 함. **2** 목적이나 이해를 같이하는 많은 사람이 모여 서로 돕기 위한 단체. 노동조합·농업 협동조합 따위. **—하다.**

조합원 (組合員) [조하붠] 조합에 가입한 사람.

조항 (條項) 조목이나 항목. ㉠법률 조항.

조:헌 (趙憲) 〖인명〗 조선 선조 때의 문신·학자. 호는 중봉. 이율곡의 학문을 계승 발전시킴. 임진왜란 때 의병을 일으켜 금산 전투에서 700명의 의병과 함께 전사함. [1544–1592]

조:형 (造形) 형체를 이루어서 만듦. ㉠조형 미술. **—하다.**

조:형물 (造形物) 형체를 이루어 만든 물건.

조:형미 (造形美) 사람이 만든 물건의 아름다움. ㉠조형미가 뛰어난 건축물.

조:형 예:술 (造形藝術) [—녜술] 물질적인 재료를 써서 공간에 이루어지는 예술. 그림·조각·건축 등. 비 공간 예술. 조형 미술.

조:혼 (早婚) 어린 나이에 일찍 혼인함. 또는 그 혼인. **—하다.**

조:화[1] (弔花) 죽음을 슬퍼하는 뜻으로 바치는 꽃.

조:화[2] (造化) **1** 대자연이 만물을 만들거나 없애는 힘과 재주. ㉠자연의 조화. **2** 어떻게 된 일인지 알 수 없는 신통한 일. ㉠무슨 조화인지 영문을 모르겠다.

조:화[3] (造花) 종이나 헝겊 따위로 만든 꽃. 반 생화.

*__조화__[4] (調和) 여럿이 서로 잘 어울리게 함. 또는 잘 어울림. ㉠조화를 이루다 / 빛깔이 잘 조화되다. **—하다. —롭다.**

조회[1] (朝會) 아침에 학교나 관청 등에서 구성원 모두가 한자리에 모여 인사·지시 사항 전달·체조 따위를 하기 위한 모임. ㉠조회 시간. 비 조례.

조:회[2] (照會) 어떤 내용에 대한 사실 여부를 확인하려고 관계되는 기

관에 알아봄. ㉠신원 조회 / 성적을 조회하다. **—하다.**

조회대 (朝會臺) 학교 운동장에서 조회를 할 때, 말하는 사람이 올라서는 조금 높은 단.

족 (足) 소나 돼지 따위의 무릎 아랫부분을 먹을 것으로 쓸 때 이르는 말. ㉠족을 푹 고아 먹다.

-족 (族) **1** 겨레의 뜻. ㉠여진족 / 거란족. **2** 같은 동아리나 부류의 사람을 뜻하는 말. ㉠얌체족 / 장발족.

족구 (足球) [족꾸] 발로 공을 차서 네트를 넘겨 두 팀이 승부를 겨루는 경기. 규칙은 배구와 비슷함.

족두리 [족뚜리] 예전에, 부녀자가 예복을 입을 때에 머리에 얹던 관의 일종. ㉠족두리를 쓰다.

〈족두리〉

족발 (足—) [족빨] 돼지의 발. 또는 그것을 조리한 음식.

족보 (族譜) [족뽀] 한 집안의 대대로 내려온 계통을 적은 책.

족속 (族屬) [족쏙] **1** 같은 문중의 겨레붙이. **2** 어떤 무리를 낮추어 이르는 말. ㉠남을 괴롭히는 한심한 족속.

족쇄 (足鎖) [족쐐] 예전에, 죄인의 발목에 채우던 쇠사슬.

족자 (簇子) [족짜] 글씨나 그림 따위를 꾸며서 벽에 걸거나 둘둘 말아 둘 수 있게 만든 물건.

족장 (族長) [족짱] 종족이나 부족의 우두머리.

족제비 [족쩨비] 족제빗과의 동물. 몸길이는 꼬리 끝까지 50 cm 정도로 쥐·닭 따위를 잡아먹음. 털은 겨울용 옷을 만들고 꼬리털은 붓을 만듦.

〈족제비〉

족족 [족쪽] '어떤 일을 할 때마다, 하는 것마다'의 뜻을 나타냄. ㉠돈을 버는 족족 써 버리다.

족집게 [족찝께] **1** 잔털이나 가시 따위를 뽑는 작은 기구. ㉠족집게로 흰머리를 뽑다. **2** 어떤 사실이나 비밀 따위를 잘 알아맞히는 사람. ㉠족집게같이 알아내다.

족치다 견디지 못하도록 몹시 볶아치다. ㉠죄인을 족쳐 자백을 받다.

족하다 (足—) [조카다] 수량이나 정도 따위가 넉넉하다. ㉠자격은 족하다 / 열 개로 족하다.

족히 (足—) [조키] 충분히. 능히. ㉠족히 칭찬할 만하다.

존경 (尊敬) 높이어 공손히 섬김. ㉠선생님을 존경하다 / 존경을 받다. 비 공경. **—하다.** ➜ respect

존경심 (尊敬心) 높이어 공손히 받드는 마음. ㉠존경심이 절로 우러나오다. 비 공경심.

존귀 (尊貴) 지위나 신분이 높고 귀함. ㉠존귀한 분. 비 고귀. 반 비천. **—하다.**

존대 (尊待) 존경하여 받들어 대접함. ㉠노인을 존대하다. 반 하대. **—하다.**

존댓말 (尊待—) [존댄말] 윗사람이나 남을 높이어 쓰는 말. 비 높임말. 경어.

존립 (存立) [졸립] 국가·단체·제도 따위가 망하거나 없어지지 않고 존재함. ㉠조직의 존립이 위태롭다. **—하다.**

존망 (存亡) 존속과 멸망. ㉠국가가 존망의 위기에 처하다.

존속[1] (存續) 그대로 계속하여 있음. ㉠존속 기간. **—하다.**

존속[2] (尊屬) 부모와 같은 항렬 이상의 사람. 부모·조부모·삼촌 등을 일컬음.

존엄 (尊嚴) [조넘] 높고 위엄이 있음. ㉠생명이란 존엄한 것이다. —

하다.

존엄성 (尊嚴性) [조넘썽] 높고 엄숙한 성질. ㉠인간의 존엄성.

존재 (存在) **1** 실재로 있음. ㉠신의 존재를 믿다. **2** 실재로 있는 사물이나 사람. ㉠세상에서 가장 귀한 존재. **—하다.**

*__존중__ (尊重) 높이 받들고 귀중하게 여김. ㉠남의 의사를 존중하다. **—하다. —히.**

존칭 (尊稱) 존경하는 뜻으로 높여 부르는 이름. ㉠선생님이라는 존칭을 쓰다. 반 비칭. **—하다.**

존폐 (存廢) [— / 존페] 남겨 두는 일과 없애는 일. ㉠존폐의 위기에 놓이다.

존함 (尊銜) 상대방의 이름을 높여 이르는 말. ㉠존함은 익히 들어 알고 있습니다.

졸개 (卒—) 남의 부하 노릇을 하면서 잔심부름하는 사람을 얕잡아 일컫는 말. 반 우두머리.

졸깃졸깃 [졸긷쫄긷] 씹을 때 차지고 질긴 느낌이 있는 모양. ㉠졸깃졸깃한 찰떡. 센 쫄깃쫄깃. **—하다.**

졸깃하다 [졸기타다] 씹을 때 차지고 질긴 느낌이 있다. 센 쫄깃하다.

졸:다[1] 졸음이 밀려와서 잠드는 상태로 들어가다. ㉠앉아서 꾸벅꾸벅 졸다 / 졸면서 운전하다. 활용 졸아 / 조니 / 조는.

졸:다[2] 분량이나 부피가 줄어들다. ㉠찌개가 바짝 졸았다. 활용 졸아 / 조니 / 조는.

졸도 (卒倒) [졸또] 심한 충격을 받거나 과로·병 등으로 갑자기 정신을 잃고 쓰러지는 일. ㉠과로로 졸도하다. **—하다.**

졸라매다 느슨하지 않게 단단히 동여매다. ㉠허리띠를 졸라매다.

졸랑거리다 경망스럽게 자꾸 까불다. 거 촐랑거리다.

졸랑졸랑 가벼운 몸놀림으로 자꾸 따라오는 모양.

졸래졸래 까불며 자꾸 따라오는 모양. ㉠졸래졸래 따라오다. 센 쫄래쫄래.

졸렬하다 (拙劣—) 서투르고 보잘것없다. 정도가 낮고 나쁘다. ㉠졸렬한 방법 / 졸렬한 수단.

졸:리다[1] 졸음이 와서 자고 싶은 느낌이 들다. ㉠졸린 눈 / 점심을 먹고 나니 슬슬 졸린다.

졸리다[2] 남에게 조름을 당하다. ㉠목이 졸리다 / 손목이 졸리다. 센 쫄리다.

졸망졸망 작은 것들이 여럿 모여 보기에 사랑스러운 모양. ㉠아이들이 졸망졸망 모여 있다. 큰 줄멍줄멍. **—하다.**

졸병 (卒兵) 계급이 낮은 병사. 비 군사. 병졸.

졸속 (拙速) [졸쏙] 일을 지나치게 서둘러 어설프고 서투름. ㉠졸속으로 공사를 끝내다.

졸아들다 [조라들다] 부피가 작아지다. 분량이 적어지다. ㉠국물이 졸아들다. 활용 졸아들어 / 졸아드니 / 졸아드는.

졸아붙다 [조라붙따] 바짝 졸아들어 물기가 거의 없을 정도에 이르다. ㉠생선찌개가 바짝 졸아붙다.

*__졸업__ (卒業) [조럽] **1** 학교에서의 정해진 교과 과정을 다 마침. ㉠졸업생 / 초등학교를 졸업하다. 반 입학. **2** 어떤 부문의 일이 익숙하게 됨. ㉠이제 이 일에서 졸업했다. **—하다.**

졸업반 (卒業班) [조럽빤] 졸업을 앞둔 학년. ㉠졸업반 학생.

졸업식 (卒業式) [조럽씩] 졸업장을 주는 의식. 반 입학식.

졸업장 (卒業狀) [조럽짱] 졸업을 증명하는 증서. ㉠졸업장을 타다.

*__졸:음__ [조름] 잠이 오는 느낌. 자고 싶은 기분. ㉠졸음을 쫓다 / 졸음이

쏟아지다 / 졸음이 오다.

졸이다 [조리다] **1** 졸아들게 하다. ㉠국물을 졸이다. **2** 속을 태우다시피 조바심하다. ㉠마음을 졸이다. →조리다 주의

졸장부 (拙丈夫) [졸짱부] 활달하지 못하고 옹졸한 사내. ㉠졸장부라고 놀림을 받다. 반 대장부.

졸졸 **1** 가는 물줄기가 끊임없이 흐르는 소리. ㉠시냇물이 졸졸 흐르다. **2** 사람이나 작은 동물이 줄곧 뒤를 따라다니는 모양. ㉠강아지가 졸졸 따라오다. 큰 줄줄. 센 쫄쫄.

졸졸거리다 가는 물줄기가 잇달아 졸졸 소리를 내며 흐르다. 큰 줄줄거리다. 센 쫄쫄거리다.

졸지에 (猝地—) [졸찌에] 갑자기. ㉠불이 나서 졸지에 자식을 잃다.

졸필 (拙筆) 잘 쓰지 못한 글씨. 서투른 글씨.

좀[1] 옷이나 나무, 책 따위에 구멍을 내는 아주 작은 해충.

좀이 쑤시다 마음이 들떠서 가만히 참고 기다리지 못하다.

*__좀__[2] **1** '조금'의 준말. ㉠좀 나은 편이다. **2** 부탁이나 동의를 구할 때 말을 부드럽게 하기 위해 더하는 말. ㉠연필 좀 빌려 줘.

좀:[3] 그 얼마나. ㉠좀 예쁜가.

좀도둑 [좀또둑] 자질구레한 물건을 훔쳐 가는 도둑.

좀먹다 [좀먹따] **1** 물건에 좀이 슬다. **2** 어떤 사물에 대하여 모르는 가운데에 손해를 입히다.

좀스럽다 [좀스럽따] **1** 사물의 규모가 작다. ㉠좀스러운 계획. **2** 도량이 좁고 옹졸한 데가 있다. 활용 좀스러워 / 좀스러우니.

좀약 (—藥) [좀냑] 좀이 생기는 것을 막기 위해 쓰는 약품. 나프탈렌 따위. ㉠서랍에 좀약을 넣다.

좀:처럼 여간해서는. ㉠좀처럼 풀기 어려운 문제다. 비 좀체.

*__좁다__ [좁따] **1** 너비나 공간이 작다. 넓지 않다. ㉠길이 좁다. **2** 마음이나 생각이 너그럽지 못하다. ㉠속이 좁다. **3** 내용이나 범위가 넓지 않다. ㉠좁은 의미 / 시야가 좁다. 반 넓다.

좁다랗다 [좁따라타] 너비나 공간이 매우 좁다. ㉠좁다란 방. 활용 좁다라니 / 좁다래서.

좁쌀 **1** 조의 열매로 노랗고 알이 아주 자잘한 곡식. **2** 몹시 작고 좀스러운 사물이나 사람을 비유하는 말. ㉠좁쌀영감.

좁히다 [조피다] **1** 좁게 만들다. ㉠앞사람과의 거리를 좁히다. **2** 차이를 줄이다. ㉠의견 차이를 좁히다.

종:[1] 예전에 남의 집에 얽매여서 대대로 천한 일을 하던 사람. ㉠종살이 / 종을 부리다. 비 노비. 하인. 반 상전.

*__종__[2] (種) **1** 생물의 분류에서 '속'의 아래로 가장 낮은 단계. **2** 공통되는 성질들을 함께 가지고 있어 하나의 개념으로 묶일 수 있는 개체들.

*__종__[3] (鐘) 시간을 알리거나 신호를 보내려고 치거나 흔들어서 소리를 내는, 쇠로 만든 물건. ㉠종을 치다 / 종이 울리다. ➲ bell

-종[1] (宗) 불교나 도교의 갈래를 뜻함. ㉠화엄종 / 조계종.

-종[2] (種) 종류·품종 따위의 뜻. ㉠개량종 / 재래종.

종가 (宗家) 한 문중에서 맏이로만 이어 온 큰집. 비 큰집.

종각 (鐘閣) 큰 종을 달아 두기 위하여 지은 누각.

종강 (終講) 한 학기의 강의가 끝나거나 강의를 끝마침. 또는 그 강의. ㉠이번 학기는 오늘로 종강이다. **—하다.**

종결 (終結) 일을 끝냄. ㉠현장 조사를 종결하다 / 사건이 종결되다. **—하다.**

*__종교__ (宗敎) 신이나 절대자 등을 믿어 마음의 평안과 행복을 얻으려는 일. 기독교·불교·천주교·이슬람교 따위. ㉐종교 음악 / 종교학 / 종교를 믿다 / 종교에 귀의하다.

종교 개ː혁 (宗敎改革) 16 세기에 유럽에서 로마 가톨릭교회에 반대하여 프로테스탄트 교회를 세운 기독교의 개혁 운동.

종교계 (宗敎界) [ㅡ / 종교게] 종교를 믿는 사람들의 사회.

종국 (終局) 일의 마지막. ㉐종국에 가서는 탄로날 것이다. ㉥끝판.

종군 (從軍) 군대를 따라 전쟁터로 나감. ㉐종군 간호사 / 종군 기자. **—하다.**

종ː기 (腫氣) 살갗의 한 부분이 곪아 고름이 생긴 상처. ㉐종기가 나다. ㉥부스럼.

종내 (終乃) 마침내. 끝끝내. ㉐기다려도 그는 종내 오지 않았다.

종다래끼 대나 싸리 따위로 만든 작은 바구니.

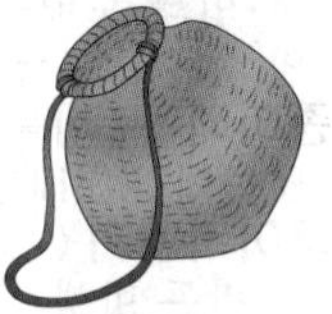

〈종다래끼〉

종다리 종다릿과의 새. 몸빛은 붉은 갈색에 거무스름한 가로무늬가 있고 배 쪽은 흼. 봄에 공중으로 높이 날아오르며 고운 소리로 욺. ㉥종달새.

〈종다리〉

종단 (縱斷) 남북의 방향으로 건너가거나 건너옴. ㉐국토 종단 계획. ㉦횡단. **—하다.**

종달새 [종달쌔] ⇨종다리.

종대 (縱隊) 세로로 줄을 지어서 늘어선 모양. ㉐일렬종대로 모여. ㉦횡대.

종두 (種痘) 천연두를 예방하기 위하여 사람의 몸에 우두를 접종하는 일.

종두법 (種痘法) [종두뻡] 종두하는 방법. 영국의 의사 제너가 발견함. ㉥우두법.

종래 (從來) [종내] 이전부터 지금까지의 동안. ㉐종래 없었던 큰 사건이다.

종량제 (從量制) [종냥제] 이용 요금·세금 따위가 사용량·배출량 등에 따라서 매겨지는 제도. ㉐쓰레기 종량제.

종려나무 (棕櫚—) [종녀나무] 야자과의 상록 교목. 높이는 3–7 m이고 잎은 큰 부채 모양이며 5월에 노란 꽃이 핌. 정원수로 재배함.

종렬 (縱列) [종녈] 세로로 줄을 지음. 또는 그 줄. ㉦횡렬.

종례 (終禮) [종녜] 학교에서 학교 공부를 마친 뒤에, 담임선생과 학생들이 모여서 하는 인사. ㉐종례 시간. ㉦조례.

종료 (終了) [종뇨] 어떤 행동이나 일 따위를 끝마침. ㉐작업이 종료되다 / 경기 종료 5분 전에 한 골을 넣다. ㉦개시. 시작. **—하다.**

*__종ː류__ (種類) [종뉴] 사물의 상태나 성질에 따라 나누는 갈래. ㉐같은 종류로 나누다 / 종류가 다양하다 / 종류가 많다. ➡kind

종막 (終幕) **1** 연극 따위의 끝막. **2** 일의 끝판이나 사건의 최후. ㉐종막을 고하다.

종말 (終末) 계속된 일이나 현상의 맨 끝. ㉐인생의 종말 / 종말이 다가오다. ㉥끝판. 최후.

종ː목 (種目) 종류에 따라 나눈 항목. ㉐경기 종목. ㉥항목.

종묘[1] (宗廟) 조선 역대 임금과 왕비의 위패를 모신 사당. 서울특별시 종로구 종로 3가에 있음.

종묘[2] (種苗) 식물의 씨나 싹을 심어서 가꿈. 또는 그런 모종이나 묘목. ㉐종묘 재배.

종묘 제:례악 (宗廟祭禮樂) 조선 때, 종묘에서 제사를 지낼 때 연주하던 음악. 1996 년 유네스코 세계 문화유산으로 지정되었으며 무형 문화재 제1호임.

종반 (終盤) **1** 바둑·운동 경기 등에서, 승부가 끝나갈 무렵. ㉡종반전. **2** 행사·일 따위의 끝판에 가까운 단계. 반 초반.

종사 (從事) 어떤 일을 직업으로 삼아서 일함. ㉡종사자 / 평생을 교육에 종사하다. **—하다.**

종서 (縱書) 글을 세로로 씀. 비 세로쓰기. 반 횡서.

종성 (終聲) ⇨받침[1].

종소리 (鐘—) [종쏘리] 종이 울리는 소리. ㉡종소리가 은은하게 울려 퍼지다.

종속 (從屬) 다른 것의 지배를 받거나 주되는 것에 딸려 붙음. ㉡종속 관계 / 개인은 국가에 종속된다. **—하다.**

종손 (宗孫) 종가의 대를 이을 자손. 또는 종가의 맏손자.

종신 (終身) **1** 목숨이 다할 때까지의 동안. ㉡종신회원. **2** 한평생을 마침. 비 임종. **—하다.**

종신형 (終身刑) 죽을 때까지 감옥에서 옥살이를 하게 하는 형벌. ㉡종신형을 받다. 비 무기형.

종씨 (宗氏) 같은 성으로서 촌수를 따질 정도가 못 되는 사람끼리 쓰는 호칭.

종:아리 무릎과 발목 사이의 뒤쪽 근육 부분.

종아리(를) 맞다 잘못에 대한 벌로 종아리에 매를 맞다.

종아리(를) 치다 벌로 종아리를 때리다.

종알거리다 남이 잘 알아듣기 어려울 정도의 작은 목소리로 혼잣말을 자꾸 하다. 큰 중얼거리다. 센 쫑알거리다.

종알종알 종알거리는 모양. ㉡이번 시험 문제에 대하여 종알종알 불평이 많다. 큰 중얼중얼. 센 쫑알쫑알. **—하다.**

종:양 (腫瘍) 세포가 병적으로 수가 늘어나 만들어진 쓸모없는 살덩어리.

종업 (終業) **1** 일을 끝마침. **2** 학교에서 한 학기나 한 학년을 마침. ㉡종업식. 반 시업. **—하다.**

종업원 (從業員) [종어붠] 회사나 가게에 고용되어 일하는 사람. ㉡식당 종업원.

종용 (慫慂) 어떤 일을 하도록 권하거나 부추김. ㉡친구의 종용으로 태권도를 배우다. **—하다.**

종유석 (鍾乳石) ⇨돌고드름.

***종이** 주로 식물성 섬유로 만든 펄프를 얇게 펴서 굳히어 낸 물건. 서화·인쇄·도배·포장 따위에 널리 쓰임. ㉡종이를 접다. ➡ paper

***종이배** 종이를 접어 만든 배. ㉡시냇물에 종이배를 띄우다.

종이비행기 (—飛行機) 종이를 접어 만든 비행기. ㉡종이비행기를 접어 날리다.

종이접기 [종이접끼] 종이를 접어서 여러 가지 물건의 모양을 만드는 놀이.

종이쪽 종이의 작은 조각. 비 종잇조각.

종이컵 (—cup) 종이로 만든 일회용 컵.

종이학 (—鶴) 종이를 접어서 학 모양으로 만든 것.

***종일** (終日) 아침부터 저녁까지의 하루 낮 동안. ㉡종일 책을 읽었다. 비 온종일.

종일토록 (終日—) 하루 낮 내내. ㉡종일토록 비가 내렸다.

종잇장 (—張) [종이짱 / 종인짱] 종이의 낱장. ㉡종잇장같이 얇다 / 종잇장들이 바람에 날린다.

종자 (種子) 채소나 곡식의 씨. ㉑ 종자를 개량하다. 비 씨. 씨앗.

종작없다 [종자겁따] 전혀 짐작이 가지 않다. ㉑종작없는 마음.

종잘거리다 수다스럽게 종알거리다. 큰 중절거리다. 센 쫑잘거리다.

종잘종잘 수다스럽게 종알거리는 소리. 또는 그 모양. **—하다.**

종잡다 [종잡따] 어림짐작으로 이해하거나 알아차리다. ㉑종잡을 수 없는 말.

종장 (終章) 시조나 노래의 마지막 장. *초장. 중장.

종적[1] (蹤迹〔跡〕) 없어지거나 떠난 뒤에 남는 자취. ㉑종적을 감추다 / 종적이 묘연하다. 비 흔적.

종적[2] (縱的) [종쩍] 위와 아래, 상하의 관계에 있는 (것).

종전[1] (從前) 지금보다 이전. ㉑요금은 종전대로 받는다.

종전[2] (終戰) 전쟁이 끝남. 또는 전쟁을 끝냄. 반 개전. **—하다.**

종점 (終點) [종쩜] 기차·버스 따위의 마지막 도착지. ㉑버스 종점. 비 종착역. 반 기점.

종:조모 (從祖母) 종조부의 아내.

종:조부 (從祖父) 할아버지의 형이나 아우. 준 종조.

종족 (種族) **1** 조상이 같고 공통되는 언어·풍속·습관·문화 등을 가진 집단. **2** 같은 종류의 생물 전체.

종:종 (種種) 가끔. 이따금. ㉑종종 찾아오는 친구. ➲often

종종거리다 **1** 원망하는 태도로 자꾸 종알거리다. **2** 발걸음을 가까이 자주 떼며 급히 걷다. 센 쫑쫑거리다. 거 총총거리다.

종종걸음 [종종거름] 발걸음을 가까이 자주 떼며 급히 걷는 걸음. ㉑추워서 종종걸음으로 걷다. 센 총총걸음.

종주국 (宗主國) **1** 어떤 일을 처음 시작한 나라. ㉑태권도의 종주국. **2** 다른 나라의 정치·외교를 관리하고 지배하는 나라.

종:주먹 상대를 위협하는 뜻으로 단단히 쥐어 보이는 주먹. ㉑솔직히 말하라고 종주먹을 들이대다.

종지 간장·고추장 따위를 담아 상에 놓는 작은 그릇. ㉑간장 종지.

종지부 (終止符) ⇨마침표.

종지부(를) 찍다 어떤 일의 결말을 짓다. ㉑가수 생활에 종지부를 찍다.

종:질 (從姪) 사촌 형제의 아들.

종:질녀 (從姪女) [종질려] 사촌 형제의 딸.

종착역 (終着驛) [종창녁] 기차·전차 따위가 마지막으로 도착하는 역. ㉑경부선의 종착역. 비 종점. 반 시발역.

종친 (宗親) 성과 본이 같은 일가붙이.

종친회 (宗親會) 성과 본이 같은 일가붙이끼리 모이는 모임.

종탑 (鐘塔) 교회나 성당에서 종을 매달아 치도록 만든 탑.

종파 (宗派) **1** 종가의 계통. **2** 같은 종교에서 서로 주장하는 교리를 따라 세운 갈래. 비 교파. 종문.

***종합** (綜合) 관련되는 여러 가지를 한데 모아 합함. ㉑종합 운동장 / 종합 상가 / 의견을 종합하다. **—하다.**

종합 대:학 (綜合大學) [—때학] 셋 이상의 단과 대학과 대학원으로 이루어진 대학. ㉑종합 대학으로 승격하다.

종합 병:원 (綜合病院) [—뼝원] 각종 병을 고칠 수 있도록 여러 종류의 진료 과목을 한 곳에 설치한 병원.

종합 예:술 (綜合藝術) [종함녜술] 분야가 다른 여러 예술의 요소를 종합한 대규모의 예술. 영화·연극·오페라 따위.

종합장 (綜合帳) [종합짱] 일정한

내용이 아니라, 여러 가지 내용을 필요한 대로 적어 두는 공책.

종합적 (綜合的) [종합쩍] 여러 가지를 한데 모아 합한 (것). ㉠종합적인 판단.

종ː형 (從兄) 사촌 형.

종횡 (縱橫) 세로와 가로.

종횡무진 (縱橫無盡) 자유롭고 거침이 없이 행동하는 상태. ㉠종횡무진으로 활약하다.

좇다 [졷따] **1** 뒤를 따르다. ㉠머리에서 발끝까지 유행을 좇다. **2** 복종하다. ㉠부모님의 말씀을 좇다.

> 주의 **좇다**와 **쫓다**
> **좇다** 1 뒤를 따르다. 2 남의 뜻을 따라 그대로 하다. 복종하다. 3 대세를 따르다. ㉠여론을 좇다.
> **쫓다** 1 있는 데에서 떠나도록 몰다. ㉠파리를 쫓다. 2 급한 걸음으로 뒤를 따르다.

좇아가다 [조차가다] **1** 뒤를 따라가다. **2** 남이 하는 대로 따르다. ㉠최신 유행을 좇아가다. 활용 좇아가거라.

좇아오다 [조차오다] **1** 뒤를 따라오다. **2** 남이 내가 하는 대로 따라오다. 활용 좇아오너라.

*__좋ː다__ [조타] **1** 즐겁다. 유쾌하다. ㉠기분이 좋다. **2** 아름답다. ㉠경치가 좋다. **3** 훌륭하다. ㉠음식 솜씨가 좋다. **4** 낫다. 유익하다. ㉠이 책이 더 좋다. **5** 상관없다. ㉠먹으러 가도 좋다. **6** 적당하다. 알맞다. ㉠좋은 예를 들다. **7** 기쁘다. ㉠좋은 날. **8** 친하다. ㉠친구들과 사이가 좋다. 발음 좋고[조코] / 좋아[조아] / 좋소[조쏘]. ➡ good

좋ː아지다 [조아지다] **1** 좋게 되다. ㉠품질이 좋아지다. **2** 좋아하게 되다. ㉠고양이가 점점 좋아지다.

*__좋ː아하다__ [조아하다] **1** 좋은 느낌을 가지다. ㉠꽃을 좋아하다. **2** 하고 싶어하거나 먹고 싶어하다. ㉠과일을 좋아하다. **3** 남에게 사랑을 느끼다. ㉠짝꿍을 좋아하다. **4** 기뻐하다. 즐거워하다. ㉠대학에 합격해 좋아하다. 반 싫어하다. ➡ like

좌ː (左) '왼쪽'의 뜻. ㉠좌로 봐 / 핸들을 좌로 꺾다. 반 우.

좌ː담 (座談) 여러 사람이 한자리에 모여 앉아서 형식에 얽매이지 않고 자유롭게 의견이나 이야기를 주고받는 일. **—하다.**

좌ː담회 (座談會) 여러 사람이 모여 앉아 어떤 문제를 중심으로 하여 각자의 의견을 이야기하는 모임.

좌르르 **1** 물줄기가 잇달아 세차게 쏟아지는 소리나 모양. **2** 작은 물건 여러 개가 한꺼번에 쏟아지는 소리나 모양. ㉠연필이 좌르르 쏟아지다. 센 좌르르.

좌ː변 (左邊) 등식이나 부등식에서, 등호 또는 부등호의 왼쪽에 적은 수나 식. 반 우변.

좌ː석 (座席) 앉는 자리. ㉠지정 좌석 / 좌석에 앉다.

좌ː석 버스 (座席bus) 앉는 자리가 배당되어 있는 버스.

*__좌ː우__ (左右) **1** 왼쪽과 오른쪽. **2** 옆. 측근. ㉠좌우를 살펴라 / 좌우를 물리치다. **3** 마음대로 다루거나 움직임. ㉠생사를 좌우하다 / 돈에 좌우되다. 본 좌지우지. **—하다.**

좌ː우간 (左右間) 이렇든 저렇든 간에. 어떻게 되든지 간에. ㉠좌우간 대답부터 해라. 비 좌우지간.

좌ː우명 (座右銘) 늘 마음에 새겨 두고 가르침으로 삼는 말이나 글. ㉠벽에 좌우명을 써 붙이다.

좌ː의정 (左議政) [—/좌이정] 조선 때, 의정부의 정일품 벼슬. 비 좌상. *영의정. 우의정.

좌ː절 (挫折) **1** 마음과 기운이 꺾임. ㉠좌절을 겪다 / 좌절을 맛보다.

2 어떤 계획이나 일이 실패로 돌아감. ㉔무전여행 계획이 좌절되다. **—하다.**

좌:중 (座中) 여러 사람이 모인 자리. 또는 모여 앉은 여러 사람. ㉔좌중을 둘러보다 / 좌중을 웃기다.

좌:지우지 (左之右之) 제 마음대로 다루거나 휘두름. **—하다.**

좌:초 (坐礁) 배가 물속의 보이지 않는 바위에 걸림. **—하다.**

좌:측 (左側) 왼쪽. 반 우측.

좌:측통행 (左側通行) 길을 갈 때 길의 왼쪽으로 다니는 일. 반 우측통행.

*__좌:표__ (座標) 평면이나 공간에서 점의 위치를 나타내는 수치.

좌:표축 (座標軸) 좌표의 기준이 되는 가로와 세로의 축.

좌:회전 (左回轉) 차 따위가 왼쪽으로 돎. 또는 왼쪽으로 돌림. ㉔차가 좌회전하다. 반 우회전. **—하다.**

좍 **1** 넓게 퍼지는 모양. ㉔소문이 좍 퍼지다. **2** 거침없이 읽거나 말하거나 행동하는 모양. ㉔편지를 좍 훑어보다. 센 쫙.

좍좍 [좍쫙] **1** 굵은 빗방울이나 물줄기가 세게 쏟아지는 모양이나 소리. ㉔비가 좍좍 오다. **2** 거침없이 계속 읽거나 말하는 모양. ㉔천자문을 좍좍 읽어 내려가다. **3** 잇달아 넓게 퍼지는 모양. 센 쫙쫙.

좔좔 **1** 많은 양의 액체가 힘차게 흐르는 모양. 또는 그 소리. ㉔시냇물이 좔좔 흐르다. **2** 거침없이 읽거나 외거나 말하는 모양. ㉔구구단을 좔좔 외우다.

*__죄:__ (罪) **1** 도덕이나 법률에 벗어난 나쁜 행실. ㉔죄와 벌 / 죄를 저지르다. **2** 벌을 받을 만한 짓. ㉔지각한 죄로 청소를 했다.

죄:다[1] **1** 느슨한 것을 켕기어 팽팽하게 하다. ㉔고삐를 죄다. **2** 벌어진 사이를 좁히다. ㉔볼트를 죄다. **3** 마음을 졸여 간절히 바라고 기다리다. ㉔마음을 죄다. 비 조이다.

죄:다[2] 모조리 다. ㉔죄다 먹어 버리다. 준 죄.

죄:명 (罪名) 죄의 이름. ㉔죄명이 밝혀지다.

죄:목 (罪目) 저지른 죄의 종류.

죄:받다 (罪—) [죄받따] 악한 일을 하여 괴로운 일을 당하다. ㉔착한 사람을 괴롭히면 죄받는다.

죄:상 (罪狀) 죄를 저지른 실제의 사정. ㉔죄상이 드러나다.

죄:송스럽다 (罪悚—) [죄송스럽따] 죄송한 마음이 있다. ㉔미리 연락을 못 드려서 죄송스럽습니다. 활용 죄송스러워 / 죄송스러우니.

*__죄:송하다__ (罪悚—) 죄스럽고 미안하다. ㉔늦어서 죄송합니다. 비 송구하다. 황송하다.

죄:수 (罪囚) 교도소에 갇힌 죄인. ㉔죄수복 / 죄수가 도망을 치다.

죄:스럽다 (罪—) [죄스럽따] 죄를 짓기나 한 것처럼 마음이 편하지 않다. ㉔부모님을 속인 것 같아 죄스럽다. 활용 죄스러워 / 죄스러우니.

죄:악 (罪惡) 죄가 될 만한 나쁜 짓. ㉔죄악감 / 죄악을 저지르다.

죄암죄암 젖먹이에게 죄암질을 시킬 때 하는 소리. 준 죔죔.

죄암질 젖먹이가 두 손을 쥐었다 폈다 하며 재롱을 부리는 일을 귀엽게 이르는 말. **—하다.**

죄어들다 안으로 바싹 오그라들다. 비 조여들다. 활용 죄어들어 / 죄어드니 / 죄어드는.

죄:의식 (罪意識) [— / 죄이식] 저지른 죄과나 잘못에 대하여 스스로 느끼고 깨닫는 것. ㉔죄의식에 사로잡히다 / 죄의식을 느끼다.

죄이다 죔을 당하다. ㉔나사가 꼭 죄이다.

죄:인 (罪人) 죄를 지은 사람.

죄:짓다 (罪—) [죄짇따] 죄가 될

일을 하다. ㉡죄짓고는 못 산다. [활용]죄지어 / 죄지으니 / 죄지은.

죄:책감 (罪責感) [죄책깜] 저지른 잘못에 대해 책임을 느끼는 마음. ㉡죄책감에 시달리다.

죗:값 (罪—) [죄깝 / 줸깝] 지은 죄에 대하여 치르는 대가. ㉡죗값을 받다 / 죗값을 톡톡히 치르다.

*__주__[1] (主) **1** 여럿 중에서 가장 중심이 되거나 중요한 것. ㉡올해는 액션 영화가 주를 이뤘다. **2** 기독교에서, 하나님이나 예수님을 이르는 말.

주[2] (州) 미국의 행정 구역의 하나. ㉡워싱턴 주.

*__주__[3] (週) 일·월·화·수·목·금·토의 7일 동안. ➲ week

주[4] (株) **1** '주식(株式)'의 준말. **2** 증권이나 주식을 세는 단위. ㉡주식을 50 주 사다.

주- (主) 주되는 것·본질적인 것을 나타내는 말. ㉡주원인 / 주개념.

-주 (主) '주인'의 뜻. ㉡건물주 / 사업주 / 소유주.

주간[1] (主幹) 어떤 일을 책임지고 맡아 처리함. 또는 그 사람. ㉡잡지사 주간.

주간[2] (晝間) 낮. 낮 동안. ㉡주간 근무. [반]야간.

주간[3] (週間) **1** 한 주일 동안. ㉡주간 일기 예보. **2** 한 주일 동안을 세는 단위. ㉡앞으로 일 주간 금식할 계획이다.

주간[4] (週刊) 한 주일에 한 번씩 신문·잡지 따위를 펴냄. ㉡주간 신문. ＊월간. 일간.

주간지 (週刊誌) 한 주일에 한 번씩 펴내는 잡지.

주객 (主客) **1** 주인과 손님. **2** 주되는 사물과 거기 딸린 사물.

주:거 (住居) 일정한 곳에 자리 잡고 삶. 또는 그 집. ㉡주거 문화 / 주거 환경. **—하다.**

주:거지 (住居地) 살고 있는 지역. ㉡주거지가 분명치 않다.

주걱 **1** 밥을 푸는 도구. [본]밥주걱. **2** 발이 구두에 잘 들어가게 하는 도구. [본]구둣주걱.

주검 죽은 몸뚱이. [비]송장. 시체.

> [주의] **주검과 죽음**
> **주검** 죽은 몸뚱이. 시체. ㉡친구의 주검 앞에서 밤새워 울었다.
> **죽음** 죽는 일. 사망. ㉡죽음으로써 나라를 지키다.

주경야독 (晝耕夜讀) [주경냐독] 낮에는 농사를 짓고 밤에는 글을 읽는다는 뜻으로, 어려운 상황에서도 꿋꿋하게 열심히 공부함을 이르는 말. **—하다.**

*__주고받다__ [주고받따] 서로 주기도 하고 받기도 하다. ㉡친구와 편지를 주고받다.

주관[1] (主管) 어떤 일이나 행사 따위를 중심이 되어 책임지고 맡아 관리함. ㉡교육부가 주관하는 독서 감상문 쓰기 대회. **—하다.**

> [주의] **주관과 주최**
> **주관** 어떤 일 또는 행사에 대하여 실무 처리를 맡을 때 주로 쓰인다.
> **주최** 어떤 일 또는 행사에 대하여 계획하고 최종 결정을 하며, 이에 따르는 책임을 질 때 주로 쓰인다.

주관[2] (主觀) 자기만의 생각 또는 자기에게 치우친 생각. ㉡주관을 세우다 / 주관이 뚜렷하다. [반]객관.

주관성 (主觀性) [주관썽] 주관적인 성질. [반]객관성.

주관식 (主觀式) 주어진 항목에서 고르지 않고 시험 문제의 답을 직접 적는 방식. [반]객관식.

주관적 (主觀的) 주관을 바탕으로 한 (것). ㉡주관적인 견해 / 주관적인 판단. [반]객관적.

*주교 (主敎) 천주교에서, 일정한 교구를 다스리는 교직. 또는 그 직에 있는 사람.

주권 (主權) [주꿘] 1 가장 중요한 권리. 2 나라의 구성 요소로 나라의 의사를 최종적으로 결정하고 실시하는 최고의 권력. ㉑대한민국의 주권은 국민에게 있다.

주근깨 얼굴의 군데군데에 생기는 갈색의 작은 점.

주기 (週期) 한 바퀴를 도는 데 걸리는 기간. ㉑달의 공전 주기.

주기도문 (主祈禱文) 예수가 제자들에게 직접 가르친 기도문.

주기적 (週期的) 일정한 간격을 두고 같은 일이 되풀이되는 (것). ㉑주기적으로 나타나다.

주낙 낚싯줄에 여러 개의 낚시를 달아 물살을 따라서 얼레를 감았다 풀었다 하여 물고기를 잡는 기구.

주년 (周〔週〕年) 일 년을 단위로 돌이 돌아오는 해를 세는 말. ㉑개교 15 주년.

주ː눅 기운을 펴지 못하고 움츠러드는 태도나 성질.

주눅(이) 들다 기운을 펴지 못하고 움츠러들다.

*주다[1] 1 내 것을 남에게 건네어 가지게 하다. ㉑생일 선물을 주다. 높 드리다. 2 받게 하다. 입게 하다. ㉑이익을 주다 / 충격을 주다. 3 눈길·마음·정 따위를 보내다. ㉑따뜻한 눈길을 주다. ➲ give

*주다[2] 동사의 어미 '-아'나 '-어'에 붙어 남을 위해 행동하는 뜻을 보이는 동사. ㉑봐 주다 / 읽어 주다 / 편지를 써 주다.

주도 (主導) 주장이 되어 이끌거나 지도함. —하다.

주도권 (主導權) [주도꿘] 주장이 되어 일을 이끌거나 지도하는 권리. ㉑주도권을 장악하다.

주동 (主動) 어떠한 일에 주장이 되어 행동함. ㉑학생들이 주동하여 개천 살리기 운동을 하다. —하다.

주동자 (主動者) 어떠한 일에 주장이 되어 행동하는 사람. ㉑주동자를 찾아내다 / 시위 주동자로 몰리다. 비 주모자.

주되다 (主—) 주장이나 중심이 되다. ㉑주된 목적이 무엇이냐.

주ː둔 (駐屯) 군대가 어떤 지역에 머무름. ㉑주둔군. —하다.

주둥아리 1 '입'의 낮춤말. ㉑함부로 주둥아리를 놀리지 마라. 2 '부리'의 낮춤말. ㉑새 주둥아리. 준 주둥이. 작 조동아리.

주둥이 '주둥아리'의 준말.

주렁주렁 나무에 열매 따위가 많이 매달려 있는 모양. ㉑잘 익은 감이 주렁주렁 달렸다. 작 조랑조랑.

주력[1] (主力) 주장·중심이 되는 힘. ㉑주력 선수 / 주력 부대.

주ː력[2] (注力) 힘을 쏟아 기울임. 힘을 들임. ㉑경제 발전에 주력하다. —하다.

주례 (主禮) 예식을 맡아 진행하는 일. 또는 그 사람. ㉑주례로 모시다 / 주례를 맡다 / 주례를 보다. —하다.

주례사 (主禮辭) 주례하는 사람이 예식에서 하는 축하의 글이나 말.

*주로 (主—) 주장으로 삼아서. 주되게. ㉑주로 학생들이 모이는 장소.

주룩 굵은 물줄기나 빗물 따위가 빠르게 잠깐 흐르다가 그치는 소리. 작 조록. 센 쭈룩.

주룩주룩 [주룩쭈룩] 잇달아 나는 주룩 소리. ㉑하루 종일 비가 주룩주룩 내렸다. 작 조록조록. 센 쭈룩쭈룩. —하다.

주류[1] (主流) 1 강의 주되는 큰 흐름. ㉑한강의 주류. 2 어떤 사상이나 학술 따위의 주된 갈래.

주류[2] (酒類) 술의 종류.

주르르 1 잼싼 걸음으로 앞만 바라보고 나아가는 모양. ㉑구경꾼들이 주르르 달려 나왔다. **2** 물줄기가 끊이지 않고 흐르는 모양. ㉮양동이의 물이 주르르 새다. **3** 비탈진 곳을 미끄러지듯 흘러내리는 모양. ㉮비탈길에서 주르르 미끄러지다. ㉶조르르. ㉷쭈르르.

주르륵 굵은 물줄기 따위가 빠르게 잠깐 흐르다 그치는 소리. 또는 그 모양. ㉮눈물이 주르륵 흐르다. ㉶조르륵.

주름 **1** 피부가 늘어지거나 노화되어 생긴 잔금. **2** 옷의 폭 따위를 줄이 지게 접은 금. ㉮주름을 잡다. **3** 헝겊·종이 따위에 생긴 구김살. ㉮주름을 펴다 / 주름이 가다.

주름살 [주름쌀] 살갗에 생긴 잔금. ㉮이마의 주름살 / 주름살이 잡히다.

주름잡다 [주름잡따] 모든 일을 자기가 하고 싶은 대로 앞장서서 처리하다. ㉮천하를 주름잡다.

주리 예전에 죄인의 두 다리를 한데 묶고 다리 사이에 두 개의 막대기를 끼우고 비틀던 형벌. ㉮주리를 틀다.

주:리다 **1** 제대로 먹지 못하여 배를 곯다. ㉮주린 배를 물로 채우다. **2** 원하는 것을 얻지 못하여 아쉬워하다. ㉮사랑에 주린 아이.

> 주의 **주리다**와 **줄이다**
> **주리다** 먹을 만큼 먹지 못하여 배곯다. ㉮오래 주리며 살았다.
> **줄이다** 줄게 하다. ㉮양을 줄이다 / 수효를 줄이다.

주마간산 (走馬看山) 말을 타고 달리며 산천을 구경한다는 뜻으로, 자세히 살피지 않고 대충 보고 지나감을 이르는 말.

주마등 (走馬燈) **1** 돌아가는 대로 그림이 따라 돌아 보이는 등. **2** 사물이 덧없이 빨리 변함의 비유. ㉮주마등 같은 인생.

주막 (酒幕) 예전에, 시골 길가에서 술과 밥을 팔고 나그네를 재우기도 했던 집. ㉥주막집.

***주말** (週末) 한 주일의 끝. 토요일부터 일요일에 걸치는 동안. ㉮주말에 여행을 다녀오다. ➡ weekend

***주머니** **1** 돈이나 필요한 물품을 넣기 위해 헝겊이나 가죽으로 만들어 끈을 꿰어서 허리에 차거나 들게 된 물건. ㉮도시락 주머니. **2** 옷에 달아 물건을 넣게 헝겊을 덧대어 만든 것. ㉮주머니를 뒤지다 / 주머니에서 돈을 꺼내다. ➡ pocket

***주먹** 다섯 손가락을 오므려 쥔 손. ㉮주먹을 쥐다.

주먹구구 (-九九) [주먹꾸구] **1** 손가락을 일일이 꼽아서 하는 셈. **2** 어림짐작으로 대충 하는 계산.

주먹다짐 [주먹따짐] **1** 주먹으로 때리는 짓. **2** 힘으로 윽박지르는 짓. ㉮친구에게 주먹다짐을 하다. **—하다.**

주먹밥 [주먹빱] 주먹처럼 둥글게 뭉친 밥덩이.

주먹질 [주먹찔] 주먹을 휘두르며 으르거나 때리는 짓. **—하다.**

주먹코 뭉뚝하고 크게 생긴 코. 또는 그러한 코를 가진 사람을 놀려 이르는 말. ㉮주먹코에 대구 입.

주모 (酒母) 예전에, 술집에서 술을 팔던 여자.

주모자 (主謀者) 우두머리가 되어 앞장서서 일을 꾸미는 사람. ㉥주동자.

주:목 (注目) **1** 관심을 가지고 주의 깊게 봄. ㉮주목을 받다 / 선생님을 주목하다. **2** 의심하고 경계하는 눈으로 봄. ㉮경찰의 주목을 받고 있는 용의자. ㉥주시. **—하다.**

주목적 (主目的) [주목쩍] 주가 되는 목적.

주몽 (朱蒙) 〚인명〛 ⇨동명 성왕.

주무르다 **1** 손으로 어떤 물건이나 몸의 한 부분을 자꾸 쥐었다 놓았다 하다. ⓔ아픈 허리를 주무르다 / 할머니의 어깨를 주물러 드리다. **2** 사람을 마음대로 다루다. [활용] 주물러 / 주무르니.

*__주무시다__ '자다'의 높임말.

주:문[1] (注文) 어떤 상품의 모양·크기·수량 등을 일러 주고 그렇게 맞추거나 보내 달라고 함. ⓔ주문 생산 / 주문을 받다 / 책을 주문하다 / 주문이 까다롭다. **—하다.**

주:문[2] (呪文) 술법을 행하거나 귀신을 쫓을 때 외는 글귀. ⓔ주문을 걸다 / 주문을 외다.

주:물 (鑄物) 쇠붙이를 녹여 거푸집에 넣어 굳혀 만든 물건. ⓔ주물 공장.

주물럭거리다 [주물럭꺼리다] 물건을 손으로 자꾸 주무르다. [작] 조몰락거리다.

*__주:민__ (住民) 일정한 지역에 살고 있는 사람. ⓔ아파트 주민.

주:민 등록증 (住民登錄證) [—등녹쯩] 일정한 지역에 살고 있는 주민임을 나타내는 증명서. 만 17세 이상인 사람에게 해당 시장·군수·구청장이 발행함.

주:민세 (住民稅) [주민쎄] 그 고장에 살거나 사업소 등을 둔 사람이 내는 세.

주발 (周鉢) 위가 약간 벌어지고 뚜껑이 있는, 놋쇠로 만든 밥그릇.

주방 (廚房) 음식을 만들거나 차리는 곳. [비] 부엌.

주방장 (廚房長) 음식점 따위에서 음식을 만드는 사람들의 우두머리.

주번 (週番) 한 주일마다 바꾸어서 하는 근무. 또는 그 사람.

주범 (主犯) **1** 범죄를 실제로 저지른 사람. ⓔ사건의 주범을 체포하다. **2** 좋지 않은 결과를 만드는 주된 원인. ⓔ환경오염의 주범.

주:법 (奏法) [주뻡] 악기를 연주하는 방법. ⓔ기타 주법. [비] 연주법.

주:변[1] 일이 잘되게 하거나 처리하는 솜씨. ⓔ주변이 없다 / 주변이 좋다. [비] 수완. [낮] 주변머리.

*__주변__[2] (周邊) 주위의 가장자리. ⓔ도시 주변 / 학교 주변 / 주변을 정리하다. [비] 언저리.

주:변머리 '주변'의 낮춤말. ⓔ주변머리 없는 사람.

주보 (週報) 한 주일에 한 번씩 펴내는 신문이나 잡지 따위.

주부 (主婦) 한 집안의 살림을 맡아 꾸려 가는 안주인. ⓔ주부 교실. [비] 가정주부.

주빈 (主賓) 손님 가운데서 가장 중요한 손님. ⓔ주빈을 모시다.

*__주:사__ (注射) 주사기로 약물을 생물체의 근육이나 혈관 등에 넣는 일. ⓔ뇌염 예방 주사 / 주사를 맞다. **—하다.**

*__주:사기__ (注射器) 약물을 주사하는 기구.

*__주사위__ 단단한 나무나 짐승의 뼈, 플라스틱 따위로 만든 정육면체의 장난감. 이를 굴려 점수의 많고 적음을 겨룸. ⓔ주사위를 던지다.

〈주사위〉

주산 (珠算) 수판을 가지고 하는 셈. **—하다.**

주:생활 (住生活) 집을 터전으로 하여 살아가는 생활.

주석[1] (朱錫) 은백색의 윤이 나고 녹이 슬지 않는 금속 원소의 하나.

주석[2] (主席) 일부 국가에서, 국가나 정당 따위의 최고 직위. 또는 그 직위에 있는 사람. ⓔ국가 주석.

주:석[3] (註〔注〕釋) 낱말이나 문장의 뜻을 쉽게 풀이함. 또는 그 글. ⓔ주석을 달다.

주선 (周旋) 일이 잘되도록 이리저

리 힘을 써서 처리해 주는 일. ⓔ취직을 주선하다. 비 알선. —하다.

주섬주섬 어지럽게 널려 있는 물건을 주워 거두거나 치우는 모양. ⓔ물건을 주섬주섬 챙기다. —하다.

주성분 (主成分) 어떤 물질을 이루는 가장 중요한 성분.

주세붕 (周世鵬) 〖인명〗 조선 중종·명종 때의 문신·학자. 1543년에 우리나라 최초의 서원인 백운동 서원을 풍기에 세웠음. [1495-1554]

주:소 (住所) 사는 곳이나 기관, 회사 따위가 있는 곳을 행정 구역으로 나타낸 이름. ⓔ주소를 옮기다 / 주소를 적다. ➲ address

주:술 (呪術) 초자연적·신비적인 힘을 빌려 좋은 일과 나쁜 일을 점쳐서 재앙을 물리치고 복을 가져오려고 술법을 부리는 일. 또는 그 술법. ⓔ주술을 부리다.

*__주스__ (juice) 과일이나 야채에서 짜낸 즙. ⓔ사과 주스 / 주스를 마시다 / 주스를 만들다.

주:시 (注視) **1** 주의 깊게 자세히 살펴봄. **2** 어떤 일에 온 정신을 모아서 살핌. —하다.

주시경 (周時經) 〖인명〗 국어학자. 호는 한힌샘. 우리말을 과학적으로 연구하고 체계를 세워 국어학 중흥의 선구가 됨. 저서에 '조선어 문법', '말의 소리' 등이 있음. [1876-1914]

주식[1] (株式) 주식회사의 자본을 이루는 단위. ⓔ주식 거래. 준 주.

주식[2] (主食) 밥이나 빵과 같이 끼니에 주로 먹는 음식. ⓔ쌀이 주식이다. 반 부식.

주식회사 (株式會社) [주시쾨사] 주식을 발행하여 여러 사람으로부터 자본을 모아 만든 회사.

주심 (主審) 운동 경기의 심판원 중에서 중심이 되는 사람. 반 부심. 본 주심판.

주야 (晝夜) **1** 낮과 밤. 비 밤낮. **2** 쉬지 않고 계속함. ⓔ주야로 일을 하다.

주어 (主語) 문장에서 서술어가 나타내는 동작이나 상태의 주체가 되는 말. '철수가 운동을 한다'에서 '철수' 따위. 비 임자말.

*__주어지다__ 일이나 문제의 해결에서 필요한 조건 따위가 갖추어지거나 제시되다. ⓔ자기에게 주어진 시간을 활용하다 / 기회가 주어지다.

주역[1] (主役) **1** 주되는 구실. 주인 구실. 또는 그 사람. **2** 연극이나 영화 따위에서 주인공 또는 그 역을 맡은 배우. ⓔ주역을 맡다.

주역[2] (周易) 〖책〗 유교의 경전으로 시경·서경과 더불어 삼경의 하나. 비 역경.

주연 (主演) 연극이나 영화에서 주인공이 되어 연기하는 일. 또는 그 사람. ⓔ주연 배우 / 주연을 맡다. —하다.

주옥 (珠玉) 진주와 구슬.

주옥같다 (珠玉—) [주옥깓따] 주옥처럼 매우 아름답고 귀하다. ⓔ주옥같은 시.

*__주요__ (主要) 가장 소중하고 긴요함. ⓔ주요 사건 / 주요 인물. 비 중요. 반 사소. —하다.

주요색 (主要色) 네 가지 주요한 색《빨강·노랑·초록·파랑》.

주워대다 생각이나 논리 없이 이 말 저 말을 끌어다 대다.

주워듣다 [주워듣따] 귓결에 한 마디씩 건성으로 얻어듣다. ⓔ어디서 주워들은 이야기냐. 활용 주워들어 / 주워들으니 / 주워듣는.

주워섬기다 들은 대로 본 대로 아무렇게나 이야기하다.

주원료 (主原料) [주월료] 주되는 재료.

주원인 (主原因) [주워닌] 어떤 일이나 사건의 주된 원인. ⓔ사고의 주원인을 찾다.

*주위 (周圍) 1 어떤 곳의 바깥 둘레. ㉠연못 주위를 한 바퀴 돌다. 2 사물이나 사람을 둘러싸고 있는 것. 또는 그 환경. ㉠주위 환경 / 주위를 둘러보다. 비주변. 반중심.

주:유소 (注油所) 자동차 따위에 휘발유·경유 등의 기름을 넣어 주는 곳. 비급유소.

*주의¹ (主義) [-/주이] 굳게 지키는 생각이나 주장. ㉠민주주의.

*주:의² (注意) [-/주이] 1 마음에 새겨 두고 조심함. ㉠주의 사항. ⊙ attention 2 곁에서 귀띔하거나 충고함. ㉠지각한 학생에게 주의를 주다. 3 어떤 곳이나 일에 관심을 기울임. ㉠주의가 산만하다 / 주의를 끌다. **—하다.**

주:의력 (注意力) [-/주이력] 어떤 한 가지 일에 마음을 집중시키는 힘. ㉠주의력을 기르다.

주:의보 (注意報) [-/주이보] 폭풍·호우·대설·태풍 등으로 피해를 입을 염려가 있을 때 기상대에서 주의를 주는 기상 예보. ㉠호우 주의보. → [학습마당] 6(176쪽)

*주인 (主人) 1 한 집안의 우두머리가 되는 사람. ㉠주인 없는 집. 2 물건의 임자. ㉠책 주인. 3 일꾼을 부리는 사람. ㉠주인과 종업원.

*주인공 (主人公) 이야기·연극·영화 등에서 중심이 되는 사람. ㉠주인공 역을 맡다.

주인집 (主人—) [주인찝] 주인이 살고 있는 집.

주일¹ (主日) 기독교에서, 일요일을 이르는 말.

*주일² (週日) 월요일부터 일요일까지의 동안. 또는 어느 날부터 이레 되는 날. ㉠한 주일 후면 방학이다.

주임 (主任) 직장이나 단체에서 어떤 일을 주로 맡음. 또는 그 사람.

주:입 (注入) 1 액체 따위를 부어 넣음. ㉠자동차에 연료를 주입하다. 2 무턱대고 외우게 하여 지식을 가르침. ㉠주입식 교육 / 암기 위주로 지식을 주입하다. **—하다.**

주자 (走者) 1 달리는 사람. ㉠릴레이 주자. 2 야구 경기에서, 누에 나가 있는 사람. ㉠2루 주자.

주자학 (朱子學) ⇨성리학.

*주장¹ (主張) 자기의 생각이나 의견을 굳게 내세움. ㉠자기 주장만 내세우다 / 권리를 주장하다. 비주창. **—하다.** →고집 주의

주장² (主將) 운동 경기에서 팀을 대표하는 선수. ㉠야구부 주장.

주재¹ (主宰) 어떤 일을 중심이 되어 맡아 처리함. 또는 그 사람. ㉠회의를 주재하다. **—하다.**

주:재² (駐在) 1 일정한 곳에 머물러 있음. 2 임무를 맡아 파견된 곳에 머물러 있음. ㉠워싱턴 주재 특파원. **—하다.**

주재료 (主材料) 어떤 것을 만드는 데에 주되는 재료.

주저 (躊躇) 머뭇거리거나 망설임. ㉠주저하지 말고 말해라. **—하다.**

주저앉다 [주저안따] 1 섰던 자리에 그대로 앉다. ㉠그 자리에 힘없이 주저앉다. 2 하던 일이 뜻대로 되지 않아 도중에 그만두다.

주전 (主戰) 중심이 되어 싸움. 또는 그 사람. ㉠주전 투수.

주전부리 끼니가 아닌, 맛이나 심심풀이로 음식을 먹는 일. 또는 그런 음식. ㉠주전부리가 심하다. **—하다.**

*주전자 (酒煎子) 술이나 물을 담아 데우거나 잔에 따르도록 만든 그릇을 통틀어 일컫는 말.

주절거리다 낮은 목소리로 중얼거리듯이 계속 말하다.

주절대다 ⇨주절거리다.

주절주절 낮은 목소리로 계속 말을 하는 모양. 작조잘조잘. **—하다.**

주접 1 여러 가지 이유로 생물체가 제대로 자라지 못하는 일. 또는 그런 상태. ㉠주접이 들다. 2 추하고 염치없는 태도. ㉠주접을 떨다.

주접스럽다 [주접쓰럽따] 자질구레한 것이나 음식에 채신없이 욕심을 부리는 태도가 있다. ㉠주접스럽게 먹으려 들다. 활용 주접스러워 / 주접스러우니.

주:정 (酒酊) 술에 취하여 정신없이 함부로 하는 말이나 행동. ㉠주정을 부리다. **—하다.**

주제[1] 못난 처지나 형편. ㉠주제도 모르고 까부는구나.

***주제**[2] (主題) 1 중요한 문제. 중심이 되는 문제. ㉠강연의 주제. 2 작가가 그 작품에서 나타내려는 중심이 되는 생각. ㉠소설의 주제 / 주제를 파악하다.

주제가 (主題歌) 영화나 연극 따위의 중심이 되는 내용을 가사 등에 담아 만든 노래.

주제넘다 [주제넘따] 말이나 하는 행동이 제 분수에 넘게 건방지다. ㉠주제넘은 짓.

주조[1] (主調) 한 악곡의 기초가 되는 주요한 가락.

주:조[2] (鑄造) 쇠붙이를 녹여서 거푸집에 부어 원하는 모양을 만듦. ㉠활자를 주조하다. **—하다.**

주종[1] (主宗) 여러 가지 가운데 주가 되는 것. ㉠주종을 이루다 / 주종으로 삼다.

주종[2] (主從) 1 주인과 부하. ㉠그들은 주종 관계에 있다. 2 주되는 사물과 그에 딸린 사물.

주주 (株主) 주식회사의 주식을 가진 사람. ㉠주주 총회.

주중 (週中) 1 한 주일의 중간. 2 그 주 안. ㉠주중에 가야 한다. *주말. 주초.

주지[1] (住持) 한 절을 책임지고 관리하는 승려. ㉠주지를 맡다.

주지[2] (周知) 여러 사람이 두루 앎. ㉠주지의 사실 / 안전 수칙을 주지시키다. **—하다.**

주:차 (駐車) 자동차 따위를 세워 둠. ㉠주차 금지 구역. **—하다.**

주:차장 (駐車場) 차를 세워 두도록 마련해 놓은 곳. ㉠무료 주차장.

주창 (主唱) 주의나 사상 따위를 앞장서서 주장함. ㉠주창자 / 새 학설을 주창하다. **—하다.**

주책 1 일정한 주장이나 판단력. 2 일정한 줏대가 없이 이랬다저랬다 하는 짓. ㉠주책을 떨다 / 주책을 부리다. ×주착.

주책바가지 [주책빠가지] 주책없는 사람을 조롱하여 이르는 말.

주책없다 [주채겁따] 일정한 주견이 없이 이랬다저랬다 하여 몹시 실없다. ㉠주책없는 소리.

> 주의 '주책'은 확실하게 정한 생각이란 뜻으로 '주착'이 변한 말이다. 따라서 '주책없다'는 일정한 주견이 없다는 뜻이다. 이 뜻으로 '주책이다'라고 쓰는 것은 잘못된 말이다.

주책없이 [주채겁씨] 주책없게. ㉠주책없이 굴다.

주체[1] 짐스럽고 귀찮은 것을 처리함. ㉠주체를 할 수 없다. **—하다.**

주체(를) 못하다 짐스럽고 귀찮아 감당을 못하다. ㉠일이 밀려 주체를 못하다.

주체[2] (主體) 사물의 주되는 부분. 중심이 되는 것. ㉠행위의 주체로서의 개인. 반 객체.

주체성 (主體性) [주체썽] 자기의 생각이나 판단에 따라서 행동하는 태도. ㉠주체성을 확립하다.

주초 (週初) 한 주일의 첫머리. 반 주말. *주중.

주최 (主催) 어떤 행사나 모임을 책임지고 맡아 앞장서서 엶. ㉠전시회

를 주최하다. **—하다.** →주관 주의

주추 (柱—) 기둥 밑에 괴는 돌 따위의 물건. ㉠주추를 놓다.

주축 (主軸) 어떤 활동의 중심이 되는 존재나 세력. ㉠청소년이 주축이 된 모임.

주춤 망설이거나 놀라서 하던 동작을 갑자기 멈추거나 몸을 움츠리는 모양. ㉠놀라서 발걸음을 주춤하다. **—하다.**

주춤거리다 어떤 행동이나 걸음 따위를 자꾸 망설이며 머뭇거리다. ㉠막판에 와서 주춤거리느냐.

주춤대다 ⇨주춤거리다.

주춧돌 (柱—) [주추똘 / 주춘똘] 주추로 쓰인 돌. ㉠주춧돌을 놓다. ㊥모퉁잇돌. 초석.

주치의 (主治醫) [— / 주치이] 어떤 환자의 치료를 책임진 의사.

*__주ː택__ (住宅) 사람이 살 수 있게 지은 집. ㉠단독 주택.

주ː택가 (住宅街) [주택까] 주택이 모여 있는 거리나 지역.

주ː택지 (住宅地) [주택찌] **1** 여러 조건이 주택을 짓기에 알맞은 땅. **2** 주택이 많이 들어선 곳.

주파(走破) 정해진 거리를 쉬지 않고 끝까지 달림. ㉠100 미터를 12 초에 주파하다. **—하다.**

주파수 (周波數) 전파나 음파가 1 초 동안 진동하는 횟수. ㉠주파수를 맞추다.

주ː판 (籌板) ⇨수판.

주필 (主筆) 신문사나 잡지사 등에서 기자 가운데 첫째가는 지위에 있으면서 중요한 기사나 논설 따위를 쓰는 사람.

주ː한 (駐韓) 임무를 띠고 한국에 머물러 있음. ㉠주한 외교 사절.

주ː해 (註〔注〕解) 본문의 뜻을 알기 쉽게 풀이함. 또는 그 글. ㉠주해를 달다. **—하다.**

주행 (走行) 자동차 따위가 달림. ㉠주행 거리 / 주행 속도. **—하다.**

주홍색 (朱紅色) 누른빛을 약간 띤 붉은빛. ㊥주홍.

주ː화 (鑄貨) 쇠붙이로 만든 돈.

주황색 (朱黃色) 붉은색과 노란색 사이의 빛깔. ㊥주황.

주ː효하다 (奏效—) 효력이 나타나다. ㉠설득이 주효했다.

죽[1] 옷이나 그릇 따위의 열 벌을 묶어 한 단위로 세는 말. ㉠버선 한 죽 / 접시 두 죽.

죽이 맞다 서로 뜻이 통하다. 마음이 맞다. ㉠죽이 맞는 사이.

죽[2] **1** 한 줄로 늘어선 모양. ㉠죽 늘어서다. **2** 동작이 단번에 거침없이 나아가는 모양. ㉠여럿이서 죽 밀고 들어가다. **3** 종이나 피륙 따위를 단번에 찢는 소리. **4** 여럿을 한 번에 훑어보는 모양. ㉠교실 안을 죽 훑어보다. **5** 줄을 치거나 선을 긋는 모양. ㉠밑줄을 죽 긋다. ㉶족. ㉥쭉.

*__죽__[3] (粥) 곡식을 오래 끓여 알갱이가 흠씬 무르게 만든 음식. ㉠팥죽 / 죽을 끓이다 / 죽을 쑤다.

죽 끓듯 하다 ㉠변덕이 몹시 심한 모양. ㉠변덕이 죽 끓듯 하다. ㉡마음속이 부글부글 끓어오르듯 화가 몹시 나다.

죽을 쑤다 손해를 크게 보다. 일을 망치다.

죽이 되든 밥이 되든 결과는 어찌 되든 상관없이.

*__죽다__[1] [죽따] **1** 생명이 끊어지다. ㉠비행기 사고로 죽다. **2** 동작을 그치다. ㉠시계가 죽다. **3** 불이 꺼지다. ㉠난롯불이 죽었다. **4** 성질이나 빳빳한 기운이 줄어지다. ㉠기가 죽다. ㊦살다. ▶die

죽으나 사나 어떤 상황이라도 변함없이.

죽다[2] [죽따] 두드러져야 할 곳이 꺼져서 가라앉거나 뭉툭한 상태가 되다. ㉠콧날이 죽다.

죽도 (竹刀) [죽또] **1** 대나무로 만든 칼. **2** 검도 연습에 쓰는, 대쪽 넷을 동여 칼 대신으로 쓰는 기구.

죽령 (竹嶺) [중녕] 경상북도 영주시와 충청북도 단양군의 경계에 있는 고개. 중앙선이 소백산맥을 넘는 지점임. 높이 689 m.

죽마고우 (竹馬故友) [중마고우] 대말(대로 만든 막대기)을 함께 타고 놀던 친구라는 뜻으로, 어릴 때부터 가깝게 지내며 자란 친구. 비 죽마구우. 죽마지우.

죽부인 (竹夫人) [죽뿌인] 대오리(가늘게 다듬은 대나무 가지)로 길고 둥글게 엮어 만든 물건. 여름밤에 서늘한 기운이 들도록 끼고 잠.

〈죽부인〉

죽세공 (竹細工) [죽쎄공] 대나무를 재료로 하여 물건을 만드는 일. 바구니·부채 따위를 만듦.

죽순 (竹筍) [죽쑨] 대나무의 땅속줄기에서 돋아나는 어리고 연한 싹. 먹을 수 있음.

죽을힘 [주글힘] 죽기를 각오하고 쓰는 힘. 예 죽을힘을 다해서 덤비다. 비 사력.

***죽음** [주금] 죽는 일. 예 삶과 죽음 / 죽음을 각오하다. 비 사망. 반 삶. →주검 주의 ➲ death

***죽이다** [주기다] **1** 생명을 빼앗다. 예 벌레를 죽이다. **2** 기계 따위의 기능을 멈추게 하다. **3** 기세를 꺾거나 기운을 약하게 하다. 예 기를 죽이다 / 성질을 죽이다. **4** 불을 끄다. 예 불씨를 죽이다. **5** 소리를 낮추거나 멈추다. 예 발소리를 죽이다 / 숨을 죽이다. **6** 속력 따위를 줄게 하다. 예 속력을 죽이다. 반 살리다. ➲ kill

죽죽 [죽쭉] **1** 여러 줄로 늘어선 모양. 예 가로수가 죽죽 늘어선 길. **2** 거침없이 나아가는 모양. **3** 종이나 천을 계속해서 찢는 모양. 예 신문지를 죽죽 찢다. **4** 계속해서 줄을 치거나 선을 긋는 모양. 예 공책에 줄을 죽죽 긋다. 작 족족. 센 쭉쭉.

죽지 [죽찌] **1** 팔과 어깨가 이어진 관절의 부분. 예 어깻죽지. **2** 새의 날개가 몸에 붙은 부분. 예 날갯죽지.

죽창 (竹槍) 대나무로 만든 창.

죽치다 오랫동안 한곳에만 붙박여 있다. 예 친구도 만나지 않고 집에만 죽치고 있다.

준ː결승전 (準決勝戰) [준결씅전] 운동 경기 등에서, 결승전에 나갈 단체나 선수를 결정하는 경기. 예 준결승전에서 탈락하다. 준 준결승.

준ː공 (竣工) 건축 등의 공사를 모두 마침. 예 준공이 늦어지다. 비 완공. 반 기공. 착공. **―하다**.

준ː공식 (竣工式) 준공을 축하하는 의식. 예 준공식을 갖다.

준ː령 (峻嶺) [줄령] 높고 험한 고개. 예 준령을 타고 넘다.

준ː마 (駿馬) 잘 달리는 말.

준ː말 긴 말을 줄인 간단한 말. '아니하다'를 '않다', '갖추어'를 '갖춰'로 하는 따위. 비 약어.

> **참고** 준말이 널리 쓰이고 본딧말이 잘 쓰이지 않을 경우에는 준말만을 표준말로 삼는다.
> - 귀찮다(×귀치 않다)
> - 김(×기음) 예 김매다
> - 똬리(×또아리)
> - 무(×무우) 예 무말랭이, 총각무
> - 뱀(×배암)
> - 샘(×새암)
> - 생쥐(×새앙쥐)
> - 솔개(×소리개)
> - 온갖(×온가지)
> - 장사치(×장사아치)

준법 (遵法) [준뻡] 법이나 규칙을 지키고 따름. ㉨준법정신. 반 위법.

*__준:비__ (準備) 필요한 것을 미리 마련하여 갖춤. ㉨여행 준비 / 손님 맞을 준비를 끝내다. 비 예비. 채비. **—하다.**

*__준:비물__ (準備物) 앞으로 해야 할 일에 필요하여 미리 갖추는 물건. ㉨준비물을 챙기다.

준:비 운:동 (準備運動) 본격적인 운동을 하기 전에 온몸을 고르게 풀기 위해 하는 가벼운 운동.

준:수 (遵守) 규칙이나 명령 등을 그대로 좇아서 지킴. ㉨교통 법규를 준수하다. **—하다.**

준:수하다 (俊秀—) 재주·슬기·겉모습이 아주 빼어나다. ㉨준수하게 생긴 젊은이.

준:엄하다 (峻嚴—) [주넘하다] 조금도 타협함이 없이 매우 엄격하다. ㉨준엄한 심판을 내리다.

준:우승 (準優勝) [주누승] 운동 경기에서, 우승 다음가는 성적. ㉨준우승을 차지하다. **—하다.**

준:장 (准將) 군인 계급의 하나. 소장의 아래, 대령의 위임.

준:치 준칫과의 바닷물고기. 몸길이 50 cm 정도. 모양은 밴댕이와 비슷함. 등 쪽은 푸른빛과 누런빛이 섞여 있고 배 쪽은 은빛임. 살에는 가시가 많음.

준:칙 (準則) 표준으로 정하여 따라야 할 규칙. ㉨가정 의례 준칙.

준:하다 (準—) 어떤 본보기에 비추어 그대로 따르다. ㉨과장에 준하는 월급을 주다.

*__줄__[1] **1** 노끈·새끼 따위와 같이 무엇을 묶는 데 쓰는 가늘고 긴 물건. ㉨줄을 매다 / 줄을 감다 / 줄을 당기다. **2** 가로나 세로로 그은 선. ㉨줄무늬 / 줄을 긋다. **3** 벌여 선 행렬. ㉨학생들이 줄을 지어 서다.

줄:[2] 쇠붙이를 쓸거나 깎는 데 쓰는, 강철로 만든 연장.

*__줄__[3] 어떠한 방법·사실·속셈 따위를 나타내는 말. 반드시 'ㄴ, ㄹ' 뒤에서만 쓰임. ㉨그렇게 할 줄은 꿈에도 몰랐다 / 간 줄 알았다.

*__줄거리__ **1** 잎이 다 떨어진 나뭇가지. **2** 내용을 간추린 대강의 골자. ㉨소설의 줄거리.

줄곧 끊어지거나 그치지 않고 잇달아. ㉨아침부터 줄곧 비가 내린다. 비 내내. 내처.

줄글 글 토막이나 글자 수를 맞추지 않고 죽 잇달아 내리 적은 글. ㉨줄글을 리듬과 운율을 살려 짧게 표현하면 시가 된다.

*__줄기__ **1** 식물의 가장 중심이 되는 부분. **2** 산이 갈라져 나간 갈래. ㉨산줄기. **3** 물이 줄 대어 흐르는 선. ㉨물줄기를 따라 내려가다. **4** 소나기의 한 차례. ㉨소나기가 시원하게 한 줄기 오는군.

*__줄기차다__ 억세고 세차게 계속되다. ㉨줄기찬 노력 / 줄기차게 비가 오다.

*__줄넘기__ [줄럼끼] 새끼나 줄 따위를 발 아래에서 머리 위로 넘기면서 뛰거나 또는 기다란 줄 두 끝을 각각 딴 사람이 잡고 커다란 원을 그리면서 돌리는 속을 뛰어넘는 놀이. **—하다.**

*__줄:다__ 수효나 분량이 적어지다. ㉨몸무게가 줄다 / 인원이 줄다. 반 늘다. 활용 줄어 / 주니 / 주는.

줄다리기 여러 사람이 두 편으로 갈라서서 줄을 마주 잡고 당겨서 승부를 겨루는 놀이. **—하다.**

줄달다 끊이지 않고 줄을 지어 잇달다. ㉨가게에 손님이 줄달다. 활용 줄달아 / 줄다니 / 줄다는.

줄달음질 [줄다름질] 단숨에 내처 달리는 달음박질. ㉨줄달음질을 치다. 준 줄달음. **—하다.**

줄무늬 [줄무니] 줄로 이루어진 무

늬. ㉠줄무늬 천.

줄뿌림 씨뿌리기의 한 가지. 밭에 일정한 거리를 두고 평행하게 고랑을 내어 한 줄로 죽 씨를 뿌려 흙을 덮음.

***줄어들다** [주러들다] 크거나 많던 것이 점점 작거나 적게 되다. ㉠참가 인원이 줄어들다. 활용 줄어들어 / 줄어드니 / 줄어드는.

***줄이다** [주리다] 길이나 크기 따위를 줄게 하다. ㉠비용을 줄이다 / 전력 소비량을 줄여야 한다. 반 늘이다. →주리다 주의

줄임표 (一標) [주림표] 안드러냄표의 한 가지. 말을 줄였거나 말이 없음을 나타내는 문장 부호(……). 비 생략표.

줄자 좁고 긴 천이나 쇠 따위에 눈금을 새긴 띠 모양의 자.

줄:잡다 [줄잡따] 실제보다 줄여 대강 헤아려 보다. ㉠줄잡아도 5만 명은 넘는다.

줄줄 1 굵은 물줄기가 계속해서 흐르는 소리. ㉠빗물이 줄줄 흐르다. 2 떨어지지 않고 줄곧 뒤따르는 모양. ㉠학생들이 줄줄 따라오다. 작 졸졸. 센 쭐쭐. 3 막힘 없이 무엇을 읽거나 외는 모양. ㉠한문 편지를 줄줄 읽다. 4 물건들을 여기저기 자꾸 흘리는 모양. ㉠소지품을 줄줄 흘리고 다니다.

줄줄이 [줄주리] 1 줄마다 다. 2 여러 줄로. ㉠운동장에 학생들이 줄줄이 늘어서다. 3 줄지어 잇따라. ㉠방문객이 줄줄이 이어지다.

줄짓다 [줄짇따] 줄을 이루다. ㉠구경꾼들이 줄지어 늘어서다. 활용 줄지어 / 줄지으니 / 줄짓는.

줄타기 공중에 친 줄 위를 걸어 다니면서 부리는 재주. **—하다.**

줄표 (一標) 이음표의 하나. 이미 말한 내용을 다른 말로 쉽게 설명하거나 보충할 때 쓰는 문장 부호(—).

줄행랑 (一行廊) [줄행낭] 1 대문의 좌우 양쪽으로 죽 벌여 있는 하인들의 방. 2 '도망'을 속되게 이르는 말. ㉠줄행랑을 놓다.

줄행랑치다 (一行廊一) [줄행낭치다] 피하여 달아나다.

***줌:** 주먹으로 쥘 만한 분량. ㉠한 줌의 흙.

***줍:다** [줍따] 1 바닥에 떨어지거나 흩어진 물건을 집다. ㉠지갑을 줍다. 2 남이 잃어버린 물건을 집어 가지다. ㉠길에서 돈을 줍다. 활용 주워 / 주우니. ×줏다.

줏대 (主一) [주때 / 줃때] 마음의 중심이 되는 생각이나 태도. ㉠줏대가 있는 사람.

중:[1] 절에 살면서 불경을 공부하고 불교의 도리를 닦는 사람. 비 승려. 높 스님.

***중**[2] (中) 1 무엇을 하는 동안. ㉠그는 여행 중이다. 2 여럿 가운데. ㉠무리 중에 가장 뛰어나다. 3 가치·등급·순위·정도 등이 중간 정도임. ㉠성적이 중에 든다. 4 무엇의 안이나 속. ㉠공기 중의 산소.

중:- (重) 1 '무거운'의 뜻. ㉠중장비 / 중공업 / 중금속. 2 '심한'의 뜻. ㉠중노동 / 중환자.

***중간** (中間) 1 두 사물의 사이. ㉠중간에 끼이다. 2 어떤 일이 진행되고 있는 사이. ㉠회의하는 중간에 전화벨이 울리다. 3 등급·크기·차례 따위의 가운데. ㉠중간 정도의 성적.

중간고사 (中間考査) 학기 중간에 학력을 평가하기 위해 실시하는 시험. ㉠중간고사를 치르다.

중간 상인 (中間商人) 생산자와 소비자의 사이에서 상품을 공급하고 매매하는 상인.

중간적 (中間的) 중간에 해당하는 (것). ㉠중간적 태도 / 중간적인 입장을 택하다.

중강진 (中江鎭) 〘지명〙 평안북도 자성군에 있는 도시. 콩·옥수수 따위의 농산물이 나며, 벌목·제재가 활발함. 우리나라에서 가장 추운 지역임.

중개 (仲介) 제삼자로서 두 당사자 사이를 연결해 일을 주선함. ㉠부동산 중개. **—하다.**

중거리 (中距離) **1** 짧지도 길지도 않은 중간 정도의 거리. ㉠중거리 슛. **2** '중거리 달리기'의 준말. ㉠중거리 선수.

중거리 달리기 (中距離—) 육상 경기의 하나. 남자 800 m·1500 m 달리기와 여자 400 m·800 m 달리기 등을 통틀어 이르는 말. ㊟중거리. * 단거리 달리기. 장거리 달리기.

중ː건 (重建) 사찰이나 궁궐 따위를 다시 고쳐 지음. ㉠경복궁 중건. **—하다.**

중견 (中堅) 어떤 단체나 사회에서 중심이 되는 사람. ㉠중견 작가.

중ː경상 (重輕傷) 중상과 경상. ㉠중경상을 입다.

중계 (中繼) [— / 중게] **1** 중간에서 받아 이어 줌. **2** '중계방송'의 준말. ㉠야구 중계. **—하다.**

중계 무ː역 (中繼貿易) [— / 중게—] 외국에서 수입한 물자를 그대로 또는 약간 가공해서 재수출하는 형식의 무역.

중계방송 (中繼放送) [— / 중게방송] 극장·경기장·야외 등 현장의 모습을 방송국이 중계하여 방송하는 일. ㊟중계2.

중고 (中古) '중고품'의 준말. ㉠중고 가구 / 중고 시계.

중고생 (中高生) 중학생과 고등학생을 함께 이르는 말.

중고차 (中古車) 사용하여 조금 낡은 차. ㉠중고차를 사다.

중고품 (中古品) 오래되거나 낡은 물건. ㉠중고품 매매. ㊟중고.

중ː공업 (重工業) 배·기계·차 등과 같이, 부피에 비하여 무게가 큰 물건을 만드는 공업. ㊥경공업.

중ː과부적 (衆寡不敵) 적은 수효가 많은 수효를 상대하지 못함.

중ː구난방 (衆口難防) 여러 사람의 말을 이루 다 막기가 어렵다는 뜻으로, 막기 어려울 정도로 여러 사람이 마구 지껄임을 이르는 말. ㉠중구난방으로 떠들어 대다.

중국 (中國) 〘국명〙 아시아의 동부에 있는 큰 나라. 황허 강을 중심으로 한 고대 문명의 발상지로 오랜 역사를 이어 옴. 1949년 중국 공산당이 마오쩌둥을 지도자로 삼아 중화 인민 공화국을 세움. 수도는 베이징. ㊟중.

중국어 (中國語) [중구거] 중국 사람들이 쓰는 말.

중국인 (中國人) [중구긴] 중국 국적을 가진 사람.

중ː금속 (重金屬) 비중이 큰 금속. 금·은·구리·수은·납·철 등이 있음. ㉠중금속이 검출되다. ㊥경금속.

중급 (中級) 정도·수준 따위의 가운데 등급. ㉠중급 영어.

중기 (中期) 어떤 기간의 중간 시기. ㉠조선 중기.

중남미 (中南美) 라틴 아메리카.

중년 (中年) 마흔 살 안팎의 나이. ㉠중년 부인 / 중년 신사.

중ː노동 (重勞動) 육체적으로 몹시 힘이 드는 노동. ㉠중노동에 시달리다. ㊥경노동.

중농 (中農) 보통 규모의 농사를 지으며, 비교적 여유 있는 생활을 하는 농가나 농민.

중뇌 (中腦) 간뇌와 소뇌 사이에 있는 뇌의 한 부분. 시각과 청각에 관계함. ㊝중간뇌.

중단 (中斷) 하던 일이나 행동을 중간에서 그만둠. ㉠작업을 중단하다. ㊝중지. ㊥계속. **—하다.**

중대¹ (中隊) 부대를 구성하는 단위의 하나. 보통, 4개 소대로 이루어짐. 대위가 지휘함. ㉠중대 본부.
중:대² (重大) 매우 중요함. ㉠중대 임무 / 중대한 발표. 비중요. 반경미. 사소. **—하다.**
중대장 (中隊長) 중대를 지휘하고 통솔하는 책임자.
중도 (中途) **1** 일이 되어 가는 중간. ㉠중도에서 그만두다. **2** 가던 길의 중간. 비도중.
중독 (中毒) **1** 음식이나 약의 독한 성분으로 말미암아 신체에 기능 장애가 생기는 일. ㉠연탄가스 중독. **2** 술·마약 등을 지나치게 먹어, 그것 없이는 견디지 못하는 병적 상태. ㉠알코올 중독.
중독자 (中毒者) [중독짜] 중독이 된 사람. ㉠마약 중독자 / 알코올 중독자.
중동 (中東) 서남아시아와 북아프리카에 걸친 지역. 이란·이라크·사우디아라비아·아프가니스탄 등의 나라가 있으며, 석유가 많이 남.
중등 (中等) 상등과 하등, 고등과 초등의 가운데 등급.
중등 교:육 (中等敎育) 초등 교육을 끝낸 사람에게 중학교와 고등학교에서 실시하는 교육.
중략 (中略) [중냑] 말이나 글의 중간의 일부를 줄임. **—하다.**
중:량 (重量) [중냥] **1** 물체의 무게. ㉠중량을 달다. **2** 무거운 무게. ㉠중량급. 반경량.
중:력 (重力) [중녁] 지구가 그 표면에 있는 물건을 지구 중심 쪽으로 당기는 힘.
중령 (中領) [중녕] 군대 계급의 하나. 대령의 아래, 소령의 위임.
중:론 (衆論) [중논] 여러 사람의 의견. ㉠중론을 모으다 / 중론에 따라 결정하다. 비여론.
중류 (中流) [중뉴] **1** 강의 상류와 하류 사이. ㉠낙동강 중류. **2** 중간쯤 되는 계층. ㉠중류 생활.
중립 (中立) [중닙] 어느 특정한 나라나 입장에 치우치지 않고 그 중간에 서는 일. ㉠중립국 / 중립적인 태도 / 중립을 지키다.
중매 (仲媒) 혼인이 이루어지게 남녀를 소개하는 일. ㉠중매로 결혼하다. **—하다.**
중매(를) 서다 중매를 하기 위해 남자와 여자 사이에 나서다.
중모리 민속악에서, 판소리나 산조 장단의 한 가지. 진양조보다 좀 빠르고 중중모리보다 좀 느린 장단. 강강술래·진도 아리랑·농부가 따위가 이에 속함.
중:무장 (重武裝) 중무기(화력이 센 무기)로 무장함. 또는 중무기로 한 무장. **—하다.**
중문 (中門) 전통 한옥에서 대문 안에 또 세운 문.
중반 (中盤) 어떤 일의 진행이 초반을 지나 중간쯤 되는 단계. ㉠축구 경기가 중반에 접어들다.
중:병 (重病) 목숨을 잃을 정도로 위중한 병. 중태에 빠진 병. ㉠중병 환자 / 중병을 앓다.
중복¹ (中伏) 삼복의 하나로, 두 번째 복날. ㉠중복 더위.
중:복² (重複) 거듭함. 겹침. ㉠중복되는 내용. **—하다.**
***중부** (中部) 어떤 지역의 가운데 부분. ㉠중부 전선.
중부 지방 (中部地方) 어떤 지역의 가운데쯤에 자리 잡고 있는 지방. 우리나라에서는 서울특별시·인천광역시·경기도·강원도·충청도 일대를 일컬음.
중산층 (中産層) 자본가와 노동자의 중간에 있는 계층. 생활 정도나 재산 상태가 중간 정도인 계층.
중상¹ (中傷) 근거 없는 말로 남을 헐뜯어 명예나 지위를 손상시키는 일. ㉠중상모략 / 남을 중상하고 이간하다. **—하다.**

중ː상² (重傷) 많이 다침. ㉠중상을 입다. 반 경상.

중ː생 (衆生) 불교에서, 부처를 믿어 구제되어야 할 인간과 그 밖의 모든 생물. ㉠중생을 구하다.

중생대 (中生代) 지질 시대의 하나. 고생대의 다음 신생대의 전 시대. 트라이아스기·쥐라기·백악기로 나뉘며 파충류·암모나이트·양치식물·은행류 따위가 번성하였음.

중ː석 (重石) ⇨텅스텐.

중성 (中性) **1** 이것도 저것도 아닌 중간의 성질. **2** 산성과 알칼리성의 중간 상태. ㉠중성 반응. **3** 남자 같은 여자나 여자 같은 남자.

중세 (中世) 시대 구분의 하나. 고대와 근대 사이의 중간 시대로, 우리나라에서는 고려 시대가 이에 해당됨.

중소기업 (中小企業) 자본금·종업원 수·시설 따위의 규모가 중간 정도이거나 그보다 작은 기업.

중순 (中旬) 한 달의 11일부터 20일까지의 열흘 동안. ㉠시월 중순. * 상순. 하순.

중ː시 (重視) '중요시'의 준말. ㉠학력보다 인물을 중시하다. 반 경시. **—하다.**

중식 (中食) ⇨점심.

***중심¹** (中心) **1** 사물의 한가운데. ㉠원의 중심. 비 중앙. **2** 매우 중요하고 기본이 되는 부분. 비 핵심. **3** 주관이나 줏대. ㉠중심을 잡다 / 중심이 있는 사람.

중ː심² (重心) ⇨무게 중심. ㉠중심을 잡다 / 중심을 잃고 쓰러지다.

중심가 (中心街) 시내의 중심이 되는 거리. ㉠중심가를 벗어나다.

중심각 (中心角) 원의 중심에서 두 반지름이 이루는 각.

중심부 (中心部) 사물의 한가운데가 되는 부분. 비 중앙부.

중심선 (中心線) 원의 중심을 지나는 직선. 또는 주어진 두 원의 중심을 잇는 직선.

중심인물 (中心人物) [중시민물] 어떤 사건 또는 단체, 사회에서 중심이 되는 사람. ㉠폭동의 중심인물.

중심적 (中心的) 중심을 이루는 (것). ㉠중심적 위치 / 중심적인 역할을 담당하다.

중심점 (中心點) [중심쩜] 사물의 중심이 되는 점.

중심지 (中心地) 어떤 일이나 활동의 중심이 되는 중요한 곳. ㉠교통의 중심지.

중심체 (中心體) 어떤 활동이나 행동의 중심이 되는 것. 또는 그런 단체. ㉠조직적 독립 운동의 중심체가 되었다.

중ː압 (重壓) **1** 무겁게 내리누르는 압력. **2** 견디기 힘든 부담을 주거나 강요하는 힘. ㉠중압감.

***중앙** (中央) **1** 한가운데. ㉠중앙으로 모이다. **2** 어떤 일의 중심이 되는 중요한 곳. **3** 서울. 수도. ➲ center

중앙선¹ (中央線) **1** 한가운데를 지나가는 선. **2** 차도 중간에 그은 선. ㉠중앙선 침범으로 사고가 났다.

중앙선² (中央線) 서울 청량리에서 원주를 거쳐 경주에 이르는 간선 철도. 1942년에 개통됨. 382.7 km.

중앙아메리카 (中央America) 남아메리카 대륙과 북아메리카 대륙을 잇는 길쭉한 지역.

중앙아시아 (中央Asia) 아시아 서쪽 중앙의 지역. 기후가 건조하고 사막이 많아서 유목이 발달함.

중앙은행 (中央銀行) 한 나라의 금융 제도와 통화 제도의 중심이 되는 은행.

중앙 정부 (中央政府) 지방 자치제가 확립된 행정 제도에서 전국을 통할하는 최고 행정 기관. ㉠지방 정부는 중앙 정부의 통제를 받는다.

중앙 집권 (中央集權) [—집꿘] 나라의 중요한 권력이 중앙 정부에 몰려 있는 통치 형태.

중앙 처:리 장치 (中央處理裝置) 컴퓨터의 본체로 두뇌에 해당하는 작용을 하는 부분.

중:양절 (重陽節) 우리나라 옛 명절의 하나. 음력 9월 9일.

중:언부언 (重言復言) 이미 한 말을 자꾸 되풀이함. **—하다.**

***중얼거리다** 남이 잘 알아듣기 어려울 정도의 작고 낮은 소리로 혼자 자꾸 말하다. ㉧종알거리다. ㉦쭝얼거리다.

중얼대다 ⇨중얼거리다.

중얼중얼 중얼거리는 모양. ㉫중얼중얼 혼잣말을 하다. **—하다.**

중:역 (重役) 은행·회사 등의 중요한 임원. ㉫중역 회의.

중엽 (中葉) 어느 시대의 중간쯤 되는 기간. ㉫18세기 중엽.

***중:요** (重要) 소중하고 필요함. ㉫중요 문화재 / 중요한 자료를 얻다. ㉥긴요. 주요. ㉤사소. **—하다.**

***중:요성** (重要性) [중요썽] 일의 중요한 성질. ㉫환경의 중요성을 강조하다. ㉥중대성.

중:요시 (重要視) 중요하게 여김. ㉾중시. **—하다.**

중용¹ (中庸) 어느 한쪽으로 치우침이 없는 중간의 상태. ㉫중용을 지키다.

중:용² (重用) 사람을 중요한 자리에 씀. **—하다.**

중원 고구려비 (中原高句麗碑) 1979년 충청북도 충주시 가금면 선돌 마을에서 발견된 고구려 문자왕의 남진 순수비. 국보 제205호.

중위¹ (中位) 중간 정도의 지위나 위치. ㉫중위권.

중위² (中尉) 장교 계급의 하나. 대위의 아래, 소위의 위.

중:유 (重油) 석유의 원유에서 휘발유·등유·경유 등을 뽑아내고 난 검은 빛깔의 기름. 보일러의 연료나 인쇄 잉크 등의 원료로 씀.

중이염 (中耳炎) 병원균이 침입하여 가운데귀에 생기는 염증. 귀와 머리가 아프고 열이 남.

중인 (中人) 조선 때 양반과 상민 사이의 중간 계급. 낮은 관리직·기술직 등을 맡았음. ㉫중인 계급.

중일 전:쟁 (中日戰爭) 1937년 일본이 중국을 침략하여 일으킨 전쟁. 일본은 주요 도시를 점령하였으나 중국이 저항을 계속하자 1941년 태평양 전쟁으로 확대시킴. 1945년 일본이 연합국에 항복함으로써 끝남.

중:임¹ (重任) 먼저 근무했던 지위에 다시 씀. ㉫회장직에 중임되다. **—하다.**

중:임² (重任) 중대한 임무. ㉫중임을 맡다.

중장¹ (中章) 시조나 시구 따위를 초장·중장·종장의 셋으로 나누었을 때의 가운데 장. *초장. 종장.

중장² (中將) 군인 계급의 하나. 대장의 아래, 소장의 위.

중:장비 (重裝備) 토목·건축에 쓰이는 무겁고 큰 기계나 차 따위를 통틀어 일컫는 말. ㉫중장비를 써서 공사하다.

중재 (仲裁) 다툼질하는 사이에 끼어들어 화해시킴. ㉫중재를 맡다 / 사건을 중재하다. **—하다.**

중전 (中殿) '왕비'의 높임말. ㉯중궁전.

중절모자 (中折帽子) 꼭대기의 가운데를 눌러 움푹 들어가게 하여 쓰는, 둥근 챙이 달린 신사용 모자. ㉾중절모.

중점¹ (中點) [중쩜] 선분 위에 있으면서 선분의 양 끝에서 같은 거리에 있는 점.

중:점² (重點) [중쩜] 가장 중요하

게 여겨야 할 점. ㉠전인 교육에 중점을 두다.

중ː점적 (重點的) [중쩜적] 여럿 가운데 가장 중요하게 여기는 (것). ㉠컴퓨터 산업을 중점적으로 육성하다.

중ː죄 (重罪) 매우 큰 죄. ㉠중죄를 짓다 / 중죄로 다스리다.

중ː주 (重奏) 둘 이상의 악기가 각각 한 성부씩 맡아서 동시에 하는 연주. ㉠피아노 3중주. **—하다.**

중중모리 민속악에서, 판소리나 산조 장단의 한 가지. 중모리보다 좀 빠르고 자진모리보다 좀 느림. 새타령이 이에 속함.

중ː증 (重症) [중쯩] 매우 위중한 병의 증세. ㉠중증 환자. ㉡경증.

중지[1] (中止) 일을 하는 중간에서 그만둠. ㉠사격 중지 / 작업을 중지하다. ㉥중단. ㉡계속. **—하다.**

중지[2] (中指) 가운뎃손가락.

중ː지[3] (衆智) 여러 사람의 지혜. ㉠중지를 모으다.

중진국 (中進國) 문화·경제 등의 발달 수준이 선진국과 후진국의 중간쯤인 나라.

중ː창 (重唱) 둘 이상의 사람이 각각 한 성부씩 맡아 노래함. 이중창·삼중창 따위가 있음. ㉠중창단.

중ː책 (重責) 무겁고 중요한 책임. ㉠중책을 다하다 / 중책을 맡다.

중천 (中天) 하늘의 한복판. ㉠해가 중천에 뜨다.

중추[1] (中樞) 중심이 되는 중요한 부분이나 자리. ㉠사회의 중추 역할을 하다.

중추[2] (仲秋) 가을이 한창인 때라는 뜻으로, 음력 팔월.

중추 신경계 (中樞神經系) [—/—신경게] 동물의 신경계에서, 뇌와 척수를 담당하는 신경 섬유와 신경 세포가 한데 모여 있는 부분.

중추절 (仲秋節) 음력 8월 15일을 명절로 일컫는 말. ㉥추석. 한가위.

중키 (中—) 보통의 키. ㉠보통 몸집에 중키의 사나이.

중ː탕 (重湯) 끓는 물속에 음식이 담긴 그릇을 넣어 익히거나 데움. ㉠약을 중탕하다. **—하다.**

중ː태 (重態) 위험한 상태에 있는 병의 증세. ㉠병세가 악화하여 중태에 빠지다.

중턱 (中—) 산이나 고개 따위의 허리쯤 되는 곳. ㉠해가 산 중턱에 걸리다 / 산 중턱까지 오르다.

중퇴 (中退) 학업을 다 마치기 전에 학교를 그만둠. ㉠집안 사정으로 대학을 중퇴하다. **—하다.**

중편 (中篇) **1** 세 편으로 나눈 책의 가운데 편. **2** 장편 소설과 단편 소설의 중간쯤 되는 분량의 소설. ㉤중편 소설.

중풍 (中風) 뇌혈관에 이상이 생겨 몸의 전체나 일부가 마비되는 병. ㉠중풍을 맞다 / 중풍이 들다 / 중풍으로 쓰러지다.

중ː하다 (重—) **1** 병이 위중하다. **2** 소중하다. **3** 책임 따위가 무겁다. ㉠임무가 중하다. ㉡경하다.

중학 (中學) '중학교'의 준말.

*__중학교__ (中學校) [중학꾜] 초등학교 교육을 마친 학생에게 중등 보통 교육을 실시하는 학교. ㉣중학.

중학생 (中學生) [중학쌩] 중학교에 다니는 학생.

중형[1] (中型) 크지도 작지도 않은 중간쯤 되는 크기나 규모. ㉠중형 자동차.

중ː형[2] (重刑) 무거운 형벌. ㉠중형에 처하다 / 중형을 받다.

중화 (中和) **1** 서로 다른 성질의 물질이 녹아 섞여 각각의 성질을 잃거나 그 중간의 성질을 띰. **2** 산성과 알칼리성 물질이 섞여서 중성이 됨. **—하다.**

중ː화상 (重火傷) 정도가 심한 화

상. ㉠중화상을 입다.
중화요리(中華料理) 중국 고유의 요리. 㖵 청요리.
중:화학 공업(重化學工業) [—꽁업] 중공업과 화학 공업을 함께 일컫는 말.
중:환자(重患者) 병세가 위독한 환자. ㉠중환자실. 㘭 경환자.
중:후하다(重厚—) 태도가 점잖고 무게가 있다. ㉠중후한 인품.
중흥(中興) 쇠퇴하던 것이 중간에 다시 일어남. ㉠민족 중흥. **—하다.**
중:히(重—) 중하게. ㉠책임을 중히 여기다.
*__쥐__[1] 쥣과에 속하는 짐승의 총칭. 몸길이는 15-23 cm, 꼬리는 몸보다 길고 귀는 둥글고 크며, 털은 잿빛을 띰. 사람에게 페스트균을 가진 벼룩을 퍼뜨림. ➲ mouse
쥐도 새도 모르게 아무도 모르게 감쪽같이.
쥐 잡듯이 꼼짝도 못하게 하여 놓고 잡는 모양.
쥐 죽은 듯이 매우 조용한 상태의 비유.
쥐[2] 몸의 어느 한 곳에 경련이 일어나 근육이 오그라들거나 굳어져, 몹시 아프면서 꼼짝도 못하는 현상. ㉠수영하다가 다리에 쥐가 나다.
쥐구멍 **1** 쥐가 드나드는 작은 구멍. **2** 몸을 숨길 만한 아주 좁은 곳을 속되게 이르는 말.
쥐구멍(을) 찾다 몹시 부끄러운 때, 몸을 피하려고 애쓰다.
쥐꼬리 매우 적은 것을 비유한 말. ㉠쥐꼬리만 한 수입.
*__쥐:다__ **1** 손가락을 모두 오므려 주먹을 짓다. ㉠주먹을 불끈 쥐다. **2** 손바닥 안에 어떤 물건을 들게 하여 힘 있게 움켜잡다. ㉠손목을 쥐다. **3** 권리나 권력 따위를 가지다. ㉠경제권을 쥐다. **4** 재물 따위를 벌거나 가지다. ㉠목돈을 손에 쥐다.
쥐었다 폈다 하다 어떤 일이나 사람을 자기 마음대로 조종하다.
쥐덫[쥐덛] 쥐를 잡는 데 쓰는 덫. ㉠쥐덫을 놓다.
쥐라기(Jura紀) 중생대의 중간에 속하는 지질 시대. 양치식물·은행나무·파충류·공룡 따위가 번성하였고 시조새가 출현하였음.
쥐며느리 쥐며느릿과의 절지동물. 쓰레기 더미나 마루 밑 따위의 습한 곳에 삶. 몸길이는 1 cm 정도이고 타원형임. 놀라면 몸을 둥글게 움츠리고 죽은 시늉을 함.
쥐불놀이[쥐불로리] 음력 정월에 논둑이나 밭둑의 잡초 속에 있는 해충을 태워 없애기 위하여 불을 놓는 민속놀이. 㖵 쥐불놓이. **—하다.**
쥐뿔 아주 보잘것없거나 규모가 작은 것을 가리키는 말.
쥐뿔도 모르다 아무것도 모르다.
쥐뿔도 없다 아무것도 가진 게 없다. ㉠쥐뿔도 없는 주제에 큰소리만 뻥뻥 친다.
쥐약(—藥) 쥐를 잡는 데 쓰는 약.
쥐어뜯다[쥐어뜯따 / 쥐여뜯따] **1** 단단히 쥐고 뜯어내다. ㉠머리를 쥐어뜯다. **2** 속이 답답하거나 괴로울 때 가슴 따위를 뜯다시피 함부로 꼬집거나 잡아당기다. ㊟ 쥐뜯다.
쥐어박다[쥐어박따 / 쥐여박따] 주먹으로 함부로 때리다. ㉠동생의 머리를 쥐어박다. ㊟ 쥐박다.
쥐어지르다[— / 쥐여지르다] 주먹으로 냅다 치다. ㊟ 쥐지르다. 활용 쥐어질러 / 쥐어지르니.
쥐어짜다[— / 쥐여짜다] **1** 단단히 쥐고 비틀어 액체 따위를 짜내다. ㉠젖은 수건을 쥐어짜다. **2** 오기 있게 떼를 쓰며 조르다. ㉠쥐어짠들 없는 돈이 나오랴. **3** 이리저리 골똘히 생각하다. ㉠머리를 쥐어짜다.
쥐엄쥐엄 젖먹이에게 두 손을 쥐었다 폈다 하게 할 때 내는 소리. 작

죄암죄암.

쥐치 쥐칫과에 속하는 바닷물고기. 몸길이 30 cm가량으로, 마름모 모양이며 옆으로 납작함. 주둥이 끝은 뾰족하고 꼬리자루는 짧음.

쥐포(–脯) 쥐치를 말려 기계로 눌러 납작하게 만든 어포. 술안주 따위로 씀.

쥘ː부채 [쥘뿌채] 접었다 폈다 할 수 있는 부채.

〈쥘부채〉

즈음 일이 어찌 될 때. ㉎졸업식 날이 가까워 올 즈음에 갑자기 병이 났다. ㊇무렵. ㊟즘.

즈음하다 어떠한 때나 날을 당하거나 맞다. ㉎방학을 즈음하여 학교 보수 공사를 할 예정이다. 참고 '즈음한·즈음하여'의 꼴로 때를 나타내는 말 뒤에 쓰임.

*__즉__(卽) 다름이 아니라 곧. 다시 말해서. ㊇곧.

즉각(卽刻) [즉깍] 즉시. 당장에. 곧바로. ㉎즉각 대답하다.

즉결(卽決) [즉껼] 그 자리에서 즉시 처리하거나 결정함. ㉎즉결 심판. **—하다.**

즉사(卽死) [즉싸] 그 자리에서 바로 죽음. ㊇직사. **—하다.**

즉석(卽席) [즉썩] 그 자리에서 곧. ㉎즉석에서 승낙하다.

즉시(卽時) [즉씨] 곧. 바로 그때. ㉎즉시 떠나다. ㊇즉각.

즉위(卽位) [즈귀] 임금의 자리에 오르는 일. ㉎왕으로 즉위하다. ㊇등극. ㊉퇴위. **—하다.**

즉효(卽效) [즈쿄] 곧바로 나타나는 효과. ㉎즉효를 보다.

즉흥(卽興) [즈킁] 그 자리에서 바로 일어나는 흥취나 기분. ㉎즉흥으로 노래를 부르다.

즉흥적(卽興的) [즈킁적] 그 자리에서 일어나는 흥취나 기분에 따라 하는 (것). ㉎즉흥적 연설 / 즉흥적으로 떠오른 생각.

*__즐거움__ 기쁘고 좋은 느낌이나 마음. ㉎즐거움에 찬 얼굴 / 즐거움을 같이하다.

즐거워하다 즐겁게 여기다.

즐거이 즐겁게. ㉎즐거이 노래를 부르다.

*__즐겁다__ [즐겁따] 마음이 흐뭇하고 기쁘다. ㉎즐거운 일만 생기다 / 즐겁게 지내다. ㊉괴롭다. 활용 즐거워 / 즐거우니.

*__즐기다__ **1** 즐거움을 누리다. ㉎인생을 즐기다. **2** 무엇을 유별나게 좋아하다. ㉎운동을 즐기다. ➲ enjoy

즐비하다(櫛比–) 많은 것이 빗살처럼 가지런하고 빽빽이 늘어서 있다. ㉎도심에는 고층 건물들이 즐비하게 들어섰다.

즙(汁) 과실 따위에서 배어 나오거나 짜낸 물. ㉎과일즙 / 즙을 내다.

증(贈) 기증의 뜻으로, 선물을 보내는 사람이 선물에 쓰는 글자.

-증[1](症) '증세·생각·느낌' 등의 뜻을 나타내는 말. ㉎우울증 / 답답증 / 현기증.

-증[2](證) '증명서'의 뜻을 나타내는 말. ㉎영수증 / 학생증 / 신분증.

증가(增加) 수량이 더 늘어 많아짐. ㉎자동차의 급격한 증가. ㊉감소. **—하다.**

증가율(增加率) 늘어나는 비율. ㉎인구 증가율.

증감(增減) 많아짐과 적어짐. 또는 늘림과 줄임. **—하다.**

증강(增強) 인원·설비 따위를 늘려 강하게 함. ㉎병력을 대폭 증강하다. **—하다.**

증거(證據) 어떤 사실을 증명할 수 있는 근거. ㉎확실한 증거 / 증거를 대다 / 증거를 잡다.

증거물(證據物) 증거가 되는 물건. ㉎증거물을 찾아내다.

증권 (證券) [증꿘] 회사의 주식이나 공채, 사채 등을 통틀어 일컫는 말. ㉥증권 시세 / 증권에 투자하다.
증권 시:장 (證券市場) [증꿘—] 증권을 발행하고 팔고 사는 일이 이루어지는 시장. ㊅증시.
증기 (蒸氣) **1** 액체가 증발하여 생긴 기체. **2** '수증기'의 준말.
증기 기관 (蒸氣機關) 수증기의 압력을 이용하여 기관을 움직이는 장치. ㉥증기 기관차.
증대 (增大) 더하여 커짐. 늘려서 많게 함. ㉥소득 증대 사업. 반감소. **—하다.**
증류 (蒸溜) [증뉴] 액체를 가열하여 생긴 기체를 식혀서 다시 불순물이 없는 순수한 액체로 만드는 일. ㉥증류기 / 물을 증류하다. **—하다.**
증류수 (蒸溜水) [증뉴수] 보통의 물을 증류하여 만든 깨끗한 물. 화학 실험 등에 쓰임.
증명 (證明) **1** 어떤 일에 대해 진실인지 아닌지 증거를 들어 밝힘. ㉥자신의 결백을 증명해 보이다. **2** 참과 거짓을 밝힘. **—하다.**
증명서 (證明書) 어떤 사실을 증명하는 문서. ㉥증명서를 발급하다.
증발 (蒸發) **1** 액체가 기체로 변하는 현상. ㉥물이 증발하다. **2** 사람이나 물건이 갑자기 없어져 버리는 일. ㉥모 배우의 증발 사건. **—하다.**
증발 접시 (蒸發—) [—접씨] 어떤 물질이 물 따위에 녹아 있을 때, 물을 증발시키고 그 물질을 얻는 데 쓰는 얕은 접시.
증보 (增補) 책이나 글 따위에서 부족한 내용을 더 보태어 채움. ㉥수정 증보판을 내다. **—하다.**
증빙 (證憑) 증거로 삼음. 또는 증거로 삼는 근거. ㉥증빙 서류를 제출하다. **—하다.**
증산 (增産) 생산하는 양을 늘림. ㉥식량 증산. 반감산. **—하다.**
증산 작용 (蒸散作用) [—자굥] 식물체 안의 수분이 수증기가 되어 밖으로 배출되는 현상.
증상 (症狀) ⇨증세. ㉥감기 증상이 나타나다.
증서 (證書) 어떤 사실을 증명하는 문서. ㉥보험 증서.
증설 (增設) 시설이나 설비 따위를 더 늘려 설치함. ㉥공장 증설 / 학급을 증설하다. **—하다.**
증세 (症勢) 병이나 상처의 상태. ㉥증세가 악화되다. 비증상.
증손 (曾孫) '증손자'의 준말.
증손녀 (曾孫女) 손자의 딸. 반증손자.
증손자 (曾孫子) 손자의 아들. 반증손녀. ㊅증손.
증시 (證市) '증권 시장'의 준말.
증식 (增殖) **1** 더 늘어나서 많아짐. ㉥재산을 증식하다. **2** 생물 또는 그 조직·세포 등이 생식이나 분열로 수가 늘어남. **—하다.**
증액 (增額) 액수를 늘림. 또는 그 액수. 반감액. **—하다.**
증언 (證言) **1** 어떤 사실을 증명하는 말. ㉥역사의 증언. **2** 증인으로서 사실을 진술함. 또는 그 진술. ㉥목격자의 증언 / 생생한 증언을 듣다. **—하다.**
증오 (憎惡) 몹시 미워함. ㉥증오에 가득 찬 눈초리. **—하다.**
증오심 (憎惡心) 몹시 미워하는 마음. ㉥증오심이 불타다.
증원 (增員) 사람 수를 늘림. ㉥임시로 두 명의 직원을 증원하다. 반감원. **—하다.**
증인 (證人) 어떤 사실을 증명하는 사람. ㉥증인으로 법정에 서다.
증정 (贈呈) 성의 표시나 축하 인사로 남에게 물건을 줌. ㉥기념품을 증정하다. 비기증. **—하다.**
증조 (曾祖) '증조부'의 준말.
증조모 (曾祖母) 아버지의 할머니.

증조할머니.

증조부 (曾祖父) 아버지의 할아버지. 증조할아버지. [준] 증조.

증진 (增進) 기운이나 세력 따위가 점점 더 늘어 감. (예)식욕 증진. [반] 감퇴. **—하다.**

증축 (增築) 집 따위를 더 늘려 지음. (예)증축 공사. **—하다.**

증편1 (蒸—) 멥쌀가루를 막걸리를 조금 탄 뜨거운 물에 반죽하여 부풀린 다음 틀에 담아 밤·대추·잣 따위를 얹어서 찐 떡.

증편2 (增便) 배·항공기·자동차 등의 정기적인 운행 횟수를 늘림. (예)증편 운행. [반] 감편. **—하다.**

증폭 (增幅) **1** 진동 전류 또는 전압·전파 따위의 진폭을 늘림. **2** 사물의 범위를 넓혀 크게 함. (예)의혹이 증폭되다.

증표 (證票) 증명이나 증거가 될 만한 표. (예)증표를 받다.

증후군 (症候群) 원인이 분명치 않은 몇 가지 증세가 함께 나타나는 병. (예)만성 피로 증후군.

***지** 어떤 동작이 있었던 때로부터 지금까지의 동안을 나타내는 말. 반드시 'ㄴ' 뒤에 쓰임. (예)만난 **지** 오래되었다.

-지1 (地) **1** '땅' 또는 '장소'를 나타냄. (예)유적**지** / 출생**지**. **2** 옷의 감을 나타냄. (예)양복**지**.

-지2 (紙) **1** 어떤 낱말의 뒤에 붙어 '종이'의 뜻을 나타냄. (예)포장**지**. **2** '신문'의 뜻을 나타냄. (예)일간**지** / 주간**지**.

***-지3** **1** 뒤에 '못하다'·'아니하다'·'말다' 등을 이어 줄 때 쓰는 말. (예)좋**지** 않다 / 더 묻**지** 마라. **2** 서로 반대되는 사실이나 움직임, 상태 등을 나타내는 말을 이어 줄 때 쓰는 말. (예)책임질 사람은 윗사람이**지** 아랫사람이 아니다.

-지4 '하지'의 뜻을 나타냄. (예)보내 준 돈이 넉넉**지** 않다.

> **주의** **-지와 -치**
> 말의 줄기 끝에 '하'가 아주 줄어들 때는 준 대로 적음.
> (1) 안울림소리 받침 뒤에서는 '-지'로 적음.
> (예)생각하**지**→생각**지**, 깨끗하**지**→깨끗**지**
> (2) 울림소리 받침 뒤에서는 '-치'로 적음.
> (예)만만하**지**→만만**치**, 심심하**지**→심심**치**

지각1 (地殼) 지구의 표면을 둘러싸고 있는 단단한 부분.

지각2 (知覺) **1** 알아서 깨달음. 또는 그 능력. **2** 사물의 이치나 도리를 분별하는 능력. (예)**지각**이 들다 / **지각**이 없다 / **지각** 능력이 부족하다. **3** 감각 기관을 통해 외부의 대상을 깨달아 아는 일. **—하다.**

지각3 (遲刻) 정한 시각보다 늦음. (예)꾸물거리다가 오늘도 **지각**했다. **—하다.**

***지갑** (紙匣) 가죽이나 헝겊 따위로 만들어서 돈 따위를 넣는 주머니. (예)가죽 **지갑** / **지갑**을 잃어버리다.

지게 짐을 얹어 사람이 등에 지는 기구. (예)**지게**를 지다.

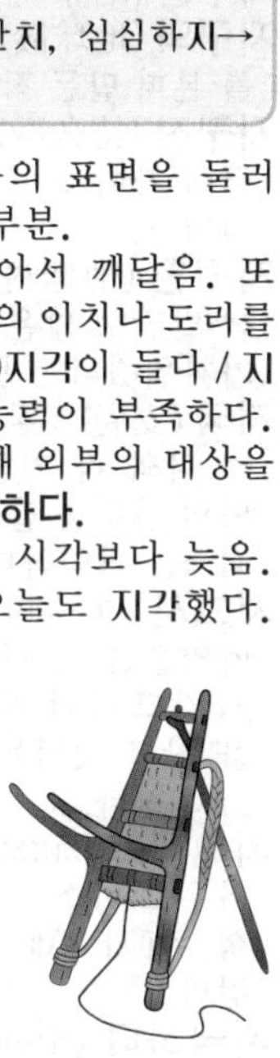
〈지게〉

지게꾼 지게로 짐을 나르는 일을 업으로 삼는 사람. ×지겟군.

지게차 (—車) 차의 앞부분에 붙은 두 개의 철판을 위아래로 움직여 짐을 운반하는 차. 포크리프트.

지겹다 [지겹따] 몸서리쳐질 정도로 싫다. (예)생각만 해도 **지겹다**. [활용] 지겨워 / 지겨우니.

지경 (地境) 어떠한 처지나 경우.

㉥힘들어 죽을 지경이다. 비 형편.

지고 (至高) 지극히 높음. ㉥지고한 사랑. **—하다.**

*__지구__[1] (地球) 우리 인류가 살고 있는 땅덩이. ➲ earth

*__지구__[2] (地區) 기준에 따라 여럿으로 나눈 땅의 한 구역. ㉥상업 지구.

지구력 (持久力) 오래 견디어 참아내는 힘. ㉥산악 훈련으로 지구력을 기르다.

지구본 (地球—) ⇨지구의.

지구의 (地球儀) [—/지구이] 지구를 본떠 만든 작은 모형. 비 지구본.

지구전 (持久戰) 오랫동안 시간을 끌어 가며 벌이는 싸움. ㉥지구전을 펼치다.

지구촌 (地球村) 통신·교통 수단의 발달로 넓은 지구가 한 마을처럼 가까워졌다는 뜻으로 이르는 말.

지국 (支局) 본사나 본국에서 갈라져 나와 각 지역에 설치되어 그 지역의 업무를 맡아보는 곳. ㉥신문사 지국을 경영하다.

지그시 **1** 슬며시 힘을 주는 모양. ㉥입술을 지그시 깨물다 / 눈을 지그시 감고 음악 감상을 하다. **2** 어려움을 참고 견디는 모양. ㉥통증을 지그시 참다.

지그재그 (zigzag) 직선이 번갈아 좌우로 비스듬히 꺾인 모양. 갈지자형. ㉥지그재그 행진 / 지그재그로 걷다.

지극하다 (至極—) [지그카다] 더할 수 없이 마음과 힘을 다하다. ㉥효성이 지극한 아들 / 정성이 지극하다.

지극히 (至極—) [지그키] 지극하게. ㉥학생이 공부하는 것은 지극히 당연한 일이다.

지글지글 적은 물 따위가 타는 듯한 소리를 내면서 계속 끓는 모양. ㉥찌개가 지글지글 끓다. 작 자글자글. 센 찌글찌글. **—하다.**

*__지금__ (只今) 바로 이때. 이제. ㉥지금 당장 시작해라 / 지금까지 한 게 없다. ➲ now

지금껏 (只今—) [지금껃] 바로 이때에 이르기까지. 여태까지. ㉥숙제도 안 하고 지금껏 뭐 했니.

지급[1] (支給) 돈이나 물품 따위를 내어 줌. ㉥이자 지급 / 월급을 지급하다. **—하다.**

지급[2] (至急) 매우 급함. ㉥지급 전보. **—하다.**

지긋이 [지그시] 나이가 비교적 많게. ㉥나이가 지긋이 들어 보인다.

지긋지긋하다 [지귿찌그타다] **1** 넌더리가 날 정도로 몹시 싫거나 괴롭다. ㉥지긋지긋한 고생 / 가난이 지긋지긋하다. **2** 보기에 몹시 잔인하여 몸서리쳐지다.

지긋하다 [지그타다] 나이가 비교적 많다. ㉥나이가 지긋한 신사.

지기 (知己) 서로 마음이 통하는 벗. ㉥여러 해 사귀어 온 지기.

-지기 어떤 말 뒤에 붙어 '그것을 지키는 사람'의 뜻. ㉥문지기 / 창고지기.

*__지껄이다__ [지꺼리다] 큰 소리로 떠들썩하게 말하다. 작 재깔이다.

지끈거리다 머리가 자꾸 쑤시고 아프다. ㉥머리가 지끈거리다.

지끈지끈 머리가 쑤시며 몹시 아픈 상태. ㉥머리가 지끈지끈 쑤신다. **—하다.**

*__지나가다__ **1** 어떤 곳을 거쳐서 다른 데로 옮겨 가다. ㉥숲을 지나가다. **2** 어떤 곳을 통과하다. ㉥교차로를 지나가다. **3** 어떤 곳에 들르거나 머무르지 않고 바로 가다. ㉥문 앞을 지나가다. **4** 일정한 때가 넘어가다. ㉥약속한 시간이 지나갔다. **5** 말 따위를 별다른 의미 없이 하다. ㉥지나가는 말처럼 묻다. 활용 지나가거라.

*__지나다__ **1** 다른 곳으로 옮겨 가다.

㉠지나는 길에 들렀다. **2** 어떤 곳을 통과하다. ㉠학교 앞을 **지나다**. **3** 시간이 흐르다. ㉠기다린 지 1시간이 **지났다**. **4** 어떤 일을 위한 때가 넘어가거나 끝나다. ㉠유효 기간이 **지나다**. ➡ pass

> **주의 지나다와 지내다**
> **지나다** 1 어떤 곳을 거쳐 가거나 통과하다. 2 과거가 되다. ㉠**지난** 일년 동안. 3 어떤 사물의 수량이나 정도를 넘다.
> **지내다** 1 살아가다. 서로 사귀어 가다. ㉠별고 없이 **지내다** / 그와 사이좋게 **지내고** 있다. 2 어떤 직위에 있어 그 일을 겪다.

지나다니다 어느 곳을 지나서 오고 가고 하다. ㉠이 길은 주로 학생들이 많이 **지나다닌다**.

지나오다 **1** 어떤 곳을 거쳐서 오다. ㉠가게 앞을 **지나오다**. **2** 어떤 곳을 들르지 않고 지나쳐 오다. **3** 무슨 일을 겪어 오다. ㉠**지나온** 일을 생각하다. 활용 지나오너라.

***지나치다** **1** 표준이 될 만한 정도를 넘다. ㉠**지나친** 욕심 / 장난이 **지나치다**. **2** 문제 삼거나 관심을 가지지 않고 가벼이 넘기다. ㉠그냥 **지나칠** 일이 아니다. **3** 머물거나 들르지 않고 어떤 곳을 지나가거나 지나오다. ㉠학교 앞을 **지나치다**.

지난날 이미 지나가 버린 날. 또는 그런 날의 생활이나 과정. ㉠**지난날**의 추억 / **지난날**을 돌이켜 보다.

지난달 이달의 바로 전달.

지난밤 어젯밤. 간밤. ㉠**지난밤**에는 한숨도 못 잤다.

지난번 (一番) 요전의 그때. 비 먼젓번. 전번.

지난해 이해의 바로 전해. 비 작년.

지남철 (指南鐵) ⇨자석.

지남침 (指南針) 자석으로 만든 바늘이 항상 남북을 가리켜 방위를 알게 하는 기구.

***지:내다** **1** 살아가다. ㉠그동안 어떻게 **지내셨습니까**. **2** 서로 사귀어 가다. ㉠정답게 **지내다**. **3** 혼인·제사 따위를 치르다. ㉠차례를 **지내다**. **4** 과거에 어떤 직책을 맡아 일하다. ㉠교장을 **지내다**. **5** 일정한 시간을 보내다. ㉠외갓집에서 여름 방학을 **지내다**. →지나다 주의

지네 지넷과에 속하는 벌레. 몸은 가늘고 길며, 여러 개의 마디로 되어 있고, 마디마다 다리가 달려 있음. 흙 속에 살며, 작은 곤충을 잡아먹음. 한방에서 약으로 씀.

지눌 (知訥) 〖인명〗 ⇨보조 국사.

지느러미 물고기의 운동 기관. 얇은 막인데, 몸의 균형을 유지하고 헤엄치는 데 씀. 가슴·배·등·꼬리 등에 있음.

지능 (知能) 사물이나 현상을 이해하고 상황에 맞는 방법을 알아내는 지적 능력. ㉠**지능**이 높다 / **지능**이 발달하다.

지능 검:사 (知能檢査) 타고난 지능 수준이나 그 발달 정도를 판단하는 검사. 멘탈 테스트.

지능 지수 (知能指數) 지능 검사의 결과로 얻은 정신 연령을 실제 연령으로 나눈 뒤 100을 곱한 수. 아이큐(IQ).

***지니다** **1** 몸에 간직하여 가지다. ㉠돈을 **지니다**. **2** 본디의 모양을 간직하다. ㉠그는 어릴 때의 모습을 그대로 **지니고** 있다.

지다[1] 어떤 현상이나 상태가 이루어지다. ㉠장마가 **지다** / 얼룩이 **지다** / 경사가 **지다**.

***지다[2]** **1** 해나 달이 서쪽으로 넘어가다. ㉠서산에 **지는** 해. 반 뜨다. **2** 꽃이나 잎 따위가 시들어 떨어지다. ㉠낙엽이 **지다**. 반 피다. **3** 묻거나 붙었던 것이 없어지다. ㉠옷의 때가

지다.

*지다[3] 싸움·시합·내기 따위에서 상대를 이기지 못하다. (예)야구 시합에 지다. (반)이기다.

*지다[4] **1** 물건 따위를 등에 얹다. (예)짐을 지고 언덕을 오르다. **2** 어떤 책임을 맡다. (예)모든 책임을 지다. **3** 빌린 돈을 갚아야 할 의무를 가지다. (예)빚을 지다. **4** 신세나 은혜를 입다. (예)친구에게 신세를 지다.

-지다 사물이 어떻게 되어 가거나 되어 있는 상태를 나타내는 말. (예)넓어지다 / 이루어지다 / 기름지다 / 값지다.

지당 (池塘) 못. 연못.

지당하다 (至當—) 이치에 맞고 지극히 당연하다. (예)지당하신 말씀. (비)타당하다.

*지대 (地帶) 한정된 일정한 구역. (예)산악 지대 / 공업 지대.

지대하다 (至大—) 더없이 크다. (예)지대한 공적 / 관심이 지대하다.

*지도[1] (指導) 어떤 목적이나 방향으로 상대를 가르치거나 이끌어 잘 인도함. (예)지도를 받다. **—하다.**

*지도[2] (地圖) 지구 표면의 일부나 전부를 일정한 비율로 줄여서 나타낸 그림. 산·강·바다 따위를 여러 기호와 색을 이용하여 나타냄. (예)지도를 보면서 길을 찾다. ➡ map

지도력 (指導力) 남을 가르치거나 이끄는 능력. (예)지도력이 부족하다 / 지도력을 발휘하다.

지도자 (指導者) 남을 가르치고 이끄는 사람. (예)최고 지도자 / 각계각층의 지도자가 모이다.

지독하다 (至毒—) [지도카다] 더할 나위 없이 모질거나 심하다. (예)지독한 구두쇠 / 지독하게 더운 날씨 / 쓰레기 냄새가 지독하다.

지동설 (地動說) 태양은 우주의 중심에 정지해 있고, 지구가 그 둘레를 돈다는 학설. (반)천동설.

지라 ⇨비장[2].

지란지교 (芝蘭之交) 영지와 난초 같은 향기로운 사귐이라는 뜻에서, 벗 사이의 맑고도 높은 사귐.

지랄 변덕스럽고 함부로 행동하는 것을 욕하는 말. (예)지랄을 떨다 / 지랄을 부리다. **—하다.**

지략 (智略) 슬기로운 꾀나 수단. (예)지략이 뛰어나다.

지ː렁이 땅속에 사는 동물. 몸은 원통형이며 많은 마디로 됨. 길이는 10 cm 정도, 등은 검붉은 빛깔임. 암수한몸이며 흙을 먹고 그 속에서 양분을 섭취함. 낚싯밥으로 쓰임.

지레[1] ⇨지렛대.

지레[2] 어떤 때가 되기 전에 미리. (예)지레 겁을 먹고 달아나다.

지레짐작 (—斟酌) 미리 넘겨짚는 짐작. (예)지레짐작으로 눈치채다 / 지레짐작이 맞다. **—하다.**

지렛대 [지레때 / 지렏때] 무거운 물건을 움직이는 데에 쓰는 막대기. 레버. (비)지레[1].

〈지렛대〉

지력[1] (地力) 농작물을 자라게 하는 땅의 힘. (예)거름을 주어 지력을 높이다.

지력[2] (智力) 사물을 헤아리는 능력. (예)지력이 뛰어나다.

지령 (指令) 군대나 관청 등의 조직에서, 윗사람이 명령이나 지시를 내림. 또는 그 명령이나 지시. (예)비밀 지령을 내리다. **—하다.**

지론 (持論) 평소에 늘 주장하는 의견. (예)지론을 굽히지 않다.

지뢰 (地雷) 땅속에 얕게 묻어, 그 위를 사람이나 탱크 따위가 지나가면 폭발하도록 장치한 폭약. (예)지뢰 탐지기 / 지뢰가 터지다.

지뢰밭 (地雷—) [지뢰받] 지뢰가 많이 묻혀 있는 지역.

지루하다 시간을 너무 오래 끌어 싫증이 나고 따분하다. ㊀지루한 강의 / 영화가 지루하다.

지류 (支流) 강의 원줄기로 흘러 들어가거나 원줄기에서 갈라져 나온 물줄기. 반 본류. 원류. 주류.

지르다[1] **1** 막대기·주먹·다리 따위로 힘껏 치다. ㊀옆구리를 지르다. **2** 지름길로 가다. ㊀길을 질러 가다. **3** 노여움이나 불이 일어나게 하다. ㊀불을 지르다. 활용 질러 / 지르니.

*__지르다__[2] 소리를 크게 내다. ㊀고함을 지르다 / 소리를 너무 질러 목이 쉬다. 활용 질러 / 지르니.

지르르 **1** 물기·윤기·기름기 따위가 번드럽게 흐르는 모양. ㊀머리에 윤기가 지르르 흐르다. **2** 뼈마디 등에 저린 느낌이 일어나는 모양. ㊀다리가 지르르하다. 작 자르르. **—하다.**

*__지름__ 원·구의 둘레 위에 있는 두 점을 원·구의 중심을 지나게 직선으로 이은 선분. 비 직경.

지름길 [지름낄] **1** 질러서 가는 가까운 길. ㊀지름길로 가다. **2** 쉽고 빨리 하는 방법. ㊀성공의 지름길. 비 첩경.

지리 (地理) **1** 어떤 곳의 지형이나 길 따위의 형편. ㊀서울 지리에 밝다. **2** 바다·육지·산·강·인구·산업·교통·기후 따위의 상태. 또는 그것을 연구하는 학문.

지리다[1] 똥이나 오줌을 참지 못하고 조금 싸다.

지리다[2] 오줌 냄새와 같다. 또는 그런 맛이 있다.

지리산 (智異山) 경상남도와 전라남도, 전라북도 사이에 걸쳐 있는 산. 화엄사가 유명하며, 노고단 일대의 삼림은 식물학·임학의 좋은 연구지임. 1967년 국립공원으로 지정됨. 높이 1,915 m.

지리적 (地理的) 지리에 관한 (것).

지리학 (地理學) 지구 표면에서 볼 수 있는 많은 현상들을 연구하는 학문.

지린내 오줌 냄새와 같은 냄새. ㊀지린내가 나다.

-지마는 말의 줄기에 붙어 앞말을 시인하면서 뒷말에 의문이나 부정의 뜻을 나타낼 때 쓰이는 말. ㊀덩치는 크지마는 겁이 많다.

> 주의 '-지마는'은 앞의 사실을 시인하면서 어떤 조건을 붙일 때 쓰는 말이다. 준말은 '-지만'이다. '-지만은'은 잘못된 말이다.
> ㊀시간은 많지마는〔많지만〕 하기 싫다.(○)
> 시간은 많지만은 하기 싫다.(×)

-지만 '-지마는'의 준말. ㊀얼굴은 곱지만 하는 짓은 밉다.

지망 (志望) 뜻하여 바람. 또는 그 뜻. ㊀교사를 지망하다. **—하다.**

*__지면__[1] (地面) 땅의 표면. ㊀지면이 평평하다. 비 땅바닥.

지면[2] (紙面) **1** 종이의 겉면. ㊀지면이 곱다. **2** 신문·잡지 따위에서 기사가 실린 쪽. ㊀신문 지면 / 많은 지면을 차지한 기사.

지명[1] (地名) 마을이나 지역, 산천 따위의 이름. ㊀지명을 바꾸다.

지명[2] (指名) 여럿 가운데서 어떤 사람이나 물건을 지정함. ㊀후계자 지명. **—하다.**

지명[3] (知名) 이름이 널리 알려져 있음. ㊀지명인사. **—하다.**

지명도 (知名度) 이름이 널리 알려져 있는 정도. ㊀지명도가 높다.

지목 (指目) 사람·사물 따위가 어떠하다고 가리켜 정함. ㊀범인으로 지목되다. 비 지적. **—하다.**

지문[1] (地文) **1** 시험 문제 따위에서 주어진 내용의 글. ㉠지문을 읽고 물음에 답하다. **2** 희곡이나 시나리오에서, 등장인물의 동작·표정·말투 등을 지시한 글. 비 바닥글.

지문[2] (指紋) 손가락 끝마디 안쪽에 있는 피부의 무늬. 예 지문을 찍다 / 지문이 남다 / 사건 현장에서 지문을 채취하다.

지물포 (紙物鋪) 여러 가지 종이를 파는 가게.

지반 (地盤) **1** 땅의 표면. 예 지반이 약하다. **2** 건물 따위를 설치하는 기초가 되는 땅. 예 지반 공사. **3** 일을 이루는 근거지. 예 선거 지반을 다지다.

*__지방__[1] (地方) **1** 어느 한 방면의 땅. 예 중부 지방 / 열대 지방. **2** 서울 이외의 지역. 예 지방에서 서울로 올라오다. 반 중앙.

*__지방__[2] (脂肪) 생물의 몸에 들어 있는 기름기. 보통 온도에서는 고체 상태임. 우리 몸에 열과 힘을 내게 하는 중요한 영양소임. 비 굳기름.

지방[3] (紙榜) 제사 따위를 지낼 때 쓰는, 조상의 이름을 적은 종이.

지방관 (地方官) **1** 각 지방의 일반 행정 사무를 맡아보는 국가 공무원. **2** 지난날, 주·부·군·현 등의 으뜸 벼슬.

지방도 (地方道) 도에서 관리하는 지방의 간선 도로망.

지방 문화재 (地方文化財) 국유 문화재 이외에 향토 문화의 보존을 위하여 각 시나 도에서 지정하여 관리·보호하는 문화재.

지방 법원 (地方法院) [—버뭔] 제 1심의 판결을 맡는 하급 법원. 준 지법.

지방색 (地方色) 어떤 지방에 있는 자연·인정·풍속 따위의 고유한 특색. 비 향토색.

지방 선:거 (地方選擧) 지방 의회 의원 및 지방 자치 단체장을 뽑는 선거.

지방세 (地方稅) [지방쎄] 지방 자치 단체에서 그 주민들에게 매기는 세금의 총칭. 반 국세.

지방시 (地方時) 어떤 지방에서 그 지점을 통과하는 자오선을 기준으로 하여 정한 시간.

지방 의회 (地方議會) 지방 자치 단체의 의회. 예산 편성, 조례의 제정·개폐 등에 관한 사항을 의결하는 기관. 특별시·광역시·도·시·군·구에 둠.

지방 자치 단체 (地方自治團體) 특별시·광역시·시·군·구 따위와 같이 국가로부터 인정된 범위 안의 행정을 하는 공공 단체.

지방 자치 제:도 (地方自治制度) 지방 자치 단체가 법의 범위 안에서 지역 주민의 의사를 기초로 자주적으로 행정을 하는 제도. 비 자치제.

지배 (支配) 권력을 가지고 자기의 뜻대로 사람들을 다스림. 예 지배 계급. 비 통치. **—하다.**

지배인 (支配人) 주인을 대신하여 영업에 관한 지시나 감독을 하는 책임자.

지배자 (支配者) 권력을 가지고 다른 사람들을 다스리는 사람.

지배적 (支配的) 다른 것들보다 힘이 더 세거나 우세한 (것).

지병 (持病) ⇨고질. 예 지병인 신경통으로 오래 고생하다 / 지병이 도지다.

지봉유설 (芝峰類說) [지봉뉴설] 〖책〗 조선 광해군 때 이수광이 지은 일종의 백과사전. 천문·지리 등의 풀이와 천주교·서양 문물에 대한 견문을 썼음.

지분 (持分) 공동 소유나 공동 재산 따위에서, 자기가 가지는 몫. 또는 그런 비율. 예 지분을 처분하다.

지불 (支拂) 물건 값이나 일의 대가

를 치름. ㉠음식 값을 지불하다. 비 지급. **―하다.**

***지붕** 비·이슬·햇빛 따위를 막기 위하여 집의 꼭대기를 덮어 씌우는 덮개. ㉠기와지붕 / 지붕을 이다 / 지붕이 낮다 / 지붕이 새다. ➲ roof

지사[1] (支社) 회사·단체 등이 지방·외국 등지에 설치한 사업소. ㉠해외에 지사를 두다. 반 본사.

지사[2] (志士) 크고 높은 뜻을 품고 나라와 민족을 위해 자기 몸을 바쳐 일하려는 사람. ㉠애국 지사.

지상[1] (地上) **1** 땅의 위. 반 지하. **2** 이 세상. ㉠지상 최대의 쇼.

지상[2] (至上) 더할 수 없이 가장 높음. ㉠지상 과제. 비 최상.

지상 낙원 (地上樂園) [―나권] ⇨ 지상 천국.

지상 명ː령 (至上命令) [―명녕] 절대 복종해야 할 명령.

지상 천국 (地上天國) 이 세상에서 이룩되는 행복하고 자유로운 사회.

지새다 밤이 지나고 날이 밝아 오다. ㉠밤이 지새도록 책을 읽었다.

지새우다 잠을 자지 않고 뜬눈으로 밤을 보내다.

지서 (支署) 본서에서 갈라져 나가 그 지역의 업무를 맡아보는 관서. ㉠경찰지서. 비 분서.

지석 (誌石) 죽은 사람의 이름이나 태어나고 죽은 날짜, 행적 따위를 기록하여 무덤 앞에 묻는 돌.

지석영 (池錫永) 〖인명〗 조선 말의 학자. 우리나라에서 처음으로 종두법을 시행함. 국어 연구에도 공적을 남김. [1855-1935]

지선[1] (支線) 본선에서 갈려 나간 노선. 반 간선.

지선[2] (至善) 지극히 착함.

지성[1] (至誠) 지극한 정성. ㉠환자를 지성으로 돌보다 / 지성이면 감천이라. 비 정성. **―스럽다.**

지성[2] (知性) 인간의 이성적인 사고나 판단의 능력. ㉠뛰어난 지성을 갖추다.

지성껏 (至誠―) [지성껃] 온갖 정성을 다하여. ㉠부모님을 지성껏 모시다.

지성인 (知性人) 지성을 지닌 사람. ㉠지성인의 면모를 갖추다.

지세 (地勢) 땅의 형세. ㉠지세가 험하다.

지소 (支所) 본소의 관리 아래 정해진 지역의 일을 처리하는 곳. ㉠각 지역에 지소를 설치하다.

지속 (持續) 어떤 상태가 계속 이어짐. ㉠약효가 지속되다 / 학업을 지속하다. **―하다.**

지속적 (持續的) [지속쩍] 어떤 상태가 계속 이어지는 (것). ㉠지속적인 노력을 기울이다.

지수 (指數) **1** 숫자나 문자의 오른쪽 위에 표시하여 거듭제곱을 나타내는 숫자나 문자. 7^3(7의 세제곱)에서 3을 가리킴. **2** 물가나 임금 등의 변동을 알기 쉽게 나타내기 위하여 일정한 때를 100으로 기준하여 비교하는 숫자. ㉠물가 지수.

***지시** (指示) 어떤 일을 시킴. ㉠지시 사항 / 상사의 지시에 따르다 / 업무를 지시하다. **―하다.**

지시약 (指示藥) 반응의 결과를 색의 변화로 나타내는 약. 리트머스 종이 따위.

***지식** (知識) 어떤 사물에 관하여 알고 있음. 또는 그 알고 있는 내용. ㉠전문 지식 / 지식을 쌓다. 비 학식.

지식인 (知識人) [지시긴] 지식층에 속하는 사람.

지식층 (知識層) 지식인들로 이루어진 사회 계층.

지신 (地神) 땅을 맡아 다스린다는 신령. 반 천신.

지신밟기 (地神―) [지신밥끼] 영남 지방에서 음력 정월 보름날에 행하여져 오는 민속놀이의 하나. 농악대를 앞세우고 집집을 돌며 지신을 달래어 한 해가 무사하기를 빎.

지아비 웃어른 앞에서 '남편'을 낮추어 일컫는 말. 반 지어미.

지압 (指壓) 손가락 끝으로 누르거나 두드림. 예 지압을 받다. **—하다.**

지어내다 [— / 지여내다] 없는 사실이나 감정, 표정 따위를 만들거나 꾸며서 내다. 예 그건 지어낸 거짓말이다 / 애써 웃음을 지어내다.

지어미 웃어른 앞에서 '아내'를 낮추어 일컫는 말. 반 지아비.

지엄하다 (至嚴—) 매우 엄하다. 예 지엄하신 분부를 내리다.

지엔피 (GNP) ⇨국민 총생산.

*__지역__ (地域) 어떤 성질이나 기준에 따라 나누어진 땅. 예 공업 지역으로 개발하다. 비 지대. 구역. ➡ area

지역구 (地域區) [지역꾸] 구·시·군 따위의 일정한 지역을 한 단위로 하여 정한 선거구. ＊전국구.

지역 사회 (地域社會) [—싸회] 일정한 지역 안에서 지연에 따라 이루어진 생활 공동체.

지연[1] (遲延) 시간이 예정보다 오래 걸리거나 늦어짐. 예 공사가 지연되다. **—하다.**

지연[2] (地緣) 살고 있는 지역을 근거로 하여 맺어진 관계. ＊혈연.

지열 (地熱) **1** 땅덩이가 본디부터 가지고 있는 열. **2** 햇볕을 받아 땅 표면에서 나는 열.

지옥 (地獄) **1** 살아서 나쁜 짓을 한 사람이 죽은 후 가서 모진 고통을 받는다는 곳. 반 천국. 천당. 극락. **2** 못 견딜 정도로 아주 괴로운 형편이나 상태. 예 교통 지옥.

*__지우개__ **1** 쓴 글씨나 그림을 지우는 고무로 만든 물건. **2** 칠판에 분필로 쓴 것을 지우는 도구. ➡ eraser

*__지우다__[1] **1** 글씨·그림·흔적 따위를 보이지 않게 없애다. 예 낙서를 지우다. **2** 생각·기억 따위를 없애다. 예 나쁜 기억은 지워 버려라.

지우다[2] **1** 짐 따위를 지게 하다. 예 지게를 지우다. **2** 책임을 맡도록 만들다. 예 책임을 지우다.

지원[1] (支援) 지지하여 도움. 예 지원 대책 / 수재민들에게 생필품을 지원하다. 비 원조. 후원. **—하다.**

지원[2] (志願) 어떤 일이나 조직에 뜻을 두어 들어가기를 바람. 예 음대를 지원하다. 비 지망. **—하다.**

지원병 (志願兵) 의무나 고용 때문이 아니라 스스로 원해서 복무하는 병사.

지원서 (志願書) 학교·기관 등에 지원하는 뜻을 적어서 내는 서류.

지원자 (志願者) 지원하는 사람. 예 지원자가 몰리다.

지위 (地位) 사회적인 신분에 따르는 자리나 계급. 예 사회적 지위 / 지위가 높다.

*__지은이__ [지으니] 책을 지은 사람. 비 글쓴이. 작자. 저자.

지읒 [지읃] 한글의 자모 'ㅈ'의 이름. 발음 지읒이[지으시] / 지읒을 [지으슬] / 지읒에[지으세].

지자기 (地磁氣) 지구가 갖는 자기. 본 지구 자기.

지자제 (地自制) '지방 자치 제도'의 준말.

지장[1] (支障) 일을 해 나가는 데 거치적거리며 방해가 되는 것. 예 공부에 지장이 있다. 비 장애.

지장[2] (指章) 도장 대신에 찍는 손가락의 지문. 예 지장을 찍다. 비 손도장.

지저귀다 새가 계속 소리 내어 울다. 예 새들이 지저귀다.

지저분하다 **1** 어지럽고 깨끗하지 못하다. 예 지저분한 거리. **2** 말과 행동이 추잡하고 더럽다.

지적[1] (知的) [지쩍] 지식이 있는 (것). 지식에 관한 (것). 예 지적인 수준이 높다.

지적[2] (指摘) **1** 꼭 집어서 손가락으로 가리킴. **2** 잘못된 점이나 허물을 들추어 드러냄. ㉞잘못을 **지적**하다. 囮 지목. **—하다.**

지절거리다 낮은 목소리로 수다스럽게 지껄이다. 㖦 재잘거리다.

***지점**[1] (地點) 땅 위의 일정한 어떤 곳. ㉞결승 **지점.**

지점[2] (支店) 본점에 딸리어 그 지휘·명령에 따르는 영업소. ㉞전국에 **지점**을 두다. 㺕 본점.

지점장 (支店長) 지점의 책임을 맡아 운영하는 사람.

지점토 (紙粘土) 잘게 찢은 신문지 따위를 물에 불린 것에 점착제를 섞어 찰흙처럼 만든 것.

지정 (指定) 여럿 가운데서 특별히 가리켜 정함. ㉞지정석 / 관람석을 **지정**하다. **—하다.**

지조 (志操) 끝까지 굽히지 않는 꿋꿋한 절개. ㉞학자로서의 **지조.**

지주[1] (地主) **1** 땅의 소유자. ㉞**지주** 계급. **2** 자기의 땅을 남에게 빌려주고 그 대가를 받는 사람.

지주[2] (支柱) **1** 무엇을 버티는 기둥. 囮 받침대. **2** 의지할 수 있는 근거나 힘의 비유. ㉞정신적 **지주** / 넌 우리 집안의 **지주**다.

지중해 (地中海) **1** 유럽·아프리카·아시아 대륙에 둘러싸인 바다. **2** 대륙과 대륙 사이에 끼인 바다. 북극해·홍해 따위.

지중해성 기후 (地中海性氣候) [지중해썽—] 지중해 지방에 나타나는 기후. 겨울이 따뜻하며, 여름보다 겨울에 비가 많이 내림.

지지[1] 어린아이에게 더러운 것이라고 일러 주는 말.

지지[2] (支持) **1** 붙들어서 버팀. **2** 주의·정책 따위에 찬성하여 뒷받침함. ㉞**지지** 세력 / 열렬한 **지지**를 받다 / **지지**를 보내다. **—하다.**

지지다 **1** 국물을 조금 붓고 끓여 익히다. ㉞된장찌개를 **지지다.** **2** 기름 친 그릇에 부쳐 익히다. ㉞전을 **지지다.** **3** 뜨겁게 하거나 타게 하다. **4** 찜질을 하다. ㉞온돌방에서 몸을 **지지다.**

지지고 볶다 사람을 들볶아서 몹시 귀찮게 하다.

[학습마당] 23

지진의 세기

진도	진도의 이름	지 진 이 미 치 는 영 향
0	무감	사람은 느끼지 못하고 지진계에 기록되는 정도
1	미진	지진에 민감한 사람에게만 느끼는 정도
2	경진	많은 사람이 느끼며, 창문이 약간 흔들리는 정도
3	약진	집이 흔들리고 창문에서 소리가 나며, 어항 속의 물이 흔들리는 정도
4	중진	집이 심하게 흔들리고 꽃병이 넘어지는 정도
5	강진	벽이 갈라지고, 굴뚝이나 돌담 등이 파손되는 정도
6	열진	집이 무너지는 것이 30% 이하이며, 산사태가 일어나고 땅이 갈라지는 정도
7	격진	집이 무너지는 것이 30% 이상이며, 산사태가 일어나고 땅에 단층이 생기는 정도

지지리 매우 심하게. 지긋지긋하게. ㉠**지지리** 못나다 / **지지리** 고생하다.

지지배배 제비·종달새 따위의 새가 지저귀는 소리.

지지부진(遲遲不進) 매우 더뎌 잘 진행되지 않음. ㉠공사가 **지지부진**하다. **—하다.**

지지율(支持率) 지지하는 비율이나 정도. ㉠**지지율**이 높다.

지지자(支持者) 지지하는 사람.

***지진**(地震) 땅속에 급격한 변화가 생겨 땅이 크게 울리고 흔들리며 갈라지는 현상. ㉠**지진**에 의한 재해 / **지진**이 나다. ㊈지동. → [학습마당] 23(997쪽)

지진계(地震計) [— / 지진게] 지진으로 인한 지표의 진동 상태를 기록하는 장치.

지진파(地震波) 지진이 발생한 곳에서 사방으로 퍼지는 파동.

지질(地質) 지각을 이루고 있는 암석이나 지층의 성질. ㉠**지질** 조사.

지질학(地質學) 지구의 구성 물질, 형성 과정, 과거에 살았던 생물 따위를 연구하는 학문.

지짐이 [지지미] **1** 국보다 국물을 적게 잡아 짭짤하게 끓인 음식. **2** ⇨ 부침개. ㉠두부 **지짐이**.

지참(持參) 무엇을 가지고 모임에 참석함. ㉠도시락 **지참** / 필기도구를 **지참**하다. **—하다.**

지척(咫尺) 아주 가까운 거리. ㉠**지척**에 살다 / **지척**을 못 보다.

지천(至賤) **1** 매우 천함. **2** '지천으로'로 쓰이어, 하도 많아서 별로 귀할 것이 없음. ㉠들판에 억새가 **지천**으로 자라 있었다. **—하다.**

지체[1] 대대로 전해 내려오는 집안의 지위나 신분. ㉠**지체** 높은 집안.

지체[2](肢體) 팔다리와 몸.

지체[3](遲滯) 시간이 늦어짐. 기일에 뒤짐. ㉠**지체** 없이 신고하다. **—하다.**

지축(地軸) **1** 지구가 자전을 하는 데 중심이 되는 축. 곧 남북 양극을 연결하는 축. **2** 대지의 중심. ㉠**지축**을 흔드는 소리.

***지출**(支出) 어떤 목적을 위해 돈을 쓰는 일. ㉠**지출**을 줄이다. ㊇수입. **—하다.**

***지층**(地層) 물·바람 따위의 작용으로 운반된 진흙·모래·자갈·돌 등이 차례로 쌓여서 이루어진 층.

***지:치다**[1] 힘든 일을 하거나 어떤 일에 시달려 기운이 빠지다. ㉠삶에 **지치다** / 기다리다 **지치다**.

지:치다[2] 얼음 위를 미끄러져 달리다. ㉠얼음을 **지치다**.

지침(指針) **1** 시계·계량기 따위의 지시 장치에 붙어 있는 바늘. ㉠나침반의 **지침**. **2** 생활이나 행동의 올바른 방향이나 방법을 알려 주는 말. ㉠행동 **지침** / **지침**을 따르다.

지칭(指稱) 어떤 대상을 가리키어 부름. 또는 그 이름. **—하다.**

지켜보다 눈을 떼지 않고 주의를 기울여 잘 살펴보다. ㉠수상한 행동을 하는지 **지켜보다**.

***지키다** **1** 잃지 않도록 살피다. ㉠짐을 **지키다**. **2** 보호하다. ㉠밤새도록 환자를 **지키다**. **3** 어떤 상태나 태도 따위를 그대로 유지하다. ㉠비밀을 **지키다** / 침묵을 **지키다**. **4** 눈여겨 감시하다. ㉠길목을 **지키다**. **5** 법·약속·예의 따위를 어기지 않고 준수하다. ㉠약속을 **지키다** / 질서를 **지키다**.

지탄(指彈) 잘못을 지적하여 나무람. ㉠사회의 **지탄**을 받다. **—하다.**

지탱(支撑) 오래 버티어 나감. ㉠겨우 목숨을 **지탱**하다. **—하다.**

***지팡이** 걸을 때 도움을 받기 위해 짚는 막대기. ㉠**지팡이**를 짚다.

지퍼(zipper) 이가 서로 맞는 금속 따위의 조각을 헝겊 테이프에 박아,

그 두 줄을 고리로 밀고 당겨 여닫게 만든 물건. ㉠지퍼를 올리다.

지평선 (地平線) 하늘과 땅이 맞닿아 보이는 넓고 평평한 경계선. ㉠지평선을 바라보다. ㉣지평.

지폐 (紙幣) [─ / 지페] 종이로 만든 돈. ㉠만 원짜리 **지폐**.

지표[1] (地表) 지구의 표면. 또는 땅의 겉면. ㉥지표면.

*__지표__[2] (指標) 방향·목적 등을 나타내는 표지. ㉠생활의 **지표**.

지표면 (地表面) ⇨지표[1].

지푸라기 짚의 낱개. 또는 짚의 부스러기.

지프 (jeep) 군대나 작업장 따위에서 편하게 쓰도록 만든 소형 자동차. 험한 지형을 달리기에 알맞음. 지프차.

〈지프〉

지피다 아궁이나 화덕 등에 땔나무나 연탄을 넣고 불을 붙이다. ㉠장작불을 **지피다**.

지피지기 (知彼知己) 적의 사정과 나의 사정을 잘 앎. ㉠**지피지기**면 백전백승이라.

*__지하__ (地下) **1** 땅의 속. ㉠**지하** 주차장. ㉫지상. **2** 죽은 넋이 돌아간다는 땅속.

지하도 (地下道) 사람이나 차들이 다니도록 땅 밑으로 낸 길.

지하수 (地下水) 땅속의 흙·돌 등의 빈틈에 있는 물. ㉫지표수.

지하실 (地下室) 땅을 파고 만들어 놓은 방. ㉠어두컴컴한 **지하실** / **지하실**로 내려가다. ㉥땅광.

지하자원 (地下資源) 땅속에 묻혀 있는 자원. 석탄·석유·철광 따위. ㉠풍부한 **지하자원**.

*__지하철__ (地下鐵) 땅속에 굴을 파고 놓은 철도. ㉠출퇴근 때 **지하철**을 이용하다. ㉦지하 철도. ➲ subway

지향 (指向) 일정한 방향으로 나아감. 또는 그 방향. ㉠길을 잃고 **지향** 없이 헤매다. **—하다.**

지혈 (止血) 피가 나오다 멈춤. 또는 나오는 피를 멈추게 함. **—하다.**

지형 (地形) 땅의 생긴 모양. ㉠**지형**이 험하다.

지형도 (地形圖) 지형을 나타낸 지도. 땅의 높낮이·교통로·취락·토지 이용·지명 따위를 표시함.

*__지혜__ (智〔知〕慧) [─ / 지헤] 사물의 이치를 밝히고 옳은 것과 그른 것, 좋은 것과 나쁜 것을 가려내는 능력. ㉠**지혜**가 뛰어나다. ㉥슬기.

지혜롭다 (智慧─) [지혜롭따 / 지헤롭따] ⇨슬기롭다. 활용 지혜로워 / 지혜로우니.

*__지휘__ (指揮) **1** 단체에 속한 사람들에게 지시하여 일을 하도록 시킴. ㉥지시. **2** 합주·합창 따위에서, 지휘자의 손짓이나 몸동작으로 많은 사람이 조화를 이루게 이끄는 일. ㉠오케스트라 **지휘**를 하다. **—하다.**

지휘관 (指揮官) 군대의 지휘를 맡은 관직. 또는 그 사람.

지휘봉 (指揮棒) 지휘자가 합주·합창 등을 지휘하는 데 쓰는 막대기.

지휘자 (指揮者) **1** 지시하고 이끌어 가는 사람. **2** 합주나 합창을 할 때 앞에서 지휘를 하는 사람.

직 **1** 선이나 획을 세게 한 번 긋는 소리. 또는 그 모양. **2** 종이나 헝겊을 세게 찢는 소리. 또는 그 모양.

*__직각__ (直角) [직깍] 두 직선이 만나서 이루는 각이 90도인 각.

직각 삼각형 (直角三角形) [직깍쌈가켱] 한 각이 직각인 삼각형. ㉣직삼각형.

직각 이등변 삼각형 (直角二等邊三角形) [직까기등변삼가켱] 직각을 사이에 둔 두 변의 길이가 같은 삼각형.

직감 (直感) [직깜] 사물이나 현상

을 접하자마자 순간적으로 느껴 앎. ㉾위험을 직감하다. **—하다.**

직거래 (直去來) [직꺼래] 중개인을 거치지 아니하고 살 사람과 팔 사람이 직접 거래함. ㉾농산물 직거래 판매장. **—하다.**

직결 (直結) [직껼] 직접 연결되거나 직접 관계됨. **—하다.**

직경 (直徑) [직꼉] '지름'의 이전 이름.

직계 (直系) [직꼐 / 직께] 친족 사이의 핏줄이 할아버지·아버지·아들·손자 등으로 직접 이어지는 계통. ㉾직계 가족. ㊥방계.

직공 (職工) [직꽁] **1** 자기 손 기술로 물건을 만드는 직업을 가진 사람. **2** 공장에서 일하는 사람. ㉾인쇄소 직공. ㊇공원.

직구 (直球) [직꾸] 야구에서, 투수가 타자에게 공을 던질 때 변화를 주지 않고 곧게 던지는 공.

직권 (職權) [직꿘] 공무원 등이 그 직무에 따라 가지는 권한. ㉾의장의 직권으로 퇴장시키다.

*__직렬__ (直列) [징녈] 여러 전지를 서로 다른 극끼리 닿게 한 줄로 잇는 일. ㊥병렬.

직류 (直流) [징뉴] 방향이 일정한 전류. ㊥교류.

직립 (直立) [징닙] 꼿꼿하게 똑바로 섬. ㉾직립 보행. **—하다.**

직매장 (直賣場) [징매장] 생산자가 중간 상인을 거치지 않고 소비자에게 제품을 직접 파는 장소.

직면하다 (直面—) [징면하다] 어떤 일에 직접 접하다. ㉾위험에 직면하다.

직무 (職務) [징무] 담당해 맡은 사무. ㉾직무 평가 / 직무를 충실히 수행하다.

직물 (織物) [징물] 옷감 따위의 실로 짠 천을 통틀어 일컫는 말. 면직물·모직물·견직물 따위.

직분 (職分) [직뿐] **1** 직무상의 본분. ㉾맡은 바 직분을 다하다. **2** 마땅히 해야 할 본분. ㉾사람마다 각자 지켜야 할 직분이 있다.

*__직사각형__ (直四角形) [직싸가켱] 네 각이 모두 직각인 사각형. ㊇장방형. ㊄직각 사각형.

직사광선 (直射光線) [직싸광선] 정면으로 곧게 비치는 광선. ㉾직사광선이 내리쬐다. ㊈직사광.

*__직선__ (直線) [직썬] **1** 꺾이거나 굽은 데가 없는 곧은 선. **2** 두 점 사이를 가장 짧은 거리로 연결한 선. ㊥곡선.

직선적 (直線的) [직썬적] **1** 직선인 (것). ㉾직선적인 도로. **2** 감추거나 꾸미지 않는 (것). ㉾직선적인 성격 / 직선적으로 말하다.

직선제 (直選制) [직썬제] 국민들이 직접 선거를 통하여 선출하는 제도. ㊥간선제.

직성 (直星) [직썽] 타고난 성질이나 성미. ㉾일이 직성에 맞지 않다.

직성이 풀리다 소원·욕망 따위가 이루어져 마음이 편해지다.

직속 (直屬) [직쏙] 직접 딸림. ㉾정부 직속 기관 / 직속 상관. **—하다.**

직시 (直視) [직씨] **1** 정신을 집중하여 어떤 대상을 똑바로 봄. **2** 사물의 진실을 바로 봄. ㉾현실을 직시하다. **—하다.**

*__직업__ (職業) [지겁] 생활을 꾸려 나가기 위하여 자신의 적성과 능력에 따라 일정한 기간 계속 종사하는 일. ㉾직업을 구하다 / 적성에 맞는 직업. ㊇생업. 일자리.

직업병 (職業病) [지겁뼝] 그 직업의 특수한 환경 때문에 생기는 병.

직업인 (職業人) [지거빈] 직업을 가지고 있는 사람.

직영 (直營) [지경] 직접 관리하고 경영함. ㉾회사 직영 식당. **—하다.**

직원 (職員) [지권] 직장에서 근무

하는 모든 사람. ㊞부하 직원 / 직원을 뽑다.

직위 (職位) [지귀] 직무상의 자리. ㊞직위가 높다.

직유법 (直喩法) [지규뻡] 수사법의 하나. 비슷한 성질이나 모양을 가진 두 가지 사물을 '처럼·같이·듯이' 따위의 말을 붙여 표현하는 방법. '쟁반같이 둥근 달'·'물이 얼음처럼 차갑다' 따위.

***직육면체** (直六面體) [징늉면체] 각 면이 모두 직사각형이고 마주 보는 세 쌍의 면이 평행한 육면체.

직인 (職印) [지긴] 직무상 쓰는 도장. ㊞직인을 찍다.

***직장**[1] (職場) [직짱] 사람들이 일하는 곳. 회사·공장·관청 따위. ㊞직장에 다니다.

직장[2] (直腸) [직짱] 대장의 끝 부분으로, 항문에 이어지는 곧은 부분. ㊞직장염. 비 곧은창자.

직장인 (職場人) [직짱인] 직장을 가지고 일하는 사람.

직전 (直前) [직쩐] 일이 생기기 바로 전. ㊞출발 직전에 기계 고장이 나다. 반 직후.

***직접** (直接) [직쩝] **1** 중간에 다른 것이 없이 바로 연결되는 관계. ㊞직접 원인. 반 간접. **2** 곧바로. ㊞전해 줄 것이 있어 직접 왔다.

직접 선:거 (直接選擧) [직쩝썬거] 선거 방법의 하나. 국민이 후보자로 나선 사람을 보고 직접 투표하는 제도. 반 간접 선거.

직접세 (直接稅) [직쩝쎄] 국가가 세금 부담자에게서 직접 받아들이는 세금. 소득세·재산세 따위. 반 간접세.

직접적 (直接的) [직쩝쩍] 중간 매개를 통하지 않고 바로 연결되는 (것). ㊞태풍의 직접적인 영향을 받을 것이다. 반 간접적.

직조 (織造) [직쪼] 기계로 천 따위를 짜는 일. **—하다.**

직종 (職種) [직쫑] 직업이나 직무의 종류. ㊞직종이 다르다.

직지심경 (直指心經) [직찌심경] 고려 우왕 때, 흥덕사에서 인쇄된 세계 최초의 금속 활자본. 프랑스 국립 도서관에 보관되어 있음. 본 직지심체요절.

직직 [직찍] **1** 줄이나 획을 함부로 세게 긋는 소리나 모양. ㊞종이에 줄을 직직 긋다. **2** 종이나 천 따위를 세게 마구 찢는 소리. ㊞광고지를 직직 찢다. **3** 신 따위를 끌며 걷는 소리나 모양. ㊞슬리퍼를 직직 끌다. 작 작작. 센 찍찍. **—하다. —거리다.**

직진 (直進) [직찐] 곧게 나아감. ㊞직진 신호. **—하다.**

직책 (職責) 직무상의 책임.

직통 (直通) 두 지점 사이에 막힘이 없이 바로 통함. ㊞직통 전화 / 본사와 직통으로 연락하다. **—하다.**

직판장 (直販場) 생산자가 소비자에게 물건을 직접 판매하는 곳.

직하다 [지카다] '할 것 같다', '해도 좋다' 등의 뜻으로 쓰이는 말. ㊞실망을 느꼈음 직하다 / 이 나무는 수령이 백 년은 됨 직하다.

-직하다 [지카다] 좀 또는 꽤 그러함을 나타내는 말. ㊞높직하다 / 굵직하다.

직할시 (直轄市) [지칼시] '광역시'의 이전 이름.

직행 (直行) [지캥] 도중에 다른 곳에 머물거나 들르지 않고 목적지로 바로 감. ㊞직행 버스. **—하다.**

직후 (直後) [지쿠] 어떤 일이 일어난 바로 뒤. ㊞졸업 직후 유학을 떠나다. 반 직전.

진[1] (陣) 적과 맞서 싸우기 위해 군대가 머물러 있는 곳. ㊞산기슭에 진을 벌이다.

진(을) 치다 자리를 차지하다. ㊞

진을 치고 앉아 불을 쬐고 있다.
진:² (津)　풀이나 나무껍질 따위에서 나오는 끈끈한 물질. ㉎소나무에서 끈적끈적한 진이 나온다.
진(이) 빠지다　실망하거나 싫증이 나서 더 이상할 마음이 나지 않는다. 또는 힘을 다 써서 기진맥진해지다.
진³ (眞)　**1** 진짜. 참. **2** 등급을 진·선·미로 나눌 때의 첫 번째.
진⁴ (jean)　비스듬한 무늬가 나오게 짠 옷감으로, 올이 가늘고 질긴 무명의 하나. ㉎블루진.
진- (津)　색깔이나 음식이 옅거나 묽지 않고 매우 진함을 나타내는 말. ㉎진보라 / 진국.
진가 (眞價) [진까]　참된 값어치. 진실된 가치. ㉎진가를 발휘하다.
진:갑 (進甲)　환갑의 이듬해. 또는 그해의 생일. ㉎진갑을 맞다.
진:격 (進擊)　앞으로 나아가서 적을 공격함. ㉎진격 명령. ㉶퇴각. 후퇴. **—하다.**
진경 (眞景)　**1** 실제의 경치. ㉥실경. **2** 실제의 경치 그대로 그린 그림. ㉎진경 산수화.
진골 (眞骨)　신라 때, 부모 중 어느 한쪽만이 왕족의 혈통을 지닌 계급. *성골.
진공 (眞空)　공기 따위의 물질이 전혀 없는 공간. ㉎진공 상태.
진공관 (眞空管)　진공으로 된 유리관 속에 몇 개의 전극을 넣은 것.
진공청소기 (眞空淸掃器)　전동기를 이용한 흡인력으로 먼지와 티끌을 빨아들이게 된 청소 도구.
진국¹ (津—)　오랫동안 푹 고아 걸쭉하게 된 국물.
진국² (眞—)　거짓이 없이 참된 사람. ㉎그 사람은 진국이다.
진:군 (進軍)　적과 맞서기 위해 군대가 앞으로 나아감. **—하다.**
진귀하다 (珍貴—)　보배롭고 귀중하다. ㉎대대로 내려오는 진귀한 물건을 소중히 다루다.
진:급 (進級)　등급·계급·학년 등이 다음 단계로 오름. ㉎진급이 빠르다 / 과장으로 진급되다. **—하다.**
진기하다 (珍奇—)　귀중하고 기이하다. ㉎진기한 물건.
진나라 (秦—)　춘추 전국 시대에 중국에 있었던 나라. 시황제가 주나라와 다른 여섯 나라를 멸망시키어 최초로 중국을 통일함. 한나라 고조에게 망함.
진:노 (震怒)　신분·지위 또는 연령이 높은 사람이 몹시 화를 냄. ㉎왕의 진노를 사다. **—하다.**
진눈깨비　비가 섞여서 내리는 눈.
진단 (診斷)　의사가 환자를 보고 병의 상태를 진찰하여 판단함. ㉎진단을 받다 / 진단을 내리다 / 환자를 진단하다. **—하다.**
진단서 (診斷書)　의사가 환자를 진찰한 결과를 적은 서류. ㉎사망 진단서 / 진단서를 떼다.
***진달래**　진달랫과의 낙엽 활엽 관목. 높이 1–2 m로, 봄에 잎보다 먼저 엷은 분홍색의 꽃이 핌. 산간 양지에 나며, 정원수·관상용으로 심음.

〈진달래〉

진달래꽃 [진달래꼳]　진달래의 꽃.
진담 (眞談)　거짓이 아닌 진실된 이야기. 참된 말. ㉎농담이 아니고 진담이다. ㉶농담.
진:도¹ (進度)　일이 되어 가는 속도나 정도. ㉎진도가 빠르다.
진:도² (震度)　지진이 일어났을 때, 몸에 느껴지는 진동이나 건물이 받는 영향 등의 정도를 등급으로 나눈 것. → [학습마당] 23(997쪽)
진도³ (珍島) 〘지명〙　전라남도 남서쪽에 있는 섬. 육지와 연결되어

있는 진도 대교가 있고 진돗개가 유명함.

진돗개 (珍島—) [진도깨 / 진돋깨] 우리나라 전라남도 진도에서 나는 개. 몸빛은 황갈색 또는 백색임. 귀는 뾰족하게 서며, 꼬리는 짧고 왼편으로 말림. 날쌔고 슬기롭고 용맹함. 천연기념물 제53호.

〈진돗개〉

진동[1] 저고리의 어깨선에서 겨드랑이까지의 폭이나 넓이.

진ː동[2] (振動) **1** 규칙적으로 흔들려 움직임. ㉲자동차의 진동이 심하다. **2** 냄새가 몹시 심하게 남. ㉲악취가 진동하다. **—하다.**

진ː동[3] (震動) 몹시 울려 심하게 흔들림. ㉲지진으로 땅이 진동하다. **—하다.**

진드기 진드깃과의 곤충. 개·말·소 따위에 붙어살며 피를 빨아 먹음. 몸은 주머니 모양이며, 암컷은 7 mm, 수컷은 2.5 mm가량으로 머리·가슴·배의 구별이 분명하지 않음. ㊣진디.

진득이 [진드기] 진득하게. ㉲연락을 진득이 기다리다. ㉸잔득이.

진득하다 [진드카다] **1** 몸가짐이 의젓하고 참을성이 있다. ㉲아픔을 진득하게 참아 내다. **2** 물기가 있어 눅눅하고 차지다. ㉲반죽이 진득하다. ㉸잔득하다.

진딧물 [진딘물] 진딧물과의 곤충. 화초나 채소 따위에 붙어 진을 빨아 먹고 삶. 농작물의 해충임. ㊣진디.

진ː땀 (津—) 몹시 애쓰거나 힘들 때 흐르는 끈끈한 땀. ㉲생각만 해도 진땀 나는 일이다.

진땀(을) 빼다〔흘리다〕 어렵거나 정신이 긴장되어 진땀이 나도록 몹시 애를 쓰다. ㉲어려운 수학 문제를 푸느라 진땀을 뺐다.

진ː력 (盡力) [질력] 있는 힘을 다함. ㉲진력을 다하다 / 경제를 살리기 위해 진력하다. **—하다.**

진ː력나다 (盡力—) [질령나다] 어떤 것에 질리어 싫증이 나다. ㉲같은 일을 매일 반복하니 진력난다.

진ː로 (進路) [질로] 앞으로 나아갈 길. ㉲선생님과 진로 상담을 하다. ㉯퇴로.

진ː료 (診療) [질료] 의사가 환자를 진찰하고 치료함. ㉲환자를 진료하다 / 진료를 받다. **—하다.**

진ː료비 (診療費) [질료비] 환자가 진찰과 치료를 받고 내는 돈.

진ː료소 (診療所) [질료소] 진료할 수 있는 시설을 갖춘 곳. 일반적으로 보건소를 이름.

진ː료실 (診療室) [질료실] 의사가 환자를 진찰하고 치료하는 방.

진ː루 (進壘) [질루] 야구에서, 다음 누로 나아감. **—하다.**

진리 (眞理) [질리] 참된 도리. 참된 이치. ㉲진리 탐구. ➲ truth

진ː맥 (診脈) 한의학에서 손목의 맥을 짚어 보고 병을 진찰함. ㉲진맥을 짚다. **—하다.**

진면목 (眞面目) 본래의 모습. ㉲진면목을 발휘할 기회가 오다.

진ː물 (津—) 부스럼이나 상처 따위에서 흐르는 물. ㉲진물이 나다 / 솜으로 진물을 닦다.

진미 (珍味) 음식의 썩 좋은 맛. 또는 그런 맛이 나는 음식물. ㉲진미를 맛보다.

진배없다 [진배업따] 그보다 못하거나 다를 것이 없다. ㉲직접 가 본 것이나 진배없다.

진범 (眞犯) 어떤 범죄를 실제로 저지른 바로 그 사람. ㉲진범을 체포하다.

진ː보 (進步) 정도나 수준이 점점 나아지거나 발달함. ㉲과학 기술이 진보하다. 반 퇴보. **—하다.**

진:보적 (進步的) 사회의 변화와 발전을 추구하는 (것). 예 진보적 사상. 반 보수적.

진부하다 (陳腐—) 사상·표현·행동 따위가 케케묵고 낡아 새롭지 못하다. 예 표현이 진부하다 / 진부한 생각을 가지고 있다.

진분수 (眞分數) [진분쑤] 분자의 값이 분모보다 작은 분수. $\frac{2}{3}$, $\frac{3}{5}$ 따위. 반 가분수.

진:사 (進士) 조선 때, 소과·진사과에 합격한 사람에게 주던 칭호.

진상[1] (眞相) 사물의 참된 모습. 예 진상을 밝히다 / 사건의 진상을 조사하다.

진:상[2] (進上) 지방의 특산물이나 귀한 물건을 임금이나 높은 벼슬아치에게 바침. 예 지방 특산물을 임금에게 진상하다. **—하다.**

진선미 (眞善美) '참된 것·착한 것·아름다운 것'을 아울러 이르는 말.

진솔하다 (眞率—) 진실하고 솔직하다. 예 진솔한 대화를 나누다.

진수[1] (眞髓) 사물의 중심 부분에서도 가장 중요한 부분. 예 뮤지컬의 진수를 맛보다.

진:수[2] (進水) 새로 만든 배를 처음으로 물에 띄움. 예 진수식 / 거북선을 진수하다.

진수성찬 (珍羞盛饌) 푸짐하게 잘 차린 맛있는 음식. 예 진수성찬을 차리다.

진:술 (陳述) 자세하게 말함. 예 목격자의 진술을 듣다. **—하다.**

진실 (眞實) 거짓이 없고 참됨. 예 진실을 밝히다 / 진실한 친구는 어려울 때 서로 돕는다. 반 거짓. 허위. **—하다.** ➲ true **—히.** ➲ truth

진실로 (眞實—) 참으로. 거짓 없이. 예 그 친구를 진실로 좋아한다.

진실성 (眞實性) [진실썽] 참된 성질이나 품성. 예 그 남자의 말은 진실성이 없다.

진심 (眞心) 거짓이 없는 참된 마음. 참마음. 예 합격을 진심으로 축하합니다. 비 진정.

진:압 (鎭壓) [지납] 강제로 억눌러 진정시킴. 예 진압 작전 / 시위를 진압하다. **—하다.**

진양조장단 (—調—) [지냥쪼장단] 민속악에서, 판소리 및 산조 장단의 한 가지. 가장 느린 곡조로 슬프고 무거운 느낌의 장단임.

진:열 (陳列) [지녈] 여러 사람에게 보이기 위해 물건을 죽 벌여 놓음. 예 상품을 진열하다. **—하다.**

진:열대 (陳列臺) [지녈때] 물품이나 상품을 벌여 놓는 대. 예 진열대를 정리하다.

진:열장 (陳列欌) [지녈짱] 상점 등에서 물건이나 상품을 벌여 놓는 데 쓰는 장.

진영 (陣營) [지녕] **1** 군대가 머물러 있는 일정한 구역. 비 군영. **2** 대립하는 세력의 어느 한쪽. 예 자유 진영 / 공산 진영.

진:원지 (震源地) [지눤지] **1** 지진이 최초로 시작된 지점. 예 진원지를 찾다. **2** 사건이나 소동 따위를 일으킨 근원이 되는 곳의 비유. 예 소문의 진원지.

진위 (眞僞) [지뉘] 참과 거짓. 예 진위를 가리다 / 진위를 밝히다.

진의 (眞意) [지늬 / 지니] 참뜻. 참된 의사. 예 진의를 알 수가 없다.

진:입 (進入) [지닙] 목표로 삼은 곳이나 상태를 향해 내처 들어감. 예 궤도에 진입하다 / 선진국 대열에 진입하다. **—하다.**

진:입로 (進入路) [지님노] 어떤 곳으로 들어가는 길. 예 마을 진입로를 따라 걷다.

진:자 (振子) 줄 끝에 추를 매달아 좌우로 계속 움직이게 만든 물체. 비 흔들이.

진자리 아이들이 오줌·똥을 싸서 축축하게 젖은 자리. ㊥마른자리.

진ː작 어떤 일이 생기기 전에 미리. 좀 더 일찍이. ㊎어머니가 찾기 전에 진작 집에 갔어야 했는데.

진저리 **1** 차가운 것이 살갗에 닿거나 오줌을 눈 뒤에 으스스 떠는 몸짓. ㊎추위에 **진저리**를 치다. **2** 몹시 귀찮거나 지긋지긋하여 떠는 몸짓. ㊎**진저리**를 내다 / 생각만 해도 **진저리**가 난다.

진ː전 (進展) 일이 진행되어 발전함. ㊎협상이 빠른 진전을 보이다. **—하다.**

진절머리 심한 진저리. ㊎**진절머리**가 나다 / **진절머리**를 치다.

진정[1] (眞情) **1** 참되고 애틋한 정이나 마음. ㊎진정으로 좋아하다. **2** 진실한 사정. ㊎진정을 토로하다.

진ː정[2] (鎭靜) **1** 흥분이나 아픔 따위를 가라앉힘. ㊎슬픔을 진정하다 / 설레는 마음을 진정시키다. **2** 소란스럽고 어지러운 일을 가라앉힘. ㊎난리가 진정되다. **—하다.**

진ː정서 (陳情書) 관청이나 웃어른에게 사정을 자세히 알리기 위해 내는 글. ㊎진정서를 제출하다.

진ː정제 (鎭靜劑) 흥분을 가라앉히는 데 쓰는 약.

진정하다 (眞正—) 참되고 올바르다. ㊎진정한 친구 / 진정한 용기를 보이다. ㊗진실하다.

진ː종일 (盡終日) 하루 종일. ㊎진종일 비가 내렸다 / 진종일 쏘다니다. ㊗온종일. ㊞진일.

진주[1] (眞〔珍〕珠) 조개의 살 속에 생기는 구슬 모양의 덩어리. ㊎진주 목걸이.

진ː주[2] (晋州) 〖지명〗 경상남도에 있는 시. 방직·제지·양조 따위의 공업이 발달함. 촉석루·북장대·공자묘 등이 유명함.

진ː주성 (晋州城) 경상남도 진주의 진주 공원 일대에 있는 조선 시대의 읍성. 성안에 촉석루가 있음.

진ː중하다 (鎭重—) 점잖고 무게가 있다. ㊎진중하게 행동하다.

진ː즉 (趁卽) ⇨진작. ㊎진즉 말할 것이지.

진ː지[1] '밥'의 높임말. ㊎할아버지, 진지 잡수세요.

진지[2] (陣地) 적의 공격에 대비해 전투에 필요한 시설과 장비를 갖추고 부대를 배치해 놓은 곳. ㊎진지를 구축하다.

진지하다 (眞摯—) 태도 따위가 참되고 착실하다. ㊎진지한 이야기를 나누다.

진ː짓상 (—床) [진지쌍 / 진짇쌍] '밥상'의 높임말. ㊎진짓상을 차리다 / 진짓상을 올리다.

진짜 (眞—) **1** 거짓이 아닌 참된 것. 또는 그런 물건. ㊎이것은 **진짜** 꿀이다. ㊥가짜. **2** ⇨진짜로. ㊎**진짜** 멋있구나.

진짜로 (眞—) 참으로. 정말로. ㊎진짜로 재미없네. ㊗진짜.

진ː찰 (診察) 의사가 병의 종류·증상·원인 따위를 살펴보는 일. ㊎진찰을 받다. ㊗진단. 진맥. **—하다.**

진ː찰실 (診察室) 의사가 환자를 진찰하는 방.

진창 땅이 질어서 곤죽같이 질퍽질퍽한 곳. ㊎진창에 자전거 바퀴가 빠지다. ㊗이녕.

진창길 [진창낄] 땅이 질어서 질퍽질퍽한 길. ㊎진창길을 걷다 / 진창길에 미끄러져 넘어지다.

진ː척 (進陟) 일이 진행되어 감. ㊎일의 진척이 빠르다. **—하다.**

진ː출 (進出) 어떠한 방면으로 활동 범위나 세력을 넓혀 나아감. ㊎해외로 진출하다. **—하다.**

진ː취 (進取) 어려움을 무릅쓰고 자신 있게 힘껏 앞으로 나아감. ㊥퇴영.

진:취적 (進取的) 진취의 기상이 있는 (것). ㉥진취적 자세.

진탕 (一宕) 싫증이 날 만큼 아주 많이. ㉥진탕 놀다 / 진탕 고생을 하다 / 술을 진탕 마시다.

진토 (塵土) 티끌과 흙.

진통 (陣痛) **1** 아이를 낳을 때, 일정한 간격으로 반복되는 통증. ㉥진통이 오다. **2** 일이 다 되어 갈 무렵에 겪는 어려움. ㉥예산안 통과에 진통을 겪다. **—하다.**

진:통제 (鎭痛劑) 아픔을 가라앉히는 약.

진:퇴 (進退) 나아감과 물러섬. ㉥진퇴를 결정하다.

진:퇴양난 (進退兩難) 이러지도 저러지도 못하는 난처한 처지에 놓여 있음. ㉥진퇴양난에 처하다.

진:폭 (振幅) 진동의 중심으로부터 진동하는 오른쪽 또는 왼쪽까지의 거리.

진품 (眞品) 가짜가 아닌 물품. ㉥진품을 가려내다. ㊓진짜.

진풍경 (珍風景) 보기 드물게 희귀한 경치나 구경거리. ㉥거리의 진풍경 / 진풍경이 벌어지다.

진하다 (津—) **1** 빛깔이 짙다. ㉥진한 초록. **2** 액체의 농도가 높다. ㉥멸치 국물을 진하게 끓이다.

진:학 (進學) 상급 학교에 들어감. ㉥진학 상담 / 중학교에 진학하다. **—하다.**

진한 (辰韓) 〖국명〗 삼한의 하나. 1-3 세기경까지 경상 남북도 일대에 걸쳐 있었던 초기의 국가.

진해 (鎭海) 〖지명〗 경상남도에 있는 시. 벚꽃, 군항제, 충무공 동상 따위가 유명함.

진:행 (進行) **1** 앞으로 나아감. **2** 일을 처리하여 나아감. ㉥진행 상황을 보고하다 / 회의를 진행하다. ㊓진척. ㊥중지. **—하다.**

진:행자 (進行者) 의식·방송 등에서, 일을 이끌어 나가는 사람.

진홍색 (眞紅色) 짙은 붉은빛. ㊓진홍빛. ㊟진홍.

진:화[1] (進化) 생물이 오랜 시간에 걸쳐 간단한 구조에서 복잡한 구조로, 하등한 것에서 고등한 것으로 점점 나아져 가는 일. ㉥진화 과정. ㊥퇴화. **—하다.**

진:화[2] (鎭火) 불을 끔. ㉥진화 작업 / 산불을 진화하다. **—하다.**

진:화론 (進化論) 생물은 원시적인 것에서부터 고등한 것으로 진화되었다는 이론. 다윈이 주장함.

진흙 [진흑] **1** 빛깔이 붉고 차진 흙. ㉥진흙을[진흘글] 반죽하다. **2** 질척질척하게 짓이겨진 흙.

진흙탕 [진흑탕] 질척질척하게 죽같이 된 흙. ㉥진흙탕에 차바퀴가 빠지다.

진:흥 (振興) 떨치어 일으킴. ㉥농촌 진흥 운동 / 과학 기술을 진흥하다. **—하다.**

진흥왕 (眞興王) 〖인명〗 신라 제 24대 임금. 영토를 넓혀 삼국 통일의 기틀을 마련하고, 황룡사를 지어 불교를 진흥시키고, 화랑 제도를 두어 화랑 정신을 장려함. [534-576 ; 재위 540-576]

진흥왕 순수비 (眞興王巡狩碑) 신라 진흥왕이 국토를 넓힌 뒤 국경을 돌아보고 기념으로 세운 비석. 현재 북한산비, 황초령비, 마운령비, 창녕비가 남아 있음.

질[1] (帙) 여러 권으로 된 책의 한 벌. ㉥백과사전 한 질.

***질**[2] (質) **1** 물건이 성립하는 근본 바탕. ㉥양보다 질. ㊥양. **2** 타고난 성질. ㉥질 나쁜 친구.

-질 **1** 어떤 도구를 가지고 일을 하는 것을 나타냄. ㉥걸레질 / 부채질 / 바느질 / 망치질. **2** 어떤 행동이나 일을 낮추어 이르는 말. ㉥곁눈질 / 손가락질 / 싸움질. **3** 옳지 않은 짓

임을 나타냄. (예)강도질 / 도둑질.
질감 (質感) 재료에 따라 달리 느껴지는 독특한 느낌. (예)나무의 질감을 살린 장롱.
질겁하다 [질거파다] 뜻밖에 일을 당하여 자지러질 정도로 깜짝 놀라다. (예)뱀을 보고 질겁하다.
질겅거리다 질긴 물건을 계속하여 씹다. (예)오징어 다리를 질겅거리다.
질겅질겅 질겅거리는 모양. (예)껌을 질겅질겅 씹다. **—하다.**
질경이 질경잇과의 여러해살이 풀. 들이나 길가에서 자람. 잎은 뿌리에서 뭉쳐 나며 타원형임. 여름에 깔때기 모양의 흰 꽃이 핌. 어린잎은 먹음.

〈질경이〉

질그릇 [질그륻] 유약을 입히지 않고 진흙만으로 구워 만든 그릇. (예)손수 질그릇을 빚다. [비]토기.
질근질근 질긴 물건을 자꾸 씹는 모양. (예)마른오징어 다리를 질근질근 씹다. [작]잘근잘근.
질금 눈물·액체 따위가 조금 흐르다 그치는 모양. [센]찔끔. **—하다.**
질금거리다 자꾸 질금하다. [센]찔끔거리다.
질기다 쉽게 끊어지거나 부스러지지 않다. (예)고기가 질기다 / 옷감이 질기다.
질끈 **1** 단단히 졸라매거나 바싹 동이는 모양. (예)허리띠를 질끈 매다. [작]잘끈. **2** 바짝 힘을 주어 사이를 눌러 붙이는 모양. (예)눈을 질끈 감다 / 주먹을 질끈 쥐다.
*__질녀__ (姪女) [질려] 형제자매의 딸.
질다 **1** 밥이나 반죽 따위가 되지 않고 물기가 많다. (예)밥이 질다. **2** 땅이 질척질척하다. (예)진 땅. [활용]질어 / 지니 / 진.
질량 (質量) 물체가 가지고 있는 물질의 양.
질러가다 지름길로 가다. (예)산길로 질러가다. [활용]질러가거라.
*__질리다__ **1** 어떤 일이나 음식에 싫증이 나다. (예)라면에 질리다. **2** 기가 막히다. (예)질려서 말문이 막힌다. **3** 몹시 놀라거나 무서워서 얼굴빛이 변하다. (예)새파랗게 질리다 / 겁에 질려 울상이 되다.
*__질문__ (質問) 모르는 것이나 알고 싶은 것을 캐어 물음. (예)선생님께 질문을 하다. [비]질의. [반]대답. 응답. **—하다.** ➲ question
질문지 (質問紙) 질문 사항을 적은 종이.
질벅거리다 [질벅꺼리다] 흙이나 반죽 따위에 물기가 많고 끈기가 있어서 자꾸 차진 느낌을 주다. (예)질벅거리는 땅을 걷다.
*__질병__ (疾病) 몸과 마음의 상태가 좋지 않아 생기는 온갖 병. (예)질병에 걸리다 / 질병을 치료하다. [비]질환.
질산 (窒酸) [질싼] 질소·산소·수소가 일정한 비율로 섞여 강한 산성을 띠는 물질.
질색 (窒塞) [질쌕] 몹시 싫거나 놀라서 기막힐 정도에 이름. (예)우는 것은 딱 질색이다 / 쥐는 정말 질색이다. **—하다.**
*__질서__ (秩序) [질써] 사물이 올바른 상태를 유지하기 위하여 정해진 순서나 절차. (예)교통질서 / 질서를 지키다 / 질서가 잡히다.
질서정연하다 (秩序整然—) [질써정연하다] 사물의 순서가 한결같이 바르고 가지런하다. (예)질서정연하게 줄을 서서 기다리다.
질소 (窒素) [질쏘] 빛깔·맛·냄새가 없는 기체 원소. 공기의 약 78%를 차지함. 비료나 질산의 원료로 씀.
질식 (窒息) [질씩] 숨이 막힘. (예)연기에 질식하다. **—하다.**

질의 (質疑) [지릐/지리] 이상한 점이나 알고 싶은 것을 물음. ㉮질의응답/질의를 받다. 비 질문. 반 응답. 대답. **—하다.**

질적 (質的) [질쩍] 본바탕의 (것). 질에 관계되는 (것). ㉮질적인 문제/질적으로 향상되다. 반 양적.

질주 (疾走) [질쭈] 빨리 달림. ㉮목적지를 향해 질주하다. **—하다.**

질질 **1** 축 늘어져서 끌리는 모양. ㉮옷자락을 질질 끌다. **2** 정한 기한을 자꾸 미루는 모양. ㉮약속 날짜를 질질 끌다. **3** 윤기가 겉에 흐르는 모양. ㉮개기름이 얼굴에 질질 흐르다. **4** 몸에 지니고 다니는 물건 따위를 잘 빠뜨리거나 흘리는 모양. ㉮자기 물건을 아무 데나 질질 흘리고 다닌다. **5** 콧물·침 따위가 자꾸 흐르는 모양. ㉮콧물이 질질 난다.

질책 (叱責) 꾸짖어 나무람. ㉮질책을 받다. **—하다.**

질척거리다 [질척꺼리다] 진흙이나 반죽 따위가 물기가 많아 차지고 진 느낌이 자꾸 들다. ㉮눈이 녹아 질척거리는 길.

질척하다 [질처카다] 진흙이나 반죽 따위가 물기가 많아 차지고 질다. ㉮반죽이 질척하다/질척한 빗길을 홀로 걷다.

질타 (叱咤) 큰 소리로 꾸짖음. ㉮여론의 질타를 받다. **—하다.**

질투 (嫉妬〔妒〕) 자기보다 낫거나 잘되는 사람을 미워함. ㉮질투가 나다/질투를 부리다/친구를 질투하다. **—하다.**

질투심 (嫉妬心) 시기하고 미워하는 마음. ㉮질투심에 사로잡히다.

질퍽하다 [질퍼카다] 반죽이나 진흙 따위가 물기가 많아 매우 부드럽게 질다.

질펀하다 **1** 땅이 넓고 평평하게 펴져 있다. **2** 주저앉아 게으름을 부리고 있다. ㉮종일 질펀하게 앉아 놀고 있다. **3** 질거나 젖어 있다.

질풍 (疾風) 대단히 빠르고 세게 부는 바람.

질화로 (—火爐) 진흙으로 구워 만든 화로. 숯불을 담아 놓음.

질환 (疾患) ⇨질병.

짊어지다 [질머지다] **1** 짐 따위를 등에 메다. ㉮등에 배낭을 짊어지다. **2** 책임을 지다. ㉮내일의 조국을 짊어질 청소년.

***짐**[1] **1** 들거나 지거나 나르도록 꾸려 놓은 물건. ㉮짐을 꾸리다/짐을 챙기다. **2** 부담. 담당. 책임. ㉮짐을 벗어 버리고 싶다. **3** 수고가 되는 일이나 귀찮은 물건. ㉮이런 자잘한 물건은 짐밖에 안된다. **4** 한 번에 지어 나를 만한 분량을 세는 말. ㉮나무 한 짐을 지다.

짐:[2] (朕) 임금이 자기를 일컫던 말. ㉮짐이 고하겠노라/짐은 국가다. 비 과인.

짐꾼 짐을 져 나르는 사람.

짐수레 짐을 싣는 수레.

짐스럽다 [짐스럽따] 마음에 부담이 되는 느낌이 있다. ㉮과분한 칭찬이 오히려 짐스럽다. 활용 짐스러워/짐스러우니.

***짐승** **1** 몸에 털이 나고 네 발을 가진 동물. **2** 날짐승·길짐승을 모두 이르는 말. **3** 잔인하거나 야만적인 사람을 비유하여 이르는 말. ㉮그런 짓은 짐승 같은 사람이나 할 수 있다.

***짐작** (斟酌) 사정이나 형편 따위를 어림쳐서 헤아림. ㉮짐작이 가다/나의 짐작이 들어맞다/짐작한 대로 일이 생기다. 비 추측. **—하다.**

짐짓 [짐짇] 마음은 그렇지 않으나 일부러 그렇게. ㉮짐짓 놀라는 척하다/짐짓 모른 체하다.

짐짝 묶어 놓은 짐의 덩이. ㉮트럭에 짐짝을 가득 싣다.

짐차 (—車) 짐을 나르는 데에 쓰는 자동차. ㉮짐차로 이삿짐을 나르다.

집칸 짐을 싣는 칸. ㉥화물칸.

*__집__[1] **1** 사람이 사는 건물. ㉠집을 짓다 / 하루 종일 집에 있었다. **2** 바둑에서, 자기 차지가 완전히 된 곳. ㉠한 집 차이로 이기다. **3** 가족. 가정. ㉠집 없는 천사 / 집이 그립다. **4** 동물이 보금자리를 친 곳. ㉠까치가 나뭇가지에 집을 짓다. **5** 총·칼 따위를 끼거나 담아 두는 것. ㉠칼을 집에 넣다. ➲ house, home

집[2] (輯) 책이나 음악 앨범 따위를 낼 때 그 발행 차례를 나타내는 말. ㉠5 집 음반을 내다.

-집 (集) 시가·문장 따위를 모은 책을 나타내는 말. ㉠시집 / 논문집 / 수필집.

집게 [집께] 물건을 집는 데 쓰는, 끝이 두 가락으로 갈라진 연장.

집게발 [집께발] 게·가재 등의 끝이 집게 모양으로 생긴 발.

집게손가락 [집께손까락] 엄지손가락과 가운뎃손가락 사이의 손가락. ㉥검지.

집결 (集結) [집껼] 한군데로 모음. 또는 한군데로 모임. ㉠10시까지 운동장으로 집결하다. **—하다.**

집계 (集計) [집꼐 / 집께] 모아서 합계함. 또는 그 합계. ㉠투표용지를 집계하다. **—하다.**

집구석 [집꾸석] '집'이나 '가정'의 속된 말. ㉠집구석에만 틀어박혀 있다.

집권[1] (集權) [집꿘] 힘을 한군데로 모음. ㉠중앙 집권 제도. ㉤분권. **—하다.**

집권[2] (執權) [집꿘] 정권을 잡음. ㉠집권 세력. **—하다.**

집권자 (執權者) [집꿘자] 정권을 잡고 있는 사람.

집기 (什器) [집끼] 집 안이나 사무실에서 쓰는 온갖 기구. ㉠가구 집기 / 사무용 집기. ㉥집물.

집기병 (集氣瓶) [집끼병] 과학 실험에서 쓰는 유리로 된 병. 기체를 모으는 데 사용함.

집념 (執念) [짐념] 한 가지 일에만 계속해서 마음을 쏟음. ㉠집념이 강한 사람. **—하다.**

*__집다__ [집따] **1** 손으로 물건을 잡다. ㉠휴지를 집어 쓰레기통에 버리다. **2** 기구 사이에 물건을 끼워서 들다. ㉠집게로 빨래를 집다. **3** 지적하여 가리키다. ㉠꼭 집어 누구라고 말하기는 곤란하다. ➲ pick

> 주의 **집다**와 **짚다**
> **집다** 손·집게 등으로 물건을 잡다. ㉠젓가락으로 반찬을 집어 먹다.
> **짚다** 손·지팡이 따위를 바닥에 대고 몸을 의지하다. ㉠지팡이를 짚다 / 칼을 짚고 서서 호령했다.

*__집단__ (集團) [집딴] 여럿이 모여 무리를 이룬 것. ㉠집단으로 행동하다. ㉥단체. 떼. 모임.

집단생활 (集團生活) [집딴생활] 공통되는 의식이나 목표를 가지고 일정 기간 동안 여럿이 무리를 지어 함께 지내는 생활.

집대성 (集大成) [집때성] 여럿을 모아 하나의 정리된 것으로 완성함. ㉠민요를 집대성하다. **—하다.**

집들이 [집뜨리] 새집으로 이사한 사람이 인사와 집 구경을 겸해서 이웃과 친지를 초대하여 음식을 대접하는 일. **—하다.**

집무 (執務) [짐무] 기관이나 단체의 직위가 높은 사람이 사무를 봄. ㉠집무실 / 집무 시간 / 집무를 보다. **—하다.**

*__집배원__ (集配員) [집빼원] 우편물을 모아서 배달하는 일을 하는 사람. ㉥우체부. ㉯우편집배원.

집사 (執事) [집싸] **1** 주인 옆에 있으면서 그 집 일을 맡아보는 사람. **2** 교회 직분의 하나. 또는 그 직분을 맡은 사람.

집사람 [집싸람] 자기 아내를 겸손하게 이르는 말.

집산지 (集散地) [집싼지] 생산지에서 생산물이 모여들었다가 다시 다른 곳으로 내보내지는 곳.

집세 (–貰) [집쎄] 남의 집을 빌려 사는 대가로 내는 돈. ㉠집세를 내다 / 집세가 많이 올랐다.

집시 (Gipsy, Gypsy) 유럽 각지를 떠돌아다니며 생활하는 민족.

*__집안__ [지반] 가족이나 가까운 친척. ㉠집안 어른 / 집안 식구.

집안일 [지반닐] **1** 집 안에서 하는 여러 가지 일. ㉠집안일을 돕다. **2** 집안의 일이나 행사. ㉠집안일로 조퇴를 했다.

집약 (集約) [지뱍] 한데 모아서 간추림. ㉠의견을 집약하다. **—하다.**

집어내다 [지버내다] **1** 손이나 집게 따위로 집어서 밖으로 내놓다. ㉠상자에서 과자를 집어내다. **2** 지적하여 밝혀 내다. ㉠글의 요점을 집어내다 / 잘못을 집어내다.

집어넣다 [지버너타] 어떤 단체나 집단, 범위에 들어가게 하다. ㉠범인을 감방에 집어넣다.

집어던지다 [지버던지다] 일이나 행동을 그만두다. ㉠약속을 헌신짝처럼 집어던지다.

집어먹다 [지버먹따] **1** 겁·두려움 따위를 가지게 되다. ㉠지레 겁을 집어먹다. **2** 남의 것을 부당하게 가로채다. ㉠공금을 집어먹다.

집어삼키다 [지버삼키다] **1** 입에 집어 넣고 삼키다. ㉠알약을 집어삼키다. **2** 남의 것을 가로채어 가지다. ㉠남의 재산을 집어삼키다.

집어치우다 [지버치우다] 하던 일을 중간에서 그만두다. ㉠장사를 집어치우다.

집요하다 (執拗–) [지뵤하다] 몹시 고집스럽고 끈질기다. ㉠집요하게 물고 늘어지다 / 사건을 집요하게 추적하다.

집적거리다 [집쩍꺼리다] **1** 경솔하게 이 일 저 일에 자꾸 손을 대거나 참견하다. **2** 말이나 행동으로 일부러 남을 자꾸 건드려 귀찮게 하다. ㉠동생을 집적거리다.

집전 (執典) [집쩐] 의식이나 전례를 맡아 행함. ㉠미사를 집전하다. **—하다.**

집주인 (–主人) [집쭈인] **1** 한 집안의 으뜸이 되는 사람. **2** 집의 주인. ㉠집주인에게 집세를 내다.

집중 (集中) [집쭝] 한곳으로 모이거나 모음. ㉠정신을 집중하다 / 집중 호우가 쏟아지다. **—하다.**

집중력 (集中力) [집쭝녁] 마음이나 주의를 집중할 수 있는 힘. ㉠집중력이 부족하다.

집중적 (集中的) [집쭝적] 한곳을 중심으로 모이거나 모으는 (것). ㉠집중적인 연구 / 한 사람을 집중적으로 공격하다.

*__집짐승__ [집찜승] 집에서 기르는 짐승. 개·닭·소 따위. ㈟가축.

집집 [집찝] 각 집. 모든 집. ㉠집집마다 우유를 배달하다.

집착 (執着) 어떤 것에 마음이 쏠려 잊지 못하고 매달림. ㉠출세에 집착하다. **—하다.**

집채 집의 전체. ㉠집채 같은 파도.

집터 집이 있거나 집을 지을 자리. 또는 집이 있던 빈 터. ㉠집터가 좋다 / 집터를 다지다. ㈟택지.

집필 (執筆) 시나 작품 따위의 글을 씀. ㉠소설을 집필하다. **—하다.**

*__집합__ (集合) [지팝] **1** 한곳에 모으거나 모임. ㉠집합 장소. ㈤해산. **2** 수학에서, 어떤 특정한 조건에 맞는 대상을 분명히 알 수 있는 원소들의 모임. ㉠짝수의 집합. **—하다.**

집행 (執行) [지팽] 법률·명령·재판 따위의 내용을 실행하는 일. ㉠

사형을 집행하다. **—하다.**

집현전 (集賢殿) [지편전] 조선 초기 학술 연구 기관의 하나. 훈민정음의 창제 등 많은 문화 사업이 이루어졌음.

집회 (集會) [지푀] 어떤 목적으로 여러 사람이 일시적으로 모임. ㉮집회를 열다. 반 산회. **—하다.**

집히다 [지피다] **1** 물건 따위가 손이나 손가락 등에 집어지다. ㉮손에 집히는 대로 돈을 꺼냈다. **2** 과거의 기억이나 어떤 일 등이 생각나다. ㉮마음에 언뜻 집히는 것이 있다.

***짓ː** [짇] 몸을 놀려 움직이는 동작. 주로 좋지 않은 행위나 행동을 이름. ㉮나쁜 짓 / 못된 짓만 골라서 하다. 비 행동.

짓- [짇] '함부로·흠씬·마구'의 뜻을 나타내는 말. ㉮짓누르다 / 짓밟다 / 짓이기다.

-짓 [짇] 어떤 말 뒤에 붙어, 몸놀림의 뜻을 나타내는 말. ㉮몸짓 / 눈짓 / 손짓.

짓ː궂다 [짇꾿따] 남을 일부러 놀리고 귀찮게 굴다. ㉮짓궂은 아이 / 짓궂게 놀리다.

짓누르다 [진누르다] **1** 함부로 마구 누르다. ㉮가슴을 짓누르다. **2** 심리적으로 심하게 억압하다. ㉮걱정이 마음을 무겁게 짓누른다. 활용 짓눌러 / 짓누르니.

짓눌리다 [진눌리다] 마구 짓누름을 당하다. ㉮무거운 짐에 어깨가 짓눌려 아프다.

***짓ː다** [짇따] **1** 재료를 들여서 만들다. ㉮밥을 짓다 / 약국에서 감기약을 짓다. **2** 표정이나 태도 등을 나타내다. ㉮슬픈 표정을 짓다. **3** 글을 만들다. ㉮시를 짓다. **4** 건물 따위를 세우다. ㉮집을 짓다. **5** 벌 받을 짓을 하다. ㉮죄를 짓다. **6** 농사를 하다. ㉮벼농사를 짓다. **7** 관계를 맺거나 짝을 이루다. ㉮열을 지어 걸어가다 / 관련을 지어 말하다. 활용 지어 / 지으니 / 짓는.

> **주의 짓다, 짖다, 짙다**
>
> **짓다** 재료를 들여서 만들다. ㉮농사를 짓다 / 집을 짓다 / 옷을 짓다.
>
> **짖다** 개나 까막까치가 큰 소리로 울다. ㉮사냥개가 사납게 짖다.
>
> **짙다** 빛깔·냄새 따위가 진하다. ㉮어둠이 짙게 깔린 밤 / 향기가 짙은 꽃.

짓무르다 [진무르다] **1** 거죽이 상하여 문드러지다. ㉮살이 짓물러서 진물이 나오다. **2** 채소·과일 등이 심하게 썩거나 오래되어 문드러지다. ㉮날씨가 더워 배추가 짓물렀다. **3** 눈자위가 상하여 핏발이 서고 눈물에 젖다. ㉮짓무른 눈. 활용 짓물러 / 짓무르니. ×진무르다. 짓물다.

짓뭉개다 [진뭉개다] 함부로 마구 뭉개다. ㉮꽃밭을 짓뭉개다.

짓밟다 [짇빱따] **1** 짓이기듯 마구 밟다. ㉮담배를 짓밟아 끄다. **2** 남의 인격이나 권리 따위를 침해하다. ㉮순결을 짓밟다.

짓밟히다 [짇빨피다] 마구 밟히다. 짓밟음을 당하다. ㉮자존심이 짓밟히다.

짓이기다 [진니기다] 썩 잘게 이기다. 마구 이기다. ㉮찐 감자를 짓이기다.

짓찧다 [짇찌타] 아주 세게 찧다. ㉮마늘을 짓찧다.

징[1] 신의 가죽 창이나 말굽·쇠굽 등에 박는, 대가리가 크고 넓으며 길이가 짧은 쇠못.

***징**[2] 놋쇠로 대야같이 만든 국악기. 채로 쳐서 소리를 냄. ㉮징을 치다.

〈징[2]〉

징검다리 개울에 돌덩이·흙더미를 드문드문 놓아 그것을 딛고 건너게 만든 다리.

징계 (懲戒) [ㅡ / 징게] 옳지 못한 행위를 다시 저지르지 않게 벌을 줌. ㉑징계를 받다. **—하다.**

징그럽다 [징그럽따] 보거나 만지기에 불쾌하고 소름이 끼치도록 흉하다. ㉑징그러운 벌레. [활용] 징그러워 / 징그러우니.

징발 (徵發) 전쟁 때 필요한 사람이나 물품 따위를 강제로 모으거나 거둠. **—하다.**

징벌 (懲罰) 옳지 아니한 일을 하거나 죄를 지은 데 대하여 벌을 줌. ㉑징벌을 내리다. **—하다.**

징병 (徵兵) 나라가 법률에 따라 일정한 나이에 이른 국민을 강제로 소집하여 일정 기간 병역에 복무시킴. ㉑징병 검사. **—하다.**

징병 제:도 (徵兵制度) 국가가 국민에게 강제적으로 군 복무의 의무를 지우는 제도. ㉾징병제.

징수 (徵收) 행정 기관이 법에 따라 조세·수수료 따위를 국민에게서 거두어들이는 일. ㉑국세청이 세금을 징수하다. **—하다.**

징역 (懲役) 형벌의 한 가지. 죄인을 교도소에 가두어 두고 일을 하게 하는 형벌.

징역살이 (懲役—) [징역싸리] 징역형을 받고 교도소에 갇혀서 살아가는 일. **—하다.**

징역형 (懲役刑) [징여켱] 징역의 형벌. ㉑그는 사기 혐의로 5년 징역형을 받았다.

징용 (徵用) 비상사태에 국가가 국민을 강제로 불러서 일정한 일을 시킴. **—하다.**

징조 (徵兆) 어떤 일이 생길 낌새. ㉑불길한 징조가 보이다.

징집 (徵集) 나라가 일정한 나이가 된 국민에게 국방의 의무를 지우기 위해 불러 모음. **—하다.**

징징 언짢거나 못마땅하여 자꾸 보채거나 짜증을 내는 모양. ㉑징징 짜는 목소리 / 징징 울며 떼를 쓰다.

징징거리다 언짢거나 못마땅하여 자꾸 보채거나 짜증을 내다. ㉑징징거리지 말고 똑바로 말해 보아라.

징크스 (jinx) **1** 재수 없는 일. 불길한 일. ㉑징크스를 깨다. **2** 으레 그렇게 되리라고 일반적으로 생각되는 불행한 일. ㉑징크스를 가지다.

징표 (徵表) 어떤 뜻을 나타내는 행동이나 물건. ㉑결혼을 약속하는 징표로 예물을 교환하다.

징후 (徵候) 겉으로 나타나는 낌새. ㉑병의 징후.

***짖다** [짇따] **1** 개가 소리를 크게 내다. ㉑개 짖는 소리 / 바둑이가 멍멍 짖다. **2** 까마귀나 까치가 시끄럽게 지저귀다. →짓다 [주의]

짙다 [짇따] **1** 빛깔·냄새 따위가 진하다. ㉑백합의 짙은 향기. ㉺옅다. **2** 안개·연기 따위가 자욱하다. ㉑안개가 짙다. **3** 액체의 농도가 높다. ㉑커피가 너무 짙다. **4** 풀이나 나무 등이 빽빽하다. ㉑녹음이 짙다. →짓다 [주의]

짙푸르다 [진푸르다] 빛깔이 짙게 푸르다. ㉑짙푸른 가을 하늘. [활용] 짙푸르러 / 짙푸르니.

짚 [집] 벼·밀·조·보리 따위의 이삭을 떨어낸 줄기와 잎. ㉑짚으로 새끼를 꼬다.

짚가리 [집까리] 볏짚의 묶음을 쌓은 더미.

***짚다** [집따] **1** 손·지팡이 따위를 바닥에 대고 몸을 의지하다. ㉑지팡이를 짚은 할머니. **2** 손을 대고 가볍게 누르다. ㉑맥을 짚다. **3** 상황을 헤아려 짐작하다. ㉑범인을 잘못 짚다. →집다 [주의]

짚단 [집딴] 볏짚을 묶은 단. ㉑짚단을 묶다. ㉥짚뭇.

짚신 [집씬] 볏짚으로 만든 신. 예)**짚신**을 삼다.

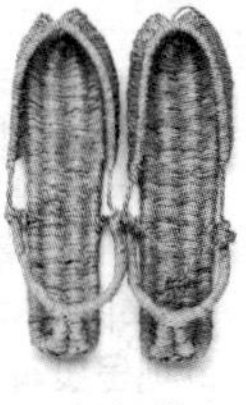

〈짚신〉

짚이다 [지피다] 마음에 어떠할 것으로 짐작이 가다. 예)**짚이**는 데가 있다.

짚자리 [집짜리] 볏짚으로 엮어 만든 자리.

ㅉ(쌍지읒) [쌍지읃] 'ㅈ'의 된소리.

짜개다 단단한 물건을 연장이나 힘으로 갈라지게 하다. 예)장작을 **짜개다** / 호두를 **짜개다**.

짜깁기 [짜깁끼] 짜깁는 일. 예)바지를 **짜깁기**하다. **—하다**.

짜깁다 [짜깁따] 직물의 찢어진 데를 그 감의 올로 본디대로 감쪽같이 짜서 깁다. [활용] 짜기워 / 짜기우니.

짜내다 **1** 짜서 나오게 하다. 예)고름을 **짜내다**. **2** 힘써서 어떤 생각이 나오게 하다. 예)온갖 지혜를 **짜내다**. **3** 어떤 상태를 억지로 만들어 내다. 예)눈물을 **짜내다**.

*__짜다__[1] **1** 사람을 모아 조직을 만들다. 예)편을 **짜다**. **2** 비틀거나 눌러 물기나 기름을 내다. 예)기름을 **짜다** / 치약을 **짜다**. **3** 옷감 따위를 만들다. 예)베를 **짜는** 여자. **4** 생각 따위를 억지로 내다. 예)머리를 **짜다**. **5** 계획이나 일정 따위를 세우다. 예)생활 계획표를 **짜다**. **6** 몇몇이 모여 나쁜 일을 하기로 약속하다. 예)친구와 **짜고** 거짓말을 하다.

*__짜다__[2] **1** 소금과 같은 맛이 있다. 예)**짜고** 매운 음식을 피해라. [반] 싱겁다. **2** 후하지 않고 박하다. 인색하다. 예)점수가 **짜다**.

-짜리 얼마의 분량이나 값어치를 가진 물건이라는 뜻. 예)열 살**짜리** / 오백 원**짜리** 동전.

짜릿하다 [짜리타다] **1** 살이나 뼈마디에 갑자기 저린 느낌이 일어나다. **2** 심리적 자극을 받아 순간적으로 흥분되고 떨리는 듯하다. [큰] 찌릿하다.

짜부라지다 물체가 구겨지거나 오목하게 오그라지다. 예)**짜부라진** 모자. [큰] 찌부러지다.

짜임 조직이나 구성. 예)글의 **짜임**.

짜임새 **1** 짜인 모양새. 예)옷감의 **짜임새**가 곱다. **2** 글·이론 따위가 연관과 체계를 제대로 갖춘 상태. 예)**짜임새** 있는 글 / **짜임새**가 엉성하다. [준] 짬새.

짜장면 (중 炸醬麵) 볶은 중국 된장에 고기와 채소 등을 넣고 비빈 국수. 자장면.

*__짜증__ 마음에 맞지 않아 북받치는 성이나 싫증. 예)**짜증**이 나다 / **짜증**을 부리다.

짜증스럽다 [짜증스럽따] 짜증이 나는 데가 있다. 예)**짜증스럽게** 대답을 하다. [활용] 짜증스러워 / 짜증스러우니.

*__짝__[1] **1** 한 벌이나 한 쌍을 이루는 것. 또는 그 중의 하나. 예)양말 **짝**을 찾다 / 여자 아이가 **짝**이 되다. **2** 비할 데 없이 대단하거나 매우 심함. 예)반갑기 **짝**이 없다 / 그의 행동은 한심하기 **짝**이 없다.

짝[2] **1** 틈이 활짝 벌어진 모양. 예)양팔을 **짝** 벌리다. **2** 입맛을 다시는 소리. 예)입맛을 **짝** 다시다. **3** 물체가 바싹 다가붙거나 들러붙는 모양. 예)몸에 **짝** 달라붙는 옷 / 바닥에 껌이 **짝** 달라붙다. [큰] 쩍.

짝[3] **1** 줄이나 획 따위를 한 번 긋는 소리. 예)연필로 줄을 **짝** 긋다. **2** 종이나 옷감 따위를 찢는 소리. 예)편지를 **짝** 찢다. [큰] 찍.

짝[4] '아무'의 뒤에 쓰여 '곳'의 뜻을 나타내는 말. 예)아무 **짝**에도 쓸모없는 물건.

짝[5] **1** 상자나 짐짝을 세는 말. 예)사과 두 **짝**. **2** 소나 돼지 따위 갈비의 한쪽 모두. ㉾소 갈비 한 짝.

짝귀 [짝뀌] 양쪽의 크기나 모양이 다르게 생긴 귀. 또는 그런 귀를 가진 사람.

짝꿍 교실에서 옆자리에 앉거나 늘 붙어 다니는 친구. ㉾그는 초등학교 1학년 때 내 짝꿍이었다.

짝눈 [짱눈] **1** 양쪽의 크기나 모양이 다르게 생긴 눈. 또는 그런 눈을 가진 사람. **2** 양쪽 눈의 시력의 차이가 심한 눈.

짝사랑 [짝싸랑] 남녀 사이에서 한쪽만 상대방을 사랑하는 일. ㉾짝사랑으로 끝나다 / 동네 처녀를 짝사랑하다. **—하다.**

***짝수** (—數) [짝쑤] 2로 나누어 나머지가 없이 떨어지는 수. 2, 4, 6, 8, 10 따위. 비 우수. 반 홀수.

짝짓기 [짝찓끼] 동물이 새끼나 알을 낳기 위해서 암컷과 수컷이 만나 교미하는 일.

짝짜꿍 젖먹이가 손뼉을 치는 재롱. **—하다.**

짝짝[1] **1** 입맛을 자꾸 다시는 소리. 또는 그 모양. ㉾입맛을 짝짝 다시다. **2** 입이나 팔, 다리 따위를 자꾸 크게 벌리는 모양. 큰 쩍쩍. **—하다.**

짝짝[2] **1** 걸을 때에 신을 끄는 소리. ㉾실내화를 짝짝 끌다. **2** 줄이나 획을 함부로 긋는 소리. **3** 종이나 천 따위를 함부로 찢는 소리. ㉾신문지를 짝짝 찢다. 큰 찍찍. **—하다.**

짝짝[3] 손뼉을 자꾸 치는 소리. ㉾박수를 짝짝 치다. **—하다.**

짝짝이 [짝짜기] 제 짝이 아닌 다른 짝끼리 모여서 이루어진 한 벌. ㉾짝짝이 양말 / 음식점에 갔다가 신발을 짝짝이로 신고 오다.

짝하다 [짜카다] 둘이 서로 어울려 짝이 되게 하다. ㉾남녀가 짝해서 앉다.

짠맛 [짠맏] 소금과 같은 맛. ㉾짠맛이 나다.

> **참고 여러 가지 짠맛**
> (1) **단순한 짠맛**
> 간간하다, 간간짭짤하다, 건건하다, 건건찝찔하다, 짭짤하다, 찝찔하다, 짜디짜다
> (2) **매운맛과 짠맛**
> 맵짜다

짠물 짠맛이 나는 물. 반 단물.

짠지 무 따위를 통째로 소금에 짜게 절여서 묵혀 두고 먹는 반찬.

짠ː하다 지난 일이 뉘우쳐져 마음이 조금 언짢고 아프다. ㉾마음이 짠하다.

짤까닥 **1** 들러붙었다가 떨어지는 소리. 또는 그 모양. **2** 잠기거나 열리며 나는 쇳소리. 또는 그 모양. 준 짤깍. 큰 쩔꺼덕. 여 잘까닥. 거 잘카닥. 찰카닥. **—하다.**

짤깍짤깍 계속 짤까닥 소리가 나는 모양. 또는 그 소리. 본 짤까닥짤까닥. **—하다.**

짤따랗다 [짤따라타] 생각보다 썩 짧다. ㉾소매 길이가 짤따랗다. 반 기다랗다. 활용 짤따라니 / 짤따래서. ×짧다랗다.

짤랑짤랑 여러 개의 작은 방울 따위가 자꾸 흔들리거나 부딪쳐 울리는 소리. 큰 쩔렁쩔렁. 여 잘랑잘랑. 거 찰랑찰랑. **—하다.**

짤막하다 [짤마카다] 길이가 조금 짧은 듯하다. ㉾짤막한 막대 / 짤막하게 대답하다.

***짧다** [짤따] **1** 두 끝 사이가 가깝다. ㉾짧은 다리. **2** 오래지 않다. ㉾짧은 역사. **3** 모자라다. ㉾지식이 짧다. **4** 글이나 이야기의 양이 적다. ㉾짧은 연설. 반 길다. ➲ short

짧은소리 [짤븐소리] 짧게 내는 소리. 반 긴소리.

짬 **1** 다른 일에 손 댈 수 있는 겨를. ㉾마침 짬이 나다. **2** 물건끼리 맞붙

은 틈. ㉠들어갈 짬이 없다.

짬뽕 (←일 ちゃんぽん) **1** 서로 다른 것을 뒤섞음. ㉠김치와 나물을 짬뽕하여 비벼 먹다. **2** 중국 음식의 하나. 각종 해물과 야채를 섞어 볶은 것을 국수에 넣고, 돼지 뼈나 소뼈·닭 뼈를 우린 국물을 부어 만든 것. **—하다.**

짬짬이 [짬짜미] 짬이 나는 대로 그때그때. ㉠**짬짬이** 일을 돕다.

짭짤하다 **1** 조금 짠 듯하다. ㉠짭짤한 된장찌개. **2** 일이 잘되어 실속이 있다. ㉠아르바이트로 짭짤한 수입을 올리다.

짱구 이마나 뒤통수가 유달리 많이 튀어나온 머리. 또는 그런 머리통을 가진 사람.

짱아 '잠자리[1]'의 어린아이 말.

짱짱하다 생김새가 옹골차고 동작이 매우 굳세다. ㉠**짱짱한** 노인.

-째[1] 어떤 말 뒤에 붙어서 '그대로, 통째로'의 뜻을 나타내는 말. ㉠그릇**째** / 뿌리**째** / 껍질**째**.

> **주의** **-째와 채**
> **-째** 어떤 말 뒤에 붙어 '그대로, 통째로'의 뜻을 나타낸다.
> ㉠통**째** / 껍질**째** / 그릇**째** / 덩굴**째**.
> **채** '어떤 상태가 계속된 대로 그냥'의 뜻을 나타낸다.
> ㉠선 **채**로 / 옷을 입은 **채** / 산 **채**로 잡다.

-째[2] **1** 차례나 등급을 나타내는 말. ㉠첫**째** / 세 개**째** / 두 잔**째**. **2** '계속되는 동안'의 뜻을 나타내는 말. ㉠이틀**째** 굶다.

째깍째깍 시계 따위의 톱니바퀴가 자꾸 돌아가는 소리.

째:다 종이·가죽·옷감 따위를 칼이나 손으로 찢거나 베어 가르다. ㉠곪은 데를 **째다** / 옷을 **째다**.

째:지다 터져서 갈라지거나 베어져서 벌어지다. ㉠옷이 **째지다**. 본 째어지다.

짹짹 참새 따위가 우는 소리. 큰 찍찍. **—하다.**

쨍 **1** 금속이 맞부딪쳐서 세게 울리는 소리. ㉠심벌즈의 **쨍** 소리가 요란했다. **2** 얼음장이나 유리가 부딪치거나 갈라지는 소리. **—하다.**

쨍그랑 얇은 쇠붙이나 유리 따위가 떨어지거나 부딪쳐서 맑게 울리는 소리. ㉠접시가 **쨍그랑** 깨지다. 큰 쩽그렁. 여 쟁그랑. **—하다.**

쨍쨍 햇볕이 강하게 내리쬐는 모양. ㉠뙤약볕이 **쨍쨍** 내리쬐다. **—하다.**

쩌렁쩌렁 소리가 커서 크게 울리는 소리. ㉠고함 소리가 **쩌렁쩌렁** 울리다. 작 짜랑짜랑.

쩌렁쩌렁하다 목소리가 커서 울림이 크다. ㉠**쩌렁쩌렁한** 목소리. 작 짜랑짜랑하다.

쩍 **1** 입·팔·다리 등을 아주 크게 벌리는 모양. ㉠너무 놀라 입이 **쩍** 벌어지다. **2** 입맛을 크게 한 번 다시는 소리. **3** 물건이 끈기 있게 들러붙는 모양. 또는 그 소리. ㉠껌이 옷에 **쩍** 달라붙다. 작 짝[2].

-쩍다 [쩍따] '그런 느낌이 있다'는 뜻으로 쓰임. ㉠의심**쩍다** / 겸연**쩍다** / 수상**쩍다**.

> **주의** **-적다와 -쩍다의 표기**
> **-적다** [적따]로 발음되거나, '적다'의 뜻이 담겨 있으면 '-적다'로 적는다.
> ㉠괘다리**적다**(사람됨이 멋없고 거칠며 뻔뻔하다), 괘달머리**적다**('괘다리적다'를 속되게 하는 말), 딴기**적다**(기력이 약하여 일할 기운이 없다), 열퉁**적다**(언어나 동작이 거칠고 퉁명스럽다), 맛**적다**(재미가 없다).
> **-쩍다** '적다'의 뜻이 없이 [쩍따]로

발음되는 경우는 모두 '-쩍다'로 통일하여 적는다.
(예)객쩍다(말이나 행동이 실없다), 겸연쩍다(미안하여 낯이 화끈하다), 맥쩍다(심심하고 무료하다), 멋쩍다(동작이나 모양이 격에 맞지 아니하다, 어색하다), 해망쩍다(총명하지 못하고 아둔하다), 행망쩍다(주의력이 없고 아둔하다).

쩍쩍 **1** 입맛을 크게 자꾸 다시는 소리. 또는 그 모양. **2** 입이나 팔, 다리 따위를 아주 크게 자꾸 벌리는 모양. [작] 짝짝[1]. **—하다.**

쩔뚝거리다 [쩔뚝꺼리다] 한쪽 다리가 짧거나 탈이 나서 걸을 때마다 절다. (예)다리를 **쩔뚝거리며** 걷다.

쩔쩔 뜨거운 열기로 몹시 달아 있는 모양. (예)방이 **쩔쩔** 끓는다. [작] 짤짤. [여] 절절.

쩔쩔매다 급한 일에 부닥쳐 어찌할 바를 모르고 갈팡질팡하다. (예)바빠서 **쩔쩔매다**.

쩝쩝 **1** 입맛을 다시는 소리. **2** 음식을 마구 먹을 때 나는 소리. (예)**쩝쩝** 소리를 내지 말고 먹어라. [작] 짭짭.

쩨쩨하다 **1** 시시하고 신통치 않다. **2** 사람이 잘고 인색하다. (예)**쩨쩨한** 녀석 / **쩨쩨하게** 굴다.

쪼가리 쪼개진 조각. 작은 조각. (예)종이 **쪼가리** / 헝겊 **쪼가리** / 항아리의 깨진 **쪼가리**.

쪼개다 **1** 하나로 된 물건을 둘 이상으로 나누다. (예)사과를 둘로 **쪼개다** / 장작을 잘게 **쪼개다**. **2** 시간이나 돈 따위를 아끼다. (예)잠자는 시간을 **쪼개어** 책을 읽다.

쪼그라들다 **1** 눌리거나 오그라져서 구겨지거나 작아지다. **2** 살이 빠져 주름이 잡히다. **3** 일의 규모가 줄어들다. (예)살림이 점점 **쪼그라들다**. [활용] 쪼그라들어 / 쪼그라드니 / 쪼그라드는.

쪼그라지다 **1** 눌리거나 안으로 오그라져서 부피가 몹시 작아지다. (예)공기가 빠져 공이 **쪼그라졌다**. **2** 살이 빠져서 살갗이 쪼글쪼글해지다. (예)**쪼그라진** 얼굴. [큰] 쭈그러지다.

쪼그리다 **1** 누르거나 오그라뜨려 부피를 작게 하다. **2** 팔다리를 오그려 몸을 작게 옴츠리다. (예)구석에 **쪼그리고** 앉아 있다. [큰] 쭈그리다.

쪼글쪼글 불규칙하게 주름이 많이 잡힌 모양. (예)나이가 들수록 얼굴에 **쪼글쪼글** 주름이 늘어간다. [큰] 쭈글쭈글. **—하다.**

쪼끔 아주 조금. (예)밥을 **쪼끔** 먹다 / **쪼끔** 뒤에 다시 만나자. [여] 조금.

***쪼:다** 뾰족한 끝으로 찍다. (예)병아리가 모이를 **쪼아** 먹다.

쪼들리다 어떤 일이나 사람에 오래 시달리거나 부대끼어 괴롭게 지내다. (예)살림에 **쪼들리다** / 빚쟁이에게 **쪼들리다**.

쪽[1] 예전에, 부인들이 뒷머리를 땋아서 틀어 올려 비녀를 꽂은 머리.

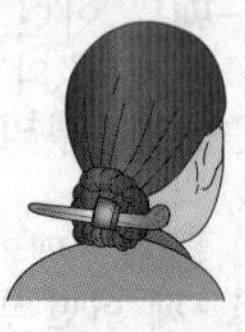
‹쪽[1]›

***쪽**[2] 책의 면. 페이지. (예)10 쪽 분량의 보고서를 작성하다. ➲page

쪽[3] 쪼개진 물건의 한 부분. (예)참외 한 **쪽**.

쪽[4] 마디풀과의 한해살이풀. 잎은 긴 타원형, 여름에 붉은 꽃이 핌. 잎은 남빛의 물감으로 씀.

***쪽**[5] **1** 방향을 가리키는 말. (예)해가 지는 **쪽**. [비] 녘. **2** 어느 한 편을 가리키는 말. (예)찬성하는 **쪽**에 손을 들다. [비] 편. ×짝.

쪽[6] '얼굴'의 속된 말.

쪽[7] **1** 적은 액체 따위를 단숨에 들이마시거나 빠는 모양. (예)냉수를 **쪽** 들이켜다. **2** 입맞춤하는 소리. (예)볼에 입을 **쪽** 맞추다. **3** 땀이 솟거나 살 따위가 빠지는 모양. ㉮앓고 나더니 살이 쪽 빠졌다.

쪽- **1** '작은'의 뜻. ㉮쪽문 / 쪽박. **2** '조각조각 맞춘'의 뜻. ㉮쪽걸상 / 쪽마루.

쪽가위 [쪽까위] 실 따위를 자르는 데 쓰는, 족집게 모양의 작은 가위.

쪽문 (─門) [쫑문] 대문의 가운데나 한편에 사람이 드나들도록 만든 작은 문.

쪽박 [쪽빡] 작은 바가지.

쪽박(을) 차다 동냥질을 하고 다니다. 거지가 되다. ㉮이러다간 쪽박 차기 딱 좋겠다.

쪽배 [쪽빼] 통나무를 쪼개어 속을 파서 만든 작은 배.

쪽빛 [쪽삗] 쪽의 빛깔. 곧, 남빛. ㉮쪽빛 하늘.

쪽지 (─紙) [쪽찌] 종이의 작은 조각. 또는 그런 데에 쓴 편지. ㉮쪽지 시험 / 쪽지를 전하다.

쫀쫀하다 **1** 옷감의 짜임새가 곱고 고르다. ㉮베를 쫀쫀하게 짜다. **2** 마음이 트이지 못하고 인색하며 치사하다. ㉮쫀쫀하게 굴다.

쫄깃쫄깃 [쫄긷쫄긷] 씹히는 맛이 매우 차지고 질긴 듯한 모양. ㉮쫄깃쫄깃한 인절미. **—하다.**

쫄딱 더할 나위 없이 죄다. 남김없이 통틀어. ㉮비를 쫄딱 맞다 / 쫄딱 망하다.

쫄쫄 끼니를 굶어 아무것도 먹지 못한 모양. ㉮하루 종일 쫄쫄 굶고 다니다.

쫑그리다 귀를 꼿꼿이 치켜 세우거나 입술을 뾰족이 내밀다. ㉮토끼가 놀라 귀를 쫑그리다.

쫑긋 [쫑귿] 입술이나 귀를 뾰족하게 내밀거나 빳빳하게 세우는 모양. ㉮귀를 쫑긋 세우고 선생님의 설명을 듣다. **—하다.**

쫑알거리다 남이 잘 알아듣지 못할 정도의 작은 소리로 혼잣말을 자꾸 하다. ㉪쭝얼거리다. ㉬종알거리다.

쫓겨나다 [쫃껴나다] 내쫓음을 당하다. ㉮직장에서 쫓겨나다.

쫓기다 [쫃끼다] **1** 남에게 쫓음을 당하다. ㉮죄를 짓고 경찰에 쫓기다. **2** 일에 몹시 몰려 지내다. ㉮일에 쫓기다 / 시간에 쫓기다.

*__쫓다__ [쫃따] **1** 어떤 자리에서 떠나도록 내몰다. ㉮파리를 쫓다. **2** 급히 뒤를 따라가다. ㉮고양이가 쥐를 쫓다. →좇다 주의

쫓아가다 [쪼차가다] **1** 만나거나 잡으려고 급히 따라가다. ㉮소매치기를 쫓아가다. **2** 뒤에 바싹 붙어 따라가다. ㉮새끼 오리가 어미를 쫓아가다. 활용 쫓아가거라.

쫓아내다 [쪼차내다] **1** 강제로 밖으로 몰아내다. ㉮트집을 잡아 쫓아내다. **2** 직장이나 학교 따위를 그만두게 하다. ㉮회사에서 부정을 저지른 직원을 쫓아내다.

쫓아다니다 [쪼차다니다] **1** 뒤에 바싹 붙어 따라다니다. ㉮동생이 언니를 쫓아다니다. **2** 사귀거나 가까이하려고 다가가다. ㉮여자 꽁무니를 쫓아다니다. **3** 부지런히 찾아다니다. ㉮노름판을 쫓아다니다.

쫓아오다 [쪼차오다] **1** 뒤에서 바싹 따라오다. ㉮개가 짖으며 쫓아오다. **2** 급하게 뛰어 달려오다. ㉮병아리들이 어미 닭을 쫓아오다. 활용 쫓아오너라.

쫙 **1** 넓게 퍼지는 모양. ㉮소문이 쫙 퍼지다. **2** 비나 물 따위가 갑자기 쏟아지는 모양. 또는 그 소리. ㉮온몸에 식은땀이 쫙 흐른다. **3** 펴지거나 찢어지는 모양. ㉮가슴을 쫙 펴다. ㉬좍.

*__쬐:다__ **1** 볕이 내리비치다. ㉮비가 그치고 햇빛이 쬐다. **2** 볕이나 불기운 따위를 몸에 받다. ㉮모닥불을 쬐다.

쭈그러지다 1 눌리거나 우그러들어서 부피가 몹시 작아지다. ㉠주전자가 쭈그러지다. 2 살이 빠져서 쭈글쭈글해지다. ㉠얼굴이 쭈그러지다. 작 쪼그라지다.

쭈그리다 1 누르거나 우그려서 부피를 작게 하다. ㉠깡통을 쭈그리다. 2 팔다리를 접어서 몸에 붙여 몸을 작게 만들다. ㉠다리를 쭈그리고 앉다. 작 쪼그리다. 거 쭈크리다. × 쭈구리다.

쭈글쭈글 물체가 쭈그러져서 고르지 않게 주름이 많이 잡힌 모양. ㉠치마가 쭈글쭈글해지다. 작 쪼글쪼글. **—하다.**

쭈룩쭈룩 굵은 물줄기나 빗물 따위가 빠르게 자꾸 흐르거나 내리는 소리. 또는 그 모양. 작 쪼록쪼록. 여 주룩주룩. **—하다.**

쭈뼛쭈뼛 [쭈뼏쭈뼏] 부끄럽거나 어색하여 선뜻 나서지 못하고 자꾸 머뭇거리는 모양. ㉠내 옆으로 쭈뼛쭈뼛 다가서다. 작 쪼뼛쪼뼛. 여 주뼛주뼛. **—하다.**

쭈뼛하다 [쭈뼈타다] 놀라거나 무서워서 머리카락이 꼿꼿하게 일어서는 듯하다. ㉠비명 소리에 머리카락이 쭈뼛해지다.

쭉 1 한 줄로 끊어지지 않고 이어진 모양. ㉠쭉 뻗은 고속도로. 2 곧게 펴거나 벌리는 모양. ㉠허리를 쭉 펴다. 3 종이나 천 따위를 한 가닥으로 찢거나 훑는 모양. ㉠김치를 쭉 찢어서 먹다. 4 선을 긋거나 줄을 치는 모양. ㉠밑줄을 쭉 긋다. 5 같은 상태로 계속되는 모양. ㉠쭉 병석에 누워 있다. 6 물 따위를 단숨에 들이마시거나 빠는 모양. ㉠물을 쭉 마시다.

쭉정이 [쭉쩡이] 껍질만 있고 속에 알맹이가 들어 있지 않은 곡식이나 과일 따위의 열매.

*__-쯤__ 어떤 말 뒤에 붙어, '정도'를 나타내는 말. ㉠오늘쯤 / 중간쯤 / 한 번쯤.

쯧쯧 [쯛쯛] 가엾거나 못마땅하여 혀를 차는 소리. ㉠쯧쯧, 가엾어라.

찌 낚시 도구의 하나. 물고기가 미끼 문 것을 알기 위해 낚싯줄에 달아 물 위에 뜨게 만든 가벼운 물건. ㉠찌가 움직이다. 본 낚시찌.

찌개 고기·채소·두부에 고추장이나 된장 따위를 넣고 양념과 간을 맞추어 끓인 반찬. ㉠찌개를 끓이다 / 찌개를 데우다.

찌그러뜨리다 눌러서 몹시 찌그러지게 하다. ㉠종이 상자를 찌그러뜨리다. 작 짜그라뜨리다.

찌그러지다 물건 따위가 눌려서 우그러지다. ㉠찌그러진 냄비. 작 짜그라지다.

찌그럭거리다 [찌그럭꺼리다] 하찮은 일로 자꾸 티격태격 다투다. ㉠동생과 찌그럭거리다.

찌꺼기 1 액체가 다 빠진 뒤에 밑에 남은 것. ㉠한약 찌꺼기를 거름으로 쓰다. 2 좋은 것을 골라 낸 나머지. ㉠음식물 찌꺼기. 준 찌끼.

찌다[1] 살이 올라 뚱뚱해지다. ㉠마음이 편해서인지 살만 찐다.

찌다[2] 1 음식물을 뜨거운 김으로 익히거나 데우다. ㉠감자를 찌다. 2 몹시 덥다. ㉠날씨가 푹푹 찌다.

찌들다 1 물건이 오래되어 때가 끼고 더럽게 되다. ㉠땀과 먼지에 찌든 옷. 2 많은 어려움을 겪어 매우 여위다. ㉠피로에 찌든 얼굴. 활용 찌들어 / 찌드니 / 찌드는.

*__찌르다__ 1 끝이 뾰족한 것을 물체의 속으로 들이밀다. ㉠주사기를 엉덩이에 찌르다. 2 감정 따위를 세게 건드리다. ㉠가슴을 찌르는 말. 3 냄새가 코로 강하게 맡아지다. ㉠코를 찌르는 냄새. 4 틈이나 사이에 무엇을 꽂아 넣다. ㉠주머니에 손을 찌르다. 활용 찔러 / 찌르니.

찌르레기 찌르레깃과의 새. 집 근처 큰 나무 위에 사는데 몸길이는 21 cm 정도이며 등은 회갈색, 머리는 검음.

〈찌르레기〉

찌르르 저린 느낌이 세게 일어나는 모양. (예)젖은 손으로 코드를 꽂다가 **찌르르** 전기가 올랐다. [작] 짜르르. [여] 지르르. **—하다.**

찌릿하다 [찌리타다] 살이나 뼈마디에 저린 느낌이 갑자기 세게 일어나다. (예)다리에 쥐가 나 **찌릿하다.** [작] 짜릿하다.

찌뿌드드하다 **1** 몸살이나 감기로 몸이 쑤시고 무겁다. (예)온몸이 **찌뿌드드하다.** **2** 비나 눈이 올 것같이 날씨가 흐리다. [준] 뿌드드하다.

찌푸리다 **1** 얼굴이나 눈살을 몹시 찡그리다. (예)눈살을 **찌푸리다.** **2** 날이 흐리다. (예)잔뜩 **찌푸린** 날씨.

찍 **1** 줄이나 획을 한 번 세게 긋는 소리. **2** 종이나 천 따위를 세게 찢는 소리. (예)신문지를 **찍** 찢다. [작] 짝. [여] 직.

찍다[1] [찍따] 날이 있는 연장으로 쳐서 베다. (예)도끼로 나무를 **찍다.**

*__찍다__[2] [찍따] **1** 물건의 끝에 액체나 가루 따위를 묻히다. (예)떡을 꿀에 **찍어** 먹다. **2** 인쇄하다. (예)책을 **찍다.** **3** 사진을 박다. (예)기념 사진을 **찍다.** **4** 점이나 문장 부호 따위를 써 넣다. (예)마침표를 **찍다.**

찍소리 [찍쏘리] 조금이라도 남에게 들리게 떠드는 소리나 반항하려는 태도. (예)**찍소리**도 못하다. [작] 짹소리. *끽소리.

찍찍[1] **1** 걸을 때에 신을 심하게 끄는 소리. (예)슬리퍼를 **찍찍** 끌다. **2** 글씨의 획을 잇따라 긋거나 종이 따위를 마구 찢는 소리. (예)글씨를 **찍찍** 갈겨 쓰다. [작] 짝짝. [여] 직직.

찍찍[2] 쥐나 새 같은 것이 똥을 연방 내깔기는 모양.

찍찍[3] 쥐나 새 따위가 자꾸 우는 소리. [작] 짹짹.

찍히다 [찌키다] **1** 찍음을 당하다. (예)사진이 잘 **찍혔다.** **2** 싫어하는 대상으로 확실히 정해지다. (예)문제아로 **찍히다.**

찐득찐득 **1** 계속 끈질기고 질기게 들러붙는 모양. **2** 끈질기고 질겨서 계속해서 자르려고 해도 잘 끊어지지 않는 모양. [작] 짠득짠득. [여] 진득진득. **—하다.**

찐빵 밀가루 반죽에 팥소를 넣어 뜨거운 김에 쪄서 익힌 빵.

찔끔 눈물 따위의 액체가 조금 흐르다 그치다 하는 모양.

찔끔거리다 액체를 한 번에 조금씩 흘리다. (예)눈물을 **찔끔거리다.**

찔끔찔끔 **1** 액체가 조금씩 흐르다 그치다 하는 모양. **2** 적은 분량의 것을 여러 번에 나누어 조금씩 내주는 모양. (예)많지도 않은 돈을 **찔끔찔끔** 갚고 있다.

찔끔하다 몹시 놀라거나 겁이 나서 몸을 움츠리다. (예)선생님의 꾸지람에 **찔끔했다.**

찔레꽃 [찔레꼳] 찔레나무의 꽃.

찔레나무 장미과의 낙엽 활엽 관목. 산기슭·개울가에 나며 가시가 있고 봄에 흰 꽃이 핌. 연한 싹은 먹고 열매는 약으로 씀. 관상용·산울타리용으로 재배함. [준] 찔레.

찔리다 **1** 날카로운 끝에 찌름을 당하다. (예)장미꽃 가시에 **찔리다.** **2** 양심의 가책을 받다. (예)양심에 **찔리는** 데가 있다.

찜 **1** 고기나 채소에 양념을 하여 찌거나 국물을 적게 해서 삶은 음식. **2** 찐 음식의 뜻. (예)갈비**찜.**

찜질 **1** 약물이나 더운물에 적신 헝겊 또는 얼음을 아픈 곳에 대어 통증을 가라앉히는 법. **2** 온천 또는 뜨거운 물에 몸을 담그거나 더운 모래밭에 몸을 묻고 땀을 흘려 병을 고치는 법. **—하다.**

찜찜하다 마음에 꺼림칙한 느낌이 있다. ㉥괜히 찜찜한 생각이 들다.

찜통(—桶) 뜨거운 김으로 음식을 찌는 조리 기구.

찝찔하다 **1** 감칠맛이 없이 좀 짜다. ㉶짭짤하다. **2** 일이 되어 가는 꼴이 마음에 들지 않다. ㉥뒷맛이 찝찔하다.

찡그리다 근심스럽거나 언짢아서 이마나 눈살을 주름지게 하다. ㉥얼굴을 찡그리다. ㉶쨍그리다.

찡긋[찡귿] 눈이나 코를 약간 찡그리는 모양. ㉥한쪽 눈을 찡긋 감았다 뜨다. **—하다.**

찡하다 마음에 강한 감동의 느낌이 일어나다. ㉥코끝이 찡하다 / 슬픈 영화를 보고 가슴이 찡했다.

찢기다[찓끼다] 옷 따위가 찢어지다. ㉥옷이 철조망에 걸려 찢기다.

***찢다**[찓따] 물체를 잡아당겨 둘 이상으로 가르다. ㉥종이를 갈기갈기 찢다.

찢어발기다[찌저발기다] 갈가리 찢어서 늘어놓다. ㉥비난의 말이 담긴 편지를 찢어발기다.

찢어지다[찌저지다] 찢기어 갈라지다. ㉥찢어진 우산 / 옷이 나뭇가지에 걸려 찢어지다.

찧다[찌타] **1** 곡식 따위를 빻기 위하여 절구에 넣고 공이로 내리치다. ㉥쌀을 찧다. **2** 땅 따위를 다지려고 무거운 물건을 들었다가 내리치다. **3** 아주 세게 부딪다. ㉥발을 헛디뎌 엉덩방아를 찧다.

ㅊ (치읓[치읃]) 한글 닿소리의 열째 글자.

*__차__[1] (車) 바퀴가 굴러서 나아가게 만든, 사람이나 짐을 실어 나르는 온갖 교통 기관. 기차·자동차·전동차·마차 따위. (예)**차**를 몰다 / **차**를 타다 / **차**가 다니다. ➲ car

*__차__[2] (差) **1** 질이나 양 따위의 서로 다른 정도. (예)실력의 **차**. **2** 어떤 수량에서 다른 수량을 덜어 낸 나머지 수량. (예)7과 3의 **차**는 4이다.

*__차__[3] (茶) 차나무의 어린잎으로 만든 마실 것의 재료. 또는 이를 달인 물. 녹차·홍차 따위. (예)**차**를 달이다 / **차**를 마시다. ➲ tea

*__차__[4] (次) **1** 어떤 일을 하는 기회에 겸해서 다른 일까지 보게 됨을 나타내는 말. (예)서울 갔던 **차**에 남대문 시장을 둘러보았다. **2** 숫자 뒤에 쓰여 차례나 횟수를 나타내는 말. (예)제 2 **차** 세계 대전.

*__차갑다__ [차갑따] **1** 살갗에 닿는 느낌이 서늘하고 차다. (예)물이 **차갑게** 식다 / 날씨가 **차갑다**. **2** 인정이 없고 냉정하다. (예)**차가운** 눈초리 / **차갑게** 거절하다. [활용] 차가워 / 차가우니.

차고 (車庫) 자동차·기차·전동차 따위의 차를 넣어 두는 곳. (예)**차고** 앞 주차 금지. ➲ garage

차곡차곡 **1** 물건을 가지런히 쌓거나 포개는 모양. (예)신문을 **차곡차곡** 쌓아 놓다. **2** ⇨차근차근. (예)순서를 **차곡차곡** 밟다.

차관[1] (次官) 행정부에서 장관을 돕고 대리할 수 있는 관직. 또는 그 관직에 있는 사람. (예)환경부 **차관**.

차:관[2] (借款) 다른 나라나 국제기구로부터 꾸어 오는 돈이나 물자. (예)**차관**을 들여오다.

차:광 (遮光) 햇빛이나 불빛을 가리어 막음. (예)창문에 **차광** 장치를 하다.

차근차근 말이나 행동을 순서에 따라 조리 있게 하는 모양. (예)**차근차근** 얘기하다. [비] 차곡차곡. **—하다. —히.**

차기 (次期) 다음 시기. (예)**차기** 대통령 / **차기** 선거에 대비하다.

차남 (次男) 둘째 아들. [반] 차녀.

차내 (車內) 자동차·기차·전동차 따위의 안. (예)모든 **차내**에서는 금연해야 한다.

차녀 (次女) 둘째 딸. [반] 차남.

*__차다__[1] **1** 온도가 낮다. (예)날씨가 **차다** / 바람이 **차다**. **2** 인정이 없고 쌀쌀맞다. (예)마음씨가 **차다**.

*__차다__[2] **1** 어떤 공간에 사람이나 사물 따위가 더 들어갈 수 없을 정도로 가득하게 되다. (예)저금통이 **차다**. **2** 정한 수효·기간 따위에 이르다. (예)정원이 **차다**. **3** 감정·기운 따위가 가득하게 되다. (예)희망에 **차다**. **4** 한도에 이르다. (예)숨이 너무 **차서** 더 이상 못 뛰겠다.

*__차다__[3] **1** 몸의 한 부분에 물건을 끼우거나 걸거나 늘어뜨려 지니다. (예)권총을 **차다** / 시계를 **차다**. **2** 팔목이나 발목에 끼우거나 잠그다. (예)수갑을 **차다**.

*__차다__[4] **1** 발로 내어 지르다. (예)공을 **차다**. ➲ kick **2** 혀끝을 입천장에 붙였다가 떼어 소리를 내다. (예)혀를 **차다**.

차:단 (遮斷) 막아서 멈추게 함. ㉮자외선 차단 / 소음을 차단하다 / 통행을 차단시키다. **—하다.**

차:단기[1] (遮斷器) 사고의 위험이 있을 때, 전류나 전자의 흐름을 멈추는 장치.

차:단기[2] (遮斷機) 철도의 건널목에 설치하여, 차나 사람의 통행을 막는 장치.

차도[1] (車道) 차가 다니는 길. 비찻길. 반보도. 인도.

차도[2] (差度) 병이 조금씩 나아가는 정도. ㉮차도가 보이다 / 차차 차도가 있다.

차돌 1 광택이 있고 매우 단단한 돌. 비석영. 2 야무진 사람의 비유. ㉮차돌같이 야무진 아이.

차등 (差等) 차이가 나는 등급. 또는 등급의 차이. ㉮품질에 따라 차등을두다.

차디차다 매우 차다. ㉮차디찬 얼음물.

차라리 저렇게 하는 것보다는 이렇게 하는 것이 오히려 나음을 나타내는 말. ㉮그렇게 할 바에야 차라리 그만두는 게 낫겠다. 비도리어.

차량 (車輛) 1 여러 가지 차를 두루 일컫는 말. ㉮차량 통행금지. 2 열차의 한 칸.

***차려** 몸과 정신을 바로 차리어 똑바른 자세를 가지라는 구령.

차려입다 [차려입따] 잘 갖추어 입다. ㉮한복을 곱게 차려입다.

차령산맥 (車嶺山脈) 태백산맥의 오대산에서 시작하여 충청남도의 태안반도에 이르는 산맥. 백운산·계룡산 등이 있으며, 금·은·텅스텐 등이 남. 길이는 약 200 km.

***차례**[1] 1 순서 있게 벌여 나가는 관계나 자리. ㉮차례를 기다리다. 비순서. 2 책 따위의 목차. 3 일이 일어나는 횟수를 세는 단위. ㉮소나기가 몇 차례 쏟아졌다.

차례[2] (茶禮) 추석·설날과 같은 명절날이나 조상의 생일날 아침에 지내는 제사. ㉮차례를 지내다.

차례차례 차례를 따라서. ㉮한 명씩 차례차례 들어오너라.

***차리다** 1 음식 따위를 장만하여 갖추다. ㉮밥상을 차리다. 2 기운이나 정신 따위를 가다듬다. ㉮정신을 차리다. 3 준비를 갖추다. ㉮채비를 차리다. 4 격식이나 태도 등을 갖추어 겉으로 드러내다. ㉮격식을 차리다. 5 살림·가게 따위를 벌이다. ㉮음식점을 차리다.

차림 옷이나 몸치장을 차려 갖추는 일. ㉮등산복 차림.

차림새 차린 그 모양. ㉮검소한 차림새.

차림표 (—表) ⇨식단.

***차:마** '애틋하고 안타까워서 감히 어찌'의 뜻을 나타내는 말. ㉮차마 동생을 두고 떠나지 못하겠다.

차별 (差別) 차이나 차등을 두어 구별함. ㉮부당한 차별 대우를 받다. 비구별. 반평등. **—하다.**

차분하다 마음이 가라앉아 조용하다. ㉮차분한 성격.

차분히 차분하게. ㉮마음을 차분히 가라앉히다.

차비 (車費) 차를 타는 데 내는 돈. ㉮차비를 내다. 비찻삯.

차석 (次席) 수석의 다음 자리. 또는 그 자리의 사람. ㉮차석으로 합격하다. 비차위.

차선[1] (次善) 최선의 다음가는 좋은 방법. ㉮차선을 택하다.

차선[2] (車線) 도로에서, 자동차 한 대가 지날 수 있을 너비로 나누어 표시한 선. ㉮차선을 지키다 / 차선을 바꾸다.

차양 (遮陽) 1 처마 끝에 덧붙여 볕을 가리거나 비를 막는 작은 지붕. ㉮차양을 치다. 2 모자의 앞에 햇볕을 가리도록 내민 부분. ㉮차양이 넓은 모자. ㉧ 챙.

차오르다 어떤 한도나 높이에 다다라 오르다. ㉠물이 허리까지 차오르다. 활용 차올라/차오르니.

차올리다 발로 차서 위로 올리다. ㉠공을 차올리다.

차:용 (借用) 돈이나 물건을 빌려 씀. ㉠은행에서 자금을 차용하다. **—하다.**

차원 (次元) **1** 도형·물체·공간이 펼쳐져 있는 정도를 나타내는 수. **2** 어떤 사물을 생각하거나 행하는 정도. ㉠차원이 다른 문제.

*__차이__ (差異) 서로 같지 않고 다름. ㉠성격 차이/차이가 나다.

차이다 **1** 발길로 참을 당하다. ㉠정강이를 차이다. **2** 발에 걸려 부딪히다. ㉠돌이 발부리에 차이다. **3** 주로, 남녀 관계에서 일방적으로 상대방에게 퇴짜를 맞다. ㉠애인에게 차이다.

*__차이점__ (差異點) [차이쩜] 서로 같지 않고 다른 점. ㉫ 공통점.

차이코프스키 (Tchaikovsky, Pyotr Il'yich) 〖인명〗 러시아의 작곡가. 독일 낭만파 음악에 러시아 민족 음악의 서정성을 더하여 화려한 리듬과 동양적인 선율을 살렸음. 작품에 '교향곡 6번(비창)', '백조의 호수', '호두까기 인형' 등 많은 작품이 있음. [1840-1893]

차익 (差益) 산 가격과 판 가격의 차이 따위로 생기는 이익. 또는 그 액수. ㉠차익을 남기다.

차일 (遮日) 햇볕을 가리려고 치는 장막. ㉠차일을 걷다/차일을 치다.

차일피일 (此日彼日) 이날 저날 하고 자꾸 약속한 날짜를 미루는 모양. ㉠차일피일 미루다. **—하다.**

차임 (chime) **1** 18 개의 긴 금속관을 해머로 쳐서 소리를 내는 타악기. **2** 시각을 알리거나 호출용으로 쓰이는 종의 일종. 차임벨.

차:입 (借入) 돈이나 물건을 빌림. ㉠차입금. **—하다.**

차장 (次長) 관공서나 회사 등에서 과장보다 높고 부장보다 낮은 직위에 있는 사람. 또는 그 직위.

차전놀이 (車戰—) [차전노리] 음력 정월 보름날의 민속놀이. 경상북도 안동에서는, 동채에 탄 사람의 지휘로 동채를 밀었다 당겼다 하다가 상대편 동채 머리를 먼저 땅에 닿게 하는 편이 이김.

차점 (次點) [차쩜] 최고점 다음가는 점수. ㉠차점자.

차제 (此際) 이런 때. 이런 기회. ㉠차제에 이것만은 분명히 말해 두겠다.

차종 (車種) 자동차의 종류.

차주 (車主) 차의 주인.

*__차지__ 자기 것으로 만듦. ㉠안방은 아이들 차지다/우승을 차지하다/이익금을 혼자 차지하다. **—하다.**

차지다 끈기가 많다. ㉠반죽이 차지다. ㉫ 메지다.

차질 (蹉跌) 일이 계획대로 되지 않고 틀어짐. ㉠차질을 빚다/계획에 차질이 생기다.

*__차차__ (次次) **1** 어떤 상태가 조금씩 진행하는 모양. ㉠건강이 차차 좋아지다. ㉥ 차츰. **2** 서두르지 않고 천천히. ㉠차차 아시게 됩니다.

차창 (車窓) 기차나 자동차 등의 창문. ㉠차창 밖으로 아름다운 풍경이 스쳐 지나간다.

차체 (車體) 승객이나 화물을 싣는 자동차나 기차 따위의 몸체. ㉠충돌 사고로 차체가 크게 부서졌다.

*__차츰__ 어떤 상태나 정도가 계속 조금씩 진행하는 모양. ㉠흥분이 차츰 가라앉다. ㉥ 차차.

차츰차츰 갑작스럽지 않게 조금씩 진행하는 모양. ㉠성적이 차츰차츰 올라가다.

차트 (chart) 각종 자료를 알기 쉽

게 정리한 일람표. ㉝가요계의 인기 순위 차트.

차편 (車便) 차가 사람이나 물건을 싣고 오고 가는 편. ㉝차편을 이용하다 / 차편으로 보내다.

차표 (車票) 차를 타기 위하여 찻삯을 주고 산 표. ㉝차표를 예매하다. 비 승차권.

차후 (此後) 이다음. 이 뒤. ㉝그 문제는 차후에 다시 의논하자.

착[1] 물건이 잘 달라붙는 모양. ㉝착 달라붙는 바지. 큰 척.

착[2] **1** 몸가짐이나 태도가 점잖고 태연한 모양. ㉝의자에 착 버티고 앉다. **2** 분위기나 목소리 따위가 가라앉은 모양. ㉝착 가라앉은 분위기 / 들떴던 마음이 착 가라앉다.

착각 (錯覺) [착깍] 실제와 다르게 느끼거나 생각함. ㉝착각에 빠지다 / 착각을 일으키다. **—하다.**

착공 (着工) [착꽁] 공사를 시작함. ㉝고속도로를 착공하다. 비 기공. 반 준공. **—하다.**

착륙 (着陸) [창뉵] 비행기 따위가 땅에 내림. ㉝착륙 지점 / 안전하게 착륙하다. 반 이륙. **—하다.**

착상 (着想) [착쌍] **1** 일의 실마리가 될 만한 생각. ㉝착상이 훌륭하다. **2** 예술품을 만들 때 그 내용을 머릿속에서 구상하는 일. ㉝착상이 잘 떠오르지 않는다. **—하다.**

착색 (着色) [착쌕] 그림이나 물건에 물을 들이거나 색을 칠하여 빛깔이 나게 함. **—하다.**

착석 (着席) [착썩] 자리에 앉음. ㉝여러분, 모두 착석해 주십시오. 반 기립. **—하다.**

착수 (着手) [착쑤] 어떤 일에 손을 대어 시작함. ㉝공사를 착수하다 / 수사가 착수되다. **—하다.**

착시 (錯視) [착씨] 착각으로 잘못 봄. ㉝착시 현상을 일으키다.

착실하다 (着實—) [착씰하다] 거짓이 없고 한결같이 성실하다. ㉝착실한 학생.

착실히 (着實—) [착씰히] 착실하게. ㉝착실히 노력하다.

착안 (着眼) [차간] 어떤 일을 눈여겨보아 그 일을 이루기 위한 기틀을 잡음. ㉝뉴턴은 사과가 아래로 떨어지는 것에 착안하여 만유인력을 발견하였다. **—하다.**

착오 (錯誤) [차고] 잘못 생각하여 실제와 맞지 않음. 또는 그 잘못. ㉝계산 착오. **—하다.**

착용 (着用) [차공] 옷 등을 몸에 입거나 물건 등을 쓰거나 신거나 함. ㉝안전띠를 착용하다. **—하다.**

착잡하다 (錯雜—) [착짜파다] 갈피를 잡을 수 없을 정도로 뒤섞여 마음이 복잡하고 어수선하다. ㉝착잡한 심정.

착지 (着地) [착찌] 체조에서, 동작을 마치고 땅바닥에 내려섬. ㉝착지에서 점수가 깎이다. **—하다.**

착착[1] 물체가 끈기 있게 자꾸 달라붙는 모양. 큰 척척.

착착[2] 가지런히 여러 번 개키거나 접는 모양. ㉝말린 수건을 착착 접어 놓다.

착착[3] (着着) **1** 일이 순서대로 진행되어 가는 모양. ㉝공사가 착착 이루어지다. **2** 질서정연하게 조화를 이루며 행동하는 모양. ㉝발을 착착 맞추며 걸어가다.

착취 (搾取) 자본가나 지주 등이 노동자나 농민에게 일한 만큼의 보수를 주지 않고 이익의 대부분을 가로채는 일. **—하다.**

***착하다** [차카다] 마음이 곱고 어질다. ㉝착한 마음씨를 지니다. 비 선하다. 반 악하다.

찬: (饌) '반찬'의 준말. ㉝찬은 없지만 많이 드십시오.

찬:가 (讚歌) 훌륭함을 칭찬하려는 뜻에서 부르는 노래. ㉝조국 찬가.

찬:거리 (饌—) [찬꺼리] ⇨반찬거리. ㉠시장에 찬거리를 사러 가다.
찬:동 (贊同) 찬성하여 뜻을 같이함. ㉠그 의견에 찬동하다. 비 찬성. **—하다.**
*__찬:란하다__ (燦爛—) [찰란하다] **1** 눈부시게 화려하고 아름답다. ㉠찬란한 신라 금관. **2** 빛나고 훌륭하다. ㉠찬란한 문화유산.
찬:란히 (燦爛—) [찰란히] 찬란하게. ㉠찬란히 빛나는 우리 역사.
*__찬물__ 차가운 물. ㉠찬물을 마시다. 비 냉수. 반 더운물.
찬물을 끼얹다 잘되어 가는 일에 공연히 트집을 잡아 훼방을 놓다.
찬:미 (讚美) 아름답고 훌륭한 것을 기리어 칭찬함. ㉠인생을 찬미하다. 비 찬송. **—하다.**
찬바람 냉랭하고 싸늘한 기운이나 느낌. ㉠그녀에게서 찬바람이 돈다.
찬바람이 일다 싸늘한 기운이 돌다. 살벌한 분위기가 되다.
찬:반 (贊反) 찬성과 반대. ㉠같은 반 친구들의 찬반을 묻다.
찬밥 **1** 지은 지 오래되어 식은 밥. ㉠찬밥을 데워 먹다. 반 더운밥. **2** 업신여김을 받거나 푸대접을 받는 사람이나 사물. ㉠찬밥 신세가 되다 / 찬밥 취급을 받다.
찬:불 (讚佛) 부처의 공덕을 찬탄함. ㉠찬불가. **—하다.**
찬:사 (讚辭) 칭찬하는 말이나 글. ㉠아낌없는 찬사를 보내다.
*__찬:성__ (贊成) 옳다고 여겨 의견을 같이함. ㉠만장일치로 찬성하다. 비 동의. 반 반대. 불찬성. **—하다.**
찬:송 (讚頌) 칭찬하여 기림. ㉠주님을 찬송하다. 비 찬미. **—하다.**
찬:송가 (讚頌歌) 기독교에서 하나님의 사랑과 은총을 기리는 노래. 비 찬미가.
찬스 (chance) 무슨 일을 하기에 알맞은 때. 기회. ㉠찬스를 잡다 / 절호의 찬스를 놓치다.
찬:양 (讚揚) [차냥] 아름다움이나 훌륭함을 드러내어 칭찬함. ㉠효행을 찬양하다. **—하다.**
찬:연하다 (燦然—) [차년하다] 눈부시게 빛나다. ㉠찬연한 아침 햇살 / 찬연한 전통문화.
찬:연히 (燦然—) [차년히] 찬연하게. ㉠찬연히 빛나는 문화유산.
찬:장 (饌欌) [찬짱] 그릇이나 음식 등을 넣어 두는 장.
찬:조 (贊助) 뜻을 같이하여 도움. ㉠찬조 출연. **—하다.**
찬:조금 (贊助金) 어떤 일을 돕기 위해 스스로 내는 돈. ㉠찬조금이 걷히다 / 찬조금으로 낸 돈.
찬찬하다[1] 매우 꼼꼼하고 차분하다. ㉠찬찬한 성격.
찬찬하다[2] 동작이나 태도가 급하지 않고 느리다. ㉠찬찬한 걸음.
찬찬히[1] 찬찬하게. ㉠얼굴을 찬찬히 뜯어보다.
찬찬히[2] 찬찬하게. ㉠내가 잡아 줄 테니 찬찬히 내려오너라.
찬:탄 (讚歎 / 贊嘆) 칭찬하며 감탄함. ㉠찬탄을 보내다 / 찬탄을 아끼지 않다. **—하다.**
찬:탈 (簒奪) 왕의 자리를 빼앗음. ㉠왕위를 찬탈하다. **—하다.**
찬:합 (饌盒) 반찬이나 술안주 등을 담는 여러 층으로 된 그릇.
찰- **1** '끈기가 있고 차진'의 뜻을 나타내는 말. ㉠찰벼 / 찰떡 / 찰옥수수. 반 메-. **2** '몹시 심한' · '더 말할 수 없는'의 뜻을 나타내는 말. ㉠찰가난 / 찰깍쟁이.
찰거머리 **1** 빨판이 발달되어 잘 들러붙고 떨어지지 않는 거머리. **2** 남에게 끈질기게 들러붙어 귀찮게 구는 사람.
찰과상 (擦過傷) 긁혀서 살갗이 벗겨진 상처. ㉠다리에 가벼운 찰과상을 입다. 비 찰상.

찰나 (刹那) [찰라] 지극히 짧은 동안. (예)발을 막 떼려는 찰나에 폭음이 들렸다. [비]순간.

찰떡 찹쌀로 만든 떡. [반]메떡.

찰떡같다 [찰떡깓따] 정이 깊이 들어서 떨어지지 않을 만큼 관계가 깊다. (예)부부의 금실이 찰떡같다.

찰떡같이 [찰떡까치] 찰떡같게. (예)친구를 찰떡같이 믿다.

찰랑거리다 1 물이 넘칠 듯이 자꾸 흔들리다. 2 물결치는 것처럼 부드럽게 자꾸 흔들리다. (예)긴 머리를 찰랑거리며 걸어가다.

찰랑찰랑하다 작은 그릇의 물이 넘칠 듯 가득 괴어 있다.

찰밥 찹쌀로 지은 밥. 때로는 찹쌀에 팥·밤·대추·검은콩 등을 섞어 짓기도 함. [반]메밥.

찰방찰방 1 작은 물체가 깊은 물에 잇따라 떨어지는 소리. 2 얕은 냇물에서 걸어다닐 때 나는 소리. [큰]철벙철벙. **—하다.**

찰싹거리다 [찰싹꺼리다] 찰싹찰싹 소리가 잇따라 나다. 또는 그런 소리를 잇따라 내다. [큰]철썩거리다. [여]잘싹거리다.

찰싹찰싹 1 물 위를 납작한 물건으로 잇따라 때리는 소리. 2 물결이 잇따라 부딪치는 소리. **—하다.**

찰칵 작은 쇠붙이 따위가 가볍게 부딪치는 소리. (예)사진기의 셔터를 찰칵 누르다. [큰]철컥. [본]찰카닥.

*__찰흙__ [찰흑] 끈기가 있어 차진 흙. (예)찰흙을 빚어 인형을 만들다. [비]점토.

참[1] 사실이나 진리에 어긋남이 없음. (예)참과 거짓. [비]진리. [반]거짓.

*__참__[2] 1 '정말·과연·참말로' 등의 뜻을 나타내는 말. (예)사정이 참 딱하다 / 경치가 참 좋다. 2 까맣게 잊었던 일이 문득 생각나거나, 비로소 깨닫게 되었을 때 '참말로'의 뜻으로 쓰이는 말. (예)참, 깜빡 잊었네.

참ː[3] 1 일을 하다가 잠시 쉬는 동안에 먹는 음식. (예)참을 먹다. 2 무엇을 하는 경우나 때. (예)집에 가려던 참이다. 3 무엇을 할 생각이나 예정. (예)이사를 할 참이다.

참- 1 거짓이 아닌 것. (예)참말 / 참사랑. 2 품질 따위가 썩 좋음을 나타내는 말. (예)참먹 / 참숯. 3 흔히 동식물 이름 앞에 붙어, 기본적인 품종임을 나타내는 말. (예)참가자미 / 참개구리.

*__참가__ (參加) 어떤 모임이나 단체에 참여함. (예)참가자 / 올림픽 경기에 참가하다. [반]불참. **—하다.**

참값 [참깝] 계산하거나 실제로 재어서 얻은 정확한 값.

참견 (參見) 자기와 상관없는 일이나 이야기에 공연히 끼어들어 아는 체하거나 간섭함. (예)쓸데없는 참견. **—하다.**

참고 (參考) 도움이 될 만한 자료로 삼음. (예)참고 문헌 / 공부에 참고될 책. **—하다.**

참고서 (參考書) 1 교과서 내용을 이해하기 쉽게 풀이한 책. (예)학습 참고서. 2 참고가 되는 책.

참고인 (參考人) 어떤 일에 관하여 참고가 될 만한 사항을 말해 주는 사람. (예)참고인 자격으로 법원에 출석하다.

참관 (參觀) 어떤 모임이나 행사에 가서 지켜봄. (예)연구 수업을 참관하다. **—하다.**

참관인 (參觀人) [참과닌] 어떤 모임이나 행사에 가서 지켜보는 사람. (예)투표 참관인.

참극 (慘劇) 잔인하고 끔찍한 일이나 사건. (예)6·25 전쟁의 참극.

참기름 참깨로 짠 기름.

참깨 참깻과의 한해

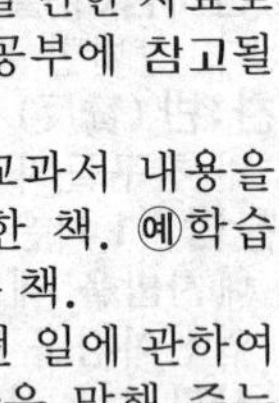

〈참깨〉

살이풀. 줄기에 잔털이 났으며, 5–6월에 꽃이 피고 열매는 긴 타원형으로 가을에 익음. 씨는 볶아서 먹거나 기름을 짬.

참나무 **1** 참나뭇과의 갈참나무·굴참나무·물참나무 등을 통틀어 이르는 말. **2** ⇨상수리나무.

참나물 미나릿과의 여러해살이풀. 산의 나무 그늘에 나며, 향기가 있음. 어린잎은 나물로 무쳐서 먹음.

***참ː다** [참따] **1** 충동·감정 따위를 억누르고 다스리다. (예)이를 악물고 분을 **참다**. **2** 웃음·울음·아픔 따위를 억누르고 견디다. (예)아픔을 참을 수 없어 소리를 질렀다 / 터져 나오는 웃음을 겨우 **참았다**. **3** 기회나 때를 기다리다. (예)조금만 더 **참아** 주십시오.

참담 (慘憺〔澹〕) **1** 끔찍하고 절망적임. **2** 가슴이 아플 정도로 비참함. (예)참담한 패배. **—하다.**

***참답다** [참답따] 거짓이나 꾸밈이 없이 진실되고 올바르다. (예)**참다운** 친구. [활용] 참다워 / 참다우니.

***참되다** [참뙤다] 거짓이 없고 진실되다. (예)거짓 없이 **참되게** 살다.

참뜻 [참뜯] 거짓이 없고 진실한 뜻. (예)너의 참뜻을 알았다. [비] 진의.

참마음 거짓이 없는 진실한 마음. [비] 진심. [준] 참맘.

***참말** 사실과 조금도 틀림이 없는 말. (예)참말 같은 거짓말. [비] 정말. [반] 거짓말.

참모 (參謀) **1** 윗사람을 도와 일을 계획하고 의논하는 데에 참여함. 또는 그 사람. (예)선거 참모. **2** 군에서, 인사·정보·작전 등의 계획과 지도를 맡아보는 장교. (예)작전 참모.

참모습 거짓이나 꾸밈이 없는 모습. (예)참모습을 드러내다.

참배 (參拜) **1** 신이나 부처에게 절하고 빎. (예)부처님께 **참배**하다. **2** 무덤이나 기념비 등의 앞에서 존경이나 추모의 뜻을 나타냄. (예)국립묘지 **참배**. **—하다.**

참변 (慘變) 비참하고 끔찍한 사건이나 사고. (예)열차의 탈선으로 많은 승객이 숨지는 **참변**을 당하였다.

참빗 [참빋] 빗살이 아주 가늘고 촘촘한, 대나무로 만든 빗. [반] 얼레빗.

〈참빗〉

참사 (慘事) 슬프고 끔찍한 일. (예)건물 붕괴의 **참사**를 빚다. [비] 참변.

참사랑 진실하고 순수한 사랑. (예)참사랑을 베풀다.

참상 (慘狀) 끔찍하고 비참한 모양이나 상태. (예)차마 눈을 뜨고 볼 수 없는 전쟁의 **참상**.

***참새** 참샛과의 새. 부리는 검고 몸빛은 갈색임. 가을에는 농작물을 해치나 여름에는 해충을 잡아먹는 이로운 새임. 마을 주변에 삶. ⊙ sparrow

〈참새〉

***참석** (參席) 모임이나 회의 따위의 자리에 나감. (예)참석자 / 회의에 참석하다. [비] 출석. [반] 불참. **—하다.**

참선 (參禪) 불교에서, 조용히 앉아 갖은 걱정에서 벗어나 고요한 마음을 얻기 위하여 수련하는 일. **—하다.**

참성단 (塹城壇) 강화도 마니산에 있는 유적. 단군이 우리 민족을 위하여 하늘에 제사를 지내던 곳으로 알려짐.

참숯 [참숟] 참나무 따위를 구워 만든 숯.

참신하다 (斬新—) 매우 새롭고 산뜻하다. (예)**참신한** 디자인 / **참신한** 인물.

***참여** (參與) [차며] 참가하여 관계함. (예)행사에 **참여**하다. **—하다.**

*참외 [차뫼] 박과의 한해살이 덩굴풀. 인도가 원산지로 밭에서 자람. 줄기는 털이 있고, 땅 위로 덩굴손을 내어 뻗으며 자람. 여름에 노란 꽃이 피고, 열매는 타원형으로 맛이 닮.

*참으로 [차므로] 거짓이 없이. 진심으로. ㉠참으로 놀라운 일이 벌어졌다 / 참으로 훌륭하다. 🅑정말로. 진실로.

참을성 (—性) [차믈썽] 잘 참고 견디어 내는 성질. ㉠참을성을 기르다 / 참을성이 부족하다. 🅑인내성.

참작 (參酌) 이리저리 사정이나 상황을 보아서 알맞게 헤아림. ㉠정상을 참작하다. —하다.

참전 (參戰) 전쟁에 싸우러 나감. ㉠참전 용사. —하다.

참정권 (參政權) [참정꿘] 국민의 기본권의 하나. 정치에 직접·간접으로 참여할 수 있는 권리. 선거권·피선거권을 행사하거나 공무원이 될 수 있는 권리 따위.

참조 (參照) 참고로 비교하고 대조하여 봄. ㉠백과사전을 참조하다. —하다.

참조기 민어과의 바닷물고기. 몸길이는 30 cm 정도이고, 몸빛은 회색을 띤 누른빛이고 입술은 불그스름함. 말린 것은 '굴비'라 함. 🅑황석어.

참치 **1** 전갱잇과의 바닷물고기. 몸길이는 30 cm 정도이고, 주둥이가 뭉뚝함. 몸빛은 어두운 흰색에 등쪽이 남색임. **2** '다랑어'를 식용으로 일컫는 말.

참패 (慘敗) 싸움이나 경기에서 크게 짐. ㉠선거에서 참패를 당하다. —하다.

참:하다 **1** 생김새가 나무랄 데 없이 말쑥하다. ㉠참하게 생기다. **2** 성질이 찬찬하고 얌전하다. ㉠참한 색싯감.

참호 (塹壕) 적의 공격에 대비하여 길게 파 놓은 구덩이.

참혹 (慘酷) 슬프고도 끔찍함. 잔인하고 무자비함. ㉠참혹한 사건 현장. 🅑처참. —하다. —히.

참회 (懺悔) 자기의 잘못을 깨닫고 깊이 뉘우침. ㉠참회의 눈물을 흘리다. —하다.

참회록 (懺悔錄) 지나간 잘못을 뉘우쳐서 쓴 기록.

찹쌀 찰벼를 찧은 쌀. ㉠찹쌀고추장 / 찹쌀떡. 🅑멥쌀.

찹쌀가루 [찹쌀까루] 찹쌀을 빻은 가루.

찻간 (車間) [차깐 / 찯깐] 자동차·기차 따위의 사람이 타게 된 칸. ㉠찻간에서 우연히 친구를 만났다.

찻길 (車—) [차낄 / 찯낄] 자동차나 기차가 다니는 길. ㉠찻길에서 자전거를 타지 마라. 🅑차도.

찻삯 (車—) [차싹 / 찯싹] 차를 타는 데 내는 돈. 🅑차비.

찻잔 (茶盞) [차짠 / 찯짠] 차를 담아 마시는 잔.

찻집 (茶—) [차찝 / 찯찝] 사람들이 앉아 차나 음료 따위를 마실 수 있게 꾸며 놓은 영업소. 🅑다방.

*창¹ (窓) '창문'의 준말. ㉠창을 활짝 열다.

*창² (槍) **1** 예전에 쓰던 무기의 한 가지. 긴 나무 자루 끝에 양쪽으로 칼날이 있는 뾰족한 쇠가 달려 있어서 찌르거나 던지게 되어 있음. **2** 창던지기에 쓰는 기구.

창:³ (唱) 판소리나 잡가 등을 가락에 맞추어 부름. 또는 그 노랫소리. —하다.

창⁴ 구두·고무신 등의 밑바닥 부분. 또는 거기에 덧붙이는 가죽이나 고무의 조각. ㉠구두의 창을 갈다.

창가 (窓—) [창까] 창문의 가장자리. 또는 창문과 가까운 곳. ㉠창가에 기대어 생각에 잠기다.

창:간 (創刊) 신문·잡지 등을 처음

으로 펴냄. ㉠어린이 잡지를 창간하다. 반 종간. **—하다.**

창:간호 (創刊號) 정기적으로 발행되는 책 따위의 맨 첫 번째의 것. ㉠창간호를 내다.

창:건 (創建) 나라나 단체, 큰 건물 등을 처음으로 세움. ㉠새 왕조를 창건하다. **—하다.**

창경궁 (昌慶宮) 서울특별시 종로구에 있는 궁궐. 조선 성종 14년(1483)에 수강궁을 고친 이름. 일제 강점기 이후에는 '창경원'으로 불리다가 1983년에 다시 본디 이름을 되찾음. 궁에는 국보 제226호인 명정전 등이 있음.

*__창고__ (倉庫) 물건을 저장하거나 보관하는 건물. 비 곳간. 곳집.

창공 (蒼空) 푸른 하늘. ㉠창공을 나는 제비. 비 창천.

창구 (窓口) 사무실 따위에서 직원과 손님 사이에 돈이나 문서 등을 주고받을 수 있도록 조그마하게 만든 창문. ㉠민원 창구 / 은행 창구.

창구멍¹ [창꾸멍] 이불·솜옷·대님·버선 따위를 지을 때, 안팎을 뒤집어 빼내기 위해 꿰매지 아니한 부분. ㉠창구멍을 내다.

창구멍² (窓—) [창꾸멍] 창문에 뚫어 놓은 구멍.

창궐하다 (猖獗—) 전염병이나 못된 세력 따위가 맹렬히 일어나 걷잡을 수 없이 퍼지다. ㉠도적이 창궐하다 / 전염병이 창궐하다.

창:극 (唱劇) 우리나라 고유의 음악인 판소리를 연극으로 꾸민 것.

창녕 순수비 (昌寧巡狩碑) 경상남도 창녕군 창녕읍 교상리에 있는, 신라 진흥왕의 순수비. 정식 이름은 '창녕 신라 진흥왕 척경비' 임. 국보 제33호.

창:단 (創團) 단체를 새로 만듦. ㉠농구 팀을 창단하다. **—하다.**

창:달 (暢達) **1** 의견·주장 등을 거리낌 없이 자유로이 표현하고 전달함. ㉠언론의 창달. **2** 거침없이 쭉쭉 벋어 나감. ㉠지역 문화를 창달하다. **—하다.**

창:당 (創黨) 정당을 새로 만듦. ㉠창당 대회. **—하다.**

창덕궁 (昌德宮) [창덕꿍] 서울특별시 종로구에 있는 궁궐. 조선 왕조의 역대 왕들이 살면서 정치를 하던 곳. 1996년에 유네스코 세계 문화유산으로 지정됨.

창던지기 (槍—) 창을 멀리 던지는 것으로 승부를 겨루는 육상 경기. 비 투창. **—하다.**

창:립 (創立) [창닙] 학교·회사 등을 처음으로 세움. ㉠창립 기념일. 비 창설. **—하다.**

*__창문__ (窓門) 공기나 빛이 통하도록 벽이나 지붕에 만들어 놓은 작은 문. ㉠창문을 닦다 / 창문을 활짝 열다. 준 창. ➡ window

창밖 (窓—) [창박] 창문의 밖. ㉠창밖을 내다보다 / 창밖으로 눈발이 날리다.

창백하다 (蒼白—) [창배카다] 얼굴빛 따위가 핏기가 없고 해쓱하다. ㉠겁에 질려 얼굴이 창백해지다.

창:법 (唱法) [창뻡] 노래를 부르는 방법. ㉠창법이 독특하다.

창살 (窓—) [창쌀] 창문에 가로세로로 지른 가는 나뭇조각.

창:설 (創設) 기관이나 단체 따위를 처음으로 세움. ㉠학교를 창설하다. 비 창립. **—하다.**

창:설자 (創設者) [창설짜] 처음으로 만들어 세운 사람. 비 창립자.

창:세기 (創世記) 구약 성서의 제1권. 세상과 인류의 창조, 죄의 기원, 아브라함과 그 자손의 생애 등이 기록되어 있음.

창:시 (創始) 어떤 사상이나 학설 따위를 처음으로 시작하거나 내세움. ㉠창시자 / 새로운 학파를 창시

하다. —하다.

창:안 (創案) 처음으로 생각하여 냄. 또는 그 고안. ㉠한글을 창안한 세종 대왕. —하다.

창:업 (創業) 1 나라를 처음으로 세움. 2 사업을 처음으로 시작함. ㉠회사를 창업하다. —하다.

*창:의 (創意) [—/창이] 새로운 의견을 생각하여 냄. 또는 그 의견. —하다.

창:의력 (創意力) [—/창이력] 새로운 생각을 해내는 능력. ㉠창의력과 상상력을 키워 주는 교육이 필요하다.

창:의성 (創意性) [창의썽/창이썽] 새로운 것을 생각해 내는 성질.

창:의적 (創意的) [—/창이적] 새로운 방안을 생각하는 (것). ㉠창의적인 아이디어를 내놓다.

*창자 '소장[1]·대장[1]'을 통틀어 이르는 말. 비 장[8].

창:작 (創作) 1 새로운 것을 처음으로 만드는 일. 2 문예·그림·음악 등의 예술 작품을 처음으로 만들어 내는 일. ㉠창작 동화 / 창작품을 발표하다. 반 모작. —하다.

창:제 (創製〔制〕) 처음으로 만듦. ㉠한글을 창제하다. —하다.

*창:조 (創造) 1 처음으로 만들어 냄. ㉠창조력 / 유행을 창조하다. 반 모방. 2 신이 우주 만물을 처음으로 만듦. ㉠천지 창조. —하다.

창:조적 (創造的) 새로운 것을 만들어 내는 특성이 있는 (것). ㉠창조적 활동.

창창하다 (蒼蒼—) 1 바다·하늘 따위가 새파랗다. ㉠창창한 가을 하늘. 2 앞길이 멀어서 아득하다. ㉠앞길이 창창한 젊은이.

창:출 (創出) 1 처음으로 이루어져 생겨남. 2 처음으로 만들어 내거나 지어냄. —하다.

창칼 여러 가지 작은 칼을 통틀어 이르는 말.

창틀 (窓—) 창문을 달거나 여닫기 위하여 만들어 끼우는 틀.

〈창포〉

창포 (菖蒲) 천남성과의 여러해살이풀. 잎은 뾰족하고 길며, 특이한 향기가 있음. 연못·호숫가에 남.

창피 (猖披) 체면이 깎이거나 아니꼬운 일을 당한 부끄러움. ㉠남들 보기 창피해서 고개를 못 들겠다. —하다. ×챙피.

창호지 (窓戶紙) 문을 바르는 얇은 종이. ㉠창호지를 바르다.

*찾다 [찯따] 1 여기저기 뒤지거나 살피다. ㉠잃어버린 지갑을 찾다. 2 맡기거나 빌려 준 것을 돌려받다. ㉠은행에서 돈을 찾다. 3 만나거나 어떤 곳을 보러 이곳저곳 다니다. ㉠선배를 찾다 / 명승고적을 찾다. 4 모르는 것을 밝혀내다. ㉠사고 원인을 찾다. ➡ find

*찾아가다 [차자가다] 1 남을 만나러 가다. ㉠담임선생을 찾아가다. 비 방문하다. 2 맡긴 것이나 빌린 것을 도로 가져가다. ㉠맡긴 물건을 찾아가다. 활용 찾아가거라.

찾아내다 [차자내다] 찾아서 드러내다. ㉠범인을 찾아내다 / 문제 해결의 실마리를 찾아내다.

찾아다니다 [차자다니다] 어떤 사람을 만나거나 무엇을 얻기 위해 여기저기 옮겨 다니다. ㉠경치 좋은 곳을 찾아다니다 / 집집마다 찾아다니며 인사를 하다.

찾아들다 [차자들다] 1 어떤 곳으로 가다. ㉠친구의 하숙집을 찾아들다. 2 어떤 일이 생겨나거나 나타나다. ㉠해가 지자 마을에 어둠이 찾아들었다. 활용 찾아들어 / 찾아드니 / 찾아드는.

찾아보기 [차자보기] ⇨색인.

*찾아보다 [차자보다] 1 남을 찾아가서 만나다. 예옛 친구를 찾아보다. 2 무엇을 알기 위해 확인하거나 조사하다. 예사전을 찾아보다.

*찾아오다 [차자오다] 1 남이 나를 만나러 오다. 예손님이 찾아오다. 2 맡긴 것이나 빌려 준 것을 도로 가져오다. 예예금을 찾아오다. 활용 찾아오너라.

채[1] 1 북·장구·징 등을 쳐서 소리를 내는 도구. 예북채. 2 테니스·골프·탁구 따위에서 공을 치는 도구.

*채[2] 1 집을 세는 단위. 예집 한 채. 2 이불 따위를 세는 단위. 예이불 두 채.

*채[3] 어떤 상태가 계속된 대로 그냥. 예옷을 입은 채 자다. →-째 주의

채[4] 일정한 정도에 아직 이르지 못한 상태. 예말이 채 끝나기도 전에 화부터 내다.

주의 채와 체
채 1 '어떤 상태가 계속된 대로 그냥'의 뜻을 나타내는 말. 예신을 신은 채 들어갔다 / 산 채로 잡았다. 2 일정한 정도에 아직 이르지 못한 상태를 나타내는 말. 예날이 채 밝기도 전에 떠났다.
체 '그럴듯하게 꾸미는 거짓 태도'를 뜻하는 말. 예먹는 체하다 / 알면서도 모르는 체 시치미를 떼다.

채:[5] 채소를 가늘고 길쭉하게 써는 일. 또는 그 썬 것. 예무채 / 채를 썰다 / 채를 치다.

채:광 (採光) 창문 따위를 내어 빛을 받아들임. 예채광이 잘되는 집.

채:굴 (採掘) 땅속에 묻혀 있는 광물 등을 캐냄. 예석탄을 채굴하다. —하다.

채:권[1] (債券) [채꿘] 국가·은행·회사 등이 필요한 돈을 빌리려고 발행하는 공채·사채 따위의 증권.

채:권[2] (債權) [채꿘] 빚을 진 사람에게 빚을 준 사람이 행사할 수 있는 권리. 반 채무.

채널 (channel) 텔레비전·라디오 따위에서, 주파수대에 따라 각 방송국에 배정된, 전파의 전송 통로. 예채널을 맞추다 / 채널을 돌리다.

채다[1] 재빨리 짐작하거나 알아차리다. 예눈치를 채다.

채다[2] 1 갑자기 힘 있게 잡아당기다. 예낚싯대를 힘껏 채다. 2 재빠르게 센 힘으로 빼앗거나 훔치다. 예매가 먹이를 채다 / 날치기가 손가방을 채다.

채:도 (彩度) 색의 선명한 정도. 옅은 빛은 채도가 낮고, 진한 빛은 채도가 높다고 함. * 명도. 색상.

채롱 (一籠) 껍질을 벗긴 싸릿개비로 엮어 함처럼 만든 운두가 높은 그릇.

〈채롱〉

채:륜 (蔡倫) 〖인명〗 종이의 발명자로 알려진 중국 후한 사람. 나무껍질·베·무명·그물 등으로 종이를 만들었다 함. [?-121]

채:무 (債務) 남에게 빌려 쓴 돈을 갚아야 할 의무. 반 채권.

채반 (一盤) 껍질을 벗긴 싸릿개비로 둥글넓적하게 엮어 만든 그릇.

채:변 (採便) 기생충 감염 검사나 다른 질병의 검사 따위를 하기 위해 변을 받음. 예채변 봉투.

채비 어떤 일을 하기 전에 준비를 갖추어 차림. 또는 그 준비. 예출발할 채비를 하다. 비 차비. —하다.

채:색 (彩色) 1 그림에 색을 칠함. 2 여러 가지 고운 빛깔. —하다.

채:석 (採石) 바위에서 돌을 캐냄. —하다.

채:석장 (採石場) [채석짱] 건축·토목 등 여러 가지 공사에 쓸 돌을 캐내는 곳.

*채:소 (菜蔬) 먹기 위해 밭에서 가꾸는 온갖 푸성귀. 배추·무 따위. ㊞무공해 채소 / 채소를 가꾸다. ㊥남새. 야채. ➡ vegetable

채:소밭 (菜蔬—) 채소를 심어 가꾸는 밭. ㊞채소밭을 가꾸다.

채:송화 (菜松花) 쇠비름과의 한해살이 풀. 높이 약 20 cm. 자주·분홍·노랑 등 여러 빛깔의 꽃이 오전에 피었다 오후에 짐. 〈채송화〉

채:식 (菜食) 푸성귀·과일 따위의 식물성 음식만 먹음. ㊞채식주의자. ㊖육식. **—하다.**

채:신없다 [채시넙따] 남 앞에서 말이나 행동이 조심성이 없고 가벼워 위신이 없다.

채:신없이 [채시넙씨] 채신없게. ㊞채신없이 까불지 마라.

채:용 (採用) **1** 사람을 골라서 씀. ㊞신입 사원을 채용하다. **2** 의견이나 방법 등을 받아들여서 씀. ㊞신기술 채용. **—하다.**

채우다[1] 몸의 한 부분에 물건을 달아 차게 하다. ㊞아기에게 기저귀를 채우다.

채우다[2] 음식·과일·물건 따위를 차게 하거나 상하지 않게 하려고 찬물이나 얼음 속에 담그다. ㊞수박을 얼음물에 채우다.

*채우다[3] **1** 모자라는 수량을 보태다. ㊞빈자리를 채우다. **2** 일정한 높이나 한도까지 이르게 하다. ㊞대야에 물을 반쯤 채우다.

채우다[4] 자물쇠·단추 따위를 잠그거나 걸어 열리지 않게 하다. ㊞점퍼의 지퍼를 채우다.

채:점 (採點) [채쩜] 시험지에 적힌 답이 맞고 틀린지를 살피어 점수를 매김. ㊞중간고사 시험 채점 / 답안지를 채점하다. **—하다.**

채:집 (採集) **1** 널리 찾아서 모음. ㊞민요 채집. **2** 동식물 등의 표본을 캐거나 잡아서 모음. ㊞곤충 채집. **—하다.**

채찍 말이나 소를 모는 데 쓰는 물건. 나뭇가지나 댓가지의 끝에 노끈이나 가죽을 닮. ㊞채찍을 휘두르다. ㊟채.

채찍질 [채찍찔] **1** 채찍으로 치는 짓. ㊞말에 채찍질을 하다. **2** 몹시 재촉하거나 격려하는 일. ㊞더욱더 노력하라고 채찍질하다. **—하다.**

채:취 (採取) **1** 풀·나무 등을 베거나 캐거나 하여 거두어들임. ㊞미역 채취. **2** 연구나 조사를 위하여 필요한 것을 받아 둠. ㊞지문 채취 / 혈액을 채취하다. **—하다.**

채:택 (採擇) 골라서 가려냄. 가려서 뽑음. ㊞내 글이 학급 신문에 채택되었다. **—하다.**

채팅 (chatting) 인터넷이나 컴퓨터 통신 따위에서 다른 장소에 있는 여러 사용자가 모니터 화면을 통해 말이나 글로 대화를 나누는 일.

채:혈 (採血) 병을 진단하거나 수혈을 하기 위하여 피를 뽑음. ㊖수혈. **—하다.**

채:화 (採火) 렌즈로 태양 광선을 받아서 불을 얻음. ㊞올림픽 성화를 채화하다. **—하다.**

*책 (冊) 어떤 생각이나 사실 등을 글이나 그림으로 표현한 종이를 겹쳐 꿰맨 물건. ㊞책을 쓰다 / 책을 읽다. ㊥도서. 서적. ➡ book

*책가방 (冊—) [책까방] 책·공책·필통 등을 넣어 메거나 들고 다니는 가방. ㊞책가방을 싸다.

책갈피 (冊—) [책깔피] 책장과 책장의 사이. ㊞책갈피에 단풍잎을 끼워 두다.

책꽂이 (冊—) [책꼬지] 책을 세워서 꽂아 두는 물건.

책동 (策動) [책똥] **1** 음모 따위를

몰래 꾸미어 행동함. **2** 남으로 하여금 어떤 행동을 하도록 부추김. ㉮반란을 책동하다. **—하다.**

책략 (策略) [챙냑] 어떤 나쁜 일을 하려고 하는 꾀와 방법.

책망 (責望) [챙망] 잘못을 꾸짖고 나무람. ㉮일을 잘못해 책망을 듣다. ㊛책. **—하다.**

책무 (責務) [챙무] 책임과 임무. ㉮맡은 바 책무를 다하다.

책받침 (冊—) [책빧침] 글씨를 쓸 때 종이 밑에 받치는 단단하고 판판한 물건. ㉮책받침을 받치다.

책방 (冊房) [책빵] 책을 파는 가게. ㊓서점.

책벌레 (冊—) [책뻘레] 지나치게 책을 읽거나 공부만 하는 사람.

*__책상__ (冊床) [책쌍] 앉아서 책을 읽거나 글을 쓰거나 사무를 보는 데 쓰는 상.

책상다리 (冊床—) [책쌍다리] 한쪽 다리를 다른 쪽 다리 위에 포개고 앉는 자세. **—하다.**

책상머리 (冊床—) [책쌍머리] 책상의 한쪽 자리. ㉮책상머리에 다가앉다.

*__책임__ (責任) [채김] 맡아서 해야 할 임무나 의무. ㉮책임을 맡다 / 책임을 완수하다 / 책임을 지다 / 책임이 무겁다. ㊛책.

책임감 (責任感) [채김감] 책임을 중요하게 여기는 마음. ㉮책임감이 무겁다 / 책임감이 강한 어린이.

책임자 (責任者) [채김자] 어떤 일을 맡아 책임을 지는 사람. ㉮인솔 책임자.

책자 (冊子) [책짜] 작은 책. ㉮관광 안내 책자.

책장[1] (冊張) [책짱] 책의 낱낱의 장. ㉮책장을 찢다 / 책장을 넘기다.

책장[2] (冊欌) [책짱] 책을 넣어 두는 장.

책정 (策定) [책쩡] 계획을 세워 결정함. ㉮예산을 책정하다. **—하다.**

챔피언 (champion) 선수권을 가진 사람. 우승자. ㉮헤비급 챔피언.

챙: '차양'의 준말. ㉮챙이 달린 모자를 쓰다.

*__챙기다__ **1** 필요한 물건을 빠짐없이 갖추다. ㉮낚시 도구를 챙기다. **2** 거르지 않고 잘 거두다. ㉮아침밥을 챙겨 먹다.

*__처__ (妻) ⇨아내.

처- 어떤 동사 앞에 붙어 '마구·함부로·많이' 등의 뜻을 나타내는 말. ㉮처먹다 / 처넣다 / 처박다.

-처 (處) 어떠한 '곳'을 나타내는 말. ㉮거래처 / 근무처 / 접수처.

처가 (妻家) 아내의 본집. ㉮처가 식구. ㊓처갓집.

처남 (妻男〔娚〕) 아내의 오빠나 남동생. *매부. 매형.

처넣다 [처너타] 어떤 곳에 마구 집어넣다. ㉮옷장에 옷을 처넣다.

*__처:녀__ (處女) **1** 아직 시집가지 않은 다 자란 여자. ㊥총각. **2** '최초의·처음으로 하는'의 뜻을 나타내는 말. ㉮처녀작 / 처녀 등정.

처:단 (處斷) 죄가 있는 사람을 사정을 보아주지 않고 마땅한 벌을 줌. ㉮처단을 내리다 / 죄를 물어 엄중히 처단하다. **—하다.**

처량하다 (凄涼—) **1** 구슬프고 쓸쓸하다. ㉮처량한 피리 소리. **2** 초라하고 가엾다. ㉮처량한 신세.

*__처럼__ 어떤 말 뒤에 붙어, '…과 같이, …모양으로' 등의 뜻을 나타내는 말. ㉮눈처럼 희다 / 얼음처럼 차갑다 / 새처럼 날고 싶다.

*__처:리__ (處理) **1** 일이나 사건 등을 마무리하여 끝맺음. ㉮일을 신속하게 처리하다. **2** 어떤 결과를 얻기 위해 화학적·물리적 작용을 일으킴. ㉮폐수 처리 시설 / 썩지 않게 알코올로 처리하다. **—하다.**

처:리장 (處理場) 깨끗하게 처리

하는 곳. ㉠쓰레기 처리장 / 하수 처리장.

처마 지붕이 도리 밖으로 내민 부분. ㉠제비가 처마 밑에 집을 짓다 / 처마 밑에 서서 비를 피하다.

처매다 다친 곳에 약을 바르고 붕대 따위로 감아 매다. ㉠뱀에게 물린 다리를 처매다.

처먹다 [처먹따] **1** 음식을 욕심 사납게 마구 먹다. ㉠너희들만 처먹을 테냐. **2** '먹다'의 속된 말.

처박다 [처박따] **1** 몹시 세게 박다. ㉠못을 처박다. **2** 함부로 쑤셔 넣거나 밀어 넣다. ㉠책상 서랍에 편지를 처박아 두다.

처박히다 [처바키다] **1** 처박음을 당하다. ㉠차가 논두렁에 처박히다. **2** 한 곳에서 나가지 않고 박혀 지내다. ㉠집 안에만 처박혀 있다.

처ː방 (處方) **1** 병의 증세에 따라 약을 짓는 방법. ㉠처방을 내리다. **2** '처방전'의 준말.

처ː방전 (處方箋) 처방의 내용을 적은 종이. ㉠처방전을 보고 약을 짓다. 준 처방.

처ː벌 (處罰) 규칙이나 법을 어긴 데 대하여 벌을 줌. ㉠교통 위반으로 처벌을 받다. **—하다.**

처ː분 (處分) **1** 처리하여 치움. ㉠남은 물건을 처분하다 / 집을 처분하다. **2** 일정하게 처리하도록 하는 지시나 결정. ㉠선생님의 처분에 따르겠습니다. **—하다.**

처ː사 (處事) 일을 처리하는 것. 또는 그 처리. ㉠부당한 처사.

처ː세 (處世) 사람들과 어울려 세상을 살아가는 일. ㉠처세에 능하다. **—하다.**

처ː세술 (處世術) 처세하는 수단이나 방법. ㉠처세술이 뛰어나다.

처ː소 (處所) 사람이 살거나 임시로 머물러 있는 곳. ㉠처소를 마련하다.

처ː신 (處身) 세상을 살아가는 데 필요한 몸가짐이나 행동. ㉠점잖게 처신하다. **—하다.**

처ː우 (處遇) 형편에 알맞게 대우함. ㉠근로자의 처우를 개선하다.

*__처음__ 일의 첫머리. 차례로 맨 첫 번. ㉠태어나서 처음 겪은 고생. 비 시작. 반 끝. 마지막. 준 첨.

처자 (妻子) 아내와 자식. ㉠처자를 거느리다. 비 처자식.

처ː절하다 (悽絶—) 몹시 슬프고 끔찍하다. ㉠처절한 광경.

처제 (妻弟) 아내의 여동생.

*__처ː지__ (處地) **1** 처해 있는 사정이나 형편. ㉠어려운 처지 / 처지가 딱하다. **2** 서로 사귀어 지내는 관계. ㉠서로 말을 트고 지내는 처지다. 비 입장. 형편.

처ː지다 **1** 감정이나 기분 따위가 착 잠겨 가라앉다. ㉠기분이 처지다. **2** 한 무리에서 뒤떨어져 뒤에 남다. ㉠모두 가고 나만 처지다. **3** 팽팽하던 것이 아래로 늘어지다. ㉠빨랫줄이 처지다.

처ː참하다 (悽慘—) 몹시 슬프고 끔찍하다. ㉠사고 현장은 몹시 처참했다.

처ː치 (處置) **1** 일을 맡아 알맞게 처리함. ㉠적절한 처치를 하다. **2** 상처나 헌데 따위를 치료함. ㉠응급처치. **—하다.**

처칠 (Churchill, Winston Leonard Spencer) 〖인명〗 영국의 정치가이며 문필가. 제2차 세계 대전 중에 수상이 되어 전쟁을 승리로 이끎. '제2차 세계 대전 회고록'으로 1953년 노벨 문학상을 받음. [1874–1965]

*__처ː하다__ (處—) **1** 어떤 처지에 놓이다. ㉠곤경에 처하다. **2** 어떤 형벌을 주다. ㉠사형에 처하다.

처형[1] (妻兄) 아내의 언니.

처ː형[2] (處刑) **1** 형벌에 처함. **2** 사

형에 처함. **—하다.**

척[1] **1** 빈틈없이 잘 들러붙는 모양. ㉠척 들러붙은 벽지. **2** 늘어지거나 휘어진 모양. ㉠척 늘어진 버들가지. **3** 서슴지 않고 선뜻 행하는 모양. ㉠돈을 척 내주다. ㉧착.

*__척__[2] (隻) 배의 수효를 세는 말. ㉠배 두 척.

척[3] (尺) 길이의 단위로 1척은 약 30.3 cm. ㉠육 척 장신. ㉥자.

척[4] ⇨체[3]. ㉠잘난 척을 하다 / 들은 척도 않다.

척결 (剔抉) [척껼] 잘못된 행동이나 나쁜 생각 등을 찾아내어 완전히 없앰. ㉠비리 척결 / 부정부패를 척결하다. **—하다.**

척도 (尺度) [척또] **1** 자로 잰 길이. **2** 측정하거나 평가하는 기준. ㉠우열을 가리는 척도가 되다.

척박하다 (瘠薄—) [척빠카다] 땅이 몹시 메마르고 기름지지 못하다. ㉠토양이 척박하다.

척수 (脊髓) [척쑤] 뇌에 연결되는 등뼈 속에 들어 있는 신경으로, 뇌와 말초 신경 사이의 자극 전달과 반사 기능을 맡음. ㉥등골.

척척[1] 물체가 끈끈하게 자꾸 달라붙는 모양. ㉠비에 젖은 옷이 몸에 척척 달라붙다. ㉧착착.

척척[2] **1** 일을 능숙하게 처리하는 모양. ㉠사건을 척척 해결하다. **2** 질서 있게 조화를 이루는 모양. ㉠손발이 척척 맞는다.

척척박사 (—博士) [척척빡싸] 모든 물음에 척척 대답해 내는 사람.

척척하다 [척처카다] 젖은 물건이 살에 닿아서 축축한 느낌이 있다. ㉠비에 젖어 바지가 척척하다.

척추 (脊椎) 등골뼈가 죽 이어진 곳. ㉥척주.

척추동물 (脊椎動物) 등골뼈로 된 척추를 가진 고등 동물.

척하다 [처카다] 그럴듯하게 거짓으로 꾸미다. ㉠잘 모르면서 아는 척하다.

척하면 [처카면] 한 마디만 하면. 약간의 암시만 주면. ㉠척하면 알아들어야지.

척하면 삼천리 말 한 마디나 작은 낌새에 의해서도 전체 상황을 재빨리 알아차림을 이르는 말.

*__천__[1] (千) 백의 열 배. ㉠천 원 / 천에 백을 보태다. ➲ thousand

*__천ː__[2] 옷·이불 따위의 감이 되는 피륙. ㉠구김이 잘 가는 천.

-천 (川) 어떤 말 뒤에 붙어 '내'의 이름을 나타내는 말. ㉠청계천 / 중랑천.

천ː거 (薦擧) 능력이 있는 사람을 어떤 자리에 추천하는 일. ㉠반장 후보자로 천거하다. **—하다.**

천고마비 (天高馬肥) 하늘이 높고 말이 살찐다는 뜻으로, 가을에는 하늘이 맑고 먹을 것이 넉넉함을 일컫는 말.

천국 (天國) **1** 하늘에 있다는 이상적인 세계. **2** 기독교에서, 하나님이 직접 다스리는 나라. ㉥천당. 하늘나라. ㉤지옥.

천군만마 (千軍萬馬) 썩 많은 군사와 말. ㉠천군만마를 거느리다.

천금 (千金) 많은 돈이나 비싼 값. ㉠목숨은 천금을 주고도 못 산다.

천금 같다 아주 소중하다. ㉠천금 같은 자식들.

천년 (千年) 아주 오랜 세월.

천당 (天堂) **1** 기독교에서, 하나님이 지배하는 축복의 나라. ㉥천국. 하늘나라. **2** 불교에서 '극락세계'의 일컬음. ㉤지옥.

천ː대 (賤待) **1** 업신여기어 푸대접함. ㉠천대를 받다 / 힘없는 백성이라고 너무 천대하지 마시오. **2** 물건 따위를 함부로 다룸. ㉠구식 세탁기라고 천대하다. ㉥천시. **—하다.**

천ː덕꾸러기 (賤—) 남에게 천대를

받는 사람이나 물건. ㉮동네 천덕꾸러기로 따돌림을 당하다. 비 천더기.

천:도 (遷都) 도읍을 옮김. **—하다.**

천도교 (天道敎) 수운 최제우를 교조로 하는 동학을 제 3 대 교주 손병희가 개칭한 종교. '사람이 곧 하늘'이라는 인내천 사상을 중요시함. *동학².

천동설 (天動說) 지구는 우주의 중심에 있고, 모든 천체가 지구 주위를 돈다고 믿었던, 고대의 우주설. 반 지동설.

***천둥** 번개가 친 다음에 하늘이 요란스럽게 울리는 소리. 비 우레.

> 주의 **천둥과 우레**
>
> 천둥과 우레는 둘 다 표준어이다. 우레는 우리말 '울다'에서 온 말이다. 예전에는 한자말로 우뢰(雨雷)라고 쓰고 표준어로 하였으나, '표준어 규정'에서 우뢰를 버리고 우레를 표준어로 삼았다.
>
> 천둥은 한자말로 천동(天動)이라고 하는 경우도 있으나 천둥이 표준어이다.

천렵 (川獵) [철렵] 냇물에서 놀이로 하는 고기잡이. **—하다.**

천륜 (天倫) [철륜] 부모와 자식, 형제 사이에서 마땅히 지켜야 할 도리. ㉮천륜을 저버린 사건.

천리경 (千里鏡) [철리경] ⇨망원경.

천리마 (千里馬) [철리마] 하루에 천 리를 달릴 만한 썩 좋은 말.

천리안 (千里眼) [철리안] 사물을 꿰뚫어 볼 수 있는 뛰어난 능력. ㉮천리안을 가지다.

천리 장성 (千里長城) [철리—] 고려 덕종 2년(1033)에 시작하여 정종 10년(1044)에 완성된 성. 거란족과 여진족의 침입을 막기 위해 쌓은, 압록강변에서 동해에 이르는 천여 리의 긴 성.

천마총 (天馬塚) 신라 지증왕의 능으로 여겨지는 경주의 고분. 금관과 '出' 자 모양의 금동관, 금·은제 팔찌, 말안장 따위가 나왔음. 말안장에 날아가는 말이 그려져 있어 '천마총'이라 부름.

천막 (天幕) 비바람이나 볕을 막기 위해 한데에 치는 서양식 장막. 텐트. ㉮천막을 치다.

천만 (千萬) **1** 만의 천 배. **2** 썩 많은 수. ㉮천만 가지 생각. **3** '비길 데 없음'의 뜻. ㉮위험천만이다.

천만의 말씀 남의 말에 대해서 강하게 부정하거나 겸손해 하는 말로서, 당찮다는 뜻의 말.

천만년 (千萬年) 아주 오랜 세월. 비 천년만년.

천만다행 (千萬多幸) 매우 다행함. ㉮다치지 않아서 천만다행이다. 비 만만다행. **—하다. —히.**

천만뜻밖 (千萬—) [천만뜯빡] 아주 생각 밖. 전혀 의외임. ㉮그 사람이 여기에 온 것은 천만뜻밖이다.

천만에 (千萬—) [천마네] 뜻밖의 일이나 말에 대하여 그 부당함을 말할 때 쓰는 말. ㉮그까짓 것 가지고 고맙다니, 천만에요.

천명 (天命) **1** 타고난 목숨. ㉮천명을 다하다. 비 천수. **2** 하늘의 명령. ㉮최선을 다하고 천명을 기다리다.

천문 (天文) **1** 천체에서 일어나는 온갖 현상. **2** '천문학'의 준말.

천문대 (天文臺) 천체 현상을 관측하고 연구하는 시설.

천문학 (天文學) 우주의 구조, 천체의 현상·운행, 다른 천체와의 거리 및 관계 따위를 연구하는 학문. 준 천문.

천문학적 (天文學的) [천문학쩍] 수가 엄청나게 큰 (것). ㉮천문학적 숫자 / 천문학적인 돈이 들다.

천:민 (賤民) 지체가 아주 낮고 천

한 사람.
천ː박하다 (淺薄—) [천바카다] 학문이나 생각이 얕거나 말이나 행동이 상스럽다. ㉠생각이 천박하다.
천방지축 (天方地軸) **1** 못난 사람이 생각없이 덤벙대는 일. **2** 너무 급하여 허둥지둥 날뛰는 모양. ㉠천방지축으로 설치고 다니다.
천벌 (天罰) 하늘이 내리는 벌. ㉠한 짓을 보면 천벌을 받아 마땅하다.
천부 (天賦) 하늘이 줌. 선천적으로 타고남. ㉠천부의 권리 / 천부의 재능.
천부적 (天賦的) 선천적으로 타고난 (것). ㉠천부적 소질.
***천사** (天使) **1** 기독교에서 하나님의 사자를 이르는 말. **2** 마음이 곱고 착한 사람을 비유하여 이르는 말. ㉠백의의 천사. 반 악마. ➲ angel
천상 (天上) 하늘의 위. 또는 그 세상. ㉠천상의 화음을 들려주다. 비 천국.
천생 (天生) **1** 하늘로부터 타고남. ㉠천생배필. **2** 날 때부터. 당초부터. ㉠천생 고생할 팔자다. **3** 아주 흡사히. ㉠천생 제 아버지다. **4** 부득이. 어쩔 수 없이. ㉠형편상 천생 이사해야겠다.
천생연분 (天生緣分) [천생년분] 하늘이 정해 준 연분. 비 천생인연.
천석꾼 (千石—) 천 석의 추수를 거두는 부자.
천성 (天性) 타고난 성품. ㉠천성이 착하다.
천수답 (天水畓) 농사에 필요한 물을 다른 데에서 끌어 올 수가 없어 비가 와야만 모를 심을 수 있는 논. 비 천둥지기.
천ː시 (賤視) 업신여기거나 천하게 여김. ㉠잘산다고 남을 천시해서는 안 된다. **—하다.**
천ː식 (喘息) 기관지에 경련이 일어나 숨이 가쁘고 기침이 나며 가래가 심한 병. ㉠천식 환자.
천신만고 (千辛萬苦) 온갖 어려움을 겪으며 심하게 고생함. ㉠천신만고 끝에 구출되다.
천안 (天安) [처난] 〖지명〗 충청남도 북동쪽에 있는 시. 교통의 중심지로 상업이 활발함. 명산물로 호두과자와 참외 따위가 있음. 광덕산·선화루·독립 기념관 따위의 명승지가 있음.
천안 삼거리 (天安三—) [처난—] 충청도 민요의 하나. 사설의 끝 구절마다 '흥' 소리를 넣기 때문에 '흥타령'이라고도 함.
천연 (天然) [처년] 사람의 힘을 가하지 않은 상태. ㉠천연의 맛. 비 자연. 반 인공.
천연가스 (天然gas) [처년—] 땅속에서 자연적으로 뿜어져 나오는 가스. 메탄·에탄 따위. 비 자연가스.
천연기념물 (天然記念物) [처년기념물] 드물거나 귀하여 법으로 특별히 정하여 보호하는 동식물·광물 따위의 자연물.
천연덕스럽다 (天然—) [처년덕쓰럽따] ⇨천연스럽다. 활용 천연덕스러워 / 천연덕스러우니.
천연두 (天然痘) [처년두] 급성 전염병의 하나. 높은 열이 나며 온몸에 종기가 생겨서 나은 뒤에도 얼굴이 얽게 되는 병. 비 마마.
천연색 (天然色) [처년색] 자연 그대로의 빛깔. ㉠천연색 사진.
천연스럽다 (天然—) [처년스럽따] 말과 행동이 숨기거나 속이는 것이 없는 것 같다. ㉠천연스럽게 거짓말을 하다. 비 천연덕스럽다. 활용 천연스러워 / 천연스러우니.
천연자원 (天然資源) [처년자원] 자연에서 얻는 모든 자원. 물·매장 광물·산림·수산물 따위.
천연하다 (天然—) [처년하다] **1** 꾸미거나 거짓이 없이 생긴 대로 자연스럽다. ㉠천연하게 앉아 있다. **2** 시치미를 떼어 아무렇지 않은 듯하다. ㉠천연한 표정을 짓다.

천왕 (天王) [처냥] 불교에서, 온갖 하늘의 임금.

천왕성 (天王星) [처냥성] 태양계의 일곱 번째의 행성. 태양을 한 바퀴 도는 데 약 84년이 걸림.

천우신조 (天佑神助) [처누신조] 하늘과 신령이 도움. ㉠천우신조로 목숨만은 건졌다. **—하다.**

천운 (天運) [처눈] **1** 하늘이 정한 운수. ㉠천운이 다하다. ㊀천수. **2** 매우 다양한 운수. ㉠천운으로 살아나다.

천:인 (賤人) [처닌] 예전에, 사회의 가장 낮은 신분에 속하던 사람. 백정·노비 등.

천인공노 (天人共怒) [처닌공노] 하늘과 사람이 함께 노한다는 뜻으로, 누구나 분노할 만큼 증오스럽거나 도저히 용납될 수 없음을 이르는 말. ㉠천인공노할 만행을 저지르다. ㊀신인공노. **—하다.**

천자문 (千字文) 예전에, 한문을 처음 배울 때 쓰던 책. 중국 양나라의 주흥사가 기초 한자 천 자를 모아 지었음.

***천장** (天障) 지붕의 안쪽, 마루나 방의 위가 되는 곳. ㊀보꾹. ㊁바닥. ×천정. ➲ceiling

> 주의 종래는 '천정·천장' 모두 함께 쓰이던 말이지만, 이번 표준어 규정에서, 좀 더 널리 쓰이는 '천장'만을 단수 표준어로 삼았기 때문에 천정은 쓰이지 않게 되었다. 그러나 물가가 한없이 오르기만 하는 것을 나타내는 숙어는 '천정부지'라고 한다.

천재[1] (天才) 타고난 뛰어난 재주. 또는 그런 재능을 가진 사람. ㉠천재 음악가. ㊁둔재.

천재[2] (天災) 자연의 변화로 일어나는 재앙. 홍수·태풍·지진 따위. ㊀자연재해. ㊁인재.

천재일우 (千載一遇) [천재이루] 천 년에 단 한 번 만난다는 뜻으로, 좀처럼 만나기 어려운 좋은 기회.

천재지변 (天災地變) 지진이나 홍수 따위의 자연현상으로 일어나는 재앙. ㉠천재지변이 일어나다.

천적 (天敵) 먹이 사슬에서, 잡아먹히는 생물에 대해서 잡아먹는 생물을 말함. 들쥐에 대한 뱀, 진딧물에 대한 무당벌레 따위.

천정 (天頂) 지구 상의 관측점에서 연직선을 위쪽으로 연장하여 천구와 만나는 점.

천제 (天帝) 하늘을 다스리는 신. ㊀하느님.

천주교 (天主教) 그리스도교의 한 갈래. 교황을 교회의 최고 지도자로 받들고 오랜 전통을 따르는 교. 가톨릭교.

천지[1] (天地) **1** 하늘과 땅. ㉠온 천지가 눈으로 덮였다. **2** 우주. 세상. ㉠천지에 이름을 떨치다. **3** 대단히 많음. ㉠집에 먹을 것이 천지인데 또 사왔니.

천지[2] (天池) 백두산 꼭대기의 화산이 터진 구멍에 물이 괴어서 이루어진 호수. 가장 깊은 곳은 312.7 m.

천지개벽 (天地開闢) **1** 하늘과 땅이 처음으로 열림. **2** 자연계나 사회의 큰 변동을 비유하는 말. ㉠천지개벽이 일어나다.

천지신명 (天地神明) 하늘과 땅에 있는 모든 신령. ㉠천지신명께 비나이다.

천직 (天職) 타고난 직업이나 직분. ㉠교직을 천직으로 여기다.

천진 (天眞) 꾸밈이나 거짓이 없고 순진하고 참됨. ㉠어린이의 천진한 웃음. **—하다.**

천진난만하다 (天眞爛漫—) 말이

나 행동이 거짓이나 꾸밈이 없이 아주 천진하다. ㉨천진난만한 어린이.

천진스럽다 (天眞―) [천진스럽따] 천진한 데가 있다. ㉨천진스러운 아기의 얼굴. 활용 천진스러워 / 천진스러우니.

천차만별 (千差萬別) 여러 가지 사물이 모두 차이가 있고 구별이 있음. ㉨같은 씨앗을 뿌렸어도 수확은 밭에 따라 천차만별이다. **―하다.**

***천:천히** 태도나 동작이 급하지 않고 느리게. ㉨차를 천천히 몰다. 작 찬찬히.

천체 (天體) 우주에 있는 모든 물체. 해·달·지구·성운·행성·인공위성 따위.

천추 (千秋) 아주 오랜 세월. 먼 미래. ㉨천추의 한을 남기다.

천치 (天癡〔痴〕) 태어날 때부터 정신이 온전치 않은 사람. 비 백치.

천칭 (天秤) 저울의 하나. 가운데를 중심으로 가로대 양쪽 끝에 저울판을 달고, 각각 물건과 추를 놓아 평평하게 하여 물건의 무게를 닮. 본 천평칭.

천태만상 (千態萬象) 천 가지 모습과 만 가지 형상이라는 뜻으로 모든 사물이 제각기 다른 모습을 하고 있음을 이르는 말.

천태종 (天台宗) 대승 불교의 한 파. 고려 때 대각 국사 의천이 처음 들여옴.

천편일률 (千篇一律) [천펴닐률] **1** 여러 시문의 음률이 변화 없이 비슷비슷함. **2** 사물이 다 비슷해 변화가 없음. ㉨요즘 영화는 천편일률적으로 애정물이 많다.

천하 (天下) **1** 하늘 아래 온 세상. ㉨천하가 다 아는 일. **2** 한 나라. 또는 정권. ㉨천하를 얻다. **3** '세상에 둘도 없는·세상에 드문'의 뜻을 나타냄. ㉨천하 미인.

천:하다 (賤―) **1** 생긴 모양이나 말과 행동이 품위가 낮다. ㉨천한 말씨. **2** 물건이 귀중하지 않고 너무 흔하다. ㉨천한 물건. **3** 신분이 낮다. ㉨천한 직업. 반 귀하다.

천하무적 (天下無敵) 세상에 겨룰 만한 상대가 없음. ㉨천하무적의 용사들.

천하장사 (天下壯士) 굉장히 힘이 센 사람. ㉨천하장사 씨름 대회.

천하태평 (天下泰平) **1** 온 세상이 평화로움. **2** 어떤 일에 무관심한 상태로 걱정·근심 없이 편안함. ㉨입학시험이 코앞에 닥쳤는데도 천하태평이다.

천행 (天幸) 하늘이 준 큰 행운. ㉨천행으로 살아나다.

천황 (天皇) 일본에서, 그 왕을 일컫는 말.

철[1] 옳고 그름을 분별할 줄 아는 힘. ㉨철이 들 나이 / 철이 없다.

***철**[2] (鐵) 지구 상에 널리 존재하며, 생활에서 가장 많이 쓰이는 금속 원소의 하나. 비 쇠.

***철**[3] **1** 일 년을 봄·여름·가을·겨울의 넷으로 나눈 그 한 동안. ㉨철이 바뀌다 / 철 따라 옷을 갈아입다. 비 계절. **2** 어떤 일을 하기에 좋은 때. ㉨모내기 철 / 휴가철.

철갑 (鐵甲) 쇠로 만든 갑옷. ㉨철갑을 두르다.

철갑선 (鐵甲船) [철갑썬] 쇠로 거죽을 싼, 전쟁에 쓰는 배. ㉨거북선은 세계 최초의 철갑선이다.

철강 (鐵鋼) '무쇠와 강철'을 아울러 이르는 말. ㉨철강 공업.

철거 (撤去) 건물이나 시설 따위를 허물거나 걷어치움. ㉨무허가 건물을 철거하다. **―하다.**

철공소 (鐵工所) 쇠붙이로 온갖 기구를 만드는 규모가 작은 공장.

철광 (鐵鑛) **1** 철광석이 나는 광산. 본 철광산. **2** '철광석'의 준말.

철광석 (鐵鑛石) 철이 들어 있는

광석. 자철석·적철석·갈철석 따위. 준 철광.

철교(鐵橋) **1** 쇠로 만든 다리. **2** 기차가 다닐 수 있는 다리. 예한강 철교. 본 철도교.

철군(撤軍) 있던 곳에서 군대를 철수함. **—하다.**

철권(鐵拳) 쇠뭉치같이 굳센 주먹. 예철권을 휘두르다.

철근(鐵筋) 콘크리트 속에 박아 뼈대로 삼는 가늘고 긴 쇠막대.

철기(鐵器) 쇠로 만든 그릇이나 도구. 예철기 문화.

철기 시대(鐵器時代) 석기 시대·청동기 시대에 뒤이어 연모를 철기로 만들어 쓰던 시대. 인류 문화 발전의 제3단계임.

철길(鐵—)[철낄] ⇨철도.

철나다[철라다] 사리를 판단할 줄 아는 힘이 생기다. 비 철들다.

*__철도__(鐵道)[철또] 기차가 다니는 길. 비 기찻길. 철길. 철로.

철도망(鐵道網)[철또망] 철도가 서로 연결되어 있는 상태.

철도청(鐵道廳)[철또청] 건설 교통부 장관 소속의 중앙 행정 기관. 철도에 관한 사무를 맡아봄.

철두철미(徹頭徹尾)[철뚜철미] 처음부터 끝까지 철저하게. 예철두철미하게 준비하는 사람. **—하다.**

철들다 사리를 분별하고 판단할 수 있게 되다. 예철들 나이가 되다. 활용 철들어 / 철드니 / 철드는.

철딱서니[철딱써니] '철[1]'의 속된 말. 예이 철딱서니 없는 녀석아.

철렁 깜짝 놀라는 모양. 예가슴이 철렁 내려앉다. **—하다.**

철로(鐵路) ⇨철도.

철마(鐵馬) 기차를 말에 비유하여 이르는 말.

철망(鐵網) **1** 철사로 그물처럼 얽어 만든 물건. **2** '철조망'의 준말.

철면피(鐵面皮) 부끄러운 줄을 모르는 뻔뻔스러운 사람.

철모(鐵帽) 전투할 때에 머리를 보호하기 위해 쓰는, 쇠로 만든 모자.

철문(鐵門) 쇠로 만든 문. 예굳게 닫힌 철문. 비 쇠문.

철물점(鐵物店) 쇠로 만든 온갖 물건을 파는 가게. 비 철물전.

철벅철벅 얕은 물이나 진창을 자꾸 밟거나 치는 소리나 모양. 예흙탕길을 철벅철벅 걸어가다. 작 찰박찰박. 여 절벅절벅. **—하다.**

철벙철벙 묵직한 물체가 물에 자꾸 부딪치는 소리. 또는 그 모양. 예개울물을 철벙철벙 건너다. 작 찰방찰방. 여 절벙절벙. **—하다.**

철벽(鐵壁) 매우 튼튼한 방비. 예철벽 수비.

*__철봉__(鐵棒) **1** 쇠로 만든 몽둥이. **2** 기계 체조 기구의 하나. 두 기둥 사이에 쇠막대기를 가로 걸쳤음.

철부지(—不知) **1** 철없는 아이. 예아직 아무것도 모르는 철부지다. **2** 철없어 보이는 어리석은 사람.

철분(鐵分) 어떤 물질 속에 섞여 있는 쇠의 성분. 예빈혈은 철분 부족으로 생긴다.

*__철사__(鐵絲)[철싸] 쇠로 가늘고 길게 만든 줄. 비 철선.

*__철새__[철쌔] 계절에 따라 알맞은 환경을 찾아 이동하면서 생활하는 새. 제비·기러기 따위. 반 텃새.

철석같다(鐵石—)[철썩깓따] 의지나 약속, 믿음 따위가 매우 굳고 단단하다. 예철석같은 맹세.

철석같이(鐵石—)[철썩까치] 매우 굳게. 예그의 약속을 철석같이 믿고 기다리다.

철수(撤收)[철쑤] 장비나 시설물 따위를 거두어 가지고 물러남. 예철수 작전. 비 철퇴. **—하다.**

철시(撤市)[철씨] 시장·점포 따위가 문을 닫고 영업을 하지 않음. 예휴가철이 되면 대부분의 상가가 철시한다. **—하다.**

철썩철썩 **1** 많은 양의 액체가 단단한 물체에 자꾸 부딪치는 소리. ㉔바닷물이 바위에 철썩철썩 부서지다. **2** 큰 물체가 부딪치거나 달라붙는 소리. ㊅찰싹찰싹. ㊁절썩절썩. **—하다.**

철야 (徹夜) [처랴] 잠을 자지 않고 밤을 샘. ㉔철야 작업. **—하다.**

철없다 [처럽따] 사리를 분별할 만한 지각이 없다. ㉔철없는 아이.

철없이 [처럽씨] 철없게. ㉔철없이 굴지 마라.

철인[1] (哲人) [처린] **1** 학식이 높고 사리에 밝은 사람. **2** ⇨철학자. ㉔철인 소크라테스.

철인[2] (鐵人) [처린] 몸이나 힘이 무쇠처럼 강한 사람.

철자 (綴字) [철짜] 자음과 모음을 맞추어 글자를 만듦. 'ㅅ'과 'ㅗ'가 모여 '소'가 되는 따위.

철재 (鐵材) [철째] 건축·토목 공사 등에 사용하는, 쇠로 만든 재료.

철저 (徹底) [철쩌] 빈틈없이 빠뜨리지 않고 완전함. ㉔감독에 철저를 기하다 / 철저히 조사하다 / 철저한 대책을 세우다. **—하다. —히.**

철제 (鐵製) [철쩨] 쇠로 만듦. 또는 그런 물건. ㉔철제 가구.

철조망 (鐵條網) [철쪼망] 출입을 막기 위해 가시가 달린 철사를 둘러 놓은 울타리. ㊂철망.

철쭉 진달랫과의 낙엽 활엽 관목. 봄에 연분홍색 꽃이 피는데 진달래와 비슷함. 정원수로 심음. ㊃철쭉나무.

〈철쭉〉

철창 (鐵窓) **1** 쇠로 창살을 만든 창문. **2** '감옥'을 비유하여 일컫는 말. ㉔철창에 갇히다.

철책 (鐵柵) 쇠로 만든 울타리.

철철 물 따위가 많이 넘쳐 흐르는 모양. ㉔물을 철철 넘치게 붓다. ㊅찰찰.

철칙 (鐵則) 고치거나 어길 수 없는 엄격한 규칙. ㉔명령에 따르는 것이 군인의 철칙이다.

철커덕 끈기 있거나 넓적한 물건끼리 서로 맞부딪치거나 떨어지는 소리. ㊂철컥. ㊅찰카닥. ㊁절거덕. **—하다.**

철커덩 크고 단단한 쇠붙이 따위가 맞부딪치는 소리.

철탑 (鐵塔) **1** 철근을 써서 만든 탑. **2** 전선의 무게를 받치기 위하여 세운 탑 모양의 쇠기둥.

철통같다 (鐵桶—) [철통갇따] 조금도 빈틈이 없이 튼튼하다. ㉔철통같은 방위 태세 / 수비가 철통같다.

철통같이 (鐵桶—) [철통가치] 철통같게. ㉔철통같이 지키다.

철퇴 (鐵槌) 쇠로 만든 몽둥이.

철퇴를 가하다 엄한 벌을 내리거나 큰 타격을 주다. ㉔학교 주변의 폭력배들에게 철퇴를 가하다.

철판 (鐵板) 쇠로 된 넓은 판.

철판을 깔다 체면이나 염치를 생각하지 않다. ㉔얼굴에 철판을 깔았는지 뻔뻔스럽다.

철폐 (撤廢) [— / 철페] 어떤 제도나 규정 따위를 없앰. ㉔남녀 차별 제도의 철폐를 주장하다. **—하다.**

철하다 (綴—) 문서·신문 따위를 여러 장 한데 모아 매다. ㉔신문을 철하여 보관하다.

철학 (哲學) 자연·인생·사회 따위의 현실적인 문제의 근본 원리를 연구하는 학문.

철학자 (哲學者) [철학짜] 철학을 전문적으로 연구하는 사람. ㊃철인. 철학가.

철회 (撤回) 이미 제출했거나 주장했던 것을 도로 거두어들임. ㉔사표를 철회하다. **—하다.**

첨가 (添加) 새로 덧붙이거나 보탬. ㉠각종 영양소를 첨가한 식품. 빤 삭제. **—하다.**

첨가물 (添加物) 식품 따위를 만들 때 보태어 넣는 것.

첨단 (尖端) 시대·유행 따위의 맨 앞장. ㉠첨단 기술 / 유행의 첨단을 걷다.

첨단 산:업 (尖端產業) [—사넙] 기술 집약도가 높고 관련 산업에 미치는 효과가 큰 산업. 항공기·전자·생물 공학·컴퓨터·정보 통신 산업 따위. 비 하이테크 산업.

첨벙 묵직하고 큰 물건이 깊은 물에 떨어지는 소리. ㉠물에 첨벙 뛰어들다.

첨부 (添附) 서류 따위를 더하여 붙임. ㉠입학 원서에 첨부할 서류 / 진단서를 첨부하다. **—하다.**

첨삭 (添削) 시문·답안 따위에 말을 보충하거나 줄여서 고침. ㉠문서 내용을 첨삭하다. **—하다.**

첨성대 (瞻星臺) 신라 선덕 여왕 때에 세운 천문 기상 관측대. 경상북도 경주시에 있는데, 높이가 9.17 m로 동양에서 가장 오래된 것임. 국보 제 31 호.

〈첨성대〉

첨예하다 (尖銳—) [처메하다] **1** 날카롭고 뾰족하다. ㉠첨예한 창끝. **2** 상황이나 사태 따위가 날카롭고 격하다. ㉠이해관계가 첨예하게 대립되다.

첨지 (僉知) 나이 많은 사람을 낮추어 일컫던 말. ㉠박 첨지.

첨탑 (尖塔) 지붕 꼭대기가 뾰족한 탑. ㉠성당의 첨탑.

첩[1] (妾) 본처 외에 부부 관계를 맺고 사는 여자. ㉠첩을 얻다.

첩[2] (貼) 종이에 싼 약의 뭉치를 세는 말. ㉠한약 한 첩.

-첩 (帖) 무엇을 붙이거나 써넣기 위해 맨 책이라는 뜻. ㉠사진첩 / 일기첩.

첩경 (捷徑) [첩꼉] 쉽고 빠른 길이나 방법. ㉠성공에 이르는 첩경. 비 지름길.

첩보 (諜報) [첩뽀] 적의 행동이나 사정을 몰래 알아내어 보고함. 또는 그 보고. ㉠첩보 기관 / 첩보 활동.

첩자 (諜者) [첩짜] ⇨간첩.

첩첩산중 (疊疊山中) [첩첩싼중] 여러 산이 겹치고 겹친 깊은 산속. ㉠첩첩산중에서 길을 잃다.

첩첩이 (疊疊—) [첩처비] 여러 겹으로 거듭 포개어져서. ㉠옷을 첩첩이 껴입다.

***첫** [천] '처음'의 뜻을 나타내는 말. ㉠첫 우승 / 오늘의 첫 행사.

첫 삽을 들다〔뜨다〕 어떤 일을 처음으로 시작하다.

첫걸음 [천꺼름] 맨 처음 내디디는 걸음. 또는 어떤 일의 시작. ㉠성공의 첫걸음 / 사회생활의 첫걸음을 내딛다. 비 초보.

첫날 [천날] 어떤 일이 처음으로 시작되는 날. ㉠공연 첫날부터 만원이다 / 회사에 출근하는 첫날이다.

첫날밤 [천날빰] 결혼한 신랑과 신부가 처음으로 함께 자는 밤. ㉠첫날밤을 치르다. 비 초야.

첫눈[1] [천눈] 처음 보아서 눈에 뜨이는 느낌. ㉠첫눈에 반하다 / 첫눈에 알아보다.

첫눈[2] [천눈] 그해 겨울에 처음으로 오는 눈. ㉠첫눈이 내리다. 비 초설.

첫돌 [천똘] 아기가 태어나서 처음 맞는 생일. ㉠첫돌을 맞다. 준 돌.

첫딸 [천딸] 처음으로 낳은 딸.

첫마디 [천마디] 맨 처음으로 하는 말의 한 마디. ㉠첫마디를 건네다.

첫머리 [천머리] 어떤 일이 시작되는 부분. ㉠글의 첫머리. 빤 끝머리.

첫발 [첟빨] **1** 처음 내딛는 발. **2** 어떤 것을 시작하는 맨 처음.

첫발을 내디디다 새로이 무엇을 시작하다. 또는 처음으로 어떤 범위 안으로 들어서다. ㉠사회에 첫발을 내디디다.

첫사랑 [첟싸랑] 처음으로 느끼거나 맺은 사랑. ㉠첫사랑을 소중히 간직하다.

첫새벽 [첟쌔벽] 날이 새기 시작하는 이른 새벽. ㉠첫새벽에 길을 떠나다.

첫소리 [첟쏘리] 한 음절에서 처음으로 나는 소리. '날'에서 'ㄴ', '홍'에서 'ㅎ' 소리 따위. ㊥초성.

첫술 [첟쑬] 맨 처음에 떠먹는 밥술. ㉠첫술에 배부르랴.

첫아들 [처다들] 처음으로 낳은 아들. ㉠첫아들을 얻다.

첫인사 (一人事) [처딘사] 처음 만나서 하는 인사. ㉠양가 부모가 첫인사를 나누다.

첫인상 (一印象) [처딘상] 첫눈에 느껴지는 인상. ㉠첫인상이 좋다.

***첫째** [첟째] 맨 처음의 차례. 차례로 맨 처음. ㉠첫째 딸 / 첫째 시간.

첫째가다 [첟째가다] 여럿 가운데에서 첫째가 되다. ㉠마을에서 첫째가는 부자. ㊥으뜸가다. 제일가다.

첫차 (一車) [첟차] 그날의 운행하는 차 중에서 제일 먼저 떠나거나 들어오는 차. ㊦막차.

첫판 [첟판] 어떤 일이 시작되는 첫머리의 판. ㉠첫판을 이기다.

첫해 [처태] 어떤 일을 시작한 맨 처음의 해.

청 (請) 어떤 일을 남에게 부탁함. ㉠친구에게 도움을 청하다. ㊥부탁. ㊧청탁. **—하다.**

-청 (廳) '관청'의 뜻. ㉠경찰청 / 철도청.

청각 (聽覺) 귀청이 울려 소리를 듣는 감각.

***청개구리** (靑—) **1** 청개구릿과의 작은 개구리. 등은 회색 또는 녹색 바탕에 검은 무늬가 흩어져 있음. 주위 환경에 따라 몸빛이 변함. 비가 오려고 할 때 심하게 욺. **2** 모든 일을 반대로 하는 사람을 비유하는 말. ㉠제발 청개구리같이 굴지 마라.

〈청개구리 1〉

청결 (淸潔) 맑고 깨끗함. ㉠청결한 옷차림 / 몸을 청결히 하다. ㊦불결. **—하다. —히.**

청과물 (靑果物) 신선한 과일과 채소. ㉠청과물 시장.

청구 (請求) 돈이나 물건을 달라고 요구함. ㉠신문 대금을 청구하다 / 위자료를 청구하다. **—하다.**

청구권 (請求權) [청구꿘] 청구할 수 있는 권리.

청구서 (請求書) 청구하는 내용이 적힌 문서나 쪽지.

청국장 (淸麴醬) [청국짱] 된장의 한 가지. 콩을 푹 삶아 더운 방에서 발효시켜 만듦. 주로 찌개를 끓여 먹음.

청군 (靑軍) 운동 경기 따위에서, 편을 갈랐을 때, 푸른 빛깔의 편.

청나라 (淸—) 중국 최후의 왕조. 명나라를 멸망시킨 여진족들이 만주에 후금을 세웠는데, 1636년에 태종이 '청'이라 고침. 신해혁명으로 멸망함. [1616–1912]

***청년** (靑年) 젊은 사람. 특히, 남자를 말함. ㉠장래가 유망한 청년. ㊥젊은이.

청동 (靑銅) 구리와 주석의 합금.

청동 거울 (靑銅—) 청동으로 만든 거울. 청동기 시대의 대표적 유물로 정교하게 장식한 뒷면이 매우 아름다움.

청동기 (靑銅器) 청동으로 만든 그

릇이나 기구.

청동기 시대 (靑銅器時代) 석기 시대와 철기 시대의 중간으로, 청동기를 제조하여 사용하던 시대.

청둥오리 오릿과의 야생의 새. 추운 지방에서 번식하고 가을에 우리나라에 내려와 겨울을 지내는 철새임. ㊥물오리.

〈청둥오리〉

청량음료 (淸涼飮料) [청냥음뇨] 탄산가스가 들어 있어 마시면 시원한 느낌을 주는 음료수. 콜라·사이다 따위.

청량하다[1] (淸亮—) [청냥하다] 소리가 맑고 깨끗하다.

청량하다[2] (淸涼—) [청냥하다] 맑고 서늘하다. ㊐청량한 가을 날씨.

청력 (聽力) [청녁] 귀로 소리를 듣는 힘.

청렴 (淸廉) [청념] 마음이 깨끗하고 헛된 욕심이 없음. ㊐청렴한 공무원. **—하다.**

청렴결백 (淸廉潔白) [청념결백] 재물에 욕심이 없고 마음이 깨끗함. **—하다.**

청록색 (靑綠色) [청녹쌕] 녹색과 파란색의 중간색. ㊥청록.

청록파 (靑鹿派) [청녹파] 1946년에 공동 시집인 '청록집'을 낸 조지훈·박목월·박두진의 세 시인을 일컫는 말.

청룡 (靑龍) [청뇽] 빛깔이 푸른 용으로 풍수지리에서 동쪽 방위를 지키는 신을 상징한 짐승. ㊐좌청룡 우백호.

청명 (淸明) 이십사절기의 하나. 춘분과 곡우의 사이로 양력 4월 5일경. → [학습마당] 22(863쪽)

청명하다 (淸明—) 날씨가 맑고 밝다. ㊐청명한 날씨.

청문회 (聽聞會) 의회에서 어떤 문제에 대하여 관련된 사람에게 그 일에 대해서 물어보는 모임. ㊐국회 청문회.

청바지 (靑—) 청색의 질긴 천으로 만든 바지. 블루진.

청백리 (淸白吏) [청뱅니] 재물에 욕심이 없고 마음이 곧고 깨끗한 관리. ㊐청백리로 소문난 집안.

청빈 (淸貧) 성품이 깨끗하고 재물에 대한 욕심이 없어 가난함. ㊐청빈한 선비. **—하다.**

청사[1] (廳舍) 관청의 건물. ㊐정부 종합 청사.

청사[2] (靑史) 역사상의 기록. ㊐청사에 길이 이름을 남기다.

청사진 (靑寫眞) **1** 선이나 글자 등이 청색 바탕에 흰색으로 나타나도록 한 사진의 일종. 건물이나 기계의 설계도를 여러 장 만들 때 이용함. ㊐청사진을 뜨다. ㊫청색 사진. **2** 미래에 대한 희망적인 계획이나 구상. ㊐교육 개혁의 청사진. ㊥설계도.

청산[1] (靑山) 나무와 풀이 우거진 푸른 산. ㊐청산을 벗 삼다.

청산[2] (淸算) 셈이나 빚 따위를 깨끗이 정리함. ㊐사업하다가 진 빚을 청산하다. **—하다.**

청산리 대:첩 (靑山里大捷) [청산니—] 김좌진 장군이 이끄는 독립군이 1920년 10월 만주 청산리에서 일본군을 크게 무찌른 싸움.

청산유수 (靑山流水) [청산뉴수] 막힘없이 말을 썩 잘함. ㊐청산유수 같은 말솜씨.

청색 (靑色) 푸른 빛깔.

***청소** (淸掃) 깨끗이 쓸고 닦음. ㊐청소 당번 / 청소 도구 / 교실을 청소하다. **—하다.**

청소년 (靑少年) 청년과 소년. ㊐청소년 축구팀.

청소부[1] (淸掃夫) 청소하는 일을

직업으로 하는 남자.

청소부[2] (淸掃婦) 청소하는 일을 직업으로 하는 여자.

청소원 (淸掃員) 청소를 직업으로 하는 사람.

청소차 (淸掃車) 쓰레기를 치워 가는 자동차.

청소함 (淸掃函) 비·걸레 따위의 청소 도구를 넣어 두는 상자.

청송 (靑松) 푸른 소나무.

청순 (淸純) 깨끗하고 순수함. ㉺ 청순한 사랑. **—하다.**

청승 궁상스럽고 처량한 듯한 태도나 행동.

청승(을) 떨다 청승스러운 짓을 하다. 청승맞은 태도를 부리다.

청승맞다 [청승맏따] 궁상스럽고 처량하여 보기에 몹시 언짢다. ㉺청승맞은 울음소리.

청승스럽다 [청승스럽따] 청승맞은 데가 있다. 활용 청승스러워 / 청승스러우니.

청신호 (靑信號) **1** 교차로나 횡단보도 따위에서, 푸른 등이나 기를 달아 진행을 표시하는 교통 신호. **2** 앞일에 대한 순조로운 조짐을 비유하여 이르는 말. ㉺경제 안정의 청신호. 반 적신호.

청아하다 (淸雅—) 맑고 아담하며 속되지 않다. ㉺청아한 자태 / 청아한 목소리.

청어 (靑魚) 청어과의 바닷물고기. 몸길이 35 cm 내외로, 등은 검푸른 색, 배는 은백색임. 가을에서 봄에 걸쳐 잡힘.

청와대 (靑瓦臺) 서울 경복궁 뒤 북악산 기슭에 있는 우리나라 대통령이 살면서 사무를 보는 곳.

청운 (靑雲) 높은 지위나 벼슬. ㉺ 청운의 뜻을 품다.

청원 (請願) 공공 기관이나 윗사람에게 바라는 것을 말하고 이루어지게 해 달라고 청함. ㉺학교 신설을 정부에 청원하다. **—하다.**

청음 (淸音) 맑고 깨끗한 소리. 반 탁음.

청일 전:쟁 (淸日戰爭) 1894–1895년에 일어난 청나라와 일본과의 전쟁. 이 전쟁에서 이긴 일본은 우리나라에서 청나라 세력을 몰아내고 우리 정부를 간섭하게 되었음.

청자[1] (靑瓷〔磁〕) 철분을 함유한 청록색 유약을 입혀 구운, 푸른 빛깔의 자기. ㉺고려청자.

청자[2] (聽者) 이야기를 듣는 사람. 반 화자.

청장년 (靑壯年) 청년과 장년.

청정 (淸淨) 맑고 깨끗함. ㉺청정 수역 / 청정한 마음. **—하다. —히.**

청주[1] (淸州) 〘지명〙 충청북도 도청이 있는 교육 도시. 과일·채소의 재배와 한우·젖소의 사육이 활발하며, 섬유·전자·식품 따위의 공업이 발달했음.

청주[2] (淸酒) 잘 익은 탁주를 가라앉히고 위에서 떠낸 맑은술.

청중 (聽衆) 강연·설교·음악 따위를 듣기 위해 모인 사람들.

청진 (聽診) 환자의 몸 안에서 나는 심장·호흡 따위의 소리를 듣고 진단함. **—하다.**

청진기 (聽診器) 청진하는 데 쓰는 기구. ㉺환자의 가슴에 청진기를 갖다 대다.

청천 (靑天) 푸른 하늘. ㉺청천 하늘에 날벼락.

청천강 (淸川江) 평안 남북도 사이를 따라 남서쪽으로 흘러 황해로 들어가는 강. 옛 이름은 살수. 길이는 199 km.

청천벽력 (靑天霹靂) [청천병녁] 맑게 갠 하늘에서 치는 날벼락이란 뜻으로, 뜻밖에 일어난 큰 변고나 사건. ㉺청천벽력 같은 소식.

청첩장 (請牒狀) [청첩짱] 결혼 따위의 경사스러운 일이 있을 때 남을 초청하는 내용이 적힌 카드. (예)청첩장을 띄우다. [준] 청첩.

청청하다 (青青—) 싱싱하게 푸르다. (예)청청한 초원.

청초하다 (淸楚—) 깨끗하고 곱다. (예)청초한 모습.

청춘 (青春) 젊은 나이. 한창 젊을 때. (예)청춘 남녀 / 독립 운동에 청춘을 바치다.

청출어람 (青出於藍) [청추러람] 쪽에서 뽑아낸 물감이 쪽보다도 더 푸르다는 뜻으로, 제자나 후배가 스승이나 선배보다 나음을 일컫는 말. [준] 출람.

청취 (聽取) 의견·음악·방송 따위를 들음. (예)청취자 / 라디오를 청취하다. **—하다.**

청탁 (請託) 무엇을 해 달라고 남에게 부탁함. 또는 그 부탁. (예)원고 청탁 / 청탁을 거절하다. [비] 부탁. [준] 청. **—하다.**

청포 (淸泡) 물에 불린 녹두를 갈아서 가라앉힌 앙금을 말린 가루로 쑨 묵. [비] 녹말묵.

청포도 (青葡萄) 다 익어도 열매의 빛깔이 푸른 포도의 한 품종.

청풍 (淸風) 부드럽고 맑게 부는 바람. (예)청풍명월.

***청하다** (請—) **1** 무엇을 달라거나 해 줄 것을 부탁하다. (예)주모에게 술을 청하다 / 도움을 청하다. **2** 남을 초대하다. (예)손님을 청하다. **3** 잠이 들도록 애쓰다. (예)자리에 누워 잠을 청하다.

청해진 (淸海鎭) 〖지명〗 신라 흥덕왕 때 장보고가 전라남도 완도에 설치하였던 해군 기지.

청혼 (請婚) 결혼하기를 청함. (예)청혼이 들어오다 / 청혼을 받다. [비] 구혼. **—하다.**

청화 백자 (青華白瓷〔磁〕) [—백짜] 흰 바탕에 푸른 물감으로 그림을 그린 자기. [비] 청화 자기. 유리청.

체[1] 가루를 곱게 치거나 액체를 거르는 데 쓰는 기구. (예)체로 가루를 치다.

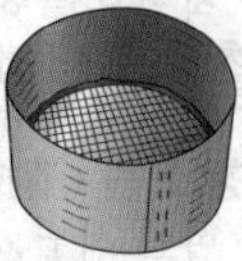

〈체[1]〉

체[2] (體) 문장·글씨·그림 따위의 본보기나 표현 방식. (예)글씨의 체가 예쁘다.

체[3] 그럴듯하게 꾸미는 거짓 태도. (예)부자인 체하다 / 못 본 체하다. [비] 척[4]. →채 [주의]

체[4] 못마땅하여 아니꼽거나 분하고 억울할 때 내는 소리. (예)체, 별꼴 다 보겠네.

체감 온도 (體感溫度) 온도·습도·풍속 따위에 따라 사람의 몸으로 느끼는 추위·더위의 온도. (예)바람이 불어 실제 온도보다 체감 온도가 더 낮다.

체격 (體格) 몸의 생김새나 뼈대. (예)체격이 크다.

체결 (締結) 계약·조약 따위를 맺음. (예)두 나라 사이에 조약이 체결되다. **—하다.**

체계 (體系) [— / 체게] 낱낱이 다른 것을 계통을 세워 통일한 전체. (예)체계를 세워 연구하다.

체계적 (體系的) [— / 체게적] 체계를 이룬 (것). (예)체계적인 설명.

체구 (體軀) 몸의 크기. (예)체구가 크다. [비] 몸집.

체급 (體級) 권투·레슬링·역도 따위에서, 경기자의 몸무게에 따라 매긴 등급. (예)체급을 올리다.

체납 (滯納) 세금이나 공과금 따위를 정한 기한까지 내지 못함. (예)전화 요금을 체납하다. **—하다.**

체내 (體內) 몸의 안. (예)세균이 체내에 침투하다.

체념 (諦念) 희망을 버리고 생각지 않음. (예)체념하기에는 아직 이르다. [비] 단념. **—하다.**

체능 (體能) 어떤 일을 해낼 만한 몸의 능력. (예)학생들의 체능을 측정하다.

체득 (體得) 직접 경험하여 알게 됨. ㉑요령을 체득하다. **—하다.**

체력 (體力) 육체적 활동을 할 수 있는 몸의 힘이나 작업 능력. ㉑강인한 체력 / 체력을 단련하다.

체력 검ː사 (體力檢査) [—껌사] 정상적인 활동에 필요한 몸의 기초적 작업 능력과 기능 장애가 있는가를 확인하는 검사.

체력장 (體力章) [체력짱] 중·고등학교에서 학생들의 기초 체력을 향상시키기 위한 종합적인 체력 측정. 또는 그 제도.

체류 (滯留) 딴 곳에 가서 오래 머물러 있음. ㉑장기 체류 / 외국에 체류하다. **—하다.**

체면 (體面) 남을 대하기에 떳떳한 태도나 입장. ㉑체면이 깎이다 / 체면을 차리다. 비 면목. 체모. 준 면.

체면치레 (體面—) 체면이 서도록 꾸미는 일. ㉑체면치레로 하는 말.

체벌 (體罰) 몸에 직접 고통을 주는 벌. ㉑체벌을 받다. **—하다.**

체액 (體液) 몸 안의 혈관 또는 조직 사이를 채우고 있는 액체. 혈액·림프·뇌척수액 따위.

체온 (體溫) 사람이나 동물의 몸의 온도. 사람의 정상적인 체온은 36–37℃임. ㉑체온 유지 / 체온을 재다 / 체온이 높다.

체온계 (體溫計) [— / 체온게] 몸의 온도를 재는 데 쓰는 기구.

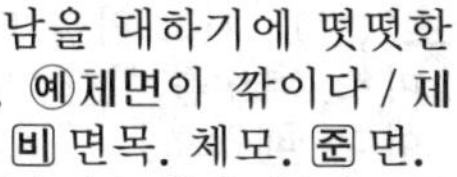

〈체온계〉

체위 (體位) **1** 체격이나 건강, 운동 능력 따위의 몸의 튼튼하고 약한 정도. ㉑체위가 향상되다. **2** 몸의 자세. ㉑체위를 바로잡다.

***체육** (體育) 신체의 발달과 건강을 꾀하기 위한 교육이나 교과. ㉑체육 공원 / 체육 대회 / 체육 시간.

체육관 (體育館) [체육꽌] 실내에서 체조나 경기 따위를 할 수 있게 만든 건물.

체육복 (體育服) [체육뽁] 운동을 할 때 입는 간편한 옷. 비 운동복.

체육회 (體育會) [체유쾨] **1** 체육의 발전과 향상을 위하여 조직된 단체. **2** ⇨운동회.

체인 (chain) **1** ⇨쇠사슬. **2** 눈길 따위에서 자동차가 미끄러지지 않게 타이어에 감는 금속 사슬. ㉑버스 타이어에 체인을 감다. **3** 자전거의 앞뒤 기어를 연결하는 쇠줄. **4** 경영·자본 등이 같은 상점·식당·영화관 따위의 계열. ㉑체인 사업.

체적 (體積) ⇨부피.

체전 (體典) 여러 가지 경기가 벌어지는 체육 행사. ㉑전국 체전.

체제 (體制) 사회적인 제도나 조직이 이루는 짜임새. ㉑새로운 지도 체제가 들어서다.

***체조** (體操) 몸을 고르게 발육시키고, 건강을 유지하기 위하여 일정한 규칙에 따라 하는 운동. 맨손 체조와 기계 체조로 크게 나눔. **—하다.**

체중 (體重) 몸의 무게. ㉑체중 조절 / 체중이 늘다. 비 몸무게.

체중계 (體重計) [— / 체중게] 몸무게를 재는 데 쓰는 저울.

체증 (滯症) [체쯩] **1** 체하여 소화가 잘 안되는 증세. 준 체. **2** 차들이 많이 몰려 교통이 원활하지 않은 상태. ㉑극심한 교통 체증을 빚다.

체질 (體質) 타고난 몸의 바탕. 몸의 성질. ㉑허약 체질.

체취 (體臭) **1** 몸에서 나는 냄새. ㉑어머니의 체취. **2** 사람·작품 등에서 풍기는 특유의 느낌. ㉑권위주의적 체취가 강한 인물.

체코 (Czech) 〖국명〗 동유럽에 있는 나라. 1993년 체코슬로바키아 공화국에서 분리하여 독립함. 밀·포도가 많이 나고 제철·유리 공업이 발달했음. 수도는 프라하.

체크 (check) **1** 대조하거나 검사함. 또는 그 표시로 찍는 'V' 자 모양의 표. (예)건강 체크. **2** 바둑판 모양의 무늬. (예)체크무늬의 스웨터. **—하다.**

체통(體統) 지위나 신분에 알맞은 체면. (예)체통을 지키다 / 체통 없이 굴다.

체포(逮捕) 죄인을 쫓아가서 잡음. (예)범인을 체포하다. **—하다.**

체하다[1] (滯—) 먹은 음식이 잘 소화되지 않아 위 속에 남아 내려가지 않다. (예)급하게 먹었더니 체한 것 같다.

체하다[2] 그럴듯하게 거짓으로 꾸미는 태도가 있다. (예)못 들은 체하다 / 자는 체하다.

*__체험__(體驗) 직접 경험함. 또는 그 경험. (예)체험을 쌓다 / 여행을 통해 많은 것을 체험하다. **—하다.**

체험담(體驗談) 직접 겪은 이야기. (예)체험담을 들려주다.

체형(體型) 몸의 생긴 모양. (예)키가 크고 마른 체형.

첼로(이 cello) 바이올린과 비슷하나 크고, 낮은 음을 내는 현악기. 무릎 사이에 끼고 활로 연주하며 줄이 4개임.

〈첼로〉

쳇바퀴 [체빠퀴 / 첻빠퀴] 체의 몸이 되는 부분. (예)쳇바퀴를 돌리다.

쳐내다 [처내다] 더러운 것들을 쓸어 모아 다른 곳으로 옮기다. (예)외양간의 거름을 쳐내다.

*__쳐:다보다__ [처다보다] 얼굴을 들고 올려다보다. (예)얼굴을 빤히 쳐다보다. [본]치어다보다.

쳐:들다 [처들다] 위로 들어 올리다. (예)고개를 쳐들고 바라보다 / 두 팔을 번쩍 쳐들다. [활용] 쳐들어 / 쳐드니 / 쳐드는.

쳐들어가다 [처드러가다] 공격해 들어가다. (예)적진에 쳐들어가다.

*__쳐들어오다__ [처드러오다] 공격해 들어오다. (예)적이 쳐들어오다.

쳐부수다 [처부수다] **1** 공격하여 무찌르다. (예)적을 쳐부수다. **2** 세차게 때려 부수다. (예)도끼로 문을 쳐부수다.

쳐주다 [처주다] **1** 셈을 맞추어 주다. (예)빈 병을 50원씩 쳐주다. **2** 인정하여 주다. (예)이겼다고 쳐주다.

*__초__[1] 불을 밝히는 데 쓰는 물건. 밀랍(꿀벌의 집을 만드는 주성분) 따위를 녹여서 여러 모양으로 굳혀 가운데에 실 따위로 심지를 박음. (예)초에 불을 붙이다. ➡ candle

초[2](醋) 시고 약간 단맛이 나는 조미료. (예)초를 치다 / 마늘을 초에 절이다. [비]식초.

*__초__[3](秒) 시간의 단위. 1분의 60분의 1. (예)초를 재다 / 일 분 일 초를 다투다. ➡ second

초[4](初) '초기·처음'의 뜻. (예)내년 초 / 학년 초 / 고려 초. [반]말.

초-[1](初) '초기의·첫·처음'의 뜻. (예)초여름 / 초하루 / 초저녁.

초-[2](超) '훨씬 뛰어난·동떨어져 관계가 없는·초월한'의 뜻. (예)초능력 / 초특급 / 초현실.

초가(草家) 볏짚·밀짚 따위를 이어 지붕을 만든 집. [비]초가집.

〈초가〉

초가을(初—) 가을이 시작되는 첫 무렵. [반]늦가을.

초가집(草家—) ⇨초가.

초겨울(初—) 겨울이 시작되는 첫 무렵. [반]늦겨울.

초고(草稿) 나중에 고쳐 쓰기로 하고 대강 쓴 원고. (예)연설문 초고.

초고속 (超高速) 매우 빠른 속도. ㉠초고속 열차 / 초고속 통신망.
초고추장 (醋—醬) 식초를 넣어 섞은 고추장. ㉠회를 초고추장에 찍어 먹다. ㉥초장.
초과 (超過) 일정한 정도나 수를 넘음. ㉠예산 초과 / 정원을 초과하다. ㉦미만. **—하다.**
초급 (初級) 가장 낮은 등급이나 단계. ㉠초급 과정 / 초급 영어.
초기 (初期) 처음이 되는 시기. 또는 그 동안. ㉠학년 초기 / 초기 작품. ㉦말기.
초나흗날 (初—) [초나흔날] 그달의 넷째 날. ㉨나흗날.
초년 (初年) **1** 사람의 일생에서 초기. 젊은 시절. ㉠초년에 고생하다. ㉦말년. **2** 여러 해 걸리는 어떤 일의 처음 시기. ㉠사회 초년생.
초능력 (超能力) [초능녁] 현대 과학으로 설명하기 어려운, 기이하고 신비한 현상을 일으키는 능력.
초단 (初段) 태권도·검도·유도·바둑 따위의 첫째 단. ㉠유도 초단 / 초단을 따다.
초단파 (超短波) 파장이 아주 짧은 전자기파. 파장 1-10 m, 주파수 30-300 메가헤르츠(주파수의 단위)로서 텔레비전·에프엠 방송 등에 쓰임. ㉠초단파 방송.
초당 (草堂) 집의 본채 밖에 억새나 짚 따위로 지붕을 인 조그마한 집채.
초대[1] (初代) 첫 번째 차례. 제 1 대. ㉠초대 회장.
***초대**[2] (招待) 사람을 불러서 대접함. ㉠초대 손님. ㉥초청. **—하다.**
초대권 (招待券) [초대꿘] 어떤 모임에 오기를 청하는 표. ㉠연극 초대권.
초대장 (招待狀) [초대짱] 초대하는 뜻을 적어 보내는 편지. ㉠초대장을 받다. ㉥초청장.
초대형 (超大型) 크기가 아주 큰 것. ㉠초대형 냉장고.
초등 교ː육 (初等教育) 학교 교육의 맨 처음 단계로, 기본적인 내용을 가르치는 교육. 곧, 초등학교에서 실시하는 교육.
***초등학교** (初等學校) [초등학꾜] 공부할 나이가 된 아동에게 초등 교육을 하는 학교. 수업 기간은 6년이며 의무 교육으로 규정되어 있음.
초등학생 (初等學生) [초등학쌩] 초등학교에 다니는 학생.
초라하다 **1** 겉모양이 허술하여 보잘것없다. ㉠초라한 옷차림. ㉥화려하다. **2** 보잘것없고 변변하지 못하다. ㉠시골에서 여생을 초라하게 보내다. ㉯추레하다.
초래 (招來) 어떤 결과를 가져오게 함. ㉠불행을 초래하다. **—하다.**
***초록** (草綠) '초록빛'의 준말. ㉠초록 물감. ➲green
초록은 동색 ㉠풀색과 녹색은 같은 색이라는 뜻으로, 처지가 같은 사람들끼리 어울린다는 말. ㉡이름은 다르나 따져 보면 한가지라는 말.
초록빛 (草綠—) [초록삗] 푸른 빛깔과 누른 빛깔의 중간 빛. ㉥초록색. ㉨초록.
초록색 (草綠色) [초록쌕] ⇨초록빛.
초롱 (—籠) 대·쇠 따위로 테를 만들고 종이 따위를 씌워 불을 켜는 등. ㉥등롱.
초롱불 (—籠—) [초롱뿔] 초롱에 켜 놓은 불.
초롱초롱 맑고 반짝반짝 빛나는 모양. ㉠눈망울이 초롱초롱 빛나다. **—하다.**
초막 (草幕) 풀이나 짚으로 지붕을 이은 아주 조그마한 집.
초만원 (超滿員) [초마눤] 정원을 넘어 더할 수 없이 꽉 찬 상태. ㉠초만원을 이룬 지하철.
초면 (初面) 처음으로 대하는 얼굴

이나 처지. ⓔ그와는 초면이다 / 초면에 실례가 많았습니다. ⓑ구면.

초목 (草木) 풀과 나무. ⓔ초목이 무성하다.

초반 (初盤) **1** 운동 경기나 바둑, 장기 따위에서, 승부의 첫 단계. ⓔ초반에 결판내다. **2** 어떤 일이나 일정한 기간의 첫 단계. ⓔ범인은 40대 초반의 남자로 보인다.

초밥 (醋—) 일본 요리의 하나. 식초 따위로 맛을 낸 밥에 저민 생선·조개·새우 따위를 얹거나 유부·김으로 싸서 만듦.

초벌 (初—) 한 물건에 같은 일을 되풀이할 때의 맨 첫 번째 차례. ⓑ애벌.

초벌구이 (初—) 도자기를 초벌로 굽는 일. ⓑ애벌구이.

초보 (初步) 학문이나 기술을 익힐 때 수준이 가장 낮은 처음 단계. ⓔ초보 단계 / 초보 운전.

초보자 (初步者) 어떤 일이나 기술을 처음으로 시작하거나 배우는 사람. ⓔ이 작품은 초보자 솜씨다.

초복 (初伏) 삼복의 하나로, 첫 번째 복날.

초본 (抄本) 원본에서 일부분만을 베끼거나 뽑아낸 문서. ⓔ주민 등록 초본. *등본.

초봄 (初—) 봄이 시작되는 무렵. ⓔ이 스웨터는 초봄에 입기 좋다.

초비상 (超非常) 어떤 일이나 상태가 아주 긴박함을 이르는 말. ⓔ초비상이 걸리다.

초빙 (招聘) 사람을 예를 갖춰 불러 맞아들임. ⓔ외국에서 교수를 초빙하다. ⓑ초청. **—하다.**

초사흗날 (初—) [초사흔날] 그달의 셋째 날. ⓙ초사흘.

초사흘 (初—) '초사흗날'의 준말.

초산 (初産) 처음으로 아이를 낳음. ⓔ초산인 산모.

초상[1] (初喪) 사람이 죽어서 장사 지낼 때까지의 일. ⓔ초상을 치르다 / 초상이 나다.

초상[2] (肖像) 사람의 얼굴이나 모습을 나타낸 사진·그림 따위.

초상집 (初喪—) [초상찝] 초상난 집. ⓔ초상집에 문상을 가다.

초상화 (肖像畫) 사람의 얼굴이나 모습을 그린 그림.

초서 (草書) 한자 서체의 하나로 흘려 쓴 글씨체.

초석 (礎石) **1** ⇨주춧돌. **2** 어떤 일의 기초. ⓔ나라의 초석.

초성 (初聲) ⇨첫소리.

초소 (哨所) 보초를 서는 곳. ⓔ경비 초소 / 방범 초소.

초속 (秒速) 1 초 동안의 속도. ⓔ초속 15m의 강풍.

초순 (初旬) 초하루부터 초열흘까지의 동안. ⓑ상순.

초승 (初—) 음력으로 그달 첫머리의 며칠 동안.

초승달 (初—) [초승딸] 초승에 뜨는 눈썹처럼 가는 달. ⓔ초승달 모양의 눈썹. ×초생달.

초시계 (秒時計) [— / 초시게] 초를 재는 시계.

초식 동ː물 (草食動物) [—똥물] 풀을 먹고 사는 동물. 토끼·사슴 따위. *육식 동물.

초안 (草案) 글을 짓기 위해 대강의 줄거리를 짠 글. ⓔ소설의 초안을 잡다.

초야 (草野) 깊숙하고 으슥한 시골. ⓔ초야에 묻혀 살다.

초여름 (初—) 여름이 시작되는 첫 무렵.

초연하다 (超然—) 어떤 상황에도 아랑곳하지 않고 의젓하다. ⓔ돈 문제에 초연하다.

초연히 (超然—) 초연하게. ⓔ초연히 살아가다.

초엽 (初葉) 한 시대를 셋으로 구분할 때 그 처음 시기. ⓔ20세기 초엽.

*중엽. 말엽.

초원 (草原) 풀이 난 들판. ㉠드넓은 초원 / 초원에서 뛰놀다. ㉥풀밭.

초월 (超越) 어떤 한계나 표준을 뛰어넘음. ㉠상상을 초월하는 이야기. **—하다.**

초음속 (超音速) 소리의 속도보다 빠른 속도. ㉠초음속으로 비행하다.

초음파 (超音波) 진동수가 1초에 2만 헤르츠 이상으로, 사람의 귀에는 들리지 않는 음파. ㉠초음파 검사 / 초음파 탐지기.

초인 (超人) 보통 사람보다 훨씬 뛰어난 능력을 가진 사람.

초인적 (超人的) 보통 사람보다 훨씬 뛰어난 능력을 가진 (것). ㉠초인적인 힘을 발휘하다.

초인종 (招人鐘) 사람을 부르는 신호로 울리는 종. 벨. ㉠초인종을 누르다.

초장[1] (初場) **1** 장사를 시작한 처음의 동안. ㉠초장이라 손님이 뜸하다. **2** 어떤 일의 처음. ㉠초장부터 일이 꼬인다.

초장[2] (初章) 삼장으로 된 시조의 첫째 장. *종장. 중장.

초장[3] (醋醬) 식초를 타서 양념한 간장이나 고추장.

초저녁 (初—) 날이 어두워진 지 얼마 되지 않은 때. 이른 저녁. ㉠초저녁에 잠이 들다.

초점 (焦點) [초쩜] **1** 사람들의 관심이나 흥미가 집중되는 사물의 중심 부분. ㉠관심의 초점. **2** 사진을 찍을 때 대상의 모습이 가장 선명하게 나타나는 상태. ㉠초점이 정확하다. **3** 볼록 렌즈 등에서, 광선이 반사 또는 굴절하여 한곳으로 모이는 점. ㉠초점을 맞추다.

초조 (焦燥) 애를 태우며 마음을 졸임. ㉠초조한 마음 / 차례를 초조히 기다리다. **—하다. —히.**

초지일관 (初志一貫) 처음에 세운 뜻을 끝까지 밀고 나감. **—하다.**

초창기 (草創期) 어떤 것이 시작된 처음의 시기.

초청 (招請) 사람을 청하여 부름. ㉠파티에 초청하다. ㉥초대. 초빙. **—하다.**

초청장 (招請狀) [초청짱] 초청하는 내용을 적은 글월.

초췌하다 (憔悴—·顦顇—) 고생이나 병으로 몸이 여위고 피로해 기운이 없다. ㉠초췌해진 얼굴.

초침 (秒針) 시계의 초를 가리키는 바늘.

초콜릿 (chocolate) 코코아 가루에 설탕·향료·우유·버터 등을 넣어서 굳힌 과자. ×초코렛.

초크 (chalk) 헝겊에 바느질 선이나 자르는 선을 표시하는 데 쓰는 분필의 하나.

초탈 (超脫) 세속이나 일상적 한계를 벗어남. ㉠세속을 초탈하다. **—하다.**

초토 (焦土) 불에 타서 검게 된 땅. ㉠산불로 온 산이 초토가 되었다.

초토화 (焦土化) 초토가 됨. 또는 초토로 만듦. ㉠적의 진지를 초토화하다. **—하다.**

초파리 (醋—) 초파릿과의 곤충. 길이 2~3mm로 파리보다 작음. 식초·간장·술 따위에 잘 모임. 유전 공학의 실험 재료로 쓰임.

초파일 (←初八日) 석가모니의 탄생일로 음력 4월 8일을 이르는 말.

초판[1] (初—) 처음의 시기나 어떤 일이 벌어진 상황. ㉠초판부터 맹렬히 공격하다.

초판[2] (初版) 어떤 책을 처음 인쇄하여 펴낸 판. ㉠초판 발행.

초하루 (初—) '초하룻날'의 준말.

초하룻날 (初—) [초하룬날] 그달의 첫째 날. ㉠음력 정월 초하룻날. ㉦초하루.

초행 (初行) **1** 어떤 곳에 처음으로

감. **2** 처음으로 가는 길. ㉥초행이 라 길이 설다. **—하다.**

초행길 (初行—) [초행낄] ⇨초행2. ㉥초행길이라 한참 헤맸다.

촉¹ (燭) 빛의 밝기를 나타내는 단위. ㉥30촉짜리 형광등.

촉² (鏃) 긴 물건의 끝에 박힌 뾰족한 부분. ㉥화살촉 / 연필 촉.

촉각¹ (觸角) [촉깍] 곤충이나 새우, 가재 따위의 머리에 있는, 수염 모양의 감각 기관. ㊊더듬이.

촉각을 곤두세우다 정신을 집중시키고 신경을 곤두세워 즉각 대응할 태세를 취하다.

촉각² (觸覺) [촉깍] 온도나 아픔 따위를 느끼는 살갗의 감각. ㉥촉각이 발달하다.

촉감 (觸感) [촉깜] 무엇에 닿았을 때의 느낌. ㉥촉감이 부드럽다. ㊊감촉.

촉구 (促求) [촉꾸] 재촉하여 요구함. ㉥임금 인상을 촉구하다 / 재조사를 촉구하다. **—하다.**

촉망 (屬〔矚〕望) [총망] 잘되기를 바라고 기대함. ㉥장래가 촉망되는 젊은이. **—하다.**

촉매 (觸媒) [총매] 화학 반응 때, 그 자체는 화학 변화를 일으키지 않으나 다른 물질의 반응 속도를 빠르게 하거나 늦추는 물질. ㉥촉매 반응 / 촉매 작용.

촉박 (促迫) [촉빡] 기한이나 시간이 매우 가깝게 다가와 있음. ㉥시간이 촉박하다. **—하다.**

촉석루 (矗石樓) [촉썽누] 경상남도 진주시에 있는 누각. 남강에 자리 잡은 웅장한 건물로 우리나라 3대 누각의 하나로 꼽힘.

촉수 (觸手) [촉쑤] 해파리 따위 무척추동물의 입 근처에 있는 가늘고 길쭉하며 활발하게 운동하는 감각 기관. 먹이를 잡는 구실을 함.

촉진 (促進) [촉찐] 재촉하여 빨리 나아가게 함. ㉥경제 활동의 촉진 / 수출을 촉진하다. **—하다.**

촉촉이 [촉초기] 촉촉하게. ㉥아침 이슬에 풀잎이 촉촉이 젖어 있다.

촉촉하다 [촉초카다] 물기가 있어서 조금 젖은 듯하다. ㉥봄비가 촉촉하게 땅을 적시다. ㊐축축하다.

촉탁 (囑託) 일을 부탁하여 맡김. 또는 그 부탁을 받은 사람. **—하다.**

촌:¹ (寸) 친척의 멀고 가까운 관계를 나타내는 말. ㉥5촌 당숙 / 그 사람이 나의 4촌 형이다.

촌:² (村) 도시에서 멀리 떨어진 마을. ㊊시골.

촌:뜨기 (村—) '촌사람'을 낮잡아 이르는 말. ㊊시골뜨기.

촌:락 (村落) [촐락] 시골의 마을. ㉥농가가 몇 안 되는 촌락. ㊊마을. ㊎도시.

촌:사람 (村—) [촌싸람] **1** 시골에 사는 사람. **2** 견문이 좁고 어수룩한 사람.

촌:수 (寸數) [촌쑤] 친척 사이의 멀고 가까운 관계를 나타내는 수. ㉥촌수가 가깝다 / 촌수를 따지다. [참고] 자기 입장에서 볼 때, 부모·자식은 1촌, 조부모·형제는 2촌, 백부·숙부·백모·숙모·조카는 3촌, 종형제는 4촌 사이가 됨.

촌:스럽다 (村—) [촌쓰럽따] 말씨나 행동 따위가 세련되지 않고 어수룩하다. ㉥옷차림이 어딘가 촌스럽다. [활용] 촌스러워 / 촌스러우니.

촌:음 (寸陰) [초늠] 얼마 안 되는 시간. 매우 짧은 시간. ㉥촌음을 아끼다. ㊊촌각. 촌시.

촌:장 (村長) 한 마을의 우두머리.

촌:충 (寸蟲) 척추동물의 소장에 붙어 사는 기생충. 많은 마디가 있는 끈 모양이며 몸길이는 1 cm에서 10 m에 이르는 것도 있음.

촌:티 (村—) 촌스러운 태도나 기색. ㉥촌티 나는 사람. ㊊시골티.

촐랑거리다 방정맞게 자꾸 까불다. ㉠점잖지 못하게 촐랑거리다.
촐싹거리다 [촐싹꺼리다] 주책없이 까불며 자꾸 돌아다니다. ㉠촐싹거리지 말고 가만히 있거라.
촘촘하다 틈이나 간격이 좁거나 작다. ㉠촘촘한 바느질.
촘촘히 촘촘하게. ㉠산에 나무가 촘촘히 들어서 있다.
촛농 (―膿) [촌농] 초가 탈 때 흘러내려 굳은 것. ㊐촉루.
촛대 (―臺) [초때 / 촌때] 초를 꽂아 놓는 기구.
*__촛불__ [초뿔 / 촌뿔] 초에 켠 불. ㉠촛불을 켜다.
촛점 '초점'의 잘못.
총[1] (銃) 화약의 힘으로 탄환을 발사하는 무기. 권총·기관총·사냥총 따위. ㉠총에 맞아 부상을 입다 / 허공을 향해 총을 쏘다.
*__총ː__[2] (總) '어떤 수량을 더하여 모두'의 뜻. ㉠총 200 명의 합격자.
총ː- (總) '온통·통틀어'의 뜻을 나타내는 말. ㉠총선거 / 총공격 / 총결산.
*__총ː각__ (總角) 결혼하지 않은 남자 어른. ㊥처녀.
총ː각김치 (總角―) [총각낌치] 손가락 굵기만 한 총각무를 잎과 줄기를 떼지 않고 통째로 양념에 버무려 담근 김치.
총ː각무 (總角―) [총강무] 무청째로 총각김치를 담그는, 뿌리가 잔무의 한 가지.
총격 (銃擊) 총을 쏘아 공격함. ㉠총격전 / 총격을 받다. **―하다.**
총ː계 (總計) [― / 총게] 한데 묶어서 계산함. 또는 그 계산. ㉠총계를 내다. ㊐합계. ㊥소계. **―하다.**
총ː공격 (總攻擊) 모두 힘을 모아 일제히 공격함. ㉠총공격 명령 / 총공격을 감행하다. **―하다.**
총ː괄 (總括) 여러 가지를 한데 모아서 뭉침. ㉠총괄 평가 / 의견을 총괄하다. **―하다.**
총구 (銃口) ⇨총구멍.
총구멍 (銃―) [총꾸멍] 총에서 총알이 나가는 구멍. ㊐총구.
총기[1] (銃器) 소총·권총 따위의 무기. ㉠총기를 소지하다.
총기[2] (聰氣) 재주 있고 영리한 기운. ㉠눈에 총기가 있다.
총대 (銃―) [총때] 소총의 몸. 곧, 총열(탄알을 잰 관)을 장치한 전체의 나무.
총대(를) 메다 아무도 나서서 맡기를 꺼리는 공동의 일을 대표로 맡아 하는 것을 속되게 이르는 말.
총ː독 (總督) 식민지 등에서, 정치·군사 등 모든 일을 다스리는 관직. 또는 그 사람.
총ː독부 (總督府) [총독뿌] 총독이 업무를 보는 관청.
총ː동원 (總動員) 필요한 모든 사람이나 물자를 모으는 일. ㉠산불이 나서 마을 사람들이 총동원되었다. **―하다.**
총ː량 (總量) [총냥] 전체의 양 또는 무게. ㉠총량을 재다.
총ː력 (總力) [총녁] 전체의 모든 힘. ㉠수출에 총력을 기울이다.
총ː리 (總理) [총니] '국무총리'의 준말.
총명 (聰明) 아주 영리하고 재주가 있음. ㉠총명한 아이. **―하다.**
총ː무 (總務) 어떤 기관이나 단체에서, 전체를 다 다루는 사무를 맡은 사람.
총부리 (銃―) [총뿌리] 총에서 총구멍이 있는 부분. ㉠총부리를 들이대고 위협하다.
총ː사령관 (總司令官) 군 전체를 지휘하는, 가장 지위가 높은 군인. ㉠유엔군 총사령관.
총살 (銃殺) 총으로 쏘아 죽임. ㉠총살을 당하다. **―하다.**

총상 (銃傷) 총에 맞은 상처. ㉠총상을 입다.
종:선 (總選) '총선거'의 준말.
종:선거 (總選擧) 국회의원 전체를 한꺼번에 뽑는 선거. ㉠총선거를 실시하다. 준 총선.
총성 (銃聲) ⇨총소리. ㉠총성이 울리다.
총소리 (銃—) [총쏘리] 총을 쏠 때 나는 소리. 비 총성.
총:수 (總數) 전체의 수효.
총:수입 (總收入) 들어간 경비 등을 빼지 않은, 벌어들인 모든 수입을 합친 금액. 비 총소득. 반 총지출.
총알 (銃—) 총에 넣어 쏠 때 날아가 목표물을 맞히는 작은 쇳덩이. 비 총탄. 탄환.
총:애 (寵愛) 남달리 귀엽게 여겨 사랑함. ㉠임금의 총애를 받다. —하다.
총:액 (總額) 모두를 합한 액수. ㉠예산 총액. 비 전액.
총:연습 (總練習) [총년습] 어떤 일을 실제로 하기 바로 전에 실제처럼 통틀어 하는 연습. ㉠연극 총연습을 하다. —하다.
총:영사 (總領事) [총녕사] 가장 지위가 높은 영사. 외국에 머물면서 자기 나라 국민을 보호하고 감독하는 일을 함.
총:원 (總員) 전체 인원. ㉠총원은 20명이다 / 총원이 모두 출석했다.
총:인구 (總人口) 어떤 나라나 지역에 사는 전체 인구.
총:장 (總長) **1** 어떤 단체의 사무 전체를 맡아 처리하는 사람. ㉠검찰총장. **2** 대학교의 최고 책임자.
총:재 (總裁) 어떤 기관이나 단체에서 모든 사무를 관리·감독하는 일. 또는 그 사람. ㉠은행 총재.
총:점 (總點) [총쩜] 전체 점수의 합계. ㉠반에서 총점이 가장 높다.
총채 말총이나 헝겊 따위로 만든 먼지떨이.
총총[1] 별들이 많고 또렷또렷한 모양. ㉠하늘의 별들이 총총하다. —하다. —히.
총총[2] (悤悤) 몹시 급하고 바쁜 모양. ㉠연락을 받고 총총히 떠나다. —하다. —히.
총총걸음 [총총거름] 발을 자주 떼어 놓으며 급히 걷는 걸음. ㉠총총걸음으로 사라졌다. 여 종종걸음.
총:칭 (總稱) 비슷한 것들의 전부를 한데 모아 두루 일컬음. 또는 그런 이름. —하다.
총칼 (銃—) **1** 총과 칼. ㉠총칼을 휘두르다. **2** 무력. ㉠총칼로 남의 나라를 정복하다.
총탄 (銃彈) ⇨총알. ㉠총탄에 맞아 쓰러지다.
총:회 (總會) 어떤 기관이나 단체에서 회원 전체가 모이는 모임. ㉠학급 총회 / 정기 총회를 열다.
촬영 (撮影) [촤령] 사람이나 사물, 풍경 따위를 사진이나 영화로 찍음. ㉠촬영 현장 / 영화를 촬영하다. —하다.
최:강 (最強) 가장 셈. ㉠최강 팀과 맞서 싸우다.
최:고[1] (最古) 가장 오래됨. ㉠세계 최고의 금속 활자. 반 최신.
*__최:고__[2] (最高) **1** 가장 높음. ㉠최고 속도 / 최고 점수. 반 최저. **2** 가장 으뜸인 것. 으뜸이 될 만한 것. ㉠최고 인기 가수.
최:고급 (最高級) 가장 높은 등급. ㉠최고급 제품.
최:고봉 (最高峰) **1** 가장 높은 봉우리. ㉠대청봉은 설악산의 최고봉이다. **2** 어떤 분야에서 가장 뛰어난 수준. ㉠현대 음악의 최고봉.
최:고조 (最高潮) 어떤 분위기나 감정 따위가 가장 높은 정도에 이른 상태. 클라이맥스. ㉠인기가 최고조에 이르다.

*최ː근 (最近) 지난 지 얼마 안 되는 날. ㉥최근에 일어났던 일. 㗊 요즘.

최남선 (崔南善) 〖인명〗 사학자이며 문학자. 호는 육당. 신문학 운동의 선구자로 잡지 '소년', '샛별' 따위를 간행하였고, 우리나라 최초의 자유시인 '해에게서 소년에게'를 지음. 3·1 운동 때 '독립 선언서'를 썼으며, 국사 연구에도 힘씀. [1890–1957]

최ː다 (最多) 가장 많음. ㉥최다 득점. ㉭ 최소.

최ː단 (最短) 가장 짧음. ㉥최단 거리. ㉭ 최장.

*최ː대 (最大) 가장 큼. ㉥최대 규모 / 최대의 성과를 올리다. ㉭ 최소.

최ː대 공약수 (最大公約數) [-공약쑤] 공약수 중 가장 큰 수. ㉭ 최소 공배수.

최ː대한 (最大限) 가장 큰 한도. ㉥최대한 능력을 발휘하다. 㗊 최대한도. ㉭ 최소한.

최ː댓값 (最大-) [최대깝 / 최댇깝] 가장 큰 값. 㗊 최대치. ㉭ 최솟값.

최루탄 (催淚彈) 눈물샘을 자극해서 눈물이 나오게 만드는 약이나 물질을 넣은 탄환.

최면 (催眠) 인위적으로 사람을 잠이 든 것처럼 만든 상태. ㉥최면 상태 / 최면에 빠지다 / 최면을 걸다.

최면술 (催眠術) 암시를 주어 잠이 오게 하는 기술. 병을 치료하거나 나쁜 버릇을 고치는 데 쓰임.

최무선 (崔茂宣) 〖인명〗 고려 말의 무기 발명가·장군. 중국 원나라 사람에게서 화약 만드는 법을 배워 화통도감을 설치하였고, 화약·화포 등을 만들어 왜구를 크게 무찔렀음. [?–1395]

최ː상 (最上) **1** 수준이나 등급 따위의 맨 위. **2** 가장 훌륭함. ㉥최상의 품질 / 최상의 행복. ㉭ 최하.

최ː상급 (最上級) 가장 높은 정도나 등급. ㉥최상급으로 대접하다. ㉭ 최하급.

*최ː선 (最善) **1** 모든 노력. 온 정성과 힘. ㉥목표를 향해 최선을 다하다. 㗊 전력. **2** 가장 좋고 훌륭함. ㉥감기에 걸리면 푹 쉬는 게 최선이다. ㉭ 최악.

최ː소¹ (最小) 수나 정도 따위가 가장 작음. ㉥최소 범위. ㉭ 최대.

최ː소² (最少) 양 따위가 가장 적음. ㉥최소의 비용으로 최대의 이익을 얻다. ㉭ 최다.

최ː소 공배수 (最小公倍數) 공배수 중에서 가장 작은 수. ㉭ 최대 공약수.

최ː소한 (最小限) 줄일 수 있는 가장 작은 한도. ㉥피해를 최소한으로 줄이다. 㗊 최소한도.

최ː솟값 (最小-) [최소깝 / 최솓깝] 가장 작은 값. ㉭ 최댓값.

최승로 (崔承老) 〖인명〗 고려 초기의 문신. 나라를 다스리는 방법을 28 항목으로 나누어 정리해서 왕에게 올리는 등, 고려 왕조의 기틀을 다지는 데 큰 역할을 함. [927–989]

최시형 (崔時亨) 〖인명〗 동학의 제2대 교주. 동학을 널리 알리면서 부패한 관리들을 처벌할 것과 종교의 자유를 주장함. 일본군과 관군에게 쫓기다가 1898년 원주에서 체포되어 처형됨. [1827–1898]

최ː신 (最新) 가장 새로움. ㉥최신 기술 / 최신 유행. ㉭ 최고.

최ː신식 (最新式) 가장 새로운 방식이나 격식. ㉥최신식 건물 / 최신식 복사기를 들여놓다.

최ː신형 (最新型) 가장 새로운 모양. ㉥최신형 자동차.

최ː악 (最惡) 가장 나쁨. ㉥최악의 경우 / 기말고사 결과는 최악이다. ㉭ 최선.

최영 (崔瑩) 〖인명〗 고려 우왕 때의 장군. 팔도 도통사가 되어 군대를 이끌고 명나라를 치기 위해 나섰으나 이성계의 반란으로 실패하고, 후에 이성계에 의해 죽임을 당하였음. [1316-1388]

최:우선 (最優先) 어떤 일을 하는 데 가장 먼저 해야 하거나 가장 중요한 것. ㉥최우선 과제 / 효를 최우선으로 삼다.

최:우수 (最優秀) 여럿 가운데 가장 뛰어남. ㉥최우수 선수.

최윤덕 (崔潤德) 〖인명〗 조선 세종 때의 장군. 세종 1년(1419)에 쓰시마 섬을 정벌하고, 여진족을 토벌하는 등 여러 싸움에서 공을 세움. [1376-1445]

최:장 (最長) 가장 긺. ㉥최장 거리 / 최장 시간. ㉯최단.

최:저 (最低) 가장 낮음. ㉥최저 온도 / 최저 가격. ㉯최고.

최:적 (最適) 가장 알맞음. ㉥최적의 온도를 유지하다.

최:전방 (最前方) 적과 가장 가깝게 맞서고 있는 곳. ㉥최전방 부대. ㉥최전선.

최:전선 (最前線) 적과 맞서는 맨 앞의 전선. ㉥최전선에 배치되다. ㉥제일선. 최전방.

최제우 (崔濟愚) 〖인명〗 동학의 창시자. 천도교 제 1 대 교주. 호는 수운. 37 세 때 동학을 창시하였는데, 5 년 만에 동학이 세상을 어지럽힌다는 죄목으로 체포되어 사형당함. [1824-1864]

최:종 (最終) 맨 나중. ㉥최종 선택 / 최종 단계에서 탈락하다. ㉯최초.

최:첨단 (最尖端) 유행이나 시대 따위의 맨 앞. ㉥유행의 최첨단을 걷다 / 최첨단 기술을 선보이다.

*__최:초__ (最初) 맨 처음. ㉥우리나라 최초의 대통령. ㉯최종. 최후.

최충 (崔沖) 〖인명〗 고려 초기의 학자·문신. 문장과 글씨가 뛰어나 '해동공자(고려의 공자라는 뜻)' 라 불림. 9재 학당을 세워 많은 인재를 기름. [984-1068]

최충헌 (崔忠獻) 〖인명〗 고려 중기의 무신. 1196년 왕을 몰아내고 정권을 잡음. 그 뒤 동생을 비롯한 많은 무신들을 물리치고 독재 정치를 함. [1149-1219]

최치원 (崔致遠) 〖인명〗 통일 신라 말의 학자이며 문장가. 자는 고운. 12 세 때 당나라에 유학하여 과거에 급제하고 황소의 난이 일어나자 격문을 써서 이름을 떨침. 저서에 '계원필경' 등이 있음. [857-?]

최:하 (最下) 수준이나 등급의 맨 아래. ㉥최하 점수를 받다. ㉯최고. 최상.

최:하급 (最下級) 가장 낮은 정도나 등급. ㉯최상급.

최항 (崔恒) 〖인명〗 조선 세종 때의 문신이며 학자. 훈민정음을 만들 때 공을 세웠으며, 조선 초기의 법률 제도를 정리함. [1409-1474]

최:후 (最後) **1** 맨 마지막. 맨 뒤. ㉥최후 수단을 쓰다. ㉥최종. ㉯최초. **2** 삶의 마지막 순간. ㉥쓸쓸한 최후를 맞다.

*__추__ (錘) **1** 무게를 달아 보기 위해 무게가 일정한 쇠뭉치 따위를 끈에 매어 단 장치. **2** 시계가 움직이도록 막대에 매달려서 일정하게 왔다갔다 하며 흔들리는 장치.

추가 (追加) 나중에 더하여 보탬. ㉥추가 모집 / 추가 비용 / 예산을 추가하다. **—하다.**

추격 (追擊) 뒤쫓아 가며 공격함. ㉥범인을 추격하다. **—하다.**

추계 (秋季) [— / 추게] 가을철. ㉥추계 운동회. ㉥추기.

추곡 (秋穀) 가을에 거두는 곡식. 쌀·보리 따위.

추구 (追求) 목적한 것을 이루기 위해 계속 뒤쫓아 구함. ㉥이상을 추구하다 / 행복을 추구하다. **—하다.**

추궁 (追窮) 잘못한 일을 끝까지 캐내어 따짐. ㉠추궁을 당하다 / 책임을 추궁하다. **—하다.**

추근거리다 성가실 정도로 은근히 자꾸 귀찮게 굴다. 비 치근거리다.

추기경 (樞機卿) 로마 가톨릭교회에서, 교황 다음가는 성직자.

추남 (醜男) 얼굴이 못생긴 남자. 반 미남.

추녀[1] 처마 네 모퉁이의 기둥 위에 끝이 위로 들린 서까래. 또는 그 부분의 처마.

추녀[2] (醜女) 얼굴이 못생긴 여자. 반 미녀.

*__추다__ 춤 동작을 보이다. ㉠음악에 맞춰 춤을 추다.

추대 (推戴) 윗사람으로 떠받듦. ㉠위원장으로 추대하다. **—하다.**

추도 (追悼) 죽은 사람을 생각하여 슬퍼함. ㉠추도 예배 / 고인을 추도하다. 비 애도. **—하다.**

추돌 (追突) 기차·자동차 따위가 뒤에서 들이받음. ㉠추돌 사고가 발생하다. **—하다.**

> 주의 **추돌과 충돌**
> **추돌** 뒤에서 들이받음. 뒤쫓아가다 부딪침.
> **충돌** 자동차 따위가 서로 정면으로 부딪침.

추락 (墜落) 높은 곳에서 떨어짐. ㉠비행기 추락 사고. **—하다.**

추레하다 차림새가 깨끗하지 못하고 보잘것없다. ㉠옷차림이 추레하다. 작 초라하다.

추렴 모임이나 놀이 따위에 드는 돈을 각자가 얼마씩 내어 거둠. ㉠비용을 추렴하다. **—하다.**

추리 (推理) 이미 아는 사실을 바탕으로 아직 밝혀지지 않은 것을 미루어 생각함. ㉠추리 소설 / 살인 사건을 추리하다. **—하다.**

추리다 섞여 있는 많은 것 속에서 여럿을 골라 뽑다. ㉠요점을 추리다 / 작품 중에서 잘된 것만 추리다.

추모 (追慕) 죽은 사람을 생각하고 그리워함. ㉠추모객 / 추모식 / 추모 행사. **—하다.**

추방 (追放) 쫓아내어서 멀리함. 몰아냄. ㉠부정부패를 추방하다 / 해외로 추방하다. **—하다.**

추분 (秋分) 이십사절기의 하나. 양력 9월 23일경이며, 낮과 밤의 길이가 같음. 반 춘분. → [학습마당] 22(863쪽)

추사체 (秋史體) 조선 후기의 명필인 추사 김정희의 글씨체.

추산 (推算) 짐작으로 미루어 셈함. ㉠10만 명으로 추산되는 피서 인파. **—하다.**

*__추상__ (抽象) 여러 사물들에서 공통된 성질을 찾아 일반적인 개념을 만드는 일. 예컨대, 자동차·비행기·배 따위에서 '탈것'이란 공통점을 찾는 일. 반 구상.

추상적 (抽象的) **1** 여러 사물들에서 공통된 성질을 찾아 종합한 (것). **2** 구체성이 없고 현실과 동떨어져 막연한 (것). ㉠추상적이고 복잡한 이야기.

추상화 (抽象畫) 사물을 사실대로 그리지 않고 자신의 생각이나 느낌대로 그리는 그림.

*__추석__ (秋夕) 우리나라 명절의 하나. 음력 8월 15일이며 햅쌀로 송편을 빚고 햇과일 따위의 음식을 장만하여 차례를 지내고 성묘를 함. 비 중추절. 한가위.

추세 (趨勢) 세상 일이 되어 가는 형편. ㉠추세에 따르다 / 등록금이 대폭 인상될 추세다.

*__추수__ (秋收) 가을에 익은 곡식을 거두어들이는 일. ㉠벼를 추수하다 / 추수가 한창인 가을 들녘. 비 가을걷이. **—하다.**

추수기 (秋收期) 추수하는 시기.
추스르다 **1** 치켜 올려 잘 다루다. ㉠바지춤을 추스르다. **2** 몸을 가누어 움직이다. ㉠지친 몸을 추스르다. **3** 일 따위를 수습하여 처리하다. 활용 추슬러 / 추스르니 / 추스르는.
추신 (追伸〔申〕) 편지 따위에서, 편지 끝에 글을 덧붙일 때에 그 글의 앞에 쓰는 말. **—하다.**
추악하다 (醜惡—) [추아카다] 용모·행동 따위가 더럽고 좋지 않다. ㉠추악한 얼굴 / 행동이 추악하다.
추앙 (推仰) 높이 받들어 우러러봄. ㉠영웅으로 추앙하다. **—하다.**
추어올리다 **1** 위로 끌어 올리다. ㉠바지를 추어올리다. **2** 실제보다 높여 칭찬하다. ㉠잘한다고 자꾸 추어올리니까 쑥스러운지 머리를 긁적거렸다. 비 추어주다.

> 참고 '추어올리다'는 '추어주다'와 동의어이면서 '무엇을 위로 끌어 올리다'라는 뜻도 있다. 이와 비슷한 말로 '치켜세우다'가 있는데, 이 세 말은 모두 표준어이지만 '추켜올리다, 치켜올리다, 추켜주다'는 비표준어이다.

추어주다 ⇨추어올리다2.
추어탕 (鰍魚湯) 미꾸라지를 넣고 여러 가지 양념과 함께 얼큰하게 끓인 국. 준 추탕.
추억 (追憶) 지난 일을 돌이켜 생각함. ㉠어린 시절의 추억에 잠기다 / 소중한 추억으로 간직하다. 비 추상. 회상. **—하다.**
추억담 (追憶談) [추억땀] 추억을 생각하며 하는 이야기. ㉠아버지의 추억담을 듣다.
추월 (追越) 앞서 가는 것을 뒤따라 가서 앞지름. ㉠추월 금지 / 앞차를 추월하다. **—하다.**
*__추위__ 추운 기운. 또는 추운 날씨. ㉠추위를 느끼다 / 추위가 풀리기 시작하다. 반 더위.
추위를 타다 추위를 잘 느끼고 견디는 힘이 약하다.
추이 (推移) 일이나 형편이 시간이 지남에 따라 변해 감. ㉠사건의 추이를 지켜보다.
추임새 판소리를 하는 중간에 고수가 흥을 돋우기 위하여 내는 '좋다·으이·얼씨구' 따위의 소리.
추잡하다 (醜雜—) [추자파다] 말이나 행동이 더럽고 지저분하다. ㉠추잡한 짓 / 추잡하게 굴다.
추장 (酋長) 원시 사회의 부족이나 부락의 우두머리. ㉠인디언 마을의 추장.
추적 (追跡) **1** 도망하는 사람의 뒤를 밟아 쫓음. ㉠범인을 추적하다. **2** 사물의 자취를 더듬어 감. ㉠전화 발신지를 추적하다. **—하다.**
추적추적 비나 진눈깨비가 축축하게 자꾸 내리는 모양. ㉠가을비가 추적추적 내리다.
추정 (推定) 추측하여 판단함. 미루어 헤아려서 결정함. ㉠붕괴 원인을 부실 공사로 추정하다. **—하다.**
추종 (追從) 남의 뒤를 따라서 좇음. ㉠추종자 / 추종 세력 / 타의 추종을 불허하다. **—하다.**
추진 (推進) **1** 물체를 밀어 앞으로 내보냄. ㉠로켓 추진 장치. **2** 목표를 향해 밀고 나아감. ㉠계획대로 일을 추진하다. **—하다.**
추징 (追徵) 나중에 보태어 거두어들임. ㉠추징금. **—하다.**
추천 (推薦) 좋거나 알맞다고 생각되는 사람이나 물건을 책임지고 소개함. ㉠사전을 추천하다 / 장학생으로 추천되다. 비 천거. **—하다.**
추천서 (推薦書) 추천하는 글을 적은 서류. ㉠학교장 추천서를 받다. 비 추천장.
추첨 (抽籤) 제비를 뽑음. ㉠당첨

자를 추첨하다. 비 제비. **—하다.**

추출 (抽出) 용매를 써서 고체나 액체로부터 어떤 물질을 뽑아내는 일. 예독극물을 추출하다. **—하다.**

추측 (推測) 미루어 헤아림. 예근거 없는 추측 / 그의 추측이 들어맞았다. 비 짐작. **—하다.**

추켜들다 힘 있게 위로 올려 들다. 예깃대를 높이 추켜들다. 활용 추켜들어 / 추켜드니 / 추켜드는.

추켜세우다 위로 치올려 세우다. 예눈썹을 추켜세우다.

추키다 **1** 위로 가볍게 치올리다. 예옷을 추키다. **2** 힘 있게 위로 끌어올리거나 채어 올리다. 예허리춤을 추키다.

추태 (醜態) 더럽고 부끄러운 태도나 짓. 예추태를 부리다.

추풍령 (秋風嶺) [추풍녕] 경상북도 김천과 충청북도 황간 사이에 있는 고개. 경부 고속도로의 가운데 지점으로, 우리나라 중부와 남부의 경계를 이룸. 높이 235m.

추하다 (醜—) **1** 옷차림이나 언행 따위가 지저분하고 더럽다. 예차림새가 추하다. **2** 외모 따위가 못생겨서 보기에 흉하다. 예얼굴은 추하지만 마음은 곱다.

추호 (秋毫) 가을철에 가늘어진 짐승의 털이란 뜻으로, 아주 적거나 조금인 것을 뜻하는 말. 예고자질할 마음은 추호도 없었다.

추후 (追後) 일이 지나간 후 얼마 뒤. 예장소는 추후에 알려 주겠다. 비 나중. 다음.

축[1] 여러 사람으로 이루어진 동아리. 같은 무리나 또래. 예공부 잘하는 축에 든다.

***축**[2] (軸) **1** 도형 또는 물체의 중심이 되는 부분. **2** ⇨굴대.

축[3] 말린 오징어 스무 마리의 단위. 예오징어 한 축.

축[4] 물건이 아래로 늘어지거나 처진 모양. 예어깨가 축 처지다.

축가 (祝歌) [축까] 축하하는 뜻으로 부르는 노래. 예결혼 축가를 부르다.

***축구** (蹴球) [축꾸] 11 명이 한 팀이 되어 공을 발로 차거나 머리로 받아서 상대편 골에 공을 많이 넣는 것으로 승부를 겨루는 경기. ➲ soccer

축구공 (蹴球—) [축꾸공] 축구 경기에 쓰는 공.

축구장 (蹴球場) [축꾸장] 축구 경기를 하는 운동장.

축나다 (縮—) [충나다] **1** 일정한 수나 양에서 부족이 생기다. 예돈이 축나다. **2** 몸이 약해져서 살이 빠지다. 예몸이 축나다. 비 축지다.

축내다 (縮—) [충내다] 축나게 하다. 예하는 일 없이 밥만 축내고 있다 / 공부하느라 몸을 축내다.

축농증 (蓄膿症) [충농쯩] 콧속에 고름이 고이는 질병. 코가 막히고 두통이 나며, 건망증이 생김.

축대 (築臺) [축때] 높이 쌓아 올린 대나 터. 예축대를 쌓다.

축도 (縮圖) [축또] 실제 크기보다 작게 줄여 그린 그림.

축문 (祝文) [충문] 제사 때 신령에게 고하는 내용을 적어 읽는 글. 예축문을 읽다. 준 축.

축배 (祝杯) [축빼] 축하하는 뜻으로 마시는 술. 또는 그 술잔. 예축배를 들다.

축복 (祝福) [축뽁] 앞으로의 행복을 빎. 예축복을 받다 / 앞날을 축복하다. 비 축하. 반 저주. **—하다.**

축사[1] (畜舍) [축싸] 가축을 기르는 건물.

축사[2] (祝辭) [축싸] 축하하는 뜻의 말이나 글. 예축사를 낭독하다.

축산물 (畜産物) [축싼물] 고기·가죽·젖·달걀 따위의, 가축에서 얻는 물품.

축산업 (畜産業) [축싸넙] 가축을

기르고 그 생산물을 가공하는 산업.
축성 (築城) [축썽] **1** 성을 쌓음. **2** 군사적인 목적으로 중요한 곳에 설치하는 구조물. 요새·포대·참호 따위. **—하다.**
축소 (縮小) [축쏘] 모양이나 규모 따위를 줄여서 작게 함. 또는 작아짐. ㉠축소 복사 / 100,000 분의 1 로 축소한 지도. 반 확대. **—하다.**
축원 (祝願) [추권] 부처나 신에게 바라는 일이 이루어지기를 비는 일. ㉠축원을 올리다 / 아들의 성공을 축원하다. **—하다.**
축음기 (蓄音機) [추금기] 레코드에 녹음한 노래나 소리 따위를 재생하는 장치. 비 유성기.
축의금 (祝儀金) [추긔금 / 추기금] 잔치나 예식을 축하하는 뜻으로 내는 돈.
축이다 [추기다] 물 따위에 적셔 축축하게 하다. ㉠목을 축이다.
축재 (蓄財) [축째] 재물을 모아 쌓음. ㉠부정 축재. **—하다.**
축적 (蓄積) [축쩍] 지식·경험·자금 따위를 많이 모아서 쌓음. 또는 모아서 쌓은 것. ㉠경험을 축적하다 / 피로가 축적되다. **—하다.**
축전[1] (祝典) [축쩐] 축하하는 의식이나 행사. ㉠개막 축전 행사.
축전[2] (祝電) [축쩐] 축하하는 뜻으로 보내는 전보. ㉠축전을 치다 / 친구의 결혼에 축전을 보내다.
축전지 (蓄電池) [축쩐지] 전기 에너지를 화학 에너지로 바꾸어 모아 두었다가 필요에 따라 전기 에너지로 끌어낼 수 있는 장치. 배터리.
축제 (祝祭) [축쩨] 축하하여 벌이는 큰 규모의 행사. ㉠개교 기념 축제 / 축제가 열리다 / 온 도시가 축제 분위기에 싸이다.
축조 (築造) [축쪼] 돌이나 벽돌 따위로 건물이나 구조물을 쌓아 만드는 일. ㉠성곽을 축조하다. **—하다.**
축척 (縮尺) 지도나 설계도를 그릴 때 실제 거리를 축소한 비율. ㉠축척 50,000분의 1 지도. 비 줄인자.
축축이 [축추기] 축축하게. ㉠땀에 옷이 축축이 젖다.
축축하다 [축추카다] 물기가 약간 있어서 젖은 듯하다. ㉠빨래가 덜 말라서 축축하다. 작 촉촉하다.
축출 (逐出) 어떤 지역이나 조직에서 쫓아내거나 몰아냄. ㉠나라 밖으로 축출하다. **—하다.**
축포 (祝砲) 축하의 뜻으로 쏘는 총이나 대포. ㉠축포를 쏘다.
축하 (祝賀) [추카] 남의 좋은 일에 기쁘고 즐겁다는 뜻으로 인사함. 또는 그 인사. ㉠생일 축하 선물 / 합격을 축하하다 / 친구들에게 축하를 받다. 비 축복. **—하다.**
춘곤 (春困) 봄철에 느끼는 나른한 기운.
춘분 (春分) 이십사절기의 하나. 양력 3월 21일경이며, 낮과 밤의 길이가 같음. 반 추분. → [학습마당] 22 (863쪽)
춘삼월 (春三月) [춘사뭘] 봄 경치가 가장 좋은 음력 삼월.
춘천 (春川) 〖지명〗 강원도의 도청 소재지로 소양강과 북한강이 만나는 곳에 위치한 호반 도시. 도내 행정·산업·문화의 중심지로 쌀·콩·소·임산물의 집산지임.
춘추 (春秋) **1** 봄과 가을. **2** 어른의 나이를 높여 일컫는 말. 비 연세.
춘풍 (春風) ⇨봄바람.
춘하추동 (春夏秋冬) 봄·여름·가을·겨울의 네 계절.
춘향가 (春香歌) 춘향전을 창극조로 엮어 부른 판소리.
춘향전 (春香傳) 〖책〗 한국 고대 소설의 대표적 작품. 작자는 알려지지 않음. 주인공 성춘향과 이몽룡의 사랑 이야기를 중심으로 특권 계급에 대한 천민의 항거와 춘향의 정절

등을 주제로 함.

출가[1] (出家) 속세를 떠나 승려가 됨. **—하다.**

출가[2] (出嫁) 처녀가 시집을 감. ㊀ 출가한 딸. **—하다.**

출가외인 (出嫁外人) 시집간 딸은 남이나 마찬가지라는 뜻.

출간 (出刊) ⇨출판. ㊀백과사전을 출간하다. **—하다.**

출감 (出監) 구치소나 교도소 등에서 풀려나옴. 비 출옥. **—하다.**

출격 (出擊) 주로 항공기가 적을 공격하러 나감. ㊀출격 명령. **—하다.**

출구 (出口) 밖으로 나가는 곳. ㊀ 비상 출구. 반 입구.

출국 (出國) 그 나라를 떠나 외국으로 나감. ㊀출국 수속 / 출국 금지 명령을 내리다. 반 입국. **—하다.**

출근 (出勤) 일터로 일하러 감. ㊀ 출근 시간 / 회사에 출근하다. 반 퇴근. **—하다.**

출근길 (出勤—) [출근낄] 일터로 나가는 길. 또는 그 나가는 도중. ㊀ 출근길 교통 체증. 반 퇴근길.

출금 (出金) 돈을 내어 쓰거나 내어 줌. 또는 그 돈. ㊀출금액 / 통장에서 돈을 출금하다. 반 입금.

출납 (出納) [출랍] 돈이나 물품을 내어 주거나 받아들임. ㊀출납부 / 출납을 맡아보다. **—하다.**

출동 (出動) [출똥] 군대·경찰·소방대 등이 일정한 목적을 실행하기 위해 현장으로 감. ㊀119 구조대가 출동하다. **—하다.**

출두 (出頭) [출뚜] 어떤 곳에 직접 나감. ㊀자진 출두 / 경찰서에 출두하다. **—하다.**

출렁거리다 물 따위가 큰 물결을 이루며 자꾸 흔들리다. ㊀바닷물이 출렁거리다. 작 촐랑거리다.

출력 (出力) **1** 컴퓨터에서, 입력된 데이터와 프로그램에 의해 처리되어 나오는 정보. **2** 발전기·변압기·엔진 등이 일을 할 수 있는 에너지의 양. 반 입력. **—하다.**

출력 장치 (出力裝置) [—짱치] 컴퓨터의 중앙 처리 장치로부터 처리 결과를 보여 주는 모니터·프린터 따위의 장치. 반 입력 장치.

출마 (出馬) 선거 등에 입후보자로 나섬. ㊀회장 선거에 출마하다. **—하다.**

출몰 (出沒) 무엇이 나타났다 사라졌다 함. ㊀해적의 출몰이 잦다 / 귀신이 출몰하다. **—하다.**

*__출발__ (出發) **1** 목적지를 향해 길을 떠남. ㊀출발지 / 학교를 향해 출발하다. 반 도착. **2** 어떤 일을 시작함. ㊀대학생으로 새 출발을 시작하다. **—하다.**

출발선 (出發線) [출발썬] 경주할 때, 출발하는 자리에 그어 놓은 선.

출발점 (出發點) [출발쩜] **1** 출발하는 지점. ㊀여행의 출발점. **2** 어떤 일을 시작하는 곳. ㊀학교를 졸업하고 사회인으로 출발점에 서다.

출범 (出帆) **1** 배가 돛을 달고 항구를 떠남. **2** 어떤 단체가 새로 조직되어 일을 시작함. ㊀새 정부가 출범하였다. **—하다.**

출산 (出産) [출싼] 아기를 낳음. ㊀출산 휴가. **—하다.**

출생 (出生) [출쌩] 세상에 태어남. ㊀출생 신고 / 출생 연월일. 비 출산. 반 사망. **—하다.**

출생률 (出生率) [출쌩뉼] 전체 인구에 대한 일정한 기간에 태어난 아이의 비율. ㊀출생률이 낮아지다.

출석 (出席) [출썩] 어떤 자리에 나아가 참석함. ㊀출석 인원 / 출석을 부르다. 반 결석. **—하다.**

출석부 (出席簿) [출썩뿌] 출석 상황을 적는 장부.

출세 (出世) [출쎄] 사회적으로 높은 지위에 오르거나 유명하게 됨. ㊀출세가 빠르다. **—하다.**

출소 (出所) [출쏘] 교도소에서 형을 마치고 풀려나옴. ㊀만기 출소. **—하다.**

출신 (出身) [출씬] **1** 출생 당시의 가정이 속하여 있던 사회적 신분. ㊀양반 출신. **2** 어떤 지방이나 학교, 직업 등과 관계된 신분. ㊀서울 출신 / 군인 출신.

출연 (出演) [추련] 방송·영화·연극·강연 따위에 나와 연기함. ㊀찬조 출연 / 영화에 출연하다. **—하다.**

출옥 (出獄) [추록] 형기를 마치고 교도소에서 나옴. ㊁출감. **—하다.**

출입 (出入) [추립] 나감과 들어옴. 드나듦. ㊀출입 금지 / 출입이 자유롭다. **—하다.**

출입구 (出入口) [추립꾸] 드나드는 어귀나 문. ㊀출입구가 붐비다.

출입문 (出入門) [추림문] 드나드는 문. ㊀출입문을 봉쇄하다.

출장¹ (出張) [출짱] 볼일을 위해 임시로 다른 곳으로 나감. ㊀지방에 출장 가다.

출장² (出場) [출짱] 선수가 경기를 하러 경기장에 나감. ㊀출장 정지 처분을 당하다 / 3년 연속 대회에 출장하다. **—하다.**

출전¹ (出戰) [출쩐] **1** 전쟁터로 싸우러 나감. ㊀출전 명령을 내리다. **2** 시합·경기 따위에 나감. ㊀축구 경기에 출전하다. **—하다.**

출전² (出典) [출쩐] 인용한 글 따위의 근거가 되는 책. ㊀출전을 밝히다.

출정 (出征) [출쩡] 군인으로서 싸움터에 나감. ㊀출정 군인. **—하다.**

출제 (出題) [출쩨] 시험 문제를 냄. ㊀출제 위원 / 출제 범위가 넓다. **—하다.**

출중하다 (出衆—) [출쭝하다] 여러 사람 속에서 특별히 뛰어나다. ㊀출중한 인물.

출처 (出處) 사물이나 말 따위가 나온 근거. ㊀출처를 캐다.

출출하다 배가 고픈 느낌이 있다. ㊀출출한 김에 맛있게 먹었다.

출타 (出他) 집에 있지 않고 다른 곳에 나감. ㊀담당 직원은 출타 중이다.

출토 (出土) 고대의 유물이나 유적이 땅속에서 나옴. ㊀토기가 출토되다. **—하다.**

출토품 (出土品) 땅속에서 발굴되어 나온 고대의 유물.

출퇴근 (出退勤) 출근과 퇴근. ㊀출퇴근 버스 / 출퇴근 시간이 일정하다. **—하다.**

출판 (出版) 글·그림 따위를 책으로 만들어 세상에 내놓음. ㊀도서 출판 / 자서전을 출판하다. ㊁출간. **—하다.**

출판사 (出版社) 출판을 업으로 하는 회사. ㊀사서 전문 출판사.

출품 (出品) 전람회·전시회 같은 곳에 물건이나 작품을 내놓음. ㊀전람회에 출품된 작품. **—하다.**

출하 (出荷) **1** 짐이나 상품 따위를 내어 보냄. ㊀출하를 미루다. **2** 생산자가 생산품을 시장으로 내보냄. ㊀출하 가격. ㊂입하. **—하다.**

출항 (出港) 배가 항구를 떠남. ㊀출항에 좋은 날씨. ㊂입항. **—하다.**

출현 (出現) 없었거나 숨겨져 있던 사물이나 현상이 나타남. ㊀미확인 비행 물체가 출현하다. **—하다.**

출혈 (出血) **1** 피가 혈관 밖으로 나옴. ㊀출혈이 심하다. **2** 손해나 희생을 비유적으로 이르는 말. ㊀출혈을 감수하다. **—하다.**

*__춤__ 음악에 맞추거나 흥에 겨워 팔다리를 이리저리 놀리며 온몸을 움직이는 동작. ㊀음악에 맞춰 춤을 추다. ㊁무도. 무용.

춤곡 (—曲) 춤을 출 때 맞추어 추도록 작곡된 곡. ㊁무곡.

춤꾼 춤을 즐겨 추거나 전문적으로

추는 사람.
춤사위 민속 무용에서, 춤의 기본이 되는 손이나 발 등의 일정한 움직임.
***춤추다** 춤을 동작으로 나타내다. ㉲노래하고 춤추다. ➲ dance
춤판 춤을 추는 자리. ㉲춤판이 벌어지다.
***춥다** [춥따] 몸으로 느끼기에 기온이 낮거나 날씨가 차다. ㉲날씨가 으스스하게 춥다. 반 덥다. 활용 추워 / 추우니.
충 (忠) 국민이 나라나 임금을 위하는 마음. ㉲충과 효의 사상.
충격 (衝擊) **1** 마음에 받은 심한 자극이나 영향. 쇼크. ㉲정신적인 충격을 주다. **2** 물체에 급격히 가해지는 힘. ㉲충격을 받다.
충격적 (衝擊的) [충격쩍] 충격을 받을 만한 (것). ㉲충격적인 뉴스.
충고 (忠告) 진심으로 남의 잘못이나 결점을 고치도록 타이름. ㉲진심어린 충고. **—하다.** ➲ advice
충당 (充當) 모자라는 것을 채워 메움. ㉲인력을 충당하다. **—하다.**
충돌 (衝突) 서로 맞부딪치거나 맞섬. ㉲충돌 사고 / 의견이 충돌하다. **—하다.** →추돌 주의
충동 (衝動) **1** 남을 부추기거나 들쑤시어 움직이게 함. ㉲앞장서도록 충동하다. **2** 순간적으로 어떤 행동을 하려는 마음의 움직임. ㉲충동을 억제하다. **—하다.**
충동적 (衝動的) 순간적으로 어떤 행동을 하려는 욕구가 갑작스럽게 일어나는 (것). ㉲충동적인 행동.
충렬왕 (忠烈王) 〖인명〗 고려 제25대 임금. 원나라에 굴복하여 세조의 공주와 결혼하였으며, 원나라의 간섭을 심하게 받았음. [1236-1308 ; 재위 1274-1308]
충만하다 (充滿—) 가득 차다. ㉲얼굴에 기쁨이 충만하다.
충매화 (蟲媒花) 곤충에 의하여 다른 꽃의 꽃가루를 받아 수분하는 꽃. 무궁화꽃·백합꽃·벚꽃·장미꽃 따위. *풍매화.
충무공 (忠武公) 이순신 장군이 죽은 뒤 그 공을 높이 기리어 임금이 내린 호.
충복 (忠僕) **1** 충성스러운 남자 종. **2** 어떤 사람을 충직하게 받들어 모시는 사람.
***충분하다** (充分—) 모자람이 없이 넉넉하다. ㉲충분한 증거를 확보하다 / 그만하면 사윗감으로 충분하다. 반 불충분하다.
***충분히** (充分—) 충분하게. ㉲충분히 검토하다.
충성 (忠誠) 진정에서 우러나오는 정성. ㉲충성을 바치다 / 나라에 충성하다. 비 충의. 충절. 반 불충. **—하다.**
충성스럽다 (忠誠—) [충성스럽따] 충성을 다하는 태도가 있다. ㉲임금에게 충성스러운 신하. 활용 충성스러워 / 충성스러우니.
충성심 (忠誠心) 충성스러운 마음. ㉲충성심이 강하다.
충신 (忠臣) 정성을 다하여 나라와 임금을 섬기는 신하. ㉲충신은 두 임금을 섬기지 않는다. 반 간신.
충실¹ (充實) 내용·설비 따위가 알참. ㉲내용이 충실한 사전 / 국가 재정의 충실을 기하다. **—하다. —히.**
충실² (忠實) 마음이 곧아 충성스럽고 성실함. ㉲맡은 일에 충실하다 / 충실히 근무하다. **—하다. —히.**
충심¹ (忠心) 충성스러운 마음.
충심² (衷心) 마음에서 우러나오는 참된 마음. ㉲충심으로 환영하다 / 너의 성공을 충심으로 기원한다.
충원 (充員) 모자라는 사람의 수를 채움. ㉲인력 충원. **—하다.**
충의 (忠義) [— / 충이] 임금과 나라에 대한 충성과 의리.

충전 (充電) 축전지 따위에 전기를 채우는 일. ㉖건전지를 충전하다. ㉗방전. **―하다.**

충절 (忠節) 충성스러운 절개와 의리. ㉖충절을 지키다.

충정 (衷情) 마음에서 우러나오는 참된 정. ㉖충정으로 권고하다.

충족 (充足) **1** 넉넉하게 채워 모자람이 없게 함. ㉖욕구를 충족시키다. **2** 모자람이 없음. ㉖충족한 생활. **―하다. ―히.**

충주 (忠州) 〖지명〗 충청북도의 한 시. 수력 발전소가 있고, 담배 재배지로 유명함.

충주댐 (忠州dam) 충청북도 충주시에 있는 다목적 콘크리트 댐. 수력 발전을 하며, 경인 지구를 포함한 한강 유역에 물을 대어 줌.

충직하다 (忠直―) [충지카다] 충성스럽고 곧다. ㉖충직한 신하.

충천하다 (衝天―) **1** 하늘을 찌를 듯이 공중으로 높이 솟아오르다. ㉖화염이 충천하다. **2** 기개·기세 따위가 북받쳐 오르다. ㉖노기가 충천하다 / 사기가 충천하다.

충청남도 (忠淸南道) 〖지명〗 우리나라의 한 도. 한반도 중부의 남서쪽에 위치함. 넓은 평야가 많아서 농업이 발달하였음. 도청 소재지는 대전. ㉐충남.

충청도 (忠淸道) 〖지명〗 충청남도와 충청북도를 아울러 이르는 말.

충청북도 (忠淸北道) [충청북또] 〖지명〗 우리나라의 한 도. 한반도 가운데에 있으며, 바다와 맞닿은 곳이 없음. 지하자원이 풍부하며 광공업과 시멘트 공업이 발달함. 도청 소재지는 청주. ㉐충북.

충치 (蟲齒) 벌레 먹은 이. ㉖단것을 많이 먹으면 충치가 생긴다. ㉥삭은니.

충혈 (充血) 몸의 어느 한 부위에 피가 지나치게 많이 몰린 상태. ㉖눈이 충혈되다.

충효 (忠孝) 충성과 효도.

췌ː장 (膵臟) 위와 간 부근에 있는 기관. 길이는 약 15 cm이고, 탄수화물·단백질·지방 따위를 삭이는 효소를 냄. ㉥이자.

취ː급 (取扱) **1** 물건을 다룸. ㉖취급 주의. **2** 사람이나 사건을 어떤 태도로 대하거나 처리함. ㉖바보 취급을 당하다 / 강력 사건을 취급하다. **―하다.**

취ː기 (醉氣) 술에 취해 얼근해진 기운. ㉖취기가 오르다.

취ː득 (取得) 자기 것으로 만들어 가짐. ㉖학위 취득 / 운전면허증을 취득하다. **―하다.**

취ː락 (聚落) 사람들이 모여 사는 곳. 인가가 모여 있는 곳.

****취ː미** (趣味) **1** 즐기거나 좋아하여 하는 일. ㉖취미 생활을 하다. **2** 아름다움이나 멋을 감상하고 이해하는 능력. ➡ hobby

취ː사 (炊事) 음식을 만드는 일. ㉖취사 금지 구역 / 취사를 담당하다. **―하다.**

취ː사선택 (取捨選擇) 여럿 가운데서 쓸 것은 쓰고 버릴 것은 버림. ㉖유용한 정보를 취사선택하다. **―하다.**

취ː소 (取消) 약속하거나 발표했던 것을 없었던 것으로 함. ㉖점심 약속을 취소하다. **―하다.**

취ː약 (脆弱) 무르고 약함. ㉖취약 과목. **―하다.**

취ː업 (就業) ⇨취직. ㉖은행에 취업하다. ㉗실업. **―하다.**

취ː임 (就任) 맡은 자리에 처음으로 나아가 일을 봄. ㉖교장으로 취임하다. ㉗이임. **―하다.**

취ː입 (吹入) **1** 공기 따위를 불어넣음. **2** 레코드·녹음테이프 따위에 소리나 목소리를 녹음함. ㉖신곡을 취입하다. **―하다.**

취:재 (取材) 작품이나 기사 따위의 재료를 조사하여 얻음. (예)취재 기자 / 취재 경쟁을 벌이다 / 시위 현장을 취재하다. **—하다.**

취:조 (取調) 범죄 사실을 밝히기 위해 죄인이나 혐의자를 조사함. (비)문초. **—하다.**

취:주악 (吹奏樂) 금관 악기·목관 악기를 주체로 하고 타악기를 곁들여 연주하는 음악.

취:중 (醉中) 술에 취한 동안.

취:지 (趣旨) 근본이 되는 중요한 뜻. (예)취지를 설명하다.

취:직 (就職) 일자리를 얻음. (예)취직 시험 / 신문사에 취직하다. (비)취업. (반)실직. **—하다.**

취:침 (就寢) 잠을 잠. 잠자리에 듦. (예)취침 시간. (반)기상. **—하다.**

취:타 (吹打) 예전에 군대에서, 관악기와 타악기로 연주하던 일. 또는 그런 군악. 대취타와 소취타의 두 가지가 있음. **—하다.**

취:하 (取下) 신청했던 일이나 서류 등을 도로 거두어들임. (예)고소를 취하하다. **—하다.**

취:하다[1] (醉—) **1** 어떤 기운으로 정신이 흐려지고 몸을 제대로 움직일 수 없게 되다. (예)술에 취하다 / 잠에 취하다 / 약 기운에 취하여 잠만 자다. **2** 무엇에 열중하여 정신을 빼앗기다. (예)음악에 취하다.

*__취:하다__[2] (取—) **1** 자기의 것으로 만들어 가지다. (예)영양을 취하다 / 휴식을 취하다. **2** 어떤 행동을 하거나 자세를 보이다. (예)연락을 취하다 / 분명한 태도를 취하다. **3** 방법 등을 쓰거나 연구하다. (예)조처를 취하다.

취:학 (就學) 학교에 입학하여 공부함. (예)취학 아동. **—하다.**

취:항 (就航) 배나 비행기가 항로에 오름. (예)국제선 취항. **—하다.**

취:향 (趣向) 하고 싶은 마음이 생기는 방향. (예)취향이 다르다 / 취향에 맞게 골라 먹다.

측 (側) 어느 한쪽. (예)우리 측 / 젊은 측 / 학교 측의 의견.

측간 (廁間) [측깐] 뒷간. 변소.

측근 (側近) [측끈] **1** 곁의 가까운 곳. (예)측근에서 모시다. **2** 곁에서 가까이 모시는 사람. (본)측근자.

측량 (測量) [층냥] **1** 기계를 써서 물건의 높이·길이·넓이 등을 잼. (예)수심을 측량하다. **2** 생각하여 헤아림. (예)그의 마음을 측량할 수가 없다. (비)측정. **—하다.**

측면 (側面) [층면] **1** ⇨옆면. (예)측면을 공격하다. **2** 사실이나 현상의 한 부분. (예)교육적인 측면.

측면도 (側面圖) [층면도] 물체의 옆면에서 바라본 그림.

측우기 (測雨器) [츠구기] 비가 내린 양을 재는 기구. 조선 세종 24년(1442) 장영실이 발명함. 서양보다 200년이나 앞섬.

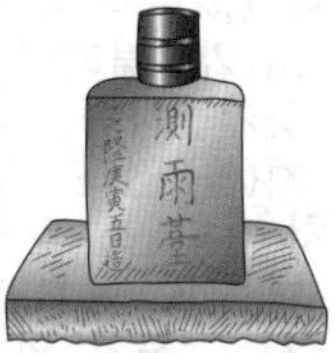

〈측우기〉

측은하다 (惻隱—) [츠근하다] 가엾고 불쌍하다. (예)딱한 사정을 듣고 보니 측은한 생각이 들었다.

측은히 (惻隱—) [츠근히] 측은하게. (예)측은히 바라보다.

*__측정__ (測定) [측쩡] 어떤 양의 크기를 기계나 장치를 써서 어떤 단위를 기준으로 하여 잼. (예)음주 측정 / 거리를 측정하다. (비)측량. **—하다.**

측정기 (測定器) [측쩡기] 측정하는 데 쓰이는 기구나 기계.

*__층__ (層) **1** 사물이 서로 같지 않아 생긴 차이. (예)두 사람의 실력은 층이 심하다. **2** 건물에서, 같은 높이를 이루는 부분. (예)꼭대기 층 / 아래 층에 살다. **3** 여러 겹으로 지은 건물에서, 같은 높이의 켜를 세는 말. (예)지

상 20층 빌딩 / 25층 아파트.

층계 (層階) [−/층게] 걸어서 층 사이를 오르내릴 수 있게 만든 설비. ⓔ층계를 오르다. 비 계단.

층수 (層數) [층쑤] 건물의 층의 수. ⓔ건물 층수를 제한하다.

층지다 (層—) 층이 나 있다. ⓔ머리를 층지게 깎다.

층층대 (層層臺) ⇨층계.

층층이 (層層—) **1** 여러 층으로 겹겹이. ⓔ돌을 층층이 쌓아 올리다. **2** 층마다. ⓔ층층이 화분을 놓다.

치[1] 일정한 몫이나 양. ⓔ이틀 치 양식 / 한 달 치의 임금이 밀리다.

치[2] 길이의 단위. 한 자의 10 분의 1. 약 3 cm.

치[3] 못마땅하거나 아니꼽거나 화날 때 내는 소리. ⓔ치, 제까짓 게 뭔데.

치[4] (齒) ⇨이[1]1.

치(가) 떨리다 몹시 분하거나 지긋지긋하다.

치(를) 떨다 치(가) 떨리다.

치- '위로 올라가는'의 뜻을 나타내는 말. ⓔ치닫다 / 치뜨다.

-치 '하지'의 준말. ⓔ만만치 않다. →-지 주의

치과 (齒科) [치꽈] 이를 전문적으로 치료·교정하는 의학의 한 분야.

치기 (稚氣) 어른이 된 뒤에도 남아 있는 어린아이 같은 기분이나 감정. ⓔ치기가 있다 / 치기 어린 행동.

***치다**[1] 바람·눈보라·물결·번개 따위가 세차게 움직이다. ⓔ눈보라가 치다 / 파도가 치다.

***치다**[2] **1** 손이나 물건을 가지고 무엇을 때리다. ⓔ뺨을 치다. **2** 소리를 내려고 무엇을 때리거나 두드리다. ⓔ피아노를 치다. **3** 공격하다. ⓔ적을 치다. **4** 몸·손·발·날개 따위를 심하게 움직이다. ⓔ몸부림을 치다 / 헤엄을 치다. **5** 손이나 물건으로 놀이나 운동을 하다. ⓔ배드민턴을 치다.

치다[3] **1** 점·줄을 나타내어 표시하다. ⓔ중요한 단어에 밑줄을 치다. **2** 우선 셈을 잡아 놓다. ⓔ속는 셈 치고 따라가다.

***치다**[4] **1** 적은 분량의 액체를 따르거나 가루 따위를 뿌려 넣다. ⓔ식초를 치다 / 소금을 치다. **2** 체질을 하여 고운 가루를 뽑아내다. ⓔ밀가루를 체에 치다.

***치다**[5] **1** 그물·발·줄 따위를 펴서 벌여 놓다. ⓔ장막을 치다 / 밧줄을 치다. **2** 칸막이·벽 따위를 둘러서 세우다. ⓔ병풍을 치다 / 담을 치다. **3** 소리를 기세 있게 내다. ⓔ고함을 치다 / 호통을 치다. **4** 좋지 않은 짓을 저지르다. ⓔ사고를 치다 / 뺑소니를 치다. **5** 몸을 흔들어 진저리를 몹시 내다. ⓔ진저리 치다.

치다[6] **1** 가축을 기르다. ⓔ돼지를 치다. **2** 식물이 가지를 내돋게 하다. ⓔ가지를 치기 시작하다. **3** 동물이 새끼를 낳다. ⓔ새끼를 치다. **4** 돈을 받고 남을 묵게 하다. ⓔ손님을 치다 / 하숙을 치다. **5** 지저분한 물건을 파내거나 그러내어 그 자리를 말끔하게 하다. ⓔ눈을 치다 / 변소를 치다. **6** 차나 수레 따위가 사람을 강한 힘으로 부딪고 지나가다. ⓔ자동차가 사람을 치다.

치다꺼리 **1** 일을 치러 내는 일. ⓔ손님 치다꺼리. **2** 남을 도와서 거드는 일. ⓔ자식 치다꺼리. **—하다**.

치닫다 [치닫따] **1** 위로 향해 달리거나 달려 올라가다. **2** 어떤 방향으로 힘차고 빠르게 나아가다. ⓔ골을 향해 힘차게 치달았다. 활용 치달아 / 치달으니 / 치닫는.

치뜨다 눈을 위쪽으로 뜨다. ⓔ눈을 매섭게 치뜨다. 반 내리뜨다. 활용 치떠 / 치뜨니.

치렁치렁 길게 드리워진 것이 가볍게 움직이는 모양. ⓔ머리를 치렁치렁 늘어뜨리다.

치렁치렁하다 드리운 물건이 땅에 닿을 만큼 부드럽게 늘어져 있다. ㉾치렁치렁한 치마를 두르다.

치레 **1** 잘 매만져서 모양을 내는 일. ㉾치레에 공을 들이다. **2** 무슨 일에 실속보다 겉을 보기 좋게 꾸며 드러냄. ㉾실속 없이 치레에만 치우친 행사였다. **―하다.**

*__치료__ (治療) 병이나 상처 따위에 손을 써서 낫게 함. ㉾응급 치료 / 불에 덴 곳을 치료하다. **―하다.**

치료법 (治療法) [치료뻡] 병이나 상처를 낫게 하는 방법.

치료비 (治療費) 병이나 상처를 낫게 하는 데 드는 비용.

치료제 (治療劑) 병 따위를 치료하기 위하여 쓰는 약제. ㉾신경통 치료제 / 여드름 치료제.

*__치르다__ **1** 주어야 할 돈을 내어 주다. ㉾값을 치르다. **2** 어떤 일을 겪다. ㉾시험을 치르다 / 장례식을 치르다. [활용] 치러 / 치르니.

*__치마__ 여자의 아랫도리에 입는 겉옷. ㉥ 저고리. ➲ skirt

치마저고리 여자들이 입는 한복 치마와 저고리.

치마폭 (―幅) 천을 이어 대어서 만든 치마의 너비.

치맛바람 [치마빠람 / 치맏빠람] **1** 치맛자락이 움직이는 서슬. **2** 여자의 극성스러운 활동의 비유. ㉾몇몇 엄마들이 치맛바람을 일으켰다.

치맛자락 [치마짜락 / 치맏짜락] 치마폭이 늘어진 부분.

치매 (癡呆) 지능·의지·기억 따위의 정신적인 능력이 불완전한 상태. ㉾치매에 걸리다.

치ː명상 (致命傷) **1** 목숨이 위험할 정도의 큰 상처. ㉾치명상을 입다. **2** 회복할 수 없을 정도의 큰 타격. ㉾이 일이 그에게 치명상이 됐다.

치ː명적 (致命的) 죽음·멸망에 이를 만큼 결정적인 (것). ㉾치명적인 사건에 휘말리다.

치밀다 **1** 아래에서 위로 힘차게 솟아오르다. **2** 욕심·분노·불길 따위가 세차게 일어나다. ㉾울화가 치밀다. **3** 위로 밀어 올리다. ㉥ 내리밀다. [활용] 치밀어 / 치미니 / 치미는.

치밀하다 (緻密―) **1** 자세하고 꼼꼼하다. ㉾치밀한 성격. **2** 썩 곱고 빽빽하다. ㉾무늬가 치밀하다.

치받다 [치받따] 세게 들이받다. ㉾과속하던 차가 앞차를 치받았다.

치받치다 **1** 밑을 버티어 위로 치밀다. ㉾장미를 막대로 치받치다. **2** 불길·연기 따위가 세차게 솟아오르다. ㉾불길이 치받치다.

치부[1] (恥部) 남에게 알리고 싶지 않은 부끄러운 부분.

치ː부[2] (置簿) 마음속으로 그러하다고 보거나 여김. ㉾미친 사람으로 치부하다. **―하다.**

치ː사[1] (致死) 죽음에 이르게 함. ㉾과실 치사. **―하다.**

치ː사[2] (致謝) 고맙다는 뜻을 나타냄. ㉾하객들에게 치사의 말을 하다. **―하다.**

치사랑 손윗사람에 대한 사랑. ㉥ 내리사랑.

치사하다 (恥事―) 행동이나 말 따위가 쩨쩨하고 남부끄럽다. ㉾치사하게 매달리고 싶지 않다.

치석 (齒石) 이의 안팎이나 틈에 침에서 분비된 석회분이 엉겨 붙어 단단하게 굳어진 물질.

치ː성 (致誠) **1** 있는 정성을 다함. **2** 신이나 부처에게 정성을 다하여 빎. ㉾치성을 드리다. **―하다.**

치솟다 [치솓따] 위로 힘차게 솟다. ㉾불길이 치솟다.

*__치수__ (―數) 물건의 길이나 크기. ㉾발 치수 / 양복 치수를 재다.

치아 (齒牙) '이[1]1'를 점잖게 이르는 말. ㉾치아가 가지런하다.

치안 (治安) **1** 나라를 편안하게 다

스림. 또는 그런 상태. **2** 국가 사회의 안녕과 질서를 유지하고 보전함. (예)치안 유지.

치약 (齒藥) 이를 닦는 데 쓰는 약.

치열[1] (齒列) 이가 죽 박혀 있는 모양새. (예)치열이 고르다.

치열[2] (熾烈) 기세나 세력이 불길같이 세차고 사나움. (예)치열한 경쟁. **—하다. —히.**

치외 법권 (治外法權) [—법꿘] 다른 나라의 영토 안에 있으면서 그 나라의 지배를 받지 아니하는 국제법에서의 권리.

치욕 (恥辱) 부끄러움과 욕됨. (예)치욕을 당하다.

***치우다** **1** 물건을 다른 데로 옮기다. (예)의자를 치우다. **2** 청소하거나 정리하다. (예)방을 치우다. [준] 치다.

치우치다 균형이 맞지 않고 한쪽으로 쏠려 있다. (예)감정에 치우치다. [비] 쏠리다.

치유 (治癒) 병을 치료하여 낫게 함. **—하다.**

치읓 [치읃] 한글 자모 'ㅊ'의 이름. [발음] 치읓이[치으시] / 치읓을[치으슬] / 치읓에[치으세].

치이다 덫이나 무거운 물건에 부딪히거나 눌리다. (예)자동차에 치이다. [준] 치다.

치:자나무 (梔子—) 꼭두서닛과에 속하는 상록 활엽 관목. 높이 2~3 m 가량으로 7월에 흰 꽃이 핌. 열매는 '치자'라 하여 약재나 염료로 씀.

치장 (治粧) 잘 매만져서 곱게 꾸밈. (예)아름답게 치장한 새색시. [비] 단장. **—하다.**

치졸하다 (稚拙—) 유치하고 졸렬하다. (예)치졸한 생각.

치:중 (置重) 어떤 것에 특히 중점을 둠. (예)공부에 치중하다. **—하다.**

치즈 (cheese) 우유 속에 있는 단백질을 뽑아 굳혀 발효시킨 식품.

치질 (痔疾) 항문의 안팎에 나는 병을 통틀어 이르는 말.

치켜들다 위로 올려 들다. (예)손을 번쩍 치켜들다. [활용] 치켜들어 / 치켜드니 / 치켜드는.

치켜뜨다 눈을 아래에서 위로 올려 뜨다. (예)눈을 치켜뜨고 덤비다. [활용] 치켜떠 / 치켜뜨니.

치켜세우다 정도 이상으로 칭찬하여 주다. →추어올리다 [참고]

치키다 위로 끌어 올리다. (예)바지를 치켜 입다.

치킨 (chicken) '프라이드치킨'의 준말.

치타 (cheetah) 고양잇과에 속하는 표범의 하나. 몸길이 1.4 m 정도로, 다리는 가늘고 길며 귀는 짧음. 몸빛은 황갈색이며 둥근 검은색 무늬가 있음. 짐승 중 가장 빨리 달림.

〈치타〉

치통 (齒痛) 이가 아픈 증세. [비] 이앓이.

치하[1] (治下) 다스리는 범위의 안. (예)일제 치하.

치:하[2] (致賀) 남의 좋은 일에 대하여 축하함. (예)공로를 치하하다. **—하다.**

칙칙폭폭 증기 기관차가 달릴 때 연기를 뿜으면서 내는 소리.

칙칙하다 [칙치카다] 빛깔이 맑지 못하고 컴컴하고 어둡다. (예)칙칙한 빛깔.

친- (親) **1** 겨레붙이를 일컬을 때, '직접·가까운'의 뜻을 나타내는 말. (예)친할아버지 / 친동생. **2** 어떤 말 앞에 붙어 그것과 친근함을 나타내는 말. (예)친일파 / 친정부.

친가 (親家) ⇨친정.

친교 (親交) 남과 친밀하게 사귐. (예)친교를 맺다 / 친교가 두텁다.

***친구** (親舊) 오래 두고 가깝게 사귄

벗. ⓔ친구와 다투다. 비 벗. 동무. 친우. friend

친권 (親權) [친꿘] 부모가 미성년인 자식에 대해 가지는, 신분상·재산상의 여러 권리와 의무.

친근감 (親近感) 친근한 느낌. ⓔ친근감을 주다 / 친근감이 들다.

친근하다 (親近—) 사이가 매우 가깝고 다정하다. ⓔ형제처럼 친근한 사이 / 이웃과 친근하게 지내다.

친동생 (親—) 부모가 같은 동생.

친딸 (親—) 자기가 낳은 딸.

친목 (親睦) 서로 친하여 뜻이 맞고 정다움. ⓔ친목회 / 친목을 도모하다. **—하다.**

친밀하다 (親密—) 서로 지내는 사이가 아주 가깝고 친하다. ⓔ친밀하게 지내다.

친부모 (親父母) 자기를 낳은 아버지와 어머니. 비 실부모. 친어버이.

친분 (親分) 매우 가깝게 느끼는 따뜻한 마음. ⓔ친분이 두텁다.

친서 (親書) **1** 어른이 손수 쓴 편지. **2** 한 나라의 국가 원수가 다른 나라의 국가 원수에게 보내는 공식적인 편지.

친선 (親善) 서로 친하여 사이가 좋음. ⓔ친선 경기.

친손녀 (親孫女) 자기 아들의 딸. 반 외손녀.

친손자 (親孫子) 자기 아들의 아들. 반 외손자.

친숙하다 (親熟—) [친수카다] 친하여 익숙하고 허물이 없다. ⓔ친숙한 사이.

친아들 (親—) [치나들] 자기가 낳은 아들.

친아버지 (親—) [치나버지] 자기를 낳은 아버지. 비 생부. 친부.

친애 (親愛) [치내] 대단히 사랑함. ⓔ친애하는 국민 여러분. **—하다.**

친어머니 (親—) [치너머니] 자기를 낳은 어머니. 비 생모. 친모.

친언니 (親—) [치넌니] 부모가 같은 언니.

친엄마 (親—) [치넘마] 자기를 낳은 엄마. 비 친어머니.

친우 (親友) [치누] 가까운 친구. 친한 벗. 비 벗. 친구.

친일파 (親日派) [치닐파] **1** 일본과 친한 무리. **2** 일제 강점기에, 일본의 앞잡이가 되어 우리 겨레에 해를 끼친 무리. ⓔ친일파를 처단하다.

친자식 (親子息) 자기가 낳은 아들이나 딸. 비 친자.

*__친절__ (親切) 태도가 매우 정답고 고분고분함. ⓔ친절한 사람 / 친절을 베풀다 / 친절히 가르치다. 반 불친절. **—하다. —히.**

친정 (親庭) 결혼한 여자의 본집. ⓔ친정에 자주 드나들다. 비 친가. 반 시집.

친족 (親族) 촌수가 가까운 일가. 비 친척.

친지 (親知) 서로 잘 알고 가깝게 지내는 사람. ⓔ여러 친지들을 모시고 피로연을 베풀다.

*__친척__ (親戚) 같은 조상의 친족과 외가 쪽의 사람들. ⓔ친척간의 정분이 깊다. 비 친족.

친친 실이나 끈 따위로 꼭꼭 감거나 동여매는 모양. ⓔ머리에 붕대를 친친 감다.

친필 (親筆) 손수 쓴 글씨. ⓔ친필로 서명하다 / 친필로 쓴 편지. 비 육필. 진필.

*__친하다__ (親—) 가까이 사귀어 정이 두텁다. ⓔ친한 친구.

친할머니 (親—) 아버지의 친어머니. 비 친조모.

친할아버지 (親—) [친하라버지] 아버지의 친아버지. 비 친조부.

친형 (親兄) 한 부모에게서 난 형.

친형제 (親兄弟) 한 부모에게서 난 형제.

친화력 (親和力) 다른 사람들과 친

하게 잘 어울리는 능력.

친히 (親—) **1** 친하게. (예)친히 지내다. **2** 몸소. 손수. (예)친히 만들다.

칠[1] (漆) 물건의 겉에 발라 썩는 것을 막거나 광택이나 색깔을 내는 데 쓰는 물질. 또는 그것을 바르는 일. (예)칠이 벗겨지다 / 크레용을 칠하다 / 대문에 페인트를 칠하다. [비] 도료. **—하다.**

*__칠__[2] (七) 일곱. (예)칠 개월. ➲ seven

칠기 (漆器) 옻칠과 같이 검은 잿물을 입힌 도자기.

칠레 (Chile) 〖국명〗 남아메리카의 남서부 태평양 쪽에 있는 공화국. 구리·칠레 초석·금·은 따위의 광산물이 풍부함. 삼림 자원이 많고 어업도 성함. 수도는 산티아고.

칠면조 (七面鳥) 칠면조과의 큰 새. 머리와 목에는 털이 없고 그 빛이 여러 가지로 변함. 몸빛은 백색·검정색 등이 있고, 등은 황갈색, 다리는 붉고, 부리는 연한 회색임. 고기는 식용함.

〈칠면조〉

칠보 (七寶) 금·은이나 구리 따위의 바탕에 갖가지 빛의 에나멜을 녹여 붙여서 꽃·새·인물 따위 무늬를 나타낸 세공.

칠석 (七夕) [칠썩] 음력 칠월 초이렛날의 밤. 이날은 은하 동쪽의 견우와 서쪽의 직녀가 오작교에서 만난다는 전설이 있음.

칠순 (七旬) [칠쑨] 일흔 살. (예)칠순 노인 / 칠순 잔치를 치르다.

칠십 (七十) [칠씹] 일흔. (예)칠십 명 / 칠십 세.

칠월 (七月) [치뤌] 한 해 중의 일곱 번째 달. ➲ July

칠전팔기 (七顚八起) [칠쩐팔기] 일곱 번 넘어지고 여덟 번 일어난다는 뜻으로, 여러 번 실패해도 다시 일어나 꾸준히 노력함을 이르는 말.

칠칠맞다 [칠칠맏따] 성질이나 일처리가 반듯하고 야무지다. (예)칠칠맞지 못하다고 타박하다. [참고] 주로 '칠칠맞지 못하다'로 씀.

칠칠하다 **1** 성질이나 일 처리가 반듯하고 야무지다. (예)사람이 칠칠치 못하다. **2** 주접이 들지 않고 깨끗하다. (예)칠칠하지 못한 옷차림. [참고] 주로 '칠칠하지 못하다'로 씀.

*__칠판__ (漆板) 초록색 따위로 칠하여 분필로 글씨를 쓰거나 그림을 그리게 만든 널조각. (예)칠판에 낙서하다. [비] 흑판. ➲ blackboard

칠흑 (漆黑) 검고 광택이 있음. 또는 그 빛깔. (예)칠흑 같은 밤.

칡 [칙] 콩과의 여러해살이풀. 산기슭에 덩굴을 뻗어 나가며 뿌리는 녹말이 많아 식용하거나 한약의 재료로 씀.

〈칡〉

칡넝쿨 [칭넝쿨] ⇨칡덩굴.

칡덩굴 [칙떵굴] 칡의 벋은 덩굴.

*__침__[1] 입 안의 침샘에서 생기는 끈기 있는 분비물. (예)침을 뱉다. [비] 타액.

침(을) 삼키다〔흘리다〕 ㉠음식 따위를 몹시 먹고 싶어하다. ㉡자기 것으로 만들고 싶어 몹시 탐내다.

침이 마르다 다른 사람이나 물건에 대해 말을 아주 많이 하다. (예)침이 마르게 자식 자랑을 하다.

침[2] (針) 바늘.

침[3] (鍼) 병을 고치는 데 쓰는 바늘.

침강 (沈降) 밑으로 가라앉음. (예)침강 해안. **—하다.**

침:공 (侵攻) 남의 영토를 범하여 공격함. **—하다.**

침:구 (寢具) 잠자는 데 쓰는 물건. 이부자리·베개 따위.

침:낭 (寢囊) 겹으로 된 천 사이에 솜이나 깃털 따위를 넣고 자루처럼

만든 침구. 주로 야영할 때 씀.

***침:대** (寢臺) 누워 자도록 만든 서양식의 잠자리. ➲ bed

***침:략** (侵略) [침냑] 남의 나라를 쳐들어가 땅을 빼앗음. ㉠침략을 당하다 / 적의 침략에 대비하다. 비 침범. **—하다.**

침몰 (沈沒) 물속에 가라앉음. ㉠배가 침몰하다. **—하다.**

***침묵** (沈默) 말없이 잠잠히 있음. ㉠침묵을 지키다. **—하다.**

침:범 (侵犯) 남의 영토나 권리 따위에 해를 끼침. ㉠사생활을 침범하다 / 영공을 침범하다. 비 침노. 침략. **—하다.**

침봉 (針峰) 꽃꽂이에서, 굵은 바늘이 촘촘히 꽂혀 있어 나뭇가지나 꽃의 줄기를 꽂아 고정시키는 도구.

침:상 (寢牀) 누워 잘 수 있게 만든 평상. ㉠침상에 눕다. 비 침대.

침샘 침을 내보내는 샘.

침:수 (浸水) 물에 젖거나 잠김. ㉠침수 가옥. **—하다.**

침술 (鍼術) 침을 놓아 병을 치료하는 한방 의술.

침:식[1] (浸蝕) 빗물이나 흐르는 물이 땅을 깎아 내거나 산을 무너뜨리는 작용. ㉠침식 작용. 반 퇴적. **—하다.**

침:식[2] (寢食) 잠자는 일과 먹는 일. ㉠침식을 해결하다. 비 숙식. **—하다.**

침:실 (寢室) 잠을 자도록 마련된 방. ➲ bedroom

침엽수 (針葉樹) [치멉쑤] 잎이 바늘처럼 가늘고 길며 끝이 뾰족한 나무. 소나무·잣나무·향나무 따위. 비 바늘잎나무. 반 활엽수.

침울하다 (沈鬱—) [치물하다] **1** 걱정이나 근심 따위에 잠겨 밝지 못하고 우울하다. ㉠침울한 표정. **2** 날씨·분위기 등이 어둡고 음산하다. ㉠침울한 날씨.

침:입 (侵入) [치밉] 침범하여 들어오거나 들어감. ㉠적군의 침입. **—하다.**

침전 (沈澱) 액체 속에 섞인 앙금 따위가 밑바닥에 가라앉음. 또는 그 물질. **—하다.**

침착 (沈着) 행동이 들뜨지 않고 차분함. ㉠침착하게 행동하다. **—하다. —히.**

침체 (沈滯) 일이 잘 진전되지 않음. ㉠침체한 분위기 / 선수들의 사기가 침체되다. **—하다.**

침침하다 (沈沈—) **1** 어둡거나 흐리다. ㉠날씨가 침침하다. **2** 눈이 어두워 보이는 것이 흐릿하다. ㉠눈이 침침하다.

침통하다 (沈痛—) 마음이 몹시 괴롭고 슬프다. ㉠침통한 얼굴 / 침통한 목소리로 말하다.

침:투 (浸透) **1** 어떤 곳에 몰래 숨어 들어감. ㉠간첩 침투 / 야간 침투 작전. **2** 세균이나 병균 따위가 몸속에 들어옴. ㉠세균의 침투로 상처가 곪다. **—하다.**

침팬지 (chimpanzee) 원숭이의 한 종류. 키 1.5 m 정도. 털은 검은 갈색이고, 주로 과실을 먹음. 원숭이 종류 중에서 지능이 가장 발달했음.

〈침팬지〉

침:해 (侵害) 침범하여 손해를 끼침. ㉠사생활 침해. **—하다.**

칩 (chip) 집적 회로를 부착한 반도체의 작은 조각.

칩거 (蟄居) [칩꺼] 나가서 활동하지 않고 집 안에만 죽치고 있음. ㉠칩거 생활을 하다. **—하다.**

***칫솔** (齒—) [치쏠 / 칟쏠] 이를 닦는 데 쓰는 솔. ㉠칫솔질 / 칫솔로 이를 닦다. ➲ toothbrush

칭기즈 칸 (Chingiz Khan) 〖인명〗

몽고를 세운 중국 원나라의 태조. 본명은 테무친. 한자로는 성길사한(成吉思汗). 동서양에 걸친 대제국을 세움. [1167-1227]

칭송 (稱頌) 잘한 일이나 좋은 일에 대해 칭찬함. 또는 그런 말. ㉠칭송이 자자하다. ㊥ 칭찬. **—하다.**

칭얼거리다 어린아이가 몸이 불편하거나 마음에 못마땅하여 짜증을 내면서 자꾸 보채다. ㉧ 징얼거리다. ㉨ 찡얼거리다.

*__칭찬__ (稱讚) 좋은 점을 일컬어 기림. 잘한다고 추어 줌. ㉠칭찬을 듣다 / 칭찬의 소리가 높다. ㊥ 칭송. **—하다.**

칭칭 ⇨친친. ㉠붕대로 칭칭 동여매다 / 끈으로 칭칭 묶다.

칭하다 (稱—) 일컫다. 부르다. ㉠ 그는 스스로를 천재라고 칭했다.

칭호 (稱號) 어떠한 뜻으로 일컫는 이름. ㉠그는 힘이 세어 천하장사라는 칭호를 얻었다. ㊥ 명칭.

ㅋ

ㅋ (키읔[키윽]) 한글 닿소리의 열한째 글자.

카나리아 (canaria) 되샛과의 새. 종달새와 비슷하며, 몸빛은 보통 황색이며 겨드랑이 부분에 흑색 얼룩무늬가 있음. 방울소리처럼 아름답게 울어 관상용으로 많이 기름.

〈카나리아〉

카네이션 (carnation) 석죽과의 여러해살이 풀. 남유럽 원산인데, 높이는 30-90 cm, 여름에 향기 있는 붉은색·흰색의 고운 겹꽃이 피며, 어버이날에 이 꽃을 가슴에 다는 풍습이 있음.

〈카네이션〉

카누 (canoe) 나무껍질·짐승 가죽·통나무·갈대 따위로 만든 좁고 긴 작은 배.

***카드** (card) **1** 그림이나 글자 장식이 인쇄된 우편물의 하나. 엽서·연하장 따위. ㉎크리스마스카드. **2** 주로 플라스틱으로 만들어진 사각형의 조각에 자성체 물질이나 칩을 사용하여 각종 정보를 기록하여 내용을 증명하거나 신용 거래에 쓰는 표. ㉎신용 카드 / 현금 인출 카드. **3** 어떤 사항을 적어 자료로 보관하는 종이. ㉎도서 목록 카드 / 자료 카드. **4** 카드놀이에 쓰이는 패. **5** 특정한 기능을 갖추어 컴퓨터의 확장 슬롯에 꽂아 사용하게 만든 전자 회로판. ㉎사운드 카드.

카디건 (cardigan) 앞자락을 단추로 채우게 된, 털로 짠 스웨터.

카랑카랑하다 목소리가 쇳소리같이 맑고 높다.

카레 (←curry) **1** 강황·후추·생강·마늘 따위로 만든 노랗고 매운 조미료. **2** '카레라이스'의 준말.

카레라이스 (←curried rice) 인도 요리의 하나. 고기와 채소 따위를 볶다가 물에 알맞게 푼 카레를 섞어서 걸쭉한 국물로 만들어 쌀밥에 끼얹어 먹음. ㊟카레.

카리스마 (charisma) 많은 사람들을 휘어잡는 능력이나 자질.

카메라 (camera) 사진을 찍는 기계. 촬영기. 사진기.

카메라맨 (cameraman) **1** 신문·잡지의 사진 기자. **2** 텔레비전·영화의 촬영 기사.

카멜레온 (chameleon) 파충류의 하나. 네 다리와 꼬리가 길며 발가락은 나무를 잡기에 알맞고 긴 혀로 곤충을 잡아먹음. 몸빛은 환경·광선·온도 등에 따라 쉽게 변함.

〈카멜레온〉

카세트 (cassette) **1** 녹음기에 넣어 소리나 음악을 들을 수 있게 만든 녹음테이프. ㊔카세트테이프. **2** 카세트테이프를 사용하여 소리를 녹음하거나 재생할 수 있게 만든 장치. ㊔카세트테이프리코더.

카스텔라 (포 castella) 밀가루에 거품을 낸 달걀과 설탕을 넣고 반죽하여 구운 빵.

카스트 (caste) 인도의 신분 제도. 승려 계급인 브라만, 귀족과 무사 계급인 크샤트리아, 평민인 바이샤, 노예 계급인 수드라로 나뉨.

카시오페이아자리 (Cassiopeia—) 북극성을 중심으로 북두칠성의 맞은편에 있는 별자리. 늦가을 저녁에 다섯 개의 별이 '더블유(W)' 자 모양으로 보임.

카우보이 (cowboy) 주로 미국 서부의 목장에서 말을 타고 일하는 남자를 일컫는 말.

카운슬러 (counselor) 심리적인 문제나 고민이 있는 사람과 상담을 전문적으로 하는 사람. 상담원.

카운터 (counter) 식당·상점 따위에서, 값을 계산하는 곳. ㉠계산은 카운터에서 하십시오.

카운트 (count) **1** 운동 경기 따위의 득점 계산. **2** 권투에서, 녹다운한 경우에 초를 재는 일. **—하다.**

카카오 (에 cacao) 카카오나무의 열매. 오이 모양으로 생겼으며, 코코아와 초콜릿의 원료로 씀.

〈카카오〉

카타르시스 (그 catharsis) 마음속에 억눌린 감정을 밖으로 풀어내어 정신의 안정이나 균형을 찾는 일.

카탈로그 (catalog) 작은 책자로 된 상품 안내서. ㉠카탈로그를 보고 물건을 주문하다.

카톨릭 '가톨릭 (Catholic)' 의 잘못.

카페 (프 café) 커피나 음료, 술 및 간단한 서양 음식을 파는 집.

카페인 (caffeine) 커피의 열매나 잎, 카카오와 차의 잎 등에 들어 있는 성분. 많이 사용하면 중독 증상을 일으킴.

카펫 (carpet) ⇨양탄자.

카피 (copy) **1** 복사. ㉠디스켓을 카피하다. **2** 광고의 문안. **—하다.**

칵 목구멍에 걸린 것을 뱉으려고 목청에 힘을 주어 내는 소리. ㉠가래침을 칵 뱉다.

칵테일 (cocktail) 몇 가지 양주와 음료를 알맞게 섞어 만든 술.

***칸** **1** 사방을 둘러막은 그 선의 안. ㉠시험지 칸을 채우다. **2** 건물·기차 안·책장 등에서 일정한 크기나 모양으로 둘러막아 생긴 공간. ㉠앞 칸 / 책장 맨 위 칸. **3** 집의 칸살을 세는 말. ㉠방 한 칸.

칸나 (canna) 칸나과의 여러해살이 풀. 줄기는 넓적하며 높이는 2 m가량. 잎은 타원형으로 끝이 뾰족함.

***칸막이** [칸마기] 방 따위의 공간을 가로질러 사이를 막음. 또는 그 막은 물건. **—하다.**

칸살 **1** 일정한 규격으로 둘러막은 건물의 공간. ㉠칸살이 널찍하다. **2** 사이를 띄운 거리.

칸타빌레 (이 cantabile) 악보에서, '노래하듯이' 의 뜻.

칸트 (Kant, Immanuel) 〖인명〗 독일의 철학자. 근대 철학의 아버지로 불림. 저서에 '순수 이성 비판·실천 이성 비판' 따위가 있음. [1724-1804]

***칼**[1] 물건을 베거나 썰거나 깎는 데 쓰는 연장. ㉠칼을 갈다. ➲knife

칼[2] 예전에, 죄인에게 씌우던 형틀. 기름한 널빤지의 한끝에 구멍을 뚫어 죄인의 목을 끼우고 나무 비녀장을 지르게 되었음.

칼국수 [칼국쑤] 밀가루를 반죽하여 방망이로 얇게 밀어서 칼로 가늘게 썰어 만든 국수. ㉥틀국수.

칼날 [칼랄] 칼의 날카로운 부분으로, 물건을 베는 쪽.

칼라 (collar) 양복이나 와이셔츠 따위의 깃. ㉠칼라를 세우다.

칼럼 (column) 신문·잡지 따위에서, 시사·사회·풍속 따위를 짧고 간단하게 평하는 난.

칼로리 (calorie) **1** 음식을 소화했을 때 몸 안에서 생기는 열량. (예)칼로리 소모량. **2** 음식의 열량을 나타내는 단위《기호는 Cal》. (예)칼로리가 높은 음식.

칼륨 (독 Kalium) 은백색의 연한 알칼리 금속 원소. 은빛이 나고 부스러지기 쉬운 화합물.

칼바람 몹시 차고 매서운 바람. (예)칼바람이 몰아치다.

칼부림 칼을 함부로 내저어 상대편을 해치려는 짓. **—하다**.

칼슘 (calcium) 산에 잘 녹는 은백색의 가벼운 금속 원소. 동물 뼈의 주성분을 이룸.

칼싸움 칼이나 칼 모양의 것을 가지고 하는 싸움. [준]칼쌈. **—하다**.

칼자루 [칼짜루] 칼을 안전하게 쥐게 만든 부분.

칼자루(를) 쥐다 상대방보다 유리한 입장에 있다. 어떤 일이나 상황의 결정권이 있다.

칼질 칼로 물건을 깎거나 썰거나 베는 따위의 일. (예)칼질이 서투르다. **—하다**.

칼집[1] [칼찝] 칼날을 보호하기 위해 칼의 몸을 꽂아 넣어 두는 물건.

칼집[2] [칼찝] 요리를 만들 재료에 칼로 가볍게 에어서 낸 자국. (예)생선에 칼집을 내다.

칼춤 칼을 들고 추는 춤. [비]검무.

칼칼하다 **1** 목이 말라서 무엇을 마시고 싶은 생각이 간절하다. (예)시원한 물로 칼칼한 목을 축이다. **2** 목소리가 조금 쉰 듯하고 거친 느낌이 있다. **3** 맵고 텁텁하여 목을 자극하다. [큰]컬컬하다.

캄보디아 (Cambodia) 〘국명〙 인도차이나 반도에 있는 나라. 농업국으로 쌀·고무가 주산물임. 수도는 프놈펜.

*__캄캄하다__ **1** 몹시 어둡다. (예)캄캄한 지하실. [큰]컴컴하다. **2** 희망이 없다. (예)앞날이 캄캄하다. **3** 정보·소식 따위를 전혀 알지 못하다. (예)컴퓨터에 대해서는 캄캄하다.

캐나다 (Canada) 〘국명〙 북아메리카의 북부에 있는 영연방 국가. 국토 면적은 세계 제2위이며, 니켈·아연·금·구리 등의 자원이 풍부함. 수도는 오타와.

캐ː내다 **1** 땅속에 묻힌 것을 파내다. (예)석탄을 캐내다. **2** 자세히 따져 물어서 속 내용을 알아내다. (예)비밀을 캐내다.

*__캐ː다__ **1** 땅에 묻힌 물건을 파내다. (예)감자를 캐다. **2** 모르는 일을 자꾸 찾아 밝혀내다. (예)뒤를 캐다.

캐러멜 (caramel) 설탕에 우유·초콜릿·커피 따위를 넣고 고아서 굳힌 과자. ×카라멜.

캐럴 (carol) 크리스마스에 부르는 성탄 축하곡. (예)성탄절을 앞두고 거리에는 캐럴이 울려 퍼졌다.

캐럿 (carat) **1** 보석의 무게를 다는 단위. 1캐럿은 약 205 mg에 해당함《기호는 K, ct》. **2** 금의 순도를 나타내는 단위. 순금을 24캐럿으로 침《기호는 K, kt》.

캐릭터 (character) 소설·만화·연극 등에 등장하는 독특한 인물이나 동물의 모습을 디자인한 것. 장난감·문구·아이들의 옷 따위에 많이 씀. (예)만화 캐릭터.

캐ː묻다 [캐묻따] 꼬치꼬치 따지듯이 자세히 묻다. (예)결석한 이유를 캐묻다. [본]캐어묻다.

캐비닛 (cabinet) 귀중품·사무용품 따위를 넣어 보관하는 장.

캐스터 (caster) 텔레비전 뉴스 따위의 진행을 맡은 사람. (예)뉴스 캐스터 / 기상 캐스터.

캐스터네츠 (castanets) 나무나

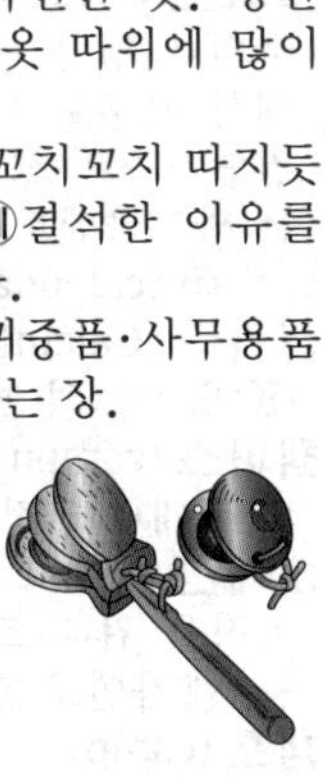

〈캐스터네츠〉

상아로 만든, 두 짝의 조가비 모양의 타악기. 손가락에 끼워 맞부딪쳐서 소리를 냄.

캐스팅 (casting) 연극이나 영화에서 역을 정하는 일. 또는 그 배역. ㉮드라마의 주인공으로 캐스팅되다. **—하다.**

캐어묻다 [캐어묻따] 깊이 파고들어 묻다. ㉮그간의 행적을 꼬치꼬치 캐어묻다 / 약속을 어긴 이유를 캐어묻다. ㊣캐묻다. 활용 캐어물어 / 캐어물으니 / 캐어묻는.

캐주얼 (casual) 옷차림이 간편함. 또는 그런 옷. ㉮캐주얼한 복장. **—하다.**

캐처 (catcher) ⇨포수². ㊥피처.

캑캑거리다 [캑캑꺼리다] 목구멍에 무엇이 걸리거나 숨이 막혀서 잇따라 '캑캑' 소리를 내다.

캔 (can) 음식물을 넣고 꽉 막은 원통 모양의 금속 용기. 깡통. ㉮캔 커피 / 캔 맥주.

캔디 (candy) 설탕이나 엿을 굳혀서 만든 과자. 봉봉·드롭스·캐러멜·초콜릿·누가 따위.

캔버스 (canvas) 유화를 그릴 때 쓰는 천. 삼베 같은 천에 아교나 카세인 따위를 바름.

캘리포니아 (California) 〖지명〗 미국의 태평양 연안에 있는 주. 지중해성 기후로 농업이 성하며, 석유·천연가스의 생산지이기도 함. 주도는 새크라멘토.

캘린더 (calendar) ⇨달력.

캘커타 (Calcutta) 〖지명〗 '콜카타(Kolkata)'의 옛 지명.

캠퍼스 (campus) 학교, 특히 대학의 구내나 교정.

캠페인 (campaign) 사회적·정치적 목적을 위해 조직적으로 행하는 운동. ㉮자연보호 캠페인을 벌이다.

캠프 (camp) 휴양·훈련 따위를 위하여 산이나 들에 지은 임시 천막. 또는 거기서 지내는 생활.

캠프파이어 (campfire) 야영지에서 밤에 피우는 모닥불. 또는 그것을 둘러싸고 노는 것.

캠핑 (camping) 산·들·바닷가에서 하는 천막 생활. 야영. ㉮동해안으로 캠핑을 가다. **—하다.**

캡션 (caption) 삽화나 사진 따위에 붙는 짧은 설명문.

캡슐 (capsule) **1** 가루약 따위를 넣어 먹는 데 쓰는, 얇은 막으로 만든 껍데기. **2** 우주 비행체 따위에 쓰는, 물·공기·열 등이 통하지 않게 만든 용기. ㉮타임캡슐.

캥거루 (kangaroo) 캥거루과의 동물. 오스트레일리아 특산종임. 앞다리는 짧으나 뒷다리는 길고 튼튼하여 잘 뜀. 아랫배에 새끼를 넣어 기르는 주머니가 있음.

〈캥거루〉

커녕 그것은 고사하고 그만 못한 것도 될 수 없다는 뜻을 나타내는 말. ㉮밥커녕 죽도 못 먹었다.

커닝 (cunning) 시험 중에 감독자 몰래 책이나 남의 것을 보는 행위. ㉮커닝하다가 들키다. **—하다.**

***커:다랗다** [커다라타] 매우 크다. 아주 큼직하다. ㉮커다란 눈. ㊣커닿다. 활용 커다라니 / 커다래서.

커뮤니케이션 (communication) 말이나 글 또는 몸짓 따위를 이용한 의사소통.

커버 (cover) 무엇을 덮거나 싸는 물건. ㉮책 커버 / 침대 커버.

커버 글라스 (cover glass) 현미경의 슬라이드 글라스 위의 표본을 덮는 얇은 유리 조각. 덮개 유리. ㊥슬라이드 글라스.

커브 (curve) **1** 길·선로 따위의 굽

은 곳. ㉑커브를 돌아 큰길로 나오다. **2** 야구에서, 투수가 던진 공이 타자 가까이에 와서 휘는 일. 또는 그런 공. ㉑커브를 던지다.

커서 (cursor) 컴퓨터가 명령을 받아들일 준비가 되어 있거나 다음 글자가 입력될 위치를 나타내는 표시.

커터 (cutter) 자르거나 깎는 데 쓰는 도구.

커트 (cut) **1** 머리카락을 자르는 일. 또는 그 머리 모양. ㉑커트 머리가 유행하다. **2** 탁구·테니스에서 공을 비스듬히 깎아 치는 일. **—하다.**

커트라인 (cut+line) 시험에서 합격권에 든 마지막 점수. ㉑커트라인이 높다.

커튼 (curtain) **1** 문이나 창에 치는 휘장. ㉑커튼을 치다. **2** 무대의 막.

커플 (couple) 짝이 되는 남녀 한 쌍. ㉑캠퍼스 커플.

커피 (coffee) 커피나무 열매의 씨를 볶아 갈아서 만든 가루. 또는 끓는 물에 이것과 설탕·우유 따위를 넣어 만든 차. 독특한 향기와 쓴맛이 있음.

커피숍 (coffee shop) 차류·음료수·커피 따위를 팔면서, 이야기하거나 쉴 수 있게 꾸며 놓은 가게. 다방. 찻집.

> 참고 '커피숖'으로 잘못 쓰는 경우가 많다. '외래어 표기법'에 받침에는 ㄱ, ㄴ, ㄹ, ㅁ, ㅂ, ㅅ, ㅇ 만을 쓴다고 규정하고 있다. ㅍ은 외래어 표기에서 받침으로 쓰지 않는다.

컨디션 (condition) **1** 몸의 건강이나 기분 따위의 상태. ㉑컨디션 조절 / 컨디션이 좋다. **2** 주위의 상황. 사정. ㉑그라운드 컨디션.

컨베이어 (conveyor) 물건을 연속적으로 운반하는 띠 모양의 장치.

컨테이너 (container) 화물 운송에 쓰이는 큰 상자. 짐을 꾸리지 않고 넣어 그대로 배·기차에 실어 보냄.

컨트롤 (control) **1** 정도가 지나치지 않게 조절함. ㉑감정을 컨트롤하다. **2** 야구에서, 투수가 투구를 조절하는 일. ㉑절묘한 컨트롤 / 컨트롤이 좋다. **—하다.**

컨트롤 키 (Control key) 컴퓨터의 기능키의 하나. 단축키로 사용할 수 있음. 줄여서 'Ctrl'로 씀.

컬러 (color) 색깔. ㉑컬러텔레비전 / 컬러 사진.

컬컬하다 **1** 목이 몹시 말라 물·술 따위를 마시고 싶은 생각이 간절하다. ㉑목이 컬컬해서 물을 들이켜다. **2** 맵고 얼큰한 맛이 있다. 㓐칼칼하다.

컴컴하다 아주 어둡다. ㉑컴컴한 골목길 / 굴 속같이 컴컴하다. 㓐캄캄하다. ㉦껌껌하다.

컴퍼스 (compass) **1** 제도용의 기구. 양 다리를 자유로이 폈다 오므렸다 하여, 선의 길이를 재거나 원을 그리는 데 씀. ×콤파스. **2** 나침반.

〈컴퍼스〉

*__컴퓨터__ (computer) 전자 회로를 이용하여 계산을 고속·자동으로 행하는 장치. 계산 외에 자료 정리·사무 관리·정보 처리 따위에 이용됨. 전자계산기.

컴퓨터 바이러스 (computer virus) 컴퓨터 통신 등을 통해 다른 컴퓨터에 침입하여 저장된 데이터나 프로그램을 파괴하는 프로그램.

*__컵__ (cup) **1** 사기나 유리 따위로 만든 잔. ㉑컵에 물을 따르다. **2** 운동 경기의 우승배. ㉑우승컵.

컹컹 큰 개가 크게 짖는 소리.

케냐 (Kenya) 아프리카 동부의 적도 부근에 있는 공화국. 1963년 영국으로부터 독립하였으며, 지하자원이 풍부함. 수도는 나이로비.

케이블 (cable) **1** 여러 개의 전선을 한데 합하여 전기가 통하지 않는 물질로 겉을 싼 전화선이나 전력선. **2** '케이블카'의 준말.

케이블카 (cable car) 공중에 건너지른 케이블에 차량을 매달아 승객이나 화물을 운반하는 장치. [준]케이블.

〈케이블카〉

케이블 티브이 (cable TV) 동축 케이블이나 광섬유 케이블을 사용하여 텔레비전 신호를 각 수상기로 전송하는 유선 방송 시스템. 유선 텔레비전.

케이스 (case) 물건을 넣는 상자나 갑. (예)화장품 케이스.

케이에스 마크 (KS mark) 공업 표준화법에 따라 표준이라고 인정하는 제품에 표시하는 표. 〈케이에스 마크〉

케이오 (KO) 권투에서, 선수가 경기하다 쓰러져 10초 안에 경기를 다시 시작하지 못하는 상태. [비]녹아웃(knockout).

케이크 (cake) 밀가루·달걀·버터·우유·설탕 따위를 주재료로 하여 구워 만든 빵. (예)생일 축하 케이크.

케첩 (ketchup) 토마토 따위의 주스에 향료·감미료·식초 등을 섞어 만든 소스. (예)토마토케첩.

케케묵다 [케케묵따] 일이나 물건, 생각 등이 오래되어 낡거나 시대에 뒤떨어지다. ×켸켸묵다.

켄트지 (Kent紙) 그림·제도·인쇄 따위에 쓰는 흰색의 빳빳한 종이.

켕기다 속으로 슬그머니 겁이 나거나 거리끼는 것이 있다. (예)큰소리를 쳤지만 뒤가 켕긴다.

켜 포개어진 물건의 하나하나의 층. (예)먼지가 켜로 쌓여 있다.

***켜다** **1** 촛불·등불·성냥에 불을 붙이다. (예)불을 켜다. **2** 물·술 따위를 한꺼번에 많이 마시다. (예)물을 켜다. **3** 나무를 세로로 톱질하여 쪼개다. (예)재목을 얇게 켜다. **4** 활로 악기의 줄을 문질러 소리를 내다. (예)바이올린을 켜다. **5** 팔다리를 뻗으며 몸을 펴다. (예)기지개를 켜다. **6** 라디오·텔레비전·컴퓨터 따위를 작동하게 만들다. (예)텔레비전을 켜다.

***켤레** 신·버선·양말 따위의 두 짝으로 된 것의 한 벌을 세는 말. (예)양말 두 켤레 / 구두 세 켤레.

***코**[1] **1** 얼굴 복판에 우뚝 나와 있는 부분. 숨쉬기와 냄새 맡는 역할을 하며, 소리를 내는 일을 돕는 중요한 기관임. (예)코로 냄새를 맡다. **2** 코에서 나오는 진득진득한 점액. (예)코를 풀다. [비]콧물. ➲ nose

코가 납작해지다 몹시 무안을 당하거나 기가 죽다.

코가 높다 잘난 체하고 몹시 뽐내며 뻐기다.

코[2] 그물이나 뜨개질을 이루는 하나하나의 매듭. (예)한 코 한 코 정성을 들여 뜨다.

코끝 [코끋] 콧등의 끝. (예)코끝이 찡하다 / 안경을 코끝에 걸다.

코끝도 안 보인다 도무지 모습을 나타내지 않다.

***코끼리** 코끼릿과의 포유동물. 육지에 사는 동물 중 가장 큼. 몸은 잿빛이고 귀가 크며, 원통형으로 길게 늘어진 코를 자유롭게 움직여 물건을 집거나 먹이를 입에 넣을 수 있음. 윗잇몸에 있는 앞니 두 개가 특별히 길고 큰데 '상아'라고 부름. ➲ elephant

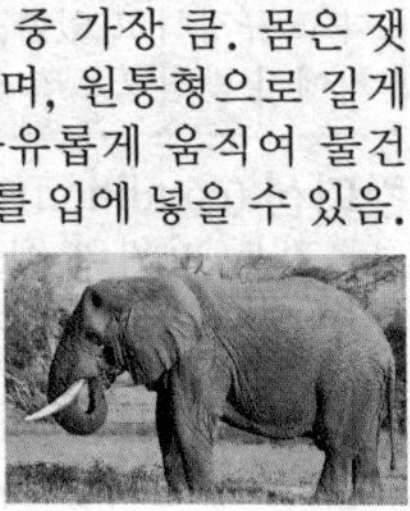
〈코끼리〉

코너 (corner) **1** 모퉁이. 구석. 예 코너를 돌다. **2** 백화점 따위의 특정 상품의 매장. 예농산물 코너.
코드 (cord) 전등 또는 이동시켜 쓰는 전기 기구에 연결하여 쓰는 전깃줄. 예코드를 뽑다.
코딱지 [코딱찌] 콧구멍에 콧물과 먼지가 섞여 말라붙은 것.
코뚜레 소의 코를 꿰뚫어 끼는 고리 모양으로 된 나무. 다 자란 송아지 때부터 고삐를 매는 데 씀. 본쇠코뚜레.
코란 (Koran) 이슬람교의 성전. 마호메트가 신의 계시를 받아 적었다는 글로, 이슬람교도들의 신앙·일상생활·도덕 등의 규범이 114 장에 걸쳐 기록되어 있음. 코란경.
코르크 (cork) 코르크나무의 겉껍질과 속껍질 사이의 두꺼운 껍질. 가볍고 탄력성이 풍부하며, 액체·기체가 통하지 않아 보온재·방음재·병마개 등 그 쓰임새가 넓음.
코리아 (Korea) 한국. 대한민국.
코맹맹이 코가 막혀 소리를 제대로 내지 못하는 사람. 또는 그런 소리. 예**코맹맹이** 소리로 말을 하다.
코미디 (comedy) 희극.
코미디언 (comedian) 희극 배우.
코바늘 한쪽 또는 양쪽 끝이 갈고리 모양인 짧은 뜨개바늘.
코발트 (cobalt) 붉은빛을 띤 은백색 광택이 나는 금속 원소. 쇠보다 무겁고 단단함. 유리나 도자기의 착색 염료, 페인트·니스의 건조제로 사용됨.
코브라 (cobra) 코브라과에 속하는 독사의 하나. 몸길이는 1.6–2 m, 몸빛은 회색·갈색·흑색 등 변화가 많음. 밤에 활동하며 개구리·뱀·새·쥐 따위를 잡아먹음.

〈코브라〉

코빼기 ‘코[1]’의 낮춤말. 예그 사람은 요새 **코빼기**도 볼 수 없으니 어찌 된 일이지.
코뿔소 [코뿔쏘] 열대 지방에 사는 포유동물. 코 위에 뿔이 하나나 둘이 있음. 몸집이 크고 네 다리는 짧음. 초식성으로 무리를 지어 삶.

〈코뿔소〉

코스 (course) **1** 어떤 목적에 따라 정해진 길. 예등산 코스 / 코스를 잘못 잡다. **2** 경주 따위에서 선수가 나아가는 길. 예마라톤 코스. **3** 거쳐야 할 순서나 과정. 예박사 코스를 밟다.
*__코스모스__ (cosmos) 국화과의 한해살이풀. 높이는 1–2 m이며, 잎은 마주나고 깃 모양으로 갈라짐. 가을에 흰색·분홍색·자주색 등의 꽃이 가지 끝에 한 개씩 핌. 관상용임.

〈코스모스〉

코알라 (koala) 쿠스쿠스과의 포유동물. 몸길이는 약 60 cm임. 오스트레일리아 특산의 작은 동물로 꼬리가 길고 배에 주머니가 있으며 머리는 곰과 비슷함. 나무 위에서 지내며 유칼리의 잎만 먹고 삶.

〈코알라〉

코앞 [코압] **1** 바로 가까이 마주 보이는 곳. 예코앞에 들이대다. **2** 바로 앞에 닥친 기회나 시간. 예시험이 코앞에 다가왔다.

코웃음 [코우슴] 코끝으로 가볍게 비웃는 웃음. ㉠코웃음을 치다.

코일 (coil) 나사 모양이나 원형으로 여러 번 감은 도선.

코치 (coach) **1** 지도하여 가르침. ㉠코치를 받다. **2** 운동 경기의 정신·기술을 지도하고 훈련시키는 일. 또는 그런 일을 하는 사람. ㉠농구 코치. **—하다.**

코코아 (cocoa) 카카오나무의 열매를 빻아 만든 가루. 음료·과자·약재로 씀.

코트¹ (coat) 추위를 막기 위해 겉옷 위에 입는 옷. 외투. ㉠코트를 걸치다.

코트² (court) 테니스·농구·배구 따위의 경기장. ㉠테니스 코트.

코팅 (coating) 물체의 겉면을 비닐 따위의 얇은 막으로 씌우는 일. ㉠코팅 렌즈. **—하다.**

코페르니쿠스 (Copernicus, Nicolaus) 〖인명〗 폴란드의 천문학자. 태양은 우주의 중심에 정지해 있고 지구가 그 둘레를 돌고 있다는 지동설을 주장하였음. 저서에 '천체의 회전에 관하여'가 있음. [1473-1543]

코펜하겐 (Copenhagen) 〖지명〗 덴마크의 수도. 북부 유럽에서 제일 큰 도시로 무역과 조선업이 성함. 안데르센의 동화에 나오는 인어의 동상과 왕궁 등이 있음.

코펠 (←독 Kocher) 등산용 휴대 취사도구.

코피 코에서 나오는 피. ㉠코피를 쏟다 / 코피가 터지다.

코흘리개 **1** 콧물을 늘 흘리는 아이를 놀리는 말. **2** 철없는 어린아이를 이르는 말. ㉠누구나 코흘리개 시절이 있다.

콕¹ (cock) 관 속을 통과하는 물이나 가스 따위의 양을 조절하기 위한 마개.

콕² 작게 또는 야무지게 찌르거나 찍거나 박는 모양. ㉠침으로 콕 찌르다 / 부리로 콕 쪼다. ㉦쿡.

콕콕 작게 또는 야무지게 잇따라 찌르거나 찍거나 박는 모양. ㉠닭이 모이를 콕콕 쪼아 먹다 / 다리가 콕콕 쑤신다. ㉦쿡쿡.

콘덴서 (condenser) 적은 양의 전기를 잠시 저장하는 장치. 축전기.

콘도 (condo) 소유자가 사용하지 않는 동안에는 다른 제삼자에게 빌려 줄 수 있는 분양 주택. ㉠콘도를 예약하다.

콘도미니엄 (condominium) '콘도'의 정식 이름.

콘서트 (concert) 음악회. 연주회. ㉠콘서트를 열다.

콘센트 (←concentic+plug) 건물 안의 배선에서 전기 기구를 접속하는 데 쓰는 기구. 플러그를 끼워 전기가 통하게 함.

콘크리트 (concrete) 시멘트에 모래·자갈을 섞어 물에 반죽한 혼합물. 토목·건축 공사에 씀. ㉠철근 콘크리트 건물.

콘택트렌즈 (contact lens) 안경 대신에 눈의 각막에 직접 붙여 쓰는 렌즈.

콘테스트 (contest) 작품이나 능력, 얼굴과 몸매 등을 겨루는 대회. ㉠사진 콘테스트.

콜라 (cola) **1** 벽오동과의 상록 교목. 높이는 8-15 m, 잎은 달걀꼴, 꽃은 황색임. 과실은 15 cm의 긴 타원형으로 속에 4-10 개의 씨가 있음. 씨는 카페인과 콜라닌을 함유하며, 콜라의 원료로 씀. **2** 콜라 열매의 씨를 원료로 한 청량음료.

콜럼버스 (Columbus, Christopher) 〖인명〗 아메리카 대륙을 발견한 이탈리아의 탐험가. [1451-1506]

콜레라 (cholera) 콜레라균이 창자에 침입해 일어나는 급성 전염병.

열이 몹시 나고 설사를 하며 토함. 사망률이 높음.

콜레라균 (cholera菌) 콜레라를 일으키는 균.

콜레스테롤 (cholesterol) 동물의 신경 조직·뇌·혈액 따위에 많이 들어 있는 지방 비슷한 물질. 부족하면 빈혈을 일으키고 너무 많으면 고혈압이나 심장 질환을 일으킴.

콜록 가슴 속에서 울려 나오는 기침 소리. **—하다.**

콜록거리다 [콜록꺼리다] 계속 콜록 소리를 내다.

콜롬비아 (Colombia) 〖국명〗 남아메리카의 북서부에 있는 공화국. 세계 제2의 커피 산지이며, 옥수수·담배·석유 따위를 산출함. 수도는 산타페데보고타.

콜카타 (Kolkata) 〖지명〗 인도 서벵골 주의 주도. 갠지스 강의 지류인 후글리 강 상류에 위치한 무역항. 상공업·금융의 중심지임.

콜콜 어린아이가 곤하게 잠잘 때 숨을 쉬는 소리. 또는 그 모양. ㉺쿨쿨. **—하다.**

콤바인 (combine) 수확과 탈곡을 한꺼번에 할 수 있는 농업 기계.

콤비 (← combination) **1** 어떤 일을 하기 위해 두 사람이 짝을 이루는 일. 또는 그 두 사람. ㉔명콤비. **2** 아래위가 다른 색이나 무늬로 된 양복 한 벌. 또는 그 윗옷.

콤팩트디스크 (compact disk) 디지털 방식으로 소리를 기록한 소형의 금속 음반. 레이저 광선을 이용하여 재생함. 시디(CD).

콤플렉스 (complex) 무의식 속에 잠재해 있는 강박 관념. 열등감.

콧구멍 [코꾸멍 / 콛꾸멍] 코에 있는 두 구멍.

콧구멍만 하다 공간이 매우 좁다. ㉔콧구멍만 한 방.

콧김 [코낌 / 콛낌] 콧구멍에서 나오는 더운 김.

콧김이 세다 남에게 미치는 권력이나 영향력이 세다.

콧날 [콘날] 콧등의 날이 있는 부분. ㉔콧날이 오뚝하다.

콧노래 [콘노래] 입은 벌리지 않고 코로 소리를 내어 부르는 노래.

콧대 [코때 / 콛때] 콧등의 우뚝한 줄기.

콧대(가) 세다 고집이 세고 자존심이 강하다. ㉔콧대가 센 여자.

콧등 [코뜽 / 콛뜽] 코의 등성이.

콧물 [콘물] 콧구멍에서 흘러나오는 액체. ㉔콧물을 훌쩍이다.

콧방귀 [코빵귀 / 콛빵귀] 코로 나오는 숨을 막았다가 갑자기 터뜨리면서 '흥' 하고 내는 소리.

콧방귀를 뀌다 남의 말을 대수롭지 않게 여기거나 무시하여 들은 체만 체하다.

콧소리 [코쏘리 / 콛쏘리] **1** 콧구멍으로 나오는 소리. **2** 코 안을 울리면서 내는 소리. 곧, ㄴ·ㅁ·ㅇ의 소리. ㉥비음.

콧속 [코쏙 / 콛쏙] 콧구멍의 속.

콧수염 (—鬚髥) [코쑤염 / 콛쑤염] 코 아래에 난 수염. ㉔콧수염을 기르다.

콧잔등 [코짠등 / 콛짠등] 콧등의 잘록한 부분.

***콩**[1] 콩과의 한해살이풀. 씨는 단백질과 지방이 많아 간장·된장·두부의 원료가 됨. ➔ bean

콩[2] 작고 단단한 물건이 떨어져 울리는 소리. ㉺쿵1.

콩가루 [콩까루] 콩을 빻아서 만든 가루.

콩가루(가) 되다 산산이 부서지다. 망하다.

콩고물 [콩꼬물] 콩가루로 만든 고물. ㉔콩고물을 묻힌 인절미.

콩국 [콩꾹] 흰콩을 살짝 삶아서 맷돌에 갈아 짜낸 물.

콩기름 콩에서 짜낸 기름.

콩깍지 [콩깍찌] 콩을 털어 내고 남은 껍질.

콩나물 콩을 시루 같은 구멍 있는 그릇에 담아 그늘에 두고서 물을 주어 뿌리를 내리게 한 것. 또는 그것으로 만든 나물.

콩닥콩닥 **1** 작은 절구나 방아를 잇따라 찧을 때 나는 소리. **2** 심리적인 충격을 받아 가슴이 자꾸 세차게 뛰는 모양. ㉠가슴이 콩닥콩닥 뛰다. **—하다.**

콩밥 **1** 쌀에 콩을 섞어 지은 밥. **2** 죄수의 밥을 속되게 이르는 말.

콩밭 [콩받] 콩을 심어 가꾸는 밭.

콩알 **1** 콩의 낱낱의 알. **2** 매우 작은 물건을 비유하여 이르는 말. ㉠간이 콩알만 해지다.

콩자반 콩을 간장에 끓여서 설탕을 넣고 바싹 조린 반찬. ㉥공장.

콩쥐 팥쥐 [—판쮜] 〖책〗 조선 시대의 소설. 착하고 예쁜 콩쥐가 계모와 그의 딸 팥쥐에게 학대를 받다가 선녀의 도움으로 어려움을 이겨 내고 행복해진다는 내용. 지은이와 연대는 모름.

콩콩 **1** 작고 단단한 물건이 잇따라 바닥에 떨어지거나 부딪쳐 나는 소리. ㉦쿵쿵. **2** 가슴이 자꾸 조금 세게 뛰는 모양.

콩쿠르 (프 concours) 음악·미술·무용·연극 따위의 실력을 겨루기 위해 여는 경연 대회. ㉠피아노 콩쿠르 / 콩쿠르에서 입상하다.

콩트 (프 conte) 짧고 재치 있게 쓴 단편.

콩팥 [콩판] ⇨신장⁴.

콰르릉 폭발물 따위가 터지거나 천둥이 요란하게 울리는 소리.

콱 **1** 힘껏 박거나 찌르거나 부딪치는 모양. ㉠주먹으로 머리를 콱 쥐어박다. **2** 단단히 막거나 막히는 모양. ㉠목이 콱 메다 / 어이가 없어 말문이 콱 막혔다.

콱콱 계속해서 콱 하는 모양. ㉠숨이 콱콱 막히다.

콸콸 좁은 구멍으로 많은 양의 액체가 급히 쏟아지는 소리. ㉠수돗물이 콸콸 흐른다. ㉦퀄퀄.

쾅 **1** 폭발물이 터질 때 나는 소리. ㉠대포를 쾅 쏘다. **2** 무겁고 단단한 물건이 바닥에 떨어지거나 부딪칠 때 울리는 소리. ㉠문을 쾅 닫다. ㉤꽝.

쾅쾅 계속해서 쾅 하고 울리는 소리. ㉠발을 쾅쾅 구르다. ㉤꽝꽝.

쾌감 (快感) 상쾌하고 즐거운 느낌. ㉠승리의 쾌감을 맛보다.

쾌거 (快擧) 통쾌하고 장한 일. ㉠쾌거를 이루다.

쾌락 (快樂) 기분이 좋고 즐거움. ㉠쾌락에 빠지다. ㉡고통.

쾌속 (快速) 속도가 매우 빠름. ㉠쾌속으로 달리다.

쾌속선 (快速船) [쾌속썬] 속도가 아주 빠른 배.

쾌승 (快勝) 통쾌하고 시원스럽게 이김. ㉠쾌승을 거두다. **—하다.**

쾌자 (快子) 옛 군복의 하나. 등솔기가 허리까지 트였고 소매는 없음. 근래에는 복건과 함께 명절이나 돌날에 어린아이들에게 입힘.

쾌적하다 (快適—) [쾌저카다] 몸과 마음에 알맞아 기분이 썩 좋다. ㉠쾌적한 날씨.

쾌조 (快調) 아주 상태가 좋음. ㉠쾌조의 컨디션. ㉥호조.

쾌차 (快差) 병이 완전히 나음. ㉠속히 쾌차하시길 빕니다. ㉥쾌유. **—하다.**

쾌청하다 (快晴—) 구름 한 점 없이 맑다. ㉠쾌청한 가을 하늘.

쾌활하다 (快活—) 마음이나 행동이 씩씩하고 활발하다.

쾌히 (快—) 시원스럽게. 거침없이. ㉠쾌히 승낙하다.

쿠데타 (프 coup d'État) 비합법적인 무력이나 폭력 따위로 정권을 빼앗는 일.

쿠바 (Cuba) 〖국명〗 서인도 제도에서 가장 큰 섬인 쿠바 섬과 그 주변의 섬으로 이루어진 사회주의 국가. 에스파냐 어를 사용하며 사탕수수·바나나·담배의 명산지임. 수도는 아바나.

쿠베르탱 (Coubertin, Pierre) 〖인명〗 프랑스의 교육가. 올림픽 경기를 다시 일으켜 1896년 아테네에서 제 1 회 대회를 엶. [1863-1937]

쿠션 (cushion) **1** 의자나 소파, 탈것의 좌석 따위에 편히 앉도록 탄력이 생기게 만든 부분. **2** 솜이나 스펀지 따위의 탄력 있는 것을 넣어 푹신푹신하게 만든 등 받침.

쿠웨이트 (Kuwait) 〖국명〗 아라비아 반도 북부에 있는 나라. 풍부한 석유 자원을 가지고 있음. 수도는 쿠웨이트.

쿠키 (cookie, cooky) 밀가루를 주재료로 하여 구운 비스킷.

쿠폰 (coupon) **1** 한 장씩 떼어서 쓰게 되어 있는 표. **2** 판매 광고에 붙은, 떼어 내서 쓰게 되어 있는 신청권 또는 할인권. ㉠할인 쿠폰.

쿡 **1** 갑자기 한 번 세게 찌르거나 박는 모양. ㉠손가락으로 옆구리를 쿡 찌르다. 잭 콕. **2** 참던 웃음이 갑자기 짧게 터져 나오는 소리.

쿡쿡 **1** 잇따라 세게 찌르거나 박는 모양. 잭 콕콕. **2** 참던 웃음을 자꾸 터뜨리는 소리.

***쿨쿨** 곤히 잠들었을 때 숨을 크게 쉬는 소리. 또는 그 모양. ㉠아무것도 모르고 쿨쿨 자고 있다. 잭 콜콜. **—하다.**

쿵 **1** 크고 무거운 물건이 떨어질 때 울리는 소리. 잭 콩[2]. **2** 큰 북을 칠 때 울리는 소리. **3** 멀리서 울려 오는 대포 소리. **—하다.**

쿵덕 절구나 방아를 찧을 때, 방아확 속에 공이를 한 번 내리칠 때 나는 소리. 잭 콩닥.

쿵쾅 **1** 총·대포 따위의 소리가 크고 작게 섞이어 세게 나는 소리. **2** 북소리 따위가 크고 작게 뒤섞이어 요란하게 나는 소리. **3** 마룻바닥 따위를 여럿이서 급히 구를 때 요란스럽게 울리는 소리. **4** 단단하고 큰 물건이 서로 부딪칠 때 요란하게 나는 소리. **—하다.**

쿵쾅거리다 계속해서 쿵쾅 소리가 나다. ㉠아이들이 복도에서 쿵쾅거리며 뛰어다닌다.

쿵쿵 **1** 크고 무거운 물건이 잇따라 바닥에 떨어지는 소리. 잭 콩콩. **2** 큰 북을 잇따라 쳐서 울리는 소리. **3** 멀리서 잇따라 우렁차게 울리는 총포 소리.

퀭하다 눈이 쑥 들어가 크고 기운 없어 보이다. ㉠며칠 앓더니 눈이 퀭하니 들어갔다.

퀴리 부부 (Curie夫婦) 폴란드 출신의 물리학자 마리 퀴리와 프랑스의 물리학자 피에르 퀴리 부부. 공동으로 라듐·폴로늄을 발견하여 1903 년에 함께 노벨 물리학상을 받았음.

퀴즈 (quiz) 어떤 질문에 대한 답을 알아맞히는 놀이. 또는 그 질문. ㉠퀴즈 프로.

퀴퀴하다 냄새가 비위에 거슬릴 정도로 구리다. ㉠퀴퀴한 발 냄새. 잭 쾨쾨하다.

큐피드 (Cupid) 로마 신화에 나오는 사랑의 신. 비너스의 아들로, 벗은 몸에 날개가 달리고 활·화살을 가진 아이의 모습임.

***크기** 사물의 넓이·부피·양 따위가 큰 정도. ㉠크기가 너만 하다 / 크기에 비해 가볍다.

크나크다 상당히 크다. ㉠크나큰 감동. 활용 크나커 / 크나크니.

크낙새 [크낙쌔] 딱따구릿과의 새. 부리가 머리보다 길며 몸빛은 주로 검은색이고 가슴 아래는 흰색임. 우는 소리가 큼. 우리나라 특산종으로, 천연기념물 제197호임.

〈크낙새〉

***크다** **1** 부피나 길이 따위가 어떤 기준 이상이다. ㉠키가 크다. **2** 수나 양이 많다. ㉠큰 수. **3** 소리가 강하다. ㉠큰 소리로 떠들다. **4** 일의 규모·범위 따위가 넓다. ㉠책임이 크다 / 일이 크게 벌어졌다. **5** 사람의 됨됨이가 뛰어나고 훌륭하다. ㉠큰 인물. **6** 옷·신발 따위가 알맞은 치수 이상으로 되어 있다. ㉠구두가 너무 크다. **7** 마음이나 몸에 느끼는 어떤 일의 영향·충격 따위가 보통이 넘다. ㉠실망이 크다 / 손해가 크다. **8** '대강, 대충'의 뜻을 나타내는 말. ㉠크게 둘로 나누다. [활용] 커 / 크니. ➡ big, large

크래커 (cracker) 얇고 바삭하게 구운 짭짤한 비스킷.

크레디트 카드 (credit card) ⇨신용 카드.

크레셴도 (이 crescendo) 악보에서, '점점 세게'의 뜻《기호는 <》.

크레용 (프 crayon) 그림을 그릴 때 쓰는, 색깔을 칠하는 막대 모양의 재료.

크레인 (crane) ⇨기중기.

***크레파스** (craypas) 크레용보다 색의 효과가 큰, 그림을 그리는 재료의 한 가지.

***크리스마스** (Christmas) 예수의 탄생을 축하하는 날. 매년 12월 25일. 성탄일. 성탄절.

크리스마스이브 (Christmas Eve) 크리스마스 전날 저녁. 곧, 12월 24일 저녁.

크리스마스카드 (Christmas card) 크리스마스를 축하하기 위해 서로 주고받는 카드.

크리스마스캐럴 (Christmas carol) 크리스마스를 축하하는 찬송가.

크리스마스트리 (Christmas tree) 크리스마스에 장식으로 세우는 나무. 보통 상록수에 여러 가지 장식용의 별·종·꼬마 전등 따위를 닮.

크리스천 (Christian) 기독교를 믿는 사람을 이르는 말.

크리스털 (crystal) **1** 수정[3]. **2** '크리스털 글라스'의 준말.

크리스털 글라스 (crystal glass) 고급 식기·공예품 따위에 쓰이는 고급 유리. 크리스털 유리. [준] 크리스털.

크리스트 (Christ) 〖인명〗 ⇨그리스도.

크리스트교 (Christ教) ⇨기독교.

크림 (cream) **1** 우유의 지방으로 만드는 식품. 과자나 요리의 재료로 쓰임. **2** 피부나 머리 손질을 위해 쓰는 화장품. **3** '아이스크림'의 준말.

큰골 ⇨대뇌.

큰곰 곰과의 짐승. 보통의 곰보다 크며 털빛은 갈색 또는 흑적갈색임. 야행성이며 단독 생활을 함.

큰곰자리 북두칠성을 포함하는 별자리. 북극성 주위를 돌고 있는, 가장 크고 밝게 빛나는 별자리.

큰기침 남에게 주의를 주거나 정신을 가다듬기 위하여 소리를 크게 내어 하는 기침. [반] 잔기침. **―하다.**

큰길 넓은 길. [비] 대로.

큰달 한 달의 날수가 양력으로는 31일, 음력으로는 30일이 되는 달. [반] 작은달.

큰댁 (―宅) '큰집'을 높이어 이르는 말. [반] 작은댁.

큰돈 액수가 많은 돈. ㉠큰돈을 모으다 / 그렇게 큰돈을 어디서 구했니. [비] 거금.

큰따옴표 (―標) 따옴표의 한 가

지. 글 가운데서 직접 대화를 표시하거나 남의 말을 끌어다 쓸 때 쓰는 부호(“ ”).

큰딸 맨 위의 딸을 이르는 말. 비 맏딸. 장녀.

큰마음 크고 넓게 생각하는 마음씨. 준 큰맘.

큰마음 먹다 ㉠마음을 후하게 쓰다. ㉡모처럼 어려운 결심을 하다.

큰말 낱말의 뜻은 작은말과 같으면서 표현상의 느낌이 크게 되는 말. ‘쿵쿵, 둥둥, 퍼렇다, 그득하다’ 따위. 반 작은말.

큰며느리 큰아들의 아내. 비 맏며느리.

큰물 **1** 비가 많이 와서 내나 강에 크게 불은 물. 예 큰물이 나서 마을이 물에 잠겼다. 비 홍수. **2** 사람이 활동하는 무대가 크고 넓은 곳을 비유하는 말. 예 큰물에서 놀다.

큰바람 풍력 계급의 하나. 초속 17.2–20.8 m의 바람. 가는 나뭇가지가 부러지며 걷기가 힘듦. → [학습마당] 24(1145쪽)

큰방 (—房) 집안의 가장 어른이 되는 부인이 지내는 방. 예 큰방 마님. 반 작은방.

큰북 땅에 놓거나 받쳐 놓고 치는, 크고 무겁게 만든 북.

큰불 크게 일어난 불. 큰 화재.

큰비 오래도록 많이 오는 비. 예 엊저녁 내린 큰비로 피해를 보다.

큰사람 뛰어나고 훌륭한 사람. 큰일을 할 수 있는 사람.

큰상 (—床) 잔치 때 음식을 많이 차려 주인공을 대접하는 상.

큰소리 **1** 목청을 크게 하여 내는 소리. 예 큰소리를 내야 말을 듣겠느냐. **2** 일이 될지 안 될지 모르면서 자신 있게 하는 말. 예 일단은 큰소리부터 친다. **—하다.**

큰소리치다 **1** 목청을 크게 하여 야단을 치다. **2** 덮어놓고 뱃심 좋게 장담하다. 예 큰소리치는 사람치고 일 잘하는 사람 못 봤다.

큰스님 덕이 썩 높은 승려를 높여 이르는 말.

큰아들 [크나들] 아들 중의 맏이. 비 맏아들. 장남.

큰아버지 [크나버지] 아버지의 맏형. 비 백부. 반 작은아버지.

큰악절 (—樂節) [크낙쩔] 음악에서, 두 개의 작은 악절로 이루어진 악절. 보통 여덟 마디 또는 열두 마디로 이루어짐. 반 작은악절.

큰어머니 [크너머니] 큰아버지의 아내. 비 백모. 반 작은어머니.

큰일 **1** [크닐] 다루는 데 힘이 많이 들고 범위가 넓은 일. 반 잔일. **2** [큰닐] 큰 예식이나 잔치를 치르는 일. 예 큰일을 치르다. 비 대사.

큰일(이) 나다 감당하기 어려운 일이나 큰 문제가 생기다. 예 큰일 날 소리 하지 마라.

큰절 여자가 혼인할 때나 시부모를 대할 때와 같은, 가장 예를 갖춰야 할 때에 하는 절. 두 손을 이마에 마주 대고 앉아서 허리를 굽힘. 예 큰절을 올리다. **—하다.**

큰집 **1** 아우나 그 자손이 맏형이나 그 자손의 집을 일컫는 말. 반 작은집. **2** 분가하여 나간 집에서 그 원집을 일컫는 말. 비 종가.

큰창자 ⇨대장[1].

큰코다치다 뜻밖의 큰 봉변이나 무안을 당하다. 예 어리다고 얕보다가는 큰코다친다.

큰키나무 ⇨교목.

큰피돌기 ⇨대순환.

클라리넷 (clarinet) 목관 악기의 하나. 음색이 부드러우며, 관은 아래로 내려갈수록 차차 넓어지는 모양임.

〈클라리넷〉

클라이맥스 (climax) **1** 흥분·긴장·감정 따위가 최고점에 이른 상태. 또는 그 장면. (예)클라이맥스에 이르다. **2** 극·사건 따위의 절정.
클래식 (classic) 서양의 고전 음악. (예)클래식 음악.
클랙슨 (klaxon) 자동차의 경적. 상표 이름. (예)클랙슨을 울리다.
클럽 (club) **1** 공통된 취미나 목적 따위로 모인 단체. 동우회. (예)클럽 활동. **2** 골프에서, 공을 치는 막대기. 골프채.
클로버 (clover) ⇨토끼풀.
클릭 (click) 마우스의 단추를 누름. (예)마우스를 클릭하다. **—하다.**
클린치 (clinch) 권투에서, 상대편의 공격을 피하기 위해 껴안는 일. (예)클린치가 심하다. **—하다.**
클립 (clip) 종이나 서류 따위를 끼워 두는 기구.
큼지막하다 [큼지마카다] 꽤 큼직하다. (예)글자가 큼지막하다.
큼직큼직하다 [큼직큼지카다] 여럿이 모두 큼직하다. (예)큼직큼직한 돌덩이들.
큼직하다 [큼지카다] 꽤 크다. 아주 크다. (예)사과가 큼직하다.
킁킁 숨을 콧구멍으로 힘을 주어 띄엄띄엄 내쉬는 소리. **—하다.**
킁킁거리다 계속해서 킁킁 소리를 내다. (예)킁킁거리며 냄새를 맡다.
*__키__[1] **1** 사람이나 동물이 선 상태에서 발바닥에서 머리끝에 이르는 몸의 길이. (예)키가 부쩍 자라다. **2** 식물이나 세워진 물건의 높이.
키[2] 배의 방향을 조절하는 기구. (예)키를 잡다.
키[3] 곡식 따위를 까불러 쭉정이나 돌을 고르는 기구. (예)키로 쌀을 까부르다.

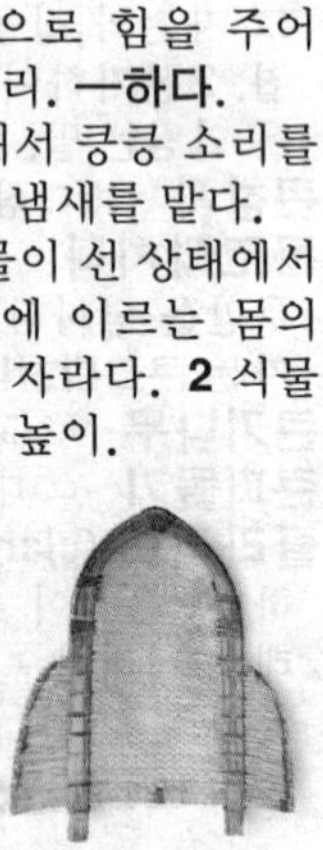
〈키[3]〉

키[4] (key) **1** ⇨열쇠. **2** 어떤 문제를 해결할 수 있는 실마리. (예)문제 해결의 키는 그가 쥐고 있다.
키다리 키가 큰 사람의 별명. (예)키다리 아저씨. [반]난쟁이.
키득 참다못하여 입속에서 새어 나오는 웃음소리. 또는 그렇게 웃는 모양. [본]키드득. **—하다.**
키득거리다 [키득꺼리다] 계속하여 키득 소리를 내어 웃다. (예)만화책을 보며 키득거리다.
키보드 (keyboard) **1** 피아노 따위의 건반. **2** 컴퓨터나 워드 프로세서 등에서 명령이나 글자가 있는 부분. 자판.
키스 (kiss) **1** 입을 맞춤. 입맞춤. **2** 사랑하거나 존경하는 뜻으로 인사할 때에 손등이나 뺨에 입을 대는 일. **—하다.**
*__키우다__ **1** 크게 하다. (예)재산을 키우다. **2** 자라게 하다. (예)송아지를 키우다 / 인재를 키우다.
키위 (kiwi) 다랫과의 덩굴 과수. 따뜻한 곳에서 재배함. 과일은 표면이 녹갈색이며, 잔털이 나 있음. 뉴질랜드가 주산지임.
키읔 [키윽] 한글 자모 'ㅋ'의 이름. [발음] 키읔이[키으기] / 키읔을[키으글] / 키읔에[키으게].
키질 키로 곡식 따위를 까부르는 일. **—하다.**
키포인트 (key+point) 일의 요점이나 중심을 두는 부분.
킥 (kick) 축구에서, 발로 공을 차는 일.
킥보드 (kick-board) 길고 좁은 판에 바퀴·손잡이·브레이크가 달려 있어 발로 땅을 차면 굴러 가는 탈것. (예)킥보드를 타다.

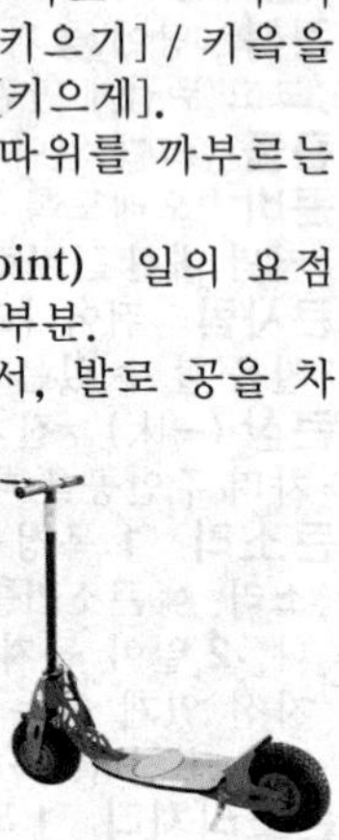
〈킥보드〉

킥킥 참을 수 없어 절로 자꾸 나오는 웃음소리. **—하다.**

킥킥거리다 [킥킥꺼리다] 킥킥 소리를 계속 내다. ㉠뒤에서 킥킥거리며 웃는 소리가 계속 들려왔다.

킬로 (kilo) 킬로그램·킬로미터·킬로와트 따위를 줄이어 이르는 말.

킬로그램 (kilogram) 무게의 단위. 1 kg은 1,000 g임.

킬로미터 (kilometer) 미터법에서, 길이의 단위. 1 km는 1,000 m임.

킬로와트 (kilowatt) 전력의 단위. 1 kW는 1,000 W임.

킬킬 억지로 참으려다가 참지 못하고 웃는 소리. 또는 그 모양. ㉠남은 속이 타는데 킬킬 웃고만 있다. 㑅 캘캘. 㓌 낄낄. **—하다.**

킬킬거리다 자꾸 킬킬 소리를 내다. ㉠무엇이 우스운지 혼자서 킬킬거리고 있다.

킬킬대다 ⇨킬킬거리다.

킹킹거리다 어린아이가 울음 섞인 소리로 응석을 부리거나 무엇을 달라고 조르는 소리를 자꾸 내다. ㉠아이가 어디가 아픈지 계속 킹킹거린다.

ㅌ (티읕[티읃]) 한글 닿소리의 열두째 글자.

타 (他) 남. 다른 사람. ㉠타의 모범이 되다 / 타의 추종을 불허하다.

타:개 (打開) 어려운 일을 잘 처리하여 해결함. ㉠어려움을 타개하다. **―하다.**

타:격 (打擊) **1** 때리어 침. ㉠타격을 가하다. **2** 어떤 영향을 받아 기운이 크게 꺾이거나 손해를 봄. ㉠입시의 실패는 그에게 큰 타격을 주었다 / 불경기로 큰 타격을 받았다. **3** 야구에서, 투수가 던지는 공을 타자가 배트로 침. ㉠타격상을 받다.

타:결 (妥結) 대립하던 여러 편이 타협하여 서로 좋게 일을 마무름. ㉠타결을 보다 / 타결을 짓다 / 타결의 실마리를 찾다 / 교섭이 원만히 타결되었다. **―하다.**

타계 (他界) [― / 타게] 지위가 높거나 훌륭한 사람의 죽음. **―하다.**

***타고나다** 능력·복·운명 따위를 날 때부터 지니고 태어나다. ㉠타고난 운명 / 복을 타고나다.

타고르 (Tagore, Rabīndranāth) 〖인명〗 인도의 시인·사상가. 영국에 유학하여 서양 사상에 접한 뒤, 동서 문화의 융합에 힘씀. 1913 년 시집 '기탄잘리'로 동양인으로서는 최초로 노벨 문학상을 받음. [1861–1941]

타교 (他校) 자기가 다니는 학교가 아닌 다른 학교. ㉠타교에서 새로 선생님이 오셨다. ㊀본교.

타:구 (打球) 야구에서, 공을 치는 일. 또는 그 공.

타국 (他國) 자기 나라가 아닌 다른 나라. ㉠타국인. ㊁외국. 이국. ㊀고국. 본국.

***타다**[1] **1** 불이 붙다. ㉠연탄이 타다. **2** 햇볕에 피부가 거멓게 그을다. ㉠볕에 타다. **3** 너무 걱정이 되어 안타까워하거나 조마조마해 하다. ㉠애가 타다. **4** 바짝 말라붙다. ㉠논바닥이 타다 / 목이 타다. burn

***타다**[2] **1** 차나 짐승의 등에 몸을 싣다. ㉠버스를 타다. **2** 산·나무·바위 따위를 밟고 오르다. ㉠바위를 타다. **3** 기회나 때를 이용하다. ㉠혼란한 틈을 타서 빠져나가다. **4** 얼음 위를 미끄러져 달리다. ㉠스케이트를 타다. **5** 언론이나 방송 따위에 자주 등장하다. ㉠매스컴을 타다.

타다[3] 많은 액체에 적은 액체나 가루 따위를 섞다. ㉠커피를 타다.

타다[4] 돈이나 상 따위를 받다. ㉠용돈을 타다 / 우등상을 타다.

타다[5] **1** 두 쪽으로 갈라 가르마를 내다. ㉠가르마를 타다. **2** 박 따위를 가르다. ㉠박을 타다.

타다[6] 악기의 줄을 퉁기거나 건반을 눌러 소리를 내다. ㉠가야금을 타다.

타다[7] **1** 부끄럼이나 노여움을 쉽게 느끼다. ㉠부끄럼을 잘 타는 아이. **2** 계절이나 날씨의 영향을 쉽게 받다. ㉠추위를 많이 타다.

타다[8] 묵은 솜을 두드려서 부풀리고 퍼지게 하다. ㉠이불솜을 타다.

타:당성 (妥當性) [타당썽] 이치에 적절하게 들어맞는 성질. ㉠타당성을 인정하다.

타:당하다 (妥當―) 형편이나 이치에 맞아 옳다. ㉠타당한 의견 / 논리

가 타당하다.
타ː도 (打倒) 못된 세력을 때려 쓰러뜨리거나 쳐서 부수어 버림. ㉥적을 타도하다. **—하다.**
타ː락 (墮落) 올바른 길에서 벗어나 잘못된 길로 빠짐. **—하다.**
타래 실·끈 따위를 감아서 틀어 놓은 분량의 단위. ㉥실 한 타래.
타ː력 (打力) 야구에서, 타자가 공을 때리는 힘이나 능력. ㉥타력이 센 선수 / 타력을 보강하다.
타ː령 **1** 광대의 판소리나 민요 중의 잡가를 통틀어 일컫는 말. 방아타령·토끼 타령 따위가 있음. **2** 어떤 것에 대해 자꾸 이야기하는 일. ㉥반찬 타령을 하다. **—하다.**
타ː박 잘못이나 결함 따위를 나무라거나 탓함. ㉥타박을 주다 / 하는 일마다 타박이다. **—하다.**
타ː박상 (打撲傷) [타박쌍] 맞거나 부딪쳐서 생긴 상처. ㉥무릎에 타박상을 입다.
타박타박 지친 다리로 힘없이 느릿느릿 걷는 모양. ㉥기운없이 타박타박 걸어오다. ㊇ 터벅터벅.
타ː산 (打算) 이익과 손해를 셈하여 봄. ㉥타산에 밝다.
타산지석 (他山之石) 다른 산에서 나는 거친 돌이 자기의 옥돌을 가는 데 도움이 된다는 뜻으로, 다른 사람의 하찮은 말이나 행동도 자기의 수양에 도움이 된다는 말. ㉥타산지석으로 삼다.
타살 (他殺) **1** 남에게 목숨을 빼앗김. **2** 남을 죽임. ㉹자살. **—하다.**
타ː석 (打席) **1** 야구에서, 타자가 공을 치려고 서는 자리. **2** '타석수'의 준말. ㉥ 5타석 3안타.
타ː석수 (打席數) [타석쑤] 야구에서, 타자가 타석에 선 횟수. ㊟타석.
타ː선 (打線) 야구에서, 타력의 면에서 본 타자의 짜임새. ㉥막강한 타선 / 타선이 약하다.
타ː성 (惰性) 오래되어 굳어진 좋지 않은 버릇. ㉥타성에 젖다 / 타성에서 벗어나다.
타ː순 (打順) 야구에서, 공을 치러 나갈 선수의 차례. ㉥타순을 정하다 / 타순이 바뀌다.
타ː악기 (打樂器) [타악끼] 두드려서 소리를 내는 악기. 북·징·탬버린 따위.
타오르다 **1** 불이 붙어 타기 시작하다. ㉥불길이 타오르다. **2** 마음이 달아오르다. ㉥타오르는 정열. [활용] 타올라 / 타오르니.
타워 (tower) 탑처럼 높게 만든 구조물. ㉥남산 타워.
타ː원 (楕圓) 길쭉하게 둥근 원.
타ː원형 (楕圓形) 길쭉하게 둥근 모양. ㉥타원형 얼굴. ㉶ 긴둥근꼴.
타월 (towel) ⇨수건.
타율[1] (他律) 자기 의지가 아닌 남의 명령이나 다른 힘에 따라 행동하는 일. ㉹자율.
타ː율[2] (打率) 야구에서, 타자가 안타를 치는 비율. ㉥타율이 높다.
타의 (他意) [— / 타이] 다른 사람의 뜻. ㉥자의 반 타의 반 / 타의에 의해서 물러나다. ㉹자의.
타이[1] (←Thailand) 〖국명〗 인도차이나 반도에 위치한 입헌 군주국. 주민의 90 % 이상이 불교를 믿음. 쌀과 목재의 생산이 세계적이며 고무, 주석 따위도 많이 남. 수도는 방콕. 태국.
타이[2] (tie) **1** 운동 경기에서 동점. 무승부. ㉥타이를 이루다. **2** '넥타이'의 준말.
*__타이르다__ 이치를 밝혀 알아듣도록 말해 주다. ㉥잘못을 조용히 타이르다. [활용] 타일러 / 타이르니.
타이밍 (timing) 가장 좋은 결과를 얻는 시기. ㉥타이밍이 맞지 않다.
타이어 (tire) 자동차 따위의 바퀴의 바깥 둘레에 끼는, 고무로 만든 테. 보통, 그 속에 튜브를 넣음.

타이완 (중 臺灣) 〖지명〗 중국 대륙 남동쪽에 있는 섬나라. 1949년 중국의 국민당 정부가 공산당과의 내전에서 패하여 이곳으로 옮겨 옴. 정치적 민주화와 눈부신 경제 발전을 이루고 있음. 수도는 타이베이. 대만.

타이틀 (title) **1** 제목. 책 이름. ㉥ 타이틀을 붙이다. **2** 어떤 경기에서, 가장 우수한 개인이나 단체에 주는 자격. 선수권. ㉥ 타이틀에 도전하다 / 타이틀을 차지하다.

타이프 (type) '타이프라이터'의 준말. ㉥ 타이프를 치다.

타이프라이터 (typewriter) ⇨타자기. ㉾ 타이프.

타인 (他人) 다른 사람. ㉥ 타인처럼 느껴지다. ㉥ 남.

타일 (tile) 점토를 구워서 만든 얇은 판. 벽이나 바닥 따위에 붙이는데, 모양과 빛깔이 여러 가지임. ㉥ 타일을 깔다.

타임 (time) **1** 때. 시간. **2** '타임아웃'의 준말. ㉥ 작전 타임.

타임머신 (time machine) 현재로부터 과거나 미래를 향해 여행할 수 있다는 공상의 기계.

타임아웃 (time-out) 배구·농구 따위에서, 경기 도중 경기 팀이 요구하는 선수 교체·휴식 또는 협의를 위한 짧은 시간. ㉾ 타임.

타임캡슐 (time capsule) 그 시대를 대표하거나 기념하는 자료·물건 따위를 넣어서 후세에 전하기 위하여 땅속에 묻는 용기.

타입 (type) 양식. 모양. 유형. ㉥ 학자 타입.

> 참고 원어인 type의 철자 p에 영향을 받아서 '타잎'으로 잘못 쓰는 경우가 많다. 외래어 표기법에서 ㅍ은 받침으로 쓰지 않는다.

타:자[1] (打字) 타자기로 종이 위에 글자를 찍는 일. ㉥ 타자를 치다.

*__타:자__[2] (打者) 야구에서, 배트로 공을 치는 공격하는 편의 선수. ㉥ 강타자 / 3번 타자.

타:자기 (打字機) 손가락으로 글쇠를 눌러 종이에 글자를 찍는 기계. 타이프라이터. ㉥ 한글 타자기.

*__타:작__ (打作) 곡식의 이삭을 떨어서 낟알을 거두는 일. ㉥ 보리를 타작하다. ㉥ 마당질. **—하다.**

타잔 (Tarzan) 미국의 소설가 버로스가 쓴 소설의 주인공. 밀림을 해치는 문명인들을 응징하여 밀림의 평화를 지킴.

타:점 (打點) [타쩜] 야구에서, 타자가 안타 따위로 득점한 점수. ㉥ 타점을 올리다.

타:조 (駝鳥) 타조과의 새. 사막·황무지에 삶. 새 중에서 가장 큰데 키는 2-2.5m, 몸무게는 130 kg이 넘음. 수컷은 검은색, 암컷은 갈색이며 머리는 작고 다리와 목은 긺. 날개가 작아 날지는 못하지만 시속 90 km 정도로 빠르게 달림.

〈타조〉

타:진 (打診) 남의 마음이나 사정을 미리 알아봄. ㉥ 의사를 타진하다. **—하다.**

타:파 (打破) 나쁜 관습이나 제도를 깨뜨려 버림. ㉥ 미신을 타파하다. **—하다.**

타향 (他鄕) 고향이 아닌 다른 고장. ㉥ 객지. 타관. ㉥ 고향.

타향살이 (他鄕—) [타향사리] 타향에서 사는 일. ㉥ 타향살이에 지치다. **—하다.**

타:협 (妥協) 두 편이 서로 좋도록 의논하여 일을 처리함. ㉥ 타협을 보

다 / 타협이 이루어지다. **—하다.**

타:협적 (妥協的) [타협쩍] 타협하려는 태도가 있는 (것). ㉠타협적인 태도.

***탁** 1 세게 부딪거나 터지는 소리. ㉠화살이 과녁에 탁 꽂히다. 2 죄어진 것이나 긴장 따위가 갑자기 풀리는 모양. ㉠맥이 탁 풀리다. 3 시원스럽게 트인 모양. ㉠탁 트인 길.

***탁구** (卓球) [탁꾸] 나무 대의 중앙에 네트를 치고 마주 서서 라켓으로 작은 공을 쳐 넘기는 경기. 핑퐁.

탁류 (濁流) [탕뉴] 흘러가는 흐린 물. ㉠탁류에 휩쓸리다.

탁발 (托鉢) [탁빨] 승려가 불경을 외면서 집집마다 다니며 동냥하는 일. **—하다.**

탁본 (拓本) [탁뽄] 쇠붙이·돌 따위에 새긴 글씨나 그림을 종이에 그대로 떠냄. 또는 그렇게 떠낸 종이. ㉠탁본을 뜨다. ㉥탑본. **—하다.**

탁상 (卓上) [탁쌍] 책상이나 식탁 따위의 위. ㉠탁상 행정 / 탁상 위에 서류를 놓다.

탁상공론 (卓上空論) [탁쌍공논] 실현성이 없는 헛된 논의. ㉠회의가 탁상공론으로 끝나다.

탁상시계 (卓上時計) [탁쌍시계 / 탁쌍시게] 책상이나 선반 따위에 놓고 보는 시계.

탁아 (託兒) [타가] 보호자 대신 어린아이를 맡아 돌보는 일. ㉠탁아 시설이 부족하다.

탁아소 (託兒所) [타가소] 부모가 일하러 나간 사이에, 그 아이들을 맡아 돌보는 곳. ㉠탁아소에 아이를 맡기다.

탁월하다 (卓越—) [타궐하다] 남보다 훨씬 뛰어나다. ㉠탁월한 선택 / 탁월한 재능.

탁자 (卓子) [탁짜] 물건을 올려놓을 수 있는 가구. ➲table

탁탁 1 일을 결단성 있게 잘 처리하는 모양. ㉠시키는 일을 탁탁 잘 해내다. 2 물건을 자꾸 두드리거나 먼지 따위를 떠는 모양. 또는 그 소리. ㉠먼지를 탁탁 털다. 3 숨이 못 견디게 자꾸 막히는 모양. ㉠숨이 탁탁 막히다. ㉢턱턱.

탁하다 (濁—) [타카다] 맑지 않고 흐리다. ㉠공기가 탁하다.

탄: (炭) 1 '석탄'의 준말. ㉠탄을 캐다. 2 '연탄'의 준말. ㉠탄을 갈다 / 탄을 피우다.

탄:광 (炭鑛) 석탄을 캐내는 광산. ㉤석탄광.

탄내 무엇이 탈 때에 나는 냄새. ㉠탄내가 지독하게 나다.

탄:력 (彈力) [탈력] 용수철처럼 튀거나 팽팽하게 버티는 힘. ㉠탄력 있는 피부 / 탄력이 강하다.

탄:로 (綻露) [탈로] 비밀이 드러남. ㉠숨겼던 사실이 탄로 나다.

탄:복 (歎服) 참으로 훌륭하다고 여겨 매우 감탄함. ㉠탄복할 만한 솜씨. **—하다.**

탄:산 (炭酸) 이산화탄소가 물에 녹아 생긴 약한 산. 청량음료에 넣어 톡 쏘는 맛을 냄. ㉠탄산음료.

탄:산가스 (炭酸gas) ⇨이산화탄소.

탄:산수소나트륨 (炭酸水素Natrium) 빵을 부풀게 하거나 소화제 따위로 쓰이는 흰 가루. 물에 잘 녹으며 가열하면 쉽게 이산화탄소를 발생함. ㉥중탄산소다. 중조.

탄:산칼륨 (炭酸Kalium) 습기를 흡수하여 녹는 성질을 가진 흰 가루. 물에 잘 녹음. 비누·유리 따위를 만드는 데 씀.

탄:생 (誕生) 1 사람이 태어남. 특히, 귀한 사람에게 씀. ㉠석가 탄생. 2 어떤 조직·제도·사업체 따위가 생겨남. ㉠새로운 내각이 탄생하다. **—하다.**

탄:생석 (誕生石) 태어난 달을 상징하는 보석.

참고

생월	명 칭	상 징
1월	석류석	정조·우애
2월	자수정	성실·평화
3월	혈석	지성·용기
4월	다이아몬드	청정·무구
5월	에메랄드	행복
6월	진주·월장석	건강·장수
7월	루비	애정·정열
8월	사도닉스·페리도트	부부의 화합
9월	사파이어	성실·덕망
10월	오팔(단백석)·전기석	안락·평온
11월	토파즈(황옥)	우정·화락
12월	터키석	성공

탄:성[1] (歎聲) **1** 탄식하는 소리. **2** 깊이 감탄하는 소리. ㉠탄성을 지르다 / 탄성이 터지다.

탄:성[2] (彈性) 물체에 외부에서 힘을 가하면 그 부피와 모양이 일정한 정도로 변하였다가, 그 힘이 없어지면 다시 본디대로 돌아가는 성질. ㉠탄성이 약하다.

탄:소 (炭素) 냄새와 색이 없고 맛이 없는 고체 원소. 숯·석탄·다이아몬드 따위의 성분임.

탄:소 동화 작용 (炭素同化作用) [—자공] 잎 속의 엽록체가 햇빛을 받아서 흡수한 이산화탄소와 뿌리에서 흡수한 수분으로 탄수화물을 만드는 일.

탄:수화물 (炭水化物) 탄소·수소·산소의 화합물. 생물의 에너지원으로 중요하며 녹말·설탕류 따위가 이에 속함. ㉥함수 탄소.

탄:식 (歎〔嘆〕息) 한숨을 쉬며 한탄함. ㉠관리들의 부패를 탄식하다. ㉥한탄. **—하다.**

탄:신 (誕辰) 임금이나 성인이 태어난 날. ㉠석가 탄신.

탄:알 (彈—) [타날] 총이나 포에 재어서 화약의 폭발하는 힘으로 목표물을 쏘게 만든 쇳덩이. ㉥탄환.

탄:압 (彈壓) [타납] 권력이나 무력 따위로 함부로 으르대고 억누름. ㉠언론을 탄압하다. **—하다.**

탄:약 (彈藥) [타냑] 총알과 화약. ㉠탄약 상자.

탄:원 (歎願) [타눤] 사정을 자세히 말하고 도와주기를 몹시 바람. ㉠석방을 탄원하다. **—하다.**

탄:원서 (歎願書) [타눤서] 탄원의 뜻을 쓴 글이나 문서. ㉠탄원서를 내다 / 탄원서를 제출하다.

탄:전 (炭田) 석탄이 묻혀 있는 땅.

탄:탄대로 (坦坦大路) **1** 평평하고 넓은 길. **2** 장래가 아무 어려움이나 괴로움 없이 수월함을 이르는 말.

탄탄하다[1] 됨됨이나 생김새가 굳고 야무지다. ㉠탄탄한 체격. ㉦튼튼하다.

탄:탄하다[2] (坦坦—) 땅이나 도로가 평평하고 넓다. ㉠탄탄하게 뚫린 도로.

탄:핵 (彈劾) 죄를 밝혀서 꾸짖음. **—하다.**

탄:화수소 (炭化水素) 탄소와 수소로 이루어진 화합물을 통틀어 이르는 말.

탄:환 (彈丸) ⇨탄알.

***탈:**[1] (頉) **1** 변고나 사고. ㉠탈 없이 지내다. **2** 몸에 생긴 병. ㉠몸에 탈이 생기다 / 탈이 나서 누워 있다. **3** 트집이나 핑계. ㉠탈을 잡으려고 안달이 났다 / 탈 잡힐 일일랑 하지 마라. **4** 결함이나 허물. ㉠그 사람은 말이 많은 게 탈이다.

탈:[2] 나무·흙·종이 따위로 여러 가지 얼굴을 본떠 만든 물건.

〈탈[2]〉

마스크. ㉠하회탈 / 탈을 쓰다. ㉥ 가면.
탈것 [탈껃] 사람이 타고 다니는 도구. 말·자동차·비행기 따위.
탈곡 (脫穀) **1** 곡식의 이삭에서 낟알을 떨어냄. **2** 곡식의 낟알에서 겉겨를 벗겨 냄. **—하다.**
탈곡기 (脫穀機) [탈곡끼] 탈곡하는 데에 쓰는 농기계.
탈ː놀이 [탈로리] 탈춤·오광대·산대놀이 따위와 같이 탈을 쓰고 하는 연극. ㉥ 가면극. 탈놀음.
탈당 (脫黨) [탈땅] 당원이 소속한 정당에서 떠남. ㉤ 입당. **—하다.**
탈락 (脫落) 빠지거나 떨어져 없어짐. ㉠예선에서 탈락하다. **—하다.**
탈레스 (Thales) 〖인명〗 고대 그리스의 철학자. 만물의 근원은 물이라고 주장하였으며, '철학의 시조' 로 불림. [기원전 640?-기원전 546?]
탈모[1] (脫帽) 모자나 안전모 따위를 벗음. ㉤ 착모.
탈모[2] (脫毛) 털이 빠짐. 또는 그 털. ㉠탈모증.
탈무드 (Talmud) 유대교의 율법과 해설을 모아 엮은 책.
탈ː바가지 **1** 바가지로 만든 탈. **2** '탈²' 의 낮춤말.
탈ː바꿈 원래의 모습이나 상태가 변해 아주 달라짐. **—하다.**
탈상 (脫喪) [탈쌍] 어버이의 삼년상을 마침. ㉥ 해상. **—하다.**
탈색 (脫色) [탈쌕] **1** 옷이나 천 따위에 들어 있는 색을 뺌. ㉤ 염색. **2** 빛이 바래어 엷어짐. **—하다.**
탈선 (脫線) [탈썬] **1** 기차나 전동차 따위가 선로를 벗어남. ㉠기차가 탈선되다. **2** 말·행동이 나쁜 방향으로 빗나감. ㉠탈선행위. **—하다.**
탈세 (脫稅) [탈쎄] 세금의 일부 또는 전부를 내지 않는 일. ㉠탈세 혐의를 받다. **—하다.**
탈수 (脫水) [탈쑤] 물체 속에 들어 있는 물기를 뺌. ㉠탈수기 / 빨래를 탈수하여 널다. **—하다.**
탈영 (脫營) [타령] 군인이 자기가 속한 병영을 빠져나와 도망함. ㉠탈영병. **—하다.**
탈옥 (脫獄) [타록] 죄수가 감옥에서 빠져나와 도망함. ㉠탈옥수. **—하다.**
탈의실 (脫衣室) [타릐실 / 타리실] 목욕탕이나 수영장 등에서 옷을 벗거나 갈아입는 방.
탈주 (脫走) [탈쭈] 몰래 빠져나와 달아남. ㉠범인이 탈주하다. ㉥ 도망. **—하다.**
탈지면 (脫脂綿) [탈찌면] 기름기와 불순물을 없애고 소독한 솜. ㉥ 약솜.
탈진 (脫盡) [탈찐] 기운이 다 빠져 없어짐. ㉠탈진해 쓰러지다 / 독감으로 탈진 상태에 빠지다. **—하다.**
탈출 (脫出) 빠져나와 도망함. ㉠해외로 탈출하다. ㉥ 탈주. **—하다.**
*__탈ː춤__ 얼굴에 탈을 쓰고 추는 춤. ㉠봉산 탈춤 / 탈춤을 추다.
탈취 (奪取) 남이 가진 것을 억지로 빼앗아 가짐. ㉠금품을 탈취하다. **—하다.**
탈탈 **1** 먼지 따위를 깨끗이 털어 버리는 모양. 또는 그 소리. ㉠먼지를 탈탈 털어 내다. **2** 아무것도 남지 않게 죄다 털어 내는 모양. ㉠주머니를 탈탈 털다.
탈탈거리다 낡은 자동차 따위가 흔들거리며 느리게 가다. ㉠경운기가 탈탈거리다.
탈퇴 (脫退) 속해 있던 단체 따위에서 관계를 끊고 물러남. ㉠모임에서 탈퇴하다. ㉤ 가입. **—하다.**
탈피 (脫皮) **1** 곤충류·파충류 따위가 자라면서 묵은 허물이나 표피를 벗는 일. **2** 어떤 상태나 처지에서 벗어남. **—하다.**
탈환 (奪還) 빼앗긴 것을 도로 빼앗

아 찾음. ㉮빼앗긴 서울을 탈환하다. 비 수복. **—하다.**

탐 (貪) 지나친 욕심. ㉮탐을 내다 / 옷에 탐이 많다. 본 탐욕.

탐관오리 (貪官汚吏) [탐과노리] 탐욕이 많고 행실이 깨끗하지 못한 관리.

탐구 (探究) 더듬어 깊이 연구함. ㉮진리의 탐구. **—하다.**

탐구심 (探究心) 깊이 살피어 연구하려는 마음. ㉮탐구심이 강하다. 비 연구심. 탐구욕.

탐나다 (貪—) 몹시 가지고 싶은 마음이 생기다. ㉮탐나는 장난감.

탐내다 (貪—) 몹시 가지고 싶어 하다. ㉮남의 물건을 탐내다.

탐닉 (耽溺) 어떤 일을 몹시 즐겨서 거기에 빠짐. **—하다.**

탐독 (耽讀) 어떤 책을 몹시 즐겨서 읽음. ㉮소설을 탐독하다. **—하다.**

탐라 (耽羅) [탐나] 〖지명〗 **1** 제주도의 옛 이름. **2** 삼국 시대에 제주도에 있었던 나라. 본 탐라국.

탐문 (探問) 아직 알려지지 않은 사실이나 소문을 더듬어 찾아 물음. ㉮탐문 수사 / 범인이 행방을 탐문하다. **—하다.**

탐미 (耽美) 아름다움에 열중하여 깊이 빠지거나 즐김. ㉮탐미주의.

탐방 (探訪) **1** 명승고적 따위를 구경하기 위해 찾아감. ㉮경주 불국사를 탐방하다. **2** 어떤 사실을 알아내기 위하여 사람이나 장소를 찾아가는 일. ㉮탐방 기사. **—하다.**

탐사 (探査) 자세히 살펴 조사함. ㉮석유 탐사. **—하다.**

탐색 (探索) 감추어진 사실을 이리저리 살피어 찾음. ㉮탐색전을 벌이다. **—하다.**

탐스럽다 (貪—) [탐스럽따] 마음이 끌리도록 보기에 아주 좋다. ㉮탐스럽게 핀 장미 / 감이 탐스럽게 열렸다. 활용 탐스러워 / 탐스러우니.

탐욕 (貪慾) [타뫅] 지나치게 탐내는 욕심. ㉮탐욕을 내다 / 탐욕을 채우다. 비 야욕. 준 탐. **—스럽다.**

탐정 (探偵) 어떠한 사정을 비밀리에 살펴 자세히 알아냄. 또는 그런 일을 하는 사람. ㉮탐정 소설.

탐조등 (探照燈) 밤에 무엇을 찾거나 먼 곳에 있는 목적물을 비추기 위한 조명 기구. 서치라이트.

탐지 (探知) 몰래 조사하여 알아냄. ㉮전파 탐지 / 적의 비밀을 탐지하다. **—하다.**

탐지기 (探知機) 드러나지 않은 사실이나 물건 따위를 바로 알아내는 기계를 통틀어 이르는 말. ㉮지뢰 탐지기 / 거짓말 탐지기.

탐탁하다 [탐타카다] 모양이나 태도가 마음에 들어 만족하다. ㉮탐탁하게 여기다.

탐탁히 [탐타키] 탐탁하게.

탐하다 (貪—) 무엇을 가지려고 지나치게 욕심을 내다.

***탐험** (探險) 위험을 무릅쓰고 모르는 곳을 두루 찾아다니며 조사함. ㉮남극 탐험. 비 모험. **—하다.**

탐험가 (探險家) 탐험하러 다니는 사람. 비 탐험자.

탐험대 (探險隊) 탐험하는 사람들의 무리.

***탑** (塔) **1** 사리나 부처의 유품 등을 안치하고 공양을 하기 위해 절 안에 돌로 여러 층을 쌓아 높게 올린 건축물. **2** 여러 층으로 높고 뾰족하게 세운 건축물. ㉮탑을 쌓다.

탑골 공원 (塔—公園) [탑꼴—] 서울 종로 2가에 있는 공원. 원각사가 있던 곳으로 3·1 운동 때 독립 선언문을 발표한 곳임. 파고다 공원.

탑승 (搭乘) [탑씅] 배나 비행기 따위에 올라탐. ㉮탑승객 / 비행기에 탑승하다. **—하다.**

탑신 (塔身) [탑씬] 탑의 받침대와 꼭대기의 장식 사이에 있는 탑의 몸체.

탑재 (搭載) [탑째] 배·비행기·차 등에 물건을 실음. ㉮인공위성에 적외선 망원경을 탑재하다. **—하다.**

*__탓__ [탇] **1** 일이 잘못된 원인. ㉮네 탓이다. **2** 잘못된 것을 원망하거나 핑계나 구실로 삼는 일. ㉮안되면 조상 탓으로 돌린다.

탓하다 [타타다] 잘못된 것을 원망하다. ㉮운명을 탓하다.

탕[1] **1** 쇠붙이로 된, 속이 빈 작은 통을 세게 두드릴 때 울리는 소리. **2** 총포가 터져서 나는 소리.

탕ː[2] (湯) **1** '국'의 높임말. **2** 제사에 쓰는 건더기가 많고 국물이 적은 국. ㊐탕국.

탕ː[3] (湯) 목욕탕·온천 따위의 목욕하는 곳. ㉮남탕 / 탕에 들어가다.

-탕 (湯) **1** '탕약'의 뜻. ㉮쌍화탕. **2** '국'의 뜻. ㉮대구탕 / 설렁탕.

탕ː약 (湯藥) 달여서 먹는 한약.

탕ː진 (蕩盡) 재물 따위를 다 써서 없앰. ㉮재산을 탕진하다. **—하다.**

탕탕 **1** 총이나 대포가 잇달아 터지거나 마룻바닥 따위를 자꾸 칠 때 나는 소리. **2** 실속 없는 장담을 함부로 하는 모양. ㉮큰소리만 탕탕 치다. ㊋텅텅. ㊌땅땅.

탕ː평책 (蕩平策) 조선 영조 때 당파 싸움을 없애기 위하여 여러 당파에서 사람을 고르게 뽑아 쓴 정책.

태 (胎) 배 속의 아이를 싸고 있는 난막·태반 및 탯줄을 통틀어 이르는 말.

태고 (太古) 아주 오랜 옛날. ㉮태고 시대.

태교 (胎教) 아기를 밴 여자가 태아에게 좋은 영향을 주기 위해 마음을 편안히 하고 행동을 삼가는 일.

태국 (泰國) 〖국명〗 ⇨타이[1].

*__태권도__ (跆拳道) [태꿘도] 우리나라 고유의 무술. 맨손과 맨주먹으로 찌르기·치기·발로 차기 따위를 이용하여 공격하거나 방어하는 기술. ㊐태권.

태극 (太極) 역학에서, 우주 만물이 생긴 근원인 본체. 하늘과 땅이 아직 나뉘기 전의 세상 만물의 원시 상태.

*__태극기__ (太極旗) [태극끼] 우리나라의 국기. 흰 바탕의 한가운데에 양은 붉은빛, 음은 푸른빛으로 태극을 나타내고, 건·곤·감·이의 네 괘를 네 귀에 검은빛으로 그렸음.

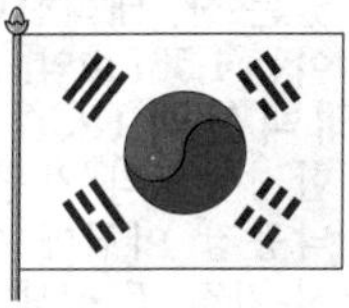

〈태극기〉

태극선 (太極扇) [태극썬] 태극 모양을 그린 둥근 부채. ㊐까치선. 태극부채.

태기 (胎氣) 아이를 밴 낌새. ㉮태기가 있다 / 태기를 느끼다.

태ː깔 (態—) **1** 모양과 빛깔. ㉮태깔이 곱다. **2** 교만한 태도. ×탯갈.

태깔(이) 나다 맵시 있는 태도가 보이다.

태껸 우리나라 전통 무술의 하나. 유연하게 움직이다가 순간적으로 손과 발을 써서 상대방을 넘어뜨림. 중요 무형 문화재 제 76 호. 택견.

*__태ː도__ (態度) **1** 겉으로 드러나는 몸가짐. ㉮의젓한 태도. ㊐몸가짐. **2** 어떤 사물이나 상황 따위를 대하는 자세. ㉮강경한 태도 / 학습 태도가 좋다. ➲ attitude

태동 (胎動) **1** 어미 배 속에서 태아가 움직이는 일. **2** 무슨 일이 생기려는 기운이 싹틈. ㉮근대 사회의 태동. **—하다.**

태두 (泰斗) 어떤 전문 분야에서 첫손을 꼽을 만큼 권위가 있는 사람. ㉮의학의 태두.

태릉 (泰陵) 조선 중종의 왕비 문정왕후의 능. 서울 노원구 공릉동에 있음. ×태능. → [학습마당] 9(255쪽)

태만 (怠慢) 게으르고 느림. ㉠근무 태만. **—하다. —히.**

태몽 (胎夢) 아기를 밸 징조의 꿈. ㉠태몽을 꾸다.

태반 (太半) 거의 절반. ㉠일의 태반은 끝났다.

태백산 (太白山) [태백싼] 경상북도 봉화군과 강원도 태백시 사이에 있는 산. 태백산맥의 제1봉으로, 높이는 1,567 m임.

태백산맥 (太白山脈) [태백싼맥] 함경남도와 강원도 철령 부근에서 낙동강 어귀에 이르는 우리나라에서 가장 긴 산맥. 산맥 서쪽에 비해 동쪽의 경사가 급함. 금강산·태백산·오대산·설악산 따위가 속해 있음. 길이 600 km.

태봉 (泰封) 후삼국 중의 한 나라. 신라 말기에 궁예가 송악에서 세운 나라로, 도읍을 철원으로 옮긴 뒤 '태봉'이라 하였는데, 고려 태조 왕건에게 망함. [901-918]

태부족하다 (太不足—) [태부조카다] 많이 모자라다. ㉠학생 수에 비해 교실이 태부족하다.

태산 (泰山) **1** 높고 큰 산. **2** 크고 많음. ㉠할 일이 태산 같다.

태생 (胎生) **1** 어떤 땅에 태어남. ㉠부산 태생. **2** 어미 배 속에서 어느 정도 자란 뒤에 태어남. ㉠태생 동물. 반 난생.

태:세 (態勢) 어떤 일을 앞두고 갖춘 모양이나 몸가짐. ㉠싸울 태세를 갖추다. 비 자세.

태수 (太守) 예전에, 큰 고을을 맡아 다스리던 으뜸 벼슬.

***태아** (胎兒) 모체 안에서 자라고 있는 어린 생명체.

***태양** (太陽) **1** 태양계의 중심을 이루는 빛나는 항성. 지구와의 거리는 1억 4,945만 km. 크기는 지구의 약 130만 배, 표면 온도는 약 6,000℃임. 비 해. **2** 매우 소중하거나 희망을 주는 존재를 비유하여 이르는 말. ㉠민족의 태양. ➲ sun

태양계 (太陽系) [—/태양게] 태양과 그것을 중심으로 하여 그 둘레를 돌고 있는 모든 별들로 구성된 천체의 무리. 태양, 8개의 행성, 이에 딸린 위성, 무수한 소행성, 혜성 따위로 이루어져 있음.

태양력 (太陽曆) [태양녁] 지구가 태양의 둘레를 한 바퀴 도는 데 걸리는 시간을 1년으로 한 달력. 반 태음력. 준 양력.

태양 에너지 (太陽energy) 태양의 열과 빛 속에 들어 있는 힘.

태양열 (太陽熱) [태양녈] 태양에서 나와서 지구에 도달하는 열.

태양의 고도 (太陽—高度) [—/태양에—] 태양이 떠 있는 높이. 태양을 가리키는 선과 수평면이 이루는 각도로 나타냄.

태양 흑점 (太陽黑點) [—흑쩜] 태양 표면에 나타나는 검은 점. 모양은 둥글고 그 길이는 수백에서 수만 km에 달하며 주위보다 온도가 낮기 때문에 검게 보임. 지구의 기온·기후에 영향을 끼치며, 전파 장애도 일으킴. 준 흑점.

***태어나다** 사람이나 동물이 처음으로 세상에 나오다. ㉠장남으로 태어나다.

태연 (泰然) 태도나 기색이 아무렇지도 않고 그냥 그대로 있는 모양. ㉠태연한 얼굴 / 거짓말을 태연히 하다. **—하다. —히. —스럽다.**

태연자약 (泰然自若) 마음에 어떤 충격을 받아도 태도나 기색이 변하지 않고 천연스러움. ㉠아무리 욕을 먹어도 태연자약하다. **—하다.**

태엽 (胎葉) 시계나 장난감 따위에 동력으로 쓰이는, 얇고 좁은 강철을 돌돌 말아 그 풀리는 힘을 이용하는 장치. ㉠태엽을 감다.

***태우다**[1] **1** 불에 타게 하다. ㉠종이

를 태우다 / 낙엽을 태우다. **2** 열로 검어지게 하다. ㉥밥을 태우다. **3** 햇빛 따위에 그을게 하다. ㉥일광욕으로 피부를 태우다. **4** 마음을 졸이다. ㉥애를 태우다.

***태우다²** 탈것에 몸을 얹게 하다. ㉥자전거를 태우다.

태우다³ 간지럼 따위를 느끼게 하다. ㉥간지럼을 태우다.

태음력 (太陰曆) [태음녁] 달이 지구의 둘레를 한 바퀴 도는 데 걸리는 시간을 기준으로 하여 만든 달력. 반 태양력. 준 음력.

태자 (太子) 황제의 자리를 이어받을 아들. 비 세자. 본 황태자.

태자비 (太子妃) 황태자의 아내.

태조 (太祖) **1** 한 왕조를 일으킨 첫 임금. ㉥조선 태조. **2**〖인명〗⇨왕건. **3**〖인명〗⇨이성계.

태종 (太宗) **1** 한 왕조의 임금 가운데 태조에 버금가는 공과 덕이 있는 임금. **2**〖인명〗조선 제3대 임금. 성인 이(李). 이름은 방원. 조선을 세우는 데 크게 공헌하였으며, 신문고 설치 등 많은 업적을 남겼음. [1367–1422 ; 재위 1401–1418]

태종 무:열왕 (太宗武烈王)〖인명〗⇨김춘추.

태질 **1** 되게 메어치거나 넘어뜨리는 짓. **2** 개상에 볏단을 메어쳐서 난알을 떠는 일. **—하다.**

태초 (太初) 하늘과 땅이 맨 처음 생겨났을 때. 아주 먼 옛날.

태클 (tackle) 축구 따위에서, 상대방이 공격하고 있을 때 틈을 노려 공을 빼앗는 일.

태평 (太平) **1** 세상이 평화롭고 해마다 풍년이 들며 평안함. ㉥태평을 누리다 / 정치가 잘되어 나라가 태평하다. **2** 성격이 느긋하여 마음에 근심 걱정 없이 태연함. ㉥시험이 다가오는데 태평이다. **—하다. —히. —스럽다.**

태평성대 (太平聖代) 어진 임금이 나라를 잘 다스려 아주 평화로운 세상이나 시대. ㉥태평성대를 누리다.

태평소 (太平簫) ⇨새납.

태평양 (太平洋) [태평냥] 오대양의 하나. 아시아와 남북아메리카 및 오스트레일리아에 둘러싸인 세계 최대의 바다.

태평양 전:쟁 (太平洋戰爭) [태평냥—] 제2차 세계 대전의 일부로, 1941–1945년에 연합국과 일본 사이에 벌어진 전쟁. 일본의 진주만 습격으로 시작되어 연합군이 히로시마에 원자탄을 투하함으로써 일본이 무조건 항복하여 끝났음.

***태풍** (颱風) 북태평양 남서부에서 발생하여 아시아 대륙 동부로 불어오는 맹렬한 바람. ㉥태풍 경보 / 태풍의 눈. → [학습마당] 6(176쪽)

태학 (太學) **1** 고구려 소수림왕 때 세운 국립 교육 기관. 귀족의 자제에게 유학과 역사를 가르쳤음. **2** 조선 때 '성균관'을 달리 이르던 말.

태형 (笞刑) 매로 죄인의 볼기를 치던 형벌.

택견 [택껸] ⇨태껸.

택리지 (擇里志) [탱니지]〖책〗 조선 영조 때 이중환이 지은 우리나라 지리책. 전국의 지형·풍습·교통 따위가 실려 있음.

택배 (宅配) [택빼] 요금을 받고 짐·서류 따위를 요구하는 곳까지 배달해 주는 일. ㉥**택배**로 주문한 물건을 보내다.

***택시** (taxi) 손님을 목적지까지 태워 주고 미터기에 따라 요금을 받는 영업용 승용차.

택일¹ (擇一) [태길] 여럿 가운데서 하나를 고름. ㉥둘 중에서 택일하다. **—하다.**

택일² (擇日) [태길] 좋은 날짜를 고름. ㉥택일하여 이사를 하다. 비 택길. **—하다.**

택지 (宅地) [택찌] 집을 짓기 위한 땅. 예택지 조성 / 택지를 개발하다. [비]집터.
택하다 (擇—) [태카다] 여럿 가운데에서 고르다. 예마음대로 택하다. [본]선택하다.
탤런트 (talent) 텔레비전 드라마에 나오는 연기자. 예인기 탤런트.
탬버린 (tambourine) 쇠나 나무로 된 테의 한쪽에 가죽을 대고 둘레에는 작은 방울을 단 타악기. 손에 들고 가죽을 치며 흔들어 방울을 울림.

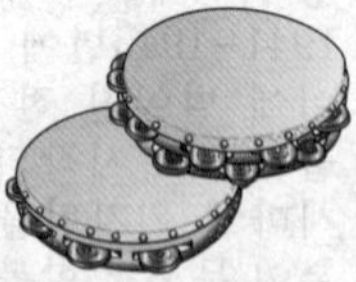
〈탬버린〉

탯줄 (胎—) [태쭐 / 탣쭐] 태아의 배꼽과 태반을 잇고 있는 줄.
탱자 탱자나무의 열매. 향기가 좋고 약에 씀.
탱자나무 귤나무 비슷한, 낙엽 활엽 관목. 높이가 2 m가량이고, 나무껍질은 녹색이며 가지에 가시가 많아서 울타리로 심음. 가을에 탱자가 노랗게 익음.

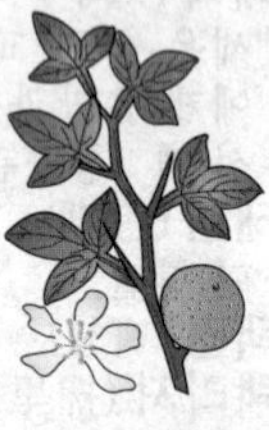
〈탱자나무〉

***탱크** (tank) **1** 무한궤도를 갖추고, 총포가 장치되어 있는 공격용 차량. 차체는 탄환을 막도록 두껍게 되어 있음. 전차. 예탱크 부대. **2** 물·기름·가스 따위를 넣어 두는 큰 통. 예기름 탱크.
탱탱 살이 찌거나 부어서 팽팽한 모양. 예살이 탱탱 찌다. [큰]팅팅. **—하다.**
***터**[1] **1** 건축이나 토목 공사를 할 자리. 또는 했던 자리. 예터가 넓다 / 터를 잡다. **2** 일이 이루어진 밑자리. 예경제 발전의 터를 닦다.
***터**[2] **1** 예정·추측의 뜻을 나타내는 말. 예내가 갈 터이다. **2** 형편·처지의 뜻을 나타내는 말. 예그와는 서로 잘 아는 터이다.
터널 (tunnel) 차나 사람이 다닐 수 있도록 산이나 땅 따위의 밑을 뚫어 만든 길. 굴.
터놓다 [터노타] **1** 막은 물건을 치워 통하게 하다. 예길을 터놓다. **2** 숨김없이 마음을 드러내다. 예터놓고 지내는 사이.
터덜거리다 **1** 무거운 발걸음으로 힘없이 계속 걷다. **2** 빈 수레가 험한 길 위를 소리를 내며 가다. [작]타달거리다.
터덜터덜 터덜거리는 모양.
터:득하다 (攄得—) [터드카다] 깊이 생각하여 이치를 깨달아 알아내다. 예진리를 터득하다 / 요령을 터득하다.
***터:뜨리다** 터지게 하다. 예웃음을 터뜨리다 / 풍선을 터뜨리다 / 꽃망울을 터뜨리다.
터럭 사람이나 길짐승의 몸에 난 길고 굵은 털.
터무니없다 [터무니업따] 이치나 도리에 맞지 않거나 근거가 없다. 예터무니없는 거짓말 / 터무니없는 값을 부르다.
터무니없이 [터무니업씨] 터무니없게. 예터무니없이 비싸다.
터미널 (terminal) 버스·열차 따위의 시발점이나 종점. 예고속버스 터미널.
터벅터벅 힘없이 천천히 걸어가는 모양. 예혼자 터벅터벅 걷다. [작]타박타박.
터번 (turban) 인도인이나 이슬람교도가 머리에 둘둘 감는 수건.
터부 (taboo) 어떤 말이나 행동을 금하거나 꺼리는 것.
터부룩하다 [터부루카다] 머리털·풀·나무 따위가 우거져서 위가 매우 수북하다. [여]더부룩하다.
터수 **1** 살림살이의 형편이나 정도.

㉠터수가 좋아지다. **2** 다른 사람과 이루어져 있는 어떤 관계나 사이. ㉠친한 터수에 그럴 것 있나. 준 터.

터울 한 어머니가 낳은 자녀의 나이 차이. ㉠형과는 두 살 터울이다.

터전 **1** 집터가 되는 땅. ㉠터전을 닦다. **2** 생활의 근거지. ㉠삶의 터전을 마련하다. 비 기반

터주 (—主) 집터를 지킨다는 지신. ㉠터주를 모시다.

터줏대감 (—主大監) [터주때감 / 터줃때감] 마을이나 단체 등에서 가장 오래되어 그 주인처럼 된 사람을 놓으로 이르는 말.

*__터:지다__ **1** 일이 갑자기 벌어지다. ㉠전쟁이 터지다. **2** 한 덩어리로 된 것이 갈라지다. ㉠폭탄이 터지다. **3** 박수·웃음·소리 따위가 한꺼번에 나오다. ㉠환성이 터지다. **4** 벌어져 갈라지다. ㉠입술이 터지다. **5** 참거나 쌓였던 감정 따위가 왈칵 쏟아지다. ㉠울음이 터지다.

터치 (touch) **1** 손을 댐. 건드림. **2** 배구에서, 상대편 코트를 향하여 공을 재빨리 쳐 넣는 공격법. **3** 야구에서, 수비하는 선수가 공을 주자에게 갖다 대는 일. **—하다.**

터치아웃 (touch+out) 야구에서, 수비수가 주자의 몸에 공을 대어 아웃시키는 일.

터키 (Turkey) 〖국명〗 아시아 서쪽 끝에 있는 공화국. 농업·목축업을 주로 하여 양모·담배·면화·보리 따위를 생산함. 수도는 앙카라.

터:트리다 ⇨터뜨리다.

*__턱__[1] **1** 사람이나 동물의 입의 위아래에 있는, 말을 하거나 음식을 씹는 일을 하는 기관. **2** 아래턱의 바깥 부분. ㉠턱을 괴다. ➲ chin, jaw

턱[2] 평평한 곳에 어느 한 부분이 갑자기 조금 높게 된 자리. ㉠턱이 지다 / 턱에 걸리다.

턱[3] 좋은 일이 있을 때 남에게 베푸는 음식 대접. ㉠생일 턱을 내다.

턱[4] 그렇게 되어야 할 까닭. ㉠그럴 턱이 있나.

턱[5] **1** 긴장이 풀리는 모양. ㉠마음을 턱 놓다. **2** 숨이 막히는 모양. ㉠숨이 턱 막히다. **3** 갑자기 맥없이 쓰러지는 모양. ㉠방바닥에 턱 쓰러지다. **4** 무슨 행동을 아주 의젓하게 하는 모양. ㉠의자에 턱 걸터앉다. **5** 움직이던 것이 갑자기 멈추거나 걸리는 모양. ㉠엔진이 턱 멎었다.

턱걸이 [턱꺼리] 철봉을 손으로 잡고 몸을 끌어 올리어 턱이 철봉 위까지 올라가게 하는 운동. **—하다.**

턱밑 [텅믿] 아주 가까운 곳. ㉠안경을 턱밑에 두고 딴 데서 찾는다.

턱뼈 동물의 턱을 이루는 뼈.

턱수염 (—鬚髥) [턱쑤염] 아래턱에 난 수염. ㉠턱수염을 기르다.

턱시도 (tuxedo) 남자의 야간용 약식 예복.

턱없다 [터겁따] **1** 이치에 닿지 않다. ㉠턱없는 소리 하지도 마라. **2** 수준이나 분수에 맞지 않다.

턱없이 [터겁씨] 턱없게. ㉠값이 턱없이 비싸다.

턱지다 [턱찌다] 평평한 곳에 두두룩한 자리가 생기다. ㉠턱진 곳에 걸려 넘어지다.

턱턱 **1** 일을 의젓하게 잘 처리하는 모양. ㉠맡은 일을 턱턱 해내다. **2** 자꾸 세게 걸리거나 막히는 모양. ㉠숨이 턱턱 막히다. **3** 물건을 자꾸 두드리거나 먼지 따위를 떠는 모양. 또는 그 소리. 작 탁탁.

*__털__ **1** 사람이나 동물의 몸에 나는 가느다란 실 모양의 것. ㉠털을 뽑다 / 털이 나다. **2** 물건의 거죽에 부풀어 일어난 가는 실 모양의 것.

털가죽 털이 그대로 붙어 있는 짐승의 가죽. 모피. ㉠털가죽 장갑.

털갈이 [털가리] 짐승이나 새의 묵은 털이나 깃이 빠지고 새로 나는

일. **—하다.**

털구멍 [털꾸멍] 털이 나는 작은 구멍. 비 모공.

털끝 [털끋] **1** 털의 끝. **2** 매우 작거나 적은 것. 예털끝만큼도 의심할 여지가 없다.

털ː다 **1** 붙은 것이 흩어지거나 떨어지게 하다. 예먼지를 털다. 센 떨다. **2** 가지고 있는 물건을 모조리 내어 쓰다. 예밑천을 털다. **3** 도둑이나 소매치기가 재물을 죄다 가져가다. 예빈집을 털다. 활용 털어 / 터니 / 터는.

털레털레 홀가분한 차림으로 건들거리며 걷는 모양. 예빈손으로 털레털레 돌아왔다.

털리다 **1** 털어지다. 텲음 당하다. **2** 노름판에서 가지고 있던 돈을 모조리 잃다. 예한 판에 노름 밑천이 털리다. **3** 도둑이나 소매치기에게 가지고 있던 재물을 모조리 잃어버리다. 예가진 돈을 몽땅 털리다.

털모자 (—帽子) 털로 만든 모자.

털버덕 **1** 넓적한 물건이 얕은 물 위를 거칠고 어지럽게 밟거나 치는 소리. **2** 아무렇게나 털썩 주저앉는 모양. 또는 그 소리. 예땅바닥에 털버덕 앉다. 작 탈바닥.

털보 얼굴이나 몸에 털이 많이 난 사람을 놀리는 말.

털신 털이나 모피 따위를 써서 만든 방한용 신.

털실 짐승의 털로 만든 실.

털썩 **1** 사람이 갑자기 주저앉거나 쓰러지는 소리나 모양. 예의자에 털썩 주저앉다. **2** 조금 두껍고 넓은 물건이 갑자기 바닥에 내려앉는 소리나 모양. 예짐을 털썩 내려놓다. 작 탈싹.

털어놓다 [터러노타] **1** 속에 든 물건을 모두 내놓다. 예지갑을 털어놓다. **2** 비밀이나 고민 따위를 숨김없이 모두 이야기하다. 예속마음을 털어놓다.

털어먹다 [터러먹따] 재산이나 돈을 함부로 써서 없애다. 예재산을 다 털어먹다. ×떨어먹다.

털옷 [터롣] 털이나 털가죽으로 만든 옷.

털털하다 사람의 성격이 까다롭지 않고 소탈하다. 예사람이 털털하여 어지간한 일에는 성을 안 낸다.

텀벙 묵직하고 큰 물건이 깊은 물속에 떨어질 때 나는 소리. 예깊은 물속에 텀벙 뛰어들다. 작 탐방. 여 덤벙. **—하다.**

텀블링 (tumbling) **1** ⇨공중제비. **2** 여러 사람이 손을 맞잡거나 어깨에 올라타 여러 가지 모양을 만드는 체조. **—하다.**

텁석부리 [텁썩뿌리] 귀밑에서 턱까지 짧고 더부룩한 수염이 많이 난 사람. 작 탑삭부리.

텁수룩이 [텁쑤루기] 텁수룩하게. 예수염이 텁수룩이 나다.

텁수룩하다 [텁쑤루카다] 수염이나 머리털이 많이 나 어수선하거나 더부룩하다. 예텁수룩한 머리털 / 수염이 텁수룩하다. 작 탑소록하다.

텁텁하다 [텁터파다] 맛이 시원하거나 깨끗하지 않다. 예입 안이 텁텁하다.

텃밭 [터빧 / 턷빧] 집터에 딸리거나 집 가까이에 있는 밭. 예텃밭을 가꾸다 / 텃밭을 일구다.

텃새 [터쌔 / 턷쌔] 철 따라 옮겨 다니지 않고 한 지역에서 내내 사는 새. 참새·까마귀·꿩 따위. 비 유조. 반 철새.

텃세 (—勢) [터쎄 / 턷쎄] 먼저 자리 잡은 사람이 뒤에 들어오는 사람을 업신여기는 일. 예텃세가 심하다 / 텃세를 부리다. **—하다.**

텅[1] 속이 비어 아무것도 없는 모양. 예텅 빈 교실.

텅[2] 쇠붙이로 된 속이 빈 큰 통을

세게 두드릴 때 울리는 소리. ㊂탕.
텅스텐 (tungsten) 회백색의 매우 단단하고 질긴 금속 원소. 전구·진공관 따위에 필라멘트로 씀. 중석.
텅텅 속이 다 비어서 아무것도 없는 모양. ㊀텅텅 빈 버스.
테 **1** 둥근 물건이 흐트러지지 않게 둘러맨 줄. ㊀금이 간 항아리에 테를 메우다. **2** 장식이나 표지로 가장자리를 두른 물건. ㊀모자에 흰 테를 두르다.
테너 (tenor) 남자의 목소리에서 가장 높은 소리. 또는 그 가수.
테니스 (tennis) 가운데에 네트를 치고 양쪽에서 공을 라켓으로 치고 받는 경기. 정구.
테두리 **1** 가장자리를 따라 죽 둘린 줄. 물체의 둘레. ㊉윤곽. ㊇테. **2** 어떤 범위나 한계. ㊀예산의 테두리 안에서 지출한다.
테라스 (terrace) 실내에서 직접 밖으로 나갈 수 있도록 꾸민, 길이나 정원 쪽으로 뻗쳐 나온 곳.
테라 코타 (이 terra cotta) 점토를 구워 만든 인형이나 그릇.
테러 (terror) 폭력을 써서 남을 위협하거나 공포에 빠지게 하는 행위. ㊀테러를 당하다.
테마 (독 Thema) 예술 작품·논문·회의 따위의 중심이 되는 내용. 주제. ㊀테마 송을 부르다.
테스트 (test) 시험. 검사. 음미. ㊀실력 테스트. **—하다.**
테이블 (table) 서양식의 탁자나 식탁. ㊀둥근 테이블.
*__테이프__ (tape) **1** 가늘고 길게 만든 종이나 헝겊 조각. **2** 소리나 영상 따위를 기록하는 데 쓰는 가늘고 긴 필름.
테크놀로지 (technology) 과학 기술. 응용 과학.
테크닉 (technic) 연주·노래·운동 따위를 훌륭하게 해내는 기술. 수법. 기교. ㊀테크닉이 좋다.
텐트 (tent) ⇨천막.
텔레뱅킹 (telebanking) 전화로 하는 은행 거래. 폰뱅킹.
*__텔레비전__ (television) 전파를 통해 보낸 영상과 소리를 받아 화면에 나타내어 볼 수 있게 한 장치. ㊀텔레비전을 보다. ×텔레비.
텔레파시 (telepathy) 감각 기관을 통하지 않고, 한 사람이 가진 생각이나 인상이 멀리 있는 다른 사람에게 전달되는 일. 정신 감응. ㊀텔레파시가 통하다.
템포 (이 tempo) **1** 일의 속도. 진도. ㊀지하철 공사의 템포가 빠르다. **2** 악곡을 연주하는 속도.
토[1] 한문의 구절 끝에 붙여 읽는 우리말 부분. ㊀토를 붙이다.
토(를) 달다 어떤 말 끝에 덧붙여 말하다. ㊀말끝마다 토를 달다.
*__토__[2] (土) '토요일'의 준말.
토굴 (土窟) 땅속에 판 굴. ㊉땅굴.
토기 (土器) 진흙으로 만들어 볕에 말리거나 불에 구운 그릇.
*__토끼__ 토낏과의 짐승. 귀는 길고 크며, 뒷다리는 앞다리보다 훨씬 발달함. 초식 동물로 번식력이 강하며 초원·숲 속에 삶. ➡rabbit
토끼와 거북 이솝이 지은 이야기. 거북이와 토끼가 달리기를 하였는데, 토끼가 거북을 얕보고 낮잠을 자다 지고 말았다는 이야기.
토끼장 (—欌) 토끼를 넣어 기르는 장. ㊉토끼우리. 토끼집.
토끼전 (—傳) 〖책〗 ⇨별주부전.
토끼풀 콩과의 여러해살이풀. 잎자루 끝에 3–4 개의 작은 잎이 붙고 여름에 나비 모양의 흰 꽃이 핌. 클로버.

〈토끼풀〉

토너먼트 (tournament) 여러 팀이

우승을 겨룰 때, 경기할 때마다 진 팀은 제외되고 마지막 남은 두 팀이 우승을 겨루는 경기. 또는 그 경기 방법. [반] 리그전.

토닥거리다 [토닥꺼리다] 잘 울리지 않는 물건을 가볍게 자꾸 두드리어 소리를 내다. [큰] 투덕거리다. [센] 또닥거리다.

토담 (土-) 흙으로 쌓아 만든 담. (예)토담집. [비] 흙담.

토대 (土臺) **1** 집·다리 따위의 맨 아래에서 떠받치는 밑바탕. **2** 사물의 근본. (예)생활의 토대. [비] 기초.

토라지다 마음에 들지 않아 뒤를 리어 싹 돌아서다. (예)약속 시간에 늦었다고 토라지다.

토란 (土卵) 천남성과의 여러해살이풀. 잎은 두껍고 넓으며 땅속에 감자와 비슷한 뿌리가 달림. 뿌리와 줄기를 먹음.

〈토란〉

토로 (吐露) 속마음을 죄다 드러내어 말함. (예)억울한 심정을 토로하다. **—하다.**

토록 어느 정도나 수량에 미치기까지의 뜻을 나타내는 말. (예)이토록 많은 사람이 모이다니 놀랍다 / 평생토록 노력했다 / 하루 종일토록 일하다.

***토:론** (討論) 여러 사람이 각각 의견을 말하면서 논의함. (예)토론을 벌이다. [비] 토의. **—하다.**

토:론회 (討論會) 어떤 문제에 대해 그 옳고 그름을 논의하기 위한 모임이나 회의. (예)독서 토론회.

***토마토** (tomato) 가짓과의 한해살이풀. 높이 1–1.5 m가량, 여름에 노란 꽃이 피고, 둥그렇고 빨간 열매가 열리는데 비타민이 풍부함.

〈토마토〉

토막 **1** 크고 덩어리가 진 도막. (예)생선 토막 / 나무를 토막 내다. **2** 말·글·노래 등의 짤막한 한 부분. (예)한 토막의 이야기. **3** 덩어리진 도막을 세는 말. (예)생선 한 토막.

토목 (土木) **1** 흙과 나무. **2** '토목 공사'의 준말.

토목 공사 (土木工事) [—꽁사] 흙·모래·나무·돌·쇠 따위로 도로나 다리 따위를 만드는 공사. [준] 토목.

토박이 (土—) [토바기] 일정한 고장에서 대대로 살아오는 사람. (예)서울 토박이. [본] 본토박이.

토박이말 (土—) [토바기말] 대대로 그 고장에서 사는 사람들이 쓰는 말.

토벌 (討伐) 군대를 보내어 적이나 죄 지은 무리를 쳐 없앰. (예)공비를 토벌하다. **—하다.**

토사 (土砂) 흙과 모래. (예)강둑에 토사가 쌓이다.

토산물 (土產物) 그 지방에서만 나는 특유한 물건. 강화의 화문석, 담양의 죽세공품 따위.

토산품 (土產品) 그 지방 특유의 물품.

토성[1] (土城) 흙으로 쌓은 성. (예)토성을 쌓다.

토성[2] (土星) 태양에서 여섯 번째로 가까운 행성. 크기는 지구의 755배이며, 둘레에 여섯 개의 고리 모양의 띠가 있음.

토속 (土俗) 그 지방의 특유한 풍속. (예)토속 신앙.

토스터 (toaster) 전기를 이용해 식빵을 굽는 기구.

토스트 (toast) 식빵을 얇게 썰어 살짝 구운 것.

토시 추위나 더러움을 막기 위해 팔에 끼는, 헝겊이나 가죽 따위로 만든 물건.
토실토실 살이 보기 좋게 찐 모양. (예)토실토실 살이 찌다. [큰]투실투실. **—하다.**
토씨 어떤 말에 붙어 다른 말과의 관계를 나타내는 말. [비]조사.
토양 (土壤) 농작물을 자라게 할 수 있는 흙. (예)기름진 토양.
***토요일** (土曜日) 일주일 가운데 일요일로부터 일곱째 되는 날. [준]토. 토요. ➲ Saturday
***토:의** (討議) [— / 토이] 어떤 문제에 대하여 서로 의견을 내놓고 논의함. (예)토의 사항 / 진지하게 토의하다. [비]토론. **—하다.**
토인 (土人) **1** 그 지방에 대대로 사는 사람. **2** 원시적인 생활을 하는 미개인.
토정비결 (土亭祕訣) 〖책〗 조선 명종 때 토정 이지함이 지은 책. 그해의 운수를 알아보는 데에 씀.
토종 (土種) 그 땅에서 나는 종자. (예)토종닭 / 토종 농산물. [비]재래종.
***토지** (土地) 사람의 생활과 활동에 이용하는 땅. (예)비옥한 토지.
토질 (土質) 땅의 성질. 흙의 성질. (예)척박한 토질.
토착 (土着) 조상 대대로 그 땅에서 삶. (예)토착 문화. **—하다.**
토템 (totem) 미개 사회에서, 부족 또는 씨족과 특별한 혈연관계가 있다고 믿어 신성시하는 특정한 동식물 또는 자연물.
토픽 (topic) 화제가 되는 이야기. (예)해외 토픽.
토하다 (吐—) **1** 게우다. 뱉다. (예)음식을 토하다. **2** 생각하고 있는 것을 말하다. (예)열변을 토하다.
토:함산 (吐含山) 경상북도 경주시에 있는 산. 불국사와 석굴암이 있음. 높이 745 m.
톡 **1** 한 부분이 불거져 나온 모양. (예)두 눈이 톡 불거지다. **2** 살짝 치거나 건드리는 모양. 또는 그 소리. (예)먼지를 톡 털다. **3** 갑자기 터지거나 튀는 모양. 또는 그 소리. (예)석류가 톡 터지다. **4** 갑자기 혀끝이나 코 따위에 자극을 받는 느낌. (예)톡 쏘는 음료수. [큰]툭.
톡톡 **1** 자꾸 살짝 치거나 건드리는 모양이나 소리. (예)어깨를 톡톡 쳐서 깨우다. **2** 자꾸 터지거나 튀는 모양. 또는 그 소리. **3** 작은 것이 자꾸 가볍게 부러지는 모양이나 소리. (예)성냥개비를 톡톡 부러뜨리다. [큰]툭툭.
톡톡하다 [톡토카다] **1** 국물이 적어 묽지 않다. (예)톡톡하게 끓인 닭찜. **2** 천이 고르고 단단하게 짜이어 도톰하다. **3** 꾸중이나 망신 등의 정도가 심하다. (예)망신을 톡톡하게 당하다. **4** 구실·역할 따위가 제대로 되다. (예)자기 역할을 톡톡하게 해내다. [큰]툭툭하다.
톡톡히 [톡토키] 톡톡하게. (예)꾸지람을 톡톡히 듣다.
톤[1] (ton) 무게의 단위. 1,000 kg을 1톤이라 함《기호는 t》.
톤[2] (tone) **1** 전체에서 느끼는 기분이나 소리 따위. (예)톤을 낮추다. **2** 색깔이 짙거나 옅은 정도. 색조.
톨 밤이나 곡식의 낟알 따위를 세는 말. (예)밤 한 톨.
톨게이트 (tollgate) 고속도로나 유료 도로에서 통행료를 받는 곳.
톰 소여의 모:험 (Tom Sawyer—冒險) [— / —에—] 〖책〗 미국의 작가 마크 트웨인이 지은 소설. 장난꾸러기 소년 톰과 그의 친구가 보물을 찾으며 겪는 모험 이야기.
***톱**[1] 나무나 쇠붙이 따위를 자르거나 켜는 데 쓰는 강철로 된 연장.

〈톱[1]〉

톱[2] (top) **1** 꼭대기. 우두머리. 맨

앞. **2** 수위. 수석. ㉠톱타자. **3** 신문이나 잡지 따위에서, 가장 눈에 잘 띄는 자리. ㉠1면 톱에 실린 기사.

톱날 [톰날] 톱의 날카로운 이가 줄지어 선 부분. ㉠톱날을 세우다.

톱니 [톰니] 톱의 날을 이룬 뾰족하고 날카로운 이.

톱니바퀴 [톰니바퀴] 바퀴 둘레가 일정한 간격의 톱니로 되어 있어, 이와 이가 서로 맞물려 돌아감으로써 동력을 전달하는 기계 장치.

톱밥 [톱빱] 톱질할 때에 나무 등에서 쓸려 나오는 가루.

톱질 [톱찔] 톱으로 나무 따위를 자르거나 켜는 일. **—하다.**

톳 [톧] 김 백 장을 한 묶음으로 묶은 덩어리. 또는 그 묶음을 세는 말. ㉠김 한 톳.

통[1] **1** 바짓가랑이나 소매 따위의 속의 넓이. ㉠바지의 통이 넓다. **2** 사람의 도량이나 씀씀이. ㉠통이 큰 사람.

통[2] 배추·박 등을 세는 말. ㉠배추 열 통/수박 한 통.

***통**[3] 어떤 일이 벌어진 환경이나 판국. ㉠장마 통에 물난리를 겪다.

통[4] 전혀. 도무지. ㉠네 말을 통 알아듣지 못하겠다.

통[5] 작은 북이나 속이 빈 나무통 따위를 쳐서 울리는 소리.

통[6] (通) 편지나 전화, 서류 따위를 세는 말. ㉠편지 세 통/전화 한 통 걸다/이력서 한 통.

***통**[7] (桶) **1** 물이나 물건 따위를 담는 그릇. ㉠통에 물을 붓다. **2** 통에 담긴 것을 세는 말. ㉠물 한 통을 길어 오다.

통:[8] (統) 반의 위, 동의 아래인 행정 단위. ㉠염리동 17통 4반.

통- 어떤 말의 앞에 붙어서 '통째'의 뜻을 나타내는 말. ㉠통밀/통닭/통돼지.

-통 (通) 어떤 방면을 잘 알고 있음을 나타내는 말. ㉠소식통/외교통.

통:감 (痛感) 마음에 사무치게 느낌. ㉠건강이 제일임을 통감하다. ㉥절감. **—하다.**

통:계 (統計) [—/통게] **1** 한데 몰아서 셈함. **2** 어떤 현상을 종합적으로 한눈에 알아보기 쉽게 체계에 따라 숫자로 나타냄. 또는 그런 것. ㉠통계 자료/통계 조사.

통:계표 (統計表) [—/통게표] 통계 결과를 나타낸 표.

통고 (通告) 글이나 말을 통하여 소식을 알림. ㉠통고를 받다/시험 연기를 통고하다. **—하다.**

통:곡 (痛哭) 소리를 높여 슬피 욺. ㉠통곡하며 슬퍼하다. **—하다.**

통과 (通過) **1** 어떤 곳이나 때를 거쳐 지나감. ㉠유리는 빛을 통과시킨다. **2** 회의에서 의논하여 결정됨. ㉠새 법이 통과되다. **3** 검사나 시험 따위에 합격함. ㉠학과 시험을 가볍게 통과하다. **—하다.** ➲ pass

통근 (通勤) 집에서 직장에 매일 일하러 다님. ㉠통근 버스. **—하다.**

통꽃 [통꼳] 꽃잎이 서로 붙어서 하나의 꽃판을 이루는 꽃. 진달래나 나팔꽃 따위. ㉥합판화. ㉦갈래꽃.

통나무 켜거나 자르지 아니한 통째의 나무. ㉠통나무로 집을 짓다.

통념 (通念) 사회에 널리 알려져 있는 일반적인 생각. ㉠사회적 통념을 깨다.

통달 (通達) 막힘이 없이 환히 앎. ㉠컴퓨터에 통달한 사람. **—하다.**

통닭 [통닥] 털과 내장만을 제거한 채 통째로 익힌 닭고기.

통독 (通讀) 처음부터 끝까지 내리 읽음. ㉠삼국지를 통독하다. **—하다.** *정독.

통:렬하다 (痛烈—) [통녈하다] 매우 날카롭고 매섭다. ㉠통렬한 비판을 퍼붓다. ㉥맹렬하다.

통:렬히 (痛烈—) [통녈히] 통렬하

게. (예)통렬히 비난하다.
통례 (通例) [통녜] 일반적으로 통하여 쓰는 예. (비)상례.
통로 (通路) [통노] 다닐 수 있게 트인 길. (예)좁은 통로를 간신히 빠져나오다.
통발 (筒—) 가는 대나무 조각을 엮어 통같이 만든, 고기를 가두어 잡는 도구. (예)통발을 치다.

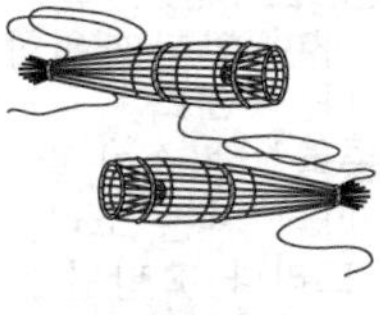
〈통발〉

통보 (通報) 어떤 일을 알림. (예)기상 통보. **—하다.**
통:분[1] (痛憤) 원통하고 분함. **—하다.**
통분[2] (通分) 분수나 분수식에서 각기 다른 분모를 그 최소 공배수로 바꾸어 같은 분모로 만드는 일. **—하다.**
통사정 (通事情) 딱하고 어려운 형편을 털어놓고 말함. (예)도와 달라고 통사정하다. **—하다.**
통산 (通算) 통틀어 계산함. (예)통산 100호 홈런 / 통산 전적은 3승 2패다. (비)통계. **—하다.**
통상[1] (通常) 특별하지 않고 보통으로. 일상적으로. (예)통상 아침 7시에 일어난다. (비)보통.
통상[2] (通商) 나라들 사이에 서로 물건을 사고팔고 함. (예)외국과 통상 조약을 맺다. (비)교역. 무역. **—하다.**
통상적 (通常的) 특별하지 않고 늘 있는 (것). (예)통상적인 모임에 불과하다.
통설 (通說) **1** 어떤 방면이나 사물에 아주 잘 아는 설. **2** 세상에 널리 알려진 가장 일반적인 학설. (예)통설에 따르다.
통성명 (通姓名) 처음 인사할 때 서로 성과 이름을 알려 줌. (예)통성명이나 하고 지냅시다. **—하다.**
통속 (通俗) **1** 세상에 널리 통하는 일반적인 풍속. **2** 전문적이 아니고 일반적으로 알기 쉬운 일. (예)통속 작가.
통속적 (通俗的) [통속쩍] 일반적으로 널리 통하며 대중적인 (것). (예)통속적인 연애 소설.
통:솔 (統率) 무리를 거느려 다스림. (예)부하를 통솔하다. **—하다.**
통:솔력 (統率力) 어떤 무리를 통솔하는 힘. (예)통솔력이 있다 / 통솔력이 부족하다.
*__통신__ (通信) 우편·전신·전화 등으로 정보나 소식을 전하는 일. (예)컴퓨터로 통신하다. **—하다.**
통신망 (通信網) 신문사나 통신사 등에서 여러 곳에 사람을 보내어 본사와 연락하도록 만든 조직.
통신사[1] (通信社) 신문사·잡지사·방송 사업체 따위에 소식을 알리는 언론 기관.
통신사[2] (通信使) 조선 때, 우리나라에서 일본으로 보내던 사신. 1876년 '수신사'로 고침.
통신 위성 (通信衛星) [통시뉘성] 먼 거리 사이의 전파 통신을 하는 데 쓰는 인공위성.
통역 (通譯) 언어가 통하지 않는 사람 사이에서, 양쪽의 언어를 번역하여 그 뜻을 전해 줌. 또는 그런 일을 하는 사람. (예)동시 통역 / 통역관. **—하다.**
통용 (通用) 일반적으로 두루 쓰임. (예)통용 화폐. **—하다.**
통운 (通運) 물건을 실어서 나름. (예)통운 회사.
*__통:일__ (統一) **1** 나누어진 것들을 합쳐서 하나로 만듦. (예)국토 통일. (비)통합. (반)분산. 분열. **2** 서로 다른 것을 같거나 일치되게 맞춤. (예)의견이 통일되다. **—하다.**
통:일부 (統一部) 중앙 행정 기관의 하나. 우리나라의 통일에 관한

문제를 조사·연구하고, 통일 후의 정책에 관한 사무를 맡아봄.

통:일 신라 (統一新羅) [―실라] 삼국을 통일한 676년 이후부터 후삼국 전까지의 신라.

*__통장__[1] (通帳) 은행·우체국 등에서, 돈을 넣거나 뺀 상태를 기록해 주는 장부. ㉥자유 저축 통장.

통:장[2] (統長) 통을 대표하여 일을 맡아보는 사람.

통:제 (統制) 전체의 목적을 이루기 위하여 여러 부분을 조절하고 제약하는 일. ㉥통제 구역 / 교통을 통제하다. **―하다.**

통조림 (桶―) 고기·과일 따위를 양철통에 넣고 가열·살균한 뒤 밀봉해서 오래 저장할 수 있도록 만든 식품. ㉥꽁치 통조림.

통:증 (痛症) [통쯩] 아픈 증세. ㉥통증이 심해지다 / 통증이 가시다.

통지 (通知) 소식을 알림. ㉥통지를 받다 / 성적을 통지하다. **―하다.**

통지서 (通知書) 어떤 사실을 알리는 글. ㉥합격 통지서.

통지표 (通知表) '생활 통지표'의 준말.

통째 나누지 않고 덩어리로 있는 그대로. ㉥돼지를 통째로 굽다. × 통채. [참고] 주로 '통째로'의 꼴로 쓰임.

통:찰 (洞察) 사물을 환히 꿰뚫어 봄. ㉥예리한 통찰. **―하다.**

통:찰력 (洞察力) 사물을 환히 꿰뚫어 보는 능력. ㉥통찰력이 뛰어나다 / 통찰력을 지니다.

통첩 (通牒) 관청·단체 등에서 문서로 알림. 또는 그 문서. ㉥최후 통첩을 보내다. **―하다.**

통:치 (統治) 나라나 지역을 도맡아 다스림. ㉥통치자 / 통치 기관 / 나라를 통치하다. **―하다.**

통치마 양쪽 선단이 없이 통으로 지은 치마. ㉸풀치마.

통칭 (通稱) **1** 공통으로 쓰이는 이름. **2** 일반에 널리 통하여 불리는 이름. ㉥통칭으로 부르다.

통:쾌하다 (痛快―) 매우 즐겁고 시원하여 유쾌하다. ㉥통쾌한 승리를 거두다.

통:탄 (痛歎〔嘆〕) 몹시 가슴 아파하며 안타까워함. ㉥통탄할 일이다. **―하다.**

통통[1] **1** 속이 빈 작은 통 따위를 잇따라 치는 소리. ㉥물통을 통통 두드리다. **2** 단단한 곳을 발로 구르는 소리. ㉥마루를 통통 구르다. ㉠퉁퉁[1]. **3** 작은 발동기 따위가 울리는 소리. ㉥모터보트가 통통 소리를 내며 떠났다.

통통[2] 몸이 붓거나 살이 쪄서 굵은 모양. ㉥발이 통통 붓다 / 살이 통통히 찌다. ㉠퉁퉁. **―하다. ―히.**

통틀다 있는 대로 모두 한데 묶다. ㉥가진 돈이 통틀어 만 원이다. [활용] 통틀어 / 통트니 / 통트는. [참고] 주로 '통틀어(서)'의 꼴로 씀.

> [주의] '통틀다'는 모두·온통이란 뜻을 가진 '통'과 여기에 '틀다'가 합성된 말이다. 흔히 '통털어서'라고 말하는데 '통틀어서'가 맞는 말이다.

통틀어 [통트러] 있는 대로 모두 합하여. ㉥통틀어 얼마요.

통:폐합 (統廢合) [―/통페합] 같거나 비슷한 분야의 여러 기업·기구를 없애거나 합쳐서 하나로 만듦. **―하다.**

통풍 (通風) 바람을 통하게 함. ㉥통풍 장치 / 통풍이 잘되다. **―하다.**

*__통하다__ (通―) **1** 막힘이 없이 트이다. ㉥사방으로 통하다. **2** 말이나 문장이 잘 이어져 뜻을 알다. ㉥뜻이 통하다 / 그런 말은 여기서 통하지 않는다. **3** 사이에 세워 중개하게 하다. ㉥라디오를 통하여 알리다. **4**

어떤 경로를 따라 움직여 가다. ㉮ 전류가 통하고 있다.
통학 (通學) 자기 집에서 학교까지 다님. ㉮통학 구역 / 기차로 통학하다. **—하다.**
통:합 (統合) 모두 합쳐 하나로 모음. ㉮기업을 통합하다. 비 통일. **—하다.**
통행 (通行) 길로 지나다님. ㉮좌측 통행. 비 왕래. **—하다.**
통행금지 (通行禁止) 특정한 지역이나 시간에 사람과 차량 통행을 못하게 하는 일. ㉮통행금지 구역. 준 통금.
통행료 (通行料) [통행뇨] 통행하는데 내는 돈. ㉮고속도로 통행료.
통행증 (通行證) [통행쯩] 통행이 금지된 어떤 지역이나 특정 시간에 통행을 허가하는 증서.
통혼 (通婚) **1** 혼인할 뜻을 전함. ㉮통혼이 들어오다. **2** 두 집안 사이에 서로 혼인 관계를 맺음. **—하다.**
통화[1] (通貨) 나라 안에서 사용되고 있는 돈. ㉮통화량.
통화[2] (通話) **1** 전화로 말을 서로 주고받음. ㉮통화가 끝나다 / 길게 통화하다. **2** 통화한 횟수를 세는 말. ㉮전화 한 통화. **—하다.**
퇴:각 (退却) 상대와 맞서 있다가 물러감. ㉮퇴각 명령. **—하다.**
퇴:근 (退勤) 직장에서 일을 마치고 나옴. ㉮퇴근 시간 / 오후 6시에 퇴근하다. 반 출근. **—하다.**
퇴:보 (退步) **1** 뒤로 물러감. **2** 수준이나 정도가 이제까지보다 뒤떨어짐. ㉮기술의 퇴보 / 전쟁으로 경제가 10년은 퇴보하였다. 반 진보. **—하다.**
퇴비 (堆肥) 잡초·낙엽 따위를 쌓아서 썩혀 만든 거름. 비 두엄.
퇴:사 (退社) 직원이 회사를 그만두고 나옴. 반 입사. **—하다.**
퇴:색 (退〔褪〕色) 빛이나 색이 바램. ㉮퇴색한 사진. **—하다.**
퇴:원 (退院) 입원했던 환자가 병원에서 나옴. ㉮퇴원 수속을 밟다. 반 입원. **—하다.**
퇴:위 (退位) 왕위에서 물러남. 반 즉위. **—하다.**
퇴:임 (退任) 임무에서 물러남. ㉮정년 퇴임을 맞다. **—하다.**
퇴:장 (退場) 회의장·경기장·무대 등에서 물러남. ㉮배우가 무대에서 퇴장하다. 반 등장. 입장. **—하다.**
퇴적 (堆積) 많이 덮쳐 쌓임. 또는 많이 덮쳐 쌓음. ㉮퇴적물. 반 침식. **—하다.**
퇴적암 (堆積岩) [퇴저감] 퇴적 작용으로 생긴 암석. 모래·진흙 따위가 가라앉거나 쌓여서 생김.
퇴적 작용 (堆積作用) [—짜공] 흙·모래 따위가 흐르는 물이나 바람에 실려 운반되어 쌓이는 현상.
퇴적 평야 (堆積平野) 흙·모래 따위가 흐르는 물에 실려 와 쌓여 생긴 평야. 비 충적 평야.
퇴:직 (退職) 직장에서 물러남. ㉮정년퇴직 / 직장에서 퇴직하다. 비 퇴임. 반 취직. **—하다.**
퇴:직금 (退職金) [퇴직끔] 퇴직하는 사람에게 근무처에서 지급하는 돈. ㉮퇴직금을 수령하다.
퇴:진 (退陣) 하던 일을 그만두고 물러남. ㉮회장 자리에서 퇴진하다. **—하다.**
퇴:짜 (退—) 받아들이지 않고 물리치는 일.
퇴짜(를) 놓다 바치는 물건이나 의견 따위를 받아들이지 않고 물리치다. ㉮남의 부탁을 퇴짜 놓다.
퇴짜(를) 맞다 바치는 물건이나 의견 따위가 거절을 당하다. ㉮면접에서 퇴짜를 맞다.
퇴:치 (退治) 물리쳐서 아주 없애 버림. ㉮문맹 퇴치 / 전염병을 퇴치하다. **—하다.**

퇴폐 (頹廢) 도덕·풍속·문화 따위가 질서 없이 어지러워짐. ㉾퇴폐 풍조. **—하다.**

퇴:학 (退學) 학생이 다니던 학교를 졸업 전에 그만둠. ㉾퇴학생 / 퇴학을 당하다 / 학교를 퇴학하다. 비 퇴교. **—하다.**

퇴:행 (退行) **1** 뒤로 물러감. **2** 퇴화1. **—하다.**

퇴:화 (退化) **1** 나아지기 이전의 상태로 되돌아감. 비 퇴행. **2** 생물의 기관이 오래 쓰이지 않아서 점차 작아지거나 기능을 잃게 됨. ㉾사람의 꼬리뼈는 점점 퇴화하여 흔적만 남아 있다. 반 진화. **—하다.**

툇:간 (退間) [퇴깐 / 퇻깐] 농가에서 외양간 옆에 붙여 지은, 거름 따위를 넣어 두는 곳.

툇:마루 (退—) [퇸마루] 좁게 달아낸 마루. ㉾툇마루에 걸터앉다.

투 (套) **1** 버릇이 된 일. ㉾말하는 투가 좋지 않다. **2** 일의 방식. ㉾편지 쓰는 투로 쓴 독서 감상문.

투고 (投稿) 원고를 신문사·잡지사 등에 보냄. 또는 그 원고. ㉾신문에 투고하다. 비 기고. **—하다.**

투과 (透過) 꿰뚫고 지나감. ㉾빛이 유리를 투과하다. **—하다.**

투구¹ 예전에, 군인이 전쟁할 때 머리에 쓰던 쇠로 만든 모자.

〈투구¹〉

투구² (投球) 야구에서, 투수가 포수를 향해 공을 던지는 일.

투기¹ (投機) 기회를 보아서 큰 이익을 얻으려는 짓. ㉾부동산 투기. **—하다.**

투기² (妬忌) 여자가 자기 남편이 사귀는 다른 여자에게 샘을 내는 일. **—하다.**

투덜거리다 혼자 중얼거리며 불평하다. ㉾숙제가 많다고 투덜거리다.

투덜대다 ⇨투덜거리다.

투막 (—幕) 울릉도의 통나무집. 옥수숫대로 촘촘히 엮은 울타리를 처마 높이만큼 집 주위에 바싹 붙여 눈이 들어오지 않게 지음.

투명 (透明) 속까지 환히 비치도록 맑음. ㉾시냇물이 바닥까지 투명하다. **—하다.**

투명체 (透明體) 빛이 잘 통하는 물체. 속이 환히 비쳐 보임. 유리·물·공기 따위. 반 불투명체.

투박하다 [투바카다] **1** 생김새가 볼품없고 모양 없이 거칠다. ㉾투박한 외투. **2** 말이나 행동이 거칠고 다소곳하지 못하다. ㉾투박한 말씨.

투베르쿨린 반:응 (Tuberkulin反應) [—바능] 결핵균을 길러 피부 등에 주사하여 나타나는 반응. 결핵 감염을 진단하는 데 씀.

투병 (鬪病) 병을 고치려고 적극적으로 병과 싸움. ㉾오랜 투병 생활을 마치다. **—하다.**

투사 (鬪士) **1** 전쟁터나 경기장에 싸우려고 나선 사람. **2** 자기가 믿는 주의나 사상을 위해 맹렬히 활동하는 사람. ㉾정의의 투사.

투서 (投書) 드러나지 않은 사실이나 남의 잘못을 적어 관계 기관에 몰래 보냄. 또는 그런 글. ㉾투서가 빗발치다. **—하다.**

-투성이 매우 많은 상태를 나타내는 말. ㉾먼지투성이 / 상처투성이.

투수 (投手) 야구에서, 상대편 타자가 칠 공을 포수를 향하여 던지는 선수. 피처. 반 포수.

투숙 (投宿) 호텔·여관 따위에서 잠을 잠. ㉾투숙객. **—하다.**

투시 (透視) **1** 막힌 물체를 환히 꿰뚫어 봄. **2** 정상적인 감각으로는 알 수 없는 것을 알아내는 일. 또는 그 능력. ㉾투시력. **—하다.**

투신 (投身) **1** 어떤 일에 몸을 던져

일을 함. ㉠봉사 활동에 투신하다. **2** 죽으려고 몸을 던짐. ㉠강물에 투신하다. **—하다.**

투약 (投藥) 병에 알맞은 약을 씀. ㉠안정제를 투약하다. **—하다.**

투여 (投與) 약 따위를 남에게 줌. ㉠진통제를 투여하다. **—하다.**

투영 (投影) 땅·물 따위에 물체의 그림자가 비침. 또는 그 그림자. ㉠호수에 보름달이 투영되다. **—하다.**

투옥 (投獄) 옥에 가둠. ㉠죄인을 투옥하다. **—하다.**

투우 (鬪牛) **1** 소끼리 싸움을 붙임. 또는 그 소. **2** 투우사와 소가 싸움. 또는 그 경기. **—하다.**

투우사 (鬪牛士) 투우 경기에서 소와 싸우는 사람.

투입 (投入) **1** 던져 넣음. ㉠공중전화기에 동전을 투입하다. **2** 필요한 인원이나 물자 따위를 넣음. ㉠병력을 계속 투입하다. **—하다.**

투자 (投資) 사업에 밑천을 댐. ㉠부동산 투자 / 연구 분야에 투자하다. 비 출자. **—하다.**

투쟁 (鬪爭) 어떤 목적을 위해 다툼. ㉠임금 인상 투쟁. **—하다.**

투정 못마땅하거나 무엇이 부족하여 떼를 쓰며 조르는 일. ㉠반찬 투정 / 투정을 부리다. **—하다.**

투지 (鬪志) 싸우고자 하는 의지. ㉠투지가 강하다.

투척 (投擲) 물건 따위를 던짐. ㉠적진에 수류탄을 투척하다. **—하다.**

***투철하다** (透徹—) 사리가 밝고 뚜렷하다. ㉠투철한 신념.

투표 (投票) 선거나 어떤 일을 결정할 때 각자의 뜻을 표시하여 내는 일. ㉠찬반 투표. **—하다.** ➲ vote

투표권 (投票權) [투표꿘] 투표할 수 있는 권리. ㉠투표권을 가지다 / 투표권을 행사하다.

투표소 (投票所) 투표하는 곳. 비 투표장.

투표율 (投票率) 유권자(투표권이 있는 사람) 전체에 대한 투표한 사람 수의 비율. ㉠투표율이 낮다.

투표자 (投票者) 투표하는 사람.

투표장 (投票場) ⇨투표소.

투표함 (投票函) 투표한 종이쪽지를 넣는 상자.

투피스 (two-piece) 여성복에서, 윗도리와 스커트가 따로 되어 한 벌을 이루는 옷.

투하 (投下) 던져서 아래로 떨어뜨림. ㉠폭탄을 투하하다. **—하다.**

투항 (投降) 적에게 항복함. ㉠무기를 버리고 투항하다. **—하다.**

투호 (投壺) 일정한 거리에서 청색·홍색의 화살을 던져 병 속에 들어간 화살의 수를 세어 승부를 가리는 놀이. **—하다.**

툭 **1** 어느 한 부분이 불거져 오른 모양. ㉠이마가 툭 불거지다. **2** 슬쩍 치는 소리나 모양. ㉠팔꿈치로 툭 치다. **3** 갑자기 터지거나 튀는 소리. 또는 그 모양. ㉠주머니가 툭 터지다. **4** 갑자기 걸리거나 차이는 소리나 모양. ㉠문턱에 툭 걸려 넘어지다. **5** 갑자기 부러지거나 끊어지는 소리나 모양. ㉠빨랫줄이 툭 끊어졌다. 작 톡.

툭툭 **1** 여기저기 불거진 모양. ㉠근육이 툭툭 불거져 있는 팔. **2** 여러 번 슬쩍 치는 소리나 모양. ㉠사진첩 위에 쌓인 먼지를 툭툭 털어 내다. **3** 여러 번 터지거나 부러지는 소리나 모양. **4** 말을 아무렇게나 함부로 내뱉는 모양. ㉠부모님께 함부로 말을 툭툭 내뱉다. 작 톡톡.

툭하면 [투카면] 조금이라도 어떤 일이 있으면 버릇처럼 곧. 걸핏하면. ㉠툭하면 시비를 건다 / 툭하면 운다.

툰드라 (러 tundra) 북극해 연안에 분포하는 넓은 벌판. 연중 대부분 얼음으로 덮여 있고 짧은 여름에만 땅거죽의 일부가 녹아서 이끼류가 자라며, 순록을 유목함. 동토대. 툰드라 지대.

툴툴거리다 마음에 못마땅하여 자꾸 투덜거리다.

퉁 북이나 속이 빈 나무통 따위를 치는 소리.

퉁기다 **1** 버티어 놓은 물건을 빠지게 건드리다. **2** 줄을 당겼다 놓아 소리가 나게 하다. (예)기타 줄을 퉁기며 노래하다. [작] 통기다.

퉁명스럽다 [퉁명스럽따] 말이나 행동이 고분고분하지 않고 불쾌한 기색이 있다. (예)성가신 듯 퉁명스럽게 쏘아붙이다. [활용] 퉁명스러워/퉁명스러우니.

퉁소 목관 악기의 하나. 가는 대나무로 만들며, 앞에 5개의 구멍이 있고 뒤에 한 개의 구멍이 있음.

퉁퉁¹ 자꾸 나는 퉁 소리. [작] 통통. **—하다.**

퉁퉁² 붓거나 살지거나 불어서 몸이 굵은 모양. (예)퉁퉁 부은 얼굴. [작] 통통. **—하다. —히.**

퉤 침이나 입 안에 든 것을 뱉는 소리. 또는 그 모양. (예)씹던 껌을 퉤하고 뱉다. **—하다.**

퉤퉤 침이나 입 안에 든 것을 자꾸 뱉는 소리. 또는 그 모양. (예)침을 퉤퉤 뱉다. **—하다.**

튀각 다시마 따위를 기름에 튀겨 만든 반찬.

튀기다¹ **1** 힘을 모았다가 갑자기 탁 놓다. (예)물방울을 튀기다. **2** 튀게 하다. (예)벽에 공을 튀기며 놀다.

***튀기다²** 끓는 기름에 넣거나 불에 익혀 부풀게 하다. (예)생선을 기름에 튀기다/옥수수를 튀기다.

튀김 생선·고기·야채 따위에 밀가루를 묻혀 끓는 기름에 튀긴 음식. (예)새우튀김.

***튀다** **1** 갑자기 흩어져 퍼지다. (예)불똥이 튀다. **2** 공 따위가 물체에 부딪쳐서 뛰어오르다. **3** '달아나다'의 속된 말. (예)도둑이 튀다. **4** 차림새나 태도 따위가 유난스러워 남의 시선을 끌다. (예)튀는 옷을 입다.

튀어나오다 [—/튀여나오다] **1** 불거지다. (예)광대뼈가 튀어나오다. **2** 갑자기 불쑥 나타나다. (예)골목에서 튀어나오다.

튕기다 다른 사람의 요구나 부탁을 거절하다. (예)배짱을 튕기다.

튜바 (tuba) 금관 악기의 하나. 엄숙하고 무게 있는 낮은 음을 냄. 관현악·취주악에 쓰임.

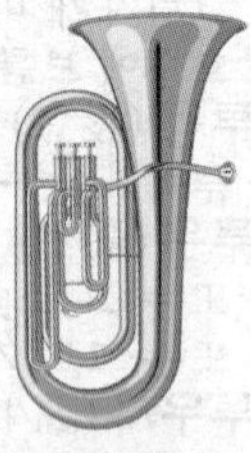

〈튜바〉

튜브 (tube) **1** 연고·치약 따위를 넣고 짜내어 쓰게 된 용기. (예)치약 튜브를 짜다. **2** 자동차·자전거 따위의 타이어 속에 있는 공기를 넣는 고무관. (예)자전거 튜브. **3** 헤엄이 서투른 사람이 안전을 위해 쓰는 공기 주머니. (예)아이들이 수영장에서 튜브를 타고 놀다.

튤립 (tulip) 백합과의 여러해살이풀. 높이는 20–60 cm. 4–5월에 하양·빨강·노랑 등의 여섯잎꽃이 종 모양으로 피는데 잎은 넓고 알뿌리임. 울금향.

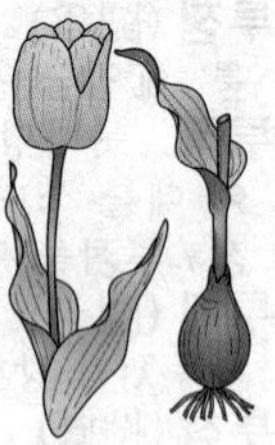

〈튤립〉

***트다¹** **1** 싹이나 꽃봉오리 따위가 벌어지다. (예)싹이 트다. **2** 새벽에 동쪽 하늘이 훤해지다. (예)먼동이 트다. **3** 추위 등으로 살갗이 갈라지다. (예)손이 트다. [활용] 터/트니.

트다² **1** 막힌 것을 통하게 하다. (예)길을 트다. **2** 서로 거래 관계를 맺다. (예)거래를 트다. [활용] 터/트니.

트라이아스기 (Trias紀) 지질 시대의 중생대 중 첫 번째 시대. 약 2

억 년 전의 시대임.

트라이앵글 (triangle) 타악기의 하나. 강철 막대를 정삼각형으로 구부려 한쪽 끝을 실로 매달고 금속 막대로 침. 소리가 매우 맑고 높음.

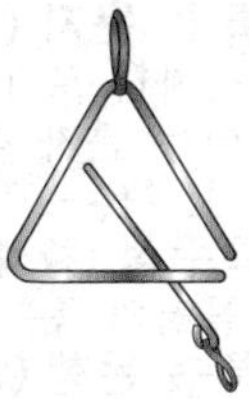

〈트라이앵글〉

트랙 (track) 육상 경기장이나 경마장의 경주하는 길. ㊀트랙 경기 / 트랙을 돌다.

트랙터 (tractor) 무거운 짐이나 농업 기계를 끄는 특수 자동차.

트랜스 (←transformer) ⇨변압기.

트랜지스터 (transistor) 반도체를 이용하여 전류의 강약을 조절하는 장치.

트랩 (trap) 배나 비행기 등을 오르내릴 때 쓰는 사닥다리. ㊀비행기 트랩을 오르다.

트러블 (trouble) 걱정. 말썽. 분쟁. 고장. 문제점. ㊀트러블을 일으키다.

***트럭** (truck) 짐을 실어 나르는 화물 자동차. ㊀트럭 운전사.

트럼펫 (trumpet) 금관 악기의 하나. 나팔의 일종으로, 소리가 높고 날카로우며 명쾌함.

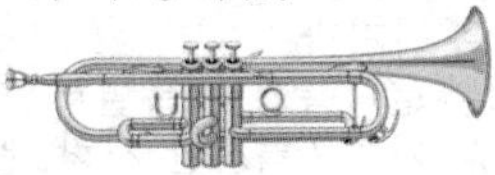

〈트럼펫〉

트럼프 (trump) 카드를 가지고 하는 서양식 놀이의 하나.

트렁크 (trunk) **1** 여행할 때 쓰는 큰 가방. **2** 자동차 뒤쪽의 짐 넣는 곳. ㊀트렁크에 짐을 싣다.

트레일러 (trailer) 엔진 따위의 동력이 없어 견인차에 연결하여 사람·화물을 실어 나르는 차.

트로피 (trophy) 운동 경기에 이긴 사람이나 단체에게 주는 우승컵. 우승배. ㊀우승 트로피 / 상장과 트로피를 수여하다.

트롬본 (trombone) 금관 악기의 하나. 긴 유(U) 자 모양의 관을 움직여 음을 조절함.

〈트롬본〉

-트리다 ⇨-뜨리다.

트리오 (trio) 세 사람이 함께 서로 다른 세 개의 악기를 연주하거나 노래하는 일. 삼중주. 삼중창. ㊀여성 트리오.

***트ː림** 먹은 음식이 위에서 잘 소화되지 않아 생긴 가스가 입으로 복받쳐 나옴. ㊀트림이 나오다. **—하다.**

트이다 **1** 막혔던 것이 통하다. ㊀길이 확 **트이다**. **2** 앞으로 잘되어 가다. ㊀운이 **트이다**. **3** 생각이 환히 열리다. ㊀속이 트인 사람. ㊄틔다.

트집 공연히 조그마한 흠집을 들추어 불평을 하거나 말썽을 부림. ㊀트집을 부리다.

트집(을) 잡다 조그만 흠집을 가지고 사람을 괴롭히다.

특공대 (特攻隊) [특꽁대] 특수 임무나 기습 공격을 위해 특별히 훈련된 부대. ㊀**특공대**를 조직하여 적진을 기습하다.

특권 (特權) [특꿘] 특별한 권리. ㊀특권 의식 / **특권**을 누리다.

특근 (特勤) [특끈] 일정한 근무 시간 외에 특별히 더 하는 근무. ㊀특근 수당. **—하다.**

특급 (特級) [특끕] 특별한 계급이나 등급. ㊀특급 호텔.

특기 (特技) [특끼] 특별한 기술이나 기능. ㊀나의 **특기**는 달리기이다 / **특기**를 발휘하다. ㊇장기.

특등 (特等) [특뜽] 특히 뛰어난 등급. 1등보다 더 나은 등급을 이름. ㊀특등품.

특명(特命)[틍명] **1** 특별한 명령. ㉠대통령의 특명이 내리다. **2** 특별히 임명함. **—하다.**

***특별**(特別)[특뼐] 보통과 다름. ㉠특별 기획 / 특별 방송 / 특별한 대우를 받다. 🅑특수. 🅑보통. 평범. **—하다.**

특별시(特別市)[특뼐시] 지방 자치 단체의 하나. 도나 광역시와 같은 상급 지방 자치 단체로, 중앙에서 직접 감독함. 현재 서울특별시뿐임. *광역시.

특별 활동(特別活動)[특뼐활똥] 학교 교육 과정의 하나. 학생의 취미·특기 등을 중심으로 모여서 활동함. 㑳특활.

***특별히**(特別—)[특뼐히] 예사롭지 않게. 보통과 아주 다르게. ㉠특별히 아끼는 물건. 🅑특히.

특보(特報)[특뽀] 특별한 보도. ㉠뉴스 특보.

특사(特使)[특싸] 나라의 대표로 특별한 임무를 띠고 외국에 나가는 사절. ㉠특사를 파견하다.

특산(特産)[특싼] 그 지방에서만 특별히 나는 것. ㉠특산 작물.

특산물(特産物)[특싼물] 그 지방에서 나는 독특한 산물. ㉠특산물 전시장.

***특색**(特色)[특쌕] 보통의 것과 다른 점. ㉠특색을 살리다. 🅑특징.

특석(特席)[특썩] 열차·극장 따위에서 보통 좌석과 달리 특별히 마련한 좌석. 🅑특별석.

특선(特選)[특썬] **1** 특별히 골라 뽑음. **2** 특히 우수하다고 인정된 작품. ㉠특선으로 뽑히다.

***특성**(特性)[특썽] 어떤 사물에만 있는 특수한 성질. ㉠추위에 강한 특성을 지닌 식물. 🅑특질.

특수(特殊)[특쑤] 보통과는 매우 다름. ㉠특수한 상황이다. 🅑특별. 특이. 🅑보편. 일반. **—하다.**

특수 문자(特殊文字)[특쑤문짜] 숫자나 로마자 이외에 컴퓨터에 쓰이는 문자 따위와 같이 특별한 문자. '+, −, (,),=, ₩' 따위.

특수성(特殊性)[특쑤썽] 일이나 물건의 특수한 성질. 🅑일반성.

특수 은행(特殊銀行)[특쑤—] 법률에 따라 특별한 일을 맡아보는 은행. 한국은행·한국 산업 은행 따위. 🅑특별 은행. 🅑일반 은행.

특실(特室)[특씰] 열차·여객선·호텔 등에서 특별히 잘 꾸며 놓은 방. 🅑특등실.

특약(特約)[트갹] 특별한 이익이나 조건이 붙는 약속·계약. ㉠특약 사항 / 특약을 맺다. **—하다.**

특용 작물(特用作物)[트공장물] 특별한 용도로 쓰이는 농작물. 담배·차·삼·목화 따위. ㉠특용 작물을 재배하다.

특유(特有)[트규] 어떤 사물만이 특별히 가지고 있음. ㉠마늘 특유의 냄새. **—하다.**

특이(特異)[트기] 다른 것과 특별히 다름. ㉠특이한 체질. 🅑특수. 🅑보편. **—하다.**

특전(特典)[특쩐] 특별한 대우나 혜택. ㉠회원 특전 / 해외여행의 특전이 주어지다.

특정(特定)[특쩡] 특별히 지정함. ㉠특정 가격 / 특정한 사람. 🅑불특정. **—하다.**

특종(特種)[특쫑] **1** 특별한 종류. **2** '특종 기사'의 준말. ㉠특종을 잡다.

특종 기사(特種記事)[특쫑—] 어떤 특정한 신문사·잡지사에서만 취재하여 보도한 중대 기사. 㑳특종.

특진(特進)[특찐] 뛰어난 공로로 특별히 진급함. ㉠특별한 공로로 2 계급 특진하다. **—하다.**

특질(特質)[특찔] 특별한 성질이나 기질. ㉠한국인의 특질.

특집 (特輯) [특찝] 신문·잡지·텔레비전 따위에서 어떤 문제를 특별히 다룸. ㉠특집 기사 / 특집 방송.

*__특징__ (特徵) [특찡] 다른 것과 비교하여 특별히 눈에 뜨이는 점. ㉠이 책의 특징은 사진이 다양하게 들어 있다는 점이다. 비 특색.

특차 (特次) 정상적인 순서에 앞서 특별히 먼저 다루는 차례. ㉠체육 특기자를 특차로 뽑다.

특출하다 (特出—) 특별히 뛰어나다. ㉠여러 사람 중에서 특출하다.

특파 (特派) 특별한 임무를 주어 어떤 곳으로 보냄. ㉠기자를 현장에 특파하다. **—하다.**

특파원 (特派員) 신문사·방송국 등에서 외국에 특별히 파견되어 보도하는 기자. ㉠프랑스 현지 특파원 / 특파원을 보내다.

특허 (特許) [트커] 어떤 물건을 발명한 사람에게 그 발명품에 대한 특정한 권리를 주는 일. ㉠특허권 / 특허를 얻다. **—하다.**

특허청 (特許廳) [트커청] 중앙 행정 기관의 하나. 특허나 상표에 관한 사무와 이에 대한 심사나 심판에 관한 일을 맡아봄.

특허품 (特許品) [트커품] 특허를 얻은 발명품이나 상품.

특혜 (特惠) [트케 / 트케] 특별한 혜택. ㉠특혜를 받다.

특활 (特活) [트콸] '특별 활동'의 준말.

특효약 (特效藥) [트교약] 어떤 병에 특별한 효험이 있는 약. ㉠감기에는 특효약이 없다.

*__특히__ (特—) [트키] 보통과 다르게. ㉠특히 주목하다 / 특히 건강에 유의하거라. 비 특별히. ➲ especially

*__튼튼하다__ 1 생김새나 됨됨이가 굳고 단단하다. ㉠튼튼하게 지은 건물. 2 건강하다. ㉠튼튼한 어린이. 반 약하다. 작 탄탄하다.

튼튼히 튼튼하게. ㉠기초를 튼튼히 다지다.

틀 1 물건을 만드는 데 기본이 되는 물건. ㉠틀에 넣어 찍어 내다. 2 테두리만으로 된 물건. ㉠틀을 짜다. 3 일정한 격식·형식. ㉠틀에 박힌 말.

틀니 [틀리] 잇몸에 끼웠다 뺐다 할 수 있도록 만든 이. *의치.

*__틀다__ 1 물건의 양 끝을 서로 반대쪽으로 돌리다. ㉠젖은 수건을 틀어 짜다. 2 일이 어그러지도록 방해하거나 반대하다. ㉠일을 틀어 놓다. 3 기계나 장치를 작동하게 하다. ㉠수도꼭지를 틀다 / 텔레비전을 틀어 보다. 4 뱀 따위가 몸을 똬리처럼 만들다. 도사리다. ㉠뱀이 똬리를 틀다. 5 몸으로 어떤 모양이나 자세를 만들다. ㉠반가부좌를 틀다. 활용 틀어 / 트니 / 트는.

*__틀리다__ 1 맞지 않다. ㉠계산이 틀리다. 반 맞다. 2 사이나 감정이 나빠지다. →다르다 주의

틀림없다 [틀리멉따] 어긋남이 없다. 확실하다. ㉠틀림없는 사람.

틀림없이 [틀리멉씨] 틀림없게. ㉠그는 틀림없이 온다.

틀어막다 [트러막따] 1 억지로 밀어 넣어 통하지 못하게 하다. ㉠쥐구멍을 틀어막다. 2 말이나 행동을 제 마음대로 하지 못하게 막다. ㉠입을 틀어막다.

틀어박히다 [트러바키다] 1 좁은 곳에 들어가 나오지 못하다. 2 밖으로 나다니지 않고 한곳에만 있다. ㉠집구석에 틀어박히다 / 시골에 틀어박히다.

틀어지다 [트러지다] 1 바라는 일이 어그러지다. ㉠계획이 틀어지다. 2 사귀는 사이가 벌어지다. ㉠오해가 생겨 두 사람 사이가 틀어졌다.

*__틈__ 1 벌어져 사이가 생긴 자리. ㉠창문 틈으로 바람이 들어오다. 비 간격. 2 겨를. 기회. ㉠잠시 쉴 틈도

없다 / 혼잡한 틈을 타다. **3** 불화. ㉠예 둘 사이에 틈이 생기다.

틈나다 겨를이 생기다. ㉠예 틈나는 대로 찾아가마.

틈바구니 '틈'을 낮추어 일컫는 말. ㉠예 두 사람의 틈바구니에 끼어서 부대끼다. ㉠준 틈바귀.

틈바귀 '틈바구니'의 준말.

틈새 벌어져 난 틈의 사이. ㉠예 틈새를 막다 / 문 틈새로 엿듣다.

틈타다 때나 기회를 얻다. ㉠예 감시가 소홀한 때를 틈타 도망가다.

틈틈이 [틈트미] **1** 틈이 난 곳마다. ㉠예 틈틈이 낀 먼지를 닦아 내다. **2** 겨를이 있을 때마다. ㉠예 틈틈이 음악을 들었다.

틔:다 [티다] '트이다'의 준말. ㉠예 앞이 탁 틔다 / 운수가 틔다 / 거래가 틔자 주문이 쇄도했다.

틔우다 [티우다] **1** 트이게 하다. ㉠예 벽을 틔워 통로를 만들다. **2** 싹이 트게 하다. ㉠예 물이 없어 싹을 틔우지 못하다.

티[1] **1** 재·흙, 그 밖의 온갖 물건의 잔 부스러기나 찌꺼기. ㉠예 눈에 티가 들어가다. ㉠비 티끌. **2** 조그마한 흠집. ㉠예 옥에도 티가 있다.

티[2] 어떤 태도나 기색 또는 버릇. ㉠예 앳된 티가 나다 / 얼굴에 슬픈 티가 가득하다.

티격태격 서로 뜻이 맞지 않아 다투는 모양. ㉠예 의견이 맞지 않아 티격태격하다. **—하다.**

티그리스 강 (Tigris江) 이라크의 중부를 지나 남동쪽으로 흐르는 강. 바스라 북쪽에서 유프라테스 강과 합쳐져 페르시아 만으로 흘러듦. 메소포타미아 문명의 발상지임. 길이 1,950 km.

티끌 **1** 티와 먼지. ㉠예 티끌이 눈에 들어가다. **2** 매우 작음. 아주 적음. ㉠예 욕심은 티끌만큼도 없다.

티눈 손이나 발에 생기는 사마귀 비슷한 굳은살. ㉠예 티눈이 박이다.

티베트 고원 (Tibet高原) 〖지명〗 중국 남서부, 히말라야 산맥의 북쪽에 있는 건조한 고원 지대.

티브이 (TV) '텔레비전'의 약칭.

티셔츠 (T-shirts) '티(T)'자 모양으로 생긴 반소매의 셔츠.

티읕 [티읃] 한글 자모 'ㅌ'의 이름. ㉠발음 티읕이[티으시] / 티읕을[티으슬] / 티읕에[티으세].

티켓 (ticket) **1** 차표·입장권·승차권 따위의 표. ㉠예 영화 티켓 / 티켓을 끊다. **2** 특정한 것을 할 수 있는 자격. 또는 그 증명서. ㉠예 올림픽 본선 진출 티켓을 따다.

***팀** (team) **1** 같은 일을 하는 한 단체의 사람. ㉠예 팀을 이루어 영화를 촬영하다. **2** 운동 경기 따위에서, 둘이나 둘 이상으로 나누어 승부를 겨룰 때의 한패. ㉠예 두 팀이 결승에 오르다.

팀워크 (teamwork) 팀의 구성원이 서로 힘을 합하여 어떤 일을 하려는 의식. ㉠예 팀워크가 잘 짜여 있다.

팀파니 (이 timpani) 타악기의 하나. 원을 반으로 자른 모양의 북. 겉면에 쇠가죽을 대고 둘레의 나사로 소리를 조절하며 낮은 소리를 냄.

〈팀파니〉

팁 (tip) 음식점·호텔 따위에서, 시중 드는 사람에게 감사의 뜻으로 요금 외에 더 주는 돈. ㉠예 팁을 내다 / 팁을 주다.

팅팅 살이 몹시 찌거나 붓거나 하여 매우 팽팽한 모양. ㉠예 울어서 눈이 팅팅 붓다. ㉠작 탱탱. **—하다.**

ㅍ (피읖[피읍]) 한글 닿소리의 열셋째 글자.

*파[1] 백합과의 여러해살이풀. 밭에 재배하며 잎은 속이 빈 대롱 모양이며, 여름에 흰 꽃이 핌. 독특한 냄새와 맛이 있어 음식의 맛을 더하는 데 쓰임.

파[2] (派) **1** 주의·사상·행동 등을 같이하는 사람들의 집단. ㉡예 **파**가 갈리다. **2** 같은 조상에서 갈라져 나온 집안 갈래.

파[3] (이 fa) 장음계의 넷째 음이나 단음계의 여섯째 음의 계이름.

-파 (波) '파동·물결'의 뜻. (예)전자기**파** / 지진**파** / 충격**파**.

파:격 (破格) 일정한 격식을 깨뜨리거나 벗어남. 또는 그 격식. (예)**파격** 세일.

파:격적 (破格的) [파격쩍] 격식을 깨뜨리거나 벗어나는 (것). (예)**파격적**인 대우를 받다.

파견 (派遣) 임무를 맡겨 일할 곳으로 사람을 보냄. (예)**파견** 근무 / 현장에 **파견**하다. [비] 파송. **—하다**.

파:계승 (破戒僧) [—/파게승] 지켜야 할 계율을 깨뜨린 승려.

파고 (波高) 파도의 높이.

파고들다 **1** 깊숙이 안으로 들어가다. (예)이불 속으로 **파고들다**. **2** 깊이 스며들다. (예)마음속에 **파고들다**. **3** 깊이 캐어 알아내다. (예)진상을 **파고들다**. [활용] 파고들어 / 파고드니 / 파고드는.

파곳 (독 Fagott) 오보에보다 두 옥타브 낮은 음을 내는 목관 악기. [비] 바순.

파:괴 (破壞) 때려 부수거나 깨뜨려 헐어 버림. (예)적의 진지를 **파괴**하다. [반] 건설. **—하다**.

파:괴력 (破壞力) 파괴하는 힘.

파:국 (破局) 일이나 사태가 잘못되어 결딴이 남. 또는 그 판국. (예)**파국**을 맞다.

파급 (波及) 어떤 일의 여파나 영향이 차차 퍼져 다른 데에 미침. (예)선거 열기가 전국적으로 **파급**되었다. **—하다**.

파:기 (破棄) **1** 깨뜨리거나 찢어서 내버림. (예)묵은 서류를 **파기**하다. **2** 계약이나 조약, 약속 따위를 취소하여 무효로 함. (예)조약을 **파기**하다. **—하다**.

파김치 파로 담근 김치.

파김치(가) 되다 몹시 지쳐서 기운이 하나도 없게 되다. (예)계속되는 고된 일로 **파김치**가 되었다.

파나마 운:하 (Panama運河) 중앙아메리카의 파나마 지협에 있는, 태평양과 대서양을 잇는 운하.

파내다 묻히거나 박힌 것을 파서 꺼내다. (예)땅에 박힌 돌을 **파내다**.

파노라마 (panorama) 어떤 곳의 전체 경치를 실제로 한번에 둘러보는 것처럼 나타낸 그림 장치.

*파다 **1** 구멍이나 구덩이를 만들다. (예)땅을 **파다**. **2** 그림이나 글씨를 새기다. (예)도장을 **파다**. **3** 알아내기 위해 노력하다. (예)사건의 진상을 **파다**. **4** 전력을 기울이다. (예)책만 **파다**.

파다하다 (播多—) 소문 따위가 널리 퍼져 있다. (예)유언비어가 **파다**하게 퍼지다.

파닥거리다 [파닥꺼리다] 자꾸 파닥이다. (예)날개를 **파닥거리다**. [큰]

퍼덕거리다.

파닥이다 [파다기다] **1** 작은 새 따위가 가볍고 빠르게 날개를 치다. **2** 물고기가 가볍고 빠르게 꼬리를 치다. 큰 퍼덕이다.

***파도** (波濤) 물이 출렁거려 일어난 큰 물결. 예 **파도**가 높게 일다 / **파도**가 밀려오다 / **파도**가 부서지다. 비 물결.

파도타기 (波濤—) 타원형의 널빤지를 타고 몸의 균형을 잡아 가면서 밀려오는 파도를 타는 놀이. 서핑.

파동 (波動) **1** 물결의 움직임. 예 **파동**이 일다. **2** 사회적으로 커다란 영향을 미치는 움직임. 예 석유 **파동**.

파라과이 (Paraguay) 〖국명〗 남아메리카 중남부에 있는 나라. 목축업과 임업이 발달하였으며, 목화·담배·과일 따위를 산출함. 수도는 아순시온.

파라다이스 (paradise) 근심이나 걱정 없이 행복을 누릴 수 있는 곳. 낙원.

파라솔 (프 parasol) **1** ⇨양산. **2** 해변·강변 등에서, 햇빛을 가리거나 탁자 위를 가릴 수 있도록 쳐 놓는 큰 양산. 예 **파라솔**을 치다.

〈파라솔2〉

파란 (波瀾) 순탄하지 않고 어수선하게 일어나는 여러 가지 어려움이나 시련. 예 **파란**을 일으키다 / **파란** 많은 생애를 마치다.

파란만장 (波瀾萬丈) 물결의 높이가 만 길이나 된다는 뜻으로, 일의 진행에서 기복과 변화가 몹시 심함. 예 **파란만장**한 일생. **—하다**.

***파란색** (—色) 맑은 하늘의 빛깔과 같은 색. 비 파랑. ➲ blue

***파랑** 파란 빛깔이나 물감. 비 파란색. 큰 퍼렁.

***파랑새** **1** 푸른빛을 띤 새. 길조를 상징함. **2** 파랑샛과의 새. 몸길이는 28 cm 정도, 몸빛은 어두운 녹색에 머리는 흑갈색임. 부리는 넓고 끝이 구부러졌음. 모기·매미 따위를 잡아먹음.

〈파랑새2〉

***파:랗다** [파라타] **1** 밝고 선명하게 푸르다. 예 **파란** 하늘. **2** 춥거나 겁에 질려 얼굴이나 입술 따위가 푸르께하다. 예 **파랗게** 질린 얼굴. 큰 퍼렇다. 활용 파라니 / 파래서.

파래 파랫과의 바닷말. 민물이 흘러드는 바다에 나는데 잎이 넓고 긴 것도 있고 머리털같이 가늘고 긴 것도 있음. 빛은 푸르며 향기와 맛이 있어 식용함.

파:래지다 파랗게 되다. 예 잔디가 **파래지다** / 겁에 질려 얼굴이 **파래지다**. 큰 퍼레지다.

파:렴치 (破廉恥) 염치를 모르고 뻔뻔스러움. 예 **파렴치**한 행동을 저지르다. **—하다**.

> **참고 파렴치의 표기**
> 접두사처럼 쓰이는 한자가 붙어서 된 말은, 뒷말의 첫소리를 두음 법칙에 따라 적는 것이 원칙이다. 이에 따르면 '파염치'로 적어야 한다. 그러나 '破廉恥'의 일반적인 현실 발음이 '파렴치'이기 때문에 발음의 이러한 불규칙성을 표기에 반영하여 '파렴치'로 적는다. 그러나 '沒廉恥'는 원칙에 따라 '몰염치'로 적는다.

파르르 **1** 눈이나 입술을 가늘고 빠르게 떠는 모양. 예 입술을 **파르르** 떨다. **2** 발끈 성을 내는 모양. 예 **파르르** 성을 내다.

파르스름하다 약간 파랗다. 예 새싹이 **파르스름하게** 돋아나다. 비 파릇하다. ㉠큰 푸르스름하다.
파릇파릇 [파른파른] 군데군데 산뜻하게 파란 모양. ㉠예 파릇파릇한 새싹. ㉠큰 푸릇푸릇. **—하다.**
파릇하다 [파르타다] 빛깔이 조금 파란 듯하다. ㉠예 파릇한 새싹이 돋다. ㉠비 파르스름하다.
*__파ː리__[1] 파리목의 곤충. 한 쌍의 날개와 관 모양의 주둥이가 있음. 여름철에 더러운 곳에서 많이 생기며 장티푸스·콜레라 따위의 전염병을 옮김.
파리[2] (Paris) 〖지명〗 프랑스의 수도. 프랑스의 경제·문화·정치의 중심지이며 세계 문화의 중심지임. '예술의 도시·유행의 도시'라고 불림. 에펠 탑·루브르 박물관 따위의 명승지가 있음.
파ː리채 파리를 잡는 데 쓰는 채.
파리하다 몸이 마르고 얼굴이 해쓱하다. ㉠예 파리한 얼굴.
파마 (←permanent) 기구나 화학 약품을 써서 머리를 구불구불하게 하거나 곧게 펴는 일. 또는 그렇게 한 머리. **—하다.**
파먹다 [파먹따] 겉에서 속으로 움푹하게 먹어 들어가다. ㉠예 벌레가 파먹은 사과.
파ː면 (罷免) 잘못을 저지른 사람을 일자리에서 쫓아냄. ㉠예 공금을 횡령한 죄로 파면되다. **—하다.**
파ː멸 (破滅) 파괴되어 없어짐. ㉠예 파멸에 이르다. **—하다.**
파문 (波紋) **1** 물 위에 이는 물결. **2** 어떤 일이 다른 데에 미치는 영향. ㉠예 파문을 일으키다.
파묻다 [파묻따] **1** 땅을 파고 그 속에 묻다. ㉠예 항아리를 파묻다. **2** 남몰래 깊이 감추다. ㉠예 마음속에 파묻어 둔 비밀. **3** 깊이 기대거나 대다. ㉠예 의자에 몸을 푹 파묻다.
파미르 고원 (Pamir高原) 아시아 대륙의 중앙 부분에 있는 '세계의 지붕'이라고 불리는 높은 지대. 평균 높이는 6,100 m 이상임.
파벌 (派閥) 출신지·학력 따위의 이해관계에 따라 따로따로 갈라진 사람들의 집단. ㉠예 파벌 싸움.
파병 (派兵) 군대를 파견함. ㉠예 해외 파병. **—하다.**
파브르 (Fabre, Jean Henri) 〖인명〗 프랑스의 곤충학자. 곤충, 특히 벌의 생태 관찰로 유명함. 저서에 '곤충기'가 있음. [1823–1915]
파삭하다 [파사카다] 연한 것이 메말라 부스러지기 쉽게 보송보송하다. ㉠큰 퍼석하다.
파ː산 (破產) 재산을 모두 잃고 망함. ㉠예 사업에 실패하여 파산하다. ㉠비 도산. **—하다.**
파ː상풍 (破傷風) 살갗에 생긴 상처에 균이 들어가 오한과 열이 심하고 경련이 일어나는 병.
파생 (派生) 어떤 사물의 주체에서 갈려 나와 생김. ㉠예 농산물 수입으로 많은 문제가 파생하였다. **—하다.**
파생어 (派生語) 어떠한 원말에 덧붙는 말이 앞이나 뒤에 붙어 이루어진 말. 풋고추·싸움질·치밀다·슬기롭다 따위. *합성어.
파ː선 (破船) 바람이나 물결 또는 어떤 장애물에 부딪쳐 배가 부서짐. ㉠예 배가 암초에 걸려 파선하다. **—하다.**
파ː손 (破損) 깨어져 못 쓰게 됨. 또는 깨뜨려 못 쓰게 만듦. ㉠예 지진으로 유리창이 파손되다. **—하다.**
파수 (把守) 경계하여 지킴. 또는 그 사람. ㉠예 파수를 서다. **—하다.**
파수꾼 (把守—) 파수를 보는 사람.
파스 (←독 Pasta) 삐거나 벌레 물린 데에 바르거나 붙이는 약. ㉠예 파스를 붙이다.
파스텔 (pastel) 크레용의 일종. 빛깔이 있는 가루 원료로 만듦.
파스퇴르 (Pasteur) 〖인명〗 프랑스

의 과학자. 썩거나 발효하는 것이 세균의 작용이라는 것을 발견하고 살균 방법을 알아냄. 탄저병과 광견병의 백신을 개발함. [1822-1895]

파시 (波市) 고기가 많이 잡힐 때 바다 위에서 열리는 생선 시장.

***파악** (把握) 어떤 일을 잘 이해하여 확실하게 앎. ㉠요점을 파악하다/인원을 파악하다. **—하다.**

파:안대소 (破顔大笑) 즐거운 표정을 지으며 크게 웃음. **—하다.**

파:업 (罷業) 노동자들이 정부나 경영주에게 자기들의 요구를 말하고 그것을 실현하기 위해 일제히 작업을 중지함. ㉠파업 농성. **—하다.**

파:열 (破裂) 깨어지거나 갈라져 터짐. ㉠수도관 파열/브레이크가 파열돼 사고가 났다. **—하다.**

파우더 (powder) **1** 가루. 분말. **2** 화장용의 분.

파운드 (pound) **1** 영국과 미국에서 쓰는 무게의 단위. 1파운드는 0.4536 kg. **2** 영국의 화폐 단위. 1파운드는 100펜스.

파울 (foul) 경기할 때 규칙을 어기는 일. 반칙. ㉠파울을 범하다.

파워 (power) 힘. 능력. 권력. ㉠파워가 세다.

파이 (pie) 밀가루와 버터를 섞어 만든 반죽에 과일·고기 따위를 넣고 구운 서양과자. ㉠애플파이.

파이다 단단한 거죽이 움푹 들어가다. ㉠비에 땅이 파이다/바위가 깊이 파여 있다. ㊟패다.

파이팅 (fighting) 운동 경기에서, 선수들끼리 잘 싸우자는 뜻으로 외치는 소리. 또는 응원하는 사람이 선수에게 잘 싸우라는 뜻으로 외치는 소리. ×화이팅.

파이프 (pipe) **1** 주로 물이나 가스 따위를 보내는 데 쓰는 관. ㉠파이프가 막히다. **2** 살담배를 피울 때 쓰는 서양식 담뱃대. ㉠파이프를 물다.

파이프 오르간 (pipe organ) 건반 악기의 한 가지. 음계에 따라 배열된 크고 작은 여러 관에 공기를 보내어 소리를 내게 한 오르간.

파인애플 (pineapple) 파인애플과의 여러해살이풀. 더운 지방에서 재배하며 높이 50-120 cm. 잎은 칼 모양이고 열매는 20 cm 정도로 뭉쳐 열리며 물이 많고 향기가 좋아 날로 먹거나 통조림·주스 따위를 만듦.

〈파인애플〉

파일 (file) **1** 서류를 한데 모아 매어 둔 묶음. ㉠파일을 정리하다. **2** 컴퓨터에서 기억 장치에 저장된 정보의 묶음. ㉠파일을 복사하다.

파일럿 (pilot) 비행기를 조종하는 사람. 조종사.

파자마 (pajamas) 헐렁한 윗옷과 바지로 된 잠옷.

파장[1] (波長) 전파나 음파 따위의 마루에서 다음 마루까지의, 또는 골에서 다음 골까지의 거리.

파:장[2] (罷場) **1** 시장 따위가 끝남. 또는 그런 때. ㉠파장이라 물건을 싸게 살 수 있다. **2** 여러 사람이 모여 하는 일이 거의 끝날 무렵. ㉠잔치가 파장에 가까워졌다. **—하다.**

파쟁 (派爭) 파벌끼리의 다툼. ㉠파쟁을 일삼다.

파전 (—煎) 밀가루 반죽에 길쭉길쭉하게 썬 파를 넣고 조갯살·굴 따위를 섞어 넓적하게 지진 전. ㉠파전을 부치다.

파:종 (播種) 논밭에 곡식의 씨앗을 뿌림. ㉠벼를 수확하고 보리를 파종하다. **—하다.**

파:죽지세 (破竹之勢) [파죽찌세] 적을 거침없이 물리치고 쳐들어가는 맹렬한 기세.

파:지 (破紙) 인쇄·제본 따위의 과

정에서 규격에 어긋나거나 찢어지거나 하여 못 쓰게 된 종이. ㉠파지를 모아 재활용하다.

파ː직 (罷職) 관직에서 물러나게 함. **—하다.**

파초 (芭蕉) 파초과의 여러해살이 풀. 높이는 3m가량이며, 잎은 긴 타원형임. 여름에 황갈색의 꽃이 핌. 관상용으로 재배함.

파출부 (派出婦) 일반 가정에서 원하는 시간에 가서 집안일을 돌보아 주는 여자.

파출소 (派出所) [파출쏘] 경찰관이 파견되어 관할 구역의 경찰 업무를 맡아보는 곳.

파충류 (爬蟲類) [파충뉴] 척추동물의 한 종류. 몸은 비늘로 덮였고 머리·목·몸뚱이·꼬리의 네 부분으로 나뉨. 허파로 호흡하고 변온 동물이며 난생임. 거북·뱀·악어 따위.

파카 (parka) 모자가 달린, 솜이나 털을 넣어 두껍게 만든 겨울옷.

파키스탄 (Pakistan) 〖국명〗 인도 북서쪽에 있는 공화국. 밀·면화·사탕수수가 많이 나며, 석유·천연가스·크롬 따위의 매장량이 풍부함. 수도는 이슬라마바드.

파ː탄 (破綻) 일이나 계획 따위가 잘 이루어지지 못하고 중도에서 잘못됨. ㉠가정 **파탄** / **파탄**이 나다. **—하다.**

파트 (part) **1** 전체를 이루는 한 부분. ㉠이 곡은 크게 세 **파트**로 나뉜다. **2** 여럿이 하는 일에서 맡은 역할이나 부서. ㉠영업 **파트**. **3** 합창이나 합주 따위에서, 각 성역이나 악기가 맡고 있는 부분. ㉠알토 **파트**.

파트너 (partner) 춤·경기 따위에서 둘이 한 짝이 되는 경우의 상대. 동반자. 짝패. ㉠**파트너**와 호흡을 맞추다.

파티 (party) 사교·친목 따위를 목적으로 한 모임. ㉠생일 **파티** / **파티**를 열다.

파ː편 (破片) 깨어진 조각. 부서진 조각. ㉠유리 **파편** / **파편**에 맞다.

파ː하다 (罷—) 어떤 모임이나 일을 그만두거나 마치다. ㉠학교가 **파하다** / 행사를 **파하다**.

파헤치다 **1** 속의 것이 드러나도록 파서 젖히다. ㉠땅을 **파헤치다**. **2** 감추어진 남의 비밀 등을 들추어 세상에 드러내다. ㉠비밀을 **파헤치다**.

파ː혼 (破婚) 약혼한 것을 깨뜨림. ㉦약혼. **—하다.**

팍 **1** 갑자기 힘차게 내지르는 모양이나 소리. ㉠팍 집어 던지다. **2** 갑자기 힘없이 거꾸러지는 모양이나 소리. ㉠기가 팍 질리다 / 맥없이 팍 주저앉다. ㉢퍽[1].

팍팍 잇따라 팍 하는 소리나 모양. ㉠병사들이 총탄에 팍팍 쓰러지다.

팍팍하다 [팍파카다] 음식이 끈기나 물기가 적어 메마르고 부드러운 맛이 없다. ㉠찐 고구마가 너무 **팍팍하다**. ㉢퍽퍽하다.

*__판__[1] **1** 일이 벌어진 자리나 장면. ㉠**판**을 벌이다 / 여기저기서 윷놀이 **판**이 벌어지다. **2** 상황이나 형편. ㉠지금은 네가 나설 **판**이 아니다. **3** 승부를 겨루는 일의 수효를 세는 말. ㉠바둑을 한 **판** 두다.

*__판__[2] (板) **1** ⇨널빤지. **2** 음성이나 음악 등을 녹음한 얇고 반반한 둥근 물건. ㉠**판**을 내다. ㉥음반. **3** 달걀 30개를 오목오목하게 파인 판에 세워 담은 것을 세는 말. ㉠달걀 한 **판**.

*__판__[3] (版) **1** 그림이나 글씨 따위를 새겨 인쇄에 사용하는 나무나 쇠의 조각. **2** 인쇄한 면의 크기. **3** 인쇄 횟수를 세는 단위. ㉠4**판** 5쇄.

판가름 옳고 그름이나 낫고 못함 따위를 판단하여 가름. ㉠**판가름**이 나다 / 누가 잘못했는지 **판가름**하기가 힘든다. **—하다.**

판결 (判決) **1** 잘잘못을 가리어 결

정함. ㉥판정. **2** 법원이 법률을 적용하여 소송 사건에 대해 판단하여 결정을 내림. ㉤유죄로 판결을 내리다. **—하다.**

판결문 (判決文) 판결 내용과 그 근거 따위를 적은 문서.

판국 (—局) 일이 벌어져 있는 형편. ㉤어수선한 판국.

판다 (panda) 히말라야에서 중국에 이르는 지역에 사는, 곰처럼 생긴 동물. 몸빛은 흰색이고, 네 다리와 눈, 귀만 검은색임. 나무를 잘 오르며 죽순·대나무 잎 따위를 먹고 삶.

〈판다〉

*__판단__ (判斷) 옳고 그름을 가리어 냄. ㉤정확한 판단 / 판단을 내리다. ㉥판별. **—하다.**

판단력 (判斷力) [판단녁] 사물을 올바르게 판단하는 힘. ㉤판단력이 뛰어나다 / 판단력이 흐리다.

판도 (版圖) **1** 한 나라의 영토. ㉤판도를 넓히다. **2** 어떤 세력이 미치는 영역·범위. ㉤판도가 바뀌다.

판로 (販路) [팔로] 상품이 팔려 나가는 방면이나 길. ㉤판로가 열리다 / 판로를 개척하다.

*__판매__ (販賣) 물건을 팖. ㉤판매 가격 / 할인 판매 / 신상품을 시중에서 판매하다. ㉯구입. **—하다.**

판매량 (販賣量) 일정한 기간 동안 판매한 양. ㉤판매량의 증가.

판매점 (販賣店) 상품 따위를 파는 가게. ㉤할인 판매점.

판명 (判明) 어떤 사실을 분명히 밝힘. ㉤판명이 나다 / 사실임이 판명되다. **—하다.**

판문점 (板門店) 〔지명〕 경기도 개성시 동쪽의 군사 분계선에 걸쳐 있는 마을. 유엔군과 북한 공산군의 군사 정전 위원회와 군사 연락 장교 회의장이 있음.

판별 (判別) 옳고 그름을 판단하여 구별함. ㉤진짜 여부를 판별하다. **—하다.**

*__판사__ (判事) 법원에서 재판을 행하고 판결을 내리는 법관.

판서 (判書) 조선 때 육조의 으뜸 벼슬. 지금의 장관에 해당함.

판세 (—勢) [판쎄] 판의 형세. ㉤판세를 읽다 / 판세를 살피다.

판소리 [판쏘리] 조선 중기 이후에 발달한 우리 고유의 민속악. 북장단에 맞추어 어떤 이야기를 창으로 부르는 형식임.

> **참고 판소리의 형식**
>
> (1) 구성…소리《노래》, 아니리《말》, 발림《몸짓》, 추임새《흥을 돋우는 소리》.
>
> (2) 유파…동편제, 서편제, 중고제.
>
> (3) 장단…진양조《느림》, 중모리《좀 느림》, 중중모리《좀 빠름》, 자진모리《보통 빠름》, 휘모리《매우 빠름》, 엇모리《아주 빠름》, 엇중모리《보통 빠름》.
>
> (4) 선율…계면조《슬픈 느낌》, 우조《웅장한 느낌》, 평조《화평하고 명랑한 느낌》, 경드름《경쾌한 느낌》, 설렁제《씩씩한 느낌》 따위.
>
> (5) 종류(열두 마당)…*춘향가·*심청가·*흥부가·*수궁가·*적벽가·배비장 타령·*변강쇠 타령(=가루지기 타령)·강릉 매화 타령·옹고집 타령·장끼 타령·무숙이 타령·숙영낭자전.
>
> 1) *표는 신재효가 개작·정리한 판소리 여섯 마당.
>
> 2) *표 중 현재는 변강쇠 타령을 제외한 다섯 마당만이 불림.

판이하다 (判異—) [파니하다] 아주 다르다. ㉤형제지만 그들의 성격은 판이하게 달랐다.

판자 (板子) 나무로 만든 널빤지. ㉥판자 울타리 / 판자를 대다. 비 널빤지.

판자촌 (板子村) 판잣집들이 모여 있는 가난한 동네. ㉥판자촌 주민 / 판자촌을 철거하다.

판잣집 (板子—) [판자찝 / 판잗찝] 판자로 허술하게 지은 집. ㉥무허가 판잣집.

판재 (板材) 통나무를 널빤지로 만든 목재.

판정 (判定) 옳고 그름을 가려서 결정함. ㉥공정한 판정 / 판정을 내리다. 비 판결. **—하다.**

판정승 (判定勝) 권투나 레슬링 따위에서, 심판의 판정으로 이김. ㉥판정승을 거두다. 반 판정패. **—하다.**

판정패 (判定敗) 권투나 레슬링 따위에서, 심판의 판정으로 짐. 반 판정승. **—하다.**

*__판지__ (板紙) 널빤지처럼 단단하고 두껍게 만든 종이. 비 마분지.

판치다 여러 사람이 어울린 판에서 가장 잘하다. ㉥씨름판에서 판치다.

판판하다 물건의 표면이 높낮이가 없이 고르고 넓다. ㉥운동장이 판판하다. 큰 펀펀하다.

*__판화__ (版畫) 나무·금속·돌 따위로 된 판에 그림을 새기고 색을 칠한 후, 종이나 천을 대고 찍어 낸 그림. ㉥동판화.

*__팔__¹ 사람의 어깨와 손목 사이의 부분. ㉥팔을 흔들다. ➲ arm

팔을 걷어붙이다 어떤 일에 적극적으로 나서다. ㉥자기 일처럼 팔을 걷어붙이고 거들다.

팔² (八) 여덟. ➲ eight

팔각형 (八角形) [팔가켱] 여덟 개의 변으로 이루어진 다각형.

팔걸이 [팔거리] 의자에서 팔을 걸치는 부분.

팔관회 (八關會) 통일 신라와 고려 때, 신에게 제사를 지내던 국가적인 행사. 등불을 밝히고 잔치를 베풀며 나라의 태평을 빌었음.

팔 굽혀 펴기 [—구펴—] 엎드려뻗친 자세로 팔을 굽혔다 폈다 하는 운동.

팔꿈치 팔의 위아래 관절이 이어진 곳의 바깥쪽. ㉥팔꿈치로 옆구리를 쿡쿡 찌르다. ➲ elbow

팔놀림 [팔롤림] 팔을 이리저리 움직이는 모양. ㉥팔놀림이 자유롭지 못하다.

*__팔다__ **1** 돈을 받고 물건을 주거나 노력을 들이다. ㉥집을 팔다 / 음식을 팔다. 반 사다. ➲ sell **2** 정신이나 눈을 다른 곳으로 돌리다. ㉥한눈을 팔다 / 딴 데 정신을 팔다가 넘어졌다. **3** 자기의 이익을 위해 어떤 일에 무엇을 끌어다가 대다. ㉥친구의 이름을 팔다. **4** 돈을 주고 곡식을 사다. ㉥쌀을 팔러 가다. **5** 부당한 이득을 위해 속이거나 배반하다. ㉥나라를 팔다. 활용 팔아 / 파니 / 파는.

팔다리 팔과 다리. ㉥팔다리 운동.

팔당 댐 (八堂dam) [팔땅—] 경기도 남양주시 팔당에 있는 발전용 콘크리트 댐. 1974년에 세워졌으며 경인 지구의 상수도 및 농업·공업 용수, 수력 발전, 관광 개발 따위에 이용됨.

팔도 (八道) [팔또] **1** 우리나라 전체를 이르는 말. **2** 조선 때, 국토를 8개의 도로 나눈 행정 구역. 곧, 경기도·충청도·경상도·전라도·강원도·황해도·평안도·함경도.

팔도강산 (八道江山) [팔또강산] 우리나라의 전 국토를 이르는 말.

팔등신 (八等身) [팔뜽신] 키가 얼굴 길이의 8배가 되는 몸. 또는 그런 사람. ㉥팔등신의 미인.

팔딱거리다 [팔딱꺼리다] 작고 탄력 있게 자꾸 뛰다. ㉥가슴이 팔딱거리다 / 뱃전에서 갓 잡아 올린 생선들이 팔딱거리고 있다.

팔딱팔딱 1 작은 것이 힘을 모아서 가볍게 자꾸 뛰는 모양. ㉎개구리가 팔딱팔딱 뛰다. 2 맥이 뛰는 모양. 큰 펄떡펄떡.

팔뚝 팔꿈치에서 손목까지의 부분. ㉎팔뚝이 굵다.

팔랑개비 어린이 장난감의 하나. 종이 따위로 바람을 받아 잘 돌게 만든 장난감. 비 바람개비.

팔랑거리다 바람에 날려 계속 가볍게 나부끼다. ㉎깃발이 팔랑거린다. 큰 펄렁거리다.

팔랑팔랑 계속 팔랑거리는 모양. ㉎꽃잎이 팔랑팔랑 날리다. 큰 펄렁펄렁. **—하다.**

팔레트 (프 palette) 그림물감을 짜내어 섞어서 필요한 색을 만드는 데 쓰는 그림 도구.

*__팔리다__ 1 물건이나 노력 따위를 다른 사람이 사 가게 되다. ㉎집이 팔리다. 2 정신이 한쪽으로 쏠리다. ㉎노는 데 정신이 팔리다.

팔만대장경 (八萬大藏經) 고려 고종 38년(1251)에 최우가 대장도감에서 완성한 불경. 판목이 총 8만여 장이나 되는데, 경남 합천 해인사에 보관되어 있음. 국보 제32호. 비 고려 대장경.

팔매질 작고 단단한 돌 따위를 손에 쥐고 힘껏 던지는 짓. ㉎돌멩이를 주워 힘껏 팔매질을 치다. **—하다.**

팔면체 (八面體) 여덟 개의 평면으로 둘러싸인 입체.

팔목 손과 잇닿은 팔의 끝 부분. ㉎팔목을 잡다.

팔방 (八方) 1 동·서·남·북·북동·남동·북서·남서의 여덟 방위. 2 모든 방향. 이곳저곳. ㉎팔방에서 모여들다.

팔방미인 (八方美人) 1 어느 모로 보나 아름다운 사람. 2 여러 방면에 재주가 있는 사람. ㉎미술이건 음악이건 못하는 게 없는 팔방미인이다.

팔베개 베개 대신 팔을 베는 것. ㉎팔베개하고 눕다. **—하다.**

팔분쉼표 (八分—標) 온쉼표의 8분의 1의 길이를 나타내는 쉼표《기호는 𝄾》.

팔분음표 (八分音標) [팔부늠표] 온음표의 8 분의 1의 길이를 나타내는 음표《기호는 ♪》.

팔불출 (八不出) 몹시 어리석은 사람을 가리키는 말.

팔삭둥이 (八朔—) [팔싹뚱이] 1 임신한 지 8 개월 만에 낳은 아이. 2 똑똑하지 못한 사람을 조롱하여 이르는 말.

팔순 (八旬) [팔쑨] 여든 살. ㉎팔순이 넘은 할머니.

팔심 [팔씸] 팔뚝의 힘. ㉎팔심이 세다 / 팔심을 기르다.

팔씨름 두 사람이 팔꿈치를 바닥에 댄 채 손을 마주 잡고 상대편의 손등이 바닥에 닿도록 하여 팔의 힘을 겨루는 내기. ㉎팔씨름을 벌이다. **—하다.**

팔아먹다 [파라먹따] 1 물건을 팔아서 돈으로 바꿔 버리다. ㉎보석을 모두 팔아먹다. 2 정신이나 시선을 다른 곳으로 돌리다. ㉎정신을 딴 데 팔아먹다.

팔월 (八月) [파뤌] 한 해 중의 여덟 번째 달. ➡ August

팔일오 광복 (八一五光復) [파리로—] 제2차 세계 대전이 연합군의 승리로 끝난 1945년 8월 15일에 우리 민족이 일본으로부터 자유를 되찾은 일.

팔자 (八字) [팔짜] 사람의 한평생의 운수. ㉎팔자가 사납다.

팔자(가) 늘어지다 근심이나 걱정이 없고 사는 것이 편안하다.

팔자(를) 고치다 ㉠여자가 재혼하다. ㉡갑작스레 부자가 되거나 지체가 높아져 딴사람처럼 되다.

팔자걸음 (八字—) [팔짜거름] 한자의 팔(八) 자처럼 발끝을 바깥쪽으로 벌려 걷는 걸음.

팔짝팔짝 갑자기 가볍게 뛰거나 날아오르는 모양. ㊞개구리가 **팔짝팔짝** 뛰다. ㊁펄쩍펄쩍. **—하다.**

팔짱 **1** 두 손을 각각 다른 쪽 소매 속에 마주 넣거나, 두 팔을 마주 끼어 겨드랑이 밑에 손을 넣는 일. ㊞**팔짱**을 끼고 구경만 하고 있다. **2** 나란히 있는 옆 사람의 팔에 자기의 팔을 끼는 일. ㊞남녀가 **팔짱**을 끼고 걸어가다.

팔찌 여자의 팔목에 끼는 고리 모양의 장신구. ㊞**팔찌**를 끼다 / **팔찌**를 차다.

팔팔 **1** 적은 물이 용솟음치며 끓는 모양. ㊞물이 **팔팔** 끓다. **2** 작은 것이 기운차게 한 자리에서 자꾸 날거나 뛰는 모양. ㊞**팔팔** 뛰는 물고기. **3** 몸이나 온돌방이 높은 열로 매우 뜨거운 모양. ㊞방바닥이 **팔팔** 끓다 / 온몸이 **팔팔** 끓다. ㊁펄펄.

팔팔하다 **1** 성질이 거세고 급하다. ㊞성격이 **팔팔하다**. **2** 날 듯이 활발하고 생기가 있다. ㊞**팔팔한** 젊은이. ㊁펄펄하다.

팜플렛 '팸플릿'의 잘못.

팝송 (pop song) 서양의 대중가요. 특히 미국이나 유럽의 대중가요를 이름.

팝콘 (popcorn) 옥수수에 소금으로 간을 해서 튀긴 식품.

팡이실 ⇨균사.

팡파르 (프 fanfare) 축하 의식이나 축제 때에 쓰는 트럼펫의 신호. ㊞**팡파르**가 울리다.

*__팥__ [팓] 콩과의 한해살이풀. 여름에 노란 꽃이 피고, 가늘고 둥근 통 모양의 긴 꼬투리에 4-15개의 씨가 들어 있음. 씨는 유용한 잡곡임.

〈팥〉

팥빙수 (—氷水) [팓삥수] 얼음을 눈처럼 간 다음 그 속에 삶은 팥·설탕 따위를 넣어 만든 음식.

팥죽 (—粥) [팓쭉] 팥을 삶아 체에 으깨어 밭인 물에 쌀을 넣어 쑨 죽. ㊞**팥죽**을 쑤다.

패[1] (敗) 경기에서 진 횟수를 나타내는 말. ㊞3승 1**패**.

패[2] (牌) **1** 사물의 특징·이름·성분 따위를 알리려고 그림이나 글씨를 새긴 자그마한 종이나 나뭇조각. ㊞대문에 개를 조심하라는 **패**를 붙였다. **2** 몇 사람이 어울린 동아리. ㊞**패**를 지어 다니다.

패:가망신 (敗家亡身) 집안의 재산을 다 써서 없애고 몸을 망침. ㊞노름으로 **패가망신**하다. **—하다.**

패거리 (牌—) '패[2]2'의 낮춤말. ㊞**패거리**로 몰려와서 문을 부수었다.

패:권 (霸權) [패꿘] 우두머리나 승리자의 권력. ㊞**패권**을 다투다 / **패권**을 잡다.

패:기 (霸氣) 뜻을 이루려는 끈질긴 정신. ㊞**패기** 있는 젊은이 / **패기**가 넘치다.

패다[1] 곡식의 이삭이 나오다. ㊞벼 이삭이 **패다**.

패다[2] 사정없이 마구 때리다. ㊞멍이 시퍼렇게 들도록 **패다**.

패:다[3] 도끼로 장작 따위를 쪼개다. ㊞장작을 **패다**.

패:다[4] '파이다'의 준말. ㊞살짝 **팬** 보조개 / 땅이 움푹 **패다**.

패랭이 예전에, 신분이 낮은 사람이나 상제가 쓰던, 댓개비로 엮어 만든 갓.

〈패랭이〉

패랭이꽃 [패랭이꼳] 석죽과의 여러해살이풀. 들에 저절로 나며 높이는 30 cm 정도임. 여름에 홍색·백색의 꽃이 피는데 약재로 씀.

〈패랭이꽃〉

패ː륜 (悖倫) 도덕에 어긋나는 짓. ㉠패륜을 저지르다.

패ː륜아 (悖倫兒) [패류나] 사람이 마땅히 지켜야 할 도리에 어긋난 짓을 하는 사람.

패ː망 (敗亡) 싸움에 져서 망함. ㉠패망한 나라. ㊁패배. **—하다.**

패ː물 (佩物) **1** 사람의 몸에 차는, 귀금속 따위로 만든 장식물. **2** ⇨노리개.

패ː배 (敗北) 싸움이나 겨루기에서 짐. ㉠패배자 / 패배를 당하다. ㊂승리. **—하다.**

패ː색 (敗色) 싸움에 질 낌새. ㉠패색이 완연하다 / 패색이 짙다.

패션 (fashion) 유행하는 옷·옷차림·머리 모양 따위의 형식. ㉠패션 모델 / 패션 감각이 남다르다.

패션쇼 (fashion show) 새로 유행할 옷을 모델에게 입혀 관객에게 보이는 일.

패ː소 (敗訴) 소송에서 짐. ㉠패소 판결. ㊂승소. **—하다.**

패스 (pass) **1** 시험이나 검사 따위에 합격함. ㉠자격시험에 패스하다. **2** 탈것에 오를 수 있는 증표. ㉠전철 패스. **3** 축구·농구 따위에서 같은 편끼리 공을 주고받는 일. ㉠정확한 패스. **4** '패스포트'의 준말. **—하다.**

패스트푸드 (fast food) 주문하면 즉시 완성되어 나오는 식품. 햄버거·피자 따위.

패스포트 (passport) **1** 나라에서 외국 여행자에게 내주는 증명서. 여권. **2** ⇨통행증. ㊃패스.

패싸움 (牌—) 패를 지어 싸우는 일. ㉠패싸움을 벌이다. ㊃패쌈. **—하다.**

패ː인 (敗因) 싸움에 지거나 일에 실패한 원인. ㉠패인은 방심이었다. ㊂승인.

패ː자 (敗者) 싸움이나 경기에 진 사람. ㊂승자.

패ː잔병 (敗殘兵) 싸움에 진 군대의 병사 가운데 살아남은 병사.

패ː전 (敗戰) 싸움에 짐. ㉠패전 국가 / 패전 투수. ㊂승전. **—하다.**

패ː총 (貝塚) ⇨조개더미.

패킹 (packing) 관의 이음매 따위에 공기나 물이 새지 않도록 끼워 넣는 물건. ㉠패킹을 갈다.

패턴 (pattern) 정해진 방식이나 형태. 양식. 유형. ㉠소비 패턴 / 생활 패턴이 바뀌다.

패ː하다 (敗—) 싸움에 지다. ㉠시합에 패하다. ㊂승리하다.

팩 (pack) **1** 밀가루·달걀·벌꿀 등에 약제나 영양제 따위를 반죽하여 얼굴에 바르거나 붙이는 미용법. 또는 그런 화장품. **2** 우유나 음료수를 담아 보관하는, 비닐 또는 종이로 만든 작은 용기. ㉠우유 팩.

팩스 (fax) '팩시밀리'의 준말.

팩시밀리 (facsimile) 글·그림·사진 따위를 전기 신호로 바꾸어 전화선을 통해 다른 곳으로 전송하는 통신 장치. ㊃팩스.

팬 (fan) 연극·영화·운동 경기나 선수·배우·가수 등을 매우 좋아하는 사람. ㉠음악 팬을 열광시키다.

팬지 (pansy) 제비꽃과의 한해살이풀 또는 두해살이풀. 줄기 높이 20 cm가량. 봄에 노란색·보라색·흰색의 다섯잎꽃이 피는데, 관상용으로 많이 재배함.

〈팬지〉

팬츠 (pants) **1** 육상 경기용의 짧은 바지. **2** 아랫도리에 입는 짧은 속옷.

팬터마임 (pantomime) 말은 하지 않고 몸짓과 표정만으로 하는 연극. 무언극. 비 마임.

팬티 (←panties) 다리 부분은 거의 없고 엉덩이에 꼭 붙는 짧은 속옷.

팸플릿 (pamphlet) 선전·광고·설명 따위를 기록한 작은 책자.

팻말 (牌—) [팬말] 무엇을 표시하거나 알리기 위해 패를 붙이거나 패를 새긴 나뭇조각이나 말뚝. ㉎팻말을 세우다. 비 패목.

팽 **1** 작은 것이 한 바퀴 재빨리 도는 모양. ㉎고개를 팽 돌리다. **2** 갑자기 정신이 아찔해지는 모양. ㉎머리가 팽 돌다. **3** 갑자기 눈물이 글썽해지는 모양. ㉎눈가에 눈물이 팽 돌다. 큰 핑.

팽개치다 **1** 짜증이 나거나 못마땅하여 물건 따위를 내던지거나 내버리다. ㉎장난감을 **팽개치다** / 서류를 책상 위에 **팽개치다**. **2** 하던 일 따위를 중도에서 그만두거나 책임을 저버리다. ㉎읽던 책을 **팽개치고** 뛰어나갔다 / 가족들을 **팽개치다**.

팽그르르 **1** 미끄러지듯 빨리 한 바퀴 도는 모양. **2** 갑자기 정신이 아찔해지는 모양. **3** 갑자기 눈가에 눈물이 맺히는 모양. ㉎**팽그르르** 눈물이 돌다. 큰 핑그르르. 여 뱅그르르.

팽글팽글 자꾸 미끄럽게 도는 모양. ㉎팽이가 **팽글팽글** 돈다. 큰 핑글핑글. 여 뱅글뱅글.

팽나무 느릅나뭇과의 낙엽 활엽 교목. 잎은 타원형인데 위쪽에 가는 톱니가 있음. 골짜기나 개울가에 남. 나무는 단단하여 건축이나 기구 재료로 쓰임.

팽배 (澎〔彭〕湃) 어떤 기운이 맹렬한 기세로 일어남. ㉎위기감의 **팽배** / 이기주의가 **팽배하다**. **—하다**.

*__팽이__ 둥글고 짧은 나무의 한쪽 끝을 뾰족하게 깎아 만들어 채로 쳐서 돌리는 아이들의 장난감.

〈팽이〉

팽이치기 팽이를 채로 쳐서 돌리는 놀이. **—하다**.

팽창 (膨脹) **1** 크기나 길이가 부풀어서 커지거나 늘어남. **2** 규모나 수량이 늘어남. ㉎인구의 **팽창**. **3** 물질이 온도 상승에 따라 길이나 부피가 느는 현상. 반 수축. **—하다**.

팽팽하다[1] **1** 줄 따위가 잔뜩 켕기어 튀기는 힘이 있다. ㉎연줄이 **팽팽해지다**. **2** 양쪽의 힘이 서로 엇비슷하다. ㉎**팽팽한** 논쟁.

팽팽하다[2] (膨膨—) 한껏 부풀어 탱탱하다. ㉎풍선이 너무 **팽팽해서** 곧 터질 것만 같았다.

팽팽히 팽팽하게. ㉎줄을 **팽팽히** 당기다 / 의견이 **팽팽히** 맞서다.

퍼내다 담겨 있거나 고여 있는 것을 길어 내거나 떠내다. ㉎독에서 물을 **퍼내다**.

퍼덕거리다 [퍼덕꺼리다] 자꾸 퍼덕이다. ㉎새가 날개를 **퍼덕거리다**. 작 파닥거리다. 센 퍼떡거리다.

퍼덕이다 [퍼더기다] **1** 큰 새가 가볍게 날개를 치다. **2** 큰 물고기가 가볍게 꼬리를 치다. ㉎잡힌 물고기가 꼬리를 **퍼덕인다**. 작 파닥이다.

*__퍼ː뜨리다__ 널리 퍼지게 하다. ㉎소문을 **퍼뜨리다**.

퍼뜩 **1** 어떤 생각이 별안간 머리에 떠오르는 모양. ㉎좋은 생각이 **퍼뜩** 떠오르다. **2** 어떤 물체나 빛 따위가 갑자기 나타나는 모양. **3** 갑자기 정신이 드는 모양. 작 파뜩.

퍼ː렇다 [퍼러타] 탁하고 어둡게 푸르다. ㉎**퍼렇게** 녹이 슬다 / 눈에 **퍼렇게** 멍이 들다. 작 파랗다. 활용 퍼러니 / 퍼레서.

퍼레이드 (parade) 축제나 축하 행사 때, 축하하는 뜻으로 거리를 많은 사람이 행진하는 일. 또는 그 행렬. ㉓축하 퍼레이드.

*__퍼붓다__ [퍼붇따] **1** 비·눈 따위가 억세게 쏟아지다. ㉓비가 억수같이 퍼붓다. **2** 욕설·비난 따위를 마구 하다. ㉓욕을 퍼붓다. 활용 퍼부어 / 퍼부으니 / 퍼붓는.

퍼센트 (percent) 100을 기준으로 하였을 때의 어떤 양이 차지하는 비율《기호는 %》. 백분율. 프로².

퍼즐 (puzzle) 이리저리 뒤섞여 있는 낱말·숫자·도형 따위를 맞추어 일정한 말·수식·그림을 만드는 놀이. 수수께끼.

*__퍼:지다__ **1** 끝 쪽으로 가면서 점점 넓거나 굵게 벌어지다. ㉓밑이 퍼진 스커트. **2** 널리 미치다. ㉓소문이 퍼지다. **3** 초목이 무성하게 되다. ㉓가지가 퍼지다. **4** 끓이거나 삶은 것이 불어서 커지거나 잘 익다. ㉓잘 퍼진 죽. **5** 고루 미치다. ㉓약 기운이 퍼지다.

퍽¹ **1** 힘 있게 내지르는 모양이나 소리. **2** 갑자기 힘없이 쓰러지는 모양이나 소리. 작 팍.

*__퍽__² 썩 많이. 아주 지나치게. 매우. ㉓장난이 퍽 심하다.

퍽퍽 **1** 힘 있게 자꾸 내지르는 모양. **2** 힘없이 잇달아 거꾸러지는 모양. **3** 진흙 따위를 밟을 때 깊이 빠지는 모양. 작 팍팍.

퍽퍽하다 [퍽퍼카다] **1** 음식이 물기나 끈기가 없어서 목이 멜 정도로 메마르고 부드럽지 못하다. ㉓퍽퍽한 건빵. **2** 몹시 지쳐서 꼼짝 못할 정도로 다리가 무겁고 힘이 없다. 작 팍팍하다.

펀치 (punch) **1** 권투에서, 주먹으로 상대편을 세게 치는 일. 또는 그 주먹. ㉓펀치를 날리다. **2** 종이나 차표 따위에 구멍을 뚫는 기구.

펀펀하다 물건의 표면이 높낮이가 없이 고르고 너르다. ㉓펀펀한 들판. 작 판판하다.

펄 '개펄'의 준말.

펄떡 **1** 힘을 모아 크고 탄력 있게 뛰는 모양. ㉓물고기가 펄떡 뛰다. **2** 심장이나 맥이 크게 뛰는 모양. 작 팔딱. **—하다.**

펄떡거리다 [펄떡꺼리다] **1** 아주 탄력 있게 자꾸 뛰다. **2** 심장이나 맥이 크게 자꾸 뛰다. 또는 그렇게 되게 하다. 작 팔딱거리다.

펄떡펄떡 **1** 힘을 모아 크고 탄력 있게 자꾸 뛰는 모양. ㉓잉어가 펄떡펄떡 뛰다. **2** 심장이나 맥이 크게 자꾸 뛰는 모양. ㉓심장이 펄떡펄떡 뛰다. 작 팔딱팔딱. **—하다.**

펄럭거리다 [펄럭꺼리다] 바람에 날리어 아주 빠르게 자꾸 나부끼다. ㉓빨래가 바람에 펄럭거리다. 작 팔락거리다.

펄럭이다 [펄러기다] 넓은 천이 바람에 힘차고 크게 나부끼다. ㉓태극기가 바람에 펄럭인다.

펄쩍 **1** 갑자기 뛰거나 솟아오르는 모양. ㉓담을 펄쩍 뛰어오르다. **2** 문이나 뚜껑을 급히 여는 모양. ㉓방문을 펄쩍 열다. 작 팔짝. **—하다.**

펄쩍 뛰다 억울한 일이나 뜻밖의 일을 당하였을 때 깜짝 놀라거나 강하게 부인하다. ㉓그 소식을 듣고 놀라서 펄쩍 뛰었다.

펄쩍펄쩍 자꾸 뛰거나 솟아오르는 모양. ㉓그는 선물을 받아들고 펄쩍펄쩍 뛰며 기뻐했다. 작 팔짝팔짝. **—하다.**

펄펄 **1** 많은 물이 계속 끓는 모양. ㉓물이 펄펄 끓다. **2** 힘차게 날거나 뛰는 모양. ㉓새가 펄펄 날다. **3** 높은 열로 매우 뜨거운 모양. ㉓방이 펄펄 끓다. **4** 눈이나 깃발 따위가 세차게 날리거나 나부끼는 모양. ㉓눈이 펄펄 내리다. ㉶ 팔팔.

펄펄 뛰다 억울한 일을 당했을 때에 강하게 부인하다. ㉠자기는 범인이 아니라고 펄펄 뛰었다.

펄프 (pulp) 나무에서 섬유를 뽑아내어 종이나 인조견의 원료로 쓰는 물질.

펌프 (pump) 공기의 압력을 이용하여 액체나 기체를 빨아올리거나 이동시키는 기계. ㉠펌프로 물을 퍼 올리다.

펑 1 갑자기 거세게 터지거나 튀는 소리. ㉠풍선이 펑 터지다. 2 큰 구멍이 뚫리는 소리. 또는 그 모양. ㉶ 팡. ㉧ 뻥.

펑크 (←puncture) 1 고무 튜브나 타이어 따위에 구멍이 나서 터지는 일. 또는 그 구멍. ㉠펑크를 때우다. 2 일이 도중에 틀어지거나 잘못됨. ㉠방송에 펑크를 내다.

펑퍼짐하다 둥그스름하고 펀펀하게 옆으로 퍼져 있다. ㉠펑퍼짐한 엉덩이. ㉶ 팡파짐하다.

펑펑 1 눈이나 액체 따위가 세차게 쏟아지는 모양. ㉠함박눈이 펑펑 내리다. 2 여러 번 거세게 터지거나 튀면서 나는 소리. ㉠불꽃이 펑펑 소리를 내며 하늘로 솟구치다. 3 돈이나 물건 따위를 헤프게 마구 쓰는 모양. ㉠돈을 펑펑 쓰다. ㉶ 팡팡.

페가수스자리 (Pegasus—) 북쪽 하늘의 별자리. 안드로메다자리의 남서쪽, 백조자리의 남동쪽에 있음. 10월 하순에 남중함.

페널티 (penalty) 운동 경기에서, 경기자가 규칙을 위반했을 때 심판이 내리는 벌칙.

페널티 킥 (penalty kick) 축구에서, 페널티 에어리어 안에서 수비 측이 반칙했을 때에 공격 측이 공을 놓고 차는 것.

페니실린 (penicillin) 푸른곰팡이에서 얻은 항생 물질. 1929년 영국의 플레밍이 발견함. 세균에 의해 생기는 염증의 치료에 뛰어난 효력을 나타냄.

페니키아 (Phoenicia) 오늘날의 시리아 지방으로 기원전 3,000년경에 지중해 연안에서 페니키아 사람들이 세운 도시 국가. 지중해 무역을 독점하였음.

페니키아 문자 (Phoenicia文字) [—문짜] 셈 어족에 속하는 페니키아의 표음 문자. 오늘날 알파벳의 기초가 되었음.

페달 (이 pedal) 발로 밟거나 눌러서 기계 따위를 작동시키는 부품. 피아노·재봉틀 등의 발판이나 자전거의 발걸이 따위. ㉠자전거의 페달을 힘껏 밟다.

페루 (Peru) 〖국명〗 남아메리카 서부에 있는 공화국. 잉카 제국의 중심지이며 사탕수수·철광석·면화 등을 수출함. 수도는 리마.

페르시아 만 (Persia灣) 이란과 아라비아 반도에 둘러싸인 만. 예전부터 동서 교통의 중심지임.

페르시아 제ː국 (Persia帝國) 고대 이란에 있었던 제국. 기원전 6세기 중엽에 건국되었으며 다리우스 1세 때 전성기를 이루었으나, 마케도니아의 알렉산더 대왕에 의해 멸망하였음.

페스탈로치 (Pestalozzi, Johann Heinrich) 〖인명〗 스위스의 교육가·교육학자. 초등학교를 처음 세웠으며 고아와 아동 교육에 일생을 바쳤음. 교육의 아버지로 불림. [1746–1827]

페스트 (pest) 페스트균이 퍼뜨리는 급성 전염병. 열이 많이 나고, 두통·현기증이 나며 피부가 흑자색으로 변하여 대부분 죽음. 흑사병.

***페이지** (page) 1 책이나 장부 따위의 한 면. 쪽. ㉠페이지를 넘기다. 2 책이나 장부 따위의 면을 세는 단

위. ㉠두 페이지.

페인트(paint) 칠감의 한 가지. 물체에 바르면 굳어져서 빛깔을 내고 물체를 보호해 줌. 수성 페인트·유성 페인트 따위가 있음. 도료. ㉠페인트를 칠하다.

페인트칠(paint漆) 페인트를 바르는 일. 또는 그 칠. **—하다.**

페트병(PET甁) 음료를 담는 일회용 플라스틱 병. 가볍고 깨지지 않는 특성이 있음. 페트.

펜(pen) 잉크 따위를 찍어서 글씨를 쓰는 도구. 경필. 철필.

펜싱(fencing) 서양식 검술. 올림픽 경기 종목으로, 철망으로 된 마스크를 쓰고 가늘고 긴 검으로 상대편을 찌르거나 베어 승부를 겨룸.

펜치(←pinchers) 손에 쥐고 철사를 구부리거나 끊는 데 쓰는 연장.

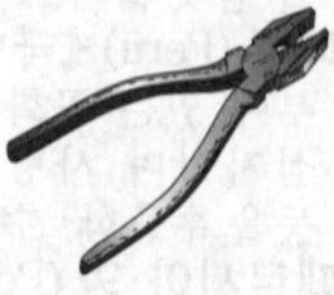
〈펜치〉

펜팔(pen pal) 서로 편지를 주고받으며 우정을 맺고 사귀는 벗. ㉠펜팔 친구.

펭귄(penguin) 펭귄과의 바닷새. 등은 검은색, 배는 흰색임. 날개는 짧고 지느러미 모양으로 날지 못하며, 똑바로 서서 걸음. 헤엄을 잘 치며 물고기·낙지·새우 따위를 잡아먹음. 남극 지방에서 삶.

〈펭귄〉

펴내다 잡지나 책 따위를 발행하다. ㉠동화책을 펴내다.

펴낸이[펴내니] 어떤 책을 발행한 사람.

*__펴다__ **1** 펼쳐 놓거나 넓게 깔다. ㉠돗자리를 펴다. **2** 구김살을 반반하게 하다. ㉠주름을 펴다. **3** 곧게 하다. ㉠허리를 펴고 앉다. **4** 손발을 뻗다. ㉠다리를 펴다. **5** 접은 것을 벌리다. ㉠책을 펴다. **6** 생각이나 주장을 자유롭게 표현하다. ㉠뜻을 펴다 / 반론을 펴다.

펴지다 **1** 개켜져 있던 것이 젖혀지다. **2** 구김살이 없어지다. ㉠주름이 펴지다. **3** 굽혔던 것이 곧게 되다. ㉠철사가 곧게 펴지다. **4** 접힌 것이 벌어지다. ㉠우산이 펴지다.

*__편__[1](篇) 시·글이나 책의 수효. ㉠한 편의 시.

*__편__[2](便) **1** 여러 패로 나누었을 때 그 하나하나의 쪽. ㉠우리 편 / 편을 가르다. **2** 사람이 오고 가거나 물건을 보내는 데 이용하는 기회나 수단. ㉠기차 편으로 출장을 가다. **3** 사물을 몇 가지로 나누어 생각했을 때의 한쪽. ㉠가려면 일찍 가는 편이 낫지. **4** 어떤 쪽. 어떤 방향. ㉠바람이 부는 편. **5** 대체로 그와 같은 부류에 속하거나 그와 같은 상태에 있음을 나타내는 말. ㉠오늘은 아주 조용한 편이다.

*__편__[3](編) 사람이나 단체 이름 뒤에 쓰여, 그 책을 엮었음을 나타내는 말. ㉠민중서림 편 국어사전.

편견(偏見) 공정하지 못하고 한쪽으로 치우친 생각. ㉠편견을 가지다 / 편견을 버리다.

편경(編磬) 아악에 쓰이는 타악기의 한 가지. 두께가 다른 경쇠를 두 층으로 된 걸이에 한 층에 여덟 개씩 매어 달았음.

편곡(編曲) 어떤 곡을 다른 형식으로 바꾸어 꾸미거나 다른 악기를 써서 연주 효과를 달리하는 일. 또는 그 곡. **—하다.**

편달(鞭撻) 일깨워 주고 격려하여 줌. ㉠애정 어린 지도와 편달을 부탁드립니다.

편대(編隊) 비행기 따위가 짝을 지

어 대형을 갖추는 일. 또는 그 대형. ㉠편대 비행.
편도 (片道) 가고 오는 길 중 어느 한쪽. 또는 그 길. ㉠편도 승차권.
편도선 (扁桃腺) 사람의 입속 좌우에 동글게 도드라져 있는 것으로, 세균을 막는 구실을 하는 림프 조직. ㉠편도선이 붓다.
편도선염 (扁桃腺炎) [편도선념] 편도선에 생기는 염증. 편도선이 부어 목구멍이 아프며 음식물을 삼키기가 어렵게 됨.
편두통 (偏頭痛) 한쪽 머리가 심하게 아픈 증세. ㉠편두통에 시달리다.
편들다 (便—) 어느 편을 거들거나 도와주다. ㉠편들어 줄 사람이 없다. 비 역성들다. 활용 편들어 / 편드니 / 편드는.
편람 (便覽) [펼람] 보기에 편리하도록 간단하고 명료하게 만든 책.
*__편리__ (便利) [펼리] 편하고 이용하기 쉬움. ㉠편리한 생활. 비 편의. 반 불편. **—하다.**
편마암 (片麻岩) 석영·장석·돌비늘 따위로 이루어진 암석. 줄무늬가 있음.
편모 (偏母) 아버지가 죽어 혼자가 된 어머니.
편물 (編物) 털실 등으로 옷·양말 등을 뜨는 일. 또는 그 물건. 비 뜨개질.
편법 (便法) [편뻡] 편리한 방법. 쉬운 방법. ㉠편법을 쓰다.
편성 (編成) **1** 사람들을 모아서 단체를 이룸. ㉠학급을 편성하다. **2** 여러 가지 자료를 모아서 책이나 영화 따위를 만듦. ㉠프로그램 편성. **—하다.**
편식 (偏食) 입에 맞는 음식만 가려 먹는 일. ㉠편식하는 습관을 가져서는 안 된다. **—하다.**
*__편안__ (便安) [펴난] 몸과 마음이 거북하지 않아 편하고 걱정이 없어 좋음. ㉠편안한 생활 / 편안히 앉다. 비 평안. **—하다. —히.**
편애 (偏愛) [펴내] 어느 한 사람이나 한쪽만을 치우쳐 사랑함. ㉠큰아들을 편애하다. **—하다.**
편육 (片肉) [펴뉵] 삶아 익혀 얇게 썬 고기.
편의 (便宜) [펴늬 / 펴니] 형편이나 조건 따위가 편하고 좋음. ㉠편의를 봐주다 / 편의를 제공하다. 비 편리.
편의점 (便宜店) [펴늬점 / 펴니점] 고객의 편의를 위해 일용 잡화·식료품 따위를 24시간 파는 상점.
편익 (便益) [펴닉] 편리하고 유익함. ㉠편익을 제공하다.
편입 (編入) [펴닙] **1** 다니던 학교를 그만두고 다른 학교에 들어감. ㉠편입생 / 3학년에 편입하다. **2** 이미 짜여진 단체나 조직 등에 끼어 듦. **—하다.**
편자[1] 말굽에 대어 붙이는 'U' 자 모양의 쇳조각.
편자[2] (編者) 책을 엮은 사람. 비 엮은이.
편전 (便殿) 예전에, 임금이 평소에 거처하던 궁전.
편종 (編鐘) 아악에 쓰이는 타악기의 한 가지. 각각 다른 음을 내는 종을 두 층으로 된 걸이에 한 층에 여덟 개씩 매어 달았음.
편중 (偏重) 한쪽으로 치우침. 어느 한쪽만 중히 여김. ㉠수학에 편중된 공부를 하다. **—하다.**
*__편:지__ (便〔片〕紙) 소식을 알리거나 용건을 적어 보내는 글. ㉠편지를 쓰다 / 편지를 부치다 / 방학 때 선생님께 안부 편지를 보내다. 비 서찰. 서한. **—하다.** ➲ letter
편:지꽂이 (便紙—) [편지꼬지] 편지를 꽂아 두는 통.
편:지지 (便紙紙) 편지를 쓰는 종이. ㉠편지지 두 장.
편집 (編輯) 여러 가지 자료를 모아

신문·잡지·책 따위를 만드는 일. (예) 편집자 / 기사를 편집하다. (비) 편찬. **—하다.**

편집부 (編輯部) [편집뿌] 신문·잡지 또는 일반 책 따위의 편집에 관한 일을 맡아보는 부서.

편짜다 (便—) 승부를 겨루기 위하여 편을 갈라 조직하다. (예)두 팀으로 편짜다.

편찬 (編纂) 여러 종류의 자료를 모아 정리하여 책을 냄. (예)사전을 편찬하다. (비) 편집. **—하다.**

편찮다 (便—) [편찬타] **1** '편하지 아니하다'의 준말. (예)자리가 편찮다. **2** 병을 앓고 있다. (예)어머니가 편찮으시다.

편충 (鞭蟲) 기생충의 하나. 사람의 장, 특히 맹장에 기생하여 빈혈·신경증·설사 따위를 일으킴.

편파적 (偏頗的) 한쪽으로 치우쳐 공평하지 못한 경향이 있는 (것). (예)편파적인 판정 / 편파적으로 보도하다.

편평하다 (扁平—) 넓고 평평하다. (예)편평한 바위.

*__편하다__ (便—) **1** 마음이나 몸이 거북하거나 괴롭지 않다. (예)편한 자세로 앉다. **2** 근심이나 걱정이 없다. (예)마음이 편하다. **3** 어떤 일을 하는 데 힘이 들지 않고 쉽다. (예)신고 벗기에 편한 운동화 / 크기가 작아 휴대하기 편하다. (반) 불편하다.

편협하다 (偏〔褊〕狹—) [편혀파다] 마음이 너그럽지 못하고 생각이 좁다. (예)편협한 생각.

편히 (便—) 편하게. (예)주말에 집에서 편히 쉬다.

*__펼치다__ **1** 펴서 드러내다. (예)책을 펼치다. **2** 널찍하게 펴다. (예)부채를 펼치다. **3** 꿈·계획 따위를 실현하다. (예)꿈을 펼치다.

평:[1] (評) 옳고 그름, 좋고 나쁨, 잘되고 못됨 등을 가려서 말함. (예)평이 좋은 책.

평[2] (坪) 땅 넓이의 단위. 1 평은 약 3.3 제곱미터임.

*__평:가__ (評價) [평까] **1** 물건의 값어치를 따져 결정함. (예)재산을 평가하다. **2** 가치·수준·능력 등을 측정함. (예)실력을 높이 평가하다. **—하다.**

평강 공주 (平岡公主) 〘인명〙 고구려 평원왕의 딸. 바보 온달과 결혼하여 그에게 학문과 무예를 가르쳐 훌륭한 장군이 되게 함.

*__평균__ (平均) **1** 많고 적음이 없이 고르게 한 것. (예)평균을 내다. **2** 많은 수나 양의 중간 값. 또는 그런 값을 구함. (예)평균 점수. **—하다.**

평균값 (平均—) [평균깝] 평균해서 얻어지는 값.

평균 기온 (平均氣溫) 일정한 기간을 두고 관측한 기온의 평균값.

*__평균대__ (平均臺) 기계 체조에 쓰는 기구. 또는 그 위에서 하는 운동. 여자 체조 경기의 한 종목임.

〈평균대〉

평균 수명 (平均壽命) 일 년 동안에 죽은 사람의 나이를 모두 합쳐 죽은 사람의 수로 나눈 수. (예)평균 수명이 늘어나다.

평년 (平年) **1** 윤년이 아닌 해. 1년이 365일인 해. (반) 윤년. **2** 농사가 보통 정도로 된 해. (예)올 농사는 평년 수준을 넘는다.

평등 (平等) 한 사회에서 권리·의무·자격 따위가 모든 사람에게 고르고 똑같음. (예)남녀평등 / 평등한 대우를 받다. (비) 동등. (반) 불평등. 차별. **—하다.**

평등권 (平等權) [평등꿘] 모든 국민이 성별·직업·종교 따위로 차별

받지 않는 권리.

*평ː론 (評論) [평논] 사물의 가치나 착하고 악함, 잘되고 못됨 등을 비평하여 논함. 또는 그 글. ㉾문학 평론 / 시사 평론. **—하다.**

평ː론가 (評論家) [평논가] 평론을 전문으로 하는 사람. ㉾영화 평론가 / 음악 평론가.

*평면 (平面) **1** 평평한 면. **2** 한 표면 위의 두 점을 지나는 직선이 항상 그 표면 위에 놓이는 면. ㊥곡면.

평면도 (平面圖) 건물과 같은 물체의 구조를 위에서 내려다보고 그린 그림.

평면 도형 (平面圖形) 평면에 그려진 도형. ㊐평면형.

평면적 (平面的) 그림 따위에서 돋아난 느낌이 없는 (것). ㉾평면적 구조. ㊥입체적.

평민 (平民) 벼슬이 없는 사람. 보통 사람. ㉾평민 계급. ㊐서민. ㊥귀족.

평발 (平—) 발바닥이 오목하게 들어간 데가 없이 평평하게 된 발.

평방 (平方) '제곱'의 옛 이름.

평범하다 (平凡—) 뛰어나거나 특별한 점이 없이 보통이다. ㉾평범한 학생 / 외모가 평범하다 / 평범하게 살아가다. ㊥비범하다.

평복 (平服) 보통 때에 입는 옷. 또는 제복이나 관복이 아닌 보통의 옷. ㉾임금님은 평복 차림으로 궁궐 밖을 둘러보았다. ㊐평상복.

평상 (平床〔牀〕) 밖에 놓고 앉거나 드러누워서 쉴 수 있도록 나무로 평평하게 만든 상. ㉾평상에서 낮잠을 자다.

평상복 (平常服) 보통 때에 입는 옷. ㉾평상복 차림. ㊐평복.

평상시 (平常時) 보통 때. ㉾그는 일요일에도 평상시처럼 일찍 일어난다. ㊐평소. 평일. ㊥비상시. ㊟상시. 평시.

*평생 (平生) **1** 살아 있는 동안. ㉾평생의 소원. ㊐일생. **2** ⇨평생토록. ㉾평생 잊을 수 없는 일.

평생 교ː육 (平生敎育) 가정교육·학교 교육·사회 교육 등을 통하여 일생 동안 받는 교육.

평생토록 (平生—) 목숨이 다할 때까지. ㉾평생토록 교육에 헌신하다.

평서문 (平敍文) 문장 종류의 하나로 감탄문·명령문·의문문 이외의 보통 글.

*평소 (平素) ⇨평상시. ㉾평소에 쌓은 실력.

평시 (平時) '평상시'의 준말.

평시조 (平時調) 초장·중장·종장으로 되어 있는, 가장 기본적이고 대표적인 시조. 글자 수가 45자 안팎임.

평안 (平安) 마음에 걱정이 없음. ㉾평안한 생활 / 집안이 평안하다. ㊐편안. **—하다.**

평안남도 (平安南道) 〖지명〗 북한의 한 도. 한반도의 북서쪽에 자리 잡아 평양을 둘러싸고 있으며, 주요 도시로는 안주·순천·개천 등이 있음. 도청 소재지는 평양.

평안도 (平安道) 평안남도와 평안북도를 함께 이르는 말.

평안북도 (平安北道) [평안북또] 〖지명〗 북한의 한 도. 한반도의 북서쪽 끝에 자리 잡고, 평안남도·자강도 및 중국 북경과 맞닿아 있음. 주요 도시로는 신의주·정주 등이 있음. 도청 소재지는 신의주.

평안히 (平安—) 걱정되는 일이 없이. ㉾평안히 주무십시오.

*평야 (平野) 아주 넓은 들. ㉾평야 지대 / 김해평야. ㊐평원.

평양 (平壤) 〖지명〗 평안남도의 대동강 하류에 위치한, 우리나라에서 가장 오래된 도시. 북한의 수도이며 특별시임.

평영 (平泳) 수영법의 한 가지. 개

구리처럼 두 발을 함께 오므렸다 뻗으며 치는 헤엄. 비 개구리헤엄.

평온 (平穩) 고요하고 편안함. 예 평온을 되찾다 / 평온한 마음 / 평온히 지내다. **—하다. —히.**

평원 (平原) 평평하고 너른 들판. 예평원을 달리는 말 / 평원이 드넓게 펼쳐져 있다. 비 평야.

평이하다 (平易—) 까다롭지 않고 쉽다. 예시험 문제가 평이하다.

평일 (平日) **1** ⇨평상시. **2** 휴일이나 기념일이 아닌 보통 날. 예주말은 복잡하니까 평일에 가자.

평절 (平—) 평상시 웃어른에게 올리는 절. 남자는 두 손을 바닥에 대고 허리를 굽혀 머리를 숙이고, 여자는 한쪽 무릎을 세우고 손을 바닥에 짚은 뒤 머리를 숙임.

평:점 (評點)[평쩜] **1** 학력을 평가하여 매긴 점수. 예평점을 매기다. **2** 가치를 평하여 매긴 점수.

평정[1] (平定) 반란이나 난리를 평온하게 진정시킴. 예반란을 평정하다. **—하다.**

평정[2] (平靜) 마음이 평안하고 고요함. 예마음의 평정을 되찾다 / 평정을 잃다. **—하다. —히.**

평준화 (平準化) 수준이 서로 차이 나지 않게 함. 예고등학교 평준화 / 실력의 평준화. **—하다.**

평지 (平地) 바닥이 펀펀한 땅. 예 넓은 평지. 반 산지.

평지풍파 (平地風波) 뜻밖에 분쟁이 일어남을 비유하는 말. 예말 한 마디로 평지풍파를 일으키다.

평탄하다 (平坦—) **1** 바닥이 넓고 평평하다. 예평탄한 길. **2** 일의 상태나 진행이 순조롭다. 예일이 평탄하게 진행되다.

평:판 (評判) **1** 비평하여 잘잘못을 가림. **2** 세상 사람들의 비평. 예평판이 좋지 않다.

평평하다 (平平—) 바닥이 높낮이가 없이 널찍하고 판판하다. 예언덕을 평평하게 깎다.

평:하다 (評—) 사물의 가치나 좋고 나쁨 따위를 자세히 따져서 말하다. 예남을 평하기 전에 나부터 돌아보자.

***평행** (平行) 두 개의 직선이나 두 개의 평면이 나란히 있어 아무리 늘여도 서로 만나지 않음. 예평행으로 선을 긋다. **—하다.**

평행봉 (平行棒) 체조 기구의 하나. 기둥 위에 두 개의 가로대를 평행으로 놓은 것.

***평행 사:변형** (平行四邊形) 서로 마주 보는 두 쌍의 변이 각각 평행인 사각형.

평행선 (平行線) 같은 평면 위에 있는 둘 이상의 평행한 직선.

평행 이동 (平行移動) 물체나 도형의 각 점이 같은 방향으로 같은 거리만큼 평행으로 옮겨지는 일.

평형 (平衡) **1** 어느 한쪽으로 기울지 않고 균형이 잡혀 있음. 밸런스. 예평형을 유지하다. 비 균형. **2** 저울대가 수평을 이룸. **3** 한 물체에 작용하는 두 힘이 서로 맞서는 것. 그 힘의 크기가 같고, 방향이 서로 반대이면 그 두 힘은 평형이 됨.

***평화** (平和) **1** 평온하고 화목함. 예 가정의 평화. **2** 전쟁이나 분쟁 등이 없이 평온함. 예세계의 평화를 지키다. 비 화평. 반 전쟁. ➲ peace

***평화롭다** (平和—) [평화롭따] 다툼이나 걱정 따위가 없고 조용하다. 예평화로운 시골 마을. 활용 평화로워 / 평화로우니.

평화스럽다 (平和—) [평화스럽따] 조용하고 화목해 보이다. 예평화스러운 농촌 풍경. 활용 평화스러워 / 평화스러우니.

평화적 (平和的) 전쟁이나 갈등 따위가 없이 평화스러운 (것). 예평화적으로 해결하다.

평화 통:일 (平和統一) 전쟁이나 무력을 쓰지 않고 평화적인 방법으로 이루는 통일.

폐:[1] (肺) [— / 페] 육지에 사는 동물의 호흡기. [비] 폐부. 폐장. 허파.

폐:[2] (弊) [— / 페] **1** 남에게 끼치는 신세나 괴로움. [예] **폐**를 끼치다 / 남에게 **폐**가 되다. **2** '폐단'의 준말.

폐:가 (廢家) [— / 페가] 버려두어 낡아 빠진 집.

폐:간 (廢刊) [— / 페간] 신문·잡지 따위의 간행을 폐지함. [예] 경영이 어려워 잡지를 **폐간**하다. **—하다.**

폐:결핵 (肺結核) [— / 페결핵] 결핵균의 침입으로 폐에 생기는 전염병. 기침·열·호흡 곤란·가슴앓이 따위의 증세가 일어나고 심하면 피를 토함. [비] 폐병.

폐:곡선 (閉曲線) [폐곡썬 / 페곡썬] 곡선 위의 한 점을 출발하여 한 바퀴 돌아 출발점으로 되돌아오는 선. 원 따위.

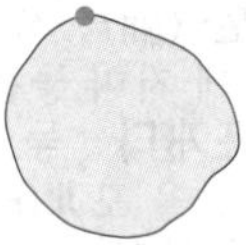

〈폐곡선〉

폐:관 (閉館) [— / 페관] 시간이 되어 도서관·박물관 따위의 문을 닫음. [예] 학교 도서관의 **폐관** 시간은 오후 6시다. [반] 개관. **—하다.**

폐:광 (廢鑛) [— / 페광] 광산에서 광물을 캐내는 일을 그만둠. 또는 그 광산. **—하다.**

폐:교 (廢校) [— / 페교] 수업을 중지하고 학교 문을 닫음. 또는 그 학교. [반] 개교. **—하다.**

폐:기 (廢棄) [— / 페기] 못 쓰게 된 것을 버림. [예] 낡은 가구를 **폐기** 처분하다. **—하다.**

폐:기물 (廢棄物) [— / 페기물] 못 쓰게 되어 버리는 물건. [예] 음식 **폐기물** / **폐기물**을 처리하다.

폐:단 (弊端) [— / 페단] 어떤 일이나 행동에서 나타나는 좋지 못하고 해로운 점. [예] **폐단**이 생기다 / 복잡한 절차의 **폐단**을 없애다. [준] 폐.

폐:동맥 (肺動脈) [— / 페동맥] 심장에서 폐로 정맥혈을 보내는 혈관. [비] 허파 동맥. [반] 폐정맥.

폐:렴 (肺炎) [— / 페렴] 허파에 생기는 염증. 열이 나고 가슴이 몹시 아프며, 기침이 심해지고 호흡이 곤란해짐.

폐:막 (閉幕) [— / 페막] **1** 연극을 마치고 막을 내림. **2** 어떤 일이나 행사가 끝남. [예] 전람회가 **폐막**되다. [반] 개막. **—하다.**

폐:막식 (閉幕式) [폐막씩 / 페막씩] 어떤 행사를 마치면서 하는 식. [예] 올림픽 **폐막식**. [반] 개막식.

폐:물 (廢物) [— / 페물] 못 쓰게 된 물건. 소용이 없이 된 물건. [예] **폐물** 이용. [비] 폐품.

폐:백 (幣帛) [— / 페백] 신부가 결혼식을 마치고 시부모를 비롯한 시댁 어른들에게 드리는 첫인사. 대추·밤·술·안주·과일 등을 상 위에 올려놓고 큰절을 함. [예] **폐백**을 드리다 / **폐백**을 받다.

폐:병 (肺病) [폐뼝 / 페뼝] **1** 폐에 생기는 병을 통틀어 이르는 말. **2** '폐결핵'을 속되게 이르는 말.

폐:부 (肺腑) [— / 페부] **1** ⇨폐[1]. **2** 마음의 깊은 속. [예] **폐**부에서 우러나오는 정성.

폐부를 찌르다 말의 뜻이 마음속 깊은 데까지 와 닿다.

폐:쇄 (閉鎖) [— / 페쇄] **1** 드나들지 못하게 입구를 막음. [예] 출입구를 **폐쇄**하다. **2** 기관이나 단체 따위를 없애 버림. [예] 공장을 **폐쇄**하다. [반] 개방. **—하다.**

***폐:수** (廢水) [— / 페수] 쓰고 난 뒤에 버리는 물. [예] 공장 **폐수** / **폐수** 처리 시설을 갖추다.

폐:습 (弊習) [— / 페습] 나쁜 버릇이나 해로운 풍습. [예] **폐습**을 고치다 / **폐습**을 타파하다.

폐:암 (肺癌) [―/폐암] 폐에 생기는 암.

폐:업[1] (閉業) [―/페업] 문을 닫고 영업을 하지 않음. ㉡공장이 **폐업** 중이다. 반 개업. **―하다.**

폐:업[2] (廢業) [―/페업] 직업이나 영업을 그만둠. ㉡**폐업** 신고를 하다. 반 창업. **―하다.**

폐:위 (廢位) [―/페위] 왕이나 왕비의 자리에서 물러나게 함. ㉡왕을 **폐위**시키다. **―하다.**

폐:인 (廢人) [―/페인] **1** 병·마약 등으로 몸을 망친 사람. ㉡마약으로 완전히 **폐인**이 되다. **2** 남에게 버림을 받아 쓸모없이 된 사람.

폐:장 (閉場) [―/페장] 극장·시장·해수욕장 따위의 영업이 끝나 문을 닫음. ㉡해수욕장을 **폐장**하다. 반 개장. **―하다.**

폐:점 (閉店) [―/페점] 가게를 닫음. ㉡경영난으로 가게를 **폐점**했다. 반 개점. **―하다.**

폐:정맥 (肺靜脈) [―/페정맥] 폐에서 깨끗해진 동맥혈을 심장으로 보내는 좌우 두 개의 혈관. 비 허파정맥. 반 폐동맥.

폐:지[1] (廢止) [―/페지] 행하던 제도나 법규 따위를 그만두거나 없앰. ㉡노예 제도를 **폐지**하다. 비 철폐. **―하다.**

폐:지[2] (廢紙) [―/페지] 못 쓰게 된 종이. ㉡**폐지** 재활용. 비 휴지.

폐:차 (廢車) [―/페차] 낡거나 못 쓰게 된 차를 없앰. 또는 그 차. **―하다.**

폐:품 (廢品) [―/페품] 쓸 수 없게 된 물품. ㉡**폐품** 수집/**폐품**을 재활용하다. 비 폐물.

폐:하 (陛下) [―/페하] 황제나 황후를 높여서 부르는 말.

폐:하다 (廢―) [―/페하다] **1** 있던 제도나 법, 기관 등을 없애다. ㉡허례허식을 **폐하다**. **2** 중간에 그만두다. ㉡학업을 **폐하다**.

폐:해 (弊害) [―/페해] 폐가 되는 나쁜 일. ㉡사이비 종교의 **폐해**.

폐:허 (廢墟) [―/페허] 건물이나 시가, 성 등이 파괴되어 형체도 없이 완전히 허물어져 못 쓰게 된 터. ㉡전쟁으로 **폐허**가 된 도시.

폐:활량 (肺活量) [―/페활량] 폐 속에 최대한도로 공기를 들이마신 후, 다시 내쉴 때 나오는 공기의 양. ㉡**폐활량**이 크다.

폐:회 (閉會) [―/페회] 집회 또는 회의가 끝남. ㉡**폐회**식/**폐회**를 선언하다. 반 개회. **―하다.**

폐:휴지 (廢休紙) [―/페휴지] 못 쓰게 되어 버리는 종이.

포[1] (砲) '대포'의 준말. ㉡적을 향하여 포를 쏘다.

포[2] (脯) 생선이나 고기 따위를 얇게 저며 놓은 것. ㉡포를 뜨다.

포개다 놓인 것 위에 또 놓다. ㉡이불을 포개어 얹다.

포격 (砲擊) 목표물에 대포를 쏨. ㉡적진에 포격을 가하다. **―하다.**

포:고 (布告) **1** 일반에게 널리 알림. ㉡포고문. **2** 국가의 결정 의사를 공식적으로 일반에게 발표하는 일. ㉡선전 포고. **―하다.**

포:고령 (布告令) 정부에서 국민에게 널리 알리는 명령이나 법령. ㉡포고령을 내리다.

포:괄 (包括) 어떤 사물이나 현상 따위를 하나의 범위 안에 넣음. ㉡역사와 지리를 포괄해서 설명하다. **―하다.**

포:교 (布敎) 종교를 널리 폄. ㉡포교 활동. **―하다.**

포구 (浦口) 강가나 바닷가에서 작은 배가 드나드는 곳.

***포근하다** **1** 감정이나 분위기 따위가 보드랍고 따뜻하여 편안한 느낌이 있다. ㉡포근한 엄마의 품. **2** 겨울 날씨가 바람도 없고 따뜻하다.

(예)포근한 날씨. [큰]푸근하다.

포근히 포근하게. (예)포근히 감싸 주다. [큰]푸근히.

*__포기__[1] 풀이나 나무의 뿌리를 단위로 한 낱개. (예)배추 두 포기.

*__포:기__[2] (抛棄) **1** 하던 일을 도중에서 그만두어 버림. (예)아침 운동을 포기하다. **2** 자기의 권리나 자격을 쓰지 않음. (예)출전을 포기하다. **—하다.**

포대[1] (包袋) ⇨부대[2]. (예)포대 자루 / 밀가루 한 포대.

포대[2] (砲臺) 대포를 설치하고 포탄을 발사하기 위해 튼튼히 쌓은 진지. (예)포대를 쌓다.

포대기 어린아이를 업거나 덮어 줄 때 쓰는 작은 이불. (예)아기를 포대기에 싸다.

*__포도__ (葡萄) 포도나무의 열매. 맛이 새콤달콤하며 날로 먹거나 건포도·포도주를 만듦. ➡grape

포도나무 (葡萄—) 포도과의 낙엽 활엽 덩굴나무. 덩굴은 길게 뻗어 퍼지는데 덩굴손으로 다른 것에 감아 붙으며, 한 송이에 여러 개의 포도가 달림.

〈포도나무〉

포도당 (葡萄糖) 포도나 꿀 등에 들어 있는 당분의 한 가지. 생물의 에너지원이 됨. 글루코오스.

포도밭 (葡萄—) [포도받] 포도나무를 많이 심은 밭.

포도주 (葡萄酒) 포도로 만든 술.

포:도청 (捕盜廳) 조선 때, 도둑이나 범죄자를 잡아 다스리던 관청. [준]포청.

포동포동 통통하게 살지고 보드라운 모양. (예)포동포동한 얼굴. [큰]푸둥푸둥. **—하다.**

포:로 (捕虜) 전쟁에서 적에게 사로잡힌 군인. (예)포로 석방 / 포로로 잡히다.

포:로수용소 (捕虜收容所) 포로를 집단적으로 한곳에 가두어 두거나 거주시키는 시설.

포르르 작은 새 등이 갑자기 날아가는 소리. (예)참새가 포르르 날아오르다. [큰]푸르르. **—하다.**

포르테 (이 forte) 악보에서, 셈여림을 나타내는 말. '세게'의 뜻《약호는 *f*》. [반]피아노.

포르투갈 (Portugal) 〖국명〗 유럽 남부의 이베리아 반도 서부 끝에 있는 나라. 주산업은 농업이며 포도주·올리브·보리·코르크 등을 산출함. 수도는 리스본.

포르티시모 (이 fortissimo) 악보에서, 셈여림을 나타내는 말. '아주 세게'의 뜻《약호는 *ff*》. [반]피아니시모.

포:만감 (飽滿感) 넘치도록 가득 찬 느낌. (예)포만감을 느끼다.

포목 (布木) 베나 무명 따위의 옷감. (예)포목점.

포목상 (布木商) [포목쌍] 베나 무명 따위의 옷감을 파는 장사. 또는 그 장수.

포:물선 (抛物線) [포물썬] 비스듬히 던져 올린 물체가 떨어지면서 반원 모양을 그리는 곡선. (예)공이 포물선을 그리며 떨어지다.

포:박 (捕縛) 잡아서 묶음. (예)죄인을 포박하다. **—하다.**

포병 (砲兵) 육군에서, 포 사격을 맡아 하는 군대나 군인. (예)포병대.

포복 (匍匐) 배를 땅에 대고 김. (예)포복으로 기어가다 / 철조망을 포복으로 통과하다. **—하다.**

포볼 (four+ball) 야구에서, 투수가 타자에게 스트라이크가 아닌 볼을 네 번 던지는 일. 사구.

포:부 (抱負) 마음속에 지닌 앞날에 대한 계획이나 희망. (예)포부가

크다 / 포부를 품다.

포:석정 (鮑石亭) [포석쩡] 경상북도 경주시에 있는 통일 신라의 고적지. 왕과 귀족들이 전복 모양으로 생긴 돌 홈을 따라 굽이쳐 흐르는 물에 잔을 띄우고 시를 읊으며 놀이를 하던 곳임. 사적 제1호.

포:섭 (包攝) 상대를 자기편으로 끌어들임. ㉲간첩에게 포섭을 당하다. **—하다.**

포성 (砲聲) 대포를 쏠 때 나는 소리. ㉲요란한 포성 / 포성이 울리다. 비 폿소리.

포:수¹ (砲手) 총으로 짐승을 잡는 사냥꾼.

포:수² (捕手) 야구에서, 본루를 지키며 투수가 던지는 공을 받는 선수. 캐처. 반 투수.

***포스터** (poster) 광고나 선전을 하기 위한 간단한 글귀가 적힌 그림. ㉲영화 포스터 / 불조심 포스터를 그리다.

포슬포슬 가루 따위가 물기가 적어서 잘 엉기지 못하는 모양. 큰 푸슬푸슬. 여 보슬보슬. **—하다.**

포:승 (捕繩) 죄인을 잡아 묶는 노끈. ㉲범인을 포승으로 묶다. 비 오라. 오랏줄.

포:식 (飽食) 배부르게 먹음. ㉲음식을 포식하다. **—하다.**

포:악 (暴惡) 행동이나 성질이 사납고 악독함. ㉲성질이 포악한 사람. **—하다. —스럽다.**

포:옹 (抱擁) 품에 껴안음. ㉲감격의 포옹을 나누다. **—하다.**

포:용 (包容) 마음씨가 너그러워 남의 잘못을 이해하고 감싸 줌. ㉲너그럽게 포용하다. **—하다.**

포:용력 (包容力) [포용녁] 남을 너그럽게 감싸 주거나 받아들이는 힘.

포:위 (包圍) 주위를 삥 둘러 에워쌈. ㉲사방에서 적을 포위하다. **—하다.**

포:위망 (包圍網) 치밀하고 빈틈없이 에워싼 것. ㉲포위망을 뚫다.

포:유류 (哺乳類) 척추동물의 한 종류. 새끼를 낳아 젖을 먹여 기름. 폐로 호흡하며, 대뇌가 가장 발달한 동물임. ㉲고래는 포유류에 속한다. 비 젖먹이 동물. 포유동물.

포인터 (pointer) 컴퓨터에서, 마우스를 따라 움직이는 모니터 화면의 작은 화살표 표시.

포인트 (point) **1** 중요한 사항이나 핵심. **2** 운동 경기에서, 득점.

포자 (胞子) ⇨홀씨.

포장¹ (布帳) 두꺼운 천이나 비닐 따위로 만든 넓은 덮개나 가리개. ㉲햇빛을 막으려고 포장을 치다. 비 막. 장막.

***포장²** (包裝) 물건을 종이·판지 등으로 싸서 꾸림. ㉲선물을 예쁘게 포장하다. **—하다.**

포장³ (鋪裝) 길에 아스팔트·돌·콘크리트 등을 깔아 바닥을 단단하고 평평하게 만드는 일. ㉲포장도로 / 아스팔트로 포장하다. **—하다.**

포장지 (包裝紙) 포장에 쓰이는 종이. ㉲선물을 포장지로 싸다.

포즈 (pose) 어떤 자세나 몸짓을 표현하는 일. 또는 그 자세나 몸짓. ㉲멋진 포즈를 취하다.

포:진 (布陣) 전쟁이나 경기를 하기 위하여 진을 침. **—하다.**

포:착 (捕捉) **1** 꼭 붙잡음. **2** 어떤 기회나 정세를 알아차림. ㉲기회를 포착하다. **3** 문제·사정·뜻 따위를 알아차림. **—하다.**

포츠담 선언 (Potsdam宣言) [—서넌] 1945년 7월 독일의 포츠담에서 미국·영국·중국·소련의 대표가 회담하고 발표한 선언. 일본의 무조건 항복을 권고했으며, 우리나라의 독립이 약속되었음.

포켓 (pocket) 옷에 달린 호주머니.

포크 (fork) 양식에서, 고기·생선·

과일 등을 찍어 먹는 식탁 용구.

포클레인 (프 Poclain) 굴착기의 하나. 몸체에 달린 큰 삽으로 땅을 파내는 기계.

포탄 (砲彈) 대포의 탄알. ㉠포탄이 터지다. 비 대포알.

포플러 (poplar) ⇨미루나무.

포:학 (暴虐) 몹시 사납고 잔인함. ㉠포학한 임금 / 성격이 포학하다. **—하다.**

*__포함__ (包含) 어떤 범위나 무리에 들어 있음. ㉠회원은 나를 포함해서 열다섯 명이다. **—하다.**

포항 (浦項) 경상북도 북동쪽 동해안에 있는 항구 도시. 포항 종합 제철 공장이 세계적으로 유명하며, 명승지로 보경사·입암 서원·구룡포 해수욕장 따위가 있음.

포화[1] (砲火) 총이나 대포를 쏠 때에 일어나는 불. ㉠포화에 휩싸인 도시 / 포화를 퍼붓다.

포:화[2] (飽和) 최대한도까지 가득 차 있는 상태. ㉠인구가 포화 상태에 이르다.

포:화 용액 (飽和溶液) 일정한 온도와 일정한 압력에서 물질이 더 이상 녹을 수 없을 정도의 양까지 녹아 있는 용액.

포환 (砲丸) **1** 대포의 탄알. **2** 포환던지기에 쓰는 쇠로 만든 공.

포환던지기 (砲丸—) 지름 2.13 m의 원 안에서 남자는 7.25 kg, 여자는 4 kg의 포환을 한 손으로 던져 그 거리를 겨루는 경기. 비 투포환.

포:획 (捕獲) **1** 적병을 사로잡음. **2** 짐승이나 물고기를 잡음. ㉠멧돼지를 포획하다. **—하다.**

포효 (咆哮) 사나운 짐승이 울부짖음. 또는 그 울부짖는 소리. ㉠사자의 포효. **—하다.**

*__폭__[1] (幅) **1** 물건의 한 끝에서 다른 끝까지의 거리. ㉠개울의 폭이 넓다. 비 너비. **2** 어떤 일의 범위. ㉠생각의 폭이 넓다. **3** 그림·족자를 셀 때 쓰는 말. ㉠한 폭의 풍경화.

폭[2] **1** 아주 깊고 느긋하게. ㉠잠이 폭 들었다. **2** 빈틈없이 잘 덮거나 싸는 모양. ㉠아이를 이불로 폭 싸다. **3** 잘 익도록 끓이는 모양. ㉠국이 폭 끓었다. 큰 푹.

폭격 (爆擊) [폭껵] 비행기에서 폭탄을 떨어뜨려 적의 군대나 시설을 파괴하는 일. ㉠적의 진지를 폭격하다. **—하다.**

폭격기 (爆擊機)[폭껵끼] 적의 시설이나 진지를 폭격하는 것을 임무로 하는 비행기.

폭군 (暴君) [폭꾼] 성질이 사납고 악독한 임금.

폭넓다 (幅—) [퐁널따] 어떤 사항이 두루 미쳐 영향을 끼치는 범위가 넓다. ㉠**폭넓게** 공부하다. 발음 폭넓으니[퐁널브니] / 폭넓어서[퐁널버서].

폭도 (暴徒) [폭또] 폭력으로 사회의 질서를 어지럽히는 무리. ㉠폭도를 진압하다.

폭동 (暴動) [폭똥] 여러 사람이 난폭한 행동으로 질서를 어지럽히고 소동을 일으킴. ㉠폭동을 일으키다. 비 난동.

폭등 (暴騰) [폭뜽] 물건 값이 갑자기 크게 오름. ㉠쌀값이 폭등하다. 반 폭락. **—하다.**

폭락 (暴落) [퐁낙] 물건 값이 갑자기 크게 떨어짐. ㉠채소 값이 폭락하다. 반 폭등. **—하다.**

폭력 (暴力) [퐁녁] 남을 해치거나 무엇을 파괴하기 위해 사용하는, 강제적이고 육체적인 힘. ㉠폭력을 쓰다 / 학원 폭력을 없애자. 비 완력.

폭력배 (暴力輩) [퐁녁빼] 함부로 폭력을 휘두르는 무리.

폭로 (暴露) [퐁노] 나쁜 일·음모·비밀 등이 드러남. 또는 그런 것을 드러냄. ㉠사건의 비밀을 폭로하다. **—하다.**

폭리 (暴利) [퐁니] 옳지 않은 방법으로 장사하여 지나치게 많이 남긴 이익. (예)폭리를 취하다. (반)박리.

폭발[1] (暴發) [폭빨] **1** 쌓였던 감정 따위가 갑자기 터짐. (예)감정이 폭발하다. **2** 어떤 것이 급격히 증가함. (예)인기 폭발. **—하다.**

폭발[2] (爆發) [폭빨] 불이 일어나며 갑작스럽게 터짐. (예)가스 폭발 사고 / 폭탄이 폭발하다. **—하다.**

폭발력 (爆發力) [폭빨력] 폭발하는 힘.

폭발물 (爆發物) [폭빨물] 폭발하는 성질이 있는 물질. (예)폭발물을 운반하다 / 폭발물이 터지다.

폭발적 (暴發的) [폭빨쩍] 별안간 굉장한 기세로 일이 터지는 (것). (예)폭발적 관심 / 폭발적인 인기.

폭삭 [폭싹] **1** 온통 곯아서 썩은 모양. (예)사과가 폭삭 썩었다. **2** 담겼던 물건이 모두 엎질러지는 모양. (예)떡을 시루째 폭삭 엎다. **3** 맥없이 주저앉는 모양. (예)다리에 힘이 없어 바닥에 폭삭 주저앉다. **4** 엉성한 물건이 쉽게 가라앉거나 부서지는 모양. (예)지붕이 폭삭 내려앉다. **5** 집안 따위가 완전히 망해 버린 모양. (예)집안이 폭삭 망하다. (큰)푹석.

폭서 (暴暑) [폭써] 아주 심한 더위. (비)폭염.

폭설 (暴雪) [폭썰] 갑자기 많이 내리는 눈. (예)폭설이 내리다 / 폭설로 교통이 마비되다.

폭소 (爆笑) [폭쏘] 여러 사람이 갑자기 크게 웃는 웃음. (예)일제히 폭소를 터뜨리다.

폭신하다 [폭씬하다] 닿는 느낌이 매우 보드랍고 탄력이 있다. (예)폭신한 담요. (큰)푹신하다.

폭약 (爆藥) [포갹] 폭발을 일으키는 화학 물질. (본)폭발약.

폭언 (暴言) [포건] 거칠고 사납게 하는 말. (예)폭언을 퍼붓다 / 화가 나서 친구에게 폭언을 하다. **—하다.**

폭염 (暴炎) [포겸] ⇨폭서. (예)폭염이 기승을 부리다.

폭우 (暴雨) [포구] 갑자기 세차게 쏟아지는 비. (예)폭우로 축대가 무너졌다.

폭음[1] (暴飮) [포금] **1** 술을 한꺼번에 많이 마심. (예)폭음과 폭식은 건강에 해롭다. **2** 가리지 않고 아무것이나 많이 마심. **—하다.**

폭음[2] (爆音) [포금] **1** 화약·화산 등이 폭발할 때 나는 큰 소리. (비)폭발음. **2** 비행기·자동차·오토바이 등의 엔진 소리. (예)폭음을 내며 질주하는 오토바이.

폭정 (暴政) [폭쩡] 백성을 심하게 괴롭히는 정치. (예)폭정에 시달리다. (비)학정.

폭주 (暴走) [폭쭈] 빠른 속도로 난폭하게 달림. (예)오토바이 폭주족. **—하다.**

폭죽 (爆竹) [폭쭉] 가느다란 대통이나 종이 통 속에 화약을 넣고 불을 붙여 터뜨려 소리나 불꽃이 나게 하는 물건. (예)폭죽을 터뜨리다.

폭탄 (爆彈) 던지거나 쏘거나 떨어뜨려서 터뜨리는 폭발물. 사람을 죽이거나 건물을 파괴하는 데 씀. (예)폭탄을 투하하다.

폭파 (爆破) 폭발시켜 부수어 버림. (예)폭파 장치 / 다리를 폭파하다. **—하다.**

폭포 (瀑布) '폭포수'의 준말.

폭포수 (瀑布水) 낭떠러지에서 곧장 흘러 떨어지는 물줄기. (준)폭포.

〈폭포수〉

폭풍 (暴風) 몹시 세게 부는 바람. → [학습마당] 6(176쪽)

폭풍우 (暴風雨) 세찬 바람과 함께

쏟아지는 큰비. 예폭풍우가 휘몰아치다 / 간밤의 폭풍우로 나무가 쓰러졌다.

폭행 (暴行) [포캥] 남에게 폭력을 가하는 일. 예집단 폭행 / 폭행을 저지르다 / 폭행을 휘두르다 / 폭행을 당하다. **—하다.**

폴더 (folder) 컴퓨터에서, 서로 관련 있는 프로그램이나 파일을 묶어서 하나의 아이콘으로 나타낸 것.

폴란드 (Poland) 〖국명〗 중부 유럽에 있는 나라. 북부는 농업지, 남부는 철·석탄의 산출이 많아 공업이 발달함. 수도는 바르샤바.

폴로네즈 (프 polonaise) 폴란드 특유의 가곡 및 무용. 4분의3 박자로 템포는 대체로 느림.

폴짝폴짝 작은 것이 가볍고 힘 있게 자꾸 뛰어오르는 모양. 큰풀쩍풀쩍.

폴카 (polka) 보헤미아 지방에서 일어난 4분의2 박자의 경쾌한 춤곡. 또는 그 춤.

폼 (form) **1** 겉으로 드러내는 멋이나 태도. 예폼 나게 차려입다 / 그는 안경을 폼으로 쓰고 다닌다. **2** 어떤 일을 하려 할 때 취하는 몸의 형태. 자세. 예폼을 잡다 / 폼이 어색하다.

퐁당 작고 단단한 물건이 물에 떨어질 때 나는 소리. 예물에 퐁당 뛰어들다. 큰풍덩. **—거리다.**

퐁당퐁당 작고 단단한 물체가 잇달아 물에 떨어지는 소리. 예연못에 퐁당퐁당 돌을 던지다.

*__표__¹ (表) 어떤 내용을 간추려서 알아보기 쉽게 적어 놓은 것. 예시간표 / 통계표 / 표를 작성하다.

표² (標) 눈으로 보아 알 수 있는 두드러진 특징. 또는 그 특징을 나타내는 기호. 예마침표 / 거짓말을 한 표가 얼굴에 나타나 있다.

*__표__³ (票) **1** 증거가 될 만한 쪽지. 예표를 끊다. **2** 선거 또는 의결 따위에서, 자기 의사를 적은 쪽지. 예표를 몰아주다. ➡ticket

표결 (票決) 회의에서 어떤 일을 의사 표시나 투표를 해서 결정함. 예표결에 부치다. **—하다.**

표고 송이과의 버섯. 밤나무·떡갈나무 등의 고목에 나는데, 줄기는 굽고 짧으며, 삿갓은 원형으로 넓고 짙은 자줏빛임. 식용함. 비표고버섯.

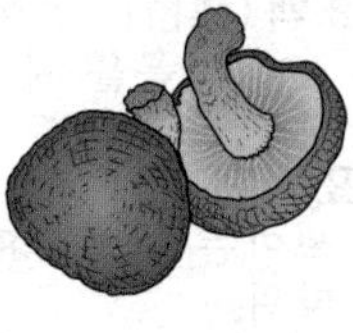
〈표고〉

표구 (表具) 그림의 뒷면이나 테두리에 종이나 천을 붙여서 족자나 병풍, 걸개그림 따위를 만드는 일. 예그림을 표구하다. **—하다.**

표기 (表記) 문자나 음성 기호로 언어를 표시하는 일. 예소리 나는 대로 표기하다. **—하다.**

표기법 (表記法) [표기뻡] 문자나 부호로 언어를 나타내는 규칙. 예외래어 표기법.

표독스럽다 (慓毒—) [표독쓰럽따] 사납고 독살스러운 데가 있다. 예표독스러운 표정을 짓다. 활용표독스러워 / 표독스러우니.

표류 (漂流) **1** 물에 떠서 흘러감. 예표류하는 난파선. **2** 목적이나 방향을 잃고 헤맴. 예정책의 표류. **—하다.**

표리 (表裏) 겉으로 드러난 말과 행동 또는 속마음. 겉과 속. 안과 밖.

표리부동 (表裏不同) 마음이 음흉하고 불량하여 겉과 속이 다름. 예표리부동한 사람. **—하다.**

*__표면__ (表面) 사물의 가장 바깥쪽이면서 거죽으로 드러난 면. 예표면이 매끄럽다. 비겉면. 겉쪽. 반이면.

표면적¹ (表面積) 물체의 겉면의 면적. 비겉넓이.

표면적² (表面的) 겉으로 드러난 (것). 예표면적인 이유.

표명 (表明) 생각이나 태도 따위를 드러내어 분명히 함. ㉮사의를 표명하다. **—하다.**

표방 (標榜) 어떤 구실을 붙여 주의나 주장을 앞에 내세움. ㉮자유를 표방하다. **—하다.**

표백 (漂白) 종이나 천 따위를 바래거나 약품을 써서 희게 함. ㉮표백 작용. **—하다.**

표백제 (漂白劑) [표백쩨] 표백에 쓰이는 약품. 표백분·과산화수소 따위.

표범 (豹—) 고양잇과의 맹수. 아프리카에서 아시아에 걸쳐 사는데, 몸은 1.5 m 정도이고 몸 전체에 검은 점이 있음. 나무에 잘 오르며, 성질이 매우 사나움. 사슴·영양 따위를 잡아먹음.

〈표범〉

표변하다 (豹變—) 마음이나 행동이 갑자기 변하다. ㉮태도가 하루아침에 표변했다.

표본 (標本) **1** 본보기가 되거나 표준 삼을 만한 물건. ㉮성공의 표본으로 삼다. **2** 생물의 몸 전체나 그 일부에 적당한 처리를 하여 보전할 수 있게 한 것. ㉮곤충 표본.

표본실 (標本室) 표본을 보호하거나 진열해 놓은 방. ㉮곤충 표본실.

표상 (表象) 대표적인 상징. ㉮국기는 나라의 표상이다.

*__표시__[1] (表示) 겉으로 드러내어 보임. ㉮감사의 표시 / 친근감을 표시하다. **—하다.**

*__표시__[2] (標示) 표를 해서 외부에 드러내어 보임. ㉮가격 표시 / 책에 읽은 곳을 표시해 두다. **—하다.**

*__표어__ (標語) 주의·주장·이상 따위를 짤막하고 간단히 나타낸 말. 슬로건. ㉮불조심 표어.

표음 문자 (表音文字) [—문짜] 한글이나 로마자처럼 말소리를 기호로 나타낸 글자. ㉥소리글자. ㉯표의 문자.

표의 문자 (表意文字) [—문짜 / 표이문짜] 한자처럼 한 글자 한 글자가 어떤 뜻을 나타내는 문자. ㉥뜻글자. ㉯표음문자.

표적 (標的) 목표가 되는 물건. ㉮표적을 맞히다 / 표적이 빗나가다.

표절 (剽竊) 남의 시·노래·문장 따위의 일부를 몰래 가져다가 자기 것으로 발표함. ㉮표절 작품 / 외국 노래를 표절하다. **—하다.**

*__표정__ (表情) 마음속의 감정이 얼굴에 드러난 모습. ㉮밝은 표정 / 슬픈 표정을 짓다.

표제 (標〔表〕題) **1** 책의 겉에 쓰인 제목. **2** 연설·담화 따위의 제목. **3** 연극·미술·음악 따위 예술 작품의 제목.

표제어 (標題語) 사전 따위에 올리어 풀이를 붙인 말. ㉥올림말.

표주박 (瓢—) 조롱박이나 둥근 박을 반으로 쪼개어 만든 작은 바가지. 흔히, 물을 떠 먹는 데 씀.

표준 (標準) **1** 사물의 크기·수량·가치·정도를 정하는 근거나 기준. ㉮표준 가격 / 표준으로 삼다. **2** 일반적이거나 평균적인 것. ㉮그 정도의 키면 표준은 된다.

표준말 (標準—) ⇨표준어.

표준시 (標準時) 한 나라 또는 일정한 범위 안에서 공통으로 사용하는 표준 시각.

*__표준어__ (標準語) [표주너] 교육적·문화적인 통일을 위해 표준으로 정한 말. 우리나라에서는 교양 있는 사람들이 두루 쓰는 현대 서울말로 정함. ㉮표준어를 쓰다. ㉥대중말. 표준말. ㉯사투리.

표준화 (標準化) 공업 제품 등의 종류나 규격을 일정한 기준에 맞게 통일함. 비 규격화. **—하다.**

표지[1] (表紙) 책의 겉장. 비 겉장.

표지[2] (標識) 어떤 사물을 구별하기 위한 표시. 예도로 표지.

표지판 (標識板) 어떤 사실을 알리기 위해 그 내용을 적거나 그려 놓은 판. 예안내 표지판을 세우다.

표찰 (標札) 종이·나무·플라스틱 따위로 만들어 이름이나 짤막한 글을 쓴 표. 예표찰을 붙이다.

표창 (表彰) 남의 훌륭한 일을 세상에 널리 알림. 예표창을 받다 / 선행을 표창하다. **—하다.**

표창장 (表彰狀)[표창짱] 표창하는 내용을 적은 종이. 예표창장을 받다 / 표창장을 수여하다.

표출 (表出) 생각이나 감정 따위를 겉으로 나타냄. 예개성의 표출 / 불만을 표출하다. **—하다.**

표층 (表層) 표면의 층.

표피 (表皮) **1** 식물체 각 부분의 표면을 덮은 조직. 예표피 세포. **2** 생물체의 표면을 덮은 세포층. 예표피 조직.

표하다[1] (表—) 태도·의견 따위를 나타내다. 예감사의 뜻을 표하다.

표하다[2] (標—) 표지로 삼으려고 표를 하다. 예읽던 곳을 표해 두다.

***표현** (表現) 말·글·몸짓·표정으로 마음속의 생각이나 느낌을 드러내어 나타냄. 예표현이 서투르다 / 감정을 솔직히 표현하다. **—하다.**

표현력 (表現力)[표현녁] 표현하는 능력. 예표현력이 풍부하다.

푯대 (標—) [표때 / 푣때] 목표로 삼아 세우는 대. 예푯대를 세우다.

푯말 (標—) [푠말] 어떤 것을 표시하기 위하여 세우는 말뚝.

푸 입술을 조금 벌리고 입김을 내뿜는 소리. 예한숨을 푸 내쉬다.

푸근하다 **1** 감정이나 분위기 따위가 부드럽고 편안하다. 예푸근한 마음 / 푸근한 사람. **2** 겨울 날씨가 바람도 없이 따뜻하다. 예올 겨울은 푸근하다. 작 포근하다.

푸념 마음에 품은 불평을 말함. 예푸념을 늘어놓다. **—하다.**

푸다 **1** 물·분뇨 따위를 떠내다. 예거름을 푸다. **2** 그릇 속에 든 곡식이나 밥 따위를 떠내다. 예밥통에서 밥을 푸다. 활용 퍼 / 푸니.

푸닥거리 [푸닥꺼리] 무당이 간단하게 음식을 차려 놓고 귀신을 달래거나 나쁜 기운을 몰아내는 굿. **—하다.**

푸대접 (—待接) 성의 없게 아무렇게나 하는 대접. 예푸대접을 받다. 비 냉대. 박대. **—하다.**

푸드덕 큰 새가 힘 있게 날개를 치는 소리나 모양. 예비둘기가 푸드덕 날아오르다. 작 포드닥. **—거리다.**

***푸르다** 맑은 하늘이나 싱싱한 풀잎의 빛깔과 같다. 예푸른 산 / 푸른 하늘. 활용 푸르러 / 푸르니.

> 주의 이 말은 '푸르고 / 푸르니 / 푸르러 / 푸른 / 푸를' 로 쓰이는 말이다. 그런데 이 활용형 가운데 '푸르러'를 보고 '푸르른, 푸르를' 로 쓰기 쉬우나 이 말은 잘못 쓰인 말이다. '푸른, 푸를' 이 바른 말이다.
> 푸르른 가을 하늘(×)
> 푸른 가을 하늘(○)

푸르뎅뎅하다 고르지 않게 푸르스름하다. 예낯빛이 푸르뎅뎅하다.

푸르르 **1** 몸의 일부가 가볍게 떨리는 모양. 예입술을 푸르르 떨다. **2** 작은 물체가 가볍게 흔들리거나 움직이는 모양. **3** 새가 갑자기 날아가는 소리나 모양. 예새가 푸르르 날아오르다.

푸르스름하다 약간 푸르다. 예푸르스름한 불빛. 작 파르스름하다.

푸르죽죽하다 [푸르죽쭈카다] 빛깔이 고르지 못하고 칙칙하게 푸르스름하다. ㉠푸르죽죽한 입술. ㉣파르족족하다.

푸른곰팡이 빵·떡 따위에 잘 생기는 청록색 또는 회갈색 곰팡이. 부패 작용을 하거나 독성이 있는 것이 많으나 페니실린을 만드는 유익한 것도 있음.

푸른빛 [푸른빋] 푸른 빛깔. ㉥푸른색.

푸른색 (—色) 맑은 하늘이나 풀잎의 빛깔과 같이 맑고 선명한 색. ㉥푸른빛.

푸릇푸릇 [푸른푸른] 군데군데 푸르스름한 모양. ㉠새싹이 푸릇푸릇 돋다. ㉣파릇파릇. **—하다.**

푸석푸석 매우 푸석한 모양. ㉠흙먼지가 푸석푸석 날리다 / 밤을 샜더니 얼굴이 푸석푸석하다. **—하다.**

푸석하다 [푸서카다] **1** 부피만 크고 옹골차지 못하고 거칠어서 부스러지기 쉽다. **2** 핏기가 없이 약간 부은 듯하고 꺼칠하다. ㉠병을 앓아 얼굴이 푸석하다.

푸성귀 사람이 가꾸어 기르거나 저절로 난 온갖 나물.

푸시시 **1** 불기운이 있는 숯·재 따위에 물을 부을 때 나는 소리. **2** 머리털 따위가 난잡하게 일어서거나 흐트러진 모양. ㉠자다가 일어난 듯 머리칼이 푸시시하다. **—하다.**

푸줏간 (—間) [푸주깐 / 푸줃깐] 소나 돼지 따위의 고기를 파는 가게. ㉥고깃간.

푸짐하다 음식의 양이 넉넉하다. ㉠푸짐한 상차림 / 접시에 음식을 푸짐하게 담다.

***푹** **1** 잠이 깊이 들거나 느긋하게 쉬는 모양. ㉠잠이 푹 들다. **2** 힘 있게 깊이 찌르는 모양. ㉠찐 감자를 젓가락으로 푹 찔러 보다. **3** 흠뻑 끓이거나 삶는 모양. ㉠빨래를 푹 삶다. **4** 빈틈없이 덮거나 싸는 모양. ㉠이불을 푹 덮어쓰다. **5** 깊이 팬 모양. ㉠구덩이가 푹 패이다. **6** 수렁 따위에 깊이 빠지는 모양. ㉠자동차 바퀴가 웅덩이에 푹 빠지다. **7** 고개를 깊이 숙이는 모양. ㉠고개를 푹 숙이고 다니다. ㉣폭.

푹신푹신 [푹씬푹씬] 매우 푹신한 느낌이 있는 모양. ㉠푹신푹신한 침대. ㉣폭신폭신. **—하다.**

푹신하다 [푹씬하다] 부드러운 탄력성이 있고 따스한 느낌이 있다. ㉠푹신한 이불.

푹푹 **1** 자꾸 깊이 찌르거나 쑤시는 모양. ㉠여기저기 푹푹 쑤시다. **2** 수북하게 자꾸 쏟거나 담는 모양. ㉠쌀을 자루에 푹푹 퍼 담다. **3** 날이 찌는 듯이 더운 모양. ㉠푹푹 찌는 삼복더위. **4** 남김없이 썩거나 삭는 모양. ㉠감자가 푹푹 썩다. **5** 자꾸 깊이 빠지거나 들어가는 모양. ㉠발이 늪 속으로 푹푹 빠지다. **6** 속속들이 잘 익도록 오래 삶거나 찌는 모양. ㉠고기를 푹푹 삶다.

푹하다 [푸카다] 겨울 날씨가 춥지 않고 따뜻하다. ㉠날씨가 푹하다.

푼ː[1] 백에 대한 비율로, 1할의 10분의1. ㉠3할 5푼.

푼ː[2] 적은 액수의 돈. ㉠한 푼 두 푼 알뜰하게 모으다.

푼ː돈 [푼똔] 많지 않은 몇 푼의 돈. ㉠푼돈 모아 목돈을 마련하다. ㉦떼돈. 목돈.

푼ː수 (—數) 어리석고 생각이 모자라는 사람을 놀림조로 이르는 말. ㉠푼수를 떨다.

푼ː푼이 [푼푸니] 한 푼씩 한 푼씩. ㉠푼푼이 모은 돈.

***풀**[1] 무엇을 붙이거나 옷감 따위를 빳빳하게 만드는 데 쓰는 끈끈한 물질. ㉠우표를 풀로 붙이다 / 풀을 쑤다 / 풀을 먹이다.

***풀**[2] 줄기가 나무처럼 단단하지 않으면서 연하고 물기 많은 식물. ㉠풀이 나다 / 풀을 베다 / 밭에 풀을

뽑다. ➡ grass

풀[3] 세찬 기세나 활발한 기운.

풀이 죽다 활발한 기운이나 기세가 꺾여 약해지다. (예)**풀이** 죽은 목소리로 대답하다.

풀기 (―氣) [풀끼] **1** 풀을 먹여 빳빳하게 된 기운. (예)**풀기**가 있어 옷이 빳빳하다. **2** 사람의 씩씩한 활기. (예)**풀기**가 없는 얼굴. [비] 풀[3].

풀꽃 [풀꼳] 산이나 들에 저절로 나는 풀에 피는 꽃.

*__풀다__ **1** 묶은 것이나 얽힌 것을 끄르거나 흩어지게 하다. (예)보따리를 **풀다** / 엉킨 실타래를 **풀다**. **2** 나쁜 감정·분노 따위를 누그러지게 하거나 가라앉게 하다. (예)화를 **풀다**. **3** 액체에 다른 것을 타다. (예)물에 노란색 물감을 **풀다**. [비] 섞다. **4** 콧물을 밖으로 나오게 하다. (예)코를 세게 **풀다**. **5** 답을 알아내다. (예)쉬운 문제부터 **풀다**. [활용] 풀어 / 푸니 / 푸는.

*__풀리다__ **1** 매이거나 얽힌 것이 끌러지다. (예)매듭이 **풀리다**. **2** 춥던 날씨가 누그러지다. (예)날씨가 **풀리다**. **3** 이치나 문제가 밝혀지다. (예)수수께끼가 **풀리다**. **4** 액체에 다른 것이 잘 섞이다. (예)밀가루가 물에 잘 **풀리다**. **5** 나쁜 감정·오해 따위가 없어지다. (예)오해가 **풀리다**. **6** 눈이 또렷하지 않고 흐려지다. (예)졸려서 눈이 **풀리다**. [비] 풀어지다.

풀무 불을 피울 때 바람을 일으키는 기구. (예)**풀무**로 불을 피우다. [비] 풍구.

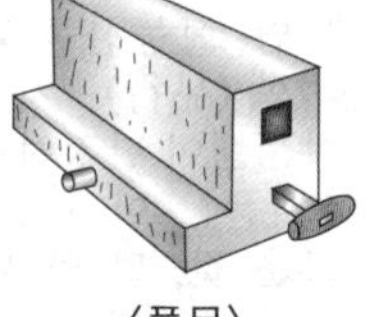
〈풀무〉

풀무질 풀무로 바람을 일으키는 일. (예)**풀무질**로 숯불을 피우다. [비] 풍구질. **―하다.**

*__풀밭__ [풀받] 풀이 많이 나 있는 땅.

풀벌레 풀숲에서 사는 벌레. (예)**풀벌레** 우는 소리.

풀빛 [풀삗] 풀의 빛깔. [비] 초록색.

풀뿌리 풀의 뿌리. (예)**풀뿌리**를 캐다. [비] 초근.

풀숲 [풀숩] 풀이 무성한 수풀.

풀썩 연기나 먼지 따위가 한꺼번에 갑자기 일어나는 모양. (예)먼지가 **풀썩** 일다. [작] 폴싹.

풀어놓다 [푸러노타] 무엇을 탐지하기 위하여 여러 곳에 사람을 비밀히 배치하여 두다. (예)형사를 **풀어놓다**.

풀어지다 [푸러지다] **1** 묶거나 얽힌 것이 풀리다. (예)옷고름이 **풀어지다**. **2** 맺힌 감정 따위가 없어지다. (예)오해가 **풀어지다**. **3** 추위가 누그러지다. (예)날씨가 **풀어지다**. **4** 액체에 다른 물질이 섞이다. (예)물에 물감이 **풀어지다**. [비] 풀리다.

풀이 [푸리] **1** 모르거나 어려운 것을 알기 쉽게 쉬운 말로 밝히어 말함. (예)낱말을 **풀이**하다. **2** 어떤 문제가 요구하는 답을 얻어 냄. 또는 그 답. (예)문제 **풀이**. **―하다.**

풀이말 [푸리말] 문장에서 '어찌하다·어떠하다·무엇이다'에 해당하는 말. '숲이 우거지다'에서 '우거지다' 따위. [비] 서술어.

*__풀잎__ [풀립] 풀의 잎.

풀잎피리 [풀립피리] ⇨풀피리.

풀장 (pool場) ⇨수영장.

풀칠 (―漆) 풀을 바르는 일. (예)**풀칠**한 도배지. **―하다.**

풀풀 **1** 날쌔고 기운차게 자꾸 뛰거나 나는 모양. (예)몸이 **풀풀** 날다. **2** 눈·먼지 따위가 흩날리는 모양. (예)먼지가 **풀풀** 난다. [작] 폴폴.

풀피리 입술 사이에 풀잎을 대고 부는 것. (예)**풀피리**를 불다. [비] 풀잎피리.

품[1] 무슨 일을 하는 데에 드는 힘 또는 수고. (예)하루 품이 들다 / 품을 팔다.

*__품__[2] **1** 윗옷의 양쪽 겨드랑이 밑의

가슴과 등을 두르는 부분의 넓이. ⓔ입어 보니 품이 잘 맞는다. **2** 두 팔을 벌려서 안을 때의 가슴. ⓔ엄마 품에 안기다. **3** 따뜻이 맞아들이거나 감싸 주는 곳을 비유적으로 이르는 말. ⓔ조국의 품에 안기다.

품값 [품깝] ⇨품삯.

품:격 (品格) [품껵] **1** 사람 된 바탕과 타고난 성품. ⓔ품격이 훌륭하다. **2** 사물에서 느껴지는 품위. ⓔ품격 높은 제품.

품:계 (品階) [— / 품게] 예전에, 벼슬아치의 등급. 제일 높은 정일품에서 제일 낮은 종구품까지 모두 18 등급임.

품:귀 (品貴) 물건이 없어 구하기 힘듦. ⓔ품귀 현상. **—하다**.

*__품:다__ [품따] **1** 품속에 넣거나 가슴에 대어 안다. ⓔ암탉이 알을 품다. **2** 생각이나 느낌 따위를 마음속에 가지다. ⓔ큰 뜻을 품다 / 가슴에 한을 품다.

품:명 (品名) 물건의 이름.

품:목 (品目) 물건의 종류를 나타내는 이름. ⓔ수출 품목 / 품목이 다양하다.

품:사 (品詞) 단어를 형태·기능·의미에 따라 나누어 놓은 갈래. 명사·대명사·동사·형용사·조사·감탄사·관형사·부사·수사의 9품사가 있음.

품삯 [품싹] 일을 해 주는 대가로 받는 돈. ⓔ품삯을[품싹쓸] 주다. ⓑ노임. 임금. 품값.

품새 ⇨품세.

품:성[1] (品性) 품격과 성질. ⓔ고결한 품성. ⓑ성품.

품:성[2] (稟性) 타고난 성질. ⓔ품성이 온화하다. ⓑ천성.

품세 태권도에서, 공격과 방어의 기본 기술을 연결한 연속 동작.

품속 [품쏙] 품의 속이나 품고 있는 그 속. ⓔ엄마의 품속에서 잠이 들다 / 가족사진을 품속에 간직하다.

품앗이 [푸마시] 힘든 일을 서로 거들어 주면서 돕는 일. ⓔ품앗이로 김을 매다. **—하다**.

품:위 (品位) [푸뮈] 남의 존경과 인정을 받을 수 있는 사람됨. ⓔ품위 있는 행동을 하다 / 품위를 지키다. ⓙ품.

품:절 (品切) 물건이 다 팔려 없음. ⓔ국어사전이 품절되다. ⓑ절품.

*__품:종__ (品種) 농작물이나 가축의 종류를 특성에 따라 나눈 이름. ⓔ우수한 품종.

품:종 개:량 (品種改良) 어떤 생물의 유전적 성질을 바꾸어서 더 좋은 품종으로 만드는 일.

*__품:질__ (品質) 물건의 좋고 나쁜 바탕이나 성질. ⓔ품질 향상 / 품질이 우수하다.

품:질 표시 (品質表示) 소비자에게 상품의 품질을 알리기 위해 상품의 내용과 특징을 겉면에 표시해 보인 것.

품팔이 [품파리] 품삯을 받고 남의 일을 해 주는 일. ⓔ품팔이로 끼니를 잇다. **—하다**.

품팔이꾼 [품파리꾼] 남의 일을 하여 주고 품삯을 받아 살아가는 사람. ⓙ품꾼.

품:평회 (品評會) 생산품 따위를 모아 품질의 좋고 나쁨을 평가하는 모임. ⓔ농산물 품평회.

품:행 (品行) 사람의 성품과 행실. ⓔ품행이 단정하다.

풋- [푿] 어떤 말 앞에 붙어서 '새로운 것, 덜 익은 것, 미숙한 것'을 나타냄. ⓔ풋고추 / 풋밤 / 풋김치.

풋것 [푿껏] **1** 그해에 새로 익은 곡식·과일·채소 따위를 통틀어 이르는 말. **2** 아직 덜 익은 곡식·과일·채소 따위를 통틀어 이르는 말.

풋고추 [푿꼬추] 빛이 푸르고 아직 익지 않은 고추.

풋과일 [푿꽈일] 아직 덜 익은 과일. (예)풋과일을 잘못 먹고 배탈이 나다. [비]풋과실.

풋나물 [푼나물] 봄철에 새로 나온 나무·풀의 연한 싹으로 만든 나물.

풋내 [푼내] 새로 나온 푸성귀나 풋나물 따위로 만든 음식에서 나는 풀 냄새. (예)풋내가 나다.

풋내기 [푼내기] 경험이 없어 일이 서투른 사람. (예)풋내기 선생. ×풋나기.

풋사랑 [푿싸랑] **1** 남녀 간에 정이 덜 들어 안정성이 없는 들뜬 사랑. **2** 철없는 나이에 느끼는 이성에 대한 사랑.

풋잠 [푿짬] 잠이 든 지 얼마 안 된 옅은 잠.

풋풋하다 [푿푸타다] 푸르고 싱싱하다. (예)풋풋한 봄나물.

풍[1] (風) '허풍'의 준말. (예)풍을 치다 / 그는 풍이 세다.

풍[2] (風) 뇌에 이상이 생겨 팔다리·신경 따위의 기능이 제대로 되지 않는 병. (예)풍을 맞다.

*__풍경__[1] (風景) **1** 아름다운 경치. (예)시골의 평화로운 풍경. [비]경관. 경치. **2** 어떤 정경이나 상황의 모습. (예)시골의 장날 풍경.

풍경[2] (風磬) 처마 끝에 매달아 바람에 흔들릴 때 소리가 나게 만든 작은 종. (예)그윽한 풍경 소리.

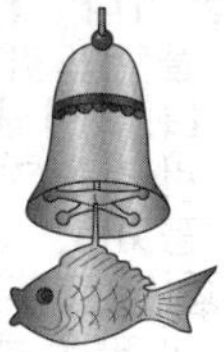
〈풍경[2]〉

[학습마당] 24

풍력 계급표(보퍼트)

계급	명 칭	지표면의 풍속을 추정하기 위한 관찰 사항	풍 속 (m / sec)
0	고요	연기가 똑바로 위로 올라감	0.0–0.2
1	실바람	풍향은 연기가 날리는 것으로 알 수 있지만, 바람개비에는 감각되지 않음	0.3–1.5
2	남실바람	바람이 얼굴에 느껴지고 나뭇잎이 흔들리며 바람개비에 감각됨	1.6–3.3
3	산들바람	나뭇잎과 가는 가지가 쉴 새 없이 흔들리고 깃발이 가볍게 휘날림	3.4–5.4
4	건들바람	먼지가 일고 종잇조각이 날리며 작은 나뭇가지가 흔들림	5.5–7.9
5	흔들바람	잎이 많은 작은 나무 전체가 흔들리고 강물에 잔물결이 일어남	8.0–10.7
6	된바람	큰 나뭇가지가 흔들리고 전선이 흔들리며 우산 받기가 곤란함	10.8–13.8
7	센바람	나무 전체가 흔들리고 걷기가 곤란함	13.9–17.1
8	큰바람	잔가지가 부러지고 걸을 수 없음	17.2–20.7
9	큰센바람	건축물에 약간 피해가 있음	20.8–24.4
10	노대바람	나무가 쓰러지고 건축물에 피해가 있음	24.5–28.4
11	왕바람	건축물에 큰 피해가 있음	28.5–32.6
12	싹쓸바람	매우 큰 피해가 발생함	32.7 이상

풍경화 (風景畫) 자연의 경치를 그린 그림. ㊜풍경.

풍광 (風光) 아름다운 경치. ㊐풍광이 수려하다.

***풍금** (風琴) 페달을 밟아 바람을 불어 넣어 소리를 내는 건반 악기. 오르간. ㊐풍금을 치다.

풍기 (風紀) 지켜야 할 풍속·풍습. ㊐풍기가 문란하다.

풍기다 **1** 냄새가 나다. 또는 냄새를 퍼뜨리다. ㊐고약한 냄새를 풍기다. **2** 어떤 분위기가 나다. 또는 그런 것을 자아내다. ㊐청순한 인상을 풍기다.

***풍년** (豊年) 곡식 등이 잘되어 수확이 많은 해. ㊐풍년을 만나다 / 풍년이 들다. ㊥흉년.

풍년가 (豊年歌) 풍년의 기쁨을 노래한 경기 민요.

풍덩 크고 무거운 물건이 깊은 물에 떨어질 때 나는 소리. ㊐물속에 풍덩 뛰어들다.

풍뎅이 풍뎅잇과의 곤충. 몸은 2 cm 정도이고 둥글넓적하며, 등은 광택이 나는 짙은 녹색임. 나뭇잎이나 농작물을 갉아 먹는 해충임.

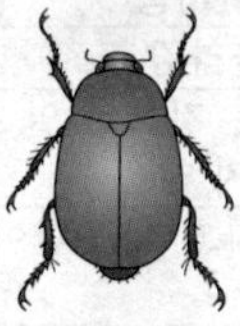
〈풍뎅이〉

풍랑 (風浪) [풍낭] 바람이 불어 일어나는 물결. ㊐풍랑이 거세다 / 풍랑에 배가 흔들리다.

풍력 (風力) [풍녁] 바람의 세기. ㊐풍력계. → [학습마당] 24(1145쪽)

풍력 발전 (風力發電) [풍녁빨쩐] 바람의 힘을 이용하여 전기를 일으키는 일.

풍로 (風爐) [풍노] 흙이나 쇠로 만든, 바람이 통하도록 아래에 구멍을 낸 화로. ㊐석유풍로.

풍류 (風流) [풍뉴] 멋스럽게 노는 일. ㊐풍류를 즐기다.

풍만하다 (豊滿―) 몸에 살이 보기 좋게 많다. ㊐몸집이 풍만하다.

풍매화 (風媒花) 바람에 의해서 수술의 꽃가루가 암술에 묻어 열매를 맺는 꽃. 벼·소나무·은행나무 따위의 꽃이 있음. *충매화.

풍모 (風貌) 풍채와 용모.

풍문 (風聞) 바람결에 들리는 소문. 떠도는 말. ㊐이상한 풍문이 나돌다. ㊯소문. 풍설.

풍물 (風物) **1** 어떤 지방이나 계절의 독특한 구경거리나 산물. ㊐풍물기행. **2** 농악에 쓰는 꽹과리·징·장구·북 따위의 악기.

풍물놀이 (風物―) [풍물로리] 농부들이 꽹과리·장구·징·북·태평소 따위를 치면서 춤과 노래를 곁들이는 놀이. ㊯농악.

***풍부하다** (豊富―) 넉넉하고 많다. ㊐풍부한 자원 / 경험이 풍부하다.

풍비박산 (風飛雹散) [풍비박싼] 사방으로 날아 흩어짐. ㊐사업의 실패로 집안이 풍비박산이 되었다.

풍산개 (豊山―) 개 품종의 하나. 함경남도 풍산 지방에서 나는 이름난 사냥개.

풍상 (風霜) **1** 바람과 서리. **2** 많이 겪은 세상의 어려움과 고생.

풍상을 겪다 세상의 어려움을 겪으면서 고생하다. ㊐타향에서 모진 풍상을 겪다.

***풍선** (風船) 고무·비닐 따위로 만든 주머니 속에 공기나 수소를 넣어 부풀리는 장난감. ㊐풍선을 불다.

풍설 (風說) 사람들 사이에 떠도는 말. ㊐풍설이 떠돌다. ㊯풍문.

풍성하다 (豊盛―) 넉넉하고 많다. ㊐풍성한 과일.

풍속[1] (風俗) 예로부터 내려오는 생활의 모든 습관. ㊐풍속에 따라 차례를 지내다. ㊯풍습.

풍속[2] (風速) 바람이 부는 속도. 1초 동안 불어 가는 거리로 나타냄. ㊐최대 풍속 / 풍속 30미터의 강풍.

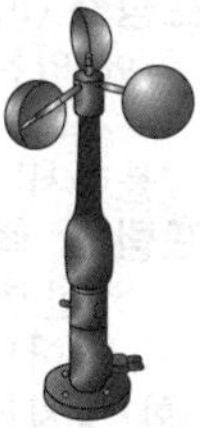
〈풍속계〉

풍속계 (風速計) [풍속께 / 풍속께] 바람의 속도를 재는 기구. 비 풍력계.
풍속화 (風俗畫) [풍소콰] 그 시대의 형편이나 생활 모습을 그린 그림. 조선 후기의 김홍도·신윤복 등이 그 대표적인 화가임. 비 풍속도.
풍수 (風水) 무덤·집터 등의 방향이나 위치의 좋고 나쁨이 사람의 운수에 관계한다는 학설. 비 지술.
풍수지리 (風水地理) 죽은 사람을 묻거나 집을 지을 때 풍수를 보아 좋은 장소를 구하는 이론.
풍수해 (風水害) 폭풍우와 홍수로 생긴 피해. 예 풍수해 대책.
***풍습** (風習) 풍속과 습관. 예 단옷날에 창포물에 머리를 감는 풍습이 있다. 비 관습. 풍속.
풍식 작용 (風蝕作用) [—짜공] 바람이 흙과 모래를 일으켜 바위를 점차 깎아 부수는 작용.
풍악 (風樂) 우리나라 고유의 옛 음악. 주로 기악을 이름. 예 풍악 소리 / 풍악을 울리다.
풍악산 (楓嶽山) [풍악싼] 가을의 '금강산'을 달리 일컫는 말. *개골산. 봉래산.
풍요 (豊饒) 매우 많아서 넉넉함. 예 풍요한 사회 / 풍요를 누리다. 비 풍부. 풍성. **—하다.**
풍요롭다 (豊饒—) [풍요롭따] 풍요한 느낌이 있다. 예 가을의 풍요로운 들판 / 풍요로운 삶을 누리다. 활용 풍요로워 / 풍요로우니.
풍우 (風雨) 바람과 비. 예 풍우에 씻긴 바위.
풍운 (風雲) **1** 바람과 구름. **2** 영웅호걸들이 뜻을 펼 수 있는 좋은 기회와 운. 예 풍운을 타고나다. **3** 세상이 크게 변하려는 기운. 예 풍운이 감돌다.
풍운아 (風雲兒) [풍우나] 좋은 기회와 운을 갖고 세상에 나타난 뛰어난 사람. 예 이 시대의 풍운아.
풍월 (風月) 자연의 아름다움. 예 풍월을 읊다 / 풍월을 벗하며 살다.
풍자 (諷刺) 잘못 따위를 어떤 것에 빗대어 재치 있게 타일러 일깨우거나 비판함. 예 풍자만화 / 정치를 풍자하다. **—하다.**
풍작 (豊作) 풍년이 들어 잘된 농사. 반 흉작.
풍전등화 (風前燈火) 바람 앞에 놓인 등불이라는 뜻으로, 매우 위태로운 상태에 놓여 있음을 가리키는 말. 비 풍전등촉.
풍조 (風潮) 시대에 따라 변하는 세상의 형편. 예 과소비 풍조.
풍족하다 (豊足—) [풍조카다] 매우 넉넉하여 모자람이 없다. 예 풍족한 생활을 누리다.
풍진 (風疹) 좁쌀만 한 종기가 온몸에 나는 급성 피부 전염병. 흔히 어린이들에게 많음.

〈풍차〉

풍차 (風車) 바람의 힘으로 큰 날개를 돌려 다른 기계를 움직이는 데 이용하는 장치.
풍채 (風采) 겉으로 드러나 보이는 사람의 겉모양. 예 당당한 풍채 / 풍채가 좋다. 비 풍신.
풍치 (風致) **1** 좋은 경치. **2** 격에 어울리는 멋. 비 운치. 풍취.
풍토 (風土) 기후와 땅의 상태. 예 풍토에 알맞은 식물을 심다.
풍토병 (風土病) [풍토뼝] 어떤 지방의 기후와 땅의 성질 때문에 생기는 그 고장 특유의 병. 예 풍토병으로 고생하다. 비 토질병.

풍파 (風波) **1** 세찬 바람과 거센 물결. (예)항해 중에 풍파를 만나다. **2** 세상을 살아가는 데서 생기는 곤란이나 고통. (예)갖은 풍파를 겪다.

풍향 (風向) 바람이 불어오는 방향.

풍향계 (風向計) [—/풍향계] 바람의 방향을 관측하는 기계.

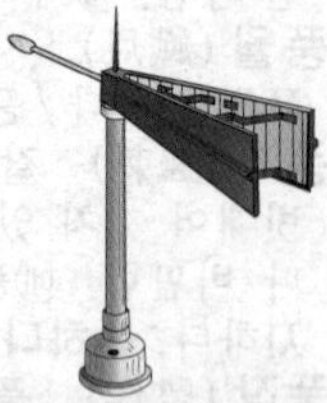

〈풍향계〉

풍화 작용 (風化作用) [—자굉] 땅 위의 바위 따위가 햇빛·공기·물 따위의 작용으로 차차 부서져 흙으로 변하는 작용.

퓨마 (puma) 고양잇과의 짐승. 수컷은 몸길이 약 1.6 m, 암컷은 수컷보다 작음. 머리는 작고 귀는 둥글며, 뒷다리가 길고 등은 적갈색 내지 회갈색임. 나무에 잘 오르고 사슴·토끼 따위를 잡아먹음.

퓨즈 (fuse) 납과 주석을 섞어 만든 부드럽고 가느다란 선. 전류가 지나치게 강하면 녹아서 회로를 끊어 위험을 막음. (예)퓨즈가 끊어지다.

프라이 (fry) 고기·생선·야채 따위를 기름에 튀기거나 지지는 일. 또는 그 음식. (예)계란 프라이.

프라이드 (pride) 자신의 품위나 존엄을 지키려는 마음. 긍지. 자부심. 자존심. (예)프라이드가 강하다.

프라이드치킨 (fried chicken) 기름에 튀긴 닭고기. 닭튀김.

프라이버시 (privacy) 개인의 사생활이나 사적인 일. 또는 그것을 남에게 간섭받지 않을 권리. (예)프라이버시를 존중하다 / 프라이버시를 침해하다.

프라이팬 (frypan) 음식을 튀기거나 지질 때 쓰는, 둘레의 높이가 낮고 넓적한 냄비. (예)프라이팬에 기름을 두르다.

프랑스 (France) 〖국명〗 유럽의 서쪽에 있는 공화국. 기계·귀금속·섬유·건축·화학 공업 따위가 발달함. ‘불란서’라고도 함. 수도는 파리.

프랑스 혁명 (France革命) [—형명] 1789년부터 1799년까지 프랑스에서 일어난 시민 혁명. 프랑스의 사회·정치·사법·종교적 구조를 크게 바꾸어 놓았음.

프랭클린 (Franklin, Benjamin) 〖인명〗 미국의 정치가·사상가·과학자. 번개의 방전 현상을 증명하였으며, 피뢰침을 발명함. [1706–1790]

프러포즈 (propose) **1** 제안하는 일. **2** 결혼하자고 청하는 일. (예)프러포즈를 받다. **—하다.**

프레파라트 (독 Präparat) 현미경으로 관찰할 수 있도록 만든 생물 및 광물의 표본.

프로[1] (←program) ‘프로그램’의 준말. (예)방송 프로.

프로[2] (←네 procent) ⇨퍼센트. (예)지하철 요금이 20프로 인상되었다.

프로[3] (←professional) 직업적인 전문가. 직업 선수. (예)프로 복서. (반)아마.

프로그래머 (programmer) 컴퓨터의 프로그램을 만드는 사람.

프로그래밍 언어 (programming言語) [—어너] 컴퓨터의 프로그램을 만드는 데 쓰이는 언어. (비)컴퓨터 언어.

***프로그램** (program) **1** 라디오·텔레비전 따위의 방송 순서. 또는 음악회·운동회 따위의 진행 순서. **2** 진행 계획이나 순서. (예)프로그램을 짜다. **3** 컴퓨터에서 데이터의 처리 과정을 지시한 것. (준)프로.

프로듀서 (producer) 연극·영화·방송 따위를 만드는 사람.

프로세서 (processor) 컴퓨터 안에서 명령을 해독하고 실행하는 기능을 하는 ‘중앙 처리 장치’를 가리키는 말.

프로판 (propane) 메탄계의 탄화수소의 한 가지. 천연가스나 원유에 들어 있으며 냄새나 색깔이 없고 불에 잘 타는 기체.

프로판 가스 (propane gas) 프로판을 주성분으로 한 가정용 연료로 쓰이는 가스.

프로펠러 (propeller) 비행기나 선박을 앞으로 나아가게 하는 회전 날개. 추진기. ㉳프로펠러가 돌아가다.

프로필 (profile) 인물의 약력. ㉳작가의 프로필을 소개하다.

프리랜서 (freelancer) 일정한 곳에 속하지 않고 자유 계약으로 일하는 사람. 배우·가수·작가 따위.

프리즘 (prism) 삼각기둥으로 된 유리나 수정. 빛을 여러 가지 색으로 나누는 성질이 있어, 이를 이용하여 빛의 꺾임이나 갈라져 흩어지는 상태를 살피는 데 씀.

프리 킥 (free kick) 축구나 럭비에서, 상대편이 반칙을 범했을 때에 그 지점에서 자유로이 공을 차는 일.

프린터 (printer) 컴퓨터의 정보를 종이에 인쇄하는 장치.

프린트 (print) 인쇄함. 또는 인쇄물. ㉳시험 문제를 프린트하다. —**하다.**

프림 (Frim) 커피에 타서 우유 맛을 내는 하야스름한 가루.

플라나리아 (planaria) 플라나리아과의 편형동물. 몸은 평평하고 길쭉하며 머리는 삼각형임. 몸길이는 20–35 mm임. 하천이나 돌, 나무 밑에서 삶. 암수가 한몸을 이루며, 몸이 잘려도 그 부분이 다시 자람.

〈플라나리아〉

플라멩코 (에 flamenco) 에스파냐 남부 안달루시아 지방에서 발달한 집시의 노래와 춤. 기타 반주와 캐스터네츠 소리에 맞추어 손뼉을 치거나 발을 구르거나 하는 격렬한 리듬과 동작이 특색임.

플라스크 (flask) 몸은 둥글고 목이 긴 화학 실험용 유리병. 주로 액체를 담아 가열하는 데 사용함.

***플라스틱** (plastic) 합성수지의 하나. 열이나 압력을 가해 형태를 쉽게 바꿀 수 있는 물질. 튼튼하고 전기를 잘 통하지 않아 널리 이용됨. ㉳플라스틱 그릇.

플라타너스 (platanus) 버즘나뭇과의 낙엽 교목. 잎은 손바닥 모양으로 크고 가을에 방울 모양의 둥근 열매를 맺음. 가로수로 심음.

〈플라타너스〉

플랑크톤 (plankton) 물속에 떠다니는 미생물을 통틀어 일컫는 말. 물고기의 중요한 먹이로 식물성 플랑크톤과 동물성 플랑크톤이 있음.

플래시 (flash) **1** 손전등. ㉳플래시를 비추다. **2** 사진 찍을 때 번쩍하는 빛을 내는 전구. ㉳플래시가 터지다 / 플래시를 터뜨리다.

플래카드 (placard) 가로로 긴 천에 광고나 표어를 쓰고 양 끝에 장대를 꿰어 단 선전물. ㉳플래카드를 들고 행진하다.

플랫폼 (platform) 정거장에서 승객이 열차를 타고 내리는 곳.

플러그 (plug) 전선 끝에 달려 있으며 콘센트에 끼워 전류를 흐르게 하는 전기 기구. ㉳플러그를 꽂다 / 플러그를 뽑다.

플러스 (plus) **1** 더하기《기호는 +》. **2** 양수, 전기의 양극 등을 나타내는 말. ㉥마이너스.

플레밍 (Fleming, Alexander) 〖인명〗 영국의 세균학자. 곰팡이로부

터 페니실린을 얻어 1945년에 노벨 생리·의학상을 받음. [1881-1955]

플레이 (play) **1** 운동 경기에서 선수가 펼치는 내용이나 기량. 경기. ㉥멋진 **플레이**를 보여 주다. **2** 운동 경기에서 선수를 격려하기 위해 외치는 소리. ㉥**플레이**, **플레이**, 청팀 이겨라.

플로피 디스크 (floppy disk) 컴퓨터에서 데이터를 기록하는 보조 기억 장치의 하나. 원형의 얇은 플라스틱으로 정사각형의 케이스에 들어 있으며, 3.5 인치의 것이 널리 쓰임. 비 디스켓.

플롯 (plot) 소설이나 희곡 따위의 줄거리나 구성.

플루트 (flute) 관악기의 하나. 옆으로 쥐고 불며, 맑고 깨끗한 음색을 지님. 독주나 관현악에 많이 쓰임. ×플룻.

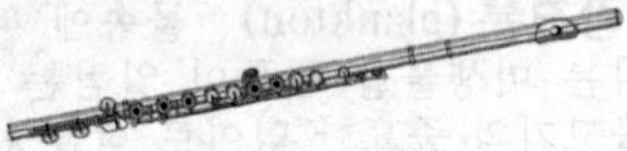

〈플루트〉

***피**[1] **1** 사람이나 동물의 몸 안에서 혈관을 따라 돌며 산소와 영양을 나르는 붉은빛의 액체. ㉥**피**가 나다 / **피**를 흘리다. 비 혈액. **2** 같은 핏줄을 타고난 겨레붙이의 계통. ㉥**피**는 못 속인다. 비 혈통. ➲ blood

피(가) 끓다 ㉠감정 따위가 북받쳐 오르다. ㉡젊고 혈기가 왕성하다. ㉥**피 끓는**[피끌른] 젊은이여.

피가 마르다 몹시 괴롭거나 애가 타다.

피를 나누다 혈연관계에 있다. ㉥그들은 **피를 나눈** 한 형제이다.

피를 보다 ㉠싸움으로 피를 흘리는 사태가 빚어지다. 싸움이나 폭동 따위로 사람이 죽거나 다치다. ㉡크게 봉변을 당하거나 손해를 보다.

피[2] 볏과의 한해살이풀. 밭이나 습한 곳에서 자람. 높이는 1 m 정도이며, 잎은 가늘고 길며 여름에 옅은 녹색의 꽃이 핌. 열매는 먹거나 사료로 씀.

피[3] 비웃는 태도로 입술을 비죽 내밀며 내는 소리. ㉥**피**, 하기 싫으면 그만둬.

피겨 스케이팅 (figure skating) 스케이트를 타고 얼음판에서 여러 가지 어렵고 아름다운 동작을 보여 주는 기술로 승부를 겨루는 경기.

피:격 (被擊) 습격이나 사격을 받음. 공격을 당함. **—하다.**

피:고 (被告) **1** 민사 소송에서 소송을 당한 사람. 반 원고. **2** '피고인'의 준말.

피:고인 (被告人) 형사 소송에서, 죄를 지었다고 공소 제기를 당한 사람. 준 피고.

피곤 (疲困) 몸이나 마음이 몹시 지쳐 고달픔. ㉥**피곤**을 느끼다 / 몸이 **피곤하다**. 비 피로. **—하다.**

피골 (皮骨) 살가죽과 뼈.

피골상접 (皮骨相接) 살가죽과 뼈가 맞붙을 정도로 썩 마름. **—하다.**

피:구 (避球) 한편은 일정한 구역 안으로 들어가고, 다른 편은 그 둘레를 둘러싸서 바깥에 있는 편이 공을 던져 안에 있는 편 사람의 몸을 맞히는 놀이. 도지 볼.

피나다 몹시 애쓰거나 고생을 하다. ㉥**피나게** 번 돈 / **피나는** 노력을 하다. 참고 이 말은 주로 '피나는·피나게'로 쓰임.

피나무 피나뭇과의 낙엽 활엽 교목. 산허리나 골짜기에 남. 잎은 어긋나고 넓은 달걀 모양임. 열매는 공 모양으로 가을에 익음. 재목은 가구를, 나무껍질은 밧줄·그물·끈 등을 만듦.

피:난 (避難) 전쟁이나 재난을 피하여 멀리 옮김. ㉥**피난**을 가다 / 산불을 피해 긴급 **피난하다**. **—하다.**

피:난길 (避難—) [피난낄] 전쟁이

나 재난을 피하여 떠나는 길. ⓔ피난길에 오르다.

피:난민 (避難民) 전쟁이나 재난을 피하여 가는 사람. ⓔ피난민 수용소.

피:난살이 (避難—) [피난사리] 피난하여 사는 살림살이. ⓔ고달픈 피난살이를 했다. **—하다.**

피:난처 (避難處) 피난해 갈 곳. 피난하여 사는 곳.

피날레 (이 finale) 곡이나 연극의 끝. ⓔ피날레를 장식하다.

피노키오 (Pinocchio) 이탈리아의 콜로디가 지은 동화. 나무 인형 피노키오가 진짜 사람이 되기까지의 과정을 그린 교훈적인 이야기.

피눈물 몹시 슬프고 원통하여 나는 눈물. ⓔ피눈물 나는 고생 / 피눈물을 흘리다.

*__피다__[1] **1** 꽃봉오리·잎 따위가 벌어지다. ⓔ꽃이 피다. ⓑ지다. **2** 사람이 살이 오르고 혈색이 좋아지다. ⓔ얼굴이 피다. **3** 불이 차츰 일어나다. ⓔ숯이 피다. **4** 사는 형편이 나아져 잘살게 되다. ⓔ살림이 피다. **5** 곰팡이·버짐 따위가 생기다. ⓔ음식에 곰팡이가 피다.

피다[2] '피우다'의 잘못.

피:동 (被動) **1** 남의 힘으로 움직이는 일. **2** 주체가 다른 힘에 의하여 움직이는 동사의 성질. 안기다·먹히다 따위. ⓑ능동.

피둥피둥 **1** 퉁퉁하게 살찐 모양. ⓔ피둥피둥 살이 찌다. **2** 남의 말을 잘 듣지 않고 엇나가는 모양. ⓔ하라는 일은 아니하고 피둥피둥 놀기만 한다. **—하다.**

피땀 무엇을 이루기 위한 노력과 정성의 비유. ⓔ피땀 어린 결과.

피땀(을) 흘리다 온갖 힘과 정성을 쏟아 노력하다. ⓔ피땀 흘려 모은 재산.

피라미 잉엇과의 민물고기. 맑은 물에 사는데, 몸길이는 10–16 cm로, 등 쪽은 푸른 갈색이고 배 쪽은 은색임. 뒷지느러미가 매우 큼. 산란기 때의 수컷은 몸빛이 변함.

피라미드 (pyramid) 기원전 2,700년에서 기원전 2,500년 사이에 이집트의 나일 강변에 세워진 왕이나 왕족의 무덤. 돌이나 벽돌로 정사각뿔 모양으로 높이 쌓았음.

〈피라미드〉

피:란 (避亂) 난리를 피해 다른 곳으로 옮김. **—하다.**

피:란길 (避亂—) [피란낄] 난리를 피해 가는 길. 또는 그 도중. ⓔ피란길에 오르다.

피:랍 (被拉) 납치를 당함. ⓔ피랍된 지 열흘 만에 풀려났다.

피력 (披瀝) 마음속의 생각을 털어놓고 말함. ⓔ수상 소감을 피력하다. **—하다.**

*__피로__ (疲勞) 지쳐서 고단함. ⓔ피로가 쌓이다 / 피로를 풀다 / 밤을 꼬박 새웠더니 몸이 피로하다. ⓑ피곤. **—하다.**

피로감 (疲勞感) 정신이나 몸이 피곤하고 지친 느낌. ⓔ일시에 피로감이 밀려오다.

피로연 (披露宴) 결혼·출생 따위의 기쁜 일을 널리 알리기 위해 베푸는 잔치. ⓔ결혼식 피로연.

피:뢰침 (避雷針) 벼락을 피하려고 건물의 높은 곳에 세우는, 끝이 뾰족한 쇠붙이의 막대기.

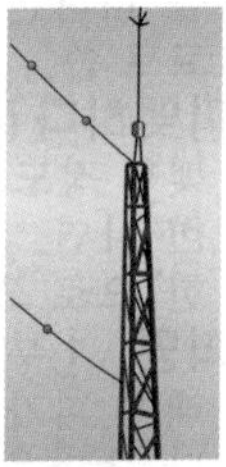
〈피뢰침〉

피륙 끊지 않고 죽 이어진 베·무명·비단 따위의 천을 통틀어 일컫는 말. ⓑ천.

*피리 1 8개의 구멍을 뚫고 서를 꽂아서 부는 관악기의 하나. 2 속이 빈 대나무에 구멍을 뚫고 불어서 소리를 내는 악기를 통틀어 일컫는 말. ㉠피리 소리 / 피리를 불다.

참고 **국악에 쓰이는 피리**
세 가지가 있는데 구멍은 모두 8개인데 1개가 뒤에 있음.
(1) **당(唐)피리**…향피리보다 굵으나 길이가 짧음. 음폭이 2 옥타브로 넓고 활달한 음색을 냄. 당악에 쓰임.
(2) **향(鄕)피리**…궁중 음악·민요·시나위에 쓰이는 것이 있는데 26 cm 내외로 그 길이가 약간 다름. 음량이 커서 대편성의 관현 합주나 무용 합주에 쓰임.
(3) **세(細)피리**…향피리보다 가늘고 작으며 음량이 작아 가곡 반주나 가야금, 거문고 등이 중심이 되는 실내악적 음악 반주에 쓰임.

피망 (프 piment) 가짓과의 한해살이풀. 열매는 크며 꼭대기가 납작하고 세로로 골이 져 있으며 짧은 타원형임. 푸른 것은 요리에 쓰고 붉은 것은 맛을 더하는 향신료로 씀.

〈피망〉

피맺히다 [피매치다] 가슴에 피가 맺힐 정도로 한이 사무치다. ㉠피맺힌 사연. 참고 이 말은 주로 '피맺힌'으로 쓰임.

피멍 1 부딪히거나 맞아서 살갗 아래에 피가 맺힌 것. ㉠피멍이 생기다. 2 마음의 깊은 상처의 비유. ㉠가슴에 피멍이 들다.

피:복 (被服) 옷. 의복. ㉠피복비.

피:복선 (被覆線) [피복썬] 겉을 전기가 통하지 않는 물질로 덮어 싼 전깃줄.

*피부 (皮膚) 동물의 몸을 감싸고 있는 살가죽. ㉠피부가 거칠어지다. 비 살갗. ➡ skin

피부병 (皮膚病) [피부뼝] 피부에 생기는 병. 습진·옴·백선 따위.

피부색 (皮膚色) 살갗의 빛깔. ㉠피부색이 무척 희다.

피부암 (皮膚癌) 살갗에 생기는 암.

피부염 (皮膚炎) 몸 안팎의 자극으로 일어나는 피부의 염증.

피붙이 [피부치] 자신이 직접 낳은 자식이나 직계 자손. ㉠피붙이 하나 없는 외로운 몸. 비 살붙이. 혈족.

피비린내 1 피에서 나는 비린 냄새. 2 몹시 거칠고 무시무시한 기운. ㉠피비린내 나는 사건.

피:사체 (被寫體) 사진을 찍는 대상이 되는 물체.

피:살 (被殺) 죽임을 당함. 살해를 당함. ㉠괴한에게 피살되다.

피상적 (皮相的) 겉으로 드러나 보이는 현상에만 관계하는 (것). ㉠피상적인 관찰.

피:서 (避暑) 시원한 곳으로 가서 더위를 피함. ㉠피서를 떠나다 / 피서 계획을 세우다. 반 피한. **—하다.**

피:서객 (避暑客) 피서를 즐기는 사람. ㉠바다에 피서객이 몰리다.

피:서지 (避暑地) 피서하기에 적당한 장소. ㉠피서지를 물색하다.

피:선거권 (被選擧權) [피선거꿘] 선거에 나가 당선될 수 있는 권리.

피스톤 (piston) 엔진 따위의 실린더 안에서 왕복 운동을 하는 원통 모양의 장치.

피:습 (被襲) 습격을 당함. ㉠폭력배에게 피습을 당하다. **—하다.**

피:승수 (被乘數) [피승쑤] 곱셈에서, 곱함을 당하는 수. 이를테면 7×3=21에서 7을 이름.

피시 (PC) 개인용 컴퓨터.

피식 입술을 힘없이 벌리며 싱겁게

한 번 웃는 소리나 모양. ㉠어이가 없어 **피식** 웃고 말았다.

피:신 (避身) 위험 따위로부터 몸을 숨겨 피함. ㉠안전한 곳으로 피신하다. **—하다.**

***피아노¹** (piano) 손가락 끝으로 건반을 눌러 소리를 내는 건반 악기의 한 가지. ㉠**피아노** 독주회 / **피아노**를 치다 / **피아노**를 연주하다.

피아노² (이 piano) 악보에서, 셈여림을 나타내는 말. '여리게'의 뜻《기호는 *p*》. 반 포르테.

피아니스트 (pianist) 피아노를 전문적으로 연주하는 사람.

피아니시모 (이 pianissimo) 악보에서, 셈여림을 나타내는 말. '아주 여리게'의 뜻《기호는 *pp*》. 반 포르티시모.

***피어나다** **1** 꺼져 가던 불이 다시 일어나다. ㉠불꽃이 **피어나다. 2** 곤란한 형편이 차츰 풀리게 되다. ㉠살림이 **피어나다. 3** 꽃 따위가 피게 되다. ㉠들꽃이 **피어나다.**

피어오르다 가볍게 퍼지며 위로 올라가다. ㉠연기가 **피어오르다.**

***피우다** **1** 피게 하다. ㉠모깃불을 **피우다. 2** 태도나 행동 따위를 나타내다. ㉠소란을 **피우다** / 재주를 **피우다. 3** 냄새나 먼지 따위를 퍼뜨리거나 일으키다. ㉠먼지를 **피우다. 4** 담배에 불을 붙여 연기를 빨아 입이나 코로 내보내다. ㉠끊었던 담배를 다시 **피우다.**

피읖 [피읍] 한글 자모 'ㅍ'의 이름. 발음 피읖이[피으비] / 피읖을[피으블] / 피읖에[피으베].

피:의자 (被疑者) [— / 피이자] 죄를 지었다는 의심을 받고 있으나 아직 재판을 받지 않은 사람. 비 용의자.

피:임 (避姙) 임신하지 않도록 하는 것. ㉠**피임**약. **—하다.**

피자 (이 pizza) 둥글넓적하게 만든 밀가루 반죽 위에 토마토·치즈·고기·피망·향료 따위를 얹어 구운 서양 음식.

피장파장 서로 낫고 못함이 없음. 상대편의 행동에 따라 그와 같은 행동으로 맞서는 일. ㉠억울하기는 서로 **피장파장**이다.

피:제수 (被除數) [피제쑤] 나눗셈에서, 나눔을 당하는 수. 이를테면 10÷2=5에서 10을 이름. 반 제수.

피:지배 (被支配) 지배를 당함. ㉠**피지배** 민족 / **피지배** 계층.

피:차 (彼此) 이쪽과 저쪽의 양쪽. ㉠**피차** 조심하는 게 상책이다.

피:차일반 (彼此一般) 두 편이 서로 같음. ㉠사정이 어렵기는 **피차일반**이다.

피카소 (Picasso, Pablo) 〖인명〗 에스파냐의 화가. 현대 미술의 거장으로 20세기 회화에 큰 영향을 끼침. 대표작으로 '게르니카', '아비뇽의 아가씨들' 등이 있음. [1881~1973]

피켓 (picket) 시위나 캠페인을 할 때 주장하는 내용을 적은, 자루 달린 널빤지.

피클 (pickle) 오이·양배추 따위의 채소나 과일을 식초·설탕·소금·향신료를 섞어 만든 액체에 담아 절여서 만든 음식.

피타고라스 (Pythagoras) 〖인명〗 고대 그리스의 철학자·수학자. 수를 만물의 근원으로 생각했으며, 기하학 이론인 '피타고라스의 정리'를 발견함. [기원전 582?~기원전 500?]

피투성이 피가 여러 군데에 묻은 모양. ㉠**피투성이**가 된 셔츠 / 온몸이 **피투성이**가 되다.

피튜니아 (petunia) 가짓과의 한해살이풀 또는 여러해살이풀. 높이는 50 cm가량, 줄기와 잎에 잔털이 나 있음. 꽃은 크기와 빛깔이 여러 가지이고, 관상용임.

피트 (feet) 길이의 단위. 1피트는 12인치, 30.48 cm임.
피폐 (疲弊) [ㅡ / 피페] 지치고 쇠약하여짐. ㉠피폐한 모습. **—하다.**
피하 (皮下) 살가죽의 밑. ㉠피하 주사를 놓다.
*__피ː하다__ (避—) **1** 몸을 숨겨 다른 곳으로 옮기다. ㉠화살을 피하다. **2** 비·눈 따위를 맞지 않을 곳으로 옮기다. ㉠처마 밑에서 비를 피하다. **3** 좋지 않은 날짜·시간을 택하지 않다. ㉠바쁜 시간을 피하다.
피하 지방 (皮下脂肪) 포유동물의 살가죽 밑에 들어 있는 지방 조직. 영양분의 저장, 체온의 보존 따위의 기능을 함.
*__피ː해__ (被害) 재산·명예·신체 따위에 손해를 입음. ㉠농작물 피해 / 엄청난 피해를 입다. 반 가해.
피ː해자 (被害者) 피해를 당한 사람. 반 가해자.
픽 **1** 힘없이 가볍게 쓰러지는 모양. ㉠다리에 기운이 없어 픽 쓰러지다. 작 팩. **2** 막혔던 공기가 힘없이 터져 나오는 소리. **3** 힘없이 싱겁게 웃는 모양. ㉠픽 하고 웃음을 터뜨렸다.
픽픽 **1** 여럿이 잇달아 힘없이 쓰러지는 모양. 작 팩팩. **2** 다물었던 입술을 움직여 싱겁게 자꾸 웃는 모양. ㉠픽픽 웃다. **—하다.**
핀 (pin) **1** 쇠붙이 따위로 바늘처럼 가늘게 만든 물건을 통틀어 일컫는 말. 옷핀·머리핀·안전핀 따위. ㉠핀을 꽂다. **2** 볼링에서, 공을 던져 쓰러뜨리는 병 모양의 물체.
빈둥거리다 하는 일 없이 계속 게으름 피우며 놀기만 하다. ㉠하루 종일 집 안에서 빈둥거리다. 작 팬둥거리다. 여 빈둥거리다.
핀란드 (Finland) 〖국명〗 유럽 북부 스칸디나비아 반도에 있는 나라. 국토의 대부분이 산이며 목재·제지·펄프 공업이 발달함. 수도는 헬싱키.
핀셋 (프 pincette) 손으로 집기 어려운 물건을 집는 데에 쓰이는 작은 집게.
핀잔 맞대어 놓고 남을 언짢게 꾸짖음. ㉠핀잔을 듣다 / 핀잔을 주다. **—하다.**
필[1] (匹) 소나 말을 세는 단위. ㉠말 한 필.
필[2] (疋) 옷감을 셀 때 쓰이는 단위. ㉠명주 한 필.
필경 (畢竟) 끝에 가서는. 마침내. 결국에는. ㉠필경 꿈을 이룰 것이다. 비 결국.
필기 (筆記) **1** 글씨를 씀. **2** 강의·강연 따위의 내용을 받아씀. ㉠수업 내용을 필기하다. **—하다.**
필기구 (筆記具) 글씨를 쓰는 데 사용하는 도구. 종이·먹·붓·펜·연필 따위. 비 필기도구.
필담 (筆談) [필땀] 말이 통하지 않거나 말을 할 수 없을 때, 글로 써서 서로 묻고 대답함. **—하다.**
필답 (筆答) [필땁] 글로 써서 대답함. ㉠필답시험. **—하다.**
필독 (必讀) [필똑] 반드시 읽어야 함. ㉠필독 도서. **—하다.**
필드 (field) 육상 경기장의 트랙 안쪽에 만들어진 넓은 경기장.
필드하키 (field hockey) 잔디 경기장에서 11명씩의 두 팀이 막대기로 공을 쳐서 상대방의 골에 넣어 승부를 겨루는 경기.
필라멘트 (filament) 전구·진공관 속에 있어 전류가 흐르면 열과 빛을 내는 가는 선. 텅스텐으로 만든 선이 많이 이용됨.
필름 (film) 투명한 셀룰로이드 따위에 빛을 받으면 변화하는 약을 칠한 것. 영화·사진 따위의 촬영에 쓰임. ㉠영화 필름.
필리핀 (Philippines) 〖국명〗 태평양의 서쪽에 있는, 약 7,000 개의 섬으로 이루어진 나라. 농업이 발달하였고, 설탕·파인애플·담배가 주요 수출품임. 수도는 마닐라.

필명 (筆名) 작가가 작품을 발표할 때 쓰는, 본이름이 아닌 다른 이름. 펜네임.

필사 (必死) [필싸] 죽을 힘을 다해 애를 씀. 목숨을 걸고 행함. ㉮**필사**의 각오 / **필사**의 노력.

필사적 (必死的) [필싸적] 죽을 각오로 열심히 하는 (것). ㉮**필사적**인 탈출.

필생 (畢生) [필쌩] 태어나서 일생을 마칠 때까지의 기간. 한평생 동안. ㉮**필생**의 사업. 비 일생. 평생.

필수 (必須) [필쑤] 꼭 필요로 함. ㉮**필수** 과목 / **필수** 조건.

필수적 (必須的) [필쑤적] 반드시 있어야 하는 (것). ㉮**필수적** 요소.

필수품 (必需品) [필쑤품] 살아가는 데 없어서는 안 되는 꼭 필요한 물품. ㉮생활**필수품**.

필순 (筆順) [필쑨] 글씨를 쓸 때 획을 긋는 차례. ㉮한자를 **필순**에 맞게 쓰다.

필승 (必勝) [필씅] 꼭 이김. 반드시 이김. ㉮**필승**을 다짐하다. **—하다.**

필시 (必是) [필씨] 꼭. 반드시. 틀림없이. ㉮**필시** 어딘가에 잘 넣어 두었을 거야.

필연 (必然) [피련] 반드시 그렇게 될 수밖에 다른 도리가 없음. 반드시 그렇게 됨. ㉮**필연**의 결과. 반 개연. 우연.

필연성 (心然性) [피련썽] 어떤 사물이 그리 될 수밖에 없는 성질. 반 개연성. 우연성.

***필요** (必要) [피료] 어떤 일에 없어서는 아니 됨. ㉮**필요**는 발명의 어머니 / 용기가 **필요**한 일이다. 반 불필요. **—하다.** ➲ need

필요량 (必要量) [피료량] 필요로 하는 분량.

***필요성** (必要性) [피료썽] 필요로 하는 성질. ㉮대화의 **필요성**을 느끼다.

필자 (筆者) [필짜] 글 또는 글씨를 쓴 사람. ㉮**필자** 소개.

필적 (筆跡) [필쩍] 글씨의 모양이나 솜씨.

필터 (filter) **1** 불순물을 걸러 내기 위한 장치나 물질. 여과기. ㉮정수기 **필터**. **2** 담배의 진을 거르기 위해 담배 끝에 붙여 입에 물게 된 부분.

***필통** (筆筒) 지우개·연필 따위를 넣어 가지고 다니는 작은 상자.

필히 (必—) 꼭. 반드시. ㉮**필히** 운동화를 신고 오시오.

핍박 (逼迫) [핍빡] 심하게 억눌러 괴롭게 함. ㉮어떤 **핍박**에도 굴하지 않다. **—하다.**

핏기 (—氣) [피끼 / 핃끼] 피부에 드러난 불그레한 빛깔. ㉮**핏기**가 돌다 / **핏기**를 잃다 / **핏기**가 없어 창백해 보이다. 비 혈색.

핏대 [피때 / 핃때] 큰 혈관. ㉮**핏대**가 서다.

핏대(를) 올리다 얼굴을 붉히며 화를 내다. ㉮그는 하찮은 일에 곧잘 **핏대**를 **올리**곤 한다.

핏덩이 [피떵이 / 핃떵이] **1** 피가 엉긴 덩어리. **2** '갓난아이'를 비유적으로 이르는 말.

핏발 [피빨 / 핃빨] 몸에 이상이 있을 때 어느 부분에 피가 몰려 붉게 된 결. ㉮밤을 새워 일했더니 눈에 **핏발**이 섰다.

핏방울 [피빵울 / 핃빵울] 피가 맺혀 방울진 것. ㉮**핏방울**이 맺히다.

핏자국 [피짜국 / 핃짜국] 어떤 물건이나 장소에 피가 묻어서 생긴 흔적. ㉮**핏자국**을 따라 범인을 쫓다 / **핏자국**이 선명하게 남아 있다.

핏줄 [피쭐 / 핃쭐] **1** 몸속의 피가 흐르는 관. 비 혈관. **2** 한 조상의 피를 이은 겨레붙이의 계통. ㉮**핏줄**이 끊기다.

핏줄기 [피쭐기 / 핀쭐기] **1** 피가 흐를 때 힘차게 내뻗치는 줄기. **2** 같은 핏줄을 타고난 겨레붙이의 계통. ㊐한 겨레의 핏줄기. 비 혈통.

핑 **1** 한 바퀴 힘차게 도는 모양. 여 빙. 센 삥. **2** 갑자기 정신이 어찔한 모양. ㊐머리가 핑 돌다. 작 팽. 여 빙. 센 삥. **3** 갑자기 눈에 눈물이 어리는 모양. ㊐눈물이 핑 돌다.

핑계 [— / 핑게] **1** 다른 일을 방패막이로 내세움. ㊐핑계를 삼다. **2** 불리한 상황에 엉뚱한 다른 일을 내세워 변명함. ㊐아프다는 핑계를 대다. 비 구실. **—하다**.

핑그르르 **1** 빠르고 미끄럽게 한 바퀴 도는 모양. **2** 갑자기 정신이 아찔한 모양. 여 빙그르르. 센 삥그르르. **3** 갑자기 눈물이 어리는 모양. 작 팽그르르.

핑크색 (pink色) 분홍색.

핑퐁 (ping-pong) ⇨탁구.

핑핑 **1** 계속해서 힘 있게 도는 모양. ㊐팽이가 핑핑 돌다. **2** 갑자기 정신이 자꾸 어찔해지는 모양. ㊐눈앞이 핑핑 돈다. 작 팽팽. 여 빙빙. 센 삥삥. **3** 총알 따위가 공중으로 잇따라 빠르게 지나가는 소리. 또는 그 모양. ㊐총알이 머리 위로 핑핑 날아다녔다. 작 팽팽.

ㅎ

ㅎ (히읗[히읃]) 한글 닿소리의 열넷째 글자.

*__하:__[1] (下) 차례나 등급을 '상·하'나 '상·중·하'로 나누었을 때의 맨 아래 또는 맨 끝. (반) 상.

하[2] '많이·크게·매우·대단히'와 같은 뜻. (예) 하 많아서 걱정이오.

하[3] 기쁨·슬픔·놀라움·안타까움·한탄 따위의 감정을 나타내는 소리. (예) 하, 참 잘되었다. (큰) 허.

하[4] 입을 크게 벌리고 입김을 내어 부는 소리. 또는 그 모양. (예) 유리창에 입김을 하 불다.

하:강 (下降) 높은 데서 아래로 내려옴. (예) 비행기가 하강하다. (비) 강하. (반) 상승. **—하다.**

하:객 (賀客) 축하하는 손님. (예) 하객들로 붐비다.

하:계 (夏季) [— / 하게] ⇨하기. (예) 하계 올림픽. (반) 동계.

하고많다 [하고만타] 많고 많다. (예) 하고많은 물건 중에서 하필 그걸 샀느냐. (참고) 주로 '하고많은'의 꼴로 쓰임.

하:관 (下棺) 시체를 묻기 위해 관을 무덤의 구덩이 안에 내려놓음. **—하다.**

하:교 (下校) 학교에서 그날의 공부를 마치고 집으로 돌아옴. (예) 하교 시간. (비) 하학. (반) 등교. **—하다.**

하구 (河口) 강물이 바다로 흘러 들어가는 어귀. (예) 배가 하구에 도착하다. (비) 강어귀.

하:권 (下卷) 두 권 또는 세 권으로 된 책의 맨 끝 권. (예) 하권이 상권보다 더 재미있다.

하:급 (下級) 낮은 계급이나 등급. (예) 하급 관청 / 하급 학년. (반) 상급.

하:급생 (下級生) [하급쌩] 학년이 낮은 학생. (반) 상급생.

하:기 (夏期) 여름의 시기. (예) 하기 방학 / 하기 강습회 / 하기휴가. (비) 하계.

하기는 '사실을 말하자면'의 뜻으로, 결정된 일을 긍정할 때 쓰는 말. (예) 하기는 그렇기도 하다. (준) 하긴.

하기야 앞에서 한 말을 이어 '실상 이치를 따져서 말하자면'의 뜻으로 쓰는 말. (예) 하기야 너만 나무랄 수도 없다.

하긴 '하기는'의 준말.

*__하나__ **1** 수의 처음. (예) 하나에서 열까지 세다. (비) 일. **2** 오직 그것뿐. (예) 단 하나뿐인 친구. **3** 뜻이나 마음 따위가 다르지 않고 서로 같음. (예) 하나로 뭉치자 / 우리는 모두 하나다. (비) 일체.

➡ one

> **주의 하나도**
>
> 우리말에서 논리적으로 모순이 되는 관용 표현에 '하나도'가 있다. '하나도 안 덥다', '하나도 즐겁지 않다', '하나도 크지 않다', '돈이 하나도 없다' 따위.
>
> 그러나 더위·감정 또는 크기·돈은 '하나, 둘, 셋' 하고 셀 수 있는 말이 아니다. '조금도'라고 표현하는 것이 적절하다.

하나같다 [하나갇따] 여럿이 모두 똑같다. (예) 자식을 생각하는 부모 마음은 모두 하나같다.

하나같이 [하나가치] 하나같게. (예) 아이들이 하나같이 착했다.

하나님 개신교에서, 오직 하나뿐인 신이라는 뜻으로 하느님을 일컫는 말. 비 하느님.

***하나하나** **1** 하나씩. 예문제를 하나하나 풀어 나가다. **2** 빠짐없이 모두. 예조그만 잘못까지 **하나하나** 들추어내다.

하:녀(下女) 여자 하인.

***하느님** 세상을 만들고, 옳고 그름을 가려 모든 사람에게 화와 복을 내린다는 전능하고 거룩한 존재. 비 천제. 하나님. ➲God

하느작거리다[하느작꺼리다] 가늘고 긴 나뭇가지나 얇고 가벼운 물건이 자꾸 가볍게 흔들리다. 예봄바람에 나뭇가지가 **하느작거리다**. 준 하늑거리다. 큰 흐느적거리다.

***하늘** 해와 달과 무수한 별들이 있는 아득히 높고 너른 공간. ➲sky

하늘과 땅 두 사물 사이에 큰 차이나 거리가 있음을 이르는 말.

하늘을 찌르다 ㉠매우 높이 솟아 있다. ㉡기세가 대단하다. 예선수들의 사기가 **하늘을 찌**를 듯하다.

하늘가[하늘까] 하늘의 끝.

하늘거리다 조금 힘없이 늘어져 가볍게 자꾸 흔들리다. 또는 그렇게 되게 하다. 예코스모스가 바람에 **하늘거리다**. 큰 흐늘거리다.

하늘나라[하늘라라] 죽어서 영혼이 가 산다는, 하느님이 다스리는 세상. 비 천국. 천당.

하늘색(—色)[하늘쌕] 맑은 하늘의 빛깔과 같이 옅게 푸른 색. 예**하늘색** 원피스.

하늘소[하늘쏘] 하늘솟과의 곤충을 통틀어 이르는 말. 몸은 가늘고 기름하며, 날개는 딱딱하고 촉각은 매우 긺. 꽃·나무 진·썩은 나무 따위를 먹고 삶. 애벌레는 '나무굼벵이'라고 하는데, 나무 속을 파먹음.

하늘하늘 힘없이 늘어져 자꾸 가볍게 흔들리는 모양. 예**하늘하늘**한 치마. 큰 흐늘흐늘. **—하다.**

하늬바람[하니바람] 농촌·어촌에서 '서풍'을 이르는 말. 반 샛바람. 준 하늬.

***하다** **1** 어떤 목적을 위해 움직이다. 예독서를 **하다**. **2** 어떤 상태나 표정을 나타내다. 예웃는 얼굴을 **하다**. **3** 결정을 짓다. 예소풍을 가기로 **하다**. **4** 상대와 의사소통을 하다. 예전화를 **하다**. **5** 음식을 먹고 마시거나 담배 따위를 피우다. 예요즘은 담배를 **하는** 여학생들도 많다. **6** '얼마의 금액이다'의 뜻. 예3천 원 **하는** 책. **7** 처리하다. 처분하다. 예남은 돈은 어떻게 **할까**. **8** 말하다. 일컫다. 예그런 사람을 천재라고 **한다**. **9** 일부 동사의 대신으로 쓰는 말. 예점심을 **하다**(먹다) / 밥을 **하다**(짓다) / 노래를 **하다**(부르다). 활용 하고 / 하니 / 하여서〔해서〕/ 하였다〔했다〕. ➲do

***-하다** **1** 명사 뒤에 붙어 동작을 나타내는 동사를 만드는 말. 예공부**하다** / 운동**하다**. **2** 형용사의 말의 줄기에 붙어서 쓰이는 말. 예 착**하다**/ 따뜻**하다**. **3** 부사나 부사형 말에 붙어 동사나 형용사를 만드는 말. 예 번쩍번쩍**하다** / 귀여워**하다**.

하다못해[하다모태] 정 할 수 없다면. 가장 나쁜 경우라도. 예**하다못해** 전화라도 한 통 걸었어야 걱정하지 않지.

하:단[1](下段) **1** 여러 단이 있는 것의 아래쪽 단. 예책장 **하단**. **2** 기사나 글의 아래쪽 부분. 예신문의 **하단** 부분. 반 상단.

하:단[2](下端) 아래쪽의 끝. 예바지 **하단**을 접어 올리다.

하:달(下達) 윗사람의 뜻이 아랫사람에게 이르거나 이르게 함. 예명령을 **하달**하다. 반 상달. **—하다.**

***하도** '하[2]'를 강조하여 이르는 말로, 아주 심하게. 예**하도** 기가 막혀

서 말을 잇지 못했다.

하드 디스크 (hard disk) 컴퓨터의 보조 기억 장치의 하나. 자석 물질을 입힌 둥근 알루미늄 판으로 정보를 저장하는 데 쓰임. 플로피 디스크보다 기억 용량이 크고 데이터를 읽고 쓰는 속도가 빠름.

하드웨어 (hardware) 컴퓨터를 구성하고 있는 기계 장치를 통틀어 이르는 말. ㉸소프트웨어.

하:등[1] (下等) **1** 낮은 등급. 아래 등급. ㉠하등품. ㉸상등. **2** 정도나 수준이 낮거나 뒤떨어지는 것. ㉠하등 식물. ㉸고등.

하등[2] (何等) 아무런. 조금도. ㉠하등 책임이 없다.

하:등 동:물 (下等動物) 몸의 구조가 간단하고 덜 진화된 원시적인 동물.

하:락 (下落) 값이나 등급 따위가 떨어짐. ㉠물가가 하락하다. ㉸상승. **—하다.**

*__하루__ **1** 한 낮과 한 밤이 지나는 동안. 1일. ㉠하루도 빠짐없이 문안을 드린다. **2** 아침부터 저녁까지의 사이. ㉠어느새 하루가 다 갔다 / 오늘은 하루 종일 바빴다. **3** 막연히 가리킬 때의 어느 날. ㉠하루는 이런 일이 있었다.

하루바삐 하루라도 빠르게. 하루라도 빨리. ㉠하루바삐 완쾌되기를 빕니다. ㉥하루빨리. 하루속히.

하루빨리 ⇨하루바삐. ㉠하루빨리 통일 조국을 이루자.

하루살이 [하루사리] **1** 하루살잇과의 곤충. 여름 저녁에 떼 지어 날아다님. 애벌레는 물속에서 여러 해 동안 살다가 성충이 되는데, 성충의 수명은 몇 시간에서 며칠 정도임. **2** 생활이나 목숨의 덧없음을 비유한 말. ㉠하루살이 인생.

하루속히 (—速—) [하루소키] ⇨하루바삐. ㉠하루속히 만나고 싶다.

하루아침 짧은 시간. ㉠하루아침에 유명해지다.

하루치 하루의 몫이나 분량. ㉠하루치의 배급을 타다.

하루하루 매일매일. 그날그날. ㉠하루하루 달라지다.

하루해 해가 떠서 질 때까지의 동안. ㉠벌써 하루해가 다 지나간다.

하룻강아지 [하루깡아지 / 하룯깡아지] **1** 태어난 지 얼마 안 되는 어린 강아지. **2** 어떤 일에 아직 경험이 없는 사람.

하룻밤 [하루빰 / 하룯빰] **1** 하루의 밤 시간 동안. ㉠하룻밤을 꼬박 새우다. **2** 어떤 날 밤. ㉠하룻밤은 누나가 찾아왔었다.

*__하:류__ (下流) **1** 강이나 내의 흘러내리는 아래쪽. ㉠한강 하류. **2** 교양·지위·생활수준 따위가 낮은 계층. ㉠하류 생활. ㉸상류.

하:릴없다 [하리럽따] **1** 달리 어떻게 할 도리가 없다. ㉠바보라는 말을 들어도 하릴없다. **2** 조금도 틀리지 않다. ㉠몰골이 하릴없는 거지꼴이었다.

하:릴없이 [하리럽씨] 하릴없게. ㉠하릴없이 앉아서 기다리다.

하마 (河馬) 하마과의 짐승. 열대 아프리카의 강이나 호수에 사는데, 낮에는 물속에 있다가 밤에 나와 나무뿌리와 풀 따위를 먹음.

hippo 〈하마〉

하마터면 '자칫 잘못하였더라면'의 뜻. ㉠하마터면 기차를 놓칠 뻔했다. ×하마트면.

하멜 (Hamel, Hendrik) 〘인명〙 네덜란드의 선원. 1653년 네덜란드를 출발하여 일본으로 항해하던 중 폭풍으로 배가 부서져 제주도에 표류,

서울에서 14년 동안 붙잡혀 있다가 탈출·귀국함. '하멜 표류기'를 써서 우리나라 사정을 처음으로 유럽에 소개함. [?-1692]

하멜 표류기 (Hamel漂流記) 〖책〗 하멜이 제주도에 표류한 후 우리나라에서의 생활을 기록한 책. 우리나라를 처음으로 유럽에 알린 기록임.

하:명 (下命) **1** '명령'의 높임말. ㉥하명을 내리다 / 하명을 받다. **2** 명령을 내림. ㉥하명하신 대로 모두들 모이라고 했습니다. **—하다.**

하모니 (harmony) **1** ⇨화성¹. **2** 일치. 조화. ㉥하모니를 이루다.

하모니카 (harmonica) 직사각형의 틀에 쇠붙이로 조그마한 칸을 만든 작은 악기. 입에 대고 불거나 빨아들여서 소리를 냄.

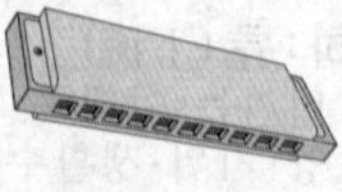

〈하모니카〉

하물며 더군다나. ㉥개도 은혜를 아는데 하물며 인간에 있어서랴.

하:반기 (下半期) 한 해나 어떤 일정한 기간을 둘로 나눈 것의 나중 기간. ㉥하반기 결산. 반상반기.

하:반신 (下半身) 몸의 허리 아래의 부분. ㉥하반신이 마비되다. 반상반신.

하:복 (夏服) 여름철에 입는 옷. 비여름옷. 반동복.

하:복부 (下腹部) [하복뿌] 사람이나 척추동물의 배의 가장 밑 부분으로서 넓적다리와 닿는 곳.

하:부 (下部) **1** 아래쪽 부분. **2** 어떤 단체나 기관 따위의 아래 조직 또는 사람. ㉥상부의 지시를 하부에 전달하다. 반상부.

하:사¹ (下士) 육해공군의 부사관 계급의 하나. 병장의 위, 중사의 아래 계급.

하:사² (下賜) 왕이나 국가 원수와 같은 높은 사람이 아랫사람에게 돈이나 물건 따위를 줌. **—하다.**

하:사관 (下士官) '부사관'의 전 이름.

하:산 (下山) 산에서 내려옴. 반등산. 입산. **—하다.**

하:선 (下船) 배에서 내림. 반승선. **—하다.**

하소연 억울한 일, 딱한 사정 따위를 간곡히 호소함. ㉥억울함을 하소연하다. **—하다.**

하:수¹ (下手) 바둑·장기·무술 따위에서 실력이 낮은 사람. 반고수.

하:수² (下水) 빗물이나 집, 공장 따위에서 쓰고 버리는 더러운 물. ㉥하수 처리 문제. 반상수.

하:수관 (下水管) 하수가 흐르는 관. ㉥하수관을 묻다.

하:수구 (下水溝) 하수가 흘러내려 가도록 만든 도랑. ㉥음식물 찌꺼기 때문에 하수구가 막혔다.

하:수도 (下水道) 하수가 흘러가게 만든 도랑이나 그 설비. ㉥하수도 공사. 반상수도.

하:숙 (下宿) 일정한 돈을 내고 남의 집에 머물면서 먹고 잠. 또는 그 집. ㉥학교 근처에다 하숙을 구하다. **—하다.**

하:숙생 (下宿生) [하숙쌩] 하숙하는 학생. ㉥하숙생을 들이다.

하:숙집 (下宿—) [하숙찝] 하숙을 영업으로 하고 있는 집.

하:순 (下旬) 그달 21일부터 그믐날까지의 열흘 동안. *상순. 중순.

하:야 (下野) 시골로 내려간다는 뜻으로, 관직에서 물러남을 이르는 말. ㉥대통령이 하야 성명을 발표하다. **—하다.**

하야말갛다 [하야말가타] 살빛이 탐스럽도록 매우 맑고 희다. ㉥얼굴이 하야말갛다. 큰허여멀겋다. 활용하야말가니 / 하야말개서.

하얀색 (—色) 깨끗한 눈의 색깔과 같은 색. 비백색. 흰색. 반검은색.

하얗 하얀 빛깔.

***하:얗다** [하야타] **1** 매우 희다. ㉥머리가 하얗다 / 하얀 손수건. 반까맣다. **2** 춥거나 겁이 나서 얼굴에 핏기가 없다. ㉥겁에 질려 얼굴이 하얗게 변했다. 큰허옇다. 활용하야니 / 하얘서.

하:얘지다 하얗게 되다. ㉥허깨비를 보고 놀라 얼굴이 하얘지다.

하얼빈 (중 哈爾濱) 〖지명〗 중국 동북부 쑹화 강 중류의 오른쪽 기슭에 있는 도시. 이곳에서 안중근 의사가 이토 히로부미를 총으로 쏘아 죽임.

하여간 (何如間) 어쨌든지. ㉥될지 안될지 모르지만 하여간 해 봅시다. 비하여튼.

하여금 '로'나 '으로'로 끝나는 말 뒤에 쓰여, '시키어·하게 하여'의 뜻을 나타냄. ㉥학생으로 하여금 올바른 길로 나아가도록 가르치는 것이 선생의 임무이다.

하여튼 (何如—) 어쨌든. ㉥하여튼 해 보자. 비하여간. ×하옇든.

하역 (荷役) 짐을 싣고 내리는 일. ㉥하역 작업. **—하다.**

하염없다 [하여멉따] **1** 이렇다 할 만한 아무 생각도 없이 그저 멍하다. ㉥하염없는 시선으로 창 밖을 바라보다. **2** 끝맺는 데가 없다. ㉥하염없는 나날.

하염없이 [하여멉씨] 하염없게. ㉥하염없이 흐르는 눈물 / 하염없이 먼 산만 바라보다.

하:오 (下午) 낮 12시부터 밤 12시까지의 시간. ㉥하오 5시. 비오후. 반상오.

하와이 (Hawaii) 〖지명〗 태평양의 중앙부에 있는 여러 섬들. 1959년에 미국의 50번째 주가 되었음. 사탕수수·파인애플 따위가 많이 나며, 세계적인 관광지임.

하:원 (下院) 국회가 둘이 있는 나라에서, 국민이 직접 뽑은 의원으로 이루어진 국회. 반상원.

하:위 (下位) 낮은 지위나 차례. ㉥팀 성적이 하위에 머물다.

하:의 (下衣) [— / 하이] 몸의 아랫도리에 입는 옷. 반상의.

하이든 (Haydn, Franz Joseph) 〖인명〗 오스트리아의 고전파 작곡가. '교향곡의 아버지'라고 불림. 협주곡·기악곡·실내악·오페라 따위를 남김. [1732–1809]

하이라이트 (highlight) 가장 흥미로운 장면이나 부분. ㉥영화의 하이라이트 장면.

하이에나 (hyena) 하이에나과의 짐승. 개와 비슷하나 앞다리가 길며 어깨에 갈기털이 있음. 아프리카·인도에 살며 성질이 사납고 죽은 짐승의 고기를 먹음.

하이킹 (hiking) 몸과 마음의 단련을 목적으로 산이나 들, 바닷가 같은 곳을 걸어서 여행하는 일. ㉥하이킹 코스.

하이틴 (high+teen) 10대 후반의 나이. 곧 17–19세의 나이. 또는 그 나이의 사람.

하이힐 (← high heeled shoes) 굽이 높은 여자 구두. 뾰족구두.

***하:인** (下人) 남의 집에 살며 일을 하는 사람. ㉥하인을 부리다. 비종.

하자 (瑕疵) 흠. 결점. ㉥아무런 하자가 없다.

하잘것없다 [하잘꺼덥따] 시시하고 보잘것없다. 대수롭지 않다. ㉥하잘것없는 일로 다투다.

하:절기 (夏節期) 보통 6월에서 8월까지의 더운 때. 비여름철. 반동절기.

하:지 (夏至) 이십사절기의 하나. 낮이 가장 길고 밤이 가장 짧음. 양력 6월 21일경. 반동지. → [학습마당] 22(863쪽)

***하지만** 그러나. 그렇지만. ㉥고맙다. 하지만 사양하겠다.

하:직 (下直) **1** 먼 길을 떠날 때 웃어른께 작별 인사를 함. (예)하직 인사를 올리다. **2** 죽어서 세상을 떠남. (예)세상을 하직하다. **—하다.**

하:차 (下車) 기차·자동차 따위의 탈것에서 내림. (예)서울역에서 하차하다. [반]승차. **—하다.**

하찮다 [하찬타] **1** 훌륭하지 않다. (예)하찮은 솜씨. **2** 대수롭지 않다. (예)하찮은 일로 소란을 피우다. [본]하치않다.

***하천** (河川) 시내. 강. (예)하천이 범람하다.

하:체 (下體) 몸의 아랫부분. (예)하체가 길다. [반]상체.

하:층 (下層) **1** 탑이나 건물의 아래층. **2** 사회적 지위나 경제적 생활 수준이 낮은 계층. (예)하층 계급 / 하층 사회. [비]하급. [반]상층.

하키 (hockey) 필드하키나 아이스하키를 줄여 이르는 말.

하트 (heart) 심장. 사랑. 마음.

***하품** 고단하거나 졸리거나 심심할 때 저절로 입이 벌어지면서 나오는 깊은 숨. (예)하품을 참다 / 하품이 나오다. **—하다.**

하프 (harp) 현악기의 하나. 삼각형의 틀에 47개의 현이 세로로 걸려 있으며 두 손으로 퉁겨 소리를 냄.

〈하프〉

하필 (何必) 어째서 꼭 그렇게. (예)하필 왜 나한테 묻는 거야.

하하 **1** 기뻐서 입을 크게 벌리고 웃는 소리. **2** 기가 막혀 한숨을 쉬며 내는 소리. (예)하하, 이거 큰일 났군. [큰]허허.

하:학 (下學) 학교에서 그날의 수업을 마침. (예)하학 시간. **—하다.**

하:행 (下行) **1** 아래쪽으로 내려감. **2** 서울에서 지방으로 내려감. (예)하행 열차. [반]상행. **—하다.**

하:향[1] (下向) **1** 아래쪽으로 향함. (예)그래프가 하향 곡선을 그리다. **2** 점수·수치·지위 따위가 낮아짐. [반]상향. **—하다.**

하:향[2] (下鄕) **1** 시골로 내려감. (예)관직을 그만두고 하향하다. **2** 고향으로 내려감. **—하다.**

하:현달 (下弦—) [하현딸] 음력 매월 22–23 일경에 뜨는, 둥근 쪽이 위로 향하여 있는 반달. [반]상현달.

하회탈 (河回—) 하회 별신굿 탈놀이에서 쓰던 나무로 만든 탈. 국보 제121호.

〈하회탈〉

***학** (鶴) ⇨두루미.

학과[1] (學科) [학꽈] 대학 등에서 학문을 전문 분야에 따라 나눈 갈래. (예)경제학과 / 지망 학과를 고르다.

학과[2] (學課) [학꽈] 학교에서 배우는 과정.

***학교** (學校) [학꾜] 여러 가지 시설을 갖추어 놓고 교사가 계속하여 학생을 가르치는 곳. 초등학교·중학교·고등학교·대학교 및 특수학교가 있음. ➡school

학구 (學究) [학꾸] 오로지 학문 연구에만 몰두하는 일. (예)평생을 학구에 바치다.

학구적 (學究的) [학꾸적] 학문 연구에 몰두하는 (것). (예)학구적인 분위기.

학군 (學群) [학꾼] 입시 제도 개편에 따라 지역별로 나누어 정해 놓은, 몇 개의 중학교 또는 고등학교의 무리.

***학급** (學級) [학끕] 같은 교실에서 가르침을 받는 학생의 집단. (예)학급 담임. [비]반. ➡class

학급 문고 (學級文庫) [학끔—] 학급에서 돌려 보려고 책을 모아 둔 곳. 또는 그 책.

*학기 (學期) [학끼] 한 학년 동안을 나눈 기간. 우리나라에서는 한 학년을 두 학기로 나눔. ㉠새 학기가 시작되다.

*학년 (學年) [항년] **1** 1년간의 학습 과정의 단위. ㉠학년말 시험. **2** 1년간의 수업하는 학과의 정도에 따라 구분한 학교 교육의 단계. ㉠일 학년 / 삼 학년 담임을 맡다.

학당 (學堂) [학땅] 예전에, 학교를 이르던 말. ㉠배재 학당.

학대 (虐待) [학때] 몹시 괴롭히거나 가혹하게 대우함. ㉠동물을 학대하다. **—하다.**

학덕 (學德) [학떡] 학문과 덕행. ㉠학덕을 갖춘 스승.

학도 (學徒) [학또] **1** ⇨학생. ㉠청년 학도. **2** 학문을 닦는 사람. ㉠공학도 / 문학도.

학동 (學童) [학똥] **1** 글방에서 글을 배우는 아이. **2** 초등학교에 다니는 아이.

학력[1] (學力) [항녁] 교육을 통해 얻은 지식이나 기술의 능력. ㉠기초 학력 / 학력고사.

학력[2] (學歷) [항녁] 학교를 다닌 경력. ㉠대졸 학력.

학령 (學齡) [항녕] 초등학교에 들어가야 할 나이. 우리나라에서는 만 6세임. 본 취학 연령.

*학문 (學問) [항문] 배워서 익힘. 또는 그런 지식. ㉠학문이 깊다 / 학문에 뜻을 두다.

학번 (學番) [학뻔] **1** 주로 대학교나 대학원에서, 입학한 해와 학과에 따라 학생 각자에게 주는 고유 번호. **2** 같은 해에 입학한 학생들을 입학 연도로 부르는 말. ㉠99학번.

학벌 (學閥) [학뻘] **1** 졸업한 학교의 사회적 지위나 등급. ㉠학벌이 좋다 / 학벌을 따지다. **2** 같은 학교 출신에 의하여 만들어지는 파벌. ㉠학벌의 폐해.

학부 (學府) [학뿌] 학문의 중심이 되는 곳이라는 뜻으로, 흔히 대학을 이르는 말. ㉠최고 학부.

학부모 (學父母) [학뿌모] 학생의 아버지와 어머니라는 뜻으로, 학생의 보호자를 이르는 말. ㉠학부모회. 비 학부형.

학부형 (學父兄) [학뿌형] 학생의 아버지나 형이라는 뜻으로, 학생의 보호자를 이르는 말. 비 학부모.

학비 (學費) [학삐] 공부를 하는 데 드는 돈. ㉠학비에 쪼들리다 / 아르바이트로 학비를 벌다.

학사 (學士) [학싸] 대학을 졸업하는 사람이 받게 되는 학위. 또는 그 학위를 받은 사람.

학살 (虐殺) [학쌀] 끔찍하게 마구 죽임. ㉠양민을 학살하다. **—하다.**

*학생 (學生) [학쌩] 학교에 다니면서 공부하는 사람. ㉠학생 시절 / 모범 학생. 비 학도. ➲ pupil, student

학생 운ː동 (學生運動) [학쌩—] 학생들이 교내 문제 및 정치적·사회적 문제에 관하여 일정한 요구를 내걸고 벌이는 조직적인 활동.

학생증 (學生證) [학쌩쯩] 학생의 신분임을 알리는 증명서.

학설 (學說) [학썰] 학자가 어떤 문제에 대하여 오랫동안 연구하여 얻은 학문상의 주장이나 체계.

학수고대하다 (鶴首苦待—) [학쑤고대하다] 학의 목처럼 목을 길게 늘여 기다린다는 뜻으로, 몹시 애타게 기다리다. ㉠편지가 오기를 학수고대하다.

학술 (學術) [학쑬] 학문과 예술. 또는 학문과 기술. ㉠학술 강연회.

*학습 (學習) [학씁] 지식이나 기술 따위를 배워서 익힘. ㉠자율 학습 / 학습 지도. **—하다.**

학습장 (學習帳) [학씁짱] 공부하는 데 필요한 사항을 적는 공책. 노트. ㉠학습장을 정리하다.

학습지 (學習紙) [학씁찌] 정기적으로 가정으로 배달되는 학습 문제지. ㉑학습지를 풀다.
학식 (學識) [학씩] 배워서 얻은 지식. ㉑학식이 높다.
학업 (學業) [하겁] 학교에 다니면서 공부하는 일. ㉑학업에 열중하다 / 학업을 마치다.
학예 (學藝) [하계] 학문과 예술.
학예회 (學藝會) [하계회] 학생들이 학교에서 배운 예능이나 학예품을 여러 사람 앞에서 보이는 행사. 비학예 발표회.
*__학용품__ (學用品) [하굥품] 연필·공책 따위의 학습에 필요한 물건.
학우 (學友) [하구] 학교에서 같이 공부하는 벗.
학원[1] (學院) [하권] 지식·기술·예체능 교육 등을 하는 사설 교육 기관. ㉑컴퓨터 학원 / 피아노 학원.
학원[2] (學園) [하권] 학교 및 기타 교육 기관을 통틀어 이르는 말.
학위 (學位) [하귀] 정해진 학업 과정을 마치거나 어떤 부문의 학술을 전문적으로 연구하여 일정한 수준에 이른 사람에게 대학에서 주는 자격. 학사·석사·박사 따위. ㉑학위를 따다.
학익진 (鶴翼陣) [하긱찐] 학이 날개를 편 모양으로 치는 진. 적을 둘러싸기에 편리함.
*__학자__ (學者) [학짜] 학문에 능통하거나 학문을 연구하는 사람.
학자금 (學資金) [학짜금] 학비로 쓰는 돈. ㉑학자금을 마련하다.
학정 (虐政) [학쩡] 국민을 괴롭히는 가혹한 정치. ㉑학정에 시달리다 / 학정에 항거하여 난을 일으키다.
학질 (瘧疾) [학찔] ⇨말라리아.
학창 (學窓) 공부하는 교실 또는 학교를 이르는 말. ㉑학창 시절.
학칙 (學則) 교과 과정이나 학생 생활에 관한 학교의 규칙. ㉑학칙 개정 / 학칙을 위반하다. 비교칙.
학풍 (學風) **1** 학문의 경향이나 태도. **2** 한 학교의 기풍이나 분위기. ㉑학풍을 이어가다.
학회 (學會) [하쾨] 학술의 연구와 장려를 목적으로 조직된 단체. ㉑한글 학회.
*__한__[1] **1** '하나'의 뜻. ㉑한 사람 / 한 개. **2** '대략'의 뜻. ㉑한 천 명. **3** '어떤'·'어느'의 뜻. ㉑한 착한 학생이 있었다.
*__한:__[2] (限) 넘지 못하게 정하거나 이미 정해진 정도의 범위. ㉑기쁘기 한이 없다.
한:[3] (恨) 마음에 맺힌 슬프고 원통한 생각. ㉑당장 죽어도 한이 없다. 본원한.
한- **1** '크다'는 뜻. ㉑한길 / 한시름. **2** '바로 또는 한창'의 뜻. ㉑한여름 / 한낮 / 한복판 / 한가운데. **3** '가득하다'는 뜻. ㉑한아름 / 한사발. **4** '같다'는 뜻. ㉑한패 / 한마음 / 한집안.
한가락 **1** 노래나 소리의 한 곡조. ㉑노래를 한가락 뽑다. **2** 어떤 방면에서 썩 뛰어난 재주나 솜씨. ㉑이 방면에서는 한가락 하는 사람이다.
한가로이 (閑暇—) 한가하게. 별로 할 일이 없이. ㉑한가로이 날고 있는 갈매기.
한가롭다 (閑暇—) [한가롭따] 별로 할 일이 없이 시간적 여유가 있다. ㉑한가로운 오후 한때 / 한가롭게 공원을 거닐다. 활용 한가로워 / 한가로우니.
*__한가운데__ 가운데에서도 가장 중심이 되는 곳. ㉑교실 한가운데에 난로가 있다. 비한복판.
한가위 우리나라 명절의 하나. 음력 8월 15일. 비가위. 중추절. 추석.
한가지 사물의 모양·성질·행동 따위가 서로 같은 것. ㉑표현은 다르나 내용은 한가지다.

한가하다 (閑暇―) 겨를이 있어 여유가 있다. ㉠오랜만에 한가한 시간을 보내다 / 휴가철이라 시내가 비교적 한가하다. 반 분주하다.

한갓 [한갇] 단지. 오직. 그것만으로. ㉠한갓 핑계에 지나지 않는다.

한갓지다 [한갇찌다] 한가하고 조용하다. 아늑하고 고요하다. ㉠한갓진 시골.

한:강 (漢江) 우리나라 중부를 흐르는 강. 강원도 태백산맥에서 시작되어 경기도 남양주시에서 남한강과 북한강이 합류하면서 서울을 거쳐 황해로 들어감. 길이 514 km.

한걸음 [한거름] 쉬지 아니하고 한숨에 내처 걷는 걸음이나 움직임. ㉠한걸음에 집으로 달려가다. 참고 주로 '한걸음에' 의 꼴로 쓰임.

한겨레 큰 겨레라는 뜻으로, 우리 민족을 이르는 말.

한겨울 추위가 한창인 겨울.

한결 보다 더. 한층 더. 훨씬. ㉠모자를 쓰니 얼굴이 한결 돋보인다. 비 한층.

> 참고 '하나' 를 뜻하는 '한' 에 '층' 을 뜻하는 '결' 이 이어진 말이다. 따라서 이 말은 '한층' 또는 '일층' 과 같은 뜻을 지닌 고유어이다.

한결같다 [한결갇따] **1** 처음부터 끝까지 변함이 없다. ㉠한결같은 부모님의 사랑. **2** 여럿이 모두 꼭 같다. ㉠한결같은 반응.

한결같이 [한결가치] 한결같게. ㉠표정이 한결같이 밝았다.

한:계 (限界) [― / 한게] 사물의 정하여 놓은 범위나 경계. ㉠한계에 부닥치다 / 한계를 극복하다.

한고비 가장 중요하거나 어려울 때. ㉠한고비를 넘기다 / 추위가 한고비 지나다.

한:과 (韓菓) 한국 고유의 전통 과자. 떡·강정·유밀과·산자·약과·다식 따위.

한구석 한쪽으로 치우쳐 구석진 곳. 한쪽 구석. ㉠한구석에 몰아넣다 / 마음 한구석이 텅 비다 / 어디 한구석 나무랄 데가 없다.

***한:국** (韓國) 〖국명〗 '대한민국' 의 준말.

한:국말 (韓國―) [한궁말] ⇨한국어.

한:국 방:송 공사 (韓國放送公社) [―빵송―] 방송을 통하여 문화의 발전과 공공복지의 향상에 이바지함을 목적으로 설립된 특수 법인. 케이비에스(KBS).

한:국 산:업 규격 (韓國産業規格) [―싸넙뀨격] 산업 표준화법에 따라 제정된 광공업품의 표준 규격. 합격된 제품에는 케이에스(KS) 표시를 함.

한:국 산:업 은행 (韓國産業銀行) [―싸너븐행] 산업 개발과 국민 경제의 발전을 위하여 자금의 공급과 관리를 주요 목적으로 하는 특수 은행.

한:국어 (韓國語) [한구거] 한국인이 쓰는 언어. 비 한국말.

한:국은행 (韓國銀行) [한구근행] 우리나라의 중앙은행. 화폐를 발행하고 예금의 이자를 정하며, 각 은행의 업무를 감독함.

한:국인 (韓國人) [한구긴] 대한민국의 국적을 가진 사람. 또는 한국 사람의 혈통을 가진 사람.

한:국적 (韓國的) [한국쩍] 한국 고유의 특징이나 특성이 있는 (것). ㉠한국적인 음식.

한:국 전:쟁 (韓國戰爭) [―쩐쟁] ⇨육이오 전쟁.

한:국화 (韓國畫) [한구콰] 한국의 독특한 기법으로 그린 그림.

한군데 어떤 일정한 곳. 같은 곳. ㉠책을 한군데에 쌓다 / 형제가 한군데에 산다.
***한글** 우리나라 고유 글자의 이름. 조선 세종 28년(1446)에 '훈민정음'이란 이름으로 반포된 것으로, 처음에는 28자였으나, 지금은 24자만 쓰이고 있음. 닿소리 14자와 홀소리 10자로 되어 있음.
한글날 [한글랄] 세종 대왕이 한글을 처음 만들어 널리 편 것을 기념하기 위하여 정한 날. 10월 9일임.
한글 맞춤법 (—法) [—맏춤뻡] 한글로 우리말을 바르게 적는 규칙들을 모은 어문 규정집의 하나. 현재의 맞춤법은 1988년 1월 문교부에서 확정·고시한 것임. ㉾맞춤법.
한기 (寒氣) **1** 추운 기운. **2** 병적으로 느끼는 으스스한 기분. ㉲한기를 느끼다.
***한길** 차나 사람이 많이 다니는 넓은 길. ㉲아이들이 한길에서 노는 것은 위험하다. ×행길.
***한꺼번에** [한꺼버네] 몰아서 한 차례에. 죄다 한번에. ㉲일을 한꺼번에 처리하다. ㉾한껍에.
한:껏 (限—) [한껃] 할 수 있는 데까지. 한도에 이르는 데까지. ㉲한껏 멋을 부리다 / 한껏 먹다.
한:나라 (漢—) 고대 중국의 나라 이름. 흔히, 전한(기원전 202-서기 8)과 후한(25-220)을 통틀어 일컬음. 기원전 108년에는 우리나라 북쪽 지방에 낙랑·임둔·현도·진번의 4군을 설치하였음.
한나절 하루 낮의 반. ㉲한나절이나 걸려서 음식을 만들다.
한낮 [한낟] 낮의 한가운데. 곧, 낮 열두 시쯤 되는 때. ㉲한낮의 찌는 더위. ㉫한밤중.
한낱 [한낟] 하잘것없는. 오직. ㉲한낱 핑계에 불과하다.
한눈[1] **1** 한 번 봄. 잠깐 봄. ㉲한눈에 반하다 / 한눈에 알아보다. **2** 한꺼번에 전부 둘러보는 일. ㉲한눈에 내려다보이는 들판.
한:눈[2] 당연히 볼 데를 보지 않고 딴 데를 보는 눈.
한:눈팔다 볼 데를 보지 않고 딴 데를 보다. ㉲공부에 열중하느라 한눈팔 겨를이 없다. [활용] 한눈팔아 / 한눈파니 / 한눈파는.
한달음 [한다름] 중도에 쉬지 않고 한 번에 달려감. ㉲한달음에 달려가 대학 합격 소식을 부모님께 알렸다. [참고] 주로 '한달음에·한달음으로' 꼴로 쓰임.
한담 (閑談) 심심풀이로 하는 이야기. 한가하게 서로 주고받는 이야기. ㉲한담을 나누다. **—하다.**
한대 (寒帶) 북극해 연안과 남극 대륙 지방 등의 몹시 추운 지대. ㉲한대 기후. ㉫열대.
한대림 (寒帶林) 한대에 있는 삼림. 아한대림을 이르는 말로, 침엽수가 주를 이룸.
한더위 한창 심한 더위. 최고조에 달한 더위. ㉲삼복 한더위.
한데[1] 한곳. 한군데. ㉲장난감은 한데다가 잘 정리해 두어라.
한:데[2] 덮거나 가리지 않은 곳. 곧, 집채의 바깥. ㉲한데서 밤을 새우다. ㉥노천.
한데[3] 그러한데. 그런데. ㉲한데 오늘은 무슨 일로 오셨습니까.
한:도 (限度) 일정하게 정한 정도. ㉲참는 데도 한도가 있다. ㉥제한.
한도막 형식 (—形式) [한도마켱식] 곡이 여덟 마디로 된 형식. 특히, 동요나 민요에 많이 쓰임.
한동안 꽤 오랫동안. ㉲한동안 안 보이더니 나타났다. ㉥한참.
한두 하나나 둘의. ㉲한두 명 / 한두 번으로 끝내다.
한둘 하나나 둘. ㉲희망자가 한둘이 아니다.
한들거리다 가볍게 이리저리 자꾸 흔들리거나 흔들다. ㉲길가의 코스모스가 바람에 한들거리다. ㉻흔들거리다.
한들한들 한들거리는 모양. ㉲나뭇잎들이 바람에 한들한들 흔들리다. ㉻흔들흔들. **—하다.**
*** 한때** **1** 어느 한 시기. 얼마간의 시기. ㉲한때 유행한 노래. **2** 같은 때. ㉲손님이 한때에 들이닥치다.
한뜻 [한뜯] 같은 생각. ㉲한뜻으로 모인 사람들.
한:라산 (漢拏山) [할라산] 국립 공원의 하나. 제주도 중앙에 있는 높이 1,950m의 산. 화산의 분화구였던 백록담이 있음. 한대·온대·아열대의 식물이 자람.
한랭 (寒冷) [할랭] 기온이 낮고 매우 추움. ㉲한랭 기후. **—하다.**
한랭 전선 (寒冷前線) [할랭—] 찬 공기가 따뜻한 공기 밑으로 들어갈 때에 생기는 전선. ㉥온난 전선.
한량 (閑良) [할량] 하는 일 없이 돈 잘 쓰고 잘 노는 사람.
한:량없다 (限量—) [할량업따] ⇨그지없다. ㉲고맙기 한량없다.
한:량없이 (限量—) [할량업씨] 한량없게. ㉲한량없이 기쁘다.
한려 수도 (閑麗水道) [할려—] 〖지명〗 경상남도 한산도에서 전라남도 여수에 이르는 뱃길. 물결이 잔잔하고 경치가 아름다워 관광지로 유명하며, 1968년에 한려 해상 국립 공원으로 지정됨.
한류 (寒流) [할류] 한대 지방에서 적도 쪽으로 흐르는, 찬 바닷물의 흐름. 소금기가 적음. ㉥난류.
한마디 짧은 말. 간단한 말. ㉲나도 한마디 해야겠다.
한마음 하나로 합친 마음. ㉲한마음으로 뭉치다. ㉥일심. ㉾한맘.
한마음 한뜻 모든 사람이 꼭 같은 생각을 함. ㉲한마음 한뜻으로 어려운 고비를 넘기다.
한:말 (韓末) 대한 제국 말기.
한목 한꺼번에 다. 한차례에 죄다. ㉲한목에 넘겨주다 / 빚을 한목에 다 갚다.
한몫 [한목] 한 사람 앞에 돌아가는 분량. 또는 한 사람이 맡은 역할. ㉲한몫 끼다 / 한몫 거들다 / 팀 승리에 단단히 한몫하다. 발음 한몫이[한목씨] / 한몫을[한목쓸]. **—하다.**
한:문 (漢文) 한자로 쓴 글.
한물 과일·채소·어물 따위가 많이 나거나 잡힐 때.
한물가다 한창인 때가 지나다. ㉲더위도 이제 한물갔다.
한물지다 과일·채소·어물 따위가 한창 쏟아져 나오다.
한:민족 (韓民族) ⇨한족².
한밑천 [한믿천] 일을 이루는 데 큰 도움이 될 만한 많은 돈이나 물건. ㉲한밑천 잡다.
한바탕 일이 크게 벌어진 한 판. ㉲한바탕 마당놀이가 벌어지다.
한:반도 (韓半島) 국토 전체가 반도로 이루어진 우리나라를 일컫는 말. ㉲한반도 정세.
한밤 ⇨한밤중.
한밤중 (—中) [한밤쭝] 깊은 밤. ㉲한밤중부터 비가 내리다. ㉥오밤중. 한밤. ㉥한낮.
한:방 (韓方) **1** 중국에서 전해 들어와 우리나라에서 발달한 의술. ㉲한방 병원. **2** 한의의 처방. ㉲한방으로 병을 고치다.
*** 한번** (—番) **1** 시험 삼아. ㉲한번 해 보자. **2** 기회가 있는 어떤 때. ㉲언제 한번 만나자. **3** 지난 어느 때나 기회. ㉲언젠가 한번은 이런 일이 있었다. ㉥일단. 일차.
*** 한:복** (韓服) 한국의 고유한 의복. ㉲한복 차림으로 나들이를 가다. ㉥양복.
한복판 가장 중심이 되는 가운데. ㉲도시 한복판. ㉥한가운데.
한:사코 (限死—) 기를 쓰고. 몹시

고집을 세워. ㉡한사코 떠나다 / 한사코 우기다.

한산도 (閑山島) 〖지명〗 경상남도 통영시에 있는 섬. 임진왜란 때 이순신 장군의 수군 근거지였으며, 장군의 사당이 있음. 비 한산섬.

한산도 대:첩 (閑山島大捷) 임진왜란 때, 이순신 장군이 한산도 앞바다에서 일본 해군을 크게 무찌른 싸움.

한산하다 (閑散—) **1** 사람이 많지 않아 조용하고 쓸쓸하다. ㉡한산한 거리. **2** 일이 없어 한가하다. ㉡부동산 거래가 한산하다.

한석봉 (韓石峰) '한호'의 성과 호를 함께 부르는 이름.

한:성 (漢城) 〖지명〗 '서울'의 옛 이름. 비 한양.

한:성부 (漢城府) 조선 시대에 서울의 행정·사법을 맡아보던 관청.

한세상 (—世上) **1** 한평생 사는 동안. **2** 한창 잘사는 한때. ㉡언제나 한세상 만날까.

한속 **1** 같은 뜻. 같은 마음. ㉡여럿이 한속이 되어 작업을 하다. **2** 같은 셈속. ㉡모두 한속이다.

한솥밥 [한솓빱] 같은 솥에서 푼 밥. ㉡한솥밥 먹는 식구.

한순간 (—瞬間) 매우 짧은 동안. ㉡한순간도 눈을 뗄 수 없다.

한술 숟가락으로 한 번 뜬 음식이라는 뜻으로, 적은 음식을 이르는 말. ㉡밥 한술 얻어먹다.

한술 더 뜨다 행동이나 말이 남보다 또는 다른 때보다 더욱 심하다.

*__한숨__ **1** 한 번의 호흡이나 그 동안. **2** 잠깐 동안의 휴식이나 잠. ㉡한숨도 못 자다. **3** 근심이나 서러움이 있을 때 길게 몰아서 내쉬는 숨. ㉡한숨 소리 / 한숨이 새어 나오다 / 땅이 꺼지게 한숨을 내쉬다.

한숨(을) 돌리다 어려운 고비를 넘기고 좀 여유를 갖다.

한:스럽다 (恨—) [한스럽따] 슬프고 억울한 느낌이 있다. 활용 한스러워 / 한스러우니.

한시[1] (—時) **1** 같은 시각. ㉡한날 한시에 태어나다. **2** 잠깐 동안. ㉡한시가 바쁘다 / 한시도 부모님을 잊은 적이 없다.

한:시[2] (漢詩) 한문으로 지은 시.

한시름 큰 시름. 큰 걱정. ㉡한시름 놓다 / 한시름 덜다.

한시바삐 (—時—) 빨리 서둘러서. 조금이라도 빨리. ㉡한시바삐 걸음을 옮기다.

한식[1] (寒食) 동지로부터 105일째 되는 날. 4월 5일이나 6일쯤임. 조상의 무덤에 차례를 지내고 묘를 돌보는 날로, 명절의 하나.

한:식[2] (韓式) 우리나라 고유의 양식. ㉡한식 기와집.

한:식[3] (韓食) 우리나라 고유의 음식. 한국 요리.

한심스럽다 (寒心—) [한심스럽따] 한심한 데가 있다. ㉡한심스러운 행동을 하다. 활용 한심스러워 / 한심스러우니.

한심하다 (寒心—) 정도에 지나치거나 모자라서 가엾고 딱하다. ㉡집에서 놀고만 있으니 한심하기 짝이 없다.

한:약 (韓藥) [하냑] 한방에서 쓰는 약. 주로 풀뿌리나 나무껍질 따위를 재료로 씀. ㉡한약을 달이다 / 한약을 짓다. 반 양약. 본 한방약.

한:약방 (韓藥房) [하냑빵] 한약재를 팔거나 한약을 지어 파는 곳. 비 한약국. 반 양약방.

한:약재 (韓藥材) [하냑째] 한약의 재료.

한:양 (漢陽) [하냥] 〖지명〗 조선 시대에 서울을 일컫던 말.

한:없다 (限—) [하넙따] 끝이 없다. ㉡사람의 욕심은 한없다.

한:없이 (限—) [하넙씨] 끝이 없

이. ㉠한없이 기뻐하다.
한여름 [한녀름] 여름의 한창 더운 때. ㉠한여름의 무더위.
한옆 [한녑] 한쪽 옆. ㉠한옆으로 비키다. 🅑한구석.
한:옥 (韓屋) [하녹] 재래식으로 지은 우리나라 고유의 집. 🅟양옥.
한용운 (韓龍雲) 〖인명〗 승려·시인. 3·1운동 때 민족 대표 33인 중의 한 사람. 호는 만해. 불교계의 지도자로도 공이 큼. 일제에 저항하는 민족 정신을 노래한 시집 '님의 침묵'이 유명함. [1879-1944]
한:우 (韓牛) [하누] 소의 한 품종. 성질이 온순하고 고기 맛이 좋은 우리나라 재래종임.
한울님 [하눌림] 천도교에서, 하느님을 이르는 말.
한:음 (漢陰) [하늠] '이덕형'의 호. ㉠오성과 한음.
한:의사 (韓醫師) [하늬사 / 하니사] 한약이나 침 따위로 병을 치료하는 의사.
한:의원 (韓醫院) [하늬원 / 하니원] 한의사가 환자를 치료하는 곳.
한:의학 (韓醫學) [하늬학 / 하니학] 우리나라에서 전통적으로 발달해 내려온 의학.
한:인 (韓人) [하닌] 주로 외국에 살고 있는 한국 사람. ㉠한인 동포.
한:일 (韓日) [하닐] 한국과 일본. ㉠한일 회담.
한입 [한닙] **1** 입에 음식물이 가득 찬 상태. ㉠상추쌈이 한입이다. **2** 한 번 벌린 입. ㉠한입에 다 먹다.
***한:자** (漢字) [한짜] 중국의 고유한 글자. 중국·한국·일본 등에서 쓰이고 있음. 🅑한문자.
한자리 **1** 같은 자리. ㉠오랜만에 가족이 한자리에 모이다 / 한자리에 앉아 식사를 하다. **2** 높은 벼슬이나 직위. ㉠한자리 얻다.
한:자어 (漢字語) [한짜어] 한자로 된 낱말. 🅑한자말.
한잠 **1** 매우 깊이 든 잠. ㉠한잠 푹 자다. **2** 잠시 자는 잠. ㉠낮잠을 한잠 자다.
한적하다 (閑寂—) [한저카다] 한가하고 고요하다. ㉠한적한 거리.
한:정 (限定) 일정한 범위로 제한하여 정함. ㉠한정 판매 / 인원수를 한정하다. **—하다.**
한:족¹ (漢族) 예로부터 중국에 살아온 민족. 황색 인종으로, 중국 전체 인구의 90% 이상을 차지함. 🅑한민족.
한:족² (韓族) 한반도를 중심으로 남만주 등지에 걸쳐 살아온 우리나라의 중심이 되는 민족. 고유의 한국어를 사용하는 황색 인종임. 🅑배달민족. 한민족.
한줄기 **1** 같은 계통. **2** 한 번 세게 쏟아지는 소나기의 빗줄기. ㉠소나기가 한줄기 퍼붓다.
한:중 (韓中) 한국과 중국.
한중록 (閑中錄) [한중녹] 〖책〗 조선 정조 때 혜경궁 홍씨가 지은 작품. 남편인 사도 세자의 죽음을 중심으로 자신의 일생을 돌아본 것임.
한:증 (汗蒸) 불을 때서 뜨겁게 달군 한증막에 들어앉아 땀을 내는 일. **—하다.**
한:증막 (汗蒸幕) 한증을 하기 위하여 담을 둘러쳐 굴처럼 만든 곳. ㉠창고 안은 한증막처럼 덥고 답답했다.
한:지 (韓紙) 닥나무 껍질 따위의 섬유를 원료로 하여 우리나라의 전통적인 방법으로 만든 종이. 창호지 따위.
한집안 [한지반] **1** 같은 집에서 함께 사는 가족. ㉠한집안 식구. **2** 가까운 혈육. ㉠한집안에 선생이 셋이나 된다.
***한쪽** 여러 갈래에서 한편 쪽. ㉠한쪽 말만 듣고는 모른다 / 한쪽 팔을

다치다.

한차례 어떤 일이 한바탕 일어남을 나타내는 말. ㉠소나기가 한차례 퍼붓다. 비 한바탕.

*__한참__ 시간이 상당히 지나는 동안. ㉠한참 기다리다 / 한참만에 나타나다. 비 한동안.

> 주의 **한참과 한창**
> **한참** 꽤 오랜 동안, 한동안의 뜻으로 쓴다.
> ㉠한참 기다리다 / 아기가 장난감을 한참 갖고 놀다가 잠이 들었다.
> **한창** 가장 활발할 때라는 뜻의 명사로 쓰거나, 가장 활기 있는 모양을 나타내는 뜻의 부사로 쓴다.
> ㉠고향엔 지금 추수가 한창이다 / 한창 많이 먹을 나이이다.

*__한창__ **1** 가장 성한 때. ㉠꽃이 한창이다. **2** 가장 활기 있게. ㉠한창 일할 나이. → 한참 주의

한창나이 기운이 가장 왕성할 때의 젊은 나이. ㉠한창나이에 죽다니 / 한창나이라 많이 먹는다.

한창때 기운이나 의욕이 가장 왕성한 때. ㉠한창때의 젊은이.

한천 (寒天) 우뭇가사리를 끓여 식혀서 굳힌 식품. 비 우무.

한철 한창 성한 때. ㉠수박은 여름이 한철이다.

*__한층__ (—層) 한 단계 더. 더욱. ㉠한층 돋보이다. 비 한결.

한:탄 (恨歎) 원망하거나 뉘우칠 때에 한숨짓는 일. 또는 그 탄식. ㉠신세 한탄 / 그는 자식이 없음을 한탄했다. 준 한. **—하다**.

한:탄강 (漢灘江) 강원도 평강군에서 시작되는 강. 철원군과 경기도 연천군을 거쳐 임진강으로 흘러 들어감. 길이 136 km.

한턱 남에게 한바탕 음식을 대접하는 일. ㉠1등을 해서 친구들에게 한턱을 냈다.

한턱내다 [한텅내다] 남에게 한바탕 음식을 대접하다.

한테 '에게'의 뜻을 나타내는 말. ㉠언니한테 보낼 물건이다 / 모든 책임은 나한테 있다.

한통속 서로 마음이 통하여 같이 모이는 동아리. ㉠모두 다 한통속이다. 비 한패. 준 한통.

한파 (寒波) 겨울철에 갑자기 기온이 내려가는 현상. ㉠한파 주의보. → [학습마당] 6(176쪽)

한판 한 차례의 내기나 경기. ㉠한판 승부.

한패 (—牌) 같은 동아리나 무리. ㉠한패가 되어 속이다. 비 한통속.

*__한편__ (—便) **1** 한쪽. ㉠한편으로 비켜서라. **2** 같은 편. 같은 동아리. ㉠한편이 되다. **3** 어떤 일의 한 측면. ㉠고맙기도 하고 한편으로는 부담스럽기도 하다.

한평생 (—平生) 살아 있는 동안. ㉠조국을 위해 한평생을 바치다. 비 일평생.

한풀 기운·의기·끈기·투지 따위의 한 부분.

한풀 꺾이다 한창이던 기세가 어느 정도 수그러지다. ㉠더위가 한풀 꺾이다.

한:풀이 (恨—) [한푸리] 한을 푸는 일. **—하다**.

한:하다 (限—) 조건이나 범위를 정하다. ㉠어린이에 한하여 입장이 가능하다.

한:학 (漢學) 한문에 관한 학문.

한:해[1] (旱害) 가뭄으로 인하여 입은 재해. ㉠한해 대책을 세우다.

한해[2] (寒害) 추위로 인하여 농작물이 입은 피해. ㉠한해를 입다.

한해살이 [한해사리] 식물이 한 해 동안에 싹이 트고, 자라서 꽃이 피고, 가을에 열매를 맺고 말라 죽는 일. ㉠한해살이 식물. 비 일년생. 반

여러해살이.

한호 (韓濩)〔인명〕 조선 선조 때의 서예가. 호는 석봉. 해서·행서·초서를 모두 잘 써서 중국에까지 이름을 떨침. 추사 김정희와 함께 조선 서예계의 쌍벽을 이룸. [1543–1605]

*__할__ (割) 어떤 수나 수량을 10등분하여 그 몇을 나타내는 말. 푼의 10배. ㉎3할 할인.

할당 (割當) [할땅] 몫을 갈라 나눔. 또는 그 나눈 몫. ㉎일을 할당하다. **—하다.**

할딱거리다 [할딱꺼리다] 자꾸 할딱이다. ㉎가쁜 숨을 할딱거리다. ㉷헐떡거리다.

할딱이다 [할따기다] 가쁘게 숨을 몰아쉬다. ㉎숨을 할딱이며 산을 오르다. ㉷헐떡이다.

할랑하다 낄 물건이 작고 끼울 자리가 크다. ㉎바지가 할랑하다. ㉷헐렁하다.

할렐루야 (히 Hallelujah) 기독교에서 '신을 찬미하다' 라는 뜻으로, 기쁨·감사를 나타내는 말.

*__할머니__ **1** 아버지의 어머니. ㉥조모. **2** 부모의 어머니와 같은 항렬에 있는 여자. **3** 늙은 여자를 이르는 말. ㉎할머니에게 자리를 양보하다. ㉤할머님. ➲ grandmother

할머님 '할머니' 의 높임말.

할멈 **1** 나이가 많은 늙은 여자를 낮추어 일컫는 말. **2** 늙은 남편이 자기 아내를 친근하게 부르는 말.

할미 **1** '할머니' 를 낮추어 일컫는 말. **2** 할머니가 손자·손녀에게 자기 자신을 이르는 말.

할미꽃 [할미꼳] 산이나 들에 나는 여러해살이풀. 온몸에 짧은 털이 나고 봄에 줄기 끝에 자주색 꽃이 아래를 향하여 핌.

〈할미꽃〉

할미탈 탈의 하나. 얼굴은 흰색이며, 이마에 주름살이 있고 두 뺨·이마·턱에 붉은색의 둥근 점이 있음. 눈두덩과 입술은 붉은색임.

할부 (割賦) 사들인 물건의 값을 여러 번 나누어 냄. ㉎할부 판매 / 할부로 물건을 구입하다. **—하다.**

할아버님 [하라버님] '할아버지' 의 높임말.

*__할아버지__ [하라버지] **1** 아버지의 아버지. ㉥조부. **2** 부모의 아버지와 같은 항렬에 있는 남자. **3** 친척이 아닌 늙은 남자를 친근히 이르는 말. ㉤할아버님. ➲ grandfather

할아범 [하라범] 나이 많은 늙은 남자를 낮추어 이르는 말.

할아비 [하라비] **1** '할아버지'를 낮추어 이르는 말. **2** 할아버지가 손자·손녀에게 자기 자신을 이르는 말. ㉎할아비 손잡고 가자.

할애 (割愛) [하래] 중요한 것을 아까워하지 않고 선뜻 내어 줌. ㉎공부하는 데에 많은 시간을 할애하다. **—하다.**

할인 (割引) [하린] 일정한 값에서 얼마를 깎아 줌. 디스카운트. ㉎할인 판매. ㉶할증. ×활인. **—하다.**

할증 (割增) [할쯩] 일정한 액수에 얼마를 더 얹음. ㉎심야 할증 요금. ㉶할인. **—하다.**

할퀴다 손톱이나 날카로운 물건으로 긁어 생채기를 내다. ㉎손톱으로 얼굴을 할퀴다.

핥다 [할따] 혀가 물건의 겉면에 살짝 닿으면서 지나가게 하다. ㉎아이들이 아이스크림을 핥으며 걸어간다. 발음 핥으니[할트니] / 핥아서[할타서].

함: (函) 혼례 때 신랑 집에서 사주단자·청혼 문서·선물 따위를 넣어 신부 집에 보내는 상자. ㉎친구들이 함을 팔러 신부 집에 가다.

함경남도 (咸鏡南道)〔지명〕 북한

의 한 도. 우리나라 북동부에 위치함. 북쪽 국경에는 백두산이 있고 겨울은 몹시 추움. 비료·흑연·시멘트·철 따위가 유명함. 도청 소재지는 함흥.

함경도 (咸鏡道) 〖지명〗 함경남도와 함경북도를 함께 이르는 말.

함경북도 (咸鏡北道) [함경북또] 〖지명〗 북한의 한 도. 우리나라 북동쪽 끝에 위치하여 겨울에는 몹시 추움. 개마고원이 있으며, 어업·철광 등과 함께 임업도 성함. 도청 소재지는 청진.

함구 (緘口) 입을 다물고 말을 하지 않음. **—하다**.

***함께** 서로 더불어. 한꺼번에 같이. (예)가족과 함께 놀러 가다 / 함께 기뻐하다. (비)같이. → together

함께하다 어떤 일을 더불어 하다. 같이하다. (예)기쁨과 슬픔을 함께한 지 10년이 넘었다 / 영광스러운 자리를 함께하다.

함ː대 (艦隊) 군함 두 척 이상으로 이루어진 해군 부대.

함ː락 (陷落) [함낙] 적의 성이나 진지 따위를 공격하여 빼앗음. (예)적의 진지가 함락되다. **—하다**.

함량 (含量) [함냥] 어떤 물질이 포함하고 있는 어떤 성분의 양. (예)함량 미달 / 멸치는 칼슘 함량이 많다. (본)함유량.

함ː몰 (陷沒) 어떤 표면이 푹 들어가는 일. (예)도로의 함몰. **—하다**.

함박꽃 [함박꼳] **1** 함박꽃나무의 꽃. **2** 작약의 꽃. (준)함박.

함박꽃나무 [함박꼰나무] 목련과의 낙엽 활엽 교목. 산골짜기에 나는데 봄에 향기로운 큰 꽃이 아래 또는 옆을 향하여 핌. 꽃잎은 보통 6–9개이며 관상용임.

〈함박꽃나무〉

함박눈 [함방눈] 함박꽃 송이처럼 굵고 탐스럽게 내리는 눈.

함박웃음 [함바구슴] 환하게 활짝 웃는 웃음.

***함부로** **1** 생각 없이 마구. 되는대로. (예)담배꽁초를 아무 데나 함부로 버리다 / 함부로 말하다. **2** 버릇없이. (예)함부로 까불다.

함빡 **1** 모자람이 없이 아주 넉넉하게. (예)웃음을 함빡 머금다. **2** 물 따위에 푹 젖은 모양. (예)비를 함빡 맞다. (큰)흠뻑.

함석 겉면에 아연을 입혀 녹이 슬지 않게 한 철판. 지붕을 이거나 양동이·대야 따위를 만드는 데 씀.

함ː선 (艦船) 군함과 선박을 통틀어 이르는 말.

함ː성 (喊聲) 여럿이 함께 지르는 고함 소리. (예)함성을 지르다.

함ː수 (函數) [함쑤] 한 변수의 값에 따라 다른 변수의 값이 결정되는 관계를 나타낸 수식.

함양 (涵養) [하먕] 능력이나 성품을 기르고 닦음. (예)도덕심을 함양하다. **—하다**.

함유 (含有) [하뮤] 물질이 어떤 성분을 포함하고 있음. (예)탄소를 함유한 음료수. **—하다**.

함자 (銜字) [함짜] 남의 이름을 높여 이르는 말. (예)아버님의 함자가 무엇이냐.

함ː장 (艦長) 군함의 승무원을 지휘·통솔하는 우두머리.

함ː정[1] (陷穽) **1** 짐승을 잡기 위해 파 놓은 구덩이. (예)함정을 만들다. (비)허방다리. **2** 남을 어려움에 빠뜨리려는 계략. (예)함정에 빠지다.

함ː정[2] (艦艇) 전투력을 갖춘 배. 전함·잠수함·어뢰정 따위.

함지박 통나무의 속을 파서 큰 바가지같이 만든 그릇.

함축 (含蓄) 말이나 글 따위에 많

은 뜻이 들어 있음. ㉥많은 뜻을 함축한 시. —하다.

함흥(咸興) 〖지명〗 함경남도의 도청 소재지. 쌀·콩 따위의 농업과 담배·화학 등의 공업이 성하고, 교통의 요지임. 진흥왕 순수비 따위가 있음.

함흥차사(咸興差使) 조선의 태조 이성계가 왕위를 물려주고 함흥에 가서 있을 때, 아들 태종이 보낸 사신을 죽이거나 잡아 가두어 돌려보내지 아니하였던 고사에서 나온 말로, 심부름을 가서 아무 소식이 없거나 더디 올 때의 비유.

함흥평야(咸興平野) 함경남도 성천강 유역에 펼쳐진 평야. 함경남도의 곡창 지대임.

*__합__(合) 여럿을 모두 더한 값. ㉥3과 4의 합은 7이다.

합격(合格) [합껵] 시험이나 검사 따위에 통과함. ㉥대학에 합격하다. ㉯불합격. —하다.

합격증(合格證) [합껵쯩] 시험이나 검사 따위에서 합격한 것을 증명하는 문서.

*__합계__(合計) [합꼐 / 합께] 수나 양을 합하여 셈함. 또는 그 수효. ㉥합계를 내다. ㉠총계. —하다.

합금(合金) [합끔] 두 가지 이상의 금속이나 비금속을 섞어 만든 새로운 성질의 금속. 놋쇠·양은 따위.

합당하다(合當—) [합땅하다] 기준이나 조건에 꼭 들어맞다. ㉥합당한 답변.

*__합동__(合同) [합똥] **1** 둘 이상이 모여 행동이나 일을 함께함. ㉥합동 결혼식. **2** 두 개의 도형이 크기와 모양이 같아 서로 포개었을 때에 꼭 맞는 일. —하다.

합류(合流) [함뉴] **1** 둘 이상의 흐름이 한데 합하여 흐름. ㉥두 강이 합류하다. **2** 어떤 목적을 위해 여럿이 한데 모임. ㉥선발대에 합류하다. —하다.

합리(合理) [함니] 이론이나 이치에 맞음. ㉯불합리.

합리적(合理的) [함니적] 이치에 맞는 (것). ㉥합리적인 생각.

합리화(合理化) [함니화] **1** 어떤 일에서 낭비를 없애고 능률을 높이는 것. ㉥회사 운영을 합리화하다. **2** 변명 따위를 하려고 그럴듯한 이유를 붙이는 일. ㉥자기 잘못을 합리화하다. —하다.

합법(合法) [합뻡] 법령이나 규범에 맞음. ㉠적법. ㉯불법. 비합법.

합법적(合法的) [합뻡쩍] 법령이나 규범에 맞는 (것). ㉯비합법적.

합병(合併) [합뼝] 둘 이상의 단체나 국가 따위를 하나로 합침. ㉥두 은행을 합병하다. ㉠병합. —하다.

합병증(合併症) [합뼝쯩] 어떤 병에 더하여 일어나는 다른 병.

합산(合算) [합싼] 합하여 계산함. ㉥한 달 교통비를 합산하다. ㉠가산. 합계. —하다.

합석(合席) [합썩] 한자리에 같이 앉음. ㉥합석을 권하다. —하다.

합선(合線) [합썬] 양전기와 음전기의 두 선이 한데 붙음. ㉥전기 합선으로 불이 나다.

합성(合成) [합썽] 둘 이상의 것을 합쳐서 하나를 이룸. ㉥합성 사진. —하다.

합성 섬유(合成纖維) [합썽서뮤] 석유·석탄 따위를 원료로 하여 만든 섬유. 나일론·비닐론·아크릴 따위. ㉤합섬.

합성 세ː제(合成洗劑) [합썽—] 화학적으로 합성한 세제. 주로 가루와 액체로 되어 있음.

합성수지(合成樹脂) [합썽수지] 화학적으로 합성하여 만든 수지(나무의 진) 같은 물질. 플라스틱 따위.

합성어(合成語) [합썽어] 둘 이상의 뜻을 가진 말이 합쳐져서 이루어진 말. 검붉다(검다+붉다)·여닫다(열다+닫다)·눈사람(눈+사람) 따위. *파생어.

합세 (合勢) [합쎄] 세력이나 기운을 한데 모음. ㉿합세하여 적을 물리치다. **—하다.**

합숙 (合宿) [합쑥] 여럿이 한곳에 묵음. ㉿합숙 훈련. **—하다.**

합승 (合乘) [합씅] 자동차 따위에 여럿이 함께 탐. ㉿택시를 합승하다. **—하다.**

합심하다 (合心—) [합씸하다] 여러 사람이 마음을 한데 합하다. ㉿국민 모두가 합심하여 수재민을 도왔다.

합의¹ (合意) [하븨 / 하비] 뜻이나 의견이 일치함. ㉿합의 사항 / 만족스러운 합의를 보다 / 보상금 문제가 합의되다. **—하다.**

합의² (合議) [하븨 / 하비] 어떤 문제에 대해 두 사람 이상이 한자리에 모여서 의논함. ㉿합의하여 결정하다. **—하다.**

합작 (合作) [합짝] 여럿이 힘을 합하여 무엇을 만들거나 운영하는 일. ㉿한중 합작 영화 / 남북 합작으로 금강산을 개발하다. **—하다.**

합장¹ (合掌) [합짱] 불교에서, 두 손바닥을 합하여 하는 인사. ㉿합장을 올리다. **—하다.**

합장² (合葬) [합짱] 부부의 시체를 한 무덤에 묻음. 또는 그런 장사. ㉿부부를 합장하다. **—하다.**

***합주** (合奏) [합쭈] 두 개 이상의 악기로 동시에 연주하는 일. 또는 그 연주. ㉿관현악을 합주하다. ㉥독주. **—하다.**

합주곡 (合奏曲) [합쭈곡] 합주를 할 수 있도록 작곡한 곡.

합죽선 (合竹扇) [합쭉썬] 얇게 깎은 대나무의 가지를 맞붙인 것을 살로 하여, 접었다 폈다 하게 만든 부채.

합집합 (合集合) [합찌팝] 두 집합 A와 B가 있을 때, A와 B의 원소 전체로 이루어진 집합. 'A∪B'로 나타냄.

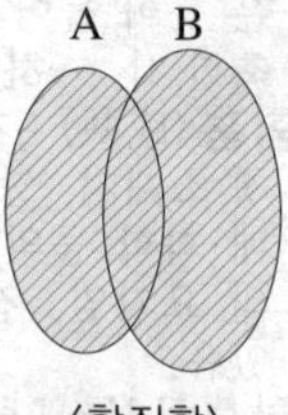

〈합집합〉

***합창** (合唱) 여러 사람이 목소리를 맞추어 노래함. 코러스. ㉿2부 합창 / 전교생이 교가를 합창하다. ㉥독창. **—하다.**

합창단 (合唱團) 합창을 주로 하는 음악 단체. 코러스. ㉿어린이 합창단 / 합창단이 축가를 부르다.

합치 (合致) 의견·주장 따위가 서로 꼭 들어맞음. ㉿두 사람의 의견이 합치되다. **—하다.**

***합치다** (合—) '합하다'의 힘줌말. ㉿힘을 합치다. ㉥나누다.

합판 (合板) 얇은 나무 판을 여러 장 붙여서 만든 널빤지.

***합하다** (合—) [하파다] **1** 여럿이 하나가 되다. ㉿두 반이 합하다. **2** 여럿을 하나로 만들다. ㉿마음과 힘을 합하다. ㉥합치다.

핫- [한] 옷·이불 따위의 말 앞에 써서 솜을 넣은 것이라는 뜻. ㉿핫바지 / 핫이불.

핫도그 (hot dog) 소시지에 밀가루 반죽을 덧입혀 기름에 튀긴 음식.

핫바지 [한빠지] 솜을 두어 지은 바지.

핫옷 [하돋] 솜을 넣어 지은 옷.

핫저고리 [한쩌고리] 솜을 두어 지은 저고리.

항: (項) **1** 법률이나 문장 따위의 각 부분. ㉿법률 제2항. **2** 다항식에서 각각의 단항식.

항:- (抗) 어떤 말 앞에 붙어, '저항'의 뜻을 나타내는 말. ㉿항균 / 항암제 / 항효소.

-항 (港) 어떤 말 뒤에 붙어, '항구'의 뜻을 나타내는 말. ㉿부산항 /

무역항.

항:간 (巷間) 일반 사람들 사이. ㉥항간에 떠도는 소문.

항:거 (抗拒) 순종하지 않고 맞서서 대항함. ㉥민중의 항거 / 불의에 항거하다. ㉥ 대항. 저항. **—하다.**

항:공 (航空) 비행기 따위로 하늘을 날아다님. ㉥항공편 / 항공 산업.

항:공기 (航空機) 사람이나 물건을 싣고 하늘을 날아다니는 탈것. 비행기·헬리콥터 따위.

항:공로 (航空路) [항공노] 항공기가 안전하게 날 수 있도록 지정한 하늘의 길.

항:공모함 (航空母艦) 항공기를 싣고 다니면서 뜨고 내리게 할 수 있는 설비를 갖춘 큰 군함.

항:공 우편 (航空郵便) 항공기로 우편물을 실어 나르는 일. 또는 그 우편물. 에어 메일. ㊜항공편.

*__항:구__ (港口) 바닷가에 배가 안전하게 드나들 수 있도록 시설을 갖추어 놓은 곳.

항:구 도시 (港口都市) 항구를 끼고 발달한 도시. 항구로 발전한 도시. ㊜항도. 항시.

항구적 (恒久的) 변하지 않고 오래가는 (것). ㉥항구적인 평화. ㊫영구적. ㊥일시적.

항:균성 (抗菌性) [항균썽] 항생물질 따위가 세균이 번지는 것을 막는 성질.

항:도 (港都) '항구 도시'의 준말. ㉥항도 부산.

항:라 (亢羅) [항나] 명주·모시·무명실 따위로 짠 옷감의 하나. 구멍이 송송 뚫어져 있어 여름 옷감으로 알맞음.

항렬 (行列) [항녈] 친족 관계에서의 차례를 나타내는 말. 형제 관계는 같은 항렬임. ㉥항렬이 높다.

항렬자 (行列字) [항녈짜] 같은 항렬에 속하는 사람들이 이름에 쓰는 같은 글자. ㉥항렬자를 보니 할아버지뻘이다. ㊫돌림자.

항:로 (航路) [항노] **1** 배가 다니는 바닷길. ㊫뱃길. 해로. **2** 항공기가 다니는 길. ㊫항공로.

항:만 (港灣) 우묵히 들어간 바닷가에 방파제·부두·창고 따위의 시설을 갖추어 놓은 곳. ㉥항만 시설.

항:목 (項目) ⇨조목.

*__항문__ (肛門) 똥을 몸 밖으로 내보내는 소화기 끝의 구멍. ㊫똥구멍.

항복 (降伏〔服〕) 싸움에 진 것을 인정하고 상대편에게 굴복함. ㉥적의 항복을 받다. **—하다.**

*__항상__ (恒常) 언제나. 늘. ㉥항상 부지런하다 / 그는 항상 열심히 공부하는 학생이다. ➡ always

항:생제 (抗生劑) 몸에 들어오는 다른 미생물이나 생물 세포의 기능을 막는 약제.

항성 (恒星) 우주에서 위치를 거의 바꾸지 않는 별. 태양처럼 스스로 빛을 냄. ㊫붙박이별. ㊥행성.

항:소 (抗訴) 제일심(처음 받은 재판) 판결에 불만이 있을 때 상급 법원에 상소하는 일. 또는 그 상소. ㉥항소를 기각하다. **—하다.**

항시 (恒時) 늘. 언제나. ㉥그녀는 항시 노래를 흥얼거린다.

*__항아리__ (缸—) 아래위가 좁고 가운데가 불룩한 질그릇.

항:암 (抗癌) 암세포가 늘어나는 것을 막거나 암세포를 죽임. ㉥항암 치료를 받다.

항:암제 (抗癌劑) 암을 더 번지지 않게 다스리는 약.

항:의 (抗議) [— / 항이] 반대의 뜻을 주장함. ㉥부당한 판정에 항의하다 / 항의 전화가 빗발치다. **—하다.**

항:일 (抗日) 일본 제국주의에 반대하여 싸우는 일. ㉥항일 운동 / 항일 투쟁.

항:쟁 (抗爭) 맞서 싸움. ㉥항쟁을

벌이다. [비]항전. **—하다.**

항ː전(抗戰) 적에 대항하여 싸움. [비]항쟁. **—하다.**

항ː진(航進) 배나 비행기 따위가 앞으로 나아감. (예)전속력으로 항진하다. **—하다.**

항ː체(抗體) 병균에 저항하거나 몸 속에 들어온 병균을 죽이는 물질. (예)항체가 생기다.

항ː해(航海) 배를 타고 바다 위를 다님. (예)항해를 떠나다 / 대서양을 항해하다. **—하다.**

항ː해사(航海士) 배의 위치를 측정하고 승무원을 지휘하는 따위의 일을 맡아 하는 선박의 직원. 국가 고시에 합격하여 면허를 얻어야 함.

항ː행(航行) 배나 항공기가 항로를 따라 나아감. **—하다.**

*__해__[1] **1** ⇨태양. (예)해가 뜨다 / 지는 해. ➡ sun **2** 지구가 태양을 한 바퀴 도는 동안. (예)해가 바뀌다. ➡ year **3** 해가 떠서 질 때까지의 동안. (예)해가 길다. **4** 1월부터 12월까지의 열두 달을 한 단위로 세는 말. (예)아무 탈없이 한 해를 보냈다.

해가 서쪽에서 뜨다 절대로 있을 수 없는 일 또는 사물이 뒤바뀜을 강조한 말. (예)새벽부터 일어나 공부를 하다니 내일은 해가 서쪽에서 뜨겠다.

해[2] 입을 조금 벌리고 힘없이 싱겁게 웃는 모양. 또는 그 소리. (예)해 웃다. [큰]헤.

*__해ː__[3](害) 나빠지게 함. (예)건강에 해가 되다 / 해를 입히다. **—하다.**

-해(海) '바다'의 뜻. (예)동해 / 다도해 / 지중해.

해ː갈(解渴) **1** 목마름을 풀어 버림. (예)갈증이 해갈되다. **2** 비가 내려 가뭄을 겨우 면함. (예)어제 내린 비로 겨우 해갈이 되었다. **—하다.**

해ː감(海—) 물속에 생기는, 썩은 냄새가 나는 찌꺼기.

해거름 해가 질 무렵. (예)아침에 나갔다가 해거름에야 돌아오다.

해거리 **1** 한 해를 거름. [비]격년. **2** 과실나무가 한 해를 거르고 다음 해에는 열매가 많이 열리는 일. (예)과실이 해거리로 열리다.

*__해ː결__(解決) 얽힌 일을 풀어서 처리함. 문제를 풀어서 결말을 지음. (예)문제를 해결하다. **—하다.**

해ː결책(解決策) 어떤 일이나 문제를 해결하기 위한 방법. (예)해결책을 찾다.

해ː고(解雇) 고용주가 고용한 사람을 그만두게 함. (예)해고를 당하다. **—하다.**

해골(骸骨) 죽은 사람의 살이 썩고 남은 앙상한 뼈. 또는 그 머리뼈.

해괴망측하다(駭怪罔測—) [해괴망츠카다] 말할 수 없이 괴상하고 야릇하다. (예)해괴망측한 소리.

해괴하다(駭怪—) 크게 놀랄 만큼 괴상하다. (예)해괴한 소문이 돌다.

해ː구[1](海口) 바다의 후미진 곳. 또는 항만으로 들어간 어귀.

해ː구[2](海丘) 바다 밑에 솟아 있는 높이 1,000미터 이하의 언덕.

해ː군(海軍) 바다에서 전투를 맡아 하는 군대. *공군. 육군. ➡ navy

해금(奚琴) 둥근 나무통에 가는 자루를 박고 두 줄의 명주실을 매어, 대나무에 말총을 얹은 활로 비벼서 켜는 현악기. [비]깡깡이.

〈해금〉

해ː금강(海金剛) 강원도 고성군 현내면 일대의 명승지. 송도·불암·대봉·해만물상 따위가 유명함.

해꼬지 '해코지'의 잘못.

*__해ː내다__ 맡은 일이나 문제를 능히 처리하다. (예)맡은 일을 훌륭히 해내

다 / 제 몫을 다 해내다.

해넘이 [해너미] 해가 막 지는 때. 반 해돋이.

해:녀 (海女) 바다 속에 들어가 미역·해삼·전복 따위를 따는 일을 직업으로 하는 여자.

***해님** '해¹1' 를 정답게 일컫거나 높여 부르는 말. 예해님이 방긋 웃다. ×햇님.

해:답 (解答) 질문이나 문제에 대하여 답하거나 어려운 일을 풀어서 밝힘. 또는 그 답. 예해답을 구하다 / 해답을 찾다. 반 문제. 준 답. **—하다.**

***해당** (該當) 바로 들어맞음. 꼭 맞음. 예그 말에 해당되는 영어는 없다. **—하다.**

해당란 (該當欄) [해당난] 어떤 사항에 바로 들어맞는 난. 예해당란에 '○' 를 하시오.

해:당화 (海棠花) 장미과의 낙엽 활엽 관목. 바닷가의 모래땅에서 자라며 줄기에는 가시가 많음. 5월에 짙은 붉은색의 꽃이 핌. 비 때찔레.

〈해당화〉

해:도 (海圖) 바다의 모양과 뱃길, 해류 따위를 자세히 적어 넣은 항해용 지도.

해:독¹ (害毒) 나쁜 영향을 끼치는 요소. 해와 독. 예해독을 끼치다.

해:독² (解毒) 독기를 풀어 없앰. 예해독 작용.

해:독³ (解讀) 읽어서 뜻을 알아냄. 예암호를 해독하다. **—하다.**

해:독제 (解毒劑) [해독쩨] 독기를 풀어 없애는 약.

해돋이 [해도지] 해가 막 떠오르는 때. 예해돋이를 구경하다. 비 일출. 반 해넘이. → [학습마당] 25(아래)

해:동¹ (海東) 발해의 동쪽에 있는 나라라는 뜻으로, 예전에 우리나라를 일컫던 말.

해:동² (解凍) 얼었던 것이 녹아서 풀림. 예냉동 고기를 해동하다. **—하다.**

해:동통보 (海東通寶) 고려 숙종 때(1102년) 사용하였던 우리나라 최초의 엽전.

***해:롭다** (害—) [해롭따] 해가 있을 만하다. 해가 있다. 예담배는 몸에 해롭다. 반 이롭다. 활용 해로워 / 해로우니.

해:류 (海流) 일정한 방향과 속도로 흐르는 바닷물의 흐름. 난류와 한류가 있음.

해:리 (海里) 바다 위의 거리를 나타내는 단위. 1해리는 위도 1° 의

[학습마당] 25

'해돋이' 를 소리 나는 대로 '해도지' 로 적지 않는 까닭

어떤 글자의 받침이 'ㄷ, ㅌ' 이고, 여기에 '-이(-)' 나 '-히-' 가 붙어서 낱말이 될 때, 받침 'ㄷ, ㅌ' 이 'ㅈ, ㅊ' 으로 소리 나더라도 반드시 'ㄷ, ㅌ' 을 받침으로 적음. 그러므로 '해돋이' 가 [해도지]로 소리 나더라도 받침을 받쳐서 '해돋이' 로 적음.

맏이[마지]	마지(×)	땀받이[땀바지]	땀바지(×)
굳이[구지]	구지(×)	살붙이[살부치]	살부치(×)
같이[가치]	가치(×)	여닫이[여다지]	여다지(×)
끝이[끄치]	끄치(×)	닫히다[다치다]	다치다(×)

60분의 1의 길이로, 약 1,852 m임.

해:마 (海馬) 실고깃과의 바닷물고기. 길이는 5-15 cm 정도, 딱딱한 비늘로 덮이고 머리는 말의 머리와 비슷하며, 주둥이는 대롱 모양이고 몸빛은 갈색임.

해마다 그해 그해. [예]해마다 열리는 운동회. [비] 매년.

해말갛다 [해말가타] 얼굴빛 따위가 희고 맑다. [큰] 희멀겋다. [활용] 해말가니 / 해말개서.

해맑다 [해막따] 매우 희고 맑다. [예]해맑은 얼굴. [큰] 희맑다. [발음] 해맑고[해말꼬] / 해맑은[해말근] / 해맑지[해막찌]. → 맑다 [주의]

해맞이 [해마지] **1** 새해를 맞음. **2** 해가 뜨는 것을 구경하거나 맞이하는 일. **—하다.**

해머 (hammer) ⇨망치.

해:면 (海面) 바다의 표면. [예]잔잔한 해면. [비] 해수면.

해:명 (解明) 까닭이나 내용을 풀어서 밝힘. [예]해명에 나서다 / 진상을 해명하다. **—하다.**

해:모수 (解慕漱) 〖인명〗 주몽 설화에 나오는 북부여의 첫 임금. 하느님의 아들로, 하백의 딸 유화와의 사이에 고구려 시조 주몽을 낳았다고 함.

해:몽 (解夢) 꿈을 풀어 좋은 일인지 나쁜 일인지를 가림. [예]그 꿈을 아들을 낳을 꿈이라고 해몽했다. **—하다.**

해묵다 [해묵따] **1** 어떤 물건이 해를 넘기어 오래되다. [예]해묵은 된장. **2** 어떤 일이나 감정이 해결되지 못한 상태로 많은 시간이 지나다. [예]해묵은 감정.

해:물 (海物) '해산물'의 준말.

해:미 읍성 (海美邑城) [—읍썽] 충청남도 서산시 해미면에 있는 옛 성. 조선 성종 22년에 지었으며, 원형 그대로 남아 있음.

***해바라기** 국화과의 한해살이풀. 높이는 2m 정도이며, 잎은 크고 넓은 달걀 모양임. 여름에 크고 노란 꽃이 핌. 씨는 먹거나 기름을 짬.

〈해바라기〉

해박하다 (該博—) [해바카다] 학문이 넓다. 아는 것이 많다. [예]해박한 지식.

해:발 (海拔) 바다 표면에서부터 잰 육지나 산의 높이. [예]북한산은 해발 836 m이다.

***해:방** (解放) 구속이나 억압, 부담 따위에서 벗어남. [예]노예 해방 / 내일이면 시험에서 해방이다. [반] 속박. **—하다.**

해:변 (海邊) 바다와 가까이 닿아 있는 땅. [예]해변의 여인 / 노을 진 해변을 거닐다. [비] 바닷가. ➡ beach

해:병대 (海兵隊) 바다와 육지 어디에서든지 전투를 할 수 있게 특별히 훈련된 부대. 주로 상륙 작전을 수행함.

해:부 (解剖) 생물의 일부나 전부를 갈라서 그 구조나 각 부분 사이의 관계를 연구하는 일. [예]개구리를 해부하다. **—하다.**

해:빙 (解氷) **1** 얼음이 녹음. [예]해빙기. [반] 결빙. **2** 국내나 국제적인 정치 관계 따위에서 긴장이 줄어듦. [예]양국 간의 해빙 분위기가 조성되다. **—하다.**

해사하다 얼굴이 희고 곱다. [예]해사한 얼굴.

해:산[1] (解產) 아이를 낳음. [비] 분만. **—하다.**

해:산[2] (解散) **1** 모였던 사람이 흩어짐. 또는 흩어지게 함. [예]시위대를 강제로 해산시키다. [비] 분산. [반] 집합. **2** 어떤 단체나 조직 등을 해체하여 없앰. [예]국회 해산. **—하다.**

해:산물 (海產物) 바다에서 나는 먹을거리. 생선·조개·해초 따위. ㊟해물.

해:삼 (海蔘) 바다 깊이가 20 m 정도 되는 곳에 사는 바다 동물. 몸은 오이 모양이고, 길이는 15-40 cm 정도. 몸의 빛깔은 밤색·갈색으로 얼룩무늬가 있음.

해:상 (海上) 바다 위. ㉠해상 교통 / 해상에 높은 파도가 일다. ㉡육상.

해:상권 (海上權) [해상꿘] 바다에서 군사·무역·항해 따위에 관하여 가지는 권한.

해:상 무:역 (海上貿易) 배를 이용하여 하는 무역.

해:석 (解釋) 어려운 내용이나 뜻을 알기 쉽게 풀어 설명함. ㉠문장의 뜻을 해석하다. **—하다.**

*__해:설__ (解說) 알기 쉽게 풀어 설명함. 또는 그런 글. ㉠뉴스 해설 / 정답 해설. **—하다.**

해:설자 (解說者) [해설짜] 해설하는 사람.

해:소 (解消) 어려운 일이나 문제를 해결하여 없앰. ㉠갈증을 해소하다 / 불안이 해소되다. **—하다.**

해:송 (海松) 우리나라 중부 이남의 바닷가에서 자라는 소나무의 일종. 껍질이 검은 회색임.

해:수 (海水) 바닷물.

해:수면 (海水面) 바닷물의 표면. ㊊해면.

해:수욕 (海水浴) 바닷물에서 헤엄을 치거나 노는 일. ㉠해수욕을 즐기다. **—하다.**

해:수욕장 (海水浴場) [해수욕짱] 해수욕을 하기에 알맞은 환경과 시설이 갖추어져 있는 바닷가.

해시계 (─時計) [─ / 해시계] 그림자의 길이와 방향으로 대략의 시각을 알 수 있는 장치.

해쓱하다 [해쓰카다] 얼굴에 핏기나 생기가 없어 파리하다. ㉠해쓱한 얼굴. ㊊창백하다.

해:악 (害惡) 해가 되는 나쁜 일. ㉠해악을 끼치다.

*__해:안__ (海岸) 바다와 육지가 맞닿은 곳. ㉠해안 경비대 / 해안 지방. ㊊바닷가. 해변.

해:안선 (海岸線) 바다와 육지가 맞닿아서 길게 뻗은 선.

해:약 (解約) 계약 등으로 성립한 약속을 취소하는 일. ㉠적금을 해약하다. **—하다.**

*__해:양__ (海洋) 크고 넓은 바다.

해:양 경:찰청 (海洋警察廳) 해양수산부 소속으로 해상에서의 경찰 업무를 맡아보는 경찰 조직.

해:양성 기후 (海洋性氣候) [해양썽─] 섬이나 해안 지방에서 주로 나타나는 기후. 기온 차이가 적고 습도가 높으며, 날씨가 흐리고 비가 많음. ㉡대륙성 기후.

해:양 수산부 (海洋水產部) 중앙 행정 기관의 하나. 수산업, 해양 운송, 항만 시설 관리 및 해양 자원 개발 등의 일을 맡아봄.

해:양 자원 (海洋資源) 바다에서 얻어지는 여러 가지 자원.

해어지다 닳아서 떨어지다. ㉠신발이 해어지다. ㊟해지다.

해:역 (海域) 바다 위의 일정한 구역. ㉠청정 해역.

해:열 (解熱) 몸의 열을 내림.

해:열제 (解熱劑) [해열쩨] 병으로 생긴 몸의 열을 내리게 하는 약.

해오라기 ⇨백로².

해:왕성 (海王星) 태양계에서 가장 멀리 떨어져 있는 행성.

*__해:외__ (海外) 바다 밖에 있는 다른 나라. ㉠해외 통신 / 해외에 다녀오다. ㊊국외. ㉡국내.

해:외 동포 (海外同胞) 같은 나라 사람이면서 외국에 사는 사람.

해:운업 (海運業) [해우넙] 바다에

서 사람이나 물건을 배로 실어 나르는 사업.

해:이하다 (解弛—) 마음의 긴장이나 규율 따위가 풀리어 느슨해지다. ㉠방학이 다가오자 아이들 마음이 해이해지기 시작했다.

해:인사 (海印寺) 경상남도 합천군 가야산에 있는 절. 팔만대장경이 보관되어 있음.

해:일 (海溢) 지진이나 화산의 폭발, 태풍 따위로 바다에 큰 물결이 갑자기 일어나 육지로 넘쳐 들어오는 일. → [학습마당] 6(176쪽)

해:임 (解任) 지위나 임무를 내놓게 함. ㉠교장직에서 해임되다. 비 면직. 해직. **—하다.**

해:장 전날의 술기운을 풀기 위하여 해장국 따위와 함께 술을 약간 마심. **—하다.**

해:장국 [해장꾹] 전날의 술기운으로 거북한 속을 풀기 위하여 다음날 아침에 먹는 국.

해:저 (海底) 바다의 밑바닥. ㉠해저 터널.

해:적 (海賊) 배를 타고 다니면서, 다른 배나 해안 지방을 습격하여 재물을 빼앗는 도둑. 반 산적.

해:적선 (海賊船) [해적썬] 해적이 타고 다니는 배.

해:전 (海戰) 바다에서 벌이는 전투. ㉠한산도 해전.

해:제 (解除) 특별한 지시나 금지 따위를 풀어서 자유롭게 함. 또는 이전 상태로 되돌림. ㉠계엄 해제/태풍 경보 해제. **—하다.**

해:조[1] (害鳥) 곡식이나 과실 따위에 해를 끼치는 새. 참새·까마귀 따위. 반 익조.

해:조[2] (海藻) 김·미역·다시마와 같이 바다에서 자라는 식물. 비 바닷말. 해초.

해:주 (海州) 〖지명〗 황해도 도청이 있는 항구 도시. 교통의 중심지로 무역업·수산업이 발달하였고 부용당·신광사·탁열정 따위의 명승지가 있음.

해죽 만족한 태도로 귀엽게 살짝 웃는 모양. 큰 히죽. 센 해쭉.

해:지다 '해어지다'의 준말. ㉠해진 양말을 기워 신다.

해:직 (解職) 직책에서 물러나게 함. ㉠해직 교사. **—하다.**

해:체 (解體) **1** 단체·조직 등을 흩어지게 함. ㉠구단이 야구팀의 해체를 발표했다. **2** 여러 부분을 모아 만든 것을 작은 부분으로 다시 나눔. ㉠낡은 선박을 해체하다.

해:초 (海草) ⇨해조[2].

해:충 (害蟲) 사람이나 농작물 따위에 피해를 주는 벌레. ㉠해충을 박멸하다. 반 익충.

*__해:치다__ (害—) **1** 해롭게 만들다. ㉠담배는 건강을 해친다. **2** 남을 다치게 하거나 죽이다. ㉠강도가 사람을 해치다.

해:치우다 **1** 어떤 일을 빠르고 시원스럽게 끝내다. ㉠숙제를 해치우다/밥 한 그릇을 거뜬히 해치우다. **2** 일의 방해가 되는 대상을 없애 버리다. ㉠혼자서 몇 놈을 해치웠다.

해캄 민물에서 나는 녹색 물풀을 통틀어 일컫는 말. 논·못·늪 따위의 물속에 뿌리 없이 헝클어진 머리카락처럼 떠 있음.

해커 (hacker) 해킹 행위를 하는 사람. ㉠해커가 침입하다.

해:코지 (害—) 남을 해치고자 하는 짓. ×해꼬지. **—하다.**

해킹 (hacking) 남의 컴퓨터 시스템에 침입하여 정보를 빼내거나 프로그램을 파괴하는 일.

해:탈 (解脫) 세상의 욕망·구속·굴레를 벗어난 상태. ㉠해탈의 경지에 이르다. **—하다.**

해:태 옳고 그름을 판단하여 안다고 하는 상상의 동물. 사자와 비슷

하나 머리 가운데에 뿔이 하나 있음. 화재나 재앙을 물리친다 하여 궁궐이나 절간 등의 좌우에 돌로 조각하여 세웠음.

해:파리 해파릿과의 강장동물. 모양은 삿갓 비슷하고 밑에는 많은 촉수가 늘어져 있고, 뒷면 자루의 끝에는 입이 있음. 몸이 흐늘흐늘하고 물 위에 떠서 살며 플랑크톤 따위를 먹음.

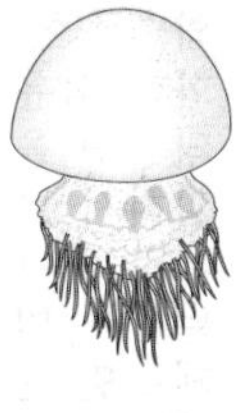
〈해파리〉

해:풍 (海風) 바다에서 육지로 부는 바람. 비 바닷바람. 반 육풍.

해프닝 (happening) 예상하지 않았던 갑작스러운 일. 예 웃지 못할 해프닝이 벌어지다.

해피 엔드 (happy end) 소설·연극·영화 따위에서 결말을 행복하게 끝맺는 일.

해학 (諧謔) 익살스럽고 풍자적인 말이나 행동. 유머. 예 해학과 풍자.

해:협 (海峽) 육지 사이에 끼어 있는 좁고 긴 바다. 예 대한 해협.

핵 (核) **1** 세포의 중심에 있는 알갱이. **2** 사물이나 현상 따위의 중심이 되는 것. **3** ⇨원자핵.

핵가족 (核家族) [핵까족] 부부와 결혼하지 않은 자녀만으로 구성된 가족. 반 대가족.

핵무기 (核武器) [행무기] 원자핵이 갈라지거나 합쳐질 때 생기는 힘을 이용하여 폭발하게 만든 무기. 원자 폭탄이나 수소 폭탄 따위. 비 핵병기.

핵심 (核心) [핵씸] 사물의 가장 중심이 되는 부분. 예 문제의 핵심을 찌르다. 비 알맹이. 알속.

핵폭탄 (核爆彈) 핵반응이 일어날 때 생기는 엄청난 에너지를 이용하여 만든 폭탄. 원자 폭탄이나 수소 폭탄 따위.

핸드백 (handbag) 여성들이 손에 들거나 어깨에 메고 다니는 작은 가방. 손가방.

핸드볼 (handball) 구기의 하나. 7명을 한 팀으로, 공을 손으로 주고받거나 몰아서 상대편 골에 던져 넣어 승부를 가리는 경기. 송구.

핸드폰 (hand+phone) 몸에 지니고 다니면서 사용할 수 있는 소형 무선 전화기. 휴대 전화.

핸들 (handle) 자동차·자전거·배 따위를 운전하거나 작동하는 손잡이. 비 운전대.

핸디캡 (handicap) 남보다 불리한 조건. 예 핸디캡을 극복하다.

핼쑥하다 [핼쑤카다] 얼굴에 핏기가 없고 파리하다. 예 밤새 앓더니 얼굴이 핼쑥해졌다. 비 창백하다.

햄 (ham) 돼지고기를 소금에 절여 훈제한 가공 식품.

햄릿 (Hamlet) 〖책〗 셰익스피어의 4대 비극의 하나. 덴마크의 왕자 햄릿이, 왕인 아버지를 독살하고 어머니와 결혼한 숙부에 대해 복수를 하고 자신도 죽는다는 이야기.

햄버거 (hamburger) 둥근 빵 사이에 다져서 구운 쇠고기와 채소와 양념 따위를 끼운 음식.

햄스터 (hamster) 비단털쥣과의 하나. 몸의 길이는 12-16 cm이며, 꼬리와 다리가 짧고 몸의 위쪽은 주황색, 아래쪽은 회백색이고 앞가슴에 암갈색의 반점이 있음. 의학 실험용으로 쓰는데 요즈음에는 애완동물로 기르기도 함.

햅쌀 그해에 새로 난 쌀.

햇- [핻] 주로 농산물 이름 앞에 붙어서, '그해에 새로 난'의 뜻을 나타내는 말. 예 햇과일 / 햇고추.

햇곡식 (—穀食) [핻꼭씩] 그해에 새로 난 곡식. 준 햇곡.

햇과일 [핻꽈일] 그해에 새로 난 과일. 비 햇과실.

햇님 '해님'의 잘못.

햇무리 [핸무리] 해의 둘레에 둥그렇게 테를 이룬 빛. ㉾햇물.

햇발 [해빨/핻빨] 사방으로 뻗친 햇살. ㉥아침 햇발이 눈부시다.

햇병아리 [핻뼝아리] **1** 깐 지 얼마 안 되는 어린 병아리. **2** 경험이 없어 일에 서투른 사람. ㉥대학을 갓 졸업한 햇병아리 교사.

*__햇볕__ [해뼏/핻뼏] 해가 내리쬐는 뜨거운 기운. ㉥햇볕에 그을다. ㉾볕. 발음 햇볕이[해뼈치]/햇볕에[해뼈테]/햇볕을[해뼈틀].

> 주의 **햇볕과 햇빛**
> '햇볕'은 햇빛으로 말미암아 생기는 뜨거운 기운을 이르는 말이며, '햇빛'은 해의 빛, 곧 일광(日光)을 말한다.
> { 햇볕에 옷을 말리다(○) / 햇빛에 옷을 말리다(×) }
> { 햇볕이 따갑다(○) / 햇빛이 따갑다(×) }
> { 햇빛이 비치다(○) / 햇볕이 비치다(×) }
> { 햇빛에 눈이 부시다(○) / 햇볕에 눈이 부시다(×) }

햇보리 [핻뽀리] 그해에 처음 난 보리.

*__햇빛__ [해삗/핻삗] 해의 빛. ㉥햇빛을 가리다. ㉥일광. →햇볕 주의

*__햇살__ [해쌀/핻쌀] 해가 내쏘는 광선. ㉥눈부신 햇살.

햇수 (—數) [해쑤/핻쑤] 해의 수. ㉥근무 햇수/결혼한 지 햇수로 3년이다. ㉥연수.

행 (行) 글의 가로 또는 세로의 줄. ㉥행을 바꾸다.

-행 (行) 어떤 말 뒤에 붙어 '그리로 감'의 뜻을 나타내는 말. ㉥부산행/서울행.

행간 (行間) 글의 줄과 줄 사이. 행과 행 사이. ㉥행간을 넓히다.

행군 (行軍) 군인이나 많은 사람이 줄을 지어 먼 거리를 걸어감. ㉥행군을 멈추다. **—하다.**

행글라이더 (hang glider) 금속제의 틀에 화학 섬유의 천을 입혀서 날개로 삼아 날 수 있게 만든 기구.

〈행글라이더〉

*__행동__ (行動) 몸을 움직여서 어떤 동작을 하거나 일을 함. ㉥단체 행동/행동으로 옮기다/행동이 민첩하다. ㉥행위. **—하다.** ➲act

행랑 (行廊) [행낭] 대문간에 붙어 있는 방으로, 예전에 하인들이 거처하던 방.

행랑채 (行廊—) [행낭채] 행랑으로 쓰는 따로 지은 집채.

행렬 (行列) [행녈] 여럿이 줄지어 감. 또는 그 줄. ㉥시위 행렬/행렬을 짓다.

행마 (行馬) 바둑·장기 따위에서, 말을 씀. **—하다.**

행방 (行方) 간 곳이나 방향. ㉥행방을 감추다. ㉥종적.

행방불명 (行方不明) 간 곳이나 있는 곳을 몰라 찾을 수 없음. ㉥목격자가 행방불명되다.

*__행:복__ (幸福) 걱정이 없고 마음이 흡족하여 즐거운 상태. ㉥행복한 가정. ㉥불행. **—하다.** ➲happy **—스럽다.** ➲happiness

행사[1] (行使) 권리나 권력, 힘 따위를 실제로 사용하는 일. ㉥국민의 권리를 행사하다. **—하다.**

*__행사__[2] (行事) 정해진 계획대로 일을 행함. 또는 그 일. ㉥기념 행사/학교 행사에 참여하다.

행사장 (行事場) 행사를 치르는 장

소. ㉠행사장이 관객들로 붐비다.

행상(行商) 이곳저곳 돌아다니며 물건을 파는 장사. 또는 그 사람. ㉠채소 행상. ㊊행상인. **—하다.**

행색(行色) 겉으로 드러난 차림새나 모습. ㉠행색이 초라하다.

행선지(行先地) 가는 곳. ㉠행선지를 바꾸다.

행성(行星) 태양의 둘레를 도는 별들. 수성·금성·지구·화성·목성·토성·천왕성·해왕성의 여덟 별. ㊊떠돌이별. 혹성. ㊎항성.

행세[1](行世) 해당되지 않는 사람이 어떤 당사자인 것처럼 행동함. ㉠그는 주인 행세를 하며 손님을 맞았다. **—하다.**

행세[2](行勢) 권세를 부림. 또는 그 태도. ㉠행세하는 집안 / 마을에서 행세하는 사람. **—하다.**

행실(行實) 평소에 하는 행동. ㉠행실이 바른 학생 / 행실이 나쁘다. ㊊품행.

행:여(幸—) 어쩌다가 혹시. ㉠추운 날씨에 행여 감기라도 들까 걱정된다 / 행여 남이 볼까 두렵다.

행:여나(幸—) '행여'를 강조하는 말. ㉠행여나 좋은 소식이 오지 않을까 하고 기다리다.

행:운(幸運) 좋은 운수. ㉠행운을 빌다 / 행운을 잡다 / 행운이 따르다. ㊎불운.

행:운아(幸運兒) [행우나] 행운을 만나 모든 일이 잘되어 가는 사람.

행위(行爲) 사람이 의지를 가지고 하는 짓. ㉠부도덕한 행위 / 자기 행위에 책임을 지다. ㊊행동.

행인(行人) 길을 가는 사람. ㉠행인에게 길을 묻다.

행장(行裝) 여행할 때 필요한 여러 가지 물건. ㉠행장을 챙기다.

행적(行績〔蹟〕) **1** 행동의 자취나 실적. ㉠행적을 감추다. **2** 평생에 한 일이나 업적. ㉠그는 미술계에 커다란 행적을 남겼다.

*__행정__(行政) 삼권의 하나. 법률에 따라 국가의 정치를 행하는 일. *입법. 사법.

행정 구역(行政區域) 행정 기관의 권한이 미치는 범위를 정한 지역. 특별시·광역시·시·도·군·읍·면·동·리 따위.

행정부(行政府) 행정을 맡아보는 국가 기관. ㊊정부.

행정 자치부(行政自治部) 중앙 행정 기관의 하나. 행정 기관의 관리, 법령의 공포, 선거, 치안 등에 관한 일을 맡아봄.

행정 재판(行政裁判) 행정 기관이 한 일 때문에 개인이 손해를 입었을 때, 국가를 상대로 손해 배상을 청구하는 재판.

행주 밥상이나 그릇 따위를 훔치거나 씻을 때 쓰는 헝겊. ㉠행주로 식탁을 훔치다.

행:주 대:첩(幸州大捷) 임진왜란 때 권율 장군이 행주산성에서 1 만의 군사로 왜군 3만과 싸워 크게 승리한 싸움.

행:주산성(幸州山城) 경기도 고양시에 있는 성. 임진왜란 때 권율 장군이 왜군을 크게 물리친 곳.

행주치마 부엌일을 할 때 옷이 더럽혀지지 않게 덧입는 치마. ㉠행주치마를 두르다. ㊊앞치마.

행진(行進) 여러 사람이 줄을 지어 앞으로 나아감. ㉠시가 행진 / 구호를 외치며 행진하다. **—하다.**

행진곡(行進曲) 행진할 때 연주하는 음악.

행차(行次) '웃어른이 길을 가는 것'을 높여서 일컫는 말. ㉠신하들은 왕의 행차를 따랐다. **—하다.**

행태(行態) 하는 짓이나 몸가짐. 행동하는 모양. ㉠비도덕적인 행태를 보이다.

행패(行悖) 거칠고 버릇없는 짓을

함. 또는 그런 언행. ㉺행패를 일삼다 / 마구 행패를 부리다.
***행하다** (行—) 마음먹은 대로 해 나가다. ㉺모험을 행하다.
향 (香) **1** ⇨향기. ㉺커피의 향이 진하다. **2** 장례식이나 제사 때 피우는 향내 나는 물건. ㉺향을 피우다.
향가 (鄕歌) 신라 중엽에서 고려 초기에 민간에 널리 퍼졌던 우리나라 고유의 시가. 모두 향찰로 기록되어 있으며, 25수가 전해 옴.
향교 (鄕校) 고려·조선 때 지방에 있었던, 공자를 모신 사당과 이에 딸린 학교.
향긋하다 [향그타다] 은근히 향기로운 느낌이 있다. ㉺향긋한 냄새.
***향기** (香氣) 꽃·향수 따위에서 나는 좋은 냄새. ㉺향기가 좋은 꽃 / 향기를 풍기다. 비 향.
향기롭다 (香氣—) [향기롭따] 향기가 있다. ㉺향기로운 냄새. 활용 향기로워 / 향기로우니.
향나무 (香—) 측백나뭇과의 상록 침엽 교목. 산기슭이나 평지에 나며, 높이 15 m가량으로 껍질은 붉은 갈색임. 정원에 많이 심으며, 조각·가구·향료·약 따위에 쓰임.
향낭 (香囊) 향을 넣어 차고 다니는 주머니.
향내 (香—) **1** 향기로운 냄새. ㉺향내를 풍기다. 비 향기. 본 향냄새. **2** 향의 냄새. ㉺빈소에는 향내가 가득했다.
향:년 (享年) 한평생을 살아 누린 나이. 죽을 때의 나이를 말할 때 씀. ㉺향년 90세로 생애를 마치다.
향:락 (享樂) [향낙] 즐거움을 누림. ㉺향락에 빠지다.
향로 (香爐) [향노] 향을 피우는 자그마한 화로.

〈향로〉

향료 (香料) [향뇨] 식품이나 화장품 따위에 넣어 향기를 내는 데 쓰는 물질.
향리 (鄕吏) [향니] 한 고을에 대를 이어 내려오던 아전.
향:방 (向方) 향하여 가는 방향. ㉺여론의 향방을 주목하다.
향불 (香—) [향뿔] 향을 태우는 불. ㉺제사상 앞에 향불을 피우다.
향:상 (向上) 수준이나 실력, 기술 따위가 점점 나아짐. ㉺생활수준 향상 / 성적이 날로 향상되다. 비 진보. 반 저하. **—하다.**
향수[1] (鄕愁) 고향을 그리워하는 마음. ㉺향수에 젖다.
향수[2] (香水) 향기로운 냄새가 나는 화장품의 한 가지. ㉺향수를 뿌리다.
향수병 (鄕愁病) [향수뼝] 고향을 간절하게 그리워하는 마음.
향신료 (香辛料) [향신뇨] 음식물에 맵거나 향기로운 맛을 더하는 조미료. 겨자·고추·깨·후추·파·마늘 따위.
향악 (鄕樂) 우리나라 고유의 음악.
향약 (鄕約) 조선 때 농촌에서 서로 돕고 이끌어 주며 힘을 뭉치게 할 목적으로 만든 자치 규약.
향약구급방 (鄕藥救急方) [향약꾸급빵] 〖책〗 고려 고종 때 펴낸 한 방책. 현재 남아 있는 것은 조선 태종 때 다시 펴낸 것으로 우리나라에서 가장 오래된 한방책임.
향:연 (饗宴) 특별히 잘 베풀어 손님을 대접하는 잔치. ㉺향연을 베풀다 / 성대한 향연을 준비하다.
향:유 (享有) 누리어 가짐. ㉺자유를 마음껏 향유하다. **—하다.**
향찰 (鄕札) 신라 때 한자의 음과 뜻을 빌려 우리말을 적던 표기법. 주로 향가를 기록하였음.
향토 (鄕土) 시골. 고향 땅. ㉺향토 음식.

향토색 (鄕土色) 그 지방에서만 볼 수 있는 특색. ㉠향토색이 짙은 문학 작품. 비 지방색.

향토애 (鄕土愛) 고향에 대한 사랑. ㉠향토애를 기르다.

향피리 (鄕—) 피리의 한 가지. 당피리와 같으나 여덟 개 구멍 중 둘째 구멍이 뒤에 있음. →피리 참고

***향:하다** (向—) **1** 바라보다. ㉠국기를 향하여 서다. **2** 마음을 기울이다. **3** 어떤 곳으로 가다. ㉠집으로 향하다.

향학 (鄕學) 고려 때 두었던 지방의 교육 기관. 인종 때 각 지방에 널리 세워졌음. 우수한 사람은 국자감에 진학했음.

향:학열 (向學熱) [향항녈] 열심히 배우려는 열성. ㉠향학열에 불타다 / 향학열이 높다.

향합 (香盒) 제사 때에 피우는 향을 담아 두는 그릇. 사기나 놋쇠 따위로 동글납작하게 만드는데 위아래 짝으로 되어 있음.

향:후 (向後) 이 뒤. 이다음. ㉠향후 3년간 무료 수리를 보장한다.

허[1] (虛) ⇨허점. ㉠허를 보이다 / 상대방의 허를 찌르다.

허[2] 안타깝거나 놀랍거나 걱정스러울 때 내는 소리. ㉠허, 이거 야단났네. 작 하.

허가 (許可) 허락함. 들어줌. ㉠영업 허가. 비 승낙. 반 금지. 불허. **—하다.**

허겁지겁 [허겁찌겁] 조급한 마음에 정신없이 서두르는 모양. ㉠허겁지겁 뛰어가다. **—하다.**

허공 (虛空) 텅 빈 공중. ㉠허공 속으로 사라지다.

허구 (虛構) **1** 실제로 없는 일을 사실처럼 꾸며 만듦. ㉠소문은 허구로 밝혀졌다. **2** 소설·희곡 따위에서, 실제로 없는 일을 꾸며 내는 일. 또는 그 이야기. 픽션.

허구하다 (許久—) 날이나 세월 따위가 매우 오래이다. ㉠그 사람은 허구한 날 놀고먹기만 한다.

허균 (許筠) 〖인명〗 조선 선조·광해군 때의 정치가·소설가. 서자를 차별하는 제도에 반대하다가 비참한 생애를 마침. 많은 저서가 있는데, 특히 소설 '홍길동전'은 우리나라 최초의 한글 소설로 그 가치가 매우 큼. [1569~1618]

허기 (虛飢) 굶어서 몹시 배고픈 느낌. ㉠허기가 지다 / 허기를 때우다 / 허기를 채우다.

허기지다 (虛飢—) 배가 몹시 고파 기운이 빠지다. ㉠허기진 배를 채우다 / 허기져 쓰러질 것 같다.

허깨비 실제로는 없는데 있는 것처럼 보이는 물체. ㉠눈에 허깨비가 보이다. 비 헛것.

허난설헌 (許蘭雪軒) 〖인명〗 조선 때의 여류 작가. 한시를 잘 지었음. 작품에 '규원가', '유선시' 등이 있음. [1563~1589]

허다하다 (許多—) 매우 많다. ㉠그런 일은 허다하게 볼 수 있다. 비 수두룩하다.

허덕거리다 [허덕꺼리다] **1** 숨이 차도록 애쓰다. ㉠허덕거리며 뛰어가다. **2** 쩔쩔매다. ㉠경영난에 허덕거리다.

허덕이다 [허더기다] 힘에 겨워서 괴로워하며 애쓰다. ㉠가난에 허덕이다 / 자금난으로 허덕이다.

허둥거리다 방향·방법을 모르거나 정하지 못하여 갈팡질팡하다. ㉠시간에 쫓겨 허둥거리며 달려가다. 작 하동거리다.

허둥대다 ⇨허둥거리다.

허둥지둥 마음이 급하여 어찌할 바를 모르고 허둥거리는 모양. ㉠허둥지둥 달아나다. **—하다.**

허드레 허름하고 중요하지 않아 함부로 쓸 수 있는 물건. ㉠허드레로

입는 옷.

허드렛물 [허드렌물] 먹지 않고 아무 데나 두루 쓰는 물. (예)빗물을 받아 허드렛물로 쓴다.

허드렛일 [허드렌닐] 중요하지 않은 일. [비]잡역. × 허드레일.

허들 (hurdle) **1** 장애물 달리기에서 쓰는 장애물. 금속이나 나무로 만들며 가장 높은 것이 106.7 cm임. **2** '허들 레이스'의 준말.

〈허들 1〉

허들 레이스 (hurdle race) ⇨장애물 달리기. [준]허들.

허락 (許諾) 부탁하거나 원하는 일을 들어줌. (예)아들의 결혼을 허락하다. [비]승낙. 허가. **—하다.**

허례 (虛禮) 겉으로만 꾸미는 형식적인 예절.

허례허식 (虛禮虛飾) 예절·형식 등을 실속 없이 겉으로만 꾸며 번드레하게 하는 일.

허름하다 **1** 낡거나 값이 좀 싼 듯하다. (예)허름한 옷. **2** 사람이나 물건이 표준에 좀 미치지 못한 듯하다. (예)허름한 물건.

***허리** 사람이나 짐승의 갈빗대 아래에서 엉덩이 위의 잘록한 부분. (예)허리를 구부리다.

허리를 굽히다 ㉠정중히 인사하다. ㉡남을 겸손한 태도로 대하다.

허리를 펴다 어려운 고비를 넘겨 형편이 좋아지다. (예)돈을 벌어야 허리를 펴지.

허리끈 허리띠로 쓰는 끈.

허리띠 바지 따위가 흘러내리지 않게 옷의 허리 부분에 둘러매는 띠. 벨트.

허리띠를 졸라매다 ㉠아끼며 검소하게 살다. ㉡새로운 결의와 단단한 각오로 일을 시작하다. ㉢배고픔을 참다.

허리뼈 허리를 이루는 뼈.

허리춤 바지 따위의 옷에서, 허리의 안쪽 부분. (예)허리춤에 손을 찔러 넣다 / 치맛자락의 한끝을 허리춤에 찌르다. [준]춤.

허리케인 (hurricane) 북대서양 서부에서 발생하는 열대성 저기압. 태풍과 비슷하며 북아메리카에 큰 피해를 줌.

허망하다 (虛妄—) 어이없고 허무하다. (예)기대가 허망하게 무너지다 / 허망하게 죽다.

허무 (虛無) 아무런 의미나 가치가 없게 느껴져 매우 허전하고 쓸쓸함. 덧없음. (예)허무한 인생. **—하다.**

허무맹랑하다 (虛無孟浪—) [허무맹낭하다] 거짓되고 터무니없다. (예)허무맹랑한 소문.

허물[1] **1** 살갗에서 저절로 일어나는 꺼풀. (예)허물이 벗겨진 데가 아프다. **2** 뱀·매미 따위가 자라면서 벗는 껍질. (예)뱀이 허물을 벗다.

허물[2] **1** 잘못한 일. (예)허물을 덮어 주다. [비]과실. 실수. **2** ⇨흉1.

허물(을) 벗다 누명에서 벗어나다.

허물다 쌓이거나 짜인 물건을 헐어서 무너뜨리다. (예)낡은 집을 허물다. [활용]허물어 / 허무니 / 허무는.

허물어지다 [허무러지다] 쌓인 물건이나 짜인 것이 흩어져 무너지다. (예)담이 허물어지다.

허물없다 [허무럽따] 서로 아주 친하여 체면을 차릴 필요가 없다. (예)둘은 허물없는 사이이다.

허물없이 [허무럽씨] 허물없게. (예)이웃과 허물없이 지내다.

허밍 (humming) 입을 다물고 코로 소리를 내어 노래를 부르는 창법. 합창에 많이 씀.

허방 땅바닥이 갑자기 움푹 패어 빠지기 쉬운 곳. (예)허방에 빠지다 /

허방을 딛다.
허벅다리 [허벅따리] 넓적다리의 위쪽 부분.
허벅지 [허벅찌] 허벅다리 안쪽의 살이 많은 부분.
허비 (虛費) 헛되게 써 버림. 또는 그 비용. ㉠돈을 허비하다 / 시간을 허비하다. **—하다.**
허사 (虛事) 쓸데없는 일. ㉠모든 노력이 허사가 되다. 비 헛일.
허상 (虛像) 실제 없는 것이 있는 것처럼 나타나 보이거나 실제와는 다르게 보이는 모습. ㉠허상을 보다 / 허상에 사로잡히다.
허생전 (許生傳) 〘책〙 조선 정조 때 박지원이 지은 한문 소설. 당시의 허약한 국가 경제를 비판하고 양반의 무능함을 지적하였음.
허세 (虛勢) 실제로 아무 힘도 없는 기세. ㉠허세를 부리다.
허송세월 (虛送歲月) 하는 일 없이 세월만 헛되이 보냄. ㉠허송세월을 보내다. **—하다.**
허송하다 (虛送—) 시간 따위를 헛되이 보내다. ㉠술과 도박으로 아까운 세월을 허송하다.
허수아비 곡식을 해치는 새나 짐승 따위를 쫓기 위해 논밭에 세워 놓는 물건. 막대기·짚 따위로 사람처럼 만듦.
허술하다 **1** 엉성하여 빈틈이 있다. ㉠경비가 허술하다. **2** 낡고 헐어서 보잘것없다. ㉠허술한 옷차림.
허술히 허술하게. ㉠허술히 봤다간 큰코다친다.
허식 (虛飾) 실속 없이 겉만 꾸밈. ㉠허식 없이 진실하게 사람들을 대하다. 비 겉치레.
허심탄회 (虛心坦懷) 아무 욕심이 없고 마음에 거리낌이 없음. ㉠허심탄회하게 이야기하다. **—하다.**
허약 (虛弱) 기운이나 힘이 약함. ㉠허약 체질. **—하다.**
허여멀겋다 [허여멀거타] 살결이 희고 깨끗하다. ㉠얼굴이 허여멀겋다. 작 하야말갛다. 활용 허여멀거니 / 허여멀게서.
허영 (虛榮) **1** 분수에 넘치고 겉으로만 보이는 부와 명예. **2** 지나친 겉치레. ㉠허영에 들뜨다.
허영심 (虛榮心) 허영에 들뜬 마음. ㉠허영심을 부추기다.
허ː옇다 [허여타] 산뜻하지 않게 희다. ㉠머리가 허옇다. 작 하얗다. 활용 허여니 / 허예서.
허욕 (虛慾) 헛된 욕심. 분수에 넘치는 일을 바라는 마음. ㉠허욕을 부리다.
허용 (許容) 허락하여 너그럽게 받아들임. ㉠학생들의 출입을 허용하다. **—하다.**
허우대 보기 좋게 큰 몸집. ㉠허우대가 좋다. ×허위대.
허우적거리다 [허우적꺼리다] 위험한 곳에서 빠져나오려고 손발을 내두르며 몸부림치다. ㉠물에 빠져 허우적거리다. ×허위적거리다.
허울 실속이 없는 겉모양. ㉠허울만 그럴듯하다.
허울 좋다 실속이 없이 겉으로 보기에만 번지르르하다.
허위 (虛僞) ⇨거짓. ㉠허위 보도. 반 사실. 진실.
허장성세 (虛張聲勢) 실속 없이 허세를 부림. ㉠허장성세를 일삼다. **—하다.**
허전하다 **1** 속이 텅 비고 아무것도 없다. **2** 무엇을 잃은 것처럼 쓸쓸하고 서운한 느낌이 있다. ㉠친구가 전학을 가서 허전하다.
허점 (虛點) [허쩜] 빈틈이 많은 부분. 불충분한 점. ㉠상대 팀의 허점을 파고들다. 비 허. 약점.
허준 (許浚) 〘인명〙 조선 선조 때의 한의학자. 전의(임금과 왕족을 진료하는 의사)로 있으면서 선조의 명을 받아 의학 책을 편찬하였으며 의학 책의 번역에도 업적이 큼. 저서에 '동의보감'이 있음. [1546-1615]

허탈(虛脫) 몸에 기운이 빠지고 정신이 멍해지는 상태. ㉠허탈한 기분 / 허탈하게 웃다. **—하다.**

허탕 아무 소득이 없는 일.

허탕(을) 치다 아무런 소득이 없게 되다. ㉠친구가 약속 장소에 나오지 않아 허탕 치고 돌아왔다.

허투루 아무렇게나 되는대로. ㉠말을 허투루 하다. 비 함부로.

허튼 어떤 말 앞에 쓰이어 '헤픈, 함부로 하는' 등의 뜻을 나타냄. ㉠그의 허튼 말을 곧이듣지 마라.

***허파** 호흡을 맡아보는 기관. 가슴 양쪽에 있음. 비 폐.

허파에 바람 들다 실없이 행동하거나 지나치게 자꾸 웃어 대다.

허풍(虛風) 실제보다 너무 과장하여 믿을 수 없는 말이나 행동. ㉠허풍이 센 사람 / 허풍을 떨다. 준 풍.

허풍(을) 치다 실제와 맞지 않게 너무 과장하여 말하다.

허하다(虛—) **1** 옹골차지 못하고 약하다. ㉠몸이 몹시 허하다. **2** 속이 비다. ㉠배 속이 허하다.

허허[1] 입을 벌리고 거리낌 없이 크게 웃는 소리. 또는 그 모양. 작 하하. **—하다.**

허허[2] 몹시 놀라거나 슬퍼서 기가 막힐 때 탄식하며 내는 소리. ㉠허허, 그가 죽다니.

허허벌판 끝없이 넓은 벌판. ㉠그늘 하나 없는 허허벌판이었다.

허황하다(虛荒—) 거짓되고 근거가 없어 믿을 수 없다. ㉠허황한 꿈 / 허황한 소문.

헉 몹시 놀라거나 겁에 질려서 숨을 들이마셔 호흡을 그치는 소리. 또는 그 모양.

헉헉[허컥] 헉헉거리는 모양이나 소리. ㉠헉헉 숨을 몰아쉬다.

헉헉거리다[허컥꺼리다] 몹시 놀라거나 숨이 차서 자꾸 숨을 몰아쉬다. 또는 자꾸 그런 소리를 내다. ㉠숨을 헉헉거리다.

***헌:** 오래된. 낡은. ㉠헌 가구 / 헌 옷. 반 새.

헌:것[헌걷] 낡거나 오래된 물건. 반 새것.

헌:금(獻金) 돈을 바침. 또는 그 돈. ㉠헌금을 내다. **—하다.**

헌:납(獻納) 돈이나 물건을 바침. ㉠재산을 헌납하다. **—하다.**

헌:데 살갗이 헐어서 상한 자리. 비 부스럼.

헌:법(憲法)[헌뻡] 나라를 다스리는 데 근본이 되는 법. 다른 법률이나 명령으로 바꿀 수 없음.

헌:법 재판소(憲法裁判所)[헌뻡째판소] 어떤 일이 헌법에 맞는 것인가를 심판하는 사법 기관.

헌:병(憲兵) 군대에서 경찰 역할을 하는 군인.

헌:병대(憲兵隊) 군대에서 경찰 업무를 맡아보는 부대.

헌:신(獻身) 자기를 돌보지 않고 몸과 마음을 바쳐 있는 힘을 다함. ㉠헌신의 노력 / 평생을 사회사업에 헌신하다. **—하다.**

헌:신적(獻身的) 헌신하는 정신으로 일하는 (것). ㉠헌신적 노력 / 어머니의 헌신적인 사랑.

헌:신짝 오래 신어서 낡아 못 신게 된 신발.

헌신짝 버리듯 요긴하게 쓰고 나서는 아무 거리낌 없이 내버림을 이르는 말.

헌:장(憲章) 국가 등에서, 어떤 행동의 기준으로 삼기 위하여 정한 원칙. ㉠어린이 헌장 / 국민 교육 헌장.

헌칠하다 키와 몸집이 보기 좋게 어울리도록 크다. ㉠허우대가 헌칠한 사람 / 키가 헌칠하다.

헌ː혈 (獻血) 피가 모자라는 환자를 위하여 건강한 사람이 피를 뽑아 주는 일. ㉠헌혈 운동. **―하다.**

헌ː화 (獻花) 신이나 죽은 사람의 영전에 꽃을 바침. **―하다.**

헐값 (歇―) [헐깝] 그 물건이 지니는 값보다 훨씬 싼 값. ㉠집을 헐값에[헐깝쎄] 사다 / 헐값으로[헐깝쓰로] 팔다.

헐겁다 [헐겁따] 낄 물건보다 낄 자리가 너르다. ㉠병마개가 헐겁다. [활용] 헐거워 / 헐거우니.

헐ː다[1] **1** 부스럼이나 상처 따위가 나서 살이 짓무르다. ㉠입 안이 헐다. **2** 오래되거나 많이 써서 낡아지다. ㉠집이 많이 헐었다. [활용] 헐어 / 허니 / 허는.

헐ː다[2] **1** 집이나 쌓아 놓은 물건을 무너뜨리다. ㉠헌 집을 헐다. **2** 모아 둔 물건이나 돈 따위를 꺼내서 쓰기 시작하다. ㉠저금통을 헐다. [활용] 헐어 / 허니 / 허는.

헐떡거리다 [헐떡꺼리다] 자꾸 헐떡이다. ㉠숨을 헐떡거리며 달려오다. [작] 할딱거리다.

헐떡이다 [헐떠기다] **1** 숨을 가쁘고 거칠게 쉬다. ㉠어깨를 들썩거리며 숨을 헐떡이다. **2** 신발 따위가 너무 커서 벗겨지다. [작] 할딱이다.

헐ː뜯다 [헐뜯따] 남을 깎아내리거나 해치는 말을 하다.

헐렁하다 **1** 꼭 맞지 않고 크거나 헐겁다. ㉠바지가 헐렁하다. **2** 행동이 조심스럽지 않고 미덥지 못하다. [작] 할랑하다.

헐렁헐렁하다 **1** 매우 헐거운 듯한 느낌이 있다. ㉠옷이 헐렁헐렁하다. **2** 행동이 조심스럽지 않고 매우 미덥지 못하다. ㉠사람이 헐렁헐렁하다. [작] 할랑할랑하다.

헐레벌떡 급히 달리거나 서둘러서 숨이 가빠 헐떡거리는 모양. ㉠헐레벌떡 달려왔다. [작] 할래발딱. **―하다. ―거리다.**

헐리다 집이나 건물 따위가 무너뜨림을 당하다. ㉠집이 헐리다.

헐ː벗다 [헐벋따] **1** 가난하여 해진 누더기를 입고 있다. ㉠헐벗고 굶주리던 시절. **2** 산에 나무가 없다. ㉠산과 들이 헐벗다.

헐하다 (歇―) 값이 시세보다 싸다. ㉠값이 너무 헐하다.

험ː난하다 (險難―) **1** 다니기에 위험하고 어렵다. ㉠험난한 산길. **2** 험하여 고생스럽다. ㉠세상살이가 험난하다.

험ː담 (險談) 남을 헐뜯는 말. ㉠험담을 늘어놓다 / 험담을 퍼붓다. **―하다.**

험ː상궂다 (險狀―) [험상굳따] 생김새가 사납고 험하다. ㉠험상궂은 얼굴 / 험상궂게 생기다.

험ː악하다 (險惡―) [허마카다] **1** 길이나 날씨 따위가 험하고 나쁘다. ㉠날씨가 험악하다. **2** 성질이나 인심, 생김새 따위가 흉악하다. ㉠험악한 세상 / 인상이 험악하다. **3** 형세 따위가 매우 나쁘다. ㉠험악한 분위기.

험ː준하다 (險峻―) 산이나 길이 험하며 높고 가파르다.

험ː하다 (險―) **1** 길 따위가 다니기 어렵다. ㉠험한 산길. **2** 생김새가 보기 싫게 험상스럽다. ㉠험한 얼굴. **3** 말이나 행동 따위가 막되다. ㉠차를 험하게 몰다. **4** 일 따위가 거칠고 힘에 겹다. ㉠험한 일.

헙수룩하다 [헙쑤루카다] **1** 머리털이나 수염이 자라서 텁수룩하다. **2** 옷차림이 허름하다.

헛- [헏] 다른 말 앞에 붙어, 소용이 없거나 속이 비었거나 참되지 못함을 나타내는 말. ㉠헛나이 / 헛살다.

헛간 (―間) [헏깐] 잡동사니 등을 넣어 두는 문짝이 없는 광.

헛갈리다 [헏깔리다] 마구 뒤섞여

분간할 수가 없다. ㉠앞뒤 순서가 헛갈리다.
헛걸음 [헏꺼름] 목적을 이루지 못하고 헛되이 돌아오거나 가는 일. ㉠친구를 만나러 갔다가 헛걸음만 했다. **—하다.**
헛것 [헏껃] **1** 쓸데없는 일. ㉠말짱 헛것이다. 비 헛일. **2** ⇨허깨비. ㉠헛것을 보다.
헛고생 (—苦生) [헏꼬생] 아무 보람도 없는 힘든 일. ㉠종일토록 헛고생만 했다. **—하다.**
헛구역질 (—嘔逆—) [헏꾸역찔] 게우는 것도 없이 구역질만 하는 일. ㉠헛구역질이 나다. **—하다.**
헛기침 [헏끼침] 인기척을 내기 위해 일부러 하는 기침. ㉠몇 번인가 헛기침을 하였으나 대답이 없었다. **—하다.**
헛다리 [헏따리] 대상을 잘못 파악하고 일을 그르치는 일. ㉠헛다리를 짚다.
헛돌다 [헏똘다] 바퀴 따위가 앞으로 굴러 나가지 못하고 제자리에서 돌다. ㉠차바퀴가 헛돌다. 활용 헛돌아 / 헛도니 / 헛도는.
헛되다 [헏뙤다] **1** 아무 보람이나 실속이 없다. ㉠헛된 노력 / 헛된 수작을 부리다. **2** 터무니없어 믿기가 어렵다. ㉠헛된 소문.
헛되이 [헏뙤이] 헛되게. ㉠돈을 헛되이 쓰다 / 방학을 헛되이 보내다.
헛듣다 [헏뜯따] **1** 말 따위를 귀담아듣지 않다. ㉠주의 사항을 헛듣다. **2** 잘못 듣다. 활용 헛들어 / 헛들으니 / 헛듣는.
헛디디다 [헏띠디다] 발을 잘못 디디다. ㉠계단을 헛디뎌 넘어지다.
헛물 [헌물] 꼭 될 줄로 알고 애쓴 일이 보람 없이 헛일로 돌아간 것.
헛물켜다 [헌물켜다] 애쓴 보람 없이 헛일이 되다. ㉠면접을 보러 다녔지만 번번이 헛물켰다.
헛발질 [헏빨질] 겨냥이 맞지 않아 빗나간 발길질. **—하다.**
헛배 [헏빼] 음식을 먹지 않고도 부른 배. ㉠헛배가 부르다.
헛뿌리 [헏뿌리] 이끼류 따위에서, 실뿌리처럼 생겨 수분을 빨아들이며 단단히 들러붙게 하는 기관.
헛소리 [헏쏘리] **1** 앓는 사람이 정신을 잃고 중얼거리는 말. ㉠심한 고열로 헛소리를 한다. **2** 미덥지 아니한 말. ㉠헛소리를 치다 / 헛소리를 늘어놓다. **—하다.**
헛소문 (—所聞) [헏쏘문] 근거 없이 떠도는 소문. ㉠헛소문이 돌다. 비 뜬소문.
헛손질 [헏쏜질] 겨냥이 빗나가 제대로 맞지 않은 손질. ㉠두 번이나 헛손질한 뒤에야 모기를 잡을 수 있었다. **—하다.**
헛수고 [헏쑤고] 아무 보람이 없는 수고. ㉠괜히 헛수고할 필요 없다. **—하다.**
헛웃음 [허두슴] 마음에 없이 겉으로만 웃는 웃음.
헛일 [헌닐] 쓸데없이 한 노력. ㉠이때까지 헛일만 했다. 비 허사.
헛점 '허점'의 잘못.
헛탕 '허탕'의 잘못.
헛헛하다 [허터타다] 배고픈 느낌이 있다. 출출해서 자꾸 먹고 싶다. ㉠밥을 먹고도 속이 헛헛하여 또 군것질을 하였다.
헝가리 (Hungary) 〖국명〗 유럽 중앙부에 있는 나라. 밀·옥수수·사탕무·포도 따위가 많이 나며, 특히 알루미늄이 든 광석을 많이 생산함. 수도는 부다페스트.
***헝:겊** [헝겁] 피륙의 조각. ㉠헝겊 조각.
헝클다 **1** 실이나 줄 따위를 풀기 힘들 정도로 몹시 얽히게 하다. ㉠실을 헝클어 놓다. **2** 물건 따위를 서로 마구 뒤섞어 놓아서 몹시 어지럽

게 하다. ㉠장난감을 헝클어 놓다. **3** 어떤 일을 몹시 뒤섞어 놓아서 갈피를 잡을 수 없게 하다. ㉠ 엉클다. 활용 헝클어 / 헝크니 / 헝크는.

헝클어지다 [헝크러지다] **1** 실이나 줄 따위가 풀기 힘들 정도로 몹시 얽히다. ㉠머리카락이 헝클어지다. **2** 물건 따위가 한데 뒤섞여 몹시 어지럽게 되다. **3** 일이 몹시 뒤섞여 갈피를 잡을 수 없게 되다. ㉠ 엉클어지다.

헤 **1** 멋쩍게 입을 벌리고 힘없이 내는 소리. 또는 그 모양. **2** 입을 조금 벌리고 속없이 빙그레 웃는 소리. 또는 그 모양. 작 해[2].

헤드라이트 (headlight) 기차·자동차 따위의 앞에 단 등. 전조등.

헤드폰 (headphone) **1** 라디오·음악 등을 들을 때 귀에 대고 듣는 기구. ㉠헤드폰을 끼다. **2** 두 귀에 고정시키는 전화 수신기.

헤딩 (heading) 축구에서, 공중으로 날아오는 공을 머리로 받는 일. **—하다.**

헤뜨리다 마구 늘어놓아 흩어지게 하다. ㉠머리를 풀어 헤뜨리다.

헤르츠 (Hertz) 진동수의 단위. 1초 동안의 진동 횟수. 독일의 물리학자 헤르츠의 이름에서 유래됨. 기호는 Hz.

*__헤매다__ **1** 목적하는 것을 찾아 이리저리 돌아다니다. ㉠친구 집을 찾느라 온 동네를 헤매고 다녔다. **2** 어찌할 바를 몰라 이리저리 방황하다. ㉠마음이 심란하여 거리를 헤매다.

헤벌어지다 [헤버러지다] 어울리지 않게 넓게 벌어지다. ㉠입이 헤벌어지다. 작 해바라지다.

헤벌쭉 입이나 구멍 따위가 넓게 벌어진 모양. ㉠소리 없이 헤벌쭉 웃고 있다. 작 해발쭉. **—하다.**

헤비급 (heavy級) 운동 경기에서, 몸무게가 가장 많이 나가는 체급. 권투(아마추어)는 81 kg 이상, 역도는 90 kg 이상임.

헤:살 짓궂게 훼방하는 짓. ㉠헤살을 놓다 / 헤살을 부리다.

헤:아리다 **1** 수량을 세다. ㉠돈을 헤아리다. **2** 미루어 생각하거나 짐작으로 살피다. ㉠고충을 헤아리다. **3** 많은 수를 나타내거나 어느 수에 이르다. ㉠공연에 십만을 헤아리는 관중이 모이다.

헤어나다 힘든 상태를 헤치고 벗어나다. ㉠지긋지긋한 가난에서 헤어나다.

헤어드라이어 (hair dryer) 젖은 머리털을 말리거나 모양을 내는 데 사용하는 전기 기구.

*__헤어지다__ **1** 흩어지다. ㉠뿔뿔이 헤어지다. **2** 이별하다. ㉠정든 친구들과 헤어지다. **3** 살갗이 터져서 갈라지다. ㉠피곤해서 입술이 헤어지다. 준 헤지다.

*__헤엄__ 물에서 앞으로 나아가려고 팔다리를 놀려 움직이는 일. ㉠헤엄을 잘 치다. 비 수영.

*__헤엄치다__ 헤엄을 하다. ㉠헤엄쳐 강을 건너다.

헤이그 밀사 사:건 (Hague密使事件) [—밀싸사껀] 대한 제국 광무 11년(1907)에 이준·이상설·이위종 등이 고종의 밀서를 가지고 네덜란드 헤이그의 만국 평화 회의에 참석하여 일제의 침략 만행을 세계에 호소하려다 실패한 사건.

헤집다 [헤집따] 긁어 파서 뒤집어 흩다. ㉠닭이 흙을 헤집고 다니다.

*__헤치다__ **1** 속에 든 것을 드러나게 하려고 거죽을 파거나 갈라 젖히다. ㉠개가 구덩이에서 쓰레기를 헤치고 있었다. **2** 흩어지게 하다. ㉠사고 현장에 모여 있는 사람들을 헤치다. **3** 앞에 걸리는 것을 물리치다. ㉠숲을 헤치고 나아가다. **4** 가난이나 고난 따위를 이겨 나가다. ㉠역

경을 헤쳐 나가다.
헤:프다 1 물건이 쉽게 닳거나 빨리 없어지다. ㉠비누가 헤프다. ㉥마디다. **2** 돈이나 물건을 아끼지 않고 함부로 쓰는 버릇이 있다. ㉠돈을 헤프게 쓰다. **3** 말이나 행동을 조심하지 않고 함부로 하는 데가 있다. ㉠웃음이 헤프다/말이 헤프다. [활용] 헤퍼/헤프니.
헤헤 입을 반쯤 벌리고 경망스럽게 웃는 모양이나 소리. ㉡해해.
헥타르 (hectare) 땅 넓이의 단위. 1 아르(a)의 100 배. 기호는 ha.
헨델 (Händel, Georg Friedrich) 〖인명〗 독일 태생의 영국 작곡가. 후기 바로크 음악의 거장으로 오라토리오 '메시아'가 유명함. [1685-1759]
헬기 (←helicopter機) ⇨헬리콥터. ㉠헬기로 급히 후송하다.
헬륨 (helium) 공기 중에 아주 적은 분량이 들어 있는 기체. 무색무취로 다른 원소와 전혀 화합하지 않으며, 수소 다음으로 가벼움.
헬리콥터 (helicopter) 기체 위에 대형 회전 날개가 있어 수직으로 뜨고 내릴 수 있는 비행기. 헬기.
헬멧 (helmet) 머리를 보호하기 위하여 쓰는 투구 모양의 모자. 쇠나 플라스틱 따위로 만듦. 안전모.

〈헬멧〉

헬스클럽 (health club) 건강이나 미용을 위한 운동·휴식 시설을 갖춘 체육관.
헷갈리다 [헫깔리다] **1** 정신을 차리기 어렵다. ㉠정신이 헷갈리다. **2** 여러 가지가 뒤섞여서 갈피를 잡을 수가 없다. ㉠길이 너무 복잡해서 헷갈린다.
헹가래 기쁜 일을 축하하는 뜻으로, 여러 사람이 한 사람을 번쩍 들어 여러 번 던져 올렸다 받았다 하는 일. ㉠헹가래를 치다.
헹구다 빨거나 씻은 것을 다시 깨끗한 물에 넣어서 흔들어 빨거나 씻다. ㉠흐르는 물에 빨래를 헹구다/그릇을 헹구다.
***혀** 동물의 입 안 아래쪽에 붙어 있는 기관. 맛을 느끼고 소리를 내는 구실을 함. ➡ tongue
혀(가) 꼬부라지다 병들거나 술에 취하여 발음이 똑똑하지 않다. ㉠혀 꼬부라진 소리를 내다.
혀가 짧다 발음이 명확하지 않거나 말을 더듬다.
혀를 내두르다 매우 놀라거나 어이없어서 말을 못하다.
혀를 차다 못마땅할 때 혀끝으로 입천장을 쳐서 소리를 내다.
혀끝 [혀끝] 혀의 끝 부분. ㉠혀끝으로 맛을 보다.
혀뿌리 혀의 뿌리 부분. ㉥설근.
혁대 (革帶) [혁때] 허리에 매는, 가죽으로 만든 띠. 벨트.
혁명 (革命) [형명] **1** 국가의 정치 체제나 사회 조직을 근본적으로 바꾸는 일. ㉠혁명이 일어나다. **2** 짧은 시간에 이루어진 큰 발전이나 변화. ㉠산업 혁명. **—하다.**
혁명가 (革命家) [형명가] 혁명을 위하여 활동하는 사람.
혁신 (革新) [혁씬] 묵은 조직·풍속·습관 따위를 바꾸거나 버리고 새롭게 함. ㉠교육 제도의 혁신. ㉥개혁. ㉥보수. **—하다.**
혁혁하다 (赫赫—) [혀켜카다] 공로나 업적 따위가 뚜렷하다. ㉠혁혁한 공을 세우다.
현:[1] (現) '현재의'·'지금의'의 뜻. ㉠현 상태/현 단계.
현[2] (絃) 현악기에서 소리를 내는 팽팽한 줄.
현[3] (弦) 수학에서 원이나 곡선 위의 두 점을 잇는 선분.

현:⁴ (縣) 예전에, 지방 행정 구역의 하나로 가장 작은 단위의 고을.

현:감 (縣監) 예전에, 지방 행정 구역의 하나인 작은 현의 으뜸 벼슬.

현:격하다 (懸隔—) [현겨카다] 나타난 차이가 두드러지거나 확실하다. ㉮현격한 차이점.

현관 (玄關) 건물의 주된 출입구에 낸 문간. ㉮현관에 들어서다.

현:금 (現金) **1** 현재 가지고 있는 돈. **2** 수표나 어음이 아닌, 당장 쓸 수 있는 돈. 비 현찰.

현:금 자동 지급기 (現金自動支給機) [—지급끼] 현금 인출 카드(통장 없이 돈을 찾을 수 있도록 은행에서 예금한 사람에게 만들어 주는 카드)를 이용하여 은행에 예금한 돈을 꺼내 쓰게 만든 기계. 준 자동 지급기.

현:기증 (眩氣症) [현기쯩] 눈앞이 캄캄해지고 머리가 어지러워지는 증세. 비 어지럼증.

***현:대** (現代) 오늘날의 시대. ㉮현대 무용. 비 현시대. 반 고대.

현:대 시조 (現代時調) 갑오개혁(1894) 이후에 지어진 시조 작품. 생활에서 흔히 느끼는 감정을 현대적인 감각으로 나타냄. 반 고시조.

현:대식 (現代式) 현대에 알맞은 형식이나 방식. ㉮현대식 시설.

현:대인 (現代人) 현대에 살고 있는 사람.

현:대적 (現代的) 현대에 알맞는 (것). ㉮현대적인 대중문화.

현:대화 (現代化) 현대에 알맞게 됨. 또는 그렇게 되게 함. ㉮농촌의 현대화. **—하다.**

현:란하다 (絢爛—) [혈란하다] 눈이 부시도록 찬란하다. ㉮현란한 조명 / 옷차림이 현란하다.

현:령 (縣令) [혈령] 예전에, 지방 행정 구역의 하나인 큰 현의 으뜸 벼슬.

현명하다 (賢明—) 마음이 어질고 슬기로우며 사리에 밝다. ㉮현명한 선택 / 현명한 조치를 내리다.

현모양처 (賢母良妻) 어진 어머니이면서 착한 아내.

현무암 (玄武岩) 마그마가 땅 위로 흘러나와 식어서 굳어진 암석. 색이 검고 바탕이 단단하며, 기둥 모양으로 쪼개짐. 건축 재료로 쓰임. **＊**화산암.

현:물 (現物) **1** 현재 있는 물건. **2** 현금이 아닌 물품을 일컫는 말. ㉮빚을 현물로 갚다.

현미 (玄米) 벼의 겉껍질만 벗겨 낸 누르스름한 쌀. ㉮현미로 밥을 짓다. **＊**백미.

***현:미경** (顯微鏡) 눈으로 볼 수 없는 아주 작은 물체나 물질을 확대하여 보는 장치.

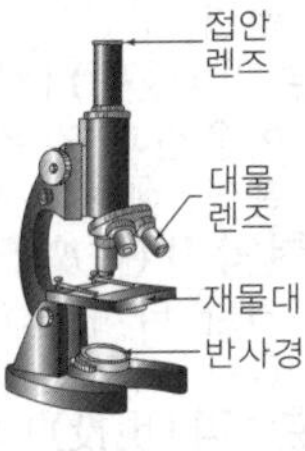

〈현미경〉

현:상¹ (現狀) 현재의 상태. 지금의 형편. ㉮현상 유지.

***현:상**² (現象) 눈에 보이는 사물의 모양이나 상태. ㉮열대야 현상 / 피부 노화 현상.

현:상³ (懸賞) 작품을 모집하거나 사람을 찾는 일 따위에 상품이나 상금을 겂. ㉮현상 수배 / 작품을 현상 모집하다.

현:상⁴ (現像) 사진에서, 촬영한 필름이나 인화지 따위를 약물에 넣어 영상이 나타나게 하는 일. ㉮사진 현상. **—하다.**

현:상금 (懸賞金) 현상으로 내건 돈. ㉮현상금을 걸다.

현:세 (現世) 이 세상. 지금 살고 있는 세상.

현:수막 (懸垂幕) 선전문이나 구호문 따위를 써서 내걸거나 늘어뜨린 천. ㉮현수막을 걸다.

현숙하다 (賢淑―) [현수카다] 여자의 마음이 어질고 정숙하다. ㉠현숙한 부인.

현:실 (現實) 지금 있는 그대로의 상태. ㉠현실에 만족하다. 반 이상.

현:실성 (現實性) [현실썽] 실제로 일어날 수 있는 가능성. ㉠현실성이 있는 이야기 / 현실성을 띠다.

현:실적 (現實的) [현실쩍] **1** 현실과 관계가 있는 (것). ㉠현실적인 계획. **2** 실제의 이익과 손해만 따지는 (것). ㉠현실적인 생활 태도.

현:실화 (現實化) 현실의 형편에 알맞게 함. ㉠꿈을 현실화하다. **―하다.**

현악 (絃樂) [혀낙] 가야금이나 바이올린과 같은 현악기로 연주하는 음악. ㉠현악 사중주.

현악기 (絃樂器) [혀낙끼] 현을 켜거나 타서 소리를 내는 악기. 가야금·바이올린·기타·첼로 따위.

현:역 (現役) [혀녁] **1** 현재 군에 복무하고 있는 사람. 또는 그런 신분. ㉠현역 군인. 반 예비역. **2** 현재 어떤 직무에 종사하고 있는 일. 또는 그 사람. ㉠현역 배우.

현인 (賢人) [혀닌] 어질고 총명하여 성인 다음가는 사람. 비 현자.

현자 (賢者) ⇨현인.

***현:장** (現場) **1** 일이 생긴 그 자리. ㉠사건 현장. **2** 공사를 하는 곳. ㉠현장 감독. 비 공사장.

현:장감 (現場感) 현장에 있는 것 같은 느낌. ㉠현장감 넘치는 보도.

현:장 학습 (現場學習) [―학씁] 학습에 필요한 자료가 있는 장소에 직접 찾아가서 하는 학습.

***현:재** (現在) 지금 이 시간. ㉠현재에 충실하라. *과거. 미래.

현:저하다 (顯著―) 눈에 띄게 뚜렷이 드러나 분명하다. ㉠현저한 변화 / 수출이 현저하게 줄다.

현제명 (玄濟明) 〖인명〗 테너 가수·작곡가. 호는 현석. 가극 '춘향전', 가곡 '고향 생각', '희망의 나라' 등을 작곡함. [1902-1960]

현:존 (現存) 현재 있거나 살아 있음. ㉠현존 인물 / 현존하는 문화유산. **―하다.**

현:주소 (現住所) 지금 살고 있는 곳의 주소. 준 현주.

현:지 (現地) 어떤 사물이 있거나 어떤 일이 벌어진 바로 그곳. ㉠현지 사정.

현:직 (現職) 현재의 직업. 또는 그 맡은 임무. ㉠현직 장관.

현:찰 (現札) ⇨현금. ㉠현찰로 계산하다 / 당장은 현찰이 없다.

현:충사 (顯忠祠) 이순신 장군을 추모하기 위해 세운 사당. 충청남도 아산에 있음.

현:충일 (顯忠日) 나라를 위하여 싸우다 돌아가신 분들의 명복을 빌고, 그 충성을 기리기 위하여 제정한 날. 6월 6일임.

현:판 (懸板) 글씨나 그림을 새겨서 문 위나 벽에 다는 널조각. ㉠현판식 / 현판을 달다.

현:학적 (衒學的) [현학쩍] 학문이나 지식이 있음을 자랑하는 (것). ㉠현학적 태도.

현:행 (現行) 지금 해 나감. ㉠현행 법규. **―하다.**

현:행범 (現行犯) 범죄 현장에서 잡힌 범인. ㉠현행범을 체포하다.

현:혹 (眩惑) 정신을 빼앗겨 올바르게 판단하지 못함. ㉠백화점의 물건들이 보는 이의 눈을 현혹했다. **―하다.**

현:황 (現況) 현재의 상황. 지금의 형편. ㉠현황 보고.

혈관 (血管) 몸속에서 피가 흐르는 관. 동맥·정맥·모세 혈관이 있음. 비 핏줄.

혈기 (血氣) **1** 힘을 쓰고 활동하게 하는 기운. **2** 흥분하거나 감동하기 쉬운 기운. ㉮혈기가 왕성하다.

혈당(血糖)[혈땅] 피에 들어 있는 당류(단맛이 있는 탄수화물). 특히, 포도당. ㉮혈당 검사.

혈색(血色)[혈쌕] 살갗에 보이는 핏기. ㉮혈색이 좋다.

혈서(血書)[혈써] 자기의 결심·맹세 따위를 나타내기 위하여 손가락을 베어 그 피로 쓴 글. ㉮혈서로 탄원하다.

혈세(血稅)[혈쎄] 국민의 피를 짜내듯이 걷은 세금이라는 뜻으로, 가혹한 세금을 이르는 말.

혈안(血眼)[혀란] 기를 쓰고 덤벼서 핏발이 선 눈.

혈안이 되다 어떤 일에 미친 듯이 몰두하다. ㉮돈에 혈안이 되어 친구를 배신하다.

혈압(血壓)[혀랍] 혈관 속으로 흐르는 피의 압력. ㉮혈압이 높다.

혈액(血液)[혀랙] ⇨피[1]1. ㉮혈액 검사.

혈액 순환(血液循環)[혀랙쑨환] 혈액이 동물의 몸속을 일정한 방향으로 흘러서 도는 일. ㉥피돌기.

혈액형(血液型)[혀래켱] 적혈구와 혈청이 서로 엉기는 반응을 가지고 분류한, 각 사람의 피의 종류. O·A·B·AB 및 Rh(−)·Rh(+) 따위의 형이 있음.

혈연(血緣)[혀련] 같은 핏줄로 이어진 인연. ㉮혈연 사회. *지연.

혈연관계(血緣關係)[혀련관계/혀련관게] 부모와 자식, 형제자매처럼 같은 핏줄을 이어받은 관계.

혈우병(血友病)[혀루뼝] 조그만 상처에도 쉽게 피가 나고 잘 멎지 않는 유전병. 여자에 의하여 유전되어 남자에게 나타남.

혈육(血肉)[혀륙] 같은 혈통을 가진 부모, 형제나 자손. ㉮혈육이라곤 여동생 하나뿐이다.

혈장(血漿)[혈짱] 피의 액체 성분. 대부분이 물이며, 단백질이나 당류 따위로 되어 있음.

혈전(血戰)[혈쩐] 죽음을 두려워하지 않고 싸움. ㉮혈전을 벌이다/혈전을 치르다. ㉥혈투.

혈중(血中)[혈쭝] 어떤 요소가 피 속에 들어 있는 것. ㉮혈중 알코올 농도를 검사하다.

혈청(血淸) 피가 나서 굳을 때 분리되어 나오는 누렇고 맑은 액체.

혈통(血統) 같은 핏줄을 타고난 겨레붙이의 계통. ㉮양반의 혈통. ㉥핏줄기. 혈맥.

혈투(血鬪) 죽음을 무릅쓰고 싸움. ㉮혈투를 벌이다. ㉥혈전.

혐오(嫌惡)[혀모] 싫어하고 미워함. ㉮전쟁을 혐오하다. **—하다.**

혐오감(嫌惡感)[혀모감] 싫어하고 미워하는 감정. ㉮혐오감을 주다/혐오감을 일으키다.

혐의(嫌疑)[혀믜/혀미] 죄를 지었으리라고 생각되는 의심. ㉮살인 혐의를 받다.

협곡(峽谷)[협꼭] 산과 산 사이의 좁고 험한 골짜기.

협공(挾攻)[협꽁] 양쪽에서 끼고 공격함. ㉮협공 작전/협공을 당하다. **—하다.**

***협동**(協同)[협똥] 서로 마음과 힘을 합함. ㉮협동 정신. **—하다.**

협동심(協同心)[협똥심] 서로 마음과 힘을 합쳐 도우려는 마음.

협동조합(協同組合)[협똥조합] 소비자·농민·중소기업가 등이 자기들의 권리를 보호하고 경제적인 이익을 얻기 위해 조직한 단체. ㉮농업 협동조합.

***협력**(協力)[혐녁] 힘을 모아 서로 도움. ㉮상호 협력/협력을 요청하다. ㉥협조. **—하다.**

협박(脅迫)[협빡] 남에게 어떤 일을 하도록 위협함. ㉮협박 전화. ㉥위협. **—하다.**

협상 (協商) [협쌍] 어떤 목적에 부합되는 결정을 하기 위하여 함께 의논함. ㉠임금 협상 / 협상을 벌이다. ㉡협의. **—하다.**

협소하다 (狹小—) [협쏘하다] 공간이 좁고 작다. ㉠협소한 장소.

협심 (協心) [협씸] 여러 사람이 마음을 합함. ㉠협심해서 일하다. ㉡합심. **—하다.**

협약 (協約) [혀뱍] 의논한 뒤 맺은 약속. ㉠협약을 체결하다. ㉢협상 조약. **—하다.**

협업 (協業) [혀법] 많은 사람이 힘을 합쳐서 계획적으로 함께 하는 일. ㉠협업 농장.

협연 (協演) [혀변] 한 연주자가 다른 연주자나 악단과 함께 연주함. 또는 그런 연주. ㉠관현악단과 협연하다. **—하다.**

협의[1] (協議) [혀븨 / 혀비] 여러 사람이 모여 의논함. ㉠협의 사항 / 대책을 협의하다. ㉡협상. **—하다.**

협의[2] (狹義) [혀븨 / 혀비] 좁은 뜻. ㉠협의로 해석하다. ㉣광의.

협잡 (挾雜) [협짭] 그릇된 짓으로 남을 속이는 일. ㉠협잡꾼. ㉡사기. **—하다.**

협정 (協定) [협쩡] 의논하여 결정함. ㉠협정 가격. **—하다.**

협조[1] (協助) [협쪼] 힘을 모아 서로 도움. ㉠모금 운동에 협조하다 / 협조를 요청하다. **—하다.**

협조[2] (協調) [협쪼] 힘을 합해 서로 조화를 이룸. ㉠노사 간의 협조. **—하다.**

협조적 (協調的) [협쪼적] 서로 어울려 힘을 합하는 (것). ㉠협조적 자세 / 협조적인 태도.

협주곡 (協奏曲) [협쭈곡] 피아노나 바이올린 따위의 독주 악기의 연주에 관현악을 곁들여 연주하는 악곡. ㉠피아노 협주곡.

협찬 (協贊) 어떤 일에 돈이나 물건을 주어 도움. ㉠방송국의 협찬을 받다. **—하다.**

> **주의** **협찬**과 **후원**
> **협찬** 금전적인 도움을 줄 때 주로 쓰인다.
> **후원** 상업적·금전적이 아닌 도움을 줄 때 주로 쓰인다.

협회 (協會) [혀푀] 어떤 사업을 하기 위하여 뜻이 같은 사람들이 모여 만든 단체. ㉠출판 협회.

혓바늘 [혀빠늘 / 혇빠늘] 혓바닥에 좁쌀같이 돋는 붉은 돌기. ㉠혓바늘이 돋다.

혓바닥 [혀빠닥 / 혇빠닥] **1** 혀의 윗면. **2** '혀'의 속된 말.

혓소리 [혀쏘리 / 혇쏘리] 혀끝이 윗잇몸에 닿아 나는 닿소리. ㄴ·ㄷ·ㄸ·ㅌ 따위.

***형**[1] (兄) **1** 같은 부모의 자식이나 친척 관계에서, 남자 사이에 자기보다 나이가 많은 사람. **2** 친구·선배를 부를 때의 높임말. ㉠이 형. ㉣동생. 아우. ㉤형님.

형[2] (刑) '형벌'의 준말. ㉠형을 집행하다 / 형을 선고하다.

형[3] (型) 어떠한 특징을 이루는 형태. 타입. ㉠새로운 형의 자동차.

형광 (螢光) 어떤 물질이 빛을 받았을 때 그 빛과 다른 고유한 빛을 내는 현상. ㉠형광 펜.

형광등 (螢光燈) 진공 유리관 안쪽에 형광 물질을 바른 등.

형국 (形局) 어떤 일이 벌어진 형편이나 모습. ㉠형국이 불리하다.

***형님** (兄—) '형'의 높임말.

형량 (刑量) [형냥] 죄인에게 내리는 형벌의 정도. ㉠무거운 형량을 선고하다.

형무소 (刑務所) '교도소'의 이전 이름.

형벌 (刑罰) 죄를 지은 사람에게 법

에 따라 주는 벌. ㉥무거운 형벌을 내리다. 준 형. 참고 사형·징역·금고·벌금 따위가 있음.

형법 (刑法) [형뻡] 범죄에 대한 형벌의 내용을 정한 법률.

*__형부__ (兄夫) 언니의 남편.

형사 (刑事) 범죄를 수사하고 범인을 찾아내는 일 따위를 맡아 하는 경찰관.

형사범 (刑事犯) 반도덕적·반사회적인 행위로 인정되는 범죄. 살인·방화 따위.

형사 소송 (刑事訴訟) 범죄를 인정하고 형벌을 내리기 위한 절차.

형사 재판 (刑事裁判) 도둑이나 살인자와 같은 범죄자를 처벌하려고 여는 재판. 반 민사 재판.

형상[1] (形狀) 사람이나 물건의 생김새나 모양. ㉥그 바위는 호랑이의 형상이다. 준 형.

형상[2] (形象) **1** ⇨형상[1]. **2** 감각을 통해 느낀 것이나 마음속의 생각 등을 예술가가 어떤 표현 수단으로 나타내는 일.

형상화 (形象化) 형체로 분명히 나타나 있지 않은 것을 구체적으로 묘사하고 표현하는 일. ㉥죽음을 형상화한 그림. **—하다.**

형설 (螢雪) 중국 진나라의 차윤이 반딧불로 글을 읽고, 손강은 눈빛으로 글을 읽었다는 이야기에서 나온 말로, 갖은 고생을 하면서도 꾸준히 학문을 닦음을 이르는 말.

형설지공 (螢雪之功) [형설찌공] 어렵게 공부하여 얻은 보람.

형성 (形成) 어떤 모양을 이룸. ㉥인격 형성. **—하다.**

형세 (形勢) 어떤 일이 되어 가는 사정이나 형편. ㉥형세가 유리하다. 비 사세. 정세.

*__형수__ (兄嫂) 형의 아내.

*__형식__ (形式) **1** 사물이 겉으로 나타나 보이는 모양. ㉥형식을 갖추다. **2** 일을 할 때의 일정한 절차나 방식. ㉥형식에 따라 서류를 만들다. 비 양식. 반 내용.

형식적 (形式的) [형식쩍] 내용이 없이 겉으로 보이는 것만 중요하게 여기는 (것). ㉥단순하고 형식적인 절차.

형언 (形言) 말로 나타냄. ㉥형언할 수 없는 공포감. **—하다.**

형용 (形容) 말이나 글, 몸짓 따위로 사물이나 사람의 모양을 나타냄. ㉥형용하기 힘든 서러움. **—하다.**

형용사 (形容詞) 사물의 상태나 성질이 어떠한가를 설명하는 말. 비 그림씨.

형장 (刑場) 죄인을 사형하는 장소. 비 사형장.

형장의 이슬로 사라지다 사형을 당하여 죽다.

형적 (形迹) 뒤에 남은 흔적. ㉥형적도 없이 사라지다. 비 자취.

*__형제__ (兄弟) 형과 아우. ㉥형제간에 의가 좋다. *자매. ➲brother

형제자매 (兄弟姉妹) 형제와 자매. 곧, 형과 아우와 여자끼리의 언니와 아우.

형조 (刑曹) 고려와 조선 때 육조의 하나. 법률·형벌·소송·노예 등에 관한 일을 맡아봄.

형체 (形體) 물건의 생김새나 바탕이 되는 몸체. ㉥형체를 갖추다 / 희미한 불빛 아래 사람의 형체가 어른거렸다.

*__형태__ (形態) 사물의 생김새나 모양. ㉥건물 형태.

형통 (亨通) 온갖 일이 뜻대로 됨. ㉥만사가 형통하다. **—하다.**

형틀 (刑—) 예전에, 죄인을 고문할 때 붙들어 매던 틀. ㉥죄인을 형틀에 묶다.

*__형편__ (形便) **1** 일이 되어 가는 상태나 결과. ㉥형편을 살피다. **2** 살림살이의 형세. ㉥형편이 어렵다. 비

사정.

형편없다 (形便—) [형펴넙따] **1** 일의 경과·결과가 매우 좋지 못하다. ㉲시험 성적이 형편없다. **2** 모양이나 내용이 보잘것없다. ㉲형편없는 물건.

형편없이 (形便—) [형펴넙씨] 형편없게. ㉲시합에서 형편없이 지고 말았다.

형평 (衡平) 균형이 맞는 상태. ㉲형평의 원칙.

형형색색 (形形色色) [형형색쌕] 모양과 빛깔 따위가 서로 다른 여러 가지. ㉲형형색색의 옷차림. 비 가지각색.

형형하다 (炯炯—) 반짝반짝 빛나면서 밝다. ㉲형형한 눈빛.

혜:경궁 홍씨 (惠慶宮洪氏) 〖인명〗 조선 영조의 아들인 사도 세자의 빈. 정조의 어머니. 남편의 참변을 중심으로 자신의 일생을 회고한 '한중록'을 남김. [1734–1815]

혜:민국 (惠民局) [— / 헤민국] 고려 때 백성의 병을 고치던 의료 기관. 조선 때는 '혜민서'로 이름이 바뀌었음.

혜:민원 (惠民院) [혜미눤 / 헤미눤] 대한 제국 때, 가난한 백성을 보호하고 무료로 치료해 주는 일을 맡아 보던 관아.

혜:성 (彗星) [— / 헤성] **1** 빛나는 긴 꼬리를 끌고 태양의 둘레를 도는 별. 비 꼬리별. 살별. **2** 어떤 분야에서 갑자기 나타난 매우 뛰어난 사람을 빗대어 이르는 말. ㉲혜성처럼 나타나다.

혜:초 (慧超) 〖인명〗 통일 신라 경덕왕 때의 고승. 인도의 성지를 순례하고 서역을 거쳐 중국 당나라로 돌아와 불경 번역에 종사함. 그의 인도 기행문 '왕오천축국전'은 세계적으로 유명함. [704–787]

혜:택 (惠澤) [— / 헤택] 베풀어 주는 고마움. ㉲세금 혜택 / 자연의 혜택을 누리다.

호[1] (弧) 원둘레 위의 두 점 사이의 곡선 부분.

호:[2] (戶) 집의 수를 나타내는 말. ㉲50 호 되는 마을.

*__호:__[3] (號) **1** 차례를 나타내는 말. ㉲국보 제1호. **2** 비행기·기차·배 따위의 이름에 붙여 쓰는 말. ㉲새마을호. **3** 문학자·학자 등이 본명 이외에 쓰는 이름. ㉲이이의 호는 율곡이다.

호[4] 입을 약간 오므리고 입김을 불어 내는 소리. ㉲엄마는 아이의 상처 난 곳을 호 불어 주었다. 큰 후.

호각 (號角) 불어서 소리를 내는 신호용의 물건. ㉲호각 소리에 놀라다. *호루라기.

호:감 (好感) 좋게 여기는 감정. ㉲호감을 갖다 / 호감을 느끼다 / 호감을 사다. 반 악감. 본 호감정.

호강 호화롭고 편안한 생활을 누림. ㉲호강을 누리다 / 자식 덕에 호강하며 살다. **—하다.**

호걸 (豪傑) 힘과 용기, 지혜를 갖추고 넓은 마음과 높고 곧은 기상을 가진 사람. **—스럽다.**

호:경기 (好景氣) 한 사회의 경제가 아주 활발하게 움직이는 상태. ㉲호경기를 누리다 / 호경기를 타다. 비 호황. 반 불경기.

호:구 (戶口) 집의 수와 식구의 수. ㉲호구 조사.

호구지책 (糊口之策) 겨우 먹고 살아가는 방책. 비 호구책.

호:국 (護國) 외적으로부터 나라를 지킴. ㉲호국 영령. **—하다.**

호:기[1] (好機) 좋은 기회. ㉲호기를 잡다 / 호기를 만나다.

호기[2] (豪氣) **1** 씩씩하고 호방한 기상. **2** 우쭐대며 뽐내는 기운. ㉲호기를 부리다.

*__호:기심__ (好奇心) 새롭거나 신기

한 것에 끌리는 마음. ㉠호기심이 많다 / 호기심을 유발하다.

호남 (湖南) 〘지명〙 전라남도와 전라북도를 함께 이르는 말.

호ː남아 (好男兒) [호나마] 씩씩하고 쾌활한 남자.

호남평야 (湖南平野) 전라도 서쪽에 있는 넓은 평야. 땅이 기름지고 기후가 따뜻하여 우리나라에서 가장 큰 곡창 지대를 이룸.

호놀룰루 (Honolulu) 〘지명〙 미국 오아후 섬에 있는 항구 도시로 하와이 주의 주도. 기후가 좋고 경치가 아름다우며, 와이키키 해변이 유명함. 설탕·파인애플의 수출항임.

호되다 매우 심하다. ㉠호되게 꾸짖다 / 호된 비판을 받다.

호두 호두나무의 열매.

호두까기 인형 (—人形) 러시아의 차이코프스키가 작곡한 발레 음악. 호프만의 동화를 2막 3장으로 각색한 모음곡.

호두나무 가래나뭇과의 낙엽 활엽 교목. 높이는 20 m 정도이며, 나무는 가구 만들 때 쓰고, 가을에 익는 열매는 먹거나 약으로 씀.

〈호두나무〉

호들갑 경망스럽고 야단스러운 말이나 행동. ㉠호들갑을 떨다 / 호들갑을 부리다.

호들갑스럽다 [호들갑쓰럽따] 야단스럽고 방정맞다. ㉠호들갑스럽게 웃어 대다. [활용] 호들갑스러워 / 호들갑스러우니.

호떡 (胡—) 중국식 떡의 하나. 밀가루 반죽 속에 설탕을 넣어 둥글넓적하게 구워 냄.

호떡집 (胡—) [호떡찝] 호떡을 구워 파는 가게나 집.

호떡집에 불난 것 같다 왁자지껄하게 마구 떠들어 대는 모양을 이르는 말.

호락호락 [호라코락] 성격이 만만하고 다루기 쉬운 모양. ㉠호락호락 넘어가지 않는다 / 호락호락한 상대가 아니다. **—하다.**

호ː랑나비 (虎狼—) 호랑나빗과의 곤충. 날개의 길이는 8-12 cm이며, 노란색 바탕에 검은 무늬가 있고, 감·귤 등의 해충임.

〈호랑나비〉

***호ː랑이** (虎狼—) **1** 고양잇과의 가장 큰 짐승. 황갈색 바탕에 검은 가로무늬가 있음. 배는 희며, 꼬리는 길고 검은 고리 무늬가 둘림. 성질이 사나워 가축이나 사람을 해치기도 함. 깊은 산속에서 생활함. [비] 범[1]. **2** 몹시 사납고 무서운 사람의 비유. ㉠호랑이 선생님. ➲ tiger

호랑이 담배 먹던〔피우던〕 시절 아주 까마득한 옛날.

호ː령 (號令) **1** 큰 소리로 꾸짖음. ㉠불같은 호령이 떨어지다. **2** 지휘하여 명령함. 또는 그 명령. ㉠천하를 호령하다. **—하다.**

호롱 석유등의 석유를 담는 그릇.

호롱불 [호롱뿔] 호롱에 켠 불.

호루라기 입에 물고 불어 소리를 내어 신호하는 데 쓰는 도구. *호각.

호르몬 (hormone) 몸속의 내분비샘에서 만들어져 어떤 조직이나 기관의 활동을 조절하는 물질. ㉠성장 호르몬.

호른 (독 Horn) 금관 악기의 하나. 나팔꽃 모양이며, 음색이 부드러움. 관현악·합주악에 씀.

〈호른〉

호리다 **1** 그럴듯한 말로 속여 넘기

다. **2** 매력으로 남의 정신을 흐리게 하다.

호리병 (—甁) 중간 부분이 잘록하여 호리병박 모양으로 생긴 병. 술이나 약 따위를 담는 데 씀.

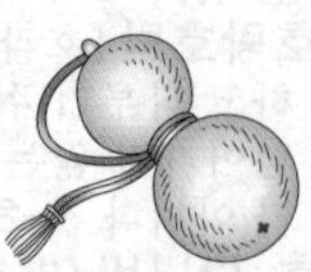
〈호리병〉

호리병박 (—甁—) 박과의 한해살이 덩굴풀. 한여름에 흰 꽃이 피고 열매는 길쭉한데 가운데가 잘록함. 껍질이 단단하여 말려서 그릇으로 씀. 비 조롱박.

호리호리하다 몸통이 가늘고 키가 커서 날씬하다. 큰 후리후리하다.

호명 (呼名) 이름을 부름. 예 호명한 사람은 일어서시오. **—하다.**

*__호미__ 김을 맬 때 쓰는 농기구.

〈호미〉

*__호:박__[1] 박과의 한해살이 덩굴풀. 줄기에는 거친 털이 나고 여름에 종 모양의 노란 꽃이 피며, 열매는 길고 둥글며 연한 황색임. 열매는 여러 가지 요리에 쓰이며, 잎과 어린 순도 먹음. ➲ pumpkin

호:박[2] (琥珀) 나무의 진 따위가 땅속에서 수소·산소·탄소 등과 화합하여 돌처럼 된 광물. 누른빛으로 투명하고 윤이 나며 장식용으로 씀.

호:박꽃 [호박꼳] 호박 덩굴에 피는 꽃. 노란 빛의 큰 통꽃으로 수꽃과 암꽃이 있음.

호:박씨 호박의 씨.

호박씨(를) 까다 안 그런 척 내숭을 떨다.

호반 (湖畔) ⇨호숫가. 예 호반의 도시.

호방하다 (豪放—) 성품이 걸걸하고 작은 일에 거리낌이 없다.

호사 (豪奢) 매우 호화롭고 사치스러움. 예 호사를 누리다 / 호사스러운 생활. **—하다. —스럽다.**

호:사다마 (好事多魔) 좋은 일에는 흔히 뜻하지 않은 탈이 생기기 쉬움.

호서 (湖西) 〖지명〗 충청남도와 충청북도를 함께 이르는 말.

호소 (呼訴) 억울하거나 딱한 사정 따위를 남에게 하소연함. 예 국민에게 호소하다 / 환자가 통증을 호소하다. **—하다.**

호소문 (呼訴文) 억울하거나 딱한 사정을 하소연하는 글.

호:송 (護送) **1** 보호하면서 운송함. **2** 죄수 따위를 감시하면서 데려감. 예 죄인을 호송하다. 비 압송. **—하다.**

호:수[1] (戶數) [호쑤] 집의 수효.

*__호수__[2] (湖水) 우묵한 땅에 넓고 깊게 물이 괴어 있는 곳. 예 인공 호수. 준 호. ➲ lake

호숫가 (湖水—) [호수까 / 호숟까] 호수의 가장자리. 비 호반.

호스 (hose) 고무·비닐 따위로 만든 속이 빈 긴 관. 예 고무 호스.

호:시절 (好時節) 좋은 시절. 예 때는 바야흐로 춘삼월 호시절이라.

호:시탐탐 (虎視眈眈) 범이 눈을 부릅뜨고 먹이를 노려본다는 뜻으로, 기회를 노리며 가만히 형세를 살피는 모양. 예 호시탐탐 기회를 노리다.

호:신술 (護身術) 자기 몸을 보호하기 위한 무술.

호언장담 (豪言壯談) 호기롭고 자신 있게 말함. 또는 그 말. **—하다.**

호:연지기 (浩然之氣) **1** 하늘과 땅에 넘치도록 가득 찬 기운. **2** 사람의 정신 속에 깃들인 맑고 큰 기운.

호:외 (號外) 갑자기 생긴 큰 사건을 급히 알리기 위하여 임시로 발행하는 신문이나 잡지.

호우 (豪雨) 줄기차게 내리퍼붓는 비. 예 집중 호우 / 호우 주의보. →

[학습마당] 6(176쪽)

호ː위 (護衛) 따라다니며 곁에서 지키고 보호함. ㉮경호원의 호위를 받다. 비 경호. **—하다.**

호응 (呼應) **1** 남의 주장이나 요구를 옳게 여겨 따르는 일. ㉮호응이 좋다 / 뜨거운 호응을 얻다. **2** 부름이나 호소에 응함. **—하다.**

호ː의 (好意) [— / 호이] 남에게 보이는 친절한 마음씨. ㉮호의를 보이다. 비 선의. 반 악의.

호ː의적 (好意的) [— / 호이적] 남에게 도움이 되도록 마음을 쓰는 (것). ㉮호의적인 반응.

호ː의호ː식 (好衣好食) [— / 호이호식] 좋은 옷을 입고 좋은 음식을 먹음. ㉮하는 일 없이 호의호식하며 지내다. **—하다.**

호ː인 (好人) 마음씨가 좋은 사람.

호ː적 (戶籍) 한 집안 식구의 이름이나 생년월일 등에 관한 것을 기록한 공문서.

호ː적 등본 (戶籍謄本) [—뜽본] 호적 원본의 전부를 복사한 증명 문서.

호ː적 초본 (戶籍抄本) 호적 가운데에서 신청하는 사람의 기록만 복사한 증명 문서.

호ː전 (好轉) 일이나 병 따위의 상태가 좋아짐. ㉮병세가 호전되고 있다. 반 악화.

호ː전적 (好戰的) 싸움하기를 즐기는 (것). ㉮호전적인 태도.

호젓이 [호저시] 호젓하게. ㉮외딴 곳에서 노인 혼자 호젓이 살고 있다.

호젓하다 [호저타다] 때나 장소가 외져서 무서운 느낌이 들 만큼 고요하고 쓸쓸하다. ㉮호젓한 산길을 걷다.

호ː조 (戶曹) 고려와 조선 때, 육조의 하나. 호구·조세·돈 따위에 관한 일을 맡아보던 관청.

호족 (豪族) 예전에, 어떤 지방에 근거지를 갖고 세력을 행사하던 정치 집단.

호ː주[1] (戶主) 한 집안의 주장이 되는 사람. 비 가장.

호주[2] (濠洲) '오스트레일리아'의 한자 이름.

***호주머니** (胡—) 옷에 덧대어 단 주머니. ㉮바지 호주머니에서 지갑을 꺼내다. 비 주머니2.

호출 (呼出) 연락하여 불러냄. ㉮담당자를 호출하다. **—하다.**

호칭 (呼稱) 이름 지어 부름. 또는 그 이름. **—하다.**

호쾌하다 (豪快—) 호탕하고 쾌활하다. ㉮호쾌하게 웃다.

호탕하다 (豪宕—) 기품이 호걸스럽고 걸걸하다.

***호텔** (hotel) 서양식 시설을 갖춘, 비교적 규모가 큰 고급 숙박 시설. ㉮관광 호텔 / 호텔에서 묵다.

호통 몹시 화가 나서 크게 꾸짖음. ㉮호통을 치다.

호ː패 (號牌) 예전에, 16세 이상의 남자가 차던 직사각형의 패. 이름·나이·태어난 해의 간지를 새기고, 관아의 도장을 찍었음.

호ː평 (好評) 좋게 평함. 또는 그 평. ㉮전시회가 크게 호평을 받다. 반 악평. **—하다.**

호형호제 (呼兄呼弟) 서로 형이니 아우니 하고 부른다는 뜻으로, 가깝게 지내는 사이를 일컫는 말. ㉮호형호제하는 사이. **—하다.**

호호[1] 입을 오므려 작은 소리로 예쁘고 맵시 있게 웃는 소리. **—하다.**

호호[2] 입을 오므리고 입김을 자꾸 불어 내는 소리. ㉮추워서 손을 호호 불다. 큰 후후. **—하다.**

호호백발 (皜皜白髮) [호호백빨] 온통 하얗게 센 머리. 또는 그러한 늙은이. ㉮호호백발의 노인.

호화 (豪華) 사치스럽고 화려함. ㉮호화 주택 / 호화스러운 장식. **—**

스럽다.
호화롭다 (豪華—) [호화롭따] 사치스럽고 화려한 느낌이 있다. ㉠호화로운 저택 / 실내를 호화롭게 꾸미다. 활용 호화로워 / 호화로우니.
호화찬란하다 (豪華燦爛—) [호화찰란하다] 눈부시도록 빛나고 호화롭다. ㉠호화찬란한 실내 장식.
호화판 (豪華—) 화려하고 사치스러운 것. ㉠호화판 결혼식.
호:환 (互換) 서로 바꾸어 씀. ㉠이 컴퓨터는 다른 회사 제품과 호환이 가능하게 설계되었다.
호:황 (好況) 장사가 매우 잘되는 일. ㉠사업이 호황을 누리다. 비 호경기. 반 불황.
*__호흡__ (呼吸) **1** 숨을 내쉬고 들이마시는 것. 또는 그 숨. ㉠호흡 기관 / 호흡이 빨라지다. **2** 두 사람 이상이 함께 일할 때의 장단. ㉠호흡이 서로 잘 맞는다. **—하다.**
호흡기 (呼吸器) [호흡끼] 생물의 몸 안에서 호흡 작용을 맡은 기관. 고등 동물의 폐, 어류의 아가미, 곤충류의 숨관 따위.
*__혹__[1] **1** 살가죽에 불룩하게 나온 살덩이. ㉠목 뒤에 혹이 생기다 / 이마에 혹이 나다. **2** 물건 거죽에 불룩하게 내민 부분. **3** 귀찮거나 짐스러운 물건이나 일.
혹[2] (或) '혹시'의 준말.
혹독하다 (酷毒—) [혹또카다] **1** 정도가 매우 심하다. ㉠혹독한 추위. **2** 성격·행동이 매우 사납다. ㉠혹독하게 꾸짖다. 비 지독하다.
혹부리 [혹뿌리] 얼굴에 혹이 달린 사람의 별명. ㉠혹부리 영감.
혹사 (酷使) [혹싸] 매우 심하게 일을 시킴. ㉠몸을 혹사하다. **—하다.**
*__혹시__ (或是) [혹씨] **1** 만일에. **2** 어떤 경우에. 행여나. ㉠혹시 아픈 것은 아닐까. 준 혹.
혹은 (或—) [호근] 그렇지 않으면. 또는. ㉠직접 혹은 간접으로 소식을 듣다.
혹평 (酷評) 매우 심하게 비판함. 또는 그런 평가. ㉠혹평을 받다. **—하다.**
혹하다 (惑—) [호카다] 아주 반하거나 빠져 정신을 차리지 못하다. ㉠첫눈에 혹하다.
혹한 (酷寒) [호칸] 몹시 심한 추위. ㉠혹한이 몰아치다 / 이번 겨울은 혹한이 예상된다.
혼 (魂) 넋. 얼. 정신. 영혼. ㉠혼을 달래다 / 작가의 혼이 담긴 작품 / 혼이 나간 사람처럼 앉아 있다.
혼기 (婚期) 결혼하기에 알맞은 나이. ㉠혼기가 차다 / 혼기를 놓치다.
혼나다 (魂—) **1** 몹시 놀라거나 힘들거나 무서워 정신이 빠질 지경이 되다. ㉠무서워서 혼났다 / 시험 치르느라 혼났다. 비 혼쭐나다. **2** 꾸지람을 호되게 듣거나 벌을 받다. ㉠아버지한테 혼나다.
혼내다 (魂—) 심하게 꾸짖거나 벌을 주다. ㉠또 떠들면 혼낸다.
혼:돈 (混〔渾〕沌) 마구 뒤섞여 사물의 구별이 확실하지 않은 상태. ㉠혼돈에 빠지다. **—하다.**
혼:동 (混同) 구별하지 못해 잘못 판단함. ㉠이름이 비슷하여 사람을 혼동하다. **—하다.**
혼:란 (混亂) [홀란] 뒤섞여서 어지럽고 질서가 없음. ㉠가치관의 혼란을 겪다 / 정치적 혼란을 수습하다. 비 혼잡. **—하다.**
혼:란스럽다 (混亂—) [홀란스럽따] 뒤죽박죽이 되어 어지러운 면이 있다. ㉠거리의 혼란스러운 간판들. 활용 혼란스러워 / 혼란스러우니.
혼령 (魂靈) [홀령] 죽은 사람의 넋. 비 영. 영혼.
혼례 (婚禮) [홀례] ⇨결혼식. ㉠혼례식 / 혼례를 치르다.
혼미 (昏迷) 정신이 흐리멍덩함.

㉥혼미한 정신. **—하다.**

혼:방 (混紡) 성질이 다른 섬유를 섞어서 짠 옷감.

혼백 (魂魄) 죽은 사람의 넋. 비 넋.

혼비백산 (魂飛魄散) [혼비백싼] 혼백이 이리저리 흩어진다는 뜻으로, 몹시 놀라 어찌할 바를 모름. ㉥혼비백산하여 달아나다. **—하다.**

혼사 (婚事) 혼인에 관한 일. ㉥혼사가 이루어지다.

혼:선 (混線) **1** 전신·전화 따위에서 주고받는 신호·통신이 뒤섞이거나 엉클어지는 일. ㉥혼선이 생기다. **2** 서로 다른 여러 말이 뒤섞여 종잡을 수 없음. ㉥혼선을 빚다.

혼:성 (混聲) 남녀의 목소리를 서로 합함. ㉥혼성 합창.

혼수 (婚需) 결혼할 때 필요한 물품이나 비용. ㉥혼수 비용 / 혼수를 장만하다.

혼수상태 (昏睡狀態) 의식을 잃은 상태. ㉥혼수상태에서 깨어나다 / 혼수상태에 빠지다.

혼:식 (混食) 쌀에 잡곡을 섞어서 먹음. ㉥혼식을 장려하다. **—하다.**

혼:신 (渾身) 온몸. ㉥혼신의 힘을 쏟다.

혼:용 (混用) [호뇽] 섞어서 씀. ㉥한글과 한자를 혼용하다. **—하다.**

*__혼인__ (婚姻) [호닌] 남자와 여자가 부부가 되는 일. ㉥혼인 신고 / 혼인 잔치. 비 결혼. **—하다.**

*__혼자__ 홀로. 또는 자기 하나. ㉥혼자만 남다 / 혼자 여행을 떠나다.

혼:잡 (混雜) 한데 뒤섞여 어수선하고 복잡함. ㉥혼잡한 거리 / 길이 매우 혼잡해서 사고의 위험이 있다. 비 복잡. **—하다.**

혼잣말 [혼잔말] 말을 하는 상대가 없이 혼자서 하는 말. ㉥혼잣말로 투덜거리다. **—하다.**

혼절 (昏絕) 정신을 잃음. ㉥버스 안에서 혼절하다. **—하다.**

혼쭐나다 (魂—) [혼쭐라다] 몹시 혼나다. ㉥혼쭐나게 야단을 맞다.

혼:천의 (渾天儀) [혼처늬 / 혼처니] 예전에, 천체의 운행과 위치를 관측하던 장치.

혼:탁 (混濁) **1** 맑지 않고 흐림. ㉥혼탁한 강물. **2** 정치나 사회 현상 따위가 어지러움. ㉥사회 분위기가 혼탁하다. **—하다.**

혼:합 (混合) 뒤섞어서 한데 합침. ㉥남녀 혼합 경기. **—하다.**

*__혼:합물__ (混合物) [혼함물] 두 가지 이상의 다른 물질이 섞여 이루어진 것.

혼:혈 (混血) 서로 다른 종족이 결혼하여 두 계통의 특징이 섞임. 또는 그 혈통. ㉥혼혈아. **—하다.**

홀 (hall) 건물 안의 여러 사람이 모일 수 있는 넓은 곳.

홀- 짝이 없이 혼자뿐이라는 뜻. ㉥홀몸 / 홀아비 / 홀어미.

홀가분하다 가뿐하고 산뜻하다. ㉥마음이 홀가분하다.

홀딱 **1** 옷을 모두 벗거나 벗은 모양. **2** 가진 것이 다 없어지는 모양. ㉥재산을 홀딱 다 날리다. 비 죄다[2]. **3** 몹시 반하거나 여지없이 속는 모양. ㉥홀딱 반할 만한 미인.

홀라당 '홀랑'의 본딧말.

홀랑 **1** 죄다 드러나게 벗어지거나 벗은 모양. ㉥옷을 홀랑 벗다 / 이마가 홀랑 벗어지다. **2** 완전히 다 없어지는 모양. ㉥노름으로 전 재산을 홀랑 날리다. **3** 미끄럽게 뒤집히는 모양. ㉥높은 파도에 배가 홀랑 뒤집히다. 큰 훌렁.

홀로 자기 혼자서만. 외롭게. ㉥홀로 운동장에 앉아 있다. ➲ alone

홀리다 **1** 아주 반하다. **2** 유혹 따위에 빠져 정신을 차리지 못하다. ㉥도깨비에게 홀리다.

홀몸 아내나 남편, 형제가 없이 혼자 사는 사람. 비 독신.

> **주의** **홀몸과 홑몸**
> **홀몸** '아내 없는 몸, 남편 없는 몸, 형제 없는 몸'의 뜻으로 독신을 뜻한다.
> **홑몸** '아기 배지 않은 몸, 또는 딸린 사람이 없는 몸'의 뜻으로 단 혼자의 몸을 의미한다.
> (임신하고 있다) [홀몸이 아니다. (○) / 홑몸이 아니다. (×)

홀소리 [홀쏘리] 입술·코·목구멍 등에 막히지 않고 순하게 나오는 소리. ㅏ·ㅑ·ㅓ·ㅕ·ㅗ·ㅛ·ㅜ·ㅠ·ㅡ·ㅣ 따위. 비 모음. 반 닿소리. →닿소리 참고

> **참고** **홀소리의 순서와 이름**
> 한글 홀소리 10자의 순서와 이름은 다음과 같다.
>
> ㅏ(아) ㅑ(야) ㅓ(어)
> ㅕ(여) ㅗ(오) ㅛ(요)
> ㅜ(우) ㅠ(유) ㅡ(으)
> ㅣ(이)
>
> 또, 위의 홀소리로 적을 수 없는 소리는 두 개 이상의 홀소리를 어울러서 적되, 그 순서와 이름은 다음과 같다.
>
> ㅐ(애) ㅒ(얘) ㅔ(에)
> ㅖ(예) ㅘ(와) ㅙ(왜)
> ㅚ(외) ㅝ(워) ㅞ(웨)
> ㅟ(위) ㅢ(의)

***홀수** (—數) [홀쑤] 2로 나누어 나머지 1이 남는 수. 1, 3, 5, 7 따위의 수. 비 기수. 반 짝수.

홀씨 민꽃식물이 번식할 때 꽃식물의 씨와 같은 구실을 하는 세포. 비 포자.

홀아비 [호라비] 아내 없이 혼자 사는 남자. 반 홀어미.

홀어머니 [호러머니] '홀어미'를 높여 이르는 말.

홀어미 [호러미] 남편 없이 혼자 사는 여자. 반 홀아비.

홀연 (忽然) [호련] 뜻밖에 불쑥 나타나거나 사라지는 모양. 예 홀연 종적을 감추다.

홀연히 (忽然—) [호련히] 뜻밖에. 갑자기. 예 홀연히 사라지다.

홀짝[1] **1** 홀수와 짝수. **2** 주먹에 쥔 구슬·딱지 그 밖의 물건의 수가 홀수인가 짝수인가를 알아맞히는 아이들의 놀이.

홀짝[2] **1** 적은 양의 액체를 단숨에 들이마시는 모양. **2** 단번에 가볍게 뛰거나 날아오르는 모양. 예 날 듯이 홀짝 뛰어오르다. **3** 콧물을 들이마시는 모양. 큰 훌쩍.

홀쭉이 [홀쭈기] 몸이 가냘프거나 볼에 살이 없이 여윈 사람. 반 뚱뚱이. → [학습마당] 26(1205쪽)

홀쭉하다 [홀쭈카다] **1** 몸이 가늘고 길다. **2** 속이 비어 안으로 오므라져 있다. **3** 앓거나 지쳐서 몸이 야위다. 큰 훌쭉하다.

홀치다 벗어나거나 풀리지 않도록 단단히 동여매다. 큰 훌치다.

홀홀 **1** 작은 날짐승 따위가 가볍게 나는 모양. **2** 불길이 조금씩 일어나는 모양. **3** 옷 따위를 가볍게 벗어 버리는 모양. **4** 더운물이나 묽은 죽 따위를 조금씩 들이마시는 모양. 예 차를 홀홀 마시다. 큰 훌훌.

홈[1] 물체에 오목하고 길게 팬 자리. 예 홈을 파다.

홈[2] (home) 야구에서 포수가 있는 자리. 홈 베이스. 본루. 예 홈을 밟다.

홈런 (home run) 야구에서, 타자가 친 공이 경기장 담장을 넘어가서 주자와 타자 모두 득점할 수 있도록 친 안타.

홈 쇼핑 (home shopping) 텔레비전이나 컴퓨터 통신의 광고를 보고 가정에서 전화나 인터넷으로 물건을 주문하는 일.

홈:질 옷감을 포개어 놓고 드문드문 꿰매는 바느질 방법. **—하다.**

홈통 (—桶) 물을 흘려 보내는 데 쓰는 물건. 긴 물건에 홈을 파거나 오목하게 만들어 씀.

홈페이지 (home page) 인터넷으로 홍보하거나 정보를 교환하기 위해 정보를 제공할 수 있도록 만든 웹 문서. 보통 인터넷 사이트의 주소는 이 홈페이지 주소를 가리킴.

홉[1] 부피의 단위. 한 홉은 한 되의 10분의 1로 약 180밀리리터임.

홉[2] (hop) 뽕나뭇과의 여러해살이 덩굴풀. 가지와 잎자루에 가시가 있고 여름에 황록색의 꽃이 피며 열매는 타원형임. 맥주의 원료로 씀.

홍길동전 (洪吉童傳) [홍길똥전] 〖책〗 조선 광해군 때 허균이 지은 우리나라 최초의 한글 소설. 조선 시대의 신분 제도 및 정치 제도의 개선이 주제임.

홍난파 (洪蘭坡) 〖인명〗 작곡가·바이올리니스트. 우리나라 근대 음악의 선구자로 서양 음악 보급에 앞장섬. 작품으로 '봉선화', '성불사의 밤', '낮에 나온 반달' 등이 유명함. [1898–1941]

홍당무 (紅唐—) **1** 무의 한 가지. 껍질은 붉으나 속은 흼. **2**⇨당근. **3** 수줍거나 무안하여 붉어진 얼굴을 이르는 말.

홍대용 (洪大容) 〖인명〗 조선 영조 때의 실학자. 청나라·서양 등의 문명을 받아들여 상공업을 일으키고 과학을 발달시켜야 한다고 주장함. 혼천의를 만듦. [1731–1783]

홍도 (紅島) 〖지명〗 전라남도 신안군에 위치한 섬. 홍갈색의 바위산과 풍란 따위의 희귀한 식물들로 자연 그대로의 공원을 이룸.

홍두깨 옷감을 감아서 다듬이질하는 데 쓰는, 둥글고 긴 나무.

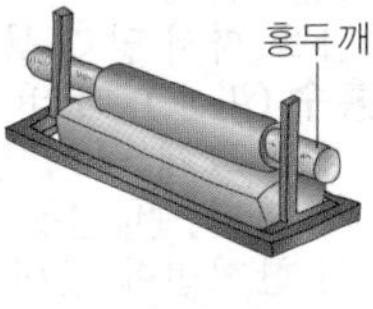

〈홍두깨〉

홍문관 (弘文館) 조선 때 경전·역사책·문서 등을 관리하고 임금이 학문 등에 대한 의견을 묻던 관청.

홍범도 (洪範圖) 〖인명〗 독립 운동가. 함경북도 북청에서 의병을 일으켜 일본군을 격파하고, 간도로 건너가 독립군 총사령이 됨. 대한 독립 군단을 조직하여 부총재가 되었음. [1868–1943]

홍보 (弘報) 일반에게 널리 알림. 또는 그 보도나 소식. ㉥홍보 활동에 나서다 / 신제품을 홍보하다. **—하다.**

홍보물 (弘報物) 어떤 사실이나 제품 따위를 널리 알리기 위해 만든 물품이나 인쇄물.

[학습마당] 26

'홀쭉이' 를 '홀쭈기' 로 쓰지 않는 까닭

(1) '-하다' 나 '-거리다' 가 붙는 말의 줄기에 '-이' 가 붙어 명사가 된 것은 그 원형을 밝혀 적음.

〔보기〕 깔쭉이, 꿀꿀이, 눈깜짝이, 더펄이, 배불뚝이, 살살이, 쌕쌕이, 오뚝이, 코납작이, 푸석이, 홀쭉이

(2) '-하다' 나 '-거리다' 가 붙을 수 없는 말의 줄기에 '이' 나 다른 홀소리로 시작되는 말이 붙어 명사가 된 것은 그 원형을 밝혀 적지 않음.

〔보기〕 개구리, 귀뚜라미, 기러기, 깍두기, 꽹과리, 날라리, 누더기, 동그라미, 두드러기, 딱따구리, 매미, 부스러기, 뻐꾸기

홍살문 (紅—門) 능·묘·궁전·관아 등의 앞에 세우는 문. 둥근 기둥 두 개를 세우고 지붕이 없이 붉은 살을 세워서 죽 박은 문.

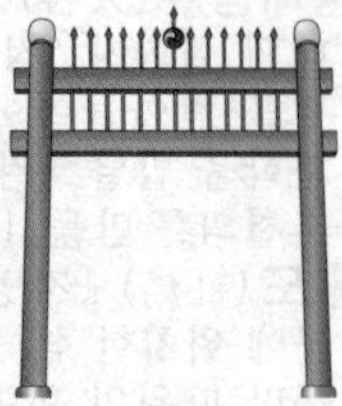

〈홍살문〉

홍삼 (紅蔘) 수삼을 쪄서 말린 붉은 빛깔의 인삼.

*__홍수__ (洪水) **1** 비가 많이 와서 내나 강에 크게 불어 넘치는 물. ㉄홍수가 나다. ㉥큰물. **2** 사람이나 사물이 한꺼번에 많이 쏟아져 나옴의 비유. ㉄차량의 홍수.

홍수를 이루다 한꺼번에 많이 쏟아져 나와 넘쳐흐를 정도가 되다.

홍시 (紅枾) 흠뻑 익어 붉고 말랑말랑한 감. ㉥연감. 연시.

홍어 (洪魚) 가오릿과에 속하는 바닷물고기. 가오리와 비슷하나 더 둥글고 가로로 퍼졌음. 등 쪽은 갈색이고 배는 흼.

홍역 (紅疫) 열이 오르고 온몸에 좁쌀 같은 것이 돋고 기침이 나는 어린이의 전염병. 한 번 앓으면 다시 걸리지 않음.

홍역(을) 치르다 몹시 애를 먹거나 어려운 일을 겪다.

홍영식 (洪英植) 〘인명〙 조선 후기의 문신. 구제도를 혁신하고 서양 문물을 받아들이려고 김옥균·박영효와 함께 갑신정변을 일으켰으나 실패하여 처형됨. [1855-1884]

홍예문 (虹霓門) 문의 윗부분이 무지개처럼 반원형으로 된 문. 아치. ㉣홍예.

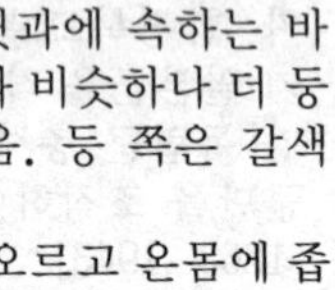

〈홍예문〉

홍의 장군 (紅衣將軍) 〘인명〙 ⇨ 곽재우.

홍익인간 (弘益人間) [홍이긴간] 널리 인간 세계를 이롭게 한다는 뜻으로 단군의 건국이념임.

홍인종 (紅人種) 얼굴빛이 붉은 인종. 아메리카 인디언을 일컬음. ㉯홍색 인종.

홍일점 (紅一點) [홍일쩜] 많은 남자들 틈에 오직 하나뿐인 여자.

홍조 (紅潮) 부끄럽거나 술에 취하여 붉어진 얼굴. ㉄얼굴에 홍조를 띠다.

홍차 (紅茶) 차나무의 어린잎을 발효시키어 말린 찻감. 달인 물은 붉은 빛깔임.

홍채 (虹彩) ⇨눈조리개.

홍콩 (Hong Kong) 〘지명〙 중국 대륙 남동부 주장 강 어귀에 있는 항구 도시. 세계에서 손꼽히는 무역의 중심지이며, 관광 도시로도 유명함. 영국의 식민지였다가 1997년 7월 1일 중국에 반환되어 특별 행정 구역이 됨.

홍합 (紅蛤) 홍합과의 바닷조개. 껍데기는 삼각형에 가까운 타원형으로 빛은 검은 갈색이며 살은 붉은 빛을 띰. 암초에 붙어 삶.

홑- [혼] 어떤 말 앞에 붙어 '한 겹' 또는 '혼자인'의 뜻을 나타내는 말. ㉄홑옷 / 홑이불 / 홑몸.

홑겹 [혼껍] 한 겹. ㉄옷을 홑겹으로 짓다.

홑눈 [혼눈] 게·새우·곤충의 겹눈 앞쪽에 있는 작은 눈. 어둡고 밝은 것을 구분함.

홑닿소리 [혼따쏘리] 홑으로 나는 닿소리. ㄱ·ㄴ·ㄷ·ㄹ·ㅁ·ㅂ·ㅅ·ㅇ·ㅈ·ㅎ 따위. ㉥단자음. ㉤겹닿소리.

홑몸 [혼몸] **1** 딸린 사람이 없는 혼자의 몸. ㉄홑몸으로 살다. ㉥단신. **2** 아이를 배지 않은 몸. ㉄그녀는 홑몸이 아니다. → 홀몸 주의

홑바지 [혼빠지] 한 겹으로 지은 바지. ㉤겹바지.

홑옷 [호돋] 한 겹으로 지은 옷. 반 겹옷.

홑이불 [혼니불] 한 겹으로 된 이불. 주로 여름에 덮음.

홑잎 [혼닙] 한 장의 잎사귀로 된 잎. 반 겹잎.

홑청 [혿청] 요나 이불 따위의 겉에 씌우는, 홑겹으로 된 천. 예이불 홑청을 벗겨 내다.

홑치마 [혿치마] 한 겹으로 된 치마. 반 겹치마.

홑홀소리 [호톨쏘리] 홑으로 나는 홀소리. ㅏ·ㅐ·ㅓ·ㅔ·ㅗ·ㅜ·ㅡ·ㅣ 따위. 비 단모음. 반 겹홀소리.

***화ː¹** (火) 몹시 언짢거나 못마땅해서 나는 성. 예화를 내다 / 화가 치밀다 / 화를 풀다.

화가 머리끝까지 나다 몹시 화가 나다.

화² (火) '화요일' 의 준말.

화ː³ (禍) 불행한 사고나 사나운 운수. 예화를 입다 / 화를 부르다 / 화를 면하다. 반 복.

-화¹ (化) 어떤 말의 뒤에 붙어, 그렇게 만들거나 됨을 나타냄. 예전산화 / 도시화 / 대중화.

-화² (畫) 어떤 말의 뒤에 붙어 '그림' 의 뜻을 나타냄. 예수채화 / 초상화 / 풍경화.

***화ː가** (畫家) 그림 그리는 것을 직업으로 하는 사람. 높 화백.

화강암 (花崗岩) 석영·운모·장석 따위로 이루어진 광물. 단단하고 아름다워 건축이나 비석 따위의 재료로 씀.

화교 (華僑) 다른 나라에 가서 사는 중국 사람.

화ː근 (禍根) 불행한 일이 생기게 되는 원인. 예경솔한 행동이 화근이 되었다.

화ː급 (火急) 매우 급함. 예화급한 일 / 화급히 떠나다. **—하다. —히.**

화ː기¹ (火氣) 불의 뜨거운 기운. 예화기 엄금. 비 불기.

화ː기² (火器) 화약의 힘으로 탄알을 내쏘는 병기. 총·기관총·대포 따위.

화기애애하다 (和氣靄靄—) 온화하고 화목한 분위기가 넘쳐흐르다. 예화기애애한 분위기.

화끈 **1** 뜨거운 기운을 받아 몸이나 쇠 따위가 갑자기 달아오르는 모양. 예얼굴이 화끈하다. 큰 후끈. **2** 긴장과 흥분이 높아지는 모양. 예화끈한 경기를 펼치다. **—하다.**

화끈거리다 뜨거운 느낌이 자꾸 일어나다. 예김치가 매워서 입 안이 화끈거리다. 큰 후끈거리다.

화끈하다 성격이나 일 처리가 시원스럽다. 예화끈한 성격.

화ː나다 (火—) 성이 나서 노한 기운이 생기다. 예화난 얼굴.

화ː내다 (火—) 성이 나거나 노여워하는 감정을 드러내다. 예걸핏하면 화내는 성격.

화닥닥 [화닥딱] **1** 갑자기 뛰어나가려고 급하게 움직이는 모양. 예화닥닥 뛰어나가다. **2** 일을 빨리 하느라고 급히 서두르는 모양. 예숙제를 화닥닥 해치우다. 큰 후닥닥.

***화단** (花壇) 꽃을 심으려고 뜰 한쪽에 흙을 조금 높게 쌓은 꽃밭. 예화단을 가꾸다. 비 꽃밭.

화답 (和答) 상대의 말이나 행동에 알맞은 말이나 행동으로 응답함. **—하다.**

화ː덕 (火—) **1** 숯불을 피워 담아 두는 큰 화로. 예화덕에 밤을 구워 먹다. **2** 쇠나 흙으로 아궁이처럼 만들어 솥을 걸고 쓰게 만든 물건.

화들짝 별안간 호들갑스럽게 펄쩍 뛸 듯이 놀라는 모양.

화랑¹ (花郎) 신라 때, 청소년 민간 수양 단체. 또는 그 중심 인물. 세속오계를 지키며 학문과 덕을 쌓고 무예를 닦았음. 신라의 삼국 통일에 크게 이바지함.
화:랑² (畫廊) 그림 따위의 미술품을 벌이어 놓고 전시하는 곳.
화랑도 (花郞徒) 화랑의 무리. ㉥국선도. 낭도.
*__화려하다__ (華麗—) 빛나고 아름답다. ㉠화려한 옷차림.
화:력 (火力) **1** 불의 힘. **2** 총포의 힘. ㉠막강한 화력.
화:력 발전 (火力發電) [—빨쩐] 석탄이나 기름을 때어서 만든 증기의 힘으로 발전기를 돌려 전기를 일으키는 일. ㉡수력 발전.
화:로 (火爐) 숯불을 담아 놓는, 흙이나 쇠붙이로 만든 그릇.
화:롯불 (火爐—) [화로뿔 / 화롣뿔] 화로에 담은 불.
*__화:면__ (畫面) 텔레비전·컴퓨터 따위에서 영상이 나타나는 면. ㉠화면이 밝다 / 화면이 선명하다.
화목 (和睦) 서로 뜻이 맞고 정다움. ㉠서로를 아껴 주는 화목한 가정. ㉡반목. 불화. **—하다.**
화문석 (花紋席) 꽃무늬를 놓아 짠 돗자리. ㉥꽃돗자리.
화:물 (貨物) 자동차·기차·배 따위로 실어 나르는 큰 짐. ㉠화물 열차 / 화물을 싣다. ㉥짐. 하물.
화:물선 (貨物船) [화물썬] 짐을 실어 나르는 배.
화:물차 (貨物車) 짐을 실어 나르는 자동차.
화백¹ (和白) 신라 때, 나라의 중요한 일을 의논하던 회의 제도. 만장일치제였음.
화:백² (畫伯) '화가'의 높임말.
화법 (話法) [화뻡] **1** 말하는 방법. **2** 문장이나 이야기에서 다른 사람의 말을 인용하여 다시 표현하는 방법. 직접 화법과 간접 화법이 있음.
화병¹ (花瓶) 꽃을 꽂는 병. ㉠장미를 화병에 꽂다. ㉥꽃병.
화:병² (火病) [화뼝] 분한 마음을 삭이지 못하여 생기는 병. ㉠화병이 나다 / 화병이 들다. ㉦울화병.
화:보 (畫報) 세상에서 일어난 여러 가지 일을 그림이나 사진으로 알리는 인쇄물.
*__화분__ (花盆) 꽃을 심어 가꾸는 데 쓰는 그릇.
화사하다 (華奢—) 화려하고 곱다. ㉠옷차림이 화사하다.
*__화:산__ (火山) 땅속의 마그마가 땅 위로 뿜어 나와 이루어진 산. ㉠화산 지대.
화:산섬 (火山—) 화산에서 뿜어져 나온 용암과 재가 쌓여 이루어진 섬. 제주도·울릉도 따위. ㉥화산도.
화:산암 (火山岩) [화사남] 땅속 깊이 있는 높은 온도의 마그마가 땅 위로 흘러나와 급히 식어서 굳은 바위. 안산암·현무암·유문암 따위.
화:산재 (火山—) 화산에서 뿜어져 나온 용암 부스러기가 먼지와 같이 된 재. ㉥화산회.
화:산 활동 (火山活動) [—활똥] 땅속 깊은 곳에 있는 마그마나 가스 따위가 땅 위로 뿜어 나와 일으키는 여러 가지 작용.
*__화살__ 활에 대어 쏘는 살.
화살촉 (—鏃) 화살 끝에 박은 뾰족한 쇳조각. ㉢살촉. 활촉.
화살표 (—標) **1** 방향을 나타내는 화살 모양의 부호. **2** 문장에서 방향표로 쓰는 표시(부호는 →).
화:상¹ (火傷) 불이나 뜨거운 열 따위에 데어 생긴 상처. ㉠ 3도 화상을 입다.
화:상² (畫像) **1** 사람의 얼굴을 그린 그림. **2** 텔레비전 화면에 나타나는 상. ㉠화상 회의.
화색 (和色) 얼굴에 드러나는 환한 빛. ㉠얼굴에 화색이 돌다.
*__화:석__ (化石) 아주 오랜 옛날에 살던 생물의 뼈나 생활의 흔적 등이 암석 속에 남아 있는 것. ㉠화석 인류.

*화ː선지 (畫宣紙) 붓글씨를 쓰거나 동양화를 그릴 때 쓰는 종이.

화성[1] (和聲) 둘 이상의 목소리가 동시에 울려서 음악적인 효과를 이루는 일. 하모니.

화ː성[2] (火星) 태양으로부터 네 번째의 거리에 있으며 붉은빛을 내는 행성. 지구의 바로 바깥에 있으며 지름은 지구의 약 반임. 두 개의 위성을 가지고 있음.

화ː성암 (火成岩) 땅속의 마그마가 흘러나와 굳어 이루어진 암석. 석영·운모·장석 따위.

화수분 온갖 물건을 넣어 두면 새끼를 쳐서 끝없이 나오는 보물단지라는 뜻으로, 재물이 자꾸 생겨서 아무리 써도 줄지 않음을 이르는 말.

화술 (話術) 말재주. 말솜씨. ㉥화술에 능하다.

화ː승총 (火繩銃) 심지에 불을 붙여 화약을 터지게 하여 쏘던 옛날 총.

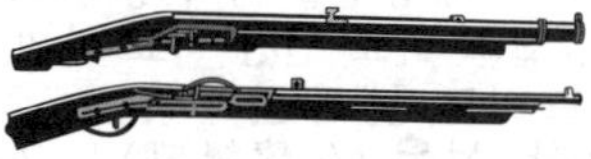

〈화승총〉

화ː실 (畫室) 화가나 조각가가 작품을 만드는 방. 아틀리에.

화씨온도계 (華氏溫度計) [―/화씨온도계] 독일의 파렌하이트가 만든 온도계. 얼음이 어는점을 32°F, 물이 끓는점을 212°F로 함《기호는 °F》. ＊섭씨온도계.

*화ː약 (火藥) 충격·마찰·열 따위를 받으면 큰 소리와 함께 많은 열과 가스를 발생시키며 폭발하는 물질.

화ː약고 (火藥庫) [화약꼬] **1** 화약 따위를 저장하는 창고. **2** 분쟁이나 전쟁 따위가 일어날 위험성이 있는 지역을 비유하는 말.

화엄사 (華嚴寺) 지리산 서쪽 기슭 전라남도 구례군에 있는 절. 신라 때 연기 대사가 세움. 국보 67호인 각황전 등이 있음.

화ː염 (火焰) ⇨불꽃1. ㉥화염에 휩싸이다.

화요일 (火曜日) 7요일의 하나. 일요일부터 셋째 날. ➲ Tuesday

화원 (花園) **1** 꽃을 심은 동산. 비 꽃동산. 꽃밭. **2** 꽃가게.

*화음 (和音) 높낮이가 다른 둘 이상의 소리가 동시에 함께 어울리는 소리. ㉥화음을 맞추다.

화의 (和議) [―/화이] 화해하는 의논. ㉥화의를 제안하다.

화자 (話者) 말하는 사람. 이야기하는 사람. 반 청자.

화장[1] (化粧) 화장품을 바르거나 문질러 얼굴을 곱게 꾸밈. ㉥화장이 너무 짙다. 비 단장. **―하다.**

화ː장[2] (火葬) 시체를 불에 태워 장사를 지내는 일. **―하다.**

화장대 (化粧臺) 화장하는 데 쓰이는 기구. 거울이 달려 있으며 화장품을 올려 놓거나 넣어 둠.

*화장실 (化粧室) 대소변을 보는 곳. '변소'를 점잖게 이르는 말.

화장지 (化粧紙) 화장실에서 대소변 볼 때 또는 화장할 때 쓰는 부드럽고 얇은 종이. 비 휴지.

화장품 (化粧品) 화장에 쓰이는 물건. 로션·분·크림·향수 따위.

*화ː재 (火災) 불로 인한 재난. ㉥화재 예방. 반 수재.

화ː재 보ː험 (火災保險) 화재로 생긴 손해를 갚아 주는 손해 보험.

화ː전 (火田) 산이나 들에 불을 질러 풀과 나무를 태운 다음, 그 자리를 파 일구어 농사를 짓는 밭.

화ː전민 (火田民) 화전을 일구어 농사를 짓는 사람.

화제 (話題) 이야깃거리. ㉥화제의 인물/화제에 오르다/화제를 돌리다/화제가 풍부하다.

화젯거리 (話題―) [화제꺼리/화젠

꺼리] 이야깃거리가 될 만한 소재. ㉠장안의 화젯거리가 되다.

화:차[1] (貨車) 짐을 실어 나르는 열차. 반 객차. 본 화물 열차.

화:차[2] (火車) 예전에 적을 불로 공격하는 데 쓰던 수레로 된 무기.

화창하다 (和暢—) 날씨 따위가 따뜻하고 맑다. ㉠화창한 봄날.

화채 (花菜) 꿀·설탕을 탄 물이나 오미잣국에 과일을 썰어 넣고 잣을 띄운 음료.

화:첩 (畫帖) **1** 그림을 모아 엮은 책. ㉠고흐의 화첩. 비 화집. **2** 그림을 그릴 수 있도록 종이를 여러 장 한데 모아 묶은 책.

화초 (花草) 꽃이 피는 풀과 나무. 보면서 즐기기 위해 꽃밭·화분에 심음. ㉠화초를 가꾸다 / 화초에 물을 주다. 비 화훼.

화촉 (華燭) 혼례식에서 밝히는 불. 또는 그 혼례식. ㉠화촉에 불을 붙이다 / 화촉을 밝히다.

화친 (和親) **1** 서로 의좋게 지냄. **2** 나라와 나라 사이의 친밀한 교류. ㉠화친을 맺다. **—하다.**

화톳불 [화토뿔 / 화톧뿔] 장작을 모아 질러 놓은 불. ㉠화톳불을 피우다.

화:통 (火筒) 기차나 기선의 굴뚝.

화투 (花鬪) 그림이 그려진 48장의 패를 여러 가지로 짝을 맞추어 승부를 겨루는 놀이. ㉠화투를 치다.

화:판 (畫板) 그림을 그릴 때 받치는 판.

화평 (和平) **1** 마음이 편안함. **2** 나라 사이가 화목하고 평화로움. ㉠화평하게 지내다. **—하다.**

화:폐 (貨幣) [— / 화페] 물건을 사거나 팔거나 할 때 쓰는 것. 곧, 돈.

화:포 (火砲) 대포와 같이 화약의 힘으로 탄환을 쏘는 무기.

화:폭 (畫幅) 그림을 그린 천이나 종이. ㉠가을 풍경을 화폭에 담다.

화:풀이 (火—) [화푸리] **1** 화를 풀려고 하는 일. ㉠화풀이로 마구 먹어 대다. **2** 엉뚱한 사람에게 화를 냄. ㉠선생님께 야단맞고 친구에게 화풀이하다. **—하다.**

화:풍 (畫風) 그림의 경향이나 특징. ㉠스승의 화풍을 이어받다.

화:하다 입 안의 느낌이 얼얼하면서도 시원하다. ㉠박하사탕을 물었더니 입 안이 화하다.

***화:학** (化學) 물질의 구조·성질·작용·변화 따위를 연구하는 자연 과학의 한 분야.

화:학 공업 (化學工業) [—꽁업] 화학을 응용하여 여러 가지 제품을 만드는 공업. 비료·시멘트·석유 화학 공업 등이 있음. 준 화공.

화:학 반:응 (化學反應) [—빠능] 두 가지 또는 그 이상의 물질 사이에 화학 변화가 일어나서 다른 물질로 변하는 과정.

화:학 비:료 (化學肥料) [—삐료] 화학 처리 공정을 거쳐 생산되는 비료. 질소 비료·인산 비료 따위. 비 인조 비료. 반 천연 비료.

화:학 섬유 (化學纖維) [—써뮤] 석유 따위를 화학적으로 처리하여 만든 나일론·비닐론 등의 섬유. 비 합성 섬유. 반 천연 섬유. 준 화섬.

화:학자 (化學者) [화학짜] 화학을 연구하는 사람.

화:학적 변:화 (化學的變化) [화학쩍뻔화] 어떤 물질이 모양뿐만 아니라 성질까지도 완전히 다른 물질로 변하는 현상. 반 물리적 변화.

화:합[1] (和合) 서로 뜻이 잘 맞아 사이좋게 어울림. ㉠형제간에 화합이 잘된다. **—하다.**

화:합[2] (化合) 두 가지 이상의 물질이 화학적으로 반응·결합하여 새로운 물질이 되는 현상. **—하다.**

화:합물 (化合物) [화함물] 둘 또는 그 이상의 물질이 화합해서 이룬

물질.

화해 (和解) 싸움을 그치고 다시 사이좋게 지냄. ㉠화해를 청하다 / 친구와 화해하다. **—하다.**

화환 (花環) 꽃을 엮어 둥글게 만들어 환영·축하 또는 조의를 표할 때 쓰는 물건. ㉠화환을 목에 걸어 주다. *꽃다발.

화훼 (花卉) ⇨화초. ㉠화훼 단지를 조성하다.

확 **1** 힘차게 부는 모양. ㉠바람이 확 불다. **2** 날래고 힘차게 하는 모양. ㉠물을 확 뿌리다 / 확 달려들다. **3** 불이 갑자기 일어나는 모양. ㉠불이 확 타오르다. **4** 막혔던 것이 시원스럽게 열리는 모양. ㉠시야가 확 트이다.

확고부동 (確固不動) [확꼬부동] 확실하고 굳어서 흔들리거나 움직이지 아니함. ㉠확고부동한 결심. **—하다.**

확고하다 (確固—) [확꼬하다] 확실하고 굳다. ㉠결심이 확고하다.

확고히 (確固—) [확꼬히] 확고하게. ㉠지지 기반을 확고히 다지다.

확답 (確答) [확땁] 확실한 대답. ㉠확답을 피하다. **—하다.**

확대 (擴大) [확때] 모양이나 규모를 늘여 크게 함. ㉠사진을 확대하다. 반 축소. **—하다.**

확대경 (擴大鏡) [확때경] 물체가 크게 보이는 볼록 렌즈. 비 돋보기.

확률 (確率) [황뉼] 어떤 일이 일어날 수 있는 가능성의 비율. ㉠당선될 확률이 높다.

***확립** (確立) [황닙] 기초·체계·견해 따위가 굳게 섬. 또는 그런 것을 굳게 세움. ㉠질서를 확립하다. **—하다.**

확보 (確保) [확뽀] 확실하게 가지고 있음. ㉠안전거리 확보 / 자원을 확보하다. **—하다.**

확산 (擴散) [확싼] **1** 흩어져 널리 퍼짐. ㉠전염병의 확산을 막다. **2** 서로 농도가 다른 기체나 액체가 섞일 때 시간이 지남에 따라 점차 같은 농도로 되는 현상. **—하다.**

확성기 (擴聲器) [확썽기] 소리를 크게 하여 멀리까지 들리게 하는 기구. 스피커.

확신 (確信) [확씬] 확실히 믿음. 또는 그런 마음. ㉠확신이 서다 / 성공을 확신하다. **—하다.**

확실하다 (確實—) [확씰하다] 틀림이 없다. 사실과 다르지 않다. ㉠확실한 증거. 반 불확실하다.

확실히 (確實—) [확씰히] 확실하게. ㉠확실히 말해라.

확약 (確約) [화갹] 확실하게 약속함. 또는 그런 약속. ㉠확약을 받다. **—하다.**

확언 (確言) [화건] 확실하게 말함. 또는 그런 말. ㉠아직은 확언할 수 없다. **—하다.**

확연하다 (確然—) [화견하다] 아주 확실하다. ㉠확연한 증거.

확연히 (確然—) [화견히] 확연하게. ㉠거짓말이 확연히 드러나다.

***확인** (確認) [화긴] 확실히 인정함. 또는 틀림없는지 알아봄. ㉠준비물을 확인하다. **—하다.**

확장 (擴張) [확짱] 범위나 세력을 늘려서 넓힘. ㉠가게를 확장하다 / 도로를 확장하다. 반 축소. **—하다.**

확정 (確定) [확쩡] 어떤 일을 하기로 분명하게 정함. ㉠올림픽 개최지가 확정되다. **—하다.**

확정적 (確定的) [확쩡적] 확정된 것이나 또는 그에 가까운 (것). ㉠승리가 거의 확정적이다.

확증 (確證) [확쯩] 확실히 증명함. 또는 확실한 증거. ㉠확증을 잡다. 비 실증. **—하다.**

확충 (擴充) 늘리고 넓혀 충실하게 함. ㉠시설을 확충하다. **—하다.**

확확 [화콱] **1** 바람·냄새·기운 따

위가 잇달아 세차게 끼치는 모양. ㉠고기 굽는 냄새가 확확 풍기다. **2** 뜨거운 기운이 잇달아 일어나는 모양. ㉠당황한 그는 얼굴이 확확 달아올랐다.

환:각 (幻覺) 없는 것을 있는 것처럼 느끼는 감각. ㉠환각에 빠지다 / 환각을 일으키다.

환:각제 (幻覺劑) [환각쩨] 환각 작용을 일으키는 약.

환갑 (還甲) 나이 예순한 살을 가리키는 말. ㉠환갑을 맞다. 비회갑.

***환경** (環境) **1** 사람과 생물이 살아가는 데에 두루 영향을 끼치는 자연이나 사회의 조건이나 상태. ㉠교육 환경 / 환경이 좋다. **2** 생활하는 곳의 주변 상태. ㉠환경 미화.

환경 미:화원 (環境美化員) 거리를 청소하거나 집집의 쓰레기 따위를 치우는 일을 직업으로 하는 사람. 준 미화원.

환경부 (環境部) 중앙 행정 기관의 하나. 자연보호 및 환경 보전에 관한 일을 맡아봄.

환경오염 (環境汚染) 자연 개발로 인한 자연의 파괴와 여러 가지 교통기관이나 공장에서 쏟아져 나오는 가스나 폐수, 농약 등으로 환경이 더럽혀지는 일. ㉠환경오염의 원인이 되는 쓰레기를 줄입시다.

환급 (還給) 돈 따위를 도로 돌려줌. **—하다.**

환:기¹ (喚起) 주의나 여론, 생각 따위를 불러일으킴. ㉠주의를 환기하다. **—하다.**

환:기² (換氣) 탁한 공기를 맑은 공기로 바꿈. ㉠실내 환기 / 환기가 잘 되는 방. **—하다.**

환:난 (患難) 근심과 재난. ㉠환난을 겪다 / 환난을 극복하다.

환담 (歡談) 정답고 즐겁게 서로 주고받는 이야기. ㉠환담을 나누다. **—하다.**

환대 (歡待) 기쁘게 맞아 정성껏 대접함. ㉠환대를 받다 / 손님을 환대하다. **—하다.**

환도 (還都) 전쟁이 났을 때 정부가 수도를 떠나 다른 곳으로 옮겼다가 다시 수도로 돌아옴. **—하다.**

환:등기 (幻燈機) 그림·사진 등을 확대하여 스크린에 비추는 기계. ㉠슬라이드 환등기.

환락 (歡樂) [활락] 마음껏 즐기는 것. ㉠환락에 빠지다.

환락가 (歡樂街) [활락까] 술집 따위의 유흥장이 많이 늘어선 거리.

환:멸 (幻滅) 큰 기대나 희망이 깨어질 때 느끼는 허무함이나 쓰라림. ㉠환멸을 느끼다.

환:부 (患部) 병이나 상처가 난 곳. ㉠환부를 치료하다.

환불 (還拂) 요금 따위를 되돌려줌. ㉠물건 값을 환불해 주다 / 환불을 요구하다. **—하다.**

환:산 (換算) 어떤 단위로 표시된 수량을 다른 단위로 고쳐 셈함. ㉠원화를 달러로 환산하다. **—하다.**

환:상¹ (幻像) 없는 것이 있는 것같이 보이는 것. ㉠죽은 동생의 환상을 보았다. 비환영.

환:상² (幻想) 현실적으로 있을 수 없는 여러 가지 사물을 상상하는 일. ㉠환상이 깨지다 / 환상에 사로잡히다. 비공상.

환:상곡 (幻想曲) 형식의 제약을 받지 않고 악상이 떠오르는 대로 자유롭게 만든 악곡.

환:상적 (幻想的) 현실과 동떨어진 꿈을 꾸고 있는 것과 같은 (것). ㉠환상적인 멜로디.

환생 (還生) **1** 죽었던 사람이 되살아남. **2** 죽은 사람이 다른 삶의 형태로 바꾸어 태어남. ㉠사람이 동물로 환생했다는 전설이 있다. **—하다.**

환성 (歡聲) 기쁘고 반가워서 지르는 소리. ㉠환성을 지르다.

환속 (還俗) 승려가 도로 속세의 사람이 됨. **—하다.**

환송 (歡送) 떠나는 사람을 기쁜 마음으로 보냄. ㉾환송을 받다. 반환영. **—하다.**

환심 (歡心) 기쁘고 즐거운 마음.

환심(을) 사다 남의 비위를 맞추어 그의 호감을 자아내다.

환약 (丸藥) [화냑] 약재를 가루로 만들어 반죽하여 작고 둥글게 빚은 약. 비알약.

환영[1] (歡迎) [화녕] 오는 사람을 기쁜 마음으로 즐거이 맞이함. ㉾새로 입학한 동생들을 환영하다. 반환송. **—하다.** ➲Welcome

환:영[2] (幻影) [화녕] 눈 앞에 있지 않은 사람이나 물건의 모습이 있는 것처럼 또렷이 보이는 것. ㉾할머니의 환영을 보다. 비허깨비. 환상.

환웅 (桓雄)〖인명〗 단군 신화에 나오는 인물. 환인의 아들. 태백산에 내려와 세상을 다스렸으며, 웅녀와 결혼하여 단군을 낳았다 함.

환원 (還元) [화눤] 본디의 상태로 되돌아감. ㉾재산을 사회에 환원하다. **—하다.**

환:율 (換率) [화뉼] 한 나라 화폐와 다른 나라 화폐와의 교환 비율.

환인 (桓因)〖인명〗 단군 신화에 나오는 환웅의 아버지. 환웅이 세상에 내려가고자 하므로 태백산으로 내려 보내어 세상을 다스리게 하였다고 함.

*__환:자__ (患者) 병을 앓거나 다친 사람. ㉾입원 중인 환자 / 환자를 돌보다. 비병자.

환:장 (換腸) 마음이나 행동 따위가 비정상적인 상태로 달라짐. ㉾돈에 환장하다. **—하다.**

환:절기 (換節期) 계절이 바뀌는 시기. ㉾환절기에는 감기에 걸리기 쉽다.

환조 (丸彫) 한 덩어리의 재료로 물체의 모양을 전부 입체적으로 새기는 조각법.

환:청 (幻聽) 실제로는 아무 소리도 나지 않는데 소리가 들리는 것 같이 느끼는 환각 현상.

환:풍기 (換風機) 건물 안의 탁한 공기를 내보내고 바깥의 맑은 공기를 들어오게 하는 기구.

*__환:하다__ **1** 빛이 비쳐 또렷하게 밝다. ㉾방이 환하다. **2** 앞이 탁 트여 넓고 시원하다. ㉾앞길이 환하다. **3** 잘 생기다. ㉾환한 얼굴. **4** 일의 조리나 속내가 뚜렷하다. ㉾동네 지리에 환하다. 큰훤하다.

환형동물 (環形動物) 동물을 분류하는 단위의 하나. 몸은 가늘고 길며 많은 마디가 고리 모양을 이룸. 지렁이·거머리 따위가 이에 속함.

환호 (歡呼) 기뻐서 큰 소리로 고함을 지름. ㉾긴 가뭄 끝에 비가 내리자 모든 사람이 환호했다. **—하다.**

환호성 (歡呼聲) 기뻐서 외치는 소리. ㉾환호성을 지르다. 비환성.

환희 (歡喜) [환히] 즐겁고 기쁨. ㉾환희에 찬 얼굴.

환:히 환하게. ㉾컴퓨터에 대해서 환히 알다 / 가로등이 거리를 환히 비추다. 큰훤히.

*__활__ 단단한 나무 따위를 휘어서 그 두 끝에 시위를 걸고 화살을 쏘는 무기.

활강 (滑降) 비탈진 곳을 미끄러져 내려옴. ㉾활강 경주. **—하다.**

활개 **1** 새의 활짝 편 두 날개. **2** 사람의 두 팔.

활개(를) 치다 ㉠두 팔을 세차게 앞뒤로 흔들어 젓다. ㉡제 세상인 것처럼 행동하다.

활갯짓 [활개찓 / 활갣찓] **1** 걸음을 걸을 때 두 팔을 힘차게 내젓는 짓. **2** 새가 두 날개를 펴서 퍼덕이는 짓. **—하다.**

활기 (活氣) 활발한 기운. ㉾활기

를 띠다. 비 생기.
활기차다 (活氣—) 힘이 넘치고 생기가 가득하다. 예 씩씩하고 활기찬 걸음걸이.
활달하다 (豁達—) [활딸하다] 마음이 넓고 크며 활발하다. 예 활달한 성격.
*__활동__ (活動) [활똥] **1** 기운차게 움직임. **2** 어떤 일을 이루기 위하여 힘씀. 예 사회 활동. 비 활약. **—하다.**
활동사진 (活動寫眞) [활똥사진] '영화[2]'의 옛 이름.
활동적 (活動的) [활똥적] 활발하게 움직이는 (것). 예 형은 매우 활동적이고 성실하다.
활력 (活力) 살아 움직이는 힘. 예 활력을 불어넣다.
활력소 (活力素) [활력쏘] 활동하는 힘이 되는 본바탕. 예 칭찬은 마음의 활력소가 된다.
활로 (活路) 어려움을 헤치고 살아 나갈 수 있는 길이나 방법. 예 활로를 뚫다 / 활로를 모색하다.
*__활발하다__ (活潑—) 행동이나 말이 기운차고 생기가 있다. 예 활발한 움직임을 보이다.
활발히 (活潑—) 활발하게.
활보 (闊步) 큰 걸음으로 힘차고 당당히 걸음. 예 사람들이 거리를 활보하고 있다. **—하다.**
활성화 (活性化) [활썽화] 사회·조직 등의 기능을 활발하게 함. 예 경제 활성화 / 자연보호 운동을 활성화하다. **—하다.**
활시위 [활씨위] 활에 걸어서 켕기는 줄. 예 활시위를 당기다. 준 시위.
활쏘기 활을 쏘는 일. 또는 그런 기술. 예 활쏘기를 겨루다.
활약 (活躍) [화략] 눈부시게 활동함. 기운차게 뛰어다님. 예 뛰어난 활약을 보이다. **—하다.**
활엽수 (闊葉樹) [화렵쑤] 잎이 넓은 나무. 떡갈나무·오동나무·상수리나무 따위. 반 침엽수.
*__활용__ (活用) [화룡] 쓰임새에 맞게 잘 이용함. 예 폐품 활용. 비 이용. **—하다.**
활자 (活字) [활짜] 인쇄에 쓰는 납 따위로 만든 글자의 모형. 예 활자를 짜다.
활주로 (滑走路) [활쭈로] 비행장 안에 비행기가 뜨고 내릴 수 있도록 만든 길.
*__활짝__ **1** 문 따위가 시원스럽게 열린 모양. 예 창문을 활짝 열다. **2** 날이 맑게 개거나 환히 밝은 모양. 예 활짝 갠 날씨. **3** 꽃이 다 핀 모양. 예 꽃이 활짝 피다.
활화산 (活火山) 현재 용암이나 가스 따위를 내뿜으며 활동하고 있는 화산. 반 사화산.
활활 **1** 불길이 힘차게 타오르는 모양. 예 활활 타오르는 불길. **2** 부채로 시원스럽게 부치는 모양. **3** 옷을 시원스럽게 벗어 버리는 모양. 예 옷을 활활 벗다. 큰 훨훨.
홧:김 (火—) [화낌 / 활낌] 화가 나는 기운. 예 홧김에 그의 멱살을 잡았다. 비 열김.
황 (黃) 화약·성냥 등의 원료. 광택이 있는 노란 결정이며 잘 부서짐. 낮은 온도에서 녹고, 탈 때는 지독한 냄새가 남. 비 유황.
황공하다 (惶恐—) 위엄·신분·지위 따위에 눌려 두렵고 조심스럽다. 예 황공하여 몸 둘 바를 모르다. 비 황송하다.
황금 (黃金) **1** 금[3]. **2** 돈[1]. 금전.
황금기 (黃金期) 가장 좋은 시기. 예 인생의 황금기를 보내다.
황금빛 (黃金—) [황금삗] 황금처럼 누렇고 반짝이는 빛깔.
황급하다 (遑急—) [황그파다] 너무 급하여 허둥지둥하다. 예 황급한 목소리로 도움을 청하다.
황급히 (遑急—) [황그피] 황급하

게. (예)황급히 달아나다.

황달 (黃疸) 주로 간의 이상으로 생기는 병. 살갗과 오줌이 누른빛으로 변함. (예)황달이 들다.

황당무계하다 (荒唐無稽—) [—/황당무게하다] 말이 허황하고 터무니없다.

황당하다 (荒唐—) 말과 행동이 거칠고 거짓이 많다. 터무니없고 허황하다. (예)황당한 이야기.

황량하다 (荒涼—) [황냥하다] 매우 거칠고 쓸쓸하다. (예)황량한 벌판.

황룡사 (皇龍寺) [황농사] 경상북도 경주에 있던 절. 645년에 세워졌으나 고려 고종 때 몽골의 침입으로 불에 타서 지금은 터만 남아 있음.

황무지 (荒蕪地) 일구지 않고 내버려 두어 거친 땅. (예)황무지를 개척하여 논밭을 만들다. (반)옥토.

황사 현:상 (黃砂現象) 봄·초여름에 중국 내륙의 사막이나 황토 지대에 있는 가는 모래가 바람을 타고 날아올랐다가 내려오는 현상.

황산 (黃酸) 황·산소·수소가 화합한 기름 모양의 액체. 산성이 강하고 금·백금 이외의 금속을 녹임. 건조제·화학 공업용으로 쓰임.

황산구리 (黃酸—) 구리와 황산의 화합물. 물에 잘 녹는 파란색의 결정. 살충제·물감 등에 쓰임.

황산벌 (黃山—) 지금의 충청남도 연산 벌판. 백제 의자왕 때 계백 장군이 이끄는 5천 명의 결사대가 신라의 5만 대군을 맞아 싸운 곳.

황:새 황샛과의 새. 백로와 비슷한데 몸빛은 희며 머리와 꼬리는 검고, 눈가의 살갗은 붉은빛임. 물갈퀴가 있고, 다리와 부리가 긺. 천연기념물 제 199 호.

〈황새〉

황색 (黃色) 누런 빛깔.

황소 1 큰 수소. 2 미련하거나 기운이 세거나 많이 먹는 사람의 비유. (예)힘이 황소 같다.

황소개구리 개구리의 하나. 몸길이는 20 cm 정도. 수컷은 암녹색, 암컷은 갈색이며, 등에 검은 반점이 있음. 맛이 닭고기와 비슷하여 요리에 씀. 식용개구리라고도 함.

황소바람 좁은 틈으로 세게 불어오는 바람. (예)문틈으로 새어 들어오는 황소바람.

황송하다 (惶悚—) 위엄이나 지위 따위에 눌리어 매우 두렵고 거북하다. (비)황공하다.

황순원 (黃順元) 〖인명〗 소설가. 인간성을 중시하는 주제를 엄격하고 함축성이 있는 간결한 문장으로 나타냄. 작품에 소설 '카인의 후예', '일월', '소나기' 등이 있음. [1915–2000]

황실 (皇室) 황제의 집안. (비)왕실.

황야 (荒野) 일구지 않은 거친 들판.

황인종 (黃人種) 살갗이 누렇고 머리털이 검은 인종. 우리나라·중국·일본 사람 등. (본)황색 인종.

황제 (皇帝) 제국의 군주. (비)천자. (반)황후.

황진이 (黃眞伊) 〖인명〗 조선 시대의 여류 문인. 기생으로 한시와 시조에 뛰어났으며 여러 작품을 남김.

황천 (黃泉) ⇨저승.

황천(으로) 가다 사람이 죽다.

황천길 (黃泉—) [황천낄] 죽어서 저승으로 가는 길. 죽음의 길. (예)황천길에 오르다. (비)저승길.

황토 (黃土) 누렇고 거무스름한 흙. (예)황토 먼지.

황토색 (黃土色) 황토의 누렇고 거무스름한 빛깔.

황톳길 (黃土—) [황토낄/황톧낄] 누렇고 거무스름한 흙으로 이루어진 길.

황폐하다 (荒廢—) [— / 황페하다] 그냥 버려두어 거칠고 못 쓰게 되다. ㉠황폐한 광산촌.
황하 (黃河) ⇨황허.
황해 (黃海) 우리나라 서쪽에 있는 바다. ㊀서해.
황해남도 (黃海南道) 〖지명〗 북한의 한 도. 한반도 중서부에 위치. 황해북도, 휴전선 등과 맞닿아 있음. 도청 소재지는 해주.
황해도 (黃海道) 〖지명〗 북한의 한 도. 황해남도와 황해북도를 함께 이르는 말.
황해북도 (黃海北道) [황해북또] 〖지명〗 북한의 한 도. 한반도 중부에서 서북쪽에 위치하여 황해남도, 평양, 평안남도 등과 맞닿아 있음. 도청 소재지는 사리원.
황허 (중 黃河) 중국 북부에 있는 큰 강. 중국에서 두 번째로 큰 강으로 고대 문명의 발상지임. 황하.
황혼 (黃昏) **1** 해가 지고 어둑어둑할 때. ㉠황혼 무렵의 거리. **2** 사람의 일생에서 한창때가 지나 노년에 이른 때. ㉠인생의 황혼기.
황홀 (恍惚) **1** 빛이 어른거려 눈이 부심. **2** 사물에 마음을 빼앗겨 멍함. ㉠불꽃놀이를 황홀하게 바라보다. **—하다. —히.**
황홀경 (恍惚境) 황홀한 경지. ㉠멋진 경치를 보고 황홀경에 빠지다.
황후 (皇后) 황제의 부인. ㊀왕후.
황희 (黃喜) 〖인명〗 조선 초기의 정승. 호는 방촌. 세종 때 영의정에 올라 네 임금을 섬기며 정승으로 24년간 있었는데, 성품이 너그럽고 어질기로 유명함. [1363–1452]
홰[1] **1** 새장이나 닭장 속에 새나 닭이 올라앉도록 가로질러 놓은 나무 막대. ㉠닭이 홰에 올라앉다. **2** '횃대'의 준말.
홰[2] 싸리나 갈대 따위를 묶어 불을 붙여 밤길을 밝히거나 제사 때 화톳불을 놓는 데 쓰는 물건.
홱 **1** 망설임 없이 시원하게 해내는 모양. ㉠문을 홱 닫다. **2** 힘차게 던지거나 뿌리는 모양. ㉠가방을 홱 던지다. **3** 날쌔게 뿌리치는 모양. ㉠잡은 손을 홱 뿌리치다. **4** 힘 있게 빨리 돌리는 모양. ㉠고개를 홱 돌리다.
횃대 [홰때 / 휀때] 옷을 걸 수 있게 벽에 매단 막대. ㊟홰.
횃불 [홰뿔 / 휀뿔] 홰에 켠 불. ㉠횃불을 밝히다.
횅하다 **1** 일에 밝아 막힘이 없이 환하다. ㉠농사일은 그가 횅하게 잘 안다. **2** 길이나 구멍 따위가 막힌 데 없이 시원스럽게 뚫려 있다. ㉠길이 횅하게 뚫리다.
회:[1] (會) 어떤 목적을 위하여 여러 사람이 함께 모이는 일. 또는 그 모임. ㉠회를 결성하다.
회:[2] (膾) 고기·생선 따위를 날로 잘게 썬 음식. ㉠회를 치다.
*__회__[3] (回) 돌아오는 횟수나 차례를 나타내는 말. ㉠60회 졸업식.
회갑 (回甲) ⇨환갑.
회:개 (悔改) 잘못을 뉘우치고 고침. ㉠잘못을 회개하다 / 회개의 눈물을 흘리다. **—하다.**
회:견 (會見) 서로 만나 봄. ㉠대통령 기자 회견. ㊀접견. **—하다.**
회:계 (會計) [— / 회게] **1** 들어오고 나가는 돈을 따져서 셈함. ㉠회계를 보다. **2** 돈이나 물품을 주고받는 일에 관한 사무. **—하다.**
회고 (回顧) 옛일을 돌이켜 생각함. ㊀회상. **—하다.**
회고록 (回顧錄) 지난 일을 생각하며 적은 기록.
회:관 (會館) 모임이나 회의를 하기 위해 지은 건물. ㉠어린이 회관.
회교 (回教) ⇨이슬람교.
회교도 (回教徒) 이슬람교를 믿는 사람. 이슬람교도.
회군 (回軍) 전진하던 군사를 이끌

고 돌아옴. ㉠위화도에서 군사를 회군하다. 비 환군. **—하다.**

회귀 (回歸) 본디의 자리로 돌아오거나 돌아감. ㉠진보에서 보수로 회귀하다. **—하다.**

회귀선 (回歸線) 지구 상의 적도를 중심으로 남북 위도 23° 27′ 을 지나는 위선. ㉠남회귀선 / 북회귀선.

회귀성 (回歸性) [회귀썽] 동물이 태어나 다른 곳으로 옮겨가 다 자란 다음, 알을 낳기 위해 태어난 곳으로 다시 돌아오는 성질. 연어·송어 따위. 비 회귀 본능.

회ː기 (會期) **1** 회의가 열리고 있는 기간. 개회로부터 폐회까지의 기간. ㉠회기를 3일간 연장하다. **2** 국회가 열리고 있는 기간. ㉠회기 내에 의안을 처리하다.

회ː담 (會談) 어떤 문제에 관련된 사람들이 한자리에 모여 얘기함. ㉠회담을 개최하다 / 회담을 열다. 비 회의. **—하다.**

회답 (回答) 물음이나 편지에 대답함. ㉠회답을 보내다. **—하다.**

회ː동 (會同) 같은 목적으로 여럿이 모임. ㉠대책을 마련하기 위해 회동하다. **—하다.**

회람 (回覽) 글 따위를 여러 사람이 차례로 돌려 봄. ㉠회람을 돌리다. **—하다.**

*__회로__ (回路) '전기 회로'의 준말. ㉠회로 검사기.

회ː보 (會報) 회에 관한 일을 회원에게 알리는 간행물. ㉠회보를 발행하다.

회복 (恢復) 쇠퇴한 나라·가정·건강 따위를 예전의 좋은 상태로 바로잡음. ㉠건강을 회복하다. **—하다.**

회복기 (恢復期) [회복끼] **1** 병이 나아져 가는 시기. ㉠회복기 환자. **2** 사회의 경제 상태가 회복되는 시기.

회ː비 (會費) 모임을 꾸리어 나가는 데 드는 돈. ㉠회비를 걷다 / 학생회 회비를 내다.

*__회ː사__ (會社) 이익을 내기 위해 자본을 대어 만든 사업단체. 주식회사·합자 회사 등이 있음. ㉠회사를 세우다 / 회사에 다니다. 준 사.

회ː사원 (會社員) 회사에서 근무하는 사람. 비 사원.

회상 (回想) 지난 일을 돌이켜 생각함. 또는 그 생각. ㉠어린 시절을 회상하다. 비 회고. **—하다.**

회색 (灰色) ⇨잿빛. ➜gray

회생 (回生) 다시 살아남. ㉠기적적으로 회생하다. 비 소생. **—하다.**

회수 (回收) 도로 거두어들임. ㉠불량품을 회수하다. **—하다.**

회ː식 (會食) 여러 사람이 함께 모여 음식을 먹음. 또는 그 모임. ㉠부서 회식 / 송년회 회식에 참석하다. **—하다.**

회신 (回信) 편지·전신·전화 등의 회답. ㉠회신을 보내다. **—하다.**

회ː심 (會心) 마음먹은 대로 되어 만족함. ㉠회심의 미소를 짓다.

회양목 (—楊木) 회양목과의 상록 활엽 관목. 타원형의 작은 잎은 두껍고, 4-5월에 노란 꽃이 핌. 나무는 단단하여 도장이나 지팡이의 재료로 씀.

회오리 바람이 한곳에서 뱅뱅 돌며 꼬이듯이 하늘 높이 오르는 현상. ㉠회오리가 일다 / 회오리가 불다.

회오리바람 갑자기 소용돌이 모양으로 하늘로 치오르며 부는 바람. 비 돌개바람. 선풍.

회오리치다 감정·기세 따위가 세차게 일다. ㉠슬픔과 고통이 회오리치다.

*__회ː원__ (會員) 어떤 모임을 이루는 사람들. ㉠회원 모집 / 신입 회원.

회ː원국 (會員國) 국제적인 조직에 가입되어 있는 나라.

회유 (懷柔) 잘 달래어 시키는 대로 따르게 함. **—하다.**

*__회ː의[1]__ (會議) [–/회이] 여럿이 모여 의논함. 또는 그 모임. (예)학급 회의를 열다. **—하다.**

회의[2] (懷疑) [–/회이] 의심을 품음. 믿지 않음. (예)모든 일에 회의적인 태도를 보이다. **—하다.**

회ː의록 (會議錄) [–/회이록] 회의의 진행 과정이나 결과 따위를 적은 기록.

회ː의실 (會議室) [–/회이실] 회의를 하는 방.

*__회ː장[1]__ (會長) **1** 모임의 일을 책임지며 그 모임을 대표하는 사람. (예)회장으로 선출되다. **2** 주식회사 등에서 이사회의 우두머리.

회ː장[2] (會場) 모임이나 회의가 열리는 곳. (예)회장을 정리하다.

회전 (回轉) **1** 빙빙 돎. 또는 돌림. (예)회전의자. **2** 투자한 돈으로, 상품을 사고파는 일을 되풀이하는 일. (예)자금 회전이 빠르다. **—하다.**

회전목마 (回轉木馬) [회전몽마] 축의 둘레에 목마를 연결하여 돌면서 아래위로 움직이게 만든 놀이기구. (예)회전목마를 타다.

회전수 (回轉數) [회전쑤] 물체가 일정한 시간 동안 회전축의 둘레를 도는 횟수.

회전 운ː동 (回轉運動) [회저눈동] 물체가 회전축을 중심으로 하여 일정한 거리를 두고 도는 운동.

회전체 (回轉體) 평면 도형이 한 직선을 축으로 한 바퀴 회전해서 생기는 입체 도형.

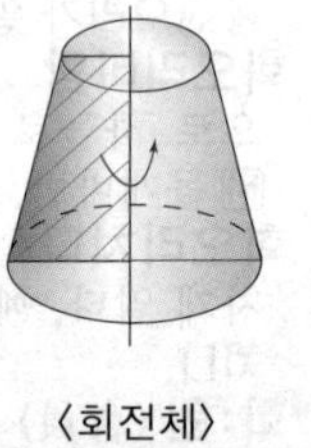

〈회전체〉

회전축 (回轉軸) 회전 운동의 중심이 되는 직선.

회진 (回診) 의사가 환자의 병실을 돌아다니며 진찰함. (예)원장의 회진을 기다리다. **—하다.**

회초리 매를 때리거나 마소를 부릴 때에 쓰는 가는 나뭇가지. (예)회초리를 들다.

회충 (蛔蟲) 회충과의 기생충. 알이 채소나 물 따위에 섞여 몸에 들어와 작은창자에 기생함. (준)회.

회ː칙 (會則) 모임의 규칙.

회포 (懷抱) 마음속에 품은 생각. (예)오래간만에 친구를 만나 회포를 풀다. (비)감회.

회피 (回避) **1** 몸을 피하고 만나지 아니함. **2** 책임을 지지 않고 꾀를 부림. (예)끝까지 책임을 회피하다 / 답변을 회피하다. **—하다.**

회ː합 (會合) 여러 사람이 모이는 일. 또는 그 모임. (예)회합에 참석하다. **—하다.**

회ː화[1] (會話) **1** 서로 만나서 이야기함. 또는 그 이야기. **2** 외국어로 이야기함. (예)영어 회화. **—하다.**

회ː화[2] (繪畫) ⇨그림.

획[1] **1** 빨리 돌거나 스치는 모양. (예)바퀴가 획 돌다. **2** 바람이 세게 부는 모양. **3** 별안간 힘 있게 내던지는 모양. (예)돌을 획 던지다. (큰)휙.

획[2] (畫) 그림이나 글씨에서 붓으로 그은 줄이나 점. (예)획이 굵다.

획을 긋다 어떤 범위나 시기를 분명하게 구분 짓다. (예)역사에 한 획을 긋다.

획기적 (劃期的) [획끼적] 새로운 시대가 열린 것처럼 뚜렷한 (것). (예)획기적인 발전 / 획기적인 사건.

획득 (獲得) [획뜩] 손에 넣음. 얻어 가짐. (예)금메달 획득. **—하다.**

획수 (畫數) [획쑤] 글자에서 획의 수효.

획순 (畫順) [획쑨] 글씨를 쓸 때 획을 긋는 순서. (예)획순에 따라 글씨를 쓰다. (비)필순.

획일적 (劃一的) [회길쩍] 한결같은 (것). (예)획일적 행동.

획책 (劃策) 일을 꾀함. 계책을 세

움. —하다.

획획 [회킥] **1** 계속 빨리 돌아가는 모양. ㉠팔랑개비가 획획 돌다. **2** 바람이 잇달아 세게 부는 모양. **3** 계속해서 힘주어 던지는 모양. ㉠강물에 돌멩이를 획획 던지다. ㉡휙휙.

*__횟수__ (回數) [회쑤 / 횐쑤] 되풀이되는 일이나 차례의 수효. ㉠횟수가 잦다 / 횟수를 거듭하다. ×회수.

횟:집 (膾―) [회찝 / 휜찝] 생선회를 전문으로 파는 음식점.

횡격막 (橫隔〔膈〕膜) [횡경막] 포유류의 배와 가슴 사이에 있는 근육성의 막. 폐의 호흡 작용을 도움. ㉢가로막.

횡단 (橫斷) **1** 도로나 강 따위를 가로지름. ㉠무단 횡단. **2** 동서의 방향으로 가로 건넘. ㉠대륙 횡단 철도. —하다.

횡단보도 (橫斷步道) 안전표지에 따라서 사람이 건너갈 수 있도록 해 놓은 차도의 한 부분. ㉠횡단보도에서 신호를 기다리다. ㉢건널목.

횡렬 (橫列) [횡녈] 가로로 늘어선 줄. ㉠횡렬로 서다. ㉣종렬.

횡령 (橫領) [횡녕] 남의 돈이나 물건을 불법으로 가로챔. ㉠공금 횡령. —하다.

횡사 (橫死) 뜻밖의 재앙으로 죽음. ㉢변사. —하다.

횡서 (橫書) **1** ⇨가로쓰기. **2** ⇨가로글씨. ㉣종서. —하다.

횡설수설 (橫說竪說) 조리에 맞지 않는 말을 함부로 지껄임. ㉠술에 취해 횡설수설하다. —하다.

횡재 (橫財) 뜻밖에 재물을 얻음. 또는 그 재물. ㉠복권이 당첨되어 횡재하다. —하다.

횡포 (橫暴) 제멋대로 몹시 사납게 굶. ㉠횡포를 부리다 / 불량배들의 횡포를 막다. —하다.

*__효:__ (孝) 부모를 잘 섬기는 일. ㉣불효. —하다.

*__효:과__ (效果) 보람이 있는 좋은 결과. ㉠효과를 거두다 / 효과를 보다 / 감기약을 먹은 효과가 없다. ㉢효력. 효용. 효험.

효:과음 (效果音) 어떤 장면의 실감을 더하기 위하여 넣는 소리.

효:과적 (效果的) 효과가 있는 (것). ㉠효과적인 방법.

효:녀 (孝女) 부모에게 효도하는 딸. ㉠효녀 심청.

효:능 (效能) 효험을 나타내는 능력. ㉠효능이 좋은 약.

효:도 (孝道) 부모를 잘 섬기는 일. 또는 그 도리. ㉠효도를 다하다 / 자식들이 효도하다. ㉢효성. ㉣불효. —하다.

효:력 (效力) **1** 효과나 효험을 나타내는 힘. ㉠약의 효력이 오래 가다. **2** 법률이나 규칙 따위의 작용. ㉠효력을 상실하다.

효모균 (酵母菌) 알코올 발효를 하는 균류. 술·빵을 만드는 데 씀. 이스트. ㉢발효균. ㉤효모.

효:부 (孝婦) 효성스러운 며느리.

효:성 (孝誠) 마음을 다하여 부모를 섬기는 정성. ㉠효성이 지극하다. ㉢효도. —스럽다.

효:소 (酵素) 생물체 안에서 유기물질들에 작용하여 화학적 변화를 일으키는 물질. 술·간장·치즈 따위의 식품 및 소화제 따위의 의약품을 만드는 데 씀.

효시 (嚆矢) 어떤 사물이나 현상이 시작된 맨 처음. ㉠근대극의 효시.

효:심 (孝心) 부모를 지성으로 섬기는 마음. ㉢효성.

효:용 (效用) **1** 효험. 효능. **2** 어떤 물건의 쓸모. ㉢용도.

효:율 (效率) **1** 기계가 한 일의 양과 그에 공급된 에너지의 비. ㉠효율이 좋은 기계. **2** 어떤 일에 들인 노력과 얻은 결과와의 비율. ㉠효율을 높이다.

효:율성 (效率性) [효율썽] 효율적인 특성. ㉿이 기계는 효율성이 떨어진다.

효:율적 (效率的) [효율쩍] 일반적으로 들인 노력에 비해 얻은 결과 쪽이 큰(것).

효:자 (孝子) 부모를 잘 섬기는 아들. ㉿이름난 효자. 반 불효자.

효:종 (孝宗) 〔인명〕 조선 제17대 임금. 병자호란 후 청나라에 잡혀가 8년간 볼모로 있었음. 왕위에 오른 후 북벌을 계획하고 국력을 양성하나 뜻을 이루지 못함. [1619-1659 ; 재위 1649-1659]

효:행 (孝行) 부모를 잘 섬기는 행실. 비 효도. 반 불효.

효:험 (效驗) 일의 좋은 보람. ㉿인삼의 효험을 보다. 비 효능. 준 효.

후[1] 입을 오므려 앞으로 내밀고 입김을 많이 불어 낼 때의 소리. ㉿촛불을 후 불어 끄다. 작 호.

***후:**[2] (後) 나중. 그 다음. ㉿죽은 후에 그 이름이 알려졌다. 반 전.

후:각 (嗅覺) 냄새에 대한 감각. 코의 신경이 냄새의 자극을 받아 일어나는 감각. ㉿후각이 발달하다 / 고소한 냄새가 후각을 자극하다.

후:계자 (後繼者) [ㅡ / 후게자] 어떤 일이나 사람의 뒤를 잇는 사람.

후:광 (後光) **1** 부처의 몸 뒤로부터 내비치는 빛. ㉿후광이 비치다. **2** 어떤 사물을 더욱 빛나게 하는 배경. ㉿후광을 입다 / 아버지의 후광으로 출세하다.

후:궁 (後宮) 왕의 첩.

후:금 (後金) 중국 청나라의 처음 이름. 여진족의 족장 누르하치가 세웠음. [1616-1636]

후:기[1] (後記) **1** 뒷날의 기록. **2** 본문 뒤에 기록함. 또는 그 기록. ㉿편집 후기.

후:기[2] (後期) **1** 한 기간을 둘로 나눌 때의 뒤의 기간. ㉿조선 후기. 본 후반기. **2** 뒤의 시기 또는 기간. 반 전기.

후끈 뜨거운 기운을 받아 몸이나 쇠 따위가 갑자기 달아오르는 모양. ㉿얼굴이 후끈 달아오르다. 작 화끈. **—하다.**

후끈거리다 몹시 뜨거운 기운을 받아 몸이나 쇠 따위가 계속 달아오르다. ㉿가슴이 뛰고 얼굴이 후끈거리다. 작 화끈거리다.

후:년 (後年) **1** 올해의 다음다음 해. 비 내명년. 반 재작년. **2** 뒤에 오는 해. 반 전년.

후다닥 **1** 몸을 재빠르게 움직이는 모양. ㉿문이 닫히려는 전철에 후다닥 올라타다. **2** 일을 서둘러 빨리 해치우는 모양. ㉿숙제를 후다닥 해치우고 밖에 나가 놀다.

후닥닥 [후닥딱] **1** 갑자기 날쌔게 움직이는 모양. ㉿후닥닥 도망치다. **2** 일을 빨리 하려고 급히 서두르는 모양. ㉿일을 후닥닥 해치우다. 작 화닥닥.

후:대[1] (厚待) 후한 대접. 잘 대접함. ㉿후대에 감사드립니다. 반 박대. **—하다.**

후:대[2] (後代) 이 뒤의 세대. ㉿후대에 이름을 떨치다. 반 선대. 전대.

후:덕 (厚德) 언행이 어질고 덕이 많음. ㉿후덕한 성품 / 군자의 후덕을 기리다. 반 박덕. **—하다.**

후:두[1] (後頭) 머리의 뒤쪽. 비 뒤통수.

후두[2] (喉頭) 인두에 이어져 있는 기관의 앞쪽 끝 부분. 포유동물에 있으며, 공기가 통하고 소리를 내는 기관임.

후드득 **1** 콩이나 깨 따위를 볶을 때에 툭툭 튀는 소리. **2** 총포·딱총 따위가 터지면서 나는 소리. **3** 잔 나뭇가지나 검불 따위가 타 들어가며 나는 소리. 작 호드득. **—거리다.**

후들거리다 팔다리나 몸이 자꾸

떨리다. 또는 그렇게 하다. ㉥다리가 후들거려 더 이상 못 걷겠다.

후들후들 후들거리는 모양. ㉥후들후들 다리가 떨리다. **—하다.**

후딱 **1** 매우 날쌔게 행동하는 모양. ㉥후딱 해치워라. **2** 시간이 매우 빠르게 지나가는 모양. ㉥여름 휴가가 후딱 지났다.

후려갈기다 채찍이나 주먹 따위로 힘껏 때리다. ㉥홧김에 주먹으로 한 대 후려갈겼다.

후려치다 채찍이나 주먹 따위를 휘둘러 힘껏 갈기다.

후련하다 답답하던 가슴속이 풀려서 마음이 시원하다. ㉥비밀을 털어놓고 나니 속이 후련하다.

후:렴 (後斂) 노래 끝에 붙여 되풀이하여 부르는 짧은 가사.

후루룩 **1** 날짐승이 갑자기 날개를 가볍게 치며 나는 소리. ㉥새 떼가 후루룩 날아오르다. **2** 물이나 국수 따위를 야단스럽게 들이마시는 소리. ㊤후룩. ㉲호로록.

후룩후룩 [후루쿠룩] 물이나 국수 따위를 계속 야단스럽게 들이마시는 소리. ㉥후룩후룩 차를 들이켜다. ㉯후루룩후루룩. ㉲호록호록.

후리다 **1** 휘둘러서 몰거나 쫓다. **2** 모난 곳을 깎아 버리다. **3** 급작스레 잡아채서 빼앗다. **4** 매력으로 남의 정신을 흐리게 하여 빼앗다. ㉲호리다.

후리후리하다 키가 크고 늘씬하다. ㉥후리후리한 몸매의 아가씨. ㉲호리호리하다.

후:면 (後面) 뒤쪽 면. ㊐뒷면. ㊥전면.

후:문[1] (後門) 뒤쪽에 있는 문. ㊐뒷문. ㊥정문.

후:문[2] (後聞) ⇨뒷소문. ㉥여러 가지 후문을 남기고 그 행사는 마침내 끝났다.

후:미 (後尾) 뒤쪽의 끝. ㉥행렬의 후미. ㊥선두.

후미지다 **1** 산길이나 물가의 휘어 굽어진 곳이 매우 깊다. ㉥후미진 골짜기. **2** 무서우리만큼 구석지고 으슥하다. ㉥후미진 골목.

후:반 (後半) 뒤의 절반. ㊥전반.

후:반기 (後半期) 한 기간을 둘로 나눈 것의 뒤의 기간. ㉥후반기 교육. ㊥전반기. ㊤후기.

후:반전 (後半戰) 운동 경기의 경기 시간을 둘로 나눈 경우의 뒤의 경기. ㊥전반전.

후:발 (後發) 남보다 뒤늦게 어떤 일을 시작하거나 길을 떠남. ㉥후발 주자. ㊥선발.

후:방 (後方) **1** 뒤쪽. **2** 전선에서 떨어져 있는 지역. 물자·병력 등의 보급이나 보충을 맡음. ㉥후방 근무 / 적의 후방에 침투하다. ㊥전방.

*__후:배__ (後輩) **1** 경험·나이 등이 자기보다 늦거나 낮은 사람. **2** 같은 학교나 직장에 나중에 들어온 사람. ㉥대학 후배. ㊥선배.

후:백제 (後百濟) [후백쩨] 후삼국 중의 한 나라. 신라 말기에 견훤이 완산주(지금의 전주)에 세운 나라. [892–936]

후보 (候補) **1** 어떤 자리에 나아가거나 신분이 되기를 바람. 또는 그 사람. ㉥반장 후보. **2** 장래에 어떤 자리에 나아갈 자격이 있음. 또는 그 사람. ㉥우승 후보. **3** 사람이 모자라게 되었을 때 그 자리를 대신할 만한 사람. ㉥후보 선수.

후보자 (候補者) 후보로 나선 사람. ㉥후보자를 추천하다.

후:불 (後拂) 물건 값이나 품삯을 물건을 받은 뒤 또는 일이 끝난 다음에 치름. ㉥식대는 후불입니다. ㊥선불. **—하다.**

후비다 구멍 따위의 속을 돌려 파내다. ㉥귀를 후비다.

후:사 (後事) **1** 뒷일. **2** 죽은 뒤의

일. ㉠후사를 부탁하다.
후:사하다 (厚謝—) 도움을 준 사람에게 후하게 사례하다. ㉠잃어버린 돈을 찾아주는 사람에게 후사하겠음.
후:삼국 (後三國) 신라·후백제·태봉의 세 나라. 통일 신라 말기 국토의 분열로 생긴 3국을 말함.
후:생 (厚生) 생활이 넉넉하고 윤택해지도록 돕는 일. ㉠후생 복지 사업.
후:세 (後世) 뒤의 세상. 다음 세상. ㉠후세에 이름을 남기다. 비 내세. 반 전세.
후:속 (後續) 뒤를 이음. ㉠후속 조치를 취하다.
***후:손** (後孫) 몇 대가 지난 뒤의 자손. ㉠명문의 후손. 반 선조. 준 손.
후:송 (後送) 후방으로 보냄. ㉠후송 병원 / 부상자를 병원으로 후송하다. **—하다.**
후:식 (後食) 식사 후에 먹는 과일·아이스크림 따위의 간단한 음식. 디저트. ㉠후식으로 과일을 먹다.
후:예 (後裔) 핏줄을 이은 먼 후손. ㉠충무공의 후예.
후:원[1] (後援) 어떤 사람이나 일을 뒤에서 도와줌. ㉠후원을 받다 / 소녀 가장을 후원하다. 비 응원. **—하다.** →협찬 주의
후:원[2] (後園) 집 뒤의 정원이나 작은 동산. ㉠후원을 산책하다.
후:원회 (後援會) 어떤 사람이나 일을 뒤에서 도와주기 위하여 조직한 모임.
후유 어려운 일을 끝내고 한숨 돌릴 때 내는 소리. ㉠후유, 이제 겨우 끝났구나. 준 후.
후:유증 (後遺症) [후유쯩] **1** 병을 앓고 난 뒤에도 남아 있는 병적 증세. ㉠교통사고 후유증이 아직도 남아 있다. **2** 어떤 일을 치르고 난 뒤에 생기는 부작용. ㉠선거 후유증.
후:의 (厚意) [— / 후이] 두텁고 인정 있는 마음. ㉠후의에 감사하다.
후:일 (後日) 앞으로 닥쳐올 세월. ㉠후일을 기약하다. 비 뒷날.
후:일담 (後日談〔譚〕) [후일땀] 어떤 사실과 얽히어, 그 후에 벌어진 일에 대한 이야기. 비 뒷이야기.
후:임 (後任) 앞 사람에 뒤이어 맡아보는 일. 또는 그 일을 맡은 사람. ㉠후임 감독 / 후임으로 발령받다. 반 선임. 전임.
후:자 (後者) 두 가지 사물이나 사람을 들어서 말할 때 뒤의 사물이나 사람. ㉠후자를 선택하다. 반 전자.
후줄근하다 **1** 종이나 피륙이 젖어서 풀기가 없어져 보기 흉하게 되다. ㉠땀에 젖어 후줄근하게 된 옷. **2** 몸이 피곤하여 축 늘어지듯 힘이 없다. 작 호졸근하다.
후:진 (後進) **1** 나이나 지위가 뒤짐. 또는 그런 사람. **2** 문화의 발달이 뒤늦은 상태. 반 선진. **3** 뒤쪽으로 나아감. ㉠자동차를 후진시키다. 반 전진. **4** ⇨후배. ㉠후진에게 길을 터 주다 / 후진 양성에 힘쓰다. **—하다.**
후:진국 (後進國) 산업·기술·문화 따위가 다른 나라보다 뒤떨어진 나라. 반 선진국.
후:천성 면:역 결핍증 (後天性免疫缺乏症) [후천썽며녁꼘핍쯩] 바이러스에 의해 생기는 전염병. 온몸의 면역력을 파괴함. 특효약이 없고 사망률이 높음. 에이즈.
후:천적 (後天的) 태어난 후에 얻어진 (것). 반 선천적.
후추 후추나무의 열매. 매운맛이 나고 녹두알만 한 크기임. 갈아서 양념으로 씀.
후춧가루 [후추까루 / 후춘까루] 후추를 갈아서 만든 가루. 조미료로 쓰임.
후텁지근하다 [후텁찌근하다] 조

금 불쾌할 정도로 끈끈하고 무더운 기운이 있다. ⓔ후텁지근한 날씨.

후:퇴 (後退) 뒤로 물러남. ⓔ작전상 후퇴한다. 비 퇴각. 반 전진. **—하다.**

후:편 (後篇) 두 편으로 된 책이나 영화 따위의 뒤쪽 편. 반 전편.

후:하다 (厚—) **1** 인심이 좋거나 정이 두텁다. ⓔ시골 인심이 후하다. **2** 인색하지 않다. ⓔ후한 점수. 반 박하다.

후:항 (後項) 두 개 이상의 항 가운데 뒤에 있는 항. 이를테면 3:5의 비에서는 5가 후항임. 반 전항.

후:환 (後患) 뒷날의 걱정과 근심. ⓔ후환이 두렵지 않으냐 / 후환이 없도록 일을 처리해라.

후:회 (後悔) 이전의 잘못을 깨닫고 뉘우침. ⓔ친구와 싸운 것을 후회하다. 비 참회. **—하다.**

후후 입을 앞으로 내밀어 조그맣게 오므리고 김을 계속하여 많이 뿜어내는 소리. ⓔ뜨거운 국을 후후 불며 먹다. 작 호호.

후:히 (厚—) 후하게. ⓔ음식을 후히 대접하다.

훅[1] **1** 입을 오므리고 김을 한 번 세게 내부는 소리. ⓔ촛불을 훅 불어 끄다. **2** 냄새나 바람 따위의 기운이 갑자기 밀려드는 모양. ⓔ곰팡이 냄새가 훅 코를 찔렀다.

훅[2] (hook) 권투에서, 팔꿈치를 굽혀 옆으로 치기.

훈:계 (訓戒) [— / 훈게] 잘못하지 않게 알아듣도록 타이름. 또는 그 말. ⓔ엄하게 훈계하다. **—하다.**

훈기 (薰氣) 훈훈한 기운. ⓔ훈기가 돌다.

***훈:련** (訓練〔鍊〕) [훌련] 무예나 기술 따위를 실지로 활용할 수 있도록 배워 되풀이하여 익힘. ⓔ군사 훈련. **—하다.**

훈:련병 (訓練兵) [훌련병] 부대에 배치되기 전에 훈련 기관에서 기초 과정의 훈련을 받고 있는 병사. 준 훈병.

훈:련소 (訓鍊所) [훌련소] 훈련을 하기 위해 마련한 장소나 기관.

훈:몽자회 (訓蒙字會) 조선 중종 22년에 최세진이 지은 한자 학습서. 3,360자의 한자를 사물 중심으로 갈라 한글로 음과 뜻을 닮. 고어 연구의 귀중한 자료임.

훈:민정음 (訓民正音) 조선 세종 대왕이 정인지·성삼문·신숙주 등의 도움으로 1443년에 처음으로 만들어 1446년에 널리 퍼뜨린 28자의 우리나라 글자의 이름. 홀소리 11자와 닿소리 17자로 이루어짐.

훈:방 (訓放) 가벼운 범죄를 저지른 사람을 잘 타일러 놓아주는 일. ⓔ훈방 조치. 본 훈계 방면. **—하다.**

훈:수 (訓手) 바둑·장기 따위에서, 옆에서 수를 가르쳐 줌. 또는 그 수. ⓔ훈수를 두다. **—하다.**

훈:시 (訓示) 윗사람이 아랫사람에게 주의 사항을 일러 주거나 가르쳐 타이름. ⓔ선생님은 지각생들을 모아 놓고 훈시하셨다. **—하다.**

훈:육 (訓育) [후뉵] 품성이나 도덕 따위를 가르쳐 기름. ⓔ엄하게 훈육하다. **—하다.**

훈장[1] (勳章) 나라에 공을 세운 사람에게 주는 휘장. ⓔ훈장을 받다 / 훈장을 수여하다.

훈:장[2] (訓長) 글방의 스승.

훈제 (燻〔薰〕製) 소금에 절인 고기 따위를 매달아 그 연기를 쐬어 말린 것. ⓔ훈제 연어.

훈:화 (訓話) 가르쳐 깨닫게 하는 말. 교훈으로 하는 말. ⓔ교장 선생님의 훈화 말씀. **—하다.**

훈훈하다 (薰薰—) **1** 견디기 좋을 만큼 덥다. ⓔ훈훈한 방 안. **2** 마음을 부드럽게 해주는 따뜻한 감정이 있다. ⓔ훈훈한 인정미.

훌떡 1 남김없이 벗어지거나 벗는 모양. ㉠훌떡 벗어진 이마 / 윗옷을 훌떡 벗다. 2 남김없이 뒤집히거나 뒤집는 모양. ㉠호주머니를 훌떡 뒤집다. 3 힘차게 뛰거나 뛰어넘는 모양. ㉠장애물을 훌떡 넘다. ㉶홀딱.

훌라후프 (Hula-Hoop) 플라스틱으로 된 둥근 테를 허리로 빙빙 돌리는 놀이. 또는 그 테.

훌렁 1 남김없이 벗어서 속이 드러난 모양. ㉠옷을 훌렁 벗다. 2 미끄럽게 벗어진 모양. ㉠훌렁 벗어진 이마. 3 속의 것이 다 드러나게 완전히 뒤집힌 모양. ㉠바람에 우산이 훌렁 뒤집혔다. 4 구멍이 넓어서 헐겁게 들어가는 모양. ㉠주먹이 훌렁 들어갈 만큼 구멍이 크다. ㉶홀랑.

*__훌륭하다__ 썩 좋아서 나무랄 것이 없다. ㉠음식 솜씨가 훌륭하다 / 자식을 훌륭하게 키우다. ➲great

훌륭히 훌륭하게. ㉠임무를 훌륭히 수행하다.

훌쩍 1 단숨에 가볍게 날아오르거나 뛰는 모양. ㉠담을 훌쩍 넘다. 2 액체 따위를 단숨에 남김없이 들이마시는 모양. 3 콧물을 들이마시는 모양. 4 훨씬 더 크거나 커진 모양. ㉠중학생이 되더니 키가 훌쩍 컸다. 5 망설이지 않고 가볍게 떠나가는 모양. ㉠말없이 훌쩍 떠나다.

훌쩍거리다 [훌쩍꺼리다] 1 액체 따위를 남김없이 자꾸 들이마시다. 2 콧물을 들이마시며 자꾸 흐느껴 울다. ㉶홀짝거리다.

훌쩍훌쩍 [훌쩌쿨쩍] 1 액체 따위를 남김없이 자꾸 들이마시는 소리나 모양. 2 콧물을 들이마시며 자꾸 흐느껴 우는 소리나 모양. ㉶홀짝홀짝. **—하다.**

훌쭉하다 [훌쭈카다] 몸이 가늘고 길다. ㉠훌쭉한 몸매. ㉶홀쭉하다.

훌훌 1 날짐승이 잇따라 날개를 치며 가볍게 나는 모양. ㉠훌훌 나는 기러기. 2 먼지를 떨려고 옷 따위를 계속 떠는 모양. ㉠바지를 훌훌 털다. 3 옷 따위를 거침없이 벗는 모양. ㉠옷을 훌훌 벗다. 4 시원스럽게 들이마시는 모양. ㉠뜨거운 국물을 훌훌 들이마시다. ㉶홀홀.

훑다 [훌따] 1 겉에 붙은 것을 떼어내기 위해 다른 물건의 틈에 끼워 죽 잡아당기다. ㉠벼이삭을 훑다. 2 속에 붙은 것을 씻어 내다. ㉠먼지를 훑어 내다. 3 한쪽에서부터 죽 더듬거나 살피다. ㉠신문 기사를 샅샅이 훑다. 발음 훑고[훌꼬] / 훑으니 [훌트니] / 훑어서[훌터서].

훑어보다 [훌터보다] 위아래로 또는 처음부터 끝까지 빈틈없이 눈여겨보다. ㉠요모조모 훑어보다.

훔쳐보다 [훔처보다] 남이 모르게 가만히 보다. ㉠언니의 일기를 훔쳐 보다.

*__훔치다__ 1 걸레·수건·행주 따위로 깨끗이 닦다. ㉠식탁을 훔치다. 2 남의 물건을 몰래 가지다. ㉠남의 지갑을 훔치다.

훗:날 (後—) [훈날] 앞으로 닥쳐올 세월. ㉠훗날을 기약하다. ㊥뒷날. 후일. ×후날.

훗:일 (後—) [훈닐] 장차 생길 일. ㉠훗일이 걱정되다. ㊥뒷일. 후사.

훤칠하다 길고 미끈하다. ㉠훤칠한 키.

훤:하다 1 좀 흐릿하게 밝다. ㉠훤한 동쪽 하늘. 2 앞이 탁 트여 넓고 시원하다. ㉠훤한 벌판. 3 얼굴이 잘생겨 시원스럽다. ㉠훤하게 생긴 얼굴. 4 무슨 일의 조리나 속내가 뚜렷하다. ㉠야구 경기 규칙에 훤하다. ㉶환하다.

훤:히 훤하게. ㉠동생의 마음을 훤히 알고 있다.

*__훨씬__ 정도 이상으로 많거나 적게. ㉠훨씬 많다 / 훨씬 빠르다 / 그쪽으로 가면 학교가 훨씬 멀다.

휠휠 1 날짐승이 높이 떠서 느릿느릿 날개를 치며 시원스레 나는 모양. ㉠철새가 휠휠 줄지어 날아간다. 2 옷을 시원스레 벗어부치는 모양. ㉠윗옷을 휠휠 벗어젖히다. 3 불길이 세차게 타오르는 모양. ㉠장작불이 휠휠 타오르다. 작 활활.

훼:방(毁謗) 1 남을 헐뜯어 나쁘게 말함. 2 남의 일을 방해함. ㉠훼방꾼. 비 방해. **—하다.**

훼방(을) 놓다 헐뜯어 남의 일을 방해하다.

훼:손(毁損) 1 체면이나 명예를 상하게 함. ㉠명예를 훼손시키다. 2 헐거나 깨뜨려 쓰지 못하게 함. ㉠문화재를 훼손하다 / 자연환경이 훼손되다. **—하다.**

휑뎅그렁하다 1 넓은 곳이 텅 비어 허전하다. ㉠휑뎅그렁한 방. 2 넓은 곳에 물건이 얼마 없어 어울리지 않고 빈 것 같다. 준 휑하다. 작 횅댕그렁하다.

휑하다 1 막힘 없이 잘 알다. ㉠휑하게 알고 있다. 2 구멍 따위가 시원스럽게 뚫려 있다. ㉠휑하게 뚫린 구멍. 3 눈이 쑥 들어가 있고 정기가 없다. ㉠휑한 눈으로 바라보다.

휘갈기다 1 마구 때리다. 2 붓 따위를 휘둘러 글씨를 쓰거나 그림을 그리다. ㉠휘갈겨 쓴 편지.

휘감기다 친친 둘러 감기다. ㉠집이 담쟁이덩굴에 휘감겨 있다.

휘감다[휘감따] 휘둘러 감다. 친친 둘러 감다. ㉠목도리로 목을 휘감다.

휘갑치다 1 너더분한 것을 잘 마무르다. 2 옷감·돗자리 따위의 가장자리가 풀리지 않게 얽어서 꿰매다.

휘날리다 1 깃발 따위가 바람에 나부끼다. ㉠바람에 머리칼이 휘날리다. 2 마구 흩어져 펄펄 날다. ㉠눈보라가 휘날리다. 3 이름 등을 널리 떨치다. ㉠골프계의 여왕으로 이름을 휘날리다.

휘늘어지다[휘느러지다] 풀기가 없이 축 휘어져 늘어지다. ㉠휘늘어진 버들가지.

휘다 꼿꼿하던 것이 구부러지다. 또는 구부러지게 하다. ㉠나뭇가지가 휘다 / 철사를 휘다 / 상다리가 휘도록 음식을 잘 차리다.

휘덮다[휘덥따] 전체를 온통 휘몰아 덮다. ㉠검은 구름이 하늘을 온통 휘덮었다.

휘돌다 1 어떤 한 점이나 물건 따위를 중심으로 돌다. 2 굽이를 따라 휘어서 돌다. ㉠고갯길을 휘돌아 올라가다. 3 어떤 기운이나 공기가 거칠게 떠돌다. ㉠싸늘한 기운이 방 안을 휘돌고 있다. 4 여러 곳을 순서대로 한 차례 돌다. 활용 휘돌아 / 휘도니 / 휘도는.

휘돌리다 휘돌게 하다.

휘두르다 1 무엇을 잡고 둥글게 휘휘 돌리다. ㉠채찍을 휘두르다. 2 남의 의사를 무시하고 제 뜻대로만 하다. ㉠권력을 마구 휘두르다. 활용 휘둘러 / 휘두르니.

휘둘러보다 고개를 돌리면서 둘러보다. ㉠주위를 휘둘러보다.

휘둘리다 휘두름을 당하다.

휘둥그렇다[휘둥그러타] 매우 놀라거나 두려워서 눈이 둥그렇다. 활용 휘둥그러니 / 휘둥그레서.

휘둥그레지다 눈이 휘둥그렇게 되다. ㉠놀라 눈이 휘둥그레지다.

휘말리다 1 물살 따위에 휩쓸리다. ㉠배가 소용돌이에 휘말리다. 2 어떤 일이나 상황에 휩쓸려 들다. ㉠정치적 사건에 휘말리다.

휘모리장단 민속악에서, 판소리나 산조 장단의 한 가지. 자진모리보다 빠른 장단이며, 처음부터 휘몰아 부르는 특징을 가짐.

휘몰다 마구 휘어잡아 몰고 나가다. ㉠말을 휘몰아 달리다. 활용 휘몰아 / 휘모니 / 휘모는.

휘몰아치다 [휘모라치다] 비바람 따위가 한곳으로 세차게 몰아쳐 불다. ㉡눈보라가 휘몰아치다 / 때아닌 비바람이 세차게 휘몰아쳤다.

휘묻이 [휘무지] 나무의 가지를 휘어서 그 한끝을 땅속에 묻어서 뿌리를 내리게 하는 인공 번식법. ＊꺾꽂이. —하다.

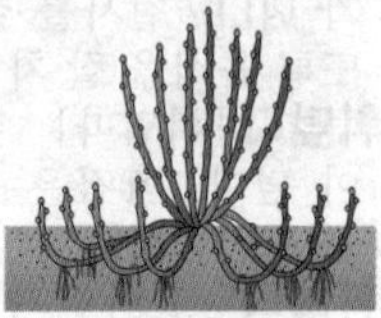

〈휘묻이〉

휘발성 (揮發性) [휘발썽] 휘발하는 성질. ㉡휘발성이 강한 물질.

휘발유 (揮發油) [휘발류] 원유를 정유하여 얻은, 불이 잘 붙는 무색의 기름. 가솔린.

휘어들다 [—/휘여들다] 안으로 향해 휘어지다. ㉡자동차가 오른쪽으로 휘어들어 가다. 활용 휘어들어 / 휘어드니 / 휘어드는.

휘어잡다 [휘어잡따 / 휘여잡따] **1** 구부려 거머잡다. ㉡나뭇가지를 휘어잡다. **2** 사람이나 일 따위를 마음대로 부리거나 다루다. ㉡그 아이는 선생님만이 휘어잡을 수 있었다.

휘어지다 [—/휘여지다] 꼿꼿하던 것이 어떤 힘을 받아 구부러지다. ㉡낚싯대가 휘어지다.

휘영청 달빛 따위가 몹시 밝은 모양. ㉡휘영청 달 밝은 밤.

휘장 (揮帳) 여러 폭의 피륙을 이어 만든, 둘러치는 막. 커튼. ㉡휘장을 둘러치다.

휘적거리다 [휘적꺼리다] 걸을 때에 두 팔을 앞뒤로 잇따라 세게 휘젓다.

휘적휘적 [휘저퀴적] 휘적거리는 모양. —하다.

휘젓다 [휘젇따] **1** 골고루 섞이도록 휘둘러 젓다. ㉡설탕물을 휘젓다. **2** 팔을 이리저리 야단스럽게 휘둘러 젓다. ㉡팔을 휘저으며 걷다. **3** 뒤흔들어 어지럽게 만들다. ㉡옷장 안을 휘저어 놓다. 활용 휘저어 / 휘저으니 / 휘젓는.

휘청 다리에 힘이 없어 몸을 가누지 못하고 불안정하게 흔들리는 모양. ㉡휘청 넘어질 뻔하다.

휘청거리다 다리에 힘이 없어 몸을 똑바로 가누지 못하고 자꾸 불안정하게 흔들리다. ㉡술에 취해 다리가 휘청거린다.

휘파람 입술을 오므리고 그 사이로 입김을 불어서 소리를 내는 일. ㉡휘파람 소리 / 휘파람을 불다.

휘하 (麾下) 우두머리의 지휘 아래. 또는 그 아래 딸린 군사. ㉡휘하에 많은 장병을 거느리다.

휘황찬란하다 (輝煌燦爛—) [휘황찰란하다] 빛이 환하고 눈부시게 번쩍이다. ㉡휘황찬란한 네온사인. 준 휘황하다.

휘휘 **1** 여러 번 휘감거나 휘감기는 모양. ㉡목도리를 목에 휘휘 두르다. **2** 이리저리 휘두르거나 휘젓는 모양. ㉡지팡이를 휘휘 내두르다. **3** 주위를 이리저리 둘러보거나 살피는 모양. ㉡사방을 휘휘 둘러보다.

휙 **1** 갑자기 빨리 돌아가는 모양. ㉡고개를 휙 돌리다. **2** 바람이 갑자기 세게 불어치는 모양. ㉡찬바람이 휙 불다. **3** 갑자기 세게 던지는 모양. ㉡돌멩이를 호수에 휙 집어 던지다. **4** 별안간 빠르게 지나가는 모양. ㉡휙 사라지다. 작 획.

휙휙 [휘퀵] **1** 계속 급히 돌아가는 모양. **2** 바람이 잇달아 세게 부는 모양. **3** 계속하여 세게 던지는 모양. **4** 계속하여 급히 지나치며 움직이는 모양. ㉡휙휙 내닫다. 작 획획.

휠체어 (wheelchair) 다리가 자유롭지 못한 사람이 앉은 채로 움직일 수 있게 바퀴를 단 의자.

휩싸다 **1** 휘둘러 감아서 싸다. ㉡

이불로 휩싸다. **2** 온통 뒤덮다. ㉹ 불길이 건물을 **휩싸다**. **3** 어떤 감정이 마음에 가득 차다. ㉹두려움이 온몸을 **휩쌌다**.

휩싸이다 휩쌈을 당하다. ㉹집이 불길에 **휩싸이다**.

*__휩쓸다__ **1** 모조리 휘몰아 쓸다. ㉹ 폭풍이 **휩쓸고** 지나가다. **2** 거침없이 행동을 함부로 하다. ㉹거리를 **휩쓸고** 다니다. **3** 경기에서, 상·메달 따위를 모두 차지하다. ㉹금메달을 모두 **휩쓸었다**. [활용] 휩쓸어 / 휩쓰니 / 휩쓰는.

휩쓸리다 휩쓺을 당하다. ㉹파도에 **휩쓸리다**.

휭하니 바람을 일으키듯이 곧장 빠르게 가는 모양. ㉹**휭하니** 가 버리다.

휴가 (休暇) 학교·직장·군대 등에서 일요일·국경일 외에 일정한 기간 쉬는 일. ㉹**휴가**를 받다 / **휴가**를 얻어 고향에 다녀오다.

휴가철 (休暇—) 많은 사람이 휴가를 즐기는 기간.

휴간 (休刊) 신문·잡지 등 정기 간행물의 발행을 잠시 쉼. **—하다.**

휴게소 (休憩所) 길을 가는 사람들이 잠깐 동안 머물러 쉴 수 있도록 마련하여 놓은 장소. ×휴계소.

휴게실 (休憩室) 잠깐 머물러 쉬도록 마련한 장소. ×휴계실.

휴교 (休校) 학교에서 수업을 한동안 쉬는 일. ㉹홍수가 나서 1주일 동안 **휴교**하다. **—하다.**

휴대 (携帶) 손에 들거나 몸에 지님. ㉹**휴대**가 간편하다 / 학생증을 **휴대**하다. **—하다.**

휴대용 (携帶用) 손에 들거나 몸에 지니고 다닐 수 있게 만든 물건. ㉹ **휴대용** 녹음기.

휴대 전:화 (携帶電話) 몸에 지니고 다니면서 사용할 수 있는 무선 전화기. [비] 휴대폰.

휴대폰 (携帶phone) ⇨휴대 전화.

휴대품 (携帶品) 손에 들거나 몸에 지니고 다니는 물건.

휴식 (休息) 하던 일을 멈추고 잠깐 쉼. ㉹**휴식** 시간 / **휴식**을 취하다. [비] 휴게. **—하다.**

휴양 (休養) 피로를 풀거나 병의 회복을 위하여 편히 쉼. ㉹시골에서 **휴양**하다. [비] 보양. 정양. **—하다.**

휴양지 (休養地) 쉬면서 휴양하기에 알맞은 곳. 휴양 시설이 마련되어 있는 곳. [비] 휴양처.

휴업 (休業) 학업이나 영업을 하루 또는 한동안 쉼. ㉹임시 **휴업**합니다. **—하다.**

휴일 (休日) 일을 하지 않고 쉬는 날. ㉹**휴일**마다 등산하다.

휴전 (休戰) 하던 전쟁을 얼마 동안 멈추는 일. **—하다.**

*__휴전선__ (休戰線) **1** 양쪽의 합의로 결정되는 휴전 중의 군사 경계선. **2** 우리나라와 북한과의 경계선.

휴전 협정 (休戰協定) [—협쩡] **1** 휴전을 하기로 맺은 합의 사항. **2** 한국에서 1953년 7월 27일 유엔군과 공산군 사이에 휴전을 하기로 맺은 협정.

휴정 (休廷) 법원에서, 재판 도중에 잠깐 동안 쉼. ㉹**휴정**을 선언하다. **—하다.**

휴정 대사 (休靜大師) 〖인명〗 ⇨ 서산 대사.

*__휴지__ (休紙) **1** 못 쓰게 된 종이. ㉹ 길거리에 떨어진 **휴지**를 줍다. **2** 더러운 것을 닦을 때 쓰는 종이. [비] 화장지.

휴지통 (休紙桶) 못 쓰게 된 종이나 쓰레기 따위를 버리는 통. ㉹**휴지통**을 비우다. *쓰레기통.

휴직 (休職) 봉급 생활자가 그 신분을 가지고 있으면서 일정한 기간 일을 쉼. ㉹병으로 **휴직**하다. **—하다.**

휴진 (休診) 병원에서 진료를 쉬는 것. **—하다.**

휴학 (休學) 얼마 동안 학업을 쉼. **—하다.**

휴화산 (休火山) 예전에는 불기운을 내뿜었으나 현재는 그런 활동을 하지 않는 화산. *사화산. 활화산.

흉 1 비웃을 만한 거리. 비난을 받을 만한 점. ㊎흉이 잡히다. ㊖허물. 흠. 2 부스럼이나 상처 따위의 아문 자리. ㊎흉이 지다.

흉가 (凶家) 사는 사람마다 흉한 일을 당하는 불길한 집.

흉계 (凶計) [—/훙게] 음흉한 꾀. ㊎흉계를 꾸미다.

흉기 (凶器) 사람을 죽이거나 다치게 하는 데 쓰는 도구. ㊎흉기로 위협하다/흉기를 휘두르다.

***흉내** 남의 말이나 행동을 그대로 따라서 하는 짓. ㊎남의 목소리를 흉내 내다. ㊖모방.

흉내말 어떤 소리나 모양·동작 등을 흉내 내는 말. ㊖시늉말.

흉년 (凶年) 농사가 잘되지 못한 해. ㊎흉년이 들다. ㊞풍년.

흉몽 (凶夢) 불길한 꿈. ㊞길몽.

흉물 (凶物) 1 모양이 흉하게 생긴 사람이나 동물. 2 성질이 음흉한 사람. **—스럽다.**

흉보다 남의 잘못을 들어 말하다. ㊎공연히 남을 흉보다. ㊖헐뜯다.

흉부 (胸部) 가슴 부분.

흉상 (胸像) 사람의 가슴 윗부분을 나타낸 그림이나 조각. ㊎베토벤의 흉상.

흉악 (凶惡) 1 성질이 거칠고 사나움. ㊎흉악범/흉악한 강도. 2 생김새가 험악하고 무섭게 생김. ㊎흉악하게 생긴 얼굴. **—하다.**

흉작 (凶作) 농작물이 잘되지 못함. ㊞풍작.

흉측하다 (凶測—) [흉츠카다] 모습이 몹시 보기 싫고 끔찍하다. ㊔흉악망측하다. ×흉칙하다.

흉터 상처가 아문 자리. ㊎흉터가 남다/흉터가 생기다. ㊖흉.

흉하다 (凶—) 1 어떤 일의 결과가 좋지 못하다. 2 불길하다. ㊎어쩐지 흉한 생각이 든다. 3 보기에 나쁘다. ㊎생김새가 흉하다.

흉허물 흉이나 허물이 될 만한 일. ㊎흉허물을 터놓고 이야기하다.

흉허물(이) 없다 서로 흉허물을 가리지 않을 만큼 가깝고 친하다. ㊎흉허물 없이 지내는 친구.

흉흉하다 (洶洶—) 1 물결이 어지럽게 일어나서 세차다. 2 인심이 몹시 어지럽고 어수선하다. ㊎인심이 흉흉하다.

흐느끼다 몹시 서러워 흑흑 느끼어 울다. ㊎훌쩍훌쩍 흐느끼다.

흐느적거리다 [흐느적꺼리다] 1 가늘고 긴 나뭇가지나 잎 또는 얇고 가벼운 물건이 계속 부드럽게 흔들리다. ㊎버드나무가 바람에 흐느적거리다. 2 팔다리 따위가 힘없이 느리게 자꾸 움직이다. ㊎흐느적거리며 걷다. ㊟흐늑거리다. ㊣하느작거리다.

흐늘흐늘하다 엉겨 있는 물체가 너무 무르거나 성기어 뭉크러질 듯하다. ㊎고구마를 흐늘흐늘하게 찌다. ㊣하늘하늘하다.

흐드러지다 꽃이 한곳에 많이 피어 있어 매우 탐스럽거나 한창 성하다. ㊎흐드러지게 핀 개나리가 울타리를 이루었다.

***흐르다** 1 액체 따위가 낮은 곳으로 내려가거나 넘치어 떨어지다. ㊎땀이 흐르다. 2 어떤 방향으로 쏠리다. ㊎이야기가 엉뚱한 방향으로 흐르다. 3 시간·세월이 가다. ㊎5년이란 세월이 흘렀다. 4 번져서 퍼지다. ㊎침묵이 흐르다/고요히 흐르는 멜로디. 5 전기가 통하다. ㊎전류가 흐르다. [활용] 흘러/흐르니.

***흐리다**[1] 1 또렷하게 보이지 않게 하거나 얼버무리다. ㊎말끝을 흐리

다. **2** 다른 물질을 섞어 탁하게 하다. ㉮물을 흐리다. **3** 집안이나 단체의 명예를 더럽히다. ㉮가문을 흐리다.

***흐리다**[2] **1** 기억력·판단력 따위가 분명하지 않다. ㉮기억이 흐리다. **2** 다른 물질이 섞여 맑지 못하다. ㉮김으로 유리가 흐리다. **3** 등불·빛 따위가 밝지 않고 희미하다. ㉮불빛이 흐리다. **4** 하늘에 구름·안개가 끼어 날씨가 나쁘다. ㉮오늘은 흐리고 한두 차례 비가 올 것이라고 한다. 반 맑다.

흐리멍덩하다 **1** 기억이 분명하지 않다. **2** 옳고 그름의 구별이나 하는 일 따위가 분명하지 않다. ㉮셈이 흐리멍덩하다. **3** 정신이 맑지 못하고 흐리다. ㉮잠에 취해서 머리가 흐리멍덩하다.

흐리터분하다 **1** 사물이 똑똑하지 못하고 답답하다. **2** 성미가 분명하거나 산뜻하지 못하다.

흐릿하다 [흐리타다] 조금 흐린 듯하다. ㉮흐릿한 불빛 / 안개가 끼어 앞이 흐릿하게 보인다.

흐물흐물 **1** 푹 익어서 매우 무른 모양. ㉮고기를 흐물흐물해지도록 푹 삶다. **2** 엉길 힘이 없어 아주 뭉그러진 모양. **—하다.**

***흐뭇하다** [흐무타다] 마음에 흡족하다. ㉮흐뭇한 표정 / 흐뭇한 이야기. 비 흡족하다.

흐지부지 분명하게 끝을 맺지 못하고 흐리멍덩하게 넘겨 버리는 모양. ㉮여행 계획이 그만 흐지부지되어 버렸다. **—하다.**

흐트러뜨리다 흐트러지게 하다. ㉮닭이 모이를 흐트러뜨리다.

흐트러지다 **1** 여러 가닥으로 어지럽게 흩어져 얽히다. ㉮머리가 흐트러지다. **2** 옷차림이나 자세 따위가 단정하지 못하다. ㉮흐트러진 자세. **3** 정신이 산만하여 집중하지 못하다. ㉮마음이 흐트러지다.

흐흐 **1** 흐뭇하여 입을 조금 벌리고 은근히 웃는 소리나 모양. **2** 털털하게 웃는 소리나 모양.

흑갈색 (黑褐色) [흑깔쌕] 검은빛을 띤 짙은 갈색.

흑막 (黑幕) [흥막] **1** 검은 장막. **2** 겉으로 드러나지 않은 음흉한 속셈. ㉮사건의 흑막.

흑백 (黑白) [흑빽] **1** 검은빛과 흰빛. ㉮흑백텔레비전. **2** 옳음과 그름. ㉮흑백 논리 / 흑백을 가리다. **3** 바둑에서, 검은 돌과 흰 돌.

흑백 사진 (黑白寫眞) [흑빽싸진] 실제 모습이 검은색이나 흰색으로 나타난 사진. 반 천연색 사진.

흑사병 (黑死病) [흑싸뼝] 페스트균에 의한 급성 전염병. 높은 열, 두통, 구토 따위의 증세가 있고 몸빛이 거멓게 변함. 페스트.

흑산도 (黑山島) [흑싼도] 〖지명〗 전라남도 신안군 흑산면에 있는 섬. 조기·삼치·갈치·도미 따위가 많이 잡힘. 규사가 많이 남.

흑색 (黑色) [흑쌕] 검은빛. ㉮흑색 잉크.

흑색선전 (黑色宣傳) [흑쌕썬전] 사실이 아닌 이야기를 지어내어 상대방을 헐뜯고 그 내부를 어지럽게 하는 정치적 계책.

흑설탕 (黑雪糖) [흑썰탕] 가공하지 않은 검은 빛깔의 설탕. 비 흑당. 흑사탕.

흑심 (黑心) [흑씸] 음흉하고 부정한 욕심이 많은 마음. ㉮흑심을 먹다 / 흑심을 품다.

흑연 (黑鉛) [흐견] 연필의 심 따위에 쓰이는 탄소로 된 광물.

흑염소 (黑—) [흐겸소] 털 빛깔이 검은 염소.

흑인 (黑人) [흐긴] **1** 털과 피부의 빛깔이 검은 사람. **2** 흑인종에 속하는 사람.

흑인종 (黑人種) [흐긴종] 살갗이 검은 인종. 곱슬곱슬한 검은 머리에 코가 납작하고 입술이 두꺼우며, 턱 가운데가 튀어나옴. 본 흑색 인종.

흑자 (黑字) [흑짜] 쓴 돈보다 번 돈이 많아 이익이 생기는 일. 예흑자 가계 / 흑자를 내다. 반 적자.

흑점 (黑點) [흑쩜] 태양 표면에 보이는 검은 얼룩. 비 태양 흑점.

흑판 (黑板) ⇨칠판.

흑흑 [흐큭] 설움이 북받쳐 흐느껴 우는 소리. 예흑흑 흐느끼다.

흔들개비 여러 가지 모양의 조각을 가느다란 철사나 실 따위에 매달아 흔들리게 만든 추상적인 조각. 모빌.

흔들거리다 이리저리 자꾸 흔들리다. 또는 흔들리게 하다. 예배가 물결에 흔들거리다.

*__흔들다__ **1** 위아래나 양 옆으로 계속 움직이게 하다. 예손을 흔들다 / 꼬리를 흔들며 달려오는 강아지. **2** 안정된 상태를 어지럽히다. 예사람의 마음을 흔들다. 활용 흔들어 / 흔드니 / 흔드는.

*__흔들리다__ 상하나 좌우, 앞뒤로 자꾸 움직이다. 또는 흔듦을 당하다. 예차가 몹시 흔들리다.

흔들의자 (―椅子) [흔드릐자 / 흔드리자] 앉아서 앞뒤로 흔들면서 쉴 수 있도록 만든 의자.

흔들흔들 흔들거리는 모양.

흔적 (痕迹〔跡〕) 뒤에 남은 자취나 자국. 예흔적을 남기다 / 흔적도 없이 사라지다.

흔쾌하다 (欣快―) 기쁘고 유쾌하다. 예그는 나의 부탁을 흔쾌하게 들어주었다.

흔쾌히 (欣快―) 흔쾌하게. 예흔쾌히 승낙하다.

흔하다 **1** 아주 많이 있다. 예흔한 이름 / 요즘 이 과일은 흔해서 값이 싸졌다. 반 드물다. **2** 구하기 쉽다. 예흔한 책. 반 귀하다. 준 흖다.

*__흔히__ 자주. 아주 많이. 예흔히 있는 일이다.

흘겨보다 흘기는 눈으로 보다. 예흘겨보는 버릇이 있다.

흘금흘금 곁눈으로 슬그머니 흘겨 보는 모양.

흘기다 눈동자를 옆으로 굴려 못마땅하게 노려보다. 예형은 억울하다며 눈을 흘기더니 나가 버렸다.

흘깃 [흘긷] 곁눈으로 가볍게 한 번 흘겨보는 모양.

흘끔흘끔 남의 눈을 피하여 날카롭게 자꾸 곁눈질을 하는 모양. 작 할끔할끔. 여 흘금흘금. **―하다.**

흘깃흘깃 [흘끼틀긷] 눈을 잇달아 재빨리 흘기는 모양. 작 할깃할깃. 여 흘깃흘깃. **―하다.**

*__흘러가다__ **1** 흐르면서 나아가다. 예흘러가는 강물. **2** 시간이나 세월이 지나가다. 예흘러간 옛 노래. **3** 이야기나 글 따위의 흐름이 다른 방향으로 바뀌다. 예이야기가 엉뚱한 방향으로 흘러갔다. 활용 흘러가거라.

흘러나오다 **1** 물이나 빛 따위가 새거나 빠져서 밖으로 나오다. 예바위 틈에서 샘물이 흘러나오다. **2** 말이나 소리 따위가 밖으로 퍼져서 나오다. 예라디오에서 아름다운 음악이 흘러나오고 있다.

*__흘러내리다__ **1** 높은 곳에서 낮은 곳으로 흐르거나 떨어지다. 예눈물이 자꾸 흘러내리다. **2** 맨 것이 풀려 느슨해져서 아래로 미끄러지듯 내리다. 예바지가 흘러내리다.

흘러들다 **1** 액체 따위가 흘러서 들어가다. 예폐수가 강으로 흘러들다. **2** 물건이나 사람, 풍조 따위가 슬그머니 들어오다. 예사치 풍조가 흘러들다. 활용 흘러들어 / 흘러드니 / 흘러드는.

*__흘리다__ **1** 쏟아지거나 흐르게 하다. 예눈물을 흘리다. **2** 잘못하여 떨어

뜨리거나 빠뜨리어 잃어버리다. ⓔ지갑을 흘리다. **3** 글씨를 또박또박 쓰지 않고 마구 이어서 쓰다. ⓔ편지를 흘려 쓰다. **4** 건성으로 듣다. ⓔ한 귀로 듣고 한 귀로 흘리다.

흘림 글자의 획을 또박또박 박아 쓰지 않고 흘려 쓴 글씨. ⓔ흘림체 / 글씨를 흘림으로 쓰다.

*****흙** [흑] 지구의 표면을 덮고 있는 바위가 부스러져 생긴 무기물의 가루와 썩은 동식물에서 생긴 유기물이 섞여 이루어진 물질. ⓔ흙으로 만든 벽돌 / 옷에 묻은 흙을 털다. 비 토양. 발음 흙이[흘기] / 흙을[흘글] / 흙으로[흘그로] / 흙과[흑꽈].

흙냄새 [흥냄새] 흙에서 나는 냄새. 비 흙내.

흙담 [흑땀] ⇨토담.

흙더미 [흑떠미] 흙을 한데 모아 쌓은 더미. ⓔ폭우로 흙더미가 무너져 내렸다.

흙덩이 [흑떵이] 흙이 엉기어서 된 작은 덩어리.

흙먼지 [흥먼지] 가는 흙가루가 날려 먼지처럼 일어나는 것. ⓔ흙먼지가 일다.

흙바닥 [흑빠닥] 흙으로 된 맨바닥. ⓔ흙바닥에 털썩 주저앉다.

흙손 [흑쏜] 방바닥이나 벽 따위에 이긴 흙을 바르고 반반하게 하는 연장. ⓔ흙손으로 벽을 바르다.

흙탕물 [흑탕물] 흙이 풀리어 몹시 흐려진 물. ⓔ흙탕물을 튀기다. 준 흙탕.

흙투성이 [흑투성이] 온몸에 흙이 잔뜩 묻은 모양.

흠ː (欠) **1** 잘못되거나 부족한 점. ⓔ흠을 잡다. **2** 이지러지거나 깨어진 곳. ⓔ흠 있는 사기그릇. **3** 사물의 불완전하거나 잘못된 부분. ⓔ이 물건은 비싼 게 흠이다.

흠모 (欽慕) 마음으로 사모하며 공경함. **—하다.**

흠뻑 **1** 분량이 꽉 차고도 남도록 넉넉하게. ⓔ비가 흠뻑 내리다. **2** 물이 쭉 내배도록 몹시 젖은 모양. ⓔ갑작스러운 소나기로 옷이 흠뻑 젖었다. 작 함빡.

흠씬 **1** 정도가 다 차고도 남도록 충분하게. **2** 물에 푹 젖은 모양. ⓔ땀에 흠씬 젖다. **3** 매 따위를 심하게 맞는 모양. ⓔ흠씬 얻어맞다.

흠ː잡다 (欠—) [흠잡따] 흠이 되는 점을 들추어내다. ⓔ흠잡을 데 없는 성격.

흠ː집 (欠—) [흠찝] 흠이 난 자리나 흔적. ⓔ얼굴에 흠집이 생기다.

흠칫 [흠칟] 놀라거나 겁이 나서 어깨나 목을 움츠리는 모양. ⓔ놀라서 몸을 흠칫하다. **—하다.**

흡사 (恰似) [흡싸] 거의 같을 정도로 비슷한 모양. **—하다.**

흡수 (吸收) [흡쑤] **1** 빨아들임. ⓔ흡수력 / 물기를 흡수하다. **2** 자신의 것으로 받아들임. ⓔ서양 문물을 흡수하다. **—하다.**

흡수성 (吸收性) [흡쑤썽] 빨아들이는 성질. ⓔ흡수성이 좋은 옷감.

흡연 (吸煙) [흐변] 담배를 피움. ⓔ흡연실 / 흡연 구역. **—하다.**

흡입 (吸入) [흐빕] 빨아들임. ⓔ산소 흡입. **—하다.**

흡족하다 (洽足—) [흡쪼카다] 아주 넉넉하여 만족하다. ⓔ흡족한 표정을 짓다.

흡족히 (洽足—) [흡쪼키] 흡족하게. ⓔ비가 흡족히 내리다.

흡착 (吸着) 어떤 물질이 달라붙음. ⓔ흡착제. **—하다.**

흡혈귀 (吸血鬼) [흐펼귀] 사람의 피를 빨아 먹는다는 전설상의 귀신.

*****흥ː**[1] (興) 마음이 즐겁고 좋아서 일어나는 느낌. ⓔ흥을 돋우다.

흥[2] **1** 코를 세게 풀 때 나는 소리. **2** 비웃거나 아니꼬울 때 내는 콧소리.

흥건하다 물 따위가 푹 잠기거나

고일 정도로 많다. ㉠비가 새서 바닥에 물이 흥건하다.

흥건히 흥건하게. ㉠속옷에 땀이 흥건히 배다.

***흥:겹다** (興—) [흥겹따] 몹시 흥이 나서 한껏 재미가 있다. ㉠흥겨운 노랫가락. 활용 흥겨워 / 흥겨우니.

흥망 (興亡) 잘되어 일어남과 못되어 없어짐. ㉠나라의 흥망이 걸린 교육 문제. 비 성쇠.

흥망성쇠 (興亡盛衰) 흥하고 망하고 성하고 쇠함.

***흥:미** (興味) 마음이 끌려 느끼는 재미. ㉠흥미를 불러일으키다 / 공부에 흥미를 붙이다 / 연극에 흥미가 있다. 비 재미. ➡ interest

흥:미롭다 (興味—) [흥미롭따] 흥미를 느낄 만하다. ㉠경기는 점점 흥미롭게 진행되었다. 활용 흥미로워 / 흥미로우니.

흥:미진진하다 (興味津津—) 마음이 끌릴 만큼 재미나 멋이 많다. ㉠흥미진진한 영화.

흥부 (興夫) 고대 소설 흥부전의 주인공. 형인 놀부에게 쫓겨났으나, 착하고 마음씨가 고와 뒤에 큰 부자가 되었음.

흥부가 (興夫歌) 조선 고종 때 신재효가 지은 판소리 열두 마당의 하나. 흥부전을 소리로 꾸민 것임.

흥부전 (興夫傳) 〔책〕 조선 후기에 나온 판소리계의 고대 소설. 욕심쟁이 형 놀부와 착한 아우 흥부를 그린 이야기.

흥분 (興奮) 자극을 받아 감정이 복받쳐 일어남. ㉠흥분의 도가니 / 흥분을 가라앉히다 / 사소한 일에 곧잘 흥분한다. **—하다.**

흥사단 (興士團) 안창호 등이 1913년에 미국 샌프란시스코에서 조직한 독립 운동과 민족 혁명의 수양 단체.

흥선 대:원군 (興宣大院君) 〔인명〕 조선 말기의 정치가. 고종의 아버지. 과감히 내정 개혁을 실행하였으나 쇄국 정책·경복궁 중건 등으로 사회·경제적인 혼란을 일으키기도 함. [1820-1898]

흥성 (興盛) 매우 왕성하게 일어남. **—하다.**

흥얼거리다 흥에 겨워 계속 입속으로 노래를 부르다. ㉠콧노래를 흥얼거리다.

흥얼흥얼 흥얼거리는 모양. ㉠혼자 흥얼흥얼 노래하다.

흥인지문 (興仁之門) 서울특별시 종로구에 있는 동대문의 정식 이름. 보물 제1호. 준 흥인문.

***흥정** 물건을 사고팔기 위해 품질이나 값 따위를 의논함. ㉠흥정을 붙이다 / 값을 흥정하다. **—하다.**

흥청거리다 **1** 돈이나 물건 따위를 아끼지 않고 마구 쓰다. **2** 흥에 겨워서 마음껏 놀다.

흥청망청 **1** 흥청거리며 마음껏 즐기는 모양. ㉠흥청망청 먹고 마시며 놀다. **2** 돈·물건 따위를 함부로 쓰는 모양. ㉠돈을 흥청망청 마구 쓰다. **—하다.**

흥:취 (興趣) 마음이 끌릴 만큼 좋은 멋이나 취미. ㉠흥취가 있다.

흥하다 (興—) 한창 잘되어 일어나다. 잘되어 가다. ㉠나라가 흥하다. 반 망하다.

흥행 (興行) 돈을 받고 사람들에게 연극·영화·서커스 따위를 보여 주는 일. ㉠그 영화는 흥행에 성공하였다. **—하다.**

흩날리다 [흔날리다] 흩어져 날리다. ㉠낙엽이 흩날리다.

흩다 [흗따] 한데 모였던 것을 헤쳐 다 각각 떨어지게 하다. ㉠할머니께서는 곡식을 흩고 계셨다.

흩뜨리다 [흗뜨리다] 흩어지게 하다. ㉠책을 어지럽게 흩뜨려 놓다 / 자세를 흩뜨리지 않고 앉아 있다.

×흐트리다.

흩뿌리다 [흡뿌리다] **1** 비나 눈 따위가 흩어져 뿌려지다. ㉲언제부턴가 밖에는 눈이 **흩뿌리고** 있었다. **2** 마구 흩어지게 뿌리다. ㉲전단을 **흩뿌리다**.

*__흩어지다__ [흐터지다] 모였던 것이 여기저기 따로 떨어지거나 퍼지다. ㉲종잇조각이 바람에 **흩어지다**.

*__희곡__ (戲曲) [히곡] 공연을 목적으로 쓴 연극의 대본. 무대 모양과 배우의 말씨 따위를 적음. 비 극본.

> 참고 **희곡의 3요소**
> (1) **해설**(무대 지시문 또는 전치 지문이라고도 함)…등장 인물·때·곳·무대 등을 설명.
> (2) **지문**(동작 지시문 또는 삽입 지문이라고도 함)…등장 인물의 동작·표정·심리 상태·말투 따위를 설명.
> (3) **대사**…인물의 성격, 사건의 상황 등을 나타내며, 대화·독백·방백으로 이루어짐.

희귀하다 (稀貴―) [히귀하다] 매우 드물어서 중요하다. ㉲**희귀한** 병 / **희귀한** 식물.

희극 (喜劇) [히극] **1** 익살을 부려 보는 사람에게 기쁨·웃음을 주려는 연극. ㉲**희극** 배우. **2** 사람을 웃길 만한 일이나 사건. ㉲한바탕 **희극**이 벌어졌다. 비 코미디. 반 비극.

희끄무레하다 [히끄무레하다] **1** 반반하게 생기고 빛이 조금 흰 듯하다. ㉲**희끄무레한** 얼굴. **2** 어떤 사물의 모습이나 불빛 따위가 선명하지 않고 흐릿하다. ㉲멀리 한라산의 모습이 **희끄무레하게** 보인다. 작 해끄무레하다.

희끗희끗 [히끄티끋] 흰 빛깔이 여기저기 나타난 모양. ㉲머리가 **희끗희끗하다**. 작 해끗해끗. **—하다**.

*__희다__ [히다] 눈이나 우유의 빛깔과 같다. ㉲**흰** 구름 / **흰** 눈.

희디희다 [히디히다] 매우 희다. ㉲눈처럼 **희디흰** 속살.

희로애락 (喜怒哀樂) [히로애락] 기쁨과 노여움과 슬픔과 즐거움. 즉, 사람의 온갖 감정.

희롱 (戲弄) [히롱] 말이나 행동으로 남을 실없이 놀리는 짓. ㉲사람을 **희롱하지** 마라. **—하다**.

*__희망__ (希望) [히망] **1** 어떤 일을 이루거나 얻고자 기대하고 바람. ㉲**희망** 사항 / **희망**에 차다 / **희망**에 부풀다 / **희망**과 용기를 불어넣다. **2** 좋은 일을 기대하는 마음. 또는 밝은 전망. ㉲**희망**이 보이다 / 아직은 **희망**이 있다. 비 소망. 반 실망. 절망. **—하다**. ➲ hope

희망차다 (希望―) [히망차다] 희망이 가득하다. ㉲**희망찬** 삶 / **희망찬** 미래를 약속하다.

희멀겋다 [히멀거타] 빛깔이 희고 뿌옇다. ㉲**희멀건** 얼굴. 작 해말갛다. 활용 희멀거니 / 희멀게서.

*__희미하다__ (稀微―) [히미하다] **1** 밝지 않다. ㉲불빛이 **희미하다**. **2** 또렷하지 못하다. ㉲**희미한** 기억. 반 분명하다.

희박하다 (稀薄―) [히바카다] **1** 기체나 액체 따위가 짙지 않고 묽거나 엷다. ㉲공기가 **희박한** 산꼭대기. **2** 어떤 일이 일어날 희망·가망이 적다. ㉲실현될 가능성이 **희박하다**.

희번덕거리다 [히번덕꺼리다] 눈을 크게 뜨고 흰자위를 굴리어 번쩍거리다. ㉲눈을 **희번덕거리며** 노려보다.

희부옇다 [히부여타] 희끄무레하게 부옇다. ㉲**희부연** 아침 안개 / **희부연** 연기가 피어오르다. 활용 희부여니 / 희부예서.

희붐하다 [히붐하다] 날이 새려고 빛이 비쳐 조금 밝다. ㉲동쪽 하늘이 **희붐하게** 밝아 오는 새벽녘.

희비 (喜悲) [히비] 기쁨과 슬픔. ㉥희비가 엇갈리다.
희뿌옇다 [히뿌여타] 매우 희고 뿌옇다. 여 희부옇다. 활용 희뿌여니 / 희뿌예서.
희:사 (喜捨) [히사] 남을 위해 재물을 기꺼이 내놓음. ㉥큰돈을 장학금으로 희사하다. **—하다.**
희색 (喜色) [히색] 기뻐하는 얼굴빛. ㉥희색이 돌다 / 얼굴에 희색이 가득하다.
희생 (犧牲) [히생] 남을 위하여 목숨이나 재물·명예 따위를 버리거나 바침. ㉥친구를 위해 자신을 희생하다. 비 헌신. **—하다.**
희생물 (犧牲物) [히생물] 희생이 된 물건 또는 사람.
희생자 (犧牲者) [히생자] 어떤 일이나 상황으로 희생을 당한 사람. ㉥갑작스러운 화재로 많은 희생자가 났다.
희석 (稀釋) [히석] 어떤 성분이 들어 있는 액체에 물 따위를 넣어 그 성분을 묽게 함. ㉥농약을 물로 희석하다. **—하다.**
희소가치 (稀少價値) [히소가치] 드물기 때문에 인정되는 가치. ㉥희소가치가 높다 / 우표의 값은 희소가치에 따라 다르다.
희소식 (喜消息) [히소식] 기쁜 소식. ㉥희소식을 전하다 / 희소식이 날아들다.
희열 (喜悅) [히열] 기쁨과 즐거움. ㉥희열을 느끼다.
희한하다 (稀罕—) [히한하다] 매우 드물거나 신기하다. ㉥희한한 소문이 떠돌다 / 세상에 별 희한한 일도 다 있구나.
희희낙락 (喜喜樂樂) [히히낭낙] 매우 기뻐하고 즐거워함. ㉥희희낙락하며 웃고 떠들다. **—하다.**
흰곰 [힌곰] 곰과의 짐승. 북극 지방에 살며 몸길이 약 2.9 m, 무게 680 kg 정도임. 온몸에 순백색의 털이 빽빽하며 헤엄을 잘 침. 비 백곰. 북극곰.
흰머리 [힌머리] 하얗게 센 머리털. ㉥흰머리가 나다. 비 백발.
흰밥 [힌밥] 잡곡을 섞지 않고 쌀로만 지은 밥. 비 백반. 쌀밥. 이밥.
***흰색** (—色) [힌색] 갓 내린 눈과 같은 빛깔. 비 백색. ➡ white
흰소리 [힌소리] 터무니없이 자랑으로 떠벌리거나 허풍을 떠는 말. ㉥흰소리를 늘어놓다.
흰옷 [히녿] 물감을 들이지 않은 흰 빛깔의 옷. 비 백의.
흰자 [힌자] '흰자위'의 준말.
흰자위 [힌자위] **1** 새알·달걀 따위의 속에 노른자위를 둘러싼 흰 부분. 반 노른자위. 준 흰자. **2** 눈알의 흰 부분. 반 검은자위.
흰죽 (—粥) [힌죽] 쌀로만 쑨 죽.
-히 형용사의 말의 줄기나 '-하다'가 붙어 형용사가 되는 말 끝에 붙어 독립된 낱말로 만드는 말. ㉥간곡히 / 마땅히. *-이². → [학습마당] 21(854쪽)
히로시마 (일 廣島) 〖지명〗 일본 서부 히로시마 현의 도시. 제2차 세계대전 때에 미국이 세계 최초로 원자탄을 떨어뜨린 곳임.
히말라야 산맥 (Himalaya山脈) 인도와 중국 티베트의 사이에 있는 큰 산맥. 세계에서 가장 높은 에베레스트 산이 있음.
히스테리 (독 Hysterie) 정신적인 원인에 의하여 일시적으로 일어나는 비정상적인 흥분 상태. ㉥히스테리를 부리다.
히읗 [히읃] 한글의 자모 'ㅎ'의 이름. 발음 히읗이[히으시] / 히읗을[히으슬] / 히읗에[히으세].
히죽 만족한 태도로 슬며시 잠깐 웃는 모양. 작 해죽. 센 히쭉.
히죽이 [히주기] ⇨히죽.

히죽히죽 [히주키죽] 만족한 듯 자꾸 웃는 모양. **—하다.**
히터 (heater) 차 안이나 건물 안의 공기를 덥혀 실내 온도를 높이는 기구. ㉠히터를 켜다.
히트 (hit) **1** 크게 성공함. ㉠히트 상품 / 신곡이 히트를 치다. **2** ⇨안타. **—하다.**
히트곡 (hit曲) 인기를 끈 노래. 작품으로서 성공한 노래.
히히 남을 놀리듯이 짓궂게 까불거리며 자꾸 웃는 소리. 또는 그 모양. 작 해해.
힌두교 (Hindu教) 인도에서 많이 믿는 인도 고유의 종교.
힌트 (hint) 넌지시 깨우쳐 줌. 암시. ㉠힌트를 얻다 / 힌트를 주다.
힐끔 눈동자를 흘겨 뜨고 한 번 보는 모양. 작 핼끔. **—거리다.**
힐끗 [힐끋] **1** 눈에 언뜻 띄는 모양. ㉠힐끗 보이다. **2** 눈동자를 재빠르게 굴려 한 번 슬쩍 보는 모양. ㉠힐끗 둘러보다. **—거리다.**
힐난 (詰難) [힐란] 잘못을 트집 잡아 따지고 듦. **—하다.**
힐책 (詰責) 잘못을 따져서 꾸짖음. **—하다.**
***힘** **1** 사람·동물이 스스로 움직이거나 다른 것을 움직이게 하는 근육의 작용. ㉠힘을 겨루다 / 힘이 세다. **2** 일이나 활동에 도움이나 의지가 되는 것. ㉠부모님의 위로가 내게 큰 힘이 되었다. **3** 어떤 일을 할 수 있는 능력이나 역량. ㉠힘을 합치다 / 공부에 힘을 기울이다. **4** 물체에 운동을 일으키게 하거나 속도를 변화시키거나 정지시키는 작용. ㉠엔진의 힘이 세다.
힘겨루기 승부 따위를 위하여 힘이나 세력을 보여 주거나 확장하려고 서로 버티는 일. ㉠힘겨루기가 벌어지다.
힘겹다 [힘겹따] 힘에 부쳐 당해 내기 어렵다. ㉠힘겨운 싸움. 활용 힘겨워 / 힘겨우니.
***힘껏** [힘껃] 있는 힘을 다하여. 힘이 닿는 데까지. ㉠힘껏 뛰다 / 힘껏 소리치다.
힘내다 힘을 내어 어떤 일을 해내다. ㉠힘내서 끝까지 달리다.
힘닿다 [힘다타] 힘·권력 따위가 미치다. ㉠힘닿는 데까지 최선을 다해 도와주겠다.
***힘들다** **1** 힘이 쓰이다. ㉠한참을 기다리고 서 있었더니 힘들다. **2** 어렵거나 곤란하다. ㉠길이 막혀 제시간에 도착하긴 힘들겠다. 활용 힘들어 / 힘드니 / 힘든.
힘들이다 [힘드리다] **1** 힘을 발휘하다. ㉠힘들여 쌓은 둑이 삽시간에 무너졌다. **2** 어떤 일에 마음이나 힘을 기울이다. ㉠힘들여 계획을 세우다 / 힘들이지 않고 일을 끝냈다.
힘세다 힘이 많아서 억세다. ㉠우리 동네에서 가장 힘센 사람이다.
***힘쓰다** **1** 힘을 다하다. ㉠공부에만 힘쓰다. **2** 남을 도와주다. ㉠내가 좀 힘써 주지. **3** 힘을 다해 노력하고 꾸준히 행하다. ㉠성공에 힘쓰다 / 힘써 일한 보람이 있다. 활용 힘써 / 힘쓰니.
힘없다 [히멉따] **1** 의욕이나 기운이 없다. ㉠힘없는 목소리로 대답하다. **2** 힘이나 권세·위력 따위가 없다. ㉠힘없고 가난한 사람에게 희망을 주다.
힘없이 [히멉씨] 힘없게. ㉠힘없이 쓰러지다.
힘입다 [힘닙따] **1** 남의 신세를 지다. ㉠친구에게 힘입은 바가 크다. **2** 어떤 행동이나 말 따위에 용기를 얻다. ㉠선생님 말씀에 힘입어 다시 도전할 수 있었다.
힘자랑 힘이 센 것을 남 앞에서 자랑함. **—하다.**
힘점 (—點) [힘쩜] 지레를 사용할

때, 그 물체에 힘이 작용하는 점. 비 역점.

힘주다 **1** 힘을 한곳으로 몰다. 예 눈을 힘주어 감다. **2** 어떤 일이나 말을 강조하다. 예특히 우정에 대하여 힘주어 말하다.

힘줄 [힘쭐] **1** 근육의 바탕이 되는 희고 질긴 살의 줄. 비 심줄. **2** 혈맥·혈관 따위를 통틀어 일컫는 말.

힘줌말 어떤 말에 소리를 조금 달리하거나 더하여 그 말의 뜻을 강조하여 나타내는 말. '뻔다'에 대한 '뻔치다' 따위.

***힘차다** 힘이 있고 씩씩하다. 예힘찬 발걸음을 내딛다 / 힘찬 격려의 박수를 보내다.

힝 **1** 코를 세게 풀거나 콧김을 내뿜는 소리. **2** 아니꼬워서 코로 비웃는 소리.

힝힝 **1** 코를 잇달아 아주 세게 풀거나 콧김을 내뿜는 소리. **2** 말이 콧소리를 내며 우는 소리.

모음

ㅏ

ㅏ [아] **1** 한글 자모의 열다섯째 글자. **2** 모음의 하나. 혀를 가장 낮추고 입을 크게 벌려 내는 단모음.

ㅐ [애] 모음의 하나. 혀를 'ㅏ' 소리 내는 위치보다 조금 높은 자리에서 약간 내어 밀고 입을 반만 벌려 내는 단모음.

ㅑ

ㅑ [야] **1** 한글 자모의 열여섯째 글자. **2** 모음의 하나. 'ㅣ'와 'ㅏ'의 이중 모음. 혀를 'ㅣ' 소리를 낼 것같이 하여 가지고 잇따라 'ㅏ'로 옮기면서 내는 소리.

ㅒ [얘] 모음의 하나. 'ㅣ'와 'ㅐ'의 이중 모음. 혀를 'ㅣ' 소리를 낼 것같이 하여 가지고 잇따라 'ㅐ'로 옮기면서 내는 소리.

ㅓ

ㅓ [어] **1** 한글 자모의 열일곱째 글자. **2** 모음의 하나. 혀를 조금 올리고 입술을 보통으로 하고 입을 약간 크게 벌려 입 안의 안쪽을 넓게 하면서 내는 단모음.

ㅔ [에] 모음의 하나. 혀를 'ㅓ' 소리 내는 위치보다 조금 높은 자리에서 앞으로 약간 내어 밀고 보통으로 입을 열어 입아귀가 붙지 않을 정도로 하여 내는 단모음.

ㅕ

ㅕ [여] **1** 한글 자모의 열여덟째 글자. **2** 모음의 하나. 'ㅣ'와 'ㅓ'의 이중 모음. 혀를 'ㅣ' 소리를 낼 것같이 하여 가지고 잇따라 'ㅓ'로 옮기면서 내는 소리.

ㅖ [예] 모음의 하나. 'ㅣ'와 'ㅔ'의 이중 모음. 혀를 'ㅣ' 소리를 낼 것같이 하여 가지고 잇따라 'ㅔ'로 옮기면서 내는 소리.

ㅗ

ㅗ [오] **1** 한글 자모의 열아홉째 글자. **2** 모음의 하나. 혀를 보통 위치에서 조금 뒤로 다가들이고 두 입술을 둥글게 하여 내는 단모음.

ㅘ [와] 모음의 하나. 'ㅗ'와 'ㅏ'의 이중 모음. 입술을 'ㅗ' 소리를 낼 것같이 하여 가지고 잇따라 'ㅏ'로 옮기면서 내는 소리.

ㅙ [왜] 모음의 하나. 'ㅗ'와 'ㅐ'의 이중 모음. 입술을 'ㅗ' 소리를 낼 것같이 하여 가지고 잇따라 'ㅐ'로 옮기면서 내는 소리.

ㅚ [외] 모음의 하나. 혀를 보통 위치에서 앞으로 조금 밀어 내면서 두 입술을 좁혀 둥글리는 듯이 하면서 내는 단모음. 이중 모음인 'ㅞ'로도 발음할 수 있음.

ㅛ

ㅛ [요] **1** 한글 자모의 스무째 글자. **2** 모음의 하나. 'ㅣ'와 'ㅗ'의 이중 모음. 혀를 'ㅣ' 소리를 낼 것같이 하여 가지고 잇따라 'ㅗ'로 옮기면서 내는 소리.

ㅜ

ㅜ [우] **1** 한글 자모의 스물한째 글자. **2** 모음의 하나. 혀를 안으로 다가들이면서 혀뿌리를 가장 높여 여린입천장에 가깝게 하고 두 입술을 둥글게 하여 내는 단모음.

ㅝ [워] 모음의 하나. 'ㅜ'와 'ㅓ'의 이중 모음. 입술을 'ㅜ' 소리를 낼 것같이 하여 가지고 잇따라 'ㅓ'로 옮기면서 내는 소리.

ㅞ [웨] 모음의 하나. 'ㅜ'와 'ㅔ'의 이중 모음. 입술을 'ㅜ' 소리를 낼 것같이 하여 가지고 잇따라 'ㅔ'로 옮기면서 내는 소리.

ㅟ [위] 모음의 하나. 혀를 'ㅣ' 소리를 내는 위치에서 약간 낮은 자리에 두고 입술을 좁혀 내는 단모음. 입술을 'ㅜ' 소리를 낼 것같이 하여 가지고 잇따라 'ㅣ'로 옮기면서 내는 이중 모음으로도 발음할 수 있음.

ㅠ

ㅠ [유] **1** 한글 자모의 스물두째 글자. **2** 모음의 하나. 'ㅣ'와 'ㅜ'의 이중 모음. 혀를 'ㅣ' 소리를 낼 것같이 하여 가지고 잇따라 'ㅜ'로 옮기면서 내는 소리.

ㅡ

ㅡ [으] **1** 한글 자모의 스물셋째 글자. **2** 모음의 하나. 혀를 예사로 편 채 가장 높이는 동시에 약간 뒤로 다가들이는 듯하면서 입술은 평평한 대로 얇게 열어 내는 단모음.

ㅢ [의] 모음의 하나. 'ㅡ'와 'ㅣ'의 이중 모음. 혀를 'ㅡ' 소리를 낼 것같이 하여 가지고 잇따라 'ㅣ'로 옮기면서 내는 소리.

ㅣ

ㅣ [이] **1** 한글 자모의 스물넷째 글자. **2** 모음의 하나. 혀의 앞 바닥과 중앙 부분의 양편 가장자리를 아주 높여 센입천장에 가장 가까이 접근시키고 입술을 평평한 대로 얇게 열고 입아귀를 양편으로 당기는 듯이 하면서 내는 단모음.

부록

우리말 바로 쓰기

우리들이 흔히 쓰는 말 가운데 잘못 쓰는 말들이 있다. 너무 자주 듣고 쓰고 있기 때문에 귀에 익고 입에 익어 그 말들이 바른 말인 것으로 알고 있다. 여기 잘못 쓴 말들을 표준어와 대비시켜 함께 실었다.

가느다랗다 ○
가늘다랗다 ×

가뜩이 ○
가뜩히 ×

가랑이 ○
가랭이 ×

가려야 ○
갈래야 ×

가르마 ○
가리마 ×

가르치다 ○
가르키다 ×
아르키다 ×

가리다 ○
가리우다 ×

가리키다 ○
가르키다 ×
아르키다 ×

가뭄 ○
가물 ○
가물음 ×

가시 ○
까시 ×

가없다 ○
가이없다 ×

가위 ○
가새 ×

가으내 ○
가을내 ×

가자미 ○
가재미 ×

가장자리 ○
가상자리 ×

가파르다 ○
가파롭다 ×

간드러지다 ○
간들어지다 ×

간질이다 ○
간지르다 ×
간지럽히다 ○

갈겨쓰다 ○
날려쓰다 ×

갈고리 ○
갈구리, 갈쿠리 ×

감쪽같다 ○
깜쪽같다 ×

갖은 양념 ○
갖인 양념 ×

개개다 ○
개기다 ×

개다(날씨) ○
개이다 ×

개비(담배) ○
개피 ×
가치 ×

거르다 ○
걸르다 ×

거무튀튀하다 ○
거무틱틱하다 ×

거스르다 ○
거슬르다 ×

거슬러 주다 ○
거실러 주다 ×

거슴츠레 ○
거슴푸레 ×

거의 ○
거진 ×

거치적거리다 ○
걸리적거리다 ○

거친 ○
거칠은 ×

거칠다 ○
거치르다 ×

건너다 ○
건느다 ×

건넛마을 ○
건넌마을 ×

건더기 ○
건데기 ×

걷어채다 ○
걷어채이다 ×

걸쭉하다 ○
걸직하다 ×

겁쟁이 ○
겁장이 ×

-게끔 ○
-게시리 ×

게으르다 ○
게을르다 ×

겨우내 ○
겨울내 ×

겸연쩍다 ○
계면쩍다 ×

겹다 ○
겨웁다 ×

경질 ○
갱질 ×

곁눈질 ○
옆눈질 ×

계란 ○
겨란 ×

계집 ○
기집 ×

고기 ○
괴기 ×

고두밥 ○
꼬두밥 ×

고들빼기 ○
꼬들빼기 ×

고량주 ○
꼬량주 ×

고르다 ○
골르다 ×

고린내 ○
꼬랑내 ×

고마워하다 ○
고마와하다 ×

고운 ○
고은 ×

고추 ○
꼬추 ×

고프다 ○
고푸다 ×

곤두박이다 ○
곤두박히다 ×

곧바로 ○
곧바루 ×

골고루 ○
골고로 ×

골짜기 ○
골짜구니 ×

곯아떨어지다 ○
골아떨어지다 ×

곰팡이 ○
곰팽이 ×

곱빼기 ○
곱배기 ×

곱살스럽다 ○
곱상스럽다 ×

곱슬곱슬 ○
꼽슬꼽슬 ×

공짜 ○
꽁짜 ×

곶감 ○
꽂감 ×

공중제비 ○
공중잡이 ×

괄시 ○
괄세 ×

괜스레 ○
괜시리 ×

괴나리봇짐 ○
개나리봇짐 ×

괴발개발 ○
개발새발 ○

구더기 ○
구데기 ×

구덩이 ○
구뎅이 ×

-구려 ○
-구료 ×

구르다 ○
굴르다 ×

-구먼 ○
-구만 ×

구멍 ○
구녕 ×

구석 ○
구석지 ×

구슬리다 ○
구스르다 ×

구워 먹다 ○
구어 먹다 ×

구태여 ○
구태어 ×

군더더기 ○
군더덕지 ×

굽실거리다 ○
굽신거리다 ×

궁둥이 ○
궁뎅이 ×

귀뚬 ○
귀뜸 ×

귓구멍 ○
귓구녕 ×

그득히 ○
그득이 ×

그르다 ○
글르다 ×

그맘때 ○
그만때 ×

그슬리다 ○
그스르다 ×

그을다 ○
그으르다 ×

그을음 ○
끄름 ×

금세 ○
금새 ×

기겁하다 ○
기급하다 ×

기다랗다 ○
길다랗다 ×

기다리다 ○
기달리다 ×

기르다 ○
길르다 ×

기어이 ○
기어히 ×

-기에 ○
-길래 ○

기와집 ○
개와집 ×

기저귀 ○
기저구, 기저기 ×

깁스 ○
기브스 ×

깊숙이 ○
깊숙히 ×

까무러치다 ○
까무라치다 ×

까발리다 ○
까발기다 ×

까슬까슬 ○
까실까실 ×

까지 ○
까장 ×

깝죽거리다 ○
깝치다 ×

깨소금 ○
깨소곰 ×

꺼림칙하다 ○
께름직하다 ×

꼬이다 ○
꼬시다 ×

꼬챙이 ○
꼬창이 ×

꼭지 ○
꼬다리 ×

꼴찌 ○
꼬래비 ×

꼼꼼히 ○
꼼꼼이 ×

꼼수 ○
꽁수 ×

꽁초 ○
꽁추, 꽁치 ×

꾐 ○
꾀임 ×

-꾸러기 ○
-꾸레기 ×

꾸지람 ○
꾸지렴 ×

꾸짖다 ○
꾸짓다 ×

꿰매다 ○
꾸매다 ×

뀌다(방귀를) ○
꾸다 ×

끄나풀 ○
끄나불 ×

끄르다 ○
끌르다 ×

끌어당기다 ○
끌어다니다 ×

끼어들다 ○
끼여들다 ×

끼적거리다 ○
끄적거리다 ○

나는 ○
날으는 ×

나다니다 ○
나댕기다 ×

나뒹굴다 ○
나딩굴다 ×

나루터 ○
나룻터 ×

나르다 ○
날르다 ×

나무람 ○
나무램 ×

나부랭이 ○
나부랑이 ×

나불거리다 ○
나발거리다 ×

나일론 ○
나이롱 ×

나중 ○
내중 ×

나지막하다 ○
나즈막하다 ×

낚아채다 ○
나꿔채다 ×

난센스 ○
넌센스 ×

날개 ○
나래 ○

날갯죽지 ○
날개쭉지 ×

날다 ○
날르다 ×

날름 ○
낼름 ×

날아가다 ○
날라가다 ×

날파람 ○
날바람 ×

남기다 ○
냉기다 ×

남우세스럽다 ○
남사스럽다 ○

낯선 ○
낯설은 ×

내건 ○
내걸은 ×

내레이션 ○
나레이션 ×

내로라하다 ○
내노라하다 ×

내리다 ○
나리다 ×

내리쬐다 ○
내려쬐다 ×

냄새 ○
내음 ○

냅킨 ○
내프킨 ×

냠냠 ○
얌냠 ×

너 ○
니 ×

너희들 ○
니들, 느그들 ×

넋두리 ○
넉두리 ×

넌지시 ○
넌즈시 ×

널따랗다 ○
널다랗다 ×

널브러지다 ○
널부러지다 ×

널빤지 ○
널판지 ×

넓적다리 ○
넙적다리 ×

넘기다 ○
넹기다 ×

넣다 ○
늫다 ×
옇다 ×

네가 ○
너가 ×
니가 ×

네댓 ○
너댓 ×

네온사인 ○
네온싸인 ×

노곤하다 ○
노근하다 ×

노글노글하다 ○
노골노골하다 ×

노랑이 ○
노랭이 ×

노른자위 ○
노란자위 ×

녹슬다 ○
녹쓸다 ×

녹이다 ○
녹히다 ×

놈팡이 ○
놈팽이 ×

놓은 ○
논 ×

뇌졸중 ○
뇌졸증 ×

누더기 ○
누데기 ×

누르다 ○
눌르다 ×

눈곱 ○
눈꼽 ×

눈살 ○
눈쌀 ×

눈시울 ○
눈시위 ×

눈썹 ○
눈섭 ×

눈초리 ○
눈꼬리 ○

눌어붙다 ○
눌러붙다 ×
늘어붙다 ×

늘 ○
늘상 ×

늘리다 ○
늘구다, 늘쿠다 ×

닐리리 ○
닐리리 ×

다니다 ○
대니다 ×
댕기다 ×

다독거리다 ○
다둑거리다 ×

다디달다 ○
달디달다 ×

다르다 ○
달르다 ×

다리다 ○
대리다 ×

다리미 ○
대리미 ×

닦다 ○
딲다 ×

닭달 ○
닥달 ×

닦아세우다 ○
딲아세우다 ×

단박 ○
담박 ×

단출하다 ○
단촐하다 ×

단칸방 ○
단간방 ×

달그락 ○
달가락 ×

달리다(힘이) ○
딸리다 ×

달이다 ○
댈이다 ×

담그다 ○
담구다 ×

담벼락 ○
담벽 ×

담요 ○
담뇨 ×

당기다 ○
댕기다, 땅기다 ×

당나귀 ○
당나구 ×

대가 ○
댓가 ×

대님 ○
댓님 ×

대로하다 ○
대노하다 ×

-더라도 ○
-드래도 ×

더욱이 ○
더우기 ×

덤비다 ○
댐비다 ×

덤터기 ○
덤테기 ×

덩굴 ○
덩쿨 ×

덩치 ○
둥치 ×

데다 ○
디다 ×

데스마스크 ○
데드마스크 ×

데우다 ○
뎁히다 ×

데워 먹다 ○
데어 먹다 ×

도넛 ○
도너츠 ×

도로 ○
도루 ×

도리어 ○
되려 ×

돌멩이 ○
돌맹이 ×

돌부리 ○
돌뿌리 ×

돼지 ○
도야지 ×

되뇌다 ○
되뇌이다 ×

두루뭉술하다 ○
두리뭉실하다 ○

두르다 ○
둘르다 ×

둑(강둑) ○
뚝 ×

둑길 ○
뚝길 ×

둘러메다 ○
울러메다 ×

둥그레지다 ○
둥그래지다 ×

뒤치다꺼리 ○
뒤치닥거리 ×

뒹굴다 ○
딩굴다 ×

드리우다(그늘) ○
드리다 ×

들러리 ○
둘러리 ×

들르다(집) ○
들리다 ×

등용문 ○
등룡문 ×

들이닥치다 ○
들어닥치다 ×

들이마시다 ○
들어마시다 ×

들이켜다(물) ○
들이키다 ×

들입다 ○
디립다 ×

들큼하다 ○
들큰하다 ×

디지털 ○
디지탈 ×

따갑다 ○
따겁다 ×

따귀 ○
따구 ×

따로 ○
따로이, 따루 ×

따위 ○
따우 ×

딴죽 ○
딴지 ×

딸내미 ○
딸래미 ×

땅뙈기 ○
땅뙤기 ×

떠다밀다 ○
떼다밀다 ×

떡볶이 ○
떡볶기 ×

떨어뜨리다 ○
떨구다 ○

떼밀다 ○
띠밀다 ×

또랑또랑하다 ○
똘망똘망하다 ×

또바기 ○
또박이 ×

똑똑히 ○
똑똑이 ×

똬리 ○
또아리 ×

뚫리다 ○
뚤리다 ×

뜨물 ○
뜸물, 뜬물 ×

뜰 ○
뜨락 ○

띄다(눈에) ○
띠다(미소를) ○

러닝 ○
런닝 ×

러닝셔츠 ○
런닝샤쓰 ×

렌터카 ○
렌트카 ×

로봇 ○
로보트 ×

로켓 ○
로케트 ×

로터리 ○
로타리 ×

리코딩 ○
레코딩 ×

리포트 ○
레포트 ×

링거 ○
링게르 ×

마구잡이 ○
마구잽이 ×

마다하다 ○
마다다 ×

마라 ○
말아라 ×

마렵다 ○
매렵다 ×

마르다 ○
말르다 ×

마을 가다 ○
마실 가다 ×

마음 ○
맘 ×

마저 ○
마자 ×

마지막 ○
마즈막 ×

만날 ○
맨날 ○

만들다 ○
맨들다, 맹글다 ×

만지다 ○
만치다, 맨지다 ×

만큼 ○
마큼 ×

말괄량이 ○
말괄랭이 ×

말끄러미 ○
말끔히 ×

맛깔스럽다 ○
맛깔지다 ×

망그러지다 ○
망그라지다 ×

망령 ○
망녕 ×

매머드 ○
맘모스 ×

맨송맨송 ○
맹숭맹숭 ○

머다랗다 ○
멀다랗다 ×

머리끄덩이 ○
머리끄댕이 ×

머리말 ○
머릿말 ×

머릿속 ○
머리속 ×

머무르다 ○
머물르다 ×

머지않아 ○
멀지않아 ×

먹으려고 ○
먹을려고 ×

먹을거리 ○
먹거리 ○

먹이다 ○
멕이다 ×

먼저 ○
먼첨 ×

먼지 ○
몬지 ×

먼지떨이 ○
먼지털이 ×

멋쟁이 ○
멋장이 ×

멋쩍다 ○
멋적다 ×

메다 ○
미다 ×

메마르다 ○
메말르다 ×

메밀 ○
모밀 ×

메스껍다 ○
메시껍다 ×

메슥메슥 ○
미식미식 ×

메우다 ○
메꾸다 ○

멜빵 ○
밀빵 ×

모르다 ○
몰르다 ×

모양 ○
모냥 ×

모으다 ○
모우다 ×

모조리 ○
모주리, 몽조리 ×

모질다 ○
모지다 ×

목구멍 ○
목구녕 ×

목마르다 ○
목말르다 ×

목메다 ○
목메이다 ×

목물 ○
등물 ○

몰라 ○
몰러 ×

몸뚱이 ○
몸뗑이 ×

몹시 ○
몹씨 ×

몽타주 ○
몽따쥬 ×

뫼자리 ○
묏자리 ○

무더기 ○
무데기 ×

무동(을) 타다 ○
무등(을) 타다 ×

무르다 ○
물르다 ×

무릅쓰다 ○
무릎쓰다 ×

무찌르다 ○
무찔르다 ×

문지르다 ○
문질르다 ×

뭉크러지다 ○
뭉클어지다 ×

뭉텅이 ○
뭉테기, 뭉텡이 ×

미라 ○
미이라 ×

미터 ○
메타 ×

밀어젖히다 ○
밀어제끼다 ×

밑동 ○
밑둥 ×

바뀌었다 ○
바꼈다 ×

바동거리다 ○
바둥거리다 ○

바라다(기대) ○
바래다 ×

바람 ○
바램 ×

바래다 주다 ○
바라다 주다 ×

바로 ○
바루 ×

바르다 ○
발르다 ×

바비큐 ○
바베큐 ×

바서지다 ○
바사지다 ×

바위 ○
바우 ×

바짓가랑이 ○
바짓가랭이 ×

바퀴 ○
바꾸, 바쿠 ×

바흐(인명) ○
바하 ×

박이다 ○
백이다 ×

박히다 ○
백히다 ×

반닫이 ○
반다지 ×

반드시 ○
반다시 ×

반짇고리 ○
반짓고리 ×

발가락 ○
발꾸락, 발꼬락 ×

발자국 ○
발자욱 ×

방귀 ○
방구 ×

방망이 ○
방맹이 ×

밭다리 ○
밧다리 ×

배고프다 ○
배고푸다 ×

배다(냄새) ○
배이다 ×

배부르다 ○
배불르다 ×

배터리 ○
밧데리 ×

백 ○
빽 ×

밸런타인데이 ○
발렌타인데이 ×

뱃속 ○
배속 ×

뱉다 ○
배앝다 ×

버무리다 ○
버무르다 ×

버스 ○
뻐스 ×

버찌 ○
뻐찌 ×

번쩍번쩍하다 ○
삐까번쩍하다 ×
삐까삐까하다 ×

벌그스름하다 ○
벌거스름하다 ×

벌써 ○
발써, 하마 ×

벗어부치다 ○
벗어붙이다 ×

벗어젖히다 ○
벗어제끼다 ×

벙어리 ○
버버리 ×

벚나무 ○
벗나무 ×

베개 ○
벼개 ×

베다 ○
비다 ×
벼다 ×

벼농사 ○
베농사 ×

벼락 ○
베락 ×

벼르다 ○
별르다, 벨르다 ×

별꼴 ○
벨꼴 ×

별로 ○
별루 ×

별별 ○
벨벨 ×

별안간 ○
벼란간 ×

별의별 ○
벼라별 ×

보닛 ○
본네트 ×

보려고 ○
볼려고 ×

보이콧 ○
보이코트 ×

복사뼈 ○
복숭아뼈 ○

복슬복슬 ○
복실복실 ×

볶다 ○
뽂다 ×

본디 ○
본데 ×

본토박이 ○
본토배기 ×

볼썽사납다 ○
볼상사납다 ×

봉숭아, 봉선화 ○
봉숭화 ×

부대 ○
푸대 ×

부대끼다 ○
부다끼다 ×

부르다 ○
불르다 ×

부서지다 ○
부숴지다 ×

부수다 ○
부시다 ×

부스러기 ○
부스레기 ×

부스럭 ○
부시럭 ×

부스스 ○
부수수, 부시시 ×

부쳐지내다 ○
붙여지내다 ×

북데기 ○
북더기 ×

붇다(물이) ○
불다 ×

불도그 ○
불독 ×

불리다 ○
불리우다 ×

붓대 ○
붓자루 ×

붓두껍 ○
붓뚜껑 ×

붙박이다 ○
붙박히다 ×

뷔페 ○
부페 ×

블라우스 ○
브라우스 ×

비둘기 ○
비들기 ×

비뚜로 ○
비뚜루 ×

비로소 ○
비로서 ×

비비다 ○
부비다 ×

비아냥거리다 ○
비양거리다 ×

빌어먹다 ○
비러먹다 ×

빠르다 ○
빨르다 ×

빨리 ○
빨랑 ×

빼쏘다 ○
빼박다 ×

빽빽이 ○
빽빽히 ×

뼈다귀 ○
뼈다구 ×

뾰루지 ○
뾰로지 ×

뿌리째 ○
뿌리채 ×

사귀었다 ○
사겼다 ×

사그라지다 ○
사그라들다 ×

사르다 ○
살르다 ×

사리물다 ○
사려물다 ×

사마귀 ○
사마구 ×

사위 ○
사우 ×

사족 ○
사죽 ×

사촌 ○
사춘 ×

산더미 ○
산데미 ×

산뜻하다 ○
산틋하다 ×

산봉우리 ○
산봉오리 ×

살육 ○
살륙 ×

삼가다 ○
삼가하다 ×

삼수갑산 ○
산수갑산 ×

삼키다 ○
생키다 ×

상고머리 ○
상구머리 ×

새치름하다 ○
새초롬하다 ○

색소폰 ○
색스폰 ×

샛길 ○
사잇길 ○

샛별 ○
새벽별 ×

새시 ○
샤시 ×

서넛 ○
세넷 ×

서두르다 ○
서둘르다 ×

서른 ○
설흔 ×

서비스 ○
써비스 ×

서슴지 않다 ○
서슴치 않다 ×

서투르다 ○
서툴르다 ×

선율 ○
선률 ×

설거지 ○
설겆이 ×

설레다 ○
설레이다 ×

설렘 ○
설레임 ×

설설 기다 ○
슬슬 기다 ×

설 쇠다 ○
설 세다 ×

설움 ○
설음 ×

섬뜩 ○
섬찟 ×

섣달 ○
섯달 ×

성냥갑 ○
성냥곽 ×

성냥개비 ○
성냥알 ×

세다 ○
시다, 헤다 ×

센터 ○
센타 ×

센티미터 ○
센치미터 ×

셔벗 ○
샤베트 ×

셔터 ○
샷다 ×

소곤거리다 ○
소근거리다 ×

소금 ○
소곰 ×

소꿉장난 ○
소꼽장난 ×

소시지 ○
소세지 ×

소파 ○
쇼파 ×

속병 ○
속앓이 ×

솎다 ○
솎구다 ×

손가락 ○
손까락, 손꾸락 ×

손뼉 ○
손벽 ×

손아귀 ○
손아구 ×

손자 ○
손주 ○

손잡이 ○
손잽이 ×

솟을대문 ○
소슬대문 ×

송골송골 ○
송글송글 ×

송두리째 ○
송두리채 ×

수돗물 ○
수도물 ×

수랭식 ○
수냉식 ×

수북이 ○
수북히 ×

수북하다 ○
수부룩하다 ×

수세미 ○
쑤세미 ×

수수께끼 ○
수수꺼끼 ×

수줍어하다 ○
수집어하다 ×

숙맥 ○
쑥맥 ×

숟가락 ○
숫가락 ×

쉬이 ○
수이 ×

-스름하다 ○
-스럼하다 ×

스웨터 ○
쉐타 ×

스태프 ○
스탭 ×

스티로폼 ○
스티로폴 ×

스펀지 ○
스폰지 ×

-습니다 ○
-읍니다 ×

승강이 ○
싱갱이 ×

승낙 ○
승락 ×

시골 ○
시굴 ×

시구 ○
싯귀 ×

시끌시끌하다 ○
시끌덤벙하다 ×

시멘트 ○
세멘트 ×

시시덕거리다 ○
히히덕거리다 ×

시월 ○
십월 ×

신기롭다 ○
신기스럽다 ×

싣고 가다 ○
실고 가다 ×

싣다 ○
실다 ×

실낙원 ○
실락원 ×

실랑이 ○
실강이 ×

실오라기 ○
실오래기 ×

싫증 ○
실증 ×

심벌 ○
심볼 ×

싸다니다 ○
싸댕기다 ×

싸라기 ○
싸래기 ×

아귀 ○
아구 ×

아귀찜 ○
아구찜 ×

아기 ○
애기 ×

아끼다 ○
애끼다 ×

아니꼬워 ○
아니꼬와 ×

아니에요 ○
아니예요 ×

아서 왕 ○
아더 왕 ×

아름드리 ○
아람드리 ×

아리다 ○
애리다 ×

아리아리하다 ○
아리까리하다 ×

아무튼 ○
아뭏든 ×

아버지 ○
아부지 ×

아비 ○
애비 ×

아슴푸레하다 ○
아슴츠레하다 ×

아웅다웅 ○
아옹다옹 ○

아이고 ○
아이구 ×

아주 ○
영판 ×

아프다 ○
아푸다 ×

악센트 ○
액센트 ×

안기다 ○
앵기다 ×

안성맞춤 ○
안성마춤 ×

안쓰럽다 ○
안스럽다 ×

안팎 ○
안밖 ×

알다시피 ○
아다시피 ×

알루미늄 ○
알미늄 ×

알맞은 ○
알맞는 ×

알아맞히다 ○
알아맞추다 ×

알코올 ○
알콜 ×

앙증맞다 ○
앙징맞다 ×

앙코르 ○
앙콜, 앵콜 ×

앞지르다 ○
따라마시다 ×

애달프다 ○
애닯다 ×

애당초 ○
애시당초 ×

애송이 ○
애숭이 ×

액세서리 ○
악세사리 ×

앤티크 ○
안틱, 앤틱 ×

앳되다 ○
애띠다 ×

앵두 ○
앵도 ×

야멸치다 ○
야멸차다 ○

야반도주 ○
야밤도주 ×

야트막하다 ○
얕으막하다 ×

얄팍하다 ○
얄쌍하다 ×

양띠 ○
염소띠 ×

양수겸장 ○
양수겹장 ×

어느덧 ○
어느듯 ×

어디 ○
어데 ×
어드메 ×

어련무던하다 ○
어리무던하다 ×

어리보기 ○
어리배기 ×

어수룩하다 ○
어리숙하다 ○

어우러지다 ○
어울러지다 ×

어지간하다 ○
에지간하다 ×
엥간하다 ×

어쭙잖다 ○
어줍잖다 ×

억지 ○
어거지 ×

억척빼기 ○
억척배기 ×

언뜻 ○
펀뜻 ×

얼루기 ○
얼룩이 ×

얼룩빼기 ○
얼룩배기 ×

얼른 ○
얼렁 ×
얼릉 ×

얼음 ○
어름 ×

엄살 ○
옴살 ×

업신여기다 ○
업수이여기다 ×

없음 ○
없슴 ×

엉덩이 ○
엉뎅이, 응뎅이 ×

엎지르다 ○
엎질르다 ×

엘리베이터 ○
에레베타 ×

역할 ○
역활 ×

연거푸 ○
연거퍼 ×

열어젖히다 ○
열어제끼다 ×
열어제치다 ×

열없다 ○
열적다 ×

염병 ○
옘병 ×

영락없다 ○
영낙없다 ×

예쁘다 ○
이쁘다 ×

예사말 ○
예삿말 ×

예스럽다 ○
옛스럽다 ×

오두방정 ○
오도방정 ×

오뚝 ○
오똑 ×

오라기 ○
오래기 ×

오라비 ○
오래비 ×

오랜만 ○
오랫만 ×

오랫동안 ○
오랜동안 ×

오르다 ○
올르다 ×

오므리다 ○
오무리다 ×

오셀로 ○
오델로 ×

오순도순 ○
오손도손 ○

오슬오슬 ○
오실오실 ×

오직 ○
오즉 ×

온종일 ○
왼종일 ×

온통 ○
완통 ×

올가미 ○
올개미 ×

옮기다 ○
옴기다 ×

옴짝달싹 ○
옴싹달싹 ×

옷차림 ○
옷채림 ×

왜곡 ○
외곡 ×

왠지 ○
웬지 ×

외따로 ○
외따루 ×

외삼촌 ○
외삼춘 ×

외양간 ○
오양간 ×

우려먹다 ○
울거먹다 ×

우므리다 ○
우무리다 ×

움츠러지다 ○
움치러지다 ×

웃풍 ○
우풍 ×

웅덩이 ○
웅뎅이 ×

원수 ○
웬수 ×

웬만하다 ○
웬간하다 ×

웬일 ○
왠일 ×

윗도리 ○
웃도리 ×

유월 ○
육월 ×

으르다 ○
을르다 ×

으름장 ○
어름장 ×

으스대다 ○
으시대다 ×

으스름달 ○
어스름달 ×

으스스하다 ○
으시시하다 ×

읊다 ○
을프다 ×

이러고저러고 ○
이러구저러구 ×

이르다 ○
일르다 ×

이상하다 ○
요상하다 ×

이슥하다 ○
이윽하다 ×

이야기 ○
이애기 ×

이지러지다 ○
이즈러지다 ×

이키 ○
이크 ×

이파리 ○
잎파리 ×

인사말 ○
인삿말 ×

일그러지다 ○
이그러지다 ×

일컫다 ○
일컬으다 ×

있어라 ○
있거라 ×

있음 ○
있슴 ×

잎 ○
잎새 ×

잎사귀 ○
잎사구 ×

자국 ○
자욱 ×

자그마치 ○
자그만치 ×

자두 ○
오얏 ×

자라 ○
자거라 ×

자랑스러운 ○
자랑스런 ×

자르다 ○
짜르다 ×

자식 ○
짜식 ×

자장면 ○
짜장면 ○

자지러지다 ○
자즈러지다 ×

자투리 ○
짜투리 ×

작달막하다 ○
짝달막하다 ×

작대기 ○
짝때기 ×

잗다듬다 ○
잣다듬다 ×

잗다랗다 ○
잘다랗다 ×

잘리다 ○
잘리우다 ×

잠갔다 ○
잠궜다 ×

잠그다 ○
잠구다 ×
장구다 ×

잠기다 ○
장기다 ×

잠깐 ○
잠간 ×

잠방이 ○
잠뱅이 ×

잡아당기다 ○
잡아댕기다 ×
잡아다니다 ×

장구 ○
장고 ○

장독대 ○
장똑대 ×

장롱 ○
장농 ×

장맛비 ○
장마비 ×

장작더미 ○
장작데미 ×

재갈 ○
자갈 ×

재떨이 ○
재털이 ×

재미 ○
자미 ×

재킷 ○
자켓 ×

저고리 ○
조고리 ×

저지르다 ○
저질르다 ×

적이 ○
저으기 ×

접질리다 ○
접지르다 ×

젓가락 ○
젇가락 ×

정강이 ○
정갱이 ×

정나미 ○
정내미 ×

정답다 ○
정다웁다 ×

젖히다 ○
제치다, 제키다 ×

제멋대로 ○
지멋대로 ×

제치다 ○
제끼다 ×

조각 ○
쪼각 ×

조그마하다 ○
조그만하다 ×

조그만큼 ○
조그만치 ×

조르다 ○
졸르다 ×

조리개 ○
조르개 ×

조몰락거리다 ○
조물락거리다 ×

조무래기 ○
조무라기 ×

족집게 ○
쪽집게 ×

존댓말 ○
존대말 ×

졸때기 ○
졸따구 ×

졸리다 ○
졸립다 ×

좀처럼, 좀체 ○
좀체로 ×

종잇조각 ○
종이쪼각 ×

좌우간 ○
좌우당간 ×

주근깨 ○
죽은깨 ×

주둥이 ○
주딩이, 주뎅이 ×

주르륵 ○
주루룩 ×

주무르다 ○
주물르다 ×

주물럭거리다 ○
주무럭거리다 ×

주뼛하다 ○
주삣하다 ×

주섬주섬 ○
주엄주엄 ×

주스 ○
쥬스 ×

주야장천 ○
주구장창 ×

주워듣다 ○
줏어듣다 ×

주웠다 ○
줏었다 ×

주전부리 ○
주점부리 ×

죽지 ○
쭉지 ×

줄곧 ○
줄창 ×

줄달음질 ○
장달음질 ×

줍다 ○
줏다 ×

쥐어박다 ○
쥐여박다 ×

쥐어짜다 ○
쥐여짜다 ×

쥐여살다 ○
쥐어살다 ×

즉각 ○
직각 ×

즉석 ○
직석 ×

즉효 ○
직효 ×

지게 ○
지개 ×

지그시(눈) ○
지긋이 ×

지긋이(나이) ○
지그시 ×

지루하다 ○
지리하다 ×

지르다 ○
질르다 ×

지르밟다 ○
즈려밟다 ×

–지만 ○
–지만서도 ×

지팡이 ○
지팽이 ×

지푸라기 ○
지푸래기 ×

진드기 ○
찐드기 ×

진력나다 ○
질력나다 ×

진작 ○
진작에 ×

진정 ○
진정코 ×

진창길 ○
진탕길 ×

집어삼키다 ○
집어생키다 ×

짓궂다 ○
짖궂다 ×

짓누르다 ○
짓눌르다 ×

짓무르다 ○
진무르다, 짓물다 ×

짚신 ○
짚세기 ×

짜깁기 ○
짜집기 ×

짜부라지다 ○
짜부러지다 ×

짝짜꿍 ○
짝짝꿍 ×

짝짝이 ○
짝째기 ×

짤따랗다 ○
짤다랗다 ×

짭짤하다 ○
짭잘하다 ×

쩔쩔매다 ○
쩔절매다 ×

쪼끄맣다 ○
쬐끄맣다 ×

쪼끔 ○
쬐끔 ×

쭈그러지다 ○
쭈구러지다 ×

쭉정이 ○
쭉젱이 ×

찌개 ○
찌게 ×

찌들다 ○
찌들리다 ×

찌르다 ○
찔르다 ×

찌뿌듯하다 ○
찌뿌둥하다 ○

차갑다 ○
차겁다 ×

차리다 ○
채리다 ×

차림새 ○
채림새 ×

차양 ○
채양 ×

차이다 ○
채이다 ×

참견 ○
챙견 ×

창난젓 ○
창란젓 ×

창피 ○
챙피 ×

채신머리없다 ○
체신머리없다 ×

처럼 ○
마냥 ×

천천히 ○
천천이 ×

첫돌 ○
첫돐 ×

첫새벽 ○
신새벽 ×

첫째 ○
첫찌 ×

쳐부수다 ○
쳐부시다 ×

초사흗날 ○
초사흘날 ×

초승달 ○
초생달 ×

초이튿날 ○
초이틀날 ×

초점 ○
촛점 ×

초콜릿 ○
초콜렛 ×

촉촉이 ○
촉촉히 ×

총각무 ○
알타리무 ×

추스르다 ○
추스리다 ×

추어올리다(칭찬) ○
추켜올리다 ×

치근거리다 ○
추근거리다 ○

치르다 ○
치루다 ×

치켜세우다(칭찬) ○
추켜세우다 ×

칩떠보다 ○
치떠보다 ×

카무플라주 ○
캄플라지 ×

칸막이 ○
간막이 ×

캐러멜 ○
캬라멜 ×

캐럴 ○
캐롤 ×

캐비닛 ○
캐비넷 ×

캥거루 ○
캉가루 ×

커다랗다 ○
크다랗다 ×

커리어 ○
캐리어 ×

커튼 ○
커텐 ×

컨디션 ○
콘디션 ×

컨트롤 ○
콘트롤 ×

컨트리 ○
컨추리 ×

컬렉션 ○
콜렉션 ×

컴퍼스 ○
콤파스 ×

케이크 ○
케잌 ×

켜다 ○
키다 ×

코르덴 ○
골덴 ×

코미디 ○
코메디 ×

코빼기 ○
콧배기 ×

콘셉트 ○
컨셉 ×

콧구멍 ○
콧구녁 ×

콩쿠르 ○
콩쿨 ×

콩트 ○
꽁트 ×

쿵더쿵 ○
쿵덕쿵 ×

킬로 ○
키로 ×

타월 ○
타올 ×

타이르다 ○
타일르다 ×

탤런트 ○
탈렌트 ×

터뜨리다 ○
터치다 ×

터지다 ○
트더지다 ×

털어먹다 ○
떨어먹다 ×

텔레비전 ○
테레비 ×

통째 ○
통채 ×

통틀어 ○
통털어 ×

퇴짜 ○
툇자 ×

트림 ○
트름 ×

트이다 ○
티이다 ×

틀거지 ○
틀거리 ×

티격태격 ○
티각태각 ×

파이다 ○
패이다 ×

판때기 ○
판대기 ×

팔베개 ○
팔벼개 ×

패널 ○
판넬 ×

팬터마임 ○
판토마임 ×

팸플릿 ○
팜플렛 ×

퍼드덕거리다 ○
퍼드득거리다 ×

펑크 ○
빵꾸 ×

펴다 ○
피다 ×

폐렴 ○
폐염 ×

포대 ○
푸대 ×

폭발 ○
폭팔 ×

푸드덕거리다 ○
푸드득거리다 ×

푸르다 ○
푸르르다 ×

푸른 ○
푸르른 ×

푸성귀 ○
푸성기 ×

풀다 ○
풀르다 ×

풍비박산 ○
풍지박산 ×

프라이팬 ○
후라이팬 ×

프러포즈 ○
프로포즈 ×

플래카드 ○
플랑카드 ×

피라미 ○
피래미 ×

피우다(담배) ○
피다 ×

하고많은 ○
허구많은 ×

하더라도 ○
하드라도 ×

하려고 ○
할려고 ×

하르방 ○
하루방 ×

하릴없다 ○
할일없다 ×

하마터면 ○
하마트면 ×

하얀 ○
하이얀 ×

하이라이트 ○
하일라이트 ×

하지만 ○
허지만 ×

한창때 ○
한참때 ×

할퀴다 ○
할키다 ×

핥다 ○
할트다 ×

함부로 ○
함부루 ×

해님 ○
햇님 ×

해코지 ○
해꼬지 ×

햅쌀 ○
햇쌀 ×

허섭스레기 ○
허접쓰레기 ○

허우대 ○
허위대 ×

허우적거리다 ○
허부적거리다 ×

허우적허우적 ○
허위적허위적 ×

허점 ○
헛점 ×

허탕 ○
헛탕 ×

협수룩하다 ○
허수룩하다 ×

헛물켜다 ○
헛물키다 ×

형겊 ○
헝겁 ×

헤매다 ○
헤매이다 ×

헤아리다 ○
세아리다 ×

헤엄 ○
헤염 ×

혁대 ○
혁띠 ×

햇바닥 ○
셋바닥 ×

형 ○
성 ×

호두 ○
호도 ×

호랑이 ○
호랭이 ×

호로록 ○
호르륵 ×

호루라기 ○
호르라기 ×

혼잣말 ○
혼자말 ×

홀아비 ○
홀애비 ×

홀어미 ○
홀에미 ×

홀쭉이 ○
홀쭈기 ×

홉뜨다 ○
흡뜨다 ×

화투 ○
화토 ×

횟수 ○
회수 ×

후닥닥 ○
후다닥 ×

후루룩 ○
후르륵 ×

훑다 ○
훌트다 ×

훔치다 ○
훔치다 ×

훤칠하다 ○
훤출하다 ×

휘두르다 ○
휘둘르다 ×

휘둥그레지다 ○
휘둥그래지다 ×

휴게소 ○
휴계소 ×

흉내 ○
숭내 ×

흉보다 ○
숭보다 ×

흉측하다 ○
흉칙하다 ×

흉하다 ○
숭하다 ×

흐르다 ○
흘르다 ×

흥겹다 ○
흥겨웁다 ×

흩뜨리다 ○
흐트리다 ×

희로애락 ○
희노애락 ×

휑하게 ○
휑하니 ○

힘 ○
심 ×

힘껏 ○
심껏 ×

힘세다 ○
심시다 ×

표준어 모음

1988년에 문교부에서 제정 고시한 어문 규정인 한글 맞춤법과 표준어 규정에 나오는 낱말들이다. 느낌이나 뜻이 같거나 비슷한 형태의 말 가운데에서, 뜻의 차이는 없고 어느 하나의 낱말만이 널리 쓰여서 표준어로 정해진 낱말들을 표준어가 아닌 말과 대비하여 실은 것이다.

가까워지다 ○
가까와지다 ×

가루약 ○
말약 ×

가욋일 ○
가외일 ×

가을갈이 ○
가을카리 ×

가정란 ○
가정난 ×

간간이 ○
간간히 ×

갈비 ○
가리 ×

강낭콩 ○
강남콩 ×

개다 ○
개이다 ×

개다리소반 ○
개다리밥상 ×

객쩍다 ○
객적다 ×

거북지 않다 ○
거북치 않다 ×

거시기 ○
거시키 ×

-게끔 ○
-게시리 ×

결석코자 ○
결석코저 ×

겸사겸사 ○
겸두겸두 ×
겸지겸지 ×

겸상 ○
맞상 ×

겸연쩍다 ○
계면쩍다 ○
겸연적다 ×

경황없다 ○
경없다 ×

곗날 ○
계날 ×

고구마 ○
참감자 ×

고봉밥 ○
높은밥 ×

고삿 ○
고샅 ×

고와지다 ○
고워지다 ×

고요히 ○
고요이 ×

고치다 ○
낫우다 ×

골목쟁이 ○
골목자기 ×
골목장이 ×

곰곰이 ○
곰곰히 ×

곱빼기 ○
곱배기 ×

곳간 ○
고간 ×
고깐 ×

공염불 ○
공념불 ×

광주리 ○
광우리 ×

괴로워 ○
괴로와 ×

괴팍하다 ○
괴퍅하다 ×
괴팩하다 ×

-구려 ○
-구료 ×

구름양 ○
구름량 ×

-구먼 ○
-구만 ×
-구면 ×

구법 ○
귀법 ×

구어박다 ○
구워박다 ×

구절 ○
귀절 ×

국물 ○
말국, 멀국 ×

귀걸이 ○
귀거리 ×

귀고리 ○
귀엣고리 ×

귀때기 ○
귓대기 ×

귀띔 ○
귀틤 ×

귀머거리 ○
귀먹어리 ×

귀이개 ○
귀개 ×

귀지 ○
귀에지 ×

귓병 ○
귀병 ×

글귀 ○
글구 ×

긁적거리다 ○
극적거리다 ×

길잡이 ○
길라잡이 ○
길앞잡이 ×

김 ○
기음 ×

까다롭다 ○
까닭스럽다 ×
까탈스럽다 ×

까딱하면 ○
까땍하면 ×

까치발 ○
까치다리 ×

깍두기 ○
깍뚜기 ×

깍쟁이 ○
깍정이 ×

깡충깡충 ○
깡총깡총 ×

깨끗지 않다 ○
깨끗치 않다 ×

꼭두각시 ○
꼭둑각시 ×

끄나풀 ○
끄나불 ×

나룻배 ○
나루, 나루배 ×

나무라다 ○
나무래다 ×

나뭇가지 ○
나무가지 ×

나뭇잎 ○
나무잎 ×

나팔꽃 ○
나발꽃 ×

나흗날 ○
나흘날 ×

낭떠러지 ○
낭떨어지 ×

-내기 ○
-나기 ×

내숭스럽다 ○
내흉스럽다 ×

냄비 ○
남비 ×

냠냠거리다 ○
얌냠거리다 ×

너 돈 ○
네 돈 ×

너 말 ○
네 말 ×

너 발 ○
네 발 ×

너 푼 ○
네 푼 ×

넉넉지 않다 ○
넉넉치 않다 ×

넉 되 ○
너 되, 네 되 ×

넉 섬 ○
너 섬, 네 섬 ×

넉 자 ○
너 자, 네 자 ×

널찍하다 ○
넓찍하다 ×

넓적하다 ○
넙적하다 ×

넝쿨, 덩굴 ○
덩쿨 ×

넷째 ○
네째 ×

녀석 ○
여석 ×

녘 ○
녁 ×

눅이다 ○
눅히다 ×

늘그막 ○
늙으막 ×

늴리리 ○
닐리리 ×

닁큼 ○
닝큼 ×

다달이 ○
달달이 ×

다오 ○
다구 ×

담배꽁초 ○
담배꽁추 ×
담배꽁치 ×

담쟁이덩굴 ○
담장이덩굴 ×

댑싸리 ○
대싸리 ×

댓잎 ○
대잎 ×

-더구나 ○
-드구나 ×

-더니 ○
-드니 ×

더부룩하다 ○
더뿌룩하다 ×
듬뿌룩하다 ×

더욱이 ○
더우기 ×

-던 ○
-든 ×

덧니 ○
덧이 ×

돌 ○
돐 ×

동구릉 ○
동구능 ×

동댕이치다 ○
동당이치다 ×

두렛일 ○
두레일 ×

둘째 ○
두째 ×

-둥이 ○
-동이 ×

뒤꿈치 ○
뒷굼치 ×

뒤웅박 ○
뒝박 ×

뒤통수치다 ○
뒤꼭지치다 ×

뒷일 ○
뒤일 ×

뒷입맛 ○
뒤입맛 ×

등잔걸이 ○
등경걸이 ×

딱따구리 ○
딱다구리 ×

때깔 ○
땟갈 ×

똑딱단추 ○
딸꼭단추 ×

똬리 ○
또아리 ×

띄어쓰기 ○
띠어쓰기 ×

-(으)ㄹ게 ○
-(으)ㄹ께 ×

-(으)ㄹ수록 ○
-(으)ㄹ쑤록 ×

-(으)ㄹ쏘냐 ○
-(으)ㄹ소냐 ×

마른갈이 ○
건갈이 ×

마른빨래 ○
건빨래 ×

마소 ○
말소 ×

망가뜨리다 ○
망그뜨리다 ×

맞추다 ○
마추다 ×

머리말 ○
머릿말 ×

머릿기름 ○
머리기름 ×

머릿니 ○
머릿이 ×

먼발치 ○
먼발치기 ×

멋쟁이 ○
멋장이 ×

멋쩍다 ○
멋적다 ×

멥쌀 ○
멧쌀 ×

며칠 ○
몇일 ×

멸치 ○
며루치, 메리치 ×

모가지 ○
목아지 ×

목걸이 ○
목거리 ×

몰염치 ○
몰렴치 ×

몹시 ○
몹씨 ×

무 ○
무우 ×

물씬 ○
물신 ×

미루나무 ○
미류나무 ×

미숫가루 ○
미싯가루 ×

미장이 ○
미쟁이 ×

밀뜨리다 ○
미뜨리다 ×

바라다 ○
바래다 ×

바람 ○
바램 ×

반짇고리 ○
반짓고리 ×

발가숭이 ○
발가송이 ×

발목 ○
발모가지 ○
발목쟁이 ○
발목장이 ×

방고래 ○
구들고래 ×

뱀 ○
배암 ×

번번이 ○
번번히 ×

벌레, 버러지 ○
벌거지, 벌러지 ×

법석 ○
법썩 ×

베갯잇 ○
베개잇 ×

볍씨 ○
볏씨 ×

보통내기 ○
행내기 ×

보퉁이 ○
보통이 ×

본새 ○
뽄새 ×

볼때기 ○
볼대기 ×

봇둑 ○
보둑 ×

봉숭아 ○
봉선화 ○
봉숭화 ×

부각 ○
다시마자반 ×

부나비 ○
불나비 ×

부삽 ○
불삽 ×

부스러기 ○
부스럭지 ×
부스레기 ×

부엌 ○
부억 ×

부조 ○
부주 ×

부침개질 ○
부치개질 ×

부항단지 ○
뜸단지 ×

붉으락푸르락 ○
푸르락붉으락 ×

빈대떡 ○
빈자떡 ×

빈털터리 ○
빈털털이 ×

빌리다 ○
빌다 ×

빚쟁이 ○
빚장이 ×

빛깔 ○
빛갈 ×

빠뜨(트)리다 ○
빠치다 ×

뺨따귀 ○
뺌따귀, 뺨따구 ×

뻐꾸기 ○
뻐꾹이 ×

뻗정다리 ○
뻗장다리 ×

사글세 ○
삭월세 ×

사돈 ○
사둔 ×

사삿일 ○
사사일 ×

사자탈 ○
사지탈 ×

사잣밥 ○
사자밥 ×

사흗날 ○
사흘날 ×

살코기 ○
살고기 ×

살쾡이 ○
삵괭이 ×

삼짇날 ○
삼질날 ×

삼촌 ○
삼춘 ×

상추 ○
상치 ×

상판대기 ○
상판때기 ×

샘 ○
새암 ×

생각건대 ○
생각컨대 ×

생각다 못해 ○
생각타 못해 ×

생인손 ○
생안손 ×

생쥐 ○
새앙쥐 ×

생철, 양철 ○
서양철 ×

서 돈 ○
석 돈, 세 돈 ×

서럽다 ○
섧다 ○
설다 ×

서 말 ○
세 말 ×

서 푼 ○
세 푼 ×

석 냥 ○
세 냥 ×

석 되 ○
세 되 ×

석 섬 ○
세 섬 ×

석 자 ○
세 자 ×

선머슴 ○
풋머슴 ×

선짓국 ○
선지국 ×

설거지 ○
설겆이 ×

섭섭지 ○
섭섭치 ×

셋째 ○
세째 ×

소금쟁이 ○
소금장이 ×

소연방 ○
소련방 ×

손목시계 ○
팔목시계 ×
팔뚝시계 ×

손수레 ○
손구루마 ×

솔개 ○
소리개 ×

솔직히 ○
솔직이 ×

수개미 ○
수캐미 ×

수꿩 ○
수퀑, 숫꿩 ×

수놈 ○
숫놈 ×

수도꼭지 ○
수도고동 ×

수삼 ○
무삼 ×

수소 ○
숫소 ×

수은행나무 ○
숫은행나무 ×

수캉아지 ○
숫강아지 ×

수캐 ○
숫개 ×

수컷 ○
숫것 ×

수키와 ○
숫기와 ×

수탉 ○
숫닭 ×

수탕나귀 ○
숫당나귀 ×

수톨쩌귀 ○
숫돌쩌귀 ×

수퇘지 ○
숫돼지 ×

수평아리 ○
숫병아리 ×

숙성하다 ○
숙지다 ×

숟가락 ○
술가락 ×

숫양 ○
수양 ×

숫염소 ○
수염소 ×

숫쥐 ○
수쥐 ×

-습니다 ○
-읍니다 ×

쌍동밤 ○
쪽밤 ×

쌍둥이 ○
쌍동이 ×

아궁이 ○
아궁지 ×

아내 ○
안해 ×

아래로 ○
알로 ×

아랫니 ○
아래이 ×

아랫마을 ○
아래마을 ×

아무튼 ○
아뭏든 ×

아서라 ○
앗아라 ×

아시다시피 ○
아시다싶이 ×

아주 ○
영판 ×

아지랑이 ○
아지랭이 ×

안절부절못하다 ○
안절부절하다 ×

안팎 ○
안밖 ×

암거미 ○
암커미 ×

암캉아지 ○
암강아지 ×

암캐 ○
암개 ×

암컷 ○
암것 ×

암키와 ○
암기와 ×

암탉 ○
암닭 ×

암탕나귀 ○
암당나귀 ×

암톨쩌귀 ○
암돌쩌귀 ×

암퇘지 ○
암돼지 ×

암평아리 ○
암병아리 ×

앓니 ○
앓이 ×

앞지르다 ○
따라먹다 ×

애달프다 ○
애닯다 ×

애벌레 ○
어린벌레 ×

양칫물 ○
양치물 ×

양파 ○
둥근파 ×

어질병 ○
어질머리 ×

언덕배기 ○
언덕빼기 ×

언뜻 ○
펀뜻 ×

언제나 ○
노다지 ×

얼루기 ○
얼룩이 ×

-에는 ○
-엘랑 ×

여느 ○
여늬 ×

여태, 입때 ○
여직 ×

여태껏, 이제껏 ○
여직껏 ×

역성들다 ○
편역들다 ×

열심히 ○
열심으로 ×

예삿일 ○
예사일 ×

오금팽이 ○
오금탱이 ×

오뚝이 ○
오똑이, 오뚜기 ×

온갖 ○
온가지 ×

온달 ○
왼달 ×

-올시다 ○
-올습니다 ×

외올실 ○
올실 ×

외지다 ○
벽지다 ×

우두커니 ○
우두머니 ×

우레 ○
우뢰 ×

우습다 ○
웃읍다 ×

움파 ○
동파 ×

웃돈 ○
윗돈 ×

웃비 ○
윗비 ×

웃어른 ○
윗어른 ×

위짝 ○
웃짝 ×

위쪽 ○
웃쪽 ×

위채 ○
웃채 ×

위층 ○
웃층, 윗층 ×

위치마 ○
웃치마 ×

위턱 ○
웃턱 ×

위팔 ○
웃팔 ×

윗넓이 ○
웃넓이 ×

윗눈썹 ○
웃눈썹 ×

윗니 ○
웃니 ×

윗도리 ○
웃도리 ×

윗동아리 ○
웃동아리 ×

윗막이 ○
웃막이 ×

윗머리 ○
웃머리 ×

윗목 ○
웃목 ×

웟몸 ○
웃몸 ×

웟배 ○
웃배 ×

웟벌 ○
웃벌 ×

웟변 ○
웃변 ×

웟사랑 ○
웃사랑 ×

웟수염 ○
웃수염 ×

웟입술 ○
웃입술 ×

웟잇몸 ○
웃잇몸 ×

웟자리 ○
웃자리 ×

유기장이 ○
유기쟁이 ×

으레 ○
으례 ×

은닉 ○
은익 ×

이마빼기 ○
이맛배기 ×

이튿날 ○
이틀날 ×

익숙지 ○
익숙치 ×

일구다 ○
일다 ×

일일이 ○
일일히 ×

일찍이 ○
일찌기 ×

입담 ○
말담 ×

자릿세 ○
자리세 ×

잔돈 ○
잔전 ×

잗다랗다 ○
잘다랗다 ×

재봉틀 ○
자봉틀 ×

적나라하다 ○
적나나하다 ×

적이 ○
저으기 ×

제삿날 ○
제사날 ×

조갯살 ○
조개살 ×

좀처럼 ○
좀체로, 좀해선 ×

주검 ○
죽엄 ×

주책 ○
주착 ×

주책없다 ○
주책이다 ×

주춧돌 ○
주촛돌 ×

죽데기 ○
죽더기, 피죽 ×

쥐락펴락 ○
펴락쥐락 ×

지루하다 ○
지리하다 ×

-지만 ○
-지만서도 ×

짓무르다 ○
짓물다 ×

짚북데기 ○
짚북더기 ×

찌꺼기 ○
찌꺽지 ×

찻간 ○
차간 ×

찻잔 ○
차잔 ×

찻종 ○
차종 ×

찻집 ○
차집 ×

천장 ○
천정 ×

청대콩 ○
푸른콩 ×

쳇바퀴 ○
쳇바쿠 ×

촛국 ○
초국 ×

총각무 ○
알무, 알타리무 ×

추어올리다 ○
추켜올리다 ×

칫솔 ○
잇솔 ×

칸 ○
간 ×

케케묵다 ○
켸켸묵다 ×

코빼기 ○
콧배기 ×

콧병 ○
코병 ×

태깔 ○
탯깔 ×

털어먹다 ○
떨어먹다 ×

텃마당 ○
터마당 ×

텃세 ○
터세 ×

툇마루 ○
퇴마루 ×

튀기 ○
트기 ×

틀니 ○
틀이 ×

판자때기 ○
판잣대기 ×

팔꿈치 ○
팔굼치 ×

푼돈 ○
분전, 푼전 ×

하늬바람 ○
하니바람 ×

하여튼 ○
하옇든 ×

햅쌀 ○
햇쌀 ×

허드레 ○
허드래 ×

허우대 ○
허위대 ×

허우적허우적 ○
허위적허위적 ×

호루라기 ○
호루루기 ×

홀쭉이 ○
홀쭈기 ×

횟수 ○
회수 ×

휴지 ○
수지 ×

흉업다 ○
흉헙다 ×

희다 ○
히다 ×

희로애락 ○
희노애락 ×

흰말, 백마 ○
백말, 부루말 ×

같은 말, 비슷한말

ㄱ

가 …… 가장자리
가끔 …… 간혹, 때때로
가난 …… 빈곤, 궁핍
가냘프다 …… 연약하다
가르다 …… 쪼개다
가망 …… 희망
가뭄 …… 가물
가엾다 …… 가엽다
가입 …… 가담
가족 …… 식구
가짜 …… 거짓
각가지 …… 갖가지
각기 …… 각각
각오 …… 결심
각지 …… 각처
간간이 …… 이따금
간단 …… 간결, 간략
간섭 …… 참견
간절히 …… 간곡히
간직하다 …… 간수하다
간청 …… 애원
간편하다 …… 간단하다
간호 …… 간병
간혹 …… 혹간
감격 …… 감동
감당 …… 감내
감복 …… 탄복
감사 …… 고마움
감탄 …… 찬탄
감흥 …… 흥취
갑갑하다 …… 답답하다
갑자기 …… 별안간
강산 …… 산천, 강토
강연 …… 연설
강조 …… 역설
같이 …… 함께
개선 …… 개량
개시 …… 시작
개척 …… 개간, 개발
개천 …… 개울
거의 …… 거지반
거저 …… 공짜
거절 …… 거부
걱정 …… 근심
건강 …… 강건
건설 …… 건립
검소 …… 검약, 소박
겨레 …… 동족, 민족
결과 …… 성과, 결말
결렬 …… 분열
결심 …… 결의, 각오
결정 …… 작정, 확정
결혼 …… 혼례, 혼인
겸손 …… 공손, 겸양
경계 …… 주의
경영 …… 운영
경우 …… 처지
경축 …… 경하
경치 …… 경관, 풍경
경험 …… 체험
계속 …… 지속
계절 …… 철
계획 …… 기획
고국 …… 본국, 조국
고귀 …… 존귀
고단하다 …… 피곤하다
고맙다 …… 감사하다
고발 …… 고소
고생 …… 고난
고저 …… 높낮이
고향 …… 향토
곡물 …… 곡식
곡조 …… 가락
곤란 …… 곤경
곧잘 …… 제법
골똘하다 …… 골몰하다
공기 …… 대기
공로 …… 공적
공부 …… 학습
공손 …… 겸손
공포 …… 선포
과실 …… 과일
관계 …… 상관, 관련
관리 …… 공무원
광고 …… 선전
괴뢰 …… 꼭두각시
괴상 …… 기이, 이상
괴수 …… 두목
교외 …… 야외
교원 …… 교사
교회 …… 예배당
구별 …… 분별, 차별
구조 …… 구원
국가 …… 나라
국력 …… 국세
국민 …… 백성
국외 …… 해외
국토 …… 강토, 영토
군사 …… 군인, 병사

군중 ……………… 대중
군함 ……………… 전함
굴복 ……………… 항복
궁리 ……………… 연구
궁전 ……………… 궁궐
권고 ……………… 권유
권력 ……………… 권세
귀국 ……………… 환국
귀양 ……… 유형, 유배
귀중 ……………… 소중
규칙 ……………… 규정
그늘 ……………… 응달
그러께 ………… 재작년
그림 ……………… 회화
극히 …… 매우, 대단히
근래 ……………… 근간
근원 ……………… 근본
근처 ……………… 근방
글자 ……………… 문자
금년 ……………… 올해
기갈 ……………… 갈증
기구 ……………… 도구
기금 ……………… 자금
기능 ……………… 기량
기도 ……………… 기원
기력 ……… 원기, 기운
기로 ……………… 갈림길
기름지다 …… 비옥하다
기부 ……………… 기증
기쁘다 ………… 즐겁다
기상 ……… 기백, 의기
기색 ……………… 안색
기세 ……………… 형세
기술 ……………… 기예
기왕 ……………… 이왕
기운 ………… 힘, 기력
기이 ……………… 기묘
기절 ……… 졸도, 실신
기준 ……………… 표준
기초 ……………… 바탕
기호 ……………… 부호
길손 ……………… 나그네
까닭 ……… 연유, 이유
꽃밭 ……………… 화단
끌다 ……………… 당기다
끝없이 ………… 한없이
낌새 ……… 기미, 조짐

ㄴ

나라 ……………… 국가
나루터 ………… 도선장
나이 ……………… 연령
낙심 ……… 낙망, 실망
낙원 ……………… 천국
날다 ………… 날아가다
날래다 ………… 날쌔다
날씨 ……… 기후, 일기
낱낱이 ………… 일일이
내년 ……………… 명년
내막 ……………… 내용
내부 ……………… 내면
네모 ……………… 사각
노고 ……………… 수고
노래 ……………… 가요
노력 ……………… 진력
노예 ………… 종, 노비
노인 ……………… 늙은이
노자 ……………… 여비
논의 ……………… 의논
놀이 ……… 유희, 장난
농부 …… 농민, 농사꾼
농사 ……………… 농업
농장 ……………… 농원
농지 ……………… 농토
농촌 ……………… 전원
누룽지 ………… 눌은밥
눈길 ……………… 시선
눈부시다 …… 휘황하다
눈치 ……………… 낌새
능숙하다 …… 능란하다

ㄷ

다시 ……………… 거듭
다음가다 …… 버금가다
다짐 ……………… 결심
단결 ……………… 단합
단독 ……………… 독단
단련 ……… 연마, 수련
단정 ……………… 단아
달성 ……………… 성취
답장 ……………… 답서
당번 ……………… 담당
당부 ……………… 부탁
당시 ……………… 당대
당연 ……………… 마땅
대강 ……… 대개, 대략
대관절 ……………… 대체
대궐 ……… 왕궁, 궁전
대다수 ………… 대부분
대단히 ………… 굉장히
대답 ……… 대꾸, 응답
대로 ……………… 큰길
대번에 ………… 단번에
대신 ……………… 대리
대우 ……………… 대접
대원 ……………… 요원
대표 ……………… 책임자
대항 ……… 대적, 항거
덕택 ……… 혜택, 덕분
도달 ……………… 도착
도대체 ………… 대관절
도로 ……………… 다시
도리 ……… 방도, 방법
도리어 ………… 오히려
도망 ……………… 도주
도무지 ………… 좀처럼
도박 ……………… 노름
도시 ……………… 도회지

도저히 ……… 암만해도
독립 ……………… 자립
독특하다 …… 특이하다
돌보다 ……… 보살피다
동네 ……………… 마을
동무 ………… 벗, 친구
동생 ……………… 아우
동안 ……… 기간, 사이
동의 ……………… 찬성
동작 ……………… 행동
동지 ……………… 동료
동창 ……………… 동문
두렵다 ………… 무섭다
두메 ……………… 산골
둘레 ……………… 주위
뒤뜰 ……………… 뒤꼍
드디어 ………… 마침내
드문드문 …… 띄엄띄엄
들판 ……… 평야, 벌판
딱하다 ………… 가엾다
땅 ………… 토지, 대지
때 ………… 시대, 시간
때때로 …………… 가끔
때문 ……………… 까닭
떼 ………………… 무리
뜰 ………………… 마당
뜻 ………… 의미, 의의

ㅁ

마구 …………… 함부로
마땅하다 …… 당연하다
마련 ……… 준비, 장만
마술사 ………… 마법사
마을 ……………… 동네
마음 ……………… 정신
마치 ……………… 흡사
마치다 ………… 끝내다
마침내 ………… 드디어
막노동 …………… 막일
만고 ……… 천고, 만대
만발 ……………… 만개
만일 ……………… 만약
만족 ……………… 흡족
맏딸 ……… 장녀, 큰딸
말기 ……………… 말엽
말끔히 ………… 깨끗이
매우 ……………… 몹시
매월 …… 다달이, 매달
매일 …………… 날마다
맵시 ……………… 모양
맹렬 ……… 격렬, 치열
맹세 ……………… 서약
먼저 ……………… 우선
먼지 ……………… 티끌
멸망 ……………… 패망
멸시 ……… 무시, 천시
명랑 ……………… 쾌활
명령 ……… 분부, 지시
명예 ……… 명성, 영예
명작 ……………… 걸작
모두 ……………… 전부
모범 …… 본보기, 규범
모습 ……………… 모양
모조리 …… 전부, 죄다
모퉁이 ………… 귀퉁이
목숨 ……………… 생명
목재 ……………… 재목
목적 ……………… 목표
몸가짐 …………… 태도
몸소 ……… 손수, 친히
묘하다 ……… 야릇하다
무기 ……………… 병기
무덤 ……… 뫼, 산소
무력 …………… 군사력
무렵 ……………… 즈음
무사 ……………… 무고
무섭다 ………… 두렵다
무성 ……………… 울창
무술 ……………… 무예
무식 ……………… 무지
무안 ……………… 무색
무지 ……………… 무식
묵념 ……… 묵상, 묵도
묵묵히 ………… 잠잠히
문명 ……………… 문화
문하생 …………… 제자
물음 ……………… 질문
미개 ……… 야만, 원시
미래 ……………… 장래
민족 ……… 겨레, 종족
민첩 ……………… 민활
믿음 ……… 신앙, 신의
밀접 ……………… 긴밀

ㅂ

바닷가 …………… 해변
바르다 …… 곧다, 옳다
바탕 ……… 기초, 기본
반격 ……………… 역습
반대 ……… 거역, 거부
반대말 ………… 반의어
반대쪽 ………… 반대편
반드시 ……………… 꼭
발견 ……………… 발명
발달 ……………… 발전
발표 ……………… 공표
발행 ……………… 발간
방도 ……… 방법, 방책
방랑 ……………… 유랑
방비 ……………… 수비
방해 ……………… 훼방
방향 ………… 방면, 쪽
배달 ……………… 배포
배척 ……………… 배격
백성 ……………… 국민
버릇 ……… 습성, 습관
번민 ……………… 고민
번지다 ………… 퍼지다

번창 …… 번성, 번영
벌써 …… 이미
벌판 …… 들판
범상 …… 평범
법칙 …… 규칙
벗 …… 동무, 친구
벼슬 …… 관직
변화 …… 변동, 변천
별로 …… 그다지
별안간 …… 갑자기
병 …… 질환, 질병
병기 …… 무기
병사 …… 군사
병자 …… 환자
병정 …… 군인, 병졸
보결 …… 보궐
보급 …… 공급
보류 …… 유보
보배 …… 보물
보복 …… 앙갚음, 복수
보장 …… 보증
보존 …… 보전
보통 …… 예사, 평범
보필 …… 보좌
복잡 …… 번잡
복종 …… 순종
복판 …… 한가운데
본래 …… 본디
본의 …… 본뜻
볼모 …… 인질
봉사 …… 헌신
부러 …… 일부러
부모 …… 양친
부유 …… 풍족
부지런히 …… 열심히
부탁 …… 당부, 청탁
부품 …… 부속품
부합 …… 일치
부호 …… 기호
부흥 …… 재건

분간 …… 구별, 분별
분명 …… 확실
분야 …… 부문
분주 …… 분망
불가불 …… 부득불
불만 …… 불평
불안 …… 근심
불행 …… 불우
비겁 …… 비열
비결 …… 비법
비교 …… 대비
비극 …… 참극
비밀 …… 기밀
비용 …… 경비
비참 …… 처참, 참혹
비판 …… 비평
빈곤 …… 가난, 구차
빈궁 …… 빈한
뽐내다 …… 뻐기다

ㅅ

사랑 …… 애정
사리 …… 이치
사명 …… 임무
사무 …… 직무
사방 …… 사면
사실 …… 진실
사용 …… 이용
사정 …… 실정, 형편
사태 …… 상태, 정세
산모롱이 …… 산모퉁이
산천 …… 강산, 산하
산허리 …… 산중턱
삽시간 …… 순식간
상관 …… 관계
상상 …… 예상, 추측
상점 …… 가게, 점포
상쾌 …… 경쾌, 유쾌
새해 …… 신년

생명 …… 목숨
생전 …… 생시
생활 …… 생존, 생계
서럽다 …… 슬프다
서문 …… 머리말
서운하다 …… 섭섭하다
선교 …… 포교
선례 …… 전례
선박 …… 배
선생 …… 스승
선언 …… 선고
선전 …… 광고
선조 …… 조상
선출 …… 선발
설령 …… 설사
설명 …… 해설
설움 …… 슬픔
성격 …… 성품, 성질
성공 …… 성취
성과 …… 결과, 효과
성내다 …… 화내다
성능 …… 기능
성명 …… 이름, 성함
성의 …… 성심
성질 …… 성미, 성격
성품 …… 인품, 품격
세계 …… 세상
세면 …… 세수
소견 …… 의견
소동 …… 소란
소망 …… 소원
소모 …… 소비
소문 …… 풍문
소박 …… 순박
소상 …… 상세
소식 …… 소문, 안부
소용 …… 필요
소원 …… 소망
소제 …… 청소
속 …… 안

속도……속력
속박……구속
손해……손실
쇠약……허약
수고……고생, 노고
수단……솜씨, 방법
수렵……사냥
수립……건립
수복……탈환
수심……근심
수족……팔다리
수줍다……부끄럽다
수축……개축
수효……수량
순간……찰나
순서……차례
순식간……삽시간
숭배……숭상, 존경
스승……선생
슬기……지혜
슬픔……설움
습격……기습
습관……습성, 관습
승낙……허락, 승인
승리……승첩, 승전
승인……승낙
승패……승부
시각……시간
시늉……흉내
시설……설비
시장기……허기
시작……개시
시체……송장, 주검
시행……실시
시험……실험, 고사
식구……가족
식량……양식
신부……사제
신비……신기
신세……처지
신앙……종교
신체……육체
신통……신기
실망……낙망
실시……시행, 실행
실정……형편
실제……실지
실천……실행
실패……실수

ㅇ

아군……우군
아름답다……예쁘다
아무쪼록……모쪼록
아우……동생
아이……어린이
아주……몹시, 매우
안녕……평안
안정……진정
애원……애소, 간청
야만……미개
야욕……탐욕
약속……약조, 언약
양쪽……양편
어린이……아이, 아동
억지로……강제로
언제나……항상, 늘
언행……언동
얼……넋
얼굴……낯, 안면
얼른……빨리
얼음판……빙판
업적……공적
여론……공론
여비……노자, 차비
여태……입때, 아직
역사……장사
역할……구실
연구……탐구, 궁리
연습……연마, 훈련
연약하다……가냘프다
연하다……잇대다
연합국……동맹국
열성……정성
열중……열심, 골몰
염려……우려
영광……영예, 광영
영구적……항구적
영영……영원히
영예……명예
영원……영구
옆……곁
예쁘다……곱다
예사……보통
예전……그전, 옛날
예절……예의
예정……계획
옛날……옛적
오직……다만
오히려……도리어
옥좌……왕좌, 보좌
온갖……갖은
온순……유순
완성……완수, 완료
완전……온전
완쾌……쾌유
왕……임금
왕국……군주국
왕궁……궁궐
왕래……내왕
왕위……왕좌
외국……타국
요구……요청
요란……소란
요새……요즘
요점……중점
욕심……욕망
용감……용맹, 과감
용기……패기

용맹 …… 용감
우군 …… 아군
우대 …… 후대
우정 …… 우의
운명 …… 운수, 숙명
운반 …… 운송
운영 …… 경영
울창 …… 무성
원래 …… 본래
원료 …… 재료
원리 …… 원칙
원인 …… 이유
원한 …… 원망
월급 …… 봉급
위급 …… 위태
위독 …… 위급, 위태
위로 …… 위안
위엄 …… 위세
위험 …… 위태
유명 …… 저명
유언 …… 유서
유지 …… 지탱
은혜 …… 은덕
음모 …… 흉계
응원 …… 후원, 성원
의견 …… 의사
의기 …… 기상, 패기
의논 …… 논의
의심 …… 의문, 의혹
의욕 …… 욕망
의젓하다 …… 점잖다
의지 …… 의탁
이동 …… 이전
이미 …… 벌써
이상 …… 괴상
이슬비 …… 보슬비
이용 …… 사용
이유 …… 까닭
이윽고 …… 드디어
이익 …… 이득, 이윤
이치 …… 원리
이행 …… 실천
익숙하다 …… 능숙하다
인격 …… 인품
인도 …… 안내
인산 …… 인해
인연 …… 연분
일부 …… 부분
일생 …… 평생
일시 …… 동시
일치 …… 부합
일행 …… 동행
임무 …… 책무
임원 …… 역원
임자 …… 주인, 소유자
입학 …… 입교

ㅈ

자국 …… 자취, 흔적
자기 …… 자신
자녀 …… 자식
자료 …… 원료, 재료
자세 …… 상세
자손 …… 후손
자연 …… 천연
자원 …… 지원
작별 …… 이별
잠시 …… 잠깐
잡음 …… 소음
장대 …… 막대
장만 …… 마련
장소 …… 처소
장식 …… 치장
장엄 …… 웅장
장차 …… 장래, 미래
장하다 …… 훌륭하다
재능 …… 재주
재료 …… 원료, 자료
재목 …… 목재
재미 …… 흥미
재산 …… 재물
재주 …… 재간, 재능
재촉 …… 독촉
적당 …… 적절
전래 …… 전승
전봇줄 …… 전깃줄
전부 …… 모두, 전체
전송 …… 배웅
전연 …… 전혀
전원 …… 농촌
전투 …… 전쟁
전함 …… 군함
전황 …… 전세
절찬 …… 극찬
점점 …… 점차, 차차
정도 …… 가량, 한도
정리 …… 정돈
정말 …… 참말
정복 …… 정벌
정상 …… 형편
정성 …… 지성, 성심
정세 …… 형세
정신 …… 영혼, 마음
정양 …… 요양
정열 …… 열정
정전 …… 휴전
정차 …… 정거
정확 …… 확실
제목 …… 표제
제안 …… 제의
제조 …… 제작
제창 …… 주창
제한 …… 한정
조급 …… 성급
조목 …… 조항, 항목
조사 …… 검사
조상 …… 선조
조소 …… 비웃음
조심 …… 주의

조직 ………편성, 구성
조짐 ………기미, 낌새
존경 ………………공경
존대 ………………공대
졸도 ………실신, 기절
종래 ………………종전
종목 ………………항목
종사 ………………종업
종종 ………………가끔
죄명 ………………죄목
죄송 ………………황송
주목 ………주시, 관심
주요 ………………중요
주위 ………………주변
주의 ………………경고
주인 ………………임자
주장 ………………주창
주저하다 ……망설이다
준공 ………완공, 낙성
준비 ………마련, 채비
중간 ………………중도
중단 ………………중지
중심 ………중앙, 핵심
중요 ………중대, 주요
즈음 ………당시, 무렵
증거 ………………증명
지금 ………현재, 이제
지당 ………………타당
지대 ………………지역
지방 ………지역, 고장
지성 ………………정성
지혜 ………………슬기
직분 ………………직책
진보 ………………향상
진심 ………………진정
진정서 …………탄원서
진찰 ………………진단
질문 ………………질의
질병 ………………질환
짐작 ………………추측
집안 ………………가문

ㅊ

차 ………………차이
차내 ………………차중
차도 ………………정도
차등 ………………차이
차라리 …………도리어
차례 ………………순서
차별 ………………구별
차비 ………………찻삯
차이 ………………상이
차차 ………………점차
찬성 ………찬동, 동의
찬송가 …………찬미가
참가 ………………참여
참고 ………………참조
참석 ………………출석
참패 ………………대패
창고 ………………곳간
창설 ………………창립
책임 ………책무, 임무
처량하다 ……구슬프다
처리 ………………처치
처음 ………………시초
천국 ………천당, 낙원
천연 ………………자연
천재 ………………수재
천치 ………………백치
철도 ………………철로
청탁 ………………부탁
체험 ………………경험
초대 ………………초청
촌락 ………………부락
최전선 …………최전방
추석 …………한가위
축하 ………………축복
출세 …………입신양명
출전 ………………참전
충동 ………………충격
충성 ………충절, 충의
충실 ………………성실
취미 ………………취향
측량 ………………측정
치료 ………………진료
치사 ………………치하
치장 ………………단장
친구 …………동무, 벗
친정 ………………친가
친히 ………………몸소
칠판 ………………흑판
침대 ………………침상
침략 ………침범, 침노
칭찬 ………………칭송

ㅋ

컴컴하다 ………어둡다
코앞 ………………눈앞
큰댁 ………………큰집
큰물 ………………홍수
큰일 ………………대사

ㅌ

타격 ………………가격
타계하다 …………죽다
타국 ………………외국
타당 ………………마땅
타락 ………………탈선
타향 ………객지, 타관
타협 ………………협의
탁월 ………………월등
탄로 ………………발각
탄생 ………………출생
탄탄 ………………평탄
탄환 ………………탄알
탈 …………………말썽
탐구 ………………탐색

탐정 ……………… 밀정
탐험 ……… 탐색, 모험
태반 ……………… 절반
태평 ……………… 화평
태풍 ……………… 폭풍
터전 ……………… 기반
토대 ……… 기본, 기초
토론 ……………… 토의
통꽃 ……………… 합판화
통상 ……………… 보통
통일 ……………… 통합
통제 ……………… 규제
통지 ……… 기별, 고지
퇴직 ……………… 퇴임
퇴학 ……………… 퇴교
투고 ……………… 기고
특색 ……………… 특징
특수 ……… 특별, 특이
틀림없이 …… 어김없이
틈 ………… 겨를, 사이
티끌 ……………… 먼지

ㅍ

파견 ……………… 파송
패망 ……… 파멸, 멸망
편리 ……………… 편의
편안 ……………… 평안
편지 ……… 서신, 서한
평등 ……………… 동등
평생 ……………… 일생
평소 ……………… 평시
평안 ……… 안녕, 편안
평야 ……………… 평원
평화 ……… 태평, 평온
포구 ……………… 항구
포악 ……………… 흉악
포자 ……………… 홀씨
폭동 ……… 소동, 난동
폭발 ……………… 폭파
폭풍 ……………… 태풍
표정 ……………… 안색
표준 ……………… 기준
표현 ……………… 표시
품삯 ……… 임금, 노임
품성 ……………… 성품
풍경 ……………… 경치
풍부 ……………… 풍족
풍속 ……………… 풍습
풍파 ……………… 풍랑
피곤 ……………… 피로
필경 …… 결국, 마침내
필시 ……………… 필연
필요 ……… 소용, 긴요

ㅎ

학생 ……………… 생도
학식 ……………… 지식
학업 ……………… 학습
한가 ……………… 한산
한결 ……………… 한층
한적 ……… 한가, 한산
한참 ……………… 한동안
한탄 ……………… 탄식
함께 …… 같이, 더불어
합방 ……………… 합병
항거 ……… 반항, 대항
항구 ……………… 포구
항구적 ………… 영구적
항로 ……… 해로, 수로
항복 ……………… 투항
항상 ……… 항시, 늘
항해 ……………… 항행
해돋이 …………… 일출
해안 ……………… 해변
해외 ……………… 국외
행동 ……………… 거동
향상 ……………… 진보
허락 ……… 허가, 승낙
허식 …… 가식, 겉치레
허욕 ……………… 허영
헛간 ……………… 곳간
헤아리다 …… 짐작하다
헤엄 ……………… 수영
협력 ……… 협조, 협동
협박 ……………… 위협
협약 ……… 협정, 약정
형태 ……………… 형상
형편 ……………… 형세
호소 …… 하소연, 애소
혹시 ……………… 행여
혼잡 ……………… 복잡
화급 ……………… 시급
확실 ……………… 정확
환영 ……………… 환대
환자 ……………… 병자
활기 ……… 활발, 생기
황공 ……………… 황송
황급 ……………… 황망
황실 ……………… 왕실
황제 ……………… 천자
회견 ……………… 접견
회담 ……………… 회의
회복 ……………… 복구
회상 ……………… 회고
회생 ……………… 소생
효도 ……… 효행, 효성
후세 ……… 내세, 후대
후원 ……… 원조, 응원
후회 ……………… 참회
훈도 ……………… 훈육
훼방 ……………… 방해
휴양 ……………… 정양
휴전 ……………… 정전
흉내 ……………… 모방
흐뭇하다 …… 흡족하다
흥망 ……………… 성쇠
흥미 ……………… 재미
흰밥 ……………… 백반

맞선 말, 반대말

ㄱ

가난 ……………… 부유
가냘프다 ……… 억세다
가늘다 …………… 굵다
가능 ………… 불가능
가뭄 ……………… 장마
가입 ……………… 탈퇴
가짜 ……………… 진짜
가표 ……………… 부표
간단 ……………… 복잡
간섭 …… 방임, 불간섭
간단하다 …… 복잡하다
간혹 ……………… 항상
감기다 ………… 풀리다
감사 ……………… 원망
감성 ……………… 이성
감원 ……………… 증원
감행 ……………… 중지
갑절 ……………… 절반
강제 ……………… 순리
강화 ……………… 약화
갚다 ……………… 꾸다
개교 ……… 폐교, 휴교
개다 …………… 흐리다
개시 ……… 종료, 완료
개인 ……… 단체, 집단
거절 ……… 승낙, 허락
거칠다 ……… 매끄럽다
걱정 ……………… 안심
건강 ……… 허약, 쇠약
건설 ……………… 파괴
검소 ……… 사치, 화려
겨우내 ………… 여름내
결과 ……………… 원인
결렬 ……………… 합의
결정 ……………… 미정
겸손 ……… 불손, 거만
경계 ……………… 방심
경솔 ……………… 침착
경어 ……… 비어, 속어
계속 ……………… 중단
계약 ……………… 해약
고국 ……… 외국, 타국
고귀 ……………… 비천
고리 ……………… 저리
고상 ……………… 저속
고생 ……… 편안, 안락
고요 ……… 요란, 소란
고지 ……………… 저지
고초 ……………… 안락
고통 ……………… 쾌락
고향 ……………… 타향
곤란 ……………… 용이
공격 ……… 방어, 방비
공급 ……………… 수요
공손 ……… 거만, 불손
공훈 ……………… 죄과
과거 ……………… 미래
과학 ……………… 미신
광명 ……………… 암흑
광활 ……………… 협소
괴롭다 ………… 즐겁다
괴수 ……………… 졸개
교외 ……………… 시내
구국 ……………… 매국
구별 ……………… 혼동
구석 …… 가운데, 복판
구체적 ………… 추상적
국내 ……………… 국외
국영 ……………… 민영
권고 ……………… 만류
귀족 ……………… 평민
귀하다 ………… 천하다
근면 ……………… 태만
근심 ……………… 안심
금지 ……… 권장, 권유
급제 ……………… 낙제
기쁨 ……………… 슬픔
기억 ……………… 망각
꿈 ………………… 현실

ㄴ

나중 ……………… 처음
날카롭다 ……… 무디다
낡다 …………… 새롭다
남극 ……………… 북극
낮추다 ………… 높이다
낯익다 ………… 낯설다
내리막 ………… 오르막
내용 ……………… 형식
내일 ……………… 어제
널찍하다 …… 좁다랗다
넓다 ……………… 좁다
노력 ……………… 태만
농번기 ………… 농한기
높이다 ………… 낮추다
늘리다 ………… 줄이다
늙다 ……………… 젊다
능숙하다 …… 서투르다

ㄷ

다수……………소수
다정 ………무정, 냉정
다행……………불행
단결……………분열
단순……………복잡
답답하다……후련하다
대답 ………질문, 질의
대륙……………해양
대접……………냉대
도덕……………부도덕
도시 ………농촌, 시골
도움 ………방해, 훼방
도체……………부도체
독립……………예속
동물……………식물
동양……………서양
동지……………원수
두껍다……………얇다
두툼하다……얄팍하다
뒤뜰……………앞뜰
뒷산……………앞산
듣다……………말하다
따뜻하다……서늘하다
또렷하다……희미하다
뚱뚱하다……홀쭉하다
뜨겁다……………차갑다

ㅁ

마음 …………몸, 신체
마중……………배웅
마지막……………처음
막내……………맏이
막다……………트다
만점……………영점
만족……………불만
말기……………초기
말꼬리…………말머리
맑다……………흐리다
망하다……………흥하다
매국노…………애국자
멀리……………가까이
명목……………실질
명예……………수치
몇몇……………여럿
모으다……………흩다
목돈……………푼돈
몸 …………마음, 정신
못나다……………잘나다
무료……………유료
무리……………순리
무시……………중시
무식……………유식
무인……………문인
무장……………비무장
무한……………유한
묶이다……………풀리다
문명 ………미개, 야만
문제……………해답
물걸레…………마른걸레
물음……………대답
미개 ………문명, 개화
미래……………과거
민주……………독재
믿음……………의심
밀물……………썰물
밉다……………곱다

ㅂ

바다 …………육지, 뭍
바르다……………그르다
바쁘다…………한가하다
반대……………찬성
반사……………직사
발달……………퇴보
발전 ………퇴보, 쇠퇴
방어……………공격
방해 ………조력, 협조
방화……………실화
배웅……………마중
번영……………쇠퇴
번창……………피폐
벌 ……………상
벌써……………아직
별명……………본명
병사……………장교
보통……………특별
복 ……………화
복잡 ………간단, 단순
복종 ………불복, 반항
복판……………변두리
본부……………지부
부강……………빈약
부끄럽다……떳떳하다
부모……………자식
부분……………전체
부유……………가난
부자연……………자연
부족……………풍족
부지런히 ………게을리
부풀다……우그러들다
부흥……………쇠퇴
분교……………본교
분주……………한가
불결……………청결
불리……………유리
불만……………만족
불안 ………편안, 안심
불의……………정의
불쾌 ………유쾌, 상쾌
불편……………편리
불행 ………행복, 다행
비극……………희극
비난 ………칭찬, 칭송
비명……………환성
비밀……………공개

비스듬히 ……… 똑바로
빈궁 ……………… 부유
빈민 ……… 부호, 부자

ㅅ

사납다 ……… 온순하다
사랑 ……… 증오, 미움
사실 ……………… 허위
사전 ……………… 사후
사치 ……………… 검소
산악 ……………… 평야
상 ……………………… 벌
상급 ……………… 하급
상류 ……………… 하류
상륙 ……………… 이륙
상승 ……………… 하락
상쾌 ……………… 불쾌
생산 ……………… 소비
생존 ……………… 사망
서양 ……………… 동양
서투르다 …… 익숙하다
선생 ……… 제자, 학생
선조 ……………… 후손
선천적 …………… 후천적
성공 ……………… 실패
성장 ……………… 위축
소년 ……… 노년, 소녀
소득 ……………… 손실
소박 ……………… 사치
소용 ……………… 무용
소중하다 …… 소홀하다
속히 ……………… 천천히
손해 ……………… 이익
송신소 …………… 수신소
쇠약 ……………… 건강
수출 ……………… 수입
순간 ……………… 영원
순수 ……………… 불순
숭배 ……………… 멸시
스승 ……………… 제자
습격 ……… 방비, 피습
승낙 ……………… 거부
승리 ……………… 패배
승전 ……………… 패전
시간 ……………… 공간
시골 ……………… 도시
시초 ……………… 종말
식목 ……………… 벌목
식물 ……………… 동물
신기 ……………… 평범
실망 ……………… 희망
실패 ……………… 성공
싸움 ……………… 평화
쌓다 ……………… 헐다

ㅇ

아군 ……………… 적군
아우 ………… 형, 언니
아직 ……… 이미, 벌써
악독 ……………… 인자
안녕 ……… 불안, 고생
안심 ……………… 불안
안전 …… 불안전, 위험
알뜰하다 ……… 헤프다
암흑 ……………… 광명
앞날 ……………… 지난날
애국자 …………… 매국노
야만인 …………… 문명인
야위다 …………… 살찌다
약소 ……………… 강대
양지 ……… 음지, 응달
어기다 …………… 지키다
언짢다 …………… 달갑다
얻다 ……………… 잃다
얼다 ……………… 녹다
연결 ……………… 절단
연약 ……………… 강건
연합 ……………… 분리
열대 ……………… 한대
열심 ……………… 태만
열중 ……………… 등한
염려 ……… 안심, 방심
염색 ……………… 탈색
영광 ……………… 치욕
영리 ……………… 우둔
영예 ……………… 수치
영원 ……………… 순간
예쁘다 …………… 밉다
예사로 ………… 특별히
예산 ……………… 결산
예습 ……………… 복습
옛날 ……………… 뒷날
오늘 ……… 내일, 어제
오뚝하다 …… 움푹하다
오르막 ………… 내리막
오해 ……… 이해, 양해
오후 ……………… 오전
온순 ……………… 난폭
옹졸하다 …… 너그럽다
완강 ……………… 나약
완결 ……………… 착수
완성 …………… 미완성
완전 …………… 불완전
완행 ……………… 급행
외국 ……… 내국, 본국
욕설 ……………… 칭송
용감 ……………… 비굴
용맹 ……………… 비겁
용서 ……………… 처벌
우대 ……………… 천대
우등 ……………… 열등
우렁차다 …… 가냘프다
우선 ……………… 나중
우승 ……………… 참패
우울 ……………… 명랑
울창 ……………… 황폐
웃음 ……………… 울음
원수 ……………… 은인

원인 ……………… 결과
원한 ……………… 은혜
위태 ……………… 안전
위험 ……………… 안전
유명 ……………… 무명
유식 ……………… 무식
유심히 ………… 무심히
유익 ……… 무익, 유해
유지 ……… 폐지, 변경
유쾌 ……………… 불쾌
육식 ……………… 채식
윤년 ……………… 평년
의사 ……… 병자, 환자
의심 ……… 확신, 믿음
이상 ……………… 현실
이성 ……… 감성, 감정
이익 ……………… 손해
이자 ……………… 원금
익숙하다 …… 서투르다
인공적 ………… 자연적
인도 ……………… 인수
인상 ……………… 인하
인정 ……………… 부인
일반 ……………… 특수
입선 ……………… 낙선
입장 ……………… 퇴장
입학 ……………… 졸업

ㅈ

자기 ………… 남, 타인
자녀 ……………… 부모
자립 ……………… 예속
자신 ……………… 타인
자연 …… 인공, 부자연
자유 ……… 구속, 속박
작년 ……………… 내년
작별 ……………… 상봉
장려 ……… 금지, 엄금
장마 ……………… 가뭄
재미 ……………… 싫증
저녁 ……………… 아침
저축 ……………… 낭비
적군 ……… 아군, 우군
적극적 ………… 소극적
전부 ……………… 일부
전원 ……………… 도시
전쟁 ……………… 평화
전체 ……………… 부분
절대 ……………… 상대
절약 ……………… 낭비
정답다 ……… 매정하다
정돈 ……………… 혼란
정면 ……………… 후면
정밀 ……………… 조잡
정신 ……… 육체, 물질
정의 ……………… 불의
정중 ……………… 경솔
정착 ……………… 유랑
정확 ……………… 부정확
조국 ……… 외국, 타국
조상 ……………… 자손
조심 ……………… 방심
조아리다 ……… 쳐들다
조용하다 …… 시끄럽다
조회 ……………… 종례
존경 ……………… 멸시
존귀 ……………… 비천
존대 ……… 천대, 경멸
졸업 ……………… 입학
졸장부 ………… 대장부
주인 ……………… 손님
주장 ……………… 추종
준공 ……………… 착공
중단 ……………… 계속
중대 ……………… 경미
중요 ……………… 사소
중지 ……………… 계속
즐겁다 ………… 괴롭다
증가 ……………… 감소
증산 ……………… 감산
지옥 ……… 극락, 천당
지하 ……………… 지상
지휘 ……………… 복종
직선 ……………… 곡선
직접 ……………… 간접
진실 ……………… 허위
진출 ……………… 철수
질문 ……… 대답, 응답
질서 ……………… 혼잡
짙다 ……… 옅다, 얕다

ㅊ

차별 ……………… 평등
착륙 ……………… 이륙
찬성 ……………… 반대
참말 ……………… 거짓말
참석 ……………… 불참
참패 ……… 대승, 압승
창간 ……………… 폐간
창조 ……………… 모방
천국 ……………… 지옥
천대 ……… 존대, 우대
천사 ……………… 악마
천연 ……………… 인공
천재 ……… 둔재, 백치
청결 ……………… 불결
초반 ……………… 종반
초조 ……………… 태연
추가 ……………… 삭제
축복 ……………… 저주
출발 ……………… 도착
출석 ……………… 결석
충분 …… 불충분, 부족
충성 ……… 반역, 불충
충신 ……………… 역적
충실 ……………… 부실
취임 ……………… 퇴임
친절 ……………… 불친절

친정 ……………… 시댁
칭찬 ……………… 꾸중

ㅋ

캄캄하다 ……… 환하다
커지다 ……… 작아지다
켜다 ……………… 끄다
크다 ……………… 작다
큼직하다 …… 조그맣다
키다리 ………… 난쟁이

ㅌ

타향 ……………… 고향
탁월 ……………… 졸렬
탁하다 …………… 맑다
탈퇴 ……………… 가입
통상 ……………… 특별
통일 ……………… 분열
퇴장 ……………… 입장
퇴화 ……………… 진화
투수 ……………… 포수
트이다 ………… 막히다
특별 ……………… 보통
특수 ……… 일반, 평범

ㅍ

파괴 ……………… 건설
파멸 ……………… 번영
패전 ……………… 승전
편리 ……………… 불편
펼치다 …………… 접다
평등 ……………… 차별
평범 ……………… 비범
평야 ……………… 산악
평화 ……………… 전쟁
폭등 ……………… 폭락
표면 ……… 내면, 이면
표준어 ……… 비표준어
풍족 ……………… 부족
피다 ……………… 지다
피폐 ……………… 번성
필요 ……………… 불필요

ㅎ

하류 ……………… 상류
하차 ……………… 승차
학생 ……………… 선생
한가 ……………… 분주
한적 ……………… 혼잡
합격 …… 불합격, 낙방
합법 ……………… 불법
합창 ……………… 독창
항구적 …………… 일시적
항복 ……… 저항, 대항
항상 ……………… 가끔
해결 …… 미해결, 미결
해방 ……………… 속박
행복 ……………… 불행
향기 ……………… 악취
향상 ……………… 저하
허락 ……… 거절, 불허
허위 ……………… 진실
헌신적 …………… 이기적
험준 ……………… 평탄
현미 ……………… 백미
현실 ……………… 이상
현재 ……… 과거, 미래
협력 ……… 방해, 훼방
형식 ……………… 내용
확실 ……………… 불확실
환영 ……… 환송, 배척
활기 ……………… 침체
효도 ……………… 불효
흉년 ……………… 풍년

속담 풀이

가게 기둥에 입춘이라 제격에 맞지 않음을 비유적으로 이르는 말.

가까운 남이 먼 일가보다 낫다 멀리 떨어져 사는 친척보다 남이라도 이웃에서 가까이 지내는 사람이 더 낫다는 말.

가까운 데를 가도 점심밥을 싸 가지고 가거라 무슨 일에나 준비를 든든히 하여 실수가 없게 하라는 말.

가난 구제는 나라(님)도 못한다 가난한 사람을 구제하기는 나라의 힘으로도 어려운데, 하물며 한 개인의 힘으로는 매우 어렵다는 말.

가난한 집 제사 돌아오듯 치르기 힘든 일이 자주 닥쳐온다는 말.

가는 날이 장날 우연히 갔다가 의외로 공교로운 일을 만났을 때 쓰는 말.

가는 말에 채찍질한다 ㉠잘하는 일을 더 잘하라고 부추긴다는 말. ㉡형편이 좋으면 좋을수록 더 잘되게 노력한다는 말. [비]닫는 말에 채찍질.

가는 말이 고와야 오는 말이 곱다 내가 먼저 남에게 좋게 대해야 남도 내게 좋게 대한다는 말. [비]오는 말이 고와야 가는 말이 곱다.

가는 토끼 잡으려다 잡은 토끼 놓친다 너무 욕심을 부리면 도리어 이미 이룬 일까지 그르친다는 말.

가랑비에 옷 젖는 줄 모른다 아무리 사소한 것이라도 그것이 거듭되면 무시하지 못할 정도로 크게 된다는 말.

가랑잎에 불붙듯 걷잡을 수 없이 잘 탄다는 뜻으로, 성질이 급하고 아량이 적은 것을 비유한 말.

가랑잎으로 눈 가리고 아웅 한다 '눈 가리고 아웅'과 같은 뜻.

가랑잎이 솔잎더러 바스락거린다고 한다 '똥 묻은 개가 겨 묻은 개 나무란다'와 같은 뜻.

가로 지나 세로 지나 이렇게 되거나 저렇게 되거나 상관없다는 말.

가루는 칠수록 고와지고 말은 할수록 거칠어진다 가루는 체에 칠수록 고와지지만 말은 이리저리 옮아 갈수록 보태어져서 거칠어진다는 뜻으로, 말이 많음을 경계하는 말.

가재는 게 편이라 모양이나 형편이 서로 비슷하고 인연이 있는 데로 편들어 붙는다는 말.

가지 많은 나무에 바람 잘 날이 없다 자식을 많이 둔 어버이는 근심 끊일 날이 없다는 말.

간에 가 붙고 염통에 가 붙는다 '간에 붙었다 쓸개에 붙었다 한다'와 같은 뜻.

간에 기별도 안 갔다 음식을 조금밖에 먹지 못하여 양에 차지 않음을 비유한 말.

간에 붙었다 쓸개에 붙었다 한다 지조가 없이 자기에게 조금이라도 이로운 일이라면 아무에게나 아첨한다는 말. 비 간에 가 붙고 염통에 가 붙는다.

갈모 형제라 아우가 잘나고 형이 아우만 못한 형제를 이르는 말.

갈수록 태산이라 무슨 일을 해 나감에 있어 갈수록 점점 더 어려운 일이 닥쳐온다는 말.

갈치가 갈치 꼬리 문다 친한 사이에 서로가 서로를 모함함을 비유하는 말.

감사 덕분에 비장 나리 호사한다 '원님 덕에 나팔이라' 와 같은 뜻.

값도 모르고 싸다 한다 일의 내용이나 사정도 모르면서 경솔하게 이러니저러니 말한다는 말.

값싼 것이 비지떡 값이 싼 물건치고 좋은 것이 없다는 말.

갓 쓰고 자전거 탄다 전혀 어울리지 않게 차려입는 것을 이르는 말.

강물도 쓰면 준다 아무리 많아도 헤프게 쓰면 줄어드는 것이니, 마구 쓰지 말고 아껴 쓰라는 말.

같은 값이면 다홍치마 이왕 같은 값이면 자기에게 이득이 많은 것을 택한다는 말.

개같이 벌어서 정승같이 산다 돈을 벌 때는 궂은일을 가리지 않고 벌고, 쓸 때는 사치하거나 낭비하지 않고 꼭 써야 할 곳에 씀을 이르는 말.

개구리 올챙이 적 생각을 못한다 미천하던 사람이 지위가 높아지면 과거의 어렵던 때 생각을 못한다는 말. 또는 그런 사람을 비웃는 말.

개 눈엔 똥만 보인다 어떤 것을 지극히 좋아하게 되면, 모든 것이 다 그 물건으로만 보인다는 말.

개똥도 약에 쓰려면 없다 아무리 보잘것없고 흔한 것일지라도 정작 쓸데가 있어서 찾으면 드물고 귀하다는 말.

개미 쳇바퀴 돌듯 한다 ㉠같은 장소를 돌기만 한다는 말. ㉡노력은 하여도 아무 발전이 없다는 말.

개 발에 주석 편자 말굽에 대어 붙이는 편자가 개 발에 어울리지 아니하듯, 옷차림이나 지닌 물건이 제격에 맞지 아니함을 이르는 말.

개밥에 도토리 개는 도토리를 먹지 않아, 밥 속의 도토리는 따로 남듯이 따돌림을 받아 외톨로 고립됨을 이르는 말.

개 보름 쇠듯 보름날 개에게 음식을 주지 않는 풍속이 있어 즐거이 지내야 할 명절 따위에 먹지도 못하고 지내게 됨을 이르는 말.

개살구도 맛 들일 탓 떫은 개살구도 맛을 붙이면 좋아하게 된다는 뜻으로, 어떤 일이든지 재미를 붙이면 좋아질 수 있다는 말.

개천에서 용 난다 변변치 못한 집안에서 훌륭한 인물이 나왔을 때 하는 말.

거미도 줄을 쳐야 벌레를 잡는다 무슨 일이든지 준비가 있어야 성과를 얻을 수 있음을 이르는 말.

겨 묻은 개가 똥 묻은 개 나무란다 결점이 있기는 마찬가지이면서 자기가 조금 덜하다고 더한 사람을 흉볼 때 하는 말.
고기는 씹어야 맛이요, 말은 해야 맛이라 마음속으로만 끙끙거리며 애태우지 말고 할 말은 해야 한다는 말.
고래 싸움에 새우 등 터진다 강자끼리의 싸움에 아무 관계가 없는 약자가 공연히 해를 입게 됨을 이르는 말.
고슴도치도 제 새끼가 함함하다면 좋아한다 ㉠칭찬받을 만한 일이 못되더라도 추어주면 좋아한다는 말. ㉡자식이 못났더라도 칭찬을 받으면 기뻐한다는 말.
고양이 목에 방울 달기 실행하지 못할 어려운 일을 헛되이 의논만 함을 가리키는 말.
고양이 보고 반찬 가게 지키라고 한다 지키라고 부탁을 했다가 도리어 도둑을 맞을 때에 이르는 말.
고양이 앞의 쥐 걸음 무서운 사람 앞에서 설설 기는 것을 이르는 말.
고추는 작아도 맵다 몸집은 작아도 힘이 세거나, 성질이 모질거나, 하는 일이 야무짐을 비유하여 이르는 말.
공든 탑이 무너지랴 공을 들여 이루어 놓은 일은 그 결과가 헛되지 않아 반드시 좋은 결과를 얻는다는 말.
공자 앞에서 문자 쓴다 잘 알지도 못하면서 자기보다 유식한 사람 앞에서 아는 체함을 이르는 말.
공짜라면 양잿물도 먹는다 공짜라면 가리지 않고 닥치는 대로 가지려는 것을 비꼬는 말.
과부 사정은 과부가 안다 남의 사정은 비슷한 처지에 있는 사람이라야 잘 안다는 말.
광에서 인심 난다 제 살림이 넉넉하고 윤택하여야 남을 동정하게 된다는 말. 비 쌀독에서 인심 난다.
구관이 명관이라 무슨 일에든지 경험이 필요함을 가리키는 말.
구더기 무서워 장 못 담글까 방해가 되는 일이 있더라도 할 일은 해야 한다는 말.
구렁이 담 넘어가듯 일을 처리하는 데 태도를 명확히 하지 아니하고, 남이 모르는 사이에 슬그머니 얼버무려 한다는 말.
구슬이 서 말이라도 꿰어야 보배라 아무리 훌륭하고 좋은 일이라도 완전히 끝을 맺어야 비로소 가치가 있다는 말.
굳은 땅에 물이 괸다 헤프지 않고 절약하는 마음이 굳어야 재산을 모을 수 있다는 말.
굿이나 보고 떡이나 먹지 남의 일에 쓸데없는 간섭을 하지 말고 되어 가는 형편을 보고 있다가 이익이나 얻자는 말.
귀가 보배라 배운 것은 없으나 얻어들어서 아는 것이 많음을 놓으로 하는 말.

귀신 듣는 데 떡소리 한다 귀신이 좋아하는 떡 이야기를 귀신 앞에서 하듯이 들어서 좋아할 이야기를 상대방 앞에서 한다는 말.

귀에 걸면 귀걸이 코에 걸면 코걸이 ㉠정해 놓은 것이 아니고 둘러댈 탓이라는 말. ㉡하나의 사물이 두 쪽에 관련되어 어느 한쪽으로 결정짓기 어렵다는 말.

그슬린 돼지가 달아맨 돼지 타령한다 제 흉은 모르고 남의 흉만 트집 잡고 나무란다는 말.

긁어 부스럼 아무렇지도 않은 일을 공연히 건드려서 만들어 낸 걱정거리라는 말.

금강산도 식후경이라 아무리 재미있는 일이라도 배가 부른 다음에야 흥이 나지 먹지 않고는 흥겨울 것이 없다는 말.

급하기는 우물에 가서 숭늉 달라겠다 급한 것만 생각하고 사물의 절차를 깨닫지 못하여 이치에 어긋나는 짓을 한다는 말.

급하면 바늘허리에 실 매어 쓸까 아무리 일이 급하더라도 순서에 따라 침착하게 해야 한다는 말.

기는 놈 위에 나는 놈이 있다 / 뛰는 놈 위에 나는 놈이 있다 아무리 재주가 있다 하여도 그보다 더 뛰어난 사람이 있다는 말.

기지도 못하면서 뛰려 한다 제 실력 이상의 행동을 하려고 하는 사람을 조롱하는 말.

길고 짧은 것은 대보아야 안다 잘하고 못하는 것은 짐작이나 말보다는 실지로 겨루거나 경험해 보아야 안다는 말.

길마 무거워 소 드러누울까 일을 앞두고 힘이 부족할까 미리 두려워 말라는 말.

길이 아니면 가지 말고 말이 아니면 탓하지 마라 사리에 어긋나는 말에는 상관도 하지 말라는 말.

김 안 나는 숭늉이 더 뜨겁다 물이 몹시 뜨거우면 김이 안 난다는 뜻으로, 사람도 늘 떠벌리는 사람은 그리 무섭지 않고 침묵을 지키고 있는 사람이 도리어 더 무섭다는 말.

김칫국부터 마신다 '떡 줄 사람은 꿈도 안 꾸는데 김칫국부터 마신다'와 같은 뜻.

까마귀 고기를 먹었나 잘 잊어버리는 사람을 나무라거나 놀리는 말.

까마귀 날자 배 떨어진다 아무런 뜻 없이 한 일이 마침 다른 일과 때가 같아 둘 사이에 어떤 관계라도 있는 듯한 의심을 받을 때 쓰는 말.

꼬리가 길면 밟힌다 옳지 못한 일을 여러 번 계속하면 결국에는 들키고 만다는 말.

꽁지 빠진 새 같다 꼴이 초라하다는 말.

꿀도 약이라면 쓰다 자기에게 이로운 말일지라도 충고라면 듣기 싫어한다는 말.

꿀 먹은 벙어리 벙어리는 맛을 알면서도 어떻다고 말을 하지 못한다 하여, 무슨 일에 대하여 아무 말이 없는 사람을 두고 하는 말.
꿈보다 해몽이 좋다 좋고 나쁨은 풀이하기에 달렸다는 말.
꿩 대신 닭이다 적당한 것이 없을 때 비슷한 것으로 대신한다는 말.
꿩 먹고 알 먹는다 한 가지 일에 두 가지 이상의 이익을 볼 때 쓰는 말.
꿩 잡는 것이 매다 꿩을 못 잡으면 매라고 할 수 없듯이, 실지로 제 구실을 다하는 것이 제일이라는 말.

나간 놈의 몫은 있어도 자는 놈의 몫은 없다 게으른 사람에게는 혜택이 돌아가지 않는다는 말.
나룻이 석 자라도 먹어야 샌님 '수염이 대 자라도 먹어야 양반이다'와 같은 뜻.
나무에 오르라 하고 흔드는 격 일부러 남을 위험한 곳이나 불행한 처지에 빠지게 함을 이르는 말.
나중 난 뿔이 우뚝하다 후배가 선배보다 더 나을 때에 이르는 말.
낙숫물은 떨어지던 데 또 떨어진다 한번 버릇이 들면 고치기 힘들다는 말.
낙숫물이 댓돌을 뚫는다 작은 힘이라도 끈기 있게 계속하면 큰일을 이룰 수 있다는 말.
남의 다리 긁는다 자기를 위하여 한 일이 뜻밖에도 남을 위하여 한 일이 되었거나, 또는 남의 일을 자기 일로 잘못 알고 수고한다는 말. 비 남의 다리에 행전 친다. 잠결에 남의 다리 긁는다.
남의 말 하기는 식은 죽 먹기 남의 허물을 끄집어내어 말하기는 매우 쉽다는 말.
남의 잔치에 감 놓아라 배 놓아라 한다 자기와 상관없는 남의 일에 공연히 간섭함을 이르는 말.
낫 놓고 기역 자도 모른다 아주 무식하다는 말.
낮말은 새가 듣고 밤말은 쥐가 듣는다 ㉠아무도 안 듣는 데서라도 말조심하라는 말. ㉡비밀히 한 말도 반드시 남의 귀에 들어가게 된다는 말.
내 배 부르면 종의 밥 짓지 말라 한다 ㉠자기 이익만 알고 남을 동정할 줄 모른다는 말. ㉡복을 누리는 사람이 남의 불행과 근심, 괴로움은 알지 못한다는 말.
내 코가 석 자 내 사정이 매우 곤란해서 남의 사정까지 돌볼 겨를이 없다는 말.
내 할 말을 사돈이 한다 내가 하려고 하는 말 또는 내가 당연히 할 말을 도리어 남이 한다는 말. 비 나 부를 노래를 사돈집에서 부른다.
냉수 먹고 이 쑤시기 실속은 아무것도 없으면서 겉으로만 있는 체함을 비유한 말.
네 떡이 한 개면 내 떡이 한 개라 오는 것이 있어야 그만큼 가는 것이 있다는 말.

네 콩이 크니 내 콩이 크니 한다 서로 비슷한 것을 가지고 제 것이 낫다고 다투는 것을 보고 이르는 말.

놓친 고기가 더 크다 현재 가지고 있는 것보다 먼저 것이 더 좋았다고 생각한다는 말.

누워서 침 뱉기 남을 해치려고 한 일이 도리어 자기에게 해를 미친다는 말.

눈 가리고 아웅 얕은 꾀를 써서 남을 속이려 함을 이르는 말.

눈 감으면 코 베어 먹을 세상 세상인심이 험악하고 믿음성이 없음을 이르는 말.

눈 뜨고 도둑맞는다 뻔히 알면서도 속거나 손해를 본다는 말.

눈치가 빠르면 절에 가도 젓국을 얻어먹는다 눈치가 있으면 어디를 가도 궁색한 일이 없다는 말.

뉘 집에 죽이 끓는지 밥이 끓는지 아나 여러 사람의 사정을 다 살펴 알기는 어렵다는 말.

늦게 배운 도둑이 날 새는 줄 모른다 뒤늦게 시작한 일에 재미를 붙인 사람이 그 일에 더 몰두하게 된다는 말.

다 된 죽에 코 풀기 제대로 잘되어 가는 남의 일을 망쳐 놓는다는 말.

단단한 땅에 물이 괸다 아끼는 마음이 단단해야 재물이 모인다는 말.

닫는 말에 채찍질 '가는 말에 채찍질한다' 와 같은 뜻.

달도 차면 기운다 세상의 온갖 것이 한번 성하면 다시 쇠퇴하기 마련이라는 말.

달면 삼키고 쓰면 뱉는다 옳고 그름이나 신의를 돌보지 않고 자기의 이익만 꾀한다는 말.

달밤에 삿갓 쓰고 나온다 가뜩이나 미운 사람이 더 미운 짓만 한다는 말.

닭 잡아먹고 오리발 내놓기 자신이 저지른 나쁜 일이 드러나게 되자 엉뚱한 수작으로 남을 속이려 할 때 이르는 말.

닭 쫓던 개 지붕 쳐다보듯 애써 하던 일이 실패로 돌아가거나 같이 애쓰다가 남에게 뒤떨어져 어찌할 도리가 없이 됨을 이르는말.

당장 먹기엔 곶감이 달다 '우선 먹기는 곶감이 달다' 와 같은 뜻.

댓구멍으로 하늘을 본다 소견이 좁음을 일컫는 말. 비 우물 안 개구리.

더위 먹은 소 달만 보아도 헐떡인다 '자라 보고 놀란 가슴 소댕 보고 놀란다' 와 같은 뜻.

도끼로 제 발등 찍는다 남을 해치려고 한 짓이 결국은 자기를 해친 결과가 되었다는 말. 비 제 발등을 제가 찍는다.

도둑놈 문 열어 준 셈 나쁜 사람에게 나쁜 일을 할 기회를 주어 제가 도리어 손해를 입음을 이르는 말.

도둑맞고 사립 고친다 '소 잃고 외양간 고친다' 와 같은 뜻.

도둑을 맞으려면 개도 안 짖는다 운수가 나쁘면 될 일도 뜻대로 아니 됨을 이르는 말.
도둑이 제 발 저리다 지은 죄가 있으면 드러날까 두려워 자연히 마음이 조마조마해진다는 말.
도둑질을 해도 손발이 맞아야 한다 무슨 일이든지 서로 뜻이 맞아야 성공할 수 있다는 말.
도랑 치고 가재 잡는다 ㉠한 가지 일로 두 가지 이익을 본다는 말. ㉡일의 순서가 뒤바뀌어 애쓴 보람이 나타나지 않는다는 말.
도마에 오른 고기 어찌할 수 없이 된 운명을 비유한 말.
도포를 입고 논을 갈아도 제멋이다 사람은 저마다 저 하고 싶은 대로 하는 것이라는 말. 비 지게를 지고 제사를 지내도 제멋이다.
독 안에 든 쥐 아무리 애써도 벗어나지 못하고 꼼짝할 수 없는 처지에 이르렀음을 이르는 말.
돈만 있으면 귀신도 부릴 수 있다 돈만 있으면 세상에 못할 일이 없다는 말.
돌다리도 두드려 보고 건너라 모든 일에 세심한 주의를 하라는 말.
돌부리를 차면 발부리만 아프다 쓸데없이 화를 내면 자기만 해롭다는 말. 비 바위를 차면 제 발부리만 아프다.
돌절구도 밑 빠질 날이 있다 ㉠아무리 튼튼한 것도 오래 쓰면 결딴나는 날이 있다는 말. ㉡좋은 가문이라고 영원히 몰락하지 않는 법은 없다는 말.
동냥은 아니 주고 쪽박만 깬다 남의 요구를 들어주기는커녕 오히려 해치기만 한다는 말.
동네 색시 믿고 장가 못 간다 남을 막연하게 믿다가는 일을 그르친다는 말.
동무 따라 강남 간다 자기는 할 마음이 없으나 동무에 끌려서 같은 행동을 함을 이르는 말.
되로 주고 말로 받는다 줄 때는 조금 주고 그 대가로는 많이 받는다는 말.
될성부른 나무는 떡잎부터 알아본다 장래에 크게 될 사람은 어릴 때부터 다르다는 말. 비 자랄 나무는 떡잎부터 알아본다.
둘러치나 메어치나 매한가지 이렇게 하나 저렇게 하나 어떻든 결과는 마찬가지라는 말.
둘이 먹다가 하나가 죽어도 모르겠다 음식의 맛이 대단히 좋음을 이르는 말.
뒤웅박 신은 것 같다 되어 가는 모양이 위태위태함을 이르는 말.
뒷간에 갈 적 마음 다르고 올 적 마음 다르다 자기에게 필요할 때는 다급하게 굴다가 자기 할 일을 다하면 마음이 변함을 이르는 말.
뒷구멍으로 호박씨 깐다 겉으로는 얌전한 체하면서 뒤로는 엉뚱한 짓을 다 함을 비유하는 말.
드는 줄은 몰라도 나는 줄은 안다 사람이나 재물이 붇는 것은 잘 띄지 않아도 줄어드는 것은 곧 알아차릴 수 있다는 말.

들으면 병이요 안 들으면 약이다 들어서 걱정될 일은 듣지 아니함이 차라리 낫다는 말.

등잔 밑이 어둡다 가까운 데 있는 일을 먼 데 일보다 오히려 모른다는 말.

등치고 간 내먹다 겉으로는 가장 위해 주는 체하면서도 속으로는 해를 끼친다는 말.

땅 짚고 헤엄치기 ㉠아주 쉽다는 말. ㉡무슨 일이 의심할 여지없이 확실하다는 말.

때리는 시어머니보다 말리는 시누이가 더 밉다 겉으로는 위하는 체하면서 속으로는 미워하고 헐뜯는 사람이 더 밉다는 말.

떡 본 김에 제사 지낸다 하려고 생각하던 중 마침 좋은 기회를 만나 일을 해치운다는 말.

떡 줄 사람은 꿈도 안 꾸는데 김칫국부터 마신다 해 줄 사람은 생각지도 않는데 미리부터 다 된 일로 알고 행동함을 이르는 말. 비 김칫국부터 마신다.

떡 해 먹을 집안 떡을 하여 귀신에게 고사를 지내야 할 집안이라는 뜻으로, 화합하지 못하고 어려운 일만 계속 일어나는 집안이라는 말.

떼어 놓은 당상 일이 확실하여 변동이 있을 수 없을 때나, 으레 자기가 차지하게 될 것이 틀림없음을 이르는 말.

똥 누러 갈 적 마음 다르고 올 적 마음 다르다 '뒷간에 갈 적 마음 다르고 올 적 마음 다르다'와 같은 뜻.

똥 묻은 개가 겨 묻은 개 나무란다 제 허물이 더 많은데 대단치 않은 남의 허물을 흉본다는 말. 비 가랑잎이 솔잎더러 바스락거린다고 한다. 숯이 검정 나무란다.

똥이 무서워서 피하나 더러워서 피하지 악한 사람을 상대하지 않는 것은 그가 무서워서가 아니고 상대할 대상이 못 되기 때문이라고 자부하는 말.

뚝배기보다 장맛이 좋다 겉모양은 보잘것없으나 내용은 겉보다 나음을 가리키는 말. 비 장독보다 장맛이 좋다.

뛰는 놈 위에 나는 놈 있다 아무리 재주가 뛰어나도 그보다 더 뛰어난 사람이 있다는 뜻으로, 스스로 뽐내는 사람을 경계하여 이르는 말.

뜨거운 국에 맛 모른다 ㉠사리를 알지 못하고 날뛰거나 또는 무턱대고 행동한다는 말. ㉡급한 경우를 당하면 정확한 판단을 할 수 없다는 말.

마른하늘에 날벼락 뜻밖에 당하는 재앙을 가리키는 말.

말 많은 집은 장맛도 쓰다 ㉠가정에 잔말이 많아 화목하지 못하면 살림이나 모든 일이 잘 안된다는 말. ㉡말은 그럴듯하게 하나 실상은 좋지 못함을 뜻하는 말.

말이 많으면 쓸 말이 적다 말이 많으면 오히려 효과가 적다는 뜻으로, 말을 되도록 적게 하라는 말.

말 한마디에 천 냥 빚도 갚는다 말만 잘하면 어려운 일도 해결할 수 있다는 뜻으로, 처세하는 데에 말이 중요하다는 말. 비 천 냥 빚도 말로 갚는다.

맛있는 음식도 늘 먹으면 싫다 아무리 좋은 일이라도 너무 자주 되풀이하면 싫증이 나기 마련이라는 말.

매도 먼저 맞는 놈이 낫다 이왕 겪을 일이라면 아무리 어렵고 괴롭더라도 남보다 먼저 치르는 편이 낫다는 말.

먹기는 파발이 먹고 뛰기는 역마가 뛴다 정작 애쓴 사람은 보수를 받지 못하고 딴 사람이 받는다는 말. 비 재주는 곰이 넘고 돈은 호인이 받는다.

모기 보고 칼 빼기 사소한 일에 지나치게 화를 냄을 가리키는 말.

모난 돌이 정 맞는다 말과 행동이 모가 나면 남에게 미움을 받게 된다는 말.

모로 가도 서울만 가면 된다 수단 방법은 어떻든 간에 목적만 이루면 된다는 말.

목구멍이 포도청 먹고살기 위하여 해서는 안 될 일까지 하게 된다는 말.

못된 송아지 엉덩이에 뿔이 난다 사람답지 못한 사람이 돼먹지 않게 건방지고 좋지 못한 짓을 한다는 말.

못 먹는 감 찔러나 본다 자기의 것으로 만들지 못할 바에야 남도 가지지 못하도록 심술을 부려 훼방한다는 말.

무쇠도 갈면 바늘이 된다 불가능하게 보이는 일도 꾸준히 노력하면 언젠가는 이룰 수 있다는 말.

물에 빠지면 지푸라기라도 움켜쥔다 위급한 때를 당하면 도움이 되지 않을 것을 뻔히 알면서도 희망을 걸고 의지하려 한다는 말.

물에 빠진 놈 건져 놓으니까 내 봇짐 내라 한다 남에게 은혜를 입고도 고마운 줄 모르고 공연한 트집을 잡는다는 말.

미꾸라지 한 마리가 온 웅덩이를 흐려 놓는다 한 사람의 좋지 않은 행동이 여러 사람에게 나쁜 영향을 미친다는 말.

미꾸라짓국 먹고 용트림한다 아무 재간도 없으면서 큰 인물인 체하는 사람을 이르는 말. 비 잉엇국 먹고 용트림한다. 비짓국 먹고 용트림한다.

믿는 도끼에 발등 찍힌다 믿고 있던 일이 어긋나거나 믿고 있던 사람에게서 뜻밖의 해를 입음을 이르는 말.

밀가루 장사하면 바람이 불고 소금 장사 하면 비가 온다 운수가 사나우면 매번 공교로운 일을 당한다는 말.

밑 빠진 독에 물 붓기 ㉠쓸 곳이 많아 아무리 벌어도 항상 부족함을 이르는 말. ㉡아무리 힘들여 애써도 보람이 나타나지 않는 경우에 쓰는 말.

바늘 가는 데 실 간다 서로 떨어져서는 아무 소용이 없으므로 늘 붙어 다닌다는 말. 비 범 가는 데 바람 간다.

바늘 도둑이 소도둑 된다 처음에는 작은 것을 훔치던 사람이 나중에는 큰 도둑이 된다는 말. 곧, 나쁜 행실일수록 점점 더 심하게 되니 아예 나쁜 버릇은 길들이지 말라는 말.
바늘방석에 앉은 것 같다 그 자리에 그대로 있기가 매우 불안하여 조마조마함을 비유하는 말.
바람 앞에 등불 매우 어려운 처지에 있음을 이르는 말. 비 풍전등화.
바위를 차면 제 발부리만 아프다 '돌부리를 차면 발부리만 아프다' 와 같은 뜻.
반딧불로 별을 대적하랴 되지 않을 일은 아무리 억척을 부려도 이루어지지 아니한다는 말.
발등에 불이 떨어지다 갑자기 어떤 급한 일이 눈앞에 닥쳐옴을 이르는 말.
발 없는 말이 천 리 간다 비밀로 한 말도 퍼지기 쉬우니 말을 조심하라는 말.
밥 먹을 때는 개도 안 때린다 음식을 먹는 사람을 때리거나 꾸짖지 말라는 말.
배보다 배꼽이 더 크다 마땅히 작아야 할 것이 크고, 적어야 할 것이 많을 때를 이르는 말.
배부른 흥정 아쉬움이 없어 급히 서둘지 않고 배짱을 퉁겨 가며 마음에 차면 하고 싫으면 안 하는 흥정. 또는 그런 식으로 일을 처리함을 일컫는 말.
배지 않은 아이 낳으라고 한다 무턱대고 무리한 요구를 함을 이르는 말.
백지장도 맞들면 낫다 아무리 쉬운 일이라도 혼자 하는 것보다 여럿이 힘을 합해서 하면 훨씬 더 쉽다는 말.
뱁새가 황새를 따라가면 다리가 찢어진다 힘에 겨운 일을 억지로 하면 도리어 해만 입는다는 말.
번개가 잦으면 천둥을 한다 ㉠어떤 일의 조짐이 잦으면 결국 그 일이 일어나기 마련임을 이르는 말. ㉡나쁜 일이 잦으면 결국에는 큰 봉변을 당하게 된다는 말. 비 방귀가 잦으면 똥 싸기 쉽다.
번갯불에 콩 볶아 먹겠다 행동이 매우 재빠름을 이르는 말.
벌집을 건드렸다 가만히 있는 사람을 섣불리 건드려 공연히 큰 소동을 일으켰음을 이르는 말.
범 없는 골에는 토끼가 스승이라 잘난 사람이 없는 곳에서 못난 사람이 잘난 체함을 비유하는 말.
범에게 물려 가도 정신만 차리면 산다 어떤 곤란을 당해도 정신만 차리고 있으면 헤어날 수 있다는 말. 비 호랑이에게 물려 가도 정신만 차리면 산다.
벙어리 냉가슴 앓듯 답답한 사정이 있어도 남에게 말하지 못하고 혼자 괴로워하며 걱정한다는 말.
벼는 익을수록 고개를 숙인다 많이 배우거나 능력이 있는 사람일수록 겸손하다는 말.
벼락 치는 하늘도 속인다 속이려면 못 속일 것이 없다는 뜻으로, 남을 잘 속이는 사람을 비유하여 이르는 말.
벼룩도 낯짝이 있다 몹시 뻔뻔스러운 사람을 두고 이르는 말.

벼룩의 간을 내어 먹는다 ㉠하는 짓이 매우 좀스럽거나 인색함을 비유하는 말. ㉡어려운 처지에 있는 사람에게서 금품을 뜯어냄을 비유하는 말.
변죽을 치면 복판이 운다 넌지시 알리기만 하면 대번에 눈치를 채서 알아듣는다는 말.
병 주고 약 준다 무슨 일을 방해하여 해를 입도록 하고는 도와주는 체한다는 말.
보기 좋은 떡이 먹기도 좋다 겉모양이 좋으면 내용도 좋다는 말.
보채는 아이 밥 한 술 더 준다 '울지 않는 아이 젖 주랴' 와 같은 뜻.
부뚜막의 소금도 집어넣어야 짜다 아무리 손쉬운 일이라도 힘을 들여 이용하지 않으면 제게 이익이 없다는 말.
부조는 않더라도 제상이나 치지 마라 도와주지는 못할 망정 방해는 하지 말라는 말.
북은 칠수록 소리가 난다 ㉠못된 일은 건드릴수록 더 악화된다는 말. ㉡못된 사람하고 다투면 다툴수록 손해만 커진다는 말.
불 가져오라는데 물 가져온다 하라고 시킨 일은 하지 않고 엉뚱한 일을 할 때 쓰는 말.
불난 데 부채질한다 남의 불행을 돕기는커녕 점점 더 불행하게 만들거나 노한 사람을 더 노하게 한다는 말.
불면 꺼질까 쥐면 터질까 어린 자녀를 아주 사랑하며 소중히 기른다는 말.
불에 놀란 놈이 부지깽이만 보아도 놀란다 '자라 보고 놀란 가슴 소댕 보고 놀란다' 와 같은 뜻.
비 온 뒤에 땅이 굳어진다 다툼이나 어려운 일이 있은 후에 사이나 형편이 더 좋아진다는 말.
빈 수레가 더 요란하다 실속 없는 사람이 더 떠들어 댐을 이르는 말.
빚 주고 뺨 맞기 남에게 후하게 대하고도 도리어 해나 봉변을 당할 때 쓰는 말.
빛 좋은 개살구 겉은 그럴듯하게 좋으나 실속이 없다는 말.

사공이 많으면 배가 산으로 간다 지시하고 간섭하는 사람이 많으면 일이 뜻밖의 방향으로 진행하는 수가 있다는 말.
사나운 개 콧등 아물 틈이 없다 난폭한 사람은 늘 싸움만 하여 상처가 미처 나을 사이가 없다는 말.
사돈 남 나무란다 자기도 같은 잘못을 했으면서 자기의 잘못은 생각하지 않고 남의 잘못만 나무란다는 말.
사돈집과 뒷간은 멀수록 좋다 사돈집 사이에서는 말이 나돌기 쉽고 뒷간은 고약한 냄새가 나므로 멀수록 좋다는 말.
사또 덕분에 나팔 분다 '원님 덕에 나팔이라' 와 같은 뜻.
사또 떠난 뒤에 나팔 분다 마땅히 하여야 할 때에 아니하다가 그 시기가 지난 뒤에 함을 조롱하는 말.

사람 나고 돈 났지, 돈 나고 사람 났나 아무리 돈이 귀중하다 하여도 사람보다 더 귀중할 수는 없다는 말.

사람 팔자 시간문제 사람의 팔자는 순식간에 달라질 수도 있으므로 앞으로 어떻게 될지 알 수 없다는 말.

사흘 굶어 도둑질 아니할 놈 없다 아무리 착한 사람이라도 빈곤이 극도에 이르면 마음이 변하여 옳지 못한 짓을 하게 된다는 말.

산 사람의 입에 거미줄 치랴 살기가 어렵다고 해서 쉽사리 죽기야 하겠느냐는 뜻으로 사람은 아무리 가난하여도 먹고 살아갈 수는 있다는 말.

산에 가야 범을 잡는다 어떤 일을 이루려면 실제로 그 일에 발벗고 나서야만 성공할 수 있다는 말. 비 호랑이 굴에 가야 호랑이 새끼를 잡는다. 잠을 자야 꿈을 꾸지.

삼십육계 줄행랑이 제일 어려운 때는 도망하여 화를 피하고, 몸을 보존하는 것이 상책이라는 말.

상주 보고 제삿날 다툰다 제삿날을 가장 잘 아는 상주와 제삿날이 틀렸다고 다툰다는 말로, 어떤 일을 잘 알고 있는 사람 앞에서 틀린 자기 의견을 고집함을 일컫는 말.

새 까먹은 소리 근거 없는 말을 듣고 잘못 옮긴 헛소문이라는 말.

새도 앉는 곳마다 깃이 떨어진다 ㉠이사를 다닐수록 세간이 줄어든다는 말. ㉡직장을 자주 옮기면 좋지 않다는 말.

새벽달 보자고 초저녁부터 기다린다 무슨 일을 너무 일찍 서두른다는 말.

새침데기 골로 빠진다 얌전한 체하는 사람일수록 한번 길을 잘못 들면 그만 걷잡을 수 없게 된다는 말.

서당 개 삼 년에 풍월을 읊는다 아무리 무식한 사람이라도 유식한 사람과 오랫동안 같이 지내면 다소 견문이 트인다는 말.

서리 맞은 구렁이 ㉠행동이 몹시 굼뜨고 기백이 없는 사람을 비유하는 말. ㉡세력이 약해져서 앞으로 잘될 희망이 없는 사람을 비유하는 말.

서울 가서 김 서방 찾기 무턱대고 어떤 일을 하려고 한다는 말.

선무당이 사람 죽인다 미숙한 사람이 잘하는 체하다가 일을 그르쳐 놓는다는 말.

설마가 사람 죽인다 설마 그럴 리가 없겠지 하고 마음을 놓고 있으면 탈이 나기 쉽다는 말.

성나 바위 차기 우둔한 사람이 성난다고 애매한 것에 화풀이하면 도리어 자기만 손해를 보게 됨을 이르는 말.

섶을 지고 불로 들어간다 자기가 짐짓 그릇된 짓을 하여 화를 더 얻으려 한다는 말. 비 화약을 지고 불로 들어간다.

세 살 적 버릇이 여든까지 간다 어릴 때에 몸에 밴 버릇은 늙어도 고치기 힘들다는 말.

소경 기름 값 내기 일의 속도 모르고 남이 하는 대로 따라 한다는 말.
소경 단청 구경 내용을 분별할 줄도 모르면서 사물을 본다는 말.
소경이 개천을 나무란다 제 잘못은 모르고 남만 탓한다는 말.
소경 제 닭 잡아먹기 횡재라고 좋아한 일이 결국은 자기에게 손해가 됨을 이르거나 또는 아무런 이익도 손해도 없음을 이르는 말.
소금 먹은 놈이 물을 켠다 죄지은 사람이 벌을 받는다는 말.
소 닭 보듯 닭 소 보듯 아무 관심이 없이 보는 둥 마는 둥 함을 이르는 말.
소문난 잔치에 먹을 것 없다 소문과 실제는 일치하지 않는다는 말.
소 잃고 외양간 고친다 이미 일을 그르친 뒤에는 손질하거나 뉘우쳐도 소용이 없다는 말. ㉥ 도둑맞고 사립문 고친다.
솔개도 오래면 꿩을 잡는다 재주가 없는 사람이라도 오래되면 무엇을 할 줄 알게 된다는 말.
송곳도 끝부터 들어간다 무슨 일이든 순서가 있다는 말.
송곳 박을 땅도 없다 ㉠어떤 곳이 대만원이라는 말. ㉡자기 소유의 땅이 조금도 없다는 말.
쇠귀에 경 읽기 아무리 가르치고 일러 주어도 알아듣지 못함을 이르는 말.
쇠꼬리보다 닭 대가리가 낫다 크고 훌륭한 것이 모인 가운데에서 말석을 차지하여 대접을 못 받는 것보다, 작고 좋지 않은 것 가운데에서 가장 먼저 대접을 받음이 낫다는 말.
쇠뿔도 단김에 빼랬다 어떤 일을 하려고 생각하였으면 망설이지 말고 곧 행동으로 옮기라는 말.
쇠죽가마에 달걀 삶아 먹을라 ㉠아이를 훈계한다는 것이 도리어 나쁜 방법을 가르칠 때에 이르는 말. ㉡일을 적합하지 아니하게 거창히 함을 보고 이르는 말.
수박 겉 핥기 내용이나 참뜻을 모르면서 일을 함을 이르는 말.
수염이 대 자라도 먹어야 양반이다 배가 불러야만 체면도 차릴 수 있다는 뜻으로, 먹는 것이 중요하다는 말. ㉥ 나룻이 석 자라도 먹어야 샌님.
숭어가 뛰니까 망둥이도 뛴다 자기의 못난 능력이나 자격을 생각하지 않고 어리석게도 잘난 남이 하는 대로 한다는 말.
숯이 검정 나무란다 '똥 묻은 개가 겨 묻은 개 나무란다'와 같은 뜻.
시꺼먼 도둑놈 매우 음흉한 사람을 이르는 말.
시어머니 미워서 개 옆구리 찬다 웃어른에게 꾸지람을 듣고, 화풀이는 다른 곳에다 함을 비유하는 말.
시작이 반이라 무슨 일이든 시작이 어렵지, 시작만 하면 그 일은 반쯤 성공한 셈이니 뒷일은 순조롭게 이루어질 수 있다는 말.
시장이 반찬이다 배가 고프면 무엇이든지 다 맛이 있다는 말.
시집도 가기 전에 기저귀 마련한다 일을 너무 일찍 서두름을 이르는 말.
신선놀음에 도낏자루 썩는 줄 모른다 아주 재미있는 일에 정신이 팔려 시간 가는 줄 모른다는 말.

심은 대로 거둔다 모든 일은 그 원인에 따라 일정한 결과가 그대로 나타난다는 말.

십년공부 나무아미타불/십년공부 도로 아미타불 오래 공들인 일이 허사가 됨을 이르는 말.

십 년이면 강산도 변한다 십 년이라는 세월이 지나는 동안에는 세상에 변하지 않는 것이 없이 다 변한다는 말.

쏘아 놓은 살이요 엎지른 물이다 한번 저지른 일을 중지하거나 다시 고칠 수 없을 때 이르는 말.

아는 길도 물어 가랬다 아무리 쉬운 일이라도 소홀히 하지 말고 물어 가며 신중히 하라는 말.

아니 땐 굴뚝에 연기 날까 어떤 결과이든 반드시 원인이 있다는 말.

아닌 밤중에 홍두깨 예고도 없이 별안간 뜻밖의 일이 생겼을 때 하는 말. ㊊어두운 밤중에 홍두깨 내밀듯.

아무리 바빠도 바늘허리 매어 쓰지 못한다 일에는 다 앞뒤와 순서가 있으니, 아무리 급하더라도 격식을 어기지 말라는 말.

안되면 조상 탓 '잘되면 제 탓, 못되면 조상 탓' 과 같은 뜻. ㊊안되면 산소 탓.

앉아 주고 서서 받는다 일단 돈을 꾸어 주면 그것을 돌려받기는 매우 어렵다는 말. ㊊앉아 준 돈 서서도 못 받는다.

앉은 자리에 풀도 안 나겠다 사람이 너무 깔끔하고 매서울 만큼 냉정하다는 말.

약방에 감초 어떤 일에나 빠짐없이 끼는 사람이나 물건을 이르는 말. ㊊탕약에 감초 빠질까.

얕은 내도 깊게 건너라 깊은 내를 건너듯 모든 일을 조심해서 하라는 말.

어느 장단에 춤추랴 참견하는 사람이 많아 어느 쪽 말을 좇아야 할지 모르겠다는 말.

어두운 밤중에 홍두깨 내밀듯 '아닌 밤중에 홍두깨' 와 같은 뜻.

어르고 뺨 치기 위하는 척하면서 은근히 남을 해롭게 한다는 말.

어물전 망신은 꼴뚜기가 시킨다 못난 사람일수록 동료를 망신시킨다는 말.

업은 아기 삼 년 찾는다 가까운 데에 있는 것을 모르고 다른 곳에 가서 찾는다는 말.

엉덩이에 뿔이 났다 아직 어린 사람이 남의 옳은 가르침을 따르지 않고 엇나갈 때 이르는 말.

엎드러지면 코 닿을 데 거리가 매우 가깝다는 말.

엎드려 절 받기 상대방은 할 생각도 없는데 자기 스스로 요구하거나 알려 줌으로써 대접을 받는다는 말. ㊊옆찔러 절 받기.

에 헤 다르고 애 해 다르다 그 말씨에 따라 상대편에게 주는 느낌이 다르다는 말.

열 길 물속은 알아도 한 길 사람의 속은 모른다 사람의 속마음을 알아내기란 어렵다는 말.

열 번 찍어 아니 넘어가는 나무 없다 아무리 뜻이 굳은 사람일지라도 여러 번 권하거나 꾀고 달래면 결국은 마음이 변한다는 말.

열 손가락 깨물어 안 아픈 손가락이 없다 아무리 못난 자식이라도 부모에게는 한결같이 소중한 자식이라는 말.

염불에는 맘이 없고 잿밥에만 맘이 있다 맡은 일에는 정성을 들이지 않고 자기 욕망을 채우기 위해 다른 데에만 마음을 쓴다는 말.

엎찔러 절 받기 '엎드려 절 받기'와 같은 뜻.

오뉴월 감기는 개도 안 걸린다 여름에 감기 앓는 사람을 조롱하는 말.

오뉴월 겻불도 쬐다 나면 섭섭하다 당장에는 변변치 않게 생각되는 것도 없어진 뒤에는 아쉽다는 말. ㉥여름 불도 쬐다 나면 섭섭하다.

오는 말이 고와야 가는 말이 곱다 '가는 말이 고와야 오는 말이 곱다'와 같은 뜻.

오는 정이 있어야 가는 정이 있다 ㉠누구나 잘해 주면 그쪽에서도 그만큼 잘한다는 말. ㉡남이 저를 생각해 주어야 저도 남을 생각하게 된다는 말.

오르지 못할 나무는 쳐다보지도 마라 불가능한 일은 처음부터 단념하고 바라지도 말라는 말.

오이는 씨가 있어도 도둑은 씨가 없다 도둑질은 내림으로 하는 것이 아니라는 뜻으로, 마음을 잘못 먹으면 누구나 도둑이 될 수 있다는 말.

옥에도 티가 있다 아무리 훌륭한 사람이나 좋은 물건이라 하더라도 작은 결점은 있다는 말.

옷이 날개다 옷이 좋으면 인물이 한층 더 훌륭하게 보인다는 말.

외상이면 소도 잡아먹는다 맞돈을 내지 않는다면 무엇이든지 한다는 말.

우물 안 개구리 ㉠넓은 세상의 형편을 모른다는 말. ㉡소견이 좁아 자기만 잘난 줄 아는 사람을 이르는 말. ㉥댓구멍으로 하늘을 본다.

우물에 가 숭늉 찾는다 일의 순서도 모르고 성급히 덤빈다는 뜻. ㉥콩밭에 가서 두부 찾는다.

우물을 파도 한 우물을 파라 한 가지 일만을 꾸준히 하여야 성공할 수 있다는 말.

우선 먹기는 곶감이 달다 나중에는 어떻게 되든지 당장은 좋은 편을 취한다는 뜻. ㉥당장 먹기엔 곶감이 달다.

울며 겨자 먹기 싫은 일을 억지로 마지못하여 하는 경우를 이르는 말.

울지 않는 아이 젖 주랴 보채고 조르고 해야 얻기가 쉽다는 뜻으로, 누구든지 요구해야만 얻을 수 있다는 말. ㉥보채는 아이 밥 한 술 더 준다.

웃는 낯에 침 뱉으랴 좋은 낯으로 대하는 사람에게는 나쁘게 대할 수 없다는 말. 비 웃는 낯에 침 못 뱉는다.

원님 덕에 나팔이라 남의 덕으로 분에 넘치는 좋은 대접을 받게 되었다는 말. 비 사또 덕분에 나팔 분다. 감사 덕분에 비장 나리 호사한다.

원수는 외나무다리에서 만난다 남에게 악한 일을 하면 그 죄에 대한 대가를 받을 때가 반드시 온다는 말.

원숭이도 나무에서 떨어진다 아무리 능숙한 사람도 이따금 실수할 경우가 있다는 말. 비 헤엄 잘 치는 놈 물에 빠져 죽고, 나무에잘 오르는 놈 나무에서 떨어져 죽는다.

윗물이 맑아야 아랫물이 맑다 윗사람이 잘하면 아랫사람도 따라서 잘하게 된다는말.

음지도 양지 된다 운이 나쁜 사람도 좋은 운을 만날 때가 있다는 말.

이마를 찔러도 피 한 방울 안 나겠다 몹시 인색한 사람을 가리키는 말.

이 아픈 날 콩밥 한다 어려운 처지에 있는데 다시 또 불행한 일이 겹쳐 생긴다는 말.

이 없으면 잇몸으로 산다 요긴한 것이 빠져 불편하기는 하더라도 없으면 없는 대로 그럭저럭 살아간다는 말.

익은 밥 먹고 선소리한다 사리에 맞지 않는 말을 하는 사람을 핀잔주는 말.

임도 보고 뽕도 딴다 좋은 일을 한꺼번에 겸하여 한다는 말.

입은 거지는 얻어먹어도 벗은 거지는 못 얻어먹는다 사람이 옷차림새가 말쑥해야 남에게 대우를 받을 수 있다는 말.

입은 비뚤어져도 말은 바로 해라 언제든지 말을 정직하게 해야 한다는 말.

잉엇국 먹고 용트림한다 '미꾸라짓국 먹고 용트림한다' 와 같은 뜻.

자라 보고 놀란 가슴 소댕 보고 놀란다 어떤 사물에 한번 놀란 사람은 그와 비슷한 사물만 보아도 겁을 낸다는 말. 비 더위 먹은 소 달만 보아도 헐떡인다.

자랄 나무는 떡잎부터 알아본다 '될성부른 나무는 떡잎부터 알아본다' 와 같은 뜻.

자빠져도 코가 깨진다 일이 잘 풀리지 않으려니까 뜻밖에 큰 탈이 생긴다는 말.

작은 고추가 더 맵다 몸집이 작은 사람이 큰 사람보다 도리어 단단하고 재주가 뛰어남을 비유한 말.

잔고기 가시 세다 몸은 작게 생겼어도 속은 야무지고 기운차다는 말.

잔디밭에서 바늘 찾기 ㉠찾아내기가 매우 어렵다는 말. ㉡아무리 애써 보아야 헛수고로 돌아갈 일을 이르는 말.

잘되면 제 탓, 못되면 조상 탓 일의 실패에 대한 책임을 남에게 지우려 든다는 말. 비 안되면 조상〔산소〕 탓.

잠결에 남의 다리 긁는다 '남의 다리 긁는다' 와 같은 뜻.

잠을 자야 꿈을 꾸지 '산에 가야 범을 잡는다' 와 같은 뜻.

장독보다 장맛이 좋다 '뚝배기보다 장맛이 좋다' 와 같은 뜻.

장사 나면 용마 난다 무슨 일이든지 잘되려면 좋은 기회가 저절로 생긴다는 말.

저승길이 대문 밖이다 죽음이 나와 상관없는 먼 곳의 일인 듯하지만 실상은 언제 어디서 어떻게 죽을지 모른다는 말.

절에 가면 중인 체, 촌에 가면 속인인 체 장소에 따라 지조와 태도를 바꾼다는 말.

절에 간 색시 ㉠남이 시키는 대로만 따라 하는 사람을 이르는 말. ㉡아무리 싫어도 남이 시키는 대로 따라 하지 않을 수 없는 처지에 있는 사람을 이르는 말.

절이 망하려니까 새우젓 장수가 들어온다 일이 어그러지려니까 뜻밖의 괴상한 일들이 생긴다는 말.

점잖은 개가 부뚜막에 오른다 ㉠겉으로는 점잖은 체하는 사람이 엉뚱한 짓을 한다는 말. ㉡자기가 생각하던 바와 달리 좋지 않은 행실을 하는 것을 볼 때 이르는 말.

젖 먹던 힘이 다 든다 무슨 일이 몹시 힘듦을 이르는 말.

제 꾀에 제가 넘어간다 남을 속이려다가 도리어 자기가 남에게 속게 됨을 이르는 말.

제 낯에 침 뱉기 자기가 자기를 모욕하는 결과가 됨을 이르는 말.

제 똥 구린 줄 모른다 자기의 잘못을 깨닫지 못함을 이르는 말.

제 발등을 제가 찍는다 '도끼로 제 발등 찍는다' 와 같은 뜻.

제 발등의 불을 먼저 끄랬다 남의 일에 간섭하지 말고 자기의 급한 일을 먼저 살피라는 말.

제 버릇 개 줄까 한번 든 나쁜 버릇은 여간해서 고치기 어렵다는 말.

제비는 작아도 강남 간다 모양은 비록 작아도 자기 할 일은 다 한다는 말.

제집 개에게 발뒤꿈치 물린 셈 자기에게 신세진 사람으로부터 도리어 해를 입었다는 말.

제 흉 열 가지 가진 놈이 남의 흉 한 가지를 본다 많은 결점을 가진 사람이 다른 사람의 한 가지 결점을 들어 나쁘게 말함을 이르는 말.

족제비도 낯짝이 있다 염치없는 사람을 나무라는 말.

존대하고 뺨 맞지 않는다 남에게 공손히 하면 욕이 돌아오지 않는다는 말. 비 절하고 뺨 맞는 일 없다.

종로에서 뺨 맞고 한강에 가서 눈 흘긴다 ㉠뺨 맞은 자리에서는 아무 말도 못하고 뒤에 가서 불평한다는 말. ㉡화가 나는 것을 애매하게 다른 곳으로 옮긴다는 말.

죄는 지은 데로 가고 덕은 닦은 데로 간다 죄지은 사람은 벌을 받고 덕을 닦은 사람은 복을 받는다는 말.

주머닛돈이 쌈짓돈 아내 돈이나 남편 돈은 한집안 식구의 것이므로 그 돈이 그 돈이니 결국 마찬가지라는 말. ⓑ중 양식이 절 양식.

죽어 석 잔 술이 살아 한 잔 술만 못하다 죽은 후에 정성을 다하여도 소용없으니 살아 있을 때 정성을 다하라는 말.

죽은 자식 나이 세기 이왕 그릇된 일에 애착을 가지고 못 잊어 하여도 소용없다는 말.

죽은 정승이 산 개만 못하다 죽으면 생전의 모든 부귀영화가 다 소용없다는 말.

죽이 끓는지 밥이 끓는지 모른다 일이 어떻게 되어 가는지 도무지 모른다는 말.

중이 고기 맛을 알면 절에 빈대가 안 남는다 무슨 좋은 일에 한번 빠지면 그것에 정신을 잃고 덤빈다는 말.

중이 제 머리를 못 깎는다 아무리 긴한 일이라도 제 손으로 못하고 남의 손을 빌려야만 이루어지는 일을 가리킴.

쥐구멍에도 볕 들 날이 있다 고생만 하는 사람도 언젠가는 운수가 틔어 좋은 시기를 만날 때가 있다는 말.

쥐면 꺼질까 불면 날까 매우 소중히 여기는 모양을 이르는 말.

지게를 지고 제사를 지내도 제멋이다 '도포 입고 논을 갈아도 제멋이다'와 같은 뜻.

지렁이도 밟으면 꿈틀한다 아무리 순하고 보잘것없는 사람이라도 너무 업신여기면 반항한다는 말.

지성이면 감천이다 정성이 지극하면 하늘도 감동하여 아주 어려운 일도 잘 풀려서 좋은 결과를 얻을 수 있다는 말.

지키는 사람 열이 도둑 하나를 못 당한다 아무리 조심해도 불시에 생기는 불행은 막기 어렵다는 말.

진날 나막신 찾듯 평소에는 돌아보지 않다가 아쉬운 일이 생기자 갑자기 찾음을 비유한 말.

집에서 새는 바가지 들에 가도 샌다 천성이 나쁜 사람은 어디를 간다고 해서 그 성품이 고쳐지지 않는다는 말.

짚신감발에 사립 쓰고 간다 어울리지 않고 어색하여 보기가 흉한 경우를 이르는 말.

쭈그렁밤송이 삼 년 간다 아주 약한 사람이 얼마 못 살 것 같아도 오히려 생각보다 오래 살 수 있다는 말.

참빗으로 훑듯 남김없이 샅샅이 뒤져냄을 가리키는 말.

참새가 방앗간을 그저 지나랴 ㉠욕심 많은 사람이 잇속 있는 일을 보고 지나쳐 버리지 못한다는 말. ㉡자기가 즐기는 것을 그대로 보고만 지나칠 까닭이 없다는 말.

참새가 죽어도 짹 한다 아무리 약한 것이라도 너무 괴롭히면 대항한다는 말.
참을 인 자 셋이면 살인도 피한다 아무리 어려운 일이나 분한 일이라도 꾹 참고 대처해 나가면 해내지 못할 것이 없다는 말.
천 냥 빚도 말로 갚는다 '말 한마디에 천 냥 빚도 갚는다' 와 같은 뜻.
천 리 길도 한 걸음부터 무슨 일이든지 그 일의 시작이 중요하다는 말.
첫술에 배부르랴 '한술 밥에 배부르랴' 와 같은뜻.
초년고생은 사서도 한다 젊어서 고생을 하면 늙어서 낙이 올 것이니 그 고생을 달게 여기라는 말.
초가삼간 다 타도 빈대 죽는 것만 시원하다 큰 손해를 보더라도 제 마음에 들지 않는 것이 없어지는 것만 상쾌하다는 말.
침 뱉은 우물물 다시 먹는다 다시는 안 볼 듯이 야박스럽게 행동하여도 후에 아쉬운 일이 생겨 다시 청하게 된다는 말.

칼로 물 베기 다투어도 이내 풀려 두 사람이 다시 사이좋게 지낸다는 말.
칼 물고 뜀뛰기 위태한 일을 주저함이 없이 행함을 일컫는 말. ㊇칼 놓고 뜀뛰기. 칼 짚고 뜀뛰기.
콩밭에 가서 두부 찾는다 '우물에 가 숭늉 찾는다' 와 같은 뜻.
콩 심은 데 콩 나고, 팥 심은 데 팥 난다 원인에 따라 결과가 생긴다는 말.
콩으로 메주를 쑨다 하여도 곧이듣지 않는다 남의 말을 그대로 믿지 않는다는 뜻이니, 거짓말을 잘하여 신용할 수 없다는 말. ㊀팥으로 메주를 쑨대도 곧이듣는다.
콩을 팥이라 해도 곧이듣는다 '팥으로 메주를 쑨대도 곧이듣는다' 와 같은 뜻.
콩이야 팥이야 한다 서로 비슷한 것을 구별하려고 따지며 시비를 한다는 말.
큰 방죽도 개미구멍으로 무너진다 ㉠매우 적은 힘으로 큰 일을 이루었다는 말. ㉡조그마한 일이라고 얕보다가는 그것 때문에 장차 큰 피해를 입을 수 있다는 말.
큰 북에서 큰 소리 난다 ㉠크고 훌륭한 데에서라야 무엇이든 좋은 것이 생길 수 있다는 말. ㉡도량이 커야 훌륭한 일을 한다는 말.

탕약에 감초 빠질까 '약방에 감초' 와 같은 뜻.
태산을 넘으면 평지를 본다 힘든 고비를 견디고 이겨 내면 다음에는 즐거운 날이 온다는 말.
털끝도 못 건드리게 한다 조금도 손을 대지 못하게 한다는 말.
털도 아니 난 것이 날기부터 하려 한다 못난 사람이 제 분수나 능력에 맞지 않는 일을 하려 한다는 말.

털도 안 뜯고 먹겠다 한다 ㉠몹시 성급하다는 말. ㉡남의 것을 통으로 삼키려 한다는 말.
털어서 먼지 안 나는 사람 없다 사람은 누구나 조그만 허물은 가지고 있다는 말.
티끌 모아 태산 아무리 작은 것이라도 모이면 큰 것이 된다는 말.

팔이 안으로 굽지 밖으로 굽나 사람은 조금이라도 자기와 가까운 사람에게 정이 쏠린다는 말.
팥으로 메주를 쑨대도 곧이듣는다 메주는 콩으로 쑤는 것인데 팥으로 쑨다 해도 곧이듣는다는 뜻으로, 남의 말을 지나치게 잘 믿는다는 말. 비콩을 팥이라 해도 곧이듣는다. 팥을 콩이라 해도 곧이듣는다. 반콩으로 메주를 쑨다 하여도 곧이듣지 않는다.
패는 곡식 이삭 뽑기 매우 심술이 사나움을 이르는 말.
평양 감사도 저 싫으면 그만이다 아무리 좋은 일이라도 저 하기 싫으면 억지로 시킬 수 없다는 말.
품 안의 자식 자식이 어릴 때는 부모를 따르나 자라면 부모로부터 멀어진다는 말.
피는 물보다 진하다 혈연으로 맺어진 관계가 정이 깊다는 말.
핑계 없는 무덤이 없다 무슨 일에라도 반드시 핑계가 있다는 말.

하나만 알고 둘은 모른다 도무지 융통성이 없고 미련함을 이르는 말.
하나를 보면 열을 안다 한 부분을 보면 전체를 미루어 알 수 있다는 말.
하늘의 별 따기 일을 이루기가 매우 어려움을 이르는 말.
하늘이 무너져도 솟아날 구멍이 있다 아무리 어려운 경우에 부닥쳐도 살아날 길은 생긴다는 말.
하룻강아지 범 무서운 줄 모른다 철없이 함부로 덤비는 것을 가리키는 말.
한강에 돌 던지기 지나치게 미미하여 전혀 효과가 없음을 이르는 말.
한 귀로 듣고 한 귀로 흘린다 남의 말을 귀담아듣지 않는다는 말.
한 번 실수는 병가의 상사 한 번쯤의 실수는 누구에게나 다 있는 것이니 크게 탓할 것이 아니라는 말.
한술 밥에 배부르랴 ㉠무슨 일이든 처음 시작한 일에 큰 효과를 얻을 수는 없다는 말. ㉡힘을 조금 들이고 많은 효과를 바랄 수는 없다는 말. 비첫술에 배부르랴.
헌 짚신도 짝이 있다 아무리 못나고 가난한 사람이라도 배필이 있다는 뜻.
헤엄 잘 치는 놈 물에 빠져 죽고, 나무에 잘 오르는 놈 나무에서 떨어져 죽는다 '원숭이도 나무에서 떨어진다'와 같은 뜻.
형만 한 아우 없다 모든 일을 처리하는 데 있어서 역시 형이 아우보다 낫다는 말.

호랑이 굴에 가야 호랑이 새끼를 잡는다 '산에 가야 범을 잡는다' 와 같은 뜻.

호랑이는 죽어서 가죽을 남기고 사람은 죽어서 이름을 남긴다 사람은 살아생전에 훌륭한 일을 하여 후세에 빛나는 이름을 남겨야 한다는 말.

호랑이도 제 말 하면 온다 ㉠그 자리에 없다고 하여 남의 흉을 함부로 보지 말라는 말. ㉡마침 이야기에 오르고 있는 사람이 바로 그때에 그 자리에 나타났음을 이르는 말. 비 범도 제 말 하면 온다.

호랑이에게 물려 가도 정신만 차리면 산다 아무리 위급한 경우를 당하더라도 정신을 똑바로 차리고 있으면 위기를 벗어날 수 있다는 말.

호박씨 까서 한입에 넣는다 애써서 푼푼이 모은 것을 한꺼번에 털어 없앤다는 말.

호박이 넝쿨째 굴러 떨어졌다 뜻밖에 좋은 물건을 얻거나 좋은 수가 생겼을 때 하는 말. 비 호박이 굴렀다.

혹 떼러 갔다가 혹 붙여 온다 이득을 얻으러 갔다가 도리어 해를 당하게 되었다는 말.

화약을 지고 불로 들어간다 '섶을 지고 불로 들어간다' 와 같은 뜻.

흥정은 붙이고 싸움은 말리랬다 좋은 일은 권하고 나쁜 일은 말려야 한다는 말.

한자의 필순

하나의 한자를 다 쓸 때까지의 바른 순서를 필순 또는 획순이라고 한다. 한자의 필순은 오랫동안 연구되어 오늘날까지 전해 내려온 것이므로, 그에 따라 쓸 때 글자 모양이 바르고, 빨리 쓸 수 있으며 또 쓰기에도 편하고 능률적이다. 각 한자마다 일정한 필순이 정해져 있지만 어떤 것은 두 가지 이상인 것도 있다. 여기서는 일반적인 원칙을 중심으로 설명하기로 한다.

1. 위에서 아래로 써 내려간다.

三…一 二 三
言…亠 言 言

2. 왼쪽에서 오른쪽으로 써 나간다.

川…丿 川 川
例…亻 仴 例

3. 가로획을 먼저 쓴다.

가로획과 세로획이 교차할 때에는 일반적으로 가로획을 먼저 쓴다.

㈎ 가로획 → 세로획의 순서

十…一 十
土…一 十 土

㈏ 가로획 → 세로획 → 세로획의 순서

共…一 廾 丗 共
無…𠂉 𠂉 無 無

주의 '無'에는 두 가지의 필순이 있다.

① 𠂉 𠂉 無 無 無 〈필기식〉
② 𠂉 𠂉 𠂉 無 無 〈서예식〉

㈐ 가로획 → 가로획 → 세로획의 순서

用…⺆ 月 用
未…二 丰 未
夫…二 夫 夫
春…一 二 三 夫 春

㈑ 가로획 → 가로획 → 세로획 → 세로획의 순서

井…一 二 井 井

4. 가운데를 먼저 쓴다.

글자의 모양이 좌우 대칭으로 되어 있을 때는 가운데를 먼저 쓴다.

小…亅 小 小
水…亅 水 水

樂…白 绅 𢆶 樂
承…了 手 承 承
業…" 丵 业 業
赤…土 方 亦 赤

주의 가운데를 나중에 쓰는 것
火…丶 丷 火
性…忄 忄 性

5. 바깥쪽을 먼저 쓴다.

에워싸는 꼴을 취하는 것은 바깥 둘레를 안보다 먼저 쓴다.
同…丨 冂 冂 同
內…冂 内 內
風…丿 几 風
國…丨 冂 國 國
間…𠃍 門 門 間

주의 다음 글자는 위와 다른 경우이다.
區…一 㠯 品 區
匹…一 兀 匹
巨…一 匚 巨
可…一 叾 可

6. 왼쪽 삐침을 먼저 쓴다.

㈎ 왼쪽 삐침과 오른쪽 삐침이 만나는 경우
文…亠 ナ 文
父…八 ク 父

㈏ 만나지 않을 때도 왼쪽 삐침을 먼저 쓴다.
人…丿 人
入…丿 入
欠…𠂉 ケ 欠
金…丿 𠆢 金

주의 '必'은 두 가지 필순이 있다.
① 丶 丿 乄 必 必
② 丿 乄 乄 必 必
본디 '必'은 '弋'와 '八'이 합쳐서 된 글자인데, 서체로는 마치 '心'에 '丿'을 더한 것처럼 보여 '心丿'의 필순으로 쓰지만 ①의 필순이 가장 좋은 필순이다.

7. 가로획과 왼쪽 삐침이 있는 경우.

㈎ 가로획이 길고 왼쪽 삐침이 짧은 글자는 왼쪽 삐침을 먼저 쓴다.
右…丿 𠂇 右
有…丿 𠂇 有

希…ノ 乄 𠂊 产 希

(나) 가로획이 짧고 왼쪽 삐침이 긴 글자는 가로획을 먼저 쓴다.

左…一 ナ 左
友…一 ナ 友
存…一 ナ 𠂉 存
在…一 ナ 在

참고 '右'와 '左'는 본디의 글자 모양이 다르기 때문에 가로획과 삐침의 차례가 달라진 것이다.

① 右… 
② 左… 

다만, '希'는 글자 모양에 관계없이 '右'의 필순을 따르며, '左'의 필순을 따르는 것에는 '友'·'存'·'在'가 있다.

주의 먼저 쓰는 왼쪽 삐침

九…丿 九
及…丿 乃 及

주의 나중에 쓰는 왼쪽 삐침

力…𠃌 力
方…亠 亡 方

8. 좌우로 꿰뚫은 획은 맨 나중에 쓴다.

글자 전체를 가로 꿰뚫은 경우

女…㇛ 女 女
母…𠃊 口 母 母
子…乛 了 子
舟…冂 冃 舟

주의 예외인 경우

世…一 卄 廿 世

9. 아래위로 꿰뚫린 획은 맨 나중에 쓴다.

(가) 글자 전체를 꿰뚫은 경우

中…口 中(半 申)
車…一 百 亘 車
事…一 ㇐ 䨻 事

(나) 위나 아래가 막힌 경우

手…三 手
平…一 丌 㕣 平
妻…⺕ 事 妻

주의 원칙적으로는 아래가 막힌 세로획은 먼저 쓴다.

虫…口 中 虫

(다) 아래위가 모두 막힌 세로획은 윗부분·세로획·아랫부분의 차례로 쓴다. 따라서 맨 밑의 가로획을 맨 나중에 쓴다.

里…旦 甲 里
重…亠 亩 重 重

10. 오른쪽 어깨의 '丶'은 맨 나중에 찍는다.

犬…一 大 犬
伐…代 伐 伐

11. '走·免·是'는 맨 먼저 쓴다.

起…土 丰 丰 走 起
勉…⺈ 名 免 免 勉
題…日 旦 早 早 是 題

12. '辶·廴·乚'는 맨 나중에 쓴다.

近…厂 斤 斤 近
建…⺕ ⺕ 聿 聿 建
直…一 十 冇 直 直

13. 특히 주의해야 할 필순

止…丨 卜 止
正…一 丁 下 疋 正
足…口 口 早 足 足
武…二 亍 亍 正 武 武
上…丨 卜 上
店…亠 广 庐 庐 店
耳…一 丅 正 耳
發…フ ヲ ヺ 癶 癶 癹 發
祭…夕 夕 夕 夕 祭
感…丿 厂 后 咸 咸 咸 感
盛…丿 厂 戶 成 盛
興…亻 佢 佣 佣 興

주의 '止·耳·感·興' 등은 보통 두 가지의 필순이 있으나 ①이 좋은 필순이다.

止 ① 丨 卜 止
止 ② 丨 卜 止

耳 ① 丅 正 耳
耳 ② 丌 耳 耳

感 ① 后 咸 感
感 ② 后 咸 感

興 ① 佢 佣 佣 興
興 ② 佢 佣 佣 興

14. 특수한 자형의 필순의 보기

凸…丨 ㅣ ㅛ 凸 凸 (5획)
凹…丨 ㄴ 凹 凹 凹 (5획)
亞…一 丅 亓 亞 亞 亞 亞 亞 (8획)

1. 표제자 수록 내용

2000년 12월 30일 교육부에서 새로 조정하여 공표한 '한문 교육용 기초 한자' 1,800자 가운데 중학교용 900자를 수록하였다.

2. 표제자 차례

표제 한자는 가나다순으로 배열하였다.

3. 표제자의 설명

부수 · 표제 한자 · 총획 · 한자의 음 · 한자의 뜻 · 용례

【學】子 16 배울 **학** / 학문 **학** | 學生(학생). 學識(학식).

(가)

【佳】人 8 아름다울 **가** / 좋을 **가** | 佳人(가인). 佳作(가작).

【假】人 11 거짓 **가** / 가령 **가** | 假名(가명). 假令(가령).

【價】人 15 값 **가** | 價値(가치). 價格(가격). 評價(평가).

【加】力 5 더할 **가** / 들 **가** | 加重(가중). 加入(가입).

【可】口 5 옳을 **가** / 가히 **가** | 不可(불가). 可能(가능).

【家】宀 10 집 **가** / 전문가 **가** | 家門(가문). 家屋(가옥). 作家(작가).

【歌】欠 14 노래 **가** / 노래할 **가** | 歌曲(가곡). 歌舞(가무). 歌手(가수).

【街】行 12 거리 **가** | 街道(가도). 街路(가로). 商街(상가).

(각)

【各】口 6 각각 **각** | 各各(각각). 各自(각자). 各地(각지).

【脚】肉 11 다리 **각** | 脚氣(각기). 三脚(삼각).

【角】角 7 뿔 **각** / 모 **각** | 牛角(우각). 直角(직각). 角度(각도).

간

【干】 干 3 방패 간 / 천간 간 | 干城(간성). 干支(간지).

【看】 目 9 볼 간 / 지킬 간 | 看病(간병). 看守(간수).

【間】 門 12 사이 간 | 時間(시간). 間隔(간격).

갈

【渴】 水 12 목마를 갈 / 마를 갈 | 渴望(갈망). 枯渴(고갈).

감

【感】 心 13 감동할 감 / 느낄 감 | 感動(감동). 感覺(감각).

【敢】 攴 12 굳셀 감 / 감히 감 | 勇敢(용감). 敢行(감행).

【減】 水 12 덜 감 | 減少(감소). 減員(감원).

【甘】 甘 5 달 감 | 甘言(감언). 甘酒(감주). 甘受(감수).

갑

【甲】 田 5 첫째천간 갑 / 갑옷 갑 | 回甲(회갑). 鐵甲(철갑).

강

【康】 广 11 편안할 강 | 康寧(강녕). 健康(건강).

【強】 弓 11 강할 강 / 강요할 강 | 強力(강력). 強制(강제).

【江】 水 6 강 강 | 長江(장강). 江南(강남). 江山(강산).

【講】 言 17 풀이할 강 | 講義(강의). 受講(수강).

【降】 阜 9 내릴 강 / 항복할 항 | 降雨(강우). 降伏(항복).

개

【個】 人 10 낱 개 | 個別(개별). 個性(개성). 個人(개인).

【改】 攴 7 고칠 개 | 改革(개혁). 改宗(개종).

【皆】 白 9 다 개 | 皆勤賞(개근상). 皆旣日蝕(개기일식).

【開】 門 12 열 개 / 깨우칠 개 | 開館(개관). 開放(개방). 開化(개화).

객

【客】 宀 9 손 객 | 旅行客(여행객). 客室(객실). 過客(과객).

갱

【更】 日 7 다시 갱 / 고칠 경 | 更生(갱생). 更新(경신).

거

【去】 厶 5 갈 거 / 버릴 거 | 過去(과거). 去勢(거세).

【居】 尸 8 살 거 | 居室(거실). 住居(주거).

【巨】 工 5 클 거 / 많을 거 | 巨物(거물). 巨金(거금).

【拒】 手 8 막을 거 | 拒否(거부). 拒絕(거절).

【擧】手 18 들 **거** / 모두 **거** | 擧手(거수). 擧國(거국).

【車】車 7 수레 **거** / 수레 **차** | 人力車(인력거). 馬車(마차). 車輛(차량).

건

【乾】乙 11 하늘 **건** / 마를 **건** | 乾坤(건곤). 乾燥(건조).

【建】廴 9 세울 **건** | 建國(건국). 建設(건설). 建立(건립).

견

【堅】土 11 굳을 **견** | 堅固(견고). 堅實(견실).

【犬】犬 4 개 **견** | 犬公(견공). 愛犬(애견).

【見】見 7 볼 **견** | 見學(견학). 會見(회견). 意見(의견).

결

【決】水 7 결정할 **결** | 決斷(결단). 決心(결심). 決定(결정).

【潔】水 15 깨끗할 **결** | 潔白(결백). 清潔(청결).

【結】糸 12 맺을 **결** | 結實(결실). 結論(결론). 結合(결합).

경

【京】亠 8 서울 **경** | 京城(경성). 京鄕(경향). 入京(입경).

【庚】广 8 일곱째천간 **경** | 庚辰(경진). 庚時(경시).

【慶】心 15 경사 **경** | 慶弔(경조). 慶事(경사). 慶賀(경하). 慶祝(경축).

【敬】攴 13 공경 **경** / 삼갈 **경** | 敬愛(경애). 敬聽(경청).

【景】日 12 빛 **경**·경치 **경** / 그림자 **영** | 風景(풍경). 景象(영상).

【競】立 20 다툴 **경** | 競技(경기). 競馬(경마). 競爭心(경쟁심).

【經】糸 13 날 **경**·책 **경** / 지날 **경** | 經度(경도). 經書(경서). 經過(경과).

【耕】耒 10 갈 **경** | 耕作(경작). 耕地(경지). 農耕(농경).

【輕】車 14 가벼울 **경** / 가벼이여길 **경** | 輕減(경감). 輕視(경시).

【驚】馬 23 놀랄 **경** | 驚異(경이). 驚歎(경탄).

계

【季】子 8 철 **계** | 季刊(계간). 季節(계절).

【溪】水 13 시내 **계** | 溪谷(계곡).

【界】田 9 지경 **계** / 한계 **계** | 境界(경계). 世界(세계).

【癸】癶 9 열째천간 **계** | 癸亥(계해).

【計】言 9 셀 **계** / 꾀할 **계** | 計算(계산). 計劃(계획).

【鷄】鳥 21 닭 **계** | 鷄卵(계란).

고

【古】口 5 예 고 / 묵을 고 | 古代(고대). 古木(고목).

【告】口 7 고할 고 | 告白(고백). 告示(고시). 告知(고지).

【固】口 8 굳을 고 | 固體(고체). 固守(고수). 固執(고집).

【故】攴 9 연고 고 / 죽을 고 | 故人(고인). 故鄕(고향).

【考】老 6 상고할 고 / 시험 고 | 考察(고찰). 考試(고시).

【苦】艸 9 쓸 고 / 괴로울 고 | 甘苦(감고). 苦痛(고통).

【高】高 10 높을 고 | 高地(고지). 高位(고위). 高級(고급).

곡

【曲】曰 6 굽을 곡 / 가락 곡 | 曲線(곡선). 歌曲(가곡).

【穀】禾 15 곡식 곡 | 穀物(곡물). 穀食(곡식).

【谷】谷 7 골짜기 곡 | 山谷(산곡). 谷風(곡풍). 峽谷(협곡).

곤

【困】口 7 곤할 곤 | 困難(곤란). 困境(곤경). 困窮(곤궁).

【坤】土 8 땅 곤 / 곤괘 곤 | 乾坤(건곤).

골

【骨】骨 10 뼈 골 | 骨格(골격). 骨子(골자). 氣骨(기골).

공

【公】八 4 공정할 공 / 공 공 | 公明(공명). 公益(공익). 公正(공정).

【共】八 6 함께 공 | 共通(공통). 共同(공동).

【功】力 5 공로 공 | 功勞(공로). 功臣(공신).

【工】工 3 만들 공 / 장인 공 | 工作(공작). 工匠(공장). 職工(직공).

【空】穴 8 하늘 공 / 빌 공 | 空軍(공군). 空間(공간).

과

【果】木 8 열매 과 / 과연 과 | 果實(과실). 果然(과연).

【科】禾 9 조목 과 / 과거 과 | 科目(과목). 登科(등과).

【課】言 15 과정 과 | 課外(과외). 課程(과정).

【過】辵 13 지날 과 / 잘못 과 | 通過(통과). 過誤(과오).

관

【官】宀 8 벼슬 관 / 관청 관 | 官吏(관리). 名官(명관). 官公署(관공서).

【觀】見 25 볼 관 / 생각 관 | 觀察(관찰). 主觀(주관).

【關】門 19 문빗장 관 / 관계할 관 | 關門(관문). 關係(관계).

광

【光】儿 6 빛 광 | 光明(광명). 光線(광선). 榮光(영광).

【廣】广 15 넓을 광 | 廣大(광대). 廣野(광야). 廣告(광고).

교

【交】亠 6 사귈 교 엇갈릴 교 | 社交(사교). 交叉(교차). 交通(교통).

【教】攴 11 가르칠 교 | 教師(교사). 教授(교수). 教育(교육).

【校】木 10 학교 교 | 學校(학교). 校庭(교정). 母校(모교).

【橋】木 16 다리 교 | 橋脚(교각). 橋梁(교량). 鐵橋(철교).

구

【久】ノ 3 오랠 구 | 永久(영구). 恒久(항구). 長久(장구).

【九】乙 2 아홉 구 | 九年(구년). 九百(구백). 九九段(구구단).

【口】口 3 입 구 어귀 구 | 口腔(구강). 河口(하구).

【句】口 5 구절 구 | 句文(구문). 句節(구절). 詩句(시구).

【救】攴 11 구원할 구 | 救命(구명). 救國(구국). 救助(구조).

【求】水 7 구할 구 빌 구 | 請求(청구). 求乞(구걸).

【究】穴 7 연구할 구 다할 구 | 研究(연구). 究明(구명). 究極(구극).

【舊】臼 18 예 구 오랠 구 | 復舊(복구). 舊家(구가).

국

【國】口 11 나라 국 | 國家(국가). 國民(국민). 愛國(애국).

군

【君】口 7 임금 군 | 君主(군주). 大君(대군). 名君(명군).

【軍】車 9 군사 군 | 軍隊(군대). 軍卒(군졸). 行軍(행군).

【郡】邑 10 고을 군 | 郡民(군민). 郡廳(군청). 郡縣(군현).

궁

【弓】弓 3 활 궁 | 弓手(궁수). 洋弓(양궁).

권

【勸】力 20 권할 권 | 勸業(권업). 勸奬(권장). 勸善懲惡(권선징악).

【卷】卩 8 책 권 | 卷頭(권두). 卷數(권수). 壓卷(압권).

【權】木 22 권세 권 | 權力(권력). 人權(인권). 平等權(평등권).

귀

【歸】止 18 돌아갈 귀 | 歸家(귀가). 復歸(복귀). 回歸(회귀).

【貴】貝 12 귀할 귀 | 貴公子(귀공자). 富貴(부귀). 貴下(귀하).

균

【均】土 7 평평할 균 고를 균 | 平均(평균). 均等(균등). 均一(균일).

극

【極】木 13 지극할 극 | 極端(극단). 極致(극치). 南極(남극).

근

【勤】力 13 부지런할 근 힘쓸 근 | 勤勉(근면). 勤務(근무).

【根】木 10 뿌리 근 근본 근 | 根本(근본). 根源(근원).

【近】辵 8 가까울 근 | 近郊(근교). 遠近(원근). 親近(친근).

금

【今】人 4 이제 금 곧 금 | 古今(고금). 今時(금시).

【禁】示 13 금할 금 | 禁止(금지). 禁斷(금단).

【金】金 8 쇠 금 성 김 | 黃金(황금). 金氏(김씨).

급

【及】又 4 미칠 급 | 普及(보급). 言及(언급). 波及(파급).

【急】心 9 급할 급 서두를 급 | 救急(구급). 性急(성급).

【給】糸 12 줄 급 | 給食(급식). 給與(급여).

기

【其】八 8 그 기 | 其前(기전). 其他(기타). 其間(기간).

【基】土 11 터 기 | 基盤(기반). 基礎(기초).

【己】己 3 몸 기 여섯째천간 기 | 自己(자기). 己未(기미).

【幾】幺 12 빌미 기 몇 기 | 幾微(기미). 幾日(기일).

【技】手 7 재주 기 재능 기 | 技術(기술). 技藝(기예). 妙技(묘기). 特技(특기).

【旣】无 11 이미 기 | 旣決(기결). 旣定(기정).

【期】月 12 때 기 | 期間(기간). 時期(시기).

【氣】气 10 기운 기 | 氣候(기후). 空氣(공기). 精氣(정기).

【記】言 10 적을 기 표 기 | 記錄(기록). 記號(기호).

【起】走 10 일어날 기 | 起立(기립). 起源(기원). 早起(조기).

길

【吉】口 6 길할 길 | 吉夢(길몽). 大吉(대길). 吉凶禍福(길흉화복).

난

【暖】日 13 따뜻할 난 | 暖房(난방). 溫暖(온난).

【難】隹 19 어려울 난 | 難局(난국). 國難(국난). 災難(재난).

남

【南】十 9 남녘 남 | 南道(남도). 南向(남향). 江南(강남).

【男】田 7 사내 남 | 男女(남녀). 美男(미남). 長男(장남).

내

【內】入 4 안 내 | 內面(내면). 內外(내외). 內通(내통).

녀

【女】女 3 계집 녀 | 淑女(숙녀). 長女(장녀).

년

【年】干 6 해 년 | 年度(연도). 今年(금년). 中年(중년).

념

【念】心 8 생각 념 욀 념 | 斷念(단념). 念佛(염불).

노

【怒】心 9 성낼 노 기세 노 | 怒氣(노기). 怒濤(노도).

농

【農】辰 13 농사 농 | 農民(농민). 農業(농업). 富農(부농).

능

【能】肉 10 능할 능 | 才能(재능). 能力(능력). 效能(효능).

다

【多】夕 6 많을 다 | 多數(다수). 過多(과다). 多才多能(다재다능).

단

【丹】丶 4 붉을 단 | 丹砂(단사). 丹青(단청).

【但】人 7 다만 단 | 但書(단서). 非但(비단).

【單】口 12 홑 단 | 單獨(단독). 單色(단색). 單語(단어).

【短】矢 12 짧을 단 | 短歌(단가). 短點(단점). 長短(장단).

【端】立 14 바를 단 끝 단 | 端正(단정). 末端(말단).

달

【達】⻍ 13 통달할 달 | 達觀(달관). 達成(달성). 通達(통달).

담

【談】言 15 이야기 담 | 美談(미담). 談笑(담소). 會談(회담).

답

【答】竹 12 대답할 답 | 回答(회답). 答禮(답례).

당

【堂】土 11 집 당 / 당당할 당 | 講堂(강당). 食堂(식당). 堂堂(당당).

【當】田 13 당할 당 / 마땅할 당 | 堪當(감당). 不當(부당).

대

【代】人 5 대신할 대 / 시대 대 | 代身(대신). 古代(고대).

【大】大 3 클 대 | 大衆(대중). 大事(대사). 重大(중대).

【對】寸 14 마주볼 대 | 反對(반대). 對面(대면).

【待】彳 9 기다릴 대 / 대접할 대 | 待望(대망). 接待(접대).

덕

【德】彳 15 덕 덕 / 복 덕 | 德行(덕행). 恩德(은덕).

도

【刀】刀 2 칼 도 | 短刀(단도). 軍刀(군도).

【到】刀 8 이를 도 | 到着(도착). 周到(주도).

【圖】口 14 그림 도 / 꾀할 도 | 圖面(도면). 企圖(기도).

【島】山 10 섬 도 | 島民(도민). 韓半島(한반도). 落島(낙도).

【度】广 9 법도 도 | 制度(제도). 法度(법도).

【徒】彳 10 다만 도 / 무리 도 | 徒食(도식). 徒黨(도당).

【道】⻍ 13 길 도 / 도리 도 | 道路(도로). 道義(도의).

【都】邑 12 도읍 도 / 모두 도 | 都城(도성). 都合(도합).

독

【獨】犬 16 홀로 독 | 獨學(독학). 孤獨(고독). 單獨(단독).

【讀】言 22 읽을 독 / 구두 두 | 讀書(독서). 讀者(독자). 句讀點(구두점).

동

【冬】冫 5 겨울 동 | 冬服(동복). 冬至(동지). 三冬(삼동).

【動】力 11 움직일 동 | 移動(이동). 動搖(동요). 感動(감동).

【同】口 6 한가지 **동** 같이할 **동** | 同時(동시). 同樂(동락).

【東】木 8 동녘 **동** | 東洋(동양). 東向(동향). 正東(정동).

【洞】水 9 골 **동** 꿰뚫을 **통** | 洞窟(동굴). 洞察(통찰).

【童】立 12 아이 **동** | 童心(동심). 神童(신동). 兒童(아동).

두

【斗】斗 4 말 **두** | 大斗(대두). 北斗七星(북두칠성).

【豆】豆 7 콩 **두** | 豆腐(두부). 豆油(두유).

【頭】頁 16 머리 **두** | 頭骨(두골). 頭腦(두뇌).

득

【得】彳 11 얻을 **득** | 得點(득점). 得男(득남). 利得(이득).

등

【燈】火 16 등잔 **등** | 燈臺(등대). 街路燈(가로등).

【登】癶 12 오를 **등** | 登校(등교). 登山(등산). 登錄(등록).

【等】竹 12 등급 **등** 같을 **등** | 等級(등급). 同等(동등).

락

【樂】木 15 즐길 **락** | 樂園(낙원). 快樂(쾌락).

【落】艸 13 떨어질 **락** 마을 **락** | 落下(낙하). 村落(촌락).

란

【卵】卩 7 알 **란** | 卵生(난생). 産卵(산란). 鷄卵(계란).

랑

【浪】水 10 물결 **랑** 함부로 **랑** | 波浪(파랑). 浪費(낭비).

【郎】邑 10 사내 **랑** | 新郎(신랑).

래

【來】人 8 올 **래** | 去來(거래). 來日(내일). 來世(내세).

랭

【冷】冫 7 찰 **랭** | 冷水(냉수). 冷情(냉정). 寒冷(한랭).

량

【兩】入 8 두 **량** | 兩人(양인). 兩分(양분). 兩親(양친).

【涼】水 11 서늘할 **량** | 凄涼(처량).

【糧】米 18 양식 **량** | 糧穀(양곡). 糧食(양식).

【良】艮 7 어질 **량** | 良民(양민). 善良(선량). 良心(양심).

【量】里 12 양 량 / 헤아릴 량 | 容量(용량). 測量(측량).

려

【旅】方 10 나그네 려 | 旅館(여관). 旅客(여객). 旅費(여비).

력

【力】力 2 힘 력 | 力道(역도). 國力(국력). 力說(역설).

【歷】止 16 지낼 력 / 다닐 력 | 歷程(역정). 歷史(역사). 經歷(경력).

련

【練】糸 15 익힐 련 | 練修(연수). 練習(연습). 訓練(훈련).

【連】辵 11 이을 련 | 連名(연명). 連勝(연승). 連累(연루).

렬

【列】刀 6 반열 렬 / 줄지을 렬 | 序列(서열). 行列(행렬).

【烈】火 10 세찰 렬 / 빛날 렬 | 烈女(열녀). 烈士(열사). 壯烈(장렬).

령

【令】人 5 하여금 령 / 영 령 | 辭令(사령). 法令(법령). 命令(명령).

【領】頁 14 거느릴 령 / 차지할 령 | 大統領(대통령). 占領(점령).

례

【例】人 8 법칙 례 / 본보기 례 | 法例(법례). 例文(예문). 用例(용례).

【禮】示 18 예 례 / 예물 례 | 禮儀(예의). 禮節(예절). 禮物(예물).

로

【勞】力 12 수고할 로 | 勞苦(노고). 疲勞(피로). 勞動(노동).

【老】老 6 늙을 로 / 어른 로 | 老人(노인). 長老(장로).

【路】足 13 길 로 | 路線(노선). 路上(노상). 鐵路(철로).

【露】雨 20 이슬 로 / 드러날 로 | 雨露(우로). 露出(노출).

록

【綠】糸 14 초록빛 록 | 草綠(초록). 綠茶(녹차).

론

【論】言 15 말할 론 | 論議(논의). 論爭(논쟁). 異論(이론).

료

【料】斗 10 헤아릴 료 / 재료 료 | 料量(요량). 材料(재료).

룡

【龍】龍 16 용 **룡** | 青龍(청룡). 龍宮(용궁). 龍顔(용안).

류

【柳】木 9 버드나무 **류** | 花柳(화류). 細柳(세류).

【流】水 9 흐를 **류** | 流動(유동). 流浪(유랑). 流行(유행).

【留】田 10 머무를 **류** | 留念(유념). 留保(유보). 留宿(유숙).

륙

【六】八 4 여섯 **륙** | 六法(육법). 六旬(육순).

【陸】阜 11 뭍 **륙** | 陸地(육지). 上陸(상륙).

륜

【倫】人 10 인륜 **륜** | 倫理(윤리). 人倫(인륜). 五倫(오륜).

률

【律】彳 9 법 **률** 가락 **률** | 法律(법률). 律動(율동).

리

【利】刀 7 이로울 **리** | 便利(편리). 有利(유리).

【李】木 7 자두나무 **리** | 李花(이화). 桃李(도리).

【理】玉 11 다스릴 **리** 도리 **리** | 理事(이사). 倫理(윤리). 理由(이유).

【里】里 7 마을 **리** 이 **리** | 洞里(동리). 里長(이장). 里程標(이정표).

림

【林】木 8 수풀 **림** | 林業(임업). 山林(산림). 林野(임야).

립

【立】立 5 설 **립** 세울 **립** | 直立(직립). 建立(건립). 立法(입법).

마

【馬】馬 10 말 **마** | 馬車(마차). 馬術(마술). 乘馬(승마).

막

【莫】艸 11 없을 **막** | 莫大(막대). 莫強(막강).

만

【晩】日 11 늦을 **만** | 晩成(만성). 晩年(만년). 晩餐(만찬).

【滿】水 14 찰 **만** | 滿期(만기). 滿足(만족). 充滿(충만).

【萬】 艸 13 일만 만 | 數萬(수만). 萬世(만세). 萬事(만사).

말

【末】 木 5 끝 말 가루 말 | 末期(말기). 末端(말단). 粉末(분말).

망

【亡】 亠 3 잃을 망 죽을 망 | 亡失(망실). 死亡(사망).

【忙】 心 6 바쁠 망 | 忙中(망중). 忙忙(망망).

【忘】 心 7 잊을 망 | 忘却(망각). 忘失(망실).

【望】 月 11 바라볼 망 보름 망 | 觀望(관망). 希望(희망). 望月(망월).

매

【妹】 女 8 누이 매 | 姉妹間(자매간). 妹弟(매제). 妹兄(매형).

【每】 毋 7 매양 매 마다 매 | 每番(매번). 每日(매일).

【買】 貝 12 살 매 | 買入(매입). 買收(매수).

【賣】 貝 15 팔 매 | 賣渡(매도). 賣盡(매진).

맥

【脈】 肉 10 맥 맥 줄기 맥 | 脈搏(맥박). 山脈(산맥).

【麥】 麥 11 보리 맥 | 麥飯(맥반). 麥酒(맥주).

면

【免】 儿 7 벗어날 면 면제할 면 | 謀免(모면). 免除(면제). 免職(면직).

【勉】 力 9 힘쓸 면 | 勉學(면학). 勸勉(권면).

【眠】 目 10 잘 면 | 睡眠(수면). 冬眠(동면).

【面】 面 9 낯 면 | 面目(면목). 面上(면상). 面接(면접).

명

【名】 口 6 이름 명 이름날 명 | 名稱(명칭). 名曲(명곡).

【命】 口 8 목숨 명 분부 명 | 生命(생명). 命令(명령).

【明】 日 8 밝을 명 | 明暗(명암). 光明(광명).

【鳴】 鳥 14 울 명 울릴 명 | 鳴禽(명금). 共鳴(공명).

모

【暮】 日 15 저물 모 늦을 모 | 日暮(일모). 暮夜(모야).

【母】 毋 5 어미 모 | 父母(부모). 母國(모국).

【毛】 毛 4 털 모 | 毛髮(모발). 毛皮(모피).

【模】 木 15 법 모 본뜰 모 | 模範(모범). 模倣(모방).

목

【木】 木 4 나무 목 | 植木日(식목일). 木馬(목마).

木手(목수).

【牧】牛 8 칠 목 | 牧童(목동). 牧場(목장).

【目】目 5 눈 목 / 눈여겨볼 목 | 耳目(이목). 目擊(목격).

묘

【卯】卩 5 넷째지지 묘 | 卯方(묘방). 卯時(묘시).

【妙】女 7 묘할 묘 / 젊을 묘 | 妙技(묘기). 妙齡(묘령).

【墓】土 14 무덤 묘 | 省墓(성묘). 墓所(묘소). 墓碑(묘비).

무

【務】力 11 힘쓸 무 | 事務(사무). 任務(임무).

【戊】戈 5 다섯째천간 무 | 戊夜(무야). 戊時(무시).

【武】止 8 굳셀 무 / 무사 무 | 武器(무기). 武士(무사).

【無】火 12 없을 무 | 無限(무한). 有無(유무).

【舞】舛 14 춤 무 / 춤출 무 | 舞踊(무용). 群舞(군무).

【茂】艸 9 우거질 무 / 성할 무 | 茂林(무림). 茂盛(무성).

묵

【墨】土 15 먹 묵 | 墨畫(묵화). 水墨(수묵).

문

【問】口 11 물을 문 / 찾을 문 | 問答(문답). 問病(문병).

【文】文 4 글월 문 / 글자 문 | 文章(문장). 文字(문자).

【聞】耳 14 들을 문 | 見聞(견문). 風聞(풍문).

【門】門 8 문 문 | 門牌(문패). 名門(명문).

물

【勿】勹 4 없을 물 | 勿論(물론).

【物】牛 8 만물 물 | 生物(생물). 物件(물건). 事物(사물).

미

【味】口 8 맛 미 / 맛볼 미 | 味覺(미각). 吟味(음미).

【尾】尸 7 꼬리 미 / 끝 미 | 尾骨(미골). 末尾(말미).

【未】木 5 여덟째지지 미 / 아닐 미 | 己未(기미). 未來(미래).

【米】米 6 쌀 미 | 米穀(미곡). 白米(백미).

【美】羊 9 아름다울 미 / 맛날 미 | 美人(미인). 美食(미식).

민

【民】氏 5 백성 민 | 民主(민주). 國民(국민).

밀

【密】宀 11 빽빽할 밀 / 은밀할 밀 | 密林(밀림). 祕密(비밀).

박

【博】十 12 넓을 박 | 博士(박사). 博識(박식).

【朴】木 6 순박할 박 | 醇朴(순박). 素朴(소박).

반

【半】十 5 반 반 | 半年(반년). 後半(후반).

【反】又 4 돌이킬 반 반대할 반 | 反省(반성). 反對(반대). 反則(반칙).

【飯】食 13 밥 반 먹을 반 | 朝飯(조반). 飯酒(반주).

발

【發】癶 12 쏠 발 일어날 발 | 發射(발사). 發生(발생). 發表(발표).

【髮】髟 15 머리 발 | 頭髮(두발). 白髮(백발).

방

【房】戶 8 방 방 | 暖房(난방). 獨房(독방).

【放】攴 8 놓을 방 | 放送(방송). 解放(해방).

【方】方 4 모 방 방위 방 | 方形(방형). 方向(방향).

【訪】言 11 찾을 방 | 訪問(방문). 訪韓(방한).

【防】阜 7 둑 방 막을 방 | 堤防(제방). 防止(방지).

배

【拜】手 9 절 배 받을 배 | 拜上(배상). 百拜(백배).

【杯】木 8 잔 배 | 乾杯(건배). 祝杯(축배).

【背】肉 9 등 배 뒤 배 | 背景(배경). 背叛(배반).

【配】酉 10 짝지을 배 나눌 배 | 配匹(배필). 配合(배합). 配給(배급).

백

【白】白 5 흰 백 | 白衣(백의). 白米(백미).

【百】白 6 일백 백 | 百年(백년). 百姓(백성).

번

【番】田 12 번 번 | 順番(순번). 番號(번호). 當番(당번).

벌

【伐】人 6 칠 벌 벨 벌 | 征伐(정벌). 伐木(벌목).

【罰】网 14 벌줄 벌 | 罰金(벌금). 罰則(벌칙).

범

【凡】几 3 범상할 범 무릇 범 | 凡常(범상). 大凡(대범).

【犯】犬 5 범할 범 | 犯罪(범죄). 犯人(범인).

법

【法】水 8 법 법 | 法律(법률). 方法(방법). 法院(법원).

벽

【壁】土 16 벽 벽 | 壁報(벽보). 壁畫(벽화).

변

【辯】辛 21 말잘할 변 | 辯論(변론). 辯護(변호).

【變】言 23 변할 변 | 變動(변동). 變化(변화).

별

【別】刀 7 다를 별 나눌 별 | 別個(별개). 別名(별명). 性別(성별).

병

【丙】一 5 셋째천간 병 | 丙午(병오). 丙辰(병진).

【兵】八 7 군사 병 싸움 병 | 兵士(병사). 兵法(병법).

【病】疒 10 병 병 앓을 병 | 疾病(질병). 病者(병자).

보

【保】人 9 지킬 보 보전할 보 | 保存(보존). 保護(보호). 保證(보증).

【報】土 12 갚을 보 알릴 보 | 報答(보답). 報告(보고).

【寶】宀 20 보배 보 | 寶石(보석). 寶物(보물). 國寶(국보).

【步】止 7 걸음 보 걸을 보 | 初步(초보). 步行(보행).

복

【伏】人 6 엎드릴 복 | 伏兵(복병). 屈伏(굴복).

【復】彳 12 회복할 복 다시 부 | 回復(회복). 復興(부흥).

【服】月 8 옷 복 좇을 복 | 服裝(복장). 服從(복종).

【福】示 14 복 복 | 福音(복음). 幸福(행복).

본

【本】木 5 근본 본 책 본 | 本能(본능). 寫本(사본).

봉

【奉】大 8 받들 봉 | 奉仕(봉사). 奉養(봉양).

【逢】辵 11 만날 봉 | 逢着(봉착). 相逢(상봉).

부

【否】口 7 아닐 부 | 否決(부결). 否認(부인).

【夫】大 4 지아비 부 사내 부 | 夫婦(부부). 丈夫(장부).

【婦】女 11 지어미 부 며느리 부 | 婦人(부인). 姑婦(고부).

【富】宀 12 넉넉할 부 부자 부 | 豐富(풍부). 富者(부자).

【扶】手 7 도울 부 | 扶助(부조). 扶養(부양).

【浮】水 10 뜰 부 | 浮力(부력). 浮游(부유).

【父】父 4 아비 부 | 父母(부모). 師父(사부).

【部】邑 11 거느릴 부 / 떼 부 | 部下(부하). 部隊(부대).

북

【北】匕 5 북녘 북 / 달아날 배 | 北方(북방). 敗北(패배).

분

【分】刀 4 나눌 분 / 분명할 분 | 分割(분할). 分明(분명).

【粉】米 10 가루 분 | 粉食(분식). 粉末(분말).

불

【不】一 4 아니 불 / 아닌가 부 | 不可(불가). 不當(부당).

【佛】人 7 부처 불 | 佛像(불상). 佛經(불경).

붕

【朋】月 8 벗 붕 / 떼 붕 | 朋友有信(붕우유신). 朋黨(붕당).

비

【備】人 12 갖출 비 / 예비 비 | 備置(비치). 豫備(예비).

【比】比 4 견줄 비 / 나란히할 비 | 比較(비교). 比例(비례).

【悲】心 12 슬플 비 | 悲劇(비극). 悲觀(비관).

【碑】石 13 비석 비 | 碑銘(비명). 碑石(비석).

【費】貝 12 쓸 비 | 費用(비용). 學費(학비). 經費(경비).

【非】非 8 아닐 비 / 나무랄 비 | 非公式(비공식). 非難(비난). 是非(시비).

【飛】飛 9 날 비 | 飛行機(비행기). 飛翔(비상).

【鼻】鼻 14 코 비 / 시초 비 | 鼻孔(비공). 鼻祖(비조).

빈

【貧】貝 11 가난할 빈 / 모자랄 빈 | 貧困(빈곤). 貧血(빈혈).

빙

【氷】水 5 얼음 빙 / 얼 빙 | 氷山(빙산). 氷結(빙결).

사

【事】亅 8 일 사 / 섬길 사 | 事物(사물). 事業(사업). 事大(사대).

【仕】人 5 벼슬 사 / 섬길 사 | 仕官(사관). 給仕(급사).

【使】人 8 부릴 사 / 하여금 사 | 使用(사용). 使臣(사신).

【史】口 5 역사 사 | 歷史(역사). 史官(사관).

【四】口 5 넉 사 / 네번 사 | 四季(사계). 四回(사회).

【士】士 3 선비 사 / 무사 사 | 士大夫(사대부). 軍士(군사). 士兵(사병).

【寺】寸 6 절 사 | 寺刹(사찰).

【巳】己 3 여섯째지지 사 | 巳時(사시). 辰巳(진사).

【射】寸 10 쏠 사 | 射擊(사격). 放射(방사).

【師】 巾 10 스승 **사** 군사 **사** | 敎師(교사). 師團(사단).

【寫】 宀 15 베낄 **사** 그릴 **사** | 寫本(사본). 寫生(사생).

【思】 心 9 생각할 **사** | 思考(사고). 思慕(사모).

【死】 歹 6 죽을 **사** | 死亡(사망). 死色(사색).

【社】 示 8 단체 **사** | 會社(회사). 社長(사장). 社會(사회).

【私】 禾 7 사사 **사** | 私心(사심). 私慾(사욕).

【絲】 糸 12 실 **사** | 綿絲(면사). 鐵絲(철사).

【舍】 舌 8 집 **사** | 舍宅(사택). 校舍(교사).

【謝】 言 17 끊을 **사** 사례할 **사** | 謝絕(사절). 感謝(감사).

【辭】 辛 19 말 **사** 사양할 **사** | 辭典(사전). 辭任(사임).

산

【山】 山 3 메 **산** | 山脈(산맥). 登山(등산).

【散】 攴 12 흩어질 **산** 한산할 **산** | 散漫(산만). 散策(산책).

【產】 生 11 낳을 **산** 산물 **산** | 出產(출산). 國產(국산).

【算】 竹 14 셈할 **산** | 計算(계산). 算數(산수).

살

【殺】 殳 11 죽일 **살** 덜 **쇄** | 殺人(살인). 相殺(상쇄).

삼

【三】 一 3 석 **삼** 세번 **삼** | 三國(삼국). 三拜(삼배).

상

【上】 一 3 위 **상** 오를 **상** | 上下(상하). 頂上(정상). 上昇(상승).

【傷】 人 13 다칠 **상** 근심할 **상** | 傷處(상처). 傷心(상심).

【商】 口 11 헤아릴 **상** 장사 **상** | 商議(상의). 商品(상품).

【喪】 口 12 복입을 **상** 잃을 **상** | 喪服(상복). 喪失(상실).

【尙】 小 8 오히려 **상** 숭상할 **상** | 尙早(상조). 崇尙(숭상).

【常】 巾 11 항상 **상** 범상 **상** | 恒常(항상). 非常(비상).

【想】 心 13 생각할 **상** 생각 **상** | 豫想(예상). 感想(감상).

【相】 目 9 서로 **상** 볼 **상** | 相對(상대). 觀相(관상).

【賞】 貝 15 칭찬할 **상** 상줄 **상** | 優等賞(우등상). 賞金(상금).

【霜】 雨 17 서리 **상** | 風霜(풍상).

색

【色】 色 6 빛 **색** | 色彩(색채). 色盲(색맹). 氣色(기색).

생

【生】 生 5 날 **생** 살 **생** | 生日(생일). 生物(생물).

서

【序】广 7 차례 서 | 序頭(서두). 序列(서열). 順序(순서).

【暑】日 13 더울 서 | 避暑(피서).

【書】曰 10 글 서 | 書記(서기). 辭書(사서). 書店(서점).

【西】襾 6 서녘 서 서양 서 | 西海(서해). 西洋(서양).

석

【夕】夕 3 저녁 석 | 夕刊(석간). 夕陽(석양).

【席】巾 10 자리 석 베풀 석 | 坐席(좌석). 宴席(연석).

【惜】心 11 아낄 석 아까워할 석 | 愛惜(애석). 惜別(석별).

【昔】日 8 옛 석 | 昔日(석일). 今昔(금석).

【石】石 5 돌 석 섬 석 | 鑛石(광석). 千石(천석).

선

【仙】人 5 신선 선 | 仙女(선녀). 神仙(신선).

【先】儿 6 먼저 선 | 先頭(선두). 先祖(선조). 先生(선생).

【善】口 12 착할 선 잘할 선 | 善良(선량). 善惡(선악). 善戰(선전).

【宣】宀 9 베풀 선 펼 선 | 宣言(선언). 宣布(선포). 宣傳(선전).

【線】糸 15 줄 선 | 線路(선로). 電線(전선). 光線(광선).

【船】舟 11 배 선 | 船長(선장). 漁船(어선).

【選】辵 16 가릴 선 | 決選(결선). 入選(입선).

【鮮】魚 17 고울 선 새 선 | 鮮明(선명). 新鮮(신선).

설

【舌】舌 6 혀 설 | 舌音(설음). 舌禍(설화).

【設】言 11 베풀 설 | 設立(설립). 建設(건설).

【說】言 14 말씀 설 달랠 세 | 說明(설명). 演說(연설). 遊說(유세).

【雪】雨 11 눈 설 씻을 설 | 雪景(설경). 雪辱(설욕).

성

【城】土 10 성 성 | 城郭(성곽). 城門(성문). 山城(산성).

【姓】女 8 성 성 | 姓名(성명). 姓氏(성씨).

【性】心 8 성품 성 성질 성 | 性格(성격). 性能(성능). 女性(여성).

【成】戈 7 이룰 성 | 成事(성사). 成功(성공).

【星】日 9 별 성 | 木星(목성). 行星(행성).

【盛】皿 12 성할 성 | 隆盛(융성). 盛大(성대). 盛況(성황).

【省】目 9 살필 성 덜 생 | 反省(반성). 省略(생략).

【聖】耳 13 성스러울 성 성인 성 | 神聖(신성). 聖賢(성현).

【聲】耳 17 소리 **성** | 聲量(성량). 音聲(음성). 名聲(명성).

【誠】言 14 정성 **성** | 誠意(성의). 誠實(성실). 至誠(지성).

세

【世】一 5 인간 **세** 세대 **세** | 世界(세계). 世代(세대).

【勢】力 13 세력 **세** 형세 **세** | 權勢(권세). 大勢(대세).

【歲】止 13 해 **세** | 年歲(연세). 歲月(세월).

【洗】水 9 씻을 **세** | 洗面(세면). 洗車(세차).

【稅】禾 12 세금 **세** | 稅金(세금). 徵稅(징세).

【細】糸 11 가늘 **세** 작을 **세** | 細孔(세공). 細菌(세균).

소

【小】小 3 작을 **소** | 小數(소수). 小兒(소아). 小說(소설).

【少】小 4 적을 **소** 젊을 **소** | 少量(소량). 少女(소녀).

【所】戶 8 바 **소** 곳 **소** | 所見(소견). 住所(주소).

【消】水 10 사라질 **소** | 消滅(소멸). 消費(소비).

【笑】竹 10 웃을 **소** | 微笑(미소). 談笑(담소).

【素】糸 10 흴 **소** 바탕 **소** | 素服(소복). 素質(소질).

속

【俗】人 9 풍습 **속** 범속할 **속** | 民俗(민속). 俗世(속세).

【續】糸 21 이을 **속** | 續出(속출). 連續(연속).

【速】辶 11 빠를 **속** | 速力(속력). 時速(시속). 速度(속도).

손

【孫】子 10 손자 **손** 자손 **손** | 孫子(손자). 後孫(후손).

송

【松】木 8 소나무 **송** | 老松(노송). 松林(송림). 青松(청송).

【送】辶 10 보낼 **송** | 送金(송금). 送別(송별).

수

【修】人 10 닦을 **수** | 修身(수신). 修養(수양).

【受】又 8 받을 **수** | 受賞(수상). 受信(수신). 領受證(영수증).

【壽】士 14 목숨 **수** 장수할 **수** | 壽命(수명). 壽宴(수연).

【守】宀 6 지킬 **수** | 守備(수비). 守護(수호).

【愁】心 13 근심할 **수** 근심 **수** | 愁心(수심). 哀愁(애수).

【手】手 4 손 **수** | 手巾(수건). 手工(수공).

【授】手 11 줄 **수** | 授業(수업). 授與(수여).

【收】攴 6 거둘 **수** | 收集(수집). 接收(접수).

【數】攴 15 셈 수 | 數學(수학). 數式(수식).

【樹】木 16 나무 수 세울 수 | 樹木(수목). 樹立(수립).

【水】水 4 물 수 | 水分(수분). 水中(수중).

【秀】禾 7 빼어날 수 | 優秀(우수). 秀才(수재).

【誰】言 15 누구 수 | 誰某(수모). 誰何(수하).

【須】頁 12 수염 수 | 須眉(수미). 必須(필수).

【首】首 9 머리 수 | 首肯(수긍). 首都(수도).

숙

【叔】又 8 아저씨 숙 | 叔母(숙모). 叔父(숙부).

【宿】宀 11 묵을 숙 | 宿泊(숙박). 宿食(숙식).

【淑】水 11 착할 숙 맑을 숙 | 淑女(숙녀). 貞淑(정숙).

순

【純】糸 10 순수할 순 | 純眞(순진). 純粹(순수).

【順】頁 12 순할 순 좇을 순 | 溫順(온순). 順理(순리).

술

【戌】戈 6 열한째지지 술 | 甲戌(갑술). 戌時(술시).

숭

【崇】山 11 높을 숭 높일 숭 | 崇高(숭고). 崇拜(숭배).

습

【拾】手 9 주울 습 | 收拾(수습). 拾得(습득).

【習】羽 11 익힐 습 버릇 습 | 學習(학습). 習慣(습관).

승

【乘】丿 10 탈 승 | 乘馬(승마). 乘客(승객).

【勝】力 12 이길 승 | 勝利(승리). 勝敗(승패).

【承】手 8 받들 승 이을 승 | 承諾(승낙). 繼承(계승).

시

【始】女 8 처음 시 비롯할 시 | 始作(시작). 創始(창시).

【市】巾 5 저자 시 도시 시 | 市場(시장). 市民(시민).

【施】方 9 베풀 시 | 施設(시설). 施行(시행).

【是】日 9 이 시 옳을 시 | 是日(시일). 是非(시비).

【時】日 10 때 시 시 시 | 時計(시계). 時間(시간).

【示】示 5 보일 시 알릴 시 | 明示(명시). 指示(지시).

【視】見 12 볼 시 | 視覺(시각). 視力(시력).

【詩】言 13 시 시 | 詩人(시인). 詩句(시구).

【試】言 13 시험할 시 | 試驗(시험). 入試(입시).

식

【式】弋 6 법 식 / 꼴 식 | 禮式(예식). 形式(형식).

【植】木 12 심을 식 | 植物(식물). 植木(식목).

【識】言 19 알 식 / 적을 지 | 意識(의식). 標識(표지).

【食】食 9 먹을 식 | 食事(식사). 食品(식품).

신

【信】人 9 믿을 신 | 信念(신념). 確信(확신).

【新】斤 13 새 신 | 新人(신인). 新聞(신문).

【申】田 5 아홉째지지 신 / 알릴 신 | 申生(신생). 申告(신고).

【神】示 10 귀신 신 / 영묘할 신 | 天神(천신). 神祕(신비).

【臣】臣 6 신하 신 / 신 신 | 臣下(신하). 小臣(소신).

【身】身 7 몸 신 | 身長(신장). 身體(신체).

【辛】辛 7 매울 신 / 괴로울 신 | 辛味(신미). 辛苦(신고).

실

【失】大 5 잃을 실 / 허물 실 | 失禮(실례). 失手(실수). 過失(과실).

【室】宀 9 집 실 | 敎室(교실). 室內(실내).

【實】宀 14 열매 실 | 結實(결실). 果實(과실).

심

【心】心 4 마음 심 | 人心(인심). 眞心(진심).

【深】水 11 깊을 심 | 水深(수심). 深夜(심야).

【甚】甘 9 심할 심 / 심히 심 | 甚大(심대). 甚難(심난).

십

【十】十 2 열 십 / 열번 십 | 十年(십년). 十勝(십승).

씨

【氏】氏 4 씨 씨 | 金氏(김씨). 姓氏(성씨). 氏族(씨족).

아

【兒】儿 8 아이 아 | 兒童(아동). 女兒(여아).

【我】戈 7 나 아 | 自我(자아). 彼我(피아).

악

【惡】心 12 모질 악 / 미워할 오 | 惡人(악인). 善惡(선악). 憎惡(증오).

안

【安】宀 6 편안할 안 | 安心(안심). 安全(안전). 治安(치안).

【案】木 10 책상 안 / 생각 안 | 案席(안석). 提案(제안).

【眼】目 11 눈 안 | 眼鏡(안경). 眼球(안구).

【顔】頁 18 얼굴 안 | 顔面(안면). 顔色(안색).

암

【巖】山 23 바위 암 | 巖石(암석). 巖窟(암굴).

【暗】日 13 어두울 암, 월 암 | 明暗(명암). 暗記(암기).

앙

【仰】人 6 우러러볼 앙 | 仰望(앙망). 信仰(신앙).

애

【哀】口 9 서러울 애, 슬퍼할 애 | 悲哀(비애). 哀痛(애통).

【愛】心 13 사랑할 애 | 愛人(애인). 愛情(애정).

야

【夜】夕 8 밤 야 | 晝夜(주야). 夜間(야간).

【野】里 11 들 야 | 野生(야생). 平野(평야).

약

【弱】弓 10 약할 약, 어릴 약 | 強弱(강약). 弱冠(약관).

【約】糸 9 맺을 약 | 約束(약속). 約婚(약혼).

【若】艸 9 만일 약 | 萬若(만약). 若干(약간).

【藥】艸 19 약 약 | 藥局(약국). 火藥(화약).

양

【揚】手 12 오를 양, 나타낼 양 | 浮揚(부양). 宣揚(선양).

【洋】水 9 큰바다 양, 넓을 양 | 海洋(해양). 大洋(대양).

【羊】羊 6 양 양 | 羊毛(양모). 羊皮(양피).

【讓】言 24 사양할 양, 넘겨줄 양 | 讓步(양보). 讓渡(양도).

【陽】阜 12 양기 양, 해 양 | 陰陽(음양). 太陽(태양).

【養】食 15 기를 양, 다스릴 양 | 養育(양육). 療養(요양).

어

【漁】水 14 고기잡을 어 | 漁父(어부). 漁船(어선).

【語】言 14 말할 어, 말 어 | 言語(언어). 國語(국어).

【魚】魚 11 고기 어 | 大魚(대어). 魚類(어류).

억

【億】人 15 억 억, 헤아릴 억 | 億萬(억만). 億測(억측).

【憶】心 16 기억할 억, 생각할 억 | 記憶(기억). 追憶(추억).

언

【言】言 7 말씀 언 | 言論(언론). 言行(언행).

엄

【嚴】口 20 엄할 엄, 굳셀 엄 | 嚴格(엄격). 威嚴(위엄).

업

【業】木 13 업 업 | 業務(업무). 職業(직업). 業績(업적).

여

【余】人 7 나 여 | 余等(여등).

【如】女 6 같을 여 | 如實(여실). 如前(여전).

【汝】水 6 너 여 | 汝等(여등). 汝輩(여배).

【與】臼 14 더불 여 줄 여 | 參與(참여). 授與(수여).

【餘】食 16 나머지 여 남을 여 | 餘分(여분). 餘生(여생).

역

【亦】亠 6 또한 역 | 亦是(역시).

【易】日 8 바꿀 역 쉬울 이 | 貿易(무역). 周易(주역). 容易(용이).

【逆】辶 10 거스를 역 거꾸로 역 | 逆行(역행). 逆順(역순).

연

【然】火 12 그러할 연 | 當然(당연). 自然(자연).

【煙】火 13 연기 연 담배 연 | 煙氣(연기). 愛煙(애연).

【研】石 11 갈 연 연구할 연 | 研磨(연마). 研究(연구).

열

【悅】心 10 기뻐할 열 기쁨 열 | 喜悅(희열).

【熱】火 15 더울 열 | 熱帶(열대). 熱中(열중).

염

【炎】火 8 탈 염 더울 염 | 炎症(염증). 火炎(화염).

엽

【葉】艸 13 잎 엽 | 落葉(낙엽). 葉綠素(엽록소).

영

【榮】木 14 영화 영 | 榮光(영광). 虛榮(허영).

【永】水 5 길 영 | 永久(영구). 永永(영영).

【英】艸 9 꽃 영 빼어날 영 | 英雄(영웅). 英才(영재).

【迎】辶 8 맞이할 영 | 歡迎(환영). 迎接(영접).

예

【藝】艸 19 재주 예 재주있을 예 | 技藝(기예). 藝能(예능).

오

【五】二 4 다섯 오 다섯번 오 | 五音(오음). 五勝(오승).

【午】十 4 일곱째지지 오 낮 오 | 甲午(갑오). 午前(오전). 正午(정오).

【吾】口 7 나 오 | 吾人(오인). 吾兄(오형).

【悟】心 10 깨달을 오 깨달음 오 | 覺悟(각오). 悟性(오성).

【烏】火 10 까마귀 오 / 검을 오 | 烏鵲(오작). 烏竹(오죽).

【誤】言 14 그릇할 오 / 잘못 오 | 誤字(오자). 誤解(오해).

옥

【屋】尸 9 집 옥 | 家屋(가옥). 屋上(옥상).

【玉】玉 5 구슬 옥 | 玉石(옥석). 玉手(옥수).

온

【溫】水 13 따뜻할 온 / 부드러울 온 | 溫度(온도). 溫順(온순).

와

【瓦】瓦 5 기와 와 / 질그릇 와 | 瓦家(와가). 瓦器(와기).

【臥】臣 8 누울 와 | 臥病(와병).

완

【完】宀 7 완전할 완 / 끝날 완 | 完全(완전). 完了(완료).

왈

【曰】曰 4 말할 왈 | 孔子曰(공자왈).

왕

【往】彳 8 갈 왕 / 옛 왕 | 往來(왕래). 往年(왕년).

【王】玉 4 임금 왕 | 大王(대왕). 王家(왕가).

외

【外】夕 5 밖 외 | 內外(내외). 外面(외면). 外出(외출).

요

【要】襾 9 구할 요 / 요할 요 | 要求(요구). 必要(필요).

욕

【欲】欠 11 바랄 욕 | 欲求(욕구). 欲望(욕망).

【浴】水 10 목욕할 욕 | 沐浴(목욕). 浴室(욕실).

용

【勇】力 9 날랠 용 / 용감할 용 | 勇猛(용맹). 勇士(용사).

【容】宀 10 얼굴 용 / 꾸밀 용 | 容貌(용모). 美容(미용).

【用】用 5 쓸 용 | 使用(사용). 利用(이용).

우

【又】又 2 또 우 | 十又五年(십우오년).

【友】又 4 벗 우 / 벗할 우 | 朋友(붕우). 友情(우정).

【右】口 5 오른 우 | 右側(우측). 左右(좌우).

【宇】宀 6 집 우 | 宇宙(우주).

【尤】尢 4 더욱 우 | 尤甚(우심).

【憂】心 15 근심 우 / 병 우 | 憂慮(우려). 憂患(우환).

【牛】牛 4 소 우 | 牛乳(우유). 韓牛(한우).

【遇】辵 13 만날 우 / 대접할 우 | 境遇(경우). 待遇(대우).

【雨】雨 8 비 우 | 雨傘(우산). 降雨(강우).

운

【云】二 4 이를 운 | 云云(운운).

【運】辵 13 돌 운 / 움직일 운 | 運行(운행). 運動(운동). 運營(운영).

【雲】雨 12 구름 운 | 雲霧(운무). 雲海(운해).

웅

【雄】隹 12 수컷 웅 / 굳셀 웅 | 雌雄(자웅). 雄壯(웅장).

원

【元】儿 4 으뜸 원 / 근원 원 | 元祖(원조). 根元(근원).

【原】厂 10 근본 원 / 들 원 | 原因(원인). 草原(초원).

【圓】囗 13 둥글 원 / 동그라미 원 | 圓形(원형). 圓周(원주).

【園】囗 13 동산 원 / 구역 원 | 庭園(정원). 學園(학원).

【怨】心 9 원망할 원 | 怨望(원망). 怨讎(원수).

【遠】辵 14 멀 원 / 먼데 원 | 遠近(원근). 遠征(원정).

【願】頁 19 바랄 원 | 哀願(애원). 祈願(기원).

월

【月】月 4 달 월 / 세월 월 | 月刊(월간). 歲月(세월).

위

【位】人 7 자리 위 | 方位(방위). 位置(위치).

【偉】人 11 클 위 / 뛰어날 위 | 偉大(위대). 偉業(위업). 偉人(위인).

【危】卩 6 위태할 위 | 危機(위기). 危險(위험).

【威】女 9 위엄 위 | 威信(위신). 威嚴(위엄).

【爲】爪 12 할 위 / 만들 위 | 行爲(행위). 人爲(인위).

유

【唯】口 11 오직 유 | 唯一(유일).

【幼】幺 5 어릴 유 | 幼年(유년). 幼兒(유아).

【有】月 6 있을 유 | 有明(유명). 有識(유식).

【柔】木 9 부드러울 유 | 柔順(유순). 柔軟(유연).

【油】水 8 기름 유 | 石油(석유). 原油(원유).

【由】田 5 말미암을 유 / 까닭 유 | 由來(유래). 理由(이유).

【遊】辵 13 놀 유 | 遊興(유흥). 遊戲(유희).

【遺】辵 16 남을 유 | 遺物(유물). 遺産(유산).

【酉】酉 7 열째지지 유 | 辛酉(신유). 酉時(유시).

육

【肉】肉 6 살 육 / 고기 육 | 筋肉(근육). 肉食(육식). 肉質(육질).

【育】肉 8 기를 육 / 자랄 육 | 教育(교육). 發育(발육).

은

【恩】心 10 은혜 은 | 恩功(은공). 恩人(은인). 報恩(보은).

【銀】金 14 은 은 / 은빛 은 | 金銀(금은). 銀行(은행).

을

【乙】乙 1 둘째천간 을 / 둘째 을 | 乙丑(을축). 甲乙(갑을).

음

【吟】口 7 읊을 음 | 吟味(음미). 吟詩(음시).

【陰】阜 11 음기 음 / 그늘 음 | 陰陽(음양). 綠陰(녹음).

【音】音 9 소리 음 / 소식 음 | 音聲(음성). 音樂(음악). 和音(화음).

【飮】食 13 마실 음 | 飮料(음료). 飮食(음식).

읍

【泣】水 8 울 읍 / 울음 읍 | 感泣(감읍).

【邑】邑 7 고을 읍 | 都邑(도읍). 邑內(읍내).

응

【應】心 17 응할 응 / 당할 응 | 應答(응답). 應對(응대).

의

【依】人 8 의지할 의 | 依賴(의뢰). 依支(의지).

【意】心 13 뜻 의 | 意見(의견). 意味(의미). 意向(의향).

【義】羊 13 의 의 / 옳을 의 | 義理(의리). 正義(정의).

【衣】衣 6 옷 의 | 衣服(의복). 衣裳(의상). 衣食住(의식주).

【議】言 20 의논할 의 / 논할 의 | 協議(협의). 論議(논의).

【醫】酉 18 의원 의 / 고칠 의 | 醫師(의사). 醫藥(의약).

이

【二】二 2 두 이 / 다음 이 | 二人(이인). 二次(이차).

【以】人 5 써 이 | 以心傳心(이심전심). 以上(이상).

【已】己 3 이미 이 | 已往(이왕).

【異】田 12 다를 이 | 異性(이성). 異見(이견).

【移】禾 11 옮길 이 | 移動(이동). 移徙(이사).

【耳】耳 6 귀 이 | 外耳(외이). 耳目(이목).

익

【益】 皿 10 더할 **익** | 利益(이익). 收益(수익). 有益(유익).

인

【人】 人 2 사람 **인** | 人間(인간). 人物(인물). 人生(인생).

【仁】 人 4 어질 **인** | 仁德(인덕). 仁慈(인자).

【印】 卩 6 도장 **인** 찍을 **인** | 印章(인장). 印刷(인쇄).

【因】 口 6 인할 **인** 말미암을 **인** | 因緣(인연). 原因(원인).

【寅】 宀 11 셋째지지 **인** | 甲寅(갑인).

【引】 弓 4 당길 **인** 끌 **인** | 引力(인력). 引率(인솔).

【忍】 心 7 참을 **인** | 忍耐(인내).

【認】 言 14 알 **인** 인가할 **인** | 認定(인정). 認可(인가).

일

【一】 一 1 한 **일** 첫째 **일** | 一人(일인). 一等(일등).

【日】 日 4 해 **일** 날 **일** | 日出(일출). 休日(휴일).

임

【壬】 士 4 아홉째천간 **임** | 壬時(임시). 壬午(임오).

입

【入】 入 2 들 **입** 들일 **입** | 入國(입국). 收入(수입).

자

【姉】 女 8 손위누이 **자** | 姉妹(자매). 姉兄(자형).

【子】 子 3 아들 **자** 첫째지지 **자** | 子女(자녀). 子孫(자손). 甲子(갑자).

【字】 子 6 글자 **자** | 文字(문자). 漢字(한자).

【慈】 心 14 사랑 **자** | 仁慈(인자). 慈愛(자애).

【者】 老 9 사람 **자** 것 **자** | 學者(학자). 前者(전자).

【自】 自 6 스스로 **자** 부터 **자** | 自習(자습). 自己(자기). 自古以來(자고이래).

작

【作】 人 7 지을 **작** 일할 **작** | 作成(작성). 作業(작업).

【昨】 日 9 어제 **작** 예 **작** | 昨年(작년). 昨今(작금).

장

【場】 土 12 마당 **장** | 工場(공장). 市場(시장).

【壯】 士 7 씩씩할 **장** 장할 **장** | 壯夫(장부). 壯觀(장관).

【將】 寸 11 장수 **장** 장차 **장** | 將帥(장수). 將來(장래).

【章】 立 11 글 **장** | 文章(문장). 憲章(헌장).

【長】 長 8 길 **장** | 長短(장단). 長靴(장화).

재

【再】冂 6 두번 재 / 두번할 재 | 再次(재차). 再演(재연).

【在】土 6 있을 재 | 在學(재학). 現在(현재).

【才】手 3 재주 재 / 바탕 재 | 才能(재능). 才質(재질).

【材】木 7 재목 재 / 재주 재 | 材料(재료). 材能(재능).

【財】貝 10 재물 재 | 財物(재물). 財產(재산).

쟁

【爭】爪 8 다툴 쟁 | 競爭(경쟁). 論爭(논쟁).

저

【低】人 7 낮을 저 | 高低(고저). 低溫(저온).

【著】艸 13 나타날 저 | 著名(저명). 著者(저자).

【貯】貝 12 쌓을 저 | 貯金(저금). 貯蓄(저축).

적

【敵】攴 15 원수 적 / 짝 적 | 敵軍(적군). 敵手(적수).

【的】白 8 과녁 적 / 목표 적 | 標的(표적). 目的(목적).

【赤】赤 7 붉은빛 적 | 赤十字(적십자). 赤色(적색).

【適】辵 15 맞을 적 | 適當(적당). 適切(적절).

전

【傳】人 13 전할 전 | 傳達(전달). 傳說(전설).

【全】入 6 온통 전 / 온전할 전 | 全體(전체). 全集(전집). 完全(완전).

【典】八 8 법 전 / 책 전 | 法典(법전). 古典(고전).

【前】刀 9 앞 전 | 前後(전후). 前期(전기).

【展】尸 10 펼 전 | 展開(전개). 展示(전시).

【戰】戈 16 싸움 전 | 戰爭(전쟁). 作戰(작전).

【田】田 5 밭 전 | 田畓(전답). 田園(전원).

【錢】金 16 돈 전 | 金錢(금전). 銅錢(동전).

【電】雨 13 번개 전 / 전기 전 | 電氣(전기). 發電(발전). 電力(전력).

절

【節】竹 15 마디 절 | 關節(관절). 季節(계절). 節約(절약).

【絕】糸 12 끊을 절 / 뛰어날 절 | 斷絕(단절). 絕交(절교).

점

【店】广 8 가게 점 | 賣店(매점). 店鋪(점포). 百貨店(백화점).

접

【接】手 11 이을 접 / 접할 접 | 接續(접속). 面接(면접).

정

【丁】一 2 넷째천간 정 장정 정 | 丁酉(정유). 兵丁(병정).

【井】二 4 우물 정 | 井水(정수). 井田(정전).

【停】人 11 머무를 정 | 停止(정지). 停車(정차).

【定】宀 8 정할 정 | 改定(개정). 決定(결정).

【庭】广 10 뜰 정 가정 정 | 庭園(정원). 家庭(가정).

【情】心 11 뜻 정 사정 정 | 感情(감정). 愛情(애정). 情報(정보).

【政】攴 8 정사 정 | 政府(정부). 政治(정치).

【正】止 5 바를 정 | 正直(정직). 公正(공정).

【淨】水 11 깨끗할 정 깨끗이할 정 | 淨水(정수). 淨化(정화).

【精】米 14 정할 정 | 精讀(정독). 精神(정신).

【貞】貝 9 곧을 정 | 貞淑(정숙). 貞操(정조).

【靜】靑 16 조용할 정 | 靜肅(정숙). 靜寂(정적).

【頂】頁 11 꼭대기 정 | 頂門(정문). 山頂(산정).

제

【帝】巾 9 임금 제 | 皇帝(황제). 帝王(제왕).

【弟】弓 7 아우 제 | 兄弟(형제). 弟子(제자).

【祭】示 11 제사 제 | 祭祀(제사). 祭物(제물).

【第】竹 11 차례 제 | 第一(제일). 落第(낙제).

【製】衣 14 만들 제 | 製作(제작). 製品(제품).

【諸】言 16 모든 제 | 諸君(제군). 諸侯(제후).

【除】阜 10 덜 제 | 除去(제거). 除外(제외).

【題】頁 18 제목 제 | 論題(논제). 題目(제목).

조

【兆】儿 6 조 조 | 億兆(억조).

【助】力 7 도울 조 도움 조 | 救助(구조). 一助(일조).

【早】日 6 새벽 조 이를 조 | 早朝(조조). 早期(조기).

【朝】月 12 아침 조 조정 조 | 朝夕(조석). 朝廷(조정).

【祖】示 10 할아버지 조 선조 조 | 曾祖(증조). 始祖(시조). 祖上(조상).

【調】言 15 고를 조 | 調節(조절). 調和(조화). 調査(조사).

【造】辵 11 지을 조 | 製造(제조). 創造(창조). 改造(개조).

【鳥】鳥 11 새 조 | 鳥獸(조수). 吉鳥(길조).

족

【族】方 11 겨레 족 | 族譜(족보). 民族(민족). 家族(가족).

【足】足 7 발 족 넉넉할 족 | 手足(수족). 足球(족구). 滿足(만족).

존

【存】子 6 있을 존 | 存在(존재). 存續(존속). 生存(생존).

【尊】寸 12 높을 존 | 尊敬(존경). 自尊(자존).

졸

【卒】十 8 군사 졸 마칠 졸 | 卒兵(졸병). 卒業(졸업).

종

【宗】宀 8 마루 종 | 宗家(종가). 宗孫(종손). 宗敎(종교).

【從】彳 11 좇을 종 | 從事(종사). 順從(순종).

【種】禾 14 씨 종 종류 종 | 種子(종자). 種目(종목).

【終】糸 11 끝 종 끝날 종 | 終末(종말). 終禮(종례).

【鐘】金 20 종 종 | 鐘閣(종각). 警鐘(경종).

좌

【坐】土 7 앉을 좌 | 坐視(좌시). 坐禪(좌선). 坐向(좌향).

【左】工 5 왼 좌 | 左右(좌우). 左側(좌측).

죄

【罪】网 13 허물 죄 | 罪過(죄과). 罪人(죄인).

주

【主】丶 5 주인 주 | 主人(주인). 主役(주역).

【住】人 7 머무를 주 | 住民(주민). 住宅(주택). 住居(주거).

【宙】宀 8 하늘 주 | 宇宙(우주).

【晝】日 11 낮 주 | 晝間(주간). 晝夜(주야).

【朱】木 6 붉을 주 | 朱紅(주홍). 朱黃(주황). 印朱(인주).

【注】水 8 물댈 주 | 注入(주입). 注射(주사). 注意(주의).

【走】走 7 달릴 주 달아날 주 | 走力(주력). 競走(경주).

【酒】酉 10 술 주 | 酒量(주량). 酒宴(주연).

죽

【竹】竹 6 대 죽 | 竹杖(죽장). 竹簡(죽간).

중

【中】丨 4 가운데 중 | 中心(중심). 中間(중간). 空中(공중).

【衆】血 12 무리 중 많을 중 | 大衆(대중). 群衆(군중).

【重】里 9 무거울 중 거듭할 중 | 重量(중량). 重要(중요). 重複(중복).

즉

【卽】卩 9 곧 즉 나아갈 즉 | 卽刻(즉각). 卽席(즉석).

증

【增】土 15 더할 **증** | 增加(증가). 增產(증산).

【曾】曰 12 일찍 **증** 거듭 **증** | 未曾有(미증유). 曾孫(증손). 曾祖(증조).

【證】言 19 증명할 **증** 증거 **증** | 證言(증언). 證據(증거).

지

【之】丿 4 갈 **지** 어조사 **지** | 之東之西(지동지서). 人之常情(인지상정).

【只】口 5 다만 **지** | 只今(지금). 但只(단지).

【地】土 6 땅 **지** | 地球(지구). 土地(토지).

【志】心 7 뜻 **지** 뜻할 **지** | 志望(지망). 意志(의지).

【持】手 9 가질 **지** 지닐 **지** | 所持(소지). 持論(지론).

【指】手 9 손가락 **지** 가리킬 **지** | 指紋(지문). 指示(지시).

【支】支 4 가지 **지** 버틸 **지** | 支店(지점). 支持(지지).

【枝】木 8 가지 **지** | 枝葉(지엽). 剪枝(전지).

【止】止 4 그칠 **지** | 止血(지혈). 靜止(정지). 禁止(금지).

【知】矢 8 알 **지** | 知識(지식). 通知(통지).

【紙】糸 10 종이 **지** | 紙面(지면). 表紙(표지). 便紙(편지).

【至】至 6 이를 **지** 지극할 **지** | 至今(지금). 至誠(지성).

직

【直】目 8 곧을 **직** | 直線(직선). 正直(정직).

진

【盡】皿 14 다할 **진** 다 **진** | 盡力(진력). 賣盡(매진).

【眞】目 10 참 **진** | 眞實(진실). 眞理(진리). 寫眞(사진).

【辰】辰 7 다섯째지지 **진** 일월성 **신** | 壬辰(임진). 星辰(성신).

【進】辶 12 나아갈 **진** | 進度(진도). 進級(진급).

질

【質】貝 15 바탕 **질** | 本質(본질). 質量(질량). 質問(질문).

집

【執】土 11 잡을 **집** | 執權(집권). 執行(집행). 固執(고집).

【集】隹 12 모을 **집** | 集合(집합). 詩集(시집).

차

【且】一 5 또 **차** | 重且大(중차대). 苟且(구차).

【借】人 10 빌릴 **차** | 借用(차용). 貸借(대차).

【次】欠 6 버금 **차** 차례 **차** | 次女(차녀). 目次(목차).

【此】止 6 이 차 | 此後(차후). 彼此(피차).

착

【着】羊 12 입을 착 | 着用(착용). 到着(도착).

찰

【察】宀 14 살필 찰 | 警察(경찰). 觀察(관찰).

참

【參】厶 11 참여할 참 석 삼 | 參加(참가). 參與(참여). 參拾(삼십).

창

【唱】口 11 부를 창 | 合唱(합창). 先唱(선창).

【昌】日 8 창성할 창 | 昌盛(창성). 繁昌(번창).

【窓】穴 11 창 창 | 窓口(창구). 窓門(창문). 同窓(동창).

채

【採】手 11 캘 채 가릴 채 | 採鑛(채광). 採擇(채택).

【菜】艸 12 나물 채 | 菜食(채식). 野菜(야채).

책

【冊】冂 5 책 책 | 冊房(책방). 冊床(책상).

【責】貝 11 꾸짖을 책 책임 책 | 責望(책망). 責任(책임).

처

【妻】女 8 아내 처 | 妻子(처자). 妻家(처가).

척

【尺】尸 4 자 척 길이 척 | 曲尺(곡척). 尺度(척도).

천

【千】十 3 일천 천 | 千兩(천냥). 千年(천년).

【天】大 4 하늘 천 | 天性(천성). 天才(천재).

【川】巛 3 내 천 | 川邊(천변). 河川(하천).

【泉】水 9 샘 천 | 溫泉(온천). 甘泉(감천).

【淺】水 11 얕을 천 | 淺薄(천박). 淺學(천학).

철

【鐵】金 21 쇠 철 | 鋼鐵(강철). 電鐵(전철).

청

【晴】日 12 갤 청 | 晴天(청천). 快晴(쾌청).

【淸】水 11 맑을 청 깨끗할 청 | 淸泉(청천). 淸濁(청탁). 淸掃(청소).

【聽】耳 22 들을 청 | 聽覺(청각). 聽取(청취).

【請】言 15 청할 청 | 請求(청구). 要請(요청).

【青】靑 8 푸를 청 | 青春(청춘). 青年(청년).

체

【體】骨 23 몸 체 | 身體(신체). 體力(체력).

초

【初】刀 7 처음 초 | 初級(초급). 初步(초보). 最初(최초).

【招】手 8 부를 초 | 招待(초대). 招請(초청).

【草】艸 10 풀 초, 초할 초 | 草木(초목). 草綠(초록). 草案(초안).

촌

【寸】寸 3 마디 촌 | 尺寸(척촌). 四寸(사촌).

【村】木 7 마을 촌 | 村落(촌락). 農村(농촌).

추

【推】手 11 밀 추 | 推究(추구). 推理(추리).

【秋】禾 9 가을 추 | 秋夕(추석). 秋收(추수).

【追】辵 10 쫓을 추, 좇을 추 | 追加(추가). 追放(추방). 追憶(추억).

축

【丑】一 4 둘째지지 축 | 丑時(축시). 丑方(축방).

【祝】示 10 빌 축 | 祝福(축복). 祝賀(축하).

춘

【春】日 9 봄 춘 | 春季(춘계). 立春(입춘). 青春(청춘).

출

【出】凵 5 날 출, 나갈 출 | 出生(출생). 出席(출석).

충

【充】儿 5 찰 충, 채울 충 | 充滿(충만). 充分(충분).

【忠】心 8 충성할 충, 정성 충 | 忠誠(충성). 忠實(충실). 忠告(충고).

【蟲】虫 18 벌레 충 | 蟲齒(충치). 昆蟲(곤충).

취

【取】又 8 취할 취 | 取捨(취사). 取得(취득). 取材(취재).

【吹】口 7 불 취 | 吹奏(취주). 鼓吹(고취).

【就】尢 12 이룰 취, 나아갈 취 | 成就(성취). 就任(취임).

치

【治】水 8 다스릴 치 | 治安(치안). 治療(치료).

【致】至 10 이를 치 / 보낼 치 | 致死(치사). 送致(송치).

【齒】齒 15 이 치 | 齒牙(치아). 齒科(치과).

칙

【則】刀 9 법칙 칙 / 곧 즉 | 規則(규칙). 法則(법칙). 然則(연즉).

친

【親】見 16 친할 친 / 어버이 친 | 親交(친교). 親近(친근). 母親(모친).

칠

【七】一 2 일곱 칠 | 七旬(칠순). 七夕(칠석).

침

【針】金 10 바늘 침 | 分針(분침). 方針(방침).

쾌

【快】心 7 쾌할 쾌 / 빠를 쾌 | 快樂(쾌락). 快速(쾌속).

타

【他】人 5 남 타 / 다를 타 | 他人(타인). 他鄕(타향). 其他(기타).

【打】手 5 칠 타 | 打擊(타격). 打字(타자). 安打(안타).

탈

【脫】肉 11 벗을 탈 / 벗어날 탈 | 脫衣(탈의). 脫出(탈출).

탐

【探】手 11 찾을 탐 | 探究(탐구). 探險(탐험).

태

【太】大 4 클 태 | 太陽(태양). 太平(태평).

【泰】水 9 클 태 | 泰山(태산). 泰斗(태두).

택

【宅】宀 6 집 택 | 住宅(주택). 宅地(택지).

토

【土】土 3 흙 토 | 土地(토지). 國土(국토).

통

【統】糸 12 거느릴 통 | 統治(통치). 統計(통계). 傳統(전통).

【通】辵 11 통할 통 | 通信(통신). 交通(교통).

퇴

【退】辵 10 물러날 퇴 | 退步(퇴보). 後退(후퇴).

투

【投】手 7 던질 **투** | 投手(투수). 投稿(투고). 投票(투표).

특

【特】牛 10 특별할 **특** | 特別(특별). 特殊(특수). 特色(특색).

파

【波】水 8 물결 **파** | 波濤(파도). 波長(파장). 音波(음파).

【破】石 10 깨뜨릴 **파** | 破壞(파괴). 破片(파편).

판

【判】刀 7 판단할 **판** | 判決(판결). 審判(심판).

팔

【八】八 2 여덟 **팔** 여덟번 **팔** | 八字(팔자). 八道(팔도).

패

【敗】攴 11 패할 **패** | 敗北(패배). 失敗(실패).

【貝】貝 7 조개 **패** | 貝類(패류). 貝殼(패각).

편

【便】人 9 편할 **편** 오줌 **변** | 便利(편리). 小便(소변).

【片】片 4 조각 **편** 한쪽 **편** | 破片(파편). 片道(편도).

【篇】竹 15 책 **편** 편 **편** | 玉篇(옥편). 短篇(단편).

평

【平】干 5 평평할 **평** | 平面(평면). 平等(평등). 平和(평화).

【評】言 12 평할 **평** | 評價(평가). 評論(평론). 好評(호평).

폐

【閉】門 11 닫을 **폐** 막을 **폐** | 閉門(폐문). 閉會(폐회).

포

【布】巾 5 베 **포** 베풀 **포** | 布木(포목). 布告(포고).

【抱】手 8 안을 **포** 가슴 **포** | 抱擁(포옹). 抱負(포부).

폭

【暴】日 15 사나울 **폭** 모질 **포** | 暴風(폭풍). 暴惡(포악).

표

【表】衣 8 겉 **표** 나타낼 **표** | 表面(표면). 表現(표현).

품

【品】口 9 가지 품 / 물건 품 | 品種(품종). 商品(상품). 性品(성품).

풍

【豐】豆 18 풍년들 풍 / 넉넉할 풍 | 豐年(풍년). 豐富(풍부).

【風】風 9 바람 풍 / 습속 풍 | 風雨(풍우). 風俗(풍속). 風景(풍경).

피

【彼】彳 8 저 피 / 그 피 | 彼此(피차). 彼我(피아).

【皮】皮 5 가죽 피 / 껍질 피 | 皮革(피혁). 皮膚(피부).

필

【匹】匸 4 짝 필 | 配匹(배필). 匹敵(필적). 匹夫(필부).

【必】心 5 반드시 필 | 必要(필요). 必死(필사). 必須(필수).

【筆】竹 12 붓 필 / 쓸 필 | 筆記(필기). 筆者(필자).

하

【下】一 3 아래 하 | 下向(하향). 地下(지하).

【何】人 7 어찌 하 / 어느 하 | 何必(하필). 何時(하시).

【夏】夊 10 여름 하 | 夏季(하계). 夏服(하복).

【河】水 8 강 하 | 河川(하천). 河口(하구).

【賀】貝 12 하례할 하 | 賀客(하객). 祝賀(축하).

학

【學】子 16 배울 학 / 학문 학 | 學生(학생). 學校(학교). 學問(학문).

한

【寒】宀 12 찰 한 | 寒冷(한랭). 寒氣(한기).

【恨】心 9 한할 한 | 恨歎(한탄). 怨恨(원한).

【漢】水 14 한수 한 / 한나라 한 | 漢江(한강). 漢字(한자).

【閑】門 12 한가할 한 | 閑散(한산). 閑暇(한가).

【限】阜 9 한정 한 | 限界(한계). 期限(기한). 限度(한도).

【韓】韋 17 나라이름 한 | 韓服(한복). 韓屋(한옥). 韓國人(한국인).

합

【合】口 6 합할 합 / 맞을 합 | 合同(합동). 合理(합리).

항

【恒】心 9 항구 항 | 恒常(항상). 恒久(항구).

해

【亥】亠 6 열두째지지 해 | 乙亥(을해).

【害】宀 10 해칠 해 / 해 해 | 害惡(해악). 損害(손해).

【海】水 10 바다 해 | 東海(동해). 海軍(해군). 海岸(해안).

【解】角 13 풀 해 / 흩어질 해 | 解答(해답). 理解(이해). 解散(해산).

행

【幸】干 8 다행 행 | 幸福(행복). 多幸(다행).

【行】行 6 다닐 행 / 행할 행 | 行進(행진). 行動(행동). 行事(행사).

향

【向】口 6 향할 향 | 向上(향상). 方向(방향).

【鄕】邑 13 마을 향 / 고향 향 | 鄕村(향촌). 鄕愁(향수).

【香】香 9 향기 향 | 香氣(향기). 香水(향수).

허

【虛】虍 12 빌 허 | 虛無(허무). 虛弱(허약).

【許】言 11 허락할 허 | 許可(허가). 許諾(허락).

혁

【革】革 9 가죽 혁 / 고칠 혁 | 革帶(혁대). 改革(개혁).

현

【現】玉 11 나타날 현 / 지금 현 | 現象(현상). 現代(현대).

【賢】貝 15 어질 현 | 賢明(현명). 賢人(현인).

혈

【血】血 6 피 혈 | 血液(혈액). 血統(혈통). 血氣(혈기).

협

【協】十 8 화할 협 | 協同(협동). 協力(협력).

형

【兄】儿 5 형 형 | 兄夫(형부). 兄弟(형제).

【刑】刀 6 형벌 형 | 刑法(형법). 刑罰(형벌).

【形】彡 7 모양 형 | 形式(형식). 形成(형성).

혜

【惠】心 12 은혜 혜 | 恩惠(은혜). 惠澤(혜택).

호

【乎】丿 5 그런가 호 / 어조사 호 | 斷乎(단호). 確乎(확호).

【呼】口 8 숨내쉴 호 / 부를 호 | 呼吸(호흡). 呼名(호명).

【好】女 6 좋을 호 | 好感(호감). 好意(호의).

【戶】戶 4 집 호 | 戶籍(호적). 門戶(문호).

【湖】水 12 호수 호 | 湖水(호수). 湖畔(호반).

【虎】虍 8 범 호 | 虎口(호구). 虎皮(호피).

【號】虍 13 부를 호 | 番號(번호). 信號(신호).

혹

【或】戈 8 혹 혹 / 어떤사람 혹 | 或是(혹시). 或曰(혹왈).

혼

【婚】女 11 혼인할 혼 | 結婚(결혼). 婚姻(혼인).

【混】水 11 섞일 혼 | 混亂(혼란). 混合(혼합).

홍

【紅】糸 9 붉을 홍 | 紅色(홍색). 紅茶(홍차). 紅潮(홍조).

【洪】水 9 큰물 홍 / 클 홍 | 洪水(홍수). 洪恩(홍은).

화

【化】匕 4 화할 화 / 변화 화 | 化學(화학). 文化(문화). 變化(변화).

【和】口 8 온화할 화 | 和氣(화기). 溫和(온화).

【火】火 4 불 화 | 火災(화재). 火藥(화약).

【畫】田 12 그림 화 | 畫家(화가). 畫面(화면).

【花】艸 8 꽃 화 | 花草(화초). 國花(국화).

【華】艸 12 빛날 화 | 華麗(화려). 榮華(영화).

【話】言 13 이야기 화 / 이야기할 화 | 話題(화제). 對話(대화). 電話(전화).

【貨】貝 11 재화 화 | 貨物(화물). 通貨(통화).

환

【患】心 11 근심 환 / 병 환 | 病患(병환). 患者(환자).

【歡】欠 22 기뻐할 환 | 歡心(환심). 歡迎(환영).

활

【活】水 9 살 활 | 活動(활동). 生活(생활).

황

【況】水 8 하물며 황 / 형편 황 | 近況(근황). 狀況(상황).

【皇】白 9 임금 황 | 皇帝(황제).

【黃】黃 12 누를 황 | 黃金(황금). 黃昏(황혼).

회

【回】口 6 돌 회 / 돌아올 회 | 回轉(회전). 回數(횟수).

【會】日 13 모일 회 | 會談(회담). 會議(회의).

효

【孝】子 7 효도 효 | 孝誠(효성). 孝道(효도).

【效】攴 10 본받을 효 / 보람 효 | 效果(효과). 效力(효력).

후

【厚】厂 9 두터울 후 | 厚德(후덕). 厚謝(후사).

【後】彳 9 뒤 후 | 後門(후문). 後進(후진). 後孫(후손).

훈

【訓】言 10 가르칠 훈 | 訓示(훈시). 敎訓(교훈).

휴

【休】人 6 쉴 휴 | 休日(휴일). 休息(휴식).

흉

【凶】凵 4 흉할 흉 / 흉년들 흉 | 凶家(흉가). 凶年(흉년).

【胸】肉 10 가슴 흉 | 胸骨(흉골). 胸中(흉중).

흑

【黑】黑 12 검을 흑 | 黑白(흑백). 暗黑(암흑).

흡

【吸】口 7 마실 흡 | 吸收(흡수). 呼吸(호흡). 吸煙(흡연).

흥

【興】臼 16 일 흥 | 興亡(흥망). 興味(흥미).

희

【喜】口 12 기쁠 희 | 喜悲(희비). 喜色(희색).

【希】巾 7 바랄 희 | 希望(희망). 希求(희구).

세계 각 나라 이름과 수도 이름

〈아시아·오세아니아〉

한글 표기		원 어	
나라 이름	수도 이름	나라 이름	수도 이름
그루지야	트빌리시	Gruziya	Tbilisi
나우루	야렌	Nauru	Yaren
네팔	카트만두	Nepal	Kathmandu
뉴질랜드	웰링턴	New Zealand	Wellington
라오스	비엔티안	Laos	Vientiane
레바논	베이루트	Lebanon	Beirut
마셜 제도	마주로	Marshall	Majuro
말레이시아	쿠알라룸푸르	Malaysia	Kuala Lumpur
몰디브	말레	Maldives	Malé
몽골/몽고	울란바토르	Mongolia	Ulan Bator
미얀마	양곤	Myanmar	Yangon
미크로네시아	팔리키르	Micronesia	Palikir
바누아투	포트빌라	Vanuatu	Port Vila
바레인	마나마	Bahrain	Manama
방글라데시	다카	Bangladesh	Dacca
베트남	하노이	Vietnam	Hanoi
부탄	팀푸	Bhutan	Thimphu
브루나이	반다르스리브가완	Brunei	Bandar Seri Begawan
사우디아라비아	리야드	Saudi Arabia	Riyadh
서사모아	아피아	Western Samoa	Apia
솔로몬 제도	호니아라	Solomon	Honiara
스리랑카	스리자야와르데네푸라	Sri Lanka	Sri Jayawardenepura
시리아	다마스쿠스	Syria	Damascus
싱가포르	싱가포르	Singapore	Singapore
아랍에미리트	아부다비	United Arab Emirates	Abu Dhabi
아르메니아	예레반	Armenia	Erevan
아제르바이잔	바쿠	Azerbaidzhan	Baku
아프가니스탄	카불	Afghanistan	Kabul
예멘	사나	Yemen(Republic of Yemen)	Sanaa

한글 표기		원 어	
나라 이름	수도 이름	나라 이름	수도 이름
오만	무스카트	Oman	Muscat
오스트레일리아	캔버라	Australia	Canberra
요르단	암만	Jordan	Amman
우즈베키스탄	타슈켄트	Uzbekistan	Tashkent
이라크	바그다드	Iraq	Baghdad
이란	테헤란	Iran	Teheran
이스라엘	예루살렘	Israel	Jerusalem
인도	뉴델리	India	New Delhi
인도네시아	자카르타	Indonesia	Jakarta
일본	도쿄	Japan	Tokyo(東京)
중국	베이징	China(People's Republic of China)	Beijing(北京)
카자흐스탄	아스타나	Kazakhstan	Astana
카타르	도하	Qatar	Doha
캄보디아	프놈펜	Cambodia	Pnompenh
쿠웨이트	쿠웨이트	Kuwait	Kuwait
키르기스스탄	비슈케크	Kyrgyzstan	Bishkek
키리바시	타라와	Kiribati	Tarawa
키프로스	니코시아	Kypros	Nicosia
타이	방콕	Thailand	Bangkok
타이완/대만	타이베이	Taiwan(臺灣)	Taipei(臺北)
타지키스탄	두샨베	Tadzhikistan	Dushanbe
터키	앙카라	Turkey	Ankara
통가	누쿠알로파	Tonga	Nukuálofa
투르크메니스탄	아슈하바트	Turkmenistan	Ashkhabad
투발루	푸나푸티	Tuvalu	Funafuti
파키스탄	이슬라마바드	Pakistan	Islamabad
파푸아뉴기니	포트모르즈비	Papua New Guinea	Port Moresby
팔라우	코로르	Palau	Koror
피지	수바	Fiji	Suva
필리핀	마닐라	Philippines	Manila

〈아메리카〉

한글 표기		원 어	
나라 이름	수도 이름	나라 이름	수도 이름
가이아나	조지타운	Guyana	Georgetown
과테말라	과테말라	Guatemala	Guatemala
그레나다	세인트조지스	Grenada	St. George's

한글 표기		원 어	
나라 이름	수도 이름	나라 이름	수도 이름
니카라과	마나과	Nicaragua	Managua
도미니카	로조	Dominica(Commonwealth of Dominica)	Roseau
도미니카 공화국	산토도밍고	Dominica(Dominican Republic)	Santo Domingo
멕시코	멕시코시티	Mexico	Mexico City
미국	워싱턴	United States of America	Washington D.C.
바베이도스	브리지타운	Barbados	Bridgetown
바하마	나소	Bahamas	Nassau
베네수엘라	카라카스	Venezuela	Caracas
벨리즈	벨모판	Belize	Belmopan
볼리비아	라파스	Bolivia	La Paz
브라질	브라질리아	Brazil	Brasília
세인트루시아	캐스트리스	St. Lucia	Castries
세인트빈센트 그레나딘	킹스타운	St. Vincent and the Grenadines	Kingstown
세인트크리스토퍼 네비스	바스테르	St. Christopher and Nevis	Basseterre
수리남	파라마리보	Surinam	Paramaribo
아르헨티나	부에노스아이레스	Argentina	Buenos Aires
아이티	포르토프랭스	Haïti	Port-au-Prince
앤티가 바부다	세인트존스	Antigua and Barbuda	St. John's
에콰도르	키토	Ecuador	Quito
엘살바도르	산살바도르	El Salvador	San Salvador
온두라스	테구시갈파	Honduras	Tegucigalpa
우루과이	몬테비데오	Uruguay	Montevideo
자메이카	킹스턴	Jamaica	Kingston
칠레	산티아고	Chile	Santiago
캐나다	오타와	Canada	Ottawa
코스타리카	산호세	Costa Rica	San José
콜롬비아	보고타	Colombia	Bogota
쿠바	아바나	Cuba	Habana
트리니다드 토바고	포트오브스페인	Trinidad and Tobago	Port of Spain
파나마	파나마	Panama	Panama
파라과이	아순시온	Paraguay	Asunción
페루	리마	Peru	Lima

〈유　　럽〉

한글 표기		원　　어	
나라 이름	수도 이름	나라 이름	수도 이름
그리스	아테네	Greece	Athina
네덜란드	암스테르담	Netherlands	Amsterdam
노르웨이	오슬로	Norway	Oslo
덴마크	코펜하겐	Denmark	Copenhagen
독일	베를린	Deutschland(Federal Republic of Germany)	Berlin
라트비아	리가	Latvia	Riga
러시아	모스크바	Russia(Russian Federation)	Moskva
루마니아	부쿠레슈티	Rumania	Bucureşti
룩셈부르크	룩셈부르크	Luxemburg	Luxemburg
리투아니아	빌뉴스	Lithuania	Vilnius
리히텐슈타인	파두츠	Liechtenstein	Vaduz
마케도니아	스코페	Macedonia	Skopje
모나코	모나코	Monaco	Monaco
몰도바	키시네프	Moldova	Kishinev
몰타	발레타	Malta	Valleta
바티칸	바티칸	Vatican	Vatican
벨기에	브뤼셀	België	Brussel
벨로루시	민스크	Belorus'	Minsk
보스니아 헤르체고비나	사라예보	Bosnia Herzegovina	Sarajevo
불가리아	소피아	Bulgaria	Sofia
산마리노	산마리노	San Marino	San Marino
스웨덴	스톡홀름	Sweden	Stockholm
스위스	베른	Switzerland(Swiss Confederation)	Bern
슬로바키아	브라티슬라바	Slovakia(Slovak Republic)	Bratislava
슬로베니아	류블랴나	Slovenia	Ljubljana
아이슬란드	레이캬비크	Iceland	Reykjavik
아일랜드	더블린	Ireland	Dublin
안도라	안도라라베야	Andorra	Andorra-la-Vella
알바니아	티라나	Albania	Tirana
에스토니아	탈린	Estonia	Tallin
에스파냐/스페인	마드리드	España/Spain	Madrid
영국	런던	United Kingdom of Great Britain and Northern Ireland	London

한글 표기		원어	
나라 이름	수도 이름	나라 이름	수도 이름
오스트리아	빈	Austria	Wien
우크라이나	키예프	Ukraina	Kiev
유고슬라비아	베오그라드	Yugoslavia	Beograd
이탈리아	로마	Italia	Roma
체코	프라하	Czech Republic	Praha
크로아티아	자그레브	Croatia	Zagreb
포르투갈	리스보아	Portugal	Lisboa
폴란드	바르샤바	Poland	Warszawa
프랑스	파리	France	Paris
핀란드	헬싱키	Finland	Helsinki
헝가리	부다페스트	Hungary	Budapest

〈아프리카〉

한글 표기		원어	
나라 이름	수도 이름	나라 이름	수도 이름
가나	아크라	Ghana	Accra
가봉	리브르빌	Gabon	Libreville
감비아	반줄	Gambia	Banjul
기니	코나크리	Guinea	Conakry
기니비사우	비사우	Guinea-Bissau	Bissau
나미비아	빈트후크	Namibia	Windhoek
나이지리아	아부자	Nigeria	Abuja
남아프리카 공화국	프리토리아	South Africa, Republic of	Pretoria
니제르	니아메	Niger	Niamey
라이베리아	몬로비아	Liberia	Monrovia
레소토	마세루	Lesotho	Maseru
르완다	키갈리	Rwanda	Kigali
리비아	트리폴리	Libya	Tripoli
마다가스카르	안타나나리보	Madagascar	Antananarivo
말라위	릴롱궤	Malawi	Lilongwe
말리	바마코	Mali	Bamako
모로코	라바트	Morocco	Rabat
모리셔스	포트루이스	Mauritius	Port Louis
모리타니	누악쇼트	Mauritanie	Nouakchott
모잠비크	마푸토	Mozambique	Maputo

한글 표기		원 어	
나라 이름	수도 이름	나라 이름	수도 이름
베냉	포르토노보	Benin	Porto Novo
보츠와나	가보로네	Botswana	Gaborone
부룬디	부줌부라	Burundi	Bujumbura
부르키나파소	와가두구	Burkina Faso	Ouagadougou
상투메 프린시페	상투메	São Tomé and Principe	São Tomé
세네갈	다카르	Senegal	Dakar
세이셸	빅토리아	Seychelles	Victoria
소말리아	모가디슈	Somalia	Mogadishu
수단	하르툼	Sudan	Khartoum
스와질란드	음바바네	Swaziland	Mbabane
시에라리온	프리타운	Sierra Leone	Freetown
알제리	알제	Algérie	Alger
앙골라	루안다	Angola	Luanda
에리트레아	아스마라	Eritrea	Asmara
에티오피아	아디스아바바	Ethiopia	Addis Ababa
우간다	캄팔라	Uganda	Kampala
이집트	카이로	Egypt	Cairo
잠비아	루사카	Zambia	Lusaka
적도 기니	말라보	Equatorial Guinea	Malabo
중앙아프리카 공화국	방기	Central African Republic	Bangui
지부티	지부티	Djibouti	Djibouti
짐바브웨	하라레	Zimbabwe	Harare
차드	은자메나	Chad	N'Djamena
카메룬	야운데	Cameroon	Yaoundé
카보베르데	프라이아	Cabo Verde	Praia
케냐	나이로비	Kenya	Nairobi
코모로	모로니	Comoros	Moroni
코트디부아르	야무수크로	Côte d'Ivoire	Yamoussoukro
콩고	브라자빌	Congo	Brazzaville
콩고 민주 공화국	킨샤사	Democratic Republic of the Congo	Kinshasa
탄자니아	다르에스살람	Tanzania	Dar es Salaam
토고	로메	Togo	Lomé
튀니지	튀니스	Tunisie	Tunis

문장 부호

구분	이름	부호	쓰임	보기
마침표	온 점 (가로쓰기) / 고 리 점 (세로쓰기)	. / 。	(1) 서술하는 문장 끝에 씀. 다만, 표제어나 표어에는 쓰지 않음 (2) 숫자만으로 연월일을 표시할 때	㉠젊은이는 나라의 기둥이다. ㉠꺼진 불도 다시 보자(표어) ㉠1919. 3. 1.
	물 음 표	?	물을 때나 의심이 날 때	㉠이름이 뭐지? ㉠저 사람은 누구지?
	느 낌 표	!	감탄이나 놀람, 부르짖음, 명령 등 강한 느낌을 나타낼 때	㉠아, 달이 밝구나! ㉠지금 즉시 대답해! ㉠이게 누구야! ㉠춘향아!
쉼표	반 점 (가로쓰기) / 모 점 (세로쓰기)	, / 、	문장 안에서 짧은 휴지를 나타냄 (1) 같은 자격의 어구를 열거할 때 (2) 짝을 지어 구별할 필요가 있을 때 (3) 수의 자릿점을 나타낼 때	㉠근면, 검소, 협동은 우리 겨레의 미덕이다. ㉠계룡산, 내장산, 설악산은 모두 국립공원이다. ㉠닭과 지네, 개와 고양이는 상극이다. ㉠14,314
	가운뎃점	·	(1) 쉼표로 열거된 말이 다시 나누어질 때 (2) 특정한 뜻을 가지는 날을 숫자로 나타낼 때	㉠철수·영이, 영수·순이가 서로 짝이 되어 윷놀이를 하였다. ㉠8·15 광복
	쌍 점	:	(1) 시와 분, 장과 절 따위를 구별할 때나 둘 이상을 대비할 때 (2) 내포되는 종류를 들 때	㉠오전 10 : 20(오전 10시 20분) / 요한 3 : 16(요한복음 3장 16절) ㉠문방사우 : 붓, 먹, 벼루, 종이
따	큰따옴표 (가로쓰기) / 겹 낫 표 (세로쓰기)	" " / 『 』	(1) 글 가운데서 직접 대화를 표시할 때 (2) 남의 말을 그대로 옮겨 쓸 때	㉠"사람은 사회적 동물이다."라고 말한 학자가 있다. ㉠예로부터 "민심은 천심이다."라고 하였다.

옴표	작은 따옴표 (가로쓰기) 낫표 (세로쓰기)	' ' 「 」	(1) 따온 말 안에 또 따온 말이 있을 때 (2) 문장에서 중요한 부분을 두드러지게 하기 위해 드러냄표 대신에 씀	예"여러분! '하늘이 무너져도 솟아날 구멍이 있다.'고 합니다." 예지금 필요한 것은 '지식'이 아니라 '실천'입니다.
묶음표	소괄호	( )	(1) 원어, 연대, 주석, 설명 등을 넣을 때 (2) 기호 또는 기호적인 구실을 하는 문자, 낱말, 구에 씀	예커피(coffee) 예3·1 운동(1919) 당시 나는 중학생이었다. 예(라) 소리에 관한 것
	중괄호	{ }	여러 말을 동등하게 묶어서 보일 때	예국가의 3요소{국토 국민 주권}
	대괄호	〔 〕	(1) 묶음표 안의 말이 바깥 말과 음이 다를 때 (2) 묶음표 안에 또 묶음표가 있을 때	예나이〔年歲〕 예명령에 있어서의 불확실〔단호(斷乎)하지 못함〕은…….
이음표	줄표	—	앞의 말을 설명하거나 정정 또는 변명하는 말이 이어질 때	예어머님께 말했다가 — 아니, 말씀드렸다가 — 꾸중만 들었다.
	붙임표	-	합성어 또는 접사나 어미임을 나타낼 때	예겨울-나그네 예휘-날리다
	물결표	~	(1) '내지'라는 뜻으로 쓰일 때 (2) 어떤 말의 앞뒤에 쓰일 말 대신에 씀	예9월 15일~9월 25일 예새마을 : ~ 운동 / ~ 노래 예-가(家) : 음악~
드러냄표	드러냄표	˙ ˚	글 내용 중에서 중요 부분을 특별히 드러내 보일 때	예한글의 본 이름은 훈민정음이다.
안드러냄표	숨김표	×× ○○	공공연히 쓰기 거북한 말 대신 그 수효만큼 씀	예그 순간 ×××란 말이 목구멍까지 치밀었다.
	빠짐표	□	(1) 글자의 자리를 비워 둠을 나타낼 때 (2) 옛 비문이나 기록에서 글자가 분명하지 않을 때	예훈민정음의 초성 중에서 아음(牙音)은 □□□의 석 자다. 예大師爲法主□□賴之大□薦(옛 비문)
	줄임표	……	(1) 할 말을 줄였을 때 (2) 말이 없음을 나타낼 때	예"어디 나하고 한 번……."하고 철수가 나섰다.